Voir la suite en fin de livre

1933 — Inez Beverly Prosser est la première femme afro-américaine à recevoir un doctorat de psychologie d'une institution américaine (Ph.D., université de Cincinnati).

1935 — Christiana Morgan et Henry Murray introduisent le *Thematic Apperception Test* pour mettre à jour les fantasmes des personnes qui suivent une psychanalyse.

1936 — Egas Moniz, un médecin portugais, publie ses travaux sur la première lobotomie frontale chez l'homme.

1938 — B. F. Skinner publie *The Behavior of Organisms*, portant sur le conditionnement opérant chez l'animal.

Louis L. Thurstone publie *Primary Mental Abilities*, dans lequel il propose sept aptitudes.

Ugo Cerletti et Lucino Bini utilisent les électrochocs sur un patient humain.

1939 — David Wechsler publie le test d'intelligence de Wechsler-Bellevue, précurseur du WISC (*Wechsler Intelligence Scale for Children*) pour les enfants et du WAIS (*Wechsler Adult Intelligence Scale*) pour les adultes.

Mamie Phipps Clark (en photo) obtient son master à l'université de Howard. Son sujet de thèse, « Le développement de la conscience du moi chez les enfants noirs d'âge préscolaire », fut ensuite approfondi avec la collaboration de Kenneth B. Clark. Leurs travaux furent cités à la Cour suprême des États-Unis en 1954 lors de la décision visant à abolir la ségrégation raciale dans les écoles publiques américaines.

Création de la *Canadian Psychological Association*. Edward Alexander Bott en est le fondateur et en devient le premier président en 1940.

La Seconde Guerre mondiale offre l'opportunité aux psychologues de renforcer la popularité et l'influence de la psychologie, particulièrement dans les domaines appliqués.

1943 — Le psychologue Starke Hathaway et le médecin J. Charnley McKinley publient le *Minnesota Multiphasic Personality Inventory* (MMPI).

1945 — Karen Horney, qui critiqua la théorie freudienne sur le développement sexuel de la femme, publie *Our Inner Conflicts*.

1946 — Benjamin Spock publie la première édition de *The Commonsense Book of Baby and Child Care*. Cet ouvrage exerce une influence sur l'éducation des enfants en Amérique du Nord pendant plusieurs décennies.

1948 — Alfred Kinsey et ses collaborateurs publient *Sexual Behavior in the Human Male*. Ils publient ensuite *Sexual Behavior in the Human Female* en 1953.

B.F. Skinner publie *Walden Two*. Ce roman décrit une communauté utopique fondée sur le renforcement positif, incitant à appliquer les principes de la psychologie à la vie de tous les jours, particulièrement dans le cadre de la vie communautaire.

Ernest R. Hilgard publie *Theories of Learning*, dont la lecture a été profitable aux étudiants en psychologie pendant plusieurs générations en Amérique du Nord.

1949 — Raymond B. Cattell publie le *Sixteen Personality Factor Questionnaire* (questionnaire 16PF).

1869 — Francis Galton, cousin de Charles Darwin, publie *Hereditary Genius*, dans lequel il déclare que l'intelligence est héréditaire. En 1876, il invente l'expression « nature et culture » correspondant à « hérédité et environnement ».

1874 — Carl Wernicke, neurologue allemand et psychiatre, montre que la lésion d'une zone spécifique du lobe temporal gauche entrave la capacité à comprendre et à produire un langage parlé ou écrit (aujourd'hui, cette zone est appelée « aire de Wernicke »).

1878 — G. Stanley Hall reçoit du département de philosophie de l'université de Harvard le premier doctorat de psychologie délivré par les États-Unis, basé sur ses recherches en psychologie.

1879 — Wilhelm Wundt ouvre le premier laboratoire de psychologie à l'université de Leipzig (Allemagne), qui devint le haut lieu de la psychologie pour les étudiants du monde entier.

1883 — G. Stanley Hall, un étudiant de Wilhelm Wundt, installe le premier laboratoire de psychologie officiel à l'université Johns Hopkins.

1885 — Hermann Ebbinghaus publie *On Memory*, où il résume ses recherches considérables sur l'apprentissage et la mémoire, y incluant la « courbe de l'oubli ».

1886 — Joseph Jastrow reçoit de l'université Johns Hopkins le premier doctorat en psychologie délivré par un département de psychologie aux États-Unis.

1889 — Alfred Binet et Henri Beaunis établissent le premier laboratoire de psychologie en France à la Sorbonne et le premier congrès international de psychologie est organisé à Paris.

1890 — William James, philosophe et psychologue à l'université de Harvard, publie *The Principles of Psychology* ; il y décrit la psychologie comme étant « la science de la vie mentale ».

1891 — James Mark Baldwin ouvre le premier laboratoire de psychologie du Commonwealth britannique à l'université de Toronto.

1892 — G. Stanley Hall, fer de lance de la fondation de l'*American Psychological Association* (APA), en devient le premier président.

1893 — Mary Whiton Calkins (en photo) et Christine Ladd-Franklin sont les premières femmes élues membres de l'APA.

1894 — Margaret Floy Washburn est la première femme à recevoir un doctorat en psychologie (université de Cornell).

La candidature de Mary Whiton Calkins pour l'obtention du doctorat de l'université d'Harvard est refusée parce qu'elle est une femme. Hugo Münsterberg avait pourtant déclaré qu'elle était la meilleure étudiante qu'il n'avait jamais eue à Harvard.

1896 — John Dewey publie *The Reflex Arc Concept in Psychology*, destiné à aider à la formation du courant de psychologie appelé « fonctionnalisme ».

1898 — Edward L. Thorndike, de l'université de Columbia, publie un article intitulé « L'intelligence animale » dans lequel il décrit ses expériences de l'apprentissage chez des chats qu'il place dans des « boîtes à problèmes ». En 1905, il proposa la « loi de l'effet ».

1900 — Sigmund Freud publie *L'interprétation des rêves*, qui constitue son travail théorique principal en psychanalyse.

PSYCHOLOGIE

Onzième édition

DAVID G. MYERS

Hope College
Holland, Michigan

C. NATHAN DEWALL

Université du Kentucky
Lexington, Kentucky

Lavoisier
Médecine
SCIENCES
editions.lavoisier.fr

Chez le même éditeur

Traumatismes et blessures psychiques, par P. Clervoy
Psychopharmacologie essentielle. Bases neuroscientifiques et applications pratiques, par S. M. Stahl
Psychopharmacologie essentielle. Le guide du prescripteur, par S. M. Stahl
Les troubles anxieux, par J.-Ph. Boulenger et J.-P. Lépine
Les troubles bipolaires, par M.-L. Bourgeois, C. Gay, C. Henry et M. Masson
Les personnalités pathologiques, par J.-D. Guelfi et P. Hardy
Les thymorégulateurs, par H. Verdoux
Les antipsychotiques, par P. Thomas
Les antidépresseurs, par E. Corruble
L'autisme : de l'enfance à l'âge adulte, par C. Barthélémy et F. Bonnet-Brilhault
Pathologies schizophréniques, par J. Dalery, Th. D'Amato et M. Saoud
Les états dépressifs, par M. Goudemand
Suicides et tentatives de suicide, par Ph. Courtet
Psychiatrie de la personne âgée, par J.-P. Clément
Le livre de l'interne – Psychiatrie, par J.-P. Olier, E. Duaux et T. Gallarda

Traduction française :

Onzième édition **Joseph Benyaya**, traducteur scientifique
Dixième, neuvième et huitième éditions : **Florence Le Sueur-Almosni**, traductrice scientifique

Édition : Emmanuel Leclerc, Brigitte Peyrot
Couverture : Isabelle Gocnèche
Composition : Nord-Compo, Villeneuve-d'Ascq

© 2016, Lavoisier, Paris

ISBN : 978-2-257-20665-7

À Danielle Baker, pour célébrer votre
arrivée dans notre famille

À Charles K. DeWall,
éducateur infatigable, père délicieux et artiste
accompli

À PROPOS DES AUTEURS

Espoir College Relations publiques

David Myers a obtenu son doctorat en psychologie à l'Université de l'Iowa. Sa carrière s'est déroulée au Hope College dans le Michigan, où il a enseigné et donné des cours d'introduction à la psychologie à de très nombreuses promotions. Les étudiants du Hope College l'ont invité à prononcer la leçon inaugurale et le qualifient de « professeur exceptionnel. »

Ses recherches et ses écrits ont été reconnus par le Prix « Gordon Allport Intergroup Relations », et ont reçu, en 2010, le prix « Honored Scientist » décerné par la Federation of Associations in Behavioral & Brain Sciences, et une récompense pour « Service on Behalf of Personality and Social Psychology ». Il a été honoré d'une citation de la Division 2 de l'APA, en 2013, et a reçu trois fois le titre de Docteur Honoris Causa.

Avec le soutien de la National Science Foundation, les travaux de D. Myers ont été publiés dans plus de trente journaux scientifiques, parmi lesquels *Science, American Scientist, Psychological Science,* et *American Psychologist*. À côté des publications scientifiques et de la rédaction de manuels d'introduction à la psychologie et à la pychosociologie, il mène un travail de vulgarisation de la psychologie. Ses écrits ont été publiés dans plus de 50 revues, allant de *Today's Education* à *Scientific American*. Il a également écrit cinq livres pour le grand public, dont *The Pursuit of Happiness* et *Intuition: Its Powers and Perils*.

David Myers a présidé la Commission des relations humaines de sa ville, a aidé à fonder un centre d'assistance aux familles dans la pauvreté, et est intervenu dans des centaines d'écoles et auprès de nombreux groupes communautaires. Fort de son expérience, il a également écrit des articles et un livre (*A Quiet World*) à propos de la perte de l'audition ; il préconise une transformation de la technologie américaine d'assistance pour les malentendants (voir www.hearingloop.org). Pour son rôle il a reçu en 2011 un Presidential Award de l'Académie américaine d'audiologie, et en 2012 le Walter T. Ridder Award de l'Association américaine de perte auditive.

Il se rend à son travail à bicyclette, toute l'année et joue au basket-ball régulièrement. David et Carol Myers ont élevé deux fils et une fille, et ont une petite-fille.

Brian Connors Manke

Nathan DeWall est professeur de psychologie et directeur du Laboratoire de psychologie sociale à l'Université du Kentucky. Il a obtenu sa licence au St. Olaf College, sa maîtrise en sciences sociales à l'Université de Chicago, et son doctorat en psychologie sociale à l'Université d'État de Floride. Nathan DeWall a reçu en 2011 le « College of Arts and Sciences Outstanding Teaching Award » qui récompense l'excellente qualité de l'enseignement donné dans le premier cycle et les cycles supérieurs. En 2011, l'Association for Psychological Science a reconnu N. DeWall comme une « étoile montante » pour « sa contribution importante au domaine de la science psychologique. »

N. DeWall mène des recherches sur les relations humaines, la maîtrise de soi, et l'agressivité. Grâce au financement du National Institutes of Health et la National Science Foundation, il a publié plus de 140 articles scientifiques et chapitres de livres. Les travaux de recherche de N. DeWall ont été couronnés par de nombreux prix : le SAGE Young Scholars Award de la Foundation for Personality and Social Psychology, le Young Investigator Award de l'International Society for Research on Aggression, et le Early Career Award de l'International Society for Self and Identity. Ses travaux de recherche ont été relayés par de nombreux médias, notamment *Good Morning America*, *Wall Street Journal*, *Newsweek*, *Atlantic Monthly*, *New York Times*, *Los Angeles Times*, *Harvard Business Review*, *USA Today*, et National Public Radio. N. DeWall tient un blog pour *Psychology Today*. Il a donné des conférences à l'échelle nationale et internationale, y compris à Hong Kong, en Chine, aux Pays-Bas, en Angleterre, en Grèce, en Hongrie, en Suède et en Australie.

Nathan est marié à Alice DeWall. Il aime jouer avec ses deux golden retrievers, Finnegan et Atticus. Il occupe ses loisirs en écrivant des romans, en regardant le sport et en pratiquant de façon intensive la course à pied : en 2014 deux ultra-marathons de 50 km, un ultra-marathon de 60 km, une course de 75 miles à travers le désert de Mojave, et trois ultra-marathons de 100 miles.

SOMMAIRE ABRÉGÉ

SOMMAIRE

CHAPITRE **6**

CHAPITRE **7**

CHAPITRE **8**

CHAPITRE 12

ÉMOTIONS, STRESS ET SANTÉ   459

CHAPITRE 13

PSYCHOLOGIE SOCIALE   517

CHAPITRE 14

LA PERSONNALITÉ   571

PRÉFACE

l y a trente-deux ans, Worth Publishers m'ont invité (David Myers, DM) à écrire ce livre. Depuis, beaucoup de choses ont changé, dans le monde, en psychologie, et dans les domaines explorés par ce livre à travers ses onze éditions. Avec cette édition, je continue en tant qu'auteur principal, tout en commençant, et ce progressivement depuis dix ans, à accueillir un auteur qui me succédera, Nathan DeWall, qui est enseignant, chercheur et écrivain.

Au cours de ces trois décennies qui ont vu vivre cet ouvrage, *Psychologie*, je n'ai eu de cesse *de conjuguer la rigueur de la science sur le mode humain, considérant les aspects somatiques et psychiques*. Notre objectif est de proposer une introduction à cette science qu'est la psychologie, qui soit à la pointe du progrès et qui réponde aux besoins des étudiants tout en éveillant leur intérêt. Nous souhaitons les aider à comprendre et à apprécier les merveilles de leur vie quotidienne. Nous cherchons à leur transmettre cet esprit curieux qui permet à un psychologue de *faire* de la psychologie.

La psychologie et ses applications dans notre vie quotidienne nous passionnent réellement. La science de la psychologie a le pouvoir d'élargir notre esprit et d'accroître notre cœur. En étudiant et en appliquant ses outils, ses idées, ses découvertes, nous pouvons améliorer nos intuitions par notre réflexion critique, réfréner nos jugements trop catégoriques par une plus grande compassion et remplacer nos illusions par une meilleure connaissance. Lorsque vous aurez terminé ce tour d'horizon de la psychologie, vous aurez, j'espère, approfondi vos connaissances sur l'humeur et la mémoire, l'atteinte de l'inconscient, les moyens de s'épanouir ou de lutter, la manière dont nous percevons notre monde physique et social et la façon dont nous pouvons être façonnés par notre biologie et notre culture. (Voir les **TABLEAUX 1** et **2**.)

Ayant à l'esprit la pensée de Thoreau, selon laquelle « tout ce qui vit peut être exprimé aisément et naturellement à l'aide d'un langage simple », nous cherchons à transmettre le savoir de

▼ TABLEAU 1
Psychologie évolutionniste et génétique comportementale

La **conception évolutionniste** de la psychologie, traitée au Chapitre 4, est également traitée dans les pages suivantes :		En plus de de la conception évolutionniste de la psychologie traitée au Chapitre 4, la **génétique des comportements** est aussi traitée dans les pages suivantes :	
Adaptation perceptive, p. 254–255	Intelligence, p. 386, 393, 409–413	Abus, transmission intergénérationnelle de, p. 311	Plasticité cérébrale, p. 81–82
Adaptation sensorielle, p. 234–235	Langue, p. 370–371, 373–375	Adaptabilité, p. 74	Privation d'attachement, p. 199–201
Amour, p. 220–221	Maths et capacité spatiale, p. 410	Agressivité, p. 545–550	Pulsions et incitations, p. 420–421
Audition, p. 256	Ménopause, p. 214	transmission intergénérationnelle de, p. 311	Sexualité, p. 433–434
Besoin d'appartenance, p. 448	Obésité, p. 430	Amour romantique, p. 220	Stress, personnalité, maladie, p. 496–499
Conception évolutionniste, définition, p. 9–10	Odorat, p. 266–267	Apprentissage, p. 300–303	bienfaits de l'exercice physique, p. 507–509
Conscience, p. 92	Orientation sexuelle, p. 443–446	Bonheur, p. 479–481, 483–486	Styles parentaux, p. 202
Darwin, Charles, p. 6, 144–146	Peur, p. 362–363	Concepts génétiques du comportement, p. 10	Syndrome de déficience du système de la récompense, p. 73
Dépression et luminothérapie, p. 678	Prédispositions biologiques :	Continuité et stades, p. 178	Traits de personnalité, p. 587–594
Détection des caractéristiques, p. 244–245	dans l'apprentissage, p. 300–306	Dépendance aux drogues, p. 128	Traits, p. 394, 409
Émotion, effet des expressions faciales et, p. 474	dans le conditionnement opérant, p. 303–306	Développement moteur, p. 185	Trouble du spectre de l'autisme, p. 192–195
Excès de confiance, p. 360–361	Préférences d'accouplement, p. 148–149	Développement, p. 181–182	Troubles des conduites alimentaires, p. 652
Exercice, p. 507–508	Puberté, âge d'apparition, p. 204	Épigénétique, p. 182, 612, 634, 644	Troubles psychologiques et :
Expression des émotions, p. 472–473	Sensation, p. 230	Evolution des stades du sommeil au cours d'une nuit, tracés EEG de sommeil, p. 104	approche biopsychosociale, p. 612–613
Faim et appétence, p. 428	Sexualité, p. 147–150, 433	Faim et appétence, p. 428–429	comportement violent, p. 616
Goût, p. 266	Sommeil, p. 105	Intelligence :	dépression, p. 628, 631–634
Instincts, p. 420	Tronc cérébral, p. 69–70	influences de la génétique et de l'environnement sur l'intelligence, p. 405–415	schizophrénie, p. 641–645
	Troubles anxieux, p. 626–627	syndrome de Down, trisomie, p. 403	TDAH, p. 615
	Vieillissement, p. 215	Nature et culture, p. 6	troubles anxieux, p. 625–627
		jumeaux, p. 7	troubles bipolaires de l'humeur et troubles dépressifs, p. 631–634
		Obésité et contrôle du poids, p. 430–432	troubles de la personnalité, p. 649–651
		Odorat, p. 266–268	trouble de stress post-traumatique, p. 623–627
		Orientation sexuelle, p. 443–446	Troubles sexuels, p. 435–436
		Perception de profondeur, p. 249	Usage de drogues, p. 127–128
		Perception, p. 254–255	Versant biologique, p. 52–53
		Personnalité, p. xxxv	

▼ TABLEAU 2
Neuroscience

En complément de la conception biologique du chapitre 2, les données des **neurosciences** seront retrouvées dans les pages suivantes :

Agressivité, p. 545–546

Anomalies cérébrales et syndrome d'alcoolisation fœtale, p. 182

Apprentissage par observation et imagerie cérébrale, p. 306

Approche biopsychosociale, p. 9

  agressivité, p. 547

  apprentissage, p. 300–305

  changement de mode de vie thérapeutique, p. 688–689

  démence et maladie d'Alzheimer, p. 218–219, 333

  développement, p. 170–172

  douleur, p. 262–263

  émotion, p. 204–205, 331–332, 461–467, 470–471

  personnalité, p. 594–596

  rêves, p. 112–116

  sommeil, p. 100–105

  troubles psychologiques, p. 612

  vieillissement, p. 224, 339

  usage de drogues, p. 128–129

« Biofeedback », rétrocontrôle p. 509

Conception neuroscientifique, définition, p. 9–10

Dépendance aux drogues, p. 128–129

Développement du cerveau :

  adolescence, p. 204–205

  différenciation sexuelle in utero, p. 165

  expérience et, p. 152–153

  petite enfance et enfance, p. 184–185

Douleur, p. 261–263

  douleur du membre fantôme, p. 262

  réalité virtuelle, p. 264

  vécue et imaginée, p. 309

Émotion et cognition, p. 460–464

Esprit non-conscient, p. 580–581

État stimulé optimal : mécanismes sous-corticaux du système de récompenses, p. 421–422

Éveil, état stimulé, p. 437–438

Faim, p. 424–427

Hallucinations, p. 124–126

  et expériences de mort imminente p. 124

  et schizophrénie, p. 640, 642

  et sommeil, p. 102

Hormones et :

  abus, p. 200–201

  appétit, p. 426–427

  comportement sexuel, p. 433–434

  contrôle du poids, p. 426–427

  développement, p. 165

    chez les adolescents, p. 140–141, 167, 205–205

    des caractéristiques sexuelles, p. 167, 204–205

  émotion, p. 464–465

  genre, p. 165–167

  sexe, p. 165–167, 433–434

  stress, p. 464–465, 491–494, 506

Intelligence, p. 386–388

  créativité, p. 365–367

  jumeaux, p. 406–407

Introspection, p. 357–358

Langage animal, p. 367–368

Langage, p. 370, 376–377

  et pensée en images, p. 381–382

  et surdité, p. 374–376

Luminothérapie et tomographie cérébrale, p. 678

Méditation, p. 509–511

Mémoire :

  et modifications synaptiques, p. 332–333

et sommeil, p. 106

  souvenirs émotionnels, p. 331–332

  souvenirs explicites, p. 329–330

  souvenirs implicites, p. 330

  stockage des traces mnésiques p. 328–333

Neurones miroirs, p. 307–309

Neurosciences cognitives, p. 5, 93

Neurotransmetteurs, neuromédiateurs et :

  dépression, p. 633–634, 683–684

  exercice, p. 509

  maltraitance des enfants, mauvais traitements à enfants, p. 200

  médicaments, p. 119, 122–123

  narcolepsie, p. 110–111

  thérapie biomédicale :

    dépression, p. 633–634

    ECT, p. 685–686

    schizophrénie, p. 642, 682

  thérapie cognitivo-comportementale trouble obsessionnel compulsif, p. 669–670

  troubles anxieux, p. 626, 682–683

  schizophrénie, p. 642–645

Odeurs et émotions, p. 268–269

Organisation des perceptions, p. 247–250

Orgasme, p. 435, 438

Orientation sexuelle, p. 443–445

Perception :

  détection des caractéristiques, p. 244–245

  lésions cérébrales et, p. 246

  traitement de l'information visuelle, p. 241–246

  transduction, p. 230

  vision en couleur, p. 243–244

Personnalité et imagerie cérébrale, p. 587

Peur apprise, p. 626

Préjugé automatique : amygdale, p. 539–540

Psychochirurgie : lobotomie, p. 687–688

Schizophrénie et anomalies cérébrales, p. 642–645

Sensation :

  adaptation sensorielle, p. 234–235

  goût, p. 266

  odorat, p. 266–268

  ouïe, p. 256–259

  position du corps et mouvement, p. 269

  surdités, p. 257–259

  toucher, p. 261

  vision, p. 239–255

Sommeil :

  développement cognitif et, p. 114–115

  mémoire et, p. 106

  récupération au cours, p. 105

Thérapeutique par stimulation cérébrale, p. 685–687

Traitement à double voie, p. 93–94

Traitement parallèle vs. traitement en série, p. 246–247

Trouble de la personnalité antisociale, p. 649–651

Trouble déficit de l'attention/hyperactivité (TDAH) et cerveau, p. 615

Trouble du spectre de l'autisme, p. 192–195

Trouble de stress post-traumatique (TSPT) et système limbique, p. 623–624

Vieillissement : exercice physique et cerveau, p. 216

---

la psychologie en utilisant le style narratif précis et vivant du conte et des histoires marquantes. Nous tenons à transmettre l'histoire de la psychologie de manière chaleureuse et personnelle tout en restant rigoureusement scientifique. Nous aimons beaucoup réfléchir aux rapports entre la psychologie et d'autres domaines tels que la littérature, la philosophie, l'histoire, le sport, la religion, la politique et la culture populaire. Nous aimons aussi tout ce qui suscite la réflexion, jouer avec les mots, et rire. Avec ses *Principles of Psychology* de 1890, pionniers en la matière, Willams James rechercha « humour et pathos ». Nous aussi.

Nous éprouvons un sentiment de gratitude envers le privilège de pouvoir enseigner cette discipline d'ouverture d'esprit à tous ces étudiants, dans tous ces pays, à l'aide de tant de langues différentes. Être chargé de percevoir les connaissances de la psychologie et de les communiquer, c'est à la fois un grand honneur et une grande responsabilité.

La création de cet ouvrage est un travail d'équipe. Comme de nombreux accomplissements humains, il reflète une intelligence collective. Woodrow Wilson le dit à notre place : « Je n'ai pas seulement utilisé tous les cerveaux que je possède, mais tous ceux que j'ai pu emprunter. » Les milliers de professeurs et les millions d'étudiants dans le monde entier qui ont lu cet ouvrage ont apporté une contribution inestimable à son développement. Dans la plupart des cas, cela s'est fait spontanément par le biais de conversations ou de correspondances. Nous sommes demandeurs de retours continus car nous nous efforçons à chaque nouvelle édition d'améliorer cet ouvrage ainsi que les supports pédagogiques qui l'accompagnent.

Un nouveau coauteur

Pour cette nouvelle édition, je [DM] salue mon nouveau coauteur, le Pr Nathan DeWall de l'Université du Kentucky. (Pour plus d'informations et des vidéos qui présentent Nathan DeWall et notre collaboration, voir www.macmillanhighered.com/dewallvideos.) Nathan est non seulement l'une des « étoiles montantes » de la psychologie (comme l'a dit, à juste titre, l'Association for Psychological Science en 2011), mais aussi un enseignant lauréat de nombreux prix qui partage ma passion pour l'écriture et pour la transmission, par ce moyen, des connaissances en psychologie. Bien que je sois toujours le principal auteur, les conceptions nouvelles de Nathan ont déjà contribué à enrichir le texte de cette onzième édition, en prenant en charge la révision des Chapitres 4, 12, 14, et 15. Ces chapitres révisés portent mon empreinte comme les autres portent la sienne. Le soutien précieux de nos éditeurs a contribué à l'aboutissement de cette nouvelle édition, qui fut un travail d'équipe. En plus de notre travail de collaboration pour la rédaction de ce manuel, Nathan et moi partageons le plaisir de rédiger la rubrique mensuelle traitant de l'enseignement de la psychologie « Teaching Current Directions in Psychological Science » dans la revue *APS Observer*, et nous animons un blog www.talkpsych.com, où nous faisons part des nouvelles découvertes passionnantes, et des applications pratiques de la psychologie et de toutes les réflexions que nous pouvons mener sur cette science.

www.TalkPsych.com

Qu'est-ce qui caractérise cette nouvelle édition ?

La onzième édition est celle qui a été jusqu'à présent la plus scrupuleusement retravaillée et la plus réactualisée. Son organisation générale et sa présentation ont été améliorées, en particulier notre système d'aide à l'apprentissage et à la mémorisation destiné aux étudiants.

Un système d'étude plus large a été construit selon les meilleurs principes issus des recherches sur l'apprentissage et la mémoire

Ce système d'apprentissage amélioré exploite *l'effet de l'évaluation, l'effet re-test* qui met en lumière les avantages du rappel actif de l'information par des autoévaluations (**FIGURE 1**). Ainsi chaque chapitre offre maintenant 15 à 20 nouvelles questions intitulées « Exercice récapitulatif » réparties dans l'ensemble du texte. En créant ces *difficultés souhaitables* pour les étudiants tout au long de l'ouvrage, nous avons optimisé l'effet d'évaluation tout comme les *retours immédiats* donnés par les réponses écrites, à l'envers, figurant sous chaque question.

De plus chaque partie du chapitre débute par une question numérotée qui énonce des *objectifs d'apprentissage* et dirige la lecture de l'étudiant. Une *Revue générale* suit chaque chapitre, permettant aux étudiants de réviser ce qu'ils viennent d'apprendre. La revue propose une autoévaluation à travers des questions clés portant sur les connaissances indispensables à posséder. Les réponses se trouvent dans l'annexe D et des renvois didactiques se trouvent dans l'annexe C. Les définitions importantes se trouvent dans le glossaire. À la fin de chaque chapitre, une nouvelle rubrique *Évaluez-vous* comporte des questions posées de diverses façons favorisant une rétention optimale des informations.

La bibliographie comporte plus de 1 200 nouvelles références

Notre lecture scrupuleuse et régulière de dizaines de périodiques scientifiques et de nouvelles sources scientifiques, auxquels s'ajoutent des révisions dirigées et un nombre incalculable d'e-mails envoyés par des professeurs et des étudiants, nous ont permis d'intégrer les nouvelles découvertes dans les domaines de la psychologie qui nous ont semblé les plus importantes, les plus pertinentes, et les plus à même d'inciter les étudiants à la réflexion. Une partie du plaisir associé à ce travail est qu'il permet d'apprendre chaque jour quelque chose de nouveau !

▼ FIGURE 1
Comment apprendre et retenir
Pour un guide animé de 5 minutes sur l'étude efficace, visiter www.tinyurl.com/HowToRemember.

Des chapitres réorganisés

En plus des nouveaux supports pédagogiques et de la mise à jours des différents thèmes, nous avons modifié l'organisation des chapitres suivants :

- Le prologue, Histoire de la psychologie, est mieux organisé et met davantage l'accent sur les approches modernes, y compris la psychologie transculturelle et le genre, et traite aussi de la psychologie positive (voir aussi **TABLEAU 3**).

- Le chapitre 1, Penser de manière critique grâce à la psychologie scientifique, met désormais davantage l'accent sur l'éthique de la recherche en psychologie.

- L'hypnose est maintenant traitée à propos de la douleur, dans le chapitre 6 Sensation et perception.

- Le chapitre 11 a été réintitulé : Ce qui motive nos conduites : la faim, la sexualité, l'amitié et l'accomplissement de soi. Psychologie et monde du travail fait dorénavant l'objet de l'annexe A.

- Le chapitre sur la Psychologie sociale fait maintenant suite au chapitre traitant de la Personnalité.

Qu'est-ce qui n'a pas changé ?

Les huit principes qui fondent notre conception de la pédagogie

Malgré tous les changements importants, cette nouvelle édition garde le ton des précédentes ainsi qu'une grande partie de leur contenu et de leur organisation. Elle conserve aussi les objectifs, ou principes directifs, qui ont animé les dix précédentes éditions :

Faciliter l'apprentissage

1. **Enseigner la pensée critique** En présentant la recherche comme un travail intellectuel de détective, nous illustrons une disposition d'esprit qui se veut curieuse, analytique. Que les élèves étudient le développement, la cognition ou le comportement social, ils se sentiront vite concernés par la réflexion critique et en verront les bienfaits. De plus, ils découvriront combien une approche empirique peut les aider à se faire une opinion sur les idées et les déclarations contradictoires à propos de phénomènes hautement médiatisés (allant de la perception extrasensorielle, aux médecines douces, la variabilité de l'intelligence en fonction du groupe d'appartenance, et les processus de refoulement et de récupération des souvenirs).

2. **Mettre en relation les principes et leurs applications** Tout au long de l'ouvrage (aux moyens d'anecdotes, de présentations de cas ou d'expositions de situations hypothétiques), nous mettons en relation les découvertes de la recherche fondamentale et leurs applications et implications. Là où la psychologie peut faire la lumière sur des problématiques humaines qu'il est urgent de traiter (que ce soit le racisme, le sexisme, la santé et le bonheur ou la violence et la guerre), nous n'hésitons pas à nous servir de son éclairage.

3. **Renforcer l'apprentissage à chaque étape** Les exemples tirés du quotidien et les questions rhétoriques encouragent les étudiants à traiter les documents de manière active. Les concepts introduits précédemment sont fréquemment mis en application et sont, par conséquent, renforcés. Par exemple, au chapitre 1, les étudiants apprennent qu'une grande partie du traitement de l'information se passe en dehors de notre perception consciente. Les chapitres suivants renforcent ce concept. Les objectifs d'apprentissage sous forme de questions numérotées au début de chaque partie principale, les tests « Exercice récapitulatif » répartis dans chaque chapitre, les définitions en marge et la liste des concepts clés en fin de chapitre aident les étudiants à maîtriser les concepts et les termes importants et à les retenir.

Démontrer que la psychologie est une science

4. **Illustrer le processus d'enquête** Nous nous efforçons de ne pas montrer seulement aux étudiants le résultat des recherches, mais comment ces dernières se déroulent. Le livre tente, d'un

▼ TABLEAU 3
La psychologie positive

Les chapitres suivants abordent des sujets de la **psychologie positive** :

Sujet	Chapitre
Altruisme/Compassion	5, 10, 13, 14, 16
Amour	4, 5, 11, 12, 13, 14, 16
Autodiscipline	11, 12, 14
Autoefficacité	12, 14
Bonheur/Vie/Satisfaction	5, 11, 12
Contrôle personnel	12
Coping	12
Courage	13
Créativité	9, 10, 14
Empathie	5, 7, 12, 13, 16
Estime de soi	5, 11, 14
Flux	Annexe A
Humilité	1
Humour	12, 13
Intelligence émotionnelle	10, 13
Justice	13
Leadership	13, 14, Annexe A
Moralité	5
Optimisme	12, 14
Reconnaissance	12, 13
Résilience	5, 12, 13, 16
Sagesse	3, 5, 9, 13, 14
Spiritualité	12, 13
Ténacité (combativité)	10, 11

bout à l'autre, de susciter la curiosité du lecteur. Les lecteurs sont invités à s'imaginer participant aux expérimentations classiques. Plusieurs chapitres parlent des travaux de recherche comme de mystères qui livreraient progressivement leurs secrets, les indices se mettant en place un par un.

5. **Être au fait des nouvelles conceptions et des nouveaux résultats de la recherche** Peu de choses refroidissent aussi rapidement l'intérêt des étudiants que le sentiment de lire des informations périmées. Tout en conservant les concepts et les connaissances classiques de la psychologie, nous présentons aussi les développements les plus récents de cette discipline. Dans cette édition, 867 références se rapportent à des travaux publiés entre 2012-2014. De même, les nouvelles photographies et les exemples quotidiens sont tirés du monde dans lequel nous vivons.

6. **Mettre les faits au service des concepts** Notre intention n'est pas de remplir le tiroir où sont rangés les dossiers intellectuels des étudiants, avec des faits, mais de mettre à jour les concepts majeurs de la psychologie. Nous tenterons ainsi d'enseigner aux étudiants comment réfléchir à une question, et de leur soumettre des concepts psychologiques qui méritent vraiment que l'on s'y attarde. Dans chaque chapitre, nous mettons l'accent sur ces concepts en espérant que les étudiants les fassent leur et ne les oublient pas après la fin du cours. Nous nous efforçons toujours de mettre en application la maxime d'Albert Einstein qui dit que « tout peut être fait aussi simplement que possible, mais pas de manière simpliste ». Les questions « Exercice récapitulatif » réparties tout au long de chaque chapitre aident les étudiants à apprendre et à retenir les concepts essentiels.

Favoriser les grandes idées et élargir les horizons

7. **Améliorer la compréhension par l'unité et la continuité du style et de la pensée** La plupart des chapitres traitent de sujets spécifiques, de thèmes qui unissent les sous-thèmes, formant un fil conducteur de la réflexion. Le chapitre sur l'apprentissage veut faire admettre l'idée que les penseurs aux idées hardies sont des pionniers dans le domaine intellectuel. Le chapitre sur la pensée et le langage soulève le problème de la rationalité et de l'irrationalité humaine. Le chapitre sur les troubles psychologiques manifeste de l'empathie et de la compréhension pour ces vies tourmentées. D'autres fils conducteurs traversent ce livre, tels que les neurosciences cognitives, le traitement dualiste de l'information, la diversité culturelle et la diversité des genres. Les étudiants entendront une voix cohérente.

8. **Communiquer le respect pour la diversité dans l'unité du genre humain** Tout au long de ce livre, les lecteurs trouveront des preuves de l'unité du genre humain et du fonds commun de l'humanité : notre héritage biologique commun, les mécanismes d'observation et d'apprentissage que nous avons en commun, les phénomènes de faim et les sentiments, l'amour et la haine. Ils comprendront mieux aussi les dimensions de notre diversité (notre diversité individuelle qui porte sur l'évolution, les aptitudes, les tempéraments et les personnalités, la vulnérabilité aux maladies, et la santé) ; et notre diversité culturelle dans les attitudes et les manières de s'exprimer, l'éducation des enfants, l'attention portée aux personnes âgées, et les priorités de la vie.

Les questions portant sur la diversité culturelle et sexuelle sont traitées avec plus de précision

Le débat sur la pertinence de la diversité culturelle et sexuelle commence à la première page et se poursuit tout au long du livre.

Cette édition présente une approche transculturelle encore plus approfondie de la psychologie (**TABLEAU 4**) se reflétant par les résultats des recherches, les exemples du texte et les photographies. La psychologie transculturelle et la psychologie différentielle des genres sont traitées de façon plus importante et repérées dans le prologue. Le chapitre 4 est particulièrement consacré à ces questions : Nature, culture et diversité humaine. Le **TABLEAU 5** indique les paragraphes de l'ensemble du livre qui font référence à ces notions. De plus, nous avons travaillé pour proposer une approche de la psychologie qui s'affranchisse des frontières et soit adaptée à nos étudiants qui viennent du monde entier. C'est pourquoi, nous recherchons, aux quatre coins du monde des résultats de travaux de recherches, des textes, des photographies, des exemples, sachant que nos

▼ TABLEAU 4
Culture et expérience multiculturelle

Les expériences culturelles et multiculturelles sont évoquées dans les pages suivantes :

Agressivité, p. 546–550

  et jeux vidéo, p. 312–313, 549

Apaisement :

  conciliation, p. 567

  contact, p. 564–565

  coopération, p. 565–566

Apprentissage par observation : télévision et agressivité, p. 312–313

Approche socioculturelle, p. 9–10

Attrait amoureux : amour et vie conjugale, p. 557–558

Attrait, attirance p. 147–149, 551–552, 554–555

Attribution : effets politiques de l', p. 519

Besoin d'appartenance, de filiation, p. 448–450

Biais d'autocomplaisance, p. 602–603

Biais dans les tests, p. 414–415

Biais rétrospectif, biais d'après-coup. 20–21

Bonheur, p. 480, 482, 484–486

Catégorisation, p. 356

Chagrin, expression du, p. 225

Choc des cultures, p. 156

Colère, p. 477–478

Conformité, p. 527

Contrôle du poids, p. 429

Contrôle personnel : les démocraties, p. 502

Corps idéal, p. 652

Culture et le soi, p. 157–160

Culture et surdité, p. 81, 85, 372–375

Culture :

  définition, p. 155–156

  effets du contexte, p. 237

  variation dans le temps, p. 156–157

Déroulement de la vie et du bien-être, p. 223

Développement :

  adolescence, p. 203–204

  attachement, p. 199–200

  développement cognitif, p. 192

  développement moral, p. 206–208

  développement social, p. 197–199

  éducation des enfants, p. 160–161

  styles parentaux, p. 202

Diversité humaine/parenté, p. 40, 155–161

Don d'organes, p. 362–363

Douleur : perception de la, p. 263

Effets comportementaux de la culture, p. 7, 141

Émotion :

  capacité à détecter les émotions chez autrui, p. 468–469

  expression des émotions, p. 468–475

Erreur fondamentale d'attribution, p. 518–519

Estime de soi, p. 485

État de flux, p. A-1

Éthique de la recherche et de l'expérimentation animale, p. 40

Genre :

  normes culturelles, p. 161, 167–168

  pouvoir social, p. 162–163

  rôles, p. 167–168

Habitudes de sommeil, les stades du sommeil, aspects quantitatifs et EEG, p. 104

Histoire de la psychologie, p. 2–9

Homosexualité, considérations sur l', p. 440

Horloge sociale, synchroniseurs sociaux, p. 220

Identité : la formation sociale, p. 209–210

Image du corps, p. 652

Individualisme/Culture fondée sur la collectivité, p. 159

Influence des pairs, p. 154–155

Intelligence, p. 386, 410–413

  biais, p. 413–414

  et nutrition, p. 408–409, 412

  syndrome de Down, trisomie 21 p. 403–404

Langage, p. 155, 371–372, 379–381

  grammaire universelle, p. 373–374

  monolingue/bilingue, p. 379–381

  périodes critiques, p. 374

Management participatif, p. A-12-A-13

Mariage, p. 220–221

Mémoire, encodage, p. 324–325

Ménopause, p. 214

Motivation sexuelle, p. 147

Motivation : hiérarchie des besoins, p. 422–423

Neurotransmetteurs : curare, p. 59

Normes culturelles, p. 156, 171–172

Obésité, p. 430–432

Orientation sexuelle, p. 440–441

Paresse sociale, p. 533

Perceptions de l'ennemi, p. 563–564

Peur, p. 363

Pouvoir des individus, p. 536

Pratique des réseaux sociaux, p. 451–453

Pratiques des châtiments corporels, p. 295–296

Préférences de goût, p. 428

Préjugé, p. 37, 41, 538–545

  « femmes manquantes », p. 540

Prototypes de préjugés, p. 356

Psychothérapie :

  systèmes de valeurs selon les cultures, p. 680

  EMDR, entraînement, p. 677

Puberté et indépendance vis-à-vis des adultes, p. 212

Quitter le nid, p. 212

Réalisation motivante, p. A-8

Relations avec les parents et les pairs, p. 210–211

Rythme de vie, p. 30, 156

Satisfaction de la vie, p. 480, 482–486

Sexualité des adolescents, p. 438–439

Sida, p. 495

Similitudes, p. 145–146

Spiritualité : kibboutz israéliens, p. 512–513

Stress :

  adaptation à une nouvelle culture, acculturation, p. 490

  conséquences sur la santé, p. 490–491, 495, 497–498

  racisme et, p. 490

Styles de «management», p. A-13

Taux de maladie mentale, p. 617–618

Troubles psychologiques :

  normes culturelles, p. 610–611

  schizophrénie, p. 612, 641–644

  suicide, p. 637–638

  susto, p. 612

  taijin-kyofusho, p. 612

  troubles de l'alimentation, p. 612, 652

  trouble dissociatif de l'identité, p. 648

Usage de drogues, p. 128–129

Vieillissement de la population, p. 214–215

Voir aussi le Chapitre 13 : Psychologie sociale.

lecteurs peuvent habiter Sydney, Seattle ou Singapour. Bien que nous résidions aux États-Unis, nous voyageons régulièrement à l'étranger et nous entretenons des relations avec nos collègues au Canada, en Grande-Bretagne, en Chine, et beaucoup d'autres pays ; nous sommes abonnés à des revues européennes. Ainsi, chaque nouvelle édition s'ouvre plus largement sur le monde et sur les travaux de recherche internationaux. Nous sommes tous des citoyens d'un monde où les temps d'accès d'un point à un autre sont plus courts et de ce fait, les étudiants américains bénéficient aussi d'informations et d'exemples qui élargissent le champ de leur conscience du monde. Et si la psychologie cherche à expliquer le comportement *humain* (et pas seulement le comportement américain, canadien ou australien), plus l'appréhension de ce monde est large, plus notre image des êtres le peuplant sera juste. Notre but est de révéler le monde à tous les étudiants, au-delà de leur propre culture. C'est pourquoi nous continuons à accueillir favorablement toutes les informations et toutes les suggestions de nos lecteurs.

▼ TABLEAU 5
La psychologie des hommes et des femmes

Le traitement de la **psychologie des hommes et des femmes** est évoqué dans les pages suivantes :

Mise en valeur de la réflexion critique

Nous aimons écrire d'une manière qui tient l'esprit des lecteurs en éveil et qui suscite chez eux la réflexion critique. En effet nous cherchons, tout au long du livre, à initier les étudiants à la pensée critique. De nouvelles questions d'apprentissage au début de chaque partie principale et des questions « Exercice récapitulatif » disséminées au long de chaque chapitre encouragent la lecture critique pour appréhender les concepts importants. Cette onzième édition donne aux étudiants les occasions suivantes d'apprendre ou de mettre en pratique leurs aptitudes à la réflexion critique.

- *Le chapitre 1, Penser de manière critique grâce à la psychologie scientifique*, présente aux étudiants les méthodes de recherche en psychologie, en insistant sur les illusions de notre intuition et de notre sens commun dans la vie de tous les jours et sur la nécessité d'une psychologie scientifique. La *réflexion critique* est introduite comme un terme clé (p. 24). Le débat autour du raisonnement statistique encourage les étudiants « à penser plus intelligemment en appliquant des principes statistiques simples à notre raisonnement quotidien » (p. 36-40).

- *Regard critique sur...* Des encadrés parsèment le livre, fournissant aux étudiants des modèles d'approche critique de certains sujets clés en psychologie. Voir par exemple « Regard critique sur : Dépistage prénatal de prévoir les futurs traits » (Chapitre 4), ou « Regard critique sur : La stigmatisation de l'introversion » (Chapitre 14).

- *Des récits écrits dans le style des histoires policières* émaillent le livre, encourageant les étudiants à penser de manière critique sur les thèmes clés de la recherche en psychologie. Par exemple dans le Chapitre 15, nous présentons les différentes causes possibles de la schizophrénie, en montrant aux étudiants comment les chercheurs les ont assemblées pour résoudre l'énigme que représente cette psychose délirante dissociative.

- *Des discussions intitulées « Appliquez ce concept » ou « Pensez à cette hypothèse »* maintiennent l'esprit critique en éveil lors de l'étude de chaque chapitre. Dans le Chapitre 13 par exemple, les étudiants se mettent à la place des participants à l'expérience sur le conformisme de Solomon Asch puis, lors des expériences sur la soumission de Stanley Milgram. Nous avons également demandé aux étudiants de s'amuser en prenant part aux activités expérimentales proposées tout au long du livre. Par exemple, dans le Chapitre 6, ils peuvent tenter une expérience rapide d'adaptation sensorielle. Dans le Chapitre 12, ils peuvent essayer de faire correspondre les expressions aux visages présentés et tester les effets de différentes expressions faciales sur eux-mêmes.

- *L'examen critique de la psychologie populaire* va éveiller des lecteurs et leur donner des conseils importants pour pouvoir réfléchir de manière critique à des sujets de la vie de tous les jours. Par exemple, le Chapitre 6 présente un examen minutieux de la PES et le Chapitre 8 passe en revue le concept du refoulement des souvenirs douloureux.

Le **TABLEAU 6** donne la liste complète des sujets de réflexion critique abordés dans ce livre et dans les encadrés « Regard critique sur ».

▼ TABLEAU 6
La pensée critique appliquée à la recherche

La **pensée critique** est mise à profit lors de discussions approfondies qui portent sur des pans de la **recherche scientifique en psychologie** et sur ses méthodes. On retrouvera les différents points discutés aux pages suivantes :

Regard critique sur... :

Latéralisation, p. 86

Addiction, p. 118

Dépistage prénatal et prédiction des caractéristiques du sujet, p. 143

Persuasion subliminale, p. 233

Hypnose et analgésie, p. 265

PES-Perception sans sensation ?, p. 272–274

L'observation de violence dans les médias entraîne-t-elle un comportement violent ?, p. 312–313

Les maltraitances : souvenirs fabriqués ou refoulés ?, p. 348–349

Le facteur peur. Pourquoi avons-nous peur des mauvaises choses, p. 362–363

Détection du mensonge, p. 466–467

Stigmatisation de l'introversion, p. 588

TDAH – Fonctionnement doué d'un niveau d'énergie élevé ou comportement désorganisé ?, p. 615

Les personnes souffrant de troubles mentaux sont-elles dangereuses ? 616

Examens critiques de la psychologie populaire :

Le besoin d'une psychologie scientifique, p. 20–25

Percevoir un ordre dans des événements fortuits, p. 22

Utilisons-nous seulement 10 % des capacités de notre cerveau ?, p. 79

Le concept a-t-il été dévoyé ?, p. 118

Expériences de mort imminente, p. 124

Critique des conceptions évolutionnistes, p. 149–150

Dans quelle mesure les parents méritent-ils d'être félicités (ou blâmés) ?, p. 153–154

Privation sensorielle, p. 254

Hypnose : cette technique peut-elle être thérapeutique ? A-t-elle un effet analgésique ?, p. 265

La perception extrasensorielle est-elle réelle ?, p. 272–273

Les autres espèces sont-elles douées d'un langage ?, p. 377–379

Les jeux vidéo apprennent-ils ou désinhibent-ils les comportements violents ?, p. 549

Quelle est la valeur du test de Rorschach ?, p. 578–579

Les thèses de Freud sont-elles crédibles ?, p. 579–582

Le refoulement est-il une fonction psychique réelle ou est-ce un « mythe » ?, p. 580

La psychothérapie est-elle efficace ?, p. 673–675

Évaluation des médecines dites alternatives, ou «douces», p. 677–678

Penser de manière critique grâce à la psychologie scientifique :

Les limites de l'intuition et du bon sens, p. 20–21

L'attitude scientifique, p. 23–25

« La Pensée critique », une attitude directrice constante, p. 24

La méthode scientifique, p. 26–27

Régression vers la moyenne, p. 33–34

Corrélation et lien de causalité, p. 34–35

Exploration des relations de cause à effet, p. 35

La répartition au hasard p. 35

Variables indépendantes et dépendantes, p. 37–38

Raisonnement statistique, p. 42–48

Description des données, p. 43–46

Faire des inférences, p. 46–47

Conception évolutionniste de la sexualité humaine, p. 147–151

La recherche scientifique racontée sur le mode des enquêtes policières :

Le lait maternel est-il meilleur que les laits dits « maternisés » ?, p. 35–36

Nos deux hémisphères cérébraux divisés, p. 82–86

Pourquoi dormons-nous ?, p. 105–106

Pourquoi rêvons-nous ?, p. 113–116

Jumeaux et études d'adoption, p. 135–140

Comment les fonctions supérieures se développent-elles chez l'enfant ?, p. 184–192

Quel est le mécanisme de la perception des couleurs ?, p. 243–244

Traitement parallèle, p. 246

L'hypnose est-elle l'extension d'un état normal de la conscience ou un état modifié de celle-ci ?, p. 265

Comment les souvenirs sont-ils élaborés ?, p. 321–328

Comment se fait l'encodage des souvenirs dans l'encéphale ?, p. 272–273

Les autres espèces sont-elles douées d'un langage ?, p. 377–379

Vieillissement et l'intelligence, p. 399–401

Pourquoi sommes-nous doués de la sensation de faim ?, p. 425–427

Qu'est-ce qui détermine l'orientation sexuelle ?, p. 442–446

La poursuite du bonheur : qui se sent heureux, et pourquoi ?, p. 479–487

Pourquoi et chez qui le stress est un facteur de risque des maladies du cœur ?, p. 496–499

Pourquoi et en quoi le soutien social contribue-t-il à l'état de santé ?, p. 505–507

Pourquoi les gens ne parviennent-ils pas à apporter leur aide dans les situations urgentes ?, p. 559–560

Estime de soi et biais d'autocomplaisance, p. 601–605

Quelles sont les causes des troubles dépressifs et des troubles bipolaires ?, p. 631–637

Une infection virale prénatale augmente-t-elle le risque de survenue de la schizophrénie ?, p. 642–643

La psychothérapie est-elle efficace ?, p. 673–675

Outils d'évaluation de l'APA

En 2011, l'American Psychological Association (APA) a approuvé les **Principes assurant la qualité de l'enseignement de la psychologie lors du premier cycle universitaire.** Ces principes généraux et les recommandations associées ont été conçus pour que les étudiants « deviennent des citoyens qui possèdent les connaissances fondamentales de la science psychologique et soient capables de les appliquer dans le travail et à la maison ». (Voir www.apa.org/education/undergrad/principles.aspx.)

L'APA a défini, en 2013, des **objectifs d'apprentissage et d'obtention des résultats** qui sont issus des *Guidelines for the Undergraduate Psychology Major*. Des directives pour le premier cycle des études de Psychologie ont été conçues pour évaluer les connaissances des étudiants qui veulent obtenir un diplôme de spécialisation en psychologie. (Voir www.apa.org/ed/préuniversitaire/about/psymajor-guidelines.pdf.) Beaucoup de départements de psychologie utilisent ces objectifs pour évaluer la qualité de l'enseignement qu'ils dispensent.

Certains professeurs sont impatients de savoir si le texte de leur cours d'introduction aidera les étudiants à prendre un bon départ pour atteindre les objectifs définis par l'APA. Le **TABLEAU 7** décrit la manière dont cette onzième édition de *Psychologie*, pourrait être utile aux enseignants de votre département pour qu'ils atteignent les objectifs définis en 2013 par l'APA.

En outre, un groupe de travail de l'APA a rédigé en 2013, un projet de recommandations pour **Approfondir l'enseignement des connaissances fondamentales, dispensé lors des cours d'introduction à la psychologie** (http://tinyurl.com/14dsdx5). Leur objectif est de « trouver un équilibre pour appliquer avec intelligence des principes rigoureux ». Le groupe a noté qu'« une science arrivée à sa maturité devrait être capable de transmettre les principes fondamentaux qui la définissent et ses diverses propositions corollaires ».

La psychologie fait maintenant partie du programme du MCAT

À partir de 2015, le Medical College Admission Test (MCAT), l'examen d'entrée en faculté de médecine, consacre 25 % de ses questions aux fondements biologiques, psychologiques et sociaux du comportement. La plupart de ces questions proviennent du programme enseigné dans les cours d'introduction à la psychologie. De 1977 à 2014, le MCAT portait sur la biologie, la chimie et la physique. Comme il est dit dans le *Preview Guide for MCAT 2015*, l'examen comportera des questions sur « l'importance

▼ TABLEAU 7
Psychologie, onzième édition : correspondances avec les objectifs d'apprentissage définis en 2013 par l'APA

Sujets traités dans la onzième édition de *Psychologie*	Objectifs d'apprentissage de l'APA				
	Base de connaissances en psychologie	Enquête scientifique et pensée critique	Responsabilité éthique et sociale dans un monde diversifié	Communication	Développement professionnel
Contenu	•	•	•	•	•
Regard critique sur	•	•	•		•
Objectifs d'apprentissage : questions liminaires à la lecture du texte	•	•		•	
Exercices récapitulatifs tout au long du texte	•	•		•	
Révision générale du chapitre	•	•		•	
Exercices pratiques proposés tout au long du livre	•	•		•	•
Contrôle des connaissances acquises après l'étude de chaque chapitre	•	•		•	
Psychologie et monde du travail (Annexe A)	•	•	•		•
Domaines de la psychologie, les différentes professions du psychologue	•		•		

des déterminants socioculturels et comportementaux de la santé et de son évolution ». Le texte de cette onzième édition recouvre l'ensemble des connaissances exigées pour le MCAT. On se reportera avantageusement au **TABLEAU 8,** qui souligne la corrélation précise qui existe entre les sujets traités dans le chapitre Sensation et ce qu'il faut savoir pour le MCAT. Pour une vue complète des correspondances existant entre le texte de ce livre et le programme du MCAT, on se reportera au site – http://macmillan-highered.com/Catalog/product/psychology-eleventhedition-myers.

▼ TABLEAU 8
Exemples de correspondances entre le programme du MCAT et la onzième édition de *Psychologie,*

MCAT 2015	*Psychologie,* Onzième édition : correspondances	Numéro de page
Exemple de contenu Catégorie 6A : perceptions de l'environnement		
Processus sensoriels	**La sensation et la perception**	228–277
Sensation	Principes de base de la sensation et de la perception	230–238
Seuils	Seuils	231–233
	Seuils différentiels	232–233
La loi de Weber	*La loi de Weber* (Terme clé)	232–233
Théorie de la détection du signal	*Théorie de la détection du signal* (Terme clé)	231
Adaptation sensorielle	Adaptation sensorielle	234–235
Les récepteurs sensoriels	Transduction du signal	230
Les voies de conduction des sensations	Vision : traitement sensoriel et perceptif	239–255
	Ouïe	256–260
	Douleur	261–265
	Goût	266
	Olfaction	266–269
	Position du corps et mouvement	269
Types de récepteurs sensoriels	L'œil	240–242
	Vision des couleurs	243–244
	Audition	256–260
	Comprendre la douleur	261–263
	Goût	266
	Olfaction	266–269
	Position du corps et mouvement	269
	Tableau 6.3, Résumé des sensations	271
Vision	Vision : traitement sensoriel et perceptif	239–255
Structure et fonctionnement de l'œil	L'œil	240–242
Le traitement visuel	Traitement oculaire et cérébral de l'information. Traitement périphérique et central de la vision	241–247
Voies de conduction de la vision	*Figure 6.17, de l'œil à l'aire corticale de la vision*	242
Traitement parallèle	*Traitement parallèle*	246
Détection de caractéristiques	*Détection de caractéristiques*	244–245
Ouïe	L'ouïe	256–260
Traitement auditif	L'ouïe	256–260
Voies auditives dans le cerveau	L'oreille	257–259
	Intensité sonore (Terme clé)	256
	Figure 6.36, Propriétés physiques des ondes	256
	Localiser les sons	260

.../...

En remerciements

S'il est vrai que « celui qui fréquente les sages devient sage », alors nous sommes encore plus sages car nous avons fait nôtre la sagesse des conseils reçus de la part de nos collègues. Grâce à l'aide de près de mille spécialistes et critiques au cours des vingt dernières années, ce livre est devenu meilleur et plus juste que s'il avait été écrit par deux auteurs seuls (du moins ceux de ce livre). Ce livre a bénéficié d'une « intelligence collective ».

Nous nous sentons toujours redevables à chacun des éminents professeurs de l'influence qu'ils ont eue dans les dix précédentes éditions, aux innombrables chercheurs qui ont accepté de donner leur temps et de partager leurs compétences pour nous aider à présenter le plus précisément possible leurs recherches, et aux 500 enseignants qui nous ont fait part de leurs suggestions lors d'entretiens et d'enquêtes téléphoniques ou lors d'entretiens menés en face à face.

Nous faisons, part de notre gratitude aux collègues qui ont apporté leur contribution par leurs critiques, leurs corrections et leurs idées créatives concernant le contenu, la pédagogie et l'organisation de cette nouvelle édition. Pour leur compétence et leurs encouragements, et le temps qu'ils ont consacré à l'enseignement de la psychologie, Nous remercions les personnes suivantes :

Aneeq Ahmad
Henderson State University

Dana Alston
South Suburban College

Nancy Armbruster
Mott Community College

Melanie Arpaio
Sussex County Community College

Kristen Begosh
University of Delaware

Barney Beins
Ithaca College

Susanne Biehle
DePauw University

Mark Brewer
Tacoma Community College

Lauren Brown
Mott Community College

Carolyn Burns,
Washtenaw Community College

David Bush
Villanova University

Allison Butler
Bryant University

Shawn Charlton
University of Central Arkansas

Joy Crawford
Green River Community College

Pamela Danker
Blackburn College

Cheryl DeLeon
Purdue University North Central

Casey Dexter
Berry College

Mary Dolan
California State University, San Bernardino

Victor Duarte
North Idaho College

Robert DuBois
Waukesha County Technical College

Guadalupe Espinoza
California State University, Fullerton

Kristin Flora
Franklin College

Anastasia Ford
University of Florida

Alisha Francis
Northwest Missouri State University

Ambre Garcia
The College of Wooster

Parastoo Ghazi
Suffolk University

Kimberly Glackin
Metropolitan Community College

Ethan Gologor
Medgar Evers College – The City University of New York

Nicholas Greco
Columbia College – Lake County

Donnell Griffin
Davidson County Community College

Regan A. R. Gurung
University of Wisconsin – Green Bay

Robert Hoff
Mercyhurst University

Mia Holland
Bridgewater State College

Amy Holmes
Davidson County Community College

Lynn Ingram
University of North Carolina, Wilmington

Alisha Janowsky
University of Central Florida

Juge Katherine
Cleveland State University

Tracy Juliao
University of Michigan, Flint

Georgia Klamon-Miller
Northeastern University

Kristina Klassen
North Idaho College

Reza Kormi-Nouri
Örebro University, Sweden

Frederick Kosinski, Jr.
Andrews University

Kenneth Leising
Texas Christian University

Fabio Leite
The Ohio State University

Stine Linden-Andersen
Bishop's University

Mark Robert Ludorf
Stephen F. Austin State University

Mark Mach
Dodge City Community College

Constance Manos-Andrea
Inver Hills Community College

Patsy McCall
Angelo State University

Megan McIlreavy
Coastal CarolinaUniversity

John McNeeley
Daytona State College

Antoinette Miller
Clayton State University

Deborah Moore
Central New Mexico Community College

Robin Morgan
Indiana University Southeast

Brenda Mueller
Otero Junior College

Morrie Mullins
Xavier University

Sara Neeves
Davidson County Community College

Marion Perlmutter
University of Michigan

Kathleen Peters
Eastern Florida State College

Mark Rittman
Cuyahoga Community College

Rebecca Roberts
Franklin College

Jeff Rudski
Muhlenberg College

Beth Schwartz
Randolph College

Rachel Schwartz
Valparaiso University

Zachary Shipstead
Arizona State University

Emily Stark
Minnesota State University, Mankato

Michael Stroud
Merrimack College

Jennifer Sumner
University of California, San Diego

Casey Trainor
Augustana College

Eugenia Valentine
Delgado Community College

Catherine Wehlburg
Texas Christian University

Nancie Wilson
Southwestern Community College

Linda Woolf
Webster University

Ivan Wu
Michigan StateUniversity

Robert Zimmerman
DePaul University

Nous avons été heureux d'être soutenus par un conseil consultatif en 2012/2013 qui nous a guidés dans l'élaboration de cette onzième édition de *Psychologie*, ainsi que dans la rédaction de nos autres livres. Pour leur contribution et leur soutien utile, nous remercions

Barbara Angleberger, *Frederick Community College*

Chip (Charles) Barker, *Olympic College*

Mimi Dumville, *Raritan Valley Community College*

Paula Frioli-Peters, *Truckee Meadows Community College*

Deborah Garfin, *Georgia State University*

Karla Gingerich, *Colorado State University*

Toni Henderson, *Langara College*

Bernadette Jacobs, *Santa Fe Community College*

Mary Livingston, *Louisiana Tech University*

Molly Lynch, *Northern Virginia Community College*

Shelly Metz, *Central New Mexico Community College*

Jake Musgrove, *Broward College – Central Campus*

Robin Musselman, *Lehigh Carbon Community College*

Dana Narter, *The University of Arizona*

Lee Osterhout, *University of Washington*

Nicholas Schmitt, *Heartland Community College*

Christine Shea-Hunt, *Kirkwood Community College*

Brenda Shook, *National University*

Starlette Sinclair, *Columbus State University*

David Williams, *Spartanburg Community College*

Melissa (Liz) Wright, *Northwest Vista College*

Nous invitons aussi les étudiants à participer à des enquêtes pour déterminer le niveau de difficulté des concepts clés. Nous sommes reconnaissants envers les 277 élèves des écoles suivantes qui y ont participé :

Brevard Community College

Community College of Baltimore County

Florida International University

Millsaps College

Salt Lake Community College

Chez Worth Publishers, de très nombreux collaborateurs ont joué un rôle clé dans la création de cette édition.

Bien que la collecte d'informations puisse durer indéfiniment, le projet officiel a débuté au moment où les auteurs et les équipes de l'éditeur ont participé à un séminaire de réflexion de deux jours. Cette rencontre joyeuse et créative réunissait John Brink, Thomas Ludwig, Richard Straub, Nathan et Davee pour l'équipe des auteurs assistée de Kathryn Brownson et Sara Neevel. Nous avons été rejoints par des cadres de Worth Publishers Tom Scotty, Joan Feinberg, Craig Bleyer, Doug Bolton, Catherine Woods, Kevin Feyen, et Elizabeth Widdicombe ; des éditeurs Christine Brune, Nancy Fleming, Tracey Kuehn, Betty Probert, Trish Morgan, et Dora Figueiredo ; des collègues du département des ventes et du marketing Kate Nurre, Carlise Stembridge, Tom Kling, Lindsay Johnson, Mike Krotine, Kelli Goldenberg, Jen Cawsey, et Janie Pierce-Bratcher ; des spécialistes des médias Rachel Comerford, Gayle Yamazaki, Andrea Messineo, et Pepper Williams ; et par une invitée Jennifer Peluso (Florida Atlantic University).

Leur dévouement, leur créativité et leur sensibilité ont fait des éditeurs Kevin Feyen et Rachel Losh, de précieux animateurs d'équipe. Kevin est le vice-président, en charge du développement des produits numériques. Rachel est éditrice dans le département de Worth en psychologie et sociologie, elle a supervisé, encouragé et dirigé le travail de collaboration des auteurs et des éditeurs. Catherine Woods, vice-présidente en charge du département « Editing, Design, and Media » nous a aidés à construire et à réaliser le projet de cette nouvelle édition et de ses suppléments. Lauren et Nadina Persaud ont coordonné la production des nombreux suppléments à cette édition. Betty Probert a corrigé et réalisé les suppléments avec efficacité et, au cours de ce processus, nous a également aidés à peaufiner l'ensemble du livre. Nadina and Katie Pachnos ont apporté un soutien inestimable en réalisant et en organisant l'immense travail de révision, en expédiant les informations aux professeurs, en accomplissant de nombreuses autres tâches quotidiennes en rapport avec la mise au point et la production de l'ouvrage. Lee McKevitt a fait un superbe travail de mise en pages. Robin Fadool et Lisa Passmore ont travaillé de concert pour trouver les nombreuses illustrations photographiques.

Tracey Kuehn directrice du département « Editing, Design, and Media Production », a fait preuve de ténacité, d'engagement et d'un impressionnant sens de l'organisation en dirigeant l'équipe, très douée, de production artistique de Worth et en coordonnant les apports des concepteurs à mesure que le travail avançait. Robert Errera, directeur de projet et Sarah Segal directrice de production ont su faire respecter, de manière magistrale, un calendrier serré et Diana Blume directrice artistique, a dirigé avec compétence la création de la nouvelle maquette et du nouveau programme artistique. La directrice de production Stacey Alexander, associée à Julio Espin, directeur de projet d'édition des suppléments, ont fait, comme à l'accoutumée, un excellent travail en réalisant les nombreux suppléments.

Christine Brune, éditrice en chef pour les dix dernières éditions, a accompli de véritables miracles. Elle nous a servi un mélange parfaitement dosé entre encouragements, remontrances courtoises, souci du détail et amour de l'excellence. Un auteur n'aurait pas pu en demander plus. L'éditrice chargée du développement Nancy Fleming est l'une de ces rares éditrices qui est douée à la fois pour « penser grand » à propos d'un chapitre (avec un esprit proche du mien) et apporter ligne après ligne sa touche personnelle faite de sensibilité et d'élégance. Nous avons été très impressionnés par la perspicacité, l'étendue des connaissances et l'habileté au montage, de l'éditrice Trish Morgan. Enfin, Deborah Heimann a fait un excellent travail de correction.

Pour atteindre notre but, qui est de soutenir pédagogiquement l'enseignement de la psychologie, ce matériel didactique doit non seulement être écrit, revu, corrigé et produit mais aussi être mis à la disposition des enseignants. Pour l'avoir réussi de manière exceptionnelle, l'équipe d'auteurs exprime toute sa reconnaissance à l'équipe des professionnels de la vente et du marketing de Worth Publishers. Nous tenons spécialement à remercier la directrice exécutive du marketing Kate Nurre et la directrice du marketing Lindsay Johnson ainsi que le consultant en psychologie et économie Tom Kling à la fois pour leurs incessants efforts destinés à informer nos collègues enseignants de notre apport à leur pédagogie et la joie de travailler avec eux.

À Hope College, parmi les membres de l'équipe travaillant pour cette édition, il y a Kathryn Brownson qui a recherché d'innombrables informations, relu et corrigé des centaines de pages. Kathryn est devenue une conseillère sensible et cultivée dans de nombreux domaines et Sara Neevel est devenue notre développeur high-tech par excellence du manuscrit. À l'Université du Kentucky, nous avons été heureux d'accueillir dans notre équipe notre nouvelle assistante, très compétente, Lorie Hailey.

Une nouvelle fois, j'exprime ma gratitude au poète Jack Ridl, mon maître en écriture pour son aide lors de la correction de mes écrits. Son influence est perceptible dans la voix que vous entendrez dans les pages qui suivent. (DM) Plus que quiconque, il a fait mes délices en dansant avec le langage et m'a appris à appréhender l'écriture comme un métier qui perd progressivement ses contours pour devenir un art. De même, je suis reconnaissant à mon héros intellectuel et mentor, Roy Baumeister, qui m'a appris à parfaire mon écriture et à embrasser une vie d'écrivain.

Après avoir entendu des dizaines de personnes dire que le matériel d'enseignement accompagnant ce livre avait hissé leur pédagogie à un niveau supérieur, nous nous sommes dit que nous avions de la chance de faire partie d'une équipe où chacun a produit, en temps et en heure, un travail répondant à des critères hautement professionnels. Pour leurs talents remarquables, leur dévouement de toujours, et leur amitié, nous remercions John Brink, Thomas Ludwig, et Richard Straub. Avec cette nouvelle édition, nous félicitons et remercions également Sue Frantz pour son don de ressources pédagogiques.

Notre reconnaissance va aussi aux nombreux étudiants et enseignants qui ont écrit pour faire des suggestions ou juste envoyer un mot d'encouragement. C'est pour eux et pour ceux qui sont sur le point de commencer des études de psychologie que nous avons fait de notre mieux pour présenter ce domaine qui nous passionne.

* * *

Le jour même où cet ouvrage partait pour l'impression, nous commencions à collecter des informations et des idées pour la prochaine édition. Vos contributions auront une incidence sur le développement futur de ce livre. Alors n'hésitez surtout pas à nous faire part de vos réflexions.

David Myers

Hope College, Holland, Michigan, 49422-9000, USA. www.davidmyers.org

Nathan DeWall

University of Kentucky, Lexington, Kentucky, 40506-0044, USA. www.NathanDeWall.com

GÉRER SON TEMPS
Ou comment exceller dans ses études tout en ayant toujours une vie !

— Richard O. Straub Université du Michigan, Dearborn

 Comment utilisez-vous votre temps actuellement ?

 Concevez un meilleur emploi du temps

Planifiez vos trimestres

Planifiez votre semaine

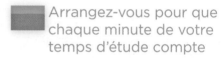 Arrangez-vous pour que chaque minute de votre temps d'étude compte

Prenez des notes utiles en classe

Créez un espace de travail qui vous aide à apprendre

Établissez des objectifs spécifiques et réalistes

Utilisez la méthode PIL2R pour vous aider à maîtriser ce cours

N'oubliez pas de vous récompenser !

 Avez-vous besoin de revoir votre nouvel emploi du temps ?

Réussissez-vous dans certaines matières et pas dans d'autres ?

Avez-vous eu une mauvaise note à un examen ?

Vous essayez de travailler régulièrement mais vous vous sentez dépassé par la masse de travail ?

© Desislava Draganova/Alamy

Nous faisons tous face à des difficultés d'emploi du temps. Si vous passez du lycée à l'université, vous allez adorer votre nouvelle liberté mais vous allez aussi devoir lutter pour organiser vos nouvelles responsabilités. Ou bien vous reprenez vos études alors que vous travaillez depuis plusieurs années, et vous devrez trouver un équilibre entre votre travail, votre famille et vos études.

Comment pouvez-vous trouver un équilibre entre tous les besoins de votre vie et votre réussite ? En gérant votre temps. Gérez le temps que vous avez afin de trouver le temps dont vous avez besoin.

Dans cette partie je vais vous proposer de suivre un processus simple en quatre étapes vous permettant d'améliorer la façon dont vous utilisez votre temps.

1. Tenez un journal pour déterminer comment vous utilisez votre temps. Vous serez peut-être surpris de la quantité de temps que vous perdez.

2. Concevez un nouvel emploi du temps pour utiliser plus efficacement votre temps.

MGP/Photodisc/Getty Images

3. Profitez au maximum de votre temps d'étude afin que votre nouvel emploi du temps travaille pour vous.

4. Si nécessaire affinez votre emploi du temps en vous basant sur ce que vous avez appris.

Comment utilisez-vous votre temps actuellement ?

Bien que nous ayons tous 24 heures dans notre journée et sept jours dans notre semaine, nous remplissons ces heures et ces semaines avec différentes obligations et différents centres d'intérêt. Si vous êtes comme la plupart des gens, vous utilisez probablement votre temps correctement dans certains cas mais pas dans d'autres. En répondant aux questions du **Tableau 1**, vous mettrez peut-être le doigt sur quelques points « délicats » et j'espère que vous dégagerez plus de temps pour les choses qui ont de l'importance pour vous.

Ensuite vous aurez besoin de déterminer comment vous utilisez *réellement* votre temps. Pour le savoir, notez vos activités sur un journal « de gestion du temps » pendant une semaine. Soyez réalistes. Notez combien de temps vous passez en classe, à étudier, à travailler en dehors, en transport, en rencontres personnelles ou familiales, en préparation des repas et en repas, en relations avec les autres (n'oubliez pas les textos ainsi que le temps passé sur Facebook, ou les jeux vidéo), en sport et en toute autre occupation, y compris les petites tâches quotidiennes qui peuvent vous prendre pas mal de temps dans votre journée ou votre semaine. Au moment où vous notez vos activités, précisez comment vous vous sentez à ces différents moments de la journée. À quel moment votre énergie est-elle au plus bas ? Quand vous sentez-vous le plus en forme ?

Concevez un meilleur emploi du temps

Regardez bien votre journal de gestion du temps. À quel moment pensez-vous que vous perdez du temps ? Perdez-vous beaucoup de temps en transport par exemple ? Si c'est le cas, ne pourriez-vous pas utiliser ce temps de façon plus productive ? Si vous empruntez les transports en commun, ce temps de transport vous laisse un bon moment pour lire et réviser en vous autoévaluant. Si vous conduisez, envisagez d'écouter des cassettes de révision (si vous voulez des cassettes de révision pour cet ouvrage, reportez-vous à www.worthpublishers.com/Psych2Go)[1].

N'avez-vous pas oublié d'inclure dans votre journal le temps que vous passez à manger, vous occuper de vous, aller au travail, voir votre famille et faire d'autres activités fixes ?

Combien d'heures dormez-vous ? Dans cette bataille pour pouvoir accomplir tous nos engagements et activités quotidiennes, nous avons tendance à considérer le sommeil comme une option. Faites de votre mieux pour gérer votre vie en vous laissant suffisamment de sommeil pour vous sentir reposé. Vous vous sentirez mieux et en meilleure santé, vous aurez également de meilleurs résultats universitaires et de meilleures relations avec votre famille et vos amis (pour en savoir plus sur ce sujet reportez-vous au Chapitre 3).

Consacrez-vous assez de temps pour étudier en étant concentré ? Regardez une dernière fois vos notes pour voir s'il n'y a pas d'autres habitudes qui vous sautent aux yeux. Il est temps maintenant de vous créer un nouvel emploi du temps plus efficace.

Planifiez vos trimestres

Avant de tracer les grandes lignes de votre nouvel emploi du temps, pensez à long terme. Achetez-vous un petit calendrier visualisant toute l'année scolaire et comportant des cases pour chaque jour. Reprenez les échéances fournies par vos professeurs et notez-y les dates de tous vos examens, des rapports trimestriels à rendre et des autres obligations importantes. Assurez-vous de noter également vos propres obligations planifiées à l'avance (vos engagements liés à votre travail ou à votre famille). Emportez ce calendrier partout, maintenez-le à jour, regardez-le souvent et modifiez-le selon les besoins. Grâce à ce processus vous développerez un emploi du temps régulier qui vous aidera à réussir.

Planifiez votre semaine

Pour passer ces examens, rendre les devoirs à temps et maintenir une vie en dehors de l'école, vous allez devoir transformer vos objectifs à long terme en un emploi du temps quotidien. Soyez

---

1. *N.d.T.* : Site de l'ouvrage en anglais fait par l'éditeur américain.

▼ TABLEAU 1
Enquête sur les habitudes du temps d'étude

Répondez aux questions suivantes par oui ou par non (écrivez la réponse à chaque fois).

1. Établissez-vous généralement un emploi du temps pour répartir votre temps d'étude, de travail à l'extérieur, de loisir et d'autres activités ?

2. Est-ce que vous remettez souvent à plus tard l'étude de vos cours jusqu'à ce que l'arrivée de l'échéance vous oblige à bachoter ?

3. Vous semble-t-il que les autres étudiants étudient moins que vous mais réussissent mieux aux examens ?

4. Passez-vous généralement des heures d'affilée à étudier le même sujet au lieu de répartir ce temps à l'étude de plusieurs sujets ?

5. Avez-vous souvent du mal à vous souvenir de ce que vous venez de lire dans votre manuel ?

6. Avant de lire un chapitre d'un livre, est-ce que vous le parcourez et lisez les titres de paragraphes ?

7. Essayez-vous de prévoir des questions d'autoévaluation à partir des notes que vous avez prises en classe et de ce que vous avez lu ?

8. Essayez-vous généralement de résumer les parties que vous venez juste de lire en utilisant vos propres mots ?

9. Avez-vous des difficultés à vous concentrer pendant des heures lorsque vous étudiez ?

10. Avez-vous souvent le sentiment que vous n'avez pas étudié les bonnes choses pour passer votre examen ?

Des milliers d'étudiants ont participé à des enquêtes similaires. Les étudiants qui réussissent pleinement et obtiennent leurs diplômes universitaires ont généralement répondu ainsi : (1) oui ; (2) non ; (3) non ; (4) non ; (5) non ; (6) oui ; (7) oui, (8) oui ; (9) non, (10) non.

Avez-vous répondu pareillement ? Si ce n'est pas le cas, vous profiterez certainement de l'amélioration de votre gestion du temps et de vos habitudes de travail.

réaliste, vous allez vivre avec cet emploi du temps toute l'année. Voici certaines choses que vous devrez ajouter à votre calendrier annuel.

1. Notez vos heures de cours, vos heures de travail à l'extérieur et vos autres obligations fixes. Soyez minutieux. Allouez suffisamment de temps pour le transport, les repas et les lessives.

2. Établissez un temps d'étude pour chaque matière. Souvenez-vous de ce que vous avez appris sur vous-même dans l'enquête sur vos habitudes d'étude (**TABLEAU 2**) et votre journal de gestion du temps. Vous trouverez quelques lignes directrices détaillées issues des recherches en psychologie dans l'encadré « Gros plan : plus d'astuces pour établir un emploi du temps efficace ».

3. Une fois que vous avez bloqué le temps nécessaire pour étudier, remplissez les autres créneaux horaires pour vos autres obligations, faire du sport, vous divertir, vous détendre.

Arrangez-vous pour que chaque minute de votre temps d'étude compte

Comment apprenez-vous à partir d'un manuel ? Beaucoup d'étudiants le lisent et le relisent simplement en restant passifs. De ce fait, ils se remémorent les mauvaises choses, comme les histoires frappantes mais oublient les points principaux qui leur seront demandés dans les questions d'exa-

▼ TABLEAU 2
Quelques astuces pour répartir votre temps efficacement

Il existe quelques autres points que vous ne devez pas oublier lorsque vous établissez votre emploi du temps.

Il est plus efficace de répartir le temps d'étude que d'étudier en masse. Si vous avez besoin de 3 heures pour étudier un sujet, par exemple, il vaut mieux diviser ce temps en plusieurs périodes plus courtes réparties sur plusieurs jours.

Il faut alterner les sujets mais éviter les interférences. Alterner les sujets que vous étudiez dans une journée permet de maintenir votre esprit plus alerte et, même si cela peut vous surprendre, augmente votre capacité à vous souvenir de ce que vous apprenez dans chaque domaine différent. Cependant l'étude de sujets similaires l'un après l'autre, comme deux langues étrangères, peut mener à des interférences dans votre apprentissage (le chapitre 8 aborde ce thème de façon plus détaillée).

Soyez intelligent, ne vous laissez pas envahir par votre téléphone portable. Les applications, les courriels, la navigation sur internet peuvent distraire votre attention. Lorsque votre attention est détournée pour vous concentrer sur autre chose que vos études, il est plus difficile de mobiliser votre attention pour vous concentrer à nouveau sur vos études. Prévoyez dans votre emploi du temps, une plage pour consulter votre téléphone, peut-être une fois toutes les heures, et le reste du temps ignorez-le totalement. Vous trouverez, au chapitre 11, plus de conseils pour gérer le temps consacré aux réseaux sociaux.

Déterminez le temps qu'il vous faut étudier dans chaque matière pour la connaître. Le temps dont vous avez besoin dépend de la difficulté du cours et de l'efficacité de vos méthodes d'apprentissage. Dans l'idéal vous devez passer au moins 1 à 2 heures à étudier pour chaque heure passée en classe. Augmentez doucement le temps passé en vous établissant des objectifs hebdomadaires qui vous amèneront peu à peu au niveau désiré.

Établissez un emploi du temps sensé. Adaptez votre emploi du temps pour remplir les besoins de chaque matière. Pour les matières qui s'appuient sur la lecture des notes prises en cours, planifiez une révision quotidienne de vos notes rapidement après chaque cours. Si vous êtes évalué pour votre participation en classe (par exemple lors des cours de langues vivantes), prévoyez du temps pour réviser juste avant le cours. Prévoyez d'étudier les matières qui vous posent le plus de difficulté (ou qui vous motivent le moins) au moment de la journée où vous êtes le plus en forme et où vous êtes le moins distrait.

Prévoyez un temps d'étude supplémentaire au cas où. La vie peut être imprévisible. Des urgences ou de nouvelles obligations peuvent désorganiser votre emploi du temps. Il est aussi possible que vous ayez besoin de plus de temps pour finir votre projet ou réviser l'un de vos cours. Essayez de prévoir une certaine souplesse dans votre emploi du temps chaque semaine.

En suivant ces directives, vous pourrez trouver un emploi du temps qui travaille pour vous !

men. Pour couronner le tout, beaucoup d'étudiants prennent peu de notes pendant les cours. Voici quelques astuces pour vous aider à tirer plus partie de vos notes et de vos heures de cours.

Prenez des notes utiles en cours

Une prise de note correcte permet d'améliorer votre compréhension du cours et sa mémorisation. La vôtre est-elle minutieuse ? Vos notes vous donnent-elles un bon aperçu de chaque cours ? Si ce n'est pas le cas, vous allez devoir faire certains changements.

Séparez bien les notes prises dans chaque cours et classez-les

Si vous mettez toutes les notes prises pour une matière au même endroit, il vous sera facile de revenir en arrière ou d'avancer pour trouver des réponses aux questions. Pour cela il y a trois possibilités : (1) vous optez pour un cahier par discipline ; (2) vous choisissez un classeur avec un système d'intercalaires bien marqué ; (3) organisez soigneusement vos dossiers si vous choisissez de prendre des notes électroniques. Les feuillets mobiles ont l'avantage de pouvoir être reclassés comme vous le souhaitez, ce qui vous permet d'ajouter de nouvelles informations et d'éliminer les erreurs que vous avez faites. Choisissez des feuillets de grand format ou utilisez l'option de marge pour les fichiers électroniques, cela vous permettra de noter des commentaires lorsque vous reverrez et réviserez vos notes après les cours.

Prenez des notes sous forme de plan

Utilisez les chiffres romains pour les points principaux, des lettres pour les arguments en faveur, etc. (voir exemple **Figure 1**). Dans certaines matières il est facile de prendre des notes, mais certains professeurs sont moins organisés et vous devrez faire plus d'efforts pour former votre plan.

Mettez vos notes au propre après le cours

Essayez de réorganiser vos notes juste après le cours. Développez ou clarifiez vos commentaires et mettez au propre tous vos gribouillis difficiles à lire tant que le cours est encore frais dans votre es-

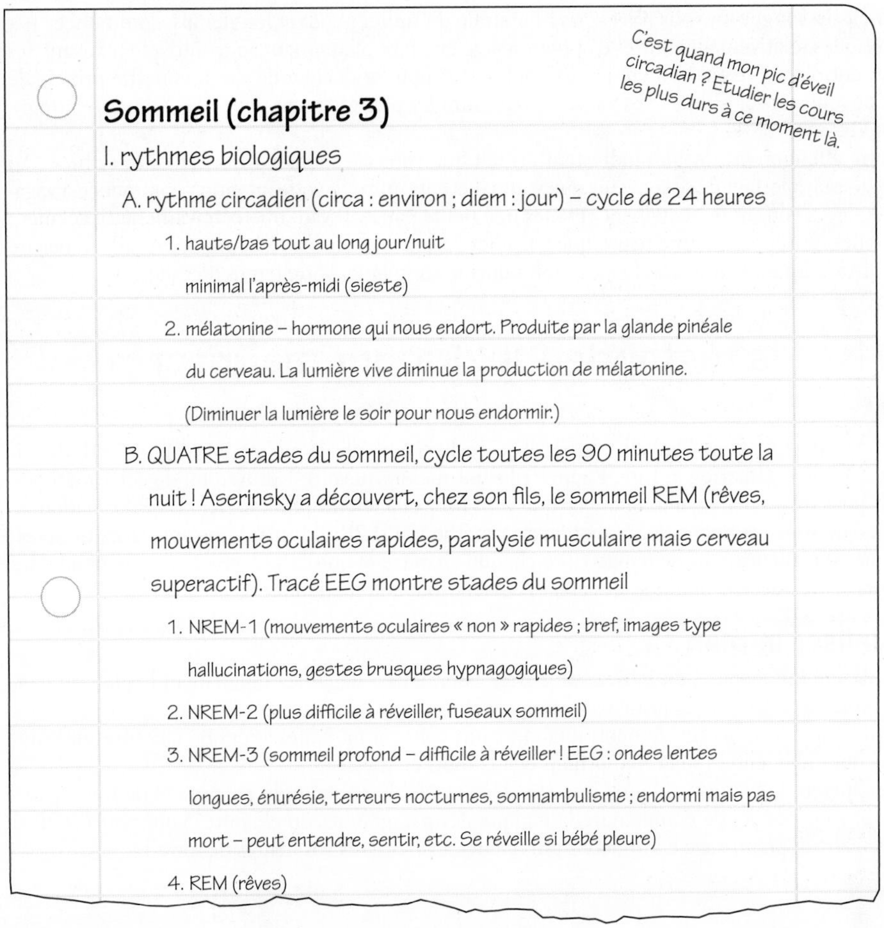

▼ FIGURE 1
Prise de notes sous forme d'un plan Voici un extrait de notes sous forme de plan prises par un étudiant à partir d'une conférence sur le sommeil.

C'est quand mon pic d'éveil circadian ? Étudier les cours les plus durs à ce moment là.

Sommeil (chapitre 3)

I. rythmes biologiques

   A. rythme circadien (circa : environ ; diem : jour) – cycle de 24 heures

      1. hauts/bas tout au long jour/nuit

         minimal l'après-midi (sieste)

      2. mélatonine – hormone qui nous endort. Produite par la glande pinéale

         du cerveau. La lumière vive diminue la production de mélatonine.

         (Diminuer la lumière le soir pour nous endormir.)

   B. QUATRE stades du sommeil, cycle toutes les 90 minutes toute la

      nuit ! Aserinsky a découvert, chez son fils, le sommeil REM (rêves,

      mouvements oculaires rapides, paralysie musculaire mais cerveau

      superactif). Tracé EEG montre stades du sommeil

      1. NREM-1 (mouvements oculaires « non » rapides ; bref, images type

         hallucinations, gestes brusques hypnagogiques)

      2. NREM-2 (plus difficile à réveiller, fuseaux sommeil)

      3. NREM-3 (sommeil profond – difficile à réveiller ! EEG : ondes lentes

         longues, énurésie, terreurs nocturnes, somnambulisme ; endormi mais pas

         mort – peut entendre, sentir, etc. Se réveille si bébé pleure)

      4. REM (rêves)

prit. Notez les questions importantes dans la marge à côté des notes qui y répondent (Par exemple : quels sont les stades du sommeil ?) Cela vous aidera lorsque vous réviserez vos notes avant l'examen.

Créez un espace de travail qui vous aide à apprendre

Il est plus facile d'étudier efficacement si votre espace de travail est bien conçu.

Organisez votre espace

Travaillez sur un bureau ou sur une table mais pas dans votre lit ou dans un fauteuil confortable car vous aurez tendance à vous y assoupir.

Réduisez au maximum les distractions

Éteignez la télévision et votre portable et fermez les sites de votre ordinateur qui pourraient vous distraire. Si vous écoutez de la musique pour masquer les bruits alentours, choisissez des musiques douces instrumentales et non pas chantées car les paroles ont tendance à attirer l'esprit.

Demandez aux autres de respecter votre temps de tranquillité

Parlez de votre emploi du temps à votre camarade de chambre, votre famille, vos amis. Essayez de trouver un endroit pour travailler où vous aurez le moins de risque d'être dérangé.

Établissez des objectifs quotidiens spécifiques et réalistes

La simple note « 19-20 h : apprendre psychologie » est trop imprécise pour être utile. Il vaut mieux scinder votre temps d'étude en tâches gérables. Par exemple, vous pouvez diviser une lecture assez longue. Si vous n'avez pas l'habitude d'étudier pendant longtemps, commencez par des périodes relativement courtes d'apprentissage en étant pleinement concentré et en faisant des pauses entre deux. Dans ce livre par exemple, vous pouvez décider de lire une partie principale avant chaque pause. Limitez vos pauses à 5-10 minutes et profitez-en pour vous étirer ou faire un petit tour.

Votre attention est un bon indicateur du fait que vous avez réussi à trouver votre rythme. Au début, il est important de se souvenir que vous vous entraînez. Si votre attention commence à vagabonder, levez-vous immédiatement et faites une petite pause. Il vaut mieux travailler efficacement 15 minutes puis prendre une pause que gaspiller 45 minutes sur votre heure de travail. À mesure que votre endurance va se développer, vous pourrez augmenter votre temps d'étude.

Utilisez la méthode PIL2R pour maîtriser ce livre

Le prologue vous en apprendra plus sur la méthode PIL2R.

David Myers et Nathan DeWall ont organisé ce livre en suivant un système appelé PIL2R (visualiser le Plan, s'Interroger, Lire, Rappeler l'information, Revoir). L'utilisation de cette méthode PIL2R peut vous aider à comprendre ce que vous lisez et à retenir plus longtemps l'information.

Lorsque vous commencerez à appliquer la méthode PIL2R, il se peut que vous ayez l'impression que vous mettez plus de temps à lire chaque chapitre et que cette lecture vous demande des « efforts », mais avec la pratique, ces étapes deviendront automatiques.

Visualiser le plan

Avant de lire un chapitre, visualisez ses parties essentielles. Regardez rapidement le plan du chapitre. Notez que les parties principales proposent des questions numérotées correspondant à des objectifs d'apprentissage sur lesquels il faudra vous concentrer. Faites attention aux titres de paragraphe qui indiquent les sujets importants et aux mots en gras.

Cet aperçu du plan vous donne une vue d'ensemble du contenu du chapitre et de son organisation et vous permet de comprendre la logique des paragraphes du chapitre. Vous pourrez ainsi scinder votre apprentissage en tronçons plus faciles à gérer dans vos heures de travail.

S'interroger

Lorsque vous allez visualiser le plan, ne vous limitez pas aux questions numérotées correspondant aux objectifs d'apprentissage et disséminées dans l'ensemble du chapitre. Le fait d'ajouter vos propres questions vous amènera à regarder le contenu du chapitre d'un œil nouveau. (Par exemple vous pouvez vous demander, en regardant les titres de paragraphes de cette partie, « que signifie PIL2R ? ».) Il est plus facile de se souvenir d'une information si vous lui donnez un sens personnel. Lorsque vous essayez de répondre à vos questions tout en lisant le texte, vous restez dans un mode d'apprentissage actif.

Lire

Lorsque vous lisez le chapitre, garder en tête vos questions et recherchez activement les réponses. Si vous arrivez à un sujet qui semble répondre à une question importante que vous n'avez pas notée, arrêtez-vous et notez la question.

Assurez-vous de tout lire. Ne laissez pas de côté les légendes des photographies ou des dessins, les graphiques, les encadrés, les tableaux ou les citations. Une idée qui peut vous sembler vague lorsque vous la lisez peut se clarifier lorsque vous la voyez sur un schéma ou un tableau. N'oubliez pas que les professeurs basent parfois leurs questions d'examens sur des figures ou des tableaux.

Rappeler l'information

Lorsque vous avez trouvé la réponse à l'une de vos questions, fermez les yeux et récitez mentalement la question et sa réponse. Puis écrivez la réponse à côté de la question en utilisant vos propres mots. Lorsque vous essayez d'expliquer quelque chose avec vos propres termes vous pouvez mettre le doigt sur les points que vous n'avez pas compris. Ces opportunités à s'exercer au rappel développent les compétences dont vous aurez besoin lorsque vous passerez vos examens. Si vous étudiez sans jamais mettre de côté votre livre ou vos notes vous risquez de développer une trop grande confiance sur ce que vous savez réellement. Lorsque vous disposez du support écrit, vous êtes capable de reconnaître la bonne réponse à votre question. Mais serez-vous capable de vous en souvenir ultérieurement, lorsque vous passerez votre examen sans avoir votre support mental en vue ?

Testez vos connaissances aussi souvent que possible. L'autoévaluation fait partie de la réussite de votre apprentissage parce que l'acte d'évaluation force votre cerveau à travailler pour se souvenir, ce qui augmente la permanence de la mémoire (et vous permet de retrouver ces souvenirs lors de votre examen). Utilisez les opportunités d'autoévaluation réparties tout au long de chaque chapitre, y compris les encadrés réguliers « S'exercer au rappel de l'information ». Profitez également des autoévaluations disponibles sur le site associé à ce livre (www.worthpublishers.com/myers)[2].

Réviser

Après avoir travaillé ce chapitre, relisez vos questions et les réponses que vous avez écrites. Prenez quelques minutes supplémentaires pour faire un rapide résumé écrit reprenant toutes vos questions et vos réponses. À la fin du chapitre, profitez de deux autres opportunités importantes pour vous autoévaluer et réviser : la liste des questions reprenant les objectifs d'apprentissage auxquelles vous essayerez de répondre avant de vous reporter à l'annexe C « Révision complète des chapitres », ainsi que la liste des mots-clés que vous essayerez de définir avant de vous reporter aux pages comportant les réponses. À la fin de chaque chapitre, essayez de répondre aux questions de « Évaluez-vous », qui couvrent tous les concepts clés (les réponses sont dans l'annexe D).

N'oubliez pas de vous récompenser !

Si vous avez du mal à étudier régulièrement, il peut être intéressant de vous octroyer vous-même une récompense. Quelle sorte de récompense est la plus efficace ? Cela dépend de ce que vous aimez faire. Vous pouvez commencer par établir la liste de 5 à 10 choses qui vous mettent de bonne humeur. Passer quelques instants avec votre amoureux(se), faire une promenade ou un tour en vélo, se détendre avec un bon magazine ou un roman, ou regarder votre émission de télévision favorite peuvent vous donner une récompense immédiate lorsque vous avez terminé votre travail. Si courir vous fait plaisir, changez de chaussures, contactez un ami et allez-y vite ! Vous méritez bien une récompense pour un travail bien fait.

---

2. *N.d.T.* : Site de l'ouvrage en anglais fait par l'éditeur américain.

Avez-vous besoin de revoir votre nouvel emploi du temps ?

Que se passe-t-il si, après avoir vécu quelques semaines en suivant ce nouvel emploi du temps, vous ne faites aucun progrès dans vos études ou vous ne vous rapprochez pas de vos objectifs personnels ? Que se passe-t-il si vos heures passées à étudier ne vous ont pas permis d'obtenir de meilleurs résultats ? Ne désespérez pas et n'abandonnez pas votre programme, mais prenez quelques minutes pour déterminer ce qui ne va pas.

Réussissez-vous dans certaines matières et pas dans d'autres ?

Peut-être devez-vous changer quelque peu vos priorités. Peut-être avez-vous besoin de plus de temps en chimie par exemple et moins dans d'autres matières.

Avez-vous eu une mauvaise note à un examen ?

Cette note ne reflétait pas les efforts que vous avez donnés à préparer l'examen ? Cela peut arriver même à l'étudiant qui travaille le plus dur, souvent lors d'un premier examen avec un nouveau professeur. Cette expérience fréquente peut être déroutante : « Que dois-je faire de plus pour obtenir plus de 16 ? » « Cet examen n'est pas juste ! » « Je n'ai pas appris ce qu'il fallait ! »

Essayez de déterminer ce qui s'est mal passé. Analysez les questions que vous avez ratées en les divisant en deux catégories : les questions se reportant aux cours donnés en classe et les questions se reportant aux livres. Combien de questions avez-vous ratées dans chaque catégorie ? Si vous trouvez bien plus d'erreurs dans l'une ou l'autre de ces catégories, vous avez trouvé certains indices pour vous aider à revoir votre emploi du temps. Selon le résultat, vous pouvez par exemple passer un peu plus de temps à réviser les notes que vous prenez en classe ou à étudier le livre.

Vous essayez de travailler régulièrement mais vous vous sentez dépassé par la masse de travail ?

Peut-être avez-vous fixé la barre de vos objectifs trop haut. Souvenez-vous que le point clé de la gestion du temps est de mettre au point un emploi du temps régulier qui vous permettra de réussir. Comme toute compétence, la gestion du temps demande de l'expérience. Acceptez vos limites et revoyez votre programme pour travailler petit à petit jusqu'au point que vous voulez atteindre, peut-être en ajoutant 15 minutes de plus de travail par jour.

***

J'espère que ces suggestions vous aideront à mieux réussir vos études et qu'elles amélioreront votre qualité de vie d'un point de vue plus général. N'importe quel travail devient plus facile et plus agréable dès lors que l'on acquiert les compétences nécessaires. Laissez-moi vous prévenir encore une fois : n'essayez pas de changer votre mode de vie d'un seul coup de façon trop drastique. Les bonnes habitudes nécessitent du temps et de l'autodiscipline pour se développer. Mais une fois qu'elles sont établies, elles peuvent durer toute votre vie.

REVUE GÉNÉRALE Gérer son temps ou comment exceller dans ses études en ayant toujours une vie !

1. Comment utilisez-vous votre temps actuellement ?

- Identifiez vos faiblesses.
- Tenez un journal de vos occupations quotidiennes.
- Notez le temps que vous passez réellement à vos activités.
- Notez votre niveau d'énergie pour déterminer à quel moment vous êtes le plus productif.

2. Concevez un meilleur emploi du temps

- Choisissez vos objectifs trimestriels et hebdomadaires.
- Notez vos heures de cours, vos horaires de travail, le temps que vous passez à vos activités sociales (famille, amis) et le temps que vous passez aux autres obligations.
- Répartissez votre temps d'étude pour éviter les interférences et répondre aux besoins de chaque matière.

3. Arrangez-vous pour que chaque minute passée à étudier compte

- Prenez soigneusement des notes en classe (sous forme de plan) pour vous aider à vous souvenir et à répéter ce que vous aurez entendu pendant les cours.

- Essayez d'éliminer toutes les sources de distractions pendant votre temps d'étude et demandez à votre famille et à vos amis de vous aider à rester concentré sur votre travail.
- Établissez des objectifs quotidiens spécifiques et réalistes qui vous aideront à vous concentrer sur chaque tâche quotidienne.
- Utilisez le système PIL2R (visualiser le Plan, s'Interroger, Lire, se Rappeler, Réviser) pour maîtriser les données présentées dans le livre.
- Lorsque vous avez terminé votre objectif quotidien, offrez-vous une récompense ayant de la valeur à vos yeux.

4. Avez-vous besoin de revoir votre nouvel emploi du temps ?

- Prévoyez un peu plus de temps pour étudier les matières qui vous semblent plus difficiles et un peu moins pour les matières qui vous semblent faciles.
- Étudiez les résultats de vos examens pour mieux équilibrer votre emploi du temps.
- Assurez-vous que votre emploi du temps n'est pas trop ambitieux. Établissez peu à peu un programme qui sera efficace à long terme.

HISTOIRE DE LA PSYCHOLOGIE

Owen Gingerich, un astronome de Harvard (2006), disait qu'il existe plus de 100 milliards de galaxies. Parmi elles, notre minuscule galaxie se compose de quelque 200 milliards d'étoiles, dont beaucoup, comme notre soleil, sont entourées de planètes. À l'échelle de l'espace qui nous entoure, nous ne sommes même pas un des petits grains de sable qui recouvre les plages de nos océans et notre durée de vie relative ne dépasse pas la nanoseconde.

Cependant, rien ne nous inspire plus et ne nous absorbe plus que notre propre espace intérieur. Notre cerveau, poursuit Gingerich, « est de loin l'objet physique le plus complexe du cosmos que nous connaissons » (p. 29). Notre conscience – esprit sorti, on ne sait comment de la matière – reste un mystère profond. Nous sommes fascinés par nos pensées, nos émotions et nos actions (ainsi que par la manière dont elles interagissent avec les pensées, les émotions et les actions des autres). L'espace qui nous entoure, de par sa taille, nous donne le vertige, mais notre espace intérieur nous captive. Entrez dans la science de la psychologie

Pour ceux d'entre vous qui ont entendu parler de la psychologie dans les livres de vulgarisation, les magazines, la télévision ou internet, les psychologues semblent analyser la personnalité, offrent un soutien psychologique et donnent des conseils sur l'éducation des enfants, examinent les scènes de crime et témoignent devant les tribunaux. Le font-ils réellement ? *Oui*, mais ils font bien plus encore. Pensez à certaines questions de psychologie que vous vous posez parfois :

- Ne vous êtes-vous jamais trouvé en train de réagir exactement de la même manière qu'un de vos parents, peut-être d'une manière dont vous pensiez ne jamais réagir ? Ne vous êtes-vous pas demandé, alors, quelle était la part de votre personnalité dont vous aviez hérité ? *Jusqu'à quel point les gènes peuvent-ils prédisposer aux différences de personnalité entre les hommes ? Et dans quelle mesure sommes-nous façonnés par notre environnement familial et notre entourage ?*

- Ne vous êtes-vous jamais posé de questions sur la manière de vous comporter avec une personne du sexe opposé ou bien d'origine ethnique, de culture ou d'orientation sexuelle différente de la vôtre ? *En tant que membres de la famille des hommes, en quoi sommes-nous semblables ? En quoi sommes-nous différents ?*

- Ne vous êtes-vous jamais réveillé d'un cauchemar et, poussant un soupir de soulagement, demandé pourquoi vous faisiez des rêves aussi fous ? *Pourquoi rêvons-nous ?*

- Ne vous êtes-vous jamais demandé, alors que vous jouiez à cache-cache avec un enfant de 6 mois, pourquoi il trouvait ce jeu si amusant ? Le bébé réagit comme si, lorsque vous disparaissez momentanément derrière une porte, vous disparaissiez vraiment… même si vous réapparaissez, ensuite, revenu de nulle part. *Que perçoivent réellement les bébés et à quoi pensent-ils ?*

- Ne vous êtes-vous jamais demandé ce qui favorisait la réussite scolaire et professionnelle ? *Y a-t-il des gens qui naissent plus intelligents ? L'intelligence en elle-même permet-elle d'expliquer pourquoi certaines personnes deviennent riches, pensent de manière plus créative, et relatent des événements avec plus de sensibilité ?*

- Ne vous êtes-vous jamais demandé de quelle manière internet, les jeux vidéo ou les réseaux sociaux pouvaient nous affecter ? *Comment ces médias électroniques peuvent-ils influencer aujourd'hui ce que nous pensons ainsi que nos relations ?*

- Ne vous êtes-vous jamais demandé, lorsque vous étiez déprimé ou anxieux, si un jour vous vous sentiriez « normal » à nouveau ? *Qu'est-ce qui est à l'origine des hauts et des bas de notre humeur ? Quelle est la frontière entre des sautes d'humeur normale et un trouble psychologique devant nous amener à rechercher de l'aide ?*

La psychologie est une science qui cherche à répondre à toutes ces questions qui nous concernent tous : comment et pourquoi pensons-nous, ressentons-nous ou agissons-nous ?

Partout dans le monde, un sourire est un sourire Tout au long de cet ouvrage, vous verrez non seulement des exemples de la diversité culturelle et sexuelle, mais aussi des exemples des similitudes qui définissent notre nature humaine commune. Les gens issus de cultures différentes n'ont pas la même manière de sourire (quand et à quelle fréquence), mais un sourire spontané *a la même signification* dans le monde entier.

Qu'est-ce que la psychologie ?

Il était une fois, sur une planète de notre univers proche, la naissance d'une population. Très vite, les créatures de cette planète s'intéressèrent vivement à elles-mêmes et aux autres : « Qui sommes-nous ? D'où viennent nos pensées ? Nos sentiments ? Nos actes ? Dans quelle mesure pouvons-nous comprendre et diriger ceux qui nous entourent ? »

La science de la psychologie est née

P-1 **Quelles ont été les grandes étapes du développement des origines de la psychologie ?**

Être humain, c'est être curieux de nous-mêmes et du monde qui nous entoure. Au IVᵉ siècle av. J.-C., le naturaliste et philosophe grec Aristote a proposé des théories de l'apprentissage et de la mémoire, de la motivation et des émotions, de la perception et de la personnalité. Aujourd'hui, certaines conceptions peuvent nous paraître étranges comme le fait qu'un repas puisse nous rendre somnolent en provoquant des gaz et de la chaleur qui vont se concentrer autour de la source de notre personnalité, le cœur. Mais accordons à Aristote le privilège d'avoir posé les bonnes questions.

Premier laboratoire de psychologie Un jour de décembre 1879, dans une petite pièce du troisième étage de l'université allemande de Leipzig, deux jeunes hommes aidaient Wilhelm Wundt, un austère professeur d'une quarantaine d'années, à mettre au point un appareil d'expérimentation. Leur machine mesurait le décalage entre le temps d'audition du son provoqué par la chute d'un ballon sur une plate-forme et l'appui sur une touche de télégraphe (Hunt, 1993). Curieusement, les sujets ont répondu en un dixième de seconde environ lorsqu'on leur avait demandé d'appuyer sur la touche dès l'audition du son et en deux dixièmes de seconde lorsqu'on leur avait demandé d'appuyer sur la touche dès qu'ils étaient conscients d'avoir perçu le son. (L'arrivée à la conscience de l'information prend un peu plus longtemps.) Wundt a cherché à mesurer « les atomes de l'esprit » ; le processus le plus rapide et le plus simple des processus mentaux. Ce fut l'acte de naissance du premier laboratoire de psychologie, composé de Wundt et des premiers étudiants diplômés de psychologie.

Structuralisme et fonctionnalisme Très vite, cette nouvelle science de la psychologie s'organisa en différentes branches ou écoles de pensée, chacune promue par des penseurs d'avant-garde. Les deux premières écoles furent baptisées **structuralisme** et **fonctionnalisme**.

Pour renforcer votre apprentissage et votre mémoire, profitez des exercices de rappel de l'information proposés dans cet ouvrage. Vous pouvez évaluer votre compréhension en essayant de répondre à la question avant, puis après, la lecture.

Les sources d'information sont citées entre parenthèses avec le nom et la date. La référence complète de l'article ou de la publication peut être trouvée dans la bibliographie en fin de livre. La rédaction des références suit les recommandations de l'American Psychological Association (APA).

Tout au long du texte, des concepts importants sont **en caractères gras**. Comme vous étudiez, vous pouvez trouver ces termes avec leurs définitions en marge du texte et dans le glossaire à la fin du livre.

Wilhelm Wundt Wundt a fondé le premier laboratoire de psychologie à l'Université de Leipzig, en Allemagne.

Edward Bradford Titchener Titchener utilisait l'introspection pour chercher les éléments structurels de la pensée.

STRUCTURALISME À l'instar des physiciens et des chimistes dont le but est de connaître la structure de la matière, Edward Bradford Titchener vise à découvrir la structure de l'esprit. Il engage les gens à une réflexion sur eux-mêmes, *l'introspection* (regard vers l'intérieur), les entraînant à rassembler des éléments de leur expérience vécue, que ce soit le regard porté sur une rose, l'écoute d'un métronome, la respiration d'un parfum, ou la dégustation d'un met. Quels étaient leurs sensations immédiates, les images et les sentiments évoqués par ces actions ? Comment les liens entre les différents événements s'établissent-ils ? Hélas, cette technique s'est avérée peu fiable. Elle était intéressante si les sujets étaient intelligents, s'exprimaient bien. Les variations intra-individuelles et interindividuelles étaient importantes. L'échec de la méthode par introspection a signé la fin du structuralisme.

FONCTIONNALISME Espérer assembler la structure de la pensée à partir d'éléments simples revient à essayer de comprendre le fonctionnement d'une voiture en examinant ses pièces détachées. Le philosophe et psychologue William James pensait qu'il était plus judicieux d'étudier les fonctions évoluées de nos pensées et de nos sentiments. Notre nez nous permet de sentir ; notre cerveau nous permet de penser. Mais *pourquoi* notre nez et notre cerveau font-ils ce genre de choses ? Influencé par la théorie évolutionniste de Charles Darwin, James considérait que la pensée et l'odorat s'étaient développés car ces deux phénomènes étaient *adaptatifs* et avaient contribué à la survie de nos ancêtres. La conscience a une fonction. Elle nous permet de réfléchir sur notre passé, de nous adapter aux circonstances présentes et de planifier notre futur. James encouragea l'exploration des émotions basiques, des souvenirs, de la volonté, des habitudes et des flux de la conscience survenant d'un moment à l'autre.

Les articles de James poussèrent l'éditeur Henry Holt à proposer à James un contrat pour rédiger un ouvrage sur cette nouvelle science qu'était la psychologie. James accepta et commença à y travailler en 1878 en demandant deux ans pour finir ce manuel. Ce travail s'avéra plus long que prévu et fut achevé 12 ans après. (Pourquoi ne suis-je donc pas surpris ?) Plus d'un siècle après sa sortie, on lit toujours *Principles of Psychology* (1890) et on s'émerveille toujours de l'élégance et de l'intelligence avec lesquelles James introduisit la psychologie à un public cultivé.

Premières femmes en psychologie

L'héritage de James vient en partie de son enseignement à Harvard et de ses écrits. En 1890, malgré les objections du président de l'université de Harvard, il accepta Mary Calkins à son cours magistral (Scarborough et Furumoto, 1987). (À cette époque, les femmes n'avaient même pas le droit de vote.) La présence de Calkins au cours fit partir tous les autres étudiants (tous des hommes). C'est donc seule que Calkins reçut l'enseignement de James en vue du doctorat de Harvard, et obtint de bien meilleurs résultats que ses camarades de sexe masculin à l'épreuve finale. Harvard refusa de lui attribuer le diplôme qui lui était dû et lui proposa à la place un diplôme du Radcliffe College, un établissement de moindre niveau

> **Structuralisme** école de pensée promue par Wundt et Titchener ; met en œuvre l'introspection pour révéler la structure de l'esprit humain.
>
> **Fonctionnalisme** une des toutes premières écoles de pensée promue par James qui était influencé par Darwin ; exploration de l'élaboration et du fonctionnement des processus mentaux et des comportements – comment ils permettent à l'organisme de s'adapter, de survivre et de prospérer.

William James et Mary Whiton Calkins James était un professeur à la réputation légendaire et un écrivain qui rédigea, en 1890, un texte fondateur de la psychologie. Il était le mentor de Calkins, qui devint l'une des pionnières de la recherche sur la mémoire et également la première femme présidente de l'American Psychological Association.

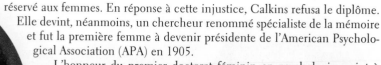

Margaret Floy Washburn
Première femme titulaire d'un doctorat en psychologie. M. F. Washburn a synthétisé ses travaux de recherche sur le comportement animal dans un livre, *The Animal Mind* (1908).

réservé aux femmes. En réponse à cette injustice, Calkins refusa le diplôme. Elle devint, néanmoins, un chercheur renommé spécialiste de la mémoire et fut la première femme à devenir présidente de l'American Psychological Association (APA) en 1905.

L'honneur du premier doctorat féminin en psychologie revint à Margaret Floy Washburn, auteur également d'un livre important, *The Animal Mind*, et qui devint la deuxième femme présidente de l'APA en 1921. Bien que la thèse de Washburn fût la première étude étrangère à être publiée dans le journal de psychologie de Wundt, le fait d'être une femme lui ferma également des portes en l'empêchant d'intégrer l'organisation de psychologie expérimentale fondée par Titchener, qui était pourtant son conseiller pédagogique (Johnson, 1997). (Quel monde différent du nôtre ! Entre 1996 et 2014, 10 des 19 présidents des organisations américaines de psychologie furent des femmes. Au Canada, et en Europe aussi, la plupart des doctorats sont maintenant obtenus par des femmes.)

Conseil : rechercher une notion mémorisée et la restituer à un *effet re-test* : nous mémorisons beaucoup mieux les notions apprises si nous nous évaluons régulièrement et si nous procédons à des répétitions. (Plus de détails sont donnés à la fin de ce prologue.) Pour renforcer votre apprentissage et la mémoire, profitez des opportunités des *Exercices récapitulatifs* que vous trouverez tout au long de ce texte.

EXERCICE RÉCAPITULATIF

- Quel événement considère-t-on comme le point de départ de la psychologie scientifique ?

Réponse : La psychologie scientifique est née en Allemagne, en 1879, lorsque Wilhelm Wundt créa le premier laboratoire de psychologie.

- Pourquoi l'introspection ne s'est pas avérée efficace pour comprendre le fonctionnement de l'esprit ?

Réponse : il y a une grande variabilité interindividuelle de la qualité de l'introspection. Elle est fonction de l'expérience, de l'intelligence et des aptitudes verbales de la personne.

- Le _____ utilisait l'introspection pour définir la constitution de l'esprit ; le _____ s'intéressait à la manière dont les processus mentaux nous permettent de nous adapter, de survivre et de nous développer.

Réponse : structuralisme ; fonctionnalisme

La science de la psychologie se développe

P-2 Comment la psychologie s'est-elle développée de 1920 à nos jours ?

Béhaviorisme Au début de la psychologie, beaucoup de psychologues partageaient avec l'essayiste anglais C. S. Lewis l'idée selon laquelle « il y a une chose, et uniquement une chose dans tout l'univers que nous connaissons bien mieux que ce que nous pourrions apprendre à partir d'observations externes ». Cette chose, c'est nous-mêmes, déclare Lewis. « Nous avons, en quelque sorte, accès à des informations internes. » (1960, p. 18-19.) Wundt et Titchener avaient concentré leurs recherches sur les sensations, les images et les sentiments internes. James s'était également engagé dans l'introspection pour examiner le flux de la conscience et des émotions. Pour beaucoup de ces pionniers, la *psychologie* était définie comme la « science de la vie mentale ».

John B. Watson et Rosalie Rayner Travaillant en collaboration avec Rayner, Watson soutenait que la psychologie était la science du comportement. Ils ont mis en évidence les réponses conditionnées sur un bébé devenu célèbre sous le nom de « Petit Albert ». (voir Chapitre 7 pour en savoir plus sur l'étude controversée de Watson.)

Cette définition a perduré jusqu'à ce que, dans les années 1920, le premier de deux impressionnants psychologues américains entra en lisse. John B. Watson, et plus tard B. F. Skinner, tout aussi provocateur, ont abandonné l'introspection et redéfini la *psychologie* en termes « d'étude scientifique du comportement observable ». Après tout, ils ne firent que répéter que la science procède de l'observation : ce que vous ne pouvez ni observer ni mesurer, vous ne pouvez pas l'étudier scientifiquement. Vous ne pouvez pas observer une sensation, un sentiment ou une pensée, mais vous *pouvez* observer et enregistrer le *comportement* des gens lorsqu'ils répondent à diverses situations. Beaucoup de psychologues étaient d'accord avec eux et les **comportementalistes** représentaient un des deux courants principaux de la psychologie jusqu'à la fin des années 1960.

Psychologie freudienne L'autre courant majeur était représenté par la *psychologie freudienne* qui insistait sur les façons par lesquelles les réponses émotionnelles aux expériences accumulées pendant l'enfance ainsi que nos processus de pensée inconscients affectaient notre

B. F. Skinner Un des leaders du comportementalisme, abandonna l'introspection et étudia comment les conséquences d'un acte modèlent le comportement.

Sigmund Freud Fameux théoricien et thérapeute de la personnalité dont les idées controversées ont influencé la compréhension de l'humanité.

comportement. (Le chapitre suivant présentera plus en détail les enseignements de Sigmund Freud, comme sa théorie de la personnalité et sa manière d'aborder les conflits sexuels inconscients ainsi que les mécanismes de défense de l'esprit face à ses propres désirs et ses pulsions.)

Psychologie humaniste Comme les comportementalistes avaient rejeté la définition de la *psychologie* au début des années 1900, deux autres groupes ont rejeté la définition comportementaliste dans les années 1960. Le premier, constitué des **psychologues humanistes,** menés par Carl Rogers et Abraham Maslow, trouvait que la psychologie freudienne et le comportementalisme étaient trop limités. Plutôt que de se concentrer sur la signification des souvenirs de la petite enfance, ou l'apprentissage des réponses conditionnées, les psychologues humanistes ont porté leur attention sur la manière dont les influences environnementales pouvaient accroître ou limiter notre potentiel d'épanouissement et sur l'importance de satisfaire notre besoin d'amour et de reconnaissance.

La révolution cognitive Dans les années 1960, la rébellion d'un second groupe de psychologues, connue sous le nom de *révolution cognitive*, a amené la psychologie à retrouver son intérêt initial pour les processus mentaux comme l'importance de considérer comment notre esprit traite et conserve les informations. La *psychologie cognitive* explore scientifiquement nos manières de percevoir, de traiter et de nous souvenir des informations. Cette approche cognitive nous a donné de nouveaux moyens pour nous comprendre et traiter des troubles comme la dépression. Le mariage de la psychologie cognitive (la science de l'esprit) et des neurosciences (la science du cerveau), a donné naissance à la **neuroscience cognitive**. Ce domaine interdisciplinaire étudie l'activité cérébrale contemporaine de l'activité mentale.

Définition moderne de la psychologie En englobant l'objet de la psychologie des comportements observables *et* les pensées et les sentiments, nous définissons, de nos jours, la **psychologie** comme la *science du comportement et des processus mentaux*. Décomposons un peu cette définition. Le *comportement* englobe *tous les agissements d'un organisme* – toutes les actions que nous pouvons observer et enregistrer. Hurler, sourire, cligner de l'œil, transpirer, parler et remplir un questionnaire sont tous des comportements observables. Les *processus mentaux* sont les expériences internes subjectives que nous déduisons des comportements – les sensations, les perceptions, les rêves, les pensées, les croyances et les sentiments.

Le mot *science* est la notion clé de la définition de la psychologie. La psychologie est moins un ensemble de constatations qu'une façon de poser des questions et d'y répondre. Notre objectif n'est pas simplement de retranscrire des résultats, mais de vous montrer comment les psychologues travaillent. Vous verrez comment les chercheurs examinent les opinions et les idées conflictuelles. Et vous apprendrez comment nous tous, que nous soyons scientifiques ou simples curieux, nous pouvons penser plus intelligemment en décrivant et en expliquant les événements de notre vie.

Béhaviorisme (ou comportementalisme) courant selon lequel (1) la psychologie doit être une science objective qui (2) étudie le comportement sans référence aux processus et aux états mentaux. La plupart des psychologues sont aujourd'hui d'accord avec la première partie (1) de la définition, mais pas avec la seconde (2).

Psychologie humaniste conception de la psychologie qui a marqué son histoire. Elle s'attache à la mise en valeur des capacités potentielles du sujet.

Neurosciences cognitives étude interdisciplinaire de l'activité du cerveau liée à la cognition (comprenant la perception, la pensée, la mémoire et le langage).

Psychologie science du comportement et des processus mentaux.

Problématique nature/culture (inné/acquis) ancienne controverse, qui persiste encore, concernant la contribution relative des gènes et de l'expérience dans le développement des traits psychologiques et des comportements. La science considère actuellement que les caractères et les comportements proviennent des interactions entre la nature et la culture (l'inné et l'acquis).

Sélection naturelle principe selon lequel les caractères héréditaires qui contribuent à la reproduction et à la survie ont plus de chances d'être transmis aux générations à venir.

• Entre les années 1920 et la fin des années 1960, les deux courants majeurs de la psychologie étaient _____ et la psychologie _____.

Réponses : le comportementalisme (ou behaviorisme) ; freudienne.

• De quelle manière la révolution cognitive a-t-elle changé la psychologie ?

Réponse : elle a amené la psychologie à retrouver son centre d'intérêt initial pour les processus mentaux et a justifié leur exploration scientifique.

La psychologie contemporaine

P-3 Comment notre compréhension de la biologie et des expériences vécues, de l'influence de la culture et de la sexualité sur l'épanouissement de l'homme donne toute sa densité à la psychologie contemporaine ?

Cette jeune science qu'est la psychologie s'est développée à partir de deux domaines plus anciens, la philosophie et la biologie. Wundt était à la fois physiologiste et philosophe. James était un philosophe américain. Freud était un médecin autrichien. Ivan Pavlov, pionnier des études sur l'apprentissage, était un physiologiste russe. Jean Piaget, le plus influent des observateurs de l'enfance du vingtième siècle, était un biologiste suisse. Ces « Magellan de l'esprit », comme les appelle Morton Hunt (1993), montrent que les racines de la psychologie se trouvent dans de nombreuses disciplines et de nombreux pays.

Aujourd'hui, les psychologues, tout comme leurs ancêtres pionniers, sont des citoyens de nombreux pays. L'International Union of Psychological Science compte 182 pays membres, allant de l'Albanie au Zimbabwe. En Chine, le premier département de psychologie s'est ouvert dans une université en 1978. En 2008, on en comptait 200 (Han, 2008 ; Tversky, 2008). De plus, grâce aux publications internationales, aux réunions et à Internet, la communication et la collaboration traversent les frontières. La psychologie *se développe* et se *mondialise*. L'histoire de la psychologie – sujet de cet ouvrage – continue son développement, partout dans le monde, à différents niveaux, avec des centres d'intérêts divers allant de l'étude de l'activité des cellules nerveuses à l'étude des conflits internationaux.

Psychologie évolutionniste et génétique comportementale

Nos caractéristiques humaines se développent-elles avec l'expérience, ou alors venons-nous au monde avec elles ? Voici la question la plus importante et la plus prégnante de la psychologie. Mais cette **problématique nature/culture** (inné/acquis) est très ancienne. Le philosophe grec Platon (428-348 AV. J.-C.) considérait que le caractère et l'intelligence étaient en grande partie hérités, et que certaines idées étaient innées. Aristote (384-322 AV. J.-C.) lui opposa qu'il n'y avait rien dans l'esprit qui ne venait d'abord du monde extérieur à travers les sens.

Au XVIIᵉ siècle, les philosophes européens reprirent le débat. John Locke pensait que l'esprit était comme une page blanche à la naissance sur laquelle s'inscrivait l'expérience. René Descartes ne partageait pas son avis et pensait que certaines idées étaient innées. Deux siècles plus tard, les idées de Descartes furent soutenues par un naturaliste curieux. En 1831, un étudiant médiocre mais fervent collectionneur de coléoptères, mollusques et coquillages, se lança dans un voyage autour du monde qui allait devenir historique. Ce voyageur de 22 ans n'était autre que Charles Darwin, qui se consacra pendant un certain temps à l'étude de l'incroyable diversité des espèces qu'il avait rencontrées, notamment des tortues trouvées sur une île, très différentes de celles des îles avoisinantes. Le livre de Darwin, *De l'origine des espèces* (1859), explique cette diversité en proposant le procédé évolutionniste de la **sélection naturelle** : parmi les variations dues au hasard, la nature sélectionne celles qui permettent le mieux à un organisme de survivre et de se reproduire dans un environnement spécifique. Le principe de la sélection naturelle de Darwin – « la meilleure idée que l'on n'ait jamais eue », selon le philosophe Daniel Dennett (1996) – est encore, 150 ans plus tard, un principe d'organisation en biologie. La théorie de l'évolution est également devenue un principe important pour la psychologie du XXIᵉ siècle. Cela aurait certainement ravi Darwin, car il pensait que sa théorie expliquait non seulement l'aspect physique des animaux (pourquoi la fourrure des ours polaires est blanche par exemple) mais également le comportement animal (comme les émotions accompagnant le désir sexuel et la colère de l'homme).

Le débat inné-acquis revient tout au long de cet ouvrage car les psychologues d'aujourd'hui explorent les contributions relatives de la biologie et de l'expérience, en se demandant, par exemple, dans quelle mesure les hommes sont-ils semblables (du fait de leur biologie et de leur mode d'évolution communs) ou différents (du fait des différences d'environnements). C'est là l'objet

Charles Darwin Darwin pensait que la sélection naturelle influe sur le comportement autant que sur le corps.

de la **psychologie évolutionniste**. Et comment, à l'intérieur de notre espèce, notre patrimoine génétique et son expression dans des environnements différents font que nous sommes tous différents, que chacun de nous est unique ? Chacun est le fruit d'une nature, d'une culture et d'une histoire. Voilà l'objet de la **génétique du comportement**. Les différences entre les sexes sont-elles biologiquement prédisposées ou se construisent-elles par le biais de la vie sociale ? La grammaire des enfants est-elle innée ou formée par

(gauche) © Rubberball/Getty Images ; (droite) Tony Freemont/PhotoEdit

l'expérience ? En quoi les différences d'intelligence et de personnalité sont-elles influencées par l'hérédité et l'environnement ? Les comportements sexuels sont-ils « poussés » davantage par la biologie interne, ou « tirés » par des motivations externes ? Devons-nous considérer les troubles psychologiques, telle la dépression, comme des troubles cérébraux ?

Le débat continue. Cependant, de plus en plus, nous verrons que dans la science contemporaine la tension entre inné et acquis se relâche : *la culture se développe à partir de ce que la nature nous a donné*. Notre espèce est dotée, biologiquement, d'énormes capacités d'apprentissage et d'adaptation. De plus, chaque événement psychologique (chaque pensée, chaque émotion) correspond simultanément à un événement biologique. Par conséquent, la dépression peut être considérée à la fois comme un trouble cérébral et un trouble de la pensée.

Une expérience naturelle sur l'inné et l'acquis Comme les vrais jumeaux possèdent les mêmes gènes, ils constituent des sujets parfaits pour les études destinées à comprendre l'influence de l'hérédité et de l'environnement sur l'intelligence, la personnalité et d'autres traits de caractère. Les études effectuées sur les vrais et les faux jumeaux ont fourni un large éventail de découvertes, décrites ultérieurement dans ce livre, qui soulignent à la fois l'importance de l'inné et de l'acquis.

EXERCICE RÉCAPITULATIF

- Qu'est-ce que la sélection naturelle ?

Réponse : processus par lequel la nature sélectionne à partir de variations fortuites les traits qui permettent le mieux à un organisme de survivre et de se reproduire dans un environnement particulier.

- Quelle est la position de la psychologie contemporaine dans le débat portant sur les rôles respectifs de la nature et de la culture ?

Réponse : les faits psychologiques, comme les traits et les comportements, sont vus comme étant liés à l'interaction entre nature et culture et non à un seul de ces deux acteurs.

Psychologie transculturelle et genre

Que pouvons-nous apprendre sur l'humanité à partir des études psychologiques uniques menées dans un seul lieu et portant sur des sujets appartenant à des cultures appelées WEIRD par Joseph Henrich, Steven Heine, et Ara Norenzayan (2010) – (WEIRD : Western, Educated, Industrialisazed, Rich, and Democratic) ? Comme nous le verrons toujours et encore, la **culture** (idées et comportements communs transmis de génération en génération) joue un rôle important. Notre culture façonne notre comportement. Elle influence les normes établies concernant le temps que nous mettons à répondre en général et le degré de notre franchise, notre attitude vis-à-vis des relations sexuelles avant le mariage et des différences d'apparence physique individuelle, notre tendance à être plutôt strict ou décontracté, la façon dont nous rencontrons le regard des autres, la distance que nous mettons lorsque nous conversons, et bien d'autres choses encore. Le fait d'être conscient de telles différences nous permet de réduire notre propension à supposer que les autres penseront ou agiront comme nous le faisons.

Cependant, il est également vrai que notre héritage biologique commun nous unit au sein d'une même famille universelle. Partout, les mêmes principes sous-jacents nous guident :

- On retrouve chez les personnes souffrant de troubles des apprentissages spécifiques (autrefois dénommés dyslexie) les mêmes dysfonctionnements cérébraux, que ces personnes soient italiennes, françaises ou anglaises (Paulesu et al., 2001).

- La diversité des langues peut gêner la communication entre les différentes cultures. Néanmoins, toutes les langues partagent des principes grammaticaux de base et des habitants de deux points opposés du globe peuvent communiquer à travers un sourire ou un froncement de sourcil.

- La perception de la solitude diffère en fonction de la culture. Mais dans toutes les cultures, la timidité, le fait d'avoir une faible estime de soi et de ne pas être marié augmente cette perception (Jones et al., 1985 ; Rokach et al., 2002).

On peut dire que chacun d'entre nous est à la fois, par certains aspects, comme tous les autres, comme certains autres ou comme aucun autre. Étudier des gens d'origine ethnique et de culture différentes nous aide à prendre conscience de nos ressemblances et de nos dissemblances, de notre parenté et de notre diversité.

« Toutes les personnes sont les mêmes ; seulement leurs habitudes diffèrent. »

Confucius, 551-479 AV. J.-C.

Psychologie évolutionniste étude de l'évolution du comportement et de l'esprit, qui met en œuvre les principes de la sélection naturelle.

Génétique du comportement étude du pouvoir et des limites relatifs de la génétique, et des influences environnementales sur le comportement.

Culture comportements, idées, attitudes, valeurs et traditions persistants, partagés par un groupe de personnes et transmis de génération en génération.

Culture et baisers Comment s'embrasse-t-on à travers le monde ? Les façons varient. Imaginez que vous embrassez quelqu'un sur les lèvres. Inclinez-vous la tête à droite ou à gauche ? Dans les cultures occidentales, où le sens de la lecture va de gauche à droite, environ deux tiers des couples s'embrassent en inclinant la tête vers la droite, comme dans le célèbre baiser de William et Kate, et la sculpture de Rodin, *Le Baiser*. Dans une étude, 77 % des personnes de langue arabe ou hébraïque, qui se lit et s'écrit de droite à gauche s'embrassent en inclinant la tête à gauche (Shaki, 2013).

Comme vous le verrez tout au long de ce livre, la question du *sexe* est également importante. Par exemple, les chercheurs ont montré des différences entre les sexes en ce qui concerne le contenu des rêves, l'expression et la perception des émotions, et dans les facteurs de risque des troubles liés à consommation d'alcool, la dépression et l'alimentation. L'étude de telles différences n'est pas seulement intéressante mais peut également être bénéfique. De nombreux chercheurs ont pensé, par exemple, que les femmes communiquent principalement afin d'établir des relations sociales alors que les hommes parleraient plus pour donner des informations ou des avis (Tannen, 2001). C'est en connaissant ces différences que nous pouvons prévenir des conflits et des malentendus dans les contacts quotidiens.

Quoi qu'il en soit, il est important de se rappeler que sur le plan psychologique comme sur le plan biologique, les hommes et les femmes sont éminemment semblables. Fille ou garçon, nous apprenons à marcher à peu près au même âge. Nous éprouvons les mêmes sensations lumineuses et sonores. Nous subissons les mêmes assauts de la faim, du désir et de la peur. De même, nous faisons preuve, globalement, de la même intelligence et du même bonheur.

Le point à retenir : même si des attitudes ou des comportements particuliers varient d'une culture à l'autre, ou d'un sexe à l'autre et c'est souvent le cas, les lois qui les régulent sont à peu près les mêmes.

La psychologie positive

Au cours des cent premières années de son existence, l'objet d'étude la psychologie fut la compréhension et le traitement des troubles psychologiques tels que : les conséquences des abus subis dans l'enfance, l'anxiété, la dépression et la maladie, les conséquences des préjugés et de la

pauvreté. Cela représente encore une grande partie du champ de la psychologie. Il n'y a eu de la part de Martin Seligman et des élèves de son école, aucune manifestation de dédain envers le domaine de la psychologie clinique et thérapeutique (2002, 2005, 2011) lorsqu'ils appelèrent au développement de la recherche psychologique sur les possibilités *d'épanouissement humain*. Ces psychologues qualifièrent leur approche de **psychologie positive**. Les tenants de cette école pensent que le bonheur est engendré par une vie agréable, à laquelle on donne un sens par son engagement. Ainsi, la psychologie positive utilise des méthodes scientifiques pour explorer la construction d'une « bonne vie » qui utilise les capacités de chacun et à une « vie sensée » qui va au-delà de nous-mêmes.

Les trois principaux niveaux d'analyse de la psychologie

P-4 Quels sont les niveaux d'analyse de la psychologie et les perspectives qui leur sont liées ?

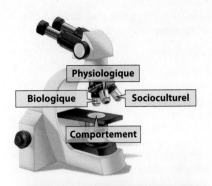

Chacun de nous représente un système complexe inclus dans un système social encore plus grand, Chacun de nous représente un système complexe inclus dans un système social encore plus grand, mais nous sommes tous également composés de plus petits systèmes comme notre système nerveux et nos systèmes organiques, eux-mêmes composés de systèmes encore plus petits comme les cellules, les molécules et les atomes.

Ces systèmes à plusieurs niveaux suggèrent l'existence de différents **niveaux d'analyse**, qui offrent des perspectives complémentaires. Les fusillades horriblement meurtrières qui eurent lieu dans les écoles américaines peuvent être analysées de différentes façons. Les auteurs de ces attentats ont-ils des troubles mentaux, d'origine organique ou fonctionnelle ? La violence dont ils font preuve est-elle inscrite dans leur patrimoine génétique ? Leurs comportements violents ont-ils été positivement renforcés ? Est-ce parce que nous vivons dans une société favorable aux armes qui accepte la violence ? Ces perspectives sont complémentaires parce que « chaque chose est reliée à une autre » (Brewer, 1996). Réunis, ces différents niveaux d'analyse forment une **approche biopsychosociale intégrée** qui prend en considération les influences des facteurs biologiques, psychologiques et socioculturels (**FIGURE 1**).

Influences biologiques :
- Sélection naturelle des caractères adaptatifs
- Prédispositions génétiques répondant à l'environnement
- Mécanismes cérébraux
- Influences hormonales

Influences psychologiques :
- Craintes apprises ou autres attentes apprises
- Réponses émotionnelles
- Processus cognitifs et interprétations perceptuelles

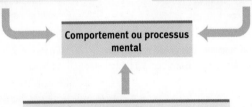

Comportement ou processus mental

Influences socioculturelles :
- Présence des autres
- Attentes culturelles, sociales et familiales
- Influences des pairs et d'autres groupes
- Modèles captivants (comme les médias)

▼ FIGURE 1
Approche biopsychosociale Ce point de vue intégré incorpore les divers niveaux d'analyse et permet d'obtenir une vision plus globale de chaque comportement ou processus mental donné.

Chaque niveau d'analyse est une pierre nécessaire à la construction de l'édifice de la psychologie explicative. L'explication fournie par chaque niveau d'analyse est nécessaire pour la compréhension d'un comportement ou d'un processus mental, mais n'est pas suffisante. Comme différentes disciplines universitaires, les diverses perspectives de la psychologie posent différentes questions et présentent leurs propres limites. Une perspective peut insister sur le niveau biologique, psychologique ou socioculturel plus qu'une autre, mais les différentes perspectives décrites dans le **TABLEAU 1** sur la page suivante sont complémentaires. Considérons, par exemple, comment elles peuvent nous renseigner sur la colère :

- Une personne travaillant dans une *perspective neuroscientifique* pourrait étudier les circuits cérébraux qui nous font être « rouge de colère » et avoir des « bouffées de chaleur ».

- Une autre travaillant dans une *perspective évolutionniste* pourrait analyser la manière dont la colère a facilité la survie des gènes de nos ancêtres.

- Une autre encore travaillant dans une *perspective de génétique comportementale* pourrait étudier comment l'hérédité et l'expérience influencent nos différences de tempérament.

JUERGEN SCHWARZ/AFP/Getty Images

Psychologie positive étude scientifique du fonctionnement humain, avec les objectifs de découvrir et de promouvoir les points forts et les vertus qui aident les individus et les communautés à prospérer.

Niveaux d'analyse différents points de vue complémentaires, biologiques, psychologiques ou socioculturels, pour analyser un phénomène donné.

Approche biopsychosociale approche intégrée qui incorpore des niveaux biologiques, psychologiques et socioculturels de l'analyse.

▼ **TABLEAU 1**
Perspectives actuelles de la psychologie

Perspective	Centre d'intérêt	Exemples de questions	Exemples de champs de la psychologie utilisant cette perspective
Neuroscience	Comment le corps et le cerveau génèrent des émotions, des souvenirs et des expériences sensorielles	Comment un message douloureux est-il transmis de la main au cerveau ? Comment la biochimie sanguine est-elle liée à nos humeurs et à nos motivations ?	Psychologie biologique ; psychologie cognitive ; psychologie clinique
Évolutionniste	Comment la sélection naturelle de certains traits de caractère entraîne la perpétuation des gènes	Comment l'évolution influence-t-elle les tendances comportementales ?	Psychologie biologique ; psychologie du développement ; psychosociologie
Génétique comportementale	Dans quelle mesure nos gènes et notre environnement influencent nos différences individuelles	Dans quelle mesure peut-on attribuer à nos gènes ou à notre environnement les caractéristiques psychologiques telles que l'intelligence, la personnalité, l'orientation sexuelle et la tendance à la dépression ?	Personnalité ; développement ; juridique/légal
Psychodynamique	Comment le comportement émane de motivations et de conflits inconscients	Pouvons-nous expliquer les traits de personnalité et ses troubles par des désirs non accomplis et des traumatismes de l'enfance ?	Psychologie clinique ; psychologie du conseil et de l'orientation ; psychologie de la personnalité
Comportementale	Comment nous apprenons les réponses observables	Comment avons-nous appris à craindre certains objets ou certaines situations ? Quelle est la meilleure façon de modifier notre comportement, par exemple pour perdre du poids ou cesser de fumer ?	Psychologie clinique ; psychologie du conseil et de l'orientation ; psychologie du travail et des organisations
Cognitive	Comment nous encodons, traitons, stockons et avons accès à l'information	Comment utilisons-nous les informations pour nous souvenir, raisonner ou résoudre un problème ?	Neuroscience cognitive ; psychologie clinique ; psychologie du conseil et de l'orientation ; psychologie du travail et des organisations
Socioculturelle	Comment le comportement et la pensée varient selon les situations et les cultures	Dans quelle mesure, nous qui sommes humains, sommes-nous semblables et membres d'une unique famille humaine ? En tant que produits de contextes environnementaux différents, à quel point sommes-nous différents ?	Psychologie du développement ; psychosociologie ; psychologie clinique ; psychologie du conseil et de l'orientation

- Une personne travaillant dans une *perspective psychodynamique* pourrait interpréter une crise de colère comme étant l'exutoire d'une hostilité inconsciente.
- Celui qui travaille dans une *perspective comportementale* pourrait tenter de déterminer quels sont les stimuli externes qui déclenchent des réponses de colère ou des actes agressifs.
- Celui qui travaille dans une *perspective cognitiviste* pourrait étudier comment notre interprétation d'une situation peut avoir une incidence sur notre colère et comment notre colère peut affecter nos pensées.
- Enfin, quelqu'un travaillant dans une *perspective socioculturelle* pourrait étudier comment l'expression de cette colère varie dans différents contextes culturels.

Ce qu'il faut retenir : tout comme les différentes vues bidimensionnelles d'un objet en trois dimensions, chaque perspective de la psychologie est utile. Mais, prises isolément, elles ne peuvent rendre compte de la totalité de l'image.

EXERCICE RÉCAPITULATIF

- Quel est l'avantage que nous apporte l'approche biopsychosociale lorsque nous étudions des événements psychologiques ?

Réponse : en incorporant les différents niveaux d'analyse, l'approche biopsychosociale peut donner une vue bien plus complète de l'événement que chaque perspective prise isolément.

- L'approche _____ en psychologie se concentre sur la façon dont le comportement et la pensée varient en fonction du contexte culturel, tandis que l'approche _____ met l'accent sur l'observation de la façon dont nous apprenons à répondre dans des situations différentes.

Réponses : socioculturelle ; comportementale

Les champs de la psychologie

P-5 Quels sont les principaux champs de la psychologie ?

Si l'on vous demande de peindre un chimiste en train de travailler, vous représenterez probablement un scientifique en blouse blanche entouré d'éprouvettes et d'appareils de haute technologie. Si vous deviez peindre un psychologue au travail, vous auriez raison de représenter :

- un scientifique en blouse blanche en train d'examiner le cerveau d'un rat ;
- un chercheur spécialiste de l'intelligence en train d'évaluer la vitesse à laquelle un enfant montre son ennui en se détournant d'une image qui lui est familière.
- un cadre évaluant un nouveau programme de formation sur les « styles de vie plus sains » destinés aux employés ;
- une personne devant un ordinateur, analysant les données sur le tempérament d'adolescents adoptés afin d'évaluer s'il se rapproche plus de celui des parents adoptifs ou de celui des parents biologiques ;
- un thérapeute écoutant attentivement les pensées d'un patient dépressif ;
- un voyageur arrivant dans une autre culture et recueillant des données sur les variations des valeurs et des comportements humains ;
- un enseignant ou un écrivain partageant les joies de la psychologie avec d'autres.

Cet ensemble de champs que représente la psychologie est un terrain de rencontre pour différentes disciplines. John Cacioppo (2007), président de l'Association for Psychological Science considère que « la psychologie est une discipline scientifique centrale ». Elle constitue donc une « maison idéale » pour ceux dont les centres d'intérêts sont très divers. Dans leurs activités variées, qui vont de l'expérimentation biologique aux comparaisons culturelles, les psychologues ont en commun la même quête : *décrire et expliquer les comportements et les processus mentaux qui les sous-tendent.*

Certains psychologues mènent des **recherches fondamentales** qui permettent d'élaborer une connaissance de base de la psychologie. Nous allons rencontrer nombre de ces chercheurs parmi lesquels des *psychologues biologistes* qui explorent les liens existant entre cerveau et esprit ; des *psychologues du développement* qui étudient nos capacités de changement tout au long de notre vie ; des *psychologues cognitivistes* qui étudient la manière dont nous percevons, réfléchissons et résolvons les problèmes ; des *psychologues de la personnalité* qui analysent nos traits de caractère durables ; et des *psychosociologues* qui étudient comment nous percevons les autres et quelle influence nous avons les uns sur les autres.

« Je suis un chercheur en sciences sociales, Michael. Cela veut dire que je ne peux pas t'expliquer ce qu'est l'électricité ou des choses du même genre, mais si jamais tu veux savoir quelque chose à propos des gens, je suis celui qu'il te faut. »

© The New Yorker Collection, 1986, J. B. Handelsman d'après cartoonbank.com. Tous droits réservés.

Recherche fondamentale science pure qui vise à accroître la base de connaissances scientifiques.

Ted Fitzgerald, Pool/AP Photo

Psychologie juridique Les psychologues spécialisés dans les sciences criminelles appliquent les principes et les méthodes de la psychologie au service de la justice pénale. Ils peuvent évaluer la crédibilité des témoins, examiner en tant qu'expert la personnalité des prévenus et évaluer la dangerosité des sujets.

Image Source/Punchstock

Psychologie : une science et une profession Les psychologues expérimentent en observant, testant et traitant le comportement. Ici nous voyons un psychologue faisant passer des tests à un enfant, un autre qui mesure les données physiologiques liées aux émotions, et enfin un entretien en face à face au cours d'une psychothérapie.

Recherche appliquée étude scientifique qui vise à résoudre des problèmes pratiques.

Psychologie de l'orientation branche de la psychologie qui aide les personnes ayant des problèmes dans la vie quotidienne (souvent liés à l'école, au travail ou au mariage) et dans la réalisation de plus de bien-être.

Psychologie clinique branche de la psychologie qui étudie, évalue et traite ceux qui souffrent de troubles psychologiques.

Psychiatrie branche de la médecine qui étudie les sujets qui souffrent de troubles psychologiques ; elle est pratiquée par des médecins ; ils prescrivent parfois des traitements médicaux (par exemple des médicaments) ou des psychothérapies.

Psychologie communautaire branche de la psychologie qui étudie la manière dont les hommes interagissent avec leur environnement et comment les institutions sociales peuvent affecter les individus et les groupes.

Ces psychologues ainsi que d'autres effectuent également des **recherches appliquées** qui s'attaquent à des problèmes pratiques. *Les psychologues industriels et organisationnels* (ou psychologues du travail et des organisations), par exemple, utilisent sur les lieux de travail les concepts et les méthodes empruntés à la psychologie pour aider les organisations et les entreprises à sélectionner et former les employés, à améliorer l'esprit d'entreprise et la productivité, à concevoir des produits et à équiper de nouveaux systèmes.

Bien que la plupart des ouvrages de psychologie se focalisent sur la psychologie scientifique, la psychologie est aussi une profession destinée à aider les gens et qui se consacre à la résolution de questions pratiques telles que comment faire un mariage heureux, comment surmonter l'anxiété ou une dépression ou comment élever des enfants débordant de vie. En tant que science, la psychologie fonde ses interventions sur les *preuves de leur efficacité*. Les **psychologues du conseil et de l'orientation** aident les gens à faire face à différentes difficultés ou crises (comme des problèmes universitaires, professionnels et maritaux) et à améliorer leur manière d'agir personnelle et sociale. Les **psychologues cliniciens** étudient et traitent les troubles mentaux, comportementaux et émotionnels. Les psychologues du conseil et de l'orientation et les psychologues cliniciens effectuent et interprètent des tests, donnent des conseils, mettent en place des thérapies et mènent parfois des recherches fondamentales et appliquées. En revanche, même s'ils conduisent souvent des psychothérapies, les **psychiatres** sont des médecins qui traitent les causes physiques des troubles psychologiques et ont le droit de prescrire des médicaments.

Plutôt que de tenter de changer les hommes pour qu'ils s'adaptent à leur environnement, les **psychologues communautaires** travaillent à la création d'environnements sociaux et physiques favorisant la santé de tous (Bradshaw et coll., 2009 ; Trickett, 2009). Par exemple lorsque le *school bullying* (maltraitance et harcèlement scolaire) est un problème, certains psychologues cherchent à changer ceux qui « harcèlent ». Sachant que de nombreux enfants éprouvent d'importantes difficultés lorsqu'ils passent de l'école au collège, ils peuvent essayer d'apprendre à certains d'entre eux comment les surmonter. En revanche, les psychologues communautaires chercheront plutôt comment adapter l'expérience de l'école aux besoins des jeunes adolescents. Pour prévenir les actes d'intimidation et les brimades, ils pourraient étudier comment l'école et son environnement peuvent favoriser ces actes et de quelle manière les surveillants devraient intervenir (Polanin et al., 2012).

Avec des orientations allant du biologique au social et des lieux d'exercice allant du cabinet médical au laboratoire, la psychologie est en relation avec de nombreux domaines. Les psychologues enseignent dans les facultés de médecine, de droit et de théologie ; ils travaillent dans les hôpitaux, les usines et les administrations. Ils sont engagés dans des études pluridisciplinaires telles que la psychohistoire (qui porte sur l'analyse psychologique des personnages historiques) et la psycholinguistique (qui traite des relations entre la langue et la manière de penser).

L'influence de la psychologie pénètre aussi la culture moderne. Le savoir nous transforme. Le fait d'apprendre à comprendre le système solaire et à appréhender la théorie microbienne des maladies modifie la manière dont les gens pensent et agissent. Connaître les découvertes de la psychologie change aussi les gens. Ils ne jugent plus aussi souvent les troubles psychologiques comme une faute morale qui peut être soignée par la punition ou l'ostracisme. Ils regardent et considèrent moins souvent les femmes comme étant inférieures aux hommes. Ils ne regardent plus et n'élèvent plus les enfants comme s'il s'agissait d'ignorants ou d'animaux qu'il faut domestiquer. « Dans chaque cas, note Morton Hunt (1990, p. 206), la connaissance a modifié les attitudes et, à travers elles, le comportement. » « Dans chaque cas, note Morton Hunt (1990, p. 206), la connaissance a modifié les attitudes et, à travers elles, le comportement. » Une fois informé de certains principes de la psychologie – comment le corps et l'esprit sont reliés, comment la pensée d'un enfant se développe, comment nous construisons nos perceptions, comment nous nous souvenons (parfois mal) de nos expériences, de quelle manière les gens à travers le monde sont différents (ou semblables) –, votre esprit a des chances de ne plus être tout à fait le même.

Mais, gardez bien à l'esprit les limites de la psychologie. N'attendez pas d'elle qu'elle réponde aux questions fondamentales posées par le romancier russe Léon Tolstoï (1904) : « Pourquoi devrais-je vivre ? Pourquoi devrais-je faire quoi que ce soit ? Y a-t-il dans l'existence quelque dessein que la mort inévitable qui m'attend, ne ruine ou ne détruise ? »

Si beaucoup de questions essentielles sur la vie dépassent la psychologie, d'autres, très importantes, peuvent trouver un éclaircissement déterminant même après un seul cours d'introduction à cette discipline. Grâce à des recherches de longue haleine, les psychologues ont pu être renseignés sur le cerveau et l'esprit, les rêves et les souvenirs, la dépression et la joie. Même les questions restées sans réponse peuvent nous enrichir, en nous redonnant ce goût du mystère à propos de ces « choses si merveilleuses » qu'il nous reste encore à découvrir. De plus, vos études de psychologie pourront vous aider à apprendre comment poser des questions importantes et comment y répondre – comment avoir un regard critique lorsque vous évaluez des idées ou des affirmations contradictoires.

La psychologie nous permet d'approfondir notre appréciation de la question du comment, en tant qu'hommes, nous percevons, pensons, ressentons et agissons. En faisant cela, elle peut enrichir notre vie et élargir notre façon de voir. À travers ce livre, nous espérons vous aider à vous orienter dans cette direction. Charles Eliot, qui était éducateur, écrivit il y a un siècle : « Les livres sont les plus calmes et les plus constants des amis ainsi que les plus patients des professeurs. »

> « Lorsqu'il s'ouvre à une grande idée, [l'esprit] ne revient jamais à sa taille d'origine. »
>
> Oliver Wendell Holmes, 1809-1894

> « Oui, j'ai parlé sans les comprendre de merveilles qui me dépassent et que je ne conçois pas. »
>
> Job 42:3, La Sainte-Bible, traduction L. Segond

EXERCICE RÉCAPITULATIF

- Faites correspondre la spécialité à gauche avec sa définition à droite

1. Psychologie clinique
2. Psychiatrie
3. Psychologie communautaire

a. Création d'environnements sociaux, de cadre de vie et de travail qui soient bénéfiques à l'épanouissement de chacun.

b. Étudie, évalue et traite les personnes ayant des troubles psychologiques mais ne peut généralement pas prescrire de traitements médicaux.

c. Branche de la médecine qui traite les troubles psychologiques.

Réponses : 1. b, 2. c, 3. a

Améliorez votre mémoire – et vos notes aux examens

P-6 Comment les principes de la psychologie peuvent-ils vous aider à apprendre et à vous souvenir ?

Pensez-vous, comme la plupart des étudiants, qu'une des façons de garder en mémoire ce que vous venez d'apprendre consiste à le relire ? Ce qui peut vous aider encore plus – et c'est ce que cet ouvrage encourage – c'est de s'interroger de manière répétée sur les sujets déjà étudiés. Henry Roediger et Jeffrey Karpicke (2006), des chercheurs spécialisés dans la mémoire, appellent ce phénomène l'**effet re-test**. (Parfois appelé *apprentissage amélioré par les tests*), ajoutant : « Se tester est un moyen puissant d'améliorer l'apprentissage et non pas simplement de le vérifier. » Au cours d'une de leurs études, des étudiants se sont bien mieux souvenus de 40 mots Swahili qu'ils avaient appris au préalable lorsqu'ils se testaient plusieurs fois plutôt que lorsqu'ils passaient le même temps à réapprendre ces mots (Karpicke et Roediger, 2008).

Comme vous le verrez au Chapitre 8, pour dominer n'importe quel sujet, vous devez le traiter *activement*. Votre esprit n'est pas comme votre estomac, un organe que vous devez remplir passivement ; il ressemble davantage à un muscle qui se développe avec de l'exercice. Des expériences sans nombre ont montré qu'on apprenait et qu'on se souvenait mieux d'un sujet quand on l'avait traduit dans ses propres mots, qu'on l'avait répété, qu'on l'avait rappelé à sa mémoire puis révisé encore une fois.

> **Effet re-test** amélioration de la mémoire après un rappel de l'information et non pas une simple relecture. Appelé parfois également *apprentissage amélioré par les tests*.

PIL2R méthode d'étude comprenant cinq étapes : faire le Plan, s'Interroger, Lire, Rappeler, Revoir.

Une méthode en cinq étapes applique ces principes (McDaniel et coll., 2009 ; Robinson, 1970). Vous pouvez vous en souvenir comme de la méthode **PIL2R** : visualiser le Plan, s'Interroger, Lire, Rappeler et Revoir. (En anglais SQ3R est un acronyme de ses 5 étapes : Survey, Question, Read, Retrieve[2], Review.)

Lorsque vous étudiez un chapitre, visualisez-en le *plan* en survolant le texte. Passez en revue les différents titres et repérez l'organisation du chapitre.

Lorsque vous vous préparez à lire chaque partie, essayez de répondre à la *question* posée par l'objectif d'apprentissage précédée d'un numéro (pour cette section : comment les principes de la psychologie peuvent-ils vous aider à apprendre et à vous souvenir ?) Selon Roediger et Bridgid Finn (2009), « essayer de répondre et ne pas y arriver peut réellement vous aider à apprendre ». Ceux qui testent leurs connaissances *avant* de lire la partie et découvrent ce qu'ils ne savent pas encore, l'apprendront et s'en souviendront bien mieux.

Puis *lisez* en recherchant activement la réponse à la question. À chaque séance ne lisez du chapitre que ce que vous pourrez assimiler sans montrer de signes de fatigue (en général une seule partie principale). Lisez de manière critique et active. Posez-vous des questions. Prenez des notes. Appliquez les idées à vous-même : comment pouvez-vous relier ce que vous lisez à votre propre vie ? Cela conforte-t-il ou s'oppose-t-il à vos hypothèses ? Les preuves sont-elles convaincantes ?

Une fois que vous avez lu une partie, *rappelez-vous* ses idées principales. « La récapitulation active favorise l'apprentissage de façon significative », dit Karpicke (2012). Alors *évaluez-vous*. Vous pourrez ainsi définir ce que vous savez ; ce test en lui-même vous aidera à apprendre et à retenir l'information de manière plus efficace. Encore mieux : testez-vous plusieurs fois. Pour vous faciliter la tâche, nous vous proposons régulièrement des *rappels d'information* tout au long de chaque chapitre (par exemple reportez-vous aux questions portant sur ce chapitre). Après avoir répondu aux questions vous pouvez vérifier les réponses proposées et relire les passages si nécessaire. Pour finir, revoyez.

« Le bénéfice est plus grand si l'on prend le temps de réfléchir et de se souvenir de quelque chose par un effort plutôt que par la relecture de son manuel. »

William James, *Principles of Psychology*, 1890

Pour finir, *revoyez* : relisez toutes les notes que vous avez prises, revoyez l'organisation du chapitre puis relisez rapidement le chapitre en entier. Écrivez ou donnez à haute voix la définition des concepts avant de relire pour vérifier si vous avez bien compris.

Visualiser le plan, s'interroger, lire, rappeler, revoir. J'ai organisé les chapitres de ce livre pour vous permettre d'utiliser plus facilement la méthode PIL2R. Chaque chapitre commence par un plan qui vous permet d'en déterminer les *grandes lignes*. Les titres et les *questions* sur les objectifs d'apprentissage suggèrent les thèmes et les concepts que vous devrez envisager *lors de votre lecture*. Les chapitres sont organisés en parties d'une longueur raisonnable à lire.

―――――――
2. Parfois aussi appelé « *Recite* »

Les questions proposées dans les encadrés Exercice récapitulatif vous obligent à rappeler les informations que vous avez apprises et de ce fait à mieux vous en souvenir. La section en fin de chapitre *Revue générale* comprend l'apprentissage des questions objectives recueillies et des termes clés pour l'autotest. La révision complète des chapitres fait l'objet de l'Annexe C. Des questions supplémentaires d'autoévaluation de formes diverses sont regroupées à la fin de chaque chapitre, et les réponses figurent dans l'Annexe D. Visualiser le plan, s'interroger, lire…

Quatre astuces supplémentaires concernant les méthodes de travail peuvent améliorer votre apprentissage :

Répartissez votre temps d'étude Une des plus anciennes trouvailles de la psychologie est que *l'apprentissage en plusieurs fois* permet une meilleure rétention de l'information que l'*apprentissage en masse*. Vous vous rappellerez mieux un texte si vous espacez vos plages de travail sur plusieurs périodes d'étude, par exemple, une heure par jour, six jours par semaine, plutôt que de « bachoter » au cours d'une longue séance de travail. Par exemple, au lieu d'essayer de lire un chapitre entier en une seule fois, lisez uniquement une des sections principales et, ensuite, allez faire autre chose. *Si vous intercalez* votre étude de la psychologie au milieu de l'étude d'autres sujets vous favoriserez la rétention à long terme des informations et vous vous protégerez de l'excès de confiance en soi (Kornell et Bjork, 2008 ; Taylor et Rohrer, 2010).

La répartition de vos plages de travail vous demandera une certaine discipline afin d'organiser votre temps. (Richard O. Straub explique comment gérer son temps dans la préface très intéressante proposée au début de ce livre).

Apprenez à penser de manière critique. Que vous soyez en train de lire ou en classe, notez les hypothèses des auteurs et leur valeur. Quelles perspectives ou biais se cachent derrière un argument ? Examinez les preuves. Est-elle fondée sur des anecdotes ? Ou est-elle issue de l'expérimentation ? Évaluez les conclusions. Existe-t-il d'autres explications ?

En classe, traitez l'information activement. Écoutez les idées principales et les idées secondaires émises pendant les cours. *Écrivez-les.* Posez des questions pendant et après les cours. Pendant les cours et lorsque vous étudiez seul, traitez l'information de manière active ; vous la comprendrez et la retiendrez mieux. Comme le clamait le psychologue William James, il y a un siècle, *« pas de réception sans réaction, pas d'impression sans… expression ».* Appropriez-vous l'information. Prenez des notes avec vos propres mots. (Les notes manuscrites engagent généralement un traitement plus actif avec vos propres mots, et donc une meilleure mémoire, que ne le fait la prise de notes sur les ordinateurs portables [Mueller & Oppenheimer, 2014]). Mettez en relation ce que vous lisez à ce que vous savez déjà. Parlez-en à quelqu'un d'autre. (Comme n'importe quel professeur vous le confirmera, enseigner c'est se souvenir).

Révisez. La psychologie nous a appris que les révisions amélioraient la rétention mnésique. Nous avons tendance à surestimer ce que nous savons. Vous pouvez avoir compris un chapitre lorsque vous l'avez lu, mais ce sentiment de familiarité réconfortant peut être trompeur. En utilisant les Exercices récapitulatifs, consacrez du temps d'étude supplémentaire pour tester vos connaissances et explorer la psychologie.

Elisabeth Bjork et Robert Bjork, des spécialistes de la mémoire (2011), ont proposé le paragraphe suivant pour améliorer votre rétention mnésique et vos notes aux examens :

> Passez moins de temps à faire entrer l'information qu'à la faire ressortir, par exemple en faisant le résumé de mémoire de ce que vous venez de lire ou en vous réunissant avec des amis pour vous poser mutuellement des questions. Toute activité qui vous oblige à vous tester — c'est-à-dire toutes les activités qui nécessitent que vous vous rappeliez l'information ou que vous génériez des informations, plutôt que de simplement les relire – rendra votre apprentissage plus durable et plus souple. (p. 63)

Plus de conseils d'apprentissage
Pour en savoir plus sur l'effet re-test et la méthode PIL2R (SQ3R), regardez cette animation de 5 minutes, Faire des Choses Mémorables, sur tinyurl.com/HowToRemember.

EXERCICE RÉCAPITULATIF

- L'_____ _____ décrit l'augmentation de la mémoire provoquée par un rappel répété des nouvelles informations (comme lorsqu'on s'autoévalue) plutôt que par la simple relecture de ces dernières.

Réponse : effet re-test

- Que signifie l'acronyme PIL2R (SQ3R) ?

Réponse : visualiser le Plan, s'Interroger, Lire, Rappeler et Revoir

REVUE GÉNÉRALE Histoire de la psychologie

OBJECTIFS D'APPRENTISSAGE

EXERCICE RÉCAPITULATIF Prenez quelques instants pour répondre à chaque question des objectifs d'apprentissage (qui reprennent les questions du texte Prologue). Puis reportez-vous à l'annexe C, « Révision complète des chapitres », pour vérifier vos réponses. Selon les recherches, le fait d'essayer de répondre à ces questions par vous-même permet d'améliorer votre mémoire à long terme (McDaniel et coll., 2009).

P-1 Quelles ont été les grandes étapes du développement des origines de la psychologie ?

P-2 Comment la psychologie s'est-elle développée de 1920 à nos jours ?

P-3 Comment notre compréhension de la biologie et des expériences vécues, de l'influence de la culture et de la sexualité sur l'épanouissement de l'homme donne toute sa densité à à la psychologie contemporaine ?

P-4 Quels sont les niveaux d'analyse de la psychologie et les perspectives qui leur sont liées ?

P-5 Quels sont les principaux champs de la psychologie ?

P-6 Comment les principes de la psychologie peuvent-ils vous aider à apprendre et à vous souvenir ?

TERMES ET CONCEPTS À RETENIR

EXERCICE RÉCAPITULATIF Testez votre connaissance de ces termes en essayant d'écrire leur définition avant de vous reporter aux pages indiquées en référence pour vérifier votre réponse.

structuralisme, p. 3

fonctionnalisme, p. 3

comportementalisme ou béhaviorisme, p. 5

psychologie humaniste, p. 5

neurosciences cognitives, p. 6 5

psychologie, p. 5

question entre nature et culture, p. 6

sélection naturelle, p. 6

psychologie évolutionniste, p. 7

génétique du comportement, p. 7

culture, p. 7

psychologie positive, p. 9

niveaux d'analyse, p. 9

approche biopsychosociale, p. 9

recherche fondamentale, p. 11

recherche appliquée, p. 12

psychologie du conseil, p. 12

psychologie clinique, p. 12

psychiatrie, p. 12

psychologie communautaire, p. 12

effet re-test, p. 13

PIL2R, p. 14

ÉVALUEZ-VOUS   HISTOIRE DE LA PSYCHOLOGIE

Évaluez-vous à plusieurs reprises tout au long de vos études. Cela permettra non seulement de vous aider à distinguer ce que vous savez de ce que vous ignorez mais aussi à vous faire bénéficier de l'effet test. Autrement dit, le test lui-même va vous aider à apprendre et à mémoriser l'information de manière plus efficace grâce à ce qui est appelé *l'effet test*.

Qu'est-ce que la psychologie ?

1. En 1879, dans la première expérience de la psychologie, _____ et ses élèves ont mesuré le décalage entre le temps d'audition du son provoqué par la chute d'un ballon sur une plate-forme et l'appui sur une touche de télégraphe.

2. William James serait considéré comme _____. Wilhelm Wundt et Edward Titchener seraient respectivement considérés comme étant _____.

   a. fonctionnaliste ; structuralistes

   b. structuraliste ; fonctionnalistes

   c. théoricien de l'évolution ; structuralistes

   d. fonctionnaliste ; théoriciens de l'évolution

3. Au début du XXᵉ siècle, _____ a redéfini la psychologie comme étant « la science du comportement observable ».

   a. John B. Watson

   b. Abraham Maslow

   c. William James

   d. Sigmund Freud

4. La nature est à la culture ce que :

   a. la personnalité est à l'intelligence.

   b. la biologie est à l'expérimentation.

   c. l'intelligence est à la biologie.

   d. les traits psychologiques sont aux comportements.

5. « La culture fait son œuvre sur ce qu'apporte la nature. » Décrivez ce que cela signifie, en utilisant vos propres mots.

6. Un psychologue traitant des adolescents souffrant de troubles affectifs, dans un centre médico-psychologique est plus susceptible d'être

   a. chercheur en psychologie.

   b. psychiatre.

   c. psychologue spécialisé en psychologie industrielle et organisationnelle.

   d. psychologue clinicien

7. Un professionnel de la santé mentale titulaire d'un diplôme de médecine qui peut prescrire des médicaments est un _____.

8. Un psychologue menant des recherches fondamentales pour élargir le champ des connaissances de la psychologie serait le plus susceptible de

   a. concevoir un écran d'ordinateur à faible effet d'éblouissement pour réduire la fatigue des utilisateurs après une journée de travail.

   b. traiter les personnes âgées qui sont submergées par un état dépressif.

   c. observer des enfants âgés de à 3 et 6 ans et évaluer leurs capacités à résoudre des problèmes et procéder à une étude de psychologie différentielle.

   d. mener des entretiens avec des enfants ayant des problèmes comportementaux et proposer des traitements.

Trouvez les réponses à ces questions dans l'Annexe D, à la fin du livre.

CHAPITRE 1

PENSER DE MANIÈRE CRITIQUE GRÂCE À LA PSYCHOLOGIE SCIENTIFIQUE

· · · · · · · · · · · ·

En espérant satisfaire leur curiosité à propos des autres et remédier à leurs propres maux, des millions de personnes se tournent vers la « psychologie ». Ils écoutent les conseils dispensés lors d'émissions radiophoniques, par des psychologues, ou prétendus tels. Ils lisent des articles sur les pouvoirs psychiques. Ils assistent à des séminaires d'hypnose pour arrêter de fumer. Ils se plongent dans les sites Web qui traitent du « s'aider soi-même » et les livres qui traitent de la signification des rêves, du chemin qui mène à l'amour extatique et aux racines du bonheur personnel.

D'autres, intrigués par les affirmations d'existence d'une vérité psychologique, se posent la question de savoir comment et combien les soins parentaux vont structurer la personnalité et amplifier les capacités de leurs enfants ? Les aînés sont-ils plus guidés vers la réussite ? Les rêves ont-ils un sens profond ? La psychothérapie guérit-elle ?

En travaillant sur de telles questions, comment pouvons-nous séparer les opinions fondées sur une mauvaise information des conclusions expérimentales ? *Comment pouvons-nous au mieux nous servir de la psychologie pour comprendre ce que les êtres humains pensent, ressentent les choses et le monde, et agissent comme ils le font ?*

Les limites de l'intuition Les spécialistes de l'entretien d'embauche ont tendance à trop se fier à leur impression première pour le choix d'un candidat. Leur présomption provient de leur souvenir des cas où leurs impressions favorables se sont avérées justes, et de leur ignorance des candidats non retenus qui ont réussi ailleurs.

« Celui qui a confiance en son propre cœur est un insensé »

Proverbes 28:26 La sainte Bible L. Segond

« La vie doit être comprise en regardant en arrière mais il ne faut pas oublier qu'elle doit être vécue en regardant en avant. »

Søren Kierkegaard, philosophe, 1813-1855

« Toute chose devient un lieu commun, une fois qu'elle est expliquée. »

Dr Watson à Sherlock Holmes

L'intuition sentiment ou pensée implicite, immédiate et surgissant sans effort, que nous utilisons à la place du raisonnement explicite.

Le biais de l'après-coup notre tendance à croire, après avoir pris connaissance d'un résultat, que nous l'avions déjà prédit. (Également connu sous le nom *phénomène du :* « *J'ai toujours su que cela se passerait ainsi* ».)

Le besoin d'une psychologie scientifique

1-1 **Comment notre pensée quotidienne nous amène-t-elle souvent à une conclusion erronée ?**

CERTAINES PERSONNES SUPPOSENT QUE LA PSYCHOLOGIE ne fait que traduire des idées de bon sens dans un jargon habilement pratiqué : « Vous êtes payé pour utiliser des méthodes sophistiquées afin de démontrer ce que tout le monde sait ? » D'autres se fient à leur **intuition**. Selon le prince Charles (2000), « il existe une conscience instinctive, enfouie profondément en chacun d'entre nous, que nous ressentons avec notre cœur et qui, si on la laisse faire, représente notre meilleur guide ».

Le prince Charles a de nombreux adeptes. Une longue liste de livres de vulgarisation de la psychologie nous encourage à la « gestion intuitive de l'entreprise », et à nous en remettre à notre intuition « pour les investissements boursiers » ou « les processus de guérison ». Actuellement, la psychologie scientifique parle d'un vaste esprit intuitif. Comme nous le verrons, notre pensée, notre mémoire et nos attitudes opèrent à deux niveaux, conscient et non-conscient, et la majorité des actions s'effectue automatiquement, de façon non consciente. Tout comme les avions de ligne, nous volons le plus souvent sur pilote automatique.

Ainsi, est-ce intelligent d'écouter les chuchotements de notre sagesse, de faire simplement confiance à « notre force intérieure » ? Ou bien devrions-nous plus souvent soumettre nos pressentiments intuitifs à un examen critique et faire preuve de scepticisme ?

Ce qui est certain est que nous sous-estimons souvent les dangers de l'intuition. Si je vous parle de mon intuition géographique, celle-ci me fait dire que Reno est à l'est de Los Angeles, que Rome est au sud de New York, qu'Atlanta est à l'est de Détroit. Seulement je me trompe, encore et encore.

Des études expérimentales ont démontré que nous surestimons nos capacités à déceler les mensonges, à nous souvenir de témoignages oculaires, à évaluer un candidat lors d'un entretien, à prévoir les risques, ainsi que notre talent à sélectionner les valeurs boursières dans lesquelles investir. Un grand physicien lauréat du prix Nobel nous a expliqué ceci : « Le premier principe est que vous ne devez vous laisser abuser et pourtant vous êtes la personne la plus facile à duper » (Feynman, 1997).

En vérité, note l'écrivain Madeleine L'Engle, « l'intellect nu est un instrument extraordinairement imprécis » (1973). Trois phénomènes, le *biais de l'après-coup*, l'*excès de confiance en notre jugement* et notre *tendance à percevoir un ordre dans des événements fortuits*, illustrent pourquoi nous ne pouvons nous fier seulement à notre intuition et à notre bon sens.

L'a-t-on toujours su ? Le biais de l'après-coup

Il est facile de paraître astucieux quand on dessine la cible *une fois* que la flèche l'a touchée. Après la chute des marchés financiers, les commentateurs parlent d'une « correction du marché ». Après un match de football, nous félicitons l'entraîneur pour le punch de ses joueurs s'ils ont gagné ou nous le critiquons pour le manque de stratégie dans le match s'ils ont perdu. L'issue d'une guerre ou les résultats d'une élection semblent évidents une fois celles-ci terminées. Ainsi, même si l'histoire ne semble être qu'une suite d'événements inévitables, il est très rare qu'il ait été possible de prédire l'avenir tel qu'il s'est déroulé en réalité. Personne n'avait écrit dans son journal : « Aujourd'hui commence la guerre de Cent Ans. »

Le **biais de l'après-coup** ou, encore, le phénomène du *je l'ai toujours su*, est facile à démontrer. Donnez à la moitié des membres d'un groupe des résultats supposés provenir de la recherche psychologique et à l'autre moitié des résultats qui vont dans le sens inverse. Dites au premier groupe : « Les psychologues ont montré que la séparation affaiblissait le désir ». Comme dit le proverbe, « Loin des yeux, loin du cœur. » Demandez-leur d'imaginer pourquoi cela pourrait être vrai. La plupart d'entre eux pourront le faire et presque tous considéreront alors cette découverte comme tout à fait évidente.

Dites exactement le contraire au second groupe : « Les psychologues ont montré que la séparation renforçait le désir ». « Un seul être vous manque et tout est dépeuplé » Alphonse de Lamartine (N.d.T.). Ceux à qui on a cité ce vers, sont, de la même manière, capables d'imaginer cette situation et la plupart d'entre eux ne seront pas surpris. Il est facile de trouver parmi les proverbes des affirmations contradictoires « tel père, tel fils » et « à père avare, fils prodigue » Il est donc gênant de ne se fier qu'au bon sens populaire.

De telles erreurs entachant nos souvenirs ou affaiblissant nos explications montrent pourquoi nous avons besoin de la recherche en psychologie. Prenons deux exemples de question à propos du ressenti : « comment » et « pourquoi » vous êtes-vous comporté de telle manière ? « comment » et « pourquoi » avez-vous ressenti les choses de cette façon ? Poser les questions aussi simplement peut parfois amener des réponses trompeuses. Non parce que le bon sens est généralement dans l'erreur, mais parce que le bon sens décrit plus aisément ce qui *s'est* passé qu'il ne prédit ce qui *va* se passer. Comme l'a dit le physicien Niels Bohr, « il est très difficile de faire des prédictions, en particulier celles de l'avenir ».

Plus de 800 articles scientifiques ont montré que le biais cognitif de l'après-coup était universellement partagé, quels que soient l'âge et l'origine des sujets (Roese & Vohs, 2012). Néanmoins, l'intuition de nos aïeux étant souvent bonne. Comme l'a dit le grand joueur de baseball Yogi Berra, « Vous pouvez observer beaucoup en regardant. » Nous devons remercier Berra pour d'autres perles, telles que « Personne ne vient jamais ici, il y a trop de monde, » « Si les gens ne veulent pas sortir des stades de base-ball, personne ne peut les en empêcher. » Parce que nous sommes tous des observateurs du comportement, il serait surprenant que bon nombre de découvertes de la psychologie n'eussent *pas* été prévisibles. Beaucoup de gens pensent que l'amour est source de bonheur, et ils ont raison (comme le montre le Chapitre 11, nous avons un fort « besoin d'appartenance »).

En fait comme l'ont remarqué Daniel Gilbert, Brett Pelham et Douglas Krull (2003), « les bonnes idées de la psychologie ont généralement cette qualité de nous être étrangement familières et, au moment où nous les rencontrons, nous sommes persuadés d'avoir déjà pensé à peu près la même chose mais simplement oublié de le noter ». Les bonnes idées sont comme les bonnes inventions ; une fois créées, elles apparaissent comme évidentes. (Pourquoi a-t-il fallu si longtemps pour que quelqu'un invente les valises à roulettes ou les Post-it ® ?)

Mais parfois les intuitions de nos aïeux nourries d'innombrables observations fortuites, sont trompeuses. Dans les chapitres suivants, nous verrons comment les recherches ont réfuté certaines idées populaires, comme le fait que la familiarité engendre le mépris, que les rêves prédisent l'avenir, ou encore que nous n'utilisons que 10 % des capacités de notre cerveau. Nous verrons également à quel point nous avons été surpris par des découvertes telles que : le contrôle de notre humeur, et de notre mémoire, exercé par des messagers chimiques cérébraux, les effets du stress sur notre capacité à lutter contre les maladies ou encore l'intelligence animale.

REUTERS/U.S. CoastGuard/Handout

Biais d'après coup Lors du forage dans la plate-forme pétrolière Deepwater Horizon en 2010, les employés de la BP n'ont pas pris toutes les mesures nécessaires et n'ont pas tenu compte de certains signaux d'alarme, même s'ils n'avaient aucunement l'intention d'engendrer des dégâts environnementaux ni d'entacher la réputation de leur compagnie. *Une fois* que la marée noire s'est formée, l'imprudence de leur jugement a semblé, après-coup, évidente à 100 pour 100.

La confiance excessive

Nous avons tendance, et c'est humain, à penser que nous en savons plus qu'en réalité. Lorsque l'on nous pose des questions, dont la réponse est univoque, du type *La ville de Boston est-elle au nord ou au sud de Paris ?*, nous avons tendance à être plus sûrs de nous que d'ordinaire[1]. Considérons ces trois anagrammes, que Richard Goranson (1978) a demandé de déchiffrer à des sujets :

AEYRR → RAYER

EIOVL → VOILE

GRABE → BARGE

Combien de secondes pensez-vous que cela vous aurait pris pour résoudre chacune de ces anagrammes ? Le biais de l'après-coup vous a-t-il influencé ? Connaître les réponses tend à nous rendre trop sûrs de nous. (Nous sommes sûrs que la solution aurait été trouvée en seulement dix secondes.) En réalité, le processus de résolution du problème dure trois minutes, comme vous pourriez le constater si vous proposez une anagramme similaire, sans sa solution, telle que OCHSA[2].

Sommes-nous meilleurs pour prédire les comportements sociaux ? Le psychologue de l'université de Pennsylvanie, Philip Tetlock (1998, 2005), a rassemblé plus de 27 000 prédictions faites par des experts sur des événements mondiaux comme le futur de l'Afrique du Sud ou la séparation entre Québec et Canada.

Solutions des anagrammes amusantes de Wordsmith (www.wordsmith.org) :
Albert Einstien = Rien n'est établi
Tour de main = Dominateur
Trace de pas = Case départ

---

1. Boston est au sud de Paris.

2. La solution de l'anagramme : CHAOS.

Exemples d'excès de confiance tirés du passé :

« Nous n'aimons pas leur son. Les groupes de guitaristes ont fait leur temps. »

La maison de disques Decca, après avoir rompu un contrat d'enregistrement avec les Beatles en 1962

« À l'avenir les ordinateurs ne devraient pas peser plus de 1,5 tonne. »

Popular Mechanics, 1949

« Ils ne pourraient même pas toucher un éléphant à cette distance. »

Général John Sedgwick, juste avant d'être tué lors d'une bataille de la guerre de Sécession, 1864

« Les téléphones sont peut-être appropriés à la vie de nos cousins américains, mais pas à la nôtre, car nous avons un nombre suffisant de garçons de course. »

Évaluation d'un groupe d'experts britanniques à propos de l'invention du téléphone

À chaque fois, il a trouvé que les prédictions faites par des experts ayant en moyenne une confiance en eux de 80 % se sont avérées exactes dans moins de 40 % des cas. Néanmoins, même ceux qui se trompèrent continuaient à avoir confiance en eux en remarquant qu'ils avaient eu presque raison. « Les séparatistes québécois ont *presque* gagné le référendum. »

EXERCICE RÉCAPITULATIF

- Pourquoi, lors d'une réunion d'amis, avons-nous souvent ce sentiment que ces personnes étaient faites pour se *rencontrer* ?

Réponse : Nous souffrons souvent de biais rétrospectif, biais d'après-coup, une fois le résultat connu, ce résultat semble familier et donc évident.

Apparence bizarre, peut-être. Mais en réalité, pas plus improbable que toute autre séquence de nombres générée de façon aléatoire.

Percevoir un ordre dans des événements fortuits

Dans notre empressement naturel à donner du sens au monde, nous avons tendance à nous conformer à des schémas de raisonnement. Nous voyons la lune avec un visage, nous entendons des paroles démoniaques dans de la musique et nous voyons l'image de la Vierge Marie sur un sandwich au fromage grillé. Même en face de données aléatoires nous y trouvons souvent un ordre, parce que, fait étrange de la vie, les *séquences aléatoires n'en ont souvent pas l'air* (Falk et al., 2009 ; Nickerson, 2002, 2005). Lancez 50 fois de suite une pièce de monnaie et vous pourriez être surpris par la séquence de survenue des côtés pile et des côtés face. Dans les séquences réellement aléatoires, les modèles et les suites (comme des chiffres qui se répètent) se produisent plus souvent que les gens ne s'y attendent (Oskarsson et al., 2009).

Toutefois, certains événements, comme gagner à la loterie deux fois de suite, semblent tellement extraordinaires que nous nous efforçons de donner une explication ordinaire fondée sur les chances de survenue d'un événement. « Mais avec un échantillon suffisamment grand, quelque chose de scandaleux est susceptible de se produire » font remarquer les statisticiens Persi Diaconis et Frederick Mosteller (1989). Un événement qui n'arrive, chaque jour, qu'à une personne sur 1 milliard survient, environ, sept fois par jour et 2 500 fois par an.

Point à retenir : le biais de l'après-coup, la confiance excessive et notre tendance à percevoir un ordre dans des événements aléatoires nous conduisent souvent à surestimer notre intuition. Mais la recherche scientifique peut nous aider à laisser filtrer la vérité à travers le maillage de toutes ces illusions.

En présence de suffisamment d'événements aléatoires, certaines séries étranges se produisent. Lors de la coupe du monde de football de 2010, un poulpe d'un aquarium allemand surnommé « Paul, l'oracle d'Oberhausen » a été mis en présence de deux aquariums, remplis de moules, aux couleurs des équipes des matchs afin qu'il prédise les résultats en en ouvrant un des deux. Paul a choisi 8 fois sur 8 le bon compartiment et a ainsi prédit les résultats des 7 matchs opposant l'Allemagne à une autre équipe et la victoire des Espagnols en finale.

L'attitude scientifique : curiosité, scepticisme et humilité

1-2 Comment les trois principales composantes de l'attitude scientifique sont-elles liées à la pensée critique ?

À la base de toute science, il y a en premier lieu une *curiosité obstinée*, une passion d'explorer et de comprendre sans tromper ni être trompé. Certaines questions comme *Y a-t-il une vie après la mort ?* se situent par-delà la science. Y répondre d'une manière ou d'une autre requiert d'avoir la foi. Pour beaucoup d'autres idées *(Y a-t-il des personnes capables de démontrer les pouvoirs de la perception extrasensorielle ?)*, c'est sur des preuves de leur existence que l'on pourra juger. Il faut laisser les faits parler d'eux-mêmes.

Le magicien James Randi utilise la *méthode empirique* pour tester ceux qui prétendent voir une « aura », halo rayonnant qui envelopperait le corps des gens.

> *Randi :*   Voyez-vous une aura enveloppant ma tête ?
>
> *Le voyant*   Oui, bien sûr.
>
> *Randi :*   Voyez-vous toujours l'aura si je mets ce magazine devant mon visage ?
>
> *Le voyant :*   Bien sûr.
>
> *Randi :*   Donc, si j'étais amené à sauter derrière un mur à peu près aussi haut que moi, vous pourriez déterminer le lieu où je me trouverais à partir de l'aura, halo qui m'enveloppe et qui est visible, n'est-ce pas ?

Randi m'a dit *qu'aucun* voyant n'avait à ce jour accepté de se prêter à cette expérience très simple.

Peu importe qu'une idée semble sensée ou absurde, la question que se pose celui qui pense de manière critique est : *Est-ce que ça marche ?* La mise à l'épreuve des tests confirme-t-elle ses prédictions ? Lorsqu'elles sont soumises à de telles expériences, certaines idées loufoques trouvent, parfois, un certain soutien. Au XVIIIᵉ siècle, les scientifiques se gaussaient de l'idée selon laquelle les météorites pourraient avoir une origine extraterrestre. Lorsque deux d'entre eux, de l'université de Yale, tentèrent de se démarquer de cette position classique, Thomas Jefferson déclara, en se moquant d'eux : « Messieurs, je préférerais croire que ces deux professeurs yankees ont menti plutôt que de croire que des pierres peuvent tomber du ciel. » Parfois, les recherches scientifiques ont raison des sceptiques.

Le plus souvent, la science devient le broyeur d'ordures de la société en envoyant sur le tas de déchets des idées loufoques telles que le mouvement perpétuel, les traitements miracles pour guérir le cancer ou les voyages extracorporels dans le passé. Pouvoir opérer un tri minutieux entre ce qui relève du réel et de l'imaginaire, entre ce qui est sensé et insensé, requiert une attitude scientifique : il faut être sceptique sans être cynique, être ouvert sans être crédule.

Selon un proverbe polonais : « Pour croire avec certitude, il faut commencer par douter. » Les psychologues, en tant que scientifiques, se proposent eux aussi d'aborder l'univers des comportements avec un *scepticisme curieux*. Ils posent, constamment, les deux questions suivantes : *Que voulez-vous dire ? Comment le savez-vous ?*

Lorsque des idées entrent en compétition, des expériences menées par les sceptiques peuvent déterminer celles qui collent le mieux aux faits étudiés. Est-ce que le comportement des parents peut déterminer l'orientation sexuelle des enfants ? Les astrologues peuvent-ils prédire votre avenir en se fondant sur la position des planètes le jour de votre naissance ? L'électroconvulsivothérapie (ECT, délivrance d'électrochocs au cerveau) représente-t-elle un traitement efficace des formes graves de dépression ? Comme vous le verrez, les psychologues, en testant ces propositions, ont été amenés à répondre *Non* aux deux premières et *Oui* à la troisième.

Mettre en pratique une attitude scientifique exige non seulement de la curiosité et du scepticisme, mais aussi de *l'humilité* – la conscience que nous sommes vulnérables et pouvons nous tromper et que nous devons être ouverts aux surprises et aux nouvelles perspectives. En dernière analyse, ce qui importe le plus, ce n'est pas mon opinion ou la vôtre, mais toute vérité que la nature révèle en réponse à nos questions. Si les gens ou les animaux ne se comportent pas de la manière que nous avions préalablement supposée, alors tant pis pour nos idées. Cette attitude humble s'exprime à travers un des premiers commandements de la psychologie : « Le rat a toujours raison. »

« Une journée tout à fait inhabituelle serait une journée dépourvue d'événements inhabituels ».

Persi Diaconis, Statisticien (2002)

AP Photo/Alan Diaz

Le magicien James Randi illustre le scepticisme. Il a testé et démonté un grand nombre de phénomènes soi-disant psychiques.

Les historiens des sciences nous disent que ces trois attitudes, curiosité, scepticisme et humilité, ont aidé la science moderne à émerger. De nos jours, la science, et en particulier la psychologie scientifique, est parfois perçue par les personnes profondément religieuses comme une menace. Cependant, beaucoup des acteurs de la révolution scientifique, y compris Copernic et Newton, étaient des personnes profondément pieuses agissant selon l'idée religieuse que « pour aimer et honorer Dieu, il est nécessaire d'apprécier pleinement les merveilles de son œuvre » (Stark, 2003a, b).

Bien sûr, les scientifiques, comme les autres, peuvent avoir un ego démesuré et s'accrocher avec entêtement à leurs idées préconçues. Néanmoins, l'idéal qui unit les psychologues à tous les scientifiques, est celui de l'examen curieux, sceptique, toujours humble, des idées qui se contredisent. Formant une communauté, les scientifiques vérifient à plusieurs reprises les résultats et les conclusions des uns et des autres.

La réflexion (pensée) critique

Cette attitude scientifique nous prépare à penser avec plus de discernement. Penser avec discernement, ou avoir une **réflexion critique**, c'est examiner les prémisses de la réflexion, ses sources, débusquer les valeurs cachées, jauger les preuves et soupeser les conclusions. Qu'ils lisent des informations données sur les réseaux électroniques, ou qu'ils écoutent une conversation, les « penseurs critiques » posent des questions : *Comment avez-vous appris cela ? Quelles sont les actions concrètes de cette personne ? La conclusion est-elle fondée sur de simples anecdotes et sentiments ou sur des preuves crédibles ? La preuve justifie-t-elle de conclure à une relation de cause à effet ? Quelles sont les autres explications possibles ?*

La réflexion critique, recueillant les informations données par la science, permet d'enlever les œillères posées par nos biais. Considérez cette question : le changement climatique représente-t-il une menace pour notre avenir et, si oui, est-il provoqué par l'homme ? En 2009 les partisans de l'influence du climat ont interprété la vague de chaleur et les tempêtes de sable en Australie comme des preuves du réchauffement climatique. En 2010, les sceptiques de ce changement climatique ont perçu la vague de froid glacial qui a sévi en Amérique du Nord et le blizzard observé sur la côte Est comme des signes en défaveur du réchauffement de la planète. Plutôt que de laisser les prévisions météorologiques quotidiennes ou leurs propres idées politiques influencer leur compréhension du changement climatique, les adeptes de la réflexion critique préfèrent dire : Apportez-moi des preuves. La Terre se réchauffe-t-elle vraiment au cours du temps ? La banquise fond-elle vraiment ? La répartition mondiale de la végétation a-t-elle changé ? Devons-nous nous attendre à ces changements environnementaux à cause du rejet par l'activité humaine de gaz à effet de serre ? Lorsqu'ils envisagent ces problèmes, les penseurs critiques commenceront par considérer la crédibilité des sources. Ils s'intéresseront aux preuves apportées (*Les faits confortent-ils les preuves ou ne sont-ils que les fruits de notre imagination ?*). Ils reconnaîtront les multiples hypothèses à formuler. Ils iront à la source des données nouvelles et y confronteront leurs idées préconçues.

L'attitude autocritique de la psychologie a-t-elle permis des découvertes surprenantes ? Comme le montrent les chapitres suivants, la réponse est assurément *oui*. Donnons quelques exemples : une perte massive de tissu cérébral intervenant dans les premiers jours suivant la naissance peut n'avoir que des effets minimes à long terme (voir Chapitre 2). Quelques jours après leur naissance, les nouveau-nés peuvent reconnaître l'odeur de leur mère (voir Chapitre 5). Les lésions cérébrales n'empêchent pas une personne d'acquérir de nouvelles compétences bien qu'elle n'en soit pas consciente (voir Chapitre 8). Considérant divers groupes de sujets, hommes et femmes, jeunes et vieux, riches et pauvres, sujets des classes aisées et des classes plus modestes, personnes handicapées et celles ne souffrant pas de handicap, ils font tous état de degrés comparables de bonheur personnel (voir Chapitre 12).

« Mon sentiment profond est que si un Dieu ou quelque chose de ce genre existe, notre curiosité et notre intelligence nous ont été données par ce Dieu. Nous serions ingrats de ne pas apprécier ces dons… si nous réprimions notre passion d'explorer l'univers et nous-mêmes. »

Carl Sagan, Le cerveau de Broca, *Broca's Brain,* 1979

Twitter :

« Le problème avec les citations trouvées sur Internet est que vous ne savez jamais si elles sont vraies. » – Abraham Lincoln

---

« Le but réel de la méthode scientifique est d'être certain que la nature ne vous induise pas en erreur en vous faisant penser que vous savez quelque chose alors qu'en réalité vous l'ignorez. »

Robert M. Pirsig, *Zen et l'art de l'entretien de moto,* 1974

Pensée critique pensée qui s'élabore en n'acceptant pas aveuglément les arguments et les conclusions. Ou plutôt c'est une pensée qui s'élabore en examinant les propositions, débusquant les valeurs cachées, jaugeant les preuves et soupesant les conclusions.

La démarche de recherche critique a-t-elle démenti, de manière convaincante, les croyances populaires ? La réponse, comme les chapitres suivants l'illustrent, est à nouveau *Oui*. Les preuves indiquent que les somnambules *ne miment pas* leurs rêves (voir Chapitre 3). Nos expériences passées *ne sont pas* toutes engrammées dans notre cerveau. On *ne peut pas* simplement faire revivre des souvenirs qui étaient refoulés ou enfouis au plus profond de notre mémoire par des stimulations cérébrales ou par l'hypnose (voir Chapitre 8). La plupart des gens *ne souffrent pas* d'une faible estime d'eux-mêmes, et la haute estime de soi n'est pas toujours bonne (voir Chapitre 14). Les contraires *n'ont pas* tendance à s'attirer (voir Chapitre 13). Pour chacun de ces exemples, et pour d'autres encore, ce que nous avons appris ne correspond pas toujours aux croyances générales.

La science psychologique peut aussi servir à proposer des politiques efficaces. Pour prévenir le crime, une politique dissuasive consisterait-elle plutôt en un investissement budgétaire pour allonger la durée des peines de prison ou pour augmenter la probabilité des arrestations ? Pour aider les gens à se remettre d'un traumatisme, devrions-nous les faire parler et ainsi revivre l'événement blessant, ou bien est-ce néfaste ? Pour augmenter le taux de participation aux élections, devrions-nous leur parler des conséquences fâcheuses de la faible participation, ou souligner le comportement civique positif de leurs concitoyens qui votent ? Lorsque l'on soumet ces propositions à l'examen critique, contrairement à ce que l'on pourrait attendre, c'est toujours la deuxième option qui prévaut (Shafir, 2013).

La vie après des études de psychologie L'étude de la psychologie, et ses stratégies de pensée critique, ont aidé à préparer les gens pour des professions variées, comme l'illustre fondateur de Facebook Mark Zuckerburg (qui a étudié la psychologie et l'informatique à Harvard) et le comédien humoriste Jon Stewart (major de promotion – Université William et Mary, Virginie).

EXERCICE RÉCAPITULATIF

- « La science sert à la société de dépotoir pour y rejeter les mauvaises idées. » Décrivez ce que cela nous dit de l'attitude scientifique et ce qu'implique la pensée critique.

Réponse : L'attitude scientifique associe trois attitudes élémentaires (1) *la curiosité* qui nous mène à explorer le monde qui nous entoure, (2) *le scepticisme* face aux affirmations sans preuves et (3) *l'humilité* face à notre propre savoir. L'évaluation des preuves, l'évaluation des conclusions, et l'examen de nos propres hypothèses sont des éléments essentiels de la pensée critique.

OBJECTIFS D'APPRENTISSAGE

EXERCICE RÉCAPITULATIF Prenez un moment pour répondre à chacune de ces questions de l'objectif d'apprentissage (répétées ici dans cette section). Puis aller à l'annexe C, révision complète du chapitre, pour vérifier vos réponses. La recherche suggère que d'essayer de répondre à ces questions de votre propre initiative permettra d'améliorer la mémorisation à long terme de ces réponses (McDaniel et al., 2009).

1-1 Comment notre pensée quotidienne peut-elle parfois nous conduire à une conclusion erronée ?

1-2 Comment les trois principales composantes de l'attitude scientifique sont-elles liées à la pensée critique ?

TERMES ET CONCEPTS À RETENIR

EXERCICE RÉCAPITULATIF Testez votre connaissance de ces termes en essayant d'écrire leur définition avant de vous reporter aux pages indiquées en référence pour vérifier votre réponse.

intuition, p. 20

biais de l'après-coup, p. 20

la pensée critique, p. 24

■ Stratégies de recherche : comment les psychologues posent-ils et répondent-ils aux questions ?

LES PSYCHOLOGUES RENFORCENT LEUR ATTITUDE SCIENTIFIQUE avec la *méthode scientifique*, une démarche autocorrective qui permet d'évaluer les idées par l'observation et l'analyse. Dans sa quête pour décrire et expliquer la nature humaine, la psychologie scientifique accueille les intuitions et les théories qui semblent plausibles. Elle les teste. Si la théorie « marche », c'est-à-dire si les résultats confortent ses prévisions, alors tout va pour le mieux pour cette théorie. Si les résultats ne sont pas conformes à ceux prévus par la théorie cette dernière sera révisée ou rejetée.

La méthode scientifique

■ **1-3** De quelle manière les théories font-elles progresser la psychologie scientifique ?

Dans les conversations courantes, nous utilisons souvent le terme *théorie* dans le sens « d'intuition ». Quelqu'un pourrait, par exemple, dévaloriser la théorie de l'évolution en la qualifiant de « simple théorie » la rabaissant au niveau d'une simple spéculation. En science, une **théorie** *explique* des comportements ou des événements en proposant des idées qui *organisent* les observations empiriques. En organisant des faits isolés, une théorie simplifie les choses. En reliant les faits et en les intégrant dans des lois ayant plus de portée, une théorie offre une interprétation plus globale. Au fur et à mesure que les lignes relient les points isolés, une image cohérente apparaît.

Une théorie des effets du sommeil sur la mémoire, par exemple, nous aidera avant tout à organiser un grand nombre d'observations faites sur le sommeil pour formuler de grands principes. Imaginez que l'on observe de manière récurrente que des sujets qui ont de bonnes habitudes de sommeil réussissent correctement à répondre aux questions posées en classe et qu'ils réussissent ensuite aux examens. Il devient alors possible d'énoncer que le sommeil améliore la mémoire. Jusque-là tout va bien, notre principe résume clairement les faits concernant les effets d'une bonne nuit de sommeil sur la mémoire.

À partir de là, peu importe le caractère plausible que peut revêtir une théorie – et dans le cas présent il semble effectivement plausible que le sommeil puisse favoriser la mémoire – nous devons la mettre à l'épreuve. Une bonne théorie implique des *prédictions*, vérifiables, appelées **hypothèses.** Les résultats obtenus à partir de la formulation des hypothèses faites sur la manifestation de comportements ou sur la possibilité de survenue d'événements vont confirmer ou infirmer la théorie proposée. Pour tester notre théorie des effets du sommeil sur la mémoire, notre hypothèse pourrait être que lorsque les sujets sont privés de sommeil, les souvenirs des événements de la veille seront moins bons. Pour tester cette hypothèse, nous pourrions évaluer la façon dont les sujets se souviennent de ce qui avait été enseigné lors du cours précédent une nuit habituelle de sommeil ou une nuit avec une durée de sommeil écourtée (**FIGURE 1.1**). Les résultats confirmeront notre théorie ou nous conduiront à sa révision ou à son abandon.

Notre théorie peut biaiser nos observations. Partant du fait théorique qu'une amélioration de la mémoire est liée à de plus longues nuits de sommeil, nous pourrions voir ce à quoi nous nous attendions. Nous pourrions être tentés de percevoir les commentaires des patients fatigués comme moins pertinents. Cette envie irrésistible de voir ce à quoi nous nous attendons est une tentation permanente (à l'intérieur comme à l'extérieur du laboratoire). Selon la SSCI bipartite (Commission du renseignement du Sénat américain, 2004), les probabilités préconçues sur le fait que l'Irak était en possession d'armes de destruction massive ont conduit les analystes du renseignement à interpréter à tort toute observation ambiguë comme étant une confirmation de cette théorie (tout comme les idées que l'on a sur le changement climatique peuvent influencer notre interprétation des événements météorologiques locaux). Les conclusions qu'ils en ont tirées les ont conduits à l'invasion américaine de l'Irak.

Afin de permettre la détection de leurs biais, les psychologues écrivent des rapports suffisamment précis de leurs études, avec des **définitions opérationnelles** claires, des procédures et des concepts. *La privation de sommeil, d'un sujet,* peut être définie comme par exemple « X heures de sommeil en moins » que la durée de sommeil habituelle. Ces énoncés utilisant des mots précis permettent à d'autres de **répliquer** (répéter) les observations avec d'autres sujets, un matériel différent et dans des circonstances différentes. S'ils obtiennent des résultats similaires, alors notre confiance dans la validité des résultats augmente. La première étude sur le biais de l'après-coup a éveillé la curiosité

La théorie une explication qui utilise un ensemble de principes pour organiser les observations et prédire des comportements ou des événements.

L'hypothèse prédiction, souvent inférée par une théorie, qui doit être testée.

Définition opérationnelle description minutieuse des procédures (des opérations) utilisées pour une recherche. Par exemple, *l'intelligence humaine* peut être définie de manière opérationnelle comme étant ce que mesure une batterie de tests.

Réplication répétition des principes de base d'une étude, généralement avec des sujets différents dans des conditions différentes, pour voir si les résultats initiaux peuvent être appliqués à d'autres sujets, ou dans d'autres circonstances.

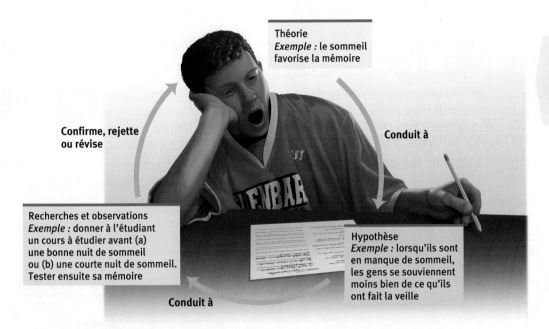

Théorie
Exemple : le sommeil favorise la mémoire

Conduit à

Confirme, rejette ou révise

Recherches et observations
Exemple : donner à l'étudiant un cours à étudier avant (a) une bonne nuit de sommeil ou (b) une courte nuit de sommeil. Tester ensuite sa mémoire

Conduit à

Hypothèse
Exemple : lorsqu'ils sont en manque de sommeil, les gens se souviennent moins bien de ce qu'ils ont fait la veille

▼ FIGURE 1.1
La méthode scientifique Un processus qui est mis en œuvre pour poser des questions et observer les réponses que la nature nous renvoie, et qui est continuellement corrigé.

des psychologues. Maintenant, après de nombreuses réplications faites avec succès, sur divers sujets et questions, nous sommes tout à fait sûrs du pouvoir de ce phénomène. Bien que la simple reproduction de la recherche d'un autre laboratoire fait rarement la une des journaux, devant la publication de résultats frauduleux ou difficiles à interpréter les appels à la reproduction des expériences se sont multipliés (Asendorff et al., 2013). La répétabilité des résultats d'une recherche permet la confirmation des hypothèses. La reproduction expérimentale ou réplication permet une autocorrection. L'Association for Psychological Science Journal consacre maintenant une section à la répétition ou réplication expérimentale des recherches et 72 chercheurs collaborent à un « projet de reproductibilité » qui vise à reproduire nombre de découvertes récentes (Open Science collaboration, 2012). Ainsi les travaux de répétitions d'expérience, de réplication, sont en augmentation, et jusqu'à ce jour la plupart « rapportent des résultats similaires aux études originales » (Makel et al., 2012).

Finalement, nos théories seront utiles si : (1) *elles organisent* de manière effective un éventail d'observations et de rapports, (2) elles infèrent des *prédictions* claires que tout le monde peut utiliser pour vérifier la théorie ou pour engendrer des applications pratiques. (La qualité de sommeil des sujets prédit-elle la qualité de la rétention mnésique ?) Finalement, notre recherche suscitera d'autres recherches qui aboutiront probablement à une théorie modifiée plus élaborée.

Comme nous le verrons plus loin, nous pouvons tester nos hypothèses et préciser nos théories en utilisant des *méthodes descriptives* (qui décrivent les comportements, souvent en utilisant l'étude de cas, les enquêtes ou les observations naturalistes), *corrélationnelles* (qui associent différents facteurs) et *expérimentales* (qui manipulent les facteurs pour découvrir leurs effets). Nous devons reconnaître ces méthodes et savoir quelles conclusions nous pouvons en tirer, si nous voulons mener une réflexion critique sur les affirmations populaires ayant trait à la psychologie.

EXERCICE RÉCAPITULATIF

• Que fait une bonne théorie ?

Réponse : 1. – *organise* les faits observés, 2. – infère des hypothèses qui proposent des *prévisions* que l'on peut tester, et parfois des applications pratiques, 3. – stimule souvent des recherches plus approfondies.

• Pourquoi est-il important de pouvoir évaluer cette théorie en reproduisant les expériences qui la fondent ?

Réponse : les psychologues cherchent avec avidité à faire de nouvelles découvertes, mais ils procèdent également avec prudence, en attendant que d'autres chercheurs puissent répéter leurs expériences, les répliquer, et confirmer leurs résultats

Description

1-4 Comment les psychologues utilisent-ils l'étude de cas, les observations naturalistes et les enquêtes pour observer et décrire un comportement ? Pourquoi l'échantillonnage aléatoire est-il si important ?

Le point de départ de toute science est la description. Dans la vie quotidienne, chacun de nous observe et décrit les gens, tirant souvent des conclusions sur les raisons de leur comportement.

Étude de cas technique d'observation par laquelle on étudie de façon approfondie une personne dans l'espoir de mettre à jour des principes universels.

« Eh bien, mon cher, dit Miss Marple, la nature humaine est pratiquement la même partout et bien évidemment on a la possibilité de l'observer de plus près dans un village. »

Agatha Christie, *Meurtres au club du mardi*, 1933

Skye Hohmann/Alamy

Freud et le petit Hans L'étude de cas de Sigmund Freud portant sur le petit Hans âgé de 5 ans qui avait une peur extrême des chevaux a conduit le père de la psychanalyse à élaborer sa théorie de la sexualité infantile. Il a postulé que Hans exprimait le désir inconscient de sa mère, qu'il craignait la castration par son père, son rival, puis a converti cette peur en phobie d'être mordu par un cheval. Comme le Chapitre 14 l'expliquera, la psychologie scientifique d'aujourd'hui s'affranchit de la théorie freudienne de la sexualité infantile, mais reconnaît qu'une grande partie de l'activité de l'esprit humain n'apparaît pas à la conscience.

Observation naturaliste une technique descriptive de l'observation et de l'enregistrement du comportement manifesté dans des situations qui se produisent naturellement sans modifications expérimentales.

Les psychologues professionnels font à peu près la même chose, mais de manière plus objective et plus systématique, par :

- *études de cas* (analyses approfondies des individus ou groupes).
- *observations naturalistes* (regarder et noter le comportement naturel de nombreux individus) ;
- *l'enquête* et les interviews de sujets (passation de questionnaires).

L'étude de cas

L'étude de cas est l'une des plus anciennes méthodes de recherche. Elle consiste à étudier un individu ou un groupe de façon approfondie dans l'espoir de formuler des conclusions générales applicables à tous. Par exemple, la plupart de nos plus anciennes connaissances sur le cerveau proviennent d'études de cas de sujets souffrant d'une détérioration particulière due à un traumatisme cérébral localisé. Jean Piaget nous a éclairés sur l'élaboration de la pensée des enfants après avoir observé et interrogé attentivement quelques enfants. Les études portant sur quelques chimpanzés ont pu mettre en évidence leurs capacités à comprendre et à utiliser un langage. Les études de cas particulièrement bien faites sont parfois très instructives. Elles suggèrent souvent certaines orientations permettant de poursuivre les recherches et nous montrent également ce qui *peut* se produire.

Mais des cas individuels atypiques peuvent nous induire en erreur. Des informations non représentatives peuvent mener à des jugements et des conclusions erronés. De fait, chaque fois qu'un chercheur fait mention d'un résultat (*Les fumeurs meurent plus jeunes : 95 % des hommes de 85 ans et plus sont non-fumeurs*), il y a toujours quelqu'un pour donner un contre-exemple (*Eh bien moi, j'ai un oncle qui fumait deux paquets par jour et qui a vécu jusqu'à l'âge de 89 ans*). Les histoires spectaculaires et les expériences personnelles (même des exemples de cas psychologiques) dominent notre attention et nous nous en souvenons facilement. Les journalistes ont compris cela, et commencent leurs articles avec des histoires personnelles. Les histoires individuelles nous émeuvent. Mais ces histoires peuvent induire en erreur. Parmi les affirmations suivantes, laquelle trouvez-vous la plus facile à retenir ? (1) « Au cours d'une étude portant sur l'analyse de 1 300 rêves concernant un enfant kidnappé, seuls 5 % de ces rêves envisageaient, en accord avec les faits, la mort de l'enfant (Murray et Wheeler, 1937). » (2) « Mais moi, je connais une personne qui a rêvé que sa sœur avait un accident de voiture et, deux jours après, elle est morte dans une collision frontale ! » Les chiffres peuvent être consternants *mais la multiplication des anecdotes n'a pas valeur de preuve*. Comme le disait le psychologue Gordon Allport (1954, p. 9) : « À partir d'un gramme de faits [dramatiques], nous nous empressons de produire des tonnes de généralisations. »

Point à retenir : les études de cas peuvent donc susciter des idées fécondes. Ce qui est vrai pour nous tous l'est aussi pour chacun de nous. Cependant, d'autres méthodes sont nécessaires pour préciser les conclusions générales issues des études de cas individuels.

EXERCICE RÉCAPITULATIF

- Nous ne pouvons pas affirmer que les études de cas permettent toujours d'énoncer des principes généraux applicables à l'ensemble d'entre nous. Pourquoi ?

Réponse : Les études de cas ne touchent qu'une personne ou un groupe, donc nous ne pouvons pas savoir avec certitude si les conclusions de l'observation seraient applicables à une population plus grande.

Observation naturaliste

Une deuxième méthode de recherche descriptive consiste à enregistrer les comportements dans leur environnement naturel. Ces **observations naturalistes** et leur analyse systématique vont de la simple observation des sociétés de chimpanzés dans la jungle à l'enregistrement des interactions parents-enfants dans différentes cultures, et de l'influence des origines ethniques dans la manière dont les étudiants se retrouvent spontanément dans les cafétérias des écoles.

L'observation en milieu naturel, qui met en œuvre la technique papier crayon plutôt que du matériel compliqué, a pu passer pour une science mineure (Provine, 2012). Mais les nouvelles techniques permettent des observations qui nourriront de grandes « banques de données ». De nouvelles applications sur « smartphone » et l'utilisation de capteurs des mouvements corporels sont en expansion dans les études d'observations naturalistes. L'utilisation de ces outils permet aux chercheurs de suivre les volontaires entrés dans les études, de connaître les activités et leurs opinions, sans interférence. Les milliards de personnes sur Facebook, Twitter et Google, par exemple, constituent un énorme corpus expérimental. Cette situation rend opportune la constitution de grandes « banques de données ». Une équipe de recherche

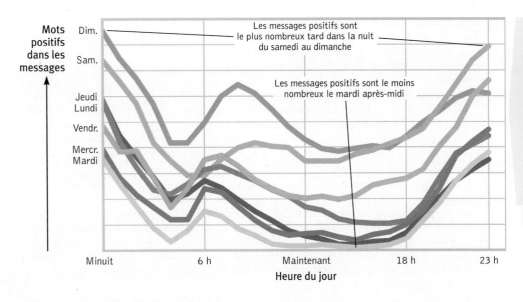

▼ **FIGURE 1.2**
« Twitter » des messages reflétant la qualité de l'humeur du moment ou quotidienne Ceci illustre comment, sans connaître l'identité des interlocuteurs, de gros volumes de données permettent aux chercheurs d'étudier le comportement humain à l'échelle de la population. Il est désormais également possible d'associer l'humeur des gens avec, par exemple, leur résidence, le temps qu'il fait, et d'étudier la propagation des idées au travers des réseaux sociaux. (Données de Golder & Macy, 2011.)

a analysé 30,5 milliards « d'amitiés internationales Facebook » nouées sur une période de quatre ans, et a constaté que les sujets avaient tendance à nouer des relations avec des « amis au statut social supérieur au leur ». Ceux des pays ayant le statut économique plus faible étaient plus susceptibles de solliciter « l'amitié » de ceux des pays de statut supérieur. La proposition inverse est moins fréquente (Landis et al., 2014).

Une autre équipe de recherche a étudié les fluctuations de l'humeur par comptage des mots positifs et négatifs dans 504 millions de messages Twitter de 84 pays (Golder & Macy, 2011). Comme le montre la **FIGURE 1.2**, les sujets semblent plus heureux le week-end, peu de temps après le lever du soleil, et le soir venu (les soirées du samedi sont-elles souvent des moments heureux, pour vous aussi ?).

Comme les études de cas, l'observation naturaliste n'explique pas le comportement. Elle le *décrit*. Néanmoins, les descriptions peuvent être révélatrices. Nous pensions, par exemple, que seuls les humains utilisaient des outils. Grâce à l'observation naturaliste, nous savons maintenant que les chimpanzés utilisent parfois un bâton qu'ils introduisent dans des termitières puis le retirent et mangent les termites qui s'y sont accrochés. Ces observations naturalistes non intrusives ont ouvert la voie à d'autres études sur la pensée, le langage et les émotions des animaux, et nous ont également permis d'élargir notre compréhension de nos amis les animaux. Comme le constate l'observatrice et spécialiste des chimpanzés, Jane Goodall (1998) : « Les observations effectuées dans l'habitat naturel ont montré que les sociétés animales ainsi que leurs comportements sont bien plus complexes qu'on ne le pensait. » Grâce aux observations des psychologues nous savons maintenant que les chimpanzés et les babouins sont capables de tromperie : les psychologues on constaté à plusieurs reprises qu'un jeune babouin pouvait faire comme s'il avait été attaqué par un autre, pour pousser sa mère à éloigner cet autre babouin de sa nourriture (Whiten & Byrne, 1988).

L'observation naturaliste éclaire également le comportement humain. Voici quatre exemples qui devraient vous intéresser :

- *Une découverte amusante.* Nous rions 30 fois plus en société que lorsque nous sommes seuls. (Avez-vous remarqué que nous rions rarement quand nous sommes seuls ?) Lorsque nous rions aux éclats, 17 muscles contribuent à la contorsion de notre bouche et au plissement de nos yeux, et nous émettons une série de vocalises d'une durée de 75 millisecondes et espacées d'environ un cinquième de seconde (Provine, 2001).

- *Sondage chez des étudiants.* Que disent et que font véritablement les étudiants en première année de psychologie au cours de leur vie de tous les jours ? Pour le savoir, Matthias Mehl et James Pennebaker (2003) ont équipé 52 étudiants de l'Université du Texas avec des enregistreurs électroniques. Pendant une durée maximale de quatre jours, les enregistreurs ont capté 30 secondes de leur vie diurne toutes les 12,5 minutes, permettant ainsi aux chercheurs d'écouter plus de

Un observateur de la nature spécialiste de la recherche sur le comportement des chimpanzés, Frans de Waal (2005) a déclaré, « Je suis un observateur né... Quand je choisis une place dans un restaurant, je tiens à faire face à autant de tables que possible. J'aime observer la dynamique des relations qui se nouent autour de moi, l'amour, les tensions, l'ennui, l'antipathie et pour cela je considère que le langage corporel est plus instructif que la parole. Alors que garder la trace des autres est quelque chose que je fais automatiquement, devenir une mouche sur le mur d'une colonie de singes fut une vocation. »

Une oreille pour l'observation naturaliste Les psychologues Matthias Mehl et James Pennebaker ont utilisé des enregistreurs électroniques de l'activité pour construire un échantillon des séquences d'activités de la vie quotidienne.

Du à l'obligeance de Matthias Mehl

• Quels sont les avantages et les inconvénients de l'observation naturaliste, utilisée dans cette étude par Mehl et Pennebaker.

Réponse : les auteurs ont pu observer attentivement et enregistrer des comportements se produisant naturellement, en dehors des conditions artificielles d'un laboratoire. Cependant, en dehors du laboratoire, ils ne furent pas en mesure de maîtriser tous les facteurs susceptibles d'avoir influencé les interactions quotidiennes enregistrées.

10 000 tranches d'une demi-minute à la fin de l'étude. D'après vous quel est le pourcentage de ces tranches pendant lesquelles les étudiants sont en train de parler à quelqu'un ? Quel pourcentage de temps les étudiants passent-ils devant leur ordinateur ? Les réponses sont respectivement 28 et 9 %. (Quel pourcentage de *votre* vie diurne passez-vous à ces activités ?)

• *Que pensez-vous ?* Pour savoir ce que leurs étudiants avaient à l'esprit, Christopher Heavey et Russell Hurlburt, professeurs à l'université de Las Vegas dans le Nevada (2008), leur ont donné des récepteurs d'appel. À peu près à 6 moments de la journée, la sonnerie interrompait l'activité de ces étudiants et leur signalait de sortir un bloc-notes pour noter ce qu'ils ressentaient intérieurement à ce moment précis. Lorsque les chercheurs classèrent ensuite ces notes, ils trouvèrent cinq formes de ressentis (**TABLEAU 1.1**).

• *Culture, climat et rythme de vie.* L'observation naturaliste a permis à Robert Levine et Ara Norenzayan (1999) de comparer le rythme de vie dans 31 pays différents. (Leur définition opérationnelle du *rythme de vie* inclut l'allure à laquelle les gens marchent, la vitesse avec laquelle les employés postaux effectuent une tâche simple et la précision des horloges publiques.) Ils concluent que le rythme de vie était plus rapide au Japon et en Europe occidentale, et plus lent dans les pays moins développés économiquement. Les gens vivant dans les pays au climat froid ont également tendance à vivre à un rythme plus rapide (et sont donc plus enclins à mourir d'une maladie cardiaque).

L'observation naturaliste donne souvent des « instantanés » intéressants de la vie de tous les jours, mais sans contrôler la totalité des facteurs pouvant influencer le comportement. C'est une chose que d'observer le rythme de vie dans divers pays, mais c'est autre chose que de comprendre ce qui pousse certaines personnes à marcher plus vite que d'autres.

▼ TABLEAU 1.1

À quoi pensez-vous :
Analyse des expériences intérieures chez des étudiants*.

Expérience intérieure	Exemple	La fréquence
Discours intérieur	Susan se disait, « je dois aller en classe. »	26 %
Vision intérieure	Paul imaginait le visage d'un de ses meilleurs amis, le cou et la tête apparaissaient aussi.	34 %
Pensée non symbolique	Alphonse se demandait si les travailleurs feraient une bourde.	22 %
Sentiment	Courtney éprouvait de la colère, accompagnée du cortège des symptômes physiques.	26 %
Conscience sensorielle, sensitive	Fiona sentait la brise froide sur sa joue et ses cheveux en mouvement.	22 %

* Plus d'une expérience pourrait se produire à la fois.

L'enquête

L'enquête s'intéresse à de nombreux cas, mais de manière moins approfondie. Les enquêtes interrogent les gens sur leurs comportements ou sur leurs opinions. Des questions sont posées au public sur n'importe quel sujet, qui peut aller des pratiques sexuelles aux opinions politiques. Enquêtes récentes :

• Samedi et dimanche ont été les jours les plus heureux de la semaine (confirmant ce que les chercheurs ont trouvé par les analyses des messages Twitter) (Stone et al., 2012).

• 1 personne sur 5 originaires de 22 pays croit que les extraterrestres sont déjà arrivés sur terre et se promènent parmi nous déguisés en humains (Ipsos, 2010b).

• 68 % de la population (environ 4,6 milliards de personnes) déclarent que la religion occupe une place importante dans leur vie quotidienne (d'après Gallup World Poll données analysées par y Diener et al., 2011).

Cependant, poser des questions est un art difficile et les réponses peuvent tout aussi bien dépendre de leur formulation que du choix des personnes pour y répondre.

Enquête une technique descriptive d'autoévaluation des attitudes ou des comportements d'un groupe particulier, généralement en en interrogeant un représentant, *échantillon aléatoire* du groupe.

L'effet « formulation » Un changement, même subtil, dans l'ordre ou dans la formulation des questions peut avoir des effets conséquents. Les gens ont plus tendance à approuver l'« aide aux nécessiteux » que l'« aide sociale », les « mesures antidiscriminatoires en faveur des minorités » que les « traitements préférentiels », le terme « ne pas permettre » les publicités pour les cigarettes ou la pornographie à la télévision que celui de « censurer » ou encore l'expression « majoration de revenus » plutôt qu'« impôts ». Dans une autre enquête, les adultes ont estimé la proposition suivante probable à 55 % « je vais vivre jusqu'à 85 ans ou plus », tandis que d'autres adultes comparables ont estimé la proposition suivante probable à 68 % « que je vais mourir à 85 ans ou moins » (Payne et al., 2013). Parce que la formulation des questions est un sujet délicat, les esprits critiques réfléchiront à la manière dont celle-ci peut affecter les opinions exprimées par ceux qui y répondent.

Échantillonnage aléatoire Pour chaque pensée quotidienne, nous avons tendance à généraliser à partir des exemples que nous observons et en particulier, les cas très marquants. Si nous prenons (a) le résumé statistique des évaluations d'un professeur faites par les étudiants et (b) les commentaires vifs de deux étudiants virulents, l'impression d'un inspecteur sur ce professeur peut être autant influencée par les deux étudiants mécontents que par les nombreuses évaluations favorables contenues dans le résumé statistique. La tentation d'ignorer le *biais de l'échantillonnage* et de généraliser à partir de quelques cas marquants, mais non représentatifs, est presque irrésistible.

Par conséquent, comment obtiendriez-vous un *échantillon représentatif*, par exemple des étudiants de votre école ou de votre université ? Il est pas toujours possible d'observer l'ensemble du groupe que vous voulez étudier et décrire. Comment pourriez-vous choisir un groupe qui représenterait l'ensemble de la **population estudiantine ?** Classiquement, vous choisiriez un **échantillon au hasard,** dans lequel chaque personne de l'ensemble du groupe a la même chance de participer. Vous pourriez numéroter les noms dans le répertoire général des étudiants et utiliser un tableau de génération de nombres aléatoires pour tirer au sort les participants à votre étude. (Envoyer un questionnaire à tous les étudiants ne serait pas une méthode efficace car les personnes consciencieuses qui vous le renverraient ne constitueraient pas un échantillon tiré au hasard.) Même si les grands échantillons valent mieux que les petits, il est préférable d'avoir un échantillon petit mais représentatif d'environ 100 sujets, plutôt qu'un grand échantillon de 500 personnes qui ne serait pas représentatif.

Constituer un échantillon d'une population d'électeurs lors d'une enquête nationale préélectorale revient au même. 1 500 personnes tirées au sort dans un pays donnent un aperçu remarquablement précis des opinions d'une nation. Sans procédure d'échantillonnage « randomisé », de grands échantillons (échantillons téléphoniques, sondages télévisés et sur Internet) donnent souvent des résultats erronés.

Point à retenir : ayez un regard critique, avant d'accepter les résultats d'une enquête. Considérez l'échantillon. L'échantillon représentatif est la meilleure base de l'application des résultats à la population générale. Vous ne pouvez pas compenser un échantillon non représentatif en ajoutant un peu plus de sujets.

Avec de très grands échantillons, les estimations deviennent tout à fait fiables. On estime que la lettre E représente 12,7 % des lettres écrites en anglais. En fait, la lettre *E* représente 12,3 % des 925 141 lettres de *Moby-Dick*, d'Herman Melville, 12,4 % des 586 747 lettres dans *Le Conte de deux villes*, de Charles Dickens, et 12,1 % des 3 901 021 lettres de douze œuvres de Mark Twain (*Chance News*, 1997).

EXERCICE RÉCAPITULATIF

• Qu'est-ce qu'un échantillon non représentatif, et comment les chercheurs évitent cet écueil ?

Réponse : Un échantillon non représentatif est un échantillon, constitué pour l'enquête, qui ne représente pas la population que l'on veut étudier. L'*échantillonnage aléatoire* aide les chercheurs à constituer un échantillon représentatif, parce que chaque membre de la population a une chance égale d'y être inclus.

Corrélation

1-5 Qu'exprimons-nous quand nous disons que deux choses sont corrélées, et quelles corrélations sont positives et négatives ?

Décrire un comportement constitue la première étape vers sa prédiction. Les observations et les enquêtes naturalistes révèlent qu'un trait ou un comportement en accompagne souvent un autre. Dans de tels cas, nous disons que les deux données sont **corrélées.** Le **coefficient de corrélation** est une mesure statistique qui exprime à quel point deux choses varient ensemble et par conséquent comment l'une *prédit* correctement l'autre. En sachant dans quelles mesures les résultats des tests d'aptitude sont *corrélés* à la réussite scolaire, nous savons donc comment ces résultats *prédisent* la réussite scolaire.

Tout au long de ce livre, nous nous interrogerons souvent sur le degré de relation qui existe entre deux choses : comment les résultats des tests de personnalité des vrais jumeaux sont-ils étroitement liés ? Comment les résultats des tests d'intelligence peuvent-ils prédire la réussite professionnelle ? De quelle manière le stress est-il lié aux maladies ? Dans ces cas, les **nuages de points** avec des coordonnées cartésiennes peuvent être très révélateurs.

Population tous les sujets d'un groupe que l'on veut étudier, à partir duquel on peut constituer des échantillons. (*Remarque :* Sauf pour les études nationales, cela ne s'applique *pas* à toute la population d'un pays.)

Échantillon aléatoire un échantillon qui représente une population, parce que chaque membre a une chance égale d'y être nclus.

Corrélation : mesure du degré de variation commune à deux facteurs et, par conséquent, de la façon dont chaque facteur prédit l'autre.

Coefficient de corrélation indice statistique de la relation entre deux choses (varie entre −1 et +1).

Nuage de points graphique constitué d'un ensemble de points qui représentent chacun la valeur de deux variables, puisque l'on est dans un repère orthonormé ou cartésien. Une valeur est en ordonnée, une valeur est en abscisse. La pente du nuage de points est une indication du sens de la relation des deux variables. Le taux de dispersion indique la force de la corrélation (une dispersion faible indique une corrélation élevée).

 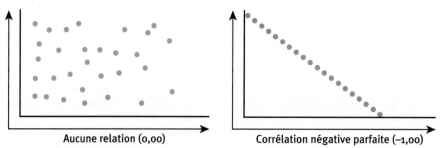

Corrélation positive parfaite (+1,00)   Aucune relation (0,00)   Corrélation négative parfaite (–1,00)

▼ FIGURE 1.3
Diagrammes de dispersion, montrant des modèles de corrélation Les corrélations peuvent varier de +1,00 (les valeurs des résultats d'une mesure augmentent en proportion directe des valeurs des résultats d'une autre mesure), à 0,00 (aucun rapport), à -1,00 (les valeurs des résultats d'une mesure augmentent en proportion directe de la diminution des valeurs des résultats d'une autre mesure).

Chaque point, dans un nuage de points, représente les valeurs de deux variables., ses coordonnées dans un repère cartésien ou orthonormé. Les trois nuages de points de la **FIGURE 1.3** illustrent les différentes corrélations possibles allant de la corrélation positive parfaite à la corrélation négative parfaite. (Les corrélations parfaites surviennent rarement dans le « monde réel ».) Une corrélation positive signifie que deux ensembles de résultats, par exemple la taille et le poids, ont tendance à croître ou à décroître ensemble.

Dire qu'une corrélation est négative n'a rien à voir avec la valeur de sa pertinence. Une corrélation négative signifie que deux choses sont inversement liées (un ensemble de résultats croît à mesure que l'autre décroît). L'étude des élèves de l'Université du Nevada, évoquée précédemment, a trouvé une corrélation négative entre le nombre de descriptions qu'ils ont faites de leurs pensées et (−0,36) et leur détresse psychique. Les étudiants qui notaient le plus leurs pensées avaient tendance à décrire légèrement *moins* de détresse psychologique.

Les statistiques peuvent nous aider à voir ce qui est parfois invisible à l'œil nu. Pour que vous puissiez démontrer cela vous-même, imaginez un projet. Vous vous demandez si les personnes de grande taille ont une attitude plus décontractée que les autres. Recueillez deux séries de données : la taille des hommes et leur tempérament. Mesurez la taille de 20 hommes et demandez à une autre personne d'évaluer indépendamment leur tempérament ; de 0 (*personne très calme*) à 100 (*personne très réactive*).

En ayant toutes les données sous les yeux (**TABLEAU 1.2**), pouvez-vous dire s'il existe une corrélation : positive entre la taille d'un individu et son tempérament réactif, faible ou nulle, ou négative ?

▼ TABLEAU 1.2
Taille et tempérament chez 20 personnes de sexe masculin

Personne	Taille en pouces	Tempérament	Personne	Taille en pouces	Tempérament
1	80	75	11	64	48
2	63	66	12	76	69
3	61	60	13	71	72
4	79	90	14	66	57
5	74	60	15	73	63
6	69	42	16	70	75
7	62	42	17	63	30
8	75	60	18	71	57
9	77	81	19	68	84
10	60	39	20	70	39

En comparant les colonnes du Tableau 1.2, la plupart des gens observent une relation très faible entre la taille et le tempérament. En fait, si nous établissons un nuage de points à partir de cet exemple imaginaire, nous voyons que la corrélation est moyennement positive (+0,63) (**FIGURE 1.4**).

S'il est déjà difficile d'établir une relation en observant des données classées comme dans le Tableau 1.2, comment pourrions-nous le faire au quotidien ? Afin que nous puissions voir ce qui se trouve juste sous nos yeux, nous avons parfois besoin de l'aide apportée par les calculs statistiques. Nous pouvons remarquer des indices évidents de discrimination sexuelle lorsque l'on nous propose des résumés d'informations statistiques sur le niveau hiérarchique dans un travail, l'ancienneté, la performance, le sexe et le salaire. En revanche, nous ne voyons plus de discrimination quand les informations sont présentées au cas par cas (Twiss et al., 1989).

Point à retenir : un coefficient de corrélation nous aide à comprendre plus clairement le monde qui nous entoure en nous montrant le degré de relation entre deux choses.

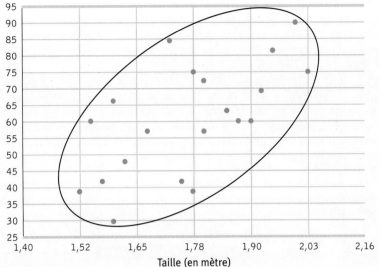

▼ FIGURE 1.4

Diagramme de dispersion des relations entre la taille et le tempérament réactif Cet affichage de données provenant de 20 personnes fictives (chacune représentée par les coordonnées d'un point) révèle une pente ascendante, indiquant une corrélation positive. La dispersion considérable des données indique que la corrélation est beaucoup plus faible que +1,00.

EXERCICE RÉCAPITULATIF

- Indiquez pour chaque association s'il existe une corrélation positive ou une corrélation négative.

1. Plus les enfants et les jeunes passaient de temps avec différents médias moins ils étaient heureux dans leur vie (Kaiser, 2010). _____

2. Moins les adolescents regardaient des émissions à connotation sexuelle moins ils étaient enclins à avoir des rapports sexuels (Collins et al., 2004). _____

3. Plus la durée de l'allaitement était longue, plus la réussite universitaire des enfants était importante (Horwood et Ferguson, 1998). _____

4. Plus les revenus des familles pauvres augmentent, moins leurs enfants manifestent des symptômes psychiatriques (Costello et al., 2003). _____

Réponses : 1. négative, 2. négative, 3. positive, 4. négative

---

Régression vers la moyenne

1-6 Qu'est ce que la régression vers la moyenne ?

Les corrélations non seulement rendent visibles les relations que nous pourrions ignorer, mais aussi réduisent notre tendance à établir des relations, alors qu'elles ne sont pas réelles. Lorsque nous croyons qu'il existe une relation entre deux choses, nous sommes susceptibles de remarquer et de nous rappeler les cas qui renforcent notre conviction. Si nous croyons que les rêves sont des prévisions d'événements réels, nous pouvons remarquer et nous souvenir de tout ce qui confirme cette croyance plutôt que de ce qui l'infirme. Le résultat est une *corrélation illusoire*.

Les corrélations illusoires alimentent l'illusion d'une maîtrise du hasard. Les joueurs, se souvenant de leurs lancers de dés qui furent chanceux, pourraient croire qu'ils peuvent influencer le hasard en les lançant doucement pour obtenir des petits nombres de points et fortement pour en obtenir de grands. L'illusion que les événements fortuits sont liés à nos actions est également alimentée par un phénomène statistique appelé **régression vers la moyenne**. Les résultats moyens sont plus typiques que les résultats extrêmes. Ainsi, après la survenue d'un événement inhabituel, les choses ont tendance à revenir vers leur niveau moyen ; des événements exceptionnels ont tendance à être suivis d'événements banals.

Cette précision peut sembler évidente, encore que nous l'oublions régulièrement. Nous attribuons parfois à notre action ce qui est en fait une régression normale vers la moyenne. Prenons deux exemples :

- Les élèves qui obtiennent de meilleures notes ou de plus mauvaises notes lors d'une épreuve que celles obtenues régulièrement, voient leurs notes revenir vers leurs notes moyennes lors des épreuves ultérieures.

Régression vers la moyenne la tendance pour les notes ou les événements extrêmes ou inhabituels à revenir (régresser) vers des valeurs ou des fréquences moyennes.

- Les sujets doués d'un étrange pouvoir de Perception Extra-Sensorielle qui peuvent déjouer le hasard lors des premiers tests perdent généralement leurs « pouvoirs psychiques » lors des tests pratiqués ultérieurement (phénomène que les soi-disant parapsychologues ont appelé *l'effet de déclin*).

Ne pas reconnaître que l'existence de la régression vers la moyenne est la source de nombreuses superstitions et aussi de certains rituels, bien sûr inefficaces. Lorsque les comportements quotidiens sont sujets à une grande variabilité nous pouvons remarquer que celui des autres s'améliore (régresse vers la moyenne) grâce à nos critiques, et qu'il peut se détériorer (régresse vers la moyenne) après nos félicitations. Alors, ironiquement, la régression vers la moyenne peut nous induire en erreur. Nous serons contents de nos critiques et déçus de nos félicitations (Tversky & Kahneman, 1974).

Point à retenir : quand un comportement fluctuant revient à l'équilibre, il est inutile d'inventer des explications fantaisistes pour expliquer pourquoi. C'est la régression vers la moyenne qui est probablement à l'œuvre.

« Une fois que vous connaissez ce concept, vous voyez des régressions partout. »

Le psychologue Daniel Kahneman (1985)

EXERCICE RÉCAPITULATIF

- Vous entendez l'entraîneur de basket-ball de l'école dire à son amie qu'elle a sauvé le sort de son équipe, après une inhabituelle mauvaise première période, en réprimandant les joueurs, ce qui a apporté à cette équipe plusieurs victoires consécutives. Quelle est l'autre explication de l'amélioration des résultats de l'équipe ?

Réponse : la mauvaise performance de l'équipe ne reflétait pas leur comportement caractéristique. Le retour à leur jeu habituel, une série de victoires, peut simplement s'interpréter comme un cas de régression vers la moyenne.

Corrélation et causalité

1-7 Pourquoi les corrélations permettent-elles de faire des prédictions mais ne fournissent-elles pas d'explication de cause à effet ?

Considérons certaines corrélations intéressantes établies récemment :

- « Une étude révèle que plus le soutien des parents, financier en particulier, est important, plus les résultats universitaires de leurs enfants sont médiocres » (Jaschik, 2013).

- « Les personnes atteintes de maladie mentale, comparées à la population générale, sont plutôt fumeurs » (Belluck, 2013).

- « Les adolescents qui jouent à des jeux vidéo pour adultes magnifiant la prise de risque, sont enclins à devenir des automobilistes imprudents » (Bowen, 2012).

Que ferions-nous de ces corrélations ? Est-ce qu'elles indiquent que les étudiants obtiendraient de meilleurs résultats si leurs parents leur assuraient moins de soutien ? Ou que l'arrêt du tabac permettrait d'améliorer la santé mentale ? Que de ne pas pratiquer les jeux vidéo rendrait les jeunes conducteurs téméraires plus responsables ?

Non, parce que de telles corrélations n'impliquent pas obligatoirement des relations de cause à effet. Mais les corrélations nous permettent de *faire des prévisions*. Un exemple : le fait d'être parent est associé au bonheur (Nelson et al., 2013, 2014). Donc, le fait d'avoir des enfants rend les gens plus heureux ? Ne concluez pas si vite, disent les chercheurs : Les parents sont plus généralement des sujets mariés, et les personnes mariées sont plutôt plus heureuses que les célibataires (Bhargava et al., 2014). Ainsi, la corrélation de la parentalité et du bonheur ne signifie pas nécessairement qu'avoir des enfants rende plus heureux.

Autre exemple : une faible estime de soi est corrélée négativement à la dépression (et par conséquent peut la prédire). (Plus les personnes ont une faible estime de soi, plus elles risquent de souffrir d'un état dépressif de l'humeur.) Mais la faible estime de soi est-elle la *cause* de la dépression ? Si, sur la base de l'existence de ces corrélations, vous estimez que c'est le cas, vous ne serez pas le seul. Une erreur de raisonnement presque irrésistible est de penser qu'une association, parfois présentée sous forme d'un coefficient de corrélation, prouve la cause. Mais quel que soit le degré de relation, cela ne prouve rien ! Comme l'indique la **FIGURE 1.5**, nous aurions la même corrélation négative entre la dépression et la faible estime de soi, aussi si la dépression induisait une autodépréciation ou si un troisième facteur, tel que l'hérédité ou la biochimie cérébrale, était la cause à la fois d'une faible estime de soi et de la dépression.

Ce point est si important – et si fondamental pour nous permettre de penser plus justement grâce à la psychologie – que cela mérite un autre exemple, tiré d'une enquête menée auprès de plus de 12 000 adolescents. Plus les adolescents se sentent aimés par leurs parents, moins ils auront

---

EXERCICE RÉCAPITULATIF

Une corrélation n'indique pas la relation de cause à effet

© Nancy Brown/Getty Images

- La durée du mariage est positivement corrélée à la perte de cheveux chez les hommes. Est-ce à dire que le mariage entraîne une calvitie (ou que les hommes chauves sont de meilleurs maris) ?

RÉPONSE : dans ce cas, comme dans beaucoup d'autres, un troisième facteur peut expliquer la corrélation : les noces d'or et la calvitie sont contemporaines du vieillissement.

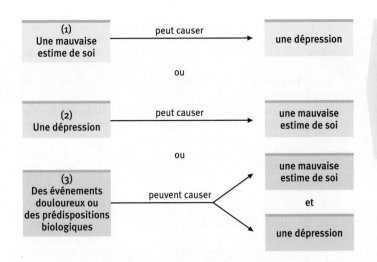

▼ FIGURE 1.5
Trois relations possibles de cause à effet les personnes ayant une faible estime de soi, sont plus vulnérables à la survenue d'un état dépressif de l'humeur. Une des explications possibles de cette corrélation négative est qu'une mauvaise image de soi entraîne des idées noires. Mais, comme le montre ce diagramme, d'autres relations de cause à effet sont possibles.

tendance à adopter des comportements à risque : rapports sexuels précoces, consommation de tabac, abus d'alcool et de drogues, comportement violent (Resnick et al., 1997). « Les adultes ont une influence prépondérante sur le comportement des enfants tout au long de leurs études secondaires » a proclamé un reportage de l'Associated Press sur l'étude en question. Mais encore une fois, les corrélations n'impliquent pas obligatoirement des relations de cause à effet. L'Associated Press aurait pu tout aussi bien déclarer : « Les adolescents bien élevés ont conscience de l'amour et du soutien de leurs parents ; les adolescents hors normes ont plus tendance à penser que leurs parents sont des crétins irresponsables. »

Point à retenir (sur lequel il faut insister) : *une corrélation ne prouve pas la causalité[3]. La corrélation indique une possible relation de cause à effet*, mais ne la démontre pas. Rappelez-vous de ce principe et vous serez plus prudents lorsque vous lirez ou entendrez des comptes rendus d'études scientifiques.

Expérimentation

1-8 **Quelles sont les caractéristiques de l'expérimentation qui permettent d'isoler la cause et l'effet ?**

« Heureux celui qui a pénétré les causes secrètes des choses », chantait le poète latin Virgile (N.d.T. : Les Géorgiques, traduction J.C. Labracherie). De quelle manière les psychologues peuvent-ils percevoir les causes dans les études corrélationnelles, par exemple la corrélation entre l'allaitement et l'intelligence ?

Les chercheurs ont trouvé un niveau d'intelligence légèrement plus élevé chez les enfants nourris au sein comparé à celui des enfants nourris au biberon avec du lait maternisé (Angelsen et al., 2001 ; Mortensen et al., 2002 ; Quinn et al., 2001). En outre, plus la période d'allaitement aura été longue plus la note de QI sera élevée (Jedrychowski et al., 2012).

Que signifient ces résultats ? Peut-on dire que plus les mères sont intelligentes, plus leurs enfants seront intelligents ? (Les enfants nourris au sein ont tendance à être en meilleure santé et plus épanouis que les autres enfants. Cependant leurs frères et sœurs nourris au biberon, nés et élevés dans les mêmes familles, ont tendance à être de même en bonne santé et épanouis [Colen & Ramey, 2014].) Ou bien, selon l'avis de certains chercheurs, les éléments nutritifs du lait maternel contribuent-ils aussi au développement cérébral ? Afin de répondre à ces questions (et isoler la cause et l'effet), les chercheurs peuvent mener des **expérimentations.** Les expérimentations permettent aux chercheurs d'isoler les effets d'un ou de plusieurs facteurs (1) *en manipulant les facteurs à l'étude* et (2) *en maintenant constant (« en les contrôlant ») les autres facteurs.* Pour cela, ils créent souvent un **groupe expérimental,** dans lequel les sujets reçoivent le traitement, et un **groupe contrôle** à l'opposé, dans lequel aucun traitement n'est administré. Pour minimiser les différences préexistantes entre les deux groupes, les chercheurs **répartissent au hasard** les participants dans ces deux groupes. Répartition au hasard des sujets dans les groupes : une table de génération de nombres aléatoires ou un autre

Expérience une méthode de recherche dans laquelle un enquêteur manipule un ou plusieurs facteurs (variables indépendantes) pour observer l'effet sur certains comportements ou processus mentaux (variable dépendante). Par *répartition aléatoire* des participants dans les groupes expérimentaux étudiés, l'expérimentateur a pour objectif de maîtriser d'autres facteurs pertinents.

Groupe expérimental dans une expérience, le groupe exposé au traitement, c'est-à-dire à une version des expressions de la variable indépendante.

Groupe contrôle ou groupe témoin dans une expérience, le groupe *non* exposé au traitement, à l'intervention ; sert de groupe de comparaison pour évaluer l'effet du traitement.

Répartition aléatoire distribution des participants dans les groupes expérimentaux et témoin par tirage au sort, minimisant ainsi les différences préexistantes dans les différents groupes.

---

3. Cette maxime est vraie non seulement des corrélations, mais aussi des associations vérifiées par d'autres statistiques non expérimentales. Nous pouvons dire que les associations ne prouvent en aucun cas une causalité.

Rappelons que dans une enquête bien faite, *l'échantillonnage par tirage au sort* est important. Dans une expérience, la *répartition au hasard* est tout aussi importante.

procédé de tirage au sort tendront à rendre les groupes comparables. Si un tiers des volontaires d'une expérimentation peut bouger ses oreilles, alors environ un tiers des participants de chaque groupe pourra bouger ses oreilles. Il en est de même pour la distribution des âges, des attitudes et de toutes les autres caractéristiques qui seront à peu près également réparties dans le groupe expérimental et le groupe contrôle. Ainsi, si les caractéristiques d'un groupe diffèrent à la fin de l'expérimentation, on peut présumer que le traitement a eu de l'effet.

Pour évaluer les effets de l'allaitement, une équipe de recherche a réparti au hasard environ 17 000 nouveau-nés de Biélorussie et leurs mères, soit dans le groupe témoin suivant le programme d'alimentation pédiatrique normal, soit dans le groupe des mères ayant l'intention d'allaiter et recevant des informations sur les bienfaits de l'allaitement (Kramer et al., 2008). À l'âge de 3 mois, 43 % des nourrissons du groupe expérimental étaient encore nourris exclusivement au sein mais seulement 6% des enfants du groupe contrôle. Lorsque environ 14 000 enfants furent étudiés à nouveau à l'âge de 6 ans, ceux qui avaient fait partie du groupe recevant les informations sur l'allaitement présentaient des résultats aux tests d'intelligence supérieurs en moyenne de 6 points comparés aux résultats obtenus par les enfants du groupe témoin.

Avec la permission des parents, une équipe de recherche britannique a évalué expérimentalement les propriétés du lait maternel. Ils ont réparti au hasard 424 enfants prématurés hospitalisés, soit dans le groupe nourri par un lait diététiquement formulé, soit dans le groupe nourri au sein par le lait maternel (Lucas et al., 1992). Leur conclusion : Le sein maternel était le meilleur pour favoriser le développement de l'intelligence chez les prématurés. Lors de la passation des tests d'intelligence à l'âge de 8 ans, ceux nourris avec du lait maternel avaient des notes significativement plus élevées que ceux qui avaient été nourris avec lait. L'allaitement au sein maternel était meilleur.

Aucune expérience unique est concluante, bien sûr. Bien entendu, aucune expérimentation isolée ne peut prétendre être concluante, mais la répartition au hasard des enfants dans ces deux groupes de régimes alimentaires différents, a permis d'éliminer efficacement tous les facteurs, à l'exception de la nutrition. Cela renforce la conclusion qui dit que allaitement au sein maternel est en effet le mieux pour le développement de l'intelligence. Si les résultats des tests varient lorsque l'on fait varier la nutrition infantile, nous en déduisons que la qualité de cette nutrition est une question importante.

Point à retenir : contrairement aux études corrélationnelles qui mettent à jour des relations qui surviennent naturellement, une expérience fait varier un facteur pour en étudier ses effets.

Considérons aussi comment nous pouvons évaluer une intervention thérapeutique. Notre tendance naturelle à essayer de nouveaux remèdes, lorsque nous sommes malades ou émotionnellement découragés, peut engendrer des témoignages erronés. Si trois jours après le début d'un rhume nous commençons à prendre de la vitamine C et trouvons que les symptômes diminuent, nous aurons tendance à considérer que ce sont les comprimés qui ont fait de l'effet et non pas qu'il s'agit de l'apaisement naturel du rhume. Au XVIIIᵉ siècle, les saignées *semblaient* efficaces. Parfois, les patients se sentaient mieux après le traitement; lorsque cela n'était pas le cas, le médecin en concluait que la maladie était à un niveau trop avancé pour être combattue. Donc, qu'un remède soit efficace ou non, ses utilisateurs enthousiastes le défendront sûrement. Pour prouver son efficacité réelle, nous devons contrôler les autres facteurs.

Et c'est précisément comme ça que les nouveaux traitements pharmacologiques et les nouvelles formes de psychothérapie sont évalués (Chapitre 16). Dans ces études, les sujets sont répartis au hasard dans les groupes de recherche. Un groupe reçoit un traitement (par exemple un médicament). Un groupe reçoit le traitement (un médicament par exemple) et l'autre groupe reçoit un pseudo-traitement, un *placebo* inactif (une gélule sans principe actif par exemple). Les participants sont souvent *aveugles* (non informés) du traitement qu'ils reçoivent s'il y en a un. Si l'étude utilise la méthode dite en **double aveugle**, ni le sujet, ni l'assistant de recherche qui recueille les données ne savent quel est le groupe qui reçoit le traitement.

Procédure en double aveugle une procédure expérimentale dans laquelle ni les sujets traités, ni les personnes chargées de donner les médicaments ne savaient ce qui était administré, entre le traitement efficace ou le placebo. Couramment utilisé dans les études d'évaluation des médicaments.

Effet placebo [Latin pour « Je plairai »] effets expérimentaux causés par les seules attentes ; tout effet sur le comportement provoqué par l'administration d'une forme pharmaceutique sans principe actif, dont le bénéficiaire pense que cette forme est active.

Dans de telles études, les chercheurs peuvent déterminer les effets réels d'un traitement indépendamment de la croyance des participants et de l'équipe de chercheurs sur son pouvoir de guérison. Le simple fait de *penser* que l'on suit un traitement suffit pour remonter le moral, détendre le corps et conduire au soulagement des symptômes. L'**effet placebo** est bien connu dans les domaines de la douleur, de la dépression et de l'anxiété (Kirsch, 2010). Les athlètes ont couru plus vite après que leur ait été administré un soi-disant médicament améliorant la performance sportive (McClung & Collins, 2007). Le café décaféiné a stimulé la vigueur et la vigilance de sujets qui pensaient boire un café ordinaire (Dawkins et al., 2011). Des sujets se sont sentis mieux après avoir reçu un médicament factice supposé amélioré l'humeur (Michael et al., 2012). Et plus le placebo est onéreux, plus il vous semble « réel »; une fausse gélule qui coûte 2,50 euros est bien plus efficace qu'une autre ne coûtant que 10 centimes (Waber et al., 2008). Pour savoir jusqu'à quel point un traitement est véritablement efficace, les chercheurs doivent contrôler l'effet placebo possible.

• Quels moyens les chercheurs utilisent-ils pour éviter que *l'effet placebo* ne brouille les résultats ?

Réponse : Les recherches visant à prévenir l'effet placebo attribuent au hasard l'entrée des participants dans un groupe expérimental, qui reçoit le traitement vrai, ou dans un groupe témoin (qui reçoit un placebo). Une comparaison des résultats montrera si le traitement vrai produit de meilleurs résultats que la croyance en son efficacité.

Variable indépendante dans une expérience, le facteur que l'on peut faire varier ; la variable dont l'effet est à l'étude.

Variable confondante dans une expérience, un facteur autre que la variable indépendante qui pourrait influencer la variable dépendante, le résultat.

Variable dépendante dans une expérience, les résultats que l'on mesure ; la variable dont la valeur peut se modifier lorsque la variable indépendante est manipulée.

Variables indépendante et dépendante

Voici un exemple encore plus puissant : 21 essais thérapeutiques ont été nécessaires à l'enregistrement du médicament Viagra®. Un des essais a été fait avec deux groupes de patients soit 329 hommes souffrant de troubles de l'érection qui ont été répartis au hasard dans un groupe expérimental (recevant le Viagra®) ou dans un groupe témoin (recevant un placebo ayant la même forme galénique). La méthode est dite « en double aveugle » ou à « double insu » : ni les sujets traités, ni les personnes chargées de donner les médicaments ne savaient ce qui était administré. Résultat : pris à des doses élevées, le Viagra® permit à 69 % des hommes d'avoir des relations sexuelles fructueuses, comparé à 22 % pour les hommes qui avaient pris le placebo (Goldstein et al., 1998). Le Viagra ® a été efficace chez nombre de sujets.

Cette expérience simple ne faisait varier qu'un seul facteur : la posologie du médicament (rien versus dose maximale). Nous appelons ce facteur expérimental la **variable indépendante** parce qu'on peut la faire varier *indépendamment* d'autres facteurs, tels que l'âge, le poids ou la personnalité. Les autres facteurs, qui peuvent influencer les résultats de l'expérimentation sont appelés les **variables confondantes**. La répartition au hasard permet de maîtriser les éventuelles variables confondantes.

Les expérimentateurs examinent l'effet d'une ou de plusieurs variables indépendantes sur plusieurs comportements mesurables appelés **variables dépendantes**. On les appelle ainsi parce qu'elles *dépendent* de ce qui se passe durant l'expérience. Chacune de ces variables a une *définition opérationnelle* précise Celle-ci spécifie la variable indépendante (la dose précise et le moment précis de l'administration) ou les mesures de la variable dépendante (les questions utilisées pour évaluer la réaction des sujets). Elles répondent ainsi à la question « que voulez-vous dire ? » avec un niveau de précision permettant à d'autres de refaire l'étude. (Voir **FIGURE 1.6** pour la conception de l'expérience britannique sur le lait maternel.)

Faisons une pause pour vérifier que vous avez bien compris en utilisant une expérience psychologique simple : pour tester les effets de la perception d'une ethnie sur la disponibilité d'une maison à louer, Adrien Carpusor et William Loges (2006) ont envoyé des requêtes identiques par courriel à 1 115 propriétaires de Los Angeles. Les chercheurs ont modifié la connotation ethnique du nom de l'expéditeur et ont noté le pourcentage de réponses positives (invitations à visiter l'appartement en personne). « Patrick McDougall », « Said Al-Rahman » et « Tyrell Jackson » ont reçu respectivement 89 %, 66 % et 56 % d'invitations.

Les expériences peuvent aussi nous aider à évaluer des programmes sociaux. Les programmes d'enseignement dispensés dans la petite enfance améliorent-ils les chances de réussite des enfants pauvres ? Quels sont les effets des différentes campagnes antitabac ? Les programmes d'éducation sexuelle à l'école réduisent-ils le nombre de grossesses chez les adolescentes ? Pour répondre à ces questions, nous pouvons faire des expérimentations : si l'intervention est accueillie favorablement, mais que les finances dont on dispose sont faibles, il est possible de recourir à des échantillons de population et ainsi utiliser un tirage au sort pour répartir au hasard les personnes

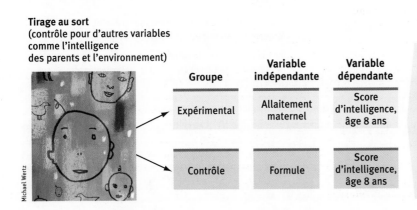

Tirage au sort
(contrôle pour d'autres variables comme l'intelligence des parents et l'environnement)

Groupe	Variable indépendante	Variable dépendante
Expérimental	Allaitement maternel	Score d'intelligence, âge 8 ans
Contrôle	Formule	Score d'intelligence, âge 8 ans

▼ FIGURE 1.6

Expérimentation Pour discerner la causalité, les psychologues peuvent faire entrer par tirage au sort certains participants dans un groupe expérimental et d'autres dans un groupe témoin. La mesure de la variable dépendante (résultat d'un test d'intelligence effectué ultérieurement au cours de l'enfance) déterminera les effets de la variable indépendante (type de lait).

▼ TABLEAU 1.3
Comparaison des méthodes de recherche

Méthode de recherche	Objet principal de la recherche	Conduite de la recherche	Qu'est-ce qui varie	Faiblesses
Descriptive	Observer et enregistrer le comportement	Faire des études de cas, des observations naturalistes, ou des enquêtes	Rien	Pas de contrôle de variables ; les études de cas peuvent être trompeuses
Corrélationnelle	Détecter les relations survenant naturellement ; évaluer dans quelle mesure une variable en prédit une autre	Recueillir des données sur deux ou plusieurs variables ; aucune manipulation	Rien	Ne peut pas faire ressortir la cause et l'effet
Expérimentale	Pour explorer de cause à effet	Faire varier un ou plusieurs facteurs ; utiliser la répartition au hasard, aléatoire	Variable indépendante	Parfois pas réalisable ; les résultats peuvent ne pas être généralisés à d'autres contextes ; il n'est pas éthique de manipuler certaines variables

(ou régions) à qui seront appliquées l'expérimentation du nouveau programme et celles qui constitueront le groupe témoin. Si par la suite les deux groupes présentent des différences, les effets de cette intervention seront confortés (Passell, 1993).

Récapitulons. Une *variable* est quelque chose qui peut changer (alimentation d'un enfant, intelligence, temps passé à regarder la télévision – en fait tout ce que l'on peut faire, dans la mesure où cela reste éthique). Les expérimentations ont pour but de *manipuler de faire varier*, une *variable indépendante*, de *mesurer* la variable *dépendante* et de permettre une répartition au hasard pour contrôler toutes les *autres* variables. Une expérimentation comporte au moins deux groupes différents : un *groupe expérimental* et un *groupe contrôle ou groupe témoin* ou de *comparaison. La répartition au hasard* réduit les différences intergroupes pouvant exister avant les effets du traitement. De cette manière, l'expérience teste l'effet d'au moins une variable indépendante (ce que nous manipulons) sur au moins une variable dépendante (la réponse que l'on mesure). **LE TABLEAU 1.3** compare les caractéristiques des méthodes de recherche en psychologie.

EXERCICE RÉCAPITULATIF

- Dans l'expérience du logement locatif, quelle était la variable indépendante ? La variable dépendante ?

Réponse : La variable indépendante, que les chercheurs ont utilisée, était l'ensemble des noms ethniquement distincts. La variable dépendante, qu'ils ont mesurée, était le taux de réponse positive.

- En utilisant *la méthode de répartition au hasard*, les chercheurs sont en mesure de contrôler les _____ _____, qui sont les autres facteurs qui, à côté de la ou des variables indépendantes peuvent influencer les résultats de la recherche.

Réponse : variables confondantes

Faites correspondre les termes de gauche à leur description à droite.

1. procédure en double aveugle

2. échantillonnage par tirage au sort

3. répartition au hasard (randomisée)

a. aide les chercheurs à partir d'un petit ensemble de réponses, à tirer des conclusions applicables à une population plus grande

b. aide à minimiser les différences préexistantes entre les groupes expérimentaux et les groupes témoin

c. contrôle, maîtrise, de l'effet placebo ; ni les chercheurs ni les participants ne savent qui reçoit le traitement réel

Réponses : 1. c, 2. a, 3. b

- Pourquoi, lors de l'essai d'un nouveau médicament contrôlant la pression artérielle, devrions-nous en savoir plus sur son efficacité en l'administrant à la moitié des 1 000 participants à l'essai plutôt qu'à tous les 1 000 participants ?

Réponse : Nous apprenons plus sur l'efficacité d'un médicament quand nous pouvons comparer les résultats obtenus chez les sujets à qui a été administré le médicament (le groupe expérimental) à ceux obtenus chez les sujets qui ne l'ont pas pris (le groupe témoin). Si nous donnions le médicament à la totalité des 1 000 participants, nous n'aurions aucun moyen de savoir si le médicament agit comme un placebo ou s'il est réellement efficace.

« Si je ne pense pas que ça va marcher, le remède sera-t-il encore efficace ? »

Prédire le comportement effectif

1-9 Les expériences de laboratoire peuvent-elles nous éclairer sur la vie quotidienne ?

Quand vous lisez ou écoutez un rapport sur une recherche psychologique, ne vous demandez-vous jamais si les comportements des gens en laboratoire permettent de prédire leurs comportements dans la vie réelle ? Est-ce que le fait de détecter un faible éclat de lumière rouge dans une chambre noire nous renseigne, d'une quelconque manière, sur la capacité à piloter un avion, de nuit ? La propension qu'a un homme excité (sexuellement) à appuyer sur un bouton censé délivrer un choc électrique à une femme, après avoir vu un film contenant des scènes érotiques et violentes, révèle-t-elle quelque chose concernant l'effet de la pornographie et de la violence sur les facteurs de risque de viol ?

Avant de répondre, considérez ceci : les expérimentateurs *essayent de traduire*, dans l'environnement du laboratoire, une version simplifiée de la réalité, dans laquelle des caractéristiques importantes de la vie de tous les jours peuvent être simulées et contrôlées. Comme une soufflerie qui permet aux ingénieurs en aéronautique de recréer, dans des conditions contrôlées, les contraintes atmosphériques, une expérience menée en laboratoire permet aux psychologues de recréer, dans des conditions contrôlées, les psychologiques.

Le but de l'expérimentateur n'est pas de recréer exactement les comportements de tous les jours mais de tester des *principes théoriques* (Mook, 1983). Dans les études sur l'agressivité, la décision d'appuyer sur un bouton qui délivre des chocs électriques n'est pas exactement la même chose que de gifler quelqu'un, mais le principe est le même. *Ce sont les principes qui en découlent et non les résultats spécifiques qui nous aident à expliquer les comportements de tous les jours.*

Lorsque les psychologues mènent une recherche en laboratoire sur l'agressivité en réponse à la violence réelle, ils appliquent des principes théoriques concernant les comportements agressifs ; principes qui sont ensuite précisés à travers de nombreuses expériences. De la même manière, ce sont les principes de fonctionnement de l'appareil visuel mis en évidence à partir d'expériences réalisées en conditions artificielles, comme regarder des lumières rouges dans le noir, que nous appliquons à des comportements plus complexes comme le pilotage de nuit. Comme le démontrent de nombreuses investigations, les principes extrapolés à partir d'un laboratoire reflètent véritablement le monde dans lequel nous vivons (Anderson et al., 1999).

Point à retenir : l'intérêt des psychologues porte moins sur des comportements particuliers que sur des principes généraux qui, eux, aident à expliquer de nombreux comportements.

Éthique de la recherche en psychologie

1-10 Pourquoi les psychologues étudient-ils les animaux ? Quelles sont les directives éthiques qui protègent les hommes ou les animaux participant à ces recherches ? Dans quelle mesure les valeurs humaines influencent-elles la psychologie ?

Nous avons réfléchi sur la manière dont l'approche scientifique pouvait réduire les biais. Nous avons vu comment les études de cas, les enquêtes et les observations naturalistes nous permettaient de décrire les comportements. Nous avons noté que les études de corrélation permettaient d'évaluer la relation entre deux facteurs, indiquant comment une chose pouvait en prédire une autre. Nous avons examiné la logique qui sous-tendait les expériences qui utilisent des conditions contrôlées et des répartitions au hasard des sujets pour isoler les effets d'une variable indépendante sur une variable dépendante.

Cependant, même en sachant cela, il se peut que vous abordiez la psychologie avec une curiosité teintée d'appréhension. Donc, avant de nous plonger dans ce domaine, divertissons-nous avec quelques questions courantes concernant l'éthique et les valeurs de la psychologie.

Protéger les participants à la recherche

Étude et protection des animaux. Beaucoup de psychologues étudient les animaux parce qu'ils les trouvent fascinants. Leur but est de comprendre comment les différentes espèces apprennent, pensent et se comportent. Les psychologues les étudient aussi pour approfondir leurs connaissances sur les hommes. En tant qu'hommes, nous ne *ressemblons pas* aux animaux; nous *sommes* des animaux et nous partageons la même biologie. C'est pourquoi l'expérimentation animale a permis de mettre au point des traitements pour des maladies humaines comme l'insuline pour le diabète, les vaccins pour prévenir la poliomyélite et la rage, ou bien des transplantations pour remplacer des organes défaillants.

Les humains sont des êtres complexes. Mais les processus d'apprentissage chez l'homme sont également présents chez les rats, les singes ou même les limaces de mer ou lièvres de mer ou aplysie. C'est précisément la simplicité du système nerveux de l'aplysie qui nous permet d'apprendre bien des choses sur les mécanismes d'apprentissage au niveau neuronal.

« Les rats ressemblent beaucoup aux êtres humains sauf qu'ils ne sont pas assez stupides pour acheter des billets de loterie. »

Dave Barry, le 2 juillet 2002,

« S'il vous plaît, n'oubliez pas ceux d'entre nous qui souffrent d'infirmités ou de maladies incurables et qui ont foi en la découverte d'un traitement nécessitant des recherches chez l'animal. »

Dennis Feeney, psychologue (1987)

« La grandeur d'une nation peut être jugée sur la façon dont elle traite les animaux. »

Mahatma Gandhi, 1869-1948

La recherche animale a bénéficié aux animaux Les psychologues ont aidé les zoos à enrichir l'environnement des animaux (Weir, 2013). Grâce en partie à la recherche sur les avantages de la nouveauté, du contrôle et de la stimulation, ces gorilles profitent d'une meilleure qualité de vie dans le Zoo du Bronx à New York.

Dans la mesure où nous partageons d'importantes similarités avec nos cousins les animaux, ne devrions-nous pas les respecter ? Les associations de protection des animaux protestent contre leur utilisation dans les recherches psychologiques, biologiques et médicales. « Nous ne pouvons pas défendre nos travaux scientifiques chez l'animal sur la base des ressemblances entre eux et nous, et ensuite les défendre à un niveau moral sur la base de nos différences », remarquait Roger Ulrich (1991).

Deux questions émergent de ce débat brûlant. La plus fondamentale est de savoir si l'élévation du bien-être de l'homme au-dessus de celui des autres animaux est justifiée. Dans les expériences sur le stress et le cancer, a-t-on le droit de provoquer des tumeurs chez la souris pour que les hommes n'en aient pas ? Certains singes doivent-ils être exposés à un virus similaire au VIH pour assurer la recherche et le développement d'un vaccin contre le SIDA ? L'utilisation et la consommation par l'homme des autres animaux sont-elles aussi naturelles que le comportement carnivore des faucons, des chats et des baleines ? La réponse à ces questions varie selon les cultures. Selon une enquête Gallup menée au Canada et aux États-Unis, environ 60 % des adultes ont considéré que les tests médicaux sur les animaux sont « moralement acceptables ». Au Royaume-Uni ces tests sont acceptables pour 37 % seulement des personnes interrogées (Mason, 2003).

Si nous donnons la priorité à la vie humaine, quelles barrières doivent protéger le bien-être des animaux utilisés pour la recherche ? Une enquête menée auprès des scientifiques spécialisés dans la recherche animale apporte une réponse. Environ 98 % d'entre eux ont accueilli positivement la législation en faveur de la protection des primates, des chiens et des chats, et 74 % soutenaient des règlements obligeant à un traitement humain envers les rats et les souris (Plous et Herzog, 2000). Beaucoup d'associations professionnelles et d'organismes de financement ont adopté maintenant de telles directives. La plupart des universités sélectionnent les propositions de recherche, souvent en prenant l'avis de comités d'éthique, les laboratoires sont inspectés et respectent et appliquent les bonnes pratiques. Les directives de la British Psychological Society (BPS) exigent que les animaux soient hébergés dans des conditions raisonnablement naturelles et qu'ils aient la compagnie de leurs semblables (Lea, 2000). Les directives de l'American Psychological Association (APA) obligent à s'assurer que les animaux bénéficient « de confort, de santé et d'un traitement humain » et à minimiser chez eux les « infections, les maladies et les douleurs » (APA, 2002). Le Parlement européen a adopté des mandats standards concernant les soins et l'hébergement des animaux destinés aux expérimentations scientifiques (Vogel, 2010).

On peut dire que les animaux eux-mêmes ont bénéficié de l'expérimentation animale. Une équipe de recherche en psychologie de l'Ohio de psychologues a mesuré les taux circulants des « hormones du stress » chez des millions de chiens apportés chaque année dans les refuges pour animaux. Ils ont conclu que leur prise en charge et les caresses prodiguées réduisaient le stress et facilitaient leur entrée dans les nouveaux foyers qui les adoptaient (Tuber et al., 1999). D'autres études ont aidé à améliorer les soins et le traitement des animaux dans leur habitat naturel. En mettant à jour les similitudes comportementales que nous pouvons avoir avec les animaux et l'intelligence remarquable des chimpanzés, des gorilles et d'autres animaux, les expériences ont également augmenté notre empathie vis-à-vis d'eux et notre désir de les protéger. Dans l'idéal, une psychologie qui se préoccupe des hommes et qui est attentive aux animaux peut contribuer au bien-être des deux.

Étudier et protéger les humains. Qu'en est-il des participants humains aux expériences scientifiques ? L'image de chercheurs délivrant des soi-disant chocs électriques vous choque-t-elle ? Réellemnet la plupart des études psychologiques ne sont pas aussi stressantes. Les lumières qui clignotent, les mots qui apparaissent de manière fugace ou les interactions sociales agréables sont plus fréquents. En outre, les expérimentations menées par les psychologues sont bien douces comparées au stress et aux humiliations souvent infligés par la télé-réalité. Dans un des épisodes du *Bachelor (le « gentleman célibataire »)*, un homme a rompu, devant les caméras, à la demande du producteur, avec la fiancée qu'il venait de choisir, pour finalement choisir la femme qui était arrivée deuxième lors de l'épisode précédent (Collins, 2009).

Occasionnellement, cependant, les chercheurs provoquent des stress temporaires ou déstabilisent les gens, mais uniquement quand cela est jugé essentiel à des fins qui peuvent être justifiées comme, par exemple, comprendre et contrôler les comportements violents ou étudier des modifications de l'humeur. De telles expériences ne marcheraient pas si les participants savaient à l'avance le contenu des expériences. Les participants, dans le but d'aider l'expérimentateur, chercheraient peut-être à confirmer ses hypothèses.

Les principes éthiques de l'APA et de la BPS imposent aux investigateurs (1) d'obtenir le **consentement éclairé** des participants potentiels avant tout début

Mary Altaffer/AP Photo

d'étude, (2) de leur éviter toute douleur ou inconfort, (3) de traiter les informations individuelles de manière confidentielle, et (4) d'**expliquer** complètement les principes de la recherche une fois celle-ci terminée. Les comités d'éthique universitaires respectent les recommandations de l'APA et de la BPS lors de la sélection des projets de recherche et garantissent le bien-être des participants.

Les valeurs dans la recherche

La psychologie n'est pas dépourvue de systèmes de valeurs. Celles-ci affectent ce que nous étudions, comment nous l'étudions et comment nous interprétons les résultats. Les valeurs des chercheurs influencent les choix qu'ils font concernant leurs sujets de recherche. Devrions-nous étudier : la productivité des travailleurs ou le moral des travailleurs ? La discrimination selon le sexe ou les différences affectant les genres ? La soumission ou l'indépendance ? Les valeurs peuvent aussi fausser « les faits ». Comme nous l'avons noté plus tôt, nos idées préconçues peuvent biaiser nos observations et nos interprétations ; parfois, nous voyons ce que nous voulons ou ce que nous nous attendons à voir (**FIGURE 1.7**).

> Consentement éclairé il donne aux participants potentiels suffisamment d'informations sur une étude afin de leur permettre de choisir librement d'y participer.
>
> Exposé et discussion des résultats et des conclusions de l'étude, ainsi que de ses failles aux participants.

Mike Kemp/Getty Images

▼ FIGURE 1.7
Que voyez-vous ? Nos attentes influencent ce que nous percevons. Voyez-vous un canard ou un lapin ? Montrez cette image à vos amis après avoir masqué la photographie du lapin regardez s'ils n'ont pas plutôt tendance à percevoir un canard (Inspiré par Shepard, 1990.)

Même les mots que nous utilisons pour décrire un phénomène peuvent être le reflet de nos valeurs. Les pratiques sexuelles éloignées de celles pratiquées par un individu sont-elles des *perversions* ou des *variantes sexuelles* ? En psychologie, comme dans le monde ordinaire les mots utilisés pour décrire une personne portent aussi un jugement de valeur : on parlera de caractère *rigide* pour une personne et de comportements *cohérents pour une autre* on dira d'une personne qu'elle a la *foi*, d'une autre qu'elle est *fanatique*. Les *techniques d'interrogatoire poussé d'un pays*, par exemple l'immersion dans de l'eau froide, deviennent des *tortures* lorsqu'elles sont pratiquées par ses ennemis. Quand nous décrivons quelqu'un en des termes tels que *ferme* ou *entêté*, *prudent* ou *chipoteur*, *réservé* ou *secret*, nous révélons ce que nous ressentons.

Les applications « grand public » de la psychologie recèlent aussi des valeurs cachées. Lorsque les gens se soumettent aux conseils des « professionnels » sur la manière de se comporter dans la vie – comment élever ses enfants, comment parvenir à l'épanouissement de soi, que faire avec ses désirs sexuels ou comment progresser dans sa vie professionnelle – ils acceptent du même coup les valeurs qui les sous-tendent. Une science des comportements et des processus mentaux peut nous aider à atteindre nos buts. Mais il ne peut pas décider ce que ces objectifs devraient être.

Si certains considèrent la psychologie comme une accumulation d'idées empreintes du simple bon sens, d'autres ont un avis contraire et pensent qu'elle devient dangereusement puissante. Est-ce un hasard si l'astronomie est la science la plus ancienne et la psychologie la plus récente ? Pour certains, explorer l'univers qui nous entoure semble bien moins dangereux que d'explorer notre propre univers intérieur ! La psychologie peut-elle être utilisée pour influencer les gens ?

Le savoir, comme tous les pouvoirs, peut être utilisé pour le meilleur comme pour le pire. L'énergie nucléaire a permis d'éclairer les villes… mais aussi de les détruire. Le pouvoir de persuasion a permis d'éduquer les gens… mais aussi de les tromper. Bien qu'elle puisse nous tromper, la psychologie a pour but de nous ouvrir les yeux. Tous les jours, les psychologues explorent les moyens d'améliorer l'apprentissage, la créativité et la compassion. La psychologie traite aussi des grands problèmes de notre monde, comme la guerre, la surpopulation, les préjugés, les crises familiales ou la criminalité, qui tous mettent en jeu des comportements et des attitudes. La psychologie s'intéresse aussi aux plus fondamentaux des besoins humains tels que l'amour, le bonheur et la nourriture. La psychologie ne peut aborder toutes les grandes questions de la vie, mais elle s'attaque à celles qui sont sans doute les plus importantes.

La psychologie parle En rendant sa décision historique de 1954 d'abolir la ségrégation scolaire, la Cour suprême des États-Unis a cité le témoignage et la recherche des experts en psychologie Kenneth Clark et Mamie Clark Phipps (1947). Ils ont remarqué que, lorsqu'ils ont le choix de la couleur de leurs poupées, la plupart des enfants afro-américains choisissaient la poupée blanche, ce qui indiquait qu'ils avaient apparemment intériorisé les préjugés antinoirs.

EXERCICE RÉCAPITULATIF

• De quelle manière les hommes et les animaux participant à des recherches sont-ils protégés ?

Réponse : La législation en faveur de la protection des animaux, la réglementation et les normes d'inspection des laboratoires de recherche ainsi que les comités d'éthique locaux veillent au bien-être des animaux et des hommes. Dans les universités, des comités d'éthique contrôlent les projets de recherche. Les principes éthiques développés par des organisations internationales de psychologie imposent aux chercheurs d'obtenir le *consentement éclairé* des participants humains, de les protéger de toute douleur et de tout inconfort, de traiter les informations individuelles de manière confidentielle, et de *bien informer* tous les participants.

RÉVISION GÉNÉRALE Stratégies de recherche : comment les psychologues posent-ils les questions et y répondent-ils ?

OBJECTIFS D'APPRENTISSAGE

EXERCICE RÉCAPITULATIF Prenez un moment pour répondre à chacune de ces questions de l'objectif d'apprentissage (répétées ici dans cette section). Puis aller à l'annexe C, révision complète du chapitre, pour vérifier vos réponses. La recherche suggère que d'essayer de répondre à ces questions de votre propre initiative permettra d'améliorer la mémorisation à long terme de ces réponses (McDaniel et al., 2009).

1-3 De quelle manière les théories font-elles progresser la psychologie scientifique ?

1-4 Comment les psychologues utilisent-ils l'étude de cas, l'observation naturaliste et les enquêtes pour observer et décrire un comportement ? Pourquoi l'échantillonnage aléatoire est-il si important ?

1-5 Qu'exprimons-nous quand nous disons que deux choses sont corrélées, et que les corrélations sont positives et négatives ?

1-6 Qu'est ce que la régression vers la moyenne ?

1-7 Pourquoi les corrélations permettent de faire des prévisions mais pas d'établir de relation de cause à effet ?

1-8 Quelles sont les caractéristiques de l'expérimentation qui permettent d'isoler la cause et l'effet ?

1-9 Les expériences de laboratoire peuvent-elles nous éclairer sur la vie quotidienne ?

1-10 Pourquoi les psychologues étudient-ils les animaux ? Quelles sont les directives éthiques qui protègent les hommes ou les animaux participant à ces recherches ? Dans quelle mesure les valeurs humaines influencent-elles la psychologie ?

TERMES ET CONCEPTS À RETENIR

EXERCICE RÉCAPITULATIF Testez votre connaissance de ces termes en essayant d'écrire leur définition, avant de vous reporter aux pages indiquées en référence pour vérifier votre réponse.

Le raisonnement statistique dans la vie quotidienne

Lorsqu'on leur demanda quelle serait la répartition *idéale* des richesses aux États-Unis, les Démocrates et les Républicains donnèrent des réponses étrangement similaires. Dans le monde idéal des Démocrates, 30 % des richesses devraient être détenues par les 20 % de la population la plus aisée. Les Républicains quant à eux y préférèrent un pourcentage similaire de 35 % (Norton et Ariely, 2011).

LORS DE LA RECHERCHE DESCRIPTIVE, CORRÉLATIONNELLE ET EXPÉRIMENTALE, la statistique est un outil qui nous aide à voir et à interpréter ce que l'œil nu ne pourrait pas voir. Parfois nous nous trompons fortement. Les chercheurs Michael Norton et Dan Ariely (2011) ont invité 5 522 Américains à estimer quel est le pourcentage des biens que possèdent les 20 % de la population, la plus riche de leur pays. La réponse moyenne qui est 58 % « sous-estime considérablement » l'inégalité de la répartition réelle des richesses. (Les plus riches représentent 20 % de la population possèdent 84 % de la totalité des biens.)

La compréhension de la statistique bénéficie à tout le monde. Pour être une personne instruite de nos jours, il faut être capable d'appliquer les principes statistiques simples au raisonnement de la vie de tous les jours. Nous n'avons pas besoin de mémoriser des formules complexes pour réfléchir plus clairement et de manière plus critique sur les résultats.

Les estimations faites « à vue de nez » donnent souvent une mauvaise vision de la réalité et induisent le public en erreur. Il suffit que quelqu'un nous propose un important chiffre rond. D'autres personnes vont alors le reprendre et, en un rien de temps, cet important chiffre rond devient une désinformation généralisée au sein de la population. En voici quelques exemples :

- *Dix pour cent des gens sont homosexuels.* Ou bien s'agit-il de 2 à 4 % de la population, comme le démontrent plusieurs enquêtes publiques (Chapitre 11) ?

- *Habituellement nous n'utilisons que 10 % des capacités notre cerveau,* ou ne serait-ce pas plutôt près de 100 % (Chapitre 2) ?

- *Le cerveau humain comporte 100 milliards de cellules nerveuses.* Ou ne serait-ce pas plutôt 40 milliards comme le suggèrent les extrapolations des comptages faits sur des échantillons (Chapitre 2) ?

Point à retenir : méfiez-vous des nombres importants arrondis et sans preuves fournies. Voilà effectivement une leçon que nous apprécions intuitivement : fournir et obtenir des nombres précis plus crédibles (Oppenheimer et al., 2014). Le secrétaire d'État américain John Kerry a, en 2013, cherché à rallier des soutiens à sa proposition d'intervenir militairement en réponse à la possible utilisation d'armes chimiques par la Syrie. Ses arguments ont gagné en crédibilité grâce à la précision des données présentées : « Le gouvernement des États-Unis sait maintenant qu'au moins 1 429 Syriens dont au moins 426 enfants, ont été tués lors de cette attaque ».

L'ignorance de la signification de la statistique nourrit également des frayeurs inutiles sur les risques sanitaires (Gigerenzer et al., 2008, 2009, 2010). Au cours des années 1990, la presse britannique a publié une étude montrant que les femmes utilisant une contraception particulière par voie orale étaient exposées à un risque d'hypercoagulabilité sanguine augmenté de 100 %, pouvant entraîner des AVC. De ce fait, des milliers de femmes ont arrêté cette utilisation, ce qui a provoqué une vague de grossesses non désirées et environ 13 000 avortements (qui entraînent également un risque d'hypercoagulabilité sanguine). Mais qu'avait montré réellement cette étude ? Qu'il y avait effectivement une augmentation de 100 % du risque mais celui-ci passait de 1 sur 7 000 à 2 sur 7 000 seulement. Ces fausses alarmes soulignent qu'il est nécessaire de comprendre le raisonnement statistique et de présenter les informations statistiques de manière plus pertinente.

Lors de la définition des objectifs, nous aimons les chiffres ronds. Nous allons plus probablement vouloir perdre 20 euros que 19 ou 21. Nous sommes beaucoup plus susceptibles de recommencer un test si notre score manque d'un grand chiffre rond, comme 1 200. En modifiant leur comportement, les batteurs ont quatre fois plus de chance de terminer la saison avec une moyenne de 0,300 que de 0,299 (Pope & Simonsohn, 2011).

« *Les chiffres peuvent être trompeurs – donc j'ai écrit une chanson qui exprime, je pense, la véracité des résultats trimestriels de l'entreprise* ».

Décrire des données

1-11 Comment pouvons-nous décrire les données à l'aide de trois mesures de la tendance centrale, et quelle est l'utilité relative des deux mesures de variation de cette tendance ?

Une fois que les chercheurs ont rassemblé leurs données brutes, leur première tâche est de les présenter en utilisant les méthodes de la *statistique descriptive*. Une manière de le faire est de convertir les données en un simple *histogramme*, comme celui de la **FIGURE 1.8**, page suivante, qui montre la distribution des camions de différentes marques encore présents dans le trafic une dizaine d'années après leur première mise en route. Faites attention quand vous regardez des graphiques comme ceux-ci. Il est facile de concevoir un type graphique précis pour qu'une même différence paraisse importante (Figure 1.8a) ou faible (Figure 1.8b). Le secret réside dans l'échelle que vous choisissez pour l'axe des ordonnées (*l'axe y*).

Point à retenir : réfléchissez intelligemment. Lorsque vous étudiez des graphiques statistiques, lisez toujours les échelles et notez leur étendue.

Mesures de la tendance centrale

L'étape suivante consiste à résumer les données en utilisant certaines *mesures de la tendance centrale*, un résultat unique qui représente un ensemble de résultats. La mesure la plus simple est le **mode**, la valeur la plus fréquemment observée ou le résultat le plus fréquent. La mesure qui nous est la plus familière est la **moyenne** ou moyenne arithmétique correspondant à la somme de tous les résultats divisée par le nombre de résultats. Le centre de la distribution – 50e percentile – est la **médiane**. Sur une autoroute, la médiane correspondrait au milieu. La médiane est le résultat moyen correspondant au 50e centile ; si vous disposez tous les résultats dans l'ordre, du plus élevé au plus faible, la moitié d'entre eux seront au-dessous de la médiane et l'autre moitié au-dessus.

Ces mesures de la tendance centrale résument bien les données. Mais voyez ce qui arrive à une moyenne lorsque la distribution est asymétrique, quand elle est *déformée* du fait de quelques résultats atypiques.

Mode la valeur la plus fréquemment observée, le(s) résultat(s) le(s) plus fréquent(s).

Moyenne la moyenne arithmétique d'une distribution est la somme de tous les résultats divisée par le nombre de résultats.

Médiane note se trouvant au centre d'une distribution ; la moitié des notes seront au-dessous de la médiane et l'autre moitié au-dessus.

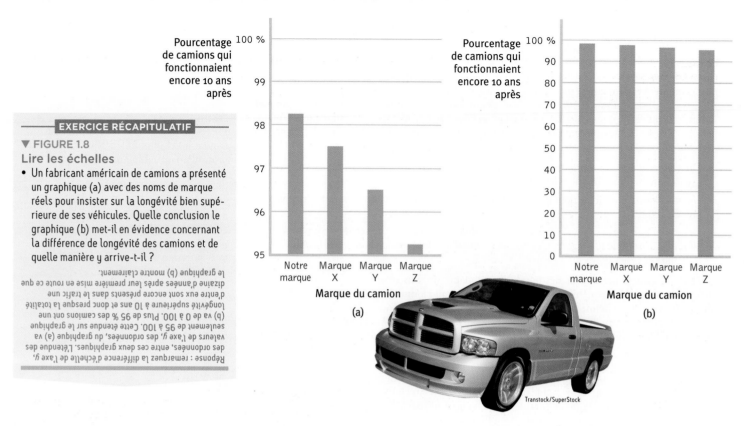

EXERCICE RÉCAPITULATIF

▼ **FIGURE 1.8**

Lire les échelles

- Un fabricant américain de camions a présenté un graphique (a) avec des noms de marque réels pour insister sur la longévité bien supérieure de ses véhicules. Quelle conclusion le graphique (b) met-il en évidence concernant la différence de longévité des camions et de quelle manière y arrive-t-il ?

Réponse : remarquez la différence d'échelle de l'axe y, des ordonnées, entre ces deux graphiques. L'étendue des valeurs de l'axe y, des ordonnées, du graphique (a) va seulement de 95 à 100. Cette étendue sur le graphique (b) va de 0 à 100. Plus de 95 % des camions ont une longévité supérieure à 10 ans et donc presque la totalité d'entre eux sont encore présents dans le trafic une dizaine d'années après leur première mise en route ce que le graphique (b) montre clairement.

La personne moyenne a un ovaire et un testicule.

Dans le cas des données relatives au revenu familial, le mode, la médiane et la moyenne donnent souvent des résultats très différents (**FIGURE 1.9**). Cela se produit parce que la moyenne est biaisée par quelques résultats extrêmes. Lorsque le cofondateur de Microsoft, Bill Gates, s'assoit dans un café, la moyenne de la richesse de la clientèle atteint instantanément le milliard. Mais la richesse médiane des clients reste inchangée. Si vous comprenez cela, vous pouvez comprendre comment un journal britannique a pu titrer avec précision : « Le revenu de 62 % de la population est inférieur à la moyenne » (Waterhouse, 1993). Car la *moitié* la plus pauvre des salariés britanniques perçoit seulement un *quart* de l'ensemble des salaires, si bien que la majeure partie des Britanniques, comme la majeure partie des gens de n'importe quel pays, a un revenu inférieur à la moyenne. La moyenne et la médiane racontent différemment la même histoire vraie.

Point à retenir : toujours noter quelle est la mesure qui décrit la tendance centrale. Si c'est une moyenne, vérifier si la présence de quelques valeurs atypiques ne la distorde pas.

Mesures de la variation

Connaître la valeur d'une mesure appropriée de la tendance centrale peut beaucoup nous apporter ; mais une donnée unique nous empêche d'accéder à d'autres informations. Il est également utile de savoir de quelle manière les données peuvent *varier* jusqu'à quel point les résultats peuvent être similaires ou éloignés. Les moyennes obtenues à partir des mesures ayant une faible variabilité sont plus fiables que celles qui sont fondées sur des mesures ayant une variabilité plus grande. Considérons une joueuse de basket-ball qui a marqué entre 13 et 17 points dans chacun des 10 premiers matchs de la saison. Sachant cela, nous serions plus confiants qu'elle marque près de 15 points au cours du prochain jeu que si ses scores avaient varié de 5 à 25 points.

▼ **FIGURE 1.9**

Distribution asymétrique La présentation graphique de la distribution des revenus d'une municipalité montre les trois mesures de la tendance centrale : le mode, la médiane et la moyenne. Notez comment quelques revenus élevés rendent la moyenne, point où s'équilibrent les hauts et les bas revenus, anormalement élevés.

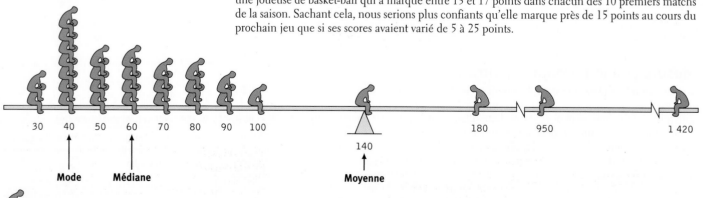

▼ TABLEAU 1.4
L'écart type donne beaucoup plus d'informations que la seule moyenne

Notez que les résultats des tests dans la classe A et dans la classe B ont la même moyenne (80), mais des écarts types très différents, ce qui nous en apprend bien plus sur la façon dont les étudiants de chaque classe se débrouillent réellement.

Résultats des tests de la classe A				Résultats des tests de la classe B		
Note	Écart à la moyenne	Écart à la moyenne élevée au carré		Note	Écart à la moyenne	Écart à la moyenne élevée au carré
72	−8	64		60	−20	400
74	−6	36		60	−20	400
77	−3	9		70	−10	100
79	−1	1		70	−10	100
82	+2	4		90	+10	100
84	+4	16		90	+10	100
85	+5	25		100	+20	400
87	+7	49		100	+20	400

Total = 640   Somme des (écarts)² = 204   Total = 640   Somme des (écarts)² = 2 000
Moyenne = 640 ÷ 8 = 80   Moyenne = 640 Ð 8 = 80

Écart type =   Écart type =

$$\sqrt{\frac{\text{Somme des (écarts)}^2}{\text{Nombre de notes}}} = \sqrt{\frac{204}{8}} = 5{,}0 \qquad\qquad \sqrt{\frac{\text{Somme des (écarts)}^2}{\text{Nombre de notes}}} = \sqrt{\frac{2\,000}{8}} = 15{,}8$$

L'**étendue** des valeurs, qui est l'intervalle entre la valeur la plus élevée et la plus faible de la distribution, ne donne qu'une estimation grossière de la variation. En effet, deux valeurs extrêmes, dans un échantillon des revenus d'une famille par ailleurs relativement uniformes (950 000 et 1 420 000 euros, voir la Figure 1.9), vont aboutir à une étendue très large mais trompeuse.

La mesure la plus fréquemment utilisée pour exprimer à quel point deux valeurs sont éloignées l'une de l'autre est l'**écart type**. Il évalue le mieux, la plus ou moins grande dispersion des résultats car il utilise des informations provenant de chaque résultat. Le calcul (voir le **TABLEAU 1.4** par exemple) nous renseigne sur la différence entre les valeurs individuelles par rapport à la moyenne. Si votre école ou université attire des élèves d'une certaine capacité, les évaluations des tests intellectuels auront un écart type relativement faible comparé à celui d'une communauté plus diverse, extérieure à votre établissement.

Vous pouvez comprendre la notion d'écart type si vous considérez la manière dont les résultats ont tendance à se distribuer. Un grand nombre de résultats comme la taille, le poids, les scores aux tests d'intelligence, les rangs sociaux (mais pas les revenus) forment souvent une courbe de distribution symétrique, en *forme de cloche*. La plupart des cas sont proches de la moyenne et plus nous nous éloignons vers les extrêmes, moins nous trouvons de cas. Cette distribution en cloche est si typique que nous avons appelé cette courbe la **courbe normale**.

Comme le montre la **FIGURE 1.10**, une propriété très intéressante de la courbe normale est que grossièrement 68 % des cas se trouvent à moins d'un écart type de part et d'autre de la moyenne.

Étendue différence entre la valeur la plus basse et la valeur la plus élevée d'une distribution.

Écart type mesure calculée de l'importance de la variation des résultats par rapport à la moyenne.

Courbe normale *(distribution normale)* courbe symétrique en forme de cloche qui décrit la distribution d'un grand nombre de types de données ; la plupart des résultats sont regroupés autour de la moyenne (68 % se trouvent à moins d'un écart type de part et d'autre de la moyenne) et plus on se dirige vers les extrêmes moins on trouve de valeurs.

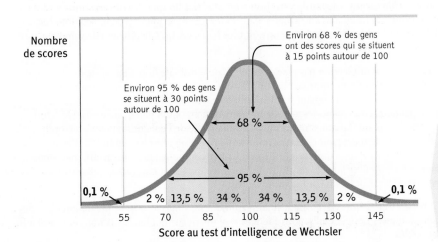

Nombre de scores

Environ 68 % des gens ont des scores qui se situent à 15 points autour de 100

Environ 95 % des gens se situent à 30 points autour de 100

68 %

95 %

0,1 %   2 %   13,5 %   34 %   34 %   13,5 %   2 %   0,1 %

55   70   85   100   115   130   145

Score au test d'intelligence de Wechsler

▼ FIGURE 1.10
La courbe normale Les résultats aux tests d'aptitude ont tendance à former une courbe en cloche, dite normale. Par exemple, l'échelle de Wechsler qui est la batterie de tests évaluant l'intelligence des adultes la plus connue, donne une moyenne égale à 100.

Environ 95 % des cas se trouvent à moins de deux écarts types. De ce fait, le Chapitre 10 remarque qu'environ 68 % des personnes passant un test d'intelligence obtiendront une note se situant dans l'intervalle 100 ± 15. Pour environ 95 % des sujets la note se situera dans l'intervalle 100 ± 30.

EXERCICE RÉCAPITULATIF

- Le résultat moyen d'une distribution est appelé _____. Le résultat qui est observé le plus souvent est appelé _____. Le résultat qui se trouve juste au milieu de la distribution (la moitié des résultats est inférieure à lui et l'autre moitié est supérieure) est appelé _____. Nous déterminons comment les différents résultats obtenus varient autour de la moyenne _____ à l'aide de la formule qui calcule (différence entre le plus faible et le plus élevé) _____

RÉPONSES : moyenne ; Mode ; médiane ; étendue ; écart-type

« Les pauvres deviennent plus pauvres, mais puisque les riches deviennent plus riches, cela ne change pas la moyenne »

Différences significatives

1-12 Comment peut-on savoir si une différence observée peut être généralisée à d'autres populations ?

Les données sont « parasitées ». Le résultat moyen d'un groupe (nourrissons allaités au sein) peut, théoriquement, différer de celui d'un autre groupe (nourrissons au biberon) non pas parce qu'ils sont réellement différents, mais à cause d'une variation aléatoire due à la constitution de l'échantillon de la population de bébés étudiée. Dans ces conditions, jusqu'à quel point pouvons-nous être sûrs que la différence observée ne soit pas un coup de chance lié à la constitution de l'échantillon de la population étudiée ? Pour nous guider, nous pouvons nous demander jusqu'à quel point nous pouvons nous fier à ces différences et si elles sont significatives ou non. La *statistique décisionnelle* nous aide à déterminer si les résultats peuvent être généralisés à l'ensemble de la population.

Quand peut-on se fier à une différence observée ?

Pour décider si l'on peut généraliser ces résultats à partir des calculs faits, sur un échantillon, il est important de garder à l'esprit trois grands principes.

1. **Les échantillons représentatifs sont meilleurs que les échantillons biaisés.** Comme nous l'avons vu, la meilleure base pour une généralisation n'est pas constituée des cas exceptionnels et mémorables que l'on trouve aux extrêmes, mais d'un échantillon de cas représentatifs. Aucune recherche ne comporte un échantillon de la population humaine dans son ensemble. Il est donc important de garder à l'esprit comment l'échantillon de la population étudiée a été constitué.

2. **Des observations ayant une faible variation sont plus fiables que des observations à plus forte variation.** Comme nous l'avons noté dans l'exemple de la joueuse de basket dont les résultats étaient homogènes, une moyenne est plus fiable lorsqu'elle provient de valeurs peu dispersées.

3. **Trop de cas valent mieux que pas assez.** Un élève de terminale impatient visite deux campus universitaires, pendant une journée chacun. Dans le premier, il assiste à deux cours au hasard et trouve chaque enseignant spirituel et intéressant. Dans l'autre campus, l'échantillon constitué par deux enseignants les fait apparaître comme mous et peu engageants. De retour à la maison, l'étudiant (faisant peu de cas de la petite taille de l'échantillon composé uniquement de deux professeurs pour chaque université) décrit à ses amis les « grands professeurs » du premier campus et les « raseurs » de l'autre. Comme toujours, nous le savons, mais nous l'ignorons : *les moyennes fondées sur un grand nombre de cas sont plus fiables* (elles varient moins) que celles issues d'un petit nombre de cas.

Point à retenir : ceux qui réfléchissent intelligemment ne sont pas trop impressionnés par des résultats anecdotiques. Les généralisations fondées seulement sur quelques cas non représentatifs ne sont pas fiables.

Quand dit-on que la différence observée est significative ?

Peut-être avez-vous comparé les niveaux d'agressivité des hommes et des femmes par des tests de laboratoire et trouvé une différence entre les sexes. Mais les individus sont différents. Quelle est la probabilité que la différence observée ne soit pas juste un coup de chance, dû au hasard de l'échantillonnage ? Les tests statistiques sont là pour le décider.

Voici leur logique sous-jacente : lorsque les moyennes issues de deux échantillons sont chacune des évaluations fidèles de leur population respective (comme dans le cas où chacune est fondée sur de nombreuses observations qui présentent une faible variabilité), alors la *différence* entre les deux échantillons a également des chances d'être fidèle. (Exemple : plus la variabilité entre les niveaux d'agressivité chez l'homme et chez la femme est faible, plus nous pourrons être sûrs que les moindres différences observées entre les sexes seront fiables.) Mais lorsque la différence entre les moyennes des deux échantillons est *importante*, nous sommes encore plus assurés que cette différence reflète une véritable différence entre leurs populations.

En bref, lorsque les moyennes des échantillons sont fiables et que la différence entre elles est relativement importante, nous disons que la différence a une significativité statistique (est **statistiquement significative**). Cela signifie simplement que cette différence observée n'est probablement pas due à une variation aléatoire due à la constitution des échantillons.

Pour juger de la significativité statistique, les psychologues sont conservateurs. Ils sont comme des jurés qui partent de l'hypothèse de l'innocence du prévenu tant que sa culpabilité n'est pas prouvée. Pour la majorité des psychologues, il existe une limite au doute : c'est de ne pas accorder foi à une découverte si la probabilité qu'elle soit due au hasard est supérieure à 5 % (critère arbitraire).

En parcourant des résultats d'une recherche, vous devez vous rappeler que si l'on considère des échantillons assez homogènes et assez importants, une différence entre eux peut être « statistiquement significative », mais ne pas avoir la moindre importance pratique. Si l'on compare, par exemple, les résultats moyens aux tests d'intelligence de quelque 100 000 individus, aînés et cadets de famille, les aînés ont une tendance hautement significative à avoir des notes moyennes plus élevées que leurs cadets (Kristensen et Bjerkedal, 2007 ; Zajonc et Markus, 1975). Cependant, comme ces scores ne diffèrent que d'un à trois points, la différence n'a pas d'importance pratique.

Point à retenir : la significativité statistique indique la *probabilité* qu'un résultat soit dû au hasard. Elle n'indique pas *l'importance* d'un résultat.

PEANUTS

BONK

LUCY, YOU'RE THE WORST PLAYER IN THE HISTORY OF THE GAME!

YOU CAN'T PROVE THAT! YOU SHOULD NEVER SAY THINGS THAT YOU CAN'T PROVE!

IN ALL PROBABILITY, YOU ARE THE WORST PLAYER IN THE HISTORY OF THE GAME!

I CAN ACCEPT THAT..

> Significativité statistique une estimation statistique de la probabilité qu'un résultat soit seulement dû au hasard.

EXERCICE RÉCAPITULATIF

- Pouvez-vous résoudre cette énigme ?
  Le secrétaire général de l'université du Michigan a découvert qu'habituellement, au terme de leur premier semestre à l'université, environ 100 étudiants inscrits en arts et en sciences obtiennent des notes excellentes. Toutefois, seulement 10 à 15 étudiants achèvent leurs études avec de telles notes. Qu'est-ce qui, à votre avis, explique de la façon la plus probable le fait qu'il y ait plus de notes excellentes au terme du premier semestre qu'en fin d'études (Jepson et al., 1983) ?

  Réponse : Les moyennes fondées sur un petit nombre de cours varient davantage, cela est dû à un plus grand nombre de notes extrêmement faibles et de notes très élevées à la fin du premier trimestre.

- La statistique_____ résume les données, tandis que la statistique _____ détermine si les données peuvent être généralisées à d'autres populations.

  RÉPONSES : descriptive ; inférente

RÉVISION GÉNÉRALE Le raisonnement statistique dans la vie quotidienne

OBJECTIFS D'APPRENTISSAGE

EXERCICE RÉCAPITULATIF Prenez un moment pour répondre à chacune de ces questions de l'objectif d'apprentissage (répétées ici dans cette section). Puis aller à l'annexe C, révision complète du chapitre, pour vérifier vos réponses. La recherche suggère que d'essayer de répondre à ces questions de votre propre initiative permettra d'améliorer la mémorisation à long terme de ces réponses (McDaniel et al., 2009).

1-11 Comment pouvons-nous décrire les données à l'aide de trois mesures de tendance centrale, et quelle est l'utilité relative des deux mesures de variation ?

1-12 Comment peut-on savoir si une différence observée peut être généralisée à d'autres populations ?

TERMES ET CONCEPTS À RETENIR

EXERCICE RÉCAPITULATIF Testez votre connaissance de ces termes en essayant d'écrire leur définition avant de vous reporter aux pages donnant les bonnes réponses

mode, p. 43

moyenne, p. 43

médiane, p. 43

étendue, p. 45

écart type, p. 45

courbe normale, p. 45

significativité statistique, p. 47

ÉVALUEZ-VOUS PENSER DE MANIÈRE CRITIQUE GRÂCE À LA PSYCHOLOGIE SCIENTIFIQUE

Évaluez-vous à plusieurs reprises tout au long de vos études. Cela permettra non seulement de vous aider à distinguer ce que vous savez de ce que vous ignorez mais aussi à vous faire bénéficier de l'effet test. Autrement dit, le test lui-même va vous aider à apprendre et à mémoriser l'information de manière plus efficace grâce précisément à ce qui est appelé *l'effet test*

Le besoin d'une psychologie scientifique

1. _____ _____ se réfère à notre tendance à percevoir les événements comme évidents ou inévitables, une fois survenus.

2. Comme les scientifiques, les psychologues

   a. ont une approche cynique de la recherche

   b. admettent qu'un article publié dans une revue scientifique de premier plan est crédible.

   c. croient que toute question humaine importante peut être étudiée scientifiquement.

   d. sont prêts à poser des questions et à rejeter les demandes qui ne peuvent être vérifiées par la recherche.

3. Comment la pensée critique peut-elle vous aider à évaluer les allégations des médias, même si vous n'êtes pas un expert de la question ?

Stratégies de recherche : comment les psychologues posent-ils des questions et y répondent-ils ?

4. Les prédictions fondées sur la théorie sont appelées _____ .

5. Lequel des éléments suivants ne figure pas parmi les méthodes descriptives qu'appliquent les psychologues pour observer et décrire le comportement ?

   a. étude de cas

   b. observation naturaliste ou écologique

   c. recherche de corrélations

   d. une enquête de téléphone

6. Vous souhaitez interroger un groupe de personnes qui représentent vraiment la population adulte du pays. Par conséquent, vous devez vous assurer que vous posez bien la question à un échantillon _____ de la population.

7. Une étude conclut que les femmes qui ont participé à des sessions de préparation à l'accouchement, auront moins besoin de médicaments analgésiques le jour venu. Cette constatation peut être qualifiée corrélation _____ (positive/négative).

8. Une _____ fournit une représentation visuelle du signe et de la force d'une relation entre les deux variables.

9. Dans une corrélation _____, les valeurs des résultats évoluent toujours dans le même sens ; dans une corrélation _____, les valeurs des résultats évoluent toujours en sens inverse.

   a. positif ; négatif

   b. positif ; illusoire

   c. négative ; faible

   d. forte ; faible

10. Qu'est ce que la régression vers la moyenne, et comment peut-elle influencer notre interprétation des événements ?

11. Sachant cela, le fait que deux données soient corrélées constitue

   a. une base pour la prédiction.

   b. une explication des raisons pour lesquelles les événements sont liés.

   c. la preuve que si l'une augmente, l'autre augmente également.

   d. une indication qu'un troisième facteur sous-jacent est à l'œuvre.

12. Voici quelques corrélations signalées récemment, et leurs interprétations faites par des journalistes. Avec la seule connaissance de ces corrélations, pouvez-vous trouver d'autres explications possibles pour chacune d'elles ?

    a. La consommation d'alcool est associée à la violence. (Une interprétation : la boisson déclenche ou exacerbe un comportement agressif.)

    b. Les personnes instruites vivent plus longtemps, en moyenne, que les personnes moins instruites. (Une interprétation : l'éducation prolonge la vie et améliore la santé.)

    c. Les adolescents pratiquant des sports d'équipe sont moins prompts à consommer des drogues, à fumer, avoir des relations sexuelles, porter des armes, à avoir une alimentation déséquilibrée que ceux qui ne pratiquent pas ces sports. (Une interprétation : les sports d'équipe favorisent une vie saine.)

    d. Les adolescents qui voient fréquemment des scènes de films dans lesquelles les acteurs fument sont plus susceptibles de fumer. (Une interprétation : le comportement des vedettes de cinéma influence les adolescents vulnérables.)

13. Pour expliquer les comportements et clarifier les relations de cause à effet, les psychologues utilisent _____.

14. Pour tester l'effet d'un nouveau médicament sur le trouble dépressif de l'humeur, nous tirons au sort les sujets qui constitueront soit le groupe témoin soit le groupe expérimental. Ceux du groupe témoin vont absorber un « médicament » qui ne contient pas de principe actif. C'est un _____.

15. Dans une procédure en double aveugle,

    a. seuls les participants savent s'ils sont dans le groupe témoin ou dans le groupe expérimental.

    b. les sujets du groupe expérimental et du groupe témoin seront soigneusement appariés selon l'âge, le sexe, le revenu et le niveau d'instruction

    c. ni les participants ni les chercheurs ne savent qui est dans le groupe témoin et qui est dans le groupe expérimental.

    d. quelqu'un ne faisant pas partie de l'équipe de recherche demandera aux sujets volontaires d'entrer dans le groupe expérimental ou dans le groupe de témoin.

16. Un chercheur veut déterminer si le niveau de bruit affecte la pression sanguine des travailleurs. Dans un groupe, elle fait varier le niveau de bruit dans le lieu de travail puis mesure et enregistre la pression sanguine. Dans cette expérience, le niveau de bruit est le/la _____ _____.

17. L'environnement du laboratoire est conçu pour

    a. recréer exactement les événements de la vie quotidienne.

    b. recréer les forces psychiques dans des conditions contrôlées.

    c. fournir un endroit sûr.

    d. minimiser l'utilisation des animaux et des humains dans la recherche en psychologie.

18. En défendant la recherche expérimentale avec des modèles animaux, les psychologues ont constaté que

    a. la physiologie et le comportement des animaux peuvent nous en apprendre beaucoup sur les nôtres.

    b. l'expérimentation animale aide parfois les animaux aussi bien que les humains.

    c. vouloir favoriser le bien-être des humains justifie l'expérimentation animale.

    d. toutes ces affirmations sont correctes.

Le raisonnement statistique dans la vie quotidienne

19. Laquelle de ces trois mesures de la tendance centrale est la plus facilement déformée par quelques très grandes ou très petites valeurs ?

    a. Le mode

    b. La moyenne

    c. La médiane

    d. elles sont toutes trois aussi sensibles à la distorsion entraînée par des valeurs atypiques.

20. L'écart-type est la mesure la plus utile de la variation dans un ensemble de données, car il exprime

    a. la différence entre la valeur la plus basse et la valeur la plus élevée d'une distribution.

    b. dans quelle mesure l'échantillon diffère de la population qu'il doit représenter.

    c. combien de valeurs diffèrent de la valeur modale (mode).

    d. combien de valeurs individuelles diffèrent de la valeur moyenne.

21. Donner un synonyme de la distribution en courbe en cloche, distribution dans laquelle la plupart des résultats se situent près de la moyenne et peu à chaque extrême _____ _____.

22. Lorsque les moyennes des échantillons sont _____ et que la différence entre elles est _____, nous disons que la différence a une significativité statistique (est statistiquement significative).

    a. fiable ou fidèle ; grande

    b. fiable ou fidèle ; petite

    c. due au hasard de l'échantillonnage ; grande

    d. due au hasard ; petite

Trouvez les réponses à ces questions dans l'annexe D, à la fin du livre.

LA BIOLOGIE DE L'ESPRIT

Au cours de l'année 2000, un professeur résidant en Virginie a commencé à collectionner des magazines érotiques, à visiter des sites de pornographie enfantine, puis à faire des avances subtiles à sa jeune belle-fille. Quand sa femme a appelé la police, il a été arrêté et il fut plus tard reconnu coupable de violence faite à enfant. Bien que participant à un programme de thérapeutique de la dépendance sexuelle, il se sentait toujours submergé par ses pulsions sexuelles. La veille de sa condamnation à une peine de prison, il se plaignait de céphalées et d'idées suicidaires et s'est rendu au service des urgences de sa localité. Toujours habité par ses pulsions incoercibles, il a fait des propositions aux infirmières de ce service…

Un scanner du cerveau a montré que ses pensées et son comportement avaient une origine biologique. Une tumeur cérébrale, de la taille d'un œuf, s'était développée dans la région temporale droite. Après l'exérèse neurochirurgicale de la tumeur, les pulsions se sont éteintes et il est retourné à la maison, vivre avec son épouse et sa belle-fille. Hélas, un an plus tard une rechute tumorale l'a atteint, et les pulsions sexuelles l'ont à nouveau envahi. Une deuxième ablation de la tumeur a de nouveau, réduit l'intensité les pulsions (Burns, & Swerdlow, 2003).

Ce cas illustre ce que, probablement, vous croyez : votre personnalité réside dans votre boîte crânienne ! Si des chirurgiens avaient transplanté tous vos organes situés au-dessous de votre cou, votre peau et vos quatre membres, vous seriez *(Oui ?)* toujours vous-même. Une personne de mes relations a subi une transplantation cardiaque, en recevant le cœur, fait rarissime, d'une patiente qui subissait, fait non moins exceptionnel, une transplantation cœur-poumons. Lorsque les deux patientes opérées se rencontrèrent par hasard cette dernière, en se présentant, lui dit : « Je crois que vous avez mon cœur. » Mais le cœur seulement ! Son moi, sa personnalité, était toujours dans sa boîte crânienne ! À juste titre, Nous présumons que notre cerveau engendre notre esprit. *Tout fait psychologique est simultanément biologique.* En effet, aucun principe n'est plus au centre de la psychologie d'aujourd'hui, ou de ce livre, que celui-là.

Dans ce livre, nous allons commencer par le plus simple pour aller progressivement vers le plus complexe, en partant des neurones jusqu'au cerveau, pour étudier, dans les chapitres suivants, quelles conditions influencent la biologie de notre système nerveux. Nous ferons la démarche inverse, à mesure que nous considérerons comment nos pensées et nos émotions peuvent influencer notre cerveau et notre santé.

« Nous sommes bien d'accord, vous ne pouvez pas avoir un esprit sans un cerveau, mais vous pouvez avoir un cerveau sans esprit. »

Les systèmes nerveux et endocrinien

Biologie, comportement et esprit

2-1 Pourquoi les psychologues s'intéressent-ils à la biologie humaine ?

CHACUNE DE VOS IDÉES, DE VOS HUMEURS ou encore de vos envies est un événement biologique. Vous aimez, vous riez et vous pleurez avec votre corps. Sans votre corps (gènes, cerveau, apparence), vous n'êtes personne. Bien qu'il semble plus aisé de parler séparément des influences biologiques et psychologiques sur notre comportement, vous devez vous souvenir que penser, ressentir ou agir sans le corps revient à essayer de courir sans avoir de jambes.

Notre compréhension de la manière dont le cerveau engendre l'esprit vient de loin. Le philosophe grec Platon localise l'esprit dans notre tête, sphérique, forme géométrique parfaite selon lui. Aristote, son élève, pense que l'esprit se situe dans le cœur, car il apporte chaleur et vitalité au corps. Le cœur reste le symbole de l'amour, mais la science a dépassé la philosophie depuis bien longtemps à ce sujet. Prosaïquement, lorsque vous êtes amoureux, c'est grâce à votre cerveau que vous éprouvez ce sentiment et non avec votre cœur.

Au début du XIXᵉ siècle, le médecin allemand Franz Gall émit comme hypothèse que la cranioscopie, appelée plus tard *phrénologie* par un savant anglais Th. Forster (l'étude de la configuration du crâne) pouvait permettre de révéler nos capacités mentales et nos traits de caractère (**FIGURE 2.1**). À une époque, la Grande-Bretagne possédait 29 sociétés de phrénologie, et les phrénologistes parcouraient toute l'Amérique du Nord pour effectuer des « lectures » du crâne (Dean, 2012 ; Hunt, 1993). Sous un pseudonyme, l'humoriste Marc Twain mit un jour à l'épreuve un de ces fameux phrénologues : « Il décela, une cavité (et) m'alarma en me disant qu'elle témoignait d'une absence totale de sens de l'humour ! » Trois mois plus tard, Twain se présenta pour une seconde lecture, cette fois sous son vrai nom. Maintenant, « la cavité avait disparu, et à sa place se trouvait… la plus grande bosse d'humour qu'il n'avait jamais vue de toute sa longue expérience ! » (Lopez, 2002). La « science » phrénologique nous rappelle notre devoir d'élaboration d'une pensée critique et de recours à l'analyse scientifique. Bien que l'engouement pour cette discipline ait disparu, la phrénologie réussit à attirer l'attention sur la *localisation des fonctions*, c'est-à-dire l'idée que différentes régions du cerveau possèdent des fonctions spécifiques.

Nous avons le privilège de vivre à une époque que Gall ne pouvait imaginer qu'en rêves. En étudiant les liens entre l'activité biologique et les événements psychologiques, les psychologues travaillant sur le **versant biologique** font des découvertes, progressant à une vitesse phénoménale, sur l'interrelation

▼ FIGURE 2.1
Une théorie à la tête fêlée Malgré l'acceptation initiale des spéculations de Franz Gall, la morphologie du crâne ne nous apprend rien sur les fonctions sous-jacentes du cerveau. Néanmoins, certaines de ses acceptions ont été jugées vraies. Bien qu'elles ne représentent pas les fonctions proposées par Gall, les différentes parties du cerveau modulent différents aspects du comportement, comme suggéré ici (*The Human Brain Book*) et comme vous le verrez dans ce chapitre.

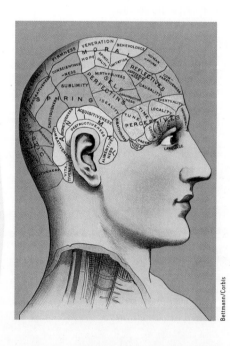

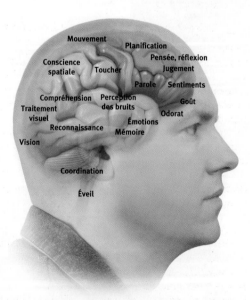

de notre biologie et de nos comportements, ou de nos processus mentaux. En un peu plus d'un siècle, les chercheurs qui tentaient de comprendre la biologie du cerveau ont découvert que :

- parmi les cellules de notre corps, existent des cellules nerveuses qui conduisent de l'électricité et dialoguent en envoyant des messages chimiques à travers l'étroite fente qui les sépare.
- des systèmes particuliers du cerveau exercent des fonctions bien précises (qui ne sont pas, cependant, les fonctions que Gall supposait) ;
- nous intégrons les informations traitées dans ces différents systèmes du cerveau pour mettre en forme notre expérience de la vision et des sons, des significations et de la mémoire, de la douleur et de la passion ;
- notre cerveau adaptatif est armé par nos expériences.

Nous avons également réalisé que chacun d'entre nous est un système composé de sous-systèmes organisés eux-mêmes en sous-systèmes encore plus réduits. De minuscules cellules s'organisent pour former les organes de notre corps. Ces organes vont, à leur tour, former des systèmes plus importants assurant la digestion, la circulation du sang ou le traitement des informations. Les systèmes en question sont des éléments d'un système encore plus vaste : l'individu, qui appartient à une famille, à une communauté et à une culture. Ainsi, nous sommes des systèmes *biopsychosociaux*. Afin de mieux comprendre le comportement, il nous faut étudier comment ces systèmes biologiques, psychologiques et sociaux fonctionnent et interagissent.

EXERCICE RÉCAPITULATIF

- Qu'est-ce que la phrénologie et le versant biologique de la psychologie ont en commun ?

Réponse : les deux cherchent à caractériser les liens unissant le cerveau et le comportement. La phrénologie a disparu car elle n'avait pas de base scientifique. L'observation de la morphologie du crâne, ou crânioscopie, ne caractérise ni les traits de caractère, ni les habiletés mentales.

Communication neuronale

Pour les scientifiques, c'est un heureux hasard de la nature que les systèmes d'information des animaux fonctionnent de la même manière que ceux des hommes. La similitude est si parfaite qu'il est même difficile de faire la distinction entre les échantillons de tissu cérébral d'un homme et ceux d'un singe. Cette ressemblance permet aux chercheurs de travailler sur des organismes d'animaux assez simples, tels que les calamars ou les limaces de mer (Aplysie) afin de découvrir comment fonctionne notre système nerveux. Il leur permet d'étudier le cerveau des autres mammifères pour comprendre l'organisation du nôtre. Les voitures, bien que différentes, ont toutes un moteur, un accélérateur, des roues motrices et des freins. Un sujet extra-terrestre pourrait en étudier une, au hasard, et comprendre son fonctionnement. De la même façon, les animaux sont différents, mais leur système nerveux opère de manière similaire. Même si le cerveau de l'homme est plus complexe que celui du rat, ils sont tous deux régis par les mêmes principes.

Neurones

2-2 Qu'est-ce qu'un neurone et comment transmet-il l'information ?

Le système d'information neuronale de notre corps est un ensemble complexe d'éléments simples. Sa structure de base, son unité fonctionnelle, est la cellule nerveuse ou **neurone**. Pour mieux comprendre nos pensées et nos actions, notre mémoire et nos humeurs, nous devons d'abord comprendre comment les neurones fonctionnent et comment ils communiquent.

Les neurones sont différents mais tous sont des variantes d'une cellule de même type (**FIGURE 2.2**, page suivante). Chaque neurone est formé d'un *corps cellulaire*, ou soma, et d'une arborescence de fibres. Les fibres **dendritiques** ramifiées reçoivent l'information et la conduisent jusqu'au corps cellulaire. À partir de là, le long **axone** de la cellule transmet le message par ses ramifications terminales à d'autres neurones, à des muscles ou à des glandes. Les dendrites écoutent. Les axones parlent.

Contrairement aux dendrites qui sont courtes, les axones peuvent être très longs et s'étendre sur plusieurs dizaines de centimètres à travers le corps. Un neurone humain qui commande le muscle d'une jambe possède un corps cellulaire et un axone dont les tailles correspondraient, en changeant d'échelle, à celles d'un ballon de basket et d'une corde d'environ 7 kilomètres de long. Un peu comme les fils électriques de votre maison qui sont isolés, certains axones sont recouverts d'une **gaine de myéline**, couche de cellules gliales riche en lipides, qui les isole et accélère la propagation de l'influx nerveux. À mesure que la myéline se dépose, jusqu'à l'âge de 25 ans, l'efficacité des neurones, le jugement et le self-control s'accroissent (Fields, 2008). Si la gaine de myéline dégénère, comme cela se produit lors de la maladie appelée *sclérose en plaques*, il en résulte un ralentissement de la communication vers les muscles qui peut conduire à une perte totale du contrôle musculaire.

Le versant biologique établit des liens entre les manifestations physiologiques et le comportement. Du côté du versant biologique se trouvent la psychologie se fondant sur les neurosciences, la génétique du comportement et la psychologie évolutionniste. Les chercheurs en ces domaines pourraient s'appeler *chercheurs en neurosciences, chercheurs en sciences du comportement, éthologistes, neuropsychologues, généticiens du comportement, psycho-physiologistes*, ou « *bio-psychologues*. »

Neurone cellule nerveuse ; l'unité fonctionnelle du système nerveux.

Dendrites ramifications, arborisations, extensions d'un neurone, qui reçoivent des messages et conduisent les impulsions vers le corps cellulaire.

À partir de là, le long axone de la cellule transmet le message par ses ramifications terminales à d'autres neurones, à des muscles ou à des glandes.

Gaine de myéline couche de cellules gliales riches en lipides enveloppant les axones de certains neurones ; ces segments de myéline séparés par les nœuds de Ranvier le long de l'axone, permettent une grande vitesse de transmission de l'influx, sautant d'un nœud non isolé à l'autre.

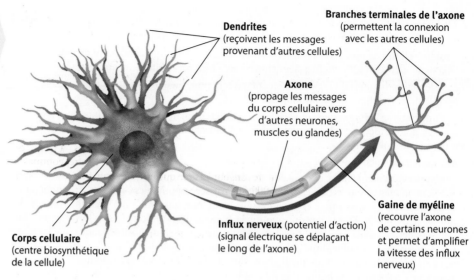

▼ FIGURE 2.2
Un neurone moteur

Dendrites
(reçoivent les messages provenant d'autres cellules)

Branches terminales de l'axone
(permettent la connexion avec les autres cellules)

Axone
(propage les messages du corps cellulaire vers d'autres neurones, muscles ou glandes)

Corps cellulaire
(centre biosynthétique de la cellule)

Influx nerveux (potentiel d'action)
(signal électrique se déplaçant le long de l'axone)

Gaine de myéline
(recouvre l'axone de certains neurones et permet d'amplifier la vitesse des influx nerveux)

Ces milliards de cellules nerveuses sont soutenues par les **cellules gliales** en forme d'araignée ou d'étoiles (cellules « gluantes »). On pourrait comparer les neurones à la reine des abeilles : ils ne peuvent se nourrir ou se protéger eux-mêmes. Les cellules gliales sont leurs nourrices. Elles leur fournissent des nutriments, forment la myéline qui les isole, servent de guide aux connexions nerveuses et absorbent les ions et les neuromédiateurs. Elles pourraient également jouer un rôle dans l'apprentissage et l'élaboration de la pensée. En communiquant avec les neurones, elles participent également à la transmission de l'information et à la mémoire (Field, 2011, 2013 ; Miller, 2005).

Dans le cerveau des animaux les plus évolués, on observe une augmentation de la proportion de cellules gliales par rapport aux neurones. Une récente analyse post-mortem du cerveau d'Einstein n'a pas trouvé plus de neurones ni de neurones plus grands que la normale, mais a révélé une concentration bien plus importante de cellules gliales que celle observée dans la tête d'un Albert moyen (Fields, 2004).

Le Neurone, du sculpteur Roxy Paine

« Je chante le corps électrique. »

Walt Whitman, « Les enfants d'Adam » (1855)

Cellules gliales (névroglie) cellules du système nerveux qui soutiennent, nourrissent et protègent les neurones ; elles peuvent aussi jouer un rôle dans l'élaboration de la pensée, l'apprentissage, la réflexion et la mémoire.

Potentiel d'action manifestation de l'excitation du neurone, résultat de la stimulation ; onde électrique de dépolarisation qui se déplace le long d'un axone.

L'influx nerveux

Un neurone transmet un message lorsqu'il reçoit des signaux provenant des récepteurs sensoriels ou lorsqu'il est lui-même stimulé par des messages chimiques provenant de neurones voisins. À ce moment-là, le neurone déclenche un influx, appelé **potentiel d'action**, une décharge électrique brève qui se propage le long de l'axone.

La propagation de l'influx nerveux se fait à une vitesse qui varie en fonction du type de fibre ; elle peut être relativement lente, de l'ordre de 3 km/h, ou atteindre des niveaux impressionnants, de l'ordre de 320 km/h. Mais même cette vitesse très rapide est 3 millions de fois plus lente que la vitesse de propagation de l'électricité à travers un fil électrique. La vitesse de l'activité cérébrale se mesure en millisecondes (le millième de la seconde), alors que la vitesse de l'activité d'un ordinateur se mesure en nanosecondes (le milliardième de la seconde). Cela permet d'expliquer pourquoi, contrairement à la réponse quasi instantanée d'un ordinateur, nous avons besoin d'un quart de seconde ou plus pour réagir à un événement soudain tel un enfant surgissant devant notre voiture. Notre cerveau est infiniment plus vaste et complexe qu'un ordinateur, mais plus lent dans l'exécution des réponses simples. Prenons deux extrêmes, un éléphant et une minuscule musaraigne, et tirons-leur sur la queue. Le temps mis par le message pour remonter jusqu'au cerveau et redescendre jusqu'à la queue sera 100 fois plus long chez l'éléphant. Ses réflexes aussi seront plus lents (More et al., 2010).

Les neurones, telles de petites batteries, génèrent de l'électricité à partir des événements chimiques. Le processus électrochimique consiste en un échange d'atomes électriquement chargés appelés *ions*. Le liquide intérieur d'un axone au repos possède un surplus d'ions chargés négativement, alors que le liquide extérieur à la membrane axonale possède plus d'ions chargés positivement. Cette polarisation de la membrane, positive à l'extérieur, négative à l'intérieur, est appelée *potentiel de repos*. Telle une forteresse bien gardée, la surface de l'axone (membrane cellulaire) sélectionne les éléments qu'elle doit laisser pénétrer. Nous disons que la membrane cellulaire possède une *perméabilité sélective*.

Quand un neurone déclenche un influx, les paramètres de sécurité changent : la première partie de l'axone ouvre ses portes, tout comme des soupapes qui s'ouvrent subitement afin de laisser pénétrer les ions sodium chargés positivement à travers le canal membranaire (**FIGURE 2.3**). On assiste à une inversion des charges des milieux extra et intracellulaires appelée *dépolarisation*. Cette dépolarisation se propage de proche en proche, provoquant ainsi l'ouverture des canaux voisins, puis des suivants, comme une rangée de dominos où chacun entraîne la chute du suivant.

Durant une pause appelée **période réfractaire**, le neurone refoule le surplus d'ions sodium chargés positivement vers l'extérieur. Le neurone retrouve la valeur de son potentiel de repos, il est polarisé et peut être à nouveau stimulé et excité. (Dans le cas des neurones myélinisés, la vitesse de propagation du potentiel d'action augmente en sautant d'une gaine de myéline à l'autre, comme on peut le voir dans la Figure 2.2.) Notre esprit reste songeur à l'idée que ces processus électrochimiques se renouvellent jusqu'à 100 fois et même 1 000 fois par seconde. Mais vous n'êtes qu'au début de vos surprises.

Le neurone est un mécanisme miniature doté de compétences décisionnelles et capable d'effectuer des calculs très complexes, car il reçoit des centaines et même de milliers de signaux d'autres neurones. La plupart de ces signaux sont *excitateurs*, comme si l'on appuyait sur l'accélérateur du neurone. D'autres sont *inhibiteurs*, comme si l'on appuyait sur le frein. Si la somme des signaux excitateurs excède celle des signaux inhibiteurs de façon à atteindre une valeur minimale, appelée **seuil**, alors l'ensemble des signaux déclenche le potentiel d'action. (On peut imaginer cela ainsi : si, lors d'une soirée, le potentiel excitateur des fêtards est supérieur à celui des rabat-joie, la fête est assurée.) Le potentiel d'action se propage le long de l'axone, qui se ramifie aux jonctions de centaines ou milliers d'autres neurones, aux muscles du corps et aux glandes.

Augmenter la stimulation au-dessus du seuil n'augmentera toutefois pas l'intensité du potentiel d'action. La réaction du neurone est une réponse de type « **tout ou rien** » ; comme un fusil, un neurone fait feu ou non. On parle aussi de « firing » du neurone, de sa mise à feu. Comment faire, alors, pour déterminer l'intensité d'un stimulus ? Comment faisons-nous pour différencier une simple caresse d'une forte étreinte ? Un stimulus de forte intensité peut mettre à feu un nombre *plus important* de neurones et accroître leur fréquence de déclenchement. Cependant, il n'affecte pas la puissance ou la vitesse du potentiel d'action. Ce n'est pas parce qu'on appuie plus fort sur la gâchette que la balle du fusil ira plus vite.

Période réfractaire une période d'inactivité, après la mise à feu, pendant laquelle le neurone n'est plus excitable.

Seuil niveau de stimulation minimale nécessaire pour déclencher l'excitation du neurone.

Réponse en tout ou rien excitation du neurone, réponse pleine à un stimulus dont l'intensité est supérieure au seuil, et qui n'est pas graduelle ; l'intensité est unique quelle que soit la valeur de l'intensité du stimulus.

« Qu'est-ce que dit un neurone à un autre neurone ? Tout simplement combien il est excité. »

Francis Crick, *The Astonishing Hypothèse*, 1994

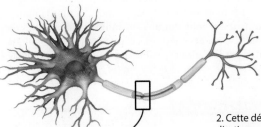

▼ FIGURE 2.3
Le potentiel d'action

Extrémité du corps cellulaire d'un axone

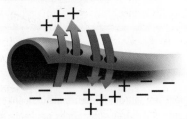

1. La stimulation du neurone provoque un léger changement de la charge électrique. Si ce changement est assez important, cela déclenche une dépolarisation, puis un potentiel d'action.

2. Cette dépolarisation produit un autre potentiel d'action un peu plus loin sur l'axone. Les portes situées dans cette zone voisine s'ouvrent alors et les atomes de sodium, chargés positivement, pénètrent à l'intérieur de la cellule. Pendant ce temps, une pompe située dans la membrane cellulaire (la pompe sodium/potassium) fait ressortir les ions sodium de la cellule.

3. Alors que le potentiel d'action poursuit son parcours à toute vitesse le long de l'axone, la première section se recharge complètement.

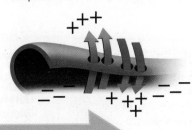

Direction de l'influx nerveux vers les terminaisons axonales

Synapse jonction de l'extrémité axonale d'un neurone et du soma ou des dendrites d'un autre neurone. Le petit espace formant la jonction neuro-neuronique est appelé *fente synaptique* ou *synapse*.

Neurotransmetteurs messagers chimiques qui traversent les fentes synaptiques. Lorsqu'ils sont libérés par un neurone présynaptique, les neuromédiateurs se déplacent à travers la synapse et se lient aux sites récepteurs de la membrane du neurone post-synaptique. De ce fait l'activité de ce neurone sera modifiée ; il sera excité ou inhibé.

Recapture réabsorption des neuromédiateurs excédentaires par le neurone sécréteur présynaptique

« Tout traitement de l'information dans le cerveau implique le dialogue synaptique des neurones. »

Chercheur en neurosciences, Solomon H. Snyder (1984)

- Quand un neurone déclenche un potentiel d'action, l'information circule dans l'axone, les dendrites et le corps de la cellule, mais pas dans cet ordre. Placez ces trois structures dans le bon ordre.

Réponse : dendrites, le corps cellulaire, axone

- Comment notre système nerveux nous permet-il de différencier une grande tape sur le dos d'une petite ?

Réponse : plus le stimulus est fort (la grande tape sur le dos) plus le nombre de neurones recrutés et excités est important. Un stimulus plus faible recrute et excite moins de neurones (la petite tape)

Comment les neurones communiquent-ils ?

2-3 Comment les cellules nerveuses communiquent-elles entre elles ?

L'entrelacement des neurones est si complexe que, même avec un microscope, il est difficile de distinguer où commence et se termine un neurone. Par le passé, les scientifiques pensaient que l'axone d'une cellule fusionnait avec les dendrites d'une autre cellule dans un tissu ininterrompu. Puis, le physiologiste britannique Sir Charles Sherrington (1857-1952) remarqua que les influx nerveux mettaient plus de temps qu'ils n'auraient dû pour traverser un circuit nerveux. Il en déduisit que la transmission devait être marquée par une brève interruption et donna le nom de **synapse** au point de rencontre entre deux neurones.

Nous savons maintenant que l'extrémité axonale d'un neurone est en fait séparée du neurone receveur par un *espace étroit, la fente synaptique*, d'une largeur inférieure à un millionième de centimètre. Santiago Ramón y Cajal (1852-1934), anatomiste espagnol, s'émerveilla de cette proximité et lui donna le nom de « baisers protoplasmiques ». Diane Ackerman (2004, p. 37) remarquait : « Tout comme les femmes élégantes qui envoient dans l'air leur baiser pour ne pas abîmer leur maquillage, les dendrites et les axones ne se touchent pas. » En quoi consiste ce baiser protoplasmique ? Comment l'information peut-elle traverser la fente synaptique ? La réponse constitue l'une des découvertes scientifiques les plus importantes de notre époque.

Lorsque le potentiel d'action atteint les terminaisons en forme de bouton, situées à l'extrémité de l'axone, le potentiel d'action déclenche la libération de messagers chimiques appelés **neuromédiateurs** (**FIGURE 2.4**). En moins de 1/10 000e de seconde, les molécules de neuromédiateurs traversent la fente synaptique pour se fixer sur les sites récepteurs du neurone receveur, de manière aussi précise qu'une clé qui entre dans une serrure. Pendant un bref instant, le neuromédiateur provoque l'ouverture de canaux ioniques sur le neurone receveur. Cela permet à des ions (atomes chargés électriquement) de pénétrer dans ce neurone pour stimuler ou inhiber ses capacités de décharge. L'excès de neuromédiateur est décomposé par des enzymes, ce qui n'est pas économique pour le neurone… Cet excès est aussi réabsorbé par le neurone sécréteur par un processus appelé **recapture.**

- Que se passe-t-il dans la *fente synaptique ?*

Réponse : Les neurones envoient des neuromédiateurs (messagers chimiques) à travers cet espace minuscule séparant la terminaison axonale d'un neurone et les dendrites ou le corps (soma) du neurone suivant.

- Qu'est-ce que la *recapture ?* Quelles sont les deux autres choses que le neurotransmetteur excédentaire peut subir après que le neurone ait réagi ?

Réponse : La recapture par le neurone présynaptique se produit lorsqu'il réabsorbe les neuromédiateurs excédentaires. (Ils peuvent également être décomposés par des enzymes.)

Comment les neuromédiateurs nous influencent-ils ?

2-4 Comment les neuromédiateurs influencent-ils le comportement ? De quelle manière les médicaments et d'autres substances peuvent-ils affecter la neurotransmission ?

Au cours de leur quête pour comprendre la communication neuronale, les chercheurs ont découvert plusieurs dizaines de neuromédiateurs différents, et se sont posé presque autant de nouvelles questions : certains neuromédiateurs ne sont-ils présents qu'à des endroits bien spécifiques ? Comment affectent-ils notre humeur, notre mémoire et nos capacités mentales ? Peut-on augmenter ou diminuer leurs effets par des médicaments ou notre alimentation ?

« Quand un ordre arrive au cerveau, si vous voulez voir l'action résultante, suivez les neuromédiateurs. »

Chercheur en neurosciences, Floyd Bloom (1993),

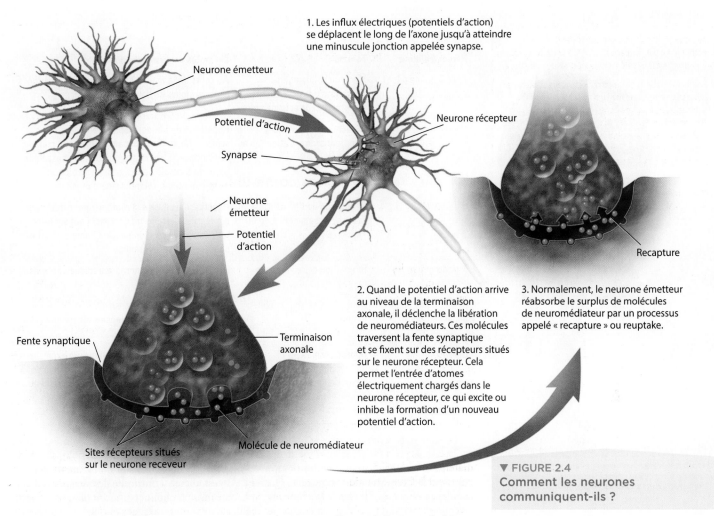

1. Les influx électriques (potentiels d'action) se déplacent le long de l'axone jusqu'à atteindre une minuscule jonction appelée synapse.

Neurone émetteur

Potentiel d'action

Neurone récepteur

Synapse

Neurone émetteur

Potentiel d'action

Recapture

Fente synaptique

Terminaison axonale

2. Quand le potentiel d'action arrive au niveau de la terminaison axonale, il déclenche la libération de neuromédiateurs. Ces molécules traversent la fente synaptique et se fixent sur des récepteurs situés sur le neurone récepteur. Cela permet l'entrée d'atomes électriquement chargés dans le neurone récepteur, ce qui excite ou inhibe la formation d'un nouveau potentiel d'action.

3. Normalement, le neurone émetteur réabsorbe le surplus de molécules de neuromédiateur par un processus appelé « recapture » ou reuptake.

Sites récepteurs situés sur le neurone receveur

Molécule de neuromédiateur

▼ FIGURE 2.4
Comment les neurones communiquent-ils ?

Dans les prochains chapitres, nous verrons comment les neuromédiateurs influencent la faim et la pensée, la dépression et l'euphorie, les addictions et les thérapies. Pour le moment, nous allons nous pencher sur la manière dont les neuromédiateurs influencent nos mouvements et nos émotions. Une voie nerveuse particulière dans l'encéphale peut n'utiliser qu'un ou deux neuromédiateurs (**FIGURE 2.5**), et certains d'entre eux peuvent avoir des effets bien précis sur le comportement et les émotions (**TABLEAU 2.1** page suivante). Mais les systèmes des neuromédiateurs n'agissent pas isolément ; ils interagissent et leurs effets varient selon les récepteurs qu'ils stimulent. *L'acétylcholine* (AC*h*), qui est l'un des neuromédiateurs les mieux connus, joue un rôle dans l'apprentissage et la mémoire. En plus de son rôle dans l'apprentissage et la mémoire, l'AC*h* sert de messager à chaque

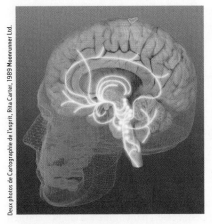

Voies sérotoninergiques

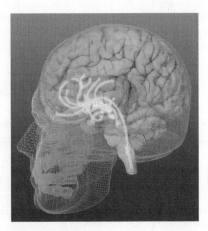

Voies dopaminergiques

▼ FIGURE 2.5
Voies des neuromédiateurs Chacun des différents messagers chimiques du cerveau a des voies opérationnelles qui lui sont propres, comme montré ici pour la sérotonine et la dopamine (Carter, 1998).

▼ TABLEAU 2.1
Certains neuromédiateurs et leurs fonctions

Neuromédiateur	Fonction	Exemples de dysfonctionnements
Acétylcholine (Ach)	L'acétylcholine agit sur les contractions musculaires, l'apprentissage et la mémoire.	Au cours de la maladie d'Alzheimer, les neurones cholinergiques se détériorent.
Dopamine	Influence le mouvement, l'apprentissage, l'attention et l'émotion	Hypothèse de l'hyper-dopaminergie dans la schizophrénie. Hypo-dopaminergie de la maladie de Parkinson : tremblements, rigidité musculaire, perte de contrôle de la motricité involontaire et semi-volontaire, ralentissement psychomoteur.
Sérotonine	Régulation de l'humeur, de la faim, du sommeil et de la vigilance	Hypothèse du déficit sérotoninergique des états dépressifs. Certains médicaments qui augmentent les niveaux de sérotonine synaptique sont utilisés pour traiter la dépression.
Noradrénaline	Régulation de la vigilance	Hypothèse du déficit noradrénergique des états dépressifs.
GABA (acide gamma-aminobutyrique)	Neurotransmetteur inhibiteur majeur	Un déficit en ce neurotransmetteur inhibiteur est à l'origine de certaines épilepsies, de tremblements et d'insomnie.
Glutamate	Neurotransmetteur excitateur majeur ; impliqué dans la mémoire	Un excès de ce neurotransmetteur provoque des états de surstimulation cérébrale à l'origine de la migraine et de certaines épilepsies (expliquant pourquoi certaines personnes évitent les préparations alimentaires contenant du MSG, glutamate monosodique).

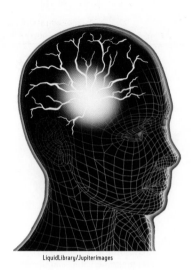

LiquidLibrary/Jupiterimages

Voici ce que disait le médecin Lewis Thomas à propos des endorphines : « Elles sont les témoins biologiques de la miséricorde universelle. Je ne pourrais pas l'expliquer mais je peux dire que si j'avais siégé au Synode de la Création, j'aurais accordé cette grâce aux êtres vivants. »

The Youngest Science, 1983

jonction entre un motoneurone (qui transmet l'information du cerveau et de la moelle épinière aux tissus de l'organisme) et un muscle. Quand l'ACh est libérée à proximité des récepteurs de nos cellules musculaires, le muscle se contracte. Si la transmission cholinergique est bloquée, comme au cours de certains types d'anesthésie par les médicaments curarisants, nos muscles ne peuvent pas se contracter et nous sommes paralysés.

Candace Pert et Solomon Snyder (1973) firent une découverte fascinante à propos des neuromédiateurs. Ils remplacèrent un atome de la morphine par un atome radioactif, ce qui leur permit de voir avec exactitude l'endroit où elle s'accumulait dans le cerveau d'un animal. La morphine, un analgésique extrait de l'opium, dit opiacé, qui améliore l'humeur et calme la douleur, se fixe sur des récepteurs se trouvant dans des zones associées à l'humeur et à la douleur. Mais pourquoi le cerveau posséderait-il ces « récepteurs opiacés (ou opio-ergiques ou opioïdes ou morphiniques) » ? Pourquoi le cerveau disposerait-il d'une serrure chimique sans en avoir naturellement la clé pour pouvoir l'ouvrir ?

Des chercheurs confirmèrent peu après que le cerveau produisait effectivement ses propres substances analgésiques opio-ergiques. Notre corps libère divers types de neuromédiateurs analogues à la morphine en réponse à la douleur ou à un exercice vigoureux. Ces **endorphines** (une abréviation de *morphine* endogène, c'est-à-dire produite à l'intérieur) aident à expliquer toute une série de sensations agréables telles que l'« euphorie du marathonien », l'effet analgésique de l'acupuncture ou encore l'insensibilité à la douleur qu'éprouvent certains blessés graves. Mais là encore, ces nouvelles connaissances ont suscité de nouvelles questions.

EXERCICE RÉCAPITULATIF

• La sérotonine, la dopamine et les endorphines sont tous des messagers chimiques appelés _____.

Réponse : neuromédiateurs

Comment la neuromédiation est-elle modifiée par les médicaments et autres substances ? Si, en effet, les endorphines calment la douleur et

améliorent l'humeur, pourquoi ne pas inonder le cerveau d'opioïdes artificiels, intensifiant de ce fait la chimie du « bien-être » du cerveau ? Le problème est que si le cerveau est baigné par des drogues opiacées telles que l'héroïne ou la morphine, il peut cesser, par compensation et maintien de l'équilibre chimique, de produire ses propres opioïdes naturels, Lorsque la prise de drogue

Endorphines abréviation de morphine endogène, c'est-à-dire produite à l'intérieur, neuromédiateur de l'analgésie et de contrôle du plaisir.

cesse, le cerveau peut être privé de toute forme d'opioïdes, ce qui engendre une douleur intense. À supprimer la production de neuromédiateurs endogènes, il faut s'attendre à en payer le prix.

Des médicaments et d'autres substances chimiques agissent sur la chimie cérébrale, souvent en stimulant ou en inhibant le déclenchement de l'excitation des neurones. Un **agoniste** est une molécule *qui augmente* l'action d'un neuromédiateur. Les agonistes, dits indirects, peuvent augmenter la production ou la libération de neuromédiateurs, ou bloquer sa recapture présynaptique Un agoniste peut être une molécule assez analogue, dans sa structure, au neuromédiateur pour en mimer les effets. Par exemple, certains opiacés sont des agonistes qui procurent une sensation temporaire d'« euphorie » en amplifiant les sensations normales d'éveil et de plaisir.

Les **antagonistes** *diminuent* l'action d'un neuromédiateur en bloquant la production ou la libération. La toxine botulinique, poison qui peut se former dans des boîtes de conserve avariées, provoque une paralysie en bloquant la libération d'ACh. (Les injections d'une faible quantité de botuline, appelée Botox®, réduisent les rides en paralysant les muscles faciaux sous-jacents.) Ces antagonistes ont une structure suffisamment proche du neuromédiateur naturel pour occuper son récepteur et bloquer son effet, comme le montre la **FIGURE 2.6**, mais pas assez semblable pour stimuler le récepteur (un peu comme une pièce étrangère qui peut être insérée dans un distributeur automatique de bonbons mais n'entraîne pas le fonctionnement de la machine). Le curare, un poison utilisé par certaines tribus d'Indiens d'Amérique du Sud pour enrober la pointe de leurs flèches, occupe et bloque les sites récepteurs de l'ACh, ce qui empêche le neuromédiateur d'agir sur les muscles. Touché par l'une de ces flèches, l'animal est paralysé.

Agoniste substance entrant en compétition avec le neuromédiateur naturel pour se fixer sur le récepteur et exercer le même effet.

Antagoniste substance entrant en compétition avec le neuromédiateur naturel pour se fixer sur le récepteur et inhiber son effet.

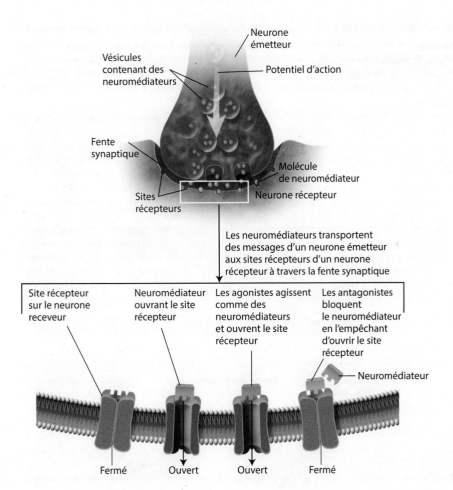

EXERCICE RÉCAPITULATIF

▼ FIGURE 2.6
Les agonistes et antagonistes

• Le curare paralyse ses victimes en bloquant les récepteurs cholinergiques des muscles striés. La Morphine mime les effets des endorphines. Qui est agoniste, et qui est antagoniste ?

Réponse : La morphine est un agoniste ; le curare est un antagoniste.

Système nerveux : réseau de communication de l'organisme, électrochimique et rapide, composé de toutes les cellules nerveuses du système nerveux central et périphérique.

Système nerveux central (SNC) : moelle épinière et encéphale (tronc cérébral, cervelet, cerveau). Il contient les centres de régulation de la vie de relation.

Système nerveux périphérique (SNP) : neurones sensitifs et moteurs reliant le système nerveux central (SNC) au reste de l'organisme.

Nerfs : « câbles » neuronaux contenant de multiples axones connectant le système nerveux central aux muscles, aux glandes et aux organes des sens.

Neurones sensitifs (afférents) : neurones transportant l'information en provenance des récepteurs sensitifs ou sensoriels vers l'encéphale et la moelle épinière.

Neurones moteurs (efférents) : neurones transportant l'information issue de l'encéphale et de la moelle épinière vers les muscles et les glandes.

Interneurones : neurones du système nerveux central qui, en première approche, modulent la transmission des influx des neurones sensoriels et sensitifs aux neurones moteurs.

Système nerveux somatique : division du système nerveux périphérique qui contrôle les muscles squelettiques. Aussi appelé le *système nerveux squelettique.*

Système nerveux autonome (SNA) : partie du système nerveux périphérique contrôlant les glandes et les muscles des organes internes, des viscères (tels que le cœur, le système digestif, respiratoire). Sa partie sympathique stimule, sa partie parasympathique apaise et entretien l'organisme.

Le système nerveux

2-5 Quelles sont les fonctions des principales divisions du système nerveux ? Quels sont les trois principaux types de neurones ?

Vivre, c'est recueillir des informations provenant du monde extérieur et des tissus du corps, prendre des décisions et renvoyer des informations et des ordres aux tissus. Tout cela se produit grâce à notre **système nerveux** (**FIGURE 2.7**). Survol rapide : L'encéphale et la moelle épinière constituent le **système nerveux central (SNC)**, responsable de la prise de décision pour l'organisme. Le **système nerveux périphérique (SNP)** est responsable de la collecte des informations et de la transmission des décisions du SNC aux autres parties du corps. **Les nerfs** sont, à l'image des câbles électriques, formés de faisceaux d'axones. Ils relient le SNC aux récepteurs sensoriels et sensitifs de l'organisme, aux muscles et aux glandes. Le nerf optique, par exemple, rassemble presque un million de fibres axonales en un seul « câble » transportant les messages que chaque œil envoie au cerveau (Mason et Kandel, 1991).

Les informations circulent dans le système nerveux via trois types de neurones. **Les neurones sensitifs** transportent les messages des tissus du corps et des récepteurs sensoriels et sensitifs jusque dans le cerveau et la moelle épinière pour qu'ils soient traités (nerfs *afférents*). **Les neurones moteurs** transmettent les instructions du système nerveux central jusqu'aux muscles du corps (nerfs *efférents*). Entre l'influx sensitif entrant et l'influx moteur sortant, l'information est traitée dans le cerveau par l'intermédiaire d'**interneurones**. Notre complexité réside surtout dans notre système d'interneurones. Notre système nerveux possède quelques millions de neurones sensitifs, quelques millions de neurones moteurs et des milliards et des milliards d'interneurones.

Le système nerveux périphérique

Notre système nerveux périphérique a deux composants : le système somatique et le système autonome. Le **système nerveux somatique** contrôle les mouvements volontaires de nos muscles squelettiques. Quand vous atteindrez la fin de cette page, le système nerveux somatique transmettra à votre cerveau l'état de vos muscles squelettiques et renverra des instructions qui déclencheront une réponse qui sera interprétée par votre main comme une invitation à poursuivre la lecture.

Notre **système nerveux autonome (SNA)** contrôle les glandes et les muscles de nos organes internes, influençant des fonctions comme les battements du cœur, la digestion et l'activité glandulaire. (*Autonome* signifie « autorégulation ».) Comme pour un pilote automatique, on peut de façon consciente outrepasser ses fonctions. Mais d'une manière générale, il agit seul (de manière autonome).

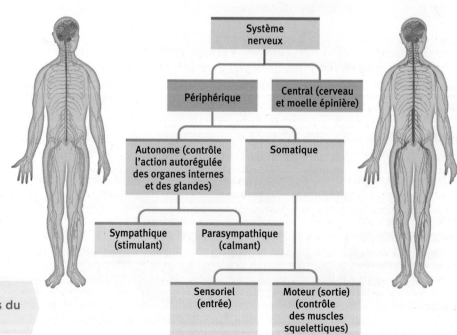

▼ FIGURE 2.7
Les divisions fonctionnelles du système nerveux humain

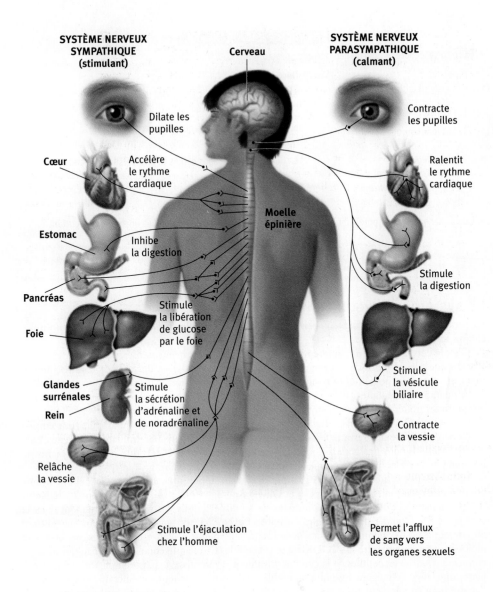

SYSTÈME NERVEUX SYMPATHIQUE (stimulant)

Cerveau

SYSTÈME NERVEUX PARASYMPATHIQUE (calmant)

Dilate les pupilles

Contracte les pupilles

Cœur

Accélère le rythme cardiaque

Ralentit le rythme cardiaque

Moelle épinière

Estomac

Inhibe la digestion

Stimule la digestion

Pancréas

Foie

Stimule la libération de glucose par le foie

Stimule la vésicule biliaire

Glandes surrénales

Rein

Stimule la sécrétion d'adrénaline et de noradrénaline

Contracte la vessie

Relâche la vessie

Stimule l'éjaculation chez l'homme

Permet l'afflux de sang vers les organes sexuels

▼ FIGURE 2.8
Dualité fonctionnelle du système nerveux autonome Le système nerveux autonome contrôle les fonctions viscérales. La partie sympathique fournit l'énergie nécessaire au travail qui en résulte. La partie parasympathique calme et conserve l'énergie, permettant l'entretien de l'organisme. Par exemple, la stimulation sympathique accélère le rythme cardiaque, alors que la stimulation parasympathique le ralentit.

Le système nerveux autonome permet deux fonctions fondamentales importantes (**FIGURE 2.8**). Le **système nerveux sympathique** nous met en éveil et entraîne une dépense énergétique. Si quelque chose vous contrarie, ou vous met à l'épreuve (par exemple un entretien d'embauche très attendu), votre système sympathique accélère le rythme cardiaque, augmente votre tension artérielle, ralentit votre digestion, augmente votre glycémie et vous rafraîchit par le biais de la transpiration : il vous rend donc vigilant et prêt à l'action. Quand le stress s'apaise (l'entretien est terminé), le **système nerveux parasympathique** produit des effets opposés. Il conserve l'énergie en vous calmant, en diminuant votre rythme cardiaque, réduisant la concentration de sucre dans le sang et ainsi de suite. Les systèmes nerveux sympathique et parasympathique travaillent ensemble pour nous maintenir dans un état d'équilibre interne appelé *homéostasie* (Plus à ce sujet dans Chapitre 11).

J'ai, moi-même, David Myers, récemment subi l'action de mon système nerveux autonome. Devant passer une IRM de routine pour mon épaule, la technicienne me demanda si j'étais sujet à la claustrophobie avant de m'installer dans la machine. « Non, cela ne me pose aucun problème » lui assurais-je, avec peut-être une pointe de vantardise masculine. Quelques instants plus tard, alors que je me trouvais allongé sur le dos, incapable de bouger et complètement coincé dans une boîte ressemblant à un cercueil, mon système nerveux sympathique commença à ne plus être tout à fait d'accord avec moi. À mesure que la claustrophobie s'abattait sur moi, mon cœur se mit à battre la chamade et je ressentis une envie folle de m'échapper. Juste au moment où j'allais crier pour qu'on me sorte de là, je sentis l'arrivée de mon système nerveux parasympathique et son effet calmant. Mon rythme cardiaque se ralentit et mon corps se détendit, puis je ressentis une nouvelle poussée d'excitation avant que se terminent ces vingt minutes de confinement liées à l'examen. « Tout s'est bien passé ! » « Vous vous en êtes très bien sorti » me dit la technicienne, qui ne s'était pas aperçue des hauts et des bas de mon système nerveux autonome.

Système nerveux sympathique : partie du système nerveux autonome impliquée dans l'éveil de l'organisme, mobilisant son énergie dans les situations stressantes. Fonction ergotrope

Système nerveux parasympathique : partie du système nerveux autonome impliquée dans l'entretien de l'organisme. Fonction trophotrope

• Faire correspondre le type de neurone et sa description.

Type	**Description**
1. Les neurones moteurs	a. porter des messages provenant de récepteurs sensoriels et sensitifs qui arrivent au SNC.
2. Les neurones sensitifs	b. communiquer au sein du système nerveux central et traiter l'information entre les messages entrants et sortants.
3. Les interneurones	c. porter des messages depuis le SNC vers les muscles et les glandes.

Réponses : 1. c, 2. a, 3. b

• Quels changements corporels dirige votre SNA avant et après que vous donniez un discours important ?

Réponse : Faisant face à une épreuve, votre SNA *sympathique* va vous stimuler. Il accélère votre rythme cardiaque, augmente votre tension artérielle et la glycémie, ralentit la digestion, et vous refroidit avec la transpiration. Une fois l'épreuve passée, votre SNA *parasympathique* inverse ces effets.

Le système nerveux central

La complexité du système nerveux central (encéphale et moelle épinière) provient des communications interneuronales.

C'est le cerveau qui nous confère notre humanité, nous permet de penser, de ressentir et d'agir. Des dizaines de milliards de neurones, chacun communiquant avec des milliers d'autres, constituent un réseau en perpétuel remaniement. Selon une estimation, par extrapolation des résultats des numérations cellulaires faites sur de petits échantillons ; nos cerveaux ont quelque 40 milliards de neurones, reliés chacun avec environ 10 000 autres neurones (de Courten-Myers, 2005). On calcule donc qu'il y a 400 milliards de synapses – lieux de la jonction neuro-neuronale (une équipe de recherche différente a estimé le nombre de neurones cérébraux à 86 milliards [Azevedo et al., 2009]). Méfions-nous des grands nombres arrondis et non prouvés tels que les 100 milliards de neurones du cerveau humain comme l'énonce la croyance populaire.

Les neurones se rassemblent en groupes de travail appelés *réseaux neuronaux*. Pour mieux comprendre pourquoi, Stephen Kosslyn et Olivier Koenig (1992, p. 12) nous invitent à « réfléchir sur l'existence des villes : pourquoi les gens ne se dispersent-ils pas plus uniformément dans la campagne ? » Comme des personnes en contact avec d'autres personnes, les neurones entrent en contact avec des neurones voisins avec lesquels ils peuvent établir des connexions brèves et rapides. Comme le montre la **FIGURE 2.9**, les cellules de chaque couche du réseau neuronal se connectent à diverses cellules de la couche suivante. L'apprentissage, par exemple jouer du violon, parler une langue étrangère, résoudre un problème de maths, survient à mesure que l'expérience et l'apprentissage renforcent ces connexions et les stabilisent. Les neurones qui sont connectés entre eux, sont « mis à feu » ensemble.

L'autre partie du SNC, la *moelle épinière*, est une autoroute de l'information à double sens qui relie le système nerveux périphérique à l'encéphale. Des fibres nerveuses ascendantes envoient

« Le corps est constitué de millions et de millions de miettes ».

© Tom Swick Cartoon/Stock

Bluemoon Stock/Jupiterimages

▼ FIGURE 2.9

Un réseau de neurones simplifié Les neurones établissent des liaisons pour former un réseau serré. Votre propre identité, que vous soyez musicien, athlète ou personne dévouée, est encodée dans ce réseau. Il fera de vous un sujet conscient de lui-même, au fil de votre vie. La façon dont les réseaux neuronaux s'organisent en circuits complexes capables d'apprendre, de ressentir, et d'élaborer la pensée demeure l'un des grands mystères de la science. Comment la biologie peut-elle donner naissance à l'esprit ?

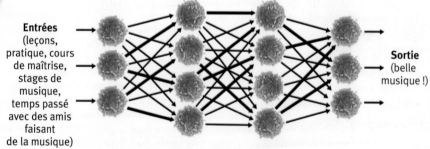

Dans le cerveau, les neurones se connectent les uns aux autres pour former des réseaux

Entrées
(leçons, pratique, cours de maîtrise, stages de musique, temps passé avec des amis faisant de la musique)

Sortie
(belle musique !)

Le cerveau apprend en modifiant certaines connexions en réponse au rétrocontrôle (*feedback*) (développement d'aptitudes spécifiques)

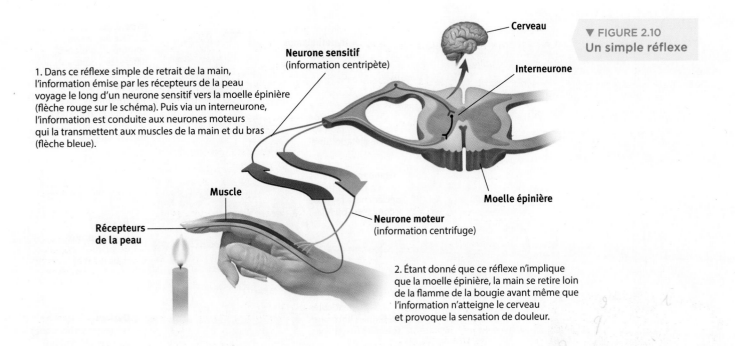

1. Dans ce réflexe simple de retrait de la main, l'information émise par les récepteurs de la peau voyage le long d'un neurone sensitif vers la moelle épinière (flèche rouge sur le schéma). Puis via un interneurone, l'information est conduite aux neurones moteurs qui la transmettent aux muscles de la main et du bras (flèche bleue).

Neurone sensitif (information centripète)

Cerveau

Interneurone

Moelle épinière

Muscle

Récepteurs de la peau

Neurone moteur (information centrifuge)

▼ FIGURE 2.10
Un simple réflexe

2. Étant donné que ce réflexe n'implique que la moelle épinière, la main se retire loin de la flamme de la bougie avant même que l'information n'atteigne le cerveau et provoque la sensation de douleur.

des informations sensorielles ou sensitives et des faisceaux descendants qui envoient en retour des informations motrices. Les circuits nerveux qui gouvernent nos **réflexes** – nos réponses automatiques aux stimuli – illustrent bien le rôle de la moelle épinière. Le circuit d'un réflexe spinal simple est composé d'un neurone sensitif unique et d'un neurone moteur unique. Ceux-ci communiquent souvent par le biais d'un interneurone. Par exemple, le réflexe rotulien implique l'un de ces circuits simples ; un corps qui vient d'être décapité peut effectuer ce réflexe.

Un autre circuit permet la réponse réflexe à la douleur (**FIGURE 2.10**). Lorsque vos doigts touchent une flamme, l'activité nerveuse déclenchée par la chaleur « voyage » via des neurones sensitifs jusqu'aux interneurones de la moelle épinière. Ces interneurones répondent en activant les neurones moteurs qui conduisent l'influx aux muscles de votre bras. Comme le réflexe douloureux simple traverse la moelle épinière et redescend, vous retirez votre main de la flamme *avant* même que votre cerveau ne reçoive et ne réponde à l'information qui vous fait ressentir la douleur. C'est la raison pour laquelle vous avez l'impression que, par une action indépendante de votre volonté, votre main se retire toute seule.

Les informations montent jusqu'à l'encéphale et redescendent en passant par la moelle épinière. Si la partie supérieure de votre moelle épinière était endommagée, vous ne ressentiriez pas la douleur des parties inférieures de votre corps. Il en serait de même pour la sensation de plaisir. Si votre cerveau était littéralement « déconnecté » de votre corps, vous perdriez toute sensation et tout mouvement volontaire dans les régions du corps dont les neurones moteurs et sensitifs seraient connectés à la moelle épinière au-dessous de la zone lésée. La réponse-réflexe rotulienne se produirait sans que vous ne ressentiez une tape sur le genou. En raison de la déconnexion avec le centre cérébral chargé de freiner l'érection, les hommes paralysés en dessous de la taille peuvent aisément avoir une érection (un réflexe simple) en réponse à une stimulation de leurs organes génitaux (Goldstein, 2000). Les femmes souffrant de la même paralysie présentent une lubrification vaginale. Mais il se peut que ces personnes n'aient aucune réaction à la vue d'images érotiques ni aucune sensation génitale. Cela dépend du niveau auquel la moelle épinière est endommagée et également de la gravité de la lésion (Kennedy et Over, 1990 ; Sipski et Alexander, 1999). Pour produire une sensation corporelle de douleur ou de plaisir, l'information sensitive doit atteindre le cerveau.

Le système endocrinien

2-6 De quelle manière le système endocrinien transmet-il l'information ? Comment interagit-il avec le système nerveux ?

Ce chapitre s'est jusque-là concentré sur le système d'information électrochimique rapide l'organisme, transduction neurochimique de l'influx nerveux Il existe toutefois un autre système de communication, le **système endocrinien** (**FIGURE 2.11**, page suivante) relié au système nerveux. Les glandes du système endocrinien sécrètent un autre type de messagers chimiques, des **hormones**, qui sont

Réflexe : réponse simple et automatique, à un stimulus sensoriel, par exemple le réflexe rotulien.

Système endocrinien : système de communication chimique « lente » de l'organisme ; ensemble de glandes qui sécrètent des hormones dans la circulation sanguine.

Hormones : messagers chimiques essentiellement fabriqués par les glandes endocrines et qui sont transportés dans le sang et agissent, à distance, sur d'autres tissus.

« Si le système nerveux est sectionné entre le cerveau et les autres parties du corps, les expériences vécues par ces différentes parties n'existent plus pour le cerveau. L'œil devient aveugle, l'oreille devient sourde, la main devient insensible et immobile. »

William James, *Principles of Psychology*, 1890

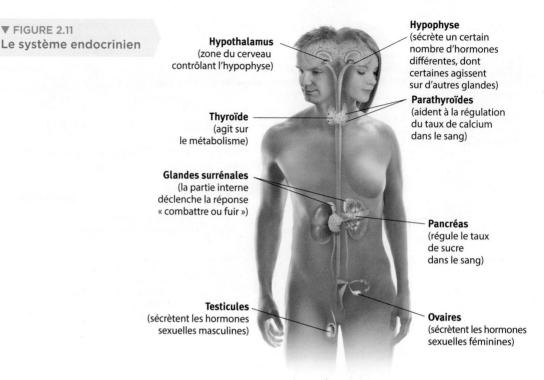

▼ FIGURE 2.11
Le système endocrinien

Hypothalamus
(zone du cerveau
contrôlant l'hypophyse)

Hypophyse
(sécrète un certain
nombre d'hormones
différentes, dont
certaines agissent
sur d'autres glandes)

Thyroïde
(agit sur
le métabolisme)

Parathyroïdes
(aident à la régulation
du taux de calcium
dans le sang)

Glandes surrénales
(la partie interne
déclenche la réponse
« combattre ou fuir »)

Pancréas
(régule le taux
de sucre
dans le sang)

Testicules
(sécrètent les hormones
sexuelles masculines)

Ovaires
(sécrètent les hormones
sexuelles féminines)

libérées dans le sang pour aller toucher d'autres tissus, y compris le cerveau. Les hormones agissant sur le cerveau influencent notre intérêt pour le sexe, la nourriture ou l'agressivité.

Certaines hormones ont une composition chimique identique à celle des neuromédiateurs (ces messagers chimiques qui diffusent à travers une synapse et stimulent ou inhibent les neurones adjacents). Le système endocrinien et le système nerveux sont donc des systèmes de la même famille : tous deux sécrètent des molécules qui vont activer des récepteurs situés ailleurs. Mais comme beaucoup de systèmes apparentés, ils diffèrent également. Le système nerveux, rapide, transmet en une fraction de seconde des messages de l'œil au cerveau puis à la main, par exemple Les messages endocriniens avancent avec peine dans le courant sanguin, prenant plusieurs secondes voire plus pour aller de la glande au tissu cible. Si le système nerveux transmet des informations à la vitesse du courriel, le système endocrinien distribue le message à la vitesse du courrier postal.

Cependant, avancer lentement, mais sûrement, permet parfois de gagner la course. Les messages endocriniens ont des effets qui ont tendance à durer plus longtemps que ceux d'un message nerveux. Sentiments bouleversés peuvent persister au-delà de la survenue de l'événement blessant, et cela prend du temps pour nous de « se calmer. » La persistance des émotions, provoquées de façon non consciente a été mise en évidence par une expérience ingénieuse. Les patients cérébro-lésés ne gardent pas en mémoire la vue d'un film triste puis, plus tard, d'un film joyeux. Après les avoir vus, ils ne se rappelaient pas consciemment de ces films mais les émotions de tristesse ou de gaîté persistaient (Feinstein et al., 2010).

En situation de danger, le système nerveux autonome va ordonner aux **glandes surrénales** situées au-dessus des reins, de libérer de l'*épinéphrine* et de la *norépinéphrine* (aussi appelées *adrénaline* et *noradrénaline*). Cette hormone augmente le rythme cardiaque, la tension artérielle et la concentration de sucre dans le sang, nous fournissant une bouffée d'énergie. Lorsque le danger est passé, les hormones et la sensation persistent un moment.

La glande endocrine qui exerce la plus grande influence est **l'hypophyse**, une structure de la taille d'un pois située à la base du cerveau, et contrôlée par une aire adjacente du cerveau appelée *l'hypothalamus* (dont nous parlerons plus en détail bientôt). Parmi les hormones libérées par l'hypophyse ou glande pituitaire on citera l'hormone de croissance qui stimule le développement physique (Ante ou adéno-hypophyse). *L'ocytocine* permet le déclenchement et le maintien des contractions utérines lors de l'accouchement, l'excrétion du lait pendant l'allaitement et est aussi sécrétée lors de l'atteinte de l'orgasme (Post ou neuro-hypophyse). Elle permet aussi de renforcer les liens du couple, la cohésion sociale et la confiance sociale (De Dreu et al., 2010 ; Zak, 2012). Au cours d'une expérience de laboratoire menée sous forme de jeu de rôle, les participants ayant respiré de l'ocytocine sous forme de spray nasal avaient plus tendance à faire confiance à des étrangers pour placer leur argent que ceux qui avaient reçu le placebo (Kosfeld et al., 2005).

Les sécrétions hypophysaires stimulent aussi de façon directe, la sécrétion d'autres glandes endocrines. L'hypophyse est une glande maîtresse (dont le seul maître est l'hypothalamus). Par

Glande surrénale glande endocrine paire située au-dessus du rein qui sécrète l'adrénaline qui aide l'organisme à faire face au stress (médullo-surrénale).

Hypophyse ou glande pituitaire glande la plus influente du système endocrinien. Sous l'influence de l'hypothalamus, l'hypophyse régule la croissance et commande d'autres glandes endocrines.

exemple, sous l'influence du cerveau, l'hypophyse provoque la libération d'hormones sexuelles, par la stimulation des glandes sexuelles. Celles-ci à leur tour influencent votre cerveau et le comportement. Il en est de même lors d'un stress. Un événement stressant pousse votre hypothalamus à ordonner la libération hypophysaire d'une hormone agissant sur votre glande surrénale pour qu'elle inonde votre organisme de cortisol, une hormone de stress qui augmente la teneur en sucre de votre sang.

Ce système de rétrocontrôle (cerveau ⟶ hypophyse ⟶ autres glandes ⟶ hormones ⟶ corps et cerveau) illustre les connexions étroites entre le système nerveux et le système endocrinien : le système nerveux dirige les sécrétions endocriniennes, qui affectent le système nerveux. Le maestro qui dirige et coordonne cet orchestre électrochimique est le cerveau.

EXERCICE RÉCAPITULATIF

- Pourquoi appelle-t-on l'hypophyse « la glande maîtresse » ?

Réponse : répondant aux signaux provenant de l'hypothalamus, l'hypophyse sécrète des hormones qui entraînent la sécrétion d'autres hormones par d'autres glandes. Celles-ci influencent à leur tour le cerveau et le comportement.

- Quelles sont les similitudes et les différences entre le système nerveux et le système endocrinien ?

Réponse : ces deux systèmes de communication produisent des molécules chimiques qui agissent sur les récepteurs de l'organisme et influencent nos comportements et nos émotions. Le système endocrinien, qui sécrète des hormones dans le torrent sanguin, délivre ses messages bien plus lentement que le système nerveux, qui lui est très rapide. Les effets des messages du système endocrinien ont tendance à persister bien plus longtemps que ceux du système nerveux.

REVUE GÉNÉRALE Les systèmes nerveux et endocriniens

OBJECTIFS D'APPRENTISSAGE

EXERCICE RÉCAPITULATIF Prenez un moment pour répondre à chacune de ces questions objectives d'apprentissage (répétées ici au sein de cette section). Puis aller à l'annexe C, révision complète du chapitre, pour vérifier vos réponses. La recherche suggère que d'essayer de répondre à ces questions de votre propre initiative permettra d'améliorer la mémorisation à long terme de ces réponses (McDaniel et al., 2009).

2-1 Pourquoi les psychologues s'intéressent-ils à la biologie humaine ?

2-2 Qu'est-ce qu'un neurone et comment transmet-il l'information ?

2-3 Comment les cellules nerveuses communiquent-elles entre elles ?

2-4 Comment les neuromédiateurs influencent-ils le comportement et de quelle manière les médicaments et d'autres substances chimiques peuvent-ils affecter la neurotransmission ?

2-5 Quelles sont les fonctions des principales divisions du système nerveux et quels sont les trois principaux types de neurones ?

2-6 De quelle manière le système endocrinien transmet-il l'information et comment interagit-il avec le système nerveux ?

TERMES ET CONCEPTS À RETENIR

EXERCICE RÉCAPITULATIF Testez votre connaissance de ces termes en essayant d'écrire leur définition avant de vous reporter aux pages donnant les bonnes réponses.

versant biologique, p. 52

neurone, p. 53

dendrites, p. 53

axone, p. 53

gaine de myéline, p. 53

cellules gliales (névroglie), p. 54

potentiel d'action, p. 54

période réfractaire, p. 55

seuil, p. 55

réponse en tout ou rien, p. 55

synapse, p. 56

neuromédiateurs, p. 56

recapture, p. 56

endorphines, p. 58

agoniste, p. 59

antagoniste, p. 59

système nerveux, p. 60

système nerveux central (SNC), p. 60

système nerveux périphérique (SNP), p. 60

nerfs, p. 60

neurones sensitifs, p. 60

neurones moteurs (efférents), p. 60

interneurones, p. 60

système nerveux périphérique (SNP), p. 60

système nerveux autonome (SNA), p. 60

système nerveux sympathique, p. 61

système nerveux parasympathique, p. 61

réflexe, p. 63

système endocrinien, p. 63

hormones, p. 63 glandes

surrénales, p. 64

hypophyse ou glande pituitaire, p. 64

« T'es beaucoup moins marrant depuis ton opération. »

« Je suis un cerveau, Watson. Le reste de mon corps est un simple appendice. »

Sherlock Holmes, *The Adventure of the Mazarin Stone,*
Arthur Conan Doyle

■ Outils de découverte et structures cérébrales les plus anciennes

S UR UN PRÉSENTOIR, DANS LE département de psychologie de la Cornell University, est exposé un bocal contenant le cerveau (fort bien conservé) d'Edward Bradford Titchener, un maître de la psychologie expérimentale du début du siècle dernier, adepte de l'étude de la conscience. Imaginez-vous en train d'observer cette masse ridée de tissu grisâtre en vous demandant s'il y a encore quelque chose de Titchener dans ce récipient[1].

Vous pourriez très bien répondre qu'en l'absence du crépitement vivant de l'activité électrochimique, il ne reste rien de Titchener dans ce cerveau conservé. Imaginez maintenant une expérience à laquelle Titchener lui-même aurait pu rêver un jour. Imaginez que quelques instants avant sa mort, quelqu'un ait retiré le cerveau du corps de Titchener et l'ait maintenu en vie en le perfusant avec du sang enrichi. Une partie de Titchener aurait-elle subsisté à l'intérieur ? Poussez votre imagination jusqu'à ses limites, et imaginez que quelqu'un ait transplanté le cerveau encore vivant dans le corps d'une personne ayant un cerveau gravement endommagé. Dans quelle maison serait retourné le malade après son rétablissement ?

Le fait d'élaborer de telles questions montre bien à quel point nous sommes persuadés de vivre « quelque part au nord de notre cou » (Fodor, 1999). Et pour de bonnes raisons ; le cerveau engendre l'esprit : voir, entendre, sentir, se souvenir, penser, ressentir, parler et rêver. De plus, le cerveau s'autoanalyse. Quand nous pensons *à* notre cerveau, nous pensons *avec* notre cerveau, en mettant a feu des millions de neurones par la traduction neurochimique de l'influx. Cette traduction se fait dans les synapses et aboutit à la libération de milliards de molécules de neuromédiateurs. Les effets des hormones sur des expériences comme le sentiment amoureux nous rappellent que nous n'aurions pas le même esprit si nous étions un cerveau sans corps. Cerveau + corps = esprit. Néanmoins, comme le disent les chercheurs en neurosciences, l'*esprit est produit par le cerveau*. Le cerveau, le comportement et la cognition sont intégrés dans un ensemble. Mais, précisément, à quel endroit et de quelle manière les fonctions de notre esprit sont-elles reliées au cerveau ? Voyons tout d'abord comment les scientifiques explorent ces problèmes.

Les outils de la découverte : l'examen de notre tête

2-7 Comment les chercheurs en neurosciences peuvent-ils étudier les connexions entre notre cerveau d'une part et le comportement et l'esprit d'autre part ?

Il y a un siècle nous n'avions pas d'instruments assez puissants ni assez délicats pour explorer le cerveau vivant. Les premières études de cas ont permis de localiser certaines fonctions du cerveau. Des lésions d'un côté du cerveau provoquaient souvent un engourdissement ou une paralysie du côté opposé du corps, ce qui impliquait que le côté droit du corps était relié au côté gauche du cerveau et vice versa. Des lésions de la partie postérieure du cerveau abolissaient la vision alors que d'autres de la partie frontale gauche du cerveau entraînaient des difficultés de langage. Peu à peu, ces premiers explorateurs ont cartographié le cerveau.

En l'espace de quelques années, une nouvelle génération de cartographes des neurones s'est mise à explorer et cartographier l'organe le plus étonnant de tout l'univers. Les scientifiques peuvent **léser** (détruire) sélectivement de petits amas de cellules cérébrales sans détruire les cellules voisines. Mené en laboratoire, ce type d'étude a mis en évidence, par exemple, qu'une lésion située dans une région de l'hypothalamus du cerveau d'un rat réduit son appétit, jusqu'au point où l'animal se laisse mourir de faim. Au contraire, une lésion dans une autre zone provoque la boulimie.

Aujourd'hui, les chercheurs en neurosciences peuvent également *stimuler* différentes parties du cerveau par voie chimique, électrique ou magnétique et noter l'effet qui en résulte. Selon la partie du cerveau stimulée, les participants peuvent par exemple, se mettre à glousser, à entendre des voix, à tourner leur tête, à avoir l'impression qu'ils tombent, ou à avoir une expérience extracorporelle (Selimbeyoglu et Parvizi, 2010). Les scientifiques peuvent même espionner les messages émis par chaque neurone. Ayant une extrémité si fine qu'elles peuvent détecter le flux

Exposition d'un cerveau humain vivant Les outils de neurosciences nous permettent de « regarder sous le capot » et entrevoir le cerveau, lieu d'élaboration de la pensée, fonctionner.

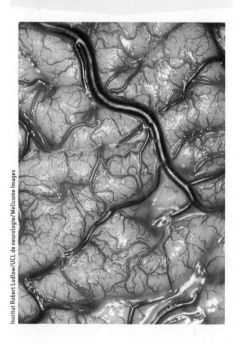

---

1. Carl Sagan *Le cerveau de Broca* (1979) a inspiré cette question.

électrique d'un seul neurone, les microélectrodes modernes peuvent maintenant détecter avec exactitude dans quelle partie du cerveau d'un chat se rend l'information lorsque nous tirons sur ses vibrisses (« moustaches »). Les chercheurs peuvent aussi écouter les conversations de milliards de neurones et peuvent observer la représentation en couleur de l'énergie consommée par l'activité cérébrale.

En ce moment, votre activité mentale émet des signaux électriques, métaboliques et magnétiques qui permettraient à des chercheurs en neurosciences d'observer votre cerveau pendant qu'il travaille. L'activité électrique des milliards de neurones du cerveau se manifeste en ondes régulières que l'on peut enregistrer à la surface du cortex. Un **électroencéphalogramme (EEG)** est un tracé amplifié de ces ondes. Les chercheurs enregistrent les ondes cérébrales par l'intermédiaire d'une sorte de bonnet de bain rempli d'électrodes recouvertes d'un gel conducteur. L'étude électroencéphalographique de l'activité brute du cerveau revient à étudier le fonctionnement du moteur d'une voiture en écoutant son ronflement. Sans accéder directement au cerveau, les chercheurs appliquent de façon répétée un stimulus et filtrent à l'aide d'un ordinateur l'activité électrique sans relation avec le stimulus. Il reste ainsi les ondes électriques provoquées par celui-ci (**FIGURE 2.12**).

Dans une lettre adressée à son fils en 1746, Lord Chesterfield lui conseillait : « Tu dois voir à l'intérieur des gens aussi bien que tu les vois de l'extérieur. » Contrairement à l'EEG, les nouvelles techniques d'imagerie cérébrale nous donnent la capacité, digne de Superman, de voir à l'intérieur du cerveau. Par exemple, la **TEP (ou PET scan) ou tomographie par émission de positons** (**FIGURE 2.13**) nous montre l'activité du cerveau en suivant dans chaque aire cérébrale la consommation du glucose, son combustible chimique. Neurones actifs sont porcs glucose. Notre cerveau, représente environ 2 % du poids de notre corps, mais consomme 20 % de notre apport calorique. Lorsque l'on administre à une personne une forme radioactive de glucose à courte durée de vie, la TEP localise et mesure la radioactivité, permettant de déterminer le trajet de cette « nourriture de la pensée » lorsque le sujet effectue une tâche spécifique. Les « points lumineux » des images de la TEP nous montrent les aires cérébrales les plus actives quand la personne effectue des calculs mathématiques, regarde des visages ou rêve éveillée.

Dans l'**imagerie par résonance magnétique (IRM)**, la tête est placée dans un champ magnétique de forte amplitude qui oriente les atomes d'hydrogène des molécules cérébrales. Puis, une brève impulsion d'onde radio excite et désoriente ces atomes pendant un court instant ; ils ont absorbé la fréquence radio. Lorsqu'ils retrouvent leur rotation normale, les atomes émettent des signaux qui fournissent une image détaillée des tissus mous du cerveau. Les IRM ont mis en évidence la présence d'une zone neuronale plus importante que la moyenne dans le cerveau gauche des musiciens qui présentent une « oreille absolue » (Schlaug et al., 1995). Elles ont également mis en évidence une dilatation de zones cérébrales (*ventricules*) contenant du liquide céphalorachidien (marquées par les flèches rouges sur la **FIGURE 2.14**, page suivante) chez les patients souffrant de schizophrénie, un trouble psychologique handicapant.

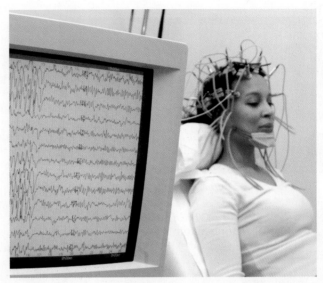

▼ FIGURE 2.12
Espionnage de l'activité cérébrale L'électroencéphalographe fournit un tracé amplifié des ondes de l'activité électrique du cerveau.

AJPhoto/Sciences Source

Lésion : destruction d'un tissu. Une lésion cérébrale est une destruction naturelle ou expérimentale de tissu cérébral.

Électroencéphalogramme (EEG) : enregistrement amplifié des ondes d'activité électrique qui se propagent à la surface du cerveau. Ces ondes sont mesurées en plaçant des électrodes sur le scalp.

Tomographie par émission de positons (TEP ou PET scan) : mise en évidence visuelle de l'activité du cerveau, qui suit le devenir d'une forme radioactive du glucose au moment où le cerveau accomplit une tâche donnée.

Imagerie par résonance magnétique (IRM) : technique utilisant des champs magnétiques et des ondes radio pour produire des images des tissus mous générées par ordinateur ; cette technique permet de voir l'anatomie du cerveau.

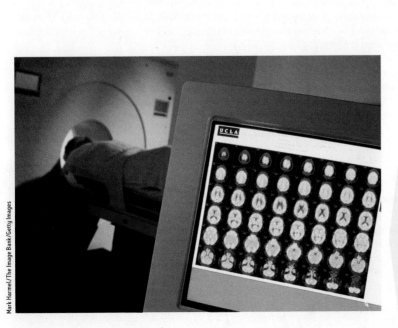

Mark Harmel/The Image Bank/Getty Images

▼ FIGURE 2.13
Le PET scan Tomographie par émission de positons. Les chercheurs injectent à des sujets volontaires une faible dose d'un sucre radioactif, traceur radioactif à demi-vie courte, et inoffensif. Des détecteurs sont placés autour de la tête du sujet pour détecter le rayonnement gamma émis par le sucre radiomarqué qui s'est concentré dans les zones actives du cerveau. Un ordinateur traite et traduit ces signaux et produit une carte des zones activées du cerveau.

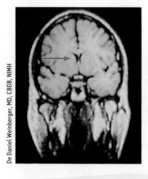 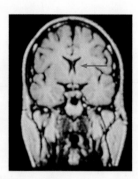

De Daniel Weinberger, MD, CBDB, NIMH

▼ FIGURE 2.14

IRM d'un individu sain (à gauche) et d'une personne atteinte de schizophrénie (à droite) Notez l'élargissement des ventricules latéraux, contenant le liquide céphalorachidien (flèche sur l'image de droite).

Une application particulière de l'IRM, **l'IRM fonctionnelle (IRMf)**, peut révéler le fonctionnement et la structure du cerveau. Le sang se dirige en particulier dans les zones les plus actives du cerveau. En prenant des images successives, les chercheurs peuvent observer le cerveau s'activer, en montrant l'augmentation du débit sanguin chargé d'oxygène quand le patient effectue différentes opérations mentales. Quand une personne regarde une scène par exemple, l'IRM fonctionnelle détecte l'afflux sanguin à l'arrière du cerveau, zone qui traite l'information visuelle (voir figure 2.27 concernant la discussion sur les fonctions corticales).

Ces clichés des changements de l'activité cérébrale nous apportent de nouvelles informations, sur la manière dont le cerveau répartit ses différentes tâches. Une quantité phénoménale de nouvelles études d'IRMf suggère quelle est la partie du cerveau la plus active lorsque les personnes ressentent une douleur ou sont rejetées, écoutent une voix en colère, pensent à des choses angoissantes, se sentent heureuses ou sont sexuellement stimulées. La technologie permet un type de lecture de l'esprit assez grossière. Une équipe de recherche en neurosciences a « scanné » les cerveaux de 129 personnes alors qu'elles exécutaient huit tâches mentales différentes (telles que la lecture, le jeu, ou la recherche de rimes). Plus tard, ils ont pu, avec 80 % d'exactitude, prédire à laquelle de ces activités mentales se livrait la personne étudiée (Poldrack et al., 2009). D'autres études ont exploré l'activité cérébrale associée aux expériences religieuses, sans pour autant résoudre cette question : le cerveau produit-il Dieu ou le perçoit-il ? (Fingelkurts & Fingelkurts, 2009 ; Inzlicht et al., 2009 ; Kapogiannis et al., 2009).

Vous avez déjà vu des photos de cerveaux, en couleur, avec des titres « accrocheurs », tels que « votre cerveau à l'écoute de la musique ». À cerveaux chauds, nouvelles sensationnelles. Mais le scepticisme nous met en garde contre l'utilisation de ces techniques pour prédire les préférences des clients, détecter les mensonges, et prévenir la criminalité (Satel & Lilienfeld, 2013 ; Vul et al., 2009a, b). La neurophysiologie au service du marketing, du pouvoir législatif, de la politique et de la théologie est une aberration neurophysiologique. Nous pouvons faire confiance à l'imagerie cérébrale par éclairer la structure et l'activité du cerveau, et parfois nous aider à tester les différentes théories du comportement (Mather et al., 2013). Mais étant donné que toute expérience humaine est fondée le fonctionnement du cerveau, il n'est pas surprenant que différentes zones du cerveau deviennent actives quand on écoute une conférence ou quand on tombe amoureux.

* * *

Les techniques actuelles utilisées pour scruter le cerveau en phase de réflexion ou de sensation sont pour la psychologie ce que le microscope a été pour la biologie et le télescope pour l'astronomie. Grâce à elles nous en avons appris plus sur le cerveau en trente ans que durant les trente mille années précédentes. Et la prochaine décennie révélera, comme chaque année, que l'investissement financier massif dont bénéfice la recherche sur le cerveau sera en augmentation. L'Human Brain Project de l'Europe promet 1 milliard pour la modélisation informatique du cerveau et le projet de $40 000 000 Connectome humain (2013 ; Gorman, 2014) vise « les voies neuronales [qui] révéleront ce qui fait que chaque être humain est unique et ce qui rend chaque personne différente de tous les autres ». Un nouvel appareillage surpuissant : *l'imagerie par spectrométrie de diffusion.* Cet appareil a été construit dans le cadre du projet Human Connectome pour dessiner la carte des connexions cérébrales, incluant aussi celles s'établissant sur de longues distances.

De nos jours, apprendre les neurosciences, c'est comme étudier la géographie du monde quand Magellan explorait les mers. Tous les efforts déployés, en ce moment, pour définir la cartographie du cerveau ont été comparés à ceux du programme Apollo qui a amené les hommes sur la Lune en 1969 et à ceux de l'Human Genome Project, pour le séquençage génique de l'ADN humain. Nous sommes clairement à l'âge d'or de la science du cerveau.

EXERCICE RÉCAPITULATIF

• Relier la technique d'imagerie à la description correcte du système nerveux central.

Technique

1. IRM fonctionnelle par balayage

2. PET scan (Tomographie par Émission de Positons)

3. IRM par balayage

Description

a. Suit le glucose radioactif pour mettre en évidence l'activité cérébrale.

b. Suit les images successives du tissu cérébral pour montrer le fonctionnement du cerveau.

c. Utilise les champs magnétiques et les ondes radio pour montrer l'anatomie du cerveau.

IRM fonctionnelle (IRMf) : technique qui met en évidence le flux sanguin et, de ce fait, l'activité cérébrale en comparant différentes images successives. L'IRMf montre le fonctionnement du cerveau ainsi que la structure.

Réponses : 1. b, 2. a, 3. c

Les structures cérébrales les plus anciennes

2-8 Quelles sont les structures formant le tronc cérébral et quelles sont les fonctions du tronc cérébral, du thalamus et du cervelet ?

Les capacités d'un animal proviennent de ses structures cérébrales. Chez les animaux primitifs tels que les requins, un cerveau bien moins complexe régule principalement les fonctions fondamentales de survie : la respiration, le repos et l'alimentation. Chez les mammifères inférieurs, tels que les rongeurs, la présence d'un cerveau plus complexe leur permet d'avoir des émotions et une mémoire plus importante. Chez les mammifères supérieurs, comme l'homme, plus le cerveau traite d'informations, plus la capacité d'anticipation de l'action est importante.

Cet accroissement de la complexité est lié à l'élaboration de nouveaux systèmes cérébraux au-dessus des anciens, tout comme les paysages de la Terre recouvrent l'ancien par du nouveau. Si l'on creuse, on découvre les restes fossiles du passé, les composants du tronc cérébral opérant encore comme ils le faisaient chez nos ancêtres lointains. Explorons maintenant l'encéphale en commençant par la base, les structures les plus anciennes dans l'évolution pour remonter vers les structures les plus récentes.

Le tronc cérébral

Le **tronc cérébral** est la région la plus ancienne et la plus profonde de l'encéphale. Il débute à l'endroit où la moelle épinière pénètre dans le crâne et s'évase légèrement. Ce léger renflement est le **bulbe rachidien** (**FIGURE 2.15**). C'est là que s'effectue le contrôle de votre rythme cardiaque et de votre respiration. Il n'est pas nécessaire de posséder les parties supérieures du cerveau ni d'être conscient pour orchestrer les battements cardiaques et les mouvements respiratoires comme le prouvent certains patients restant à l'état végétatif à la suite de lésions cérébrales. Ces tâches incombent au tronc cérébral. Juste au-dessus du bulbe rachidien se trouve le *pont de Varole*, qui joue un rôle dans la coordination des mouvements et la régulation du sommeil.

Si le tronc cérébral d'un chat est séparé du reste du cerveau siégeant au-dessus de lui, l'animal pourra encore respirer, vivre et même courir, grimper, se toiletter (Klemm, 1990). Toutefois, déconnecté d'avec les régions supérieures de son cerveau, il ne pourra *plus* courir vers un but précis, ni grimper pour obtenir de la nourriture.

Le tronc cérébral est également un point de croisement où la plupart des nerfs issus ou allant de chaque côté du cerveau sont connectés à la partie opposée du corps (**FIGURE 2.16**, page suivante). Cet étrange point de connexion constitue l'une des nombreuses surprises que nous réserve le cerveau.

> **Tronc cérébral** la partie de l'encéphale qui, dans l'évolution, est la plus ancienne. Il débute là où la moelle épinière se renfle et entre dans le crâne ; le tronc cérébral est responsable des fonctions automatiques de survie.
>
> **Bulbe rachidien** base du tronc cérébral ; contrôle des fréquences cardiaques et respiratoires.

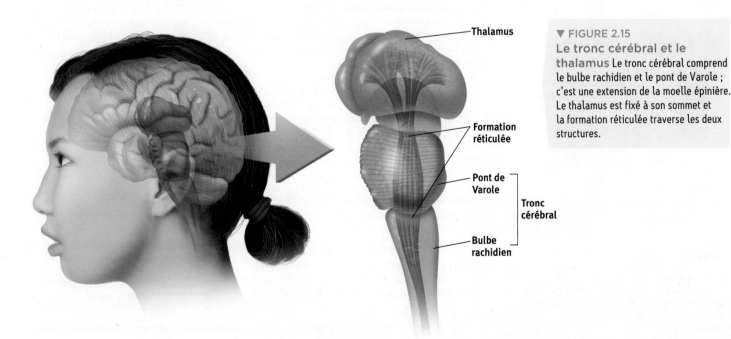

▼ FIGURE 2.15
Le tronc cérébral et le thalamus Le tronc cérébral comprend le bulbe rachidien et le pont de Varole ; c'est une extension de la moelle épinière. Le thalamus est fixé à son sommet et la formation réticulée traverse les deux structures.

Le thalamus

Au sommet du tronc cérébral se trouvent deux structures jointives en forme d'œuf que l'on appelle le **thalamus** (Figure 2.15) : c'est le relais somesthésique du cerveau. Il reçoit l'information provenant des sens (excepté l'odorat) et l'achemine vers les régions supérieures du cerveau qui traitent la vision, l'audition, le goût et le toucher. Le thalamus reçoit également en retour certaines réponses des niveaux supérieurs, qu'il dirige ensuite vers le cervelet et le bulbe rachidien. Imaginez le thalamus comme étant au trafic nerveux ce que Paris est au réseau ferroviaire français : un centre de répartition à travers lequel passe le trafic pour aboutir aux destinations diverses.

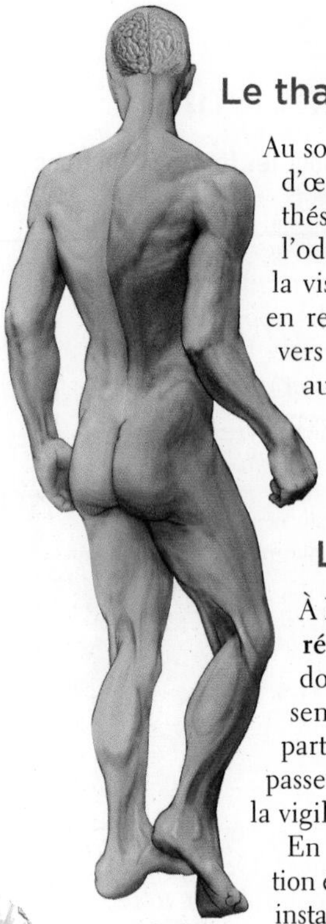

La formation réticulée

À l'intérieur du tronc cérébral, entre vos oreilles, se trouve la **formation réticulée** (semblable à un filet) : un réseau de neurones en forme de doigt qui s'étend de la moelle épinière au thalamus. Lorsque l'influx sensitif provenant de la moelle épinière remonte jusqu'au thalamus, une partie traverse la formation réticulée, qui filtre les stimuli entrants et fait passer les informations importantes aux autres aires du cerveau et régule la vigilance.

En 1949, Giuseppe Moruzzi et Horace Magoun découvrirent que la stimulation électrique de la formation réticulée d'un chat endormi produisait presque instantanément un état d'éveil et de vigilance chez l'animal. Magoun *sépara* la formation réticulée d'un chat du reste des régions supérieures du cerveau sans endommager les voies sensorielles voisines. L'effet fut spectaculaire : le chat tomba dans un coma dont il ne sortit jamais. Que peut-on en conclure ? La formation réticulée régule l'éveil et la vigilance.

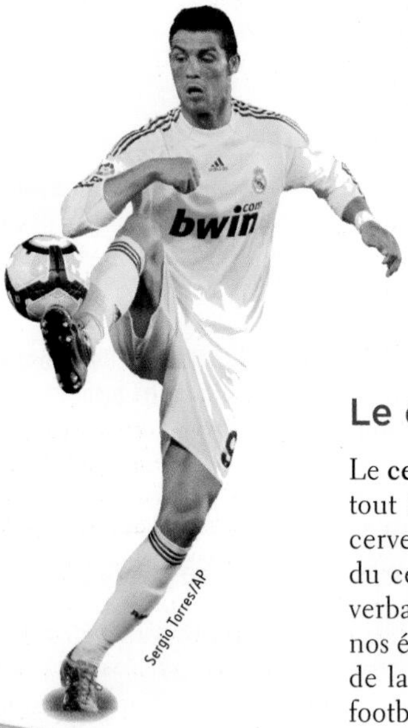

Andrew Swift

Le cervelet

Le **cervelet** s'étend à l'arrière du tronc cérébral : avec ses deux hémisphères plissés, il ressemble tout à fait à un « petit cerveau », de la taille d'une balle de base-ball (**FIGURE 2.17**). Le cervelet (avec les *noyaux gris centraux, appelés ganglions de la base* ; structures profondes du cerveau régulant la motricité semi-volontaire et automatique) permet l'apprentissage non verbal et la mémoire procédurale. Il nous permet également d'évaluer le temps, de moduler nos émotions et de différencier des sons et des textures (Bower et Parsons, 2003). Et (avec l'aide de la protubérance) il régule la coordination de la motricité volontaire. Lorsqu'un joueur de football contrôle parfaitement le ballon, attribuez une partie du mérite à son cervelet. Sous l'influence de l'alcool, la coordination des mouvements souffre. Si vous endommagiez votre cervelet, vous auriez des difficultés à marcher, à garder votre équilibre ou à serrer la main de quelqu'un. Vos mouvements seraient désordonnés et exagérés. Votre rêve de devenir danseur ou guitariste s'envolerait.

* * *

Remarque : Ces fonctions cérébrales, anciennement acquises, se produisent toutes sans aucun effort conscient. Cela illustre bien l'un des thèmes récurrents de ce livre : *notre cerveau traite énormément d'informations sans même que nous en soyons conscients.* Nous sommes conscients des *résultats* de l'activité de notre cerveau (par exemple notre expérience visuelle actuelle), mais pas du *comment* de ce processus De la même manière, que nous soyons endormis ou éveillés, notre tronc cérébral gère nos fonctions vitales, laissant les régions plus récentes de notre cerveau libres de rêver, de penser, de parler ou encore de savourer un souvenir.

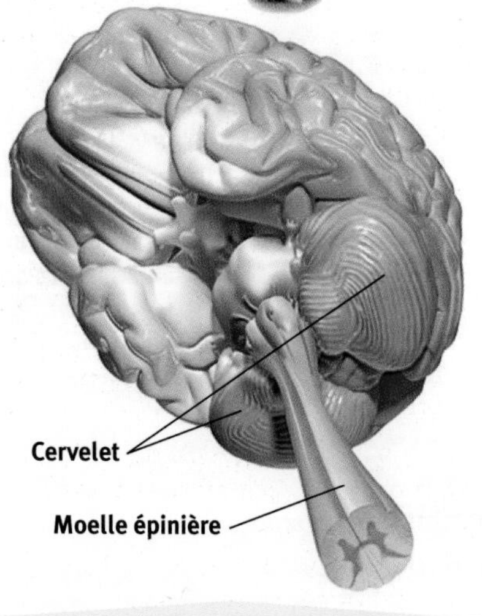

Sergio Torres/AP

Cervelet

Moelle épinière

▼ FIGURE 2.17

L'organe cérébral de l'agilité Situé à l'arrière du cerveau, le cervelet est responsable de la coordination de nos mouvements volontaires, de l'amplitude des mouvements, de l'équilibre et du tonus musculaire de posture.

Le système limbique

2-9 Quelles sont les structures et les fonctions du système limbique ?

Nous avons considéré les parties les plus anciennes du cerveau mais nous n'avons pas encore atteint ses régions les plus hautes et les plus récentes que forment les *hémisphères cérébraux* (les deux moitiés du cerveau). Entre les plus anciennes et les plus récentes régions du cerveau se trouve le **système limbique** (*limbe* signifie « frontière »). Ce système contient, en première approche *l'amygdale*, *l'hypothalamus*, et *l'hippocampe* (**FIGURE 2.18**). **L'hippocampe** traite notre mémoire consciente, explicite. Les animaux ou les hommes ayant perdu leur hippocampe à la suite d'une lésion ou d'une intervention chirurgicale deviennent incapables de traiter les nouveaux souvenirs de faits ou d'événements. Le Chapitre 8 explique comment notre esprit à deux voies traite nos souvenirs, via l'hippocampe. Pour le moment, nous allons nous pencher sur le lien qui existe entre le système limbique et les émotions telles que la crainte ou la colère, ou les motivations des comportements fondamentaux tels que les comportements alimentaires ou sexuels.

L'amygdale Les recherches ont permis de relier deux petits noyaux de soma de neurones en forme d'amande que l'on appelle **amygdale**, à l'agressivité et la peur. En 1939, le psychologue Heinrich Klüver et le neurochirurgien Paul Bucy lésèrent chirurgicalement une partie du cerveau d'un singe Rhésus, comprenant l'amygdale. Cette opération transforma le singe, réputé pour son caractère acariâtre, en la plus douce des créatures. D'autres études réalisées sur des animaux sauvages, comme le lynx, le glouton ou le rat sauvage montrèrent exactement les mêmes résultats. Il en est donc de même dans l'espèce humaine. Les sujets porteurs d'une lésion de l'amygdale montrent une vigilance réduite lorsque lui sont présentés des stimuli qui devraient susciter la peur et l'inquiétude (Berntson et al., 2011). La patiente S. M., a été appelée « la femme sans crainte » car elle ne manifestait aucun sentiment de peur, même lorsqu'elle a été menacée par une arme (Feinstein et al., 2013).

Que se passerait-il donc si l'on stimulait électriquement l'amygdale d'un animal domestique, d'un naturel placide tel que le chat ? En le stimulant à un certain endroit, le chat se prépare à attaquer : il crache en faisant le gros dos, ses pupilles se dilatent et ses poils se hérissent. Mais, si l'on déplace l'électrode juste un peu vers l'intérieur de l'amygdale et qu'on l'enferme dans une cage avec une souris, il se blottit dans un coin, terrorisé.

Ces expériences et d'autres ont confirmé le rôle de l'amygdale dans la régulation de l'élaboration des sentiments et des comportements de la peur et de rage. Une étude a révélé que l'anxiété suscitée par la résolution de problèmes de mathématiques était associée à l'hyperactivité de l'amygdale droite (Young et al., 2012). D'autres études ont montré que lorsque des photographies de visages exprimant la colère ou le bonheur sont présentées à des sujets : L'amygdale est activée en réponse à la présentation de ceux exprimant la colère (Mende-Siedlecki et al., 2013). Cependant, nous devons rester prudents. Le cerveau n'est pas organisé aussi précisément en structures correspondant à nos types de comportement. Lorsque nous ressentons de la crainte ou de l'agressivité ou que nous agissons de la sorte, de nombreuses aires de notre cerveau sont activées. Si vous détruisez la batterie votre voiture, vous ne pouvez pas la faire démarrer. Cependant, la batterie ne représente qu'un élément du système intégré permettant le démarrage d'une voiture.

Jane Burton/Dorling Kindersley/Gettyimages

EXERCICE RÉCAPITULATIF

- La stimulation électrique de l'amygdale d'un chat provoque des réactions de colère. Quelle partie du *système nerveux autonome* est activée par cette stimulation ?

Réponse : le système nerveux sympathique.

L'hypothalamus Juste au-dessous (*hypo*) du thalamus, se trouve **l'hypothalamus** (**FIGURE 2.19**, page suivante), un chaînon important dans la chaîne des commandes qui assure les fonctions de conservation et de l'organisme. Certains groupes de neurones de l'hypothalamus ont une influence sur la faim, d'autres régulent la soif, la température du corps et le comportement sexuel. Ensemble, ils permettent de maintenir l'intérieur de l'organisme, le milieu intérieur, dans un état d'équilibre constant, le plus favorable à la vie (*homéostasie*).

Comme l'hypothalamus surveille l'état de notre corps, il régule la chimie sanguine et tout ordre provenant des autres parties du cerveau. Par exemple, recevant un signal du cortex cérébral lorsque vous avez une pensée érotique, votre hypothalamus se mettra à sécréter des hormones. Ces dernières stimuleront à leur tour la « glande maîtresse » du système endocrinien, qui lui est adjacente, l'hypophyse (voir Figure 2.18) qui stimulera la libération d'hormones par vos glandes

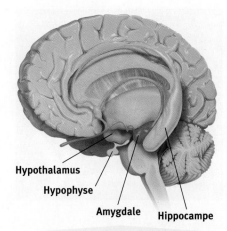

▼ FIGURE 2.18
Le système limbique Ce système neuronal se trouve entre les parties les plus anciennes du cerveau et le cortex. La partie limbique de l'hypothalamus contrôle l'hypophyse.

Hypothalamus
Hypophyse
Amygdale Hippocampe

Thalamus organe pair, centre de traitement des influx somesthésiques, situé au sommet du tronc cérébral ; lié aux aires somesthésiques du cortex. Il renvoie aussi des réponses au cervelet et au bulbe rachidien.

Formation réticulée ensemble de neurones traversant le tronc cérébral, formant un réseau et régulant la vigilance et le tonus de posture.

Cervelet le « petit cerveau » à l'arrière du tronc cérébral ; ses fonctions comprennent le traitement des entrées sensorielles, la coordination et l'amplitude des mouvements, l'équilibre. Il favorise l'apprentissage et la mémoire

Système limbique système neuronal comprenant *l'hippocampe*, *l'amygdale*, et *l'hypothalamus*, situé au-dessous des hémisphères cérébraux ; associé à la régulation des émotions et à l'adaptation comportementale.

Hippocampe centre neuronal limbique, qui participe au traitement des souvenirs explicites en vue de leur stockage.

Amygdale deux groupes neuronaux limbiques de la taille d'une amande contribuant à la régulation des émotions.

Hypothalamus structure située au-dessous (*Hypo*) du thalamus ; il régule plusieurs activités d'entretien de l'organisme (manger, boire, température du corps), régule le système endocrinien par le contrôle de l'hypophyse. Il contribue aussi à la modulation des émotions et du système de récompense.

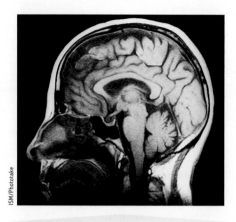

▼ FIGURE 2.19
L'hypothalamus Cette petite, mais importante, structure, de couleur jaune/orange sur cette photo IRM, contribue à la régulation de l'homéostasie.

▼ FIGURE 2.20
Rat avec une électrode implantée une électrode est implantée dans un centre hypothalamique de la récompense. Le rat traverse facilement une cage au plancher électrifié et est prêt à accepter le choc douloureux, pour pouvoir accéder à la pédale qui envoie des impulsions électriques au centre hypothalamique.

sexuelles. Cela intensifiera les pensées érotiques de votre cortex cérébral. (Notez de nouveau l'interaction entre le système nerveux et le système endocrinien : le cerveau influence le système endocrinien, qui à son tour influence le cerveau.)

L'histoire d'une remarquable découverte concernant l'hypothalamus montre comment le progrès de la recherche scientifique se produit souvent lorsque des chercheurs curieux et à l'esprit ouvert font une observation inattendue. James Olds et Peter Milner (1954), deux jeunes neuropsychologues de la McGill University, firent une magistrale erreur en essayant d'implanter une électrode dans la formation réticulée d'un rat. Ils la placèrent au mauvais endroit (Olds, 1975). Curieusement, le rat s'obstinait à retourner à l'endroit de la cage où il avait été stimulé par l'électrode mal placée, comme s'il recherchait encore plus de stimulations. En découvrant qu'ils avaient placé en réalité l'électrode dans une région de l'hypothalamus, Olds et Milner comprirent qu'ils étaient tombés sur un centre du cerveau qui produisait un effet agréable (Olds, 1975).

Dans une série d'expériences méticuleuses, Olds (1958) essaya de localiser d'autres « centres du plaisir », comme il les appelait. Le rat ressent les effets de la stimulation mais n'en parle pas. Alors, plutôt que d'attribuer des sentiments humains à des rats, les scientifiques se réfèrent à *des centres de la récompense*, et non, par anthropomorphisme, à des « centres du plaisir. » Lorsque les rats sont laissés libres d'appuyer sur les pédales pour déclencher leur propre stimulation, les rats seraient capables de le faire parfois jusqu'à plus de 1 000 fois par heure. Ils pourraient même franchir un plancher électrifié, chose qu'un rat, même affamé, ne ferait pas, pour atteindre de la nourriture (**FIGURE 2.20**).

Chez d'autres espèces, y compris chez les dauphins et les singes, les chercheurs ont découvert plus tard, d'autres centres de la récompense situés dans le système limbique, comme le *noyau*

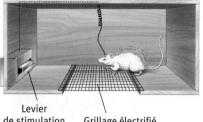

Levier de stimulation   Grillage électrifié

accumbens, ou *striatum ventral* situé pour simplifier, en face de l'hypothalamus. La recherche animale a révélé à la fois l'existence d'un système de récompense général lié à la dopamine et l'existence d'autres centres spécifiques associés au plaisir de manger, boire et copuler. Il semble que les animaux naissent équipés de systèmes de récompense intégrés pour les activités essentielles à leur survie.

Les chercheurs effectuent des expériences pour découvrir de nouveaux moyens d'utiliser la stimulation cérébrale chez les animaux afin de contrôler leurs actions lors d'opérations de recherche et de sauvetage. En récompensant des rats d'avoir tourné à gauche ou à droite, une équipe de recherche fut capable d'entraîner des rats qui n'avaient jamais vécu hors de leurs cages à évoluer dans un environnement naturel (Talwar et al., 2002 ; **FIGURE 2.21**). En appuyant sur les boutons d'un ordinateur portable, les chercheurs peuvent « télécommander » un rat (qui porte un récepteur, une batterie et une caméra vidéo sur le dos), le faire tourner et grimper aux arbres, le faire courir sur les branches et le faire revenir.

L'homme possède-t-il aussi des centres limbiques régulant le plaisir ? Un neurochirurgien a implanté des électrodes dans de telles aires pour calmer des patients violents. Les sujets traités ont témoigné d'une sensation de plaisir modérée, mais contrairement aux rats d'Olds, ils n'ont pas atteint

▼ FIGURE 2.21
Un « ratbot » en excursion La stimulation à distance du cerveau du rat l'entraîne à traverser un espace ou même, à grimper sur un arbre.

un état frénétique (Deutsch, 1972 ; Hooper et Teresi, 1986). En outre, la recherche récente révèle que la stimulation du circuit de la récompense produit plutôt *le désir du plaisir* que simplement la joie (Kringelbach & Berridge, 2012). Des expériences ont également mis en évidence chez l'homme les effets d'un système de récompense lié à la dopamine. Par exemple, la libération de dopamine produit les « frissons » qui accompagnent notre plaisir suscité par l'écoute de notre morceau musique préféré (Zatorre & Salimpoor, 2013).

Certains chercheurs pensent que les comportements de dépendance, tels que l'abus de substance ou la compulsion alimentaire, peuvent venir d'une défaillance du système cérébral naturel du plaisir et du bien-être. Les sujets génétiquement prédisposés à ce « *syndrome de déficience* du système de la récompense » vont rechercher de façon intense et irraisonnée le substitut qui leur procurera ce plaisir absent et apaisera le malaise provoqué par des sentiments négatifs (Blum et al., 1996).

« Si vous deviez concevoir un véhicule robot pour aller dans le futur et y survivre… vous le construiriez de telle sorte que les comportements qui assurent sa propre survie ou celle de l'espèce, tels que la reproduction ou l'alimentation, soient naturellement renforcés. »

Candace Pert (1986)

* * *

LA FIGURE 2.22 montre la localisation des aires cérébrales présentées dans ce chapitre, y compris celle du *cortex cérébral*, notre prochain sujet d'étude.

EXERCICE RÉCAPITULATIF

• Quelles sont les trois structures principales du système limbique et quelles sont leurs fonctions ?

Réponses : (1) L'*amygdale* joue un rôle dans les réponses comportementales d'agressivité et de crainte. (2) L'*hypothalamus* est impliqué dans l'entretien de l'organisme, le système de récompense et du plaisir et le contrôle du système hormonal. L'*hippocampe* traite notre mémoire consciente.

▼ FIGURE 2.22
Structures cérébrales et fonctions

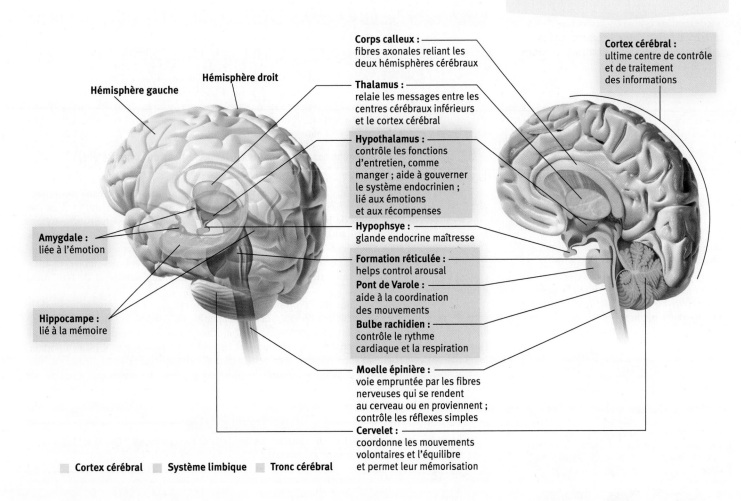

Hémisphère gauche

Hémisphère droit

Corps calleux :
fibres axonales reliant les deux hémisphères cérébraux

Thalamus :
relaie les messages entre les centres cérébraux inférieurs et le cortex cérébral

Hypothalamus :
contrôle les fonctions d'entretien, comme manger ; aide à gouverner le système endocrinien ; lié aux émotions et aux récompenses

Hypophsye :
glande endocrine maîtresse

Formation réticulée :
helps control arousal

Pont de Varole :
aide à la coordination des mouvements

Bulbe rachidien :
contrôle le rythme cardiaque et la respiration

Moelle épinière :
voie empruntée par les fibres nerveuses qui se rendent au cerveau ou en proviennent ; contrôle les réflexes simples

Cervelet :
coordonne les mouvements volontaires et l'équilibre et permet leur mémorisation

Cortex cérébral :
ultime centre de contrôle et de traitement des informations

Amygdale :
liée à l'émotion

Hippocampe :
lié à la mémoire

▪ **Cortex cérébral**   ▪ **Système limbique**   ▪ **Tronc cérébral**

OBJECTIFS D'APPRENTISSAGE

EXERCICE RÉCAPITULATIF Prenez un moment pour répondre à chacune de ces questions objectives d'apprentissage (répétées ici au sein de cette section). Puis aller à l'annexe C, révision complète du chapitre, pour vérifier vos réponses. La recherche suggère que d'essayer de répondre à ces questions de votre propre initiative permettra d'améliorer la mémorisation à long terme de ces réponses (McDaniel et al., 2009).

2-7 Comment les chercheurs en neurosciences peuvent-ils étudier les connexions cérébrales de la pensée au comportement, de la pensée à l'action ?

2-8 Quelles sont les structures formant le tronc cérébral et quelles sont les fonctions du tronc cérébral, du thalamus et du cervelet ?

2-9 Quelles sont les structures et les fonctions du système limbique ?

TERMES ET CONCEPTS À RETENIR

EXERCICE RÉCAPITULATIF Testez votre connaissance de ces termes en essayant d'écrire leur définition avant de vous reporter aux pages donnant les bonnes réponses.

lésion, p. 66

électroencéphalogramme (EEG), p. 67

PET scan (tomographie par émission de positons), p. 67

IRM (imagerie par résonance magnétique), p. 67

IRMf (IRM fonctionnelle), p. 68

tronc cérébral, p. 69

bulbe rachidien, p. 69

thalamus, p. 70

formation réticulée, p. 70

cervelet, p. 70

système limbique, p. 71

hippocampe, p. 71

amygdale, p. 71

hypothalamus, p. 71

Le cortex cérébral et notre cerveau divisé en deux hémisphères

Le cortex cérébral

2-10 Quelles sont les fonctions desservies par les diverses régions du cortex cérébral ?

LES RÉSEAUX CÉRÉBRAUX LES PLUS ANCIENS RÉGULENT LES FONCTIONS vitales fondamentales et sont le siège de la mémoire, des émotions et des pulsions. Les réseaux neuronaux plus récents à l'intérieur du *cerveau* – les deux hémisphères cérébraux représentent 85 % de son poids – forment des équipes de travail spécialisées qui nous permettent de percevoir, penser et parler. Comme d'autres structures situées au-dessus du tronc cérébral (y compris le thalamus, l'hippocampe et l'amygdale), les hémisphères cérébraux vont par deux. Couvrant ces hémisphères, comme l'écorce d'un arbre, le **cortex cérébral** est une mince couche de cellules nerveuses interconnectées. C'est la clé de voûte de votre pensée, l'ultime centre de contrôle et de traitement d'informations de votre corps.

Si l'on remonte la pyramide de l'évolution du monde animal, le cortex cérébral s'étend, le contrôle génétique strict se relâche et les capacités d'adaptation de l'organisme augmentent. C'est ainsi que les amphibiens, comme les grenouilles, ont un petit cortex et agissent essentiellement à partir d'instructions génétiquement préprogrammées. Le cortex des mammifères, plus important, leur confère des capacités d'apprentissage et de pensée plus grandes, qui les rendent plus adaptables. La majeure partie de ce qui distingue l'homme des animaux provient des fonctions complexes de son cortex cérébral.

Les premiers anatomistes ont décrit les différentes structures en employant des termes grecs et latins. La description des mots est imagée : par exemple, *cortex* signifie « écorce », *cervelet* « petit cerveau », *thalamus* « chambre intérieure » et *amygdale*, amande.

Cortex cérébral tissu complexe fait de six couches de cellules neurales interconnectées couvrant les hémisphères cérébraux ; ultime centre de contrôle et de traitement de l'information du corps.

EXERCICE RÉCAPITULATIF

• Quelle est la région du cerveau humain la plus semblable à celle du cerveau animal ? Quelle est la partie qui distingue le cerveau humain du cerveau animal ?

Réponses : le tronc cérébral ; le cortex cérébral.

Structure du cortex

Si l'on ouvrait un crâne humain pour observer le cerveau, on verrait un organe plissé ayant un peu la forme d'une noix géante. Dépourvu de ces plis et mis à plat, le cortex cérébral prendrait trois fois plus de place, presque celle d'une pizza de très grande taille. Les hémisphères gauche et droit sont essentiellement remplis de connexions axonales entre le cortex et les autres régions. Le cortex cérébral – fine couche superficielle des hémisphères cérébraux – est composé de 20 à 23 milliards de cellules nerveuses et de près de 300 trillions de connexions synaptiques (de Courten-Myers, 2005). Il faut beaucoup de nerfs pour un être humain.

Chaque hémisphère est divisé en quatre *lobes*, séparés par des *scissures profondes ou par des* sillons (**FIGURE 2.23**). En partant de l'avant du cerveau et en allant vers le sommet, nous trouvons les **lobes frontaux** (derrière votre front), les **lobes pariétaux** (en haut et en arrière), les **lobes occipitaux** (à l'arrière de votre tête). Changeons de direction et allons vers l'avant, juste au-dessus de nos oreilles, nous trouvons les **lobes temporaux.** Chacun de ces quatre lobes exécute de nombreuses fonctions, et beaucoup de ces fonctions réclament l'interaction de plusieurs lobes.

Fonctions du cortex

Il y a plus d'un siècle, des autopsies pratiquées chez les sujets partiellement paralysés ou incapables de parler ont mis en évidence des lésions de régions du cortex. Cependant, ces observations plutôt grossières n'ont pas permis aux chercheurs d'affirmer que des parties précises du cortex contrôlent des fonctions complexes comme les mouvements ou la parole. Après tout, si le contrôle de la parole et du mouvement était réparti dans tout le cortex, la lésion de pratiquement n'importe quelle zone pourrait produire le même effet. De la même manière, un poste de télévision tombera en panne si l'on coupe son cordon d'alimentation ; mais ce serait une erreur de penser que l'origine des images se trouve dans le cordon.

Fonctions motrices Les scientifiques ont eu plus de chance pour localiser des fonctions plus simples du cerveau. Ainsi, en 1870, les médecins allemands Gustav Fritsch et Eduard Hitzig firent une découverte importante : l'application d'une stimulation électrique modérée sur le cortex d'un animal arrivait à mobiliser des parties du corps. Ces effets étaient sélectifs : la stimulation ne provoquait un mouvement que lorsqu'elle était appliquée dans une région arquée située à l'arrière du lobe frontal et s'étendant à peu près d'une oreille à l'autre en passant par le sommet du cerveau. De plus, lorsque les chercheurs stimulaient des zones précises de cette région, situées dans l'hémisphère gauche ou droit, ils provoquaient des mouvements de parties précises du corps localisées du côté *opposé.* Fritsch et Hitzig venaient de découvrir ce que nous appelons désormais le **cortex moteur.**

CARTOGRAPHIE DU CORTEX MOTEUR Quelle chance pour les neurochirurgiens et leurs patients, le cerveau ne possède pas de récepteurs sensitifs. Sachant cela, Otfrid Foerster et Wilder Penfield

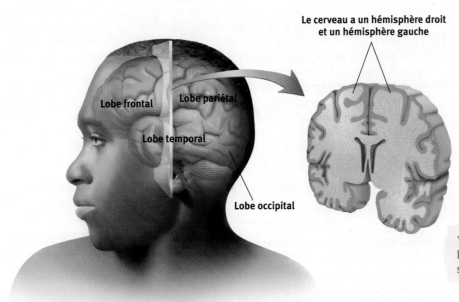

Le cerveau a un hémisphère droit
et un hémisphère gauche

Lobe frontal

Lobe pariétal

Lobe temporal

Lobe occipital

▼ FIGURE 2.23
Le cortex et ses
subdivisions de base

Lobes frontaux partie du cortex cérébral se trouvant juste derrière le front ; impliqué dans les mouvements, la parole, le jugement et la planification de l'action.

Lobes pariétaux partie du cortex cérébral se trouvant au sommet de la tête et vers l'arrière ; reçoit les informations somesthésiques du toucher et de la position du corps.

Lobes occipitaux partie du cortex cérébral se trouvant à l'arrière de la tête ; comprend des zones qui reçoivent des informations venant des champs visuels.

Lobes temporaux partie du cortex cérébral se trouvant à peu près au-dessus des oreilles ; comprend les aires auditives, chaque information reçue provient principalement de l'oreille opposée.

Le cortex moteur situé à l'arrière des lobes frontaux, contrôle les mouvements volontaires.

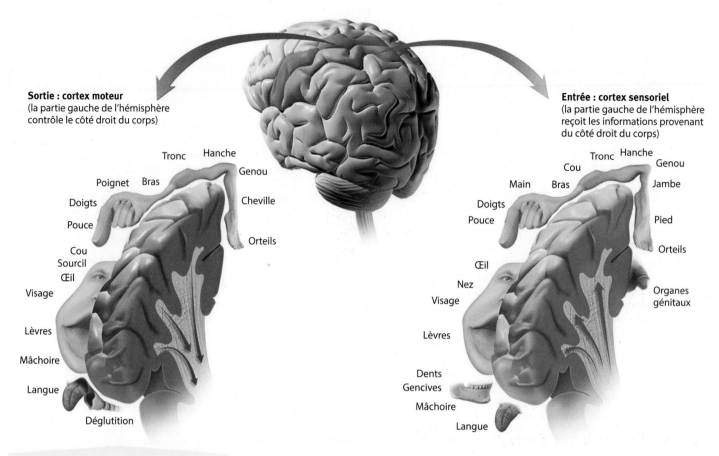

Sortie : cortex moteur
(la partie gauche de l'hémisphère
contrôle le côté droit du corps)

Entrée : cortex sensoriel
(la partie gauche de l'hémisphère
reçoit les informations provenant
du côté droit du corps)

▼ FIGURE 2.24
**Tissu de l'hémisphère gauche
consacré à chaque partie du corps
dans le cortex moteur et le cortex
somesthésique** Comme vous pouvez le
voir sur cette représentation classique mais
toutefois inexacte, la surface corticale dévolue à
une partie du corps dans le cortex moteur (lobes
frontaux) ou dans le cortex somesthésique (lobes
pariétaux) n'est pas proportionnelle à la taille
de cette partie du corps. Au contraire, une plus
grande partie du parenchyme cortical contrôle les
zones dont la sensibilité est très fine et les zones
produisant une motricité précise. Ainsi, les doigts
ont une plus grande représentation dans le cortex
que la partie supérieure du bras.

ont réussi à cartographier le cortex moteur de centaines de patients conscients, en stimulant différentes zones corticales pour noter les réponses. Ils découvrirent que différentes zones du corps qui nécessitent un contrôle précis comme les doigts et la bouche, occupaient la plus grande partie de la surface corticale (**FIGURE 2.24**). Le chercheur en neurosciences espagnol José Delgado a plusieurs fois mis en évidence le mécanisme du comportement moteur. Chez un homme, il provoqua la fermeture du poing droit en stimulant un certain point sur la partie gauche du cortex moteur. Le patient, à qui l'on demandait de garder la main ouverte lors de la stimulation suivante et dont la main se fermait malgré ses efforts, remarqua : « Docteur, j'ai l'impression que votre électricité est plus forte que ma volonté. » (Delgado, 1969, p. 114.)

EXERCICE RÉCAPITULATIF

- Essayez de faire un mouvement circulaire avec votre main droite, comme si vous nettoyez une table. Faites maintenant le même mouvement avec le pied droit en le synchronisant avec la main. Ensuite essayez de faire tourner votre pied dans le sens inverse (mais pas la main). Enfin essayez de tourner le pied *gauche* dans le sens inverse de celui de la main droite.

  1. Pourquoi est-ce si difficile de changer le sens des mouvements du pied droit ?

  2. Pourquoi est-il plus facile de faire tourner le pied gauche dans le sens inverse de celui de la main droite ?

Réponses : 1. Il n'est pas possible de donner une direction opposée au mouvement des deux membres droits, car ils sont contrôlés par le même hémisphère cérébral (le gauche). 2. Les membres gauches et droits sont contrôlés par des parties opposées du cerveau, raison pour laquelle il est possible de donner une direction opposée à leur mouvement.

Plus récemment, des scientifiques ont été capables de prévoir le mouvement du bras d'un singe un dixième de seconde *avant* qu'il ne bouge, en mesurant constamment l'activité du cortex moteur précédant les mouvements spécifiques du bras (Gibbs, 1996). Ces résultats ont ouvert la voie aux recherches sur les ordinateurs contrôlés par la pensée.

INTERFACES CERVEAUX-ORDINATEURS En mettant le cerveau « sur écoute », ne serait-il pas possible de permettre à une personne paralysée de mobiliser un membre artificiel ? Une interface cerveau-ordinateur ne pourrait-elle pas donner l'ordre à un curseur d'écrire un courriel ou de faire une recherche en ligne ? Pour répondre à cette question, des chercheurs spécialistes du cerveau de l'université de Brown implantèrent 100 micro-électrodes enregistreuses dans le cortex moteur de trois singes (Nicolelis et Chapin, 2002 ; Serruya et al., 2002). Lorsque les singes utilisaient une manette pour déplacer un curseur et poursuivre une cible rouge en mouvement (afin d'être récompensés), les chercheurs appariaient les signaux cérébraux émis et les mouvements du bras. Ensuite, ils ont programmé l'ordinateur pour qu'il surveille les signaux et manœuvre la manette sans l'aide du singe. Lorsqu'il arrivait à un des singes de simplement penser au mouvement, l'ordinateur lisant la pensée, répondait en déplaçant le curseur avec à peu près la même compétence que le singe cherchant sa récompense. Lors d'expériences ultérieures, des singes et des humains ont appris à contrôler, par la pensée, un bras de robot qui pourrait saisir et donner de la nourriture (Collinger et al., 2013 ; Hochberg et al., 2012 ; Velliste et al., 2008 ; voir **FIGURE 2.25**).

Des recherches ont également enregistré des messages, non pas issus des neurones moteurs qui contrôlent directement le bras du singe, mais d'une zone cérébrale impliquée dans la planification et l'intention du mouvement (Leuthardt et al., 2009 ; Musallam et al., 2004). Au cours d'une de ces études, un singe, qui souhaitait recevoir un jus de fruit comme récompense, attendait un signal lui demandant de toucher un point qui s'était allumé auparavant sur un écran et ce point pouvait avoir huit localisations différentes. Un programme informatisé capturait la pensée du singe en enregistrant l'activité cérébrale correspondante. En faisant correspondre l'activité cérébrale à chaque pointage du singe, les chercheurs lisant dans la pensée pouvaient alors programmer le curseur afin qu'il se déplace en réponse à la pensée du singe. Le singe pense, l'ordinateur agit.

Si cette technique marche, pourquoi ne pas l'utiliser pour capturer les mots qu'une personne pourrait penser sans pouvoir les dire (par exemple du fait d'un accident vasculaire cérébral) ? Richard Andersen (2004, 2005), chercheur en neurosciences de Cal Tech, a émis l'hypothèse que des chercheurs pourraient implanter des électrodes dans les aires de la parole, puis « demander au patient de penser à différents mots et observer comment les neurones sont excités. Ils pourraient ainsi construire une base de données et lorsque le patient pense à un mot, comparer le signal émis avec ceux de leur base de données et prévoir les mots auxquels pense le patient. Ces signaux émis seraient ensuite enregistrés et transmis à un synthétiseur vocal. C'est exactement ce que nous faisons pour le contrôle moteur ». L'armée américaine a investi 6,3 millions de dollars dans la recherche en neurosciences pour mettre au point un casque qui pourrait lire et transmettre les pensées des soldats (Piore, 2011).

Des essais cliniques sur ces types de *neuroprothèses cognitives* sont actuellement en cours chez des sujets souffrant de paralysie ou d'amputation (Andersen et al., 2010 ; Nurmikko et al., 2010). Le premier patient, un jeune homme paralysé, âgé de 25 ans, a pu contrôler mentalement une télévision, dessiner des formes sur un écran d'ordinateur et jouer à des jeux vidéo – tout cela grâce à une puce de la taille d'un comprimé d'aspirine pourvue de 100 électrodes enregistrant l'activité de son cortex moteur (Hochberg et al., 2006). Si tout ce qui est psychologique est également

▼ **FIGURE 2.25**

L'esprit domine la matière Un accident vasculaire cérébral paralyse totalement Cathy, photo de gauche, comme la maladie neurodégénérative dont souffre Jan, photo de droite. Pourtant, grâce à un minuscule implant de 96 électrodes dans le cortex moteur de chaque femme, toutes deux ont appris à diriger un bras robotisé avec leurs pensées (Collinger et al., 2013 ; Hochberg et al., 2012).

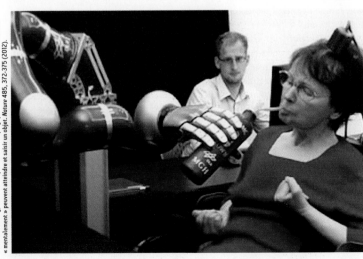

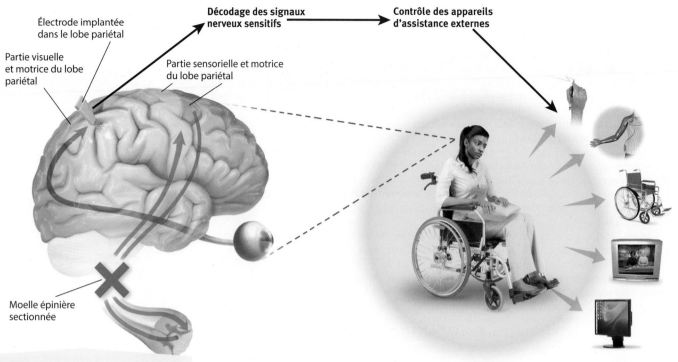

Décodage des signaux nerveux sensitifs

Contrôle des appareils d'assistance externes

Électrode implantée dans le lobe pariétal

Partie visuelle et motrice du lobe pariétal

Partie sensorielle et motrice du lobe pariétal

Moelle épinière sectionnée

▼ FIGURE 2.26

Interaction cerveau-ordinateur
Un patient souffrant d'une section de la moelle épinière a des électrodes implantées dans une région du lobe pariétal impliquée dans la planification de l'action de mobilisation d'un bras. La pensée du patient génère un signal qui est traduit et transmis à des instruments asservis comme un bras robotisé, un stimulateur des muscles qui activent un membre paralysé, et permettent ainsi au sujet de se promener en fauteuil roulant, commander un téléviseur, et utiliser l'Internet. (Graphique adapté de Andersen et al., 2010.)

▼ FIGURE 2.27

Le cerveau en action Les images de cette IRMf (IRM fonctionnelle) montrent l'activation du cortex visuel dans les lobes occipitaux (la zone colorée représente une augmentation du flux sanguin) quand le sujet regarde une photo. Lorsque le sujet cesse de regarder, instantanément cette zone corticale n'est plus activée.

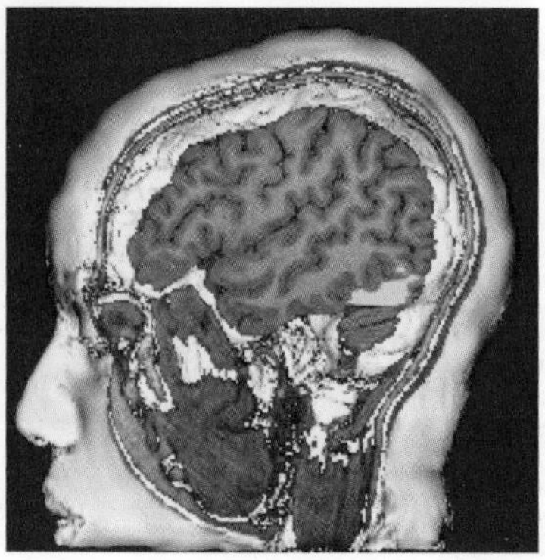

Neurolmage, Vol. 4, VP Clark, K. Keill, J. Ma. Maisog, S. Courtney, L. G. Ungerleider, et J. V. Haxby, Imagerie par résonance magnétique fonctionnelle de l'homme

biologique, si par exemple chaque pensée est également un événement nerveux, de nouvelles microélectrodes pourraient peut-être détecter suffisamment bien les pensées pour permettre aux patients de contrôler leur environnement avec plus de précision (**FIGURE 2.26**).

Fonctions sensorielles Si le cortex moteur envoie des messages vers le corps, à quel endroit sont reçus les messages qui arrivent au cortex ? Penfield a identifié une zone-corticale en avant des lobes pariétaux, située après le cortex moteur et qui lui est parallèle spécialisée dans la réception d'informations provenant des récepteurs sensitifs, de la peau, et de la mobilité des différentes parties du corps. Nous appelons maintenant ce domaine, le **cortex somesthésique** (Figure 2.24). Si l'on stimule un point situé au sommet de cette bande de tissu cérébral, la personne dit que quelqu'un l'a touchée sur l'épaule ; si l'on stimule un point sur le côté, la personne ressent quelque chose au niveau du visage.

Plus une région du corps est sensible, plus la partie du cortex somesthésique qui lui sera dévolue sera grande (Figure 2.24). Vos lèvres, très sensibles, se projettent sur une zone cérébrale plus grande que celle consacrée à vos orteils. C'est pourquoi on préfère s'embrasser avec les lèvres plutôt que se toucher les orteils. De même, les rats ont une zone importante du cerveau réservée aux sensations tactiles venant des vibrisses, et les hiboux aux sensations auditives.

Des scientifiques ont identifié d'autres aires où le cortex reçoit des informations provenant des autres sens que le toucher. En ce moment, vous recevez des informations visuelles dans le cortex visuel situé dans les lobes occipitaux à l'arrière de votre cerveau (**FIGURES 2.27** et **2.28**). Si on stimulait les lobes occipitaux, vous pourriez voir des éclairs de lumière ou des taches de couleur. (Dans un sens, nous *avons* vraiment des yeux dans le dos !) Ayant perdu une grande partie du lobe occipital droit, à la suite d'une ablation d'une tumeur, un ami souffrit de cécité qui frappait la moitié gauche de son champ de visuel. À partir de vos lobes occipitaux, les informations visuelles que vous êtes en train de traiter vont dans d'autres zones du cerveau spécialisées dans certaines tâches telles que l'identification des mots, la détection des émotions et la reconnaissance des visages.

Chaque son que vous entendez est traité par les aires auditives dans vos lobes temporaux (juste au-dessus de vos oreilles, voir Figure 2.28). La majeure partie de cette information auditive emprunte un circuit détourné, partant d'une oreille pour aboutir à la zone de réception des sons derrière l'oreille opposée. Si l'on stimulait votre cortex auditif, vous pourriez percevoir un son. Les examens IRM de personnes atteintes de schizophrénie montrent que les aires auditives du lobe temporal sont actives quand elles ont des *hallucinations* auditives (Lennox et al., 1999). Même le sifflement imaginaire ressenti par des personnes souffrant d'une perte auditive (s'il ne se manifeste que dans une seule oreille) est associé à l'activité du lobe temporal de l'hémisphère cérébral opposé (Muhlnickel, 1998).

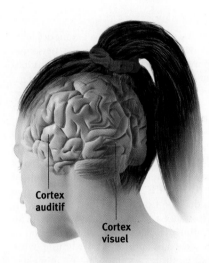

▼ FIGURE 2.28

Cortex visuel et auditif Le cortex visuel situé dans les lobes occipitaux se trouvant à l'arrière de votre cerveau reçoit l'information provenant de vos yeux. Le cortex auditif situé dans vos lobes temporaux (au-dessus de vos oreilles) reçoit l'information provenant de vos oreilles.

Cortex auditif

Cortex visuel

EXERCICE RÉCAPITULATIF

• Le cortex _____ perçoit le toucher et les sensations de mouvement. Le cortex _____ contrôle nos mouvements volontaires.

Réponses : somesthésique ; moteur

Les aires associatives Jusqu'à présent, nous nous sommes intéressés à de petites zones du cortex qui soit reçoivent des informations sensorielles et somesthésiques, soit dirigent la réponse motrice. Chez l'homme, cela correspond à peu près à un quart de la mince couche plissée recouvrant le cerveau. Que se passe-t-il donc dans cette vaste région du cortex ? Les neurones situés dans ces **aires associatives** (zones rosées sur la **FIGURE 2.29**) traitent des fonctions mentales supérieures, ces nombreuses tâches qui font de nous des êtres humains.

La stimulation électrique de ces aires associatives ne déclenche aucune réponse décelable. Contrairement aux aires motrices, sensorielles, et somesthésiques nous ne pouvons donc pas cartographier nettement les fonctions de ces aires associatives. Ce silence électrique a conduit à ce que Donald McBurney (1996, p. 44) qualifiait de « chiendent poussant dans le jardin de la psychologie » : le mythe selon lequel nous n'utilisons en général que 10 % des capacités de notre cerveau. (Comme s'il y avait 90 % de chances qu'une balle tirée dans votre cerveau atterrisse dans une zone que vous n'utilisez pas !) L'observation d'animaux ayant subi des lésions chirurgicales ou d'hommes au cerveau lésé nous apprend que les aires associatives ne sont pas dormantes. Au contraire, elles interprètent, intègrent et agissent sur les informations traitées et les relient aux souvenirs stockés, ce qui correspond à une partie très importante de la pensée. De simples tâches augmentent souvent l'activité dans de petites parcelles de cerveau ; cette augmentation est souvent inférieure à 10 %. Pourtant des tâches complexes recrutent de nombreux îlots de l'activité cérébrale : certaines d'ente elles sont automatiques ou semi-volontaires et non conscientes, d'autres sont volontaires (Chein & Schneider, 2012). Le cerveau est un système intégré, sans espace inerte, insensible à une balle perdue.

> **Cortex somesthésique :** zone située en avant des lobes pariétaux, qui enregistre et traite les sensations de toucher et de mouvement éprouvées par l'organisme.
>
> **Aires associatives :** aires du cortex cérébral qui ne sont pas impliquées dans des fonctions motrices ou somesthésiques primaires ; elles sont plutôt impliquées dans des fonctions mentales supérieures telles que l'apprentissage, la mémoire, la pensée et la parole.

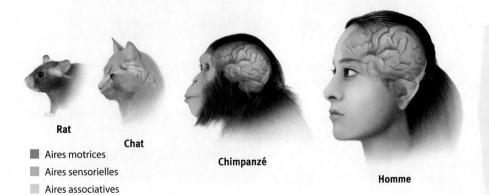

Rat

Chat

Chimpanzé

Homme

■ Aires motrices
■ Aires sensorielles
■ Aires associatives

▼ FIGURE 2.29

Zones du cortex chez quatre mammifères Les animaux les plus intelligents ont les aires corticales associatives les plus développées. Ces vastes zones du cerveau sont responsables de l'interprétation, de divers stimuli, de l'analyse de leur pertinence, de la liaison avec les autres aires primaires, donc de leur intégration, en vue de la planification de l'action. Elles sont responsables aussi du stockage et du rappel mnésique des informations.

Plasticité : capacité du cerveau à se modifier, en particulier chez l'enfant, en se réorganisant après une lésion ou en développant de nouvelles voies fondées sur l'expérience.

Les aires associatives sont réparties dans les quatre lobes. Le *cortex préfrontal*, à l'avant des lobes frontaux nous permet de juger, de planifier et de traiter de nouveaux souvenirs. Les personnes atteintes de lésions des lobes frontaux peuvent avoir des souvenirs intacts, des notes élevées aux tests d'intelligence, et de grandes compétences en pâtisserie par exemple. Pourtant, elles ne seraient pas en mesure de planifier *ni de commencer* la confection d'un gâteau pour fêter un anniversaire (Huey et al., 2006).

Les lésions du lobe frontal peuvent également altérer la personnalité d'un individu, en levant les inhibitions. Le cas classique de Phineas Gage, un ouvrier du chemin de fer, en est la preuve. Un après-midi de 1848, Gage, alors âgé de 25 ans, était en train de mettre, à l'aide d'une barre d'acier de la poudre explosive dans une cavité d'une roche. Une étincelle enflamma la poudre, projetant en l'air la barre d'acier qui traversa sa joue gauche et ressortit par le sommet du crâne, endommageant gravement les lobes frontaux (**FIGURE 2.30**). La barre métallique a non seulement endommagé une partie des neurones du lobe frontal gauche de Gage, mais aussi environ 11 % de ses axones qui relient les lobes frontaux à l'ensemble du cerveau (Van Horn et al., 2012). À la stupéfaction de tous, Gage fut immédiatement capable de s'asseoir et de parler ; il reprit son travail une fois la blessure cicatrisée. Mais après avoir perdu une partie des voies nerveuses qui permettaient aux lobes frontaux de contrôler ses émotions, l'homme à la voix douce affable était maintenant irritable, grossier, et malhonnête. Cette personne, disaient ses amis, « n'était plus Gage ». Bien que ses capacités mentales et sa mémoire fussent intactes, ce n'était pas le cas de sa personnalité. (Même s'il perdit son travail de cheminot, il finit par s'adapter à sa blessure et retrouva un travail comme conducteur de diligence [Macmillan et Lena, 2010].)

Des études de sujets ayant eu des lésions des lobes frontaux ont mis en évidence des handicaps semblables. Non seulement elles étaient moins inhibées (le lobe frontal ne réfrénant plus leurs pulsions), mais leurs jugements moraux ne semblaient plus freinés par les émotions normales. Conseilleriez-vous de pousser quelqu'un devant un wagon lancé à pleine vitesse pour en sauver cinq autres ? La plupart d'entre nous ne le pourraient pas, contrairement aux personnes qui présentent des lésions des aires cérébrales situées à l'arrière des yeux (Koenigs et al., 2007). Ces personnes dont les lobes frontaux ont été lésés, perdent les repères moraux de leur comportement.

Les aires associatives accomplissent également d'autres fonctions mentales. Par exemple, les lobes pariétaux, de taille importante et de forme peu commune chez Einstein (dont le cerveau avait un poids normal), jouent un rôle dans les raisonnements mathématiques et les raisonnements dans l'espace (Witelson et al., 1999). La stimulation d'une zone du lobe pariétal de patients subissant une intervention neurochirurgicale produit la sensation qu'ils souhaitent bouger un bras, leurs lèvres ou leur langue (sans toutefois faire réellement de mouvements). Si on augmente la stimulation, les sujets croiront à tort qu'ils *ont* réellement bougé. Curieusement, lorsque les chirurgiens stimulent une autre aire associative près du cortex moteur dans les lobes frontaux, les patients bougeront mais n'auront pas conscience de l'avoir fait (Desmurget et al., 2009). Ces résultats étranges suggèrent que notre perception des mouvements ne provient pas du mouvement lui-même mais plutôt de notre intention et des résultats que nous attendons.

▼ FIGURE 2.30
Anatomie et histoire (a) le crâne de Phineas Gage a été conservé comme document anatomique. Les mesures et les techniques modernes de neuro-imagerie ont permis aux chercheurs de reconstituer la trajectoire probable de la tige métallique à travers le cerveau de Gage (Van Horn et al., 2012).
(b) Cette photo montre Ph. Gage après son accident. (L'image a été inversée pour les besoins de la démonstration. Les premières photos, y compris celle-ci, en étaient des images en miroir.)

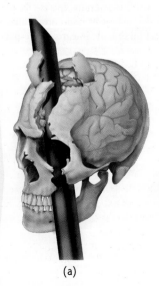

Collection de Jack et Beverly Wilgus

(a)   (b)

Sur la face inférieure du lobe temporal droit, une autre zone de l'association nous permet de reconnaître les visages. Si un accident vasculaire ou une blessure à la tête détruisent cette aire, vous serez encore capable de décrire les caractéristiques du visage et de reconnaître le sexe et l'âge de quelqu'un, mais vous serez bizarrement incapable de reconnaître la personne, comme par exemple, votre grand-mère.

Toutefois, nous devons rester prudents avant d'utiliser les images des « points rouges » du cerveau pour créer une nouvelle phrénologie qui localiserait les fonctions nerveuses complexes dans une région cérébrale précise (Uttal, 2001). Les fonctions mentales complexes ne sont pas localisées dans un endroit unique. Il n'existe pas, dans le petit cortex associatif du rat, une zone unique qui, une fois détruite, va effacer sa capacité à apprendre à se diriger dans un labyrinthe, ou à le reconnaître La mémoire, le langage et l'attention résultent de la coordination étroite de nombreuses aires du cerveau et du réseau neuronal (Knight, 2007). Il en est de même des expériences religieuses. Plus de 40 aires corticales deviennent actives au cours des divers états religieux, comme la prière et la méditation. De ce fait il n'y a pas une aire corticale de la foi religieuse (Fingelkurts et Fingelkurts, 2009). *Point à retenir* : nos expériences mentales proviennent de l'activité coordonnée de notre cerveau.

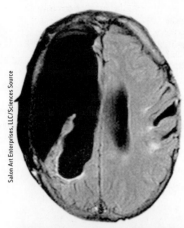

<small>Salon Art Enterprises, LLC/Sciences Source</small>

EXERCICE RÉCAPITULATIF

- Pourquoi les aires associatives sont-elles importantes ?

Réponse : Les aires associatives sont impliquées dans la régulation des fonctions supérieures en agissant sur l'interprétation, l'intégration des informations par les aires plus spécialisées.

La plasticité du cerveau

2-11 Jusqu'à quel point un cerveau lésé peut-il se réorganiser de lui-même ? Que signifie le terme de neurogenèse ?

Le cerveau n'est pas uniquement façonné par nos gènes, mais aussi par nos expériences. Des IRM montrent que les pianistes bien entraînés présentent une zone du cortex auditif plus importante que la normale qui code les sons du piano (Bavelier et al., 2000 ; Pantev et al., 1998). Dans le Chapitre 4, nous allons nous concentrer davantage sur la façon dont l'expérience façonne le cerveau. Mais, pour l'instant, voyons les études qui ont mis en évidence la **plasticité** cérébrale, c'est-à-dire la capacité du cerveau à s'automodifier après certains types de lésions.

Certaines lésions du système ont mis en évidence deux choses : (1) les neurones du cerveau et de la moelle qui sont détruits, contrairement à la peau blessée, généralement ne se régénèrent pas. (Si votre moelle épinière est lésée, il est probable que vous resterez paralysé à vie). (2) Et certaines fonctions cérébrales très spécifiques semblent pré-assignées à des zones précises. Un nouveau-né qui souffre d'une lésion des zones de reconnaissance des visages sur les deux lobes temporaux ne récupérera jamais une capacité normale à reconnaître les visages (Farah et al., 2000). Cependant, voici une bonne nouvelle : certains tissus nerveux peuvent se *réorganiser* en réponse aux lésions subies. Sans que nous en ayons conscience, notre cerveau change constamment, et établit de nouvelles voies pour s'ajuster après de légers incidents, ou de nouvelles expériences.

La plasticité cérébrale peut également entrer en jeu après des lésions graves, en particulier chez les jeunes enfants (Kolb, 1989 ; voir aussi **FIGURE 2.31**). *La thérapie par contrainte induite a pour* but de « reprogrammer » le cerveau pour améliorer la dextérité d'un enfant au cerveau lésé ou même d'un adulte victime d'un accident vasculaire cérébral (Taub, 2004). En bloquant un membre fonctionnant parfaitement, le thérapeute force l'utilisation de la « mauvaise main » ou de la jambe non coopérative, reprogrammant peu à peu le cerveau. Le traitement d'un chirurgien de 50 ans, victime d'un AVC, a consisté à nettoyer une table alors que sa main et son bras valides étaient bloqués. Peu à peu le bras « défaillant » a retrouvé ses capacités. À mesure que les fonctions de la partie lésée de son cerveau ont migré dans d'autres régions cérébrales, il a réappris à écrire et même à jouer au tennis (Doidge, 2007).

Cette plasticité cérébrale est une bonne nouvelle pour les aveugles et les sourds. La cécité ou la surdité rendent les aires du cerveau non utilisées disponibles pour d'autres fonctions (Amedi et al., 2005). Si une personne aveugle utilise un doigt pour lire le braille, la zone cérébrale consacrée à ce doigt va se développer à mesure que le sens du toucher envahit le cortex visuel qui permet habituellement à l'individu de voir (Barinaga, 1992a ; Sadato et al., 1996). La plasticité permet également d'expliquer pourquoi, selon certaines études, les sourds ont une vision périphérique et une capacité de détection des mouvements plus développées (Bosworth et Dobkins, 1999 ; Shiell et al., 2014). Chez les personnes sourdes dont la langue maternelle est la langue des signes, la région du lobe temporal, aire de l'audition, attend en vain d'être stimulée. Alors, le cerveau cherche d'autres types de signaux à interpréter, comme les signaux stimulant les aires visuelles.

<small>Joe McNally/Joe McNally Photographie</small>

▼ **FIGURE 2.31**

Plasticité cérébrale Cette jeune fille âgée de 6 ans a subi une intervention chirurgicale pour éliminer les crises d'épilepsies dont elle souffrait et qui étaient une menace vitale. Elle a subi l'ablation chirurgicale presque totale de l'hémisphère (voir l'image IRM de son hémisphérectomie ci-dessus), mais l'hémisphère restant a compensé cette perte en activant d'autres zones. Une équipe médicale de Johns Hopkins s'est intéressée aux hémisphérectomies qu'ils ont effectuées. Bien que l'utilisation du bras opposé reste compromise, ils avouent avoir été « stupéfaits » de voir les enfants conserver leur mémoire, leur personnalité et leur sens de l'humour (Vining et al., 1997). Plus l'enfant est jeune, plus il y a de chances que l'hémisphère restant se charge des fonctions assurées par l'hémisphère objet de l'ablation chirurgicale (Choi, 2008 ; Danelli et al., 2013).

Neurogenèse la formation de nouveaux neurones.

Corps calleux large bande de substance blanche formée de fibres reliant les deux hémisphères et permettant leur coopération.

« Split brain », cerveau dédoublé une affection due à une intervention chirurgicale qui isole les deux hémisphères en sectionnant les fibres (principalement celles du corps calleux) les reliant.

Des réarrangements semblables peuvent se produire lorsqu'une maladie ou une lésion dégage d'autres régions cérébrales normalement dévolues à des fonctions spécifiques. Si une tumeur de l'hémisphère gauche, se développant lentement, perturbe le langage (qui réside essentiellement dans l'hémisphère gauche) l'hémisphère droit peut compenser ce déficit (Thiel et al., 2006). Perdez un doigt et le cortex sensoriel qui reçoit les données afférentes commencera à recevoir les influx des doigts adjacents, qui deviendront plus sensibles (Fox, 1984). Pouvez-vous imaginer les sensations ressenties, lors d'une relation sexuelle, par un patient dont la jambe a été amputée ? « Je ressens l'orgasme sexuel se propager dans mon pied (fantôme). [Noter la proximité des organes génitaux et du pied, Figure 2.24] Et cet orgasme est bien plus important qu'avant car il ne se limite plus à mes organes génitaux » (Ramachandran et Blakeslee, 1998, p. 36).

Bien que le cerveau essaye souvent de se réparer tout seul en réorganisant les tissus existants, il essaye aussi parfois de se réparer en produisant de nouvelles cellules cérébrales. Ce processus appelé **neurogenèse** a été observé chez les souris, les oiseaux, les singes et les hommes adultes (Jessberger et al., 2008). Ces jeunes neurones prennent naissance dans les zones profondes du cerveau, puis migrent dans une autre partie et forment de nouvelles connexions avec les neurones avoisinants (Aimone et al., 2010 ; Gould, 2007).

Les essais nucléaires pendant la guerre froide, entre 1945 et 1963, ont curieusement, beaucoup plus tard, permis aux scientifiques de confirmer la néogenèse neuronale. Les explosions ont libéré des isotopes radioactifs du carbone, ce qui a permis une datation des neurones de l'hippocampe, centre essentiel de la rétention mnésique. En détectant les neurones nés depuis lors, les chercheurs ont découvert que 700 neurones de l'hippocampe naissaient chaque jour, donnant un taux annuel de renouvellement proche de 2 % (Kempermann, 2013 ; Spalding, 2013). Nos bombes nous ont appris quelque chose sur le fonctionnement du cerveau !

On a découvert des « cellules souches » dans le cerveau fœtal de l'homme capables de se transformer en n'importe quel type de cellules cérébrales. Si elles étaient produites en grande quantité dans un laboratoire puis injectées dans un cerveau lésé, se pourrait-il que ces cellules souches nerveuses puissent remplacer les cellules perdues du cerveau ? Serait-il possible d'imaginer qu'un jour des chirurgiens puissent reconstruire des cerveaux endommagés de la même manière que l'on replante la pelouse abîmée d'un jardin ? Restez à l'écoute ! De nos jours, les laboratoires de biotechnologie travaillent d'arrache-pied sur ces possibilités. Pendant ce temps, nous pouvons tous tirer profit des promoteurs naturels de la neurogenèse comme l'exercice, le sommeil et les environnements stimulants non stressants (Iso et al., 2007 ; Pereira et al., 2007 ; Stranahan et al., 2006).

Notre cerveau partagé en deux hémisphères

2-12 Que nous révèlent les cerveaux dédoublés sur les fonctions de nos deux hémisphères cérébraux ?

Nos deux hémisphères droit et gauche, qui se ressemblent, assurent des fonctions différentes. Cette *spécialisation* des hémisphères (ou latéralisation) est visible après une lésion cérébrale. Les recherches effectuées depuis plus d'un siècle ont mis en évidence que les blessures, les accidents vasculaires ou les tumeurs touchant l'hémisphère gauche peuvent perturber la lecture, l'écriture, la parole, le raisonnement mathématique et la compréhension. Les lésions similaires de l'hémisphère droit ont des effets qui, visiblement, sont moins dramatiques. Est-ce à dire que l'hémisphère droit n'est qu'un accompagnant ? Beaucoup le croyaient jusqu'au moment où, en 1960, les chercheurs ont découvert que l'hémisphère droit « mineur » n'était pas si limité que cela. Alors s'ouvre un nouveau et fascinant chapitre de la psychologie.

Dédoublement du cerveau

En 1961, Philip Vogel et Joseph Bogen, deux neurochirurgiens de Los Angeles, se fondant sur des études animales rapportèrent les premiers résultats du traitement chirurgical des crises d'épilepsie sévères et généralisées L'hypothèse était qu'elles étaient provoquées par l'amplification d'une activité anormale du transfert d'un hémisphère à l'autre. Ils se demandèrent donc s'il serait possible de mettre fin à cette « partie de tennis biologique » en sectionnant le **corps calleux**, large bande de fibres blanches axonales reliant les deux hémisphères et transportant les messages de l'un à l'autre (voir **FIGURE 2.32**). Vogel et Bogen savaient que les psychologues Roger Sperry, Ronald

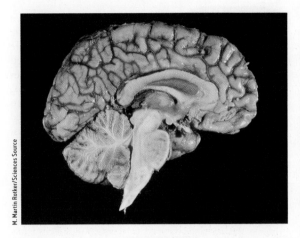

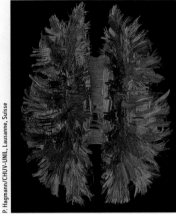

▼ FIGURE 2.32

Le corps calleux large bande de substance blanche formée de fibres reliant les deux hémisphères et permettant leur coopération. Pour photographier la moitié d'un encéphale, un chirurgien a séparé les hémisphères en disséquant le corps calleux, les régions sous-corticales, les régions cérébelleuses et le tronc cérébral (image de gauche). L'image haute résolution par spectrométrie de diffusion sur la droite, montrant une vue de dessus, révèle les réseaux neuronaux dans les deux hémisphères, et leur liaison par le corps calleux.

Myers et Michael Gazzaniga avaient dédoublé de cette manière le cerveau de chats ou de singes sans effets secondaires importants.

Ils décidèrent donc d'opérer. Le résultat ? Presque toutes les crises convulsives disparurent. Les patients dont le **cerveau était ainsi dédoublé**, semblaient étonnamment normaux, leur personnalité et leur intelligence étant à peine affectées. En se réveillant de l'opération, un patient se mit même à plaisanter en disant qu'il avait un « mal de tête intense » (Gazzaniga, 1967). En nous faisant partager leurs expériences, ces patients ont grandement amélioré notre connaissance des interactions des deux hémisphères, normalement reliés par le corps calleux.

Pour apprécier ces résultats, concentrons-nous quelques minutes sur la nature singulière de notre circuit visuel (Illustration **FIGURE 2.33**) (Notez, que chaque œil reçoit des informations sensorielles venant de la totalité du champ visuel.) Comme l'explique la figure 2.33, l'information provenant de la partie gauche de votre champ visuel est reçue par votre hémisphère droit, et l'information de la partie droite de votre champ visuel aboutit à votre hémisphère gauche, qui contrôle normalement le langage. Les données reçues par l'un des deux hémisphères sont rapidement transmises à l'autre via le corps calleux. Chez un patient dont le corps calleux a été sectionné, cet échange d'information n'a pas lieu.

Connaissant ces propriétés, Sperry et Gazzaniga pouvaient envoyer des informations à l'hémisphère gauche ou droit d'un patient. Le sujet fixant un point, ils ont envoyé un stimulus lumineux rapide à sa droite ou à sa gauche. Ils pourraient faire la même chose avec vous, mais dans le cas de votre cerveau intact, l'hémisphère ayant reçu l'information, la transmettrait immédiatement à son homologue, du côté opposé. Comme l'intervention chirurgicale dédoublant le cerveau en séparant les deux hémisphères par section des fibres blanches les reliant, les chercheurs peuvent interroger séparément chaque hémisphère.

Au cours d'une des premières expériences, Gazzaniga (1967) demanda à des patients au cerveau dédoublé de fixer un point pendant qu'il projetait le mot CO•EUR sur un écran (**FIGURE 2.34**, page suivante). Ainsi, CO fut projeté dans leur champ visuel gauche (qui transmet à la partie droite du cerveau) et EUR dans leur champ visuel droit (qui transmet à la partie gauche du cerveau). Quand il leur a demandé de *dire* ce qu'ils avaient vu, les patients ont rapporté qu'ils avaient vu EUR. Mais lorsqu'on leur demande de *pointer* le mot qu'ils avaient vu, ils ont été surpris lorsque leur main gauche (contrôlée par l'hémisphère droit) a souligné CO. Si on leur

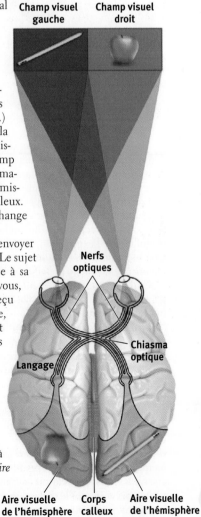

Champ visuel gauche   **Champ visuel droit**

Nerfs optiques

Chiasma optique

Langage

Aire visuelle de l'hémisphère gauche   **Corps calleux**   **Aire visuelle de l'hémisphère droit**

▼ FIGURE 2.33

Une autoroute de l'information entre l'œil et le cerveau

▼ FIGURE 2.34
Un crâne, deux esprits Lorsque l'expérimentateur fait clignoter le mot HEART dans le champ visuel d'une patiente ayant subi une section du corps calleux, dont le cerveau est dédoublé, celle-ci rapporte verbalement voir la partie du mot transmis à son hémisphère gauche. Cependant, si on lui demandait d'indiquer avec sa main gauche ce qu'elle a vu, elle montre la partie du mot transmis à son hémisphère droit. (De Gazzaniga, 1983.)

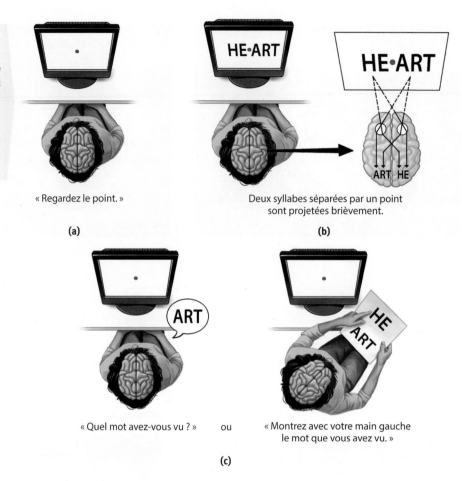

« Regardez le point. »

(a)

Deux syllabes séparées par un point sont projetées brièvement.

(b)

« Quel mot avez-vous vu ? »   ou   « Montrez avec votre main gauche le mot que vous avez vu. »

(c)

« Que ta main gauche ne sache pas ce que fait la droite. »

Matthieu 6:3, La Sainte Bible, L. Segond

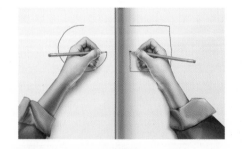

▼ FIGURE 2.35
Essayez ça ! Les patients qui ont subi une intervention neurochirurgicale avec section du corps calleux peuvent dessiner deux formes géométriques différentes simultanément avec leurs deux mains.

donne l'occasion de s'exprimer individuellement, chaque hémisphère va décrire uniquement ce qu'il a vu. Le cerveau droit (contrôlant la main gauche) savait, intuitivement, ce qu'il ne pouvait pas désigner verbalement, le centre de la parole étant situé dans l'hémisphère opposé.

Lorsque l'image d'une petite cuillère fut projetée à leur hémisphère droit, les patients furent incapables de *dire* ce qu'ils avaient vu. Mais lorsqu'on leur demanda *d'identifier* ce qu'ils avaient vu en tâtant avec leur main gauche un assortiment d'objets cachés, ils sélectionnèrent aisément la cuillère. Si l'expérimentateur dit : « Correct ! » le patient pourrait répondre : « Quoi ? Exact ? Comment pourrais-je choisir le bon objet quand je ne sais pas ce que j'ai vu ? » Il est, bien sûr, l'hémisphère gauche du fait de parler ici, abasourdi par ce que l'hémisphère droit non verbal sait.

Certaines personnes ayant subi une chirurgie de déconnexion interhémisphérique ont été temporairement perturbées par l'indépendance incontrôlable de leur main gauche, qui pouvait très bien déboutonner une chemise alors que la main droite la boutonnait, ou encore remettre les articles dans les rayons d'un magasin alors que la main droite venait de les mettre dans le chariot. C'était comme si chaque hémisphère pensait séparément : « j'ai à moitié envie de porter ma chemise verte (bleue) aujourd'hui ». En fait, précise Sperry (1964), cette chirurgie de déconnexion laisse les personnes opérées avec « deux esprits séparés ». Avec un cerveau dédoublé, les deux hémisphères peuvent comprendre et suivre l'instruction pour dessiner des figures différentes, *simultanément*, avec la main gauche et la main droite (Franz et al., 2000 ; voir aussi **FIGURE 2.35**). (En lisant ces récits, je m'amuse à l'idée qu'une personne au cerveau dédoublé puisse jouer toute seule au jeu de « pierre, papier, ciseaux » : main gauche contre main droite.) (D.M.)

Lorsque les « deux esprits » sont en conflit, l'hémisphère gauche effectue une gymnastique mentale pour rationaliser les réactions qu'il ne comprend pas. Si un patient obéit à un ordre envoyé à l'hémisphère droit (« marche »), il se produit des choses étranges. L'hémisphère gauche ne sait pas pourquoi le patient commence à marcher. Si on lui demande « pourquoi » il marche, le patient ne dit pas « je ne sais pas ». Au lieu de cela, l'hémisphère gauche improvise « je vais dans la maison pour prendre un coca ». Michael Gazzaniga (1988), qui considère que ces patients sont « les plus fascinants du monde », conclut donc que l'hémisphère gauche est un « interprète » qui élabore instantanément des explications. Le cerveau, conclut-il, fonctionne souvent sur pilote automatique ; il agit d'abord et explique ensuite.

EXERCICE RÉCAPITULATIF

- (1) Si à un sujet ayant un cerveau dédoublé, nous envoyons un stimulus lumineux de couleur rouge à l'hémisphère droit, et un de couleur verte à l'hémisphère gauche, détecteront-ils chacun la couleur du stimulus ? (2) Est-ce que le sujet saura que les couleurs des stimuli sont différentes ? (3) Quelle est la vision que la personne décrira verbalement ?

Réponses : 1. oui, 2. non, 3. vert.

Différences gauche/droite du cerveau intact

Qu'en est-il des plus de 99,99 % + d'entre nous dont le cerveau est unifié, grâce au corps calleux ? Chacun de *nos* hémisphères effectue-t-il des fonctions différentes ? Plusieurs types d'études ont montré que c'était le cas. Lorsque quelqu'un accomplit une tâche de *perception*, l'activité électrique du cerveau, le flux sanguin cérébral et la consommation de glucose augmentent dans l'hémisphère *droit* ; lorsqu'une personne parle ou calcule, l'activité augmente dans l'hémisphère *gauche*.

La spécialisation des hémisphères est mise en évidence de façon encore plus nette avant certaines opérations de neurochirurgie du cerveau. Pour repérer la localisation du centre du langage, le chirurgien injecte un sédatif dans l'artère du cou qui alimente l'hémisphère gauche qui contrôle généralement le langage. Avant l'injection, le patient est couché les bras en l'air en discutant librement avec le médecin. Pouvez-vous deviner ce qui va se produire lorsque le produit se répandra dans l'artère conduisant à l'hémisphère gauche ? En quelques secondes, le bras droit va retomber, inerte. Si l'hémisphère gauche contrôle le langage, le sujet sera en général muet jusqu'à ce que l'effet de la substance sédative se dissipe. Lorsque la substance est injectée dans l'artère conduisant à l'hémisphère droit, le bras *gauche* retombe mollement, mais le sujet peut encore parler.

Pour le cerveau, le langage est un langage, qu'il soit parlé ou qu'il soit fait de signes. Des études ont montré que, de la même façon que les entendants utilisent l'hémisphère gauche pour traiter le langage, les sourds utilisent l'hémisphère gauche pour traiter le langage des signes (Corina et al., 1992 ; Hickok et al., 2001). Un accident vasculaire dans l'hémisphère gauche va ainsi affecter la capacité d'expression en langage des signes chez un sourd comme il va troubler chez un entendant l'utilisation de la parole (Corina, 1998).

Bien que l'hémisphère gauche soit très habile pour interpréter le langage de façon rapide et fidèle, l'hémisphère droit :

- *Excelle dans le domaine des déductions subtiles* (Beeman et Chiarello, 1998 ; Bowden et Beeman, 1998 ; Mason et Just, 2004). Si on projette rapidement le mot *pied*, l'hémisphère gauche va rapidement reconnaître un mot sémantiquement proche comme *talon*. Mais si on lui présente un problème qui requiert de l'intuition : un mot qui soit associé à *chaussure de marche*, *été* et *terrain* ? C'est l'hémisphère droit qui accédera plus facilement à la solution : *camp de scout*. Comme l'a expliqué un patient ayant souffert d'un accident vasculaire cérébral de l'hémisphère droit, « je comprends des mots, mais il me manque les sous-titres » ; Le côté droit du cerveau rempli mieux que le gauche, les tâches suivantes : copie de dessins, reconnaissance des visages en remarquant les différences, ressentir les émotions et les exprimer par la mobilité du côté le plus expressif du visage, le côté gauche. Les lésions de l'hémisphère droit, endommagent ces capacités de façon importante.

- *Cet hémisphère nous aide à* moduler notre discours afin de lui apporter une signification claire, comme lorsque nous disons la phrase « as-tu des sous, Pierre ? » au lieu de « as-tu des soupières ? » (Heller, 1990).

- *Il aide à l'élaboration de la conscience de soi* Les patients souffrant de paralysie partielle s'obstinent parfois à nier leur handicap si la lésion endommage l'hémisphère droit, déclarant étrangement qu'ils peuvent bouger leur membre paralysé (Berti et al., 2005).

En jetant un simple regard sur les deux hémisphères, dont l'apparence est identique à l'œil nu, qui pourrait supposer qu'ils contribuent de façon si singulière à l'harmonie de l'ensemble ? Et pourtant, un grand nombre d'observations, comprenant des sujets au cerveau dédoublé et des personnes avec un cerveau normal, et même des cerveaux d'autres espèces animales, convergent admirablement vers un même point, ne laissant aucun doute sur le fait que nous avons des « cerveaux unifiés » avec des parties spécialisées (Hopkins et Cantaloupo, 2008 ; MacNeilage et al., 2009 ; et voir le gros plan : la latéralité).

Être gaucher

2-13 Que nous apprend la recherche sur le fait d'être gaucher ? Est-il avantageux d'être droitier ?

Près de 90 % d'entre nous sont principalement droitiers (Leask & Beaton, 2007 ; Medland et al., 2004 ; Peters et al., 2006). La plupart des gens « shootent » avec leur pied droit et regardent au microscope avec leur œil droit. Quelque 10 % d'entre nous (un peu plus chez les hommes, un peu moins chez les femmes) sont gauchers. (Peu écrivent avec leur main droite et lancent une balle, par exemple, avec leur main gauche, et inversement.) Pour presque tous les droitiers (96 %) le processus de la parole, du langage, prend naissance dans l'hémisphère gauche, qui tend à être légèrement plus important (Bishop, 2013). La spécialisation fonctionnelle hémisphérique est plus diverse pour les gauchers. Pour sept individus gauchers sur dix le processus de la parole, du langage, prend naissance dans l'hémisphère gauche, comme pour les droitiers. Chez les trois autres sujets gauchers, ce processus prend naissance dans l'hémisphère droit ou dans les deux hémisphères.

Être gaucher est-il héréditaire ?

À en juger par les dessins préhistoriques humains rupestres, les outils, la morphologie des os de la main et du bras, cette tendance à la « droiterie » est apparue très tôt dans l'histoire de l'humanité (Corballis, 1989 ; MacNeilage et al., 2009). Être droitier, la droiterie, prévaut dans toutes les cultures humaines, et même chez les chimpanzés (Hopkins, 2013). En outre, la droiterie est antérieure à l'éducation : Plus de 9 à 10 fœtus sucent le pouce de la main droite. Les études de jumeaux indiquent que la part de la génétique sur la latéralité individuelle est faible (Vuoksimaa et al., 2009). Mais la prévalence universelle des droitiers chez les humains et les autres primates suggère que, soit des gènes, soit des facteurs prénataux influencent la latéralité.

Alors, existe-t-il un avantage à être gaucher ?

À en juger par nos conversations quotidiennes, il semble qu'être gaucher ne soit pas bien vu. C'est à peine mieux que d'être « gauche » D'autre part, être droitier c'est « être adroit », c'est « être droit », c'est pouvoir être le « bras droit » de quelqu'un ; c'est être dans le droit chemin.

La « gaucherie » est plus fréquente chez les personnes ayant des difficultés à l'apprentissage de la lecture, souffrant d'allergies et de migraines (Geschwind & Behan, 1984). Mais une étude menée en Iran, où les étudiants signalent leur latéralité lors de l'examen d'entrée à l'université, a montré que les sujets gauchers avaient eu de meilleurs résultats que les droitiers, et ce, dans toutes les matières (Noroozian et al., 2003). Être gaucher est également plus fréquent chez les musiciens, mathématiciens, les joueurs de baseball professionnels, les joueurs de cricket, les architectes et les artistes, y compris des artistes de génie comme Michel-Ange, Léonard de Vinci, et Picasso[2]. Bien que les gauchers soient gênés, à table, pour siéger à un bureau fait

Nati Harnik/AP Photo

Le plus rare des joueurs de baseball : un lanceur ambidextre En utilisant un gant avec deux pouces, le lanceur de Creighton University, Pat Venditte, ici dans un match de 2008, lance avec sa main droite aux adversaires droitiers, puis avec sa main gauche, pour affronter les adversaires gauchers. Un ballet de lancers eut lieu tout au long du match en fonction des adversaires. Les arbitres finalement mirent fin à ce ballet en appliquant une règle peu connue : Un lanceur doit déclarer quel bras il va utiliser avant de faire son premier lancer (Schwarz, 2007).

pour les droitiers, en utilisant maladroitement des ciseaux faits pour les mains droites, les avantages et les inconvénients d'être gaucher semblent s'équilibrer.

EXERCICE RÉCAPITULATIF

- Chez presque tous les droitiers le processus de la parole et du langage prend naissance dans l'hémisphère _____ ; chez la plupart des gauchers le processus de la parole et du langage prend naissance dans l'hémisphère _____ ;

Réponse : gauche ; gauche. Chez les autres sujets gauchers, ce processus prend naissance dans l'hémisphère droit ou dans les deux hémisphères.

2. Des facteurs stratégiques expliquent le pourcentage plus élevé que la normale de gauchers dans le sport. Par exemple, il est bon pour une équipe de football de placer des joueurs shootant du pied gauche, sur le côté gauche du champ (Wood & Aggleton, 1989). Au golf, cependant, aucun gaucher n'avait remporté les Masters, jusqu'à la victoire du canadien Mike Weir, en 2003.

* * *

Dans ce chapitre, nous avons un aperçu d'un principe de base : tout événement psychologique est en même temps biologique. Nous avons montré de quelles façons nos pensées, nos sentiments et nos actions pouvaient naître de notre cerveau à la fois spécialisé et intégré. Les chapitres à venir vont explorer plus profondément la signification de la révolution biologique en psychologie.

De la phrénologie du XIXe siècle jusqu'aux neurosciences d'aujourd'hui, nous avons parcouru une longue route. Mais, ce qui est inconnu l'emporte encore sur ce qui est connu. Nous pouvons décrire le cerveau. Nous pouvons apprendre les fonctions remplies par ses différentes parties. Nous pouvons étudier comment ces parties communiquent. Mais comment peut-on séparer l'esprit de la matière qui l'engendre ? Comment est-il possible que le simple ronronnement électrochimique d'un gros morceau de tissu de la taille d'un cœur de laitue puisse susciter de l'allégresse, des idées créatives ou les souvenirs que l'on a de sa grand-mère ?

Selon Sperry, de la même manière que l'air et le gaz, au-delà d'une certaine concentration, donnent naissance à un élément différent – le feu –, le cerveau humain complexe donne également naissance à un élément différent, la *conscience*. Il soutient que l'esprit émerge d'un ballet d'ions dans le cerveau, mais cela ne se résume pas à cela. Comme Donald MacKay (1978) chercheur en neurosciences l'a déclaré, « Mon activité cérébrale reflète ce que je pense, comme l'activité d'un ordinateur reflète l'équation qu'il est entrain de résoudre. » Les activités de l'esprit et du cerveau sont indissociables (pas de cerveau, pas d'esprit), a-t-il noté, mais elles sont complémentaires et conceptuellement distinctes.

On ne peut pas se limiter à l'activité des atomes pour expliquer le fonctionnement des cellules, ni à l'activité des cellules pour expliquer l'esprit. La psychologie est enracinée dans la biologie qui s'imbrique à son tour dans la chimie qui est régie par des lois de la physique. Cependant, la psychologie est bien plus que de la physique appliquée. Comme nous l'a rappelé Jerome Kagan (1998), la signification du discours de Lincoln à Gettysburg (The Gettysburg Address) ne se réduit pas à l'activité de nos neurones. Une relation sexuelle ne se limite pas à un afflux sanguin vers les organes génitaux. D'après Sperry (1992), on peut envisager les notions de responsabilité et de moralité une fois que l'on commence à concevoir l'esprit comme un « système holistique » (**FIGURE 2.36**). Nous ne sommes pas de simples robots bavards. Le cerveau élabore la pensée. Et la pensée façonne à nouveau le cerveau.

« Le cerveau fait le psychisme, l'esprit le comprend »

Tweet du psychologue Steven Pinker, 10 juin 2013

« La cause d'une action est-elle psychologique ou biologique ? » Cette mauvaise question n'amène pas de réponse. « Tous les états psychologiques sont aussi biologiques ».

« Est-ce votre cerveau qui vous dit de faire ce que vous faites ? » demandent les psychologues John Monterosso et Barry Schwartz, 2012

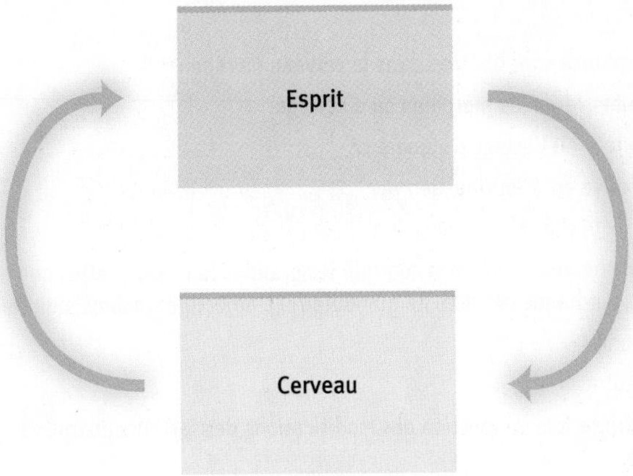

▼ FIGURE 2.36
L'esprit et le cerveau en tant que système holistique Selon Roger Sperry, le cerveau crée et contrôle l'esprit naissant, qui influence par la suite le cerveau. (Pensez très intensément que vous mordez dans un citron et vous saliverez peut-être.)

L'esprit cherchant à comprendre le cerveau : c'est en effet un des défis scientifiques suprêmes. Il est le propre objet de sa réflexion. Et il en sera toujours ainsi. Pour paraphraser le cosmologue John Barrow, un cerveau suffisamment simple pour être compris serait trop simple pour produire un esprit capable de le comprendre.

REVUE GÉNÉRALE Le cortex cérébral et notre cerveau divisé en deux hémisphères

OBJECTIFS D'APPRENTISSAGE

EXERCICE RÉCAPITULATIF Prenez un moment pour répondre à chacune de ces questions objectives d'apprentissage (répétées ici au sein de cette section). Puis aller à l'annexe C, révision complète du chapitre, pour vérifier vos réponses. La recherche suggère que d'essayer de répondre à ces questions de votre propre initiative permettra d'améliorer la mémorisation à long terme de ces réponses (McDaniel et al., 2009).

2-10 Quelles sont les fonctions desservies par les diverses régions du cortex cérébral ?

2-11 Jusqu'à quel point un cerveau lésé peut-il se réorganiser de lui-même ? Que signifie le terme de neurogenèse ?

2-12 Que nous révèlent les cerveaux dédoublés sur les fonctions de nos deux hémisphères cérébraux ?

2-13 Que nous apprennent les recherches menées chez les sujets gauchers ? Est-il avantageux d'être droitier ?

TERMES ET CONCEPTS À RETENIR

EXERCICE RÉCAPITULATIF Testez votre connaissance de ces termes en essayant d'écrire leur définition avant de vous reporter aux pages donnant les bonnes réponses

cortex cérébral, p. 74

lobes frontaux, p. 75

lobes pariétaux, p. 75

lobes occipitaux, p. 75

lobes temporaux, p. 75

cortex moteur, p. 75

cortex somesthésique, p. 78

aires associatives p. 79

plasticité, p. 81

neurogenèse, p. 82

corps calleux, p. 82

cerveau dédoublé, p. 83

ÉVALUEZ-VOUS LA BIOLOGIE DE L'ESPRIT

Évaluez-vous à plusieurs reprises tout au long de vos études. Cela permettra non seulement de vous aider à distinguer ce que vous savez de ce que vous ignorez mais aussi à vous faire bénéficier de l'effet test. Autrement dit, le test lui-même va vous aider à apprendre et à mémoriser l'information de manière plus efficace grâce précisément à ce qui est appelé l'effet test.

Les systèmes nerveux et endocriniens

1. La fibre neuronale qui véhicule des messages à travers ses ramifications à d'autres neurones, aux muscles aux glandes, est _____.

2. Le petit espace situé entre l'axone d'un neurone et le corps dendritique ou le soma, ou corps cellulaire, d'un autre est appelé :

   a. arborisation terminale.

   b. fibre dendritique.

   c. fente synaptique.

   d. seuil.

3. Si nous considérons la réponse d'un neurone à la stimulation, l'intensité du stimulus détermine

   a. si oui ou non une impulsion est générée.

   b. à quelle vitesse une impulsion est transmise.

   c. quelle sera l'intensité de l'impulsion.

   d. si la recapture se produira.

4. Dans un neurone « émetteur » présynaptique, ou préjonctionnel quand un potentiel d'action atteint l'extrémité de l'axone, l'impulsion déclenche la libération de messagers chimiques appelés _____.

5. Les endorphines sont libérées dans le cerveau en réponse à

   a. l'administration de morphine ou d'héroïne.

   b. la douleur ou l'exercice vigoureux.

   c. la réponse en « tout-ou-rien ».

   d. tout ce qui précède.

6. Le système nerveux autonome contrôle les grandes fonctions, telles que la fréquence cardiaque et l'activité glandulaire. L'adjectif *autonome* signifie

   a. apaisant.

   b. volontaire.

   c. autorégulation, en fonction des modifications des facteurs du milieu de vie.

   d. stimulant la vigilance.

7. Le système nerveux sympathique est activé lors de l'action, avec dépense d'énergie, et le système nerveux parasympathique est activé lors de la récupération, et de l'entretien de l'organisme. Ensemble, les deux systèmes constituent le système nerveux _____.

8. Les neurones de la moelle épinière font partie du système nerveux _____.

9. La glande endocrine la plus influente, connue sous le nom glande maîtresse, est

   a. l'hypophyse ou glande pituitaire.

   b. l'hypothalamus.

   c. la thyroïde.

   d. le pancréas.

10. Le _____ _____ sécrète (s) adrénaline et noradrénaline, stimule la vigilance et fournit l'énergie nécessaire au fonctionnement du corps pendant les périodes de stress.

Outils de découverte et structures cérébrales les plus anciennes

11. La partie du tronc cérébral qui contrôle la fréquence cardiaque et la respiration est :
    a. Le cervelet
    b. Le bulbe rachidien
    c. Le cortex.
    d. Le thalamus

12. Le thalamus est le centre de régulation
    a. du stockage mnésique.
    b. de l'équilibre.
    c. de la respiration
    d. de la somesthésie

13. La structure de l'encéphale, parmi les structures les moins évoluées, qui réagit à la stimulation est
    a. la moelle épinière.
    b. Le cervelet
    c. La formation réticulée
    d. Le bulbe rachidien

14. La partie du cerveau qui coordonne le mouvement volontaire et permet un apprentissage non verbal et la mémoire est le _____.

15. Deux des parties du système limbique sont l'amygdale et
    a. les hémisphères cérébraux.
    b. l'hippocampe.
    c. le thalamus
    d. l'hypophyse

16. Le comportement féroce d'un chat en réponse à la stimulation électrique du cerveau pourrait vous faire supposer que l'électrode avait touché _____.

17. La structure nerveuse qui régule plus directement les sensations de faim, de soif, et la température du corps est :
    a. le système endocrinien.
    b. l'hypothalamus.
    c. l'hippocampe.
    d. l'amygdale.

18. Le centre de récompense initialement découvert par Olds et Milner était situé dans le _____.

Le cortex cérébral et nos deux hémisphères

19. Si un neurochirurgien a stimulé votre cortex moteur droit, vous pourriez probablement
    a. voir la lumière.
    b. entendre un son.
    c. sentir un contact sur le bras droit.
    d. déplacer votre jambe gauche.

20. Comment les différents réseaux de neurones communiquent les uns avec les autres pour vous permettre de répondre à l'invitation d'un ami ?

21. Laquelle des régions suivantes est la plus représentée dans le cortex somesthésique ?
    a. Le haut du bras
    b. Les orteils
    c. Les lèvres
    d. Toutes les régions sont également représentées.

22. Le jugement et la planification de l'action sont régulés par les lobes _____.

23. Si vous ne disposiez pas des aires associatives du lobe temporal, que se passerait-il lors d'une conversation téléphonique ? Qu'entendriez-vous ? Que comprendriez-vous ?

24. Les aires cérébrales auxquelles des fonctions précises ne sont pas localisées et qui représentent environ les trois quarts du cortex sont appelées _____ _____.

25. La plasticité est particulièrement évidente dans le cerveau des
    a. patients aux cerveaux dédoublés.
    b. jeunes adultes.
    c. jeunes enfants.
    d. sujets droitiers.

26. Un expérimentateur fait clignoter le mot HERON dans le champ visuel d'un homme dont le corps calleux a été sectionné. HER est transmis à son hémisphère droit et ON à son hémisphère gauche. Lorsqu'on lui a demandé d'indiquer ce qu'il a vu, l'homme dit qu'il a vu _____ mais désigne _____.

27. Les études de sujets dont le cerveau est dédoublé et les images de cerveau de sujets sains indiquent que l'hémisphère gauche est spécialisé dans :
    a. le traitement du langage.
    b. les perceptions visuelles.
    c. faire des déductions
    d. neurogenèse.

28. La lésion de l'hémisphère droit est la plus susceptible de réduire la capacité d'une personne à :
    a. réciter l'alphabet rapidement.
    b. faire des déductions
    c. comprendre les instructions verbales.
    d. résoudre des problèmes d'arithmétique.

Trouvez les réponses à ces questions dans l'annexe D.

CHAPITRE 3

LA CONSCIENCE ET LES DEUX VOIES DE L'ESPRIT

a conscience peut être une drôle de chose. Elle nous permet de vivre des expériences surnaturelles comme lorsque nous plongeons dans notre sommeil ou quittons un rêve. Parfois nous pouvons nous demander qui est véritablement aux commandes des manettes. Après m'avoir mis sous influence de protoxyde d'azote, mon dentiste m'a demandé de tourner la tête vers la gauche. Mon esprit conscient a résisté : « *Il n'en est absolument pas question* », ai-je dit en silence. « *Vous ne pouvez pas m'y obliger !* » Cependant, ignorant mon esprit conscient, ma tête robotisée s'est mise docilement sous le contrôle du dentiste.

Pendant mes parties de basket, le midi, je me sens parfois légèrement irrité lorsque mon corps fait une passe alors que ma conscience me dit : « *Non, arrête ! Sarah va l'intercepter !* » Hélas, mon corps fait la passe de sa propre initiative. D'autres fois, comme le remarque Daniel Wegner (2002) dans *The Illusion of Conscious Will*, les gens pensent que c'est leur conscience qui contrôle leurs agissements alors que ce n'est pas le cas. Lors d'une expérience, on a demandé à des participants de contrôler à deux une souris d'ordinateur (le partenaire auquel ils étaient associés étant en réalité le complice de l'expérimentateur). Même lorsque le partenaire bloquait la souris dans un carré déterminé à l'avance, les participants percevaient que c'était *grâce à eux* qu'elle s'était arrêtée à cet endroit.

Dans certains cas, notre conscience semble se diviser en deux. Lorsque je lisais pour la énième fois *Green Eggs and Ham* à l'un de mes enfants, les mots sortaient avec complaisance de ma bouche tandis que mon esprit vagabondait ailleurs. Et si l'on rentre dans mon bureau au moment où je tape cette phrase sur mon ordinateur, ce n'est pas un problème. Mes doigts pourront finir d'écrire tandis que j'engagerai la conversation.

Que révèlent ces expériences ? Mon expérience dentaire sous influence anesthésique est-elle apparentée à celle des gens qui prennent d'autres *substances psychoactives* (qui modifient l'humeur et la perception) ? Mon obéissance automatique à mon dentiste ressemble-t-elle aux réponses d'un individu face à un hypnotiseur ? Cette séparation de notre conscience, que nous présentons lorsque notre esprit vagabonde tandis que nous lisons ou écrivons à l'ordinateur, peut-elle expliquer notre comportement sous hypnose ? À quel moment de notre sommeil apparaissent ces rêves étranges ? Pourquoi ? Mais avant de répondre à ces interrogations, commençons par la principale question : qu'est-ce que la *conscience* ?

> **Conscience** perception que nous avons de nous-mêmes et de notre environnement.

▬ Les états du cerveau et la conscience

Dans chaque domaine de la science, il existe des concepts si fondamentaux qu'ils sont presque impossibles à définir. Les biologistes sont d'accord sur ce qui est vivant, mais pas précisément sur ce qu'est la vie. En physique, la *matière* et *l'énergie* échappent à des définitions simples. De même, pour les psychologues, la conscience est un concept fondamental, mais difficile à cerner.

Définir la conscience

3-1 Quelle est la place de la conscience dans la psychologie actuelle ?

À son origine, la *psychologie* était définie comme « la description et l'explication des états de la conscience » (Ladd, 1887). Mais durant la première moitié du siècle dernier, la difficulté de l'étude scientifique de la conscience a conduit de nombreux psychologues, y compris les adeptes du *béhaviorisme*, une nouvelle école de psychologie (Chapitre 7) à se tourner vers l'observation directe du comportement. Dans les années 1960, la psychologie avait presque perdu de vue son objet d'étude, à savoir la conscience et se définissait comme la science du comportement. La conscience était considérée comme le compteur de vitesse d'une voiture : « Il ne fait pas avancer la voiture, il reflète simplement ce qui se passe. » (Seligman, 1991, p. 24.)

> « La psychologie doit se séparer de toute référence à la conscience. »
>
> Comportementaliste John B. Watson (1913)

Après 1960, les concepts mentaux ont recommencé à émerger. Les progrès des neurosciences ont permis de relier l'activité du cerveau et les différents états mentaux, tels que le sommeil et le rêve. Les chercheurs ont commencé à étudier les états modifiés de la conscience induits par l'hypnose, la méditation ou certaines substances psychotropes. Les psychologues appartenant aux différentes écoles ont affirmé l'importance des processus mentaux, ou *processus cognitifs*. Ainsi, la psychologie retrouva son objet d'étude, la conscience.

Pour l'étude de l'hypnose, voir la discussion sur la perception de la douleur Chapitre 6. Pour en savoir plus sur la méditation, voir le Chapitre 12.

Aujourd'hui, la plupart des psychologues définissent la **conscience** comme la perception que nous avons de nous-mêmes et de notre environnement. Cette conscience nous permet d'assembler les informations issues de nombreuses sources tandis que nous réfléchissons sur notre passé et que nous envisageons notre avenir. Elle nous permet de concentrer notre attention lorsque nous apprenons un concept complexe ou que nous faisons notre un nouveau comportement. Lorsque nous apprenons à conduire, nous nous concentrons sur la voiture et la circulation. Avec l'habitude, conduire devient semi-automatique, libérant ainsi notre attention pour qu'elle se fixe sur d'autres tâches. Au cours d'une journée, nous passons par différents *états de conscience* tels le sommeil, la vigilance et d'autres états modifiés de la conscience (**FIGURE 3.1**).

La science explore maintenant la biologie des états conscience. Les psychologues de l'évolution ont émis l'hypothèse que la conscience pouvait représenter un intérêt pour la conservation de l'espèce (Barash, 2006 ; Murdik et al, 2011). La conscience nous aide à adapter notre comportement face à de nouvelles situations pour préserver notre intégrité, plutôt que l'immédiateté du plaisir et de l'évitement des situations douloureuses. La conscience favorise également notre survie en nous permettant de prévoir ce que les autres pensent de nous et en nous aidant à lire dans leurs pensées : « il paraît être en colère ! Je ferai bien de prendre mes jambes à mon cou ! »

Malgré ces explications, il nous reste un problème plutôt « ardu » à résoudre : comment les cellules de notre cerveau, par le dialogue qu'elles entretiennent, engendrent-elles notre conscience, désignant des choses aussi différentes comme l'envie de manger un taco, notre idée de l'infini, notre sentiment de peur ? Comment la conscience naît de la matière, le parenchyme cérébral, reste pour de nombreux scientifiques, l'un des plus profonds mystères de la vie.

INSADCO Photographie/Alamy

▼ FIGURE 3.1
États modifiés de la conscience
En plus de la conscience classique liée à l'éveil, il existe des états modifiés de la conscience qui nous apparaissent au cours de nos rêveries diurnes, du sommeil, de la méditation et des hallucinations induites par diverses substances psychoactives.

Certains états se produisent spontanément	Rêveries diurnes	Somnolence	Rêve
Certains sont induits physiologiquement	Hallucinations	Orgasme	Privation d'aliments ou d'oxygène
D'autres sont induits psychologiquement	Privation sensorielle	Hypnose	Méditation

La biologie de la conscience

3-2 Qu'est ce que le traitement dualiste de l'information révélé par les neurosciences cognitives actuelles ?

Neurosciences cognitives

En reprenant les mots de Marvin Minski, chercheur en neurosciences (1986, p. 287), les scientifiques pensent que « l'esprit est ce que fait le cerveau ». Mais nous ne savons pas *comment* il le fait. Même en utilisant toutes les possibilités technologiques, nous n'avons toujours pas trouvé *comment* fabriquer un robot conscient. Actuellement, les **neurosciences cognitives**, étude interdisciplinaire de l'activité cérébrale liée aux processus mentaux, établissent des liens entre des états spécifiques du cerveau et des expériences conscientes.

Une preuve étonnante d'un certain niveau de conscience a été donnée par l'étude des tomographies cérébrales d'une patiente de 23 ans ne pouvant plus communiquer après un accident de voiture et ne présentant plus aucun signe extérieur de sensation consciente (Owen, 2014 ; Owen et al., 2006). Lorsque les chercheurs lui ont demandé de *s'imaginer* jouant au tennis, les IRMf ont montré une activité dans une aire de son cerveau contrôlant les mouvements de ses bras et de ses jambes (**FIGURE 3.2**). Les chercheurs en ont conclu que même dans un corps immobile, le cerveau et l'esprit peuvent encore être actifs. L'analyse des résultats du suivi de 42 patients ne répondant à aucun stimulus a montré chez 13 d'entre eux, une activité cérébrale, bien qu'inférieure à la normale, en réponse à des questions (Stender et al., 2014). Mais la réanalyse de certains de ces données EEG a constaté que les résultats positifs pouvaient être dus à de simples contractions musculaires, témoins de réflexes archaïques (Goldfine et al., 2013). Cette recherche laisse une impression d'inachevée.

Beaucoup de chercheurs en neurosciences cognitivistes explorent et cartographient les fonctions conscientes du cortex. En se fondant sur différents types d'activation corticale, ils peuvent maintenant « lire » dans votre cerveau, même si cela reste encore assez limité (Bor, 2010). Ils pourraient par exemple dire, lequel, parmi 10 objets similaires (un marteau, une perceuse...), vous êtes en train de regarder (Shinkareva et al., 2008).

Certains chercheurs en neurosciences pensent que les expériences conscientes proviennent d'une activation cérébrale synchronisée (Gaillard et al., 2009 ; Koch et Greenfield, 2007 ; Schurger et al., 2010). Si un stimulus déclenche une activité neuronale suffisante dans tout le cerveau coordonnée avec des signaux intenses dans une aire cérébrale déclenchant, à distance, une autre activité, le seuil de la conscience est atteint et dépassé. Un stimulus plus faible, qui peut-être un mot projeté sur un écran trop brièvement pour être perçu consciemment, pourrait déclencher une activité visuelle corticale localisée qui s'éteint rapidement. Un stimulus plus important entraîne d'autres aires cérébrales comme celles impliquées dans le langage, l'attention, la mémoire. Cette activité qui se propage (détectable sur les scanners cérébraux) est un signe révélateur de la conscience (Boly et al., 2011). Mais comment cette activité synchrone du cerveau produit-elle la conscience ? Comment la matière produit-elle l'esprit ? Nous n'avons toujours pas percé ce mystère.

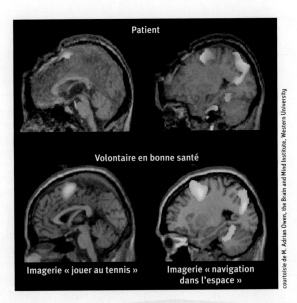

Patient

Volontaire en bonne santé

Imagerie « jouer au tennis »   Imagerie « navigation dans l'espace »

courtoisie de M. Adrian Owen, the Brain and Mind Institute, Western University

▼ FIGURE 3.2

Preuve de conscience ? Lorsque les chercheurs ont demandé à une patiente en état végétatif de s'imaginer jouant au tennis ou se promenant chez eux, les IRMf ont montré des activités cérébrales similaires à celles observées chez le volontaire sain. Les chercheurs se demandent si ces scans IRMf pourraient permettre une « conversation » avec certains patients en leur apprenant, par exemple, à répondre *oui* à une question en imaginant la pratique du tennis (en haut et en bas à gauche), et *non* en imaginant se promenant chez eux (en haut et en bas à droite).

EXERCICE RÉCAPITULATIF

• Ceux qui travaillent dans le domaine interdisciplinaire appelé _____ _____ étudient l'activité cérébrale associée à la perception, la pensée, la mémoire et le langage.

Réponse : les neurosciences cognitives

Théorie du traitement dualiste : les deux voies de l'esprit

Beaucoup de découvertes des neurosciences cognitives ont mis en évidence l'existence d'une région particulière du cerveau qui devient active lors d'une expérience consciente particulière. Bien que ces résultats semblent intéressants, beaucoup de chercheurs n'en sont pas particulièrement étonnés. (Si tout ce qui est psychologique est également biologique, nos idées, nos émotions et notre spiritualité doivent alors se trouver d'une certaine manière dans notre corps.) Ce qui, en revanche, *est* surprenant pour beaucoup d'entre nous, c'est qu'il existe de plus en plus de preuves que nous ayons, si l'on peut dire, deux esprits, chacun pourvu de son propre équipement nerveux.

À chaque instant, vous et moi avons conscience d'un peu plus de choses que ce que nous voyons sur l'écran de notre conscience. Mais sous la surface, le traitement non-conscient de

Neurosciences cognitives étude interdisciplinaire de l'activité cérébrale liée à la cognition (perception, pensée, mémoire, intelligence, langage).

Traitement dualiste principe selon lequel l'information est souvent traitée simultanément de façon consciente et non consciente.

Vision aveugle une condition dans laquelle une personne peut répondre à un stimulus visuel sans l'éprouver consciemment.

l'information se déroule simultanément en suivant plusieurs pistes parallèles. Quand nous regardons le vol d'un oiseau, nous percevons consciemment le résultat de notre traitement cognitif (« c'est un colibri ! »), mais pas celui du traitement non-conscient de la couleur, de la forme, du mouvement et de la distance de l'oiseau. Une des grandes idées des neurosciences cognitives récentes est que la majeure partie du travail de notre cerveau s'effectue hors écran, sans que nous le percevions. La perception, la mémoire, la pensée, le langage et les attitudes s'effectuent tous sur deux niveaux, empruntant une « voie supérieure » consciente, délibérée, et une « voie inférieure » automatique, non consciente. La réflexion est la route principale, l'intuition emprunte la route secondaire (Evans & Stanovich, 2013 ; Kahneman, 2011). Les chercheurs actuels parlent de **traitement dualiste de l'information**. Nous en savons plus que ce que nous savons que nous savons.

Si vous êtes conducteur, posez-vous la question de savoir ce qui maintient votre conduite sur la voie de droite de la route. Les conducteurs le savent de façon non consciente, mais ne peuvent pas l'expliquer avec précision (Eagleman, 2011). La plupart disent qu'ils virent à droite, puis redressent ; c'est ce processus qui, sur la route, les guiderait. En réalité, un pilote expérimenté, après le déport vers la droite, redresse automatiquement le volant vers la gauche, au-delà de la position centrale, et c'est alors seulement, qu'il le ramène à sa position centrale. La leçon à retenir : le cerveau humain est un dispositif qui ramène à la conscience le savoir non conscient.

Écoutez cette histoire qui montre que la science dépasse la science-fiction. Pendant mon séjour à l'université anglaise de Saint-Andrew, j'ai (DM) été amené à connaître deux chercheurs en neurosciences cognitives, Melvyn Goodale et David Milner (2008). Une femme de la région, qu'ils appellent D.F., a souffert de lésions du cerveau provoquées par le monoxyde de carbone, la laissant incapable de reconnaître et de distinguer visuellement des objets. D.F. ne pourrait rien voir de façon consciente. Cependant, elle présentait une « **vision aveugle** » et agissait comme si elle pouvait voir. Lorsqu'on lui demandait de glisser une carte postale dans la fente horizontale ou verticale d'une boîte aux lettres, elle pouvait le faire sans la moindre erreur. Lorsqu'on lui demandait d'évaluer la largeur d'un cube posé en face d'elle, elle ne pouvait répondre mais elle pouvait l'attraper en écartant correctement son pouce et son index. Si vos yeux droit et gauche voient des scènes différentes, vous ne serez conscients que d'une seule à la fois. Pourtant, vous ferez preuve d'une certaine conscience de la vision aveugle de l'autre scène (Baker & Cass, 2013).

Comment est-ce possible ? N'avons-nous pas un seul système visuel ? Goodale et Milner savaient d'après les recherches animales que les yeux envoyaient des informations simultanément à plusieurs zones cérébrales assumant différentes tâches (Weiskrantz, 2009, 2010). Comme on pouvait s'y attendre, un scanner de l'activité cérébrale du cerveau de D.F. a mis en évidence une activité normale dans la région concernée par l'atteinte, la saisie et le déplacement des objets, alors que la zone concernée par la reconnaissance consciente des objets apparaissait endommagée[1] (autre exemple **FIGURE 3.3**). Goodale et Milner concluent dans leur livre, justement intitulé *Sight Unseen* (« *la vision invisible* ») que la vision est une chose étrangement complexe. Nous pouvons réduire la vision à un système simple, ou à une seule voie, qui guide nos actions. C'est en fait un système double, ou à deux voies. La *piste de la perception visuelle* nous permet de « penser au monde qui nous entoure », de reconnaître les choses et de planifier nos actions futures. La *piste de l'action visuelle* guide nos mouvements à chaque instant. Certains scientifiques se sont demandé si les patients souffrant de cette forme de cécité corticale, la vision aveugle, sont tout à fait dépourvus de la capacité de vision consciente (Himmelbach et al., 2012 ; Overgaard, 2012). Mais la grande idée que les perceptions, les souvenirs, la pensée, le langage et les attitudes sont le fruit d'une activité consciente et non consciente, est une des grandes affirmations de la neuroscience cognitive d'aujourd'hui.

Les deux voies de l'esprit fonctionnent également chez un patient qui a perdu tout son cortex visuel gauche, le laissant aveugle des objets et des visages présentés sur le côté droit de son champ de vision. Ii peut néanmoins percevoir l'émotion exprimée par ces visages, dont il n'a pas la perception consciente (De Gelder, 2010). Cela est également vrai chez les personnes voyant normalement dont le cortex visuel a été bloqué par stimulation magnétique. De telles données suggèrent que les régions cérébrales sous-corticales traitent les informations liées à l'émotion.

Les gens ont du mal à accepter que la plupart des pensées, des sentiments et des actions de tous les jours s'effectuent sans que nous en ayons conscience (Bargh et Chartrand, 1999). Nous sommes,

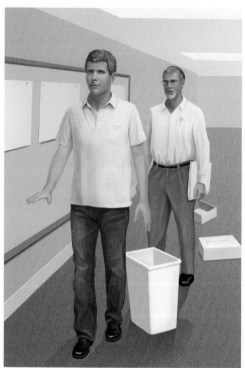

▼ FIGURE 3.3

Quand un aveugle peut voir Dans cette démonstration convaincante de vision aveugle et traitement dualiste de l'information, le chercheur Laurent Weiskrantz a emmené un patient souffrant de cette forme de cécité corticale, dans un couloir encombré par divers objets. Bien qu'on lui ait dit que le couloir était vide, le patient évitait tous les obstacles, de façon non consciente.

---

1. Des lésions inverses entraîneraient-elles des symptômes opposés ? En effet, quelques patients sont capables de voir et de reconnaître des objets mais ont des difficultés à les montrer du doigt ou à les saisir.

c'est compréhensible, trompés par la pensée que notre vie est gouvernée par nos propres intentions et nos choix délibérés. Mais la conscience, bien qu'elle nous permette d'exercer un contrôle volontaire et de communiquer notre état mental aux autres, n'est que le sommet de l'iceberg du traitement de l'information. Lorsque vous vous concentrez intensément sur une activité (comme, j'espère, la lecture de ce chapitre), vous augmentez votre activité cérébrale totale de seulement 5 % par rapport à son activité de base. Et même lorsque vous vous reposez, des « tourbillons d'énergie noire » tournoient à l'intérieur de votre tête (Reichle, 2010).

Relatons une découverte singulière, qui nous rend perplexe : des expériences montrent que, lorsque vous bougez votre poignet volontairement, vous percevez consciemment cette décision de le bouger 0,2 seconde avant le mouvement réel (Libet, 1985, 2004). Rien d'étonnant. Mais vos ondes cérébrales se sont activées environ 0,35 seconde avant que vous n'ayez perçu consciemment cette décision (**FIGURE 3.5**) ! Ces expériences nous amènent à une conclusion étonnante : la conscience arrive parfois en retard à la réunion de prise de décision.

▼ FIGURE 3.4
L'activité cérébrale précède-t-elle la pensée ? Dans cette étude, des volontaires regardent, sur un écran d'ordinateur, une horloge qui effectue une révolution complète toutes les 2,56 secondes. Ils notent le moment auquel ils ont décidé de déplacer leur poignet. Environ un tiers de seconde avant ce mouvement, leur activité cérébrale est plus intense et forme un *potentiel de préparation* de l'action. En visionnant au ralenti l'évolution de l'activité cérébrale, les chercheurs ont pu prédire la séquence du mouvement du poignet (Libet, 1985, 2004). D'autres chercheurs, cependant, remettent en question cette étude (Miller et al., 2011).

Cette conclusion a déclenché de nombreuses recherches et beaucoup de débats. Est-ce que notre cerveau prend vraiment des décisions avant que nous le sachions ? Si oui, le libre arbitre est-il une illusion ? Les études qui mettent en œuvre l'IRMf, l'EEG de surface, ou l'enregistrement électrique cérébral profond semblent confirmer que l'activité cérébrale précède, et permet de prédire les décisions, prises par les sujets d'expérience, d'appuyer sur un bouton ou de choisir une carte dans un jeu de poker simplifiée (Carter et al., 2012 ; Fried et al., 2011 ; Soon et al., 2008). Cependant, d'autres études indiquent que l'activité électrique cérébrale est continuellement fluctuante, y compris pendant les expériences vues plus haut, et ce indépendamment de la prise de décision et de l'action (Schurger et al., 2012). La décision réelle de se déplacer, par exemple, se produit lorsque l'activité cérébrale franchit un seuil, qui coïncide avec le « temps de prise de conscience de l'intention de se déplacer » (environ 0,15 seconde avant le mouvement). Si on raisonne par analogie, la décision venant de l'esprit et l'activité du cerveau, sont comme la résolution d'un problème par un ordinateur et son activité électronique, simultanées et parallèles.

L'utilisation de ce pilote automatique permet à la conscience – le PDG de votre esprit – de surveiller tout le système et de se mesurer à de nouveaux défis, pendant que de nombreux assistants prennent automatiquement en charge les affaires courantes. Le cerveau et le corps d'un joueur de tennis entraîné, répondent automatiquement au service envoyé avant d'être devenus conscients de la trajectoire de la balle (ce qui prend environ 3/10ᵉ de seconde). Il en est de même pour les autres sportifs chevronnés dont les actions précèdent la conscience de celles-ci. *Résultat final* : dans notre vie quotidienne, nous fonctionnons la plupart du temps comme un appareil photo automatique tout en ayant une commande manuelle auxiliaire (consciente).

Les grands mythes sont souvent fondés sur des archétypes simples : la bonne Cendrillon et la mauvaise marâtre, la tortue lente et le lièvre rapide, un Sherlock Holmes à la froide logique et un Dr Watson émotif. Les mythes ont la « vie dure » parce qu'ils expriment notre réalité humaine. La dualité est en nous.

EXERCICE RÉCAPITULATIF

• Quelles sont les deux voies de fonctionnement de l'esprit, et qu'est-ce que le traitement dualiste ?

Réponse : notre esprit fonctionne de façon consciente et non consciente. Il s'agit de deux traitements de l'information qui fonctionnent simultanément en l'organisant et en l'interprétant.

Attention sélective

3-3 Comment l'attention sélective dirige-t-elle nos perceptions ?

Le traitement parallèle non-conscient est plus rapide que le traitement conscient en série, mais tous deux sont essentiels. Le **traitement parallèle** permet à votre esprit de traiter les affaires courantes. Le traitement en série n'a pas son pareil pour résoudre les nouveaux problèmes qui nécessitent toute votre attention. Essayez ceci : si vous êtes droitier, faites tourner doucement votre pied droit dans le sens inverse des aiguilles d'une montre et écrivez plusieurs fois le chiffre 3 de la main droite en même temps ! (Essayez quelque chose d'aussi difficile : tapez simultanément

Traitement parallèle résolution simultanée de plusieurs aspects d'un problème ; mode de traitement de l'information propre au cerveau capable d'emprunter différentes voies.

Attention sélective la focalisation de la conscience vigile sur un stimulus particulier.

Cécité d'inattention défaut de perception visuelle d'objets visibles lorsque notre attention est concentrée sur un objet ou une tâche.

un rythme à trois temps de la main gauche et un rythme à quatre temps de la main droite.) Ces deux tâches réclament une attention consciente qui ne peut être focalisée qu'en un seul endroit à la fois. Si le temps est le moyen qu'a trouvé la nature pour empêcher que tout se produise au même moment, alors la conscience est son subterfuge pour nous éviter de penser ou de faire tout en même temps.

Au moyen de **l'attention sélective**, notre perception consciente se concentre, comme un faisceau électrique, uniquement sur un aspect très limité de ce que nous sommes capables de ressentir. Selon une estimation, nos cinq sens reçoivent 11 000 000 bits d'informations par seconde, parmi lesquels nous ne traitons consciemment que 40 bits (Wilson, 2002). Et pourtant, la voie non consciente de votre esprit se sert intuitivement des 10 999 960 bits restants. Avant de lire cette phrase, vous n'étiez pas conscient que votre chaise comprimait votre derrière ou que votre nez était dans votre champ de vision. Soudain le projecteur de votre attention se déplace. Vous ressentez la pression exercée par l'assise, votre nez empiète obstinément sur votre champ de vision. En fixant votre attention sur ces mots, vous avez également été dans l'impossibilité de percevoir consciemment les informations provenant de votre vision périphérique. Mais vous pouvez changer cela. Tandis que vous fixez du regard la lettre X ci-dessous, observez les phrases qui l'entourent.

X

Un exemple classique d'attention sélective est ce qu'on appelle *l'effet cocktail*, c'est-à-dire la capacité à écouter sélectivement une voix parmi beaucoup d'autres. Mais si une autre voix vous appelle par votre nom, votre radar cognitif, opérant par l'autre voie de votre esprit, fera instantanément entrer cette voix inattendue dans votre conscience. Cet effet aurait pu empêcher une situation embarrassante et dangereuse survenue en 2009, lorsque deux pilotes de Northwest Airlines « ont perdu la notion du temps ». Concentrés sur leurs ordinateurs et captivés par une conversation, ils ont ignoré les tentatives alarmées des contrôleurs de la circulation aérienne pour les joindre car ils avaient dépassé leur destination, et s'étaient éloignés de Minneapolis de 241 kilomètres. Si seulement les contrôleurs aériens avaient su comment ils s'appelaient et avaient prononcé leur nom !

Attention sélective et accidents

Si vous téléphonez ou envoyez des messages en même temps que vous conduisez, ou si vous recherchez un morceau de musique, ou votre itinéraire, votre attention passera sans cesse de la route à l'appareil électronique et inversement. En effet, elle se déplace plus souvent que nous le réalisons. Une étude a laissé à des sujets la liberté d'explorer Internet et de et de regarder la télévision, dans un lieu expérimental. Les chercheurs ont estimé le nombre de changement d'objet de l'attention à 14,8 en moyenne, au cours d'une session d'observation de 27,5 minutes. Mais ils étaient encore loin du nombre réel. La poursuite des mouvements oculaires a évalué à 120 le nombre de changements d'objet de l'attention, soit huit fois plus (Brasel & Gips, 2011). Un tel « basculement rapide » des activités est, pour l'attention soutenue et la concentration, le grand ennemi d'aujourd'hui.

Ce processus de changement d'attention a un prix, en particulier lorsqu'il faut passer à des tâches complexes, par exemple remarquer et éviter les voitures qui nous entourent. Ce prix est un léger laps de temps, parfois fatal (Rubenstein et al., 2001). Environ 28 % des accidents de la route se produisent lorsque les gens téléphonent ou envoient des messages avec leur appareil portable (National Safety Council, 2010). Une étude a suivi des conducteurs de camions long-courriers pendant dix-huit mois. La caméra placée dans leur cabine a montré qu'ils présentaient 23 fois plus de risques de collision lorsqu'ils écrivaient un texto (VTTI, 2009). Conscients de ce résultat, les États-Unis ont interdit aux conducteurs de bus et de camions d'écrire des messages pendant qu'ils conduisaient (Halsey, 2010).

Il n'y a pas que les camionneurs qui présentent ces risques. Un conducteur sur 4 ayant un téléphone portable reconnaît écrire des messages pendant qu'il conduit (Pex, 2009). Les taches multiples consomment de l'énergie cérébrale : Les IRM fonctionnelles donnent la représentation biologique de la façon dont l'accumulation de tâches peut distraire les ressources cérébrales qui sont normalement allouées à la conduite automobile. L'activité cérébrale dans les aires vitales à la conduite diminuait en moyenne de 37 % lorsqu'un conducteur était engagé dans une conversation (Just et al., 2008). Pour démontrer l'impossibilité des tâches multiples exécutées simultanément, calculez mentalement combien font 18×42, pendant que vous dépassez un camion, à un moment où la circulation est importante. (En fait, n'essayez pas)

Même les conversations avec un kit mains libres entraînent plus de distraction qu'une conversation avec le passager qui peut voir les besoins du conducteur, arrêter la conversation et l'alerter des dangers de la circulation.

« Je ne rédigeais pas de message, Je construisais ce bateau dans une bouteille. »

• Des chercheurs de l'Université de Sydney ont analysé les registres des communications téléphoniques pour identifier les temps qui précèdent un accident de la circulation. Les utilisateurs de téléphones cellulaires (y compris ceux parlant avec un kit mains libres) avaient, comme un chauffeur en état d'ivresse, une conduite liée à une probabilité de risques quatre fois plus grande (McEvoy et al., 2005, 2007). Le transport d'un passager n'augmente le risque que de 1,6 fois.

• Une autre équipe de recherche a installé des caméras, des systèmes GPS, et divers capteurs dans des voitures conduites par des adolescents. Ils ont constaté que le fait de chercher un téléphone ou de téléphoner multipliait le nombre d'accidents et d'accidents évités par sept ; ce nombre était multiplié par quatre lors de l'envoi ou de la réception d'un message (Klauer et al., 2014).

• Cette différence de risque a également été mise en évidence quand on demandait aux conducteurs de s'arrêter sur une aire de repos située à une dizaine de kilomètres. Parmi les conducteurs bavardant avec leur passager, 88 % ont respecté la consigne. Parmi ceux qui télé-phonaient, 50 % ont raté l'arrêt (Strayer et Drews, 2007). Et l'augmentation des risques est la même quel que soit le mode d'utilisation des téléphones portables, ce qui indique que l'effet de distraction est principalement cognitif plutôt que visuel (Strayer & Watson, 2012).

La plupart des pays européens et certains États américains interdisent maintenant de téléphoner sans kit mains libres pendant la conduite (Rosenthal, 2009). Les ingénieurs recherchent des moyens de surveiller le regard des conducteurs et de rediriger leur attention sur la route (Lee, 2009).

Inattention sélective

Consciemment, nous ne voyons qu'une infime partie de l'immense éventail des stimuli visuels. Ulric Neisser (1979) ainsi que Robert Becklen et Daniel Cervone (1983) ont démontré cette **cécité d'inattention** de façon impressionnante. Ils montrèrent à plusieurs personnes une vidéo d'une minute dans laquelle les images de trois basketteurs en maillot noir se passant un ballon étaient superposées aux images de trois basketteurs en maillot blanc faisant la même chose. Ils demandèrent aux spectateurs d'appuyer sur un bouton chaque fois que les joueurs en noir se passaient le ballon. La plupart des spectateurs se focalisaient tellement sur les joueurs en noir qu'ils ne remarquèrent pas une jeune femme flânant avec un parapluie traversant l'écran en plein milieu de la séquence (**FIGURE 3.5**). Quand les chercheurs leur repassèrent la cassette vidéo, les spectateurs furent étonnés de la voir (Mack et Rock, 2000). Cette cécité d'inattention est une conséquence directe de ce que nous savons très bien faire : concentrer notre attention sur une partie de notre environnement.

Lors de la répétition de l'expérience, et ce par fanfaronnade, les chercheurs ont envoyé dans la ronde des joueurs, un assistant déguisé en gorille (Simons & Chabris, 1999). Pendant les cinq à neuf secondes de sa brève apparition, le gorille s'est arrêté pour se taper le poitrail. Près de la moitié des participants consciencieux qui comptaient les passes ne l'ont même pas vu. Ces gorilles invisibles, ont bien amusé les psychologues. Une étude de la « surdité inattentive » a délivré séparément à

Distraction de l'attention Dans des expériences de simulation de conduite, les personnes dont l'attention est détournée par des téléphones portables font plus d'erreurs de conduite.

▼ FIGURE 3.5
Inattention sélective Les spectateurs qui étaient captivés par les lancers des joueurs de basket-ball en maillot noir, généralement ne remarquèrent pas la femme tenant un parapluie ouvert, tout en déambulant sur l'écran (Neisser, 1979).

▼ FIGURE 3.6
Le gorille invisible frappe à nouveau Lorsque les radiologues examinent des clichés pour rechercher des nodules cancéreux de très petite taille, ils ne voient pas l'image parasite du gorille, dans le coin supérieur droit, même si le cliché leur est présenté à plusieurs reprises (Drew et al., 2013).

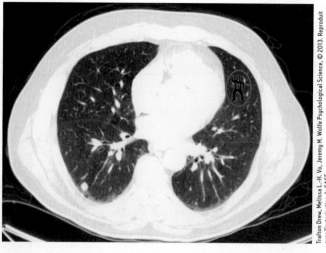

Trafton Drew, Melissa L.-H. Vo, Jeremy M. Wolfe Psychological Science, © 2013. Reproduit avec l'autorisation de SAGE

« Y a-t-il une nouvelle génération de sujets capables d'utiliser simultanément tous les canaux modernes de l'information ? La plupart des psychologues cognitivistes en doutent. »

Steven Pinker, « Pas du tout », 2010

chaque oreille un stimulus différent : un enregistrement de voix d'homme, un de voix de femmes. Quand les volontaires ont reçu la consigne de prêter attention à la voix féminine, 70 % n'ont pas réussi à entendre la voix masculine répétant pendant 19 secondes, « Je suis un gorille » (Dalton & Fraenkel, 2012). De même quand on a demandé à 24 radiologues de faire le diagnostic de nodules cancéreux par l'examen de scintigraphies pulmonaires, 20 d'entre eux n'ont pas remarqué l'image superposée d'un gorille dans le coin supérieur droit du cliché **FIGURE 3.6**. Il faut quand même reconnaître leur sens clinique, ils ont pu voir ce qu'ils cherchaient, le tissu cancéreux beaucoup plus discret (Drew et al., 2013). Cette facétie psychologique démontre la puissance de l'attention sélective. Votre esprit conscient ne se trouve qu'à un seul endroit à la fois.

Étant donné que la plupart des gens ne remarquent pas une personne déguisée en gorille lorsque leur attention est fixée ailleurs, imaginez le plaisir que peuvent avoir les magiciens à manipuler votre attention sélective. Il suffit de détourner notre attention et nous ne remarquons pas la main qui se glisse dans la poche. « À chaque fois que vous effectuez un tour de magie vous faites de la psychologie expérimentale » a dit, en 2009, le magicien Teller, passé maître dans l'art des méthodes de détournement de l'esprit. Un psychologue suédois a été surpris à Stockholm par une femme qui s'exhibait, il ne s'est rendu compte que plus tard qu'il avait été victime d'un pickpocket (Gallace, 2012).

Dans d'autres expériences, les personnes ont montré une forme de cécité d'inattention, appelée **cécité au changement.** Au cours d'expériences de laboratoire, les participants n'ont pas remarqué qu'après une brève interruption visuelle, une grosse bouteille de coca avait disparu de la scène, une balustrade était apparue ou encore la couleur des vêtements avait changé (Chabris et Simons, 2010 ; Resnick et al., 1997). Concentrés sur les indications qu'ils donnaient à un ouvrier du bâtiment, les deux tiers des personnes ne remarquèrent pas que leur interlocuteur avait changé au cours d'une interruption programmée (**FIGURE 3.7**). Loin des yeux, loin de l'esprit.

Une équipe de chercheurs suédois a découvert que l'on peut être aveugle à ses propres choix. Petter Johansson et ses collègues (2005, 2014) ont montré deux visages féminins à 120 sujets volontaires et leur ont demandé lequel des deux était le plus attrayant. Après avoir retourné les deux clichés, ils ont demandé aux sujets lequel des deux visages ils avaient choisi et les raisons de leur choix. Mais 3 fois sur 15 par un tour de passe-passe les chercheurs ont montré au sujet le visage qu'il n'avait *pas* choisi (**FIGURE 3.8**). Les sujets ont remarqué cette inversion seulement 13 fois sur cent, et ont facilement expliqué pourquoi ils ont préféré ce visage, alors qu'ils l'avaient effectivement rejeté. « Je l'ai choisie parce qu'elle souriait », dit un volontaire (alors qu'il avait choisi la photo montrant un visage qui

▼ FIGURE 3.7
Cécité au changement Tandis qu'un chef de chantier (en rouge) donne des orientations à un technicien, deux expérimentateurs transportant une porte passent soudainement entre les deux interlocuteurs. Pendant ce temps, le premier technicien est remplacé par un autre portant des vêtements de couleur différente. La plupart des gens, concentrés sur leur tache ne remarqueront pas ce remplacement (Simons & Levin, 1998).

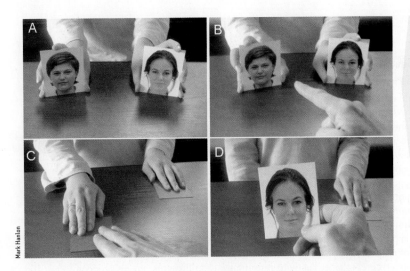

▼ FIGURE 3.8
Cécité du choix Pranksters Petter Johansson, Lars Hall et al. (2005) ont demandé à des sujets volontaires de choisir les visages qu'ils préféraient. Ils ont ensuite demandé aux gens d'expliquer ce choix d'une photo de visage *qu'ils n'avaient pas choisie* en réalité. La plupart des sujets qui n'avaient pas remarqué les interversions des photos – l'ont fait aisément.

exprimait la gravité). Plus tard, il leur a été demandé s'ils remarqueraient une telle inversion dans une « expérience hypothétique » ; 84 % ont affirmé qu'ils en seraient capables.

La surdité au changement peut également se produire. Une expérience a montré que 40 % des sujets dont l'attention était mobilisée pour répéter une liste de mots qui leur était dictée n'avaient pas remarqué le changement de la voix qui le faisait (Vitevitch, 2003). Lors de deux expériences d'entretien téléphonique de suivi, seulement 2 des 40 sujets ont remarqué, après la troisième question, que l'enquêtrice avait changé (cependant le changement était remarqué, si les sujets avaient été mis au courant de cette éventualité) (Fenn et al., 2011). Cependant, certains stimuli sont si puissants, si particulièrement différents, qu'ils nous sautent aux yeux (phénomène du *pop-out*). C'est le cas, par exemple, de l'unique visage souriant de la **FIGURE 3.9**. Nous ne choisissons pas les stimuli pertinents, ils guident notre regard et sollicitent notre attention. De même, pratiquement tout le monde a remarqué, au téléphone, que l'enquêtrice a fait place à un enquêteur.

L'esprit à double voie est actif même pendant le sommeil, comme nous le verrons plus loin.

▼ FIGURE 3.9
Le phénomène de pop-out (« sauter aux yeux »)

EXERCICE RÉCAPITULATIF

• Expliquez trois principes gouvernant l'attention que les magiciens peuvent utiliser pour nous tromper.

Réponse : notre *attention sélective* permet de nous concentrer sur seulement une partie limitée de notre environnement. La *cécité d'inattention* explique pourquoi nous ne percevons pas certaines choses quand nous sommes distraits par d'autres choses. Et la *cécité au changement* est ce qui se passe lorsque nous ne parvenons pas à remarquer un changement relativement peu important dans notre environnement. Tous ces principes sont utilisés par les magiciens pour nous distraire, car ils choisissent de diriger notre attention ailleurs que sur leurs tours.

> **Cécité au changement** incapacité à remarquer un changement relativement peu important dans notre environnement.

REVUE GÉNÉRALE Les états du cerveau et la conscience

OBJECTIFS D'APPRENTISSAGE

EXERCICE RÉCAPITULATIF Prenez un moment pour répondre à chacune de ces questions objectives d'apprentissage (répétées ici au sein de cette section). Puis aller à l'annexe C, révision complète du chapitre, pour vérifier vos réponses. La recherche suggère que d'essayer de répondre à ces questions de votre propre initiative permettra d'améliorer la mémorisation à long terme de ces réponses (McDaniel et al., 2009).

3-1 Quelle est la place de la conscience dans la psychologie actuelle ?

3-2 Qu'est-ce que le traitement dualiste de l'information révélé par les neurosciences cognitives actuelles ?

3-3 Comment l'attention sélective dirige-t-elle nos perceptions ?

TERMES ET CONCEPTS À RETENIR

EXERCICE RÉCAPITULATIF Testez votre connaissance de ces termes en essayant d'écrire leur définition avant de vous reporter aux pages donnant les bonnes réponses.

conscience, p. 86 92

neurosciences cognitives, p. 93

traitement dualiste de l'information, p. 94

vision aveugle, p. 94

traitement parallèle, p. 95

attention sélective, p. 96

cécité d'inattention, p. 97

cécité au changement, p. 98

Sommeil dissolution périodique naturelle de la conscience, distincte de celle due au coma, à l'anesthésie générale ou à l'hibernation. (Adapté de Dement, 1999.)

Rythme circadien horloge biologique ; rythmes corporels normaux (par exemple, de la température et de l'état de veille) qui se produisent sur un cycle de vingt-quatre heures.

Le sommeil et les rêves

3-4 Qu'est-ce que le sommeil ?

LE SOMMEIL — TENTATION IRRÉSISTIBLE À laquelle nous succombons inévitablement. Le sommeil – état de conscience qui rend égaux les présidents et les paysans. Le sommeil – doux, régénérateur et mystérieux. Pendant que nous dormons, nous pouvons penser que nous sommes « partis de ce monde » mais ce n'est pas le cas. Même lorsque vous êtes profondément endormis votre fenêtre perceptuelle n'est pas véritablement totalement close. Vous bougez dans votre lit mais vous vous débrouillez pour ne pas en tomber. Le bruit occasionnel d'un véhicule passant à proximité peut ne pas perturber votre sommeil profond, mais les pleurs du bébé vont l'interrompre. Tout comme l'appel de votre nom L'enregistrement de l'EEG confirme que le cortex auditif de notre cerveau répond aux stimuli sonores même pendant le sommeil (Kutas, 1990). Quand nous dormons, tout comme lorsque nous sommes éveillés, nous traitons la plupart des informations hors de notre perception consciente.

Aujourd'hui, la plupart des mystères du sommeil ont été résolus, grâce aux milliers de sujets qui ont dormi en étant reliés à des appareils d'enregistrement pendant que d'autres les observaient. En enregistrant les ondes cérébrales et l'activité musculaire des dormeurs, en les observant et en les réveillant de temps en temps, les chercheurs ont découvert des choses que des milliers d'années de bon sens ne nous avaient pas révélées. Peut-être pouvez-vous deviner certaines de leurs découvertes. Les affirmations suivantes sont-elles vraies ou fausses ?

1. Lorsque les gens rêvent qu'ils exécutent une activité quelconque, leurs membres bougent souvent en suivant le rêve.

2. Les personnes âgées dorment plus que les jeunes.

3. Les somnambules mettent leurs rêves en action.

4. Les spécialistes du sommeil recommandent de traiter occasionnellement l'insomnie avec un somnifère.

5. Certaines personnes rêvent chaque nuit alors que d'autres ne rêvent que rarement.

Toutes ces affirmations sont *fausses* (adaptées d'après Palladino et Carducci, 1983). Voyons maintenant pourquoi.

« J'aime dormir. Et vous ? N'est-ce pas formidable ? C'est vraiment le meilleur des deux mondes. Vous êtes vivant et inconscient. »

Comédien Rita Rudner 1993

Les rythmes biologiques et le sommeil

Comme l'océan, la vie est rythmée par des marées. Notre corps fluctue selon des rythmes de périodes variées, et notre esprit en fait de même. Intéressons-nous de plus près à deux de ces rythmes biologiques : notre horloge biologique qui fonctionne sur 24 heures et notre cycle de sommeil réglé sur 90 minutes.

Le rythme circadien

3-5 De quelle manière notre rythme biologique influence-t-il notre mode de fonctionnement quotidien ?

Certains étudiants dorment comme l'homme qui est resté debout toute la nuit pour voir où le soleil est allé. (Puis cela lui a sauté aux yeux.)

Le rythme quotidien reproduit le rythme de la vie, depuis notre réveil, à la naissance d'un nouveau jour, jusqu'à notre retour, le soir, à ce que Shakespeare appelait la « fausse mort ». Notre corps se synchronise grossièrement avec le cycle de vingt-quatre heures du jour et de la nuit par l'intermédiaire d'une horloge biologique interne que l'on appelle **rythme circadien** (du latin *circa*, « environ », et *diem*, « jour »). Notre température corporelle augmente lorsqu'arrive le matin, atteint son maximum pendant la journée, décline temporairement en début d'après-midi (à l'heure où de nombreuses personnes font la sieste) et diminue de nouveau avant que nous allions dormir. L'esprit est plus affûté et la mémoire plus efficace quand les gens sont au maximum diurnes de leur rythme circadien d'activité. Essayer de passer une nuit blanche ou de travailler de nuit de temps en temps. Si habituellement vous faites des nuits complètes, vous tirer du lit à 4 heures du matin vous laissera groggy, mais vous retrouverez un second souffle quand l'heure habituelle de votre lever sera arrivée.

L'âge et l'expérience peuvent modifier votre rythme circadien. La plupart des jeunes de 20 ans sont des « hiboux » stimulés par le soir et dont les performances s'améliorent au cours de la journée (May et Hasher, 1998).

Eric Isselée/Shutterstock

La plupart des adultes sont des « alouettes » aimant le matin, dont les performances déclinent alors que le jour avance. Dans les maisons de retraite, tout est calme dès le milieu de la soirée alors que dans les résidences universitaires la journée est loin d'être finie. Vers l'âge de 20 ans (légèrement plus tôt chez les femmes), commence la métamorphose du hibou en alouette (Roenneberg et al., 2004). Les femmes deviennent plus du matin lorsqu'elles ont des enfants et également au moment de leur ménopause (Leonhard et Randler, 2009 ; Randler et Bausback, 2010). Les noctambules ont tendance à être intelligents et créatifs (Giampietro & Cavallera, 2007). Les gens du matin ont tendance à avoir de meilleurs résultats à l'école, à prendre plus d'initiatives et à être moins sensibles à la dépression (Randler, 2008, 2009 ; Preckel et al., 2013).

Peter Chadwick/Sciences Source

Les stades de sommeil

3-6 Quel est le cycle biologique de notre sommeil et de nos rêves ?

Plus ou moins tard, le sommeil s'abat sur nous et notre conscience s'affaiblit à mesure que les différentes parties de notre cortex arrêtent de communiquer entre elles (Massimini et al., 2005). Pourtant, le cerveau reste actif pendant le sommeil. Il a son propre rythme biologique.

Toutes les quatre-vingt-dix minutes environ, nous parcourons un cycle constitué de quatre stades distincts de sommeil. Ce fait élémentaire était inconnu jusqu'au moment où Armond Aserinsky, un enfant de 8 ans, se coucha une nuit de 1952. Son père, Eugène, un étudiant diplômé de l'université de Chicago, avait besoin de tester un électroencéphalographe qu'il avait réparé durant la journée (Aserinsky, 1988 ; Seligman et Yellen, 1987). Il plaça les électrodes à proximité des yeux d'Armond pour enregistrer les mouvements de rotation des yeux supposés se produire pendant le sommeil. Peu après, la machine devint folle, traçant de profonds zigzags sur le papier. Aserinsky pensa que la machine était encore cassée. Mais comme la nuit avançait, l'activité revint périodiquement, indiquant, comme Aserinsky le comprit finalement, des mouvements oculaires rapides et saccadés accompagnés d'une activité cérébrale intense. Lorsqu'il réveilla Armond durant l'un de ces épisodes, le garçon raconta qu'il avait fait un rêve. Aserinsky venait de découvrir ce que nous connaissons maintenant sous le terme de **sommeil REM** (sommeil avec mouvements oculaires rapides, *rapid eye movement sleep*).

Des protocoles similaires, utilisés sur des milliers de volontaires montrèrent que ces cycles représentaient une partie normale du sommeil (Kleitman, 1960). Pour apprécier ces études, imaginez-vous à la place d'un participant. Au fur et à mesure que l'heure avance, vous commencez à combattre la somnolence et bâillez en réponse à une réduction de votre métabolisme cérébral. Le bâillement (qui peut être socialement contagieux) étire les muscles du cou et augmente le rythme cardiaque, augmentant ainsi votre vigilance (Moorcroft, 2003). Lorsque vous êtes prêt à vous coucher, le chercheur place des électrodes sur votre cuir chevelu (pour détecter vos ondes cérébrales), juste au coin des yeux (pour détecter le mouvement des yeux), sur votre menton (pour détecter l'activité musculaire) (**FIGURE 3.10**). D'autres appareils permettent d'enregistrer votre rythme cardiaque, votre rythme respiratoire, ainsi que le degré de votre excitation génitale.

Le sommeil REM sommeil avec mouvements oculaires rapides ; stade de sommeil récurrent au cours duquel surviennent les rêves. Aussi connu sous le nom de *sommeil paradoxal*, parce que les muscles sont détendus (sauf secousses mineures), alors que d'autres systèmes physiques sont actifs.

Les dauphins, les marsouins et les baleines dorment d'un sommeil qui affecte un hémisphère à la fois (Miller et al., 2008).

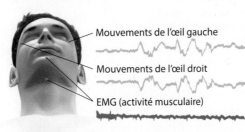
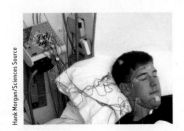
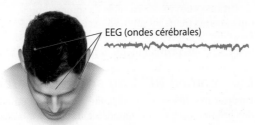

Mouvements de l'œil gauche

Mouvements de l'œil droit

EMG (activité musculaire)

EEG (ondes cérébrales)

Hank Morgan/Sciences Source

▼ FIGURE 3.10
Étude quantitative du sommeil Les chercheurs spécialisés dans l'étude du sommeil mesurent les ondes cérébrales, les mouvements des yeux et l'activité musculaire à l'aide d'électrodes qui détectent de faibles signaux électriques émanant du cerveau, des yeux et des muscles faciaux. (D'après Dement, 1978.)

"Mon problème a toujours été une surabondance d'ondes alpha."

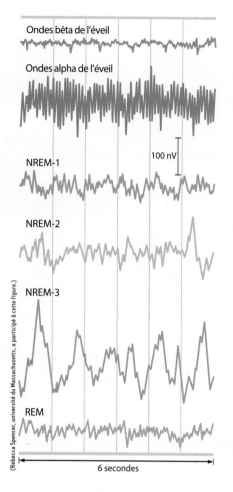

▼ FIGURE 3.11

Ondes cérébrales et stades de sommeil Les ondes bêta d'un état de veille vigilante ainsi que les ondes alpha régulières d'un stade de veille avec relaxation sont assez différentes des ondes delta, plus amples et plus lentes, caractérisant le stade NREM-3 du sommeil lent profond. Bien que les ondes rapides du sommeil REM ressemblent à celles du stade NREM-1 proche de l'éveil, le corps est plus activé au cours du sommeil REM qu'au cours du sommeil NREM.

Pour vivre vos propres expériences hypnagogiques, vous pouvez utiliser l'alarme de votre réveil.

Lorsque vous êtes au lit les yeux fermés, le chercheur, dans une pièce adjacente, voit sur l'EEG les **ondes alpha** relativement lentes, caractéristiques de votre état de veille relaxée (**FIGURE 3.11**). Au fur et à mesure que vous vous habituez à l'appareillage et que la fatigue vous gagne, vous plongez dans le sommeil à un moment dont vous ne vous rappellerez pas (**FIGURE 3.12**). Cette transition est marquée par le ralentissement de la respiration et l'apparition des ondes cérébrales irrégulières du stade 1 sans REM (non-REM) ou stade 1 de Sommeil Lent. Si on utilise la classification américaine des stades du sommeil mise au point par l'American Academy of Sleep Medicine, on parle de stade *NREM-1* (Silber et al., 2008).

Chez l'un de ses 15 000 sujets, William Dement (1999) a observé l'instant où la porte perceptuelle séparant le cerveau et le monde extérieur se ferme brusquement. Après que le jeune homme ait été privé de sommeil, avec les paupières maintenues ouvertes, Dement lui a demandé d'appuyer sur un bouton chaque fois qu'une lumière clignotante située devant ses yeux s'allumerait (environ toutes les six secondes). Au bout de quelques minutes, le sujet manqua une manœuvre. Quand on lui demanda pourquoi il n'avait pas appuyé sur le bouton, il répondit : « parce que la lumière ne s'est pas allumée ». Mais il y avait eu un flash. Il l'avait manquée, car (et son activité cérébrale le montra) il s'était endormi pendant deux secondes. Non conscient de ce fait, il avait non seulement manqué la lumière située à 15 centimètres de son nez, mais aussi l'instant de son endormissement subit.

Durant ce stade 1, très bref, de sommeil NREM-1, vous pouvez voir des images fantastiques, qui ressemblent à des **hallucinations**, des expériences sensorielles qui surviennent sans stimulus sensoriel. Vous pouvez éprouver une sensation de chute (à cet instant votre corps peut sursauter brusquement) ou bien de flottement en état d'apesanteur. De telles sensations *hypnagogiques* peuvent être secondairement incorporées parmi les souvenirs. Les personnes qui déclarent avoir été enlevées par des extraterrestres, généralement peu de temps après s'être couchées, se rappellent souvent avoir été emportées en flottant hors de leur lit (Clancy, 2005 ; McNally, 2012).

▼ FIGURE 3.12

Le moment de l'arrivée du sommeil (l'endormissement) Nous semblons être non-conscients du moment où nous sombrons dans le sommeil, mais un observateur qui analyserait votre EEG pourrait vous le dire (Dement, 1999).

Sommeil   1 seconde

Bientôt, vous vous détendez plus profondément ; commence alors une période d'environ vingt minutes de sommeil *NREM-2*, caractérisée par l'apparition périodique de *fuseaux de sommeil* : des bouffées d'activité cérébrale rapides et rythmiques. Bien qu'il soit encore possible de vous réveiller sans trop de difficulté durant cette phase, vous êtes maintenant réellement endormi.

Ensuite, vous passez au stade de sommeil profond *NREM-3*. Durant ce stade à ondes lentes qui dure environ trente minutes, votre cerveau émet des ondes amples et lentes, les **ondes delta**, et vous êtes difficile à réveiller. (C'est à la fin de la période de sommeil profond à ondes lentes NREM-3 que les enfants peuvent mouiller leur lit).

Le sommeil REM ou sommeil paradoxal

Environ une heure après le début de votre sommeil, une chose étrange se produit. Plutôt que de continuer à dormir profondément, vous remontez de votre plongeon initial dans le sommeil. Repassant par le stade NREM-2 (dans lequel vous passez environ la moitié de votre nuit), vous entrez

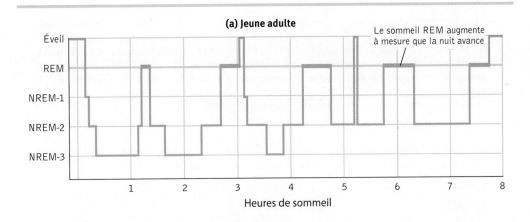

(a) Jeune adulte

Le sommeil REM augmente à mesure que la nuit avance

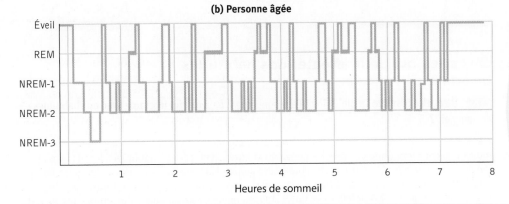

(b) Personne âgée

▼ FIGURE 3.13
Les stades de sommeil d'une nuit typique Un cycle de sommeil avec plusieurs stades revient plusieurs fois par nuit, les durées des stades de sommeil lent profond décroissent, alors que les durées des stades de sommeil paradoxal, elles, sont croissantes. Avec l'âge, le sommeil devient plus fragile. Les réveils sont fréquents chez les adultes plus âgés (Kamel & Gammack, 2006 ; Neubauer, 1999).

dans la phase de sommeil la plus curieuse de toutes, le sommeil REM (**FIGURE 3.13**). Pendant environ dix minutes, vos ondes cérébrales deviennent rapides et en dents de scie, assez semblables à celles du sommeil NREM-1, proche de l'éveil. Mais au contraire du sommeil NREM-1, pendant le sommeil REM, votre fréquence cardiaque augmente, votre respiration devient rapide et irrégulière et environ toutes les trente secondes, vos yeux sursautent derrière vos paupières closes en bouffées d'activité temporaire. Ces mouvements rapides des yeux annoncent le début d'un rêve, ayant souvent un contenu émotionnel, structuré comme une histoire et riche en hallucinations. Alors que tout le monde peut remarquer ces bouffées de REM en regardant les yeux d'un dormeur, il est étonnant que la science ait ignoré le sommeil REM jusqu'en 1952.

Excepté pendant des rêves très effrayants, vos organes génitaux sont excités au cours du sommeil REM. Vous présentez une érection ou une augmentation de la lubrification vaginale et une turgescence clitoridienne indépendamment du contenu, sexuel ou non, des rêves (Karacan et al., 1966). Chez l'homme, la classique « érection du matin » découle de la dernière période de sommeil REM de la nuit, souvent juste avant de s'éveiller. Chez les hommes jeunes, l'érection liée au sommeil déborde des périodes REM, durant en moyenne trente à quarante-cinq minutes (Karacan et al., 1983 ; Schiavi et Schreiner-Engel, 1988). Un homme normal de 25 ans a donc une érection pendant à peu près la moitié de sa nuit de sommeil, un homme de 65 ans pendant un quart. Beaucoup d'hommes souffrant de *troubles de l'érection* (impuissance) ont des érections liées au sommeil, ce qui suggère que ce problème n'est pas organique.

Le cortex moteur de votre cerveau est actif pendant le sommeil paradoxal, mais le tronc cérébral bloque ses messages. La résolution musculaire est atteinte, tant et si bien que, sauf pour un doigt ou un orteil, un muscle facial se contractant de façon aléatoire, vous êtes paralysé. De plus, vous ne pouvez pas être réveillé facilement. (Cette immobilité peut parfois perdurer au moment où vous vous réveillez d'un sommeil REM, produisant une expérience assez perturbante de *paralysie du sommeil* [Santomauro et French, 2009].) C'est pour cette raison que le sommeil REM est parfois appelé sommeil *paradoxal* ; votre corps est soumis à une activité cérébrale ressemblant au réveil alors que vous êtes endormi et semblez calme vu de l'extérieur.

Le cycle du sommeil se répète environ toutes les quatre-vingt-dix minutes pour les jeunes adultes (un peu plus souvent pour les personnes âgées). À mesure que la nuit avance, la durée du sommeil lent profond – stade 3 du sommeil NREM est réduite, puis ce sommeil disparaît. Les périodes des sommeils REM et NREM-2 deviennent plus longues (voir Figure 3.13). Au réveil, 20 à 25 % de notre sommeil nocturne,

Ondes alpha ondes cérébrales relativement lentes, d'un état éveillé avec relaxation.

Hallucinations expériences sensorielles fausses, perceptions sans objet à percevoir.

Ondes delta les grandes ondes cérébrales lentes, associées à un sommeil profond.

EXERCICE RÉCAPITULATIF
La sécurité par le nombre ?

Uriel Sinai/Getty Images

• Pourquoi dormir en groupe offrirait une protection supplémentaire pour ceux dont la sécurité dépend de la vigilance, comme ces soldats ?

Réponse : chaque soldat passant indépendamment par un cycle comportant les différents stades du sommeil, il est très probable qu'à un moment donné, au moins l'un d'entre eux sera réveillé ou facilement réveillé si une menace survenait.

Les chevaux passant 92 % de la journée en position debout, peuvent dormir dans cette position, mais doivent se coucher pendant le sommeil paradoxal (Morrison, 2003).

en moyenne cent minutes, se seront déroulés en sommeil REM. Trente-sept pour cent des personnes disent ne pas avoir de rêves dont ils « se souviennent le matin », ou alors très rarement (Moore, 2004). Cependant, dans 80 % des cas, ils se rappellent un rêve lorsqu'ils sont réveillés pendant le sommeil REM. Nous passons en fait six cents heures par an à vivre environ 1 500 rêves, soit plus de 100 000 rêves pour une vie moyenne, tous absorbés par la nuit et jamais joués, grâce à la paralysie protectrice du sommeil REM.

EXERCICE RÉCAPITULATIF

- Quels sont les quatre stades de sommeil, et dans quel ordre les étapes de ce voyage surviennent-elles ?

Réponses : REM, NREM-1, NREM-2, NREM-3 ; normalement, nous passons du stade 1 de sommeil lent NREM-1, puis NREM-2, puis NREM-3, puis un retour vers le stade NREM-2 va précéder le sommeil paradoxal.

- Pouvez-vous faire correspondre expérience cognitive et stade de sommeil ?

1. NREM-1   a. le rêve comme scénario

2. NREM-3   b. images fugaces

3. REM   c. conscience minimale

Réponses : 1. b, 2. c, 3. a

Qu'est-ce qui peut affecter nos habitudes de sommeil ?

3-7 De quelle manière la biologie et l'environnement peuvent-ils interagir avec nos habitudes de sommeil ?

L'idée que « tout le monde a besoin de huit heures de sommeil » est fausse. Les nouveau-nés dorment souvent les deux tiers dune journée de vingt-quatre heures, la plupart des adultes ne dorment pas plus longtemps que le tiers. Certains sujets robustes ont besoin de moins de six heures de sommeil, tandis que pour d'autres, moins de neuf heures seraient un supplice. Mais il y a bien d'autres raisons que l'âge pour expliquer nos différences de durée du sommeil. Certains sont éveillés entre « premier et le second sommeil » (Randall, 2012). Et certains trouvent qu'une sieste de quinze minutes équivaut à une heure de sommeil nocturne (Horne, 2011).

Ces différents types de sommeil sont génétiquement programmés (Hor et Tafti, 2009). Au cours d'études menées sur des vrais et des faux jumeaux, seuls les vrais jumeaux présentaient des successions et des durées des stades de sommeil remarquablement semblables (Webb & Campbell, 1983). Les chercheurs sont en train de découvrir des gènes qui régulent le sommeil de l'homme et des animaux (Donlea et al., 2009 ; He et al., 2009). Les habitudes de sommeil sont également influencées par la culture. Aux États-Unis et au Canada, par exemple, la moyenne de sommeil des adultes est de sept à huit heures par nuit (Hurst, 2008 ; National Sleep Foundation, 2010 ; Robinson et Martin, 2009). (Cependant la durée moyenne de sommeil, les jours de semaine de nombreux étudiants et employés est en dessous de cette limite [NSF, 2008].) Et, par les effets d'un éclairage moderne, par travail posté et l'influence des médias sociaux, beaucoup de ceux qui se seraient couchés à 9 heures du soir, il y a un siècle, restent éveillés jusqu'à 11 heures du soir ou même plus tard. Que ce soit sur notre sommeil ou sur notre comportement de veille, la biologie et l'environnement interagissent.

Les gens ronflent rarement pendant les rêves. Le ronflement s'arrête, dès le début du sommeil paradoxal.

Une lumière vive du matin tord le ressort de l'horloge circadienne en activant les protéines rétiniennes sensibles à la lumière. Ces dernières contrôlent l'horloge circadienne en envoyant des signaux vers le **noyau suprachiasmatique** du cerveau, situé dans l'hypothalamus et formé de deux amas de 10 000 cellules en grain de riz (Wirz-Justice, 2009). Ce noyau suprachiasmatique agit en partie en induisant une diminution (le matin) ou une augmentation (le soir) de la production de *mélatonine* (hormone inductrice du sommeil) par la glande pinéale située dans notre cerveau (**FIGURE 3.14**).

Être baigné de lumière (ou à l'inverse en être privé) perturbe notre horloge biologique fixée sur vingt-quatre heures (Czeisler et al., 1999 ; Dement, 1999). Sachant que les horloges corporelles de nos ancêtres étaient réglées sur le lever et le coucher du soleil d'une journée de vingt-quatre heures, il est curieux d'observer que, de nos jours, de nombreux jeunes adultes adoptent un rythme réglé sur une durée proche d'un jour de vingt-cinq heures en restant éveillés trop tard pour conserver huit heures de sommeil. C'est grâce à (ou à cause de) Thomas Edison, l'inventeur de l'ampoule électrique, que de tels phénomènes sont possibles. Cela nous aide à comprendre pourquoi nous devons nous discipliner jusqu'à nos vieux jours pour aller au lit à l'heure et nous forcer à nous lever. La plupart des animaux sont dans le même cas : placés dans un environnement artificiel avec une lumière artificielle constante, ils adoptent un rythme de plus de vingt-quatre heures. La lumière artificielle retarde donc le sommeil.

Ceux qui dorment jusqu'à midi le dimanche et se recouchent plus tôt le dimanche soir pour se préparer à une nouvelle semaine de travail ont souvent du mal à trouver le sommeil (Oren et Terman,

> **Noyau suprachiasmatique (NSC)** structure paire de l'hypothalamus qui contrôle le rythme circadien et qui comporte plusieurs milliers de somas de neurones. En réponse à la lumière, le NSC stimule la glande pinéale, ou épiphyse, pour réguler la production de mélatonine, modifiant ainsi notre ressenti de l'envie de dormir.

Un inconvénient circadien : une étude portant sur 24 121 rencontres de la Major League de base-ball, s'étant déroulées sur une décennie, a montré que les équipes qui avaient traversé trois fuseaux horaires avant de disputer une série de rencontres voyaient la probabilité de perdre le premier match atteindre 60 % (Winter et al., 2009).

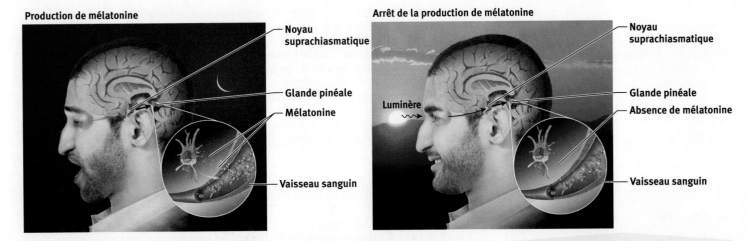

Production de mélatonine

— Noyau suprachiasmatique

— Glande pinéale
— Mélatonine

— Vaisseau sanguin

Arrêt de la production de mélatonine

— Noyau suprachiasmatique

— Glande pinéale
— Absence de mélatonine

Lumière

— Vaisseau sanguin

▼ **FIGURE 3.14**
L'horloge biologique La lumière frappant la rétine active le noyau suprachiasmatique qui envoie un signal supprimant la production de mélatonine (l'hormone du sommeil) par la glande pinéale ou épiphyse. La nuit, ce noyau n'est plus activé et laisse la glande pinéale libérer la mélatonine dans la circulation sanguine.

1998). Comme les New-Yorkais dont la biologie doit subir un voyage en Californie, ils éprouvent « un jet lag social ». Pour les Nord-Américains prenant l'avion pour l'Europe et devant être réveillés quand leur rythme circadien leur crie « *dors !* », la lumière intense (en passant la journée dehors) peut les aider à remettre à l'heure leur horloge biologique (Czeisler et al., 1986, 1989 ; Eastman et al., 1995).

EXERCICE RÉCAPITULATIF

- Le noyau _____ permet de réguler la sécrétion cérébrale de la mélatonine, qui affecte notre rythme _____

Réponses : suprachiasmatique, circadien

Pourquoi dormons-nous ?

3-8 Quelles sont les fonctions du sommeil ?

Ainsi, les habitudes de sommeil diffèrent selon la personne ou la culture. Mais pourquoi avons-nous donc besoin de dormir ?

Les psychologues pensent que le sommeil pourrait s'être développé pour cinq raisons.

1. *Le sommeil nous protège.* Quand l'obscurité empêchait nos ancêtres de chasser et de rassembler de la nourriture, et rendait les déplacements hasardeux, il était préférable pour eux de dormir tranquillement dans une caverne, hors de danger. Nos ancêtres qui n'essayaient pas de naviguer entre les rochers et les falaises au cœur de la nuit avaient plus de chances d'avoir une descendance. Cela correspond à un principe plus général : notre manière de dormir correspond à la niche écologique que nous occupons (Siegel, 2009). Les animaux qui ont besoin de beaucoup de nourriture et qui sont peu aptes à se cacher vont moins dormir. Les animaux dorment aussi moins, sans aucune séquelle, pendant les périodes de reproduction et de migration (Siegel, 2012). (Quelques exemples de durée de sommeil des animaux sont présentés **FIGURE 3.15**.)

2. *Le sommeil nous aide à récupérer.* Il facilite la restauration et la réparation des tissus cérébraux. Les chauves-souris et d'autres animaux qui, à l'état de veille, ont un métabolisme important, brûlent beaucoup de calories et produisent de nombreuses *molécules, ou radicaux libres,* toxiques pour les neurones. Le fait de dormir longtemps donne le temps à leurs neurones au repos de se réparer d'eux-mêmes tout en permettant aux connexions non utilisées de ne pas se stabiliser (Gilestro et al., 2009 ; Tononi & Cirelli, 2013). Le sommeil est le temps du catabolisme cérébral. Des études menées sur des souris montrent que le sommeil élimine du cerveau des composés métaboliques toxiques (Xie et al., 2013). Réfléchissez-y de cette façon : lorsque la conscience quitte la maison, des travailleurs y entrent pour y faire les transformations en nous disant : « Bonne nuit. Dormez tranquille, nous allons tout remettre en ordre. »

« Dormez plus vite, nous avons besoin des oreillers. »

Proverbe yiddish

« Les oreillers en velours côtelé font les gros titres. »

Anonyme

▼ **FIGURE 3.15**
Durée de sommeil de certains animaux Préféreriez-vous plutôt être une girafe qui dort deux heures par jour ou une chauve-souris qui dort vingt heures ? (Données de NIH, 2010.)

Kruglov Orda/Shutterstock ; Gracieuseté de Andrew D. Myers ; © Anna63/Dreamstime.com ; Steffen Foerster Photography/Shutterstock ; The Agency Collection/Punchstock ; Eric Isselée/Shutterstock ; pandapaw/Shutterstock

20 hours
Kruglov Orda/Shutterstock

16 hours
Gracieuseté de Andrew D. Myers

12 hours
Utekhina Anna/Shutterstock

10 hours
Steffen Foerster Photographie/Shutterstock

8 hours
Rubberball/Vetta/Getty Images

4 hours
Eric Isselée/Shutterstock

2 hours
pandapa/Shutterstock

3. *Le sommeil aide à restaurer et reconstruire notre mémoire pâlissante des expériences de la journée.* Le sommeil consolide nos souvenirs. Il réactive les expériences récentes stockées dans l'hippocampe et les déplace dans le cortex, pour un stockage permanent (Diekelmann & Born, 2010 ; Racsmány et al., 2010). Les adultes et les enfants entraînées à effectuer certaines tâches s'en souviennent mieux après une nuit de sommeil ou même une courte sieste qu'après plusieurs heures de veille (Kurdziel et al., 2013 ; Stickgold et Ellenbogen, 2008). Chez les adultes plus âgés, les perturbations plus fréquentes du sommeil perturbent également la consolidation de la mémoire (Pace-Shott & Spencer, 2011). Chez les personnes âgées, une meilleure qualité du sommeil améliore la mémoire des choses récemment apprises (Drummond, 2010). Il semble que le sommeil renforce la mémoire d'une manière qui ne peut être obtenue par l'éveil.

4. *Le sommeil nourrit la pensée créative.* Les rêves peuvent inspirer des réalisations artistiques et scientifiques remarquables, comme les rêves qui amenèrent le chimiste August Kekulé à proposer la structure du benzène (Ross, 2006) et le chercheur Carl Alving (2011) à inventer le vaccin en dispositif transdermique. Le plus souvent, une bonne nuit complète de sommeil relance nos pensées et notre apprentissage. Après avoir travaillé sur une tâche, puis avoir dormi, les personnes résolvent les problèmes difficiles de manière plus perspicace que ceux qui restent éveillés (Barrett, 2011 ; Sio et al., 2013). Elles peuvent aussi mieux discerner comment sont reliés différents éléments d'information (Ellenbogen et al., 2007). Pour penser intelligemment et comprendre les relations, il est souvent payant de prendre conseil de son oreiller.

5. *Le sommeil favorise la croissance.* Au cours du sommeil profond, l'hypophyse sécrète de l'hormone de croissance. Lorsque nous vieillissons, nous libérons moins de cette hormone et nous passons moins de temps en sommeil profond (Pekkanen, 1982).

Selon James Maas et Rebecca Robbins (2010), *un sommeil régulier et complet peut également améliorer de manière* spectaculaire vos capacités sportives. Les athlètes qui étaient bien reposés avaient des temps de réaction plus courts, avaient plus d'énergie, et une plus grande endurance, et les équipes dont la durée du sommeil était de huit à dix heures, au cours de leur entraînement, voyaient leurs résultats s'améliorer Une étude a observé pendant trois semaines environ, les résultats de l'équipe masculine de basket-ball de l'Université de Stanford. Pendant cinq à sept semaines la durée du temps passé au lit a atteint dix heures et la durée moyenne de sommeil a augmenté de cent dix minutes. Ces joueurs ont été plus rapides au sprint, le nombre de leurs lancers francs réussis et les paniers à 3 points ont augmenté de 9 % (Mah et al., 2011). Des violonistes virtuoses ont aussi affirmé dormir 8,5 heures par jour en moyenne. Le travail et la durée du sommeil sont les deux facteurs favorisant le progrès de leurs interprétations (Ericsson et al., 1993).

C'est pendant le sommeil à ondes lentes, qui se produit surtout pendant la première moitié de la nuit de sommeil, qu'est sécrétée l'hormone de croissance humaine nécessaire au développement staturo-pondéral. Le sommeil paradoxal et le sommeil lent-stade 2 du sommeil, qui se produisent surtout dans les dernières heures de sommeil d'une longue nuit, aident à renforcer les connexions neuronales qui construisent des souvenirs durables, y compris les « souvenirs musculaires » appris tout en pratiquant le tennis ou le basket.

Le temps d'exercice est optimal l'après-midi ou en début de soirée, conseillent Meuse et Robbins, le refroidissement naturel du corps est le plus efficace. Les séances matinales d'entraînement sont mauvaises, car elles augmentent le risque de blessures et privent les athlètes de sommeil précieux. Les entraînements intensifs trois heures avant le coucher doivent également être évités car l'excitation perturbe l'endormissement. L'entraînement musculaire de précision, tel que celui des lancers francs ou celui exercé quand on joue du piano, est bénéfique lorsqu'il est pratiqué peu de temps avant le sommeil (Holz et al., 2012 ; Tamaki et al., 2013.).

Maas a été consultant spécialiste du sommeil pour des équipes sportives universitaires et professionnelles. Sur ses conseils, l'équipe de basket Orlando Magic a mis fin aux entraînements matinaux. Il a également conseillé une jeune athlète, Sarah Hughes, qui se sentait inhibée dans ses efforts d'atteinte d'un niveau excellent en patinage artistique de compétition. « Mettez fin aux entraînements matinaux », ce fut son conseil dispensé dans le cadre d'un programme de régulation du sommeil. Peu de temps après, les résultats de S. Hughes se sont améliorés et elle remporta une médaille d'or aux Jeux Olympiques de 2002. Étant donné tous les bienfaits du sommeil, il n'est pas étonnant que le manque de sommeil nous atteigne si durement.

Les besoins de sommeil qui sont satisfaits améliorent les compétences, les performances sportives de haut niveau et renforcent l'apprentissage Ce fut le cas pour, Sarah Hughes, médaille d'or aux Jeux Olympiques.

Timothy A. Clary/AFP/Getty Images

Le manque de sommeil et les troubles du sommeil

3-9 De quelle manière le manque de sommeil nous affecte-t-il et quels sont les principaux troubles du sommeil ?

Lorsque notre corps aspire au sommeil mais ne peut l'obtenir, nous commençons à nous sentir terriblement mal. Si nous essayons de rester éveillés nous finirons par échouer. Dans cette bataille de la fatigue, le sommeil gagne toujours.

Les effets du manque de sommeil

Plus que jamais nous souffrons aujourd'hui d'habitudes de sommeil qui entraînent la somnolence, mais surtout nous enlèvent toute énergie et nous donnent une sensation de malaise général. Après plusieurs nuits successives de cinq heures, nous accumulons une dette de sommeil qui n'aura pas besoin d'être totalement remboursée mais qui ne pourra être effacée par une seule bonne nuit. Selon William Dement, chercheur spécialisé dans le sommeil, (1999, p. 64) « le cerveau tient un compte précis de la dette de sommeil sur au moins deux semaines ».

De toute évidence, nous avons besoin de sommeil. Le sommeil commande grossièrement un tiers de notre vie, soit vingt-cinq ans en moyenne. Laissés à eux-mêmes, la plupart des humains dormiraient au moins neuf heures par nuit (Coren, 1996). Avec cette quantité de sommeil, nous nous réveillons reposés, notre humeur est plus stable, et nous effectuons un travail plus efficace et précis. La marine américaine et le NIH (Institut national américain de la santé) ont mis en évidence les avantages de l'absence de restriction de sommeil au cours d'expériences pendant lesquelles des volontaires devaient rester couchés quatorze heures par jour pendant au moins une semaine. Pendant les premiers jours, les sujets dormaient au moins douze heures par jour en moyenne. Apparemment, ils remboursaient une dette de sommeil d'environ vingt-cinq à trente heures. Après cela, les durées des nuits de sommeil sont revenues à des valeurs de 7,5 à 9 heures. Les sujets n'éprouvaient pas de sensation de manque de sommeil, et se sentaient en forme et plus heureux (Dement, 1999). Selon une enquête Gallup (Mason, 2005), 63 % des adultes qui disent dormir autant qu'ils en ont besoin considèrent aussi qu'ils sont « très satisfaits » de leur vie personnelle (alors que ce n'est le cas que chez 36 % des personnes qui ont besoin de plus de sommeil). Lorsque 909 femmes ayant une vie professionnelle décrivirent leurs envies au quotidien, les chercheurs furent frappés par ce qui avait peu d'importance pour elles, comme l'argent (tant qu'elles n'étaient pas aux prises avec la pauvreté) et par ce qui en avait beaucoup – diminuer la pression au travail et passer une bonne nuit de sommeil (Kahneman et al., 2004).

Les étudiants des lycées et des universités manquent particulièrement de sommeil ; selon une enquête nationale, 69 % ont dit « s'être sentis fatigués » ou « avoir eu peu d'énergie » pendant plusieurs jours des deux dernières semaines (AP, 2009). Pour les étudiants, moins de sommeil engendre également davantage de conflits en amitiés et en relations amoureuses (Gordon & Chen, 2014 ; Tavernier & Willoughby, 2014). La fatigue provoque des sensations désagréables. Selon une autre étude, 28 % des étudiants reconnaissent s'endormir pendant les cours au moins une fois par semaine (Sleep Foundation, 2006). Lorsque le cours devient indigeste, les étudiants commencent à faire la sieste.

La perte de sommeil est un facteur prédictif de dépression. Des chercheurs ont étudié 15 500 sujets âgés de 12 à 18 ans et ont trouvé que pour ceux qui dormaient cinq heures ou encore moins par nuit, le risque de survenue d'une dépression, était augmenté de 71 % dépression, si la comparaison portait sur leurs compagnons qui dormaient huit heures ou plus par nuit (Gangwich et al., 2010). Ce lien ne semble pas refléter les troubles du sommeil inhérents aux états dépressifs. Lorsque des enfants et des adolescents sont suivis sur une longue période, c'est la perte de sommeil qui prédit la dépression et non pas le contraire (Gregory et al., 2009). De plus, le traitement des expériences émotionnelles par le sommeil REM aide à protéger de la dépression (Walker et van der Helm, 2009). Après une bonne nuit de sommeil, nous nous sentons mieux souvent le lendemain. Et cela peut aider à expliquer pourquoi on peut prédire moins de survenues d'états dépressifs si l'heure du coucher est imposée par les parents et pourquoi le fait de retarder l'heure de début de l'école conduit à une amélioration du sommeil des adolescents, qui sont plus alertes et de meilleure humeur (Gregory et al., 2009 ; Owens et al., 2010 ; Perkinson-Gloor et al., 2013).

En 1989, Michael Doucette avait été nommé jeune conducteur le plus prudent. En 1990, tout en conduisant de chez lui à l'université, il s'endormit au volant et a heurté une voiture venant en sens inverse ; lui-même et l'autre conducteur sont morts. Le moniteur d'auto-école de Michael a plus tard reconnu qu'il n'avait jamais parlé de la réduction du temps de sommeil en tant que risque de somnolence au volant (Dement, 1999).

Marty Bucella 2012

« Peut-être que le slogan "Apportez votre oreiller au bureau" n'était pas une si bonne idée. »

Lors d'un sondage Gallup datant de 2013, 40 % des Américains ont affirmé avoir des nuits de sommeil égales à six heures ou moins (Jones, 2013).

« Vous vous réveillez au milieu de la nuit et prenez votre smartphone pour vérifier l'heure : il est 3 heures du matin. Et vous voyez un message d'alerte. Avant de le savoir, vous tombez dans un tourbillon d'e-mail et Twitter. Dormir ? Oublie. »

Nick Bilton, « Perturbations : Pour une bonne nuit de sommeil, faites aussi dormir votre téléphone smartphone », 2014

« Souvenez-vous de dormir parce que vous devez dormir pour vous souvenir. »

James B. Maas et Rebecca S. Robbins,
Le sommeil de la réussite, 2010

Les étudiants privés de sommeil fonctionnent souvent en deçà de leurs capacités maximales Et ils le savent : quatre adolescents américains sur cinq et trois Américains sur cinq âgés de 18 à 29 ans souhaiteraient pouvoir dormir plus pendant la semaine (Mason, 2003, 2005). Cependant, celui qui titube à regret alors qu'il est sorti de son lit par une sonnerie importune, qui bâille pendant tous ses cours du matin et se sent à moitié déprimé toute la journée sera probablement très en forme à 23 heures et ne se souciera pas de la somnolence imminente du lendemain (Carskadon, 2002). Comme le dit Dement (1999, p. 231) : « Le manque de sommeil a des conséquences – difficultés à se concentrer sur ses études, diminution de la productivité, tendance à l'erreur, irritabilité, fatigue. » Une importante dette de sommeil « vous rend stupide ».

Le manque de sommeil peut aussi nous faire prendre du poids. La privation de sommeil

- augmente le taux d'une hormone, la *ghréline, qui entraîne* la sensation de faim et abaisse le taux de l'hormone antagoniste, la *leptine*, qui supprime la sensation de faim (Shilsky et al., 2012).

- diminue le catabolisme, témoin de la consommation d'énergie (Buxton et al., 2012).

- entraîne également l'augmentation du taux de *cortisol*, hormone du stress qui stimule la lipogenèse.

- favorise la stimulation de la réponse limbique à la vue de la nourriture et réduit l'inhibition corticale (Benoît et al., 2012 ; Greer et al., 2013 ; St-Onge et al., 2012).

Ainsi, les enfants et les adultes qui dorment moins sont plus gros que la moyenne, et au cours des dernières décennies, la prise de poids de la population générale a été concomitante de la réduction de la durée du sommeil (Shiromani et al., 2012). Une expérience de privation de sommeil effectuée chez des adultes a entraîné chez eux une augmentation de l'appétit et de la quantité de nourriture ingérée (Nixon et al., 2008 ; Patel et al., 2006 ; Spiegel et al., 2004 ; Van Cauter et al., 2007). Ainsi, la perte de sommeil contribue à expliquer le gain de poids corporel communément observé chez les étudiants souffrant d'un manque de sommeil.

Le sommeil affecte aussi notre santé physique. Habituellement, quand nous sommes soumis à une infection, nous dormons plus, stimulant ainsi nos cellules immunitaires. La privation de sommeil peut avoir un effet suppresseur de l'immunité cellulaire qui combat les infections virales et le cancer (Möller-Levet et al., 2013 ; Motivala & Irwin, 2007). Une expérience a exposé des volontaires au virus du rhume. Ceux qui en moyenne avaient dormi moins de sept heures par nuit avaient trois fois plus de risques de développer un rhume que ceux qui avaient dormi huit heures au moins par nuit (Cohen et al., 2009). Cet effet protecteur du sommeil pourrait expliquer pourquoi les personnes qui dorment sept à huit heures par nuit ont tendance à vivre plus longtemps que celles qui manquent chroniquement de sommeil et pourquoi les adultes plus âgés qui n'ont pas de difficultés à s'endormir ou à dormir longtemps ont tendance à vivre plus vieux (Dement, 1999 ; Dew et al., 2003).

« Alors fermez les yeux
Embrassez-moi, au revoir
Et dormez
dormez. »

Chanson de My Chemical Romance

Le manque de sommeil ralentit les réactions et augmente les erreurs dans les tâches réclamant une attention visuelle similaire à celle impliquée dans la vérification des bagages à l'aéroport, les opérations chirurgicales et la lecture des radiographies (Caldwell, 2012 ; Lim et Dinges, 2010). La lenteur des réponses peut aussi mener au désastre pour ceux qui pilotent un avion, conduisent des engins de chantiers, font fonctionner des appareillages industriels ou conduisent des moyens de transport. La fatigue au volant est responsable d'environ 20 % des accidents de la route aux États-Unis (Brody, 2002) et de près de 30 % des décès survenus sur les autoroutes australiennes (Maas, 1999). Une étude menée pendant deux ans a examiné plus de 20 000 accidents de la route survenus dans deux grandes villes de Virginie et impliquant des personnes âgées 16 à 18 ans ; Dans les lycées d'une ville, les cours commençaient soixante-quinze à quatre-vingts minutes après le début des cours des lycées de l'autre ville. Le taux d'accidents chez les élèves commençant plus tard était inférieur de 25 % (Vorona et al., 2011). Quand des lobes frontaux somnolents sont confrontés à une situation inattendue, on peut s'attendre à une catastrophe.

Stanley Coren s'est intéressé à une expérience naturelle de manipulation de la durée du sommeil qui touche de nombreux Nord-Américains : l'avancement d'une heure pour passer à l'heure d'été, puis le retour à l'heure normale. Après avoir analysé des millions de dossiers, il découvrit qu'au Canada et aux États-Unis, l'augmentation du nombre des accidents était étroitement associée au raccourcissement de la durée du sommeil suivant le passage à l'heure d'été (**FIGURE 3.16**). Moins de sommeil = plus d'accidents.

Les personnes fatiguées ont de la difficulté à se concentrer, ce qui conduit à plus de flânerie sans but sur la toile, et de perte de temps – le lundi suivant la mise en place de l'heure d'été, le temps passé à se divertir sur la Toile à l'aide de Google a été supérieur de 3,1 % au temps passé le lundi précédent, et supérieur de 6,4 % en le comparant à celui du lundi suivant (Wagner et al., 2012).

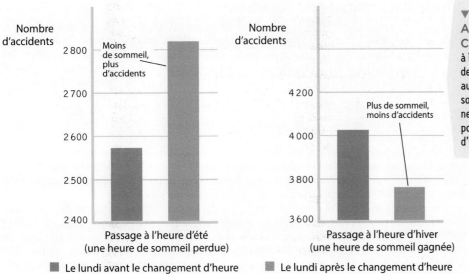

Accidents de la circulation au Canada Au cours du lundi suivant le passage à l'heure d'été, quand les gens perdent une heure de sommeil, les accidents augmentent par rapport au lundi précédent. En automne, les accidents sont en augmentation en raison des chutes de neige, du verglas et de l'obscurité prolongée ; pourtant ils diminuent après le changement d'heure. (Données de Coren, 1996.)

Une autre étude a montré que les étudiants privés de sommeil, comparés à des étudiants bien reposés, passaient plus de temps en flânerie sur la toile, pendant qu'il assistait à une vidéoconférence d'une durée de quarante-deux minutes.

LA FIGURE 3.17 résume les effets du manque de sommeil. Mais il y a une bonne nouvelle ! Les psychologues ont découvert un traitement qui renforce la mémoire, augmente la concentration, améliore l'humeur, modère la faim et l'obésité, fortifie le système immunitaire et diminue le risque d'accidents fatals. Encore mieux : on se sent bien avec ce traitement, on peut se l'administrer tout seul, il n'y a pas de problèmes d'approvisionnement, il est gratuit ! Si vous êtes un étudiant typique, qui souvent ne se couche pas avant 2 heures du matin et qui se lève six heures plus tard, réveillé par l'alarme tant redoutée, le traitement est simple : il suffit d'ajouter quinze minutes de sommeil à chaque nuit.

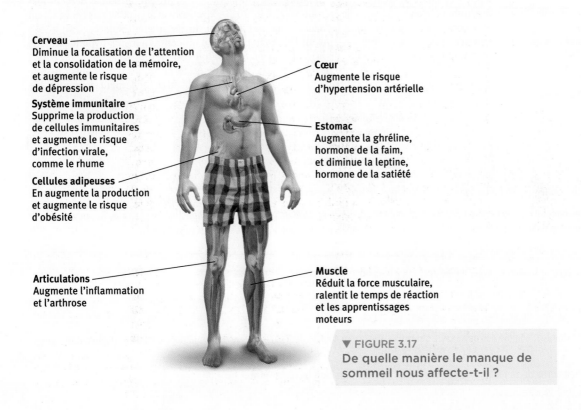

▼ FIGURE 3.17
De quelle manière le manque de sommeil nous affecte-t-il ?

off the mark.com by Mark Parisi

LET ME GET THIS STRAIGHT, IT'S BEEN TWO CONSECUTIVE HOURS SINCE YOU'VE SLEPT?

WHEN CATS EXPERIENCE INSOMNIA

« Le lion et l'agneau se coucheront ensemble, mais l'agneau ne fera que somnoler. »

Woody Allen, dans le film *Amour et mort*, 1975

« Le sommeil est comme l'amour ou le bonheur. Si vous le poursuivez trop ardemment il vous échappera. »

Wilse Webb, *Sommeil : The Gentle Tyrant*, 1992

Imaginez, au Moyen Âge, une personne qui aurait souffert de narcolepsie. Les symptômes, comme l'endormissement en sommeil paradoxal, sommeil avec rêves seraient apparus comme les signes d'une possession démoniaque ?

Principaux troubles du sommeil

Quel que soit leur besoin normal de sommeil, 1 adulte sur 10, et près d'une personne âgée sur 4, se plaint **d'insomnie** – d'un véritable problème persistant d'endormissement ou de maintien du sommeil (Irwin et al., 2006). Le résultat de l'insomnie est la fatigue et le risque accru de dépression (Baglioni et al., 2011). Les états d'anxiété ou d'excitation peuvent produire des troubles du sommeil. (Et les téléphones sous l'oreiller, utilisés comme des réveils augmentent la probabilité de sommeil perturbé.) Après 40 ans, le sommeil est rarement ininterrompu. L'éveil occasionnel devient la norme, et non quelque chose dont il faut s'inquiéter ou qu'il faut traiter par des médicaments (Vitiello, 2009). Ironiquement, l'insomnie empire lorsqu'on s'en inquiète (N.d.T. : insomnie psychophysiologique). Les études en laboratoire de sommeil montrent que les patients qui se plaignent d'insomnie ne dorment pas moins que les autres. Mais ils surestiment généralement le temps de leur endormissement et sous-estiment et la durée de sommeil effectif (Harvey & Tang, 2012). Même si l'on n'est resté éveillé qu'une heure ou deux, on a *l'impression* d'avoir très peu dormi au cours de la nuit, car on ne mémorise que les épisodes de veille.

Concernant la véritable insomnie, les remèdes rapides les plus classiques, les hypnotiques (somnifères) et l'alcool, peuvent être des sources d'aggravation. Ils réduisent tous deux le sommeil REM et suscitent des lendemains pénibles. Ces remèdes peuvent également conduire à une *tolérance*, un état au cours duquel il est nécessaire d'augmenter la dose pour obtenir un effet. Le somnifère idéal devrait ressembler aux substances chimiques naturelles qui sont libérées en abondance au cours du sommeil, sans effets secondaires. Jusqu'à ce que les scientifiques puissent fabriquer ce remède « magique », les spécialistes du sommeil proposent des alternatives naturelles pour améliorer la qualité du sommeil (**TABLEAU 3.2**).

S'endormir n'est pas un problème pour les personnes souffrant de **narcolepsie** (de *narco*, « assoupissement » et *lepsis*, « qui prend ») qui éprouvent des accès de somnolence périodiques et incoercibles et durant généralement moins de cinq minutes. Ces épisodes surviennent parfois à des moments particulièrement inopportuns, comme après avoir frappé un coup terrible au cours d'une partie de base-ball, en riant de bon cœur, au cours d'un accès de colère ou encore lors des relations sexuelles (Dement, 1978, 1999). Dans les cas graves, la personne tombe directement dans une courte période de sommeil REM, avec la perte du tonus musculaire qui lui est associée. Ceux qui souffrent de narcolepsie (environ 1 personne sur 2 000, d'après le Centre d'étude de la narcolepsie de l'université de Stanford) doivent vivre en prenant d'extrêmes précautions. Selon l'American Sleep Disorders Association, dans la hiérarchie des dangers de la route, « la somnolence vient juste après l'alcool », et les patients narcoleptiques présentent des risques élevés dans ce domaine (Aldrich, 1989).

Les chercheurs ont découvert chez le chien et l'homme les gènes responsables de la narcolepsie. Il s'agit d'une maladie auto-immune, des lymphocytes T détruisant les somas de neurones produisant l'hypocrétines (De la Herrán-Arita et al., 2013 ; Miyagawa et al., 2008). Les gènes aident au façonnement du cerveau et les recherches portent aussi sur les anomalies du cerveau liées à la narcolepsie. Une équipe a découvert l'absence partielle d'un centre nerveux hypothalamique produisant un neuromédiateur de la veille appelé *hypocrétine* (ou *orexine*) (Taheri et al., 2002 ; Thannickal et al., 2000). (Cette découverte a conduit aux essais cliniques d'un nouvel hypnotique agissant en bloquant l'activité d'éveil de l'hypocrétine.) Il est actuellement démontré que

▼ **TABLEAU 3.1**
Certains remèdes naturels favorisant le sommeil

- Faire régulièrement de l'exercice, mais pas en fin de soirée (de préférence en fin d'après-midi).

- Éviter la caféine (y compris le chocolat) après la fin de l'après-midi et éviter de boire et de manger juste avant le coucher. Un verre de lait peut être utile (le lait fournit les éléments de base nécessaires à la production de sérotonine, un neuromédiateur qui facilite le sommeil).

- Baisser la lumière et se détendre avant d'aller au lit.

- Dormir à heures régulières (se lever à la même heure, même après une mauvaise nuit) et éviter les siestes.

- Cacher son réveil pour ne pas être tenté de le regarder constamment.

- Se rassurer en se disant que le manque de sommeil temporaire n'est pas si nocif.

- Concentrez-vous sur des idées simples, comme des paroles de chansons, des programmes de télévision, ou des voyages d'agrément (Gellis et al., 2013).

- Si rien ne marche, envisager une durée de sommeil plus courte avec un coucher plus tard ou un lever plus tôt.

la narcolepsie est bien une maladie neurologique. Il est donc possible d'espérer soulager efficacement les patients atteints de narcolepsie, grâce à des médicaments qui reproduisent l'action de l'hypocrétine manquante et qui peuvent traverser la barrière hémato-encéphalique (Fujiki et al., 2003 ; Siegel, 2000). Actuellement, les médecins prescrivent d'autres médicaments pour soulager la somnolence liée à la narcolepsie chez l'homme.

Bien qu'une personne sur 20 souffre **d'apnées du sommeil**, cette maladie était inconnue avant les recherches modernes sur le sommeil. *Apnée* signifie « arrêt de la respiration » et les personnes qui en souffrent arrêtent de respirer de manière intermittente pendant leur sommeil. Après environ une minute sans air, la diminution de la teneur en oxygène du sang pousse le dormeur à se réveiller et à reprendre son souffle pendant quelques secondes. Le phénomène peut se répéter des centaines de fois par nuit, privant la personne de sommeil à ondes lentes. Le matin suivant, ils n'ont aucun souvenir de ces crises. Bien qu'ils se sentent fatigués et déprimés, et qu'ils subissent les reproches de leur conjoint concernant leurs ronflements bruyants, les sujets qui souffrent d'apnées, souvent, ne le savent pas. (Peppard et al., 2006).

L'apnée du sommeil est associée à l'obésité. Quand le nombre d'obèses a augmenté aux États-Unis, les syndromes d'apnées du sommeil ont fait de même, en particulier chez les hommes en surpoids (Keller, 2007). La perte de sommeil lent profond réparateur, due à l'apnée, contribue également à l'obésité. Les autres signes d'appel, outre le ronflement bruyant, sont la somnolence diurne l'irritabilité pendant la journée et une hypertension, artérielle probable. Les risques d'accident vasculaire cérébral ou de crise cardiaque sont accrus (Dement, 1999). Le traitement consiste à porter une sorte de masque relié à une pompe à air qui maintient les voies respiratoires supérieures ouvertes. Si la personne ne craint pas de paraître ridicule pendant la nuit, ce traitement peut soulager efficacement les signes et les symptômes de l'apnée du sommeil. Ce faisant, il peut aussi soulager les symptômes de la dépression qui accompagnent souvent l'apnée du sommeil (Levine, 2012 ; Wheaton et al., 2012).

Contrairement aux apnées du sommeil, les **terreurs nocturnes** touchent surtout les enfants, qui peuvent se redresser dans leur lit, se mettre à marcher au hasard, parler de façon incohérente, voir leurs fréquences cardiaque et respiratoire multipliées par deux et paraître terrifiés (Hartmann, 1981). Ils se réveillent rarement complètement et ne se souviennent de rien, ou presque, le lendemain matin, tout au plus de quelques images floues et effrayantes. Les terreurs nocturnes ne sont pas des cauchemars qui, comme les autres rêves, se produisent typiquement durant le sommeil REM du petit matin. Les terreurs nocturnes se produisent pendant les premières heures du sommeil de stade NREM-3.

Le somnambulisme (un autre trouble du stade NREM-3 du sommeil) et la *somniloquie* atteignent surtout les enfants et se retrouvent au sein d'une même famille, tout comme la narcolepsie. (La somniloquie, en général un discours dénué de sens et déformé, peut se produire au cours de n'importe quel stade du sommeil [Mahowald et Ettinger, 1990].) Le somnambulisme occasionnel se retrouve dans un tiers des cas chez les faux jumeaux et dans la moitié des cas chez les vrais jumeaux. Il en est de même pour la somniloquie (Hublin et al., 1997, 1998). La plupart du temps, le somnambulisme ne présente pas de danger. Il ne laisse aucun souvenir le lendemain matin. En général, les somnambules retournent d'eux-mêmes dans leur lit, parfois avec l'aide des membres de leur famille. Environ 20 % des enfants de 3 à 12 ans ont présenté au moins un épisode de somnambulisme, durant en général deux dix minutes. Les jeunes enfants, chez qui le stade NREM-3 est le plus profond et le plus long, sont plus facilement sujets aux terreurs nocturnes et au somnambulisme. Avec l'âge, le stade NREM-3 de sommeil profond diminue, de même que les terreurs nocturnes et le somnambulisme.

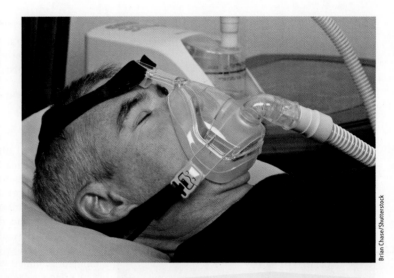

Maintenant, je me couche pour dormir Pour le traitement du syndrome des apnées du sommeil, une machine délivre de l'air sous pression positive et de façon continue (CPAP tout au long de la nuit). Cela permet un retour du sommeil lent profond et une meilleure qualité de vie.

Insomnie problèmes récurrents à s'endormir ou à rester endormi.

Narcolepsie un trouble du sommeil caractérisé par des accès de sommeil incoercibles. Le patient peut s'endormir directement en sommeil paradoxal, et souvent à des moments inopportuns.

Apnée du sommeil un trouble du sommeil caractérisé par des arrêts temporaires de la respiration pendant le sommeil et par des réveils momentanés répétés.

Terreurs nocturnes un trouble du sommeil caractérisé par une forte excitation et une impression d'être terrifié ; contrairement aux cauchemars, les terreurs nocturnes surviennent pendant le sommeil NREM-3 ou stade 3 du sommeil lent profond, dans les deux ou trois heures suivant l'endormissement. Le sujet s'en souvient rarement.

Brahms avait-il besoin de ses propres berceuses ? Avec un caractère grincheux, un surpoids, et une tendance à faire la sieste, le compositeur Johannes Brahms présentait les symptômes classiques du syndrome de l'apnée du sommeil (Margolis, 2000).

Capture de rêve au pays des songes Le film de 2010 *Inception* a profité de notre intérêt à trouver un sens à nos rêves, et à comprendre les profondeurs de notre psychisme. Il a en outre exploré l'idée de créer de faux souvenirs grâce à la puissance de la suggestion. La notion de suggestion sera discutée au Chapitre 8.

« Je ne crois pas que je suis en train de rêver, mais je ne peux pas prouver que je ne le suis pas. »

Philosophe Bertrand Russell (1872-1970)

« Les pensées de la journée sont les visions de la nuit. »

Ménandre d'Athènes (342-292 av. J.-C.), *Fragments*

Les rêves

Actuellement à l'affiche de votre théâtre intérieur : la première « le rêve vivant d'une personne endormie ». Cette pièce mentale encore jamais vue présente des personnages captivants engagés dans une intrigue si originale et peu probable mais si confuse et semblant si réelle que le spectateur s'émerveille devant sa création.

En se réveillant d'un rêve troublant, qui parmi nous ne s'est pas posé de questions sur cet état mystérieux de notre conscience ? Comment notre cerveau peut-il construire ce monde parallèle si créatif, si coloré et si complexe ? Dans cette zone d'ombre entre notre conscience éveillée et notre sommeil, nous pouvons même nous demander pendant un moment ce qui est vraiment réel.

La découverte du lien entre le sommeil REM et le rêve a ouvert ère nouvelle dans la recherche sur les rêves. Au lieu de se fonder sur les souvenirs plus ou moins vagues de quelqu'un, quelques heures ou quelques jours après un rêve, les chercheurs pourraient saisir le rêve au moment où il surviendrait. Ils pourraient réveiller les sujets durant une période de sommeil REM, ou dans les trois minutes suivantes, et écouter un compte rendu vivant du rêve.

Le contenu de nos rêves

3-10 À quoi rêvons-nous ?

Les rêveries diurnes ont tendance à impliquer des détails familiers de notre vie quotidienne – par exemple, nous dépeindre en train d'expliquer à un professeur pourquoi notre copie aura du retard ou rejouer, en imagination, une rencontre personnelle que nous avons particulièrement aimée ou que nous regrettons. Dans les **rêves** du sommeil REM les couleurs sont vives, ils sont pleins d'émotion, et souvent bizarres – leur contenu est si frappant que nous pouvons les confondre avec la réalité. En se réveillant d'un cauchemar, un enfant de 4 ans peut très bien être certain de la présence d'un ours dans la maison.

Nous passons six années de notre vie dans nos rêves, dont la plupart sont tout sauf agréables. Pour les femmes comme pour les hommes, 8 rêves sur 10 sont marqués par des émotions ou au moins un événement négatif (Domhoff, 2007). Les gens rêvent souvent d'échecs répétés dans la réalisation de quelque chose, qu'ils sont attaqués, poursuivis ou rejetés ; ou encore qu'ils subissent des calamités (Hall et al., 1982). Les rêves à connotation sexuelle se produisent moins souvent que vous ne pourriez l'imaginer. Dans une étude, on a montré que seul 1 rêve sur 10 chez les jeunes hommes et 1 sur 30 chez les jeunes femmes avaient une connotation sexuelle (Domhoff, 1996).

Le plus souvent, l'histoire des rêves incorpore des traces d'expériences non sexuelles et des préoccupations des jours précédents (De Koninck, 2000) :

• Après avoir subi un traumatisme, les gens signalent fréquemment des cauchemars qui les aident à éteindre les peurs vécues dans la journée (Levin et Nielsen, 2007). Des sujets américains, constituant un échantillon de population, qui se rappelaient leurs rêves au cours du mois de septembre 2001 ont décrit une augmentation du nombre de rêves effrayants après l'attentat du 11 Septembre (Propper et al., 2007).

• Les individus appartenant à des communautés de chasseurs-cueilleurs rêvent souvent d'animaux, alors que les individus vivant en ville le font rarement (Mestel, 1997). Comparés aux personnes ne faisant pas de musique, les musiciens rêvent deux fois plus de musique (Uga et al., 2006).

• Des études menées dans quatre pays ont montré que des personnes aveugles (aveugle de naissance aussi) rêvent ; le contenu de ces rêves est le fruit des autres organes des sens (Buquet, 1988 ; Taha, 1972 ; Vekassy, 1977). Les sujets aveugles de naissance, peuvent aussi éprouver le sens de la vision, lors des périodes de rêve (Bértolo, 2005). De même, les personnes nées paraplégiques, rêvent parfois de marcher, de se tenir debout, de courir, ou de rouler à vélo (Saurat et al., 2011 ; Voss et al., 2011).

Notre esprit à deux voies surveille notre environnement pendant que nous dormons. Les stimuli sensoriels comme une odeur particulière ou la sonnerie du téléphone peuvent être instantanément et ingénieusement tissées dans la trame du rêve. Au cours d'une expérience classique, des chercheurs ont légèrement vaporisé de l'eau froide sur le visage de personnes en train de rêver (Dement et Wolpert, 1958). Comparés à des dormeurs qui n'avaient pas reçu d'eau, ces sujets ont eu plus tendance à rêver de chute d'eau, de toit percé, voire d'être aspergés par quelqu'un.

Pouvons-nous alors apprendre une langue étrangère en écoutant des cassettes pendant notre sommeil ? Si seulement cela pouvait se faire. En dormant, nous pouvons apprendre à associer un son avec un choc électrique modéré (et à réagir au son en conséquence). Nous pouvons aussi apprendre à associer un son particulier avec une odeur agréable ou désagréable (Arzi et al., 2012). Mais nous ne nous rappelons pas des informations d'une cassette diffusée pendant que nous sommes profondément endormis (Eich, 1990 ; Wyatt et Bootzin, 1994). En fait, tout ce qui survient pendant les cinq minutes qui précèdent l'endormissement n'est généralement pas mémorisé (Roth et al., 1988). Cela explique pourquoi les patients souffrant d'apnées du sommeil, qui se réveillent très souvent en suffoquant et se rendorment immédiatement, ne se souviennent pas de ces épisodes. Quelqu'un qui se réveillerait momentanément, et enverrait un « texto » pourrait, le lendemain, ne pas se souvenir de l'avoir fait. Cela explique aussi pourquoi les rêves qui nous réveillent momentanément sont, dans la plupart des cas, oubliés le lendemain. Pour vous souvenir d'un rêve, levez-vous et restez éveillé pendant un moment.

Pourquoi nous rêvons

3-11 Quelles sont les fonctions du rêve proposées par les théoriciens ?

Ceux qui émettent des théories sur les rêves ont proposé diverses explications possibles à leur existence. Examinons quelques-unes d'entre elles :

Satisfaire nos souhaits. Dans son livre fondamental publié en 1900, *De l'interprétation des rêves*, Freud nous offrait « la plus précieuse de toutes les découvertes qu'[il a] eu la chance de faire ». Il prétendait qu'un rêve est une soupape de sécurité psychique qui, en assouvissant des désirs, permet de se libérer de sensations qui seraient autrement inacceptables. Selon Freud, le **contenu manifeste** du rêve (le scénario visible de l'histoire dont on se souvient) est une version symbolique censurée du **contenu latent**, qui consiste en des pulsions et des désirs inconscients qui pourraient être dangereux s'ils étaient exprimés directement. Bien que la plupart des rêves ne contiennent pas d'images sexuelles manifestes, Freud pensait pourtant que la plupart des rêves des adultes pouvaient « trouver leur origine, au cours de l'analyse, dans des désirs érotiques ». D'après Freud, un fusil, par exemple, pourrait être une représentation déguisée d'un pénis.

Freud considérait que les rêves étaient la clé de la compréhension de nos conflits internes. Pourtant, ses détracteurs disent qu'il est temps de s'affranchir de la théorie des rêves de Freud, qui s'avère être un cauchemar scientifique. En se fondant sur l'accumulation de résultats scientifiques, le chercheur William Domhoff (2003), spécialistes des rêves, note qu'« il n'y a aucune raison de croire les diverses affirmations spécifiques de Freud sur les rêves et leur objet ». Certains soutiennent que, même si les rêves sont symboliques, on peut les interpréter comme on le souhaite. D'autres maintiennent qu'il n'y a rien de caché dans les rêves. Un rêve à propos d'un fusil n'est rien d'autre qu'un rêve à propos d'un fusil. La légende dit que même Freud, qui aimait fumer le cigare, admettait que « parfois, un cigare n'est qu'un cigare ». La théorie Freudienne des rêves, en tant qu'accomplissement des désirs inconscients, a beaucoup contribué à l'avènement de nouvelles théories.

Pour archiver notre mémoire. Les chercheurs qui voient les rêves comme un *traitement de l'information* croient qu'ils servent à filtrer, trier et fixer en mémoire nos expériences de la journée. Certaines études confortent cette idée. Si elles sont testées le lendemain de l'apprentissage d'une tâche, les personnes qui ont été privées à la fois de sommeil à ondes lentes et de sommeil REM ne l'effectuent pas aussi bien que celles qui ont dormi normalement (Stickgold et al., 2012). D'autres études ont montré que les sujets qui ayant écouté des phrases inhabituelles, ou ayant appris à retrouver des images cachées juste avant de se coucher, se rappelaient moins bien des tâches le lendemain matin s'ils avaient été réveillés au début de chaque épisode de sommeil REM, plutôt que lors des autres stades de sommeil (Empson et Clarke, 1970 ; Karni et Sagi, 1994).

Des scanners cérébraux ont confirmé le lien entre le sommeil REM et la mémoire. Les zones cérébrales, qui s'activent quand un rat apprend à s'orienter dans un labyrinthe ou quand une personne apprend à effectuer une tâche de détection visuelle, s'activent à nouveau au cours du sommeil REM suivant (Louie et Wilson, 2001 ; Maquet, 2001). La répartition de l'activité cérébrale était si précise que les chercheurs pouvaient dire quelle pourrait être la position du rat dans le labyrinthe s'il était éveillé. Certains chercheurs contestent l'idée du renforcement mnésique par le rêve, notant que le

Un mythe populaire du sommeil : si vous rêvez que vous tombez et heurtez le sol (ou si vous rêvez de mourir) c'est que vous mourez. (Malheureusement, ceux qui pouvaient confirmer ces dires ne sont plus de ce monde pour le faire. Beaucoup de ceux qui ont fait de tels rêves sont vivants et peuvent les décrire.)

« Suivez vos rêves, excepté celui où vous êtes nu sur votre lieu travail. »

Attribué à l'humoriste Henny Youngman

« Ceux qui monnayent les interprétations des rêves sont des charlatans. »

J. Allan Hobson chercheur dans le domaine de la physiologie du sommeil (1995)

Rêver une séquence d'images, d'émotions et de pensées qui traversent l'esprit d'un sujet qui dort. Les rêves sont caractérisés par leur contenu hallucinatoire, les discordances et les incongruités, et par l'adhésion du rêveur à son contenu délirant et les difficultés ultérieures à s'en souvenir.

Contenu manifeste selon Freud, le contenu manifeste du rêve (le scénario visible de l'histoire dont on se souvient) est une version symbolique censurée du contenu latent.

Contenu latent selon Freud, le contenu latent consiste en des pulsions et des désirs inconscients qui pourraient être dangereux s'ils étaient exprimés directement. Il donne la signification du rêve.

sommeil paradoxal joue ce rôle indépendamment du rêve. En outre, la consolidation de la mémoire peut se produire pendant le sommeil non-REM (Diekelmann & Born, 2010). Cela semble vrai : Une nuit de sommeil réparateur et de sommeil avec rêves occupe une place importante dans nos vies. Dormir, c'est peut-être se remémorer

C'est une nouvelle très importante pour les étudiants, dont la plupart, pense le chercheur Robert Stickgold (2000), souffrent d'une sorte de boulimie de sommeil, en particulier pendant le week-end. Mais Stickgold souligne que « si vous ne dormez pas assez après avoir appris de nouvelles choses, vous ne les intégrez pas effectivement dans vos souvenirs ». Cela pourrait expliquer pourquoi les lycéens qui obtiennent les meilleures notes dorment environ vingt-cinq minutes de plus que leurs camarades de classe qui obtiennent de moins bonnes notes (Wolfson et Carskadon, 1998, **FIGURE 3.18**). Sacrifier du temps de sommeil pour étudier *réduit* le rendement scolaire, en rendant plus difficile la compréhension des cours du lendemain ou l'exécution d'un devoir (Gillen-O'Neel et al., 2013).

Pour développer et préserver nos voies nerveuses. Il est possible que les rêves, ou l'activité cérébrale associée au sommeil REM, remplissent une fonction *physiologique* en stimulant périodiquement le cerveau endormi. Cette théorie prend un sens d'un point de vue développemental. Comme nous le verrons au Chapitre 5, les stimulations développent et préservent les circuits neuronaux du cerveau. Les nourrissons, dont les réseaux neuronaux sont en phase de développement rapide, passent beaucoup de temps en sommeil REM (**FIGURE 3.19**).

Pour donner un sens à la statique neuronale. D'autres théories suggèrent que les rêves jaillissent de l'activité neuronale du tronc cérébral qui se propage aux étages supérieurs (Antrobus, 1991 ; Hobson, 2003, 2004, 2009). Selon la « théorie de l'activation synthèse », les rêves représentent une tentative du cerveau pour donner un sens à toute l'activité nerveuse aléatoire. Tout comme un neurochirurgien peut produire des hallucinations en stimulant les différentes parties du cortex d'un patient, les stimuli de l'activité onirique ne proviennent pas du monde extérieur mais sont générés par l'activité neuronale intracérébrale. Ces stimuli internes activent les zones du cerveau qui traitent les images visuelles ; alors que la vision est le résultat de l'activation de la zone de cortex visuel, qui reçoit des stimuli bruts venant des yeux. Comme Freud aurait pu s'y attendre, l'exploration fonctionnelle par tomographie d'émission de positrons sur des sujets endormis révèle également une activité accrue dans le système limbique. L'activité amygdalienne est importante durant les rêves au contenu émotionnel important (Schwartz, 2012). À l'inverse, l'activité des régions du lobe frontal responsables de l'inhibition des comportements inadaptés et de la pensée logique semble faible, ce qui peut expliquer pourquoi nos rêves sont moins inhibés que lorsque nous sommes éveillés (Maquet et al., 1996). Ajoutez la tonalité émotionnelle du système limbique aux bouffées d'activation visuelle du cerveau et voilà, nous rêvons. Lésez le système limbique ou les centres visuels actifs pendant le rêve et vous pourrez empêcher le rêve lui-même (Domhoff, 2003).

Pour refléter le développement cognitif. Certains chercheurs spécialistes du rêve critiquent aussi bien la théorie Freudienne que celle de l'activation neuronale, préférant voir les rêves comme un élément de la maturation cérébrale et du développement cognitif (Domhoff, 2003 ; Foulkes, 1999). Par exemple, avant l'âge de 9 ans, les rêves des enfants ressemblent plus à une suite d'images fixes qu'à

Les mouvements oculaires rapides agitent également le liquide se trouvant entre la cornée et l'iris, l'humeur aqueuse ; cela permet l'oxygénation des cellules de la cornée et ainsi de prévenir leur hypoxie.

Question : le fait de manger des aliments épicés favorisent-ils le rêve ?

Réponse : Toute nourriture contenant des substances apportant une stimulation quelconque augmente les chances de mémorisation d'un rêve (Moorcroft, 2003).

▼ FIGURE 3.18
Un cerveau qui dort est un cerveau qui travaille.

(a) L'apprentissage

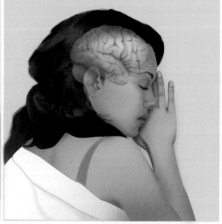

(b) Le sommeil consolide notre apprentissage dans la mémoire à long terme.

(c) L'apprentissage est conservé.

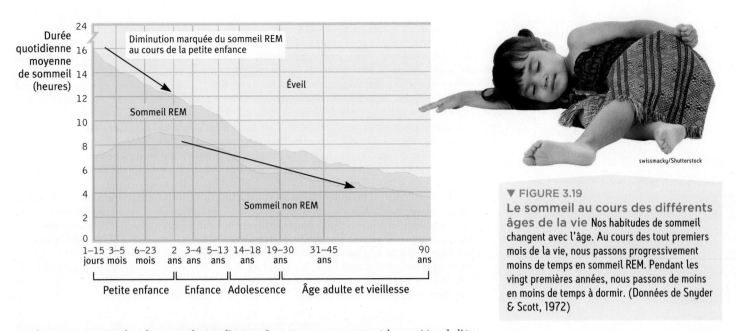

swissmacky/Shutterstock

▼ **FIGURE 3.19**
Le sommeil au cours des différents âges de la vie Nos habitudes de sommeil changent avec l'âge. Au cours des tout premiers mois de la vie, nous passons progressivement moins de temps en sommeil REM. Pendant les vingt premières années, nous passons de moins en moins de temps à dormir. (Données de Snyder & Scott, 1972)

une histoire construite dont le rêveur devient l'acteur. Les rêves se superposent à la cognition de l'état de veille et forment une histoire construite. Ils s'inspirent de nos concepts et de nos connaissances pour *simuler la réalité.* Ils sont portés par des réseaux cérébraux qui sont également actifs pendant la rêverie diurne et donc peuvent être considérés comme l'intensification du vagabondage de l'esprit. Les résultats de la mise en œuvre de techniques d'imagerie médicale semblent en faveur de cette théorie (Fox et al., 2013).

Contrairement à l'idée que les rêves proviennent d'une activation cérébrale allant de bas en haut, la perspective cognitiviste met l'accent sur le contrôle par notre esprit du contenu de nos rêves, un contrôle dirigé donc de haut en bas (Nir et Tononi, 2010). « Les Rêves, dit G. Selon William Domhoff (2014), nos rêves mettent en scène nos désirs, nos craintes, nos préoccupations et nos intérêts selon un scénario que nous vivons intensément comme une néoréalité. » Considérons un cerveau d'un sujet sain, à maturité ces simulations mentales se produisent chaque fois (1) que l'attention consciente est dissoute, (2) que des stimuli externes sont absents, et (3) que l'excitabilité du cerveau est suffisante, comme pendant le sommeil paradoxal.

Le **TABLEAU 3.3** compare les principales théories des rêves. Bien que les chercheurs spécialistes du sommeil continuent de débattre sur la fonction des rêves, certains restent sceptiques sur le

▼ **TABLEAU 3.2**
Théories des rêves

Théorie	Explication	Considérations critiques
Accomplissement des désirs selon Freud	Les rêves sont les gardiens du sommeil et fournissent une « soupape de sécurité psychique » exprimant des sentiments par ailleurs inacceptables ; formés d'un contenu manifeste (dont on se souvient) et d'un contenu latent dans une couche psychique plus profonde (sens caché).	Manque de base scientifique ; les rêves peuvent être interprétés de différentes façons.
Traitement de l'information	Les rêves nous aident à trier nos expériences quotidiennes et à consolider notre mémoire.	Mais pourquoi rêvons-nous parfois à des choses que nous n'avons pas connues et à des événements passés ?
Fonction physiologique	La stimulation cérébrale régulière du sommeil paradoxal peut aider à développer et à préserver les voies neuronales.	Cela n'explique pas pourquoi nous faisons des rêves *qui peuvent avoir une signification.*
Activation neuronale	Le sommeil paradoxal déclenche une activité neuronale qui provoque une mémoire visuelle aléatoire que notre cerveau endormi agence en histoires.	Le cerveau de l'individu construit des histoires qui nous apprendront quelque chose sur sa propre histoire.
Développement cognitif	Le contenu du rêve reflète le niveau de développement cognitif d'un individu – son niveau de connaissances et sa capacité de compréhension. Les rêves simulent nos vies, et ces simulations peuvent suivre les pires cours possibles.	Ne propose pas une fonction adaptative des rêves.

> Rebond en REM tendance de la quantité de
> sommeil paradoxal à augmenter, à la suite de sa
> privation (créé par des réveils répétés pendant le
> sommeil paradoxal).

fait que les rêves possèdent la moindre fonction, mais il y a bien une chose sur laquelle toutes les théories sont d'accord : nous avons besoin de sommeil REM. Privés de cette phase de sommeil par des réveils répétés, les sujets replongent de plus en plus vite en stade REM lorsqu'on les laisse se rendormir. Quand on leur permet finalement de dormir sans être dérangés, ils vont littéralement dormir comme des nouveau-nés, avec un sommeil REM accru, un phénomène appelé **rebond en REM (rebond de sommeil paradoxal)**. L'arrêt des somnifères suppresseurs du sommeil REM augmente également ce stade de sommeil, mais en l'accompagnant de cauchemars. La plupart des autres mammifères vivent aussi ce phénomène de rebond de sommeil REM ou sommeil paradoxal, ce qui suggère que les causes et les fonctions du sommeil REM sont profondément ancrées dans la phylogenèse des mammifères. Sa présence chez les mammifères et non chez d'autres animaux, comme les poissons, dont le comportement est moins influencé par l'apprentissage, est également en accord avec la théorie du rôle des rêves dans le traitement de l'information.

Si les rêves remplissent des fonctions physiologiques et sont le prolongement normal de la cognition, sont-ils pour autant dénués de toute signification psychologique ? Pas nécessairement. Toute expérience significative sur le plan psychologique implique un cerveau actif. Tout ceci nous aide à nous rappeler, encore une fois, un concept de base : *les explications biologiques et psychologiques du comportement ne sont pas opposées mais complémentaires.*

Les rêves sont un état modifié de la conscience tout à fait fascinant. Mais ce ne sont pas les seuls. Comme nous le verrons, la consommation de substances psychoactives peut également altérer notre perception consciente.

EXERCICE RÉCAPITULATIF

• Quelles sont les cinq théories qui proposent une explication de la fonction du rêve ?

Réponses : (1) Selon Freud, accomplissement de désirs inconscients (le rêve comme soupape de sécurité psychique), (2) Un traitement de l'information (tri des évènements diurnes et formation des souvenirs), (3) Une fonction physiologique (stabilisation des jonctions nerveuses), (4) Une activation de neurones (le sommeil paradoxal déclenche une activité neuronale qui se traduit en scénario), (5) le développement cognitif (rêves reflétant le stade de développement)

OBJECTIFS D'APPRENTISSAGE

EXERCICE RÉCAPITULATIF Prenez un moment pour répondre à chacune de ces questions objectives d'apprentissage (répétées ici au sein de cette section). Puis aller à l'annexe C, révision complète du chapitre, pour vérifier vos réponses. La recherche suggère que d'essayer de répondre à ces questions de votre propre initiative permettra d'améliorer la mémorisation à long terme de ces réponses (McDaniel et al., 2009).

3-4 Qu'est-ce que le sommeil ?

3-5 De quelle manière notre rythme biologique influence-t-il notre mode de vie quotidien ?

3-6 Quel est le cycle biologique de notre sommeil et de nos rêves ?

3-7 De quelle manière la biologie et l'environnement peuvent-ils interagir avec nos habitudes de sommeil ?

3-8 Quelles sont les fonctions du sommeil ?

3-9 De quelle manière le manque de sommeil nous affecte-t-il ? Quels sont les principaux troubles du sommeil ?

3-10 À quoi rêvons-nous ?

3-11 Quelles sont les fonctions du rêve proposées par les différents théoriciens ?

TERMES ET CONCEPTS À RETENIR

EXERCICE RÉCAPITULATIF Testez votre connaissance de ces termes en essayant d'écrire leur définition avant de vous reporter aux pages donnant les bonnes réponses.

le sommeil, p. 100

le rythme circadien, p. 100

le sommeil paradoxal, p. 101

les ondes alpha, p. 102

les hallucinations, p. 102

les ondes delta, p. 102

le noyau suprachiasmatique (SCN), p. 104

l'insomnie, p. 110

la narcolepsie, p. 110

l'apnée du sommeil, p. 111

les terreurs nocturnes, p. 111

le rêve, p. 112

le contenu manifeste, p. 113

le contenu latent, p. 113

rebond de sommeil REM ou de sommeil paradoxal, p. 116

Drogues et conscience

IMAGINONS LA journée d'un consommateur de substances psychoactives (SPA) légales. Il commence par un café au lait pour se réveiller. Jusqu'à midi, plusieurs cigarettes ont servi à calmer ses nerfs à vif avant son rendez-vous chez le chirurgien plasticien qui doit lui injecter du Botox® pour aplanir ses rides. Une substance anorexigène avant le dîner va l'aider à contenir son appétit, substance dont les effets stimulants pourront être plus tard partiellement annulés par un verre de vin et deux Advil®. Et si l'on veut être plus efficace, il existe aussi des bêtabloquants pour augmenter les performances sur le moment, le Viagra® pour les hommes d'âge mûr, les « patches libido » libérant des hormones pour les femmes d'âge mûr et Adderall® pour les étudiants qui espèrent augmenter leur concentration.

Tolérance et addictions

3-12 **Quelles sont les consommations pathologiques de substances psychoactives ? Quelle est la place des entités suivantes dans ces consommations : addiction, tolérance, sevrage ?**

La plupart d'entre nous parvenons à prendre des SPA délivrées sans prescription de manière modérée sans que cela perturbe leur vie. Mais certains d'entre nous développent des troubles de la perte de contrôle de la prise de ces **substances, aux conséquences fâcheuses (TABLEAU 3.3)**. Ces substances sont qualifiées de **psychoactives**. Elles modifient nos perceptions, notre comportement et notre humeur. L'effet global d'une drogue dépend non seulement de ses effets biologiques mais aussi des effets attendus par le consommateur, effets qui varient selon le contexte social et la culture (Ward, 1994). Si une culture considère qu'un produit particulier entraîne une euphorie (ou de l'agressivité ou une excitation sexuelle) alors qu'une autre pense différemment, chacune a des chances de voir ses attentes satisfaites. Nous nous intéresserons de plus près à ces forces qui interagissent lors de l'utilisation de certaines substances psychoactives ainsi que lors de leur abus potentiel. Mais commençons par voir comment notre corps réagit à la consommation permanente de substances psychoactives.

Les risques de dépendance après la consommation de diverses substances :

Tabac	32 %
Héroïne	23 %
Alcool	15 %
Marijuana	9 %

Source : Académie nationale des sciences, Institut de Médecine (Brody, 2003).

▼ TABLEAU 3.3

À partir de quand la consommation de drogues devient-elle un trouble mental ?

Selon l'American Psychiatric Association, le diagnostic de *trouble liés à l'utilisation d'une substance* peut être porté chez un sujet lorsque la consommation de la drogue est continue en dépit des altérations significatives du fonctionnement du sujet. Les modifications cérébrales résultantes persistent après cessation de l'utilisation de la substance, avec réactivation du « craving », recherche passionnée de la substance, lors de son évocation dans différentes circonstances. La sévérité des troubles liés à l'utilisation d'une substance varie de *légère* (deux à trois critères présents), *modérée* (quatre à cinq critères) à *sévère* (six ou plusieurs). (Source : American Psychiatric Association, 2013.)

Diminution du contrôle de la consommation

1. Consommation de substance augmentée ou plus longue que prévue.

2. Tentative infructueuse de contrôle de la consommation.

3. Dépense importante de temps à l'acquisition, à la consommation ou à se remettre des effets de la substance.

4. Recherche effrénée de la substance.

Réduction du fonctionnement social adapté

5. Perturbation des obligations professionnelles, scolaires ou familiales.

6. Poursuite de la consommation malgré les conséquences sociales néfastes.

7. Réductions des activités sociales, de loisirs ou des activités professionnelles.

Consommation dangereuse.

8. Consommation continue en dépit des dangers encourus.

9. Consommation continue en dépit des effets psychiques et somatiques néfastes.

Effets de la drogue

10. Induction d'une tolérance (besoin de doses plus importantes de substance pour obtenir l'effet désiré).

11. Survenue d'un syndrome de sevrage lors de la tentative de mettre fin à l'utilisation.

Troubles liés à l'utilisation d'une substance La consommation et la recherche effrénée de la drogue sont permanentes en dépit des altérations significatives du fonctionnement du sujet et des effets somatiques néfastes.

Les substances psychoactives modifient la perception et l'humeur.

▼ FIGURE 3.20
La tolérance
aux drogues

Effet du produit

Effet important

Réponse à la première exposition

Après des expositions répétées, on a besoin de plus de produit pour obtenir le même effet

Effet faible

Faible ————→ Forte
Dose du produit

Pourquoi une personne qui boit rarement de l'alcool peut-elle être grisée par un seul verre de bière, alors qu'un buveur régulier ne sera pas ivre avant le septième verre ? La réponse est la **tolérance**. Lors de la consommation prolongée d'alcool et d'autres substances (la marijuana exceptée ?) le cerveau adapte sa biochimie pour compenser les effets de la substance (un processus appelé *neuroadaptation*). L'utilisateur a besoin de doses de plus en plus importantes pour ressentir le même effet (**FIGURE 3.20**). Ces doses toujours plus importantes peuvent conduire à l'**addiction**, le besoin irrésistible de consommer cette substance malgré ses conséquences néfastes. (Se reporter à la discussion Regard critique sur l'addiction.) Selon l'OMS (2008), partout dans le monde, 90 millions de personnes souffrent de trouble de la consommation abusive de l'alcool ou d'autres SPA. Souvent, les consommateurs réguliers tentent de lutter contre l'addiction mais l'arrêt brutal de la consommation de ces SPA peut entraîner les effets secondaires désagréables du **sevrage**.

REGARD CRITIQUE SUR

L'addiction

3-13 **Comment le concept de la dépendance a-t-il changé ?**

Récemment le concept d'addiction a été étendu à de nombreux comportements antérieurement considérés comme de mauvaises habitudes ou même des péchés (addictions sans drogue). Les psychologues se demandent si le concept n'a pas trop élargi la définition de l'addiction, et si les dépendances sont vraiment aussi irrésistibles qu'on le croit généralement. Par exemple « même pour une drogue très addictive comme la cocaïne, seuls 15 à 16 % des personnes développent une véritable dépendance dans les dix premières années de consommation », remarquent Terry Robinson et Kent Berridge (2003).

Les addictions peuvent être puissantes et certaines personnes dépendantes peuvent bénéficier de programmes thérapeutiques ou de groupes de soutien. Les Alcooliques Anonymes, par exemple, ont soutenu des millions de sujets dans leur victoire sur l'addiction à l'alcool. Mais considérer l'addiction comme une maladie de la perte du contrôle de la consommation peut saper la confiance en soi et la volonté de changer. Et ce serait fort regrettable, de l'avis des critiques, car de nombreuses personnes arrêtent volontairement leur consommation de substances addictives, sans aucun traitement. La plupart des ex-fumeurs, par exemple, ont arrêté de fumer de leur propre chef (Newport, 2013).

Le concept de l'addiction « vue comme une maladie nécessitant un traitement » a été proposé comme un terme générique recouvrant des comportements pulsionnels excessifs concernant l'alimentation, le jeu, le travail, le sexe et l'accumulation de biens. On ne doit pas galvauder le terme Addiction et l'employer de façon impropre (« je suis addicte aux récits de science-fiction ») et le réserver aux situations réelles de dépendance. Le fait de donner un nom à un comportement ne l'explique pas. Attribuer la répétition des comportements adultérins à une addiction au sexe *n'explique* pas ces pulsions sexuelles (Radford, 2010).

Parfois, cependant, des comportements comme le jeu, la pratique des jeux vidéo ou la navigation sur Internet deviennent vraiment compulsifs et anormaux, tout à fait comme l'abus de drogues (Gentile, 2009 ; Griffiths, 2001 ; Hoeft et al., 2008). Ainsi, le manuel diagnostique et statistique des troubles mentaux (DSM) comprend maintenant des addictions comportementales telles que « trouble lié au jeu, jeu pathologique » et propose l'étude de la pertinence de l'entité

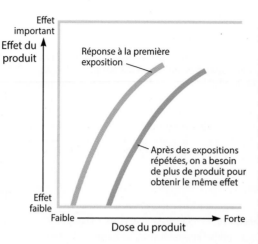

Une addiction à la navigation sur les réseaux sociaux ?

« trouble lié au jeu sur internet » (American Psychiatric Association, 2013). Des études menées en Asie, en Europe et Amérique du Nord estiment que la prévalence de l'addiction aux jeux vidéo, dans la population de ses pratiquants, est comprise entre de 3 à 12 % (Anderson et al., 2012 ; Ferguson et al., 2011). Certains internautes présentent effectivement une incapacité apparente à résister à se connecter et à naviguer sur « la toile », même lorsque cette utilisation abusive gêne leur travail et leurs relations sociales (Ko et al., 2005). Mais il y a de l'espoir. Une revue générale de la littérature avec méta-analyse des essais a montré que des thérapies psychologiques et médicamenteuses pour ce type de dépendance étaient « très efficaces » (Winkler et al., 2013).

• Quel est le processus qui conduit à la tolérance des substances psychoactives ?

Réponse : L'exposition répétée à des substances psychoactives (SPA) diminue leur effet. Ainsi, il est nécessaire d'utiliser des doses plus importantes pour obtenir l'effet désiré.

> Tolérance l'effet diminue avec l'utilisation régulière de la même dose d'une drogue, et conduit le consommateur à absorber des doses de plus en plus grandes afin d'obtenir l'effet attendu.
>
> Dépendance besoin irrésistible de consommer une substance, ou de se comporter en dépit de la connaissance des conséquences néfastes.
>
> Syndrome de sevrage l'inconfort et la détresse qui suivent l'arrêt brutal de la consommation d'une drogue ou la cessation brutale d'une addiction comportementale.
>
> Les dépresseurs centraux ou psycholeptiques comme l'alcool, les barbituriques et les opiacés réduisent l'activité nerveuse et ralentissent les fonctions organiques.

Substances psychoactives

Les trois catégories majeures de SPA sont les *dépresseurs centraux*, les *psychostimulants stimulants* et les *hallucinogènes*. Elles stimulent, bloquent ou imitent l'activité des neuromédiateurs, les messagers chimiques du cerveau.

Dépresseurs centraux, ou psycholeptiques

3-14 Qu'est-ce qu'un dépresseur central et quels sont ses effets ?

Les **dépresseurs centraux** sont des substances comme l'alcool, les barbituriques (tranquillisants) et les opiacés entraînant une diminution de la vigilance, une réduction de l'activité intellectuelle et une sédation de la tension émotionnelle.

Alcool Vrai ou faux ? En petite quantité, c'est un stimulant. *Faux.* Une petite quantité d'alcool peut en effet animer un buveur, mais cela est dû à son action de *désinhibition*, un ralentissement de l'activité cérébrale qui contrôle le jugement et les inhibitions des comportements inadaptés. L'alcool est une substance à double polarité : il augmente les tendances altruistes, par effet de désinhibition, comme de laisser d'extravagants pourboires, ou comme de nouer facilement des liens (M. Lynn, 1988). L'aménité est favorisée. Et il augmente les tendances agressives comme lorsque les personnes sexuellement stimulées, deviennent plus disposées à adopter une conduite de harcèlement. La brutalité est renforcée. Une enquête effectuée sur le campus de l'université de l'Illinois a montré qu'avant une agression sexuelle, 80 % des agresseurs masculins et 70 % des victimes féminines avaient bu de l'alcool (Camper, 1990). Une autre enquête menée auprès de 89 874 étudiants américains a révélé que l'alcool et les SPA étaient impliqués dans 79 % des rapports sexuels non désirés (Presley et al., 1997). Lorsqu'ils boivent, les hommes comme les femmes sont aussi plus disposés à avoir des rapports sexuels sans lendemain. « Qui est en état d'ébriété, se sent irrésistible ». *Au total :* Les pulsions qui sont déjà en vous lorsque vous êtes sobre, sont celles qui ont le plus de risque d'émerger sous l'emprise de l'alcool.

RALENTISSEMENT DU TRAITEMENT NERVEUX DE L'INFORMATION De faibles doses d'alcool ont un effet de relaxation, par réduction de l'activité du système nerveux sympathique. Des doses plus élevées provoquent un ralentissement psychomoteur, une détérioration des performances aux tests psychométriques par exemple, une viscosité verbale. Associé au manque de sommeil, l'alcool devient un puissant sédatif. Le résultat de l'addition des effets somatiques de l'alcool à la levée des inhibitions peut être mortel. Dans le monde, plusieurs centaines de milliers de vies sont perdues chaque année dans des accidents et la criminalité, causés par la consommation abusive d'alcool. Comme les taux d'alcoolémie se lèvent et le jugement vacille, les états d'âme des gens à propos de l'alcool au volant Lessen. Des études ont montré que pratiquement tous les buveurs qui avaient affirmé, lorsqu'ils étaient sobres, qu'ils ne conduiraient pas sous l'emprise de l'alcool, décidèrent de prendre le volant pour rentrer chez eux, en sortant d'un bar, même après l'épreuve de l'alcootest, ou l'affirmation de leur état d'ivresse (Denton & Krebs, 1990 ; MacDonald et al., 1995). L'alcool peut être dangereux quand son abus suit une période antérieure de consommation modérée d'alcool qui va inhiber le réflexe du vomissement. Ces sujets peuvent être intoxiqués par une surdose qui, ordinairement, aurait été vomitive.

TROUBLES DE LA MÉMOIRE L'alcool peut perturber la formation de la mémoire, et une forte consommation d'alcool peut aussi avoir des effets à long terme sur le parenchyme cérébral et la cognition. Chez le rat, à une période de son développement correspondant grossièrement à l'adolescence chez l'homme, l'absorption compulsive d'alcool diminue la neurogenèse. L'alcool

Démonstration des effets catastrophiques de la consommation d'alcool Les pompiers ont reconstitué le traumatisme d'un accident de voiture dû à l'alcool, en fournissant une démonstration mémorable pour ces lycéens. La consommation d'alcool conduit à des sentiments de toute puissance, qui deviennent particulièrement dangereux quand on est au volant d'une voiture.

© Lon C. Diehl/PhotoEdit

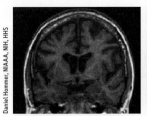
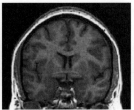

Image du cerveau d'une femme alcoolique | Image du cerveau d'une femme non alcoolique

▼ FIGURE 3.21

L'alcoolisme entraîne une atrophie cérébrale L'IRM à gauche montre l'atrophie corticale et sous-corticale chez une femme alcoolique, comparé au cliché d'une femme contrôle (à droite).

Trouble lié à la consommation d'alcool (*alcoolisme*) consommation d'alcool marquée par l'induction d'une tolérance, un syndrome de sevrage en cas d'arrêt brutal, et des complications en cas de la poursuite de cette consommation.

Barbituriques les barbituriques, ou tranquillisants, ralentissent l'activité du système nerveux et réduisent l'anxiété mais altèrent la mémoire et le jugement.

Opiacés les opiacés – l'opium et ses dérivés, morphine et héroïne – ont également un effet dépresseur sur le fonctionnement nerveux. L'opium est le latex sécrété par les fruits, capsules, du pavot *Papaver somniferum*. Il est riche en alcaloïdes comme la morphine, la codéine.

Psychostimulants cette catégorie de substances comporte la caféine, la nicotine, les amphétamines, la cocaïne, l'ecstasy et enfin la méthamphétamine (surnommée speed).

Amphétamines les personnes les consomment pour rester éveillées, perdre du poids, améliorer l'humeur ou augmenter les performances sportives.

Nicotine alcaloïde du tabac psychostimulant avec un pouvoir addictif important.

---

affecte également la croissance des connexions synaptiques (Crews et al., 2006, 2007). Ainsi les sujets qui consomment de l'alcool avec excès peuvent ne pas se rappeler qui ils ont rencontré ou ce qu'ils ont dit ou fait lorsqu'ils étaient sous l'emprise de l'alcool. Ces oublis résultent en partie de la suppression du sommeil REM par l'alcool, qui aide à fixer les expériences de la journée dans la mémoire permanente.

La consommation d'alcool prolongée et excessive qui caractérise **le trouble avec consommation pathologique d'alcool** peut provoquer une atrophie corticale, perte de substance grise, et un élargissement des ventricules témoin de la perte de substance blanche. (**FIGURE 3.21**). Les femmes, avec un déficit enzymatique affectant la dégradation de l'alcool, sont particulièrement vulnérables (Wuethrich, 2001). Les jeunes filles et les jeunes femmes peuvent également devenir plus vite dépendantes à l'alcool que les garçons et les jeunes hommes ; elles risquent plus de développer des lésions pulmonaires, cérébrales et hépatiques pour des consommations moins importantes d'alcool (CASA, 2003).

RÉDUCTION DES CAPACITÉS DE CONCENTRATION ET DE MAÎTRISE DE SOI

Au cours d'une expérience, les individus qui avaient consommé de l'alcool (et non pas la boisson placebo) avaient deux fois plus de chances d'être surpris en train de rêvasser alors qu'ils effectuaient un exercice de lecture, mais risquaient *moins* de s'apercevoir de leur inattention (Sayette et al., 2009). L'alcool entraîne également une sorte de « myopie » : il concentre l'attention sur une situation excitante, par exemple une provocation, et détourne l'attention des inhibitions normales et des conséquences futures (Giancola et al., 2010 ; Steele et Joseph, 1990).

Cette diminution de la conscience de soi explique peut-être pourquoi ceux qui souhaitent oublier leurs sentiments d'échec ou leurs insuffisances sont plus enclins à boire que les gens qui ont une bonne estime d'eux-mêmes. Un échec professionnel, sportif ou sentimental peut parfois déclencher une alcoolisation massive.

EFFETS ATTENDUS

Comme pour les autres SPA, les effets attendus de l'alcool influencent le comportement. Lorsque des sujets *sont convaincus* que l'alcool affecte leur conduite sociale et *croient* avoir bu de l'alcool, leur conduite est en accord avec leur conviction (Moss et Albery, 2009). Lors d'une expérience devenue classique des chercheurs donnèrent à des hommes employés par l'université Rutgers, volontaires pour une étude sur « l'alcool et la stimulation sexuelle », soit une boisson alcoolisée, soit une boisson non alcoolisée. (les deux boissons avaient un goût puissant masquant la présence éventuelle d'alcool). Dans chaque groupe, la moitié des sujets pensaient qu'ils buvaient de l'alcool et l'autre moitié qu'ils n'en buvaient pas (Abrams et Wilson, 1983). Après avoir vu un court-métrage érotique, les hommes qui *pensaient* avoir bu de l'alcool avaient une probabilité plus grande de décrire des fantasmes érotiques intenses et de n'éprouver aucun sentiment de culpabilité. Savoir qu'ils pouvaient *attribuer* leur réponse sexuelle à l'alcool libérait leurs inhibitions, qu'ils aient bu ou non de l'alcool.

L'effet de l'alcool revient, en partie, à activer les pulsions sexuelles. Des auteurs ont analysé quatorze études d'intervention thérapeutiques pour la prévention de l'alcoolisation des jeunes étudiants (Scott-Sheldon, et al., 2014). Les résultats de la méta-analyse montrent que ces interventions thérapeutiques entraînent une réduction de la consommation d'alcool et une modification de l'image que les jeunes étudiants, à l'université, peuvent en avoir.

Barbituriques Comme l'alcool, les **barbituriques**, ou *tranquillisants*, ralentissent l'activité du système nerveux. Les barbituriques, comme le Nembutal®, le Séconal® et l'Amytal® sont parfois prescrits pour induire le sommeil ou réduire l'anxiété. À fortes doses, ils peuvent perturber la mémoire et le jugement. En combinaison avec l'alcool, comme quand on prend un somnifère après avoir bu pendant la soirée, l'effet dépresseur résultant sur les fonctions corporelles peut être fatal.

Opiacés Les **opiacés** – l'opium et ses dérivés, morphine et héroïne – ont également un effet dépresseur sur le fonctionnement nerveux. Quelques effets des opiacés, incluant *l'héroïne* : les pupilles se contractent, la respiration se ralentit et devient irrégulière et le consommateur devient léthargique, tandis qu'un plaisir béat remplace la douleur et l'anxiété. Mais ce court plaisir a un prix pour le consommateur : un besoin dévorant d'une nouvelle dose, un besoin de doses progressivement croissantes (à mesure que la tolérance se développe) et le terrible malaise du sevrage. Baigné de façon répétitive par les opiacés de synthèse, le cerveau va finalement arrêter de produire ses propres molécules opio-ergiques, les *endorphines*. Quand l'effet de la drogue cesse, le cerveau ne dispose plus d'une quantité normale de ces neuromédiateurs analgésiques. Ceux qui ne peuvent pas tolérer cet état (ou choisissent de ne pas le tolérer) peuvent en payer le prix ultime : la mort par overdose. La famille des molécules morphiniques *stupéfiants* comprend entre autres la codéine, la morphine, et la *méthadone*, un substitut synthétique de l'héroïne. Ce sont d'abord des médicaments ; ils peuvent également entraîner une dépendance.

EXERCICE RÉCAPITULATIF

- En quoi une « addiction aux achats compulsifs » diffère-t-elle de l'addiction définie plus haut ?

Réponse : être fortement intéressé par quelque chose d'une manière qui ne soit ni compulsive ni dysfonctionnelle, ne constitue pas une dépendance. Cette attitude n'induit pas la recherche passionnée et dévorante d'une substance, dont les effets néfastes sont connus (« craving »).

- Alcool, barbituriques et opiacés font partie d'une classe de substances psychoactives appelée

_____.

Réponse : dépresseurs centraux ou psycholeptiques

Psychostimulants

3-15 Qu'est-ce qu'un psychostimulant et quels sont ses effets ?

Les **stimulants** excitent l'activité nerveuse et activent les fonctions corporelles. Les pupilles se dilatent, le rythme cardiaque et la respiration s'accélèrent, la concentration en glucose sanguin augmente, ce qui entraîne une baisse de l'appétit. L'énergie et la confiance en soi sont stimulées.

Cette catégorie de substances comporte la caféine, la nicotine, les **amphétamines**, la cocaïne, l'ecstasy et enfin la méthamphétamine (surnommée speed). Les personnes les consomment pour rester éveillées, perdre du poids, améliorer leur humeur ou augmenter les performances sportives. Vous pouvez, malheureusement, percevoir leur propriété addictive si vous faites partie de ces gens qui consomment quotidiennement de la caféine dans le café, le thé, le soda et les boissons énergétiques. Si vous arrêtez de prendre votre dose quotidienne, vous pouvez ressentir de la fatigue, des maux de tête, de l'irritabilité ou de la dépression (Silverman et al., 1992). L'effet d'une légère dose de caféine dure généralement trois ou quatre heures et, si elle est prise le soir, cette durée peut être suffisamment longue pour empêcher le sommeil.

Vasca/Shutterstock

Nicotine Les cigarettes et autres produits du tabac contiennent une substance alcaloïde, **la nicotine**, provoquant une dépendance importante. Imaginez que les cigarettes soient inoffensives – et qu'une seule cigarette parmi 25 000 paquets, ressemblant tout à fait aux autres, contienne de la dynamite à la place du tabac. Le risque de vous faire décapiter n'est, après tout, pas si énorme. Mais, avec les 250 millions de paquets consommés par jour dans le monde entier, on peut s'attendre à plus de 10 000 morts atroces par jour (trois fois plus que lors des attentats du 11 Septembre, et ce chaque jour), ce qui est certainement une excellente raison pour bannir la cigarette[2].

Le nombre de victimes que provoqueraient ces cigarettes remplies de dynamite est à peu près comparable à celui des victimes réelles du tabac. Un individu qui commence à fumer à l'adolescence et continue jusqu'à la fin de sa vie a 50 % de risques de mourir des conséquences du tabagisme. Chaque année, à travers le monde, le tabac tue près de 5,4 millions de consommateurs sur 1,3 milliard. (Imaginez quelle serait l'ampleur de la catastrophe si des terroristes faisaient s'écraser 25 jumbo-jets tous les jours.) En 2030, le nombre des décès annuels devrait atteindre à 8 millions. Cela signifie qu'*1 milliard* d'êtres humains vivant au xxie siècle peuvent mourir à cause le tabac (OMS, 2012).

Fumer une cigarette cela revient à perdre du temps pendant douze minutes (*Discover* 1996). Comparée à celle des non-fumeurs, l'espérance de vie des fumeurs est « réduite d'au moins dix ans » (CDC, 2013). Éliminer le tabagisme augmenterait bien plus l'espérance de vie que toute autre mesure préventive. Pourquoi donc y a-t-il autant de fumeurs ?

Une fois dépendant de la nicotine, il est très difficile d'arrêter car les constituants du tabac sont très toxicomanogènes. Même les tentatives d'arrêt une semaine après avoir commencé à fumer des cigarettes sont généralement des échecs (DiFranza, 2008). Comme dans les autres addictions,une *tolérance se développe chez les fumeurs et* le sevrage provoque chez eux des signes et des symptômes de manque, comme le désir impérieux de fumer, l'insomnie, l'anxiété et l'irritabilité ou des difficultés de concentration. Lorsqu'ils sont privés de nicotine, les fumeurs qui essayent de se concentrer sur une tâche ont trois fois plus de risques d'être distraits (Sayette et al., 2010). Lorsqu'ils n'éprouvent pas le besoin de fumer, les fumeurs ont tendance à sous-estimer le pouvoir de leur besoin compulsif (Sayette et al., 2008).

« Il existe un consensus médical et scientifique qui dit que la cigarette cause le cancer du poumon, les maladies cardiaques, l'emphysème et d'autres maladies graves chez les fumeurs. Les fumeurs sont beaucoup plus susceptibles de développer des maladies graves, comme le cancer du poumon, que les non-fumeurs. »

Philip Morris Companies Inc., 1999

Pour les patients séropositifs qui fument, le virus est maintenant beaucoup moins mortel que le tabagisme (Helleberg et al., 2013).

« Le tabac guérit les problèmes de poids… finalement. »

Comédien-scénariste Steven Wright

« Arrêter de fumer est la chose la plus facile au monde ; je le sais, je l'ai fait mille fois. »

Mark Twain (1835-1910)

---

2. Cette analogie, adaptée ici avec des numéros de base mondiale, a été suggérée par le mathématicien Sam Saunders, tel que rapporté par K. C. Cole (1998).

▼ FIGURE 3.22

Là où il y a de la fumée… : Les effets physiologiques de la nicotine La nicotine atteint le cerveau en sept secondes, deux fois plus vite que l'héroïne en intraveineuse. En quelques minutes, la quantité de nicotine dans le sang augmente.

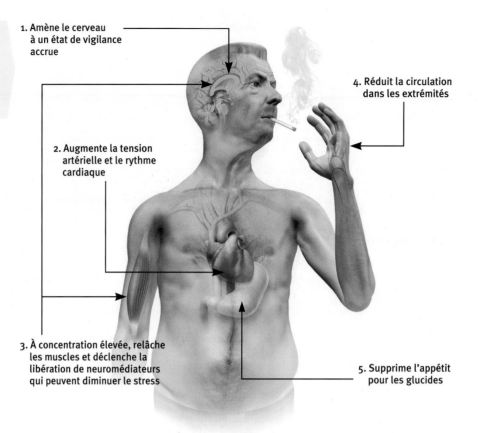

1. Amène le cerveau à un état de vigilance accrue

2. Augmente la tension artérielle et le rythme cardiaque

3. À concentration élevée, relâche les muscles et déclenche la libération de neuromédiateurs qui peuvent diminuer le stress

4. Réduit la circulation dans les extrémités

5. Supprime l'appétit pour les glucides

Cocaïne alcaloïde extrait de la plante Coca aux propriétés psychostimulantes et addictives puissantes ; stimule temporairement la vigilance et provoque un état d'euphorie.

Méthamphétamine substance de la famille des amphétamines aux propriétés psychostimulantes et addictives puissantes ; au cours du temps, épuise les réserves en dopamine des vésicules neuronales.

L'humoriste Dave Barry (1995) se rappelle l'été où il a fumé sa première cigarette, à l'âge de 15 ans : « Arguments contre la cigarette : c'est une dépendance repoussante qui, lentement mais sûrement, vous transforme en un invalide dévoré par le cancer, essoufflé, à la peau grise, crachant des déchets toxiques sous forme de glaires brunâtres avec son seul poumon rescapé. Arguments pour : tous les adolescents le font. Affaire classée. Allumons-la ! »

Et il suffit d'une seule bouffée, pour apaiser ces états pénibles. En sept secondes, l'afflux de nicotine stimule le système nerveux central et déclenche la libération de neuromédiateurs (**FIGURE 3.22**). L'adrénaline et la noradrénaline diminuent l'appétit et stimulent la vigilance et l'efficacité intellectuelle. La dopamine et les « opioïdes naturels » calment temporairement l'anxiété et réduisent la sensibilité à la douleur (Ditre et al., 2011 ; Scott et al., 2004). Ainsi, les ex-fumeurs qui seront en situation de stress, reprendront parfois l'usage du tabac comme l'a fait environ 1 million d'Américains après les attaques terroristes du 11 septembre 2001 (Peško, 2014).

Cette sensation de récompenses, apportée par la sécrétion de dopamine et d'endorphines maintient les fumeurs dans la dépendance tabagique, même s'ils font partie des 75 % des fumeurs qui souhaitent arrêter (Newport, 2013). Chaque année moins d'une personne sur 7 ayant décidé d'arrêter de fumer, sera capable de résister à la tentation du tabac. Même s'ils savent qu'ils se suicident à petit feu, les fumeurs auront du mal à arrêter (Saad, 2002).

Néanmoins, il semble que les tentatives répétées pour arrêter le tabac finissent par atteindre leur but. La moitié des Américains qui ont commencé à fumer ont réussi à s'arrêter, parfois aidés de substances se substituant à la nicotine ou par les encouragements de conseillers ou de groupes de soutien. Que l'arrêt du tabac soit brutal ou plus graduel, les chances de réussite sont les mêmes (Fiore et al., 2008 ; Lichtenstein et al., 2010 ; Lindson et al., 2010). Pour ceux qui les endurent, les symptômes de manque et le désir impérieux de fumer finissent par disparaître progressivement au bout de six mois (Ward et al., 1997). Après une année d'abstinence, la rechute surviendra au cours de l'année chez seulement 10 % des sujets (Hughes, 2010). Ces personnes qui ne fument plus se porteront mieux et seront aussi plus heureuses. Le tabagisme est corrélé à un taux plus élevé de dépression, d'infirmités chroniques et de divorces (Doherty et Doherty, 1998 ; Edwards & Kendler, 2012 ; Vita et al., 1998). Il semble qu'une bonne hygiène de vie prolonge la vie de quelques années et améliore sa qualité.

━━━━━━━━━━ **EXERCICE RÉCAPITULATIF** ━━━━━━━━━━

• Quels sont les symptômes de sevrage que votre amie doit redouter quand elle se décide enfin à arrêter de fumer ?

Réponse : Votre amie ressentira vraisemblablement un désir impérieux de fumer, de l'insomnie, de l'anxiété, une irritabilité, et elle va probablement trouver qu'il est plus difficile de se concentrer. Toutefois, si elle persévère, la recherche passionnée de la substance active, les signes et les symptômes du sevrage vont se dissiper en environ six mois.

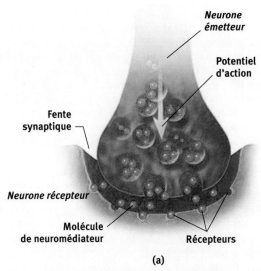

Neurone émetteur

Potentiel d'action

Fente synaptique

Neurone récepteur

Molécule de neuromédiateur

Récepteurs

(a)

Les neuromédiateurs transmettent un message d'un neurone émetteur à travers une synapse vers un neurone récepteur.

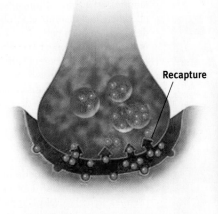

Recapture

(b)

Le neurone émetteur récupère habituellement les molécules de neuromédiateurs en excès : un processus appelé recapture.

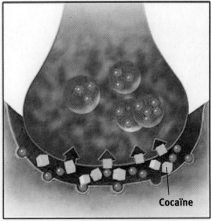

Cocaïne

(c)

En se fixant sur les sites qui, habituellement, récupèrent les molécules de neuromédiateurs, la cocaïne bloque la recapture de la dopamine, de la noradrénaline et de la sérotonine (Ray et Ksir, 1990). Les molécules de neuromédiateurs en excès restent alors au niveau de la synapse, augmentant leur effet normal sur l'humeur et produisant une bouffée d'euphorie. Lorsque la concentration de cocaïne diminue, l'absence de neuromédiateurs provoque la « descente ».

▼ FIGURE 3.23
L'euphorie et la « descente » de la cocaïne

Cocaïne La cocaïne est le chemin le plus direct qui mène de l'euphorie à la catastrophe. À l'origine, la recette du Coca-Cola® comprenait un extrait de coca (plante d'où l'on tire la cocaïne), ce qui en faisait une boisson fortifiante à la cocaïne pour les personnes âgées fatiguées. Entre 1896 et 1905, le « Coke » était vraiment la « boisson branchée ». Mais ce n'est plus le cas. La cocaïne est maintenant prisée, ou fumée ou injectée. Elle passe rapidement dans le sang, avec pour résultat une « bouffée » d'euphorie qui épuise les réserves du cerveau en dopamine, noradrénaline et sérotonine, trois neuromédiateurs (**FIGURE 3.23**). En une heure, on assiste à une chute vertigineuse vers un état anxiodépressif au moment où l'effet de la drogue se dissipe.

Dans des situations propices à l'agressivité, l'absorption de cocaïne peut augmenter les réactions clastiques. Les rats en cage se battent s'ils sont soumis à des chocs électriques sur les pattes, et ils se battent davantage encore s'ils ont, *en plus*, reçu de la cocaïne. Lors d'une expérience de laboratoire, des volontaires sains qui avaient ingéré de fortes doses de cocaïne administraient de plus forts chocs électriques à un adversaire présumé que ceux qui n'avaient reçu qu'un placebo (Licata et al., 1993). La consommation de cocaïne peut entraîner des perturbations émotionnelles, de la suspicion, des convulsions, une détresse respiratoire ou un arrêt cardiaque.

Lors d'enquêtes nationales, 3 % des élèves américains de terminale et 6 % des Anglais âgés de 18 à 24 ans ont reconnu avoir essayé la cocaïne au cours de l'année écoulée (ACMD, 2009 ; Johnston et al., 2011). Près de la moitié avaient fumé du *crack*, forme cristallisée de cocaïne base. Le crack, par inhalation, a un effet encore plus rapide et plus puissant, avec une période d'euphorie plus brève mais plus intense et une « descente » également plus forte. Le besoin irrépressible de prendre une autre dose disparaît après quelques heures, mais revient quelques jours plus tard (Gawin, 1991).

Comme avec toutes les substances psychoactives, les effets psychologiques de la cocaïne dépendent non seulement de la dose et de la forme sous laquelle cette drogue est absorbée, mais également de l'attente du sujet, de sa personnalité et de la situation. Un cocaïnomane auquel on donne un placebo, mais qui *pense* prendre de la cocaïne, va souvent éprouver une sensation semblable à celle produite par la cocaïne (Van Dyke et Byck, 1982).

Méthamphétamine La méthamphétamine est apparentée chimiquement à *l'amphétamine* (NIDA, 2002, 2005) mais ses effets sont plus importants. Elle inhibe la recapture et stimule la libération de dopamine, un neuromédiateur qui stimule les cellules nerveuses augmentant l'énergie et améliorant l'humeur. Les effets de manque peuvent inclure une irritabilité, des insomnies, une hypertension, des convulsions, un isolement social, une dépression et, occasionnellement, des comportements violents (Homer et al., 2008). Avec le temps, il semble que la méthamphétamine réduise la concentration basale en dopamine, ce qui engendre, chez le consommateur, un ralentissement fonctionnel permanent.

« La cocaïne fait de vous un homme nouveau. Et la première chose que souhaite cet homme nouveau, c'est de consommer plus de cocaïne. »

George Carlin, comédien (1937-2008)

Dégradation somatique provoquée par la drogue Dix-huit mois séparent ces deux clichés, la dépendance à la méthamphétamine a provoqué, chez cette jeune femme, des changements physiques évidents.

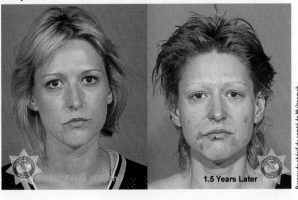

1.5 Years Later

Bureau du shérif du comté de Multnomah

Dale Sparks/AP Photo

La drogue de l'étreinte MDMA, amphétamine, connue sous le nom d'ecstasy, produit une euphorie intense et un sentiment d'empathie universelle. Mais l'utilisation répétée peut détruire les neurones sérotoninergiques, altérer la mémoire, et provoquer une dépression chronique de l'humeur.

Hallucinations par Ronald K. Siegel, Scientific American 237, 132-139 (1977)

▼ FIGURE 3.24
Expérience imminente de la mort ou hallucination ? Le psychologue Ronald Siegel (1977) signale que, sous l'influence de substances hallucinogènes, les gens voient souvent « une lumière brillante au centre de leur champ visuel... L'emplacement de ce point de lumière crée une perspective en tunnel ». Cela est très semblable aux autres expériences imminentes de la mort.

Ecstasy L'ecstasy, nom vernaculaire de la **MDMA** (méthylène-dioxy-méthamphé-tamine), est à la fois stimulante et légèrement hallucinogène. Comme l'amphétamine, elle libère la dopamine et inhibe sa recapture, mais son effet principal est de libération de la sérotonine à partir des vésicules de stockage et de bloquer sa recapture, ce qui a pour effet de prolonger la vague de bien-être due à ce neuromédiateur (Braun, 2001). Les utilisateurs ressentent l'effet environ une demi-heure après avoir pris un comprimé d'ecstasy. Pendant trois à quatre heures, les consommateurs ressentent une bouffée d'énergie, perçoivent leurs émotions plus intensément et, dans un contexte social donné, éprouvent un sentiment de « connexion » avec tous ceux qui les entourent (« j'aime tout le monde »).

À la fin des années 1990, l'ecstasy est rapidement devenue la drogue « festive », d'usage courant dans les boîtes de nuit et les rave-parties durant toute la nuit (Landry, 2002). La popularité de cette substance a traversé les frontières et au Royaume-Uni, la consommation annuelle de ces comprimés est estimée à 60 millions (ACMD, 2009). Il y a pourtant de nombreuses raisons de ne pas s'extasier sur l'ecstasy. En premier lieu, la déshydratation qu'elle engendre, associée à la danse prolongée, entraîne un risque de coup de chaleur grave, d'hypertension et peut mener à la mort. À long terme, la « vampirisation » répétée de la sérotonine cérébrale endommage les neurones produisant ce neuromédiateur, ce qui réduit le niveau de sérotonine et augmente le risque de dépression permanente (Croft et al., 2001 ; McCann et al., 2001 ; Roiser et al., 2005). L'ecstasy a un effet suppresseur sur le système immu-nitaire combattant les maladies, altère la mémoire, ralentit la réflexion et perturbe le sommeil en interférant avec le contrôle sérotoninergique de l'horloge circadienne (Laws & Kokkalis, 2007 ; Schilt et al., 2007 ; Wagner et al., 2012). L'ecstasy enchante vos nuits, mais au petit matin c'est vous qui déchantez.

Hallucinogènes

3-16 Qu'est-ce qu'un hallucinogène ? Quels sont ses effets ?

Les hallucinogènes entraînent une distorsion des perceptions et suscitent des images sensorielles en l'absence de stimulation sensorielle (c'est pourquoi ces substances sont aussi appelées *Psycho-dysleptiques et psychédéliques*, ce qui signifie « esprit visible »). Certains hallucinogènes sont des substances naturelles, comme le cannabis (hallucinogène léger). D'autres sont synthétiques, les deux plus connus étant le LSD et la MDMA (ecstasy).

Quel que soit le moyen employé afin de provoquer des hallucinations (hypoxie, privation sensorielle profonde ou drogues), « votre cerveau va halluciner à peu près de la même manière » (Siegel, 1982). La sensation commence en général par des formes géométriques simples : un treillis, une toile d'araignée ou une spirale. La phase suivante consiste en des images ayant une signification plus nette ; certaines peuvent être projetées sur un tunnel ou un entonnoir, d'autres sont le rappel d'expériences émotionnelles antérieures. Au sommet de l'expérience hallucinogène, les gens se sentent souvent séparés de leur corps et vivent des scènes qui ressemblent à des rêves comme si elles étaient bien réelles – si réelles que les sujets peuvent se blesser ou être en proie à une attaque de panique.

Cette expérience ressemble fortement aux **expériences au seuil de la mort,** de mort imminente, un état altéré de la conscience ressenti par environ 15 % des individus qui ont été réanimés après un arrêt cardiaque (Agrillo, 2011 ; Greyson, 2010 ; Parnia et al., 2013). Beaucoup présentent des visions en tunnel ou en entonnoir (**FIGURE 3.24**), ou une sensation de sortie hors du corps (Siegel, 1980), voient des lumières brillantes ou des êtres de lumière, se rappellent des souvenirs anciens. Étant donné que l'hypoxie (manque d'oxygène) ou d'autres lésions cérébrales peuvent aussi provoquer de telles hallucinations, il est difficile de ne pas se demander si ces états d'expé-rience de mort imminente ne sont pas le produit de l'activité du cerveau en hypoxie. Pendant les crises d'épilepsie et les migraines, les patients peuvent avoir de telles hallucinations visuelles à type de motifs géométriques (Billock & Tsou, 2012). Les navigateurs solitaires et les explorateurs polaires présentent aussi des expériences « hors du corps » quand ils sont soumis à la monotonie, à la solitude et au froid (Suedfeld et Mocellin, 1987). Ces expériences représentent « une étrange affaire neuronale », estime, Patricia Churchland, philosophe des neurosciences (2013, p. 70 ; Zuger, 2013).

LSD Un vendredi après-midi d'avril 1943, Albert Hofmann, chimiste de profession, ingéra acciden-tellement un peu du produit qu'il venait de synthétiser : le **LSD** (diéthylamide de l'acide lysergique). Il raconta avoir « perçu un flot ininterrompu d'images fantastiques, de formes extraordinaires, avec un jeu de couleurs intenses ressemblant un kaléidoscope » et lui rappelant une expérience mystique de l'enfance qui le laissa désirer ardemment une autre vision de cette « réalité miraculeuse, puissante et impénétrable » (Siegel, 1984 ; Smith, 2006). L'humeur de la personne et ses attentes au moment de la prise colorent les sensations émotionnelles ; ces sensations peuvent varier de l'euphorie, à l'état de panique ou à la dépersonnalisation.

Cannabis (marijuana) Les feuilles et les fleurs de cannabis contiennent un alcool terpénique, le **THC** (Delta-9-tétrahydrocannabinol). Qu'il soit fumé (la drogue parvient au cerveau en sept secondes environ) ou ingéré (avec un pic plasmatique atteint plus lentement et de façon imprévisible), le THC produit un ensemble d'effets. Cependant la biodisponibilité du THC par voie orale est très faible. La soi-disant « Marijuana synthétique » (« K2 », également appelé « Spice ») mime les effets du THC. Peu de choses sont connues de la chimie et de la pharmacologie de ce mélange de plantes imprégnées de substances de synthèse. Les effets secondaires néfastes, qui peuvent être l'agitation et les hallucinations, conduisent son constituant à devenir illégal en vertu de la loi américaine sur la prévention de l'abus de drogues synthétiques de l'année 2012.

Le cannabis agit comme un hallucinogène modéré en amplifiant la sensibilité aux couleurs, aux sons, aux goûts et aux odeurs. Comme l'alcool, le cannabis détend, désinhibe et peut induire une bouffée d'euphorie. Ces deux substances perturbent la coordination motrice, les facultés de perception et allongent le temps de réaction nécessaire à l'utilisation d'une voiture ou d'une machine en toute sécurité. Selon Ronald Siegel (1990, p. 163) « le THC provoque des erreurs de jugement chez les animaux ». « Les pigeons attendent trop longtemps pour répondre à des lumières ou à des sonneries leur signalant que la nourriture est disponible pour un court instant ; et les rats tournent du mauvais côté dans les labyrinthes. »

Le sort de la marijuana et celui de l'alcool dans l'organisme sont très différents. Le corps élimine l'alcool en quelques heures. Le THC et ses métabolites, ainsi que les autres composés du cannabis persistent dans l'organisme pendant plus d'une semaine, ce qui signifie que les utilisateurs réguliers éprouvent un sevrage moins brutal et peuvent atteindre un état extatique avec des quantités plus petites que les autres drogues. Ainsi, contrairement au phénomène classique de tolérance qui nécessite l'augmentation des doses pour atteindre l'effet, les consommateurs réguliers peuvent parvenir à une période euphorique avec des quantités de drogue plus faibles que celles que devrait prendre un consommateur occasionnel pour obtenir le même effet.

La sensation du fumeur de cannabis varie selon la situation. Si la personne se sent anxieuse ou déprimée, le produit peut amplifier ces sensations. Plus on utilise le cannabis, en particulier pendant l'adolescence, plus le risque de survenue de troubles anxieux et de troubles dépressifs est important (Bambico et al., 2010 ; Hurd et al., 2013 ; Murray et al., 2007).

Le cannabis perturbe la formation de la mémoire et interfère avec le rappel immédiat d'informations apprises seulement quelques minutes auparavant (Bossong et al., 2012). Ces effets cognitifs persistent bien au-delà de la période où l'on fume (Messinis et al., 2006). La consommation régulière de fortes doses pendant vingt ans entraîne une atrophie des régions cérébrales qui traitent la mémoire et les émotions (Yücel et al., 2008). Une étude qui a suivi plus de 1 000 jeunes Néo-Zélandais depuis la naissance, a constaté que les notes de QI des adolescents consommateurs réguliers de marijuana régressaient de huit points de l'âge de 13 ans à l'âge de 38 ans (Meier et al., 2012). (Ce déclin mental n'a été observé que chez ceux qui ont commencé cette utilisation régulière avant 18 ans, alors que leurs cerveaux étaient encore en pleine maturation.) L'exposition prénatale au cannabis par le biais de la consommation de la mère empêche aussi le bon développement du cerveau (Berghuis et al., 2007 ; Huizink et Mulder, 2006).

Pour libérer des ressources policières de certaines tâches afin de lutter contre la criminalité, certains États et pays ont voté des lois légalisant la possession de petites quantités de marijuana. La *marijuana* et ses dérivés ont pu être enregistrés comme médicaments pour soulager les douleurs et les nausées provoquées par des maladies comme le SIDA ou le cancer (Munsey, 2010 ; Watson et al., 2000). Dans de tels cas, l'Institute of Medicine recommande l'administration de THC par voie aérienne, à l'aide inhalateurs médicaux. La fumée de marijuana, comme la fumée de cigarette, est toxique et peut causer le cancer, des maladies du poumon, et des complications de la grossesse (BLF, 2012).

*　*　*

Malgré leurs différences, les substances psychoactives présentées dans le **TABLEAU 3.4** page suivante, partagent des caractéristiques communes : elles déclenchent des effets secondaires qui effacent leurs effets positifs immédiats et s'accentuent avec la répétition des prises. Cela permet de mieux expliquer à la fois la tolérance et le sevrage. Comme les réactions négatives, opposées, deviennent de plus en plus fortes, le consommateur a besoin de doses de plus en plus importantes pour déclencher l'euphorie *(tolérance)* et les réactions s'aggravent en l'absence de drogue *(sevrage)*. Ce phénomène déclenche à son tour un besoin d'éliminer les symptômes du « manque » en prenant davantage de drogue.

Ecstasy (MDMA) un psychostimulant de synthèse très puissant aux faibles propriétés hallucinogènes. Produit une euphorie intense et un sentiment d'empathie universelle. Mais l'utilisation répétée peut détruire les neurones sérotoninergiques, altérer la mémoire, et provoquer une dépression chronique de l'humeur.

Hallucinogènes substances psychédéliques (qui rendent l'âme visible) qui, comme le LSD, provoquent de fausses perceptions et évoquent des images sensorielles en l'absence de stimuli extérieurs réels.

Expérience de mort imminente un état de conscience altérée rapporté par des sujets qui ont frôlé la mort (comme pendant un arrêt cardiaque de courte durée), état souvent semblable à des hallucinations induites par substances psychoactives.

LSD une drogue hallucinogène puissante ; également connu sous le nom d'acide *(Diéthylamide de l'acide lysergique)*.

THC tétra-hydro-cannabinol ; principe actif majeur du cannabis ; déclenche une variété d'effets ; léger pouvoir hallucinogène.

▼ TABLEAU 3.4
Guide de certaines substances psychoactives

Drogue	Type	Effets agréables	Effets néfastes et séquelles
Alcool	Dépresseur central, psycholeptique	Impression intense de bien-être, détente et désinhibition	Dépression de l'humeur, perte de mémoire, altérations somatiques importantes, comportements inadaptés
Héroïne	Dépresseur central, psycholeptique	Euphorie, effet analgésique	Dépresseur respiratoire, syndrome de sevrage brutal gravissime
Caféine	Psychostimulant	Vigilance accrue, éveil prolongé	Anxiété, agitation, insomnie à fortes doses ; sevrage désagréable
Nicotine	Psychostimulant	Stimulation de la vigilance, effet tranquillisant détente, sentiment de bien-être	Maladies du cœur et des vaisseaux, cancers
Cocaïne	Psychostimulant	Euphorie, sentiment de toute puissance, stimulation générale	Toxicité cardiaque, syndrome d'hostilité-méfiance, état dépressif intense
Methamphétamine	Psychostimulant	Euphorie, stimulation générale	Irritabilité, insomnie, hypertension artérielle, convulsions
Ecstasy (MDMA)	Psychostimulant ; faibles propriétés hallucinogènes	Stimulation des émotions, désinhibition	Déshydratation, coup de chaleur, humeur dépressive, altération du fonctionnement cognitif, et immunité déficiente
LSD	Hallucinogène	Images colorées	Risque d'attaque de panique
Cannabis (THC)	Hallucinogène	Stimulation sensorielle, soulagement de la douleur, distorsion du temps, relaxation	Altération de la mémoire et des capacités d'apprentissage, risque accru de survenue de troubles mentaux, toxicité pulmonaire

EXERCICE RÉCAPITULATIF

« Que cela donc est d'une apparence déroutante ce que les hommes appellent l'agréable, et comme la nature en est bizarre au regard de ce qu'on juge être son contraire : le pénible... On n'a qu'à poursuivre l'un des deux et l'attraper, pour que, forcément on attrape aussi l'autre. »

Traduction Léon Robin, Platon, *Phédon,* IVe siècle AV. J.-C.

• Comment cette description du couple plaisir-douleur s'applique-t-elle à l'utilisation répétée des substances psychoactives ?

Réponse : les substances psychoactives créent le plaisir en modifiant la biochimie cérébrale. Avec une utilisation répétée de la drogue, la tolérance s'installe et les doses absorbées doivent être plus importantes pour obtenir le même effet désiré. (Le cannabis serait une exception.) La cessation de l'utilisation de la substance produit alors des symptômes de sevrage douloureux ou psychiquement désagréables.

Facteurs influençant l'usage des substances psychoactives

3-17 Pourquoi certaines personnes deviennent-elles des consommateurs réguliers de substances psychoactives ?

La prise de SPA par la jeunesse nord-américaine a augmenté durant les années 1970. Depuis, grâce à une meilleure éducation dans ce domaine et à une démythification de l'image médiatique de la prise de drogue, la consommation de SPA a drastiquement diminué (exception faite d'une petite augmentation au milieu des années 1980). Depuis le début des années 1990, le discours antidrogue s'est adouci et les drogues ont retrouvé une image prestigieuse dans un certain type de musique et de films. Considérons, par exemple, l'histoire de l'utilisation de la marijuana :

• L'enquête annuelle de l'université du Michigan, effectuée auprès de 15 000 élèves de terminale, a montré que la proportion de ceux qui considèrent la consommation régulière de cannabis comme un « grand risque » est passée de 35 % en 1978 à 79 % en 1991, pour retomber à 40 % en 2013 (Johnston et al., 2014).

• Après avoir atteint un pic en 1978, la consommation de cannabis dans cette tranche d'âge aux États-Unis a décliné régulièrement jusqu'en 1992 pour augmenter de nouveau, avant de se stabiliser (**FIGURE 3.25**). Parmi les jeunes Canadiens âgés de 15 à 24 ans, 23 % reconnaissent prendre du cannabis tous les mois, toutes les semaines ou tous les jours (Health Canada, 2012).

Pour certains adolescents, la consommation occasionnelle de SPA représente seulement une recherche de sensation. Pourquoi, pour d'autres, devient-elle régulière ? Pour y répondre, les chercheurs se sont penchés sur les analyses biologiques, psychologiques et socioculturelles.

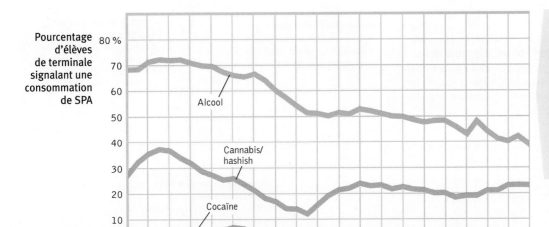

▼ FIGURE 3.25
Tendances de la consommation de drogue. Aux États-Unis, le pourcentage des élèves de terminale qui disent avoir pris de l'alcool, du cannabis ou de la cocaïne au cours des trente derniers jours, précédents l'enquête, a diminué entre la fin des années 1970 et 1992, puis a connu un rebond partiel pendant quelques années. (Données de Johnston et al., 2014.)

Influences biologiques

Certaines personnes pourraient bien avoir une vulnérabilité biologique à certaines SPA. Par exemple, de plus en plus d'arguments suggèrent que l'hérédité pourrait influencer les tendances alcooliques, en particulier celles qui apparaissent au début de l'âge adulte (Crabbe, 2002) :

- Les personnes adoptées sont plus sensibles à la consommation pathologique d'alcool si elle était présente chez un seul ou chez les deux parents biologiques.

- Si un des deux jumeaux souffre d'une consommation pathologique d'alcool, le risque de survenue de ce trouble est très élevé pour l'autre (Kendler et al., 2002). Les vrais jumeaux présentent également plus de ressemblances dans leur consommation de cannabis que les faux jumeaux.

- Les garçons qui, à l'âge de 6 ans, sont excitables, impulsifs et téméraires (des traits sous forte influence génétique) seront plus enclins à fumer, à boire et à consommer des drogues au cours de leur adolescence (Masse et Tremblay, 1997).

- Des chercheurs ont fait se reproduire des rats et des souris préférant les boissons alcoolisées à l'eau. L'une des lignées obtenues présente une diminution du taux d'un neuromédiateur peptidique présent partout dans le cerveau, nommé NPY, Neuropeptide Tyrosine Les souris génétiquement modifiées afin de produire *en excès* le NPY sont très sensibles à l'effet sédatif de l'alcool et en boivent peu (Thiele et al., 1998).

- Les chercheurs ont identifié des gènes qui sont plus fréquents chez les personnes et les animaux prédisposés à l'alcoolisme et recherchent des gènes pouvant contribuer à la dépendance au tabac (Stacey et al., 2012). Ces gènes coupables peuvent, par exemple, induire une déficience du système dopaminergique de récompense au niveau du cerveau : tout en déclenchant le plaisir temporaire produit par la dopamine, ces SPA perturbent l'équilibre normal de la dopamine. Les études sur la manière selon laquelle les SPA reprogramment les systèmes de récompense cérébraux amènent l'espoir de découvrir des substances antidépendance qui pourraient bloquer ou réduire les effets de l'alcool et d'autres SPA (Miller, 2008 ; Wilson et Kuhn, 2005).

Les influences biologiques de l'usage d'une drogue sont applicables à d'autres drogues. Une étude a suivi 18 115 enfants suédois adoptés. Chez ceux qui ont des parents biologiques toxicomanes, le risque de consommation abusive de drogues était deux fois plus grand, ce qui est en faveur d'une influence génétique. Cependant, chez ceux dont la famille adoptive comprenait des membres toxicomanes le risque de consommation abusive de drogues était aussi deux fois plus grand, ce qui est en faveur d'une influence de l'environnement (Kendler et al., 2012). Voyons quelles pourraient être les autres influences de l'environnement.

Influences psychologiques et socioculturelles

Tout au long de cet ouvrage, vous verrez que les facteurs biologiques, psychologiques et socioculturels interagissent pour engendrer des comportements. L'usage de drogue en fait partie (**FIGURE 3.26** sur la page suivante). Dans des études portant sur les adolescents et les jeunes adultes, un facteur psychologique est souvent présent, le sentiment que la vie n'a ni signification ni but (Newcomb et

Les signes d'appel de la consommation pathologique d'alcool.

- Absorption compulsive massive
- Recherche effrénée de la substance (craving)
- Résultats professionnels et scolaires laissant à désirer
- Non-respect des résolutions de réduction de la consommation
- Utilisation continue en dépit des risques somatiques
- Éviter la famille ou les amis lorsque l'on boit

▼ FIGURE 3.26
Niveaux d'analyse de la consommation pathologique de substances psychoactives Par l'approche
biopsychosociale, les chercheurs étudient les
différents aspects de la consommation pathologique de SPA.

Influences biologiques :
• Prédispositions génétiques
• Modifications des systèmes
de neuromédiateurs

Influences psychologiques :
• Absence de sentiment
d'avoir un but dans la vie
• Stress significatif
• Troubles psychologiques
comme la dépression

**Consommation
de drogue**

Influences socioculturelles :
• Environnement urbain
• Attitude culturelle vis-à-vis
de la consommation
de drogues
• Influence des pairs

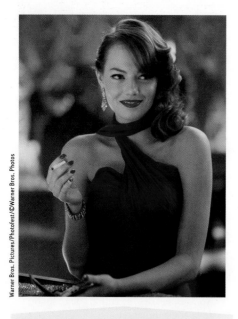

"Nic-A-Teen" Pratiquement personne ne
commence à fumer une fois passées ces années
vulnérables de l'adolescence. Pour fidéliser des
consommateurs dont l'addiction leur permettra
de vendre longtemps leurs produits, les
fabricants de cigarette ciblent les adolescents.
Montrer des acteurs célèbres en train de fumer,
comme ici Emma Stone dans *Gangster Squad*,
incite les adolescents à les imiter.

Harlow, 1986). Ce sentiment est fréquent chez les jeunes qui abandonnent précocement l'école et qui n'ont pas de formation professionnelle, de ressources, ni beaucoup d'espoir.

Parfois l'influence psychologique est évidente. Beaucoup de grands consommateurs d'alcool, de cannabis ou de cocaïne ont vécu des situations de stress ou d'échec et sont déprimés. Une vulnérabilité au risque de survenue d'une toxicomanie va se développer chez les jeunes femmes ayant des antécédents d'épisodes dépressifs, de troubles des conduites alimentation ou qui ont été victimes d'abus sexuels ou physiques. Chez les jeunes filles, la puberté précoce, le changement de cycle scolaire, le changement de cadre de vie sont des facteurs de vulnérabilité (CASA, 2003 ; Logan et al., 2002). Les lycéens qui n'ont pas encore réussi à construire leur identité présentent également plus de risques de consommer ces substances (Bishop et al., 2005). En apaisant temporairement la douleur induite par la conscience de soi, l'alcool ou les autres SPA peuvent éviter d'avoir à faire face à la dépression, à la colère, à l'anxiété ou à l'insomnie. Comme nous le verrons dans le Chapitre 7, les comportements sont plus souvent contrôlés par les conséquences immédiates que par les conséquences à long terme.

L'usage du tabac commence en général au début de l'adolescence. (Si vous êtes au lycée ou à l'université et que l'industrie du tabac n'a pas réussi à vous attirer, il y a de fortes chances que vous restiez non-fumeur pour toujours.) Les adolescents sont conscients de leur image et pensent souvent que le monde entier les observe. Ils sont donc particulièrement vulnérables à l'attitude du fumeur. Il se peut donc qu'ils commencent à fumer pour imiter des célébrités qu'ils trouvent séduisantes, pour être reconnus socialement par ceux qui fument et pour projeter l'image d'une personne mature (Cin et al., 2007 ; Tickle et al., 2006). Les compagnies productrices de tabac, conscientes de cette tendance, ont recours à des publicités qui ciblent les jeunes avec des thèmes tels que l'attrait, l'indépendance, la recherche d'aventure et la position sociale. Généralement, les adolescents qui commencent à fumer ont des amis qui fument et qui vantent les plaisirs de la cigarette en leur en offrant (Rose et al., 1999). Parmi les adolescents dont les parents et les amis proches sont non-fumeurs, le taux de fumeurs est proche de zéro (Moss et al., 1992, voir aussi **FIGURE 3.23**). Le plus souvent les adolescents boivent pour des raisons sociales, et non pas pour faire face à des difficultés (Kuntsche et al., 2005).

L'incidence de l'usage des drogues varie également au sein de groupes culturels ou ethniques. Une enquête menée sur 100 000 adolescents dans 35 pays européens a montré que l'utilisation de

▼ FIGURE 3.27
L'influence des pairs Les enfants ne fument pas si
leurs amis ne fument pas non plus (Philip Morris, 2003).
Question de la relation de cause à effet : le lien étroit
entre le tabagisme chez l'adolescent et la consommation
de tabac par les amis est-il un reflet de l'influence des
pairs ? Les adolescents sont-ils à la recherche d'amis qui
leur ressemblent ? Ou bien les deux ?

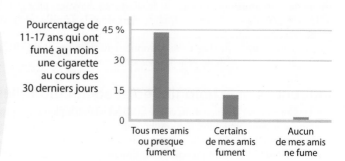

Pourcentage de 11-17 ans qui ont fumé au moins une cigarette au cours des 30 derniers jours

45 %
30
15
0

Tous mes amis ou presque fument | Certains de mes amis fument | Aucun de mes amis ne fume

cannabis dans les trente jours qui précédaient l'enquête allait de 0 à 1 % en Roumanie et en Suède, de 20 à 22 % au Royaume-Uni, en Suisse et en France (ESPAD, 2003). Des études indépendantes du gouvernement, portant sur la consommation de SPA dans les familles à travers tous les États-Unis et chez les lycéens des 50 États révèlent que les adolescents afro-américains boivent moins, fument moins et prennent moins de cocaïne (Jonhston et al., 2007). Aux États-Unis, la dépendance à l'alcool ou à d'autres SPA est rare chez les personnes qui pratiquent activement une religion et extrêmement rare chez les Amish, les Mennonites, les Mormons et les Juifs orthodoxes (Salas-Wright et al., 2012 ; Vaughn et al., 2011 ; Yeung et al., 2009).

Que ce soit en milieu urbain ou en milieu rural, notre entourage influence notre attitude envers les drogues. Des soirées sont aussi organisées et de la drogue peut ou non circuler parmi les participants. Si les amis d'un adolescent prennent de la drogue, le risque est grand qu'il finisse par le faire aussi. En revanche, s'ils n'en prennent pas, il se peut que la tentation ne fasse jamais jour. Les adolescents issus de familles sans problème, qui n'ont pas commencé à boire avant l'âge de 15 ans et qui réussissent à l'école consomment rarement des drogues, essentiellement parce qu'ils fréquentent peu ceux qui en prennent (Bachman et al., 2007 ; Hingson et al., 2006 ; Odgers et al., 2008).

L'influence de l'entourage n'est pas simplement le fait de ce que disent et font les amis. Les attentes des adolescents, ce qu'ils *croient* que leurs amis font et préfèrent, influencent leur comportement (Vitória et al., 2009). Une étude a interrogé des élèves de classe terminale dans 22 États américains. Combien croyaient que leurs amis avaient fumé de la marijuana ? Environ 14 %. Combien de ces amis ont reconnu le faire ? Seulement 4 % (Wren, 1999). À l'université, les étudiants ne sont pas exempts de ces erreurs de jugement : boire est une activité dominante dans les réunions sociales, en partie parce que les étudiants surestiment l'enthousiasme de leurs camarades pour la boisson et sous-estiment leur conception des risques (Prentice et Miller, 1993 ; Self, 1994) (**TABLEAU 3.5**). Lorsque l'on corrige les surestimations des étudiants concernant l'attrait de la boisson par leur entourage, la consommation d'alcool diminue souvent (Moreira et al., 2009).

Ceux qui ont commencé à consommer des drogues sous l'influence de leur entourage ont plus de chances de s'arrêter un jour lorsque les amis s'arrêtent ou lorsque leurs relations changent (Kandel et Raveis, 1989). Une étude qui a suivi 12 000 adultes pendant trente-deux ans a observé que les fumeurs avaient tendance à arrêter en groupe (Christakis et Fowler, 2008). Au sein d'un réseau de relations, les chances qu'une personne arrête de fumer augmentent lorsque son époux(se), ses amis ou ses collègues arrêtent également. La plupart des soldats qui étaient devenus dépendants aux substances psychoactives au Vietnam ont cessé de l'être lors du retour dans leur foyer (Robins et al., 1974).

La consommation de substances psychoactives est influencée par l'entourage. Les relations sociales jouent un rôle évident. Mais nous choisissons nos amis parmi ceux qui partagent nos goûts.

Quelles sont les modalités suggérées par les différentes études à mettre en œuvre dans les programmes de prévention et de traitement ? Trois canaux d'influence semblent possibles :

- Informer les jeunes gens et les jeunes filles sur les conséquences à long terme d'un plaisir temporaire.
- Aider les jeunes à améliorer l'estime de soi et les aider à donner un but à leur la vie.
- Essayer de modifier leur entourage ou leur apprendre à résister à la pression de l'entourage et à « savoir dire non ».

PHOTOS

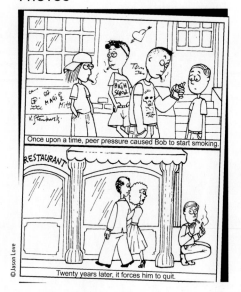

▼ TABLEAU 3.5

Faits concernant une éducation « supérieure »

- Les lycéens et les étudiants boivent plus d'alcool que leurs homologues qui ont quitté l'école, et présentent un taux de consommation abusive de SPA 2,5 fois supérieure à celle de la population générale.

- Près de deux fois plus de sujets membres de confréries et de cercles féminins reconnaissent consommer de grandes quantités d'alcool, comparativement aux sujets qui ne font pas partie de telles associations.

- Depuis 1993, le taux de fumeurs sur les campus a diminué, la consommation d'alcool est restée stable mais la consommation abusive d'opiacés, de stimulants, de tranquillisants et de sédatifs a augmenté tout comme la consommation de cannabis.

Source : NCASA 2007.

Les gens ont très peu de risque de surconsommer des SPA s'ils en comprennent le prix physique et psychologique, s'ils ont un sentiment de complétude et un but dans leur vie, et s'ils ont des amis qui désapprouvent la consommation de SPA. Ces facteurs psychologiques, sociaux ou éducatifs permettent d'expliquer pourquoi 26 % des lycéens américains ayant abandonné leurs études fument alors que seuls 6 % des diplômés le font (CDC, 2011).

EXERCICE RÉCAPITULATIF

- Pourquoi les compagnies de tabac déploient-elles tant d'efforts pour séduire les adolescents afin d'en faire leurs futurs clients ?

Réponse : la nicotine est puissamment addictive, le tabac est coûteux et néfaste. L'absorption de nicotine lors de la maturation du système nerveux central rend plus difficile la cessation ultérieure de sa consommation. En conséquence, les compagnies de tabac peuvent avoir des clients qui seront fidèles très longtemps.

- Des études ont montré que les personnes qui commencent à boire de l'alcool au cours des premières années de l'adolescence sont beaucoup plus susceptibles de développer une consommation pathologique d'alcool que celles qui commencent à prendre de l'alcool à partir de 21 ans ou plus tard encore. Quelles explications possibles de cette relation pourrait-on donner ?

Réponse : les explications possibles sont (a) une prédisposition biologique à l'utilisation précoce et, plus tard, à l'abus ; (b) les modifications cérébrales et les préférences gustatives déclenchées par l'utilisation précoce ; et (c) des habitudes durables, des attitudes ou un style de vie qui favorisent un usage abusif de l'alcool.

REVUE GÉNÉRALE Drogues et conscience

OBJECTIFS D'APPRENTISSAGE

EXERCICE RÉCAPITULATIF Prenez un moment pour répondre à chacune de ces questions objectives d'apprentissage (répétées ici au sein de cette section). Puis aller à l'annexe C, révision complète du chapitre, pour vérifier vos réponses. La recherche suggère que d'essayer de répondre à ces questions de votre propre initiative permettra d'améliorer la mémorisation à long terme de ces réponses (McDaniel et al., 2009).

3-12 Quelles sont les consommations pathologiques de substances psychoactives ? Quelle est la place des entités suivantes dans ces consommations : addiction, tolérance, sevrage ?

3-13 Quelle a été l'évolution du concept d'addiction ?

3-14 Qu'est-ce qu'un dépresseur central ou psycholeptique ? Quels sont ses effets ?

3-15 Qu'est-ce qu'un psychostimulant ? Quels sont ses effets ?

3-16 Qu'est-ce qu'une substance hallucinogène ou psychodysleptique ? Quels sont ses effets ?

3-17 Pourquoi certaines personnes deviennent-elles des consommateurs réguliers de substances psychoactives ?

TERMES ET CONCEPTS À RETENIR

EXERCICE RÉCAPITULATIF Testez votre connaissance de ces termes en essayant d'écrire leur définition avant de vous reporter aux pages donnant les bonnes réponses.

ÉVALUEZ-VOUS LA CONSCIENCE ET LES DEUX VOIES DE L'ESPRIT

Évaluez-vous à plusieurs reprises tout au long de vos études. Cela permettra non seulement de vous aider à distinguer ce que vous savez de ce que vous ignorez mais aussi à vous faire bénéficier de l'effet test. Autrement dit, le test lui-même va vous aider à apprendre et à mémoriser l'information de manière plus efficace grâce précisément à ce qui est appelé *l'effet test.*

Les états du cerveau et la conscience

1. L'incapacité de voir les objets visibles parce que notre attention est déjà fixée se nomme _____ .

2. Nous enregistrons et réagissons à des stimuli de façon non consciente par le biais du traitement _____ . Lorsque nous consacrons une attention délibérée à des stimuli, nous utilisons traitement _____ .

3. La cécité _____ et la cécité au changement sont des formes de l'attention sélective.

Le sommeil et les rêves

4. La température de notre corps à tendance à croître et à décroître de façon synchrone avec une horloge biologique, qui est appelée _____ _____ .

5. Pendant la phase de sommeil NREM-1, une personne est plus susceptible de faire l'expérience
   a. des fuseaux de sommeil.
   b. d'hallucinations.
   c. de terreurs nocturnes ou de cauchemars.
   d. de mouvements oculaires rapides.

6. Le cerveau émet de grandes ondes delta lentes, au cours du sommeil _____ .

7. Lorsque la nuit avance, que deviennent les stades de sommeil paradoxal ?

8. Lequel des éléments suivants ne figure pas parmi les raisons qui ont été proposées pour expliquer pourquoi nous avons besoin de dormir ?
   a. Le sommeil a une valeur de survie.
   b. Le sommeil nous aide à récupérer.
   c. Le sommeil repose les yeux.
   d. Le sommeil joue un rôle dans le processus de croissance.

9. Quelle est la différence entre la narcolepsie et l'apnée du sommeil ?

10. Dans l'interprétation des rêves, Freud était plus intéressé par
    a. la fonction de traitement d'informations.
    b. la fonction physiologique.
    c. le contenu manifeste, ou l'histoire qui se déroulait.
    d. le contenu latent, ou sens caché.

11. Quelle théorie du rêve parle de l'*activation des neurones* ?

12. « Les pensées de la journée sont les visions de la nuit » (Ménandre d'Athènes, *Fragments)*. Selon ce poète grec, quel est le rôle du rêve dans le traitement de l'information ?

13. La tendance pour le sommeil paradoxal à augmenter après sa privation est appelée _____ _____ .

Substances psychoactives et conscience

14. Après l'utilisation continue d'une substance psychoactive, l'usager doit prendre des doses plus importantes pour obtenir l'effet désiré. Cela porte le nom de _____ .

15. Les dépresseurs centraux ou psycholeptiques comprennent l'alcool, les barbituriques et :
    a. les opiacés.
    b. la cocaïne et la morphine.
    c. la caféine, la nicotine et le cannabis.
    d. les amphétamines.

16. Pourquoi l'alcool pourrait-il rendre une personne plus amène *ou* plus hostile ?

17. L'utilisation à long terme de l'ecstasy peut
    a. déprimer l'activité du système nerveux sympathique.
    b. épuiser les vésicules neuronales d'adrénaline cérébrale
    c. épuiser la libération de la dopamine cérébrale
    d. endommager les neurones sérotoninergiques.

18. Les expériences de mort imminente sont étonnamment semblables aux hallucinations évoquées par _____ .

19. L'utilisation du cannabis
    a. altère la coordination motrice, la perception, le temps de réaction, et la mémoire.
    b. inhibe les émotions.
    c. conduit à la déshydratation et au coup de chaleur.
    d. stimule la neurogenèse.

20. Un facteur psychologique important de l'usage de drogues est
    a. l'estime de soi exagérée.
    b. le sentiment que la vie n'a ni de sens ni but.
    c. les prédispositions génétiques.
    d. les parents surprotecteurs.

Trouvez les réponses à ces questions dans l'annexe D, à la fin du livre.

Génétique du comportement :
Prédire les différences entre les individus

Psychologie évolutionniste : comprendre la nature humaine

Culture, genre et autres influences environnementales

CHAPITRE 4

L'INNÉ, L'ACQUIS ET LA DIVERSITÉ HUMAINE

. . . .

Qu'est-ce qui vous définit ? Sur bien des plans, chacun d'entre nous est un être unique. Nous n'avons pas le même aspect physique, nous ne parlons pas tous la même langue, nous n'avons pas les mêmes personnalités ni les mêmes intérêts, nos origines culturelles et familiales varient.

Nous sommes également les feuilles d'un même arbre. Les membres de la famille humaine partagent non seulement un héritage biologique commun (coupons-nous et nous saignons), mais également des tendances de comportement communes. Notre architecture cérébrale commune nous prédispose à ressentir le monde, à développer un langage et à éprouver la faim par l'intermédiaire des mêmes mécanismes. Que nous vivions sur les terres arctiques ou sous les tropiques, nous préférons les goûts sucrés aux goûts amers. Nous divisons le spectre lumineux en un même ensemble de couleurs et nous nous sentons poussés vers des comportements qui engendrent et protègent la descendance.

Notre parenté se manifeste aussi dans notre comportement social. Que notre nom de famille soit Wong, Nkomo, Smith ou Gonzales, nous avons peur des étrangers à partir de l'âge de 8 mois et, à l'âge adulte, nous préférons la compagnie d'individus dont les attitudes et les caractéristiques sont semblables aux nôtres. Quelle que soit la partie du globe d'où nous venons, nous savons comment lire les sourires et les froncements de sourcils d'un étranger. En tant que membres d'une même espèce, nous fraternisons, nous nous conformons, nous rendons des services, nous punissons les offenses, nous organisons des hiérarchies de statut et nous pleurons la mort d'un enfant. Un visiteur venu de l'espace pourrait atterrir n'importe où et trouver des hommes dansant et festoyant, chantant et adorant un dieu, pratiquant un sport et jouant à des jeux, riant et pleurant, vivant en famille et formant des groupes. Pris dans leur ensemble, de tels comportements universels définissent notre nature humaine.

Quelle est la cause de cette diversité frappante et de notre nature humaine commune ? Dans quelle mesure nos différences génétiques façonnent-elles les différences entre les hommes ? Et dans quelles mesures sont-elles façonnées par les différences de notre environnement, c'est-à-dire toutes les influences externes que nous avons subies depuis que notre mère nous a nourris in utero jusqu'au soutien social dont nous bénéficions à la fin de notre vie ? Dans quelle mesure sommes-nous formés par notre éducation ? Par notre culture ? Par nos situations actuelles ? Les réactions des gens à nos dispositions génétiques ? Ce chapitre raconte le début de cette histoire complexe, qui explique comment nos gènes (l'inné) et l'environnement (l'acquis) nous définissent.

Kevin Fegen

**Nature et fonds culturel
commun** Partout les parents se demandent : est-ce que mon bébé sera un être calme ou agressif ? Sans charme ou attrayant ? Qui réussira ou qui sera en difficulté à chaque moment de sa vie ? Quelle est la part de l'inné, quelle est la part de l'acquis ? La recherche révèle que la nature et la culture vont ainsi façonner notre développement à chaque étape du chemin.

« Merci pour presque tout, papa. »

La génétique du comportement : prédire les différences entre les individus

4-1 Que sont les *chromosomes, l'ADN, les gènes,* et le *génome humain* ? Qu'est-ce qu'un gène ? Comment les généticiens spécialistes du comportement expliquent-ils nos différences individuelles ?

Si Chelsea Clinton, fille de l'ancien Président Bill Clinton et l'ancien secrétaire d'État Hillary Rodham Clinton, devient une personnalité politique, devrions-nous attribuer son talent à ses « gènes de la Maison Blanche » ? Au milieu dans lequel elle a été élevée ? À ses ambitions ? Ces questions intriguent les **généticiens du comportement** qui étudient nos différences et soupèsent les effets relatifs de l'hérédité et de l'**environnement**.

Les gènes : les codes de notre vie

Derrière l'histoire de notre corps et de notre cerveau – qui sont certainement les deux choses les plus fascinantes sur notre petite planète – figure l'hérédité qui interagit avec nos expériences vécues pour façonner à la fois notre nature universelle et notre diversité sociale et individuelle. Qui aurait pu imaginer, il y a à peine un siècle, que le noyau de chaque cellule du corps humain contenait la totalité du code génétique de l'organisme. C'est comme si dans chaque pièce du plus haut gratte-ciel du monde, le Burj Khalifa de Dubaï, il y avait un livre contenant les plans, dessinés par l'architecte pour concevoir la totalité de la structure. Le plan de notre propre livre s'étend sur 46 chapitres, 23 transmis par la mère (par le biais de l'ovule) et 23 par le père (par le spermatozoïde). Ces chapitres, appelés **chromosomes**, sont composés chacun d'une chaîne hélicoïdale d'une molécule d'ADN *(acide désoxyribonucléique)*. Des petits segments de cette longue molécule d'ADN, les **gènes**, forment les mots qui constituent ces chapitres (**FIGURE 4.1**). Tout compte fait, vous avez 20 000 à 25 000 gènes, qui sont, soit actifs *(exprimés)*, soit inactifs. Les événements de l'environnement activent les gènes, un peu comme l'eau chaude permet à un sachet de thé d'exprimer son arôme. Lorsqu'ils sont activés, les gènes expriment le code qui permet la synthèse des *protéines* – constituants de base de notre organisme.

Génétique du comportement étude du pouvoir et des limites relatifs de la génétique, et des influences environnementales sur le comportement.

Environnement toute influence non génétique, allant de la nutrition prénatale aux personnes et aux choses qui nous entourent.

Chromosomes structures filamenteuses formées de molécules d'ADN et qui contiennent les gènes.

ADN (acide désoxyribonucléique) molécule complexe contenant l'information génétique et qui est le principal constituant des chromosomes.

Gène unité biochimique de l'hérédité, constituant les chromosomes ; segment d'ADN qui permet la synthèse d'une protéine.

▼ **FIGURE 4.1**

Le code de vie Le noyau de chaque cellule humaine contient des chromosomes, dont chacun est constitué de deux brins d'ADN dont la structure spatiale est une double hélice. Les gènes sont des segments d'ADN qui, lorsque leur expression est induite, commandent la biosynthèse des protéines qui influencent le développement individuel d'une personne.

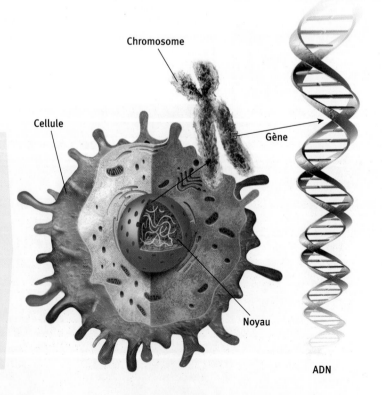

Cellule

Chromosome

Gène

Noyau

ADN

D'un point de vue génétique, chaque être humain pourrait presque être votre vrai jumeau. Les chercheurs du **génome** humain ont découvert la séquence commune constituant la molécule d'ADN de l'homme. Ce profil génétique commun fait de nous des hommes plutôt que des chimpanzés, des tulipes ou des bananes.

Nous ne sommes pas si différents de nos cousins chimpanzés. Les chimpanzés et les hommes ont en commun 96 % de leur matériel génétique (Mikkelsen et al., 2005). Sur les sites « fonctionnellement importants » de l'ADN, ce pourcentage atteint la valeur de 99,4 % (Wildman et al., 2003) ! C'est cette petite différence de 0,6 % qui change tout. Shakespeare a ciselé 17 677 mots pour composer ses chefs-d'œuvre. Malgré quelques remarquables capacités, les chimpanzés ne composent pas de sonnets.

Et de petites différences caractérisent aussi les différentes espèces. Les chimpanzés et les singes bonobos se ressemblent à bien des égards. La différence entre leur génome est inférieure à 1 %. Mais ils affichent des comportements nettement différents. Les chimpanzés communs sont agressifs et suivent la règle de la dominance du mâle. Les bonobos sont pacifiques et leur société est de type matriarcal.

Les variations occasionnelles des gènes dans l'ADN humain fascinent généticiens et psychologues. De légères variations dans l'ADN commun à deux personnes font de chacune d'elles un être unique et expliquent pourquoi l'une aura une maladie alors que l'autre ne l'aura pas, pourquoi certains sont grands, d'autres petits, et pourquoi certains sont anxieux alors que d'autres sont tranquilles.

La plupart de nos traits ont des racines génétiques complexes. Votre taille, par exemple, reflète la hauteur de votre visage, les dimensions de vos vertèbres, la longueur de votre tibia et ainsi de suite ; chacune de ces caractéristiques est influencée par des gènes différents qui interagissent avec votre environnement. De la même manière, les caractéristiques humaines complexes (comme l'intelligence, la joie, l'agressivité) sont influencées par des groupes de gènes. Nos prédispositions génétiques nous permettent d'expliquer à la fois notre nature humaine commune et notre diversité. Mais la connaissance de notre hérédité ne révèle qu'une partie de notre histoire. Ces influences de l'environnement interagissant avec nos prédispositions génétiques qui vont faire ce que nous sommes.

> « Nous partageons la moitié de nos gènes avec la banane. »
>
> Robert May, biologiste de l'évolution et président de la Britain's Royal Society, 2001

> « Votre ADN et le mien sont identiques à 99,9 pourcent… Au niveau de l'ADN nous faisons clairement tous partie d'une seule et même grande famille mondiale. »
>
> Francis Collins, responsable du Projet Génome Humain, 2007

> **Génome** ensemble des instructions qui permettent de construire un organisme, représentées par l'ensemble du matériel génétique contenu dans ses chromosomes.
>
> **Vrais jumeaux (jumeaux monozygotes)** jumeaux qui se développent à partir d'un zygote unique (ovule fertilisé) qui se divise en deux, créant deux organismes génétiquement identiques.

EXERCICE RÉCAPITULATIF

• Disposez les structures cellulaires suivantes par ordre croissant : noyau, gène, chromosome

Réponse : gène, chromosomes, noyau.

• Lorsque l'ovule de la mère et le spermatozoïde du père s'unissent, chaque gamète apporte 23 _____ .

Réponse : chromosomes.

Les études de jumeaux et d'adoption

4-2 Comment les études de jumeaux et d'adoption nous aident-elles à comprendre les effets et les interactions entre nature et culture ?

Pour démêler scientifiquement les influences liées à l'hérédité de celles liées à l'environnement, les généticiens du comportement ont dû concevoir deux types d'études. Le premier pour étudier les variations de l'environnement familial dans le contexte d'une hérédité donnée. Le second pour étudier les variations liées à l'hérédité dans un environnement familial donné. Mener ces expériences sur des enfants humains aurait été contraire à l'éthique, mais, la nature a fait ce travail pour nous.

Vrais jumeaux versus faux jumeaux (monozygotes et dizygotes)

Les **jumeaux identiques** (*monozygotes*) se développent à partir d'un ovule fécondé unique qui va se diviser en deux. Ainsi, ils sont *génétiquement* identiques. La

David Yellen

Jumeaux canadiens travaillant dans l'immobilier Les vrais jumeaux Jonathan et Drew Scott partagent le même ADN. Ils travaillent dans le domaine de la restauration de biens immobiliers, mais ont des centres d'intérêts différents. Drew trouve les meilleures offres. Jonathan, un entrepreneur, transforme les propriétés.

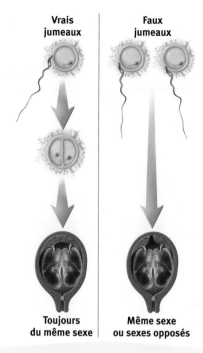

Vrais jumeaux   **Faux jumeaux**

Toujours du même sexe   **Même sexe ou sexes opposés**

▼ FIGURE 4.2
Même ovule fécondé, gènes identiques ; 2 ovules distincts fécondés, gènes différents Les jumeaux identiques, ou vrais ou monozygotes, se développent à partir d'un ovule fécondé unique ; les faux jumeaux, ou dizygotes, se développent à partir de deux ovules.

Gémellarité Curieusement, le taux de gémellarité varie selon la race. Le taux de gémellarité chez les Caucasiens est à peu près le double de celui des Asiatiques et la moitié de celui des Africains. En Afrique et en Asie, la plupart des jumeaux sont monozygotes. Dans les pays occidentaux, la plupart des jumeaux sont dizygotes et le taux de cette gémellarité a augmenté avec l'utilisation des médicaments favorisant la fertilité (Hall, 2003 ; Steinhauer, 1999).

nature crée des clones (**FIGURE 4.2**). Ce sont de véritables clones humains naturels, des clones qui ont en commun les mêmes gènes, qui ont été conçus à l'identique, ont partagé le même utérus, ont la même date de naissance et en général les mêmes antécédents culturels. Deux légères restrictions :

- Bien que les vrais jumeaux aient les mêmes gènes, ils n'ont pas toujours le même *nombre de copies* de ces gènes. Cette variation permet d'expliquer pourquoi un jumeau peut avoir un plus grand risque pour certaines maladies et certains troubles, y compris la schizophrénie (Maiti et al., 2011).

- La plupart des vrais jumeaux partagent le même placenta pendant le développement in utero, mais dans un cas sur trois les placentas sont séparés. Un des placentas peut apporter une meilleure alimentation, ce qui peut contribuer à des différences entre deux vrais jumeaux (Davis et al., 1995 ; Phelps et al., 1997 ; Sokol et al., 1995).

Les **faux jumeaux (dizygotes)** se développent à partir de deux ovules distincts. Ils partagent le même environnement prénatal mais ne sont pas plus proches sur le plan génétique que des frères et sœurs ordinaires.

Les gènes partagés peuvent se traduire en expériences partagées. Considérons un sujet dont le jumeau identique souffre d'un trouble faisant partie du spectre de l'autisme ; chez ce sujet, le risque de la présence de ce trouble, que l'on trouve dans la population générale, sera multiplié par 3 ou 4. S'il s'agit de jumeaux dizygotes, le risque sera plus faible, le facteur multiplicateur sera compris entre 1 et 3 (Ronald & Hoekstra, 2011). Pour étudier les effets des gènes et de l'environnement, des centaines de chercheurs ont étudié environ 800 000 vrais et faux jumeaux (Johnson et al., 2009).

Les vrais jumeaux, développent-ils davantage de similitudes dans leur *comportement* que les faux jumeaux ? Des études portant sur des milliers de paires de jumeaux en Allemagne, en Australie et aux États-Unis ont montré que les traits de personnalité étudiés tels que *l'extraversion* caractérisant le sujet actif et affirmé et *le névrosisme* caractérisant le sujet timide, émotif et ombrageux sont similaires, dans un plus grand nombre de cas chez les vrais jumeaux, comparés aux faux jumeaux (Kandler et al., 2011 ; Laceulle et al., 2011 ; Loehlin, 2012). Les gènes influencent également de nombreux comportements spécifiques. Prenons l'exemple des condamnations pour conduite en état d'ébriété, dans une population de jumeaux : la même condamnation sera douze fois plus fréquente chez les vrais jumeaux comparés aux faux jumeaux (Beaver & Barnes, 2012). Les comportements des jumeaux, au cours de leur croissance, restent similaires (McGue & Christensen, 2013).

Les vrais jumeaux, plus que les faux jumeaux, considèrent également avoir été traités de la même façon. Est-ce donc leurs expériences vécues plutôt que leurs gènes qui sont responsables de leurs ressemblances ? *Non.* Des études ont montré que les vrais jumeaux élevés de la même façon par leurs parents et qui par exemple porteraient des tenues vestimentaires identiques, ne sont pas plus proches sur le plan psychologique que de vrais jumeaux qui n'ont pas reçu exactement la même éducation (Kendler et al., 1994 ; Loehlin et Nichols, 1976). Les gènes sont essentiels pour expliquer les différences individuelles.

Jumeaux séparés

Imaginez une expérience de science-fiction au cours de laquelle un scientifique fou décide de séparer des vrais jumeaux à la naissance et de les élever dans des environnements différents. Mais avant tout, considérons cette histoire *vraie* :

Par une matinée fraîche d'un samedi de février 1979 dans l'Ohio, Jim Lewis, peu de temps après avoir divorcé de sa première femme (Linda), se réveille dans son appartement modeste aux côtés de sa deuxième femme (Betty). Jim, qui était soucieux de préserver son mariage, avait l'habitude de laisser dans la maison des petits mots d'amour à Betty. Allongé sur son lit, il pensait à ceux qu'il aime : son fils, James Alan, et son fidèle chien, Toy.

Ayant installé un atelier dans un coin de sa cave, Jim se réjouissait à l'idée de consacrer une partie de son temps libre à travailler le bois. Il prenait plaisir à construire des meubles, des cadres et d'autres éléments en bois, tel ce petit banc circulaire blanc autour d'un arbre dans la cour de devant. Jim aimait également conduire sa Chevrolet®, regarder les courses de stock-car et boire de la bière allégée Miller®.

Jim était à peu près en bonne santé excepté quelques migraines qui se déclenchaient en fin d'après-midi et une tension un peu élevée, peut-être du fait qu'il fumait beaucoup. Il avait pris un peu de poids quelque temps auparavant, qu'il avait perdu assez vite. Ayant subi une vasectomie, il était stérile.

Ce qu'il y avait d'extraordinaire avec Jim Lewis, c'est qu'au même moment (nous n'inventons rien) un autre homme, qui s'appelait aussi Jim, vivait des choses identiques (jusqu'au nom du chien).[1] Il s'avère que trente-huit ans plus tôt, cet autre Jim, Jim Springer, avait partagé avec lui la même poche utérine. Ils avaient été séparés trente-sept jours après leur naissance, adoptés par des familles d'ouvriers, élevés sans avoir de contact et ignorant chacun l'existence de l'autre jusqu'au jour où Jim Lewis reçut un appel de son clone génétique (qui, après avoir appris l'existence de son jumeau, avait effectué des recherches).

Un mois plus tard, les frères sont devenus la première des nombreuses paires de jumeaux séparés étudiés par le psychologue Thomas Bouchard et ses collègues, de l'Université du Minnesota (Miller, 2012). L'intonation et les inflexions de leurs voix étaient si identiques que Jim Springer crut reconnaître sa propre voix en écoutant une interview enregistrée : « C'est moi. » Faux ! C'était Jim Lewis. Les tests destinés à mesurer l'intelligence, la personnalité, le rythme cardiaque et les ondes cérébrales révélèrent que les jumeaux Jim (bien qu'ayant été séparés pendant trente-huit ans) étaient aussi identiques que si l'on avait testé la même personne à deux reprises. Les deux frères épousèrent des femmes qui s'appelaient Dorothy Jane Scheckelburger. D'accord, là je plaisante. Mais comme le fait remarquer Judith Rich Harris (2006) ce serait à peine plus étrange que leurs autres ressemblances.

Aidés par la publicité et les articles de journaux, Bouchard et ses collaborateurs (2009) ont identifié et étudié 74 paires de vrais jumeaux élevés séparément. Ils continuent à trouver des ressemblances, non seulement de goût et d'aspect physique, mais aussi de personnalité (façons de penser, de ressentir ou d'agir), d'aptitudes, d'attitudes, d'intérêts et même de craintes.

Les jumelles Lorraine et Levinia Christmas se sont percutées en voiture alors qu'elles se dirigeaient l'une et l'autre vers Flitcham (Angleterre) pour s'offrir leurs cadeaux de Noël (Shepherd, 1997).

En 2009, les voleurs ont fait irruption dans un magasin de Berlin et ont volé des bijoux, la valeur leur butin était de 6 800 000 $. Un voleur a laissé une goutte de sueur ; elle renferme sa signature génétique. La police scientifique a analysé l'ADN et a établi deux correspondances : l'ADN appartenait à deux frères jumeaux identiques. Le tribunal a jugé qu'« au moins l'un des frères est un des auteurs du crime, mais il n'a pas été possible de déterminer lequel ». Qui se ressemble s'assemble.

---

1. En fait, cette description des deux Jim se trompe sur un point : Jim Lewis nomma son fils James Alan. Jim Springer a nommé son James Allan.

Beth Eberth, St. Bonaventure University, St. Bonaventure, N.Y.

De vrais frères Les deux frères identiques, les moines Julian et Adrian Reister – deux sujets « calmes, avec une bonté d'âme » –, sont tous les deux décédés d'insuffisance cardiaque, à l'âge de 92 ans, le même jour en 2011.

Faux jumeaux (jumeaux dizygotes) jumeaux qui se développent à partir d'œufs fertilisés séparés. Ils ne sont pas plus proches génétiquement que des frères et sœurs, mais bénéficient du même environnement prénatal.

La fameuse recherche de Bouchard sur les jumeaux s'est déroulée de manière tout à fait adaptée, à Minneapolis, la « ville des jumeaux » (avec Saint-Paul) qui abrite l'équipe de base-ball « les Jumeaux du Minnesota ».

Les coïncidences ne sont pas l'apanage des jumeaux. Patricia Kern, du Colorado, née le 13 mars 1941, a été baptisée Patricia Ann Campbell. Patricia DiBiasi, de l'Oregon, est née également le 13 mars 1941 et a été baptisée Patricia Ann Campbell. Toutes les deux ont un père prénommé Robert, sont libraires et, à l'époque de cette comparaison, avaient des enfants âgés de 21 et 19 ans. Toutes les deux ont étudié la cosmétologie, aiment la peinture à l'huile et ont épousé des militaires, à onze jours d'intervalle. Elles n'ont aucun lien génétique. (D'après une dépêche de l'AP, 2 mai 1983.)

« Maman peut avoir un full alors que papa a une quinte flush, cependant quand le petit reçoit au hasard la moitié des cartes de chacun, il peut tirer une main de poker perdante. »

David Lykken (2001)

En Suède, des chercheurs ont recensé 99 paires de vrais jumeaux séparés et plus de 200 paires de faux jumeaux élevés séparément (Pedersen et al., 1988). Comparés à des échantillons équivalents de vrais jumeaux élevés ensemble, les vrais jumeaux séparés ont des personnalités plus dissemblables. Cependant, des jumeaux séparés sont plus proches lorsqu'ils sont génétiquement identiques que lorsque ce sont de faux jumeaux. La séparation peu après la naissance (plutôt que vers 8 ans par exemple) n'amplifie pas les différences de personnalité.

Ces histoires particulières à propos des similitudes chez les jumeaux n'impressionnent pas les scientifiques qui nous rappellent que « les *anecdotes* multiples ne constituent pas un *corpus de données scientifiques* ». Ils prétendent que si deux étrangers passaient des heures à comparer leurs habitudes et leur vie, ils découvriraient probablement de nombreuses ressemblances fortuites. Si les chercheurs créaient un groupe témoin de paires d'individus du même âge, de même sexe et de même origine ethnique, n'ayant aucun lien biologique, n'ayant pas grandi ensemble, mais étant semblables sur le plan économique et culturel comme le sont beaucoup de jumeaux séparés, ne trouverait-on pas des similitudes frappantes (Joseph, 2001) ? Les chercheurs répliquent que les similitudes des faux jumeaux séparés ne sont pas comparables à celles des vrais jumeaux séparés.

Même les données les plus impressionnantes concernant les évaluations de personnalité sont faussées par le fait que la réunion de la plupart des jumeaux séparés a eu lieu dans bien des cas plusieurs années avant l'étude. De plus, les jumeaux séparés ont en commun la même apparence physique et les réponses que celle-ci suscite. Les organismes d'adoption ont tendance à placer des jumeaux séparés dans des foyers comparables. Malgré ces critiques, les résultats étonnants de ces études sur les jumeaux ont permis aux scientifiques d'évoluer vers une prise en compte plus importante des influences génétiques.

Parents biologiques versus parents adoptifs

Pour les généticiens du comportement, une autre expérience issue de la vie réelle, l'adoption, crée deux types de familles : *les parents « génétiques »* de l'enfant adopté (parents biologiques et leurs enfants) et *les parents « environnementaux »* (parents adoptifs avec leurs enfants). Pour chaque caractère, on peut se demander si les enfants adoptés sont plus proches de leurs parents biologiques, responsables de leurs gènes ou de leurs parents adoptifs, qui sont responsables de leur environnement domestique. Partageant le même environnement domestique, les frères et sœurs adoptifs vont-ils avoir des traits communs ?

La découverte sensationnelle issue de l'étude de centaines de familles adoptives est que les gens qui ont grandi ensemble ne se ressemblent pas du point de vue de leur personnalité, qu'ils soient ou non biologiquement apparentés (McGue et Bouchard, 1998 ; Plomin, 2011 ; Rowe 1990). Les traits de caractère des enfants adoptés (leur caractère extraverti, leur amabilité, etc.) ont plus de similitudes avec ceux de leurs parents biologiques qu'avec ceux de leurs parents adoptifs.

La découverte est si étonnante qu'elle mérite d'être répétée : *les facteurs environnementaux partagés par les enfants d'une même famille n'ont pratiquement aucune influence sur leur personnalité.* Deux enfants adoptés et élevés dans le même foyer ont autant de chance d'avoir la même personnalité que de partager celle-ci avec un enfant habitant à l'autre bout de la rue. L'hérédité façonne aussi la personnalité d'autres primates. Les macaques élevés par une mère nourricière montrent des comportements sociaux qui ressemblent plus à ceux de leur mère biologique qu'à ceux de leur mère nourricière (Maestripieri, 2003). Ajoutez cela aux ressemblances des vrais jumeaux, qu'ils soient élevés ensemble ou séparément, et les effets d'un environnement commun semblent particulièrement dérisoires.

Ce que nous avons là est peut-être « le plus important mystère dans l'histoire de la psychologie », déclare Steven Pinker (2002) : *Pourquoi des enfants appartenant à une même famille sont-ils aussi différents ?* Pourquoi le même environnement familial a-t-il aussi peu d'effets visibles sur la personnalité des enfants ? Est-ce parce que chaque membre de la fratrie subit un environnement différent, soumis à l'influence des copains et aux événements de la vie ? Parce que les relations entre frères et sœurs ricochent les unes sur les autres pour amplifier leurs différences ? Parce que les frères et sœurs, bien qu'ayant en commun la moitié de leurs gènes, ont des combinaisons de gènes très différentes et provoquent des modes d'éducation parentale très différents ? Ces questions alimentent la curiosité des généticiens du comportement.

La contrainte génétique peut limiter les effets d'influence de l'environnement familiale sur les traits de personnalité, mais cependant cela ne signifie pas que l'éducation des parents adoptifs est vaine. Les parents influencent les attitudes, les valeurs, les mœurs, les convictions

Charles Sykes/AP Photo

politiques et la foi (Reifman & Cleveland, 2007) de leurs enfants. Les convictions religieuses sont génétiquement influencées (Steger et al., 2011). Mais deux enfants adoptés ou de vrais jumeaux *auront* des croyances religieuses davantage similaires s'ils ont été élevés dans le même foyer et, en particulier, pendant leur adolescence (Koenig et al., 2005). L'éducation parentale a son importance !

De plus, dans les foyers adoptifs, les négligences, les mauvais traitements ou même le divorce sont rares. (Les parents adoptifs sont soigneusement choisis ; les parents naturels ne le sont pas.) C'est pourquoi il n'est pas surprenant, que les études montrent, qu'en dépit d'un risque un peu plus élevé de troubles psychologiques, la plupart des enfants adoptés s'épanouissent, surtout s'ils ont été adoptés très jeunes (Loehlin et al., 2007 ; van Ijzendoorn et Juffer, 2006 ; Wierzbicki, 1993). Sept enfants adoptés sur huit affirment être très attachés à l'un des parents adoptifs ou aux deux. En tant qu'enfants de parents généreux, ils ont tendance à devenir plus généreux et plus altruistes que la moyenne (Sharma et al., 1998). Beaucoup d'entre eux ont de meilleurs résultats que leurs parents biologiques dans les tests d'intelligence et deviennent des adultes plus heureux et plus stables. Dans une étude suédoise, les enfants ayant été adoptés, alors qu'ils étaient bébés, avaient moins de problèmes en grandissant que les enfants dont les mères biologiques voulaient les faire adopter et qui décidèrent finalement de les élever elles-mêmes (Bohman et Sigvardsson, 1990). Quelles que soient les différences de personnalité existant chez les parents adoptifs, l'adoption est bénéfique pour les enfants.

Edward Koren/La collection New Yorker/Condé Nast

« Ashley, voulez-vous prendre pour époux Nesbitt et son génome ? »

Frederick Breedon IV/Getty Images

Ryan Anson/Bloomberg/Getty Images

• Comment les chercheurs mènent-ils les études chez les jumeaux et les enfants adoptés pour définir les principes psychologiques ?

Réponse : Les chercheurs ont mis en œuvre des études portant sur les jumeaux et l'adoption permettant de comprendre les variations entre individus que l'on peut attribuer au matériel génétique de chacun et celles que l'on peut attribuer aux facteurs environnementaux. Certaines études comparent les caractères et les comportements des vrais jumeaux (ayant les mêmes gènes) et des faux jumeaux (portant un matériel génétique différent, comme n'importe quel autre frère ou sœur). Ils comparent également les enfants adoptés à leurs parents biologiques et à leurs parents adoptifs. Certaines études comparent des jumeaux élevés séparément ou élevés ensemble.

Tempérament et hérédité

4-3 Qu'est-ce que les psychologues ont appris sur le tempérament ?

Comme beaucoup de parents vous le diront après avoir eu leur deuxième enfant, les bébés sont différents avant même leur premier souffle. Un aspect de la personnalité – **le tempérament** (Réactivité émotionnelle et l'excitabilité) est mis à jour précocement, et est génétiquement influencé (Kandler et al., 2013 ; Rothbart, 2007). Quelques semaines après la naissance, on remarque déjà que certains enfants sont particulièrement *difficiles* – irritables, tendus, remuants, imprévisibles. D'autres manifestent déjà un caractère *facile* – joyeux, détendus, mangeant et dormant selon un rythme régulier et prévisible. Tandis que d'autres encore, *« lents à s'échauffer »* ont tendance à repousser les personnes étrangères et à redouter les situations nouvelles (Chess et Thomas, 1987 ; Thomas et Chess, 1977).

Ces différences de tempérament ont tendance à persister. Considérons ces découvertes :

• Les nouveau-nés les plus émotifs ont tendance à être les plus réactifs à l'âge de 9 mois (Wilson et Matheny, 1986 ; Worobey et Blajda, 1989).

• D'une grande timidité à 6 mois, ces enfants étaient encore souvent timides à l'âge de 13 ans ; plus de 4 à 10 enfants chez qui l'évaluation psychologique montre une timidité, seront plutôt sujets aux troubles anxieux développés à l'adolescence (Prior et al., 2000).

• Les enfants en âge préscolaire les plus émotifs ont tendance à devenir de jeunes adultes assez réactifs (Larsen et Diener, 1987). Dans une étude menée sur un échantillon de population constitué de plus de 900 Néo-Zélandais, les enfants de 3 ans les plus émotifs et impulsifs sont devenus à 21 ans de jeunes adultes plus impulsifs, agressifs et recherchant le conflit (Caspi, 2000).

• Les jumeaux monozygotes, plus que les jumeaux dizygotes, ont souvent des tempéraments semblables (Fraley & Tancredy 2012 ; Kandler et al., 2013).

Les effets de la génétique sont visibles dans les différences physiologiques. Les enfants anxieux et inhibés ont une fréquence cardiaque élevée et un rythme irrégulier et un système nerveux très réactif. Ils sont plus excités physiologiquement lorsqu'ils sont face à une nouvelle situation ou à une situation inhabituelle (Kagan et Snidman, 2004 ; Roque et al., 2012). Une variation d'un des gènes régulant le métabolisme de la sérotonine, gène codant la synthèse de la protéine de transport présynaptique, prédispose à un tempérament craintif et, en l'absence de soins attentifs, conduit à une inhibition émotionnelle chez l'enfant inhibé (Raby et al., 2012).

L'héritabilité

4-4 Qu'est-ce que *l'héritabilité* et de quelle manière est-elle liée aux individus et aux groupes ?

Ainsi, notre biologie contribue à la formation de notre personnalité. Se demander si votre personnalité est le résultat de vos gènes ou de l'environnement revient à se demander si la taille d'un écran plat est plus déterminée par sa longueur que par sa largeur. Nous pourrions, cependant, nous demander si les différentes tailles des écrans télévision proviennent plutôt des différences entre les longueurs que des différences entre les largeurs. De même, nous pouvons nous demander si les différences de personnalité, d'un sujet à un autre, sont influencées plutôt par la nature ou plutôt par les expériences vécues.

Utilisant les études effectuées sur les jumeaux et l'adoption, les généticiens du comportement peuvent estimer mathématiquement **l'héritabilité** d'un trait de caractère – ce qui permet d'attribuer

« Oh, il est mignon, c'est vrai, mais il a le tempérament d'une alarme de voiture. »

Tempérament manière d'être du sujet exprimée par ses réactions émotionnelles et leur intensité.

Héritabilité proportion de variation entre individus qu'il est possible d'attribuer aux gènes. L'héritabilité d'un caractère peut varier en fonction de l'étendue des populations et des environnements étudiés.

les variations individuelles aux différences entre leurs gènes. Selon une estimation, l'héritabilité de l'intelligence générale est de 66 % (Haworth et al., 2010). Cela ne veut *pas* dire que la part de *votre* intelligence revenant à l'hérédité, aux gènes, est de 66 %. (De la même manière, dire que l'héritabilité de la taille est de 90 % ne signifie pas qu'une femme de 1,52 m peut rendre responsables ses gènes pour 1,37 m et son environnement pour les 15 cm restants.) Cela veut plutôt dire que nous pouvons attribuer à l'hérédité 66 % des *variations observées au sein d'un groupe de personnes*. Ce point est si souvent mal compris que nous le répétons : nous ne pouvons jamais dire quelle proportion de la personnalité ou de l'intelligence d'un *individu* est héritée. Cela n'a aucun sens de dire que notre personnalité provient à *x* % de notre hérédité et à *y* % de notre environnement. Au contraire, l'héritabilité se rapporte à la proportion dans laquelle les *différences entre les gens* sont attribuées aux gènes.

Même cette conclusion doit être prise avec précaution, car l'héritabilité peut varier d'une étude à l'autre. Si l'on suivait la proposition de l'humoriste Mark Twain (1835-1910) d'élever des garçons dans des tonneaux jusqu'à l'âge de 12 ans, en les nourrissant à travers une ouverture, ils auraient tous des notes aux tests d'intelligence inférieures à la note normale de leur âge. Se trouvant dans un environnement identique, on pourrait attribuer les différences de QI de chacun de ces enfants à l'hérédité seulement. En d'autres termes, l'héritabilité, la probabilité que leurs différences soient dues aux gènes, approcherait les 100 %.

À mesure que les environnements deviennent plus semblables, l'hérédité devient la principale source de différences interindividuelles. Si toutes les écoles étaient de même qualité, que toutes les familles prodiguaient le même amour et que le voisinage était uniformément sain, l'héritabilité *augmenterait* (car les différences imputables à l'environnement *diminueraient*). En revanche, si tous les individus ayant une hérédité semblable étaient élevés dans des environnements totalement différents (un tonneau contre une maison confortable par exemple), l'héritabilité serait bien plus faible.

Si les influences génétiques permettent d'expliquer les variations de traits entre les individus dans un groupe, peut-on dire la même chose des différences de traits existant *entre* les groupes ? Pas nécessairement. Comme nous l'avons vu l'héritabilité de la taille est égale à 90 %, mais les habitudes alimentaires, facteur venant du milieu de vie plus que l'influence génétique permettent d'expliquer pourquoi les adultes d'aujourd'hui, en tant que groupe, sont plus grands avec un poids corporel plus important qu'il y a cent ans. La plus grande quantité de nourriture disponible a favorisé la croissance corporelle des Américains (Floud et al., 2011). En 1850, le sujet masculin américain moyen mesurait 1,66 m ; dans les années 1980, son homologue avait une taille supérieure de 7,5 cm. Les deux groupes diffèrent, mais ce n'est pas parce que le bagage génétique humain a changé en l'espace d'un siècle. Les Sud-Coréens, ayant une meilleure alimentation, mesurent en moyenne 15 cm de plus que les Nord-Coréens qui possèdent le même matériel génétique (Johnson et al., 2009). Les gènes sont importants, mais il en va de l'environnement.

Le titre de mon projet de recherche scientifique est « Mon petit frère : inné ou acquis. »

Qu'il s'agisse du poids, de la taille, de la personnalité ou des notes obtenues aux tests d'intelligence, les différences individuelles dues à l'héritabilité n'impliquent pas obligatoirement des différences liées à l'héritabilité au sein d'un groupe. Si certains *individus* sont génétiquement disposés à être plus agressifs que d'autres, cela n'explique pas pourquoi certains *groupes* sont plus agressifs que d'autres. Le fait de mettre les gens dans un contexte social nouveau peut permettre de modifier leur comportement agressif. Les populations scandinaves, aujourd'hui tout à fait pacifiques, ont hérité d'un très grand nombre de gènes de leurs ancêtres, les Vikings, particulièrement belliqueux.

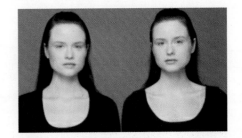

EXERCICE RÉCAPITULATIF

• Ceux qui étudient l'*héritabilité* d'un trait essayent de déterminer dans quelle mesure la variation de personne à personne dans ce trait parmi les membres d'un groupe spécifique est due à leur différence de _____.

Réponse : gènes

Interactions gènes-environnement

Parmi nos similitudes, la plus importante – la marque de fabrique du comportement de notre espèce – est une énorme capacité d'adaptation. Certaines caractéristiques humaines, comme le fait d'avoir deux yeux, se développent de la même manière dans pratiquement tous les environnements. Mais d'autres caractéristiques s'expriment uniquement dans des environnements particuliers. Marchez pieds nus pendant tout un été et vous aurez progressivement des callosités plantaires – une adaptation biologique due au frottement. En revanche, la plante du pied de votre voisin resté chaussé, ne sera pas modifiée. La différence entre vous et votre voisin est bien un effet de l'environnement. Mais c'est également le produit d'un mécanisme biologique – l'adaptation. Notre biologie commune laisse libre cours au développement de notre diversité (Buss, 1991). Dire que les gènes et l'expérience sont *tous deux* importants est vrai. Plus précisément, ils interagissent. Seulement *comment* nos gènes et nos expériences interagissent pour nous former en tant qu'individus uniques est l'un des sujets les plus brûlants dans la psychologie d'aujourd'hui.

« Tous les hommes ont des natures semblables : ce sont leurs habitudes qui les éloignent. »

Confucius, *Les Entretiens,* 500 AV. J.-C.

« L'hérédité distribue les cartes ; l'environnement joue la partie. »

Psychologue Charles L. Brewer (1990)

La nouvelle frontière : la génétique moléculaire du comportement

4-5 Comment la recherche en génétique moléculaire fait-elle évoluer notre compréhension des effets de la nature et de la culture ?

Les progrès faits par les généticiens du comportement les ont conduits au-delà de la question : « Les gènes influencent-ils le comportement ? » La nouvelle frontière de leurs recherches est l'étude « ascendante » de la **génétique moléculaire**, la détermination de la structure moléculaire et la fonction des gènes.

À la recherche de gènes spécifiques qui influencent le comportement. La plupart des traits humains sont influencés par des ensembles de gènes. Par exemple, d'après les études consacrées aux jumeaux et à l'adoption, l'hérédité influence le poids corporel, mais il n'existe pas un seul et unique « gène de l'obésité ». Plus probablement, certains gènes régulent la vitesse avec laquelle l'estomac dit au cerveau « je suis rassasié ». D'autres gènes peuvent coder la quantité de combustible nécessaire aux muscles, le nombre de calories brûlées quand on bouge ou encore comment le corps transforme les calories superflues en graisse (Vogel, 1999). Les gènes ne sont généralement pas des solistes. Le but de la **génétique moléculaire du comportement** est d'identifier certains gènes agissant de concert pour influencer des traits complexes comme le poids du corps, l'orientation sexuelle ou l'impulsivité (Derringer et al., 2010 ; Holden, 2008 ; Tsankova et al., 2007).

Grâce aux tests génétiques, il est maintenant possible de repérer les populations dites « à risque » pour plusieurs dizaines de maladies. Et les recherches se poursuivent. (Pour un autre aspect de tests génétiques, voir Réflexion critique sur : dépistage prénatal et prédiction des caractéristiques du sujet.)

À la recherche des facteurs régulant l'expression ou la répression des gènes. Souvenez-vous que les gènes peuvent être soit actifs (ils s'expriment, tout comme l'eau chaude active le thé contenu dans le sachet) ou inactifs. L'épigénétique (qui signifie « en plus de » ou « au-dessus et au-delà de » la génétique) étudie les mécanismes moléculaires par lesquels l'environnement induit l'expression des gènes ou la réprime. Les gènes s'*autorégulent*. Plutôt que de suivre un plan qui mène au même résultat quel que soit le contexte, les gènes réagissent. Un papillon d'Afrique, vert en été, devient marron à l'automne grâce à une commutation génétique contrôlée par la température. Les mêmes gènes qui produisent la couleur marron dans une situation, produisent la couleur verte dans une autre.

Les expériences vécues dirigent les *marques épigénétiques* ; ces marques consistent souvent en la fixation d'un radical méthyle, sur une partie d'un brin d'ADN (**FIGURE 4.3**). Si cette marque ordonne à la cellule d'ignorer tous les gènes présents dans ce segment d'ADN,

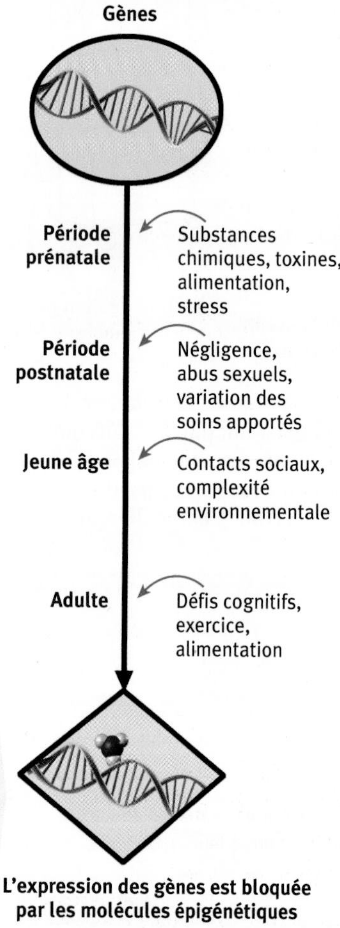

Gènes

Période prénatale — Substances chimiques, toxines, alimentation, stress

Période postnatale — Négligence, abus sexuels, variation des soins apportés

Jeune âge — Contacts sociaux, complexité environnementale

Adulte — Défis cognitifs, exercice, alimentation

L'expression des gènes est bloquée par les molécules épigénétiques

▼ FIGURE 4.3
L'épigénétique influence l'expression des gènes Les expériences vécues depuis la vie in utero dirigent les *marques épigénétiques* – ces marques consistent souvent en la fixation d'un radical méthyle, sur une partie d'un brin d'ADN (Inspiré par Champagne, 2010.)

Dépistage prénatal et prédiction des caractéristiques du sujet

4-6 **Quels sont les avantages et les risques du dépistage génétique prénatal ?**

Dans les laboratoires du monde entier, des généticiens se sont associés aux psychologues pour identifier les gènes qui induisent un risque de survenue d'un trouble, d'une maladie héréditaire. Des efforts de recherche dans le monde entier sont réalisés afin d'identifier les gènes responsables des dérèglements de l'humeur dans le cadre du trouble bipolaire, que l'on nommait auparavant maladie maniaco-dépressive. Des recherches portent sur d'autres troubles mentaux tels que le trouble spécifique de l'apprentissage, la dépression, la schizophrénie et la consommation pathologique d'alcool. Mais identifier les gènes putatifs spécifiques est souvent difficile (Hewitt, 2012). Cela provient généralement du faible effet d'un seul gène, et du grand nombre de gènes de notre génome humain (Peikoff, 2013).

À l'aide de nouvelles techniques peu coûteuses permettant d'isoler des séquences d'ADN intéressantes, le personnel médical put informer les futurs parents sur les anomalies génétiques du fœtus et sur leurs conséquences et les aider à comprendre ce que cela pourrait signifier.

En imaginant que cela soit possible, les futurs parents devraient-ils apporter leurs ovules et leurs spermatozoïdes dans un laboratoire de génétique pour procéder à un dépistage avant de les associer pour produire un embryon ? Le dépistage génétique d'œufs fécondés devrait-il se limiter à la pathologie ? Devrions-nous encourager les futurs parents au dépistage génétique des maladies nerveuses rares, leur permettant de connaître le risque de transmission (Andersson et al., 2012) ? Peut-on accepter un dépistage prénatal de l'intelligence ou de la beauté ? Le dépistage prénatal pose des questions éthiques. En Chine et en Inde, où l'on accorde plus de valeur aux garçons, la recherche du sexe du futur enfant a entraîné des avortements sélectifs, ce qui a suscité des millions – oui, des millions – de « femmes manquantes ».

Le progrès est une épée à double tranchant : il apporte à la fois des possibilités prometteuses et des problèmes sérieux. En « sélectionnant » certains de nos traits de caractère, tels que la vulnérabilité psychique, nous risquons de perdre de futurs Haendel, van Gogh, Churchill, Lincoln, Tolstoï et Dickinson – tous des esprits tourmentés.

les gènes présents seront réprimés, empêchant ainsi l'ADN de produire les protéines codées par ces gènes. Comme l'a dit l'un généticien, « Vous ne pouvez pas changer les mots écrits au stylo. C'est comme l'ADN. Alors que vous pouvez modifier les mots écrits au crayon. Ça, c'est l'épigénétique » (Reed, 2012).

Des facteurs environnementaux comme l'alimentation, les substances chimiques xénobiotiques et le stress peuvent agir sur les molécules épigénétiques qui régulent l'expression des gènes. Normalement les rats femelles lèchent leurs nourrissons. Expérimentalement privés de ce léchage, chez ces rats nouveau-nés, la méthylation des segments d'ADN codant pour la synthèse des récepteurs de l'hormone du stress (récepteurs aux glucocorticoïdes) dans l'hippocampe était plus importante. Le gène était donc réprimé. Lorsqu'ils étaient soumis à un stress, ces animaux présentaient plus de glucocorticoïdes libres et étaient plus perturbés (Champagne et al., 2003 ; Champagne et Mashoodh, 2009).

Les chercheurs se demandent actuellement si l'épigénétique pourrait les aider à résoudre certains mystères scientifiques, comprendre par exemple pourquoi chez des vrais jumeaux, un seul peut développer un trouble mental génétiquement influencé et comment les abus subis dans l'enfance laissent des empreintes cérébrales (Spector, 2012). L'Épigénétique peut aussi aider à expliquer pourquoi les traits de jumeaux identiques, ou monozygotes peuvent différer légèrement. Les chercheurs, dont le modèle génétique est la souris ont montré que l'exposition in utero à certains produits chimiques peut causer chez des jumeaux génétiquement identiques des différences de couleur du pelage (Dolinoy et al., 2007). Ces découvertes seront facilitées par des efforts tels que ceux déployés par le National Institute of Health-funded Roadmap Epigenetics Project, une entreprise de grande envergure pour l'accès aux données et aux résultats de la recherche en épigénétique.

EXERCICE RÉCAPITULATIF

- Faites correspondre les termes à leur définition.

  1. Épigénétique

  2. Génétique moléculaire du comportement

  3. Génétique du comportement

  a. Étude des effets relatifs de nos gènes et de notre environnement sur notre comportement.

  b. Étude de la façon dont la structure et la fonction des gènes spécifiques interagissent avec notre environnement, pour influencer le comportement.

  c. Étude des facteurs environnementaux qui affectent la manière dont nos gènes *s'expriment*.

Réponses : 1. c, 2. b, 3. a

Génétique moléculaire : partie de la biologie qui étudie la structure moléculaire et la fonction des gènes.

Génétique moléculaire du comportement : étude de la façon dont la structure et la fonction des gènes interagissent avec notre environnement pour déterminer le comportement.

Épigénétique : étude des influences du milieu sur l'expression des gènes, qui se produisent sans modification de l'ADN.

REVUE GÉNÉRALE La génétique du comportement : prédire les différences entre les individus

OBJECTIFS D'APPRENTISSAGE

EXERCICE RÉCAPITULATIF Prenez un moment pour répondre à chacune de ces questions d'objectif d'apprentissage (répétées ici au sein de cette section). Puis allez à l'annexe C, révision complète du chapitre, pour vérifier vos réponses. La recherche suggère que d'essayer de répondre à ces questions de votre propre initiative permettra d'améliorer la mémorisation à long terme de ces réponses (McDaniel et al., 2009).

4-1 Que sont les chromosomes, l'ADN, les gènes et le génome humain ? Comment les généticiens spécialistes du comportement expliquent-ils nos différences individuelles ?

4-2 Comment les études de jumeaux et d'adoption nous aident-elles à comprendre les effets et les interactions de la nature et de la culture ?

4-3 Qu'est-ce que les psychologues ont appris sur le tempérament ?

4-4 Qu'est-ce que *l'héritabilité* et de quelle manière est-elle liée aux individus et aux groupes ?

4-5 Comment la recherche en génétique moléculaire fait-elle évoluer notre compréhension des effets de la nature et de la culture ?

4-6 Quels sont les avantages et les risques du dépistage génétique prénatal ?

TERMES ET CONCEPTS À RETENIR

EXERCICE RÉCAPITULATIF Testez votre connaissance de ces termes en essayant d'écrire leur définition avant de vous reporter aux pages indiquées en référence pour vérifier votre réponse.

génétique du comportement, p. 134

environnement, p. 134

chromosomes, p. 134

ADN (acide désoxyribonucléique), p. 134

gènes, p. 134

génome, p. 135

jumeaux identiques (monozygotes), p. 135

faux jumeaux (dizygotes), p. 136

tempérament, p. 140

héritabilité, p. 140

génétique moléculaire, p. 142

génétique du comportement moléculaire, p. 142

épigénétique, p. 142

La psychologie évolutionniste : comprendre la nature humaine

4-7 Comment les psychologues évolutionnistes se servent-ils de la sélection naturelle pour expliquer les tendances comportementales ?

Les généticiens du comportement explorent les racines génétiques et environnementales des différences humaines. En revanche, les **psychologues évolutionnistes** se concentrent surtout sur ce qui nous rend si semblables en tant qu'hommes. Ils utilisent le principe de Charles Darwin, **la sélection naturelle** – « sans doute l'idée la plus mémorable jamais venue à l'esprit humain », a déclaré Richard Dawkins (2007) – pour comprendre les racines du comportement et des processus mentaux. Cette idée, résumée, est la suivante :

- Les descendants des divers êtres organisés entrent en compétition pour survivre.
- Certaines variations biologiques et comportementales survenant chez ces êtres augmentent leurs chances de se reproduire et de survivre dans leur environnement particulier.
- Les descendants qui survivent ont plus de chances de transmettre leurs gènes aux générations suivantes.
- Ainsi, avec le temps, les caractéristiques des populations peuvent changer.

Pour comprendre la manière dont ces principes agissent, considérons d'abord un exemple manifeste chez le renard.

Psychologie évolutionniste étude de l'évolution du comportement et de l'esprit, qui utilise les principes de la sélection naturelle.

Sélection naturelle principe selon lequel les caractéristiques héritées qui contribuent à la reproduction et la survie auront plus de chances d'être transmises aux générations à venir.

Mutation une erreur aléatoire dans la réplication génétique qui conduit à une modification.

Sélection naturelle et adaptation

Un renard est un animal sauvage et méfiant. Si vous capturez un renard et que vous essayez de l'apprivoiser, méfiez-vous. Mettez votre main dans la cage et si le renard, farouche, ne peut s'enfuir, vos doigts lui serviront sûrement de déjeuner. Dmitry Belyaev, un scientifique russe, se demandait comment nos ancêtres avaient réussi à domestiquer les chiens, les descendants probables des loups. Réussirait-il, en une période de temps plus courte, un tel exploit : transformer un renard craintif en un animal affectueux ?

Pour ce faire, Belyaev a réalisé des expériences sur 30 renards mâles et 100 renards femelles. En partant de leur descendance, il a sélectionné et accouplé 5 % des mâles et 20 % des femelles les plus dociles. (Il a mesuré la docilité par les réponses des renards quand on essayait de les nourrir, de les manipuler et de les caresser.) Belyaev et son successeur Lyudmila Trut répétèrent cette technique sur plus de 30 générations de renards. Quarante ans plus tard, et par la naissance de 45 000 renards, ils avaient obtenu une nouvelle race qui, selon Trut (1999), « sont dociles, très désireux de plaire et que l'on peut considérer sans la moindre erreur comme domestiqués… Le "loup" s'est changé en "agneau" sous nos yeux, et le comportement agressif de la meute sauvage sur laquelle nous avons commencé à travailler a totalement disparu ». Ils sont amicaux, recherchent le contact humain, et sont toujours prêts à gémir pour attirer l'attention et à lécher les gens comme des chiens affectueux ; à tel point que l'institut à court d'argent y a vu un moyen de recueillir des fonds et vend les renards comme animaux de compagnie.

Éric Isselée/Shutterstock

Au fil du temps, les traits qui sont avantageux pour la survie d'un individu ou d'une espèce sont *sélectionnés* et seront prévalents. Les expériences d'élevage d'animaux manipulent la sélection génétique. Les éleveurs de chiens nous ont donné des chiens de bergers qui gardent les troupeaux, des retrievers qui rapportent le gibier, des limiers qui traquent et des chiens d'arrêt qui indiquent une direction (Plomin et al., 1997). Les psychologues élèvent également des animaux prédisposés à être calmes ou réactifs, à apprendre rapidement ou lentement.

Ce processus agit-il également sur la sélection naturelle ? Et cette dernière explique-t-elle également nos tendances humaines ? À partir des **mutations** (erreurs aléatoires dans la réplication des gènes) qui se produisent parfois et des nouvelles combinaisons génétiques résultant de chaque conception, la nature a sélectionné des variations avantageuses. Mais les brides génétiques bien serrées qui prédisposent un chien à rapporter un objet, un chat à bondir sur sa proie ou les oiseaux à construire leur nid sont plus lâches chez l'homme. Les gènes qui ont été sélectionnés au cours de notre histoire ancestrale nous donnent bien plus qu'un simple guide ; ils nous dotent d'une grande capacité d'apprentissage qui nous permet de nous *adapter* à différents environnements – de la toundra à la jungle. Les gènes et l'expérience s'allient pour effectuer les connexions cérébrales. Notre capacité d'adaptation à différents environnements contribue à notre *bonne santé*, à notre capacité à survivre et à nous reproduire.

EXERCICE RÉCAPITULATIF

- En quoi les pratiques de sélection et d'élevage de Belyaev et Trut sont semblables à celles de la sélection naturelle et en quoi diffèrent-elles ?

Réponse : sur plusieurs générations Belyaev et Trut ont sélectionné, élevé et fait se reproduire des renards qui présentaient le caractère « docile » désiré. Ce processus est similaire à la sélection naturelle, mais il diffère en ce que la sélection naturelle favorise normalement les traits (y compris ceux qui découlent de mutations) qui contribuent à la reproduction et à la survie de l'espèce.

- L'héritabilité de l'agressivité serait-elle plus grande chez les renards de Belyaev et Trut, ou dans une population sauvage ?

Réponse : l'héritabilité de l'agressivité serait plus importante dans la population sauvage qui présente plus de variations génétiques de l'agressivité.

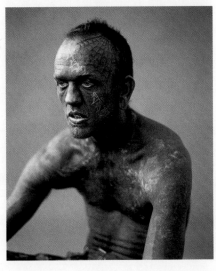

Gareth McConnell/Eyevine/Redux

La réussite de notre évolution permet d'expliquer nos similitudes

Les différences humaines attirent notre attention. Le « Guinness des Records » nous divertit en nous montrant le plus grand, la personne la plus âgée vivante et la personne la plus tatouée. Mais nos similitudes profondes exigent également des explications. D'un point de vue général, nos vies sont remarquablement similaires. Si vous vous rendez dans le hall des arrivées internationales de l'aéroport d'Amsterdam Schiphol, vous découvrirez un point de rencontre où les passagers qui viennent d'atterrir retrouvent les personnes qu'ils aiment avec excitation. Vous verrez la même joie sur les visages de grands-mères indonésiennes, d'enfants chinois, ou encore de Hollandais rentrant chez eux. Steven Pinker, un psychologue évolutionniste (2002, p. 73), pense qu'il n'est pas étonnant que nos émotions, nos besoins et notre raisonnement « suivent la même logique, quelle que soit la culture ». Nous avons été « façonnés par la sélection naturelle qui a marqué l'évolution de l'humanité ».

Notre héritage génétique

Nos similarités comportementales et biologiques découlent de notre *génome* commun, de notre profil génétique commun. Les différences entre les populations n'ont pas engendré plus de 5 % de différences génétiques entre les hommes. Au sein d'une même population, on trouve en revanche près de 95 % des variations génétiques *entre* individus (Rosenberg et al., 2002). La différence génétique typique entre deux villageois islandais ou entre deux Kenyans est plus importante que la différence *moyenne* entre les deux groupes. Ainsi, si après une catastrophe mondiale, il ne restait que des Islandais ou des Kenyans, l'espèce humaine ne subirait qu'une « réduction anecdotique » de sa diversité génétique (Lewontin, 1982).

Comment avons-nous développé ce génome humain commun ? À l'aube de l'histoire de l'humanité, nos ancêtres étaient confrontés à certaines questions : qui est mon allié et qui est mon ennemi ? Avec qui dois-je m'accoupler ? Quelle nourriture dois-je manger ? Les réponses de certains furent plus fructueuses que d'autres. Par exemple, les femmes qui avaient des nausées au cours des trois premiers mois critiques de leur grossesse, étaient prédisposées à éviter les aliments amers, très parfumés et qu'elles ne connaissaient pas. Le fait d'éviter ces aliments avait un intérêt pour la survie car, le plus souvent, ce sont des aliments particulièrement toxiques pour le développement prénatal (Profet, 1992 ; Schmitt et Pilcher, 2004). Les premiers hommes qui étaient disposés à ingérer des aliments nutritifs plutôt que toxiques ont survécu et ont légué leurs gènes aux générations ultérieures. Ce n'est pas le cas de ceux qui pensaient que le léopard était un animal « agréable à caresser ».

De la même manière, ceux qui s'accouplaient avec une personne dans le but d'avoir et d'élever une progéniture avaient plus de chances de transmettre leurs gènes. Sur un grand nombre de générations, les individus qui ne se sont pas reproduits ont vu leurs gènes disparaître du fonds commun génétique humain. À mesure que les gènes contribuant à la réussite continuaient d'être sélectionnés, des tendances comportementales ainsi qu'une capacité à penser et à apprendre sont apparues et ont permis à nos ancêtres de l'âge de pierre de survivre, se reproduire et transmettre leurs gènes aux générations futures.

Quelles que soient nos différences culturelles, nous partageons quand même une « grammaire morale universelle » (Mikhail, 2007). Que nous soyons un homme ou une femme, jeune ou vieux, libéral ou conservateur, que nous habitions Sydney ou Séoul, nous répondrons tous « Non » si on nous demande « si un gaz mortel était déversé dans un conduit et envoyé dans une pièce renfermant sept personnes, pensez-vous qu'il faille pousser quelqu'un dans le conduit, ce qui sauverait sept personnes mais en tuerait une ? » En revanche, ils répondraient tous plus favorablement si on leur demandait s'ils seraient d'accord pour permettre à quelqu'un d'aller dans le conduit, sacrifiant là encore une vie pour en sauver sept. Nos instincts moraux communs ont survécu depuis notre passé éloigné où nous vivions en petits groupes au sein desquels faire directement du mal à autrui était puni. Pour toutes ces tendances humaines universelles, allant de notre besoin intense d'élever nos enfants à nos craintes et nos désirs communs, les théories évolutionnistes proposent une explication « tout en un » (Schloss, 2009).

En tant qu'héritiers de ce legs issu de la préhistoire, nous sommes génétiquement prédisposés à avoir les mêmes comportements que ceux qui permettaient à nos ancêtres de survivre et de se reproduire. Mais d'une certaine manière, nous sommes biologiquement préparés à un monde qui n'existe plus. Nous aimons les sucres et les graisses, des nutriments préparés par nos ancêtres pour survivre aux pénuries alimentaires. Mais peu d'entre nous aujourd'hui chassent et cueillent pour se nourrir. Trop souvent, nous cherchons des sucres et des graisses dans la restauration rapide et les distributeurs. Nos dispositions naturelles, enracinées profondément dans notre passé, ne sont plus adaptées à la nourriture toute prête et au style de vie sédentaire, qui sévissent de nos jours.

Malgré la forte mortalité infantile et la maladie qui ont sévi pendant des millénaires, pas un de vos innombrables ancêtres ne mourut sans laisser de descendance.

Ceux qui sont troublés par le conflit existant entre la science et la religion sur l'origine de l'homme devraient se souvenir (voir Introduction) que différentes perspectives de la vie peuvent être complémentaires. Par exemple, le scientifique essaie de démontrer le *quand* et le *comment* ; les récits religieux ont pour but de nous révéler le *qui* et le *pourquoi*. Comme l'expliqua Galilée à la grande-duchesse Christina, « la Bible apprend comment aller au ciel, mais pas comment il fonctionne ».

La psychologie évolutionniste moderne

La théorie de l'évolution de Darwin est devenue l'un des principes organisateurs de la biologie. « Pratiquement aucun des scientifiques contemporains pense que les idées de Darwin étaient fondamentalement fausses », a noté Jared Diamond (2001). Aujourd'hui, la théorie de Darwin continue d'exister du fait de la « *seconde révolution darwinienne* » : l'application des principes évolutionnistes à la psychologie. Quand il conclut son livre *De l'origine des espèces*, Darwin prédit un « champ d'études ouvert à des recherches plus importantes. La psychologie sera construite sur de nouvelles fondations » (1859, p. 346).

Jacob Hamblin/Shutterstock

Nous aborderons les questions qui intriguent les psychologues évolutionnistes comme la question de savoir, pourquoi les enfants développent la peur de l'étranger quand ils commencent à se mouvoir. Pourquoi les pères biologiques ont-ils moins de risques d'assassiner ou de maltraiter leurs enfants que les petits amis de la mère n'ayant aucun lien de parenté avec les enfants et vivant sous le même toit ? Pourquoi tant de gens ont-ils la phobie des araignées, des serpents ou de la hauteur alors qu'ils ne craignent pas les armes à feu et l'électricité qui sont beaucoup plus dangereuses ? Pourquoi avons-nous bien plus peur de prendre l'avion que de prendre la route ?

Pour comprendre les pensées et le raisonnement des psychologues évolutionnistes arrêtons-nous pour explorer leurs réponses à ces deux questions : en quoi les hommes et les femmes se ressemblent-ils ? En quoi et pourquoi leur sexualité diffère-t-elle ?

Une explication évolutionniste de la sexualité humaine

4-8 De quelle manière un psychologue évolutionniste peut-il expliquer les différences de sexualité masculine et féminine et les préférences reproductrices ?

Ayant eu de nombreux défis similaires auxquels ils ont fait face à travers l'histoire, les hommes et les femmes se sont adaptés de façon similaire : Nous mangeons les mêmes aliments, évitons les mêmes prédateurs, et percevons, apprenons, et souvenons de façon similaire. Selon les psychologues évolutionnistes, nous ne sommes différents que dans les domaines où nous avons eu à faire face à des défis différents pour nous adapter et, en particulier, dans nos comportements liés à la reproduction.

Les différences de sexualité masculine et féminine

Nous sommes véritablement différents. Considérons les pulsions sexuelles. Les hommes et les femmes sont motivés sexuellement, certaines femmes le sont plus que beaucoup d'hommes. Pourtant, en moyenne, qui pense le plus à la sexualité ? Qui se masturbe le plus souvent ? Qui déclenche l'acte sexuel ? Qui regarde le plus des supports pornographiques ? Partout dans le monde la réponse à toutes ces questions est : *l'homme, l'homme, l'homme* et encore *l'homme* (Baumeister et al., 2001 ; Lippa, 2009 ; Petersen et Hyde, 2010). Pas étonnant qu'au cours d'une enquête menée par la BBC sur plus de 200 000 individus issus de 53 pays, les hommes ont reconnu bien plus haut et fort qu'ils « avaient des besoins sexuels plus intenses » et qu'il « n'en fallait pas beaucoup pour les exciter sexuellement » (Lippa, 2008).

En effet, comme l'expliquent Marshall Segall (psychologue spécialisé en recherches interculturelles) et ses collaborateurs (1990, p. 244) : « les hommes ont plus tendance que les femmes à entreprendre un rapport sexuel ». Il s'agit de l'une des plus importantes différences entre hommes et femmes dans le domaine de la sexualité, mais il y en a d'autres (Hyde, 2005 ; Petersen et Hyde, 2010 ; Regan et Atkins, 2007). Pour voir si vous pouvez prédire certaines de ces différences, reportez-vous au questionnaire **TABLEAU 4.1** sur la page suivante.

Comparativement aux lesbiennes, les gays (comme les hétérosexuels) sont plus attirés par le sexe sans attache affective, par des stimuli sexuels visuels, et se sentent plus concernés par l'aspect physique de leur partenaire (Bailey et al., 1994 ; Doyle, 2005 ; Schmitt, 2007, Sprecher et al., 2013). Les couples de gays reconnaissent avoir plus de rapports sexuels que les couples

Le New Yorker Collection, 2003, Michael Crawford, de cartoonbank. com. Tous droits réservés.

« Pas ce soir, chéri, j'ai une commotion cérébrale. »

« On ne peut pas dire que les gays ne pensent qu'au sexe ; ce ne sont que des hommes dont les désirs masculins rebondissent sur les désirs d'autres hommes plutôt que sur les désirs des femmes. »

Steven Pinker, *Fonctionnement de l'esprit*, 1997

fonction apprentissage perçu
Jeux visages hypothèses influence psychologique
évolué investissement relations
cycle culturel **féminin** accouplement **préférences** psychologie
Interculturel **effet** **facial** **masculin** ressemblance testostérone
enfants partenaires
compétition parents **social** étude
différences signaux symétrie
asymétrie **sexe**
âge mâle parenté qualité **des femmes**
naissance perspective des hommes second
nombre voix
attirance risque **sexuel** test vers
adaptatif quatrième visuel
capacité indices
parmi évolutionnaire **humain** **préférences** femmes
cognitive effet visage **évolution** **hommes** rôle variation
altruisme **sélection**
attitudes comportement société stratégie
corps coopération **preuves** jalousie **reproductif**
détection dominance fluctuant parent **parental** **ratio** signalement statut
différence physique punition
fertilité génétique partenaire paternel
forme humains menstruel descendance
santé

Quels sont les sujets d'étude des psychologues évolutionnistes
La taille de chaque mot dans ce « nuage » montre sa fréquence d'apparition dans les titres d'articles traitant de la psychologie de l'évolution. (D'après Gregory Webster, Peter Jonason, et Tatiana Schember [2009] et leur analyse de tous les articles publiés dans *Evolution and Human Behavior* entre 1997 et 2008.)
Webster, G. D., Jonason, P. K., & Schember, T. O. (2009). Sujets d'actualité et d'articles célèbres de la psychologie évolutionniste : Analyses de titres mots et nombre de citations dans *Evolution and Human Behavior*, 1979-2008. *Evolutionary Psychology*, 7, 348-362.

▼ TABLEAU 4.1
Prédire les réponses

Les chercheurs ont interrogé des échantillons de population d'adultes américains. Ils ont demandé aux participants s'ils étaient plutôt en accord ou plutôt en désaccord avec les énoncés suivants. Pour chaque élément ci-dessous, donnez votre meilleure estimation du pourcentage des réponses faites par les hommes et les femmes.

Énoncé	Pourcentage d'hommes qui étaient plutôt d'accord	Pourcentage de femmes qui étaient plutôt d'accord
1. Si deux personnes s'aiment vraiment, elles peuvent avoir des relations sexuelles, même si elles se connaissent depuis peu.	_____	_____
2. Je peux imaginer pouvoir avoir des relations sexuelles occasionnelles avec différents partenaires.	_____	_____
3. L'affection était la raison pour laquelle je devais avoir le premier rapport sexuel.	_____	_____
4. Je pense à ça tous les jours, ou plusieurs fois par jour.	_____	_____

Réponses : (1) hommes, 58 pourcent ; femmes, 48 pourcent. (2) hommes, 34 pourcent ; femmes, 12 pourcent. (3) hommes, 25 pourcent ; femmes, 48 pourcent. (4) hommes, 54 pourcent ; femmes, 19 pourcent.

Sources : (1) Pryor et al., 2005 ; (2) Bailey et al., 2000 ; (3 et 4) adapté de Laumann et al., 1994.

de lesbiennes (Peplau et Fingerhut, 2007). Lors de la première année qui a suivi la légalisation des unions civiles de personnes du même sexe dans l'État du Vermont, et parmi les premiers 12 000 mariages de sujets de même sexe dans l'État du Massachusetts, un fait significatif s'est fait jour. Bien que les hommes représentent à peu près les deux tiers de la population homosexuelle, ils représentaient environ un tiers seulement environ de ceux qui choisissaient la reconnaissance légale de leur union (Crary, 2009 ; Rothblum, 2007).

Les hommes hétérosexuels interprètent souvent, de façon erronée la gentillesse d'une femme, et la considèrent comme une tentative d'approche sexuelle (Abbey, 1987). Dans une étude psychologique des conditions du « speed dating », les hommes croyaient que leurs partenaires de rencontre exprimaient un désir de relation sexuelle, plus souvent que ce ne fut le cas (Perilloux et al., 2012). Ce *biais de majoration de perception sexuelle* est plus fort chez les hommes qui ont besoin de peu d'intimité affective avant le rapport sexuel (Howell et al., 2012 ; Perilloux et al., 2012).

Sélection naturelle et préférences d'accouplement

Le principe de la sélection naturelle propose que la nature sélectionne les traits et les appétits qui contribuent à la survie et à la reproduction. Les psychologues évolutionnistes utilisent ce principe pour expliquer comment les hommes et les femmes diffèrent dans la manière de se comporter en société et dans l'intimité. Nos vives aspirations naturelles, reflètent la manière dont nos gènes vont se perpétuer, disent-ils. « Les êtres humains sont des fossiles vivants – un ensemble de mécanismes, produits des exigences de la sélection », déclare le psychologue évolutionniste David Buss (1995).

Pourquoi les femmes ont-elles tendance à être plus exigeantes que les hommes lors du choix de leur partenaire sexuel ? Les femmes ont plus à perdre. Pour voir ses gènes se perpétuer, une femme doit - au minimum – concevoir et protéger un fœtus croissant à l'intérieur de son corps pendant neuf mois. Et contrairement aux hommes, les femmes ne peuvent avoir, entre la puberté et la ménopause, qu'un nombre limité d'enfants. Il n'est donc pas étonnant que les femmes hétérosexuelles préfèrent les partenaires qui offriront soutien et protection à leur descendance commune. Les femmes, sont plus attirées par les hommes d'âge mur qui resteront avec elles que par les jeunes hommes volages. Les femmes hétérosexuelles sont attirées par les hommes grands avec une taille mince et de larges épaules - tous les signes de la reproduction réussie (Mautz et al., 2012).

« J'ai vraiment passé un bon moment, Steve. Veux-tu entrer, t'installer à la maison et fonder une famille ? »

Et elles préfèrent les hommes qui apparaissent mûrs, dominants, audacieux, et riches (Asendorpf et al., 2011 ; Gangestad & Simpson, 2000 ; Singh, 1995). Lors d'une étude menée sur des centaines de piétons du Pays de Galles, il a été demandé aux hommes de juger des photos de femmes les montrant au volant d'une modeste Ford fiesta ou d'une luxueuse Bentley. Les Hommes ont trouvé les femmes aussi attrayantes, quelle que soit la voiture. À l'inverse les femmes trouvaient les hommes plus séduisants lorsqu'ils se trouvaient dans une voiture de luxe (Dunn et Searle, 2010). Lorsqu'ils ont l'intention de former un couple, les hommes achètent des articles plus voyants, expriment des intentions plus agressives, et prennent plus de risques (Baker & Maner, 2009 ; Griskevicius et al., 2009 ; Shan et al., 2012 ; Sundie et al., 2011).

Les données sont résumées dans cet aphorisme, disent les évolutionnistes : les Hommes se donnent généreusement, les femmes judicieusement (« Men pair widely; women pair wisely »). Et quels sont les traits féminins que les hommes dits normaux recherchent chez une femme ? Certains traits, comme la peau lisse et douce et une silhouette jeune, sont des gages de la santé et de la fertilité, et ce à travers le monde (Buss, 1994). L'accouplement avec ces femmes pourrait donner à un homme une plus grande chance de voir ses gènes se perpétuer. Et bien évidemment, les hommes se sentent plus attirés par les femmes dont le tour de taille est (grâce à leurs gènes ou à la chirurgie esthétique) un tiers plus étroit que le tour de hanche – signe de fertilité (Périlloux et al., 2010). Même les aveugles montrent cette préférence pour les femmes dont le rapport tour de taille/tour de hanche est petit (Karremans et al., 2010). Les hommes sont plus attirés par les femmes dont l'âge correspond à celui où, chez nos ancêtres culminait le pic de fertilité maximale ; la première ovulation se produisait plus tard que maintenant (Kenrick et al., 2009). Ainsi, les adolescents sont attirés par des femmes plus âgées qu'eux. Aux alentours de 25 ans, les hommes préfèrent les femmes du même âge et les hommes d'âge mûr sont attirés par les jeunes femmes. Ils constatent que ces préférences apparaissent systématiquement dans les petites annonces pour célibataires dans les pays d'Europe, les petites annonces matrimoniales indiennes et les mariages enregistrés en Amérique du Nord et du Sud, en Afrique et aux Philippines (Singh, 1993 ; Singh et Randall, 2007).

Selon les psychologues évolutionnistes, nous pouvons en déduire une règle : la nature favorise les comportements qui augmentent la probabilité de transmettre nos gènes aux générations futures. En tant que machines génétiques mobiles, nous sommes conçus pour préférer ce qui a été bénéfique pour nos ancêtres dans leur environnement. Ils ont été génétiquement prédisposés à agir d'une manière à engendrer une descendance. Dans le cas contraire, nous ne serions pas là. En tant que porteurs de leur patrimoine génétique, nous sommes prédisposés à agir de même.

MGP/Photodisc/Getty Images

« Elle est belle, elle est faite pour être courtisée. »

William Shakespeare, *Le roi Henri IV*

Critique la perspective évolutionniste

4-9 Quelles sont les principales critiques faites à la psychologie évolutionniste ? Quelles sont les réponses des psychologues évolutionnistes ?

La plupart des psychologues admettent que la sélection naturelle nous prépare pour la survie et la reproduction. Mais les critiques disent qu'il y a une faille dans le raisonnement des psychologues évolutionnistes qui explique nos préférences d'accouplement. Considérons la manière dont un psychologue évolutionniste pourrait expliquer les résultats d'une étude surprenante (Clark & Hatfield, 1989), et quelle pourrait être l'objection à faire.

Les participants ont été approchés par un « étranger » de l'autre sexe (quelqu'un qui travaille pour l'expérimentateur). L'étranger dit « Je vous ai remarqué(e) sur le campus. Je trouve que vous êtes très attrayant(e) », puis pose l'une des trois questions :

1. Voulez-vous sortir avec moi ce soir ?

2. Voulez-vous venir chez moi ce soir ?

3. Voudriez-vous coucher avec moi ce soir ?

Scénario social guide culturellement modelé pour savoir comment agir dans diverses situations. Manuel de savoir-vivre.

« Il est dangereux de trop faire voir à l'homme combien il est égal aux bêtes, sans lui montrer sa grandeur. Et il est également dangereux de trop lui faire voir sa grandeur sans sa bassesse. Il est encore plus dangereux de lui laisser ignorer l'un et l'autre, mais il est très avantageux de lui représenter l'un et l'autre. »

Blaise Pascal, *Pensées,* 1659

Quel est le pourcentage d'hommes et de femmes qui d'après vous acceptent les différentes propositions ? L'explication évolutionniste de la sexualité prédit que les femmes seront plus sélectives que les hommes dans le choix de leurs partenaires sexuels et seront moins enclines à partager le lit d'un inconnu. En fait, pas une seule femme, mais 70 pour cent des hommes ont accepté la troisième proposition. Une réplication récente de cette étude a produit un résultat similaire en France (Gueguen, 2011). La recherche sembla conforter l'explication évolutionniste.

Que s'est-il passé ? Les critiques notent que les psychologues évolutionnistes partent de l'effet constaté : le résultat de l'enquête montrant que les hommes étaient plus susceptibles d'accepter des rapports sexuels occasionnels. Ces psychologues raisonnent à rebours pour expliquer ce qui s'était passé. Que fallait-il faire si la recherche avait montré l'effet inverse ? Si les hommes avaient refusé cette proposition aurions-nous pu dire que les hommes fidèles font de meilleurs pères et assurent mieux leur descendance ?

D'autres critiques se demandent pourquoi nous devrions essayer d'expliquer le comportement d'aujourd'hui par la manière d'être de nos lointains ancêtres, il y a des milliers d'années. Ils croient que la théorie de l'apprentissage social offre une meilleure explication, plus immédiate de ces résultats. Peut-être que les femmes apprennent **des prescriptions de savoir vivre** – ce que la culture a imposé comme règles de maintien ; la façon dont les gens devraient se comporter dans certaines situations. En observant et en imitant les autres dans leur culture, ils peuvent apprendre que des rencontres sexuelles avec des étrangers sont dangereuses, et que les hommes qui proposent d'avoir des rapports intimes furtifs ne sauront pas offrir aux femmes plus de plaisir charnel (Conley, 2011). Cette explication alternative des effets de l'étude propose que les femmes réagissent face à ces questions de la façon dont la culture moderne aborde ce sujet.

Une troisième critique porte sur les conséquences sociales de l'acceptation d'une explication évolutionniste. Le fait d'avoir des relations sexuelles avec une femme qui les approche représente-t-il un comportement vraiment inscrit chez les hommes hétérosexuels ? Si oui, est-ce que cela signifie que les hommes n'ont aucune responsabilité morale à rester fidèles à leurs partenaires ? Cette explication excuse-t-elle les hommes auteurs d'agression sexuelle ? « Les garçons seront toujours des garçons » Parce ce que ce comportement ferait partie de notre histoire phylogénique ?

Les psychologues évolutionnistes conviennent que beaucoup de ce qui fait ce que nous sommes n'est *pas* fortement déterminé. Une équipe de chercheurs insiste sur le fait que « l'évolution rejette avec force un déterminisme qui ne serait que génétique » (Confer et al., 2010). Et les psychologues évolutionnistes nous rappellent que les hommes et les femmes, ayant rencontré des problèmes d'adaptation semblables, sont beaucoup plus semblables que différents. La sélection naturelle nous a préparés à être adaptables. Nous, les humains avons une grande capacité d'apprentissage et de progression sociale. Nous nous adaptons et répondons à des environnements variés. Nous pouvons nous adapter et survivre, que nous vivions dans l'Arctique ou le désert.

Les psychologues évolutionnistes sont également d'accord avec ceux qui les critiquent que certains traits et comportements, tels que le suicide, sont difficiles à expliquer si on se fonde sur la sélection naturelle (Barash, 2012 ; Confer et al., 2010). Mais ils nous demandent de nous rappeler l'objectif scientifique de la psychologie évolutionniste : expliquer les comportements et les traits mentaux en proposant des tests qui peuvent être prédits en utilisant les principes de la sélection naturelle. Nous pouvons par exemple tester, de façon scientifique, l'hypothèse suivante : avons-nous tendance à favoriser les autres dans la mesure où ils partagent nos gènes, donc ceux qui nous sont proches, ou ceux qui pourront nous rendre la pareille en retour ? La réponse est *oui*. Ils nous rappellent également qu'étudier ce que *nous sommes devenus* ne nous dicte en aucun cas la manière dont nous *devons nous comporter*. Parfois, le fait de comprendre nos tendances naturelles nous aide à les surmonter.

EXERCICE RÉCAPITULATIF

- De quelle manière un psychologue évolutionniste explique-t-il les différences de la sexualité des hommes et des femmes ?

Réponse : Les psychologues évolutionnistes supposent que les femmes ont hérité des tendances de leurs ancêtres à être sexuellement plus prudentes, en raison des difficultés liées à la grossesse et aux soins à apporter à leur progéniture. Les choses sont différentes pour l'homme, la paternité étant moins exigeante.

- Quelles sont les trois principales critiques de l'explication évolutionniste de la sexualité humaine ?

Réponse : (1) Elle commence par le résultat et raisonne à rebours pour proposer une explication. (2) Les hommes sans éthique et immoraux peuvent utiliser ce type d'explication pour rationaliser leur comportement envers les femmes. (3) Cette explication peut négliger les effets des attentes culturelles et de la socialisation.

REVUE GÉNÉRALE La psychologie évolutionniste : comprendre la nature humaine

OBJECTIFS D'APPRENTISSAGE

EXERCICE RÉCAPITULATIF Prendre un moment pour répondre à chacune de ces questions d'objectif d'apprentissage (répétées ici au sein de cette section). Puis aller à l'annexe C, révision complète du chapitre, pour vérifier vos réponses. La recherche suggère que tenter de répondre à ces questions par vous-même va améliorer votre rétention de longue durée (McDaniel et al., 2009).

4-7 Comment les psychologues évolutionnistes se servent-ils de la sélection naturelle pour expliquer les tendances comportementales ?

4-8 De quelle manière un psychologue évolutionniste peut-il expliquer les différences de sexualité masculine et féminine et les préférences reproductrices ?

4-9 Quelles sont les principales critiques faites à la psychologie évolutionniste ? Quelles sont les réponses des psychologues évolutionnistes ?

TERMES ET CONCEPTS À RETENIR

EXERCICE RÉCAPITULATIF Testez votre connaissance de ces termes en essayant d'écrire leur définition, avant de vous reporter aux pages indiquées en référence pour vérifier votre réponse.

psychologie évolutionniste actuelle, p. 144

sélection naturelle, p. 144

mutation, p. 145

scénario social, p. 150

Culture, genre et autres influences environnementales

Dès notre conception, nous sommes le résultat d'une cascade **d'interactions** entre nos prédispositions génétiques et l'environnement qui nous entoure (McGue, 2010). Nos gènes influencent la manière dont les autres réagissent à notre égard et nous influencent en retour. Il faut donc oublier le débat *opposant* l'inné et l'acquis et réfléchir plutôt à la question de l'acquis *via* l'inné.

Imaginons deux bébés, dont l'un est génétiquement prédisposé à être plus attirant, plus sociable et facile à vivre que l'autre. Supposons maintenant que le premier bébé reçoive plus d'affection et de soins que le second, il deviendra plus tard une personne chaleureuse et extravertie. À mesure que les deux enfants grandissent, celui qui est plus ouvert cherchera à être impliqué dans des activités et à avoir des amis et acquerra une assurance en société.

Qu'est-ce qui a entraîné leur différence de personnalité ? Ni l'hérédité, ni l'expérience vécue n'agissent isolément. L'environnement déclenche l'activité de certains gènes. Et nos caractères, influencés génétiquement, *engendrent* également des réponses significatives chez les autres. Ainsi, un enfant impulsif et agressif peut se faire gronder par ses parents ou un enseignant qui, en revanche, parleront très gentiment aux autres enfants plus aimables. Dans ce cas, l'inné de l'enfant interagit avec l'acquis des parents. Les gènes et le genre agissent de concert.

> **Interaction** dépendance de l'effet d'un facteur (tel que l'environnement) de la variation d'un autre facteur (tel que l'hérédité).

Interaction gènes-environnement
L'apparence biologique peut entraîner des conséquences sociales. Les gens réagissent différemment à l'enregistrement d'une artiste telle que Nicki Minaj et à un concert donné par la violoniste Hilary Hahn.

Les jumeaux monozygotes partagent non seulement les mêmes prédispositions génétiques, mais ils cherchent aussi, en exprimant leur patrimoine génétique commun, à créer des situations similaires, (Kandler et al., 2012). Ces interactions évocatrices nous permettent de comprendre pourquoi deux « vrais » jumeaux élevés dans des familles différentes se souviennent de la chaleur de leurs parents de manière similaire – presque aussi similaire que s'ils avaient eu les mêmes parents (Plomin et al., 1988, 1991, 1994). Les faux « jumeaux » se rappellent leur petite enfance au sein de leur famille de manière assez différente – même s'ils ont été élevés dans la même famille ! Selon Sandra Scarr (1990) : « Les enfants nous perçoivent comme des parents différents en fonction de leur propre personnalité. » De plus, un effet de sélection peut entrer en jeu. À mesure que nous vieillissons, nous sélectionnons les environnements qui correspondent à notre nature. Les enfants loquaces peuvent devenir vendeurs. Les enfants timides peuvent devenir des techniciens de laboratoire.

Comment les expériences influencent-elles le développement ?

Nos gènes, étant exprimés dans un environnement spécifique, influencent nos différences de développement. Nous ne sommes pas « des pages blanches » (Kenrick et al., 2009). Nous ressemblons plutôt à un livre de coloriage avec certaines lignes prédessinées et nos expériences mettent en couleurs l'image. Nous sommes formés par l'inné *et* l'acquis. Mais quels sont les composants de notre environnement qui ont le plus d'influence ? De quelle manière nos premières expériences, notre famille, notre entourage et toutes les autres expériences que nous vivons guident-ils notre développement et contribuent-ils à notre diversité ?

Le complot fomenté par l'inné et l'acquis pour nous façonner commence dès la conception, dans notre environnement utérin prénatal, car les embryons reçoivent une alimentation différente et sont exposés plus ou moins fortement aux agents xénobiotiques qui peuvent être toxiques. L'environnement poursuit son influence après la naissance, et nos premières expériences favorisent le développement de notre cerveau.

Expérience et développement du cerveau

4-10 **De quelle manière nos premières expériences modifient-elles notre cerveau ?**

Nos gènes dictent notre architecture globale du cerveau, mais l'expérience sculpte les détails. Le développement des connexions neuronales prépare notre cerveau à l'élaboration de la pensée, à l'acquisition du langage, et aux futures expériences. Mais comment les expériences précoces laissent-elles « leurs empreintes » dans le cerveau ? Mark Rosenzweig et David Krech et leurs collaborateurs (1962) ont ouvert une brèche dans ce processus quand ils élevèrent quelques jeunes rats dans un isolement complet et d'autres dans avec leurs congénères dans un espace riche en stimuli. Quand ils analysèrent leur cerveau par la suite, les rats qui avaient vécu dans cet environnement riche et qui étaient morts avaient « gagné ». Les rats vivant dans un environnement enrichi, qui simulait un environnement naturel, avaient en général un cortex cérébral plus épais et plus lourd que celui des autres rats (**FIGURE 4.4**).

Rosenzweig a été tellement surpris par cette découverte qu'il a répliqué plusieurs fois l'expérience avant de publier ses résultats (Renner et Rosenzweig, 1987 ; Rosenzweig, 1984). Les effets sont si surprenants que, si on vous montrait des vidéos de rats, vous pourriez déduire de leur activité et de leur curiosité s'ils ont été élevés dans un milieu enrichi ou appauvri en stimuli (Renner et Renner, 1993). Après avoir gardé pendant soixante jours des rats dans un environnement enrichi, le poids de leur cerveau avait augmenté de 7 à 10 % et leur nombre de synapses avait proliféré d'environ 20 % (Kolb et Whishaw, 1998).

Courtoisie de C. Brune

Un réseau qui se développe dès le plus jeune âge Les musiciens qui ont commencé à jouer d'un instrument à cordes avant l'âge de 12 ans possèdent un réseau de neurones plus dense et plus complexe contrôlant les doigts de la main gauche (ceux qui créent les notes) que ceux qui ont appris à jouer plus tard (Elbert et coll., 1995).

▼ FIGURE 4.4

L'expérience affecte le développement du cerveau Mark Rosenzweig, David Krech et leurs collègues (1962) élevèrent des rats soit seuls dans une cage nue, soit avec d'autres dans un environnement équipé de jeux qui étaient changés quotidiennement, donc riche en stimuli. Dans 14 des 16 répétitions de cette expérience, les rats placés dans un environnement riche en stimuli avaient un cortex cérébral plus développé (par rapport au reste du tissu cérébral) que ceux placés dans un environnement pauvre.

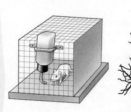
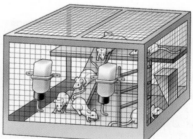

Environnement pauvre   **Cellule nerveuse d'un rat dans un environnement pauvre**   **Environnement amélioré**   **Cellule nerveuse d'un rat vivant dans un environnement amélioré**

Ces résultats ont encouragé l'amélioration de l'environnement mis en place dans les laboratoires, les fermes et les parcs zoologiques – et, pour les enfants, dans les institutions. Les bébés rats et les enfants prématurés tirent un bénéfice de la stimulation par manipulation ou massage (Field et al., 2007). Les bébés « manipulés », dans chacune des deux espèces, prennent du poids plus rapidement et se développent plus vite sur le plan neurologique. Les prématurés qui ont eu un contact corporel avec leur mère dorment mieux, éprouvent moins de sentiments d'anxiété, et montrent un meilleur développement cognitif dix ans plus tard (Feldman et al., 2014).

L'interaction de inné et l'acquis « sculpte » nos synapses. La maturation du cerveau nous fournit une abondance de connexions neuronales. Les expériences qui stimulent les sens, la vue, le toucher et l'odorat, activent les connexions nerveuses et les renforcent. Les voies nerveuses non utilisées s'affaiblissent. Comme des sentiers dans une forêt, les chemins peu utilisés sont abandonnés peu à peu, les chemins fréquentés sont élargis. À la puberté, il se produit une perte massive des connexions inemployées, le *processus d'élagage* synaptique.

C'est là, à la jonction entre nature et culture, que se trouve la réalité biologique concernant l'éducation précoce de la petite enfance. C'est au cours de ces premières années d'enfance, tandis que les connexions en surnombre sont encore accessibles, que les plus jeunes peuvent aisément maîtriser des domaines comme la grammaire et l'accent d'une autre langue. Privée du contact avec le langage jusqu'à l'adolescence, une personne ne maîtrisera jamais aucun langage. De la même manière, privée d'expériences visuelles pendant ses premières années, une personne dont la vision est récupérée par ablation de la cataracte ne retrouvera jamais des perceptions normales (Gregory, 1978 ; Wiesel, 1982). Sans stimulation visuelle précoce, les cellules cérébrales normalement spécialisées dans la vision vont mourir ou seront utilisées à d'autres fins. Pour le cerveau en cours de maturation, la règle semble être : « Tu l'utilises ou tu le perds. »

Cependant, bien que la stimulation normale au cours des premières années soit primordiale, le développement du cerveau ne s'achève pas avec l'enfance. Grâce à cette capacité incroyable que possède le cerveau, à savoir la *plasticité*, notre tissu nerveux est en constante évolution et réorganisation, en réponse à de nouvelles expériences. Une « néo-neurogenèse » est aussi présente. Si un singe est entraîné à pousser, plusieurs fois par jour, un levier avec son doigt, le tissu cérébral qui contrôle le doigt va se modifier pour prendre en compte l'expérience (**FIGURE 4.5**). Les cerveaux humains fonctionnent de manière similaire. Que l'on apprenne à faire de la saisie informatique sur un clavier, ou du roller, ou se diriger dans les rues de Londres, nos capacités s'améliorent à mesure que notre cerveau intègre l'apprentissage (Ambrose, 2010 ; Maguire et al., 2000).

> « Les gènes et l'expérience sont somme toute deux moyens de faire la même chose – relier des synapses. »
>
> Joseph LeDoux, *The Synaptic Self*, 2002

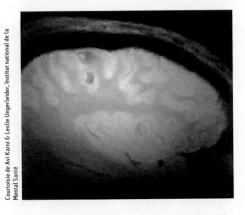
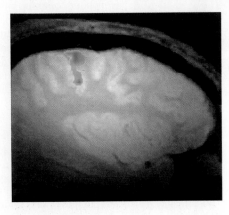

▼ FIGURE 4.5
Un cerveau entraîné Une épreuve de pianotage bien apprise active plus de neurones du cortex moteur (zone orange, à droite) qu'avant l'entraînement (à gauche). (De Karni et al., 1998.)

Dans quelle mesure les parents méritent-ils d'être félicités ou blâmés ?

4-11 De quelle manière les parents et l'entourage peuvent-ils façonner le développement des enfants ?

Lors de l'acte de procréation, une femme et un homme brassent leurs cartes comportant leurs gènes et distribuent ensuite ces cartes à leur futur enfant qui sera soumis à un nombre incalculable d'influences bien au-delà de leur contrôle. Néanmoins, en général, les parents se sentent très fiers du succès de leurs enfants et coupables ou honteux de leurs échecs. Ils rayonnent de joie quand un enfant obtient un diplôme ou un titre sportif. Ils se demandent quelle erreur ils ont pu commettre dans l'éducation de leur enfant qui se met régulièrement dans des situations difficiles. La psychiatrie et la psychologie Freudienne ont, à un moment, contribué à propager de telles idées en attribuant les problèmes, depuis l'asthme jusqu'à la schizophrénie, à une « carence maternelle ». La société renforce cette dénonciation des parents : croyant que les parents modèlent leurs enfants comme le

« Pour être franc, monsieur l'agent, mes parents ne m'ont jamais fixé de limites. »

« Donc, je te reproche tout ! – La faute à qui ? »

potier façonne l'argile, les gens ont tôt fait de féliciter les parents pour les qualités de leurs enfants et de les blâmer pour leurs défauts. La pensée populaire n'arrête pas de pointer la souffrance psychologique infligée par les parents à leurs enfants fragiles. Alors, il n'est plus étonnant que d'avoir des enfants et les élever semble risqué.

Mais les parents produisent-ils réellement de futurs adultes ayant en eux un enfant blessé en étant : autoritaires ou libéraux ? Affirmés ou indécis ? Surprotecteurs ou distants ? Les enfants sont-ils effectivement si facilement blessés ? S'il en est ainsi, devons-nous blâmer nos parents pour nos propres erreurs, et nous-mêmes pour les erreurs de nos enfants ? Ou tous les débats qui considèrent que l'on peut blesser des enfants fragiles à travers des erreurs éducatives bénignes risquent-ils de banaliser des brutalités ou de véritables mauvais traitements ?

Les parents ont réellement de l'importance. Les conséquences de l'exercice de l'autorité parentale sont plus nettes dans les cas extrêmes : les enfants maltraités qui deviennent maltraitants, les enfants négligés qui deviennent négligents, et enfin les enfants aimés et élevés avec une certaine rigueur qui deviennent sûrs d'eux et socialement compétents. Le pouvoir de l'environnement familial est également manifeste chez les enfants des réfugiés (boat people) fuyant le Vietnam et le Cambodge, qui réussissent remarquablement bien dans le domaine scolaire et professionnel, une réussite attribuée aux familles très soudées et exigeantes, apportant un soutien énorme à leur progéniture (Caplan et al., 1992). Le rôle de la mère dans l'éducation des enfants ne suscite pas les mêmes attentes chez les Américains d'origine asiatique et les Américains européens. Une mère américaine d'origine asiatique peut « pousser » ses enfants à bien se conduire et bien travailler en classe, sans que la relation mère enfant en souffre (Fu & Markus, 2014). Avoir le soutien d'une « Tigresse Mère » qui les pousse à bien faire et travaille avec eux, sans qu'ils soient livrés à eux-mêmes, motive les enfants américains d'origine asiatique à travailler plus dur. Les Américains d'origine européenne pourraient considérer cette relation mère-enfant comme étouffante ce qui conduirait à l'étiolement de la motivation (Deal, 2011).

Toutefois, les influences environnementales partagées à partir de la naissance sont en général responsables pour moins de 10 % de la différence de personnalité entre enfants. Pour reprendre les mots de Robert Plomin et Denise Daniels (1987 ; Plomin, 2011), généticiens du comportement : « Deux enfants de la même famille sont, exception faite de leur patrimoine génétique commun, aussi différents l'un de l'autre que deux enfants tirés au hasard dans une population. » Pour Sandra Scarr (1993), psychologue du développement, cela implique que « l'on devrait moins féliciter les parents pour les exploits de leurs enfants et moins les blâmer pour leurs échecs ». Si nos enfants ne sont pas des pantins de bois sculptés par l'éducation parentale, nous autres parents pouvons peut-être nous détendre davantage et aimer nos enfants pour ce qu'ils sont vraiment.

Une maman de contrôle Amy Chua, professeur de droit et auteur du *Battle Hymn of the Tiger Mother* (2011), a suscité la controverse en comparant les styles parentaux chinois qui sont stricts aux styles occidentaux plus libéraux. En élevant ses deux filles, Chua en est venu à apprécier les avantages et les coûts du style traditionnel parental chinois qui exerce plus de contrôle des comportements.

« Les hommes ressemblent plus à leur époque qu'à leurs pères. »

Ancien proverbe arabe

Influence des pairs

À mesure que l'enfant grandit, quelles sont les autres expériences qui permettent le travail d'acquisition ? À tout âge, mais en particulier pendant notre enfance et notre adolescence, nous cherchons à nous adapter dans divers groupes et nous sommes soumis à l'influence de notre entourage (Harris, 1998, 2000) :

- Les enfants en âge préscolaire qui refusent certains aliments les consommeront plus volontiers s'ils seront à table avec d'autres enfants qui aiment ces aliments.

- Un enfant qui entend un accent anglais à la maison et un autre dans son entourage ou à l'école adoptera immanquablement l'accent de ses pairs, et non celui de ses parents. Les accents (et les expressions argotiques) reflètent la culture, remarque Judith Rich Harris (2007), « les enfants tirent leur culture de leurs pairs ».

- Les adolescents qui commencent à fumer ont souvent des amis qui leur servent de modèles, qui vantent les plaisirs de la cigarette et leur en offrent (J. S. Rose et al., 1999 ; R. J. Rose et al., 2003). Une partie de la similarité avec les pairs peut être due à *un effet de sélection*, c'est-à-dire que les enfants cherchent des camarades ayant les mêmes attitudes et les mêmes intérêts qu'eux. Ceux qui fument (ou ne fument pas) peuvent choisir leurs amis en fonction de ce facteur.

- Mettez deux adolescents ensemble et leurs cerveaux deviennent hypersensibles à la gratification (Albert et al., 2013). Cette stimulation contribue à expliquer pourquoi les adolescents prennent plus de risques en conduisant quand ils sont avec des amis (Chein et al., 2011).

Howard Gardner (1998) conclut que les parents et les pairs sont complémentaires :

« L'influence des parents est plus importante quand il s'agit d'éducation, de discipline, de responsabilité, d'ordre, de charité et des moyens d'agir avec une personne représentant l'autorité. Les pairs sont plus importants pour apprendre la coopération, le chemin de la popularité et comment inventer des moyens d'interaction entre des individus du même âge. Les plus jeunes peuvent trouver leurs pairs plus intéressants, mais quand il s'agit de faire des projets, ils se tournent vers leurs parents. De plus, ce sont les parents qui choisissent (le plus souvent) l'environnement et l'école où leurs enfants rencontreront leurs pairs. »

Ce pouvoir de choisir le voisinage de l'enfant et son école donne aux parents la capacité d'influencer la culture qui modèle le groupe de camarades de son enfant. Et comme l'influence du voisinage a son importance, les parents peuvent vouloir être impliqués dans les programmes d'intervention pour les jeunes ciblés sur une école entière ou un quartier. Si les vapeurs d'une atmosphère toxique ont des répercussions sur la vie d'un enfant, il faut changer l'atmosphère et non pas seulement le comportement de l'enfant. Même ainsi, les pairs sont un support de l'influence culturelle. Comme le dit un proverbe africain « pour qu'un enfant grandisse, il faut tout un village ».

Allan Shoemake/Stockbyte/Getty Images

La puissance de l'influence de ses pairs A mesure que nous nous développons, nous jouons, nous nous lions avec nos pairs. Il n'est pas surprenant que les enfants et les jeunes sont si sensibles et réceptifs aux influences des pairs.

EXERCICE RÉCAPITULATIF

- Qu'est-ce que l'*effet de sélection*, et comment pourrait-il conduire un adolescent à boire de l'alcool ?

Réponse : Les adolescents ont tendance à *choisir* leurs relations parmi leurs semblables et à former des groupes aux vues similaires. Cela pourrait entraîner un adolescent qui veut ressentir les effets de la consommation d'alcool à chercher à nouer des liens avec ceux qui boivent déjà de l'alcool.

Les influences culturelles

4-12 **De quelle manière la culture affecte-t-elle notre comportement ?**

Comparativement au chemin étriqué emprunté par les mouches, les poissons et les renards, la route sur laquelle l'environnement nous guide est plus large. La marque de notre espèce – un grand don de la nature – est notre capacité à apprendre et à nous adapter. Nous venons au monde en possession d'un gigantesque « disque dur » cérébral prêt à emmagasiner le « logiciel » d'informations culturelles.

La **culture** est définie par les comportements, les idées, les attitudes, les valeurs et les traditions partagés par un groupe de personnes et transmis d'une génération à la suivante (Brislin, 1988 ; Cohen, 2009). Comme le souligne Roy Baumeister (2005), il semble que la nature humaine soit conçue pour la culture. Nous ne sommes pas seulement des animaux socialisés. Les loups sont des animaux socialisés : ils vivent et chassent en meutes. Les fourmis sont toujours en groupe, jamais seules. Mais, selon Baumeister, la « culture est un des meilleurs moyens de se socialiser ». Les loups réagissent pratiquement comme ils le faisaient déjà il y a dix mille ans. Vous et moi apprécions des choses inconnues de la plupart des individus qui vivaient il y a cent ans, comme l'électricité, les sanitaires à l'intérieur, les antibiotiques et Internet. La culture est à l'œuvre.

Il existe chez d'autres animaux des embryons de culture. Les primates ont des habitudes locales comme celle d'utiliser des outils, de se nettoyer ou d'effectuer leur parade nuptiale. Les chimpanzés inventent parfois des pratiques comme l'utilisation des feuilles pour se toiletter, agiter des branches pour attirer l'attention, et de faire une « danse de la pluie » qui est une lente parade du début de l'averse. Ils les transmettent à leurs pairs et à leur descendance (Whiten et al., 1999). La culture soutient la survie de notre espèce et de notre reproduction en transmettant les comportements acquis qui sont bénéfiques pour le groupe. Toutefois, la culture humaine fait encore plus.

Grâce à notre maîtrise du langage, nous autres humains profitons de la *préservation de l'innovation*. En l'espace de cette journée, nous avons utilisé Google, une imprimante laser, la technologie du son numérique [DM], et un GPS [ND]. À plus grande échelle, les connaissances accumulées par notre culture nous ont permis d'augmenter, en un siècle, notre espérance de vie d'une trentaine d'années

Culture comportements, idées, attitudes, valeurs et traditions persistants, partagés par un groupe de personnes et transmis de génération en génération.

Norme règle convenue concernant les comportements attendus et acceptés. Les normes prescrivent les comportements « adéquats ».

dans la plupart des pays où ce livre est lu. La culture nous permet également de *répartir le travail efficacement*. Même si deux personnes ont eu la chance de voir leur nom inscrit sur la couverture de ce livre, ce dernier est réellement le fruit de la coordination et de l'engagement d'une équipe de femmes et d'hommes dévoués qui, s'ils avaient travaillé seuls, n'auraient jamais pu produire un tel résultat.

Selon la culture, nous différons par notre langage, notre système monétaire, nos activités sportives, et même par le côté de la route sur lequel nous roulons. Mais, au-delà de ces différences, notre ressemblance est grande – nous sommes tous capables d'avoir une culture. La culture est à l'œuvre. Celle-ci transmet les habitudes et les croyances qui nous permettent de communiquer, d'échanger nos monnaies pour acheter des choses, de jouer, de manger et de conduire en sécurité grâce au code de la route accepté par tous.

Variations interculturelles

Notre faculté d'adaptation d'une culture à une autre se manifeste dans nos croyances, nos valeurs, dans notre manière d'élever nos enfants et d'enterrer nos morts, et dans les vêtements que nous portons (si nous en portons). Je suis tout à fait conscient que les lecteurs de ce livre sont issus de cultures différentes. Vous et vos ancêtres vous étendez de l'Australie à l'Afrique, en passant par Singapour et la Suède.

Vivre dans une culture homogène revient à courir dans le sens du vent : à mesure qu'il nous pousse, on ne le remarque même plus. En revanche, si nous essayons d'aller *contre* ce vent, nous sentons sa force. Face à une culture différente, nous prenons conscience de la puissance d'une culture. Quand les Américains du Nord visitent l'Europe, ils sont étonnés par le petit gabarit des voitures, par l'utilisation de la fourchette avec la main gauche et par les tenues très dénudées sur les plages. Stationnés en Irak, en Afghanistan et au Koweït, les soldats américains et européens apprécient la culture libérale de leur pays. Quand ils arrivent en Amérique du Nord, les visiteurs venant du Japon et d'Inde essaient de comprendre pourquoi tant de gens portent leurs chaussures de *ville* sales chez eux.

Les hommes de différentes cultures partagent néanmoins certaines idées morales fondamentales, comme nous l'avons vu précédemment. Avant même qu'ils ne marchent, les bébés préfèrent déjà les personnes serviables à celles qui sont désagréables (Hamlin et al., 2011). Chaque groupe culturel élabore ses propres **normes**, c'est-à-dire des règles pour un comportement accepté et attendu. Les Anglais suivent des règles pour, dans les files d'attente, attendre patiemment leur tour. Beaucoup d'Asiatiques du Sud, par exemple, utilisent uniquement les doigts de la main droite pour manger. Parfois, les attentes sociales semblent oppressantes : « Pourquoi la façon dont je suis habillé a-t-elle de l'importance ? » Cependant, les normes mettent également de l'huile dans la mécanique sociale et nous libèrent de toute préoccupation.

Lorsque les cultures se heurtent, leurs normes différentes sèment souvent la confusion. Devons-nous saluer une personne en lui serrant la main ou en l'embrassant sur la joue ? Lorsque nous savons quelles sortes de gestes ou de compliments sont appropriées, nous pouvons nous détendre et avoir plaisir à être ensemble sans craindre la gêne ou l'offense.

Lorsque nous ne comprenons pas ce qui est attendu ou accepté, nous pouvons ressentir un *choc culturel*. Les Méditerranéens jugent les Européens du Nord efficaces, mais froids et préoccupés par la ponctualité (Triandis, 1981). Les Japonais, issus d'un pays où chaque minute compte, où les horloges des banques donnent l'heure exacte, où les piétons marchent d'un pas vif et où les employés des bureaux de poste répondent rapidement aux demandes, risquent de se sentir impatients en visitant l'Indonésie, où les horloges sont moins précises et où le rythme de vie est plus lent (Levine et Norenzayan, 1999). Quelqu'un de la communauté européenne, qui bénéficie de vingt jours de congés payés annuels, peut également vivre un choc culturel lorsqu'il travaille aux États-Unis, où ils ne sont pas garantis (Ray et al., 2013).

Variations au cours du temps

Comme des êtres biologiques, les cultures varient et entrent en compétition pour trouver des ressources, ce qui entraîne leur évolution avec le temps (Mesoudi, 2009). Considérez avec quelle rapidité les cultures peuvent changer. Le poète anglais Geoffrey Chaucer (1342-1400) n'est séparé d'un poète anglais moderne que par 20 générations, mais ils auraient des difficultés à converser ensemble. De 1960 à nos jours, période qui constitue une fine tranche de l'histoire, la plupart des cultures occidentales ont changé à une vitesse étonnante. Les gens appartenant à la classe moyenne voyagent dorénavant dans des pays qu'ils ne connaissaient auparavant que dans des livres. Ils apprécient l'air conditionné chez eux, les achats sur Internet, pouvoir communiquer par voie électronique n'importe où, n'importe quand et, grâce à des revenus ayant doublé, ils mangent au restaurant deux fois plus souvent que leurs grands-parents dans les années 1960. Les diverses minorités apprécient l'expansion des droits de l'homme. Grâce à une indépendance économique certaine, les femmes d'aujourd'hui se marient plus par amour et risquent moins de subir des relations abusives uniquement pour subvenir à leurs besoins.

Mais il semblerait que certains changements soient moins positifs qu'on ne le pense. Si vous vous étiez endormi aux États-Unis en 1960 et que vous vous réveilliez aujourd'hui, vous ouvririez les yeux sur une civilisation dans laquelle les divorces et les états dépressifs sont plus fréquents. Vous trouveriez aussi que les Nord-Américains, comme leurs homologues britanniques, australiens et néo-zélandais, passent plus de temps au travail, moins d'heures à dormir et moins de temps à fréquenter leurs amis et leur famille (BLS, 2011 ; Putnam, 2000).

Que vous aimiez ou détestiez ces changements, on ne peut pas nier qu'ils sont survenus à la vitesse de l'éclair. On ne peut pas les expliquer par la génétique, qui évolue bien trop lentement pour justifier ces transformations culturelles rapides. Les cultures varient. Les cultures changent. Et les cultures façonnent nos vies.

La culture et le soi

4-13 En quoi les valeurs et les aspirations des cultures fondées sur la collectivité et fondées sur l'individu sont-elles différentes ?

Imaginez que quelqu'un brise vos relations sociales, faisant de vous un réfugié solitaire dans un pays étranger. Quelle part de votre identité demeurerait intacte ?

Si vous venez d'une société **fondée sur l'individu** une grande partie de votre identité resterait intact. Vous souhaitez avoir un « moi », indépendant et une acceptation consciente et voulue de vos convictions et de vos valeurs. Les cultures fondées sur l'individu accordent une plus grande valeur aux aspirations personnelles. Leur « moi » définit véritablement leur « personne en tant qu'entité distincte ». Ils s'efforcent d'avoir une certaine maîtrise de soi et de s'accomplir individuellement.

« L'individualisme » est une valeur répandue et partagée dans la plupart des régions d'Amérique du Nord, Europe occidentale, l'Australie et la Nouvelle-Zélande. La culture des États-Unis est principalement fondée sur l'individu. Fondée par des colons qui voulaient se différencier des autres, les Américains ont chéri l'« esprit pionnier » (Kitayama et al., 2010). Quelque 85 % des Américains disent qu'il est possible « d'être globalement qui vous voulez être » (Sampson, 2000).

Les « individualistes » partagent le besoin humain d'appartenance. Ils forment des groupes. Mais ils sont moins centrés sur l'harmonie du groupe et sur le fait de faire leur devoir pour le groupe (Brewer et Chen, 2007). Étant plus autonomes, les individualistes vont et viennent facilement au sein de groupes sociaux. Ils se sentent relativement libres de changer de lieu de culte, de quitter un travail pour un autre ou même de quitter leur famille en déménageant. Le mariage dure tant que les deux conjoints éprouvent des sentiments.

Bien que les individus au sein des cultures varient, les différentes cultures sont soit plutôt fondées sur la collectivité soit plutôt fondées sur l'individu. Si vous êtes abandonné dans un pays étranger et si vous venez d'une civilisation fondée sur la **collectivité**, cela peut entraîner une perte d'identité beaucoup plus importante. Coupé de votre famille, de votre groupe et de vos amis fidèles, vous allez perdre les liens qui définissent qui vous êtes. *Identifications au groupe* Dans les cultures fondées sur la collectivité, elles procurent un sentiment d'appartenance, un ensemble de valeurs et l'assurance de la sécurité. En retour, ses sujets sont plus profondément attachés à leur groupe — leur famille, leur clan ou leur équipe de travail. Les aînés sont l'objet d'un grand respect. Dans certaines de ces cultures, le manque de respect envers les aînés de la famille est une violation la loi. La *Loi de la république populaire de Chine sur la protection des droits et intérêts des personnes âgées* stipule que « les parents âgés de 60 ans ou plus peuvent poursuivre leurs fils et leurs filles s'ils ne parviennent pas à subvenir à leurs besoins dus à leur vieillesse, à prendre soin d'eux et à les réconforter ».

Ces personnes sont comme des athlètes qui prennent plus de plaisir dans la victoire de leur équipe que dans leur propre performance. Ils éprouvent un sentiment de satisfaction dans la promotion des intérêts de leur groupe, même si c'est au détriment de leurs propres besoins. Préserver l'esprit de groupe et éviter la gêne de l'autre sont des objectifs importants. Ils évitent donc la confrontation directe, de parler de vérités qui peuvent blesser et d'aborder des sujets délicats. Ils apprécient l'humilité, et ne se flattent pas (Bond et al., 2012). Au lieu de dominer une conversation, ces personnes

Le New Yorker Collection 2000. De cartoonbank.com

« On a besoin de cultiver l'esprit de sacrifice du *petit moi* pour le bien du *grand moi*. »

Proverbe chinois

La bienveillance, valeur de la culture fondée sur la collectivité Les valeurs de la culture japonaise fondée sur la collectivité, y compris les devoirs envers l'autre et l'harmonie sociale, se sont révélées après le séisme dévastateur et le tsunami de 2011. Pratiquement pas de pillage signalé, et les habitants sont restés calmes et disciplinés, comme on les voit ici attendant la distribution de l'eau de boisson.

Kyodo/Reuters/Landov

se tiennent en retrait et affichent une timidité lors de la rencontre d'étrangers (Cheek & Melchior, 1990). Lorsque la priorité est le « nous » et non le « moi », l'attitude individualiste avec laquelle un Nord-Américain passe sa commande dans un café, précisant que son café doit être « court, déca, au lait écrémé et très chaud », passera comme un ordre égoïstement donné, dans une ville comme Séoul (Kim et Markus, 1999).

À l'évidence, il existe une certaine diversité à l'intérieur des cultures. Dans de nombreux pays, il existe également différentes cultures liées aux religions, aux ressources économiques et aux régions (Cohen, 2009). En Chine, la pensée collective est surtout à l'œuvre dans les provinces qui produisent de grandes quantités de riz, céréale difficile à cultiver, qui implique souvent la coopération de groupes de personnes (Talhelm et al., 2014). Et au Japon, civilisation fondée sur la collectivité, un esprit individualiste marque l'île d'Hokkaido, « frontière nord » du Japon (Kitayama et al., 2006). Même dans les pays les plus individualistes, certaines personnes ont des valeurs qui se fondent sur le bien commun. Cependant, en général, dans les cultures individualistes et mettant en valeur l'émulation, les gens (et en particulier les hommes) ont plus de liberté personnelle, sont moins liés à leur famille sur le plan géographique, jouissent de plus d'intimité et tirent davantage de fierté de leurs réussites personnelles (**TABLEAU 4.2**).

Ils préfèrent même les prénoms inhabituels, comme l'a remarqué la psychologue Jean Twenge lorsqu'elle a cherché un prénom pour son premier enfant. Avec le temps, les prénoms américains les plus fréquents publiés sur la liste annuelle des prénoms des bébés du site Internet américain de la sécurité sociale devenaient de moins en moins choisis. Lorsqu'elle analysa avec ses collaborateurs les prénoms de 325 millions de bébés américains nés entre 1880 et 2007, cette tendance se confirma. Comme le montre la **FIGURE 4.6**, le pourcentage de garçons et de filles recevant un des 10 prénoms les plus usités a fortement chuté, et particulièrement ces dernières années. Même

▼ TABLEAU 4.2
Valeurs contrastées des intérêts individuels et des intérêts collectifs

Concept	Individu	Collectivité
Soi	Indépendant (identité, produit des traits individuels)	Interdépendant (identité, produit de l'appartenance)
But dans la vie	Découvrir et exprimer sa singularité	Maintenir des liens, intégrer, jouer un rôle
Ce qui importe	Moi – Réussite personnelle, épanouissement de soi ; droits et libertés ; estime de soi	Nous – Objectifs du groupe et solidarité dans le groupe ; responsabilités et relations sociales ; devoirs envers la famille
Méthode d'adaptation	Changer la réalité	S'adapter à la réalité
Moralité	Définie par les individus	Définie par le tissu social (fondée sur le devoir)
Relations	Nombreuses, souvent temporaires ou occasionnelles ; confrontation admise	Peu nombreuses, étroites et durables ; harmonie mise en valeur
Comportement caractéristique	Le comportement reflète sa personnalité et sa manière d'être	Le comportement reflète les normes et les rôles sociaux

Sources : adapté de Thomas Schoeneman (1994) et Harry Triandis (1994).

à l'intérieur des États-Unis, les parents des États fédérés ayant rejoint L'Union le plus tardivement (par exemple, de l'Utah et de l'Arizona) donnent à leurs enfants plusieurs noms distincts comparativement aux parents qui vivent dans des États plus anciens de l'Union (par exemple, New York et Massachusetts) (Varnum & Kitayama, 2011).

Cette dichotomie individu/collectivité apparaît dans les réactions des médaillés des Jeux olympiques de 2000 et 2002. Les médaillés d'or américains attribuaient leur réussite principalement à leurs performances d'athlètes elles-mêmes, ce qui était repris dans leurs interviews faites aux médias (Markus et al., 2006). Misty Hyman, médaillée d'or en natation, expliquait : « Il était temps de montrer au monde que je pouvais le faire ». « Je pense que je suis simplement restée concentrée. Je suis simplement extrêmement heureuse d'avoir réussi. » Naoko Takahashi, d'origine japonaise, médaillée d'or du marathon féminin, a donné quant à elle une autre explication : « Voici le meilleur entraîneur du monde, le meilleur manager du monde et tous les gens qui m'ont soutenu. Tout cela ensemble s'est transformé en médaille d'or. » Même lorsqu'ils parlent de leurs amis, les Occidentaux ont tendance à utiliser des adjectifs décrivant les traits personnels (« *elle est serviable* ») alors que les Asiatiques utilisent le plus souvent des verbes qui décrivent les comportements dans un contexte (« *elle aide ses amis* ») (Heine et Buchtel, 2009 ; Maass et al., 2006).

Il y a eu plus de situations de solitude, de divorces, d'homicides, et de maladies liées au stress dans les cultures individualistes (Popenoe, 1993 ; Triandis et al., 1988). Les individus des cultures plus individualistes demandent plus d'amour et d'accomplissement personnel dans le mariage, ce qui soumet la relation maritale à plus une plus grande tension (Dion et Dion, 1993). Dans une enquête, l'item « cultiver l'amour » fut considéré comme important pour un bon mariage par 78 % des femmes américaines, mais seulement 29 % des femmes japonaises (*American Enterprise*, 1992). En Chine, les chansons d'amour expriment souvent un engagement et une amitié durables (Rothbaum et Tsang, 1998). Comme on peut l'entendre dans une de ces chansons : « À partir d'aujourd'hui nous sommes ensemble… Je resterai le même, à jamais. »

Comme les cultures évoluent, certaines tendances s'affaiblissent et d'autres se renforcent. Dans les cultures occidentales, l'individualisme s'est fortement développé au XXᵉ siècle. Cette tendance a atteint un nouveau sommet en 2012, lorsque aux États-Unis, les élèves de l'enseignement secondaire et de l'enseignement supérieur ont fait part, comme cela n'avait jamais été le cas, de l'intérêt qu'il portait à obtenir des avantages pour eux-mêmes tout en négligeant l'autre (Twenge et al., 2012).

Comment peut-on prédire les changements survenant au sein d'une culture ou entre différentes cultures ? L'historique social a de l'importance. Dans les cultures occidentales, l'individualisme et l'indépendance ont été favorisées par la migration volontaire, une économie capitaliste, et un environnement difficile, peu peuplé (Kitayama et al., 2009, 2010 ; Varnum et al., 2010). La biologie a-t-elle joué également un rôle ? En cherchant un soubassement biologique à ces différences culturelles (souvenez-vous que tout ce qui est psychologique est aussi biologique), un nouveau domaine est apparu, les *neurosciences culturelles*. Elles étudient comment la neurobiologie et les caractères culturels peuvent s'influencer mutuellement (Chiao, 2013). Une étude a comparé des sujets issus

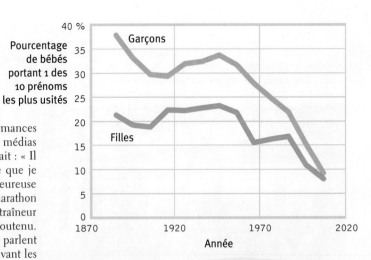

▼ FIGURE 4.6

Un enfant pas comme les autres Les tendances individualistes des Américains sont reflétées par le choix des prénoms de leurs bébés. Au cours des dernières années, le pourcentage de bébés américains recevant l'un des 10 prénoms les plus communs a considérablement décru. (Données de Twenge et al., 2010.)

Culture fondée sur la collectivité Bien que la culture des États-Unis soit fondée sur l'individu, de nombreux sous-groupes culturels restent attachés à la culture fondée sur la collectivité. Cela est vrai pour les autochtones de l'Alaska, qui montrent du respect envers leurs aînés, et dont l'identité ressort en grande partie de leur appartenance au groupe.

de cultures fondées sur l'individu et sur la collectivité. L'activité cérébrale a été examinée lors de la vision de personnes en détresse. Les résultats de l'imagerie cérébrale ont suggéré que les sujets issus des cultures fondées sur la collectivité ressentaient une plus grande émotion douloureuse face à la détresse d'autrui (Cheon et al., 2011). Nous assistons là encore, à l'imbrication des conceptions biologiques, psychologiques et socioculturelles. Nous sommes des êtres biopsychosociaux.

Variations culturelles Les parents se soucient de leurs enfants partout, mais les élèvent et les protègent de manière différente selon les cultures. Dans les centres métropolitains, tels que New York, les parents gardent leurs enfants près d'eux. Dans les petites communautés très unies, tels que la ville de Stromness, dans les îles Orcades en Écosse, la confiance sociale qui y règne permet aux parents de laisser les poussettes à l'extérieur des magasins.

L'implication des parents favorise le développement Les parents dans chaque culture aident leurs enfants à découvrir le monde, mais les cultures diffèrent dans ce qui est jugé comme étant important. De nombreuses cultures asiatiques mettent davantage l'accent sur l'école et les attitudes studieuses que ne le font les cultures nord-américaines. Cela peut aider à expliquer pourquoi les enfants japonais et taïwanais obtiennent de meilleures notes aux épreuves de mathématiques.

Culture et éducation des enfants

Les pratiques éducatives reflètent les valeurs culturelles et varient selon l'époque et le lieu. Les enfants devraient-ils être indépendants ou obéissants ? Si vous vivez dans une culture occidentale, il est probable que vous préfériez l'indépendance. Les familles et les écoles disent aux enfants : « Vous êtes responsables de vous-même. Suivez votre conscience. Soyez en accord avec vous-même. Découvrez vos dons. Pensez à vos besoins personnels. » Mais il y a cinquante ans, les valeurs culturelles occidentales accordaient une priorité plus importante à l'obéissance, au respect et à l'attention aux autres (Alwin, 1990 ; Remley, 1988). « Soyez fidèles à vos traditions », disaient les parents à leurs enfants. « Soyez loyaux envers votre pays et votre héritage. Montrez du respect envers vos parents et vos supérieurs. » Les cultures peuvent changer.

Selon le pays et l'époque, les enfants se développent selon des systèmes d'éducation différents. Beaucoup d'Américains donnent maintenant à leurs enfants, leur propre chambre et leur font confiance pour les soins quotidiens. Les parents issus de la classe aristocratique anglaise avaient tendance à confier l'éducation quotidienne des enfants à des nurses, puis à les placer dans des internats dès l'âge de 10 ans. Ces enfants ont été généralement élevés avec l'idée qu'ils deviendraient les piliers de la société britannique.

Beaucoup d'Asiatiques ou d'Africains vivent dans des cultures qui privilégient la proximité émotionnelle. Les enfants dorment le plus souvent avec leur mère et passent leur journée avec un membre de la famille (Morelli et al., 1992 ; Whiting et Edwards, 1988). Ces cultures encouragent un plus grand *« sens de la famille »*, un sentiment que ce qui fait honte à l'enfant fait honte à la famille et que ce qui fait honneur à la famille est bon pour soi.

En Afrique, dans la société Gusii, les bébés sont nourris au sein par n'importe quelle femme et passent la plus grande partie de leur journée perchés sur le dos de leur mère – il y a beaucoup de contacts corporels, mais peu de contacts en face à face et de dialogue. Quand la mère est à nouveau enceinte, l'enfant est sevré et confié à quelqu'un d'autre, souvent un frère ou une sœur aîné. Les Occidentaux peuvent très bien se demander si cette absence de communication orale n'est pas de nature à entraîner des effets négatifs, mais les Gusii d'Afrique peuvent aussi se demander pourquoi les mères des pays occidentaux promènent leur bébé dans une poussette et les mettent dans des parcs (Small, 1997). Une telle diversité dans l'éducation des enfants nous montre qu'il ne faut pas affirmer que notre mode d'éducation est le meilleur pour élever des enfants avec succès.

Similitudes de développement entre les groupes

Pleinement conscients de la différence existant entre nous et les autres, nous en arrivons souvent à négliger les similitudes inhérentes à notre biologie commune. Une étude menée sur 49 pays a mis en évidence que les différences entre nations sur le plan des traits de la personnalité comme la minutie et l'extraversion sont plus faibles que nous ne le pensons (Terracciano et al., 2006). Les stéréotypes nationaux exagèrent les différences qui, bien que réelles, restent modestes : les Australiens se considèrent comme extravertis, les Suisses allemands se voient comme des gens consciencieux et les Canadiens s'estiment agréables. En réalité, comparées aux différences d'une personne à l'autre à l'intérieur d'un groupe, les différences entre les groupes sont faibles. Quelle que soit notre culture, nous, les hommes, sommes plus semblables que différents. Nous partageons le même cycle de vie. Tous, nous parlons à nos enfants de la même façon et réagissons pareillement à leurs cris et à leurs gazouillis (Bornstein et al., 1992a, b). Partout dans le monde, les parents chaleureux et attentifs ont des enfants qui se sentent mieux dans leur peau et sont moins agressifs envers les autres que les enfants de parents punitifs et qui les rejettent (Rohner, 1986 ; Scott et al., 1991).

Même les différences *à l'intérieur* d'une même culture, comme celles parfois attribuées à l'ethnie, peuvent souvent s'expliquer par les interactions entre notre biologie et notre culture. David Rowe et ses collaborateurs (1994, 1995) illustrent cette notion par une analogie : on sait que les hommes noirs ont tendance à présenter une pression artérielle supérieure à celle des hommes blancs. Supposez (1) que dans les deux groupes la consommation de sel soit corrélée à la tension artérielle et (2) que les Noirs consomment plus de sel que les Blancs. La différence des pressions artérielles « due à l'origine ethnique » pourrait être en réalité en partie causée par une différence *d'alimentation* – une préférence culturelle pour certains aliments.

Ces résultats, selon Rowe et ses collaborateurs, correspondent aux découvertes psychologiques. Bien que les Américains noirs, hispaniques, asiatiques, blancs ou les Indiens d'Amérique présentent des différences en termes de niveau d'étude ou de taux de délinquance, celles-ci sont extrêmement ténues. Les variables telles que la structure familiale, l'influence de l'entourage ou le mode d'éducation susceptibles de prédire le comportement dans un groupe ethnique donné s'appliquent également dans les autres groupes.

Donc, en tant que membres de différents groupes ethniques et culturels, nous pouvons donner à voir des différences, somme toute superficielles. Mais en tant que membres d'une même espèce, nous semblons être sujets aux mêmes régulations psychologiques. Nos langages varient, mais reflètent malgré tout des principes de grammaire universels. Nos goûts varient, mais reflètent cependant des principes communs de la faim. Nos comportements sociaux varient, mais traduisent les principes universels de l'influence humaine. La recherche transculturelle nous aide à nous rendre compte à la fois de notre diversité culturelle *et* de nos caractères similaires qui fondent notre humanité.

> Sexe en psychologie, caractéristiques biologiques par lesquelles un individu se définit comme étant un *homme* ou une *femme*.

> Genre en psychologie, caractéristiques influencées socialement par lesquelles un individu se définit comme étant un *homme* ou une *femme*.

« Lorsque [quelqu'un] a découvert pourquoi les hommes dans Bond Street portaient des chapeaux noirs, il a au même instant compris pourquoi les hommes à Tombouctou portaient des plumes rouges. »

G. K. Chesterton, *Hérétiques*, 1905

EXERCICE RÉCAPITULATIF

- En quoi diffèrent les influences culturelles exercées par les sociétés fondées sur la collectivité de celles fondées sur l'individu ?

Réponse : Les sujets issus de cultures fondées sur l'individu donnent la priorité aux objectifs personnels plutôt qu'aux objectifs du groupe et ont tendance à définir leur identité à partir de leurs propres qualités. Les sujets issus de cultures fondées sur la collectivité donnent la priorité aux objectifs du groupe plutôt qu'aux objectifs individuels et ont tendance à définir leur identité par l'identification au groupe.

Développement du genre

4-14 **Qu'est-ce qui différencie la signification du mot *genre* de celle du mot *sexe* ?**

Nous sommes, en tant qu'êtres humains, irrésistiblement enclins à organiser le monde qui nous entoure en catégories très simples. Ces catégories simples prennent comme critère la taille, l'âge, l'intelligence. Immédiatement après votre naissance (ou peut-être même avant), tout le monde voulait savoir, si le futur bébé serait un garçon ou une fille. Vos parents avaient peut-être des indices en préparant une layette rose ou bleue. Une réponse simple décrit votre **sexe**, votre statut biologique, défini par vos chromosomes et votre anatomie. Pour la plupart des gens, ces traits biologiques aident à définir leur **genre** et ce qu'attend d'eux, en tant qu'homme ou femme, leur milieu de vie.

Notre genre est le produit de l'interrelation de nos dispositions biologiques, nos expériences acquises au cours du développement et notre situation actuelle (Eagly & Wood, 2013). Avant de considérer ces interactions plus en détail, nous allons porter un regard plus aigu sur ce qui fait que les hommes et les femmes sont à la fois semblables et différents.

Similitudes et différences

4-15 **En quoi les hommes et les femmes ont-ils tendance à être semblables ? À être différents ?**

Mâle ou femelle, chacun de nous reçoit 23 chromosomes venant de notre mère et 23 de notre père. Sur 46 chromosomes, 45 sont des autosomes, qui ne sont pas liés au sexe. Notre biologie, dans l'évolution, est restée similaire à celle de nos ancêtres en ce sens elle nous permet toujours d'adapter nos comportements face aux différentes situations. Ces comportements ont été nécessaires

La tenue rose et bleue des bébés illustre la façon dont les normes culturelles varient et se modifient. En juin 1918, le *Earnshaw's Infants' Department* déclarait « la règle généralement acceptée est le rose pour les garçons et le bleu pour les filles ». En voici la raison : le rose, étant une couleur plus marquée et plus forte, est plus adapté aux garçons alors que le bleu, plus délicat et sensible, est plus seyant pour les filles. (Frassanito et Pettorini, 2008.)

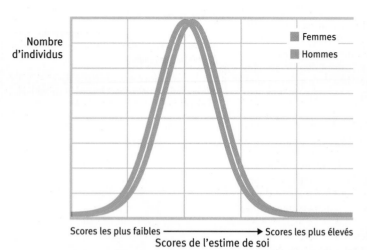

Nombre d'individus

Femmes
Hommes

Scores les plus faibles ⟶ Scores les plus élevés

Scores de l'estime de soi

▼ **FIGURE 4.7**

Beaucoup de bruit pour une petite différence dans l'estime de soi Ces deux distributions normales de l'estime de soi liée au sexe diffèrent très peu (0,21 d'écart type). Ces deux courbes ont été construites en faisant la moyenne des valeurs de tous les échantillons disponibles (Hyde, 2005). En outre, de telles comparaisons illustrent les différences entre le représentant masculin et féminin *moyen*. Les variations interindividuelles observées chez les femmes dépassent largement cette différence des moyennes. Il en est de même chez les hommes.

Agression relationnelle mortelle Sladjana Vidovic était une élève du secondaire qui s'est suicidée après avoir subi des agressions relationnelles, un harcèlement constant de la part de petites brutes.

Amy Sancetta/AP Photo

aux hommes et aux femmes pour survivre, se reproduire, et éviter les prédateurs. La situation que nous vivons est, dans une vision finaliste, assez semblable. En me disant que vous êtes une femme ou un homme, vous ne me donnez aucune indication sur l'étendue de votre vocabulaire, votre sentiment de bonheur ou les mécanismes qui vous permettent d'entendre, de voir, d'apprendre ou de vous souvenir. Les femmes et les hommes, en moyenne, sont doués d'une créativité, d'une l'intelligence, d'une sensibilité comparable et sont des êtres de désir et de plaisir et non de déplaisir. Le sexe « opposé » est en réalité très similaire au vôtre.

Mais dans certains domaines, les hommes et les femmes affichent des différences importantes, et les différences attirent l'attention. Certaines différences (comme la différence de l'estime de soi indiqué dans **FIGURE 4.7**) qui avaient été mises en exergue sont en fait assez modestes. D'autres sont plus évidentes. En moyenne, la puberté survient un an plus tôt chez la femme et la longévité de la femme est de cinq ans supérieure à celle de l'homme Elle exprime ses émotions plus librement, peut détecter des odeurs plus ténues, et se voit proposer de l'aide plus souvent. Mais le risque de souffrir d'un état dépressif ou d'un trouble anxieux est doublé et le risque de survenue d'un trouble des conduites alimentaires est multiplié par dix. Pourtant, le risque suicidaire est multiplié par 4 chez l'homme tout comme le risque de survenue d'un trouble de la consommation pathologique d'alcool. La prévalence des troubles du spectre de l'autisme, du daltonisme, et trouble du déficit de l'attention avec hyperactivité (TDAH) est plus élevée chez l'homme. À l'âge adulte, la prévalence d'un trouble de la personnalité antisociale est plus importante chez l'homme ou femme, chacun a sa propre part de risque de survenue d'un trouble mental.

Portons un regard plus aigu sur les comportements suivants : agressivité, recherche du pouvoir, capacité à tisser des liens et voyons en quoi les hommes et les femmes sont différents.

Agressivité   En psychologie, l'**agressivité** est un comportement physique ou verbal destiné à faire du mal ou à détruire. Pensez à des personnes agressives dont vous avez entendu parler. Sont-ils des hommes, pour la plupart ? Les hommes affichent généralement plus d'agressivité. Ils peuvent se comporter également plus souvent avec une violence physique extrême (Bushman & Huesmann, 2010). Dans les relations amoureuses, des actes mineurs d'agression physique, comme des claques, sont à peu près également pratiqués par les hommes et les femmes, mais les actes extrêmement violents sont principalement le fait des hommes (Archer, 2000 ; Johnson, 2008).

Des expériences en laboratoire ont démontré des différences liées au sexe, dans la manifestation des comportements agressifs Les hommes volontaires pour participer à une expérimentation ont été plus disposés à faire sursauter les participants avec ce qu'ils croyaient être un bruit intense et prolongée (Bushman et al., 2007). Et en dehors du laboratoire, les hommes – dans le monde entier – commettent plus de crimes violents (Antonaccio et al., 2011 ; Caddick & Porter, 2012 ; Frisell et al., 2012). Ils sont également les premiers à chasser, combattre, déclarer les guerres et les faire (Liddle et al., 2012 ; Bois & Eagly, 2002, 2007).

Voici une autre question : Pensez à des exemples de personnes capables de nuire à autrui en colportant des propos blessants, ou en excluant quelqu'un d'un groupe ou d'une action à mener. Pour la plupart, étaient-ce des hommes ? Peut-être pas. Ces comportements sont des actes dits d'**agression relationnelle**, et les femmes sont un peu plus susceptibles que les hommes à les commettre (Archer, 2004, 2007, 2009).

Pouvoir social   Imaginez-vous en entretien d'embauche. Vous vous asseyez face à vos deux interlocuteurs chargés du recrutement. La personne morose sur la gauche montre une grande confiance en elle et de la neutralité et soutient le regard sur vous. La personne sur la droite vous réserve un accueil chaleureux, a un sourire bienveillant, le contact visuel rare et attend que ce soit l'autre qui prenne les initiatives de questions.

Qui, des deux protagonistes est un homme ?

Si vous dites que c'est la personne sur la gauche, vous n'êtes pas seul à faire cette proposition. Partout dans le monde, du Nigeria à la Nouvelle-Zélande, les différences d'appétit de pouvoir liée au sexe sont perçues à peu près de la même façon (Williams & Best, 1990). En effet, dans la plupart des sociétés, les hommes accordent plus d'importance au pouvoir et à la réussite et *sont* socialement dominants (Schwartz & Rubel-Lifschitz, 2009) :

- Lorsque des groupes se forment, que ce soient des jurys ou des assemblées, la direction a tendance à revenir aux hommes (Colarelli et al., 2006). Lorsque les salariés sont payés, ceux qui occupent les emplois traditionnellement masculins ont un salaire plus élevé.

- Quand des candidats se présentent à une élection, les femmes qui apparaissent plus avides de pouvoir politique que leurs homologues masculins connaissent moins de succès (Okimoto & Brescoll, 2010). Lorsque les chefs politiques sont élus, ce sont généralement des hommes et, en 2014, ils détenaient 78 % des sièges des différents parlements à travers le monde (IPU, 2014).

Lorsque des hommes et femmes assument des responsabilités de dirigeants, ils se comportent aussi différemment. Les hommes ont plus tendance à être *directifs*, à donner des ordres précis sur les buts à atteindre et les moyens d'y parvenir. Les femmes ont tendance à être plus *démocratiques*, plus ouvertes à la participation des autres à la prise de décision (Eagly et Carli, 2007 ; van Engen et Willemsen, 2004). Dans les débats, les hommes ont plutôt tendance à émettre des opinions, les femmes à exprimer leur soutien (Aries, 1987 ; Wood, 1987). Dans le comportement de tous les jours, les hommes ont tendance à agir comme des gens puissants : parler avec assurance, interrompre ses interlocuteurs, les toucher, et les regarder fixement. Et ils sourient et s'excusent moins que ne le font les femmes (Leaper & Ayres, 2007 ; Major et al., 1990 ; Schumann & Ross, 2010). Ces comportements facilitent le maintien des inégalités du pouvoir social exercé par les hommes.

Relations sociales Homme ou femme, nous avons tous besoin d'une appartenance, bien que nous puissions répondre à ce besoin de différentes manières (Baumeister, 2010). Les mâles ont tendance à être *indépendants*. Même enfants, les garçons, typiquement, participent à des jeux en groupe. Les jeux de garçons débordent d'activité et font une grande place à la compétition et peu de place aux discussions intimes (Rose & Rudolph, 2006). Les hommes apprécient les activités dans lesquelles ils sont côte à côte et ont tendance à utiliser les conversations pour proposer des solutions (Tannen, 1990 ; Wright, 1989). Lorsqu'on pose une question difficile telle que celle-ci « Avez-vous une idée de pourquoi le ciel est bleu ? » – les hommes sont plus que les femmes, enclins à donner des réponses même fausses plutôt que d'admettre leur ignorance ; les chercheurs ont appelé ce phénomène *syndrome de la réponse masculine* (Giuliano et al., 1998).

Les femmes ont tendance à être plus *interdépendantes*. Les filles jouent au sein de groupes plus restreints, souvent même avec une seule amie. Elles sont moins en rivalité et plus dans l'imitation des relations sociales (Maccoby, 1990 ; Roberts, 1991). À l'adolescence, les filles passent plus de temps avec des amis, que seules (Wong et Csikszentmihalyi, 1991). À la fin de l'adolescence, elles passent plus de temps sur les réseaux sociaux (Pryor et al., 2007, 2011). À l'âge adulte, elles prennent plus de plaisir à parler en face à face et utilisent plus les conversations pour explorer les relations.

Des études d'imagerie cérébrale très complexes suggèrent que les connexions intra et interrhémisphériques chez les femmes facilitent la communication entre les processus analytiques et intuitifs, et les cerveaux des hommes pour faciliter la communication de la perception à l'action (Ingalhalikar et al., 2014). La différence entre les sexes, des styles de communication est évidente, même dans la communication électronique. Dans une étude néo-zélandaise des courriels envoyés par des étudiants deux fois sur trois on a pu deviner si l'auteur était masculin ou féminin (Thomson & Murachver, 2001). L'écart apparaît aussi dans les communications par téléphone. Combien de messages un adolescent américain envoie et reçoit chaque jour ? 100 en moyenne pour les filles et seulement 50 pour les garçons (Lenhart, 2012). En France, 63 % des communications téléphoniques sont effectuées par des femmes qui passent plus de temps à discuter entre elles (7,2 minutes) que ne le font les hommes entre eux (4,6 minutes) (Smoreda et Licoppe, 2000).

Cela confirme-t-il l'idée que les femmes sont plus bavardes ? *Non*. Dans une autre étude, les chercheurs ont compté le nombre de mots prononcés par 396 étudiants pendant une journée moyenne (Mehl et al., 2007). Sans surprise, la loquacité des participants variait énormément avec une différence de 45 000 mots entre le plus bavard et le moins bavard. (Combien de mots pensez-vous dire dans une journée ?) Contrairement au stéréotype de la femme qui jacasse, les hommes comme les femmes, disaient en moyenne 16 000 mots par jour.

Les mots que nous utilisons peuvent ne pas qualifier de plus bavard, les femmes ou les hommes, mais ces mots sont les fenêtres ouvertes sur le monde de nos intérêts. Partout dans le monde, les femmes s'intéressent et se consacrent plus aux autres qu'aux choses (Eagly, 2009 ; Lippa, 2005, 2006, 2008). Dans une analyse de plus de 700 millions de mots collectés à partir des messages Facebook, les femmes utilisaient plus de mots se référant à la famille, alors que les hommes ont utilisé plus de mots évoquant leur travail (Schwartz et al., 2013). Plus de la moitié des réponses d'un million de personnes à un questionnaire sur l'inventaire de leurs divers intérêts ont mis en évidence que « les

---

Agressivité tout comportement physique ou verbal destiné à nuire à quelqu'un physiquement ou émotionnellement.

Agression relationnelle un acte d'agression (physique ou verbal) destiné à nuire aux relations d'une personne ou à son statut social.

En 2011, la représentation des femmes, au sein des parlements nationaux allait de 13 % dans les régions du Pacifique à 42 % pour la Scandinavie (IPU, 2014).

Question : Pourquoi faut-il 200 millions de spermatozoïdes pour réussir à féconder un ovule ou ovocyte ?
Réponse : Parce qu'ils ne cessent pas de se déplacer dans toutes les directions.

hommes préfèrent travailler avec des objets et les femmes préfèrent travailler avec des gens » (Su et al., 2009). Lorsqu'ils entrent à l'université, les étudiants américains ont sept fois plus de chances d'être intéressés par ce qui touche à l'informatique que les étudiantes (Pryor et al., 2011).

Au travail, les femmes sont souvent moins motivées par leur salaire et leur statut et choisissent plus volontiers de réduire leur nombre d'heures de travail (Pinker, 2008). À la maison, elles occupent cinq fois plus souvent que les hommes la responsabilité principale de l'éducation des enfants (*Time*, 2009). Cette importance qu'accordent les femmes à prendre soin des autres explique un autre résultat intéressant : bien que 69 % des gens affirment être proches de leur père, 90 % se sentent plus proches de leur mère (Hugick, 1989). Lors de la recherche du soutien d'une personne pour lui faire part de ses inquiétudes et de son mal-être les gens se tournent habituellement vers les femmes. Les hommes et les femmes ont parlé de leur amitié avec des femmes comme plus intime, agréable et réconfortante (Kuttler et al., 1999 ; Rubin, 1985 ; Sapadin, 1988).

Les liens et les sentiments de soutien sont aussi plus solides entre les femmes qu'entre les hommes (Rossi et Rossi, 1993). Les liens entre les femmes, que ce soit en tant que mères, filles, sœurs, tantes ou grands-mères, ont tendance à unir les familles. Sur le plan de l'amitié, elles parlent plus souvent et plus ouvertement (Berndt, 1992 ; Dindia et Allen, 1992). Selon Joyce Benenson et ses collaborateurs (2009), « c'est peut-être à cause de la préférence des femmes pour l'intimité » que les femmes en première année d'université ont deux fois plus de chances que les hommes de changer de camarade de chambre. Comment supportent-ils leur propre stress ? Comparativement aux hommes, les femmes sont plus susceptibles de se tourner vers les autres pour apporter leur soutien. Elles sont décrites comme étant *enclines à venir en aide à l'autre* (Tamres et al., 2002 ; Taylor, 2002).

Se comportant généralement comme des gens qui ont les pleins pouvoirs, les hommes accordent plus d'importance aux notions de liberté et d'autosuffisance. Cela peut expliquer pourquoi les hommes de tout âge et de tous les pays accordent moins d'importance à la religion et prient moins souvent que les femmes (Benson, 1992 ; Stark, 2002). Les hommes sont aussi des « professionnels » du scepticisme. Les 10 gagnants et les 14 seconds d'une liste au titre de « *sceptiques rationalistes les plus remarquables du XXᵉ siècle* » (Skeptical Inquirer) étaient tous des hommes. Dans une étude réalisée par la Skeptics Society, près de 4 réponses sur 5 étaient faites par des hommes (Shermer, 1999). Et dans la rubrique « Science et paranormal » du catalogue 2010 de Prometheus Books (la plus importante publication sur le scepticisme), on pouvait compter 98 hommes et seulement 4 femmes parmi les auteurs. (Les femmes sont plus susceptibles de devenir auteur d'un livre sur la spiritualité.)

L'écart entre les sexes, dans l'établissement des relations sociales et la recherche du pouvoir culmine à la fin de l'adolescence et au début de l'âge adulte, années des premières rencontres et des premiers accouplements. En tant qu'adolescentes, les filles deviennent progressivement moins autoritaires et plus charmantes ; les garçons deviennent plus dominateurs et plus réservés. Les différences de genre dans les attitudes et le comportement culminent souvent après la naissance d'un premier enfant. En particulier, les mères peuvent devenir plus traditionnelles (Ferriman et al., 2009 ; Katz-Wise et al., 2010). Mais vers 50 ans, les différences de genre marquant les parents s'estompent. Les hommes deviennent moins dominants et plus empathiques, et les femmes, en particulier si elles travaillent, deviennent plus autoritaires et confiantes en elles (Kasen et al., 2006 ; Maccoby, 1998).

Ainsi, bien que les femmes et les hommes soient plus semblables que différents, il y a des différences de comportement entre la femme et l'homme. Ces différences sont-elles dictées par notre biologie ? Façonnées par nos cultures et d'autres expériences ? Devons-nous être absolument différents dans la mesure où nous sommes du genre masculin ou féminin ? Poursuivez votre lecture.

« Plus les années passent, plus ils se ressemblent ; l'homme à la femme et la femme à l'homme. »

Alfred Lord Tennyson, *La Princesse,* 1847

Chacun pour soi, ou liées par l'amitié ? Les différences des sexes dans la façon dont nous nous comportons avec les autres commencent à apparaître à un très jeune âge.

La part innée de notre genre : notre sexe biologique

4-16 Comment les hormones sexuelles influencent-elles le développement sexuel prénatal et celui de l'adolescent, et qu'est-ce qu'un trouble du développement sexuel ?

Les hommes et les femmes utilisent des solutions similaires lorsqu'ils sont confrontés à certaines situations : la transpiration pour refroidir le corps, l'absorption d'une boisson énergétique ou d'un café pour faciliter le commencement de la journée, la recherche de l'obscurité et de la tranquillité pour dormir. Lors de la recherche d'une compagne ou d'un compagnon, les hommes et les femmes déploient les mêmes efforts. Ils préfèrent avoir un compagnon qui est « agréable », « honnête » et « intelligent ». Mais les psychologues évolutionnistes s'accordent pour dire que dans certains domaines ayant trait à l'accouplement, les mâles se comportent comme des mâles, que ce soient des chimpanzés, des éléphants, des paysans ou les PDG d'une entreprise (Geary, 2010).

La biologie ne *dicte pas* le genre, mais peut l'influencer de deux façons :

- *Génétiquement* – mâles et femelles sont différenciés *par leurs chromosomes sexuels (ou gonosomes)*.

- *Physiologiquement* – mâles et femelles ont des concentrations différentes en *hormones sexuelles*, qui provoquent d'autres différences anatomiques.

Ces deux ensembles de facteurs ont commencé à vous former bien avant votre naissance, quand votre petit corps a commencé à développer des moyens qui ont déterminé votre sexe.

Développement sexuel prénatal Six semaines après votre conception, vous-même et quelqu'un de l'autre sexe aviez le même aspect. Puis les gènes ont déterminé votre sexe biologique, gènes situés sur votre vingt-troisième paire de chromosomes, les chromosomes sexuels. Que vous soyez homme ou femme, la contribution de votre mère à cette paire de chromosomes était un **chromosome X.** Des 46 chromosomes légués par notre père, nous recevons : soit un chromosome X, faisant de nous une fille, soit un **chromosome Y,** faisant de nous un garçon.

Environ sept semaines après la conception, un seul gène sur le chromosome Y est activé, ce qui déclenche le développement des testicules et la biosynthèse de **testostérone,** la principale hormone mâle qui favorise le développement des organes sexuels masculins. (Les femmes aussi ont de la testostérone, mais en bien moins grande concentration). Cette plus grande libération de testostérone chez le garçon entraîne le développement des organes sexuels masculins externes autour de la septième semaine.

Plus tard, lors du quatrième et du cinquième mois de la grossesse, les hormones sexuelles baignent le cerveau fœtal et influencent les connexions cérébrales. Différentes caractéristiques des hommes et des femmes se développent sous l'influence de la testostérone chez le garçon et des hormones ovariennes chez la femme (Hines, 2004 ; Udry, 2000). Des différences homme/femme se produisent dans les zones cérébrales possédant de nombreux récepteurs aux hormones sexuelles (Cahill, 2005).

Développement sexuel des adolescents Un flot d'hormones déclenche une nouvelle période de changements physique spectaculaires pendant l'adolescence, quand les garçons et les filles entrent en **puberté.** En cette période de maturation sexuelle rapide de deux ans, se produisent les différences prononcées existant entre hommes et femmes. Une variété de changements commence à l'âge de 11 ans environ chez les filles et environ 12 ans chez les garçons, mais les discrets débuts de la puberté, comme la croissance des testicules, se font jour plus tôt (Herman-Giddens et al., 2012). Un an ou deux avant la puberté, les filles et les garçons ressentent leurs premiers émois, envers les personnes du sexe opposé (ou du même sexe) (McClintock et Herdt, 1996).

Avec une entrée plus précoce dans la puberté, la croissance, au même âge, devrait être plus importante chez les filles (**FIGURE 4.8** sur la page suivante). Mais les garçons rattrapent cette croissance et à l'âge de 14 ans, ils sont généralement plus grands que les filles. Durant cette poussée de croissance, les **caractères sexuels primaires,** les organes génitaux internes et externes, se développent de façon importante. Les **caractères sexuels secondaires,** les seins et un bassin plus large, se développent chez les filles. Les poils du visage des garçons commencent à pousser et leur voix devient plus grave. Les poils pubiens et les poils des aisselles apparaissent chez les filles et les garçons (**FIGURE 4.9** sur la page suivante).

Nick Downes

Chromosome X chromosome sexuel présent aussi bien chez l'homme que chez la femme. Les femmes ont deux chromosomes X ; les hommes en ont un seul. L'apport d'un chromosome X par chacun des parents donne naissance à une fille.

Chromosome Y chromosome sexuel présent uniquement chez les hommes ; l'apport d'un chromosome X provenant de la mère donne naissance à un garçon.

Testostérone la plus importante des hormones sexuelles masculines. Elle est présente à la fois chez les hommes et les femmes, mais la testostérone, plus abondante chez les hommes, stimule le développement des organes sexuels masculins chez le fœtus et le développement des caractères sexuels secondaires masculins lors de la puberté.

Puberté la période de la maturation sexuelle, quand un sujet devient capable de se reproduire.

Caractères sexuels primaires les organes (ovaires, testicules et organes génitaux externes) qui rendent possible la reproduction sexuée.

Caractères sexuels secondaires caractères sexuels non impliqués dans la reproduction, tels que les seins, la forme de la taille et des hanches, le timbre masculin de la voix, et la pilosité.

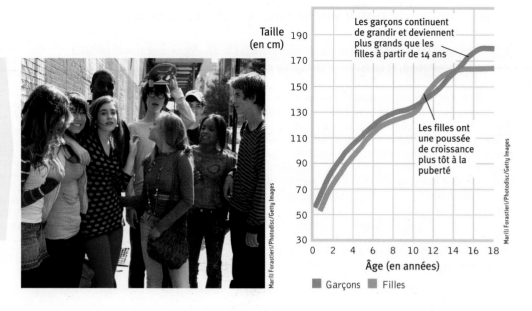

▼ FIGURE 4.8

Différences de tailles Tout au long de l'enfance, les garçons et les filles ont des tailles similaires. À la puberté, les filles ont une croissance supérieure, mais brève, puis ce défaut est compensé chez les garçons généralement à l'âge de 14 ans, environ. (Données de Tanner, 1978.) Des études suggèrent que la puberté et les poussées de croissance sont plus précoces qu'il y a un demi-siècle (Herman-Giddens et al., 2001).

Les garçons pubères peuvent d'abord ne pas aimer leur barbe clairsemée. (Mais elle pousse quand même.)

Pour les garçons, l'emblème de la puberté est la première éjaculation, ce qui se produit souvent en premier pendant le sommeil (comme un « rêve humide »). Cet événement, appelé en anglais **spermarche**, survient habituellement à l'âge de 14 ans environ.

Chez les filles, le point de repère est la première période menstruelle, la **ménarche**, habituellement à l'âge de 12 ans et demi (Anderson et al., 2003). La précocité des cycles menstruels est plus probable si les « événements de vie » suivants sont présents : absence du père, d'abus sexuel, attachement instable, antécédents de tabagisme de la mère pendant la grossesse (DelPriore & Hill, 2013 ; Rickard et al., 2014 ; Shrestha et al., 2011). Dans divers pays, le développement des seins est plus précoce (parfois avant 10 ans) et la puberté arrive plus tôt que par le passé. Suspicion de facteurs déclenchants de la puberté précoce : importance du tissu adipeux, additifs alimentaires de nature hormonale, stress dû aux conflits familiaux (Biro et al., 2010, 2012 ; Herman-Giddens, 2012).

▼ FIGURE 4.9

Le corps change à la puberté A environ 11 ans chez les filles et 12 ans chez les garçons, les poussées de sécrétions hormonales déclenchent une variété de changements physiques visibles.

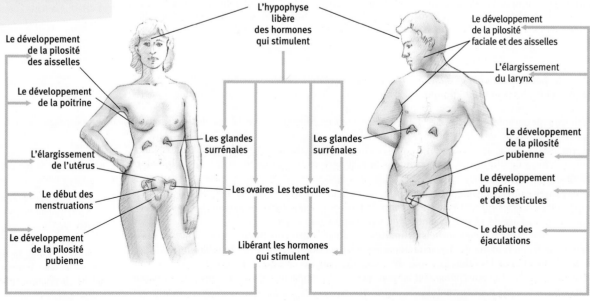

Les jeunes filles préparées à la survenue des cycles menstruels les vivent comme des expériences positives (Chang et al., 2009). La plupart des femmes gardent le souvenir à l'âge adulte de leur première menstruation et s'en souviennent comme d'un mélange de fierté, d'excitation, d'embarras et d'appréhension (Greif et Ulman, 1982 ; Woods et al., 1983). Les hommes déclarent que la première éjaculation fut une expérience émotionnelle plutôt positive (Fuller & Downs, 1990).

EXERCICE RÉCAPITULATIF

• L'adolescence est marquée par l'apparition de _____.

Réponse : la puberté

Variations de développement sexuel Parfois, la nature brouille la frontière biologique séparant les hommes et les femmes. Quand un fœtus est exposé à des niveaux inhabituels d'hormones sexuelles, ou est particulièrement sensible à ces hormones, l'individu peut développer un **trouble du développement sexuel,** avec des chromosomes ou une anatomie qui ne sont pas typiquement masculins ou féminins. Un sujet génétiquement masculin peut naître avec un niveau de sécrétion d'hormones mâles normales et des testicules, mais sans pénis ou avec un micropénis.

Dans le passé, les médecins recommandaient souvent *un changement de sexe par voie chirurgicale* et ainsi créer une identité sans ambiguïté pour certains de ces enfants. Une étude a été menée chez 14 enfants ayant subi une de reconstruction chirurgicale précoce de l'appareil génital et qui ont été élevés comme des filles. En considérant ces 14 patients, six ont déclaré ultérieurement qu'ils se sentaient hommes, cinq vivaient comme des femmes et trois n'avaient pas d'identité sexuelle ressentie bien définie (Reiner et Gearhart, 2004).

Le changement de sexe peut créer de la confusion et de la détresse chez les personnes qui ne sont pas nées avec un trouble du développement sexuel. Un cas célèbre est représenté par celui d'un garçon qui a perdu son pénis au cours d'une circoncision mal faite. Ses parents, suivant les conseils du psychiatre, l'ont élevé comme une fille plutôt que comme un garçon mutilé. Hélas, « Brenda » Reimer n'était pas comme les autres filles. « Elle » n'aimait pas les poupées. Elle déchirait ses vêtements en jouant à la bagarre. À la puberté, elle ne voulait pas entendre parler des garçons qui l'embrassaient. Finalement, les parents de Brenda lui révélèrent la vérité. Sur quoi, « Brenda » rejeta immédiatement son identité féminine. Il a coupé ses cheveux et a choisi un nom masculin, David. Il a finalement épousé une femme et est devenu beau-père. Mais, malheureusement, il s'est suicidé (Colapinto, 2000).

La National Academy of Sciences en conclut que « le sexe a de l'importance » (2001). Les gènes liés au sexe et la physiologie sexuelle impliquent des différences comportementales et cognitives entre les hommes et les femmes. Pourtant, les facteurs environnementaux importent aussi, comme nous le verrons par la suite. L'inné et l'acquis travaillent ensemble.

Spermarche première éjaculation.

Ménarche première période menstruelle.

Trouble du développement sexuel maladie congénitale due à un nombre aberrant de chromosomes sexuels ayant des répercussions anatomiques.

Rôle ensemble d'attentes (normes) à propos d'une position sociale définissant comment ceux qui occupent cette position doivent se conduire.

Rôle sexué ensemble de comportements attendus de la part des hommes et des femmes.

« Je suis ce que je suis. » Des améliorations spectaculaires dans les temps de course de la championne d'athlétisme sud-africaine Caster Semenya ont incité l'Association internationale des fédérations d'athlétisme à entreprendre une identification de son sexe en 2009. Le diagnostic porté chez Semenya, est celui de trouble du développement sexuel. Ses caractéristiques physiques ne sont ni franchement féminines, ni franchement masculines. Elle a été officiellement autorisée à poursuivre la compétition en tant que femme. Semenya a déclaré, « Dieu m'a faite de la façon dont je suis et je l'accepte. Je suis ce que je suis » (YOU, 2009).

Michael Dalder/Reuters

La part acquise de notre genre : notre culture et nos expériences vécues

4-17 Comment les rôles sexués et l'identité sexuée diffèrent-ils ?

Pour beaucoup de gens, le sexe biologique et le genre coexistent en harmonie. La biologie dessine le contour, et la culture fait la mise en couleurs du dessin. Les traits physiques qui nous définissent comme sujets masculins et féminins biologiques sont les mêmes dans le monde entier. Mais les traits de genre qui définissent la façon dont les hommes (ou les garçons) et les femmes (ou filles) *devraient* agir, interagir par réciprocité, ou se ressentir peuvent différer d'un endroit à un autre (APA, 2009).

Rôles sexués Les cultures façonnent nos comportements en définissant comment nous comporter de façon adaptée à la position sociale particulière que nous occupons et définir ainsi un **rôle.** Nous pouvons voir le pouvoir de la culture nous façonner pour nous adapter au **genre** ou au **rôle** et satisfaire les exigences sociales qui guident notre comportement social en tant

« Le sexe nous a réunis, mais notre genre nous a séparés. »

New Yorker Collection 2001, Barbara Smaller de cartoonbank.com.

Le tsunami et les femmes Au Sri Lanka, en Indonésie et en Inde, la division sexuée du travail contribue à expliquer le nombre supérieur de décès survenus chez les femmes lors du tsunami de 2004. Dans certains villages, 80 % des personnes tuées étaient des femmes, qui étaient la plupart du temps à la maison tandis que les hommes étaient plus susceptibles d'être à la pêche en mer ou remplissaient des corvées loin de chez eux (Oxfam, 2005).

© DPA/The Image Works

qu'homme ou en tant que femme. Les rôles des genres changent avec le temps. Il y a un siècle, les femmes d'Amérique du Nord ne pouvaient pas voter aux élections nationales, servir dans l'armée, ou divorcer d'un mari sans raison. Et si une femme a travaillé, en étant salariée, en dehors de la maison, elle serait plus susceptible d'avoir été sage-femme ou couturière, plutôt que chirurgien ou créateur de mode.

Les rôles de genre peuvent changer de façon spectaculaire au cours d'une courte période de l'histoire. Au début du siècle dernier, la Nouvelle-Zélande était le seul pays à accorder le droit de vote aux femmes (Briscoe, 1997). Aujourd'hui, dans le monde entier, seule l'Arabie Saoudite *refuse* d'accorder aux femmes le droit de vote. Même là, la culture montre des signes en faveur de l'accord du droit de vote des femmes (Alsharif, 2011). Aux États-Unis, parmi les diplômés de l'enseignement supérieur il y a plus de femmes que d'hommes, et près de la moitié de la population active est une féminine (Fry & Cohn, 2010). L'économie moderne a produit des emplois qui ne reposent plus sur un travail de force, mais sur l'intelligence des relations sociales, la communication, et sur les capacités de réflexion et de concentration (Rosin, 2010). Quels changements pourraient apporter les cent prochaines années ?

Les rôles de genre varient également d'un endroit à l'autre. Dans les sociétés nomades, où les gens vivent de la chasse et de la cueillette, la répartition des tâches par sexe est minimale. Les garçons et les filles reçoivent à peu près la même éducation. Dans les sociétés agricoles, où les femmes travaillent dans les champs à proximité de la maison et les hommes, souvent plus libres, gardent les troupeaux, les cultures de ces sociétés ont façonné les enfants de telle façon que les rôles distincts des genres soient parfaitement assumés (Segall et al., 1990 ; Van Leeuwen, 1978).

Prenez une minute pour vérifier vos propres attentes des genres. Seriez-vous d'accord pour dire que « lorsqu'il y a peu de travail, les hommes devraient avoir plus de droits à avoir un travail ? » Aux États-Unis, au Royaume-Uni et en Espagne, 12 % d'adultes répondent oui. Au Nigeria, au Pakistan et en Inde, environ 80 % d'adultes pensent que oui (Pew, 2010). Nous sommes tous des êtres humains, mais comment nos points de vue peuvent-ils diverger. C'est en Australie et en Scandinavie que l'équité entre les sexes est la plus importante, alors qu'au Moyen-Orient et dans les pays d'Afrique du Nord, l'équité est bien moindre (Social Watch, 2006).

Comment apprenons-nous notre genre ? Un *rôle de genre* décrit comment les autres attendent que nous pensions, nous nous comportions, nous agissions. Notre **identité de genre** est notre ressenti personnel d'être un homme, une femme, ou une combinaison des deux. Comment pouvons-nous développer ce point de vue personnel ?

La théorie de l'apprentissage social considère que nous apprenons notre identité de genre dans l'enfance, en observant et en imitant les comportements liés au genre présentés par les autres et en étant récompensés ou punis pour la manière dont ils se comportent. (« Tatiana, tu es une très bonne mère pour tes poupées. » « Les grands garçons ne pleurent pas, Armand. ») Certaines critiques pensent que l'identité de genre ne vient pas seulement de l'imitation des rôles parentaux et des renforcements positifs de certaines réponses comportementales. Ils soulignent que l'**identification sexuée** – par les emprunts aux rôles traditionnellement masculins ou féminins varie d'un enfant à l'autre. (Tobin et al., 2010). Peu importe que les parents encouragent ou découragent les comportements traditionnels des sexes, les enfants peuvent dériver vers ce qu'ils ressentent comme étant le mieux adapté à eux.

Identité de genre notre sentiment d'être un homme, une femme, ou une combinaison des deux.

Théorie de l'apprentissage social théorie selon laquelle nous apprenons les comportements sociaux en observant, en imitant et en étant récompensés ou punis.

Identification sexuée acquisition d'un rôle masculin ou féminin traditionnel.

L'apprentissage social du genre Les enfants observent et imitent les modèles parentaux.

Certains organisent leur vie dans des « mondes de garçon » et « mondes de fille », chacun de ces mondes étant guidé par des règles. D'autres semblent préférer **l'androgynie** : un mélange des rôles masculins et féminins est ressenti comme étant le mieux adapté. L'androgynie aurait des avantages. Les personnes androgynes sont plus adaptables. Elles montrent une plus grande souplesse dans le comportement et les choix de carrière (Bem, 1993). Elles ont tendance à être plus résistantes et à mieux s'accepter, et la tendance à la survenue d'un état dépressif est moindre (Lam & McBride-Chang, 2007 ; Mosher & Danoff-Burg, 2008 ; Ward, 2000).

Le sentiment et la pensée. Tôt dans la vie, nous formons des *schémas,* ou concepts qui nous aident à donner un sens au monde dans lequel nous vivons. Nos *schémas de genre* ont organisé nos expériences des caractéristiques masculines et féminines et nous ont aidés à réfléchir sur notre identité de genre, sur qui nous sommes (Bem, 1987, 1993 ; Martin et al., 2002). Nos parents aident à transmettre le point de vue de leur culture sur le genre. Dans une analyse de 43 études, les parents avec des schémas traditionnels des deux sexes étaient plus susceptibles d'avoir des enfants de sexe typé qui ont partagé les attentes de leur culture sur la façon dont les hommes et les femmes doivent agir (Tenenbaum & Leaper, 2002).

Comme jeune enfant, vous (comme les autres enfants) étiez un « explorateur du genre » (Martin & Rouble, 2004). Avant votre premier anniversaire, vous connaissiez la différence entre une voix ou un visage d'homme ou de femme (Martin et al., 2002). Après 2 anniversaires, la langue vous a forcé à étiqueter le monde en termes de genre. Si vous êtes anglophone, vous avez appris à classer les gens en *he* et *she*. Si vous êtes francophones, vous avez appris à donner un genre aux objets : genre masculin (*le* train) ou féminin (*la* table).

Une fois qu'ils ont compris qu'il existe deux catégories d'individus – et qu'ils font partie de l'une d'elles – ils recherchent des indices caractérisant les sexes ou les genres. Dans chaque culture, on fait part du sexe auquel on appartient de nombreuses façons. De nombreuses allusions sont l'*expression du genre* auquel on appartient. Des indices apparaissent, non seulement dans leurs langages, mais aussi dans leurs vêtements, leurs centres d'intérêts et dans ce qu'ils possèdent. Une fois qu'ils ont divisé le monde humain en deux moitiés, les enfants de 3 ans se mettent alors à préférer leur propre sexe et recherchent, pour jouer, des enfants du même type. Ils peuvent décider que « Les filles » sont celles qui regardent *Dora l'exploratrice* et qui ont les cheveux longs. « Les Garçons » sont ceux qui regardent les combats de *Kung Fu Panda* et ne portent pas de robes. Armés de leur nouveau faisceau de « preuves » ils ajustent alors leurs comportements en fonction de leur concept du genre. La rigidité des stéréotypes est maximale vers l'âge de 5 ou 6 ans. Si le nouveau voisin est un garçon, une petite fille de 6 ans supposera directement qu'il est impossible qu'il ait des centres d'intérêt communs avec les siens. Pour les jeunes enfants, le genre occupe une place importante.

Les concepts culturels des genres et de leur rôle vont entraîner chez les personnes **transgenres** un sentiment de confusion, de discordance, de dysphorie. L'identité de genre d'une personne transgenre diffère des comportements ou des caractéristiques considérées comme typiques de son sexe de naissance (APA, 2010 ; Bockting, 2014). Une personne qui est née de sexe féminin peut ressentir être un homme vivant dans le corps d'une femme, et inversement. Certaines personnes transgenres

Androgynie état associant des caractéristiques psychologiques masculines et féminines.

Transgenre terme générique décrivant les personnes dont l'identité de genre ou son expression diffère de celle associée au sexe de naissance.

Une candidate transgenre
En 2012, Jenna Talackova est devenue la première candidate « transgenre » à concourir pour le titre de Miss Univers Canada. Talackova, un transsexuel homme-femme, a subi une chirurgie pour le changement de sexe à la fin de son adolescence.

Vincent Elkaim/La Presse Canadienne, Aaron/AP Photo

« Plus on m'a considéré comme une femme, plus je suis devenu femme. »

Scénariste Jan Morris, un transsexuel célèbre

sont également *transsexuelles.* Elles préfèrent vivre pleinement en tant que sujet appartenant à l'autre sexe. Certaines personnes transsexuelles (environ trois fois plus d'hommes que de femmes) peuvent rechercher un traitement médical (y compris la chirurgie transformatrice) pour atteindre leur identité de genre préférée (Van Kesteren et al., 1997).

Notez que *l'identité de genre* est distincte de *l'orientation sexuelle.* Les personnes transgenres peuvent être attirées sexuellement par des personnes du sexe opposé *(Hétérosexuel),* ou du même sexe de naissance *(Homosexuel),* par les deux *(Bisexuel),* ou pas du tout *(Asexuel).*

Les personnes transgenres peuvent exprimer leur identité de genre en se travestissant, et s'habillant comme une personne de l'autre sexe biologique. La plupart de ceux qui s'habillent de cette façon sont des hommes « biologiques » attirés par les femmes (APA, 2010).

EXERCICE RÉCAPITULATIF

- Quels sont les rôles dévolus aux genres, et que nous apprennent leurs variantes sur les capacités d'apprentissage et d'adaptation propres à l'être humain ?

Réponse : *Les rôles sexués* sont des règles ou des normes sociales de comportement acceptés et attendus des femmes et des hommes. Les normes associées à divers rôles, y compris les rôles sexués, varient considérablement selon les différents contextes culturels. La preuve est ainsi faite que nous sommes capables d'apprentissage et d'adaptation aux demandes sociales des environnements.

Réflexions sur l'inné, l'acquis et leur interaction

4-18 Qu'est-ce que l'approche biopsychosociale du développement ?

« Il y a des vérités banales et des vérités ayant un sens profond », déclare le physicien Niels Bohr à propos des paradoxes de la science. « L'affirmation du contraire de la première est une affirmation fausse. Du contraire de la deuxième peut jaillir une autre vérité ayant aussi un sens profond. » Notre histoire ancestrale a permis de façonner notre espèce. Là où il y a variation, sélection naturelle et hérédité, il y a aussi évolution. Notre combinaison génétique unique, créée quand l'ovule de notre mère et le spermatozoïde de notre père ont fusionné, a installé nos caractères communs en tant qu'hommes et nos différences individuelles. Nous sommes ce que sont nos gènes C'est l'une des grandes vérités de la nature humaine.

Mais nos expériences vécues nous façonnent aussi. Nos familles et nos relations sociales, nous enseignent des manières de penser et d'agir. Nos différences innées peuvent être amplifiées par notre environnement. Si les gènes et les hormones prédisposent les hommes à être physiquement plus agressifs que les femmes, la culture peut amplifier cette différence entre les sexes par le biais de normes qui avantagent les hommes « machos » et les femmes dociles. Si les hommes sont encouragés à endosser des rôles impliquant leur force physique et les femmes des rôles plus maternels, il se peut que chacun agisse en fonction de ce qui est attendu. Les rôles restructurent ceux qui les interprètent. Les présidents en période électorale se comportent davantage en présidents, les serviteurs sont plus serviles. De la même façon les rôles sexués nous façonnent.

Dans de nombreuses cultures modernes, on assiste à une fusion des rôles. La force à l'état brut est devenue de moins en moins importante pour atteindre le pouvoir et une position sociale (pensez à Mark Zuckerberg et Hillary Clinton). De 1960 à aujourd'hui, le pourcentage des femmes dans la population des étudiants diplômés des facultés de médecine des États-Unis est passé de 6 % à 50 % (AAMC, 2012). Au milieu des années 1960, les femmes mariées américaines consacraient sept fois plus d'heures aux tâches ménagères que leur mari ; En 2003, cet écart avait été divisé par deux (Bianchi et al., 2000, 2006). Ces changements rapides indiquent que la biologie ne distribue pas les rôles en fonction du sexe.

San Diego Museum of Man, photographie de Rose Tyson

La culture en question Comme cette exposition au musée de l'Homme de San Diego l'illustre, les enfants apprennent leur culture. Un bébé peut trouver chaussure à son pied dans toute culture.

* * *

Si l'inné et l'acquis s'associent pour nous former, sommes-nous pour autant « uniquement » le produit de l'inné et de l'acquis ? Sommes-nous déterminés de manière rigide ?

Nous *sommes* le produit de la nature et de la culture, mais nous sommes aussi un système ouvert (**FIGURE 4.10** sur la page suivante). Les gènes sont omniprésents, mais ne sont pas tout-puissants. Certaines personnes rejettent leur rôle, dans l'évolution, en tant que passeurs de gènes et choisissent de ne pas se reproduire La culture est également omniprésente, mais pas toute-puissante. Certaines personnes peuvent aller à l'encontre des pressions de leurs pairs et faire le contraire de ce que l'on attend d'eux.

Nous ne pouvons pas excuser nos échecs et en faire porter la responsabilité à la mauvaise qualité de nos gènes ou des influences subies. En réalité, nous sommes à la fois les créatures et les créateurs de notre monde. Donc beaucoup de choses nous touchant directement – y compris nos identités de genre et nos comportements d'accouplement – sont les produits de nos gènes et de nos environnements. Pourtant, le flux des modifications futures qui nous toucheront prend sa source dans les choix faits dans le présent. Nos décisions présentes construisent notre environnement futur.

▼ FIGURE 4.10
Approche biopsychosociale
du développement

Influences biologiques :
• Génome humain commun
• Variations génétiques individuelles
• Environnement prénatal
• Gènes, hormones et physiologie
  liés au sexe

Influences psychologiques :
• Interaction gène/environnement
• Effet neurologique des premières
  expériences
• Réponses provoquées par notre propre
  tempérament, notre sexe, etc.
• Croyances, sentiments et attentes

**Développement
de l'individu**

Influences socioculturelles :
• Influences parentales
• Influences des pairs
• Individualisme ou collectivisme culturel
• Normes sexuelles d'origine culturelle

L'environnement humain n'est pas comme le temps qu'il fait – quelque chose qui arrive de façon aléatoire. Nous en sommes les architectes. Nos espoirs, nos buts et nos attentes influencent notre avenir. C'est ce qui permet à nos cultures de varier et d'évoluer. L'esprit a son importance.

EXERCICE RÉCAPITULATIF

• Comment l'approche biopsychosociale explique-t-elle notre développement individuel ?

Réponse : L'approche biopsychosociale considère tous les facteurs qui influencent notre développement individuel : facteurs biologiques (y compris l'évolution et les gènes, les hormones, et le cerveau), les facteurs psychologiques (y compris nos expériences vécues, nos croyances, nos sentiments et nos attentes) et les facteurs socioculturels (y compris l'influence des parents et des pairs, les fondements de la société, et les normes de genre).

* * *

« Espérons que ce n'est pas vrai ; mais si c'est vrai, espérons que cela ne s'ébruitera pas trop. »

Lady Ashley, commentant la théorie de Darwin

Nous savons, grâce aux courriers que nous recevons et aux enquêtes d'opinion publique, que certains lecteurs se sentent troublés par le naturalisme et l'évolutionnisme de la science contemporaine. Lecteurs des autres pays, soyez indulgents car aux États-Unis, il existe un large fossé entre la pensée populaire et celle des scientifiques concernant l'évolution. « L'idée que les esprits humains sont le fruit de l'évolution est… un fait inattaquable », a déclaré un éditorial en 2007 de *Nature*, une revue scientifique de premier plan. Ce sentiment correspond à la déclaration conjointe des académies des sciences de 66 pays sur l'existence de « faits fondés sur des preuves » concernant la question de l'évolution (IAP, 2006). Dans *The Language of God*, Francis Collins, directeur du Projet Génome humain (2006, p. 141, 146), qui se décrit lui-même comme un chrétien évangéliste, réunit les preuves « totalement irréfutables » qui l'ont conduit à conclure que la grande idée de Darwin est « incontestablement correcte ». Cependant, selon une enquête Gallup menée en 2007, la moitié des Américains adultes ne croit pas au rôle de l'évolution sur « l'apparition des êtres humains sur Terre » (Newport, 2007). Beaucoup de ceux qui contestent l'histoire scientifique se désolent qu'une science du comportement, et en particulier une science évolutionniste, détruise notre sens de la beauté, du mystère et de l'aspect spirituel de la créature humaine. Pour ceux qui sont troublés, je dois apporter quelques explications rassurantes.

« N'est-il pas exaltant de comprendre comment fonctionne réellement le monde – que la lumière blanche est composée de couleurs, que la couleur est faite de longueurs d'ondes, que l'air transparent reflète la lumière… ? Essayer d'apprendre des choses sur le coucher de soleil n'enlève rien à sa magie. »

Carl Sagan, *Skies of Other Worlds*, 1988

Quand Isaac Newton expliqua le mystère de l'arc-en-ciel en termes de rayons lumineux de longueurs d'ondes différentes, le poète Anglais John Keats pensait que Newton avait détruit la beauté mystérieuse de l'arc-en-ciel. Cependant, remarque Richard Dawkins (1998) dans *Les Mystères de l'arc-en-ciel*, l'analyse de Newton a conduit à un mystère encore plus profond : la théorie de la relativité d'Einstein. De plus, il n'y a aucune raison pour que l'explication de Newton vienne ternir l'élégance d'un arc-en-ciel se formant dans un ciel assombri par la pluie.

Quand Galilée assembla des preuves pour démontrer que la Terre tournait autour du Soleil (et non le contraire), il n'apporta pas une preuve irréfutable de sa théorie, mais une explication cohérente fondée sur des observations variées, telles que l'ombre changeante d'une montagne projetée par la lune. Son explication fut fructueuse car elle expliquait et décrivait les choses d'une manière cohérente. De la même manière, la grande théorie de Darwin est une explication cohérente de l'histoire naturelle. Elle propose un principe d'organisation qui permet de rassembler des observations éparses.

Francis Collins n'est pas la seule personne à avoir la foi et à trouver que l'idée scientifique des origines de l'homme est en harmonie avec sa spiritualité. Au Ve siècle, saint Augustin (cité par Wilford, 1999) écrivait : « L'univers est né sous une forme inachevée, mais a été doté de la capacité de se transformer à partir d'une matière informe en un éventail merveilleux de structures et de formes de vie. » Le pape Jean-Paul II (s'exprimant sur le débat entre la science et la religion en 1996), mille six cents ans plus tard, trouve qu'il est remarquable que la théorie évolutionniste « ait été progressivement acceptée par les chercheurs, et ait permis une série de découvertes dans divers domaines de la connaissance ».

Parallèlement, un grand nombre de scientifiques sont stupéfaits par cette compréhension grandissante de l'univers et de l'homme. On croit rêver – il y a quatorze milliards d'années, l'univers parti d'un point infime a explosé et a pris instantanément une taille cosmologique. Si l'énergie de ce Big Bang avait été un peu plus faible, l'univers se serait effondré sur lui-même et ne se serait pas formé. Si l'énergie avait été un peu trop puissante, il en aurait résulté une sorte de soupe trop liquide pour supporter toute vie. Sir Martin Rees, astronome, a décrit dans son livre « *Just Six Numbers*, (1999) » que si chacun d'eux avait changé ne serait-ce qu'un petit peu, le résultat en aurait été un cosmos dans lequel la vie n'aurait pu exister. Si la gravité avait été plus faible ou plus forte ou si la masse d'un proton de carbone avait été légèrement différente, notre univers n'aurait pas fonctionné.

Qu'est-ce qui a formé cet univers finement réglé, trop beau pour être vrai ? Pourquoi existe-t-il quelque chose au lieu de rien ? Comment se fait-il, pour reprendre les mots de l'astrophysicien Owen Gingerich (1999) du centre Harvard-Smithsonian, « qu'il soit si parfait, qu'il semble avoir été conçu pour produire des êtres intelligents et sensibles » ? Y a-t-il une intelligence bienveillante derrière tout cela ? Ou y a-t-il eu un nombre infini d'univers et avons-nous été assez chanceux pour que l'un d'eux soit réglé de manière à donner naissance à l'homme ? Ou alors cette idée viole-t-elle « *le rasoir d'Occam* », le principe selon lequel nous devons préférer la plus simple des explications contradictoires ? Face à de telles questions, le silence humble et respectueux de la science est de rigueur. Selon le philosophe Ludwig Wittgenstein : « Ce dont on ne peut parler, il faut le taire. » (1922, p. 189).

heromen30/Shutterstock

Plutôt que de craindre la science, nous pouvons la remercier d'élargir nos connaissances et d'éveiller notre stupéfaction. Dans *The Fragile Species*, Lewis Thomas (1992) décrit son étonnement face à notre planète Terre qui, à des époques différentes, a donné naissance aux bactéries et aussi à la Messe en *si* mineur de Bach. En l'espace d'à peine quatre milliards d'années, la vie est passée du néant à des structures aussi complexes qu'une chaîne d'ADN composée de 6 milliards de bases et à l'incompréhensible complexité du cerveau humain. Les mêmes atomes que ceux qui constituent un rocher ont formé d'une manière ou d'une autre des entités dynamiques devenues conscientes. Selon le cosmologue Paul Davies (2007), la nature semble astucieusement conçue pour produire des systèmes extraordinaires de traitement d'information autoréplicatifs : c'est-à-dire nous. Bien qu'il semble que nous ayons été créés à partir de la poussière, à travers des éternités, le résultat final est une créature qui n'a pas de prix, une créature dont le potentiel dépasse notre imagination.

« Les causes de l'histoire de la vie ne peuvent résoudre les mystères du sens de la vie. »

Stephen Jay Gould, *Et Dieu dit : « Que Darwin soit ! » : science et religion, enfin la paix ?*, 1999

REVUE GÉNÉRALE Culture, genre et autres influences environnementales

OBJECTIFS D'APPRENTISSAGE

EXERCICE RÉCAPITULATIF Prenez un moment pour répondre à chacune de ces questions d'objectif d'apprentissage (répétées ici au sein de cette section). Puis allez à l'annexe C, révision complète du chapitre, pour vérifier vos réponses. La recherche suggère que d'essayer de répondre à ces questions de votre propre initiative permettra d'améliorer la mémorisation à long terme de ces réponses (McDaniel et al., 2009).

4-10 De quelle manière nos premières expériences modifient-elles notre cerveau ?

4-11 De quelle manière les parents et l'entourage peuvent-ils façonner le développement des enfants ?

4-12 De quelle manière la culture affecte-t-elle notre comportement ?

4-13 En quoi les valeurs et les aspirations des cultures fondées sur la collectivité et fondées sur l'individu sont-elles différentes ?

4-14 Qu'est-ce qui différencie la signification du mot *genre* de celle du mot *sexe* ?

4-15 En quoi les hommes et les femmes ont-ils tendance à être semblables ? À être différents ?

4-16 Comment les hormones sexuelles influencent-elles le développement sexuel prénatal et celui de l'adolescent, et qu'est-ce qu'un trouble du développement sexuel ?

4-17 Comment les rôles sexués et l'identité sexuée diffèrent-ils ?

4-18 Qu'est-ce que l'approche biopsychosociale du développement ?

TERMES ET CONCEPTS À RETENIR

EXERCICE RÉCAPITULATIF Testez votre connaissance de ces termes en essayant d'écrire leur définition avant de vous reporter aux pages donnant les bonnes réponses.

interaction, p. 151

culture, p. 155

norme, p. 156

culture fondée sur l'individu p. 157

culture fondée sur la collectivité p. 157

sexe, p. 161

sexe, p. 161

agression, p. 162

agression relationnelle, p. 162

chromosome X, p. 165

chromosome Y, p. 165

testostérone, p. 165

puberté, p. 165

caractères sexuels primaires, p. 165

caractères sexuels secondaires, p. 165

première éjaculation, p. 166

premier cycle menstruel, p. 166

trouble du développement sexuel, p. 167

rôle, p. 167

rôle sexué, p. 167

identité de genre, p. 168

théorie de l'apprentissage social, p. 168

acquisition du genre, p. 168

androgynie, p. 169

transgenre, p. 169

ÉVALUEZ-VOUS L'INNÉ, L'ACQUIS ET LA DIVERSITÉ HUMAINE

Évaluez-vous à plusieurs reprises tout au long de vos études. Cela permettra non seulement de vous aider à distinguer ce que vous savez de ce que vous ignorez mais aussi à vous faire bénéficier de l'effet test. Autrement dit, le test lui-même va vous aider à apprendre et à mémoriser l'information de manière plus efficace grâce précisément à ce qui est appelé *l'effet test*.

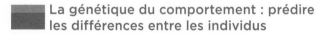

La génétique du comportement : prédire les différences entre les individus

1. Les structures filiformes faites essentiellement de molécules d'ADN sont appelées _____.

2. Un petit segment d'ADN qui code pour des protéines particulières est référencé en tant que _____.

3. Lorsque l'ovule de la mère et le sperme du père s'unissent, chacun apporte

   a. une paire de chromosomes.

   b. 23 chromosomes.

   c. 23 paires de chromosomes.

   d. 25 000 chromosomes.

4. Les faux jumeaux se produisent lorsque

   a. un seul ovule est fécondé par un seul spermatozoïde puis se divise.

   b. un seul ovule est fécondé par deux spermatozoïdes, puis se divise.

   c. deux œufs sont fécondés par deux spermatozoïdes.

   d. deux œufs sont fécondés par un spermatozoïde.

5. Les _____ jumeaux partagent le même ADN.

6. Les études sur l'adoption cherchent à comprendre les influences génétiques sur la personnalité. Elles le font principalement en

   a. comparant les enfants adoptés avec des enfants non adoptés.

   b. évaluant si la personnalité des enfants adoptés ressemble plus à celle de leurs parents adoptifs ou de leurs parents biologiques.

   c. étudiant l'effet de la négligence préalable des enfants adoptés.

   d. étudiant l'effet de l'âge des enfants à l'adoption.

7. Dès les premières semaines de vie, les nourrissons diffèrent par des réactions émotionnelles caractéristiques, certains nourrissons sont tendus et anxieux, tandis que d'autres sont tranquilles et détendus. Ces différences sont généralement expliquées par les différences venant de _____.

8. _____ est la proportion de variation entre individus qu'il est possible d'attribuer aux gènes.

9. L'épigénétique est l'étude des mécanismes moléculaires par lesquels _____ induit ou inhibe l'expression génique.

La psychologie évolutionniste : comprendre la nature humaine

10. Les généticiens du comportement sont plus intéressés à explorer les _____ (points communs/différences) de nos comportements. Les psychologues évolutionnistes sont plus intéressés à explorer les _____ (points communs/différences).

11. Les psychologues évolutionnistes sont les plus susceptibles de se concentrer sur

    a. la façon dont les individus diffèrent les uns des autres.

    b. les conséquences sociales des comportements sexuels.

    c. la sélection naturelle des adaptations les plus efficaces.

    d. Les études de jumeaux et d'adoption.

Culture, genre, et autres influences environnementales

12. Les cultures fondées sur l'individu ont tendance à valoriser _____ ; les cultures fondées sur la collectivité ont tendance à valoriser _____.

    a. l'interdépendance ; l'indépendance

    b. l'indépendance ; l'interdépendance

    c. la solidarité de groupe ; l'individualisme

    d. les devoirs envers la famille ; l'épanouissement personnel

13. Genre : _____ en psychologie, caractéristiques (qu'elles soient biologiques ou influencées socialement) par lesquelles un individu se définit comme étant un homme ou une femme. Les caractéristiques influencées socialement par lesquelles les gens définissent les hommes et les femmes sont _____.

14. Les femmes et les hommes sont très semblables les uns aux autres. Mais il y a des différences

    a. Les femmes sont plus physiquement agressives que les hommes.

    b. les hommes sont plus démocratiques que les femmes dans leurs rôles d'entraînement des autres.

    c. les filles ont tendance à jouer en petits groupes, tandis que les garçons ont tendance à jouer dans de grands groupes.

    d. Le risque suicidaire est plus élevé chez les femmes.

15. Un ovule fécondé se développera en un garçon s'il reçoit un chromosome _____ de son père.

16. Les caractères sexuels primaires concernent _____ ; les caractères sexuels secondaires se réfèrent à _____.

    a. l'éjaculation ; le premier cycle menstruel

    b. les seins et les poils du visage ; les ovaires et les testicules

    c. la maturité affective ; les poussées de sécrétion d'hormones

    d. les organes reproducteurs ; les traits ne se rapportant pas aux organes reproducteurs

17. En moyenne, l'âge de début de la puberté chez les filles est de _____, pour les garçons de _____.

18. Un individu qui est né avec l'anatomie sexuelle qui diffère de l'anatomie masculine ou féminine a une _____ _____ _____.

19. *Le rôle sexué* se réfère à

    a. notre sentiment personnel d'être homme ou femme.

    b. nos attentes sur la « bonne » façon des hommes et des femmes de se comporter.

    c. notre sexe de naissance (nos chromosomes et notre anatomie).

    d. des caractéristiques unisexes.

20. Lorsque les enfants ont développé une _____ _____, ils ont le sentiment d'être homme, femme, ou une combinaison des deux.

Trouvez les réponses à ces questions dans l'annexe D, à la fin du livre.

CHAPITRE 5

LE DÉVELOPPEMENT DE L'INDIVIDU
TOUT AU LONG DE SA VIE

· · · · · · · · · · · · · · · · · · · ·

La VIE est un voyage, qui commence dans l'utérus et se termine dans la tombe. Mon histoire, tout comme la vôtre, a commencé au moment où un homme et une femme ont contribué à la formation d'un ovule fécondé comportant plus de 20 000 gènes devenu ensuite une personne unique. Ces gènes ont codé pour la fabrication des protéines, unités de construction, qui avec une précision étonnante, ont formé notre corps et prédisposé à nos traits de caractères. Ma grand- mère a légué à ma mère un type de perte d'audition assez rare qu'elle-même m'a transmise à son tour (le moins important de tous ses dons). Mon père était extraverti et aimable et parfois j'oublie d'arrêter de parler. Lorsque j'étais enfant, je n'arrivais pas à parler à cause d'un bégaiement pénible qui fut traité par des séances d'orthophonie à l'école publique de Seattle.

En plus des dons innés de mes parents, je reçu également leur acquis. Comme vous, je suis né dans une famille ayant une culture particulière et une vision propre du monde. Mes valeurs ont été modelées par une culture familiale remplie de discussions et de rires, une culture religieuse parlant d'amour et de justice et une culture universitaire encourageant la réflexion critique (par des questions comme « *que veux-tu dire ?* », « *comment le sais-tu ?* »).

Nous sommes formés par nos gènes et par le contexte dans lequel nous vivons ; de ce fait, nos histoires diffèrent. Mais en de nombreux points nous sommes presque comme n'importe qui d'autre sur Terre. En tant qu'humains, vous et moi avons un besoin d'appartenance. Ma vidéothèque mentale, qui a commencé à se former après l'âge de 4 ans, est remplie de scènes d'attachement social. Avec le temps les liens qui m'unissaient à mes parents se sont relâchés à mesure que l'amitié avec mes camarades grandissait. Après avoir manqué de confiance pour avoir un rendez-vous avec une petite amie au lycée, je suis tombé amoureux d'une de mes camarades de classe à l'université et me suis marié à 20 ans. Comme la sélection naturelle nous prédispose à survivre et à transmettre nos gènes, 2 ans plus tard un enfant entrait dans nos vies et je connus une nouvelle forme d'amour dont l'intensité me surprit.

Mais nos vies sont marquées par le changement. Notre premier enfant vit maintenant à 3 200 kilomètres de chez nous et sa sœur a été appelée en Afrique du Sud. Les liens étroits qui existaient entre nos enfants et nous, leurs parents, se sont desserrés, tout comme les vôtres certainement.

Le changement marque également la plupart des vies professionnelles. En ce qui me concerne, je suis passé d'un adolescent travaillant dans une agence d'assurance familiale à un étudiant en classe préparatoire pour accéder aux études médicales, ayant choisi la chimie et l'aide hospitalière comme matières principales. Puis, après avoir laissé tomber ma demande d'admission en école de médecine, je suis devenu professeur de psychologie et j'ai écrit des ouvrages dans ce domaine. Je vous prédis que dans 10 ans, vous aussi ferez des choses que vous ne prévoyez pas à l'heure actuelle.

La stabilité marque également notre développement. Nous vivons dans la continuité de notre moi. Lorsque je me regarde dans le miroir, je ne vois plus la personne que j'étais mais je me sens comme celle que j'ai toujours été. Je suis toujours la même personne qui, à la fin de son adolescence, jouait au basket et découvrait l'amour. Cinquante ans plus tard, je joue toujours au basket et j'aime toujours (avec moins de passion mais avec un sentiment de plus grande sécurité) celle avec qui j'ai partagé les joies et les peines de la vie.

La continuité se transforme à mesure qu'elle passe par différentes étapes – grandir, élever des enfants, faire carrière et finalement le stade ultime de la vie, qui exigera ma présence. À mesure que je traverse ce cycle de la vie et de la mort, je prends conscience que la vie est un voyage, un processus continu du développement, engendré par la nature et modelé par notre culture, animé par l'amour et focalisé sur le travail, qui commence par une curiosité avide et se termine, pour ceux qui ont la chance de vivre sans problème jusqu'à un âge avancé, par un sentiment de paix et un espoir infini.

Les grandes étapes de la croissance sont celles de la naissance à la petite enfance, de l'enfance à l'adolescence, et de l'adolescence à l'âge adulte. Chaque étape de la vie est marquée par des changements physiques, cognitifs et sociaux. Nous commencerons par l'étude du développement prénatal et celui du nouveau-né. Ensuite, nous porterons notre attention sur la petite enfance, l'enfance, l'adolescence et l'âge adulte.

> Les psychologues du développement étudient les changements physiques, mentaux et sociaux tout au long de la vie.

■ Le développement en question, développement prénatal et nouveau-né

Les grandes questions de la psychologie du développement

5-1 Quelles sont les trois questions qui intéressent les psychologues du développement ?

LA PSYCHOLOGIE DU DÉVELOPPEMENT étudie notre développement physique, psychomoteur, cognitif et social au cours de la vie, et traite trois grands thèmes :

1. *L'inné et l'acquis* : de quelle manière notre héritage génétique (caractéristiques *innées*) inte-ragit-il avec nos expériences (les caractères *acquis* que nous avons reçus) pour influencer notre développement ? (Ce fut le sujet du Chapitre 4.)

2. *Continuité et stades* : quelle est la part de notre développement qui se fait de manière progres-sive et continue, comme un escalier roulant ? Quelle est la part de notre développement qui se fait de manière discrète, plus abrupte, par une succession de stades, comme gravir les degrés d'une échelle ?

3. *Stabilité et changement* : Quels traits de notre personnalité persistent avec l'âge ? Comment changeons-nous à mesure que nous vieillissons ?

« L'inné est tout ce qu'un homme apporte avec lui en venant au monde ; l'acquis sera formé de tout ce qui l'influencera après sa naissance ».

Francis Galton, 1874

Continuité et stades

Les adultes diffèrent-ils des enfants comme le séquoia géant de son jeune plant – une diffé-rence engendrée par une croissance progressive et cumulative ? Ou bien, comme dans le cas d'un papillon et d'une chenille, par une différence liée à l'existence de plusieurs stades de développement ?

De manière générale, les chercheurs qui privilégient l'expérience et l'apprentissage voient le développement comme un processus de formation lent et continu. Ceux qui insistent sur la matu-ration biologique ont tendance à envisager le développement comme une succession d'étapes ou de stades génétiquement prédéterminés ; bien que la progression à travers les différents stades puisse être rapide ou lente, chacun les traverse dans le même ordre.

De la même manière que le développement physique est ordonné en stades (marcher avant de courir…), le développement psycho-logique est-il régi par des stades bien définis ? Nous envisagerons les différentes théories du développement par stades : celle de Jean Piaget pour le développement cognitif, celle de Lawrence Kohl-berg pour le développement du sens moral et celle d'Erik Erikson du développement psychosocial (résumées **FIGURE 5.1**). Mais, comme nous le verrons aussi, l'idée que la vie procède par étapes nettement définies liées à l'âge est encore discutée, à la lumière des résultats de différentes recherches. Selon Piaget chaque « stade du développement, distinct du stade antérieur créé des structures originales qui s'intègrent aux structures anciennes ». Les travaux de Kohlberg reflètent les règles des sociétés fondées sur l'individu et pose la supériorité de la réflexion sur l'action. La vie à l'âge adulte n'évolue pas en passant par une série d'étapes prédéfinies et prévisibles. Des événements fortuits peuvent nous influencer d'une manière que nous n'aurions jamais pu prédire.

Néanmoins, *le stade du développement* reste un concept utile. Le cerveau humain subit des poussées de croissance durant l'enfance et la puberté qui correspondent à peu près aux stades de Piaget (Thatcher et al., 1987). La théorie des stades donne, tout au long de la vie, une perspective développementale avec des indications sur la façon dont les individus d'un âge donné peuvent penser et agir différemment quand ils vieillissent.

TU BOIS TROP DE CAFÉ, MEC   PAR SHANNON WHEELER

```
VIE :

JEU, JEU, JEU, JEU, JEU, JEU, JEU, JEU, JEU, JEU,
JEU, JEU, JEU, JEU, JEU, JEU, JEU, JEU, JEU, JEU,
JEU, JEU, JEU, JEU, JEU, JEU, JEU, JEU, JEU, JEU,
JEU, ÉCOLE, JEU, ÉCOLE, JEU, ÉCOLE, JEU, ÉCOLE,
ÉCOLE, ÉCOLE, ÉCOLE, ÉCOLE, ÉCOLE, ÉCOLE, ÉCOLE,
ÉCOLE, ÉCOLE, ÉCOLE, ÉCOLE, ÉCOLE, ÉCOLE, ÉCOLE,
ÉCOLE, ÉCOLE, ÉCOLE, ÉCOLE, ÉCOLE, ÉCOLE, ÉCOLE,
1ᵉʳ AMOUR, BREF BONHEUR, RUPTURE, REGRET, ÉCOLE
ÉCOLE, ÉCOLE, ÉCOLE, ÉCOLE, ÉCOLE, ÉCOLE, ÉCOLE,
ÉCOLE, ÉCOLE, ÉCOLE, ÉCOLE, ÉCOLE, ÉCOLE, ÉCOLE,
LOISIR, ÉTUDE, LOISIR, ÉTUDE, LOISIR, ÉTUDE, LOISIR, ÉTUDE
IDÉALISME, EFFORT, REJET, ÉCHEC, TRAVAIL, EFFORT, ÉCHEC,
COMPROMIS, TRAVAIL, TRAVAIL, TRAVAIL, TRAVAIL, LOISIR,
ENGAGEMENT, TRAVAIL, TRAVAIL, TRAVAIL, TRAVAIL, LOISIR,
TRAVAIL, TRAVAIL, TRAVAIL, TRAVAIL, TRAVAIL, LOISIR,
TRAVAIL, TRAVAIL, TRAVAIL, TRAVAIL, TRAVAIL, LOISIR,
TRAVAIL, TRAVAIL, TRAVAIL, TRAVAIL, TRAVAIL, LOISIR,
TRAVAIL, TRAVAIL, TRAVAIL, TRAVAIL, TRAVAIL, LOISIR,
TRAVAIL, TRAVAIL, TRAVAIL, TRAVAIL, TRAVAIL, LOISIR,
TRAVAIL, TRAVAIL, TRAVAIL, TRAVAIL, TRAVAIL, LOISIR,
TRAVAIL, TRAVAIL, TRAVAIL, TRAVAIL, TRAVAIL, LOISIR,
TRAVAIL, TRAVAIL, TRAVAIL, TRAVAIL, TRAVAIL, LOISIR,
TRAVAIL, TRAVAIL, TRAVAIL, TRAVAIL, TRAVAIL, LOISIR,
TRAVAIL, TRAVAIL, TRAVAIL, TRAVAIL, TRAVAIL, LOISIR,
TRAVAIL, TRAVAIL, TRAVAIL, TRAVAIL, TRAVAIL, LOISIR,
RETRAITE, LOISIR, MORT.
```

Shannon Wheeler

Les stades du cycle de vie

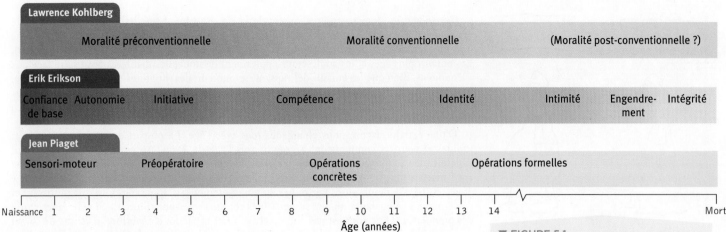

Lawrence Kohlberg

| Moralité préconventionnelle | Moralité conventionnelle | (Moralité post-conventionnelle ?) |

Erik Erikson

| Confiance de base | Autonomie | Initiative | Compétence | Identité | Intimité | Engendre-ment | Intégrité |

Jean Piaget

| Sensori-moteur | Préopératoire | Opérations concrètes | Opérations formelles |

Naissance 1 2 3 4 5 6 7 8 9 10 11 12 13 14   Mort

Âge (années)

▼ FIGURE 5.1
Comparaison des théories des stades (Avec nos remerciements au Dr Sandra Gibbs, Muskegon Community College, pour l'idée de cette illustration.)

Stabilité et changement

À mesure que nous avançons en âge, recueillons-nous plus de preuves de en faveur de la stabilité ou en faveur du changement ? Si l'on vous fait rencontrer un camarade d'école perdu de vue depuis longtemps, allez-vous instantanément reconnaître « ce vieil Andy qui n'a pas changé » ? Ou bien deux personnes qui ont été amies pendant un temps donné, deviendront-elles des étrangers ? (Il y a au moins une de mes [DM] connaissances qui choisirait la deuxième option : il n'a pas reconnu une ancienne camarade de classe à la réunion des 40 ans de sa promotion universitaire. La camarade, horrifiée, à qui il s'adressa, était en fait son ex-femme qu'il avait épousée il y a bien longtemps.)

Des chercheurs ont mis en évidence l'existence non seulement des changements, mais aussi de la stabilité. Certains de nos caractères, comme notre *tempérament*, sont très stables :

- Une équipe de recherche qui a étudié et suivi 1 000 personnes de l'âge de 3 ans à l'âge de 38 ans a été frappé par la cohérence diachronique du tempérament et de l'émotivité (Moffitt et al., 2013 ; Slutske et al., 2012). Les enfants qui à l'âge de 3 ans avaient des troubles du comportement, étaient les plus susceptibles de devenir à l'adolescence ou délinquants ou joueurs pathologiques à l'âge adulte.

- D'autres études ont montré que les enfants souffrant d'un trouble de l'attention avec hyperactivité à l'âge de 5 ans, seront source de difficultés pour les professeurs à 12 ans (Houts et al., 2010) ; que des garçons canadiens manifestant des troubles du comportement à l'âge de 6 ans étaient quatre fois plus susceptibles que les autres garçons d'être reconnus coupables d'un crime violent à l'âge de 24 ans (2013 Hodgins et al.) ; et que l'extraversion exprimée chez des jeunes britanniques âgés de 16 ans est prédictive d'un bonheur vécu à 60 ans (Gale et al., 2013).

- Une autre équipe de chercheur a interrogé des adultes, qui quarante ans plus tôt avaient fait l'objet d'un questionnaire par leurs instituteurs des classes élémentaires : ces derniers avaient noté leur impulsivité, leur bavardage et leur humilité. De manière très étonnante, ces traits avaient persisté (Nave et al., 2010).

« Tu seras à 70 ans comme à 7 ans », dit un proverbe juif. Ceux qui présentent les plus larges sourires sur les photos de classe prises dans les écoles puis à l'université sont plus tard ceux qui ont le plus de chance d'avoir un mariage qui dure longtemps (Herstenstein et al., 2009). Alors qu'un enfant sur 4 souriant peu sur les photographies de classe divorce une fois adulte, le nombre de divorce ne représente plus que 1 sur 20 chez les enfants affichant de larges sourires. Lorsque les gens vieillissent, les traits de la personnalité se stabilisent peu à peu (Ferguson, 2010 ; Hopwood et al., 2011 ; Kandler et al., 2010). Les épreuves de la vie présente peuvent poser les fondations d'un avenir plus heureux.

« À 70 ans, je vous dirais que vous avez l'avantage de considérer la vie plus calmement. Mais vous savez que cela, aussi passera ! »

Eleanor Roosevelt, 1954

Les sourires prédisent la stabilité conjugale Dans une étude portant sur 306 photos de collège, 1 personne sur 4 qui présentait l'expression de gauche a divorcé, mais seulement 1 sur 20 de celles présentant un sourire comme sur le cliché de droite. (Hertenstein et al., 2009).

Le vieillissement est la continuité du soi.

Cependant les deux premières années de la vie constituent une base limitée pour prédire l'ensemble de nos traits de caractère (Kagan et al., 1978, 1998). Certains d'entre eux comme les attitudes sociales sont bien moins stables que le tempérament (Moss et Susman, 1980). Les enfants plus âgés et les adolescents apprennent de nouvelles manières pour faire face aux événements. Bien que les enfants délinquants seront dans des situations difficiles à l'âge adulte, beaucoup d'enfants perturbés ont réussi à s'épanouir et à devenir des adultes mûrs et heureux (Moffitt et al., 2002 ; Roberts et al., 2001 ; Thomas et Chess, 1986). La vie est un processus en devenir.

D'une certaine façon, nous changeons *tous* avec l'âge. La plupart des très jeunes enfants timides et peureux commencent à s'ouvrir vers l'âge de 4 ans. Au cours des années suivant l'adolescence, la plupart des gens deviennent plus calmes, plus posés, plus agréables et ont une confiance en eux plus importante (Lucas et Donnellan, 2009 ; Roberts et Mroczek, 2008 ; Shaw et al., 2010). De nombreuses personnes au comportement irresponsable à 18 ans mûrissent et deviennent, à la quarantaine, des responsables commerciaux ou culturels. (Si vous faites partie des premiers, cela ne vous est pas encore arrivé.) Les capacités d'ouverture, d'estime de soi, et d'amabilité atteignent leur développement maximal vers le milieu de la vie (Lucas & Donnellan, 2011 ; Orth et al., 2012 ; Specht et al., 2011). De tels changements peuvent survenir sans que cela modifie pour autant la position d'un individu par *rapport à ceux* de son âge. Le jeune adulte à la conduite sportive peut globalement s'adoucir au fil de sa vie, mais rester un citoyen âgé à la conduite sportive.

La vie exige *à la fois* du changement et de la stabilité. La stabilité fait notre identité. La stabilité nous permet de pouvoir compter sur les autres et de nous soucier de l'épanouissement des enfants. Notre capacité à changer nous apporte de l'espoir d'un futur meilleur. Elle motive notre attention pour les influences présentes, soutient notre espoir d'un avenir meilleur, et nous permet de nous adapter et de nous développer par les fruits de l'expérience.

EXERCICE RÉCAPITULATIF

- Les chercheurs en psychologie du développement qui mettent l'accent sur l'apprentissage et l'expérience soutiennent _____ ; ceux qui insistent sur la maturation biologique soutiennent _____.

Réponses : la continuité ; les stades.

- Quels sont les résultats de la recherche en psychologie qui fondent (1) la théorie des stades du développement et (2) l'idée de la stabilité diachronique de la personnalité ? Quels sont les résultats qui vont à l'encontre de ces idées ?

Réponse : (1) la théorie des stades de développement est soutenue par les travaux de Piaget (développement cognitif), Kohlberg (développement moral), et Erikson (développement psychosocial), mais elle est contestée par les conclusions que le changement est plus progressif et moins universel que ces théoriciens l'ont supposé. (2) Certains traits, comme le tempérament, présentent une stabilité temporelle remarquable. Mais nos attitudes sociales peuvent changer.

Développement prénatal et nouveau-né

5-2 Comment se déroule le développement prénatal et de quelle manière les agents tératogènes peuvent-ils affecter ce développement ?

Conception

Rien de plus naturel qu'une espèce qui cherche à se reproduire. Et rien de plus merveilleux. Pour vous, le processus a commencé chez votre *grand-mère* – au stade d'un ovule portant les caractéristiques femelles en développement. Votre mère est née en possession de tous ses ovules encore immatures. Votre père, en revanche, a commencé à produire des spermatozoïdes de façon continue à la puberté, à un taux initial de plus de 1 000 spermatozoïdes par seconde.

Quelque temps après la puberté, l'ovaire de votre mère a libéré un ovocyte arrivé à maturité. Comme des voyageurs de l'espace à l'approche d'une planète géante, environ 250 millions de spermatozoïdes déposés ont commencé leur cheminement, pour atteindre une cellule 85 000 fois plus grande. Les spermatozoïdes qui s'approchent de l'ovule libèrent des enzymes qui digèrent la membrane protectrice entourant cet ovule (**FIGURE 5.2a**). Dès lors qu'un spermatozoïde commence à s'introduire puis pénètre dans l'ovule (**FIGURE 5.2b**), la surface de ce dernier bloque la pénétration de tous les autres. En moins d'une demi-journée, le noyau de l'ovule et le noyau d'un spermatozoïde ont fusionné : les deux cellules n'en forment plus qu'une.

Zygote ovule fécondé ; il entre dans une période de division cellulaire rapide qui durera deux semaines, stade précédant le stade embryonnaire.

Embryon organisme humain se développant, à partir du stade zygote, pendant deux mois.

Fœtus l'organisme humain se développant à partir de la neuvième semaine suivant la conception, jusqu'à la naissance.

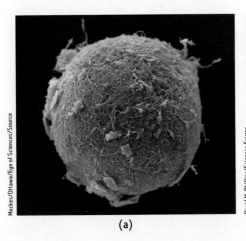

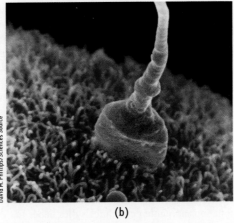

(a)

(b)

Meckes/Ottawa/Eye of Sciences/Source

David M. Phillips/Sciences Source

▼ FIGURE 5.2

La vie est transmise sexuellement
(a) Des spermatozoïdes entourent un ovule.
(b) Un spermatozoïde pénètre à travers le revêtement externe colloïdal de l'œuf, point de départ d'une cascade d'événements biochimiques causée par la fusion cellulaire des deux gamètes. Si tout va bien, cette cellule sera subdivisée et donnera naissance neuf mois plus tard à un être humain composé de 100 milliards de cellules.

Considérez cela comme le plus heureux des instants. Parmi les 250 millions de spermatozoïdes, celui qui vous a donné naissance est le seul vainqueur de cette course à la fusion avec un ovocyte. Il en a été toujours ainsi. Si l'un de nos ancêtres avait été conçu avec un spermatozoïde ou un ovule différent, ou s'il était mort avant de se reproduire ou s'il n'avait pas eu la chance de rencontrer « sa moitié » … La chaîne ininterrompue d'événements qui nous ont donné naissance dépasse l'entendement.

Développement prénatal

Moins de la moitié des ovules fécondés, appelés **zygotes**, survivront au-delà des 2 premières semaines (Grobstein, 1979 ; Hall, 2004). Mais pour nous, la fortune nous a souri. Une cellule se divise en 2, puis en 4 jusqu'à ce que cette division cellulaire ait produit quelque 100 cellules identiques au cours de la première semaine. Ensuite, les cellules ont commencé à se différencier – à se spécialiser dans leur structure et leur fonction. Comment des cellules identiques vont-elles se spécialiser – comme si elles décidaient « Je vais devenir un cerveau, vous devenez intestins ! » ? – C'est une énigme que les scientifiques commencent à peine à résoudre.

Environ dix jours après la conception, le zygote se fixe à la paroi utérine de la mère. Et c'est le début de la plus proche des relations humaines qui va durer trente-sept semaines. Les cellules internes du zygote deviennent un **embryon** (**FIGURE 5.3a**). Beaucoup de ses cellules extérieures vont donner naissance au *placenta*, le lien vital qui permet le transport des nutriments et de l'oxygène de la mère à l'embryon. Au cours des 6 prochaines semaines, les organes de l'embryon commencent à se former et à fonctionner. Le cœur commence à battre.

En neuf semaines après la conception, l'embryon a indéniablement figure humaine (**FIGURE 5.3b**). C'est maintenant un **fœtus** (mot latin signifiant « enfantement » ou « portée de petits »). Au cours du sixième mois, des organes tels que l'estomac sont suffisamment développés pour donner au fœtus une bonne chance de survie, si la naissance est prématurée.

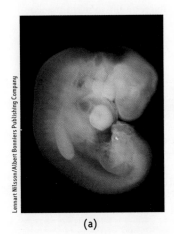

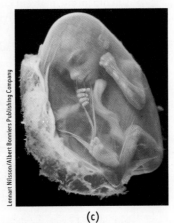

(a)

(b)

(c)

Lennart Nilsson/Albert Bonniers Publishing Company

Lennart Nilsson/Albert Bonniers Publishing Company

Lennart Nilsson/Albert Bonniers Publishing Company

▼ FIGURE 5.3

Développement prénatal
(a) L'embryon croît et se développe rapidement. À 40 jours, la colonne vertébrale est visible et les ébauches des bras et des jambes apparaissent. (b) À la fin du deuxième mois, lorsque la période fœtale commence, les traits du visage, les mains et les pieds sont formés. (c) Quand le fœtus entre dans le quatrième mois, il pèse environ 90 grammes et pourrait tenir dans la paume de votre main.

Agent tératogène (littéralement « engendrant des monstres ») substance chimique ou virus qui peut atteindre l'embryon ou le fœtus au cours du développement prénatal et causer des dommages dans le développement des membres et des organes.

Syndrome d'alcoolisation fœtale (SAF) anomalies physiques et cognitives apparaissant chez les enfants et causées par la consommation excessive d'alcool par la mère durant la grossesse. Dans les cas graves, les signes comprennent une petite tête disproportionnée et des anomalies morphologiques.

Développement prénatal

Zygote :   de la conception à l'âge
            de 2 semaines

Embryon : 2 à 9 semaines

Fœtus :   de 9 semaines à la naissance

« Tu vas devenir enceinte et tu enfanteras un fils. Ne bois ni vin ni liqueur forte. »

Juges 13:7 L. Segond

moodboard/JupiterImages

À chaque stade prénatal, les facteurs génétiques et environnementaux affectent notre développement. Vers le sixième mois, des enregistrements obtenus en plaçant un microphone à l'intérieur de l'utérus montrent que le fœtus perçoit les sons et est exposé à la voix étouffée de sa mère (Ecklund-Flores ; Hepper, 2005). Dès la naissance, après avoir vécu sous l'eau pendant près de trente-huit semaines, le nouveau-né préfère la voix de sa mère à celle d'une autre femme ou à celle de son père (Busnel et al., 1992 ; DeCasper et al., 1984, 1986, 1994).

Ils préfèrent également entendre leur langue maternelle. Il a été montré, en Suède et aux États-Unis, que des nouveaux nés, trente heures après leur venue au monde, interrompait leur tranquille tétée des voyelles de leur langue maternelle, qui leur étaient familières (Moon et al., 2013). Après avoir entendu à maintes reprises une suite de syllabes comme (*Tatata*) avant leur venue l'activité électrique cérébrale enregistrée chez des nouveau-nés finlandais se modifiait à l'écoute de note (Partanen et al., 2013). Si la mère parle deux langues pendant qu'elle est enceinte, le nouveau-né montre de l'intérêt envers les deux (Byers-Heinlein et al., 2010). Juste après leurs naissances, les bébés qui naissent d'une mère parlant le français ont tendance à crier avec l'intonation montante des Français ; les bébés nés d'une mère allemande ont tendance à crier avec l'intonation descendante de l'allemand (Mampe et al., 2009). Vous l'avez deviné : l'apprentissage de la langue commence avant la naissance.

Dans les deux mois qui précèdent la naissance, les fœtus présentent d'autres formes d'apprentissage, comme lorsqu'ils s'adaptent à un appareil vibrant et sonnant placé sur le ventre de leur mère (Dirix et al., 2009). Comme les gens qui s'adaptent au bruit du train passant dans le voisinage, les fœtus s'habituent au sifflement. De plus, quatre semaines plus tard, ils se souviennent du son (ce que l'on prouve du fait de leur réponse « blasée » comparée à celle de fœtus non exposés).

Les sons ne sont pas les seuls stimuli auxquels les fœtus sont exposés dans l'utérus. En plus de transmettre des nutriments et de l'oxygène de la mère au fœtus, le placenta filtre les substances qui peuvent être nocives. Mais certaines peuvent franchir la barrière placentaire, tels les **agents tératogènes** toxiques pour l'embryon ou le fœtus. Des bactéries et des virus peuvent aussi la franchir. C'est une des raisons pour lesquelles il est déconseillé aux femmes enceintes de boire de l'alcool. Une femme enceinte n'est jamais la seule à boire. L'alcool qui pénètre dans le sang d'une femme pénètre également dans le sang du fœtus et affaiblit l'activité de leurs deux systèmes nerveux centraux. La consommation d'alcool pendant la grossesse peut imprimer le goût de l'alcool chez les enfants et augmenter le risque qu'ils deviennent, une fois adolescents, de forts consommateurs d'alcool voire des consommateurs pathologiques. Au cours d'expériences, les chercheurs ont fait boire de l'alcool à des rates gravides, et leur descendance a présenté par la suite une attirance pour l'odeur de l'alcool (Youngentob et al., 2007, 2009).

Même une légère consommation d'alcool peut avoir des répercussions sur le cerveau fœtal (Braun, 1996 ; Ikonomidou et al., 2000 ; Sayal et al., 2009). Si une femme boit beaucoup, son bébé risque de présenter des anomalies congénitales et ultérieurement des problèmes comportementaux, une hyperactivité et une déficience mentale. Chez un enfant sur 800, les effets du **syndrome d'alcoolisation fœtale (SAF)** sont visibles : une tête de petite taille, mal proportionnée, et des anomalies cérébrales définitives (May et Gossage, 2001). Ces lésions fœtales peuvent se produire car l'alcool possède un *effet épigénétique* : il marque l'ADN, il en résulte une induction ou une inhibition anormales de certains gènes (Liu et al., 2009).

Si une femme enceinte subit un stress extrême, les « hormones du stress » qui inondent son organisme peuvent constituer, pour le fœtus, une menace vitale, ou provoquer un accouchement prématuré (Glynn & Sandman, 2011). Certains stress précoces nous préparent à faire face à l'adversité. Mais l'exposition prénatale à un stress substantiel expose l'enfant à un risque accru, de maladie telle que l'hypertension, les maladies cardiaques, l'obésité et les troubles mentaux.

EXERCICE RÉCAPITULATIF

• Les deux premières semaines du développement prénatal constituent la période du _____ . La période du _____ va de la 9ᵉ semaine après la conception jusqu'à la naissance. Le temps entre ces deux périodes prénatales est considéré comme celle de l'_____ .

Compétences du nouveau-né

5-3 **Quelles sont les capacités du nouveau-né et comment les chercheurs explorent-ils les capacités mentales des nourrissons ?**

Les bébés naissent avec des logiciels préprogrammés sur leur disque dur neural. Ayant survécu aux risques de la période prénatale, le nouveau-né vient au monde avec des réflexes parfaitement adaptés à sa survie. Il retire l'un de ses membres pour échapper à la douleur. Mettez-lui un vêtement sur le visage, qui gênera sa respiration, il tournera la tête d'un côté puis de l'autre et tapera dessus.

Les jeunes parents sont souvent impressionnés par la séquence coordonnée de réflexes grâce à laquelle le nourrisson obtient de la nourriture. Lorsque quelque chose touche ses joues, le bébé se tourne en direction de ce qui l'a touché, ouvre la bouche et se met vigoureusement à *rechercher* un mamelon. S'il en trouve un, il referme la bouche dessus et commence à *téter*, ce qui en soi réclame une séquence coordonnée de mouvements de langue, de *déglutition* et de *respiration*. S'il ne trouve pas satisfaction, le bébé affamé peut *crier*, un comportement que les parents sont prédisposés à trouver très déplaisant à entendre et très agréable à faire cesser.

Le psychologue américain William James, un pionnier de la psychologie, supposait que le nouveau-né ressentait une « confusion épanouissante et bourdonnante ». Jusque dans les années 1960, peu de gens étaient en désaccord avec cette façon de voir. Mais les scientifiques ont découvert que les bébés peuvent nous en apprendre beaucoup si nous savons les interroger. Pour ce faire, il faut utiliser de façon judicieuse ce que le bébé est capable de faire (fixer du regard, sucer, tourner la tête). Équipés de machines capables de suivre les mouvements des yeux et de tétines reliées à des capteurs électroniques, les chercheurs s'emploient à répondre à l'éternelle question des parents : qu'est-ce que mon bébé peut voir, entendre, sentir et penser ?

Considérez comment les chercheurs exploitent **l'habituation** (la réduction de l'intensité d'une réponse à une stimulation répétée). Nous l'avons vu précédemment lorsque le fœtus s'adapte à un appareil vibrant et sifflant placé sur l'abdomen de leur mère. Un stimulus nouveau attire davantage l'attention quand il est présenté pour la première fois. Mais, plus le stimulus est répété, plus la réponse s'amenuise. Ce désintérêt apparent face aux stimuli familiers nous permet de savoir ce que les enfants voient et ce dont ils se souviennent.

En fait, même nouveau-nés, nous préférons les images et les bruits qui facilitent la réponse sociale. Nous tournons la tête dans la direction des voix humaines. Nous fixons plus longuement un dessin d'un visage humain (**FIGURE 5.4**). Nous préférons regarder des objets à une distance comprise entre 20 et 30 cm. Merveille des merveilles, c'est justement la distance existant entre les yeux du bébé et ceux de sa mère quand elle s'en occupe (Maurer et Maurer, 1988).

Quelques jours après sa naissance, les réseaux neuronaux du cerveau d'un bébé sont imprégnés de l'odeur du corps de sa mère. Un bébé d'une semaine nourri au sein, placé entre une compresse de gaze du soutien-gorge de sa mère et celle venant d'une autre mère allaitant, se tournera en général vers celle portant l'odeur de sa mère (MacFarlane, 1978). De plus, cette préférence pour l'odeur persiste. Une expérience a insisté sur le fait que certaines mères allaitantes d'une maternité française appliquaient un baume ayant une odeur de camomille pour éviter les crevasses au niveau du mamelon (Delaunay-El Allam et al., 2010). Vingt et un mois plus tard, leurs bébés préféraient jouer avec des jouets imprégnés de l'odeur de camomille. Leurs camarades, qui n'avaient pas respiré cette odeur pendant l'allaitement, ne présentaient pas cette préférence. (On peut alors se demander : est-ce qu'une fois adulte, ces bébés qui ont senti l'odeur de camomille lorsqu'ils tétaient leur mère, deviendront de fervents buveurs de tisanes de camomille ?) Ces études montrent avec quelles habitudes déjà ancrées nous faisons notre entrée dans le monde.

> Habituation diminuer l'intensité d'une réponse à un stimulus par la répétition de ce dernier. À mesure que les nourrissons sont exposés à la répétition d'un stimulus, ils s'y habituent puis rapidement, l'intérêt diminue et ils détournent le regard.

« Je me sentais comme un homme prisonnier dans le corps d'une femme. Ce fut alors ma véritable venue au monde. »

Comédien Chris Bliss

▼ FIGURE 5.4

La préférence des nouveau-nés pour les visages Lorsqu'on leur a montré ces stimuli avec les mêmes éléments, des nouveau-nés italiens ont passé deux fois plus de temps à regarder l'image de gauche, qui ressemble à un visage (Johnson et Morton, 1991). Une autre étude effectuée avec des nouveau-nés canadiens (âgés en moyenne de 53 minutes) a montré la même préférence innée vis-à-vis des visages (Mondloch et coll., 1999).

Programmés pour nourrir ; programmés pour demander leur nourriture Les animaux sont prédisposés à répondre aux cris de leurs progénitures pour se nourrir.

• Les psychologues utilisent la répétition de la stimulation pour évaluer _____ d'un enfant à un stimulus.

Réponse : habituation

REVUE GÉNÉRALE Le développement en question, développement prénatal et nouveau-né

OBJECTIFS D'APPRENTISSAGE

EXERCICE RÉCAPITULATIF Prenez un moment pour répondre à chacune de ces questions objectives d'apprentissage (répétées ici au sein de cette section). Puis allez à l'annexe C, révision complète du chapitre, pour vérifier vos réponses. La recherche suggère que d'essayer de répondre à ces questions de votre propre initiative permettra d'améliorer la mémorisation à long terme de ces réponses (McDaniel et al., 2009).

5-1 Quelles sont les trois questions qui intéressent les psychologues du développement ?

5-2 Comment se déroule le développement prénatal et de quelle manière les agents tératogènes peuvent-ils affecter ce développement ?

5-3 Quelles sont les capacités du nouveau-né et comment les chercheurs explorent-ils les capacités mentales des nourrissons ?

TERMES ET CONCEPTS À RETENIR

EXERCICE RÉCAPITULATIF Testez votre connaissance de ces termes en essayant d'écrire leur définition avant de vous reporter aux pages donnant les bonnes réponses.

psychologie du développement, p. 178

zygote, p. 181

embryon, p. 181

fœtus, p. 181

tératogènes, p. 182

syndrome d'alcoolisation fœtale (SAF), p. 182

accoutumance, p. 183

La petite enfance et l'enfance

> « C'est un rare privilège que de pouvoir observer la naissance, la croissance, et la première lutte menée par un esprit humain vivant. »
>
> Annie Sullivan, à Helen Keller
> *L'histoire de ma vie,* 1903

NOUS NOUS ÉPANOUISSONS TOUT comme une fleur le fait grâce à la régulation opérée selon ses instructions génétiques. La **maturation**, suite d'événements biologiques constituant la croissance, régit nombre de nos points communs. Nous nous tenons debout avant de marcher. Nous utilisons les noms avant les adjectifs. Les carences affectives sévères ou les mauvais traitements retardent le développement de l'enfant. Toutefois la propension génétique à la croissance est innée. La maturation (innée) détermine les grandes étapes de notre développement ; l'expérience (acquise) les ajuste. Les gènes et les circonstances interagissent.

Développement physique

5-4 Durant la petite enfance et l'enfance, comment le cerveau et les aptitudes motrices se développent-ils ?

Développement du cerveau

Quand vous étiez dans l'utérus maternel, votre cerveau en développement a formé des cellules nerveuses à la vitesse prodigieuse d'environ 250 000 par minute. Le cortex cérébral en développement surproduit des neurones et atteint son niveau maximal au terme de vingt-huit semaines (Rabinowicz et al., 1996, 1999).

Depuis la petite enfance, le cerveau et l'esprit, le réseau neuronal et le programme cognitif, se développent de concert. Le jour de votre naissance, vous possédez pratiquement toutes les cellules cérébrales que vous pouvez posséder. Cependant, votre système nerveux est immature. Après la naissance, les réseaux neuronaux ramifiés qui vous permettent de marcher, de parler et de vous souvenir ont une phase de croissance débordante (**FIGURE 5.5**). Entre l'âge de 3 et 6 ans, la croissance la plus rapide s'effectue dans vos lobes frontaux, qui permettent une planification rationnelle des tâches. Ce phénomène permet d'expliquer pourquoi chez les enfants non encore scolarisés la capacité à contrôler leur attention et leur comportement se développe rapidement (Garon et al., 2008).

> **Maturation** processus de croissance biologique qui permet l'apparition programmée des changements dans le comportement, et qui est relativement peu influencé par l'expérience.

Les aires associatives du cortex, liées à la pensée, à la mémoire et au langage, sont les dernières aires corticales à se développer. À mesure qu'elles se développent, nos capacités mentales apparaissent (Chugani et Phelps, 1986 ; Thatcher et al., 1987). Les fibres nerveuses associées à la fluence verbale et à la maîtrise de soi développement à la puberté. Sous l'influence des hormones des glandes surrénales, des dizaines de milliards de synapses se forment et s'organisent, tandis qu'un processus d'*élagage* met fin aux jonctions inutilisées (Paus et al., 1999 ; Thompson et al., 2000).

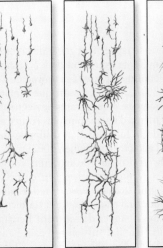

À la naissance   À 3 mois   À 15 mois

▼ FIGURE 5.5
Schémas de coupes de cortex cérébral humain Chez l'homme, le cerveau est immature à la naissance. Lorsque l'enfant grandit, les réseaux de neurones se développent et deviennent de plus en plus complexes.

Développement moteur

Le développement du cerveau permet aussi la coordination physique, psychomotrice. Au fur et à mesure que les muscles et le système nerveux de l'enfant se développent, des capacités plus complexes apparaissent. À quelques exceptions près, l'ordre selon lequel se produit le développement physique (la coordination motrice) est universel. Les bébés roulent sur eux-mêmes avant de se tenir assis tout seuls et avancent à quatre pattes avant de marcher. Ces comportements ne proviennent pas d'un processus d'imitation, mais d'une maturation du système nerveux ; les enfants aveugles aussi rampent avant de marcher.

Et comment les nourrissons apprennent-ils à marcher ? Par la pratique, Karen Adolph et ses collègues (2012, 2014) ont évalué les efforts déployés lors de cet exercice en observant 20 bébés qui rampaient facilement et 20 bébés qui commençaient à marcher à l'âge de 12 mois. En une heure, le nombre moyen de chutes était de 32 chez les bébés marcheurs débutants. Les bébés marcheurs se rendaient d'un point à un autre beaucoup plus rapidement que les bébés qui rampaient : les bébés marcheurs ont fait 1 500 pas en une heure. Et ils ont parcouru une distance trois fois plus importante. Ils ont observé toute la pièce (contrairement aux bébés qui rampaient, qui n'en ont vu que le sol, la plupart du temps).

Aux États-Unis, 25 % des bébés savent marcher à l'âge de 11 mois, 50 % dans la première semaine suivant leur premier anniversaire et 90 % à l'âge de 15 mois (Frankenburg et al., 1992). Du fait de la position de sommeil actuellement recommandée, consistant à mettre les bébés sur le *dos* (pour réduire les risques de mort par étouffement), il semble que les bébés rampent légèrement plus tard. Toutefois, aucun retard concernant la marche n'a été constaté (Davis et al., 1998 ; Lipsitt, 2003).

Les gènes jouent un rôle prépondérant dans le développement moteur. Les vrais jumeaux commencent à marcher pratiquement le même jour (Wilson, 1979). La maturation, y compris le développement rapide du cervelet, nous permet d'être prêts à marcher à peu près vers 1 an. Cela est également vrai pour d'autres aptitudes physiques, en particulier le contrôle de l'intestin et de la vessie. Avant que le processus de maturation nécessaire ne s'achève sur le plan musculaire et sur le plan nerveux, il est inutile de supplier, de harceler ou de punir un enfant dans le but de lui apprendre la propreté.

Le développement physique Position assise, ramper, marcher, courir, la séquence de ces étapes du développement moteur est universelle même si les âges auxquels elles apparaissent peuvent être différents.

Juice Images/JupiterImages

Au cours des huit années qui ont suivi la campagne d'éducation sanitaire américaine sur le sommeil en 1994, le pourcentage de bébés qui dorment sur le ventre a chuté considérablement, de 70 à 11 %, et le nombre de morts subites du nourrisson a été réduit de façon significative (Braiker, 2005).

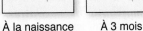

- Le processus de croissance biologique, appelé _____, explique pourquoi la plupart des enfants commencent à marcher à un âge compris entre 12 à 15 mois.

Réponse : la maturation

Maturation du cerveau et mémoire de l'enfant

Vous rappelez-vous de votre premier jour de maternelle ou l'anniversaire de vos 3 ans ? Une étude menée au Danemark a montré que des bébés âgés de 3 ans pouvaient reconnaître une personne qu'ils avaient rencontrée quand ils avaient 12 mois (Kingo et al., 2014). Nos premiers *souvenirs* sont rarement antérieurs à l'âge de 3 ans. Nous avons pu constater cette *amnésie infantile* dans les souvenirs d'un groupe d'enfants d'âge préscolaire ayant dû évacuer d'urgence le bâtiment où ils se trouvaient à la suite d'un incendie déclenché par une machine à pop-corn. Sept ans plus tard, les enfants âgés de 4 à 5 ans lors de l'événement étaient capables de se rappeler de l'alarme d'incendie et de ce qui l'avait déclenchée. À l'inverse, les enfants qui avaient 3 ans au moment de l'incident

« Un jour, nous voudrons revenir sur cet instant précis de notre vie et serons incapables de nous le rappeler. »

▼ FIGURE 5.6
Nourrisson au travail Les bébés âgés
seulement de 3 mois peuvent apprendre qu'avec
un coup de pied ils font bouger un mobile
et peuvent s'en souvenir pendant un mois.
(D'après Rovee- Collier, 1989, 1997.)

La cognition est un terme qui recouvre toutes
les activités mentales associées à la pensée,
à la connaissance, à l'intelligence, à la mémoire
et à la communication.

Jean Piaget (1896-1980) « Si nous
examinons le développement intellectuel
de l'individu ou de l'ensemble de l'humanité,
nous verrons que l'esprit humain passe par
un certain nombre de stades, chacun étant
différent de l'autre » (1930).

ne se rappelaient guère de la raison de l'évacuation des lieux et ont même cru se rappeler, à tort, qu'ils se trouvaient déjà à l'extérieur lors du signal d'alarme (Pillemer, 1995). D'autres études confirment que l'âge moyen de la mémoire consciente la plus lointaine est 3 ans et demi (Bauer, 2002, 2007). À mesure que l'enfant devient plus mature et atteint l'âge de 7 ans, l'amnésie infantile régresse et les enfants deviennent de plus en plus capables de mémoriser des événements datant même d'un an voire plus (Bruce et al., 2000 ; Morris et al., 2010). Les aires cérébrales responsables de la mémorisation (l'hippocampe et les lobes frontaux) poursuivent leur maturation jusqu'à l'adolescence (Bauer, 2007).

En dehors de souvenirs construits sur la base de photos et d'histoires familiales, nous nous souvenons *consciemment* de peu de choses de nos premières années, notre cerveau ne traitant et ne stockant pas encore les informations. En 1965, alors qu'elle finissait son travail de thèse de doctorat en psychologie, Carolyn Rovee-Collier a observé la mémoire non verbale des nourrissons. Les coliques de son petit Benjamin, âgé de 2 mois, pouvaient être calmées en actionnant un mobile fixé sur son berceau. Fatiguée de tirer sur le mobile, elle le relia au pied de Benjamin à l'aide d'un ruban. Très vite, il donna des coups de pied pour mettre le mobile en mouvement. En réfléchissant sur son expérience involontaire, Rovee-Collier réalisa que, contrairement à l'idée populaire de l'époque, les bébés étaient capables d'apprendre. Pour s'assurer que son petit Benjamin n'était pas simplement un petit génie, Rovee-Collier répliqua son expérience avec d'autres enfants (Rovee-Collier, 1989, 1999). Bien entendu, ils se sont également mis à remuer leur pied plus souvent lorsqu'ils étaient reliés à un mobile, que ce soit le jour de l'expérience mais aussi le jour suivant. Cependant, si elle attachait leur pied à un mobile différent le jour suivant, les nourrissons ne montraient pas d'apprentissage. Cette action indique qu'ils se souvenaient du premier mobile et qu'ils étaient capables de le distinguer parmi d'autres. De plus, lorsqu'un mois plus tard, ils étaient à nouveau reliés au mobile familier, ils se sont souvenus de l'association et ont recommencé à donner des coups de pied (**FIGURE 5.6**).

Des traces du langage enfantin oublié peuvent également persister. Une étude a testé des adultes britanniques parlant l'anglais qui n'avaient aucune mémoire consciente du Hindi ou du Zoulou qu'ils parlaient étant enfant. Cependant, même à l'âge de 40 ans, ils pouvaient réapprendre les différences subtiles de sons de ces langues que d'autres personnes *ne* pouvaient apprendre (Bowers et al., 2009). Ce que l'esprit conscient ne sait pas et ne peut exprimer par des mots, le système nerveux, par les deux voies de l'esprit, s'en souvient d'une manière ou d'une autre.

Développement cognitif

5-5 Selon les conceptions de Piaget, Vygotsky et des chercheurs actuels, de quelle manière l'esprit d'un enfant se développe-t-il ?

À un moment de votre voyage semé d'embûches de l'« œuf à la personne » (Broks, 2007), vous êtes devenu conscient. Quand était-ce ? La recherche des pensées conscientes d'un enfant, ou plutôt, d'un signal neuronal qui serait un marqueur précoce de la conscience vigile, a fait l'objet d'une étude menée par une équipe française. Des photographies de visages ont été projetées sur un écran. Dans un premier temps, les visages sont apparus si brièvement que même les adultes ne pouvaient pas les percevoir consciemment. Peu à peu, le rythme de la projection a été ralenti jusqu'à ce que des ondes cérébrales, témoins de l'activation de la conscience vigile apparaissent chez l'adulte, environ 300 millisecondes après la projection d'une image. Avec un temps plus long d'exposition des visages, ces ondes cérébrales, témoins de l'activation de la conscience vigile apparaissent chez des nourrissons âgés de 5 mois (Dehaene, 2014 ; Kouider et al., 2013.).

Si vous aussi, vous étiez doués de cette conscience vigile, comment votre esprit se serait développé à partir de ce moment-là ? Le psychologue Jean Piaget, spécialiste du développement cognitif chez l'enfant, a passé sa vie à chercher des réponses à ces questions. Il a étudié toutes les activités mentales associées à la pensée, à la connaissance, aux souvenirs et à la communication, regroupées sous le vocable développement **cognitif**. Son intérêt débuta en 1920 alors qu'il travaillait à Paris à la mise au point d'un questionnaire destiné à mesurer l'intelligence des enfants. En faisant passer ces tests, Piaget fut intrigué par les mauvaises réponses des enfants qui, remarqua-t-il, étaient souvent étrangement semblables parmi les enfants d'un âge donné. Là où les autres ne voyaient que des erreurs enfantines, Piaget perçut l'intelligence au travail.

Le demi-siècle que Piaget passa avec les enfants le convainquit que l'esprit d'un enfant n'est pas un celui d'un adulte en miniature. Grâce en partie à son travail, nous savons maintenant que les enfants raisonnent *différemment*, « d'une manière étonnamment illogique lorsqu'ils sont confrontés à des problèmes auxquels les adultes proposent des solutions qui leur semblent évidentes » (Brainerd, 1996).

▼ FIGURE 5.7

Les erreurs d'échelle les psychologues Judy DeLoache, David Uttal, et Karl Rosengren (2004) rapportent que les enfants âgés de 18 à 30 mois risquent de ne pas prendre en compte la taille d'un objet et se livrent à des manipulations impossibles à effectuer. À gauche, un enfant de 21 mois tente de glisser sur un toboggan miniature. À droite, un enfant de 24 mois ouvre la porte à une voiture miniature et essaie de monter dedans.

Les études de Piaget l'ont amené à penser que l'esprit d'un enfant se développe selon une succession de stades, une progression allant des réflexes simples du nouveau-né à la capacité de raisonnement abstrait de l'adulte. Un enfant de 8 ans peut ainsi comprendre des choses qu'un enfant de 3 ans ne peut pas assimiler. Il peut, par exemple, percevoir l'analogie suivante : « Avoir une idée, c'est comme si l'on allumait une lumière dans la tête », ou qu'un toboggan miniature est trop petit pour pouvoir y glisser et qu'une voiture miniature est bien trop petite pour pouvoir y entrer (**FIGURE 5.7**).

Le concept de base de Piaget est que notre progression intellectuelle est le reflet de notre lutte incessante pour donner un sens à nos expériences. À cette fin, le cerveau en cours de maturation échafaude des **schémas**, concepts ou moules mentaux dans lesquels nous versons nos expériences (**FIGURE 5.8**). À l'âge adulte, nous avons construit d'innombrables schémas allant du *chat* ou du *chien* à notre conception de *l'amour*.

Piaget a proposé deux concepts supplémentaires pour expliquer comment nous utilisons et ajustons nos schémas. D'abord, nous **assimilons** de nouvelles expériences que nous interprétons en fonction de notre compréhension présente (schémas). Ayant un schéma simple pour un *chien*, un enfant qui commence à marcher va appeler « chien » tous les animaux à quatre pattes. Mais, à mesure que nous interagissons avec le monde, nous ajustons ou **accommodons** également nos schémas pour y incorporer les informations apportées par nos nouvelles expériences. Ainsi, l'enfant va apprendre très vite que le schéma originel du *chien* est trop large et va accommoder en précisant la catégorie (**FIGURE 5.9**). Beaucoup de gens dont le schéma du *mariage* a été l'union d'un homme et d'une femme s'accommodent désormais d'une définition plus large du mariage, qui inclut l'union de sujets du même sexe.

La théorie de Piaget et les conceptions actuelles

Piaget pensait que les enfants construisent leur compréhension du monde en interagissant avec lui. Leur esprit passe par des poussées de changement suivies de moments de stabilité, en passant d'un plateau de développement cognitif au suivant, chacun de ces plateaux ayant des caractéristiques distinctes permettant différents modes de pensée. De l'avis de Piaget, le développement cognitif est composé de quatre grands stades : *intelligence sensori-motrice*, *préopératoire*, *stade des opérations concrètes*, et *stade des opérations formelles*.

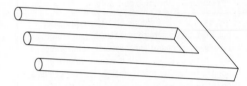

▼ FIGURE 5.8

Un objet impossible Regardez attentivement le « diapason du diable ». Maintenant, regardez au loin. En fait non, premièrement étudiez-le, deuxièmement détournez le regard et dessinez-le… Pas facile, n'est-ce pas ? Parce que ce diapason est un objet impossible, vous n'avez pas de schéma mental pour une telle image.

Schéma un concept ou un cadre qui organise et interprète les informations.

Assimilation l'interprétation de nos nouvelles expériences en fonction de nos schémas mentaux existants.

Accommodation l'adaptation de nos connaissances actuelles (schémas) pour incorporer de nouvelles informations.

(a) Alexandra, âgée de 2 ans, a appris le schème d'un *chien* (*toutou*) dans son livre d'image.

(b) Alexandra voit un chat et dit « *toutou* ». Elle essaye d'assimiler ce nouvel animal dans son schème existant. Sa mère lui dit : « non c'est un *chat* ».

(c) Alexandra réajuste son schème des animaux à poils et à quatre pattes de manière à différencier les chiens des chats. Avec le temps ses schèmes deviendront de plus en plus complexes à mesure qu'elle apprendra à distinguer les animaux domestiques de sa famille et de ses amis par leur nom.

▼ FIGURE 5.9

Nouveaux tableaux expérimentaux dans de nouveaux cadres mentaux Nous utilisons nos schémas existants pour *assimiler* ce que de nouvelles expériences vécues nous apprennent. Mais parfois, nous devons *accommoder* ou *ajuster* nos schémas pour bénéficier de ce qu'apportent de nouvelles expériences vécues.

Stade sensori-moteur ou de l'intelligence sensori-motrice dans la théorie de Piaget, l'étape (de la naissance à près de 2 ans) au cours de laquelle les nourrissons vont apprendre à connaître le monde par les perceptions sensorielles et les activités motrices selon des schèmes d'organisation de l'action, de reproduction de cette action quand les conditions sont analogues.

Permanence de l'objet perception que les choses continuent d'exister même si on ne les voit pas.

Stade préopératoire dans la théorie de Piaget, c'est la période au cours de laquelle un enfant apprend à utiliser la langue, mais ne comprend pas encore les opérations mentales de logique concrète (d'environ 2 à environ 6 ou 7 ans).

Conservation de la matière principe, que Piaget considère comme faisant partie du raisonnement opérationnel concret, selon lequel les propriétés telles que la masse, le volume et le nombre restent les mêmes malgré les changements de forme.

Égocentrisme dans la théorie de Piaget, la difficulté qu'a l'enfant au stade préopératoire à adopter un autre point de vue.

Stade sensori-moteur Au cours du **stade sensori-moteur**, depuis la naissance jusqu'à pratiquement l'âge de 2 ans, les bébés comprennent le monde par l'intermédiaire de leurs sens et de leurs actions, en regardant, entendant, touchant, attrapant et portant à la bouche. À mesure que leurs mains et leurs jambes se meuvent, ils apprennent à faire des choses.

Les très jeunes bébés semblent vivre dans le présent : loin des yeux, loin de l'esprit. Dans l'un de ses tests, Piaget montrait à un enfant un jouet fascinant puis mettait son béret dessus. Avant l'âge de 6 mois, les enfants agissaient comme si le jouet avait cessé d'exister. Les très jeunes enfants n'ont pas la notion de **permanence de l'objet**, c'est-à-dire la conscience du fait que les objets continuent d'exister alors qu'ils ne les voient pas. À 8 mois, les enfants commencent à manifester un souvenir des choses qu'ils ne voient plus. Cachez l'objet et l'enfant le cherchera pendant quelques instants (**FIGURE 5.10**). Un ou deux mois plus tard, l'enfant le cherchera, même si on l'en a empêché pendant plusieurs secondes.

Mais la conscience de la permanence de l'objet va-t-elle vraiment éclore à 8 mois de façon soudaine, comme les tulipes éclosent au printemps ? Les psychologues pensent de nos jours que le développement évolue de façon plus continue que ne le pensait Piaget et considèrent la permanence de l'objet comme un processus qui se met progressivement en place. Même le jeune nourrisson va chercher au moins momentanément un jouet où il l'a vu caché une seconde avant (Wang et al., 2004).

Les chercheurs pensent que Piaget et ses successeurs ont sous-estimé la compétence du jeune enfant. Les enfants d'âge préscolaire pensent comme des petits scientifiques. Ils font des essais, des inférences de causalité, et tout se passe comme si l'apprentissage obéissait à des modèles statistiques (Gopnik, 2012). Considérons ces expériences simples :

- *Les bébés et la physique :* Tel un adulte regardant un tour de magie avec incrédulité (expression du « *Ouah, c'est dingue !* »), les enfants regardent plus longuement lorsqu'on leur montre une scène inattendue et non familière, comme une voiture semblant passer à travers un objet solide, ou un ballon arrêté entre ciel et terre, ou encore un objet allant à l'encontre du principe de permanence lorsqu'il disparaît de façon magique (Baillargeon, 1995, 2008 ; Wellman et Gelman, 1992).

- *Les bébés et les maths :* Karen Wynn (1992, 2000, 2008) a montré à des enfants de 5 mois un ou deux objets (**FIGURE 5.11a**). Ensuite, elle a caché les objets derrière un écran, enlevant ou ajoutant parfois un objet de manière visible (**FIGURE 5.11d**). Lorsqu'elle retirait l'écran, les enfants y regardaient parfois à deux fois, regardant plus longuement lorsqu'on leur montrait un nombre d'objets erroné (**FIGURE 5.12f**). Les enfants réagissaient-ils simplement à une *quantité* plus ou moins importante d'objets plutôt qu'au changement *numérique* (Feigenson et al., 2002) ? Des expériences menées plus tard ont montré que la perception des nombres chez les bébés s'étendait à des nombres plus importants, à des proportions, ou d'autres choses comme des battements de tambour ou des mouvements (Libertus et Brannon, 2009 ; McCrink et Wynn, 2004 ; Spelke et al., 2013). Si on les habitue à ce qu'une marionnette de Duffy Duck saute sur le plateau trois fois, ils se montreront surpris si elle ne saute que deux fois.

Décidément, les bébés sont plus intelligents que ne le pensait Piaget. Même lorsque nous n'étions que des bébés, nous avions beaucoup de choses à l'esprit.

▼ **FIGURE 5.10**

Permanence de l'objet Les nourrissons de moins de 6 mois comprennent rarement que les objets continuent d'exister quand ils sont hors de vue. Mais pour cet enfant plus âgé, hors de la vue ne signifie certainement pas hors de l'esprit.

1. On place les objets dans une boîte

2. On relève l'écran

3. Une main vide entre

4. Un objet est enlevé

Soit un résultat possible
5. L'écran est abaissé... révélant 1 objet

Soit un résultat impossible
6. L'écran est abaissé... révélant 2 objets

Stade préopératoire Piaget pensait que, jusqu'à l'âge de 6 ou 7 ans environ, les enfants se trouvaient à un **stade préopératoire**, de représenter des choses avec de mots et des images mais étaient trop jeunes pour l'exécution *d'opérations mentales* (par exemple imaginer une action et l'inverser mentalement). Pour un enfant de 5 ans, la quantité de lait qui est « trop importante » dans un verre étroit et haut peut devenir une quantité acceptable si elle est versée dans un verre bas et large. En se concentrant uniquement sur la dimension de la hauteur, cet enfant ne peut pas effectuer l'opération inverse de remplissage du récipient avec le lait. Avant l'âge de 6 ans environ, dit Piaget, les enfants n'ont pas la notion **de la conservation de la matière** – que cette quantité reste la même malgré les changements de forme (**FIGURE 5.12**).

Piaget ne voyait pas la transition entre les stades comme un phénomène abrupt. Toutefois, le raisonnement symbolique *peut être observé* à un âge plus précoce qu'il ne le pensait. Judy DeLoache (1987) le découvrit en montrant à des enfants la maquette d'une chambre et en y cachant un jouet (un petit chien en peluche derrière un canapé miniature). Les enfants âgés de 2 ans et demi furent facilement capables de se souvenir de l'endroit où se trouvait le jouet miniature, mais ne purent utiliser ce modèle pour trouver un vrai chien en peluche caché derrière un canapé dans une vraie pièce. À l'âge de 3 ans – six mois plus tard seulement – les enfants réussirent à aller droit vers la peluche dans la pièce réelle, montrant leur *aptitude* à penser au modèle comme symbolisant la chambre. Piaget aurait probablement été surpris par cette découverte.

ÉGOCENTRISME Piaget a soutenu que les enfants d'âge préscolaire sont **égocentriques** : ils ont des difficultés à percevoir les choses d'un autre point de vue. Gabriella, 2 ans, à qui l'on demanda : « montre ta photo à maman », lui montra la photo en la mettant face à ses propres yeux. Gray, 3 ans, pense être « invisible » quand il met ses mains sur ses yeux, car comme il ne voit pas ses grands-parents, ces derniers ne peuvent pas le voir. La conversation des enfants révèle aussi leur égocentrisme, comme le démontre un jeune garçon (Phillips, 1969, p. 61) :

« *As-tu un frère ?* »
« *Oui.* »
« *Quel est son nom ?* »
« *Jim.* »
« *Est-ce que Jim a un frère ?* »
« *Non.* »

▼ FIGURE 5.11
Mathématiques pour bébé Montrez un résultat numériquement impossible, un bébé de 5 mois regardera plus longtemps. (De Wynn, 1992.)

▼ FIGURE 5.12
Le test de Piaget de conservation de la matière Cet enfant, au stade préopératoire, visuellement captivé, ne comprend pas encore le principe de conservation de la matière. Lorsque le lait est versé dans un verre haut et étroit, la quantité paraît soudain « plus grande » que quand il se trouvait dans un verre plus petit et plus large. Dans un an ou deux, elle comprendra que la quantité est la même.

Courtoisie David G. Myers

L'égocentrisme en action « Regarde grand-père, cela correspond. » C'est ce que m'a dit ma petite fille Allie, en me montrant deux cartes d'un jeu de mémoire dont les faces recto, posées devant elle, étaient identiques.

▼ FIGURE 5.13
Test de la théorie de l'esprit chez les enfants Ce problème simple illustre comment les chercheurs explorent les capacités de l'enfant à attribuer des états mentaux à autrui. (Inspiré par Baron-Cohen et al., 1985.)

Voici Sally. Voici Anne.

Sally met sa balle dans le placard rouge.

Sally disparaît.

Anne déplace le ballon dans le placard bleu.

Où Sally ira-t-elle chercher sa balle ?

Comme Gabriella, les très jeunes téléspectateurs qui vous empêchent de regarder la télévision en se mettant devant l'écran considèrent que vous voyez la même chose qu'eux. Ils n'ont tout simplement pas encore développé la capacité à prendre en compte le point de vue des autres. Même nous, les adultes pouvons surestimer la mesure dans laquelle d'autres partagent nos opinions et façon de voir les choses, un biais cognitif connu sous le nom de *malédiction du savoir*. Nous supposons qu'une notion sera claire pour les autres si elle est claire pour nous, ou que les destinataires de nos courriers électroniques ont le même sens de l'humour que le nôtre (Epley et al., 2004 ; Kruger et al., 2005). Vous pouvez peut-être demander à quelqu'un de deviner un air simple comme « joyeux anniversaire » en le tambourinant. Avec la mélodie en tête, cela paraissait si évident ! Mais vous avez subi la malédiction égocentrique de la connaissance, en supposant que ce qui était dans votre tête était également dans celle de votre interlocuteur.

THÉORIE DE L'ESPRIT Lorsque le Petit Chaperon rouge se rend compte que sa « grand-mère » est un loup, il révise immédiatement son jugement à propos des intentions de l'animal et s'éloigne en courant. Les enfants d'âge préscolaire, bien que toujours égocentriques, développent cette capacité à imaginer les états mentaux de leur protagoniste et commencent à former une **théorie de l'esprit** (Premack & Woodruff, 1978).

Des bébés âgés de seulement 7 mois présentent une certaine connaissance des pensées des autres (Kovacs et al., 2010). Avec le temps, la capacité à prendre en compte les points de vue d'autrui se développe. Les enfants cherchent à comprendre ce qui met un copain en colère, ce qui motive un frère ou une sœur à partager quelque chose, ce qui incite peut-être un parent à acheter un jouet. C'est alors qu'ils commencent à taquiner, à s'identifier et à persuader.

Entre 3 ans et 4 ans et demi, partout dans le monde, les enfants commencent à se rendre compte que les autres personnes peuvent se tromper (Callaghan et al., 2005 ; Rubio-Fernandez & Geurtz, 2013 ; Sabbagh et al., 2006). Jennifer Jenkins et Janet Astington (1996) montrèrent une boîte de pansements adhésifs à des enfants de Toronto et leur demandèrent ce qu'elle contenait. S'attendant naturellement à des pansements, les enfants furent surpris de voir que les boîtes contenaient, en fait, des crayons. Lorsque l'on demanda à des enfants de 3 ans ce qu'un enfant qui n'avait jamais vu ce genre de boîte auparavant penserait de son contenu, ils répondirent, bien entendu, « des crayons ». Lorsqu'ils atteignirent l'âge de 4 et 5 ans, la « théorie de l'esprit » avait fait de grands progrès chez ces enfants et, cette fois, ils avaient prévu que leurs camarades se tromperaient en croyant que la boîte contenait des pansements.

Au cours d'une expérience avec suivi (**FIGURE 5.13**), les enfants voient une poupée (appelée Sally) qui range son ballon dans un placard rouge. Une autre poupée (Anne) déplace le ballon dans un placard bleu. Les chercheurs posent ensuite la question suivante aux enfants : lorsque Sally reviendra, où cherchera-t-elle le ballon ? Les enfants souffrant du *trouble du spectre de l'autisme* ont du mal à comprendre que l'état mental de Sally puisse être différent de leur état mental, et que Sally, ignorant que le ballon a été déplacé, retournera vers le placard rouge. Ils ont également du mal à réfléchir à leur propre état mental. Par exemple, ils utilisent moins les pronoms « *je* » ou « *moi* ». Les enfants sourds nés de parents entendants, ayant accès à peu de situations de communication, présentent des difficultés similaires lorsqu'il s'agit de déduire les états mentaux d'autrui (Peterson et Siegal, 1999).

Stade des opérations concrètes Selon Piaget, à l'âge de 7 ans environ, les enfants entrent dans le stade des **opérations concrètes.** Si on leur donne des éléments concrets (physiques), ils commencent à saisir la notion de conservation. Comprenant que le changement de la forme ne signifie pas le changement de la quantité, ils peuvent mentalement verser le lait successivement dans des récipients de formes différentes. Ils aiment également les plaisanteries qui leur permettent d'utiliser ce nouveau concept :

M. Jones alla dîner au restaurant et commanda une pizza. Lorsque le serveur lui demanda s'il voulait la couper en 6 ou 8 morceaux, M. Jones a dit : « Oh, vous feriez mieux d'en faire 6, je ne pourrais jamais manger 8 parts ! » (McGhee, 1976)

Selon Piaget, pendant ce stade des opérations concrètes, les enfants acquièrent totalement la capacité mentale de comprendre les transformations mathématiques et la conservation. Lorsque ma fille [DM] Laura était âgée de 6 ans, je fus étonné de son incapacité à inverser des opérations mathématiques. Lorsqu'on lui demandait : « combien font 8 plus 4 ? », elle avait besoin de cinq secondes pour calculer « 12 » et encore de cinq secondes pour ensuite calculer « 12 moins 4 ». À l'âge de 8 ans, elle pouvait répondre instantanément à la seconde question.

▼ TABLEAU 5.1
Les stades du développement cognitif selon Piaget

Tranche d'âge typique	Description du stade	Caractéristiques du développement
De la naissance à presque 2 ans	*Sensorimoteur* Vivre le monde à travers les organes des sens et les actions (regarder, écouter, toucher, sucer les objets, saisir les objets)	• Permanence de l'objet • Peur ou angoisse de l'étranger
Environ 2 à environ 6 ou 7 ans	*Préopératoire* Représenter les choses avec des mots et des images ; intuition plutôt que raisonnement logique	• Le jeu d'imagination, jeu « à faire semblant » • Égocentrisme
Environ 7 à 11 ans	*Stade des opérations concrètes* Penser logiquement les événements concrets ; percevoir les analogies concrètes et effectuer des opérations arithmétiques	• Conservation de la matière • Opérations mathématiques
Environ 12 ans à l'âge adulte	*Stade des opérations formelles* Raisonnement abstrait	• Raisonnement logique abstrait, sans appui de la perception ou de l'expérience • Potentiel de raisonnement moral mature

Le jeu d'imagination

Théorie de l'esprit capacité spécifiquement humaine à connaître ses propres états mentaux et à attribuer à ses congénères des états mentaux (croyances sentiments, pensées, désirs) afin de prévoir leur comportement.

Stade des opérations concrètes dans la théorie de Piaget, stade de développement cognitif (d'environ 7 à 11 ans) au cours duquel les enfants sont capables d'élaborer des raisonnements logiques portant sur des événements concrets.

Stade des opérations formelles dans la théorie de Piaget, stade de développement cognitif (débutant normalement vers l'âge de 12 ans) au cours duquel les enfants commencent à élaborer une pensée portant sur des concepts abstraits.

Stade des opérations formelles Vers l'âge de 12 ans, le raisonnement se développe du niveau purement concret (impliquant l'expérience vécue) jusqu'à aboutir à la pensée abstraite (mettant en jeu des réalités imaginées et des symboles). Ils peuvent résoudre des propositions hypothétiques et en déduire les conséquences : *si* ceci, *alors* cela. Le raisonnement systématique que Piaget appelait **raisonnement opératoire formel** est maintenant à leur portée.

Bien que l'épanouissement de la logique et du raisonnement attende jusqu'à l'adolescence, les rudiments du raisonnement opératoire formel commencent bien plus tôt que ne le pensait Piaget. Considérez ce problème simple :

Si John est à l'école, alors Mary est à l'école. John est à l'école. Que pouvez-vous dire de Mary ?

Les enfants au stade des opérations formelles n'ont aucune difficulté à répondre à cette question. Il en est de même de la plupart des enfants de 7 ans (Suppes, 1982). Le **TABLEAU 5.1** résume les quatre stades de la théorie du développement cognitif selon J. Piaget.

Un autre point de vue : Lev Vygotsky et l'enfant social

Tandis que Piaget formait sa théorie du développement cognitif, un psychologue russe, Lev Vygotsky étudiait également le mode de pensée et d'apprentissage des enfants. Il remarqua que vers l'âge de 7 ans, les enfants deviennent davantage aptes à penser avec des mots, et à utiliser ces mots pour trouver les solutions à des problèmes. Selon lui, les enfants parviennent à ce processus en intériorisant le langage de leur culture et en se fiant plutôt à un discours intérieur (Fernyhough, 2008). Les parents qui disent « *Non non !* » à un enfant en écartant sa main du gâteau lui apprennent aussi un mécanisme d'autocontrôle (ou maîtrise de soi). Lorsque, plus tard, il aura besoin de résister à une tentation, il se peut que l'enfant se dise « *non* ». Les enfants qui marmonnent en faisant des calculs mathématiques en CM1 seront plus à l'aise en maths en CM2 (Berk, 1994). Que ce soit à voix haute ou de manière inaudible, le fait qu'un enfant se parle à lui-même l'aide à maîtriser son comportement et ses émotions et lui permet aussi d'acquérir de nouvelles compétences.

Alors que Piaget donnait de l'importance à la manière dont l'esprit d'un enfant se développe grâce aux interactions avec l'environnement physique, Vygotsky donnait de l'importance à la manière dont l'esprit d'un enfant se développe grâce aux interactions avec l'environnement *social*. Si l'enfant de Piaget était un jeune scientifique, celui de Vygotsky était un jeune apprenti. En guidant les enfants et en leur donnant de nouveaux mots, les parents et les autres leur donnent un *échafaudage* provisoire grâce auquel les enfants peuvent accéder à de plus hauts niveaux de pensée (Renninger et Granott, 2005). Selon Vygotsky (né la même année que Piaget mais mort prématurément de tuberculose), le langage, un ingrédient important du guidage social, apporte les éléments de base à la pensée.

Lev Vygotski (1896-1934)
Vygotski, photographié ici avec sa fille, était un psychologue russe, spécialiste du développement. Il a étudié la façon dont l'esprit d'un enfant se nourrit du langage et des interactions sociales.

Family Circus ® Bil Keane

« Grand-mère, tu ne te souviens pas du rêve ?
Pourtant tu étais avec moi. »

EXERCICE RÉCAPITULATIF

- Permanence de l'objet, jouer à faire semblant, la conservation, la logique abstraite sont les étapes du développement cognitif correspondant à quels stades de Piaget ?

Réponse : permanence de l'objet pour le stade sensori-moteur, le jeu d'imagination ou « à faire semblant » pour le stade préopératoire, la conservation de la matière pour la phase opérationnelle concrète, et la logique abstraite pour la phase opérationnelle formelle.

- Faites correspondre le stade de développement cognitif correct (a-d) à chaque phénomène du développement (1-6).

a. Intelligence sensori-motrice
b. Intelligence préopératoire
c. Intelligence opérationnelle concrète
d. Intelligence opérationnelle formelle

1. Penser à des concepts abstraits, tels que la « liberté ».

2. Aimer le jeu « faire semblant ».

3. Comprendre que les propriétés physiques restent les mêmes lorsque les objets changent de forme.

4. Avoir la possibilité d'inverser les opérations mathématiques.

5. Comprendre que quelque chose n'a pas disparu pour de bon quand elle disparaît de la vue, comme quand maman « disparaît » derrière le rideau de douche.

6. Avoir des difficultés à comprendre le point de vue de l'autre (comme lorsque l'enfant se place devant l'écran du poste de télévision).

Réponses : 1. d, 2. b, 3. c, 4. c, 5. a, 6. b

Réflexion sur la théorie de Piaget

Que reste-t-il des idées de Piaget sur la pensée de l'enfant ? Énormément de choses : assez pour que Piaget soit désigné par le journal *Time* comme étant l'un des vingt scientifiques et penseurs les plus influents du xxᵉ siècle et comme le plus grand psychologue du xxᵉ siècle par une enquête menée auprès des psychologues britanniques (*Psychologist*, 2003). Piaget a identifié des étapes importantes sur le plan du développement cognitif, ce qui a suscité un intérêt mondial sur la question du développement mental. Il a davantage insisté sur l'ordre séquentiel que sur l'âge auquel les enfants franchissent des étapes spécifiques. Des études effectuées dans le monde entier, chez les aborigènes d'Australie, en Algérie ou en Amérique du Nord, ont confirmé que la cognition humaine se développe globalement selon la séquence que Piaget a décrite (Lourenco et Machado, 1996 ; Segall et al., 1990).

Cependant, les chercheurs considèrent aujourd'hui que le développement est plus continu que ne le pensait Piaget. En établissant le début de chacun des types de pensée à des âges plus précoces, ils ont mis à jour des capacités conceptuelles que Piaget n'avait pas détectées. En outre, ils perçoivent la logique formelle comme une plus petite partie de la cognition que ne l'avait fait Piaget. Du fait de notre propre développement cognitif, il ne serait certainement pas surpris que nous accommodions aujourd'hui ses idées pour prendre en compte les nouvelles découvertes.

Implications pour les parents et les professeurs Futurs parents et professeurs, souvenez-vous de ceci : les jeunes enfants sont incapables de saisir la logique du monde adulte. Les enfants de moins de 6 ans qui nous empêchent de voir la télévision en se tenant au milieu du chemin n'ont simplement pas appris à considérer le point de vue d'autrui. Ce qui semble simple et évident pour nous, comme le fait de savoir que quitter soudainement un jeu à bascule entraînera la chute brutale de son compagnon en vis-à-vis, peut être incompréhensible pour un enfant de 3 ans. Souvenez-vous aussi que les enfants ne sont pas des récipients qui attendent passivement d'être remplis par la connaissance. Il vaut mieux construire à partir de ce qu'ils savent déjà, en les invitant à reproduire des démonstrations concrètes et en les incitant à penser par eux-mêmes. Enfin, acceptez aussi l'adaptabilité de l'immaturité cognitive des enfants. La nature met en œuvre ses propres stratégies pour maintenir les enfants près des adultes qui les protègent, leur donnant ainsi du temps pour l'apprentissage et pour la socialisation (Bjorklund et Green, 1992).

Trouble du spectre de l'autisme (TSA)

5-6 Qu'est-ce que le trouble du spectre de l'autisme (TSA) ?

Les diagnostics **d'autisme et de trouble du spectre de l'autisme**, troubles caractérisés par une grande difficulté à communiquer et des comportements répétitifs, sont en progression. Alors que l'on pensait que la prévalence était chez les enfants de 1 pour 2 500 (en se référant strictement à la définition de l'*autisme* selon Leo Kanner), les troubles du spectre autistique sont diagnostiqués chez 1 sur 68 enfants américains à 8 ans. Mais les taux rapportés varient selon le lieu, avec le New Jersey ayant

---

« Évaluer la portée des travaux de Piaget dans la psychologie du développement c'est comme évaluer l'importance de l'œuvre de Shakespeare dans la littérature anglaise. »

Harry Beilin (1992)

« L'enfance a ses manières de voir, de penser et sentir, qui lui sont propres ; rien n'est moins sensé que d'y vouloir substituer les nôtres. »

Jean-Jacques Rousseau, philosophe français, 1798

Trouble du spectre de l'autisme (TSA) un trouble qui apparaît dans l'enfance et est marqué par d'importants déficits de la communication et des interactions sociales, et par des intérêts strictement limités et des comportements répétitifs.

quatre fois la prévalence déclarée de l'Alabama, tandis que chez les enfants de Grande-Bretagne le taux de prévalence est de 1 pour 100, et est de 1 pour 38 en Corée du Sud (CDC, 2014 ; Kim et al., 2011 ; NAS, 2011). L'augmentation du nombre de diagnostics d'autisme a été compensée par une baisse du nombre d'enfants considérés atteints de handicap cognitif et de troubles de l'apprentissage, ce qui suggère une nouvelle nomenclature des troubles mentaux de l'enfant et de l'adolescent (Gernsbacher et al., 2005 ; Grinker, 2007 ; Shattuck, 2006). Une étude massive, engageant un budget de 6,7 milliards de dollars, portant sur les enfants (National Children Study) est actuellement en cours et a inclus 100 000 femmes enceintes provenant de 105 pays, l'objectif est de suivre leurs bébés jusqu'à ce qu'ils atteignent 21 ans, en partie dans l'espoir d'expliquer l'augmentation de la prévalence de l'autisme, de la prématurité, de l'obésité de l'enfant et de l'asthme (Belluck, 2010 ; Murphy, 2008).

La source sous-jacente des signes et des symptômes du trouble du spectre de l'autisme semble être une mauvaise communication entre les régions cérébrales qui travaillent normalement de concert pour nous permettre de considérer le point de vue d'autrui. De l'âge de 2 mois, alors que les autres enfants passent de plus en plus de temps en regardant l'autre dans les yeux, ceux chez qui surviendra un tel trouble le font de moins en moins, et évitent le regard de l'autre (Jones & Klin, 2013). On dit de ces enfants que leur *théorie de l'esprit est compromise* (Rajendran et Mitchell, 2007 ; Senju et al., 2009). Un enfant atteint du trouble du spectre de l'autisme a des difficultés pour « lire dans les pensées de l'autre », ce que la plupart d'entre nous faisons intuitivement (*ce visage affiche-t-il un sourire narquois ou un sourire moqueur ?*). Ils ont des difficultés à déduire les pensées et les sentiments de l'autre, à s'en souvenir, à apprendre que le regard peut signifier bonheur ou malheur, et à envisager que leurs camarades et leurs parents puissent avoir un point de vue différent du leur (Boucher et al., 2012 ; Frith & Frith, 2001). Une enquête nationale menée auprès des parents et du personnel d'encadrement scolaire a signalé que 46 % des adolescents atteints de TSA avaient subi railleries, tourments et intimidations, soit un taux quatre fois supérieur à celui observé pour les autres enfants, qui est de 11 % (Sterzing et al., 2012). Dans l'espoir de les guérir, les parents désespérés ont parfois soumis ces enfants à des traitements hasardeux (Shute, 2010).

Différents niveaux de sévérité qualifient le trouble du spectre de l'autisme (TSA). Certains sujets chez qui le diagnostic de ce qui a été appelé *Syndrome d'Asperger* ont un fonctionnement qui est généralement d'un niveau élevé. Ces sujets ont une intelligence normale, souvent accompagnée de capacités ou de dons exceptionnels dans des domaines spécifiques, mais souffrent d'un déficit des aptitudes sociales et de la communication et d'une tendance à être distrait par des stimuli insignifiants (Remington et al., 2009).

Les facteurs biologiques du TSA comprennent des influences génétiques et des anomalies morphologiques cérébrales (Etat & Šestan, 2012). Des études suggèrent que l'environnement prénatal est important, surtout quand il est modifié par des syndromes infectieux ou inflammatoires chez la future maman, l'usage de médicaments psychiatriques, ou les hormones de stress (NIH, 2013 ; Wang, 2014). La vaccination ROR (Demicheli et al., 2012 ; DeStefano et al., 2013). Se fiant à une étude dont les résultats étaient frauduleusement manipulés certains parents ont été induits en erreur et ont pensé que le vaccin ROR l'enfance augmenterait le risque de TSA. "The most damaging medical hoax of the last 100 years" (Flaherty, 2011). Le résultat fut une baisse fâcheuse des taux de vaccination et une augmentation des cas de rougeole et d'oreillons. Certains souffrirent de séquelles durables, d'autres moururent.

L'autisme touche 4 garçons pour 1 fille. Les enfants pour qui les analyses du liquide amniotique avaient mis en évidence des concentrations élevées en testostérone développent plus de caractères masculins et de traits autistiques (Auyeung et al., 2009). Selon le psychologue Simon Baron-Cohen (2008, 2009) l'autisme représenterait la « forme extrême du cerveau masculin ». Il prétend que les filles sont naturellement prédisposées à l'empathie. Elles lisent mieux les expressions du visage et interprètent mieux la gestuelle, ce qui devient plus difficile si on leur administre de la testostérone (van Honk et al., 2011). Bien qu'il existe un chevauchement de ces tendances entre les sexes, Baron-Cohen pense que les garçons ont plutôt tendance à la systématisation, c'est-à-dire à comprendre ce qui suit des règles ou des lois comme les systèmes mathématiques ou mécaniques.

Si deux personnes ayant un esprit de systématisation et douées pour les sciences et les techniques se marient et ont des enfants, pensez-vous que leurs enfants hériteront de ces qualités et cognitives et que le risque de survenue d'un TSA sera augmenté ? En effet, Baron-Cohen (2012) rapports, taux de TSA sont plus élevés non seulement parmi l'élite étudiants en mathématiques, mais aussi parmi les enfants et les petits-enfants des ingénieurs et des diplômés du MIT. Eindhoven – la ville de l'ingénierie de l'électronique et de l'informatique des Pays-Bas connaît un taux de TSA parmi ses élèves qui est le triple de celui des autres villes néerlandaises (Roelfsema et al., 2012).

Les études menées sur les jumeaux et les fratries a confirmé l'existence de facteurs biologiques. Si un des jumeaux est atteint de TSA, le risque que son vrai jumeau le soit également atteint 50 à 70 % (Lichtenstein et al., 2010 ; Sebat et al., 2007). Le frère cadet d'un enfant souffrant de TSA présente aussi plus de risques d'en souffrir (Sutcliffe, 2008). Il n'y a pas un « gène de l'autisme ». Au contraire, de nombreux gènes, plus de 200 identifiés jusqu'à présent, semblent contribuer à l'éclosion du trouble

Trouble du spectre de l'autisme (TSA) Cette orthophoniste aide un garçon atteint de ce trouble à apprendre à former des sons et des mots. Le trouble du spectre de l'autisme est marqué par la communication sociale déficiente et la difficulté à saisir les états mentaux de ses congénères.

« Autisme », le premier diagnostic porté En 1943, Donald Gray Triplett, un enfant « bizarre », avec des dons insolites et des déficits sociaux, a été la première personne pour qui le diagnostic d'« autisme » a été porté. (Après un changement en 2013 dans le manuel de diagnostic, son état est maintenant appelé trouble du spectre de l'autisme.) En 2010, à 77 ans, Triplett vivait encore dans sa maison natale dans la ville de Mississippi, où il a souvent joué au golf (Donvan & Zucker, 2010).

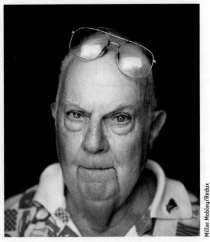

Lisa Wiltse/Corbis

Elles partagent plus qu'une ressemblance physique Les jumelles Johanna et Eva partagent un TSA d'intensité légère (facteur génétique).

(Heil & Schaaf, 2013). Des mutations génétiques aléatoires touchant des cellules productrices de spermatozoïdes pourraient également jouer un rôle. À mesure que l'homme vieillit, ces mutations sont de plus en plus fréquentes ce qui pourrait également expliquer pourquoi les hommes âgés de plus de 40 ans présentent bien plus de risques d'engendrer un enfant atteint de TSA que les hommes de moins de 30 ans (Reichenberg et al., 2007).

Les chercheurs explorent aussi la morphologie cérébrale et l'électrophysiologie cérébrales pour détecter des signes d'organicité révélateurs du TSA. Plusieurs études ont révélé une synchronisation moins bonne du fonctionnement des aires frontales et pariétales, antérieures et postérieures lors d'épreuves cognitives de résolution de problèmes (Ecker et al., 2012 ; Just et al., 2012 ; Wolff et al., 2012). Ces connexions déficientes affectent, par exemple, la synchronisation, l'information visuelle et la réponse émotionnelle.

Le rôle joué par les facteurs biologiques dans le TSA est mis en évidence par les études fonctionnelles. Les individus non atteints de TSA bâillent souvent après avoir vu les autres bâiller. Et lorsqu'ils voient et imitent les autres qui sourient ou sont renfrognés, ils ressentent ce que l'autre ressent. Ce n'est pas le cas des enfants atteints de trouble du spectre de l'autisme qui ont moins tendance à imiter et dont les zones cérébrales impliquées dans la répétition des actions des autres sont bien moins actives (Dapretto et al., 2006 ; Perra et al., 2008 ; Senju et al., 2007). Par exemple, lorsqu'une personne autiste regarde les mouvements de la main d'une autre personne, son cerveau montre moins d'activité d'imitation que la normale (Oberman et Ramachandran, 2007 ; Théoret et al., 2005). Les scientifiques continuent à explorer et à débattre vigoureusement de l'idée que les cerveaux des personnes souffrant d'un TSA présentent des « miroirs cassés » (Gallese et al., 2011). Ils étudient les effets du traitement par l'ocytocine, « hormone qui favorise le lien social », sur le comportement de ces sujets (Gordon et al., 2013 ; Lange & McDougle, 2013).

Cherchant à « systématiser l'empathie », Baron-Cohen et ses collaborateurs de l'université de Cambridge (2007 ; Golan et al., 2007) ont collaboré avec la National Autistic Society du Royaume-Uni et une société productrice de films. Sachant que les émissions télévisées sur l'automobile sont appréciées par les enfants souffrant d'un TSA, ils ont créé des jouets, trains, tramways, tracteurs portant des images de visages exprimant diverse émotions et les ont installés dans la chambre d'un enfant (**FIGURE 5.14**). Lorsque l'enfant part pour l'école, ses jouets s'animent et connaissent des aventures qui les amènent à afficher diverses émotions (voir www.thetransporters.com). Les enfants ont exprimé une capacité surprenante à généraliser ce qu'ils

▼ FIGURE 5.14

Transporté dans un monde fait d'émotions (a) Une équipe du Centre de recherche sur l'autisme de l'Université de Cambridge a montré à des enfants atteints de TSA, des photos de visages exprimant différentes émotions, posées sur des jouets mobiles. (b) Après quatre semaines de confrontation à ces photos, les enfants font preuve d'une capacité nettement accrue de reconnaissance des émotions non seulement sur les photos portées par les jouets, mais aussi chez les personnes qui les entourent.

Pointez le visage qui montre comment se sent Louise.

© moodboard/Corbis

« Le chien du voisin a déjà mordu des gens. Il aboie sur Louise. »

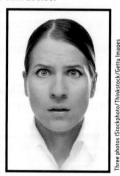

Three photos iStockphoto/Thinkstock/Getty Images

(b) Les enfants associent correctement le visage exprimant une émotion avec le moment d'une histoire qui leur est racontée. (Le graphique ci-dessous montre les résultats pour deux essais).

Simon Baron-Cohen, Crown Copyright MMVI, www.thetransporters.com courtesy Changing Media Development

(a) Un train miniature transporte sur chaque wagon des photos de visages exprimant différentes émotions.

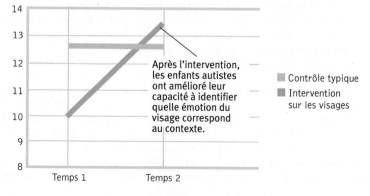

Après l'intervention, les enfants autistes ont amélioré leur capacité à identifier quelle émotion du visage correspond au contexte.

■ Contrôle typique
■ Intervention sur les visages

Temps 1   Temps 2

avaient appris dans un contexte nouveau et réel. À la fin de l'intervention, leurs capacités préalablement déficientes à reconnaître les émotions sur les vrais visages égalaient maintenant celles des enfants ne souffrant pas de TSA.

• Quelle est la place de la *théorie de l'esprit* dans le trouble du spectre de l'autisme ?

Réponse : La théorie de l'esprit est notre capacité à comprendre nos propres états mentaux et ceux d'autrui, afin de prévoir leur comportement. Les sujets souffrant de TSA ont une déficience de développement de la théorie de l'esprit.

Peur de l'étranger La peur ou l'angoisse de l'étranger commence à se manifester chez les bébés, à partir de l'âge de 8 mois environ.

Attachement lien affectif avec une autre personne ; se manifeste chez les jeunes enfants par leur recherche de proximité de la personne qui prodigue les soins et la détresse provoquée par la séparation d'avec elle.

Développement social

5-7 Comment les liens parents-enfants se forment-ils ?

Dès la naissance, les bébés sont des créatures sociales, développant un lien intense avec les personnes qui s'occupent d'eux. Le nouveau-né préfère les voix et les visages familiers et se met à gazouiller quand il reçoit l'attention de son père ou de sa mère. Peu après l'âge de 8 mois, dès que la notion de permanence de l'objet apparaît et que l'enfant devient mobile, un événement curieux survient. La **peur** ou l'**angoisse de l'étranger** survient. Il accueille les étrangers en pleurant et en tendant les bras vers les personnes qui lui sont familières et qui s'occupent de lui. « Non ! Ne me quitte pas ! » C'est ce que ce cri de détresse semble vouloir dire. C'est à peu près à cet âge que les enfants développent des schémas pour les visages familiers ; quand ils ne parviennent pas à intégrer de nouveaux visages dans ces schémas mémorisés, ils deviennent anxieux (Kagan, 1984). Cela illustre un principe important : *le cerveau, l'esprit ainsi que le comportement social et émotionnel se développent simultanément.*

L'attachement

À 12 mois, les enfants s'agrippent généralement fermement à l'un de leurs parents, lorsqu'ils sont effrayés ou qu'ils craignent une séparation. À nouveau réunis, ils les inondent de sourires et de câlins. Le lien **d'attachement** est une pulsion de survie puissante qui garde les enfants à proximité de ceux qui s'occupent d'eux. L'enfant s'attache aux personnes, habituellement ses parents, réconfortantes et familières. Pendant de nombreuses années, les psychologues du développement ont pensé que les enfants s'attachaient à ceux qui satisfaisaient leurs besoins en nourriture. Mais une découverte fortuite renversa cette explication.

Contact corporel Durant les années 1950, des psychologues de l'université du Wisconsin, Harry Harlow et Margaret Harlow, élevaient des singes pour leurs expériences portant sur l'apprentissage. Pour harmoniser les expériences des bébés singes et éviter la dissémination des maladies, ils séparaient les singes de leur mère peu après la naissance et les élevaient dans des cages individuelles hygiéniques qui comprenaient une couverture de bébé en laine (Harlow et al., 1971). De façon surprenante, les bébés montrèrent les signes du plus grand désespoir lorsque les couvertures douces étaient enlevées pour être lavées.

Harry et Margaret Harlow comprirent bientôt que cet attachement intense à la couverture était en contradiction avec l'idée que l'attachement provient de l'association à la nourriture. Mais était-il possible de le montrer de façon plus convaincante ? Pour évaluer le pouvoir d'attraction d'une source alimentaire par rapport au contact confortable d'une couverture, ils créèrent deux mères artificielles. L'une était composée d'un cylindre en grillage nu, avec une tête en bois, sur laquelle était fixé un biberon, l'autre d'un cylindre entouré d'un tissu éponge.

Élevés avec les deux, les singes préférèrent nettement la mère en tissu confortable (**FIGURE 5.15,** page suivante). Comme des bébés humains se cramponnant à leur mère, les singes s'accrochaient à leur mère en tissu lorsqu'ils étaient anxieux. Quand ils s'aventuraient dans leur environnement, ils l'utilisaient également comme une *base sécurisante*, comme s'ils étaient attachés à la mère par un élastique invisible qui s'étirait jusqu'à un certain point et ramenait ensuite le bébé vers son port d'attache. Les chercheurs apprirent bientôt que d'autres qualités, comme le bercement, la chaleur ou la nourriture, pouvaient rendre la mère en tissu encore plus attirante.

Chez les bébés humains, aussi, l'attachement se développe à partir du contact corporel avec les parents qui sont doux et chauds et qui vous bercent, vous nourrissent et vous caressent. La communication émotionnelle parent-enfant se produit beaucoup par le toucher apaisant ou

Christina Kennedy/Photo Edit

Peur ou angoisse de l'étranger Une nouvelle capacité émergeant à l'âge de 8 mois, pour permettre de reconnaître des personnes qui ne sont pas familières et qui pourraient menacer l'intégrité du bébé. Cette peur a une fonction protectrice de l'intégrité du bébé.

La croyance en Dieu peut être conçue par certains comme ayant la fonction de l'attachement, qui les rend aptes à explorer le monde et qui les protège en cas de menaces (Granqvist et al., 2010 ; Kirkpatrick, 1999).

▼ FIGURE 5.15
Les mères de Harlow
les psychologues Harry et Margaret Harlow ont élevé des jeunes singes en présence de mères de substitution qui sont en fait des mannequins en fil fer avec une tête en bois. L'une est dénudée et porte un biberon qui y est fixé, l'autre ne porte pas de biberon mais est recouvert de mousse de latex et enveloppé d'un tissu éponge. La découverte de H. et M. Harlow a surpris de nombreux psychologues : les nourrissons ont, de beaucoup, préféré le contact avec la mère recouverte de tissu confortable, à celui de la mère dénudée, bien qu'elle portât le biberon qui les nourrissait.

Période critique période optimale située peu après la naissance et durant laquelle l'exposition d'un organisme à certaines expériences ou à certains stimuli déclenche un développement adéquat.

Empreinte processus par lequel certains animaux forment de forts attachements en début de vie.

éveillant (Hertenstein et al., 2006). De plus, pour les hommes, l'attachement s'incarne dans une personne fournissant à l'autre un havre de paix en cas de détresse, et une base sécurisante à partir de laquelle on peut explorer le monde. Lorsque nous grandissons, nos bases et nos havres de paix se déplacent de nos parents à notre entourage et à nos partenaires (Cassidy et Shaver, 1999). Mais à tout âge, nous sommes des créatures sociales. Nous nous sentons plus forts lorsque quelqu'un nous offre un havre de paix et nous dit, à travers des mots ou des actions : « Je serai là. Je m'intéresse à toi. Quoi qu'il arrive, je te soutiendrai de toutes mes forces » (Crowell et Waters, 1994).

Familiarité Le contact est l'une des clés de l'attachement. La familiarité en est une autre. Chez de nombreux animaux, les attachements fondés sur la familiarité se forment également durant une **période critique**, une période optimale durant laquelle certains événements doivent avoir lieu pour qu'un développement correct puisse se produire (Bornstein, 1989). Pour un oison, un caneton ou un poussin, cette période survient dans les heures qui suivent l'éclosion, lorsque le premier objet mobile qu'ils voient est normalement leur mère. À partir de ce moment précis, le jeune oiseau la suit et elle seulement.

Konrad Lorenz (1937) a exploré ce processus rigide d'attachement, appelé **l'empreinte.** Il s'est demandé ce que feraient des canetons s'il était la première créature mobile qu'ils voyaient. Ce qu'ils firent, c'est de le suivre partout. Partout où Konrad allait, les canards étaient certains d'aller.

Empreinte Normalement les grues blanches apprennent à migrer en suivant leurs parents. Ces grues, élevées par des hommes dès l'éclosion des œufs, ont subi l'empreinte d'un pilote d'ULM déguisé en grue, qui les a ensuite guidé vers les aires hivernales de nidification (Mooallem, 2009).

D'autres tests montrèrent que bien que les jeunes oiseaux avaient une meilleure empreinte pour leur propre espèce, ils s'attachaient aussi à une grande variété d'objets mobiles, tels qu'un animal d'une autre espèce, une boîte sur roulettes ou encore une balle qui rebondit (Colombo, 1982 ; Johnson, 1992). Une fois formé, cet attachement est difficile à défaire.

Les enfants, contrairement aux canetons, ne subissent pas d'empreinte. Cependant, ils ont tendance à s'attacher à ce qu'ils ont connu. *Un simple contact* avec les gens ou les choses favorise l'affection. C'est ainsi que les enfants aiment relire les mêmes livres, revoir les mêmes films et répéter les mêmes traditions familiales. Ils préfèrent manger des nourritures familières, vivre dans le même environnement familier, aller à l'école avec les mêmes vieux copains. La familiarité est synonyme de sécurité. La familiarité engendre la satisfaction.

- Qu'est-ce qui distingue l'empreinte de l'attachement ?

Les différents modes d'attachement

5-8 Comment les psychologues ont-ils étudié les différents modes d'attachement et qu'ont-ils appris ?

Qu'est-ce qui explique les différents modes d'attachement des enfants ? Pour répondre à cette question Mary Ainsworth (1979) a conçu l'expérience de la mise en *situation étrangère*. Elle observa des couples mère-enfant chez eux pendant les six premiers mois. Plus tard elle observa l'enfant, âgé de 1 an, dans une situation qui lui est étrangère (le plus souvent une salle de jeux d'un laboratoire). Ces expériences ont mis en évidence qu'environ 60 % des enfants montrent un mode d'*attachement sécurisant*. En présence de leur mère, ils jouent confortablement et semblent heureux d'explorer leur nouvel environnement. Quand elle part, ils sont angoissés ; quand elle revient, ils cherchent son contact.

D'autres enfants évitent l'attachement ou montrent un mode d'*attachement non sécurisant*, marqué par l'anxiété ou l'évitement des relations de confiance. Ils sont moins susceptibles d'explorer ce qui les entoure ; et dans certains cas, ils peuvent même s'agripper à leur mère. Quand elle part, soit ils pleurent et restent tristes, soit ils semblent indifférents à ses allées et venues (Ainsworth, 1973, 1989 ; Kagan, 1995 ; van IJzendoorn et Kroonenberg, 1988).

Ainsworth et d'autres chercheurs ont remarqué que les mères sensibles et attentionnées, c'est-à-dire des mères qui regardaient en permanence ce que leur enfant faisait et qui fournissaient une réponse appropriée, avaient des enfants qui montraient un mode d'attachement sécurisant (De Wolff et van Ijzendoorn, 1997). Les mères inattentives et froides, qui ne prêtaient attention à leur bébé que lorsqu'elles en avaient envie et les ignoraient à d'autres moments, avaient souvent des enfants dont le mode d'attachement n'était pas sécurisant. Les travaux de Harry et Margaret Harlow portant sur les singes ayant des mères artificielles inattentives, ont mis en évidence des effets encore plus frappants. Placés dans une situation qui leur était étrangère, en l'absence de leur mère artificielle, les bébés soumis à cette privation étaient terrifiés (**FIGURE 5.16**).

Bien que qualifié par certains comme le chercheur qui torture les singes sans défense, Harry Harlow a défendu ses méthodes en répondant : « rappelez-vous que pour un singe maltraité, un million d'enfants sont négligés ». Il exprimait l'espoir que sa recherche attirerait l'attention sur les enfants abusés et négligés. « Celui qui connaît les travaux de Harry ne pourra plus prétendre que les bébés se sentent très bien sans compagnie, qu'une mère attentionnée n'a pas d'importance », Deborah Blum, biographe de Harlow (2010, p. 292, 307). « Et puis qu'auparavant nous… n'en étions pas pleinement convaincus, alors la confrontation à la dure vérité des résultats des travaux de recherche menés par Harry Harlow a été nécessaire pour que tout doute disparaisse. »

D'où l'importance des soins prodigués par des parents attentifs et affectueux. Cependant, le mode d'attachement est-il le *résultat* de l'éducation des parents ? Ou est-il le résultat du *tempérament* génétiquement influencé de l'enfant, cette réactivité et cette intensité émotionnelles caractéristiques d'une personne ? Les études menées chez les jumeaux mettent en évidence le rôle de l'hérédité (Picardi et al., 2011 ; Raby et al., 2012). Peu de temps après la naissance, certains enfants sont particulièrement *difficiles* – irritables, tendus, imprévisibles. D'autres sont *faciles* – joyeux, détendus, mangeant et dormant selon un rythme régulier et prévisible (Chess et Thomas, 1987). Effectuer ces études en négligeant le facteur de l'hérédité serait comme « comparer des chiens errants élevés dans des chenils avec des caniches élevés dans des appartements », s'exclame Judith Harris (1998). Afin de faire la différence entre l'inné et l'acquis, il faudrait varier le mode de maternage tout en contrôlant les tempéraments. (Arrêtez-vous et prenez le temps de la réflexion. Auriez vous pu agir de la façon suivante ?) La solution de Dymphna van den Boom, une chercheuse néerlandaise, fut de répartir au hasard une centaine d'enfants de 6 à 9 mois au tempérament difficile, les uns dans le groupe expérimental où les mères recevaient une formation personnelle pour répondre avec sensibilité et attention, les autres dans le groupe témoin, sans formation de la mère. À l'âge de 1 an, 68 % des enfants appartenant au groupe expérimental furent notés comme ayant un mode d'attachement sécurisant, contre seulement 28 % des enfants du groupe contrôle. D'autres études ont confirmé

Laboratoire Harlow Primat

▼ FIGURE 5.16

La privation sociale et la peur Dans les expériences de H. et M. Harlow, les singes élevés avec des mères de substitution, qui sont en fait des mannequins en fil de fer, ont été submergés par la peur de la séparation lorsqu'ils furent mis dans des situations qui leur étaient étrangères sans cette source de sécurité affective qu'elles représentaient. (De nos jours ces études devraient respecter les exigences de bonnes pratiques et se soucier du bien-être des animaux).

« Harry Harlow, dont le nom est devenu synonyme d'expériences cruelles pratiquées chez les singes, a en fait contribué à mettre un terme à des pratiques d'éducation des enfants qui, elles, étaient cruelles. »

Frans de Waal, primatologue (2011)

Papa à temps plein L'analyste financier Walter Cranford, montré ici avec ses bébés jumeaux, appartient à cette population croissante de pères au foyer. Cranford affirme qu'il sait par l'expérience combien cette position peut être difficile : « Parfois, au travail, vous pouvez prendre un moment de distraction, mais là père au foyer, vous êtes tout le temps occupé. »

que les programmes interventionnistes pouvaient augmenter la sensibilité des parents et, à un moindre degré, le mode sécurisant de l'attachement de l'enfant (Bakermans-Kranenburg et al., 2003 ; Van Zeijl et al., 2006).

Comme le montrent ces exemples, les chercheurs ont plus souvent étudié les soins apportés par la mère que les soins donnés par le père. On dit des enfants privés des soins de leur mère qu'ils souffrent d'une « carence maternelle » ; ceux dont le père est absent sont en général désignés comme ayant subi une « absence du père ». Cela reflète une attitude générale où « être père » d'un enfant signifiait autrefois féconder, « être mère » signifiait nourrir et élever. Mais les pères ne sont pas de simples donneurs de sperme. Environ une centaine d'études menées à travers le monde a montré que l'amour et l'acceptation paternels avaient les mêmes conséquences sur le bien-être et la santé des enfants que l'amour maternel (Rohner et Veneziano, 2001 ; voir aussi **TABLEAU 5.2**). Une étude anglaise avec un très grand corpus expérimental a suivi 7 259 enfants de la naissance à l'âge adulte. Les résultats montrent que ceux dont le père était très impliqué dans son rôle (les promenait, leur faisait la lecture, s'intéressait à leur éducation) avaient tendance à mieux réussir à l'école, même après avoir contrôlé de nombreux facteurs comme l'éducation parentale et l'aisance familiale (Flouri et Buchanan, 2004).

L'angoisse de la séparation des enfants avec leurs parents est maximale à l'âge de 13 mois environ, puis diminue progressivement (**FIGURE 5.17**). Cette angoisse de séparation survient quelles que soient les conditions de vie : présence d'un ou deux parents, à domicile ou à la crèche, en Amérique

▼ **TABLEAU 5.2**
Parentalité

Quelques faits relatifs au déclin du rôle du père :	**Quelques résultats réconfortants :**
• *Accroissement du taux de séparation d'avec le père.* De 1960 à 2010, le nombre d'enfants aux États-Unis qui vivent sans leurs pères a plus que doublé (Livingston & Parker, 2011).	• *Les papas sont de plus en plus nombreux à prodiguer des soins.* Les pères d'aujourd'hui sont plus impliqués, ils passent chaque semaine deux fois plus d'heures avec leurs enfants que ne le faisaient les pères en 1965 (Livingston & Parker, 2011).
• *Accroissement du taux d'absence de père.* Seulement un sur cinq des pères absents du foyer familial dit qu'il visite ses enfants plus d'une fois par semaine, et 27 % disent qu'ils n'ont pas vu leurs enfants au cours de l'année passée (Livingston & Parker, 2011).	• *Les couples qui partagent les tâches ménagères et la garde des enfants sont plus heureux et moins sujets au divorce (Wilcox & Marquardt, 2011).*
• *Les naissances hors mariage sont prédictives d'un éloignement du père.* L'augmentation de l'absence de père est contemporaine de l'augmentation des naissances hors mariage. Même parmi les couples vivant en concubinage, lors de la naissance du premier enfant, le risque de séparation, au cours des premières années de l'enfant atteint 39 % soit le triple de ce qui est observé chez les parents qui se sont mariés au cours de l'année de la naissance (Hymowitz et al., 2013).	• *La présence des deux parents est salutaire pour les enfants, indépendamment du sexe des parents.* L'American Academy of Pediatrics (2013) rapporte que ce qui importe est la présence de parents rassurants, compétents, renforçant les acquis de l'enfant indépendamment de leur sexe et de leur orientation sexuelle. L'Association américaine de sociologie (2013) est d'accord : des décennies de recherche confirment que les facteurs importants sont la stabilité et les ressources des parents. « Que l'enfant soit élevé par des parents de même sexe ou de sexe opposé n'a aucune incidence sur son bien-être. »

d85/ZUMA Press/Newscom

du Nord, au Guatemala, ou dans le désert du Kalahari. Cela signifie-t-il que notre besoin d'aimer et d'être aimé diminue ? Pas du tout. Notre capacité à aimer a tendance à s'accroître et notre plaisir de toucher et de serrer ceux que l'on aime ne cesse jamais.

Mode d'attachement et relations ultérieures   Erik Erikson, un spécialiste du développement (1902-1994), collaborant avec sa femme Joan Erikson (1902-1997), disait que les enfants ayant un mode d'attachement sécurisant abordaient la vie avec un sentiment de confiance ancré, de **confiance fondamentale**, un sentiment que le monde est prévisible et fiable. Il attribuait cette confiance fondamentale non pas à un environnement ou à un tempérament inné mais au comportement initial des parents. Il pensait que les enfants qui ont le bonheur d'avoir des parents aimants et attentifs acquièrent pour toute leur vie une attitude de confiance plutôt que de crainte.

De nombreux chercheurs pensent que nos premiers modes d'attachement fondent nos relations futures et notre facilité à éprouver de l'affection et de l'intimité (Birnbaum et al., 2006 ; Fraley et al., 2013). Les personnes qui signalent des relations solides avec leurs parents ont tendance à profiter des amitiés sûres (Gorrese & Ruggieri, 2012). Lors d'une mise en situation étrangère comme quitter la maison pour aller au collège, l'adaptation se fera d'autant mieux que l'attachement a été fort et sécurisant (Matthana et al., 2011).

À l'âge adulte, nos habitudes amoureuses s'accompagnent soit (1) d'attachement assuré et confiant, soit (2) d'attachement anxieux et peu sûr, ou encore (3) un attachement esquivé (Feeney et Noller, 1990 ; Rholes et Simpson, 2004 ; Shaver et Mikulincer, 2007). Le ressenti d'un attachement à l'autre qui ne soit pas profondément sécurisé peut prendre l'une de ces deux formes principales (Fraley et al., 2011). Dans l'une, *l'anxiété*, les gens recherchent constamment l'approbation, la réassurance, mais restent vigilants aux signes d'un possible rejet. (Étant très sensibles aux menaces, les sujets dont l'attachement est anxieux ont aussi tendance à être qualifiés de détecteurs de mensonge et à être joueurs de poker [Ein-Dor & Perry, 2012, 2013].) Dans l'autre, *l'évitement ou l'esquive*, les sujets éprouvent de l'inconfort dans la relation à l'autre et utilisent des stratégies d'évitement pour les maintenir à distance. Dans les relations amoureuses, un style d'attachement anxieux est source de réduction des liens sociaux et amicaux. Un style d'attachement esquivé diminue l'engagement envers l'autre, favorise l'infidélité, et augmente le risque de conflits (DeWall et al., 2011 ; Li & Chan, 2012).

Les différents types d'attachement, peuvent, à l'âge adulte, affecter les relations avec ses propres enfants. Mais dites bien cela aux autres (près de la moitié de l'espèce humaine) qui présentent un mode d'attachement qui ne soit pas sécurisant : les tendances anxieuses ou d'évitement ont aidé notre groupe à détecter ou à échapper aux dangers (Ein-Dor et al., 2010).

Privation d'attachement

5-9 Comment la négligence parentale ou les mauvais traitements affectent-ils les modes d'attachement de l'enfant ?

Si un attachement sécurisant nourrit la compétence sociale, qu'arrive-t-il lorsque les circonstances empêchent les enfants de former des attaches ? Il n'y a pas de littérature psychologique plus affligeante que celle consacrée à ce domaine. Les enfants enfermés à la maison dans des conditions de maltraitance ou de négligence extrême, sont souvent renfermés, effrayés et même mutiques. Il en est de même pour les enfants élevés dans des institutions, sans l'attention et la stimulation d'une personne s'occupant régulièrement d'eux, comme on a pu le voir malheureusement dans ces orphelinats roumains dans les années 1970 et 1980. Ayant décidé que la croissance économique de ce pays pauvre nécessitait plus de capital humain, Nicolai Ceausescu, dictateur communiste roumain, a banni la contraception, interdit l'avortement et taxé les familles ayant moins de 5 enfants. Le taux des naissances a explosé. Mais beaucoup de familles, incapables d'élever les enfants qu'elles avaient été forcées d'avoir, les abandonnèrent dans des orphelinats gouvernementaux aux mains d'un personnel en sous-effectif n'ayant reçu aucune formation. Le ratio entre le personnel soignant et les enfants étant de 1 pour 15, les enfants étaient privés d'attachement salutaire avec au moins un adulte. Après l'assassinat de Ceausescu en 1989, on fit passer des tests à ces enfants. Leurs notes d'intelligence étaient très basses et le taux d'enfants présentant des symptômes d'anxiété était le double de celui observé chez les enfants placés dans des institutions de soin de qualité, qui lui est proche de 20 %. (Nelson et al., 2009, 2014). Des dizaines d'études effectuées dans 19 pays ont confirmé que les orphelins avaient tendance à avoir de meilleurs résultats aux tests d'intelligence passés par la suite s'ils étaient élevés dans des familles d'accueil. Cela était particulièrement vrai chez ceux qui avaient été placés très tôt dans ces familles (van Ijzendoorn et al., 2008).

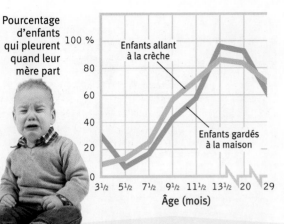

Jouke van Keulen/Shutterstock

▼ FIGURE 5.17

L'angoisse de la séparation Dans une expérience, des groupes de nourrissons ont été laissés par leurs mères dans une pièce qui ne leur était pas familière. Dans les deux groupes, c'est au treizième mois que le pourcentage d'enfants qui pleurent à ce moment-là est le plus élevé. Il n'y a pas de différence entre les enfants qui vont à la crèche et ceux qui sont élevés à la maison. (De Kagan, 1976.)

« En dehors du conflit entre la confiance et la méfiance, le petit enfant développe l'espoir, l'une des toutes premières formes de ce qui progressivement deviendra la foi chez les adultes. »

Erik Erikson (1983)

« Habitudes du berceau durent jusqu'au tombeau. »

Proverbe français

Confiance fondamentale selon Erik Erikson, sentiment que le monde est prévisible et digne de confiance ; ce sentiment de sécurité intérieure se formerait au cours de la petite enfance par des expériences appropriées acquises auprès des personnes qui prodiguent les soins adaptés.

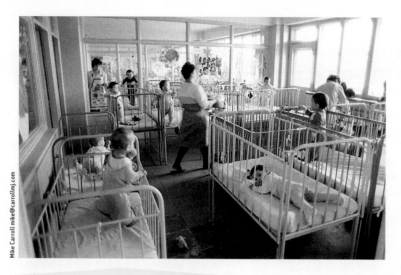

La privation d'attachement Dans cet orphelinat roumain, les 250 enfants âgés de 1 à 5 ans étaient quinze fois plus nombreux que les puéricultrices.

La plupart des enfants qui grandissent dans l'adversité (comme ceux qui ont survécu à l'Holocauste) font preuve de *résilience*, surmontent le traumatisme, et deviennent des adultes normaux (Helmreich, 1992 ; Masten, 2001). Il en est de même de la plupart des enfants victimes d'abus sexuels, remarque le chercheur de Harvard, Susan Clancy (2010) tout en insistant sur le fait que l'utilisation sexuelle des enfants est révoltante et n'est jamais de la faute de la victime. En effet, les blessures, conséquences immédiates du traumatisme, augmentent souvent la force mentale (Seery, 2011). Et si les risques de survenue de certains troubles mentaux psychosociaux sont plus élevés chez les enfants issus de milieux défavorisés, d'autres risques atteignent les enfants issus de milieux favorisés. Les risques de survenue de toxicomanie, de troubles des conduites alimentaires, de troubles anxieux et de troubles dépressifs sont plus élevés chez les enfants issus de milieux fortunés. (Lund & Dearing, 2012 ; Luthar et al., 2013). Alors, quand vous faites face à l'adversité, pensez qu'après la pluie vient le beau temps.

Cependant, les enfants n'ayant pas rompu avec leur passé de mauvais traitements ne s'en remettent pas si facilement. Les singes de Harlow présentaient le même genre de séquelles quand ils étaient élevés dans un isolement total, sans même une mère artificielle. À l'âge adulte, ils se recroquevillaient effrayés ou devenaient agressifs en présence d'autres singes de leur âge. Arrivés à maturité sexuelle, la plupart étaient incapables de s'accoupler. Des femelles inséminées artificiellement étaient souvent négligentes, abusives, voire meurtrières envers leur premier-né. Une autre étude menée chez les primates a confirmé que la maltraitance subie risque d'entraîner des comportements de maltraitance : 9 femelles qui avaient été maltraitées par leur mère, sur les 16 étudiées, sont devenues des mères maltraitantes ; en revanche, *aucune* femelle élevée par une mère non maltraitante ne le devint (Maestripieri, 2005).

Chez l'homme aussi, le mal-aimé devient souvent un mal-aimant. La plupart des parents maltraitants, et beaucoup de meurtriers condamnés, rapportent également avoir été négligés ou battus dans leur enfance (Kempe et Kempe, 1978 ; Lewis et al., 1988). Environ 30 % de ceux qui ont été maltraités maltraiteront leurs enfants, ce qui représente un pourcentage plus faible que celui observé dans l'étude sur les primates mais quatre fois supérieur à la moyenne d'enfants maltraités aux États-Unis (Dumont et al., 2007 ; Kaufman et Zigler, 1987).

Bien que la plupart des enfants maltraités *ne* deviennent pas plus tard des criminels violents ou des parents maltraitants, les traumatismes graves de l'enfance laissent des traces sur le plan cérébral. Comme des soldats ayant été stressés lors des combats, leurs cerveaux répondent aux stimuli constitués par des photos de visages en colère par une activation accrue de l'Amygdale et de l'Insula, zones cérébrales d'identification des menaces (McCrory et al., 2011). Dans les foyers en proie à des conflits, les cerveaux des nourrissons même endormis montrent un accroissement d'activation lors des disputes (Graham et al., 2013). Une fois adultes, ils présentent des réponses de sursaut plus intenses (Jovanovic et al., 2009). Lorsque des animaux normalement placides, comme les hamsters, subissent des agressions et des menaces fréquentes à un jeune âge, ils deviennent lâches lorsqu'ils sont placés dans des cages avec d'autres hamsters de la même taille ou tyranniques dans des cages remplies de hamsters plus faibles (Ferris, 1996). Ces animaux montrent des modifications du taux de sérotonine cérébrale ; ce neuromédiateur permet habituellement de calmer les pulsions agressives. Un faible niveau de sérotonine a également été retrouvé chez des enfants maltraités, devenus des adolescents ou des adultes agressifs. En sensibilisant le système de réponse au stress, le stress précoce peut accroître de façon permanente les réactions au stress à venir (van Zuiden et al., 2012 ; Wei et al., 2012). La maltraitance des enfants, comme nous le mentionnions au Chapitre 4, laisse aussi des marques épigénétiques, qui peuvent altérer l'expression génétique normale.

> « Le stress peut déclencher une cascade de changements hormonaux et figer de façon définitive la manière dont le cerveau d'un enfant affrontera un environnement malveillant ».
>
> Martin Teicher, psychologue de l'enfant (2002)

Ces résultats permettent d'expliquer pourquoi les jeunes enfants terrorisés qui ont survécu à des maltraitances physiques graves ou prolongées, des abus sexuels ou aux atrocités de la guerre sont prédisposés à des troubles de santé, des troubles psychologiques, la consommation excessive de drogues et la criminalité (Nanni et al., 2012 ; Trickett et al., 2011 ; Wolke et al., 2013 ; Whitelock et al., 2013). Dans une étude nationale portant sur 43 093 adultes, 8 pour cent ont déclaré avoir subi fréquemment, avant 18 ans, des sévices physiques (Sugaya et al., 2012). Parmi ces derniers, 84 pour cent souffraient d'au moins un trouble mental. De surcroît, plus les abus sont fréquents, plus les risques de survenue de troubles à type d'anxiété, de dépression, de toxicomanie et de tentative de suicide sont élevés. S'*ils* sont porteurs d'une variation génique qui stimule la production des hormones de stress, les victimes de maltraitance sont considérablement plus sujettes à la dépression (Bradley et al., 2008). Comme nous le verrons souvent le comportement et les émotions se produisent dans un environnement particulier qui interagit avec des gènes particuliers.

Adultes, nous souffrons quand nos liens d'attachement sont rompus. Que ce soit par la mort ou la séparation, une rupture produit une séquence prévisible d'événements. Les préoccupations anxieuses concernant le partenaire perdu, suivies d'une tristesse profonde et, finalement, du commencement d'un détachement émotionnel et d'un retour à une vie normale (Hazan et Shaver, 1994). Même des partenaires récemment séparés, qui avaient cessé depuis bien longtemps d'éprouver de l'affection l'un pour l'autre, sont souvent surpris par leur envie de se rapprocher de leur ancien compagnon. Se détacher de quelqu'un est un processus et non un événement.

> **Concept de soi** toutes nos pensées et sentiments sur nous-mêmes qui répondent à la question : « Qui suis-je ? »

Concept de soi

5-10 Comment se développe le concept de l'image de soi chez l'enfant ?

Au cours de la petite enfance (première enfance), le premier acquis social est l'attachement. Le principal acquis social de la seconde enfance est un sentiment positif de soi. À la fin de l'enfance, à l'âge de 12 ans environ, la plupart des enfants ont développé un **concept de soi**, une compréhension et une appréciation de ce qu'ils sont. Les parents se demandent souvent quand et comment se développe cette notion de soi. « Ma petite fille est-elle consciente d'elle-même, sait-elle qu'elle est une personne différente des autres ? »

Bien qu'il ne soit pas possible de le demander directement au bébé, nous pouvons de nouveau nous fonder sur ce qu'il peut faire, laissant son *comportement* nous donner des indications sur le début de sa conscience de soi. En 1877, le biologiste Charles Darwin avait proposé une idée : la reconnaissance de soi débute lorsqu'un enfant se reconnaît dans un miroir. Pour savoir quand l'enfant reconnaît que la petite fille qui est dans le miroir est effectivement elle-même les chercheurs ont discrètement barbouillé de rouge le nez de l'enfant avant de le mettre en face du miroir. Vers l'âge de 6 mois, l'enfant essaye d'atteindre l'image du miroir comme s'il s'agissait d'un autre enfant (Courage et Howe, 2002 ; Damon et Hart, 1992, 1988, 1992). À partir de 15 à 18 mois, les enfants touchent leur propre nez en voyant la tache rouge dans le miroir (Butterworth, 1992 ; Gallup et Suarez, 1986). Apparemment, les enfants de 18 mois ont une idée de ce à quoi leur visage doit ressembler. C'est comme s'ils se demandaient « Qu'est-ce que cette tache fait sur *ma* figure ? »

Vers l'âge de 6 ans, le concept de soi de l'enfant se développe, ils commencent à se décrire de manière plus détaillée, en termes d'appartenance à un sexe ou à un groupe et en fonction de traits psychologiques, et ils se comparent aux autres enfants (Newman et Ruble, 1988 ; Stipek, 1992). Ils commencent à se percevoir comme habiles et bons dans certains domaines et pas dans d'autres. Ils commencent à définir les qualités qu'ils aimeraient posséder idéalement. À l'âge de 8 ou 10 ans, l'image d'eux-mêmes devient assez stable.

La façon dont les enfants se voient eux-mêmes influence leurs actions. Les enfants qui ont une image positive d'eux-mêmes sont plus confiants, plus indépendants, plus optimistes, plus sûrs d'eux et plus sociables (Maccoby, 1980). Cela pose une question importante : comment les parents peuvent-ils encourager une vision positive de soi tout en restant réalistes ?

La conscience de soi Les images que réfléchit le miroir fascinent les nourrissons dès l'âge de 6 mois environ. Seulement à environ 18 mois, l'enfant reconnaîtra que l'image dans le miroir est « moi ».

Animaux conscients d'eux-mêmes Après une exposition prolongée face à des miroirs, plusieurs espèces – les chimpanzés, les orangs-outans, les gorilles, les dauphins, les éléphants et les pies – ont démontré une capacité similaire de la reconnaissance de leur image (Gallup, 1970 ; Prior et al., 2008 ; Reis & Marin 2001). Dans une expérience menée par Joshua Plotnik et ses collègues (2006), Happy, une éléphante d'Asie, face à un miroir, a touché à plusieurs reprises, avec sa trompe, un « X » peint au-dessus de son œil (mais non la marque similaire au-dessus de l'autre œil, qui n'était visible qu'en lumière noire). « Elle est Happy et elle le sait ! », est-il écrit dans un compte-rendu d'expérience.

Modes d'éducation parentale

5-11 Quels sont les trois modes d'éducation parentale et comment peut-on relier les traits de caractère des enfants à ces modes ?

Certains parents donnent des fessées, d'autres raisonnent. Certains sont stricts et d'autres sont plus libéraux. Certains dispensent peu d'affection, d'autres serrent leurs enfants dans leurs bras et les embrassent spontanément. Ces différences affectent-elles les enfants ?

L'aspect le plus largement étudié des pratiques d'éducation a été de déterminer comment, et jusqu'à quel point, les parents cherchent à contrôler leurs enfants. Plusieurs chercheurs ont identifié trois styles d'éducation :

1. *Autoritaire* : les parents imposent des mesures *coercitives*. Ils imposent des règles et attendent de l'obéissance : « Ne pas interrompre les adultes qui parlent. » « Range ta chambre », « Ne reste pas dehors trop tard ou tu seras grondé », « Pourquoi ? Parce que c'est comme ça ! ».

2. *Permissif* : les parents n'imposent que *peu de contraintes*. Ils sont peu exigeants et infligent peu de
punitions. Ils peuvent être indifférents, insensibles, ou refuser de fixer des limites.

3. *Démocratique* : les parents sont pour le *dialogue*. Ils sont à la fois exigeants et sensibles. Ils exercent un contrôle en établissant des règles, mais, surtout avec les enfants plus âgés, ils encouragent la discussion ouverte et autorisent des exceptions.

Ces styles ont été qualifiés de trop dur, trop mou, et juste, notamment par Diana Baumrind et ses disciples, pionniers de la recherche en psychologie de l'éducation. Des études montrent que les enfants qui ont la meilleure image d'eux-mêmes, la meilleure confiance en eux et le meilleur comportement social ont en général des parents *directifs*, chaleureux et attentifs (Baumrind, 1996, 2013 ; Buri et al., 1988 ; Coopersmith, 1967). Ceux dont les parents sont autoritaires, ont tendance à avoir moins d'aptitudes sociales et une moins bonne estime de soi, alors que ceux dont les parents sont « permissifs » ont tendance à être plus agressifs et immatures. La plupart des études ayant porté sur des familles blanches de classe moyenne, certaines critiques ont suggéré que le mode d'éducation efficace pouvait varier selon les cultures. Cependant des études réalisées dans des familles issues de plus de 200 cultures à travers le monde confirment les bénéfices sociaux et scolaires dus à des parents aimants et directifs (Rohner et Veneziano, 2001 ; Sorkhabi, 2005 ; Steinberg et Morris, 2001). Par exemple, deux études portant sur plusieurs milliers de sujets vivant en Allemagne ont trouvé que ceux pour qui les parents avaient maintenu un couvre-feu présentaient ensuite un meilleur ajustement et une plus grande réussite à l'entrée à l'âge adulte que ceux qui dont les parents avaient été « permissifs » (Haase et al., 2008). Et les effets sont plus importants lorsque les enfants sont élevés au sein d'une *communauté directive* formée d'adultes ayant des relations entre eux et représentant les modèles d'une bonne vie (Commission on Children at Risk, 2003).

Quelques mots de prudence : l'association entre certains modes d'éducation (être ferme, mais ouvert) et les effets sur l'enfant (compétence sociale) est corrélationnelle. *Une corrélation n'indique pas la relation de cause à effet.* Voici deux autres explications possibles du lien entre le mode d'éducation et la compétence sociale.

- Il se peut que le caractère de l'enfant influe sur l'éducation qu'il reçoit. La chaleur et le contrôle parental peuvent varier d'un enfant à l'autre même au sein d'une même famille (Holden et Miller, 1999 ; Klahr & Burt, 2014). Il est possible que les enfants faciles, mûrs et agréables *suscitent* de la part de leurs parents une confiance plus grande et plus de chaleur que ne le font des enfants moins coopératifs et plus immatures. Les études sur les jumeaux admettent cette éventualité (Kendler, 1996).

- Il peut y avoir un troisième facteur sous-jacent. Peut-être que, par exemple, les parents compétents et leurs enfants compétents ont en commun des gènes prédisposant à la compétence sociale. Les études menées chez les jumeaux confortent également cette possibilité (South et al., 2008).

Les parents qui se débattent avec des avis opposés devraient se souvenir que *les conseils reflètent les valeurs de la personne donnant le conseil*. Pour ceux qui apprécient les enfants qui obéissent sans discuter, un mode autoritaire peut avoir l'effet désiré. Pour ceux qui prisent la sociabilité des enfants et leur confiance en eux, une éducation directive, ferme mais ouverte, « démocratique » doit être conseillée.

L'investissement que demande l'éducation d'un enfant suscite de nombreuses années de joie et d'amour, mais aussi de soucis et d'irritation. Malgré tout, pour la plupart des parents, un enfant est un legs biologique et social, un investissement personnel pour l'avenir de l'humanité. Pour paraphraser le psychiatre Carl Jung, nous sommes reliés au passé par nos parents et au futur par nos enfants, mais nous sommes aussi liés par leurs propres enfants, à un futur que nous ne verrons jamais, mais dont nous devons cependant prendre soin.

« Vous êtes les arcs par qui vos enfants, comme des flèches vivantes, sont projetés. »

Kahlil Gibran, *Le Prophète*, 1923

- Les trois styles d'éducation parentale ont été appelés « trop dur, trop doux, et juste ». Lequel est « trop dur », « trop mou », et « juste », et pourquoi ?

Réponse : Le style autoritaire serait trop difficile à supporter, le style permissif trop doux, et le style démocratique serait juste et adapté. Les parents utilisant le style démocratique ont tendance à avoir des enfants ayant une haute estime de soi, l'autonomie et la compétence sociale.

REVUE GÉNÉRALE La petite enfance et l'enfance

OBJECTIFS D'APPRENTISSAGE

EXERCICE RÉCAPITULATIF Prenez un moment pour répondre à chacune de ces questions objectives d'apprentissage (répétées ici au sein de cette section). Puis allez à l'annexe C, révision complète du chapitre, pour vérifier vos réponses. La recherche suggère que d'essayer de répondre à ces questions de votre propre initiative permettra d'améliorer la mémorisation à long terme de ces réponses (McDaniel et al., 2009).

5-4 Durant la petite enfance et l'enfance, comment le cerveau et les aptitudes motrices se développent-ils ?

5-5 Selon les conceptions de Piaget, de Vygotsky et des chercheurs actuels, de quelle manière l'esprit d'un enfant se développe-t-il ?

5-6 Qu'est-ce que le trouble du spectre de l'autisme (TSA) ?

5-7 Comment les liens parents-enfants se forment-ils ?

5-8 Comment les psychologues ont-ils étudié les différents modes d'attachement et qu'ont-ils appris ?

5-9 Comment la négligence parentale ou les mauvais traitements affectent-ils les modes d'attachement de l'enfant ?

5-10 Comment se développe le concept de l'image de soi chez l'enfant ?

5-11 Quels sont les trois modes d'éducation parentale ? Comment peut-on relier les traits de caractère des enfants à ces modes ?

TERMES ET CONCEPTS À RETENIR

EXERCICE RÉCAPITULATIF Testez votre connaissance de ces termes en essayant d'écrire leur définition avant de vous reporter aux pages donnant les bonnes réponses.

maturation, p. 184

cognition, p. 186

schéma ou schèmes, p. 187

assimilation, p. 187

accommodation, p. 187

stade sensori-moteur, p. 188

permanence de l'objet, p. 188

stade préopératoire, p. 189

conservation, p. 189

égocentrisme, p. 189

théorie de l'esprit, p. 190

stade des opérations concrètes, p. 190

stade des opérations formelles, p. 191

trouble du spectre de l'autisme (TSA), p. 192

peur de l'étranger, p. 195

attachement, p. 195

période critique, p. 196

empreinte, p. 196

confiance fondamentale, p. 199

concept de soi, p. 201

Adolescence

5-12 Comment définit-on *l'adolescence* ? Quels sont les changements physiques qui marquent cette période ?

DE NOMBREUX PSYCHOLOGUES PENSAIENT QUE l'enfance forgeait nos traits de caractère. À l'heure actuelle, les psychologues du développement pensent que le développement se poursuit tout au long de la vie. Au fur et à mesure que se dessinait cette *perspective du développement de la vie durant*, les psychologues ont commencé à étudier comment la maturation et l'expérience pouvaient nous modeler dans la première et la seconde enfance, mais aussi au cours de l'adolescence et au-delà. **L'adolescence**, ces années passées à se transformer de l'enfant à l'adulte, débute avec les premiers signes physiques de la maturité sexuelle et se termine avec l'accomplissement social que constitue le statut d'adulte indépendant (ce qui signifie que dans certaines cultures où les enfants sont indépendants dès l'âge de 12 ans, l'adolescence est quasi inexistante).

L'adolescence est la période de transition entre l'enfance et l'âge adulte, et s'étend de la puberté à l'indépendance sociale.

Lors d'une réunion ayant lieu cinq ans après la fin du lycée, des anciens amis peuvent être surpris par leurs divergences ; dix ans plus tard, ils peuvent avoir des difficultés à poursuivre une conversation.

Comment, dans dix ans, considérerez-vous votre vie présente ? vous souviendrez-vous de vos choix avec satisfaction ?

Puberté   la période de la maturation sexuelle, au cours de laquelle une personne devient capable de se reproduire.

Dans les pays industrialisés, à quoi ressemblent ces années d'adolescence ? Dans *Anna Karénine* de Léon Tolstoï, les années d'adolescence sont plutôt « cette période bienheureuse, lorsque l'enfance touche juste à sa fin et qu'en dehors de ce vaste cercle heureux et gai, un chemin se dessine ». Mais dans son journal écrit, alors qu'elle se cachait des nazis, Anne Franck, une autre adolescente, décrit les sensations tumultueuses de son adolescence :

> La façon dont on me traite varie tellement. Un jour c'est : Anne est tellement sensée, elle a le droit de tout savoir ; et le lendemain j'entends qu'Anne n'est qu'une petite chèvre stupide qui ne connaît rien à rien et s'imagine avoir appris des choses remarquables dans les livres… Il y a tant de choses qui bouillonnent en moi lorsque je suis couchée dans mon lit, ayant à supporter des gens que je ne supporte plus et qui interprètent toujours mes intentions de travers.

Pour G. Stanley Hall (1904), un des premiers psychologues à décrire l'adolescence, la tension entre la maturité biologique et la dépendance sociale crée une période « de tempête et de stress ». En effet, après trente ans, beaucoup de gens ayant grandi dans des cultures occidentales prônant l'indépendance, se retournent sur leurs années d'adolescence et considèrent cette période comme un moment qu'ils n'aimeraient pas revivre, un moment où l'approbation sociale des copains était indispensable, où son propre avis sur le sens de la vie était très changeant et où l'aliénation vis-à-vis des parents était la plus intense (Arnett, 1999 ; Macfarlane, 1964).

Mais pour beaucoup, l'adolescence est une période de vitalité sans les soucis de l'âge adulte, un moment d'amitiés gratifiantes, une période d'idéalisme et d'intense excitation face à toutes les possibilités offertes par l'existence.

Développement physique

L'adolescence commence à la **puberté**, le début de la maturation sexuelle. La puberté suit une poussée d'hormones, ce qui peut intensifier les humeurs et qui déclenche les changements corporels abordés au Chapitre 4.

Précocité versus maturation tardive. Comme pour les premiers stades de la vie, la *séquence* des modifications physiques à la puberté (par exemple le bourgeonnement de la poitrine et la pousse des poils pubiens, avant *l'apparition des règles*) est beaucoup plus facile à prévoir que le *moment où ces modifications apparaissent*. Certaines filles commencent leur poussée de croissance à l'âge de 9 ans, alors que certains garçons ne la débutent pas avant 16 ans. De telles variations n'ont que peu d'influence sur la taille à maturité, mais peuvent avoir des conséquences sur le plan psychologique. Ce n'est pas uniquement l'âge de la maturation qui compte, mais aussi la façon dont les gens réagissent à notre développement physique.

Une maturation précoce a des effets mitigés pour les garçons. Les garçons qui sont plus forts et plus athlétiques au début de leur adolescence, ont tendance à être plus populaires, sûrs d'eux et indépendants. Ils ont, cependant, plus tendance à consommer de l'alcool, être délinquant et à avoir une activité sexuelle précoce (Conley et Rudolph, 2009 ; Copeland et al., 2010 ; Lynne et al., 2007). Pour les filles, à l'inverse, une maturation précoce peut être stressante (Mendle et al., 2007). Si le corps d'une jeune fille ainsi que les sentiments d'origine hormonaux ne sont pas en accord avec sa maturité émotionnelle et avec le développement physique et l'expérience de ses amies, elle peut fréquenter des amis plus âgés ou encore se sentir embarrassée ou être l'objet de harcèlement sexuel (Ge et Natsuaki, 2009). Elle peut aussi être un peu plus vulnérable à la survenue d'un trouble anxieux (Weingarden & Renshaw, 2012).

Dans divers pays, les filles présentent un développement des seins et atteignent la puberté plus tôt que par le passé, un phénomène attribué de manière diverse à l'augmentation de la masse adipeuse corporelle, à l'augmentation de substances chimiques mimant l'action des hormones ou à l'augmentation du stress lié aux ruptures familiales (Biro et al., 2010, 2012 ; Ellis et al., 2012 ; Herman-Giddens, 2013). Si la puberté précoce n'est pas avantageuse pour les filles, les chercheurs se demandent si les filles d'aujourd'hui ne seraient pas en train d'en payer les conséquences. Souvenez-vous, *l'hérédité et l'environnement interagissent*.

Le cerveau de l'adolescent. Le cerveau des adolescents est aussi « en chantier ». Jusqu'à la puberté, les neurones cérébraux augmentent le nombre de leurs connexions, comme font les arbres qui développent des racines et des branches. Par la suite, pendant l'adolescence, commence un processus *d'élimination* sélective des connexions et des neurones non utilisés (Blakemore, 2008). Ce que nous n'utilisons pas, nous le perdons. Cela ressemble au travail des ingénieurs responsables de la circulation d'une ville qui réduisent les embouteillages en condamnant certaines rues et en construisant des périphériques pour que l'on puisse circuler plus facilement.

« Jeune homme, allez dans votre chambre et restez-y jusqu'à ce que votre cortex cérébral soit arrivé à maturité. »

À mesure que l'adolescent devient plus mûr, ses lobes frontaux poursuivent leur développement. La croissance de la *myéline*, ce tissu riche en lipides formé de cellules gliales qui entoure les axones et accélère la neurotransmission, permet une meilleure communication avec les autres régions du cerveau (Kuhn, 2006 ; Silveri et al., 2006). Ces développements apportent une capacité accrue de jugement, un meilleur contrôle des pulsions et une capacité de planification à long terme plus importante.

Néanmoins, la maturation du lobe frontal prend du retard sur celle du système limbique, régulant les émotions. La poussée hormonale pubertaire et le développement du système limbique expliquent les attitudes parfois impulsives, les comportements à risque et les tempêtes émotionnelles des adolescents comme lorsqu'ils claquent les portes et écoute de la musique à volume sonore maximal (Casey et al., 2008, 2013). Il n'est pas étonnant que les jeunes adolescents (dont les lobes frontaux, inachevés, ne possèdent pas l'équipement complet leur permettant d'échafauder des plans à long terme et de refréner leurs pulsions) tombent aussi souvent dans le piège tendu par les fabricants de cigarettes alors que la plupart des fumeurs adultes peuvent leur dire qu'ils le regretteront. Effectivement, les adolescents ne sous-estiment pas les risques liés au tabagisme, à la conduite rapide ou aux rapports sexuels non protégés. Ils évaluent de façon affective les avantages de tel ou tel comportement (Reyna & Farley, 2006 ; Steinberg, 2007, 2010). Ils sont, plus que les adultes, à la recherche de comportements gratifiants. Ils cherchent les frissons et les récompenses mais n'arrivent pas à trouver la pédale de frein contrôlant leurs pulsions (**FIGURE 5.18**).

Ainsi lorsque leur enfant conduit avec imprudence ou est en perte de vitesse au plan scolaire, ses parents peuvent-ils se rassurer en se disant : « Il n'y peut rien, son cortex frontal n'est pas encore totalement développé » ? Ils peuvent au moins prendre espoir : les remaniements cérébraux sous-tendent une nouvelle conscience de soi. Ils pourront prendre la mesure de ce que les autres pensent d'eux, et du plaisir que procurent les conduites à risque (Barkley-Levenson & Galván 2014 ; Somerville et al., 2013). Le cerveau avec lequel leur enfant commence son adolescence n'est pas celui avec lequel il la finira. Sauf s'il ralentit le développement de son cerveau en buvant beaucoup (ce qui le laissera sensible à l'impulsivité et aux addictions), ses lobes frontaux continueront leur maturation jusque vers 25 ans (Beckman, 2004 ; Crew et al., 2007). Ils deviendront également mieux connectés avec le système limbique, permettant ainsi une meilleure régulation des émotions (Steinberg, 2012).

En 2004, l'Association américaine de psychologie (APA) a déposé, avec sept autres associations de médecine et de santé mentale, un dossier à la Cour suprême de justice des États-Unis pour s'opposer à la peine capitale pour les jeunes âgés de 16 à 17 ans. Ce dossier présentait l'immaturité « des zones cérébrales régulant la prise de décision chez les adolescents ». Les études d'imagerie cérébrale menées chez de jeunes adolescents révèlent que l'immaturité du lobe frontal est plus marquée chez les jeunes délinquants et les toxicomanes (Shannon et al., 2011 ; Whelan et al., 2012). Les adolescents sont « moins coupables en raison de l'adolescence », suggèrent Laurence Steinberg, psychologue, et Elizabeth Scott, professeur de droit (2003 ; Steinberg et al., 2009). En 2005, la Cour suprême a approuvé cette requête à 5 voix contre 4, et a déclaré non constitutionnelle la peine de mort pour les adolescents. En 2012, l'APA a opposé des arguments semblables à la peine d'emprisonnement à perpétuité, sans possibilité de libération conditionnelle, prononcée à l'encontre des adolescents (Banville, 2012 ; Steinberg, 2013). Une fois de plus, la cour suprême a approuvé à une « étroite » majorité, 5 voix pour et 4, contre.

Comparativement aux adultes, les adolescents écoutent plus de musique et préfèrent la musique forte (Bonneville-Roussy et al., 2013).

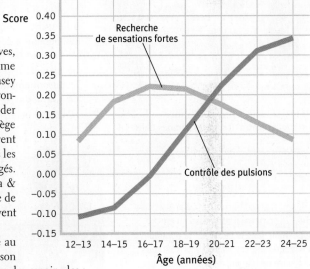

▼ FIGURE 5.18
Contrôle des pulsions, frein à la recherche de sensations fortes Les enquêtes nationales portant sur plus de 7 000 Américains de 12 à 24 ans révèlent que la recherche de sensations fortes est maximale au milieu de l'adolescence, le contrôle des pulsions se développe plus lentement que la maturation des lobes frontaux. Étude longitudinale nationale sur les jeunes, les enfants et les jeunes adultes. Résultats présentés par Steinberg, 2013.

« Ayez peur d'essayer de nouvelles choses ! »

« Lorsque le pilote nous a dit de nous accroupir et de saisir nos chevilles, la première chose qui m'ait traversé l'esprit fut que nous avions l'air de nous considérer les uns les autres comme des êtres stupides. »

Jeremiah Rawlings, 12 ans, après l'accident d'un DC-10 à Sioux City, Iowa, survenu en 1989.

Développement cognitif

5-13 De quelle manière Piaget, Kohlberg et les chercheurs qui leur ont succédé, ont-ils décrit le développement cognitif et moral de l'adolescent ?

Au cours des premières années de l'adolescence, le raisonnement est souvent centré sur soi-même. Les adolescents peuvent penser que leurs expériences personnelles sont uniques et que leurs parents ne peuvent tout simplement pas comprendre : « Mais maman, *tu* ne sais vraiment pas ce que l'on ressent lorsqu'on est amoureux » (Elkind, 1978). Capables de réfléchir à leurs propres pensées et aux pensées d'autres personnes, ils commencent aussi à imaginer ce que d'autres peuvent penser d'*eux*. (Les adolescents se soucieraient beaucoup moins de ce que les autres adolescents pensent d'eux s'ils savaient à quel point ceux-ci sont également concernés par leur propre personne.) Peu à peu cependant, la plupart commencent à raisonner de manière plus abstraite.

« Ben est dans sa première année de lycée, et il remet en cause toutes les bonnes choses. »

Développement de la puissance du raisonnement

Lorsque les adolescents atteignent le sommet intellectuel que Piaget appelait stade des *opérations formelles*, ils appliquent leur nouvel outil de raisonnement abstrait au monde qui les entoure. Ils peuvent réfléchir sur ce qui est possible dans l'idéal et comparer cela à la réalité imparfaite de leur société, de leurs parents, et même d'eux-mêmes. Ils peuvent débattre sur la nature humaine, le bien et le mal, la vérité et la justice. Leur sens de ce qui est bon change de la simple égalité à l'équité, ce qui est proportionnel au mérite (Almås et al., 2010). Ayant laissé derrière eux les images concrètes de l'enfance, ils peuvent maintenant rechercher une conception plus profonde de Dieu et de l'existence (Boyatzis, 2012 ; Elkind, 1970). La capacité des adolescents à raisonner de manière hypothétique et à tirer des conclusions leur permet de déceler les incohérences dans le raisonnement d'autrui, mais aussi de repérer l'hypocrisie. Cela peut conduire à des débats passionnés avec leurs parents et au serment silencieux de ne jamais perdre de vue leurs idéaux (Peterson et al., 1986).

Démonstration des capacités de raisonnement Bien qu'en opposition dans le débat sur la politique d'immigration, ces adolescents sont tous la preuve de leur capacité à élaborer une pensée logique sur des sujets abstraits. Selon Piaget, ils sont dans la phase finale du développement cognitif, le stade des opérations formelles.

Développement du sens moral

Les deux tâches cruciales de l'enfance et de l'adolescence sont l'apprentissage du bien et du mal et le développement du caractère, qui sont comme des muscles psychologiques permettant de contrôler les pulsions. Être une personne dotée de moralité signifie *penser* de manière morale et *agir* en conséquence. Selon Jean Piaget et Lawrence Kohlberg, le raisonnement moral guide les actions morales. Une nouvelle idée s'est développée à partir du moment où la psychologie a reconnu (ce qui a changé la donne) que nous agissons en grande partie non pas en suivant la « grande route » de la pensée consciente et intentionnelle mais plutôt en suivant la « voie profonde » de la pensée automatique non consciente.

Raisonnement moral Piaget (1932) pensait que le jugement moral des enfants se construisait à partir de leur développement cognitif. Se référant à cette théorie, Lawrence Kohlberg (1981, 1984) chercha à décrire les stades de développement du *raisonnement moral*, c'est-à-dire les processus de la pensée qui apparaissent lorsque nous considérons le bien et le mal. Kohlberg posait des dilemmes moraux (par exemple s'il fallait voler des médicaments pour sauver la vie de la personne aimée) et demandait à des enfants, des adolescents ou des adultes s'ils trouvaient cette action bonne ou mauvaise. Ces observations l'amenèrent à proposer trois stades fondamentaux de la pensée morale : préconventionnel, conventionnel et post-conventionnel (**TABLEAU 5.3**). Kohlberg affirmait que ces différents niveaux forment une échelle morale. Comme avec toutes les théories du développement par stades, l'ordre de leur apparition est invariable. Nous commençons par le bas de l'échelle. Les enfants d'âge préscolaire, s'identifiant au groupe, se conforment à ses règles morales et participent à leur renforcement (Schmidt & Tomasello, 2012). La situation progressera. Ceux qui critiquent les travaux de Kohlberg notent que son stade post-conventionnel est limité par la culture, et s'observe chez ceux qui prônent une société fondée sur l'individu (Eckensberger, 1994 ; Miller et Bersoff, 1995).

Le raisonnement moral Certains habitants de Staten Island, New York, furent placés devant un dilemme moral en 2012, lorsque la tempête Sandy provoqua des inondations catastrophiques. Devaient-ils risquer leur vie pour tenter de sauver la famille, les amis et les voisins dans les zones inondées dangereuses ? Leur raisonnement reflète probablement différents niveaux de la pensée morale, même s'ils se sont comportés de manière similaire.

Intuition morale Le psychologue Jonathan Haidt (2002, 2012) pense que la majeure partie de notre sens moral est enraciné dans des *intuitions morales*, « des sentiments viscéraux, ou des intuitions chargées d'affects ». Selon ce point de vue intuitionniste, l'esprit émet des jugements moraux comme il émet des jugements esthétiques, rapidement et automatiquement. Nous éprouvons un sentiment de dégoût lorsque l'on voit des individus se comporter de manière dégradante ou inhumaine. Même un mauvais goût dans la bouche suffit à augmenter le dégoût des gens

▼ TABLEAU 5.3
Niveaux du raisonnement moral selon Kohlberg

Niveau (âge approximatif)	Centre d'intérêt	Exemple
La morale préconventionnelle (avant l'âge de 9 ans)	L'intérêt ; obéir à des règles pour éviter la punition ou gagner des récompenses concrètes.	« Si vous sauvez votre femme mourante, vous serez un héros. »
La morale conventionnelle (début de l'adolescence)	Respecter les lois et les règles pour gagner l'approbation sociale ou maintenir l'ordre social.	« Si vous volez le médicament qui lui sera salutaire, tout le monde pensera que vous êtes un délinquant. »
La morale postconventionnelle (l'adolescence et au-delà)	Les actions reflètent la croyance dans les droits fondamentaux et les principes éthiques que l'on s'est définis	« Les gens ont le droit de vivre. »

pour diverses digressions morales (Eskine et al., 2011). Nous ressentons un sentiment d'élévation (sentiment de picotement chaud et radieux à la poitrine) lorsque nous voyons des personnes faire preuve d'une générosité exceptionnelle, de compassion et de courage. Selon Haidt, ces sentiments entraînent à leur tour le jugement moral.

Une femme se rappelait de l'anecdote suivante, alors qu'elle traversait un jour son quartier enneigé en autobus avec trois jeunes gens : « Une dame âgée se trouvait dans l'allée de sa maison, une pelle à la main. Je n'y prêtais pas vraiment attention, quand subitement l'un des trois jeunes hommes demanda au conducteur de s'arrêter et de le laisser descendre… Je le vis bondir du siège et s'approcher de cette vieille dame, et restais bouche bée quand je compris qu'il lui proposait de déblayer son allée. » Témoin de cet acte de bonté inattendu, elle éprouva un sentiment d'élévation en elle : « J'avais envie de sortir de la voiture et de serrer ce jeune homme dans mes bras. J'avais envie de chanter et de courir, de gambader et de rire. Je ressentais le besoin de dire du bien des gens » (Haidt, 2000).

« Est-il possible que la moralité humaine soit gouvernée par les émotions », se demanda-t-il, « alors que le raisonnement moral est sentencieux ? » Considérons le désir de punir. Des expériences menées en laboratoire révèlent que le désir de punir de mauvaises actions est principalement entraîné non pas par le raisonnement (par un calcul objectif que la punition peut décourager le crime) mais plutôt par une réaction émotionnelle, comme un outrage moral (Darley, 2009). Après un fait émotionnel, notre jugement moral, le « porte-parole » de notre esprit, sert à convaincre nous-mêmes et autrui de la logique de ce que l'on a ressenti intuitivement.

Cette perspective intuitionniste de la moralité s'appuie sur l'étude des paradoxes moraux. Imaginez qu'un tramway sans conducteur se dirige sur cinq personnes. Celles-ci seront certainement tuées, à moins que vous n'actionniez l'aiguillage pour faire dévier le tramway sur une autre voie où il ne tuera qu'une personne. Devriez-vous actionner l'aiguillage ? La plupart disent *Oui*. On en tue un, on en sauve cinq.

Imaginez la même situation, sauf que maintenant il vous faut pousser un inconnu corpulent sur les rails, stoppant ainsi le tramway et sauvant les cinq autres personnes. La plupart des gens – On en tue un, on en sauve cinq – disent *non, bien que la logique soit la même*. Cherchant à comprendre pourquoi, une équipe de recherche de Princeton, dirigée par Joshua Greene (2001), a utilisé les techniques d'imagerie cérébrale afin d'observer les réponses neuronales de personnes confrontées à de tels dilemmes. Les zones du cerveau régulant les émotions ne s'activaient que quand ces personnes devaient faire face au second type de dilemme, c'est-à-dire quand elles devaient pousser l'inconnu sur les rails. Ainsi, nos jugements moraux constituent un autre exemple de l'esprit et du traitement de l'information par les deux voies, conscient et non consciente (Feinberg et al., 2012). Le raisonnement moral régulé par une zone du cerveau, dit d'activer l'aiguillage. Nos émotions morales intuitives, enracinées dans d'autres zones du cerveau, l'emportent sur la raison en disant *de ne pas* pousser l'homme.

Alors que la recherche montre les nombreuses façons dont les intuitions morales trompent le raisonnement moral, d'autres résultats d'études réaffirment l'importance de ce raisonnement moral. La religion et le raisonnement moral des Amish par exemple, modèlent leur pratique du pardon, de la vie en communauté et de la modestie (Narvaez, 2010). Joshua Greene (2010) compare notre cognition morale à un appareil photo. En général nous nous fions à la mise au point automatique. Mais parfois nous nous servons de notre raisonnement pour corriger manuellement le réglage automatique de l'appareil.

Le New Yorker Collection 1987. De cartoonbank.com

« Cela pourrait ne pas être éthique. Est-ce que quelqu'un a des scrupules ? »

Identité conscience de soi-même ; selon E. Erikson, les adolescents s'efforcent de préciser le sentiment d'image de soi en s'essayant à différents rôles puis en les intégrant pour construire leur identité.

Identité sociale un des aspects de notre concept de soi ; une partie de la réponse à la question « Qui suis-je ? » qui est donnée par nos appartenances aux groupes.

« C'est une belle harmonie quand le faire et le dire vont ensemble. »

Michel Eyquem de Montaigne (1533-1592)

Action morale Notre pensée morale et nos sentiments affectent certainement notre discours. Mais parfois, on peut se payer des mots et les émotions sont éphémères. Le sens moral implique *de faire* ce qui est juste, et ce que nous faisons dépend également des influences sociales. Selon Hannah Arendt (1963), théoricienne politique, durant la Seconde Guerre mondiale, beaucoup de gardes des camps de concentration nazis avaient un sens moral « ordinaire » et avaient été corrompus par une situation diaboliquement puissante.

Actuellement, les programmes d'éducation du caractère ont tendance à se concentrer sur le sens moral dans sa globalité : apprendre à penser, sentir et *faire* ce qui est bien. Dans les programmes d'apprentissage de la notion de service, des adolescents ont donné des cours particuliers, ont nettoyé leur environnement et sont venus en aide aux adultes plus âgés. Le résultat ? Leur sentiment de compétence et leur désir de rendre service se développent en même temps que le taux d'absentéisme et d'abandon des études diminue (Andersen, 1998 ; Piliavin, 2003). Les actions morales nourrissent les attitudes morales.

Le développement moral fait une grande part à l'acquisition de l'autodiscipline nécessaire à freiner leurs élans – attendre pour obtenir des gratifications plus importantes plutôt que de se contenter de petits plaisirs immédiats. Dans l'une des expériences les plus connues de la psychologie, Walter Mischel (1988, 1989) a donné aux enfants de 4 ans de l'école maternelle de Stanford le choix suivant : une guimauve maintenant, ou deux guimauves quand il sera revenu quelques minutes plus tard. Les enfants qui avaient eu la volonté de retarder la réception de la récompense furent ceux qui eurent les taux de réussite universitaire les plus élevés et le moins de troubles des conduites addictives. Lors de la passation de tests, quarante ans plus tard, les différences persistaient entre sujets ayant été capables de différer la réception de la récompense et les autres (Casey et al., 2011).

Notre capacité à *différer la réception de la récompense* est fondamentale pour notre avenir scolaire, professionnel et social. Les enseignants et les parents considèrent que les enfants ayant la capacité différer cette conduite évaluée lors de tests similaires, font preuve de plus d'autodiscipline (Duckworth et al., 2013). La capacité différer cette conduite réduirait le risque de jeu compulsif, de tabagisme et de comportement délinquant (Callan et al., 2011 ; Ert et al., 2013 ; van Gelder et al., 2013.).

EXERCICE RÉCAPITULATIF

- Selon Kohlberg, la source de la morale _____ est l'intérêt personnel immédiat, celle de la morale _____ est le respect de règles interpersonnelles du groupe, et celle de la morale _____, les lois et les règles de la vie en société

Réponses : préconventionnelle ; postconventionnelle ; conventionnelle

---

Développement social

5-14 **Quels sont les tâches sociales et les défis de l'adolescence ?**

« En fonction de la teneur en hormones de la viande de bœuf avec laquelle ils ont été nourris, les enfants entrent dans l'adolescence entre 10 et 13 ans, autrement dit "ils perdent leur aspect poupin". »

Jon Stewart et al., *Earth (The Book)*, 2010

Le théoricien Erik Erikson (1963) prétendait que chaque stade de la vie possède sa propre *tâche psychosociale*, une crise qui doit être résolue. Les jeunes enfants sont aux prises avec des problèmes de *confiance*, puis d'*autonomie* (indépendance) et enfin d'*initiative*. Les enfants d'âge scolaire développent des *compétences*, le sentiment d'être capables et efficaces. La tâche de l'adolescent est de synthétiser les possibilités passées, présentes et futures en une conception plus claire de soi-même (**TABLEAU 5.4**). L'adolescent se demande : « Qui suis-je ? Qu'est-ce que je veux faire de ma vie ? Sur quelles valeurs devrais-je fonder ma vie ? En quoi dois-je croire ? » Erikson appelait cette quête la *recherche d'identité des adolescents*.

Comme cela arrive parfois en psychologie, l'intérêt d'Erikson avait été nourri par sa propre expérience. Fils d'une mère juive et d'un père danois, non-israélite, Erikson se sentait « doublement rejeté », raconte Morton Hunt (1993, p. 391). Il était « méprisé à l'école en tant que juif et on se moquait de lui à la synagogue où il était traité de "goy" à cause de ses cheveux blonds et de ses yeux bleus ». De tels épisodes ont suscité son intérêt pour la lutte des adolescents pour la construction de leur identité.

▼ TABLEAU 5.4
Les stades du développement psychosocial selon Erikson

Étape (âge approximatif)	Conflit	Description de la tâche
Petite enfance, bas âge (1 an)	Confiance/méfiance	Si les besoins sont satisfaits de façon fiable, les nourrissons développent un sentiment de confiance fondamentale.
Petite enfance (1 à 3 ans)	Autonomie/honte et doute	Les tout-petits apprennent à exercer leur volonté et faire des choses pour eux-mêmes ou alors, ils doutent de leurs capacités.
Préscolaire (3 à 6 ans)	Initiative/culpabilité	Les enfants d'âge préscolaire apprennent à initier des tâches et à réaliser des activités planifiées ou se sentent coupables de leurs efforts pour être indépendants.
École primaire (de 6 ans à la puberté)	Compétence/infériorité	Les enfants apprennent le plaisir du travail accompli, ou alors se sentent inférieurs.
Adolescence (de la puberté à 20 ans)	Identité/confusion des rôles	Les adolescents s'efforcent de préciser le sentiment d'image de soi en s'essayant à différents rôles puis en les intégrant pour construire leur identité, ou alors le processus d'identification échoue et l'identité sera mal définie et confuse.
Jeune adulte (20 à 40 ans)	Intimité/isolement	Les jeunes adultes s'efforcent de nouer des liens et atteindre l'intimité dans l'amour, ou se sentent socialement isolés.
âge adulte (40 à 60 ans)	Créativité/stagnation	Au milieu de leur existence, certains ont le sentiment de contribuer au développement du monde, le plus souvent par la famille et le travail, quand d'autres peuvent développer un sentiment d'inutilité, de mener une vie sans but.
L'âge adulte tardif (plus de 60 ans)	Intégrité/désespoir	En réfléchissant sur sa vie écoulée, une personne âgée peut éprouver un sentiment de satisfaction ou d'échec.

Compétence/infériorité

Intimité/isolement

Développement de l'identité

Pour préciser le sens de leur identité, les adolescents dans les cultures individualistes tentent généralement d'adapter leur « moi » aux différentes situations. La modulation du « moi » se fait donc à la maison, avec les amis, à l'école ou sur la toile. Si deux de ces situations interfèrent (par exemple, lorsqu'un adolescent ramène des amis à la maison), la gêne peut être considérable. L'adolescent se demande : « Qui dois-je être ? Quel est mon moi réel ? » La réponse est une autodéfinition qui unifie les différentes facettes du moi en une notion cohérente et confortable de qui l'on est, c'est-à-dire de son **identité**.

Pour les adolescents comme pour les adultes, des groupes d'identités se forment en fonction de ce qui nous différencie de ceux qui nous entourent. Lorsque nous vivions au Royaume-Uni, je me suis rendu compte de mon américanisme (DM). Lorsque j'ai passé quelque temps avec ma fille en Afrique, je suis devenu conscient de ma minorité ethnique (en tant que Blanc). Lorsque je suis entouré de femmes, j'ai à l'esprit mon identité sexuelle. Pour les étudiants internationaux, pour ceux d'un groupe ethnique minoritaire, pour ceux dont l'orientation sexuelle est minoritaire, pour les personnes souffrant d'un handicap, pour ceux faisant partie d'une équipe, une **identité sociale** se forme souvent autour de ce qui les distingue.

Erikson a remarqué que certains adolescents forgeaient très tôt leur identité, simplement en adoptant les valeurs et les attentes de leurs parents. (Les cultures traditionnelles et moins individualistes disent aux adolescents qui ils sont au lieu de les laisser décider eux-mêmes.) D'autres adolescents peuvent adopter l'identité d'un groupe particulier de « camarades » : les sportifs, les BCBG, les geeks, les gothiques, etc.

La plupart des jeunes développent un sentiment de satisfaction en regardant leur vie. Une question est posée : Quel est l'énoncé qui vous décrit le mieux ? « Je voudrais choisir ma vie comme elle est en ce moment », ou « Je voudrais être quelqu'un d'autre » ? Lorsque les adolescents américains ont répondu, 81 % ont choisi la première proposition, et 19 % la seconde (Lyon, 2004). Lorsqu'ils

« La conscience de soi, la reconnaissance de soi en tant qu'être unique, ne se définit que par rapport à l'autre, au "non soi". »

C. S. Lewis, *Le problème de la douleur*, 1940

Neuf fois sur dix, la pression sociale vient des congénères.

Qui serai-je aujourd'hui ? En faisant varier la façon dont ils se donnent à voir, les adolescents essayent différents « moi ». Bien que nous construisions finalement une identité stable et cohérente, le soi que nous donnons à voir s'adapte aux différentes situations.

Intimité selon la théorie d'Erikson, capacité de développer des liens étroits et affectifs avec quelqu'un. Il s'agit d'une tâche du développement primaire qui survient au début de l'âge adulte.

« Elle dit qu'elle est quelqu'un de ton passé, qu'elle t'a donné naissance, qu'elle t'a élevé, et qu'elle a tout sacrifié pour que tu puisses avoir tout ce que tu veux. »

« Je vous aime tous. »

Texte du dernier message d'Emily Keyes à ses parents avant de mourir lors du mitraillage dans une école du Colorado en 2006.

réfléchissent sur leur existence, 75 % des étudiants américains disent qu'ils « discutent de religion et de spiritualité » avec leurs amis, qu'ils prient et sont d'accord avec le fait que « nous sommes tous des êtres spirituels » et que « nous cherchons une signification, un but dans la vie » (Astin et al., 2004 ; Bryant et Astin, 2008). Cela ne surprendrait pas William Damon et ses collaborateurs, psychologues à Stanford (2003), qui prétendent qu'une des principales tâches de l'adolescent est de réaliser un objectif – le désir d'accomplir quelque chose ayant de l'importance à leurs yeux et qui les différencie du monde qui les entoure.

D'après plusieurs études effectuées dans tous les États-Unis, il s'avère qu'entre 10 et 15 ans, l'estime de soi s'affaiblit et, chez les filles, le nombre des dépressions augmente. Toutefois, l'estime de soi remonte à nouveau en fin d'adolescence et après 20 ans (Chung et al., 2014 ; Erol & Orth, 2011 ; Wagner et al., 2013). La fin de l'adolescence est également une période où les notes obtenues aux tests sur l'amabilité et la stabilité émotionnelle remontent (Klimstra et al., 2009).

Ce sont les années où de nombreuses personnes dans les pays industrialisés commencent à explorer de nouvelles possibilités en fréquentant le collège ou lorsqu'elles travaillent à temps plein. À la fin de leurs études universitaires, de nombreux étudiants ont une identité mieux définie et plus positive que celle qu'ils avaient en première année (Waterman, 1988). Les étudiants qui ont réussi à clarifier le sens de leur identité sont moins sujets à l'alcoolisme (Bishop et al., 2005).

Erikson prétendait que la structuration de l'identité chez l'adolescent, qui se poursuit à l'âge adulte, était suivie par le développement d'une capacité à avoir des rapports **intimes**, c'est-à-dire des relations étroites sur le plan émotionnel. Deux Américains sur trois âgés de 17 ans disent connaître une relation amoureuse, qui a tendance à être intense émotionnellement, alors que ces relations sont moins fréquentes chez les jeunes des pays collectivistes comme la Chine (Collins et al., 2009 ; Li et al., 2010). Ceux qui connaissent de très bonnes relations (intimité, soutien) avec leurs familles et leurs amis ont également tendance à connaître des relations amoureuses tout aussi plaisantes lors de leur adolescence, et qui établiront le cadre de relations adultes saines. Ces relations constituent, pour la plupart d'entre nous, une énorme source de plaisir. Lorsque Mihaly Csikszentmihalyi et Jeremy Hunter (2003) ont utilisé un biper pour recueillir les expériences quotidiennes des adolescents américains, ils ont trouvé qu'ils étaient plus malheureux lorsqu'ils étaient seuls et plus heureux lorsqu'ils étaient avec leurs amis. Comme Aristote l'avait reconnu il y a très longtemps, l'homme est « un animal social ». Importance de la relation à l'autre.

Les relations avec les parents et les pairs

5-15 Comment les adolescents sont-ils influencés par leurs parents ou leurs relations ?

Dans les cultures occidentales, au fur et à mesure que les adolescents cherchent à se forger leur propre identité, ils commencent à s'éloigner de leurs parents (Shanahan et al., 2007). L'enfant de moins de 6 ans qui n'est jamais assez près de sa mère, qui aime la toucher et s'accrocher à elle, devient par la suite l'adolescent de 14 ans qui préférerait mourir plutôt que d'être surpris en train de tenir la main de sa mère. Cette transition se fait progressivement (**FIGURE 5.19**). À l'adolescence, les disputes entre les parents et les enfants se font plus fréquentes et concernent des choses ordinaires telles que les tâches ménagères, l'heure du coucher ou les devoirs (Tesser et al., 1989). Les conflits pendant la transition de l'adolescence ont tendance à être plus intenses avec les aînés qu'avec les frères et sœurs. Ils sont également plus importants avec la mère qu'avec le père (Burk et al., 2009 ; Shanahan et al., 2007).

Pour une minorité de parents et d'adolescents, ces différends peuvent mener à un réel éloignement et à un stress important (Steinberg et Morris, 2001). Mais la plupart des désaccords restent au niveau de la chamaillerie innocente. Les sujets de discorde portent souvent, avec les garçons, sur le comportement, comme des actes inadaptés ou une hygiène douteuse, alors qu'avec les filles, ce sont les relations, les rencontres, les rendez-vous et les amitiés qui sont source de conflit (Schlomer et al., 2011). Une étude menée sur 6 000 adolescents dans 10 pays (Australie, Bangladesh, Turquie, etc.) a montré que la plupart d'entre eux aimaient leurs parents (Offer et al., 1988). Comme le disent souvent les adolescents… « Généralement on s'entend bien mais… » (Galambos, 1992 ; Steinberg, 1987).

Des relations positives avec les parents et des relations positives avec les camarades vont souvent de pair. Les lycéennes qui ont une relation affective intense avec leur mère ont également tendance à apprécier une amitié plus intime avec leurs amies (Gold et Yanof, 1985). De plus, les adolescents qui se sentaient proches de leurs parents ont eu tendance à être heureux, en bonne santé et à réussir leur scolarité (Resnick et al., 1997). Bien entendu, on peut considérer cette corrélation dans le sens inverse : les adolescents qui se conduisent mal ont plus tendance à avoir des relations tendues avec leurs parents et les autres adultes.

L'adolescence est généralement une période où l'influence parentale diminue et où celle des camarades est plus importante. Dans une enquête, on a demandé à des parents s'ils avaient déjà eu une « discussion sérieuse » avec leurs enfants sur l'usage illégal des drogues : 85 % des parents américains ont répondu *oui*. Mais il semblerait que les adolescents fassent la sourde oreille et n'écoutent pas les précieux conseils car seulement 45 % se sont rappelé avoir eu ce genre de discussion (Morin et Brossard, 1997).

Comme nous l'avons déjà vu au Chapitre 4, l'hérédité fait la plus grosse partie du travail en modelant les différences de caractères et la personnalité de chacun ; l'influence des parents et de l'entourage fait le reste. Lorsqu'ils sont entre eux, les adolescents vivent le moment présent sans se soucier de l'avenir (O'Brien et al., 2011). On pourrait comparer les adolescents à des « animaux grégaires ». Ils parlent, s'habillent et agissent plus comme leurs camarades que comme leurs parents. Ils deviennent souvent ce que sont leurs amis et font « comme tout le monde ».

De nos jours « faire comme tout le monde » consiste à passer beaucoup de temps « sur internet ». Les adolescents adoptent rapidement les réseaux sociaux. Les adolescents américains envoient généralement 60 messages par jour et ont en moyenne 300 « amis sur Facebook » (Pew, 2012, 2013). La communication sur le net stimule les confessions intimes à la fois pour le meilleur (groupes de soutien) comme pour le pire (prédateurs sur Internet et groupes extrémistes) (Subrahmanyam et Greenfield, 2008 ; Valkenburg et Peter, 2009 ; Wilson et al., 2012). Exemple du réseau Facebook : Une menée chez tous les sujets anglophones utilisant ce réseau a montré qu'il s'écoule plus d'un an avant que les parents et les enfants ne s'intègrent mutuellement dans leur cercle d'« amitiés » (Burke et al., 2013.).

La douleur est vive pour ceux qui se sentent exclus, ostracisés, sur internet ou dans la vie réelle. « Dans la plupart des collèges et lycées, il règne une atmosphère sociale pernicieuse où l'esprit de groupe et l'exclusion sont monnaie courante », observe le psychologue social Elliot Aronson (2001). La plupart « des étudiants exclus souffrent en silence… Une minorité réagit par des actes de violence contre des camarades de classe ». Les adolescents qui sont rejetés, sont enclins à la solitude, à une faible estime d'eux-mêmes et à la dépression (Steinberg et Morris, 2001). L'approbation de leurs camarades est importante.

Les adolescents considèrent que l'influence de leurs parents est plus importante dans d'autres domaines : par exemple, dans le choix et la pratique d'une religion, le choix de l'université et de la carrière (*Emerging Trends*, 1997). Une enquête Gallup sur les jeunes a révélé que la plupart partagent les opinions politiques de leurs parents (Lyons, 2005).

« C'est toi qui ne me comprends pas. J'ai déjà eu quinze ans, mais toi tu n'as jamais eu quarante huit ans ! »

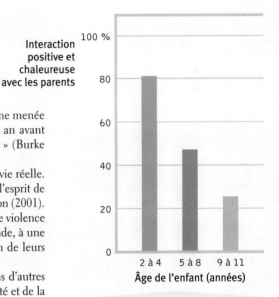

Interaction positive et chaleureuse avec les parents

Âge de l'enfant (années)

▼ FIGURE 5.19

L'évolution de la relation parent-enfant Dans une grande étude nationale menée auprès de familles canadiennes, les entretiens ont révélé que généralement les relations chaleureuses et étroites entre les parents et les enfants d'âge préscolaire se distendent à mesure que les enfants grandissent. (Données de Statistique Canada, 1999.)

« D'abord, je faisais des choses pour avoir l'approbation de mes parents, puis j'en ai fait pour que mes parents les désapprouvent, et maintenant je ne sais pas pourquoi je les fais. »

« Quand j'avais ton âge, j'étais adulte. »

Émergence de l'âge adulte

5-16 Qu'est-ce que l'émergence de l'âge adulte ?

Dans les pays occidentaux, l'adolescence s'étend à peu près de 13 à 19 ans. Autrefois, et encore aujourd'hui dans d'autres parties du monde, l'adolescence n'était qu'un bref intermède (Baumeister et Tice, 1986). Peu de temps après la maturité sexuelle, les jeunes assumeraient des responsabilités et le statut d'adultes. L'événement pourrait être célébré par une initiation élaborée un rite de passage public. Avec la bénédiction de la société, le nouvel adulte travaillait, se mariait et avait des enfants.

Sous l'influence de la scolarité obligatoire dans de nombreux pays occidentaux, l'indépendance de l'adulte ne commence à apparaître qu'après l'obtention d'un diplôme. De l'Europe à l'Australie, les adolescents mettent plus de temps pour s'établir en tant qu'adultes. Aux États-Unis par exemple, la moyenne d'âge du premier mariage s'est accrue de 4 ans depuis 1960 (28 ans pour les hommes, 26 ans pour les femmes). En 1960, trois femmes sur quatre et deux hommes sur trois âgés de 30 ans avaient fini leurs études, quitté la maison, étaient devenus financièrement indépendants, s'étaient mariés et avaient un enfant. Aujourd'hui à 30 ans, moins de la moitié des femmes et un tiers des hommes vivent une telle situation (Henig, 2010).

La puberté plus précoce et l'indépendance plus tardive ont toutes deux prolongé l'intervalle autrefois bref séparant la maturité biologique de l'indépendance sociale (**FIGURE 5.20**). Dans les communautés prospères, la période comprise entre 18 et 25 ans constitue une phase de la vie où l'on n'est pas encore stabilisé, une phase que certains appellent la **phase adulte émergente** (Arnett, 2006, 2007 ; Reitzle, 2006). Ces « adultes émergents » ne sont plus des adolescents, mais n'ont pas encore acquis les responsabilités et l'indépendance dignes d'un adulte, ils se sentent « entre les deux ». Après le lycée, ceux qui entrent sur le marché du travail ou vont à l'université peuvent avoir à gérer leurs priorités et leur temps bien plus qu'ils ne le faisaient auparavant. Cependant ils peuvent le faire tout en restant à la maison avec leurs parents, étant incapables de pouvoir payer leur propre logement. Peut-être sont-ils encore émotionnellement dépendants. Reconnaissant que l'âge adulte émerge actuellement plus progressivement, le gouvernement des États-Unis permet maintenant aux enfants dépendants de bénéficier de l'assurance santé de leurs parents jusqu'à l'âge de 26 ans (Cohen, 2010).

> **Phase adulte émergente** période qui s'étale de l'âge de 18 ans à l'âge de 25 ans environ, dans les cultures occidentales, quand les sujets sont sortis de l'adolescence et n'ont pas encore réussi à acquérir leur pleine indépendance pour vivre leur vie d'adulte.

▼ FIGURE 5.20
La transition à l'âge adulte est modifiée à ses deux extrémités Dans les années 1890, l'intervalle moyen séparant la première période menstruelle et le mariage, qui généralement caractérisait la transition de la puberté à l'âge adulte, était d'environ sept ans ; un siècle plus tard dans les pays industrialisés, il est d'environ quatorze ans (Finer & Philbin, 2014 ; Guttmacher, 1994). Bien que de nombreux adultes ne soient pas mariés, le mariage tardif est la conjugaison de la durée plus longue des études et de l'âge plus précoce de la première menstruation qui conduit à l'extension de cette transition.

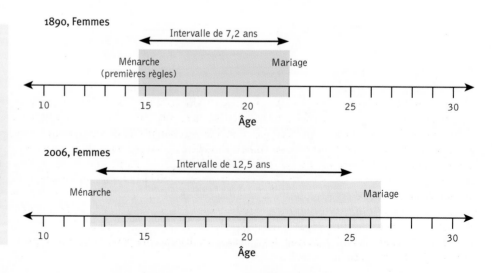

EXERCICE RÉCAPITULATIF

- Faire correspondre la phase de développement psychosocial ci-dessous (1-8) aux difficultés auxquelles, selon Erikson, on doit faire face à cet âge (a-h).

1. Première enfance
2. Âge de début de la marche
3. Préscolaire
4. École primaire
5. Adolescence
6. Jeune adulte
7. Âge adulte moyen
8. Âge adulte avancé

a. Créativité vs. stagnation
b. Intégrité vs. désespoir
c. Initiative vs. culpabilité
d. Intimité vs. isolement
e. Identité vs. confusion des rôles
f. Compétence vs. infériorité
g. Confiance vs. méfiance
h. Autonomie vs. la honte et le doute

Réponses : 1.g, 2.h, 3.c, 4.f, 5.e, 6.d, 7.a, 8.b

« Je ne sais pas quoi faire dans ce long tunnel qui va de la fin des études au début de la retraite. »

REVUE GÉNÉRALE Adolescence

OBJECTIFS D'APPRENTISSAGE

EXERCICE RÉCAPITULATIF Prenez un moment pour répondre à chacune de ces questions objectives d'apprentissage (répétées ici au sein de cette section). Puis aller à l'annexe C, révision complète du chapitre, pour vérifier vos réponses. La recherche suggère que d'essayer de répondre à ces questions de votre propre initiative permettra d'améliorer la mémorisation à long terme de ces réponses (McDaniel et al., 2009).

5-12 Comment définit-on *l'adolescence* ? Quels sont les changements physiques qui marquent cette période ?

5-13 De quelle manière Piaget, Kohlberg et les chercheurs qui leur ont succédé, ont-ils décrit le développement cognitif et moral de l'adolescent ?

5-14 Quels sont les tâches sociales et les défis de l'adolescence ?

5-15 Comment les adolescents sont-ils influencés par leurs parents ou leurs relations ?

5-16 Qu'est-ce que l'émergence de l'âge adulte ?

TERMES ET CONCEPTS À RETENIR

EXERCICE RÉCAPITULATIF Testez votre connaissance de ces termes en essayant d'écrire leur définition avant de vous reporter aux pages indiquées en référence pour vérifier votre réponse.

adolescence, p. 203

puberté, p. 204

identité, p. 209

identité sociale, p. 209

intimité, p. 210

âge adulte émergent, p. 212

L'âge adulte

LE PROCESSUS DE DÉVELOPPEMENT vers l'âge adulte se poursuit tout au long de la vie. Il est plus difficile d'établir des lois générales à propos des stades de l'âge adulte qu'à propos des premières années de la vie. Si vous savez seulement que James a 1 an et Jamal 10 ans, vous pouvez déjà dire beaucoup de choses à leur sujet. Ce n'est pas si évident avec des adultes qui ont dix ans d'écart. Le patron peut avoir 30 ou 60 ans, le marathonien 20 ou 50 ans, une personne de 19 ans peut être parent d'un enfant et l'avoir à sa charge, ou être un enfant recevant encore une aide financière. Néanmoins, le cours de nos vies est d'une certaine façon assez semblable. Sur les plans physique, cognitif et surtout social, les gens de 50 ans sont différents de ce qu'ils étaient à 25 ans. Dans la discussion qui va suivre, nous reconnaîtrons ces différences et nous utiliserons trois termes : *le début de l'âge adulte* (grossièrement entre 20 et 30 ans), le *milieu de l'âge adulte* (jusqu'à 65 ans) et *la fin de l'âge adulte* (après 65 ans). À chacun de ces stades, les changements physiques, psychologiques et sociaux sont importants.

Quel âge doit-on avoir pour vous paraître vieux ? Cela dépend du vôtre. Si vous avez entre 18 et 29 ans, l'âge de 67 ans vous apparaîtra comme celui de la vieillesse. Si vous avez 60 ans ou plus, la vieillesse commencera à l'âge de 76 ans (Yankelovich, 1995).

« Je suis toujours en train d'apprendre. »

Michel-Ange, 1560, à 85 ans

Rick Doyle/CORBIS

Les capacités des adultes varient considérablement En 2012, George Blair a maintenu sa place dans le livre des records comme le plus ancien skieur nautique à pieds nus dans le monde. On le voit ici en 2002 quand il fut la première fois détenteur de ce record, à l'âge de 87 ans. (Il est mort en 2013 à l'âge de 98 ans.)

Le New Yorker Collection 1999. De cartoonbank.com

« Joyeux anniversaire. Pour vos 40 ans je vais prendre le tonus musculaire de vos bras, le timbre de jeune fille de votre voix, votre tolérance étonnante à la caféine, et votre capacité à digérer les frites. Je vous fais cadeau du reste. »

Ménopause   moment de la cessation naturelle de la menstruation ; cessation de l'activité ovarienne avec modifications somatiques et psychiques.

« Je compte vivre éternellement, jusque-là, tout va bien. »

Steven Wright, comédien

Développement physique

5-17 Quels sont les changements physiques qui se produisent au milieu et à la fin de l'âge adulte ?

Comme la lumière du jour qui décline après le solstice d'été, le déclin de nos capacités physiques, telles que la force musculaire, le temps de réaction, l'acuité sensorielle et le débit cardiaque, commence de manière imperceptible à partir de 25 ans. Les athlètes sont souvent les premiers à s'en apercevoir. Les sprinters et les nageurs de niveau mondial atteignent le sommet de leur carrière peu après leur vingtième année. Les joueurs de baseball sont au sommet de leur carrière à l'âge de 27 ans environ et 60 % des lauréats du concours du meilleur joueur ont cet âge à ±2 ans depuis 1985 (Silver, 2012). Les femmes qui atteignent la maturité plus vite que les hommes, atteignent aussi plus tôt le maximum de leurs capacités. Mais la plupart des individus, en particulier ceux dont la vie de tous les jours n'exige pas de performance physique de haut niveau, perçoivent à peine les premiers signes de déclin.

Changements physiques de l'âge adulte

Comme les athlètes d'âge mûr (après 40 ans) le savent bien, le déclin physique s'accélère progressivement. Comme dans la vie d'un joueur de basket-ball, j'ai trouvé qu'il était de plus en plus difficile de courir après un ballon perdu [DM]. Toutefois, même si la force physique diminue, elle est compatible avec des activités normales. De plus, durant le début et le milieu de l'âge adulte, la forme physique est mois dépendante de l'âge que de l'état de santé et de l'entraînement de la personne. Beaucoup d'hommes de 50 ans en bonne condition physique peuvent courir sans problème 6 ou 7 kilomètres, tandis que des hommes sédentaires de 25 ans sont essoufflés après avoir monté deux étages.

Le vieillissement entraîne également un déclin progressif de la fertilité en particulier chez la femme. Pour les femmes âgées de 35 à 39 ans, un rapport sexuel a deux fois moins de chance d'entraîner une grossesse que chez une femme d'un âge compris entre 19 et 26 ans (Dunson et al., 2002). Les hommes connaissent un déclin graduel du nombre de spermatozoïdes, de leur taux de testostérone ainsi que de la vitesse de l'érection et de l'éjaculation. La femme voit apparaître la **ménopause** : c'est la fin des cycles menstruels, qui débute généralement à l'approche de la cinquantaine. Ses attentes et ses attitudes influencent l'impact émotionnel de l'événement. Est-ce un signe de la perte de la féminité venant avec l'âge, ou la libération des cycles menstruels ou de la peur de la grossesse. C'est aussi le cas, pour les hommes ; nos espoirs influencent nos perceptions. Certains hommes peuvent également ressentir un malaise psychologique lié au sentiment d'une perte de virilité et de déclin de leurs capacités physiques. Toutefois, la plupart des hommes vieillissent sans rencontrer ce genre de problèmes.

Avec l'âge, l'activité sexuelle diminue. Près de 9 Américaines sur 10 approchant de la trentaine disent avoir eu un rapport sexuel vaginal dans l'année, contre 22 % des femmes et 43 % des hommes ayant plus de 70 ans (Hebernick et al., 2010 ; Reece et al., 2010). Néanmoins, la plupart des hommes et des femmes sont encore capables d'avoir une activité sexuelle satisfaisante et la plupart sont satisfaits de leur vie sexuelle. Cela était vrai pour 70 % des Canadiens étudiés (âgés de 40 à 64 ans) et 75 % des Finlandais (âgés de 65 à 74 ans) (Kontula et Haavio-Mannila, 2009 ; Wright, 2006). Selon une enquête 75 % des personnes âgées de 80 ans ayant répondu, ont dit être encore sexuellement actifs (Schick et al., 2010). Et au cours d'une enquête menée au sein d'une association américaine de retraités, ce n'était qu'après 75 ans que la plupart des femmes et la moitié des hommes disaient avoir peu de désir sexuel (DeLamater, 2012 ; DeLamater & Sill, 2005). Si on est en bonne santé et si notre partenaire est consentent, les flammes du désir persistent, bien qu'elles s'apaisent peu à peu. Comme le dit Alex Confort (1992, p. 240), « Ce qui vous empêche d'avoir des relations sexuelles en vieillissant est exactement la même chose que ce qui vous empêche de faire du vélo (vous êtes en mauvaise santé, vous vous imaginez que c'est ridicule ou vous n'avez pas de vélo). »

Changements physiques de l'âge mûr

La vieillesse est-elle « plus à craindre que la mort » (Juvénal, *Satires*) ? Ou la vie est-elle « plus agréable lorsque l'on est sur la pente descendante » (Sénèque, *Lettres à Lucilius*) ? À quoi ressemble le vieillissement ?

Espérance de vie De 1950 à 2011, l'espérance de vie à la naissance est passée dans le monde entier de 46,5 ans à 70 ans et à 80 ans et plus dans les pays les plus développés (OMS, 2014a,b). Quel cadeau : vingt années de plus à vivre ! En Chine, aux États-Unis, au Royaume-Uni, au Canada et en Australie (pour nommer quelques pays où des étudiants lisent ce livre) l'espérance de vie est passée respectivement à 76, 79, 80 et 82 ans (OMS, 2014). Cette augmentation de l'espérance de vie (la plus grande prouesse de l'humanité selon certains) s'associe à la baisse du taux de natalité, et de ce fait les personnes âgées représentent une part de plus en plus importante de la population. D'où une augmentation de la demande d'appareils auditifs, de résidences pour retraités et de maisons de retraite médicalisées. Aujourd'hui partout dans le monde 1 personne sur 10 environ a plus de 60 ans. Les Nations unies (2001, 2010) prévoient que ce nombre doublera (soit 2 personnes sur 10) vers 2050 (et atteindra presque 4 sur 10 en Europe).

Tout au long de leur vie, les individus de sexe masculin ont plus de risques de mourir. Bien qu'il y ait 126 embryons de garçons pour 100 embryons de filles, à la naissance, le sex-ratio descend à 105 garçons pour 100 filles (Strickland, 1992). Au cours de la première année, le taux de mortalité chez les garçons est supérieur d'un quart à celui des filles. Partout dans le monde, les femmes survivent aux hommes de quatre ans environ (OMS, 2014b). (Plutôt que de se marier avec un homme plus âgé qu'elle, les femmes de 20 ans souhaitant un mari ayant la même espérance de vie qu'elles, devraient attendre que des garçons de 16 ans deviennent matures.) À l'âge de 100 ans, il y a cinq fois plus de femmes que d'hommes.

Mais peu d'entre nous vivent jusqu'à 100 ans. Les maladies frappent. Le corps vieillit. Ses cellules cessent de se diviser. Il devient fragile et vulnérable à de petits incidents (la chaleur, une chute, une légère infection) qui auraient été anodins à l'âge de 20 ans. L'extrémité des chromosomes humains (les *télomères*) s'effrite un peu comme l'extrémité d'un lacet s'effiloche. Cette usure est accentuée par le tabagisme, l'obésité ou le stress. Ces télomères sont plus courts chez les enfants qui souffrent d'abus ou de harcèlement. Ce sont les cicatrices biologiques de ces blessures (Shalev et al., 2013). À mesure que ces extrémités protectrices se raccourcissent, les cellules vieillissantes meurent sans être remplacées par des copies génétiques parfaites (Epel, 2009).

Une vie dénuée de stress, avec de bonnes habitudes de santé et un tempérament positif améliorent aussi la longévité. Les tempéraments acrimonieux ou dépressifs augmentent nos risques de maladie et de mort prématurée. Les chercheurs ont même observé un phénomène de *report du jour du décès* très surprenant, lié à la volonté de vivre quelques jours de plus pour pouvoir jouir d'un heureux événement (Shimizu et Pelham, 2008). Sur une durée de quinze ans, le nombre des décès survenant les 26 et 27 décembre est supérieur à celui des décès survenant le jour de Noël (85 000 > 82 000) Le taux de mortalité augmente aussi lorsque les gens atteignent la date de leur anniversaire, tout comme cela a été le cas pour ceux qui survécurent à l'événement que représentait le premier jour du nouveau millénaire.

Capacités sensorielles, force musculaire, endurance Bien que le déclin physique commence au début de l'âge adulte, ce n'est que bien plus tard, que nous nous en apercevons, lorsque les escaliers deviennent plus raides, les journaux sont écrits plus petits et les gens semblent marmonner beaucoup plus. L'acuité visuelle diminue, l'évaluation des distances et l'adaptation au changement de luminosité sont moins rapides. La force musculaire, le temps de réaction et la résistance diminuent de façon notable, ainsi que l'olfaction et l'audition. Au Pays de Galles, pour décourager les adolescents de traîner autour des supermarchés, certains utilisent un appareil émettant un bruit désagréable dans une tonalité très aiguë que la grande majorité des personnes âgées de plus de 30 ans ne peut entendre (Lyall, 2005).

Avec l'âge, la pupille se rétracte et le cristallin devient moins transparent, réduisant la quantité de lumière parvenant à la rétine. En effet, la rétine d'une personne de 65 ans ne reçoit environ qu'un tiers de la lumière parvenant à la rétine de quelqu'un de 20 ans (Kline et Schieber, 1985). Donc, pour voir aussi bien qu'une personne de 20 ans quand elle lit ou conduit, une personne de 65 ans a besoin de trois fois plus de lumière. Voilà une bonne raison pour acheter des voitures avec des pare-brise non teintés ! Cela explique aussi pourquoi les personnes âgées demandent parfois aux jeunes : « N'avez-vous pas besoin d'une lumière plus forte pour lire ? ».

Santé A mesure que les sujets vieillissent, ils se soucient moins de leur apparence physique que de leurs capacités fonctionnelles. Pour ceux qui vieillissent, il y a de bonnes et de mauvaises nouvelles. Les mauvaises : le système immunitaire de défense de l'organisme contre les maladies, s'affaiblit, rendant les personnes âgées plus vulnérables à des maladies graves comme le cancer ou les pneumonies. Les bonnes : ayant accumulé des anticorps pendant toute leur vie, les plus de 65 ans souffrent moins souvent de maladies bénignes (grippe ou certains rhumes d'origine virale). Par exemple, ils ont une probabilité deux fois plus faible que les gens de 20 ans et cinq fois plus faible que les enfants de moins de 6 ans de contracter chaque année une affection des voies respiratoires supérieures (National Center for Health Statistics, 1990).

Les deux Photos Photos Pascal Parrot/Sygma/Corbis

Record du monde de longévité ?
La Française Jeanne Calment, la doyenne de l'humanité dont l'âge était authentifié. Elle est décédée en 1998 à 122 ans. À 100 ans, elle montait encore à bicyclette. À 114 ans, elle est devenue l'actrice de cinéma la plus vieille jouant dans une autobiographie intitulée *Vincent et moi.*

Betsy Streeter/CartoonStock

« Pour une raison quelconque, peut-être pour économiser de l'encre, les restaurants avaient commencé à imprimer leurs menus en caractères "pattes de mouches". »

Dave Barry, *Dave Barry Turns Fifty,* 1998

La plupart des chutes des personnes âgées, dans les escaliers, se produisent sur la plus haute marche, précisément là où la personne, venant généralement d'un couloir éclairé, arrive à l'escalier se trouvant dans l'obscurité (Fozard & Popkin, 1978). Notre connaissance du vieillissement pourrait servir à la conception de lieux de vie qui permettraient de réduire ces accidents (National Research Council, 1990).

Le vieillissement cérébral Jusqu'à l'adolescence, nous traitons l'information de plus en plus rapidement (Fry et Hale, 1996 ; Kail, 1991). Mais, comparés à des adolescents ou à de jeunes adultes, les gens âgés prennent un peu plus de temps pour réagir, pour résoudre des énigmes ou même pour se souvenir de noms (Bashore et al., 1997 ; Verhaeghen et Salthouse, 1997). Ce retard s'accentue particulièrement lorsque la tâche devient complexe (Cerella, 1985 ; Poon, 1987). La plupart des gens de 70 ans ne peuvent pas rivaliser avec ceux de 20 ans aux jeux vidéo. Aussi, comme le montre la **FIGURE 5.21**, le taux d'accidents de voiture mortels (rapporté au nombre de kilomètres parcourus) augmente nettement après 75 ans. À l'âge de 85 ans, il dépasse le taux d'accidents des adolescents de 16 ans. Les conducteurs âgés semblent ainsi se concentrer sur leur route, mais prêtent moins d'attention aux autres véhicules arrivant latéralement (Pollatsek et al., 2012). Néanmoins, comme les personnes âgées conduisent moins, celles-ci sont responsables de moins de 10 % des accidents de voiture (Coughlin et al., 2004).

Même le débit verbal est ralenti (Jacewicz et al. 2009). Une équipe de recherche a comparé les débits verbaux d'un psychologue célèbre B. F. Skinner. Ce débit était de 148, 137, et 106 mots par minute aux âges respectifs de 58, 73 et 90 ans (Epstein, 2012).

En vieillissant, certaines zones du cerveau, ayant un rôle important dans la mémoire, commencent à s'atrophier (Schacter, 1996). Alors il n'est pas étonnant que les adultes plus âgés, après un test de mémoire, se sentent : « vieillir de cinq ans en cinq minutes », plaisanta le rédacteur d'un rapport de recherche (Hughes et al., 2013.). Au début de l'âge adulte commence une perte faible, mais progressive, de cellules cérébrales, représentant une diminution d'environ 5 % du poids du cerveau à l'âge de 80 ans. Nous avons vu plus tôt que la maturation tardive des lobes frontaux rendait compte de l'impulsivité des adolescents. Plus tard au cours de la vie, l'atrophie des lobes frontaux contrôlant les inhibitions pourrait expliquer les questions et les commentaires parfois abrupts des personnes âgées (« Tu n'aurais pas grossi ? ») (von Hippel, 2007). Mais il y a de bonnes nouvelles : Le tissu cérébral qui vieillit est plastique, et compense en partie ce qu'il perd en recrutant et en réorganisant les réseaux de neurones (Parc & McDonough, 2013). Pendant les tâches de mémoire, par exemple, le lobe frontal gauche est particulièrement actif chez les jeunes adultes, tandis que chez les adultes plus âgés les deux lobes frontaux gauche et droit sont actifs.

EXERCICE ET VIEILLISSEMENT Une autre bonne nouvelle : l'exercice physique ralentit le vieillissement. Les personnes âgées actives ont tendance à être des personnes âgées mentalement rapides. L'exercice physique améliore non seulement les muscles, les os, et la vitalité mais aide à prévenir l'obésité et les maladies cardiaques. Il maintient les télomères qui protègent les extrémités des chromosomes (Leslie, 2011).

Il stimule le développement des cellules cérébrales et les connexions nerveuses, certainement parce qu'il augmente l'apport d'oxygène et de nutriments (Erickson et al., 2010 ; Pereira et al., 2007). Ainsi des personnes sédentaires désignées au hasard pour suivre un programme de gymnastique ont amélioré leurs capacités mnésiques, développé leur sens du jugement et réduit les risques de déclin cognitif (DeFina et al., 2013 ; Liang et al., 2010 ; Nagamatsu et al., 2013). L'exercice réduit l'atrophie cérébrale contemporaine du vieillissement (Gow et al., 2012). L'exercice corporel favorise la neurogenèse (naissance de nouvelles cellules nerveuses) dans l'hippocampe, région du système limbique importante pour la mémoire (Cherkas et al., 2008 ; Erickson, 2009 ; Pereira et al., 2007). Les études menées chez l'animal montrent qu'il augmente la biogenèse des mitochondries, qui contribuent à la fourniture d'énergie aux muscles et aux neurones (Steiner et al., 2011). Nous avons plus de risques de nous rouiller en restant inactifs que de nous user en nous activant. L'entretien somatique renforce l'entretien cérébral.

▼ FIGURE 5.21

Âge et accidents de la route
L'allongement des temps de réactions contribue à l'augmentation des risques d'accidents chez les personnes de plus de 75 ans et leur plus grande fragilité augmente le risque de décès (NHTSA, 2000). Seriez-vous favorable à des examens du permis de conduire tenant compte non pas de l'âge du candidat mais de ses capacités, afin d'écarter ceux dont les réactions lentes ou les déficiences sensorielles sont facteurs de risque d'accident ?

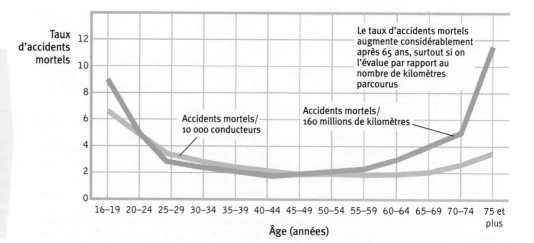

Développement cognitif

Vieillissement et mémoire

5-18 Comment la mémoire évolue-t-elle avec l'âge ?

Une des questions des plus intrigantes de la psychologie du développement est de savoir si le déclin des capacités cognitives, telles que la mémoire, la créativité et l'intelligence, se fait parallèlement au déclin des capacités physiques.

Quand nous vieillissons, nous arrivons à bien nous souvenir de certaines choses. En repensant à leur vie passée, la plupart des adultes à qui on demande de se remémorer un ou deux événements importants ayant eu lieu dans les 50 dernières années, ont tendance à citer des événements qui se sont produits durant leur adolescence ou lorsqu'ils avaient une vingtaine d'années (Conway et al., 2005 ; Rubin et al., 1998). Ils présentent également cette « bosse de réminiscence » lorsqu'on leur a demandé quels étaient les musiques, les films, et les sportifs qu'ils préféraient (Janssen et al., 2011). Toutes les choses que l'on a vécues à ce stade de la vie, que ce soit, la Seconde Guerre mondiale, les attentats du 11 Septembre, l'élection du premier président noir des États-Unis deviennent des dates essentielles (Pillemer, 1998 ; Schuman et Scott, 1989). Notre adolescence et nos 20 ans sont aussi des périodes mémorables, marquées par les « premières fois » : premier rendez-vous amoureux, premier emploi, première fois que l'on va à l'université, ou encore la première rencontre avec les beaux-parents.

Pour certains processus d'apprentissage et de mise en mémoire, le début de l'âge adulte constitue une période faste. Lors d'une expérience basée sur les souvenirs, 1 205 personnes visionnaient une bande-vidéo sur laquelle 14 personnes disaient leur nom en employant une formulation habituelle comme : « Bonjour, je m'appelle Larry. » (Crook et West, 1990.) La deuxième fois, les mêmes personnes disaient des choses comme : « Je viens de Philadelphie », fournissant ainsi des indices visuels *et* vocaux leur permettant de se rappeler le nom de chaque personne. Comme l'indique la **FIGURE 5.22**, toutes les personnes soumises à l'expérience ont retenu plus de noms lors de la deuxième et de la troisième présentation, mais les adultes plus jeunes ont fait preuve d'une capacité supérieure à se rappeler des noms.

Il n'est peut-être pas surprenant alors, que près des deux tiers des personnes de plus de 40 ans aient dit que leur mémoire était bien plus mauvaise qu'elle ne l'était dix ans auparavant (KRC, 2001). En fait, la précision du souvenir des personnes âgées dépend de la tâche à accomplir. Lors d'une autre expérience on demanda aux participants de *reconnaître* 24 mots qu'ils avaient essayé de mémoriser auparavant ; ils présentèrent seulement un déclin minime de leur mémoire. Lorsqu'on leur demandait de *se souvenir* de cette information sans leur fournir d'indices, le déclin était plus important (**FIGURE 5.23**).

Les adolescents et les jeunes adultes sont bien meilleurs que les jeunes enfants et les personnes de 70 ans pour ce qui concerne la mémoire de ce qui a été prévu de faire : *la mémoire prospective* (se souvenir de ne pas oublier de faire ce que l'on a prévu…) (Zimmerman & Meier, 2006). Mais la mémoire prospective des personnes plus âgées reste forte quand certains événements aident à la déclencher, par exemple le fait de se rappeler d'acheter du lait en passant devant une épicerie. Les tâches associées au temps (« réunion avec un client à 3 heures DE L'APRÈS-MIDI ») se révèlent plus difficiles pour les plus âgés, en particulier pour les tâches habituelles, comme prendre des médicaments trois fois par jour, à 9 heures, 14 heures et 18 heures (Einstein et al., 1990, 1995, 1998). Pour réduire au minimum les problèmes associés au déclin de la mémoire prospective, les adultes âgés se fient plus à leur agenda (ou à un planning) et utilisent des aide-mémoire, par exemple des notes qu'ils prennent pour eux (Henry et al., 2004). Cela aurait pu aider John Basinger qui à l'âge de 76 ans devait se faire interviewer par le journal local au sujet d'un article publié par un journal de psychologie traitant de sa mémorisation, à son âge avancé, des 12 chants du poème épique « *Le Paradis perdu* » de John Milton (Seamon et al., 2010 ; Weir, 2010). Il oublia le rendez-vous prévu avec le journaliste. Lorsqu'il appela pour s'excuser, il remarqua toute l'ironie d'avoir oublié cette interview portant sur sa mémoire.

Nous sommes très différents concernant notre capacité d'apprentissage et de mémorisation, comme dans bien d'autres domaines de notre développement. Les jeunes adultes diffèrent beaucoup les uns des autres dans leur aptitude à apprendre et à mémoriser, mais les personnes de 70 ans sont encore plus différentes entre elles. « Les différences entre les personnes de 70 ans les plus compétentes et les moins compétentes sont plus importantes que celles entre les personnes de 50 ans les plus compétentes et les moins compétentes », rapporte Patrick Rabbitt (2006), chercheur à Oxford. Certaines personnes de 70 ans ont des performances mnésiques inférieures à celles de la plupart des jeunes de 20 ans ; toutefois, d'autres sujets âgés de 70 ans peuvent avoir des performances équivalentes ou supérieures à celles d'un jeune de 20 ans.

Mais peu importe notre vivacité ou notre lenteur, la mémorisation semble également dépendre du type d'information que nous essayons de retrouver. Si l'information est dénuée de sens – des syllabes n'ayant aucune signification, ou des événements sans la moindre importance – plus nous serons âgés, plus nous risquons de faire des erreurs. Si l'information est *chargée de sens* comme le *Paradis Perdu*

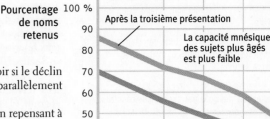
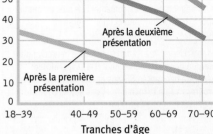

▼ FIGURE 5.22
Tests de mémoire Les jeunes adultes présentent une meilleure capacité à se souvenir des noms nouveaux (présentés une, deux ou trois fois) que les personnes plus âgées. (Données provenant de Crook et West, 1990.)

▼ FIGURE 5.23
Mémoire et reconnaissance à l'âge adulte Cette expérience met en évidence le déclin progressif des capacités de *mémorisation* des nouvelles informations et le maintien des capacités de *reconnaissance*. (Données de Schonfield & Robertson, 1966.)

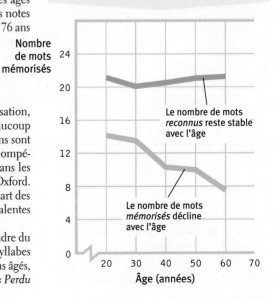

Étude transversale étude dans laquelle des sujets d'âges différents sont comparés les uns aux autres.

Étude longitudinale étude dans laquelle les mêmes sujets sont étudiés et évalués sur une longue période.

Troubles neurocognitifs (TNC) troubles acquis marqués par des déficits cognitifs ; souvent liés à des lésions cérébrales, la maladie d'Alzheimer, ou la toxicomanie. Chez les personnes âgées, les troubles neurocognitifs étaient auparavant appelés *démence sénile*.

Maladie d'Alzheimer trouble neurocognitif marqué par des plaques neurales, apparaissant généralement après 80 ans et entraînant une perte progressive de la mémoire et des autres capacités cognitives.

Si vous êtes âgé de 25 ans, ou à peu près, quels sont les événements de l'an passé dont vous vous souvenez le mieux ? (Ce sera le moment de votre vie dont vous vous souviendrez le mieux quand vous aurez 50 ans)

pour John Basinger, le riche réseau de connaissance que les personnes âgées possèdent, les aidera à retenir. Mais ils peuvent prendre plus de temps que les jeunes adultes à *formuler* les mots et les choses qu'ils savent. Les adultes plus âgés disent aussi plus souvent qu'ils ont un mot ou un nom « sur le bout-de-la-langue » (Ossher et al., 2012). Les jeunes adultes sont souvent les vainqueurs de jeux télévisés fondés sur la rapidité de réponse à des questions de connaissances générales (Burke & Shafto, 2004).

Les psychologues qui étudient le vieillissement cérébral ont longuement débattu de l'utilité d'exercices de mémoire, informatisés, pour renforcer les capacités mnésiques et enrayer le déclin cognitif. Compte tenu de ce que nous savons sur la plasticité du cerveau, pouvons-nous continuer à nous exercer à la résolution de problèmes, au suivi visuel et moteur d'une cible mobile par exemple, pour éviter un affaiblissement psychique ? « A chaque moment de la vie, la plasticité naturelle du cerveau nous donne la capacité d'améliorer son… fonctionnement », a déclaré un chercheur en neurosciences-entrepreneur (Merzenich, 2007). Une étude menée sur cinq ans, avec un corpus de près de 3 000 personnes a montré que 10 sessions de formation cognitive d'une heure, avec des séances de rappel un an après ou plus, ont conduit à l'amélioration des notes obtenues lors de la passation de tests cognitifs adaptés à la formation reçue (Boron et al., 2007 ; Willis et al., 2006). D'autres études menées chez des enfants et des adultes ont aussi montré que des exercices mettant en jeu la *mémoire de travail* peut renforcer cette capacité mnésique particulière (Anguera et al., 2013 ; Jonides et al., 2012).

En exploitant ces résultats, certains fabricants de jeux informatiques commercialisent des programmes d'exercices de la mémoire pour les personnes âgées. Mais d'autres chercheurs, après avoir fait la revue de toute la littérature traitant de ce sujet, conseillent la prudence (Melby-Lervåg & Hulme, 2013 ; Redick et al., 2013 ; Salthouse, 2010 ; Shipstead et al., 2012a, b.). Les données disponibles, affirment-ils, suggère que ces exercices peuvent produire des gains à court terme, mais uniquement pour les tâches sur lesquelles ils portaient (Berkman et al., 2014 ; Harrison et al., 2013.). Une étude britannique avec un corpus expérimental de 11 430 sujets activités de formation du cerveau de plus de six semaines ou une tâche de contrôle, a confirmé les avantages limités. Bien que ces exercices aient amélioré les compétences, ils n'ont pas stimulé les fonctions cognitives dans leur ensemble (Owen et al., 2010).

Le chapitre 10 explore une autre dimension de notre développement cognitif : l'intelligence. Comme nous le verrons, **les études transversales** (qui comparent les personnes d'âges différents) et **les études longitudinales** (qui étudient les mêmes personnes sur plusieurs années) ont identifié des capacités mentales qui changent et d'autres qui ne changent pas à mesure que la personne prend de l'âge. L'âge prédit bien moins bien la mémoire et l'intelligence que la proximité de la mort. Si vous me dites qu'une personne va s'éteindre dans huit mois ou dans huit ans de mort naturelle, quel que soit son âge, vous me donnez de bons indices des capacités mentales de cette personne. Au cours des trois ou quatre dernières années de la vie et surtout à l'approche de la mort, l'accélération du déclin cognitif est typique ; et les pensées négatives sont prévalantes (Vogel et al., 2013 ; Wilson et al., 2007). Les chercheurs appellent cette descente vers la mort le *déclin terminal* (Backman et MacDonald, 2006).

Troubles neurocognitifs et maladie d'Alzheimer

5-19 Comment les troubles neurocognitifs et la maladie d'Alzheimer affectent-ils les capacités cognitives ?

La plupart des gens qui vivent jusqu'à 90 ans ont encore l'esprit clair. Certains, malheureusement, souffrent d'une perte substantielle des cellules cérébrales lors d'un processus qui n'est *pas* le vieillissement normal. Une série de petits accidents vasculaires cérébraux, une tumeur cérébrale ou la consommation pathologique d'alcool peuvent progressivement endommager le cerveau, provoquant cette détérioration mentale que nous appelions **démence** et qui prend maintenant le nom de **trouble neurocognitif** (TNC). Un tabagisme important pendant la moitié de sa vie double également le risque ultérieur de ce trouble (Rusanen et al., 2011). La plus redoutée des maladies organique du cerveau est la **maladie d'Alzheimer** ; elle touche 3 % de la population mondiale âgée de 75 ans. Jusqu'à l'âge de 95 ans, l'incidence de la démence double tous les cinq ans environ (**FIGURE 5.24**).

La maladie d'Alzheimer peut même détruire l'esprit le plus brillant. La mémoire d'abord, puis le raisonnement vont se détériorer. (Oublier de temps en temps où l'on a mis ses clés de voiture ne doit pas causer d'inquiétude ; à l'inverse, se perdre en rentrant chez soi peut être un signe de la maladie d'Alzheimer.) Robert Sayre (1979) se souvient de son père criant à sa mère malade de « penser plus fort » lorsque confuse, embarrassée, au bord des larmes, elle ne pouvait pas se rappeler où elle avait mis quelque chose et cherchait au hasard dans la maison. Au fur et à mesure que la maladie progresse, après 5 à 20 ans, le malade devient émotionnellement passif, désorienté et désinhibé, puis incontinent et, finalement, mentalement absent, une sorte de mort-vivant, un corps privé de son humanité.

« Nous gardons les gens en vie afin qu'ils puissent vivre assez longtemps pour attraper la maladie d'Alzheimer. »

Steve McConnell, vice-président de l'Association Alzheimer, 2007

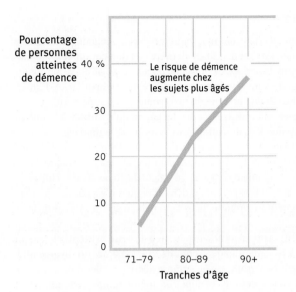

Alan Oddie/Photo Edit

▼ FIGURE 5.24
Incidence des troubles neurocognitifs (TNC) en fonction de l'âge Le risque d'affaiblissement psychique global dû à la maladie d'Alzheimer, aux accidents vasculaires cérébraux ou autres affections du cerveau, augmente avec l'âge (Brookmeyer et al., 2011). Pourtant, la plupart des nonagénaires ont encore l'esprit clair.

Au-delà des signes de cette maladie, on observe une perte des cellules nerveuses et une détérioration des neurones qui produisent un neuromédiateur, l'acétylcholine, vital pour la mémoire et la pensée. Une autopsie révèle deux anomalies caractéristiques dans ces neurones cholinergiques : des filaments protéiques dénaturés dans le corps cellulaire et des plaques de fragments protéiques flottant librement s'accumulant à l'extrémité des ramifications neuronales. Bien avant que les signes n'apparaissent, les nouvelles technologies peuvent maintenant rechercher le gène de sensibilité à la maladie d'Alzheimer ou rechercher dans le liquide céphalorachidien les fragments protéiques responsables (De Meyer et al., 2010 ; Luciano et al., 2009). Ces découvertes ont stimulé la recherche pharmacologique et clinique de la prévention la maladie par la réduction de l'activité du GABA, neurotransmetteur inhibiteur (Chen et al., 2014). La découverte récente de 21 gènes associés à la maladie pourrait faciliter la tâche (Lambert et al., 2013).

Une diminution de l'odorat, un ralentissement moteur et une marche vacillante, hésitante peuvent être des prodromes de la maladie d'Alzheimer (Belluck, 2012 ; Wilson et al., 2007). Chez les personnes âgées, la perte d'audition, et l'isolement social associés, sont prédictifs du risque de dépression et de déclin mental accéléré (Li et al., 2014 ; Lin et al., 2011a, b, 2013). Comparées aux personnes ayant une bonne audition, celles souffrant d'une perte auditive vont voir s'amorcer les déficits mnésiques de l'attention, et des praxies, environ trois ans plus tôt, Chez les sujets porteurs du risque de maladie d'Alzheimer, les scanners cérébraux (**FIGURE 5.25**) révèlent aussi, avant que les signes et les symptômes n'apparaissent, la dégénérescence de certaines zones corticales et limbiques et une baisse de l'activité cérébrale dans les zones atteintes par la maladie d'Alzheimer (Apostolova et al., 2006 ; Johnson et al., 2006 ; Wu et Small, 2006). Lorsque le patient mémorisait des mots, les scanners montrent également une activité cérébrale diffuse, comme s'il lui fallait déployer plus d'effort pour accomplir la même tâche (Bookheimer et al., 2000).

La maladie d'Alzheimer est plus rare chez les personnes qui exercent leur esprit et leur corps. (Agrigoroaei & Lachman, 2011). Même conseil pour le cerveau que pour les muscles : ceux qui l'utilisent le perdent moins souvent.

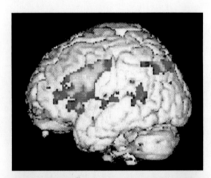

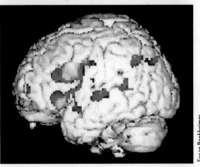

Susan Bookheimer

▼ FIGURE 5.25
Prédiction de la maladie d'Alzheimer Au cours d'un test de mémoire, l'IRM du cerveau des personnes chez qui le risque de survenue de la maladie d'Alzheimer est élevé, a mis en évidence une activité plus intense (jaune, suivie par l'orangé et rouge, image supérieure) comparée à celle des cerveaux normaux (image inférieure). En supposant que des examens d'imagerie cérébrale et des analyses génétiques permettent d'identifier les sujets qui risquent de souffrir de la maladie d'Alzheimer, accepteriez-vous de vous y soumettre ? À quel âge l'accepteriez-vous ?

Développement social

5-20 Quels thèmes et influences marquent notre voyage social du début de l'âge adulte à notre mort ?

Beaucoup de différences entre les jeunes adultes et les adultes plus âgés sont le produit d'événements significatifs de notre vie. Un nouveau travail signifie de nouvelles relations, de nouvelles attentes et de nouvelles exigences. Le mariage apporte les joies de l'intimité, mais aussi le stress induit par la « fusion » de sa vie avec celle de quelqu'un d'autre. Les trois années qui suivent la naissance d'un enfant apportent une plus grande satisfaction de la vie pour la plupart des parents (Dyrdal et Lucas, 2011). La mort d'un être cher induit une impression de perte irréparable. Ces événements normaux de la vie adulte vont-ils entraîner une succession prévisible de changements dans l'existence ?

L'horloge sociale préférence culturelle pour la chronologie de certains événements de vie comme le mariage, avoir des enfants, être à la retraite.

Stades et âges de l'adulte

Quand les gens arrivent à la quarantaine, ils subissent une transition vers la seconde partie de leur vie d'adulte, et prennent conscience que la vie est davantage derrière eux que devant eux. Certains psychologues pensent que, pour beaucoup, la période de *transition du milieu de vie* est vécue comme une crise, une période de lutte, de regret, voire une impression d'être dépassé par la vie. L'image classique de cette crise existentielle est celle de l'homme d'une quarantaine d'années qui quitte sa famille pour une compagne plus jeune et une voiture de sport. Le fait est qu'à partir d'échantillons importants de la population, on observe que l'insatisfaction dans le travail et le mariage, mais aussi le divorce, l'anxiété et le suicide ne surviennent *pas* particulièrement au début de la quarantaine (Hunter et Sundel, 1989 ; Mroczek et Kolarz, 1998). Le divorce, par exemple, est plus fréquent chez les jeunes ayant une vingtaine d'années, et le suicide chez les gens âgés de 70 ou 80 ans. Une étude sur l'instabilité émotionnelle effectuée sur 10 000 personnes démontra qu'il n'y a pas le « moindre indice » prouvant que le sentiment de détresse culmine dans la tranche d'âge du milieu de la vie (McCrae & Costa, 1990).

Chez un adulte sur quatre qui décrit avoir vécu une expérience de crise existentielle, ce qui l'a déclenché n'est pas l'âge, mais un événement majeur comme une maladie, un divorce ou la perte du travail (Lachman, 2004). Certaines personnes d'âge mûr se décrivent elles-mêmes comme faisant partie de la « génération sandwich » devant s'occuper en même temps de leurs parents âgés ainsi que de leurs enfants émergeant dans l'âge adulte ou de leurs petits-enfants (Riley et Bowen, 2005).

Les événements de la vie déclenchent des transitions vers de nouveaux stades à différents âges. **L'horloge sociale**, définit le « moment opportun » pour quitter la maison, trouver un travail, se marier, avoir des enfants et prendre sa retraite, il varie d'une époque à l'autre et d'une culture à l'autre. Ce déroulement des événements qui paraissait fixé, s'est desserré : L'horloge sociale continue de tourner mais chacun se sent plus libre de ne pas respecter les horaires.

Même *les événements fortuits* peuvent avoir des conséquences durables et, nous orientant vers un chemin plutôt qu'un autre. Albert Bandura (1982, 2005) nous rappelle l'histoire ironique, mais pourtant vraie, de cet écrivain qui vint à l'une de ses conférences sur la « Psychologie des rencontres fortuites et les chemins de l'existence » et finit par se marier avec la femme se trouvant assise à côté de lui. La séquence des événements qui m'a conduit à être l'auteur de ce livre (qui n'était pas mon idée) a commencé le jour où je me suis assis à côté d'un de mes distingués collègues dans une conférence internationale où j'ai fait sa connaissance (DM). Les événements fortuits peuvent changer notre vie.

« Les événements importants de la vie d'une personne sont le produit d'un enchaînement d'événements hautement improbables. »

Joseph Traub, « la loi de Traub », 2003

Engagements de l'âge adulte

Deux aspects fondamentaux de notre vie vont cependant dominer notre existence en tant qu'adulte. Erik Erikson les appelait *intimité* (formation de relations étroites) et *engendrement* (être productif et soutenir les générations suivantes). Les chercheurs ont choisi des termes variés : *filiation* et *réalisation*, *attachement* et *productivité*, *engagement* et *compétence*. Sigmund Freud (1935) l'exprimait plus simplement : « L'adulte en bonne santé est quelqu'un qui peut *aimer* et *travailler*. »

Amour Nous flirtons, tombons amoureux et nous nous marions avec une seule personne à la fois. « L'appariement est une des caractéristiques de l'animal humain », remarquait l'anthropologue Helen Fisher (1993). Du point de vue évolutionniste, cet appariement relativement monogame a un sens : les parents qui coopèrent pour élever leurs enfants jusqu'à l'âge adulte ont plus de chance de transmettre leurs gènes à la postérité que ceux qui ne le font pas.

Le lien de l'amour est plus satisfaisant et plus durable lorsqu'il est marqué par une similitude des intérêts et des valeurs, le partage du soutien matériel et émotionnel, un abandon de l'un à l'autre. Le pouvoir du serment semble réel. Les couples ordinaires et les couples homosexuels qui scellent publiquement leur amour par le mariage ou un autre type d'union résistent souvent mieux que les autres (Balsam et al., 2008 ; Rosenfeld, sous presse). Les liens sont en général durables lorsque les couples se marient après l'âge de 20 ans et ont un bon niveau d'éducation. Comparés à leurs homologues d'il y a cinquante ans, les habitants des pays occidentaux *sont* mieux éduqués et se marient plus tard ; ironiquement, ils sont deux fois plus susceptibles de divorcer. (Au Canada et aux États-Unis, on compte maintenant 1 divorce pour 2 mariages et en Europe, le divorce n'est que légèrement moins fréquent.) Le taux de divorce montre en partie que les femmes sont moins dépendantes économiquement et que, comme les hommes, elles ont un désir d'ascension sociale. De nos jours, nous n'espérons pas de notre partenaire seulement une relation durable, mais aussi qu'il ou elle gagne sa vie, qu'il soit un ami intime et attentionné et une personne aimante, chaleureuse et réceptive.

Historiquement, les couples se rencontraient à l'école, au travail, parmi les relations de la famille, ou, surtout, grâce à des amis. Une enquête nationale récente a montré une nette augmentation des unions qui est due aux rencontres faites par Internet. Près d'un quart des couples hétérosexuels et deux tiers des couples de même sexe se sont formés selon ce mode de rencontre (**FIGURE 5.26**).

La vie en concubinage peut-elle faire office de « mariage à l'essai » et réduire ainsi les risques de divorce ? En Europe, au Canada et aux États-Unis, ceux qui cohabitaient avant le mariage avaient des taux de divorce et de difficultés maritales *plus élevés* que ceux qui ne cohabitaient pas (Jose et al., 2010). Les résultats d'études récentes ont montré que le taux de divorce n'était pas plus élevé chez ceux pour qui la vie en couple ne venait qu'après des fiançailles avec le futur conjoint (Goodwin et al., 2010 ; Jose et al., 2010 ; Manning & Cohen, 2011 ; Stanley et al., 2010). Deux facteurs peuvent expliquer pourquoi les enfants américains nés de parents concubins ont près de cinq fois plus de risques de connaître la séparation de leurs parents que les enfants nés de parents mariés (Osborne et al., 2007 ; Smock & Manning, 2004). Deux facteurs y contribuent. Tout d'abord, ceux qui vivent en concubinage sont moins attachés à l'idéal d'un mariage durable. Deuxièmement, ils deviennent encore moins favorables au mariage lorsqu'ils cohabitent.

Bien que de nos jours les modes de relations soient plus variés, l'institution du mariage perdure. Dans les pays occidentaux, les gens se marient par amour. Quelle est la part de l'amour dans la décision du mariage ? 31 % des Américains disent que la stabilité financière est la raison décisive du mariage, et 93 % disent que c'est l'amour qui est décisif (Cohn, 2013). Le mariage est un vecteur de bonheur, de santé aussi bien sur le plan physique que mental, de satisfaction sexuelle et de revenus (Scott et al., 2010). Les enquêtes menées par le National Opinion Research Center sur plus de 48 000 Américains depuis 1972 révèlent que 40 % des adultes mariés se sentent « très heureux » contre seulement 23 % des adultes non mariés. Les lesbiennes en couple décrivent également un plus grand bien-être que celles qui sont seules (Peplau et Fingerhut, 2007 ; Wayment et Peplau, 1995). De plus, les quartiers où le taux de mariage est élevé sont généralement moins enclins à certaines pathologies sociales, telles que le crime, la délinquance et les troubles émotionnels chez les enfants (Myers et Scanzoni, 2005).

Amour L'intimité, l'attachement, l'engagement, quel que soit son nom – l'amour est primordial pour qu'une vie d'adulte soit saine et heureuse.

Andersen Ross/Blend Images/Alamy

Qu'en pensez-vous ? Est-ce que le mariage signifie le bonheur, parce que le soutien et l'intimité du couple engendrent le bonheur, ou parce que les gens heureux se marient plus souvent et restent mariés, ou les deux ?

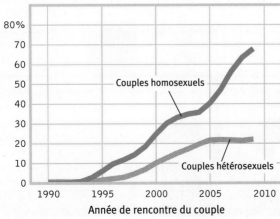

Pourcentage de couples qui se sont rencontrés sur internet

Couples homosexuels

Couples hétérosexuels

Année de rencontre du couple

▼ **FIGURE 5.26**
Nouveaux modes de rencontre
Une enquête nationale menée auprès de 2 452 couples hétérosexuels et 462 couples gais et lesbiens a révélé le rôle croissant de l'Internet. (Données de Rosenfeld, 2013 ; Rosenfeld & Thomas, 2012.)

« Notre amour pour les enfants est tellement différent de tout autre émotion. Je suis rapidement tombée profondément amoureuse de mes bébés indépendamment de leurs qualités particulières, ou presque. Et pourtant, 20 années plus tard, j'étais heureuse, si l'on veut, de les voir quitter la maison, en tout cas, je devrais l'être. Nous leur sommes totalement dévoués quand ils sont petits et pourtant ce plus que nous pouvons attendre d'eux, une fois devenus grands, est qu'ils portent sur nous un regard fait de stupéfaction, de tolérance et d'affection. »

Alison Gopnik psychologue du développement,
« L'Enfant suprême », 2010

« Pour comprendre l'amour que vous ont prodigué vos parents, portez-le à vos propres enfants. »

Proverbe chinois

Pour évaluer vos capacités, reportez-vous à l'annexe A : psychologie du travail.

Les mariages qui durent ne sont pas toujours dépourvus de conflits. Certains couples ont des disputes, mais peuvent aussi se couvrir d'affection. D'autres couples n'élèvent jamais la voix, mais ils ne se font des compliments ou ne se blottissent l'un contre l'autre que rarement. Les deux styles peuvent durer. Après avoir observé les interactions existant chez 2000 couples, John Gottman (1994) donne un indicateur concernant les chances de succès d'un mariage : l'existence d'un rapport d'au moins cinq interactions positives pour une interaction négative. Les mariages stables comportent cinq fois plus de sourires, de caresses, de compliments et de rires que de sarcasmes, de critiques ou d'insultes. Donc, si vous voulez prédire quelles unions seront durables, surtout ne tenez pas compte de l'intensité de la passion qu'ils expriment. Les couples qui durent sont le plus souvent ceux qui évitent d'exprimer des reproches. Pour prévenir une négativité pernicieuse, ces couples apprennent à combattre avec fair-play (en faisant par exemple part de leurs impressions sans brusquer l'autre) et à éviter que les conflits ne s'enveniment en faisant des remarques comme : « Je sais, ce n'est pas de ta faute » ou bien « Calme-toi un moment et écoute ».

Bien souvent, l'amour engendre des enfants. Pour la plupart des gens, ce changement de vie durable porteur de sens et de joie est un événement heureux (Nelson et al., 2013). Selon une enquête nationale, 93 % des mères américaines « ressentent un amour profond pour leurs enfants qui ne ressemble en rien à ce qu'elles ressentent pour quelqu'un d'autre » (Erickson et Aird, 2005). Beaucoup de pères ressentent la même chose. Quelques semaines après la naissance de mon premier enfant, je réalisais soudain : « C'est donc *cela* que mes parents ressentent pour moi ! »

Cependant, quand élever des enfants commence à nécessiter beaucoup de temps, d'argent et d'énergie émotionnelle, la satisfaction du mariage peut diminuer (Doss et al., 2009). C'est tout particulièrement le cas chez les femmes qui travaillent et qui vont avoir, plus qu'elles ne pouvaient l'imaginer, à porter le fardeau des tâches ménagères. L'effort investi dans la création d'une relation équitable peut apporter des bénéfices doubles, assurant un mariage plus heureux et des relations plus saines entre parents et enfants (Erel et Burman, 1995).

Bien que l'amour engendre des enfants, les enfants finissent un jour par quitter la maison. Ce départ est un événement important et la séparation parfois difficile. Pour la plupart des gens, cependant, ce « nid vide » est un endroit heureux (Adelmann et al., 1989 ; Gorchoff et al., 2008). Beaucoup de parents vivent une « lune de miel d'après l'envol », surtout s'ils conservent des relations étroites avec leurs enfants (White et Edwards, 1990). Comme le disait Daniel Gilbert (2006), « le seul symptôme connu du "syndrome du nid vide" est l'augmentation du nombre de sourires. »

Le travail   Pour de nombreux adultes, la réponse à la question « Qui êtes-vous ? » revient en grande partie à répondre à « Que faites-vous ? ». Pour les hommes aussi bien que pour les femmes, le choix d'une carrière est difficile, en particulier lorsque la situation économique est difficile. Même lorsque les temps sont plus cléments, durant leurs deux premières années d'université, la plupart des étudiants sont incapables de prédire leur futur plan de carrière.

Finalement, le bonheur, c'est d'avoir un travail qui corresponde à vos intérêts et vous procure un sentiment de maîtrise et de complétude. C'est d'avoir un partenaire qui soit un compagnon proche, qui peut vous soutenir et qui encourage votre accomplissement (Gable et al., 2006). Pour certains, c'est aussi d'avoir des enfants affectueux, que vous aimez et dont vous êtes fier.

Sentiment de satisfaction de son travail et de sa vie Nous pouvons fonder notre identité sur notre travail qui est notre savoir-faire et nous donne la possibilité de nous accomplir pleinement. C'est peut-être ce qui explique que les professions qui permettent de vivre une passion ou de répondre à une vocation contribuent au bonheur.

• Freud a défini l'adulte en bonne santé comme celui qui est capable de _____ et de _____.

Réponses : amour ; travail

Le bien-être au cours de la vie

5-21 Comment évolue notre bien-être au cours de la vie ?

Vivre c'est vieillir. Vous n'avez jamais été aussi vieux qu'à ce moment précis et vous ne serez jamais aussi jeune. Cela veut dire que vous portez un regard sur le passé avec satisfaction ou regret, ou bien vers l'avenir, avec espoir ou appréhension. Lorsque l'on demande aux gens ce qu'ils feraient différemment s'ils pouvaient revivre leur vie, la réponse la plus courante fut : « J'aurais pris mes études plus au sérieux et travaillé davantage » (Kinnier et Metha, 1989 ; Roese et Summerville, 2005). D'autres regrets (« J'aurais dû dire à mon père que je l'aimais » ou « Je regrette de n'être jamais allé en Europe ») mettent moins l'accent sur les erreurs commises, que sur les choses que l'on n'a *pas pu faire* (Gilovich et Medvec, 1995).

Du début de l'âge adulte jusqu'à la quarantaine, les gens connaissent typiquement un renforcement de l'identité, de la confiance et de l'estime de soi (Huang, 2010 ; Robins et Trzesniewski, 2005). Vers la fin de la vie, des problèmes surgissent : les revenus diminuent, le travail cesse, le corps se détériore, les souvenirs s'évaporent, l'énergie nous quitte, les membres de la famille et les amis disparaissent ou déménagent et nous nous rapprochons de notre grande ennemie, la mort. Et pour ceux qui se trouvent dans la phase de déclin terminal, la satisfaction de la vie décline au moment de l'approche de la mort (Gerstorf et al., 2008).

Il n'y aurait rien d'étonnant à ce que la plupart des gens considèrent que le bonheur décline à la fin de notre vie (Lacey et al., 2006). Mais partout dans le monde, comme l'ont découvert les chercheurs de Gallup, les plus de 65 ans ne sont pas les plus malheureux (**FIGURE 5.27**). L'estime de soi reste stable (Wagner et al., 2013). Tout au plus, les sentiments positifs, soutenus par un plus grand contrôle émotionnel, se développent après l'âge mûr et les sentiments négatifs s'estompent (Stone et al., 2010 ; Urry et Gross, 2010). Les adultes âgés utilisent plus souvent des mots qui traduisent des émotions positives (Pennebaker et Stone, 2003) et s'occupent de moins en moins des informations négatives. Par exemple, ils perçoivent plus lentement que les jeunes adultes les visages dont l'expression est négative et sont plus attentifs aux nouvelles positives (Isaacowitz, 2012 ; Scheibe & Carstensen, 2010).

Comparativement aux adolescents et aux adultes jeunes, les personnes âgées ont moins d'amis et moins de connaissances (Wrzus et al., 2012). Comme les gens de tous âges, les adultes plus âgés sont, cependant, plus heureux lorsqu'ils ne sont pas seuls (**FIGURE 5.28** page suivante). Les relations peuvent aussi être moins conflictuelles, et d'un investissement affectif moindre (Chopik et al., 2013 ; Fingerman & Charles, 2010 ; Stone et al., 2010). Avec l'âge, nous devenons plus sages et plus tolérants (Carstensen et al., 2011 ; Shallcross et al., 2013).

Tu as pleuré à ta naissance et le monde s'est réjoui. Vis ta vie de façon à ce que le monde pleure à ta mort, et que tu t'en réjouisses.

Proverbe amérindien

« J'espère mourir avant de devenir vieux. »

Pete Townshend, des Who (écrit à 20 ans)

« Encore mariés après toutes ces années ? Pas de mystère.
Nous sommes habitués l'un à l'autre, et nos histoires n'ont pas de secrets. »

Judith Viorst, « The Secret of Staying Married », 2007

▼ FIGURE 5.27
Nelson Mandela incarne le sentiment de complétude Gallup Organization a demandé à 658 038 personnes dans le monde d'évaluer leur vie sur une échelle de 0 (« la pire vie possible ») à 10 (« la meilleure vie possible »). L'âge n'est pas significatif. (Données de Morrison et al., 2014.)

Media24/Gallo Images/Getty Images

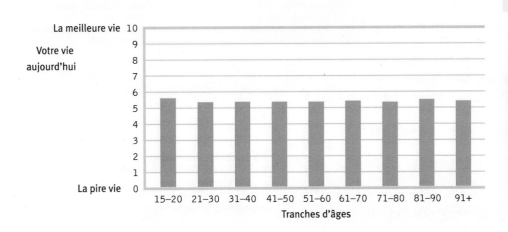

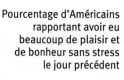

▼ FIGURE 5.28
Les humains sont des créatures sociales Jeunes ou âgés, les adultes sont plus heureux quand ils sont entourés. (Remarque : cette corrélation pourrait aussi refléter que ce sont les sujets les plus sociables qui sont les plus heureux.) (données de l'enquête Gallup rapportées par Crabtree, 2011.)

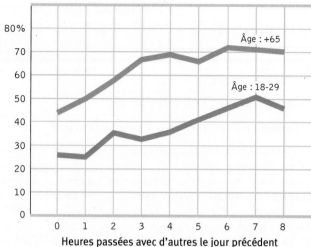

Pourcentage d'Américains rapportant avoir eu beaucoup de plaisir et de bonheur sans stress le jour précédent

Heures passées avec d'autres le jour précédent

« À 20 ans nous nous soucions de ce que les autres pensent de nous. À 40 ans, nous ne nous en soucions pas. À 60 ans, nous découvrons qu'ils ne pensaient rien de nous. »

Anonyme

« La meilleure chose quand on est centenaire est qu'on n'est pas ennuyé par ses *congénères* !! »

Lewis W. Kuester 2005, en tournant 100

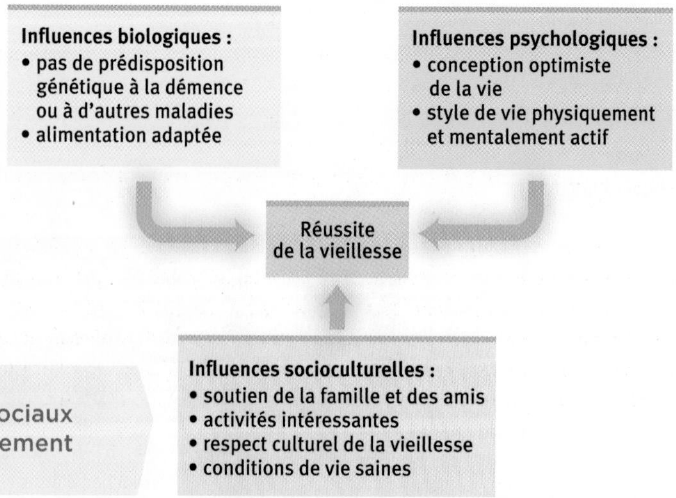

Le cerveau vieillissant faciliterait l'acquisition de sentiments positifs. Les études d'imagerie cérébrale montrent que l'amygdale, centre limbique impliqué dans la régulation des émotions est moins réactive chez les personnes âgées lors de l'évocation d'événements événements négatifs ; cela n'est pas vrai pour l'évocation d'événements positifs (Mather et al., 2004). Il en est de même lors d'études de l'activité électrique cérébrale (Kisley et al., 2007).

De plus, à tout âge, les mauvaises sensations que nous associons aux événements négatifs s'évanouissent plus vite que les bonnes sensations que nous associons aux sentiments positifs (Walker et al., 2003). Cela contribue au sentiment partagé par la plupart des personnes âgées, que la vie, en fin de compte, a été plutôt bonne. Puisque vieillir est le résultat d'une vie, et que la plupart d'entre nous préférons ce résultat à une mort précoce, cette constatation paraît donc réconfortante. Grâce aux influences biologiques, psychologiques et socioculturelles, de plus en plus de personnes s'épanouissent en prenant de l'âge (**FIGURE 5.29**).

L'étonnante stabilité de la sensation de bien-être au cours de la vie masque certaines différences émotionnelles intéressantes liées à l'âge. Les psychologues Mihaly Csikszentmihalyi et Reed Larson (1984) ont décrit le vécu émotionnel de personnes à qui ils avaient demandé de rendre compte, périodiquement grâce à un « alphapage », de leurs activités ou de leurs sentiments présents. Ils ont observé que l'humeur des adolescents pouvait, de façon typique, s'effondrer, ou s'exalter en moins d'une heure. Les modifications de l'humeur chez l'adulte sont moins extrêmes, mais plus durables. Au fur et à mesure que les années passent, les sentiments s'adoucissent (Costa et al., 1987 ; Diener et al., 1986). Les fluctuations sont moins amples. Les compliments provoquent moins d'exaltation et les critiques moins de désespoir. En effet, compliments et critiques viennent s'accumuler sur une montagne de jugements déjà constituée Au fur et à mesure que nous vieillissons, l'évolution de nos émotions se fait moins en dents de scie.

Influences biologiques :
• pas de prédisposition génétique à la démence ou à d'autres maladies
• alimentation adaptée

Influences psychologiques :
• conception optimiste de la vie
• style de vie physiquement et mentalement actif

Réussite de la vieillesse

Influences socioculturelles :
• soutien de la famille et des amis
• activités intéressantes
• respect culturel de la vieillesse
• conditions de vie saines

▼ FIGURE 5.29
Facteurs biopsychosociaux favorisant un vieillissement satisfaisant.

EXERCICE RÉCAPITULATIF

- Quelles sont certaines des forces et des faiblesses les plus significatives qui accompagnent le vieillissement ?

Réponses : Faiblesses : déclin de la force musculaire, des temps de réaction, de l'endurance, de l'acuité sensorielle, du débit cardiaque, et du fonctionnement du système immunitaire. Le risque de déclin cognitif augmente. Forces : les sentiments positifs ont tendance à croître, les émotions négatives sont moins intenses, et la colère, le stress, l'inquiétude, et les difficultés relationnelles diminuent.

Mort et agonie

5-22 Quelles sont les réactions provoquées par la mort d'un être cher ?

Attention : si vous commencez à lire ce paragraphe, vous mourrez.

Bien sûr si vous ne le lisez pas, vous mourrez également le moment venu. « Le temps est un grand maître », a noté le compositeur du XIXe siècle Hector Berlioz, « mais malheureusement, il tue tous ses élèves ». La mort est une fin inévitable. Nous entrons dans le monde avec un gémissement, et généralement nous le quittons en silence.

La plupart d'entre nous vont également souffrir de la mort de parents ou d'amis puis vont la surmonter. Habituellement, la disparition la plus difficile à surmonter est celle du conjoint, une perte qu'endurent cinq fois plus de femmes que d'hommes. Le chagrin est particulièrement intense lorsque la mort d'une personne aimée survient brusquement et avant le moment prévu par l'horloge sociale. La mort accidentelle ou la maladie soudaine dont est victime un enfant ou un conjoint de 45 ans peut entraîner une année ou plus de deuil submergée de souvenirs, aboutissant finalement à une dépression légère (Lehman et al., 1987).

Pour certains, cependant, la perte est insupportable. Une étude, qui a suivi plus d'un million de Danois, a trouvé que plus de 17 000 personnes avaient souffert de la mort d'un enfant de moins de 18 ans. Dans les cinq années suivant le décès, 3 % d'entre eux étaient hospitalisés dans un service de psychiatrie. Ce taux est supérieur de 67 % à celui trouvé dans la population générale des parents (Li et al., 2005).

Même dans ce cas, la gamme normale des réactions qui s'expriment à la suite de la mort d'une personne aimée est plus vaste que ne le pensent la plupart des gens. Certaines cultures encouragent les pleurs et les gémissements publics alors que d'autres cachent leur chagrin. Au sein de chaque culture, les individus diffèrent. Pour une perte semblable, certains individus expriment leur chagrin plus ouvertement et intensément que d'autres (Ott et al., 2007). Cependant, contrairement à certains mythes populaires,

- les malades en phase terminale et les familles en deuil ne traversent pas d'étapes prévisibles identiques telles que la dénégation avant la colère (Friedman et James, 2008 ; Nolen-Hoeksema et Larson, 1999).

- ceux qui expriment leur chagrin avec le plus d'intensité sur le moment ne le surmontent pas plus rapidement (Bonanno et Kaltman, 1999 ; Wortman et Silver, 1989). D'autre part, les parents affligés qui cherchent à protéger leur partenaire par des mots tels que « restons forts » pourraient souffrir plus longtemps (Stroebe et al., 2013).

- le « travail de deuil » et les groupes de soutien apportent une aide mais celle-ci est identique à celle apportée par le temps qui passe et le réconfort des amis, ou par l'aide et le soutien que l'on donne aux autres (Baddeley et Singer, 2009 ; Brown et al., 2008 ; Neimeyer et Currier, 2009). Les époux en deuil qui en parlent avec les autres ou font appel à un soutien psychologique ne se rétablissent pas mieux que ceux qui le vivent d'une manière plus intime (Bonanno, 2004 ; Stroebe et al., 2005).

Faire face à la mort avec dignité et franchise aide les gens à achever le cycle de leur vie avec l'impression qu'elle a eu un sens et une unité, le sentiment que leur existence a été bonne et que la vie et la mort font partie d'un cycle naturel. Bien que la mort puisse ne pas être la bienvenue, la vie elle-même peut y trouver son affirmation. C'est particulièrement le cas des gens qui revoient leur vie, non avec désespoir, mais avec ce qu'Erik Erikson appelait une impression *d'intégrité*, le sentiment que leur vie a eu un sens et qu'elle méritait d'être vécue.

« L'amour, je vais vous dire ce que c'est, vous avez 75 ans, elle en a 71, tous deux écoutez les pas de l'autre dans la chambre voisine, et tous deux avez peur qu'un silence soudain, qu'un cri soudain, puisse signifier la fin de cette histoire. »

Brian Moore, *The Luck of Ginger Coffey,* 1960

« Pensez, cher ami, que je me tenais là où vous vous tenez. Que vous serez là où je repose. Alors, préparez-vous à me suivre »

Épitaphe lue dans un cimetière écossais

REVUE GÉNÉRALE L'âge adulte

OBJECTIFS D'APPRENTISSAGE

EXERCICE RÉCAPITULATIF Prenez un moment pour répondre à chacune de ces questions objectives d'apprentissage (répétées ici au sein de cette section). Puis aller à l'annexe C, révision complète du chapitre, pour vérifier vos réponses. La recherche suggère que d'essayer de répondre à ces questions de votre propre initiative permettra d'améliorer la mémorisation à long terme de ces réponses (McDaniel et al., 2009).

5-17 Quels sont les changements physiques qui se produisent au milieu et à la fin de l'âge adulte ?

5-18 Comment la mémoire évolue-t-elle avec l'âge ?

5-19 Comment les troubles neurocognitifs et la maladie d'Alzheimer affectent-ils les capacités cognitives ?

5-20 Quels thèmes et influences marquent notre voyage social du début de l'âge adulte à notre mort ?

5-21 Comment évolue notre bien-être au cours de la vie ?

5-22 Quelles sont les réactions provoquées par la mort d'un être cher ?

TERMES ET CONCEPTS À RETENIR

EXERCICE RÉCAPITULATIF Testez votre connaissance de ces termes en essayant d'écrire leur définition avant de vous reporter aux pages donnant les bonnes réponses.

ménopause, p. 214

étude transversale, p. 218

étude longitudinale, p. 218

troubles neurocognitifs (TNC), p. 218

maladie d'Alzheimer, p. 218

horloge sociale, p. 220

ÉVALUEZ-VOUS   LE DÉVELOPPEMENT DE L'INDIVIDU TOUT AU LONG DE SA VIE

Évaluez-vous à plusieurs reprises tout au long de vos études. Cela permettra non seulement de vous aider à distinguer ce que vous savez de ce que vous ignorez mais aussi à vous faire bénéficier de l'effet test. Autrement dit, le test lui-même va vous aider à apprendre et à mémoriser l'information de manière plus efficace grâce précisément à ce qui est appelé l'*effet test*.

Développement prénatal et nouveau-né

1. Les trois grandes questions qui intéressent les psychologues étudiant le développement sont : l'inné et l'acquis la stabilité et le changement, et _____/_____ .

2. Bien que le développement soit continu, il y a une stabilité de la personnalité au fil du temps. Par exemple,

   a. la plupart des traits de personnalité apparaissent dans l'enfance et persistent tout au long de la vie.

   b. le tempérament tend à rester stable pendant toute la vie.

   c. peu de gens changent de manière significative après l'adolescence.

   d. les gens ont tendance à subir de plus grands changements de la personnalité à mesure qu'ils vieillissent.

3. Les organes commencent à se former et à devenir fonctionnels au cours de la période _____ ; dans les 6 mois, au cours de la période _____, les organes sont suffisamment fonctionnels pour permettre à l'être humain de survivre.

   a. zygote ; embryon

   b. zygote ; fœtus

   c. embryon ; fœtus

   d. placenta ; fœtus

4. Les substances chimiques qui franchissent la barrière placentaire et peuvent nuire à l'embryon ou au fœtus sont appelées _____.

Petite enfance et l'enfance

5. Caresser la joue d'un nouveau-né et le nourrisson sera encouragé à chercher le mamelon. Ceci illustre

   a. un réflexe.

   b. l'acquis.

   c. la différenciation.

   d. la continuité.

6. Entre 3 et 6 ans, le cerveau humain éprouve la plus forte croissance dans ses lobes_____, ils permettent une planification rationnelle et aident la mémoire.

7. Laquelle des phrases suivantes s'applique au développement des habiletés psychomotrices ?

   a. Ce développement est uniquement déterminé par des facteurs génétiques.

   b. L'ordre dans lequel ces stades apparaissent est universel, alors que le temps d'apparition est variable.

   c. Le temps auquel ces stades apparaissent est universel, alors que l'ordre d'apparition est variable.

   d. Il est déterminé uniquement par des facteurs environnementaux.

8. Pourquoi ne pouvons-nous pas nous rappeler consciemment que nous avons appris à marcher quand nous étions enfants ?

9. Utilisez les trois premiers stades du développement cognitif de Piaget pour expliquer pourquoi les jeunes enfants ne sont pas des êtres qui pensent comme des adultes en miniature.

10. Bien que la théorie de Piaget continue d'alimenter notre compréhension du système de pensée des enfants, de nombreux chercheurs croient que

   a. Les stades de Piaget commencent plus tôt et le développement est plus continu qu'il ne le disait.

   b. les enfants ne progressent pas aussi rapidement que Piaget le pensait.

   c. peu d'enfants atteignent le stade des opérations concrètes.

   d. il n'y a pas beaucoup de moyens d'évaluer les travaux théoriques de Piaget.

11. Un enfant de 8 mois qui, lors de la rencontre d'une nouvelle nourrice, réagit en pleurant et en se cramponnant à l'épaule de son père montre _____ .

12. Dans une série d'expériences, Harry et Margaret Harlow ont trouvé que les singes élevés en présence des mères artificielles ont tendance, quand ils ont peur, à se cramponner à leur « mère » revêtue d'un tissu, plutôt qu'à celle, « dénudée », tenant un biberon, la zone de contact étant faite de fil de fer. En quoi cette découverte a-t-elle été importante ?

Adolescence

13. L'adolescence est marquée par l'apparition :

   a. d'une crise d'identité, ou d'identification.

   b. la puberté.

   c. l'anxiété ou l'angoisse de séparation.

   d. le conflit parent-enfant.

14. Selon Piaget, une personne qui peut tenir un raisonnement logique abstrait est au stade du développement _____ _____ .

15. Dans les étapes d'Erikson, la tâche principale pendant l'adolescence est

   a. la réalisation des opérations formelles.

   b. le développement de l'identité ou processus d'identification.

   c. la capacité de développer un sentiment d'intimité.

   d. vivre indépendamment de ses parents.

16. Certains psychologues du développement se réfèrent maintenant à la période qui survient dans certaines cultures occidentales qui commence à 18 ans et se termine vers l'âge de 25 ans, moment d'indépendance complète de l'adulte. Cette période est considérée comme _____ _____ .

Âge adulte

17. En 65 ans, une personne serait plus susceptible de connaître un déclin cognitif dans sa capacité à

   a. rappeler et énumérer tous les termes et concepts importants d'un chapitre.

   b. sélectionnez la réponse correcte dans un questionnaire à choix multiple.

   c. se rappeler sa propre date de naissance.

   d. pratiquer une activité bien acquise, comme le tricot.

18. En quoi les études transversales sont-elles différentes des études longitudinales ?

19. Freud a défini l'adulte en bonne santé comme celui qui est capable d'aimer et de travail. Erikson exprime la même opinion sous une autre forme, en observant que la volonté des adultes est de trouver l'intimité et _____ .

20. Contrairement à ce que beaucoup de gens supposent,

   a. les personnes âgées sont plus heureuses que les adolescents.

   b. Les hommes dans la quarantaine expriment plus d'insatisfaction de la vie que les femmes.

   c. on peut exprimer le même bonheur, à tout âge.

   d. ceux dont les enfants ont récemment quitté la maison et qui vivent le syndrome du nid vide font partie de groupes humains les moins heureux.

Trouvez les réponses à ces questions dans l'annexe D.

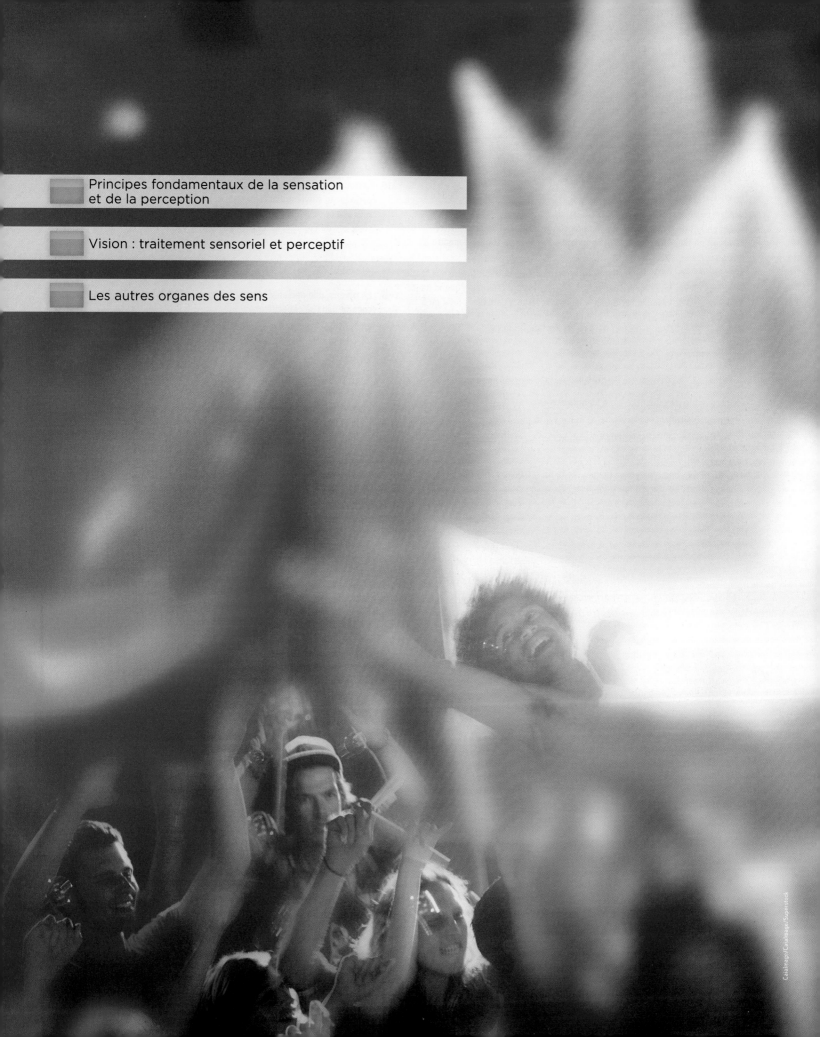

CHAPITRE 6

LA SENSATION ET LA PERCEPTION

« **J'ai une vision parfaite** », m'explique ma collègue Heather Sellers, écrivain et professeur reconnue. Sa vision est peut-être très fine, mais sa perception pose problème : elle ne peut pas reconnaître les visages. Dans son livre, *You don't look like anyone I know* (« Tu ne ressembles pas à quelqu'un que je connais »), Sellers (2010) raconte un de ces moments embarrassants provoqué par sa *prosopagnosie*, une véritable « cécité » des visages, dont elle souffre depuis toujours :

> Alors que j'étais à l'université, un ami m'a donné rendez-vous dans une pizzeria. En revenant des toilettes, je me suis assise à la mauvaise table, en face du mauvais homme. Je ne me suis pas aperçue que ce n'était pas l'homme avec qui j'avais rendez-vous, même lorsque mon « petit ami » (un parfait étranger pour moi) accosta le « mauvais » homme avant de quitter le restaurant furieux. Je suis incapable de différencier les acteurs dans les films de télévision ou de cinéma. Je ne me reconnais pas sur les photos et les vidéos. Je ne peux pas reconnaître mon beau-fils dans l'équipe des joueurs de football ; je n'arrive pas à déterminer qui est mon mari dans une réception, un centre commercial, au marché.

Les personnes atteintes de *phonagnosia* – des « voix aveugles », une incapacité à reconnaître les voix familières – peuvent faire des erreurs similaires. Un homme a flirté au téléphone avec quelqu'un qu'il a présumé être sa femme, ne réalisant pas que c'était une femme différente (Siegel, 2010).

Pour éviter d'être perçue comme quelqu'un de snob ou distant, Sellers fait parfois semblant de reconnaître les gens. Elle sourit souvent aux personnes devant qui elle passe, au cas où elle les connaîtrait. Elle fait comme si elle connaissait la personne avec qui elle parle. (De la même façon, les personnes qui présentent une perte auditive sévère font semblant d'entendre ou fuient les situations sociales où il y a beaucoup de monde.) Mais il y a un côté positif : quand elle rencontre quelqu'un qui l'a énervée précédemment, elle ne se sent absolument pas mal à l'aise, parce qu'elle ne le reconnaît pas.

Contrairement à Sellers, la plupart d'entre nous possédons une région de la partie inférieure de notre hémisphère cérébral droit tout à fait fonctionnelle qui nous permet de reconnaître un visage humain dès que nous l'avons détecté, en un septième de seconde seulement (Jacques et Rossion, 2006 ; Rossion et Boremanse, 2011). Cette capacité illustre un principe plus général : *les dons sensoriels innés permettent à chaque animal d'obtenir des informations essentielles.* Voici quelques exemples :

- une grenouille, qui se nourrit d'insectes volants, possède des yeux munis de cellules réceptrices qui ne se déclenchent qu'en réponse à de petits objets mobiles et sombres. Une grenouille plongée jusqu'au cou dans un nuage de mouches immobiles peut se laisser mourir de faim. Mais si une mouche vient bourdonner par là, la cellule « détectrice d'insectes » de la grenouille se réveille brusquement. (Comme dit Kermit la Grenouille : « La vie est chouette quand vous avez des mouches ».)

- le mâle du ver à soie possède des récepteurs tellement sensibles à l'odeur des phéromones sexuelles qu'il peut détecter une femelle dans un rayon de 1 500 m lorsque celle-ci en libère 30 milliardièmes de gramme. C'est grâce à cela que les vers à soie se perpétuent ;

- en tant qu'hommes, nos oreilles sont surtout sensibles aux fréquences qui incluent les sonorités de la voix humaine et, en particulier, les cris d'un bébé.

Dans ce chapitre, nous verrons en détail ce que les psychologues ont appris sur la manière dont nous sentons et percevons le monde qui nous entoure. Nous commencerons par envisager certains principes de base.

▼ FIGURE 6.1

Que se passe-t-il ici ? Nos processus sensoriels et perceptifs travaillent de concert pour nous aider à décrypter les images complexes, comme le couple caché dans le dessin de Sandro Del-Prete, *La floraison de l'amour*.

Principes fondamentaux de la sensation et de la perception

6-1 Qu'est-ce que la *sensation* et la *perception* ? Que signifient les termes de *traitement ascendant* et de *traitement descendant* ?

CE MÉLANGE CURIEUX DE « vision parfaite » et de cécité des visages vécu par Sellers illustre la différence entre la *sensation* et la *perception*. Lorsque Sellers regarde un ami, sa **sensation** est normale : ses sens détectent les mêmes informations que vous et moi, et transmettent cette information au cerveau. Sa **perception** aussi (le processus par lequel son cerveau organise et interprète les informations sensorielles) est *presque* normale. Ainsi, elle peut reconnaître les personnes par leurs cheveux, leur allure, leur voix ou leur aspect physique particulier, mais pas par leur visage. Son expérience, c'est un peu comme si vous ou moi luttions désespérément pour reconnaître un pingouin particulier au milieu d'une colonie qui se dandine.

Dans nos expériences quotidiennes, sensation et perception se mêlent et forment un processus continu.

- Notre **traitement ascendant** commence au niveau des récepteurs sensoriels et traite l'information jusqu'aux niveaux supérieurs.

- Notre **traitement descendant** construit notre perception à partir des influx sensoriels en se fondant sur nos expériences et nos attentes.

À mesure que notre cerveau déchiffre les informations de la **FIGURE 6.1**, le traitement ascendant permet à notre système sensoriel de détecter les lignes, les angles et les couleurs qui forment la fleur et ses feuilles. En utilisant le traitement descendant, nous interprétons ce que nos sens ont détecté.

Comment y arrivons-nous ? Comment pouvons-nous engendrer une signification à partir de la tempête de stimuli sensoriels qui bombarde notre organisme 24 heures sur 24 ? Pendant ce temps, dans un monde interne silencieux, bien calfeutré, notre cerveau flotte dans le noir absolu. De lui-même, il ne voit rien. Il n'entend rien. Il ne sent rien. *Comment donc le monde extérieur peut-il entrer en nous ?* Pour poser cette question en langage scientifique : comment parvenons-nous à construire notre représentation du monde extérieur ? Comment le scintillement d'un feu de camp, ses craquements et son odeur de fumée parviennent-ils à activer nos connexions nerveuses ? Comment, à partir de cette neurochimie vivante, parvenons-nous à créer notre expérience consciente du mouvement et de la température du feu, de son odeur et de sa beauté ? Pour tenter de répondre à ces questions, étudions certains processus qui intéressent tous nos systèmes sensoriels.

Transduction

6-2 Quelles sont les trois étapes fondamentales du traitement de l'information par nos organes des sens ?

Chaque seconde de chaque jour, notre système sensoriel effectue un exploit étonnant : il transforme une forme d'énergie en une autre. La vision traite et interprète une énergie lumineuse. L'audition traite et interprète des ondes sonores. Les organes des sens

- *reçoivent* des informations sensorielles, en utilisant souvent des cellules réceptrices spécialisées ;
- *transforment* cette stimulation en influx nerveux ;
- *délivrent* cette information nerveuse au cerveau.

Ce processus, appelé **transduction**, transforme une forme d'énergie en une autre utilisable par notre cerveau. Nous nous intéresserons à chaque système sensoriel particulier. Comment voyons-nous ? Entendons-nous ? Comment percevons-nous les goûts ? Les odeurs ? Comment ressentons-nous la douleur ? Comment maintenons-nous notre équilibre ? Dans chaque cas, l'un de nos systèmes sensoriels reçoit, transforme, et délivre l'information à notre cerveau. Le domaine de la **psychophysique** recouvre l'étude des relations entre l'énergie physique d'un stimulus et la réponse du sujet qui est proportionnelle à l'intensité physique du stimulus.

Commençons par explorer certaines forces et faiblesses de notre capacité à détecter et à interpréter les stimuli dans cet océan d'énergie qui nous entoure.

La sensation est le processus par lequel nos récepteurs sensoriels et notre système nerveux reçoivent et représentent les énergies du stimulus provenant de notre environnement.

La perception est le processus qui nous permet d'organiser et d'interpréter cette information et de reconnaître les événements ayant un sens.

Le traitement ascendant est l'analyse qui commence par la stimulation des récepteurs sensoriels, se poursuit par la conduction des stimuli, pour se terminer par l'intégration corticale.

Le traitement descendant est l'analyse de l'information guidée par des processus mentaux de haut niveau, par exemple lorsque nous construisons nos perceptions en reformulant les informations au travers de nos expériences et de nos attentes.

La transduction est la conversion d'une forme d'énergie en une autre. Dans le cas de la sensation, c'est la transformation des visions, des odeurs et des goûts en énergie électrique, sous forme d'influx nerveux captés et interprétés par le cerveau.

Psychophysique étude des relations entre les caractéristiques physiques des stimuli, tels que leur intensité, et notre expérience psychologique d'entre eux.

• Quelle est la différence entre sensation et perception ?

Réponse : La sensation est le processus de traitement ascendant par lequel nos récepteurs sensoriels et notre système nerveux reçoivent et représentent les stimuli. La perception est le processus de traitement descendant qu'opère notre cerveau en organisant et en interprétant nos sensations pour donner un sens au monde qui nous entoure.

Seuils

6-3 En quoi les *seuils absolus* et les *seuils différentiels* diffèrent-ils et quel effet, le cas échéant, un stimulus dont l'intensité est en dessous du seuil absolu peut-il avoir sur nous ?

En ce moment, vous et moi sommes assaillis par des rayons X et des ondes radio, par la lumière ultraviolette et infrarouge et par des vibrations sonores de très haute ou très basse fréquence. Mais nous y sommes totalement sourds et aveugles. Certains animaux sont capables de repérer tout un univers qui se trouve au-delà de l'expérience humaine. Les oiseaux migrateurs utilisent leur compas magnétique interne. Les dauphins et les chauves-souris repèrent leurs proies par le biais du sonar. Par temps nuageux, les abeilles s'orientent en analysant la polarisation de la lumière solaire invisible pour l'homme.

Les volets de nos sens sont à peine entrouverts, nous autorisant seulement à une conscience restreinte de ce vaste océan d'énergie. Mais cela suffit largement à satisfaire nos besoins.

Seuils absolus

Nous sommes extrêmement sensibles à certains types de stimuli. Debout, au sommet d'une montagne, dans l'obscurité totale, par une nuit claire, la plupart d'entre nous peuvent voir la flamme d'une bougie sur le sommet d'une autre montagne à près de 50 kilomètres. Nous pouvons sentir l'aile d'une abeille tombant sur notre joue. Nous pouvons sentir une seule goutte de parfum dans un appartement de trois pièces (Galanter, 1962).

Gustav Fechner (1801-1887), scientifique et philosophe allemand, a étudié la conscience que nous avons de ces faibles stimuli. Cet auteur a donné le nom de **seuils absolus** aux intensités minimales nécessaires pour que ces stimuli de nature différente soient détectés dans 50 % des cas (lumière, son, pression, goût, odeur). Pour tester votre seuil absolu des sons, un spécialiste de l'audition expose chaque oreille à différents niveaux sonores (**FIGURE 6.2** page suivante). Pour chaque tonalité, le test d'audition définit le point de l'intensité auquel vous détectez correctement le son dans la moitié des cas où ce stimulus est envoyé par l'expérimentateur. Ce point définit votre seuil absolu.

Détecter un faible stimulus, ou signal, tel que le son dans le test d'audiométrie, dépend non seulement de son intensité mais également de l'état psychique – expériences vécues, attentes, motivations et vigilance. La **théorie de la détection du signal** prédit notre capacité à détecter de faibles signaux, en mesurant la proportion de réponses correctes par rapport aux « fausses alarmes ». Les personnes seules et angoissées participant à un « speed dating » répondent également avec un faible seuil et ont donc tendance à une sélectivité plus faible vis-à-vis des partenaires potentiels avec qui ils souhaitent avoir des rendez-vous (McClure et al., 2010). Les théoriciens spécialistes de la détection du signal cherchent à comprendre pourquoi les gens répondent différemment à un même stimulus et pourquoi les réactions d'une même personne varient selon les circonstances.

Les stimuli que vous ne parvenez pas à détecter dans la moitié des cas sont dits **subliminaux** ; ils sont en dessous de votre seuil absolu (FIGURE 6.2). Sous certaines conditions, vous pouvez être affectés par des stimuli si faibles que vous ne pouvez les remarquer consciemment. Une image non perçue ou un mot peut atteindre notre cortex visuel et brièvement **amorcer** notre réponse ultérieure à une question. Dans le cas d'une expérience pratiquée de façon courante, une image ou un mot est projeté rapidement, puis remplacé par un *stimulus fonctionnant comme une sorte de masque* qui interrompt le traitement de l'information dans le cerveau avant la perception consciente (Herring et al., 2013 ; Van den Bussche et al., 2009). Dans une de ces expériences, les chercheurs ont mesuré l'activité cérébrale lors de l'amorce d'un stimulus, qui ne sera pas perçu, par des mots évoquant l'action (tels que *aller* et *démarrer*) ou des mots évoquant l'absence d'action (tels que *continuer* ou *arrêter*). Sans perception consciente du stimulus, les mots ayant le sens de l'inaction ont automatiquement évoqué une activité cérébrale associée à l'inhibition du comportement (Hepler & Albarracin, 2013).

Une autre expérience d'amorce de stimulus illustre également la réalité profonde de notre orientation sexuelle. Des chercheurs ont demandé aux participants de regarder attentivement le centre d'un écran puis ont projeté rapidement une photo d'une personne nue d'un côté de l'écran et la version brouillée de cette photographie de l'autre côté de l'écran (Jiang et al.,

---

Seuil absolu intensité minimale nécessaire pour que des stimuli de nature différente soient détectés dans 50 % des cas.

Théorie de détection du signal théorie qui prédit de quelle manière et à quel moment nous détectons un léger *stimulus* (signal) au milieu d'un *bruit de fond*. On suppose qu'il n'y a pas de seuil absolu unique et que la détection dépend en partie de l'expérience, des attentes, de la motivation et de la vigilance d'une personne.

Subliminal sous le seuil absolu de la conscience.

Amorçage activation, souvent inconsciente, de certaines associations, prédisposant ainsi à la perception, à la mémoire, ou à une réponse.

Posez cette vieille devinette à vos amis : « Vous êtes au volant d'un bus avec 12 passagers. Lors de votre premier arrêt, 6 passagers descendent. Au deuxième arrêt, 3 en descendent. Au troisième arrêt, 2 descendent et, mais 3 passagers montent dans l'autobus. De quelle couleur sont les yeux du conducteur de bus ? » Vos amis détectent-ils le signal — qui est le conducteur ? — parmi le bruit environnant représenté par le calcul mental effectué ?

« Le cœur a ses raisons que la raison ne connaît point. »

Pascal, *Pensées*, 1670

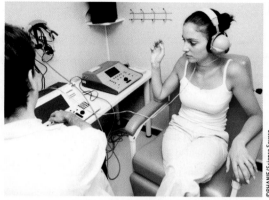

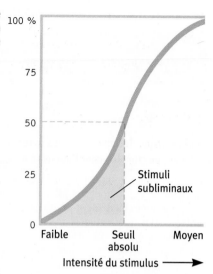

▼ **FIGURE 6.2**
Seuil absolu Puis-je détecter ce son ? Rappelez-vous que le *seuil « absolu »* correspond au niveau auquel nous détectons un stimulus dans la moitié des cas. Les tests d'audition vont identifier ces seuils pour différentes fréquences.

Pourcentage de détection correcte

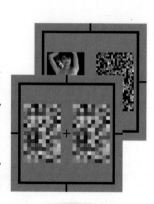

▼ **FIGURE 6.3**
L'esprit caché L'image d'une femme nue ou d'un homme nu a été projetée d'un côté ou de l'autre, puis masquée avant d'avoir été perçue, mais l'attention des participants a été inconsciemment attirée vers les images d'une manière qui reflète leur orientation sexuelle (Jiang et al., 2006).

2006). Comme ces images étaient immédiatement masquées par un quadrillage coloré, les participants ne virent rien d'autre que des taches de couleur et ne furent pas capables de dire à quel endroit la photographie du nu était apparue. Pour vérifier si cette image invisible de façon consciente avait attiré l'attention des sujets, les expérimentateurs ont alors projeté l'image d'une figure géométrique d'un côté ou de l'autre. Cela, aussi, a été rapidement suivi par un stimulus masquant cette figure géométrique. Lorsqu'on a demandé de décrire la figure géométrique dont la projection fugace avait succédé celle de la photo de nu, les hommes hétérosexuels ont plus précisément décrit cette figure quand la photo de nu était celle d'une *femme* (**FIGURE 6.3**). *Les homosexuels* et les femmes hétérosexuelles étaient plus précis lorsque la figure géométrique remplaçait la photographie d'un *homme* nu. Comme d'autres expériences le confirment, nous pouvons évaluer un stimulus même lorsque nous n'en sommes pas conscients et même lorsque nous ne sommes pas conscients de notre évaluation (Ferguson et Zayas, 2009).

Comment pouvons-nous ressentir ou répondre à quelque chose que nous ne connaissons pas et que nous ne pouvons décrire ? Une stimulation brève et imperceptible déclenche souvent une réponse faible qui *peut* être détectée par l'imagerie cérébrale (Blankenburg et al., 2003 ; Haynes et Rees, 2005, 2006). Le stimulus peut atteindre la conscience seulement quand il déclenche l'activité synchronisée dans les zones cérébrales multiples (Dehaene, 2009, 2014). De telles expériences mettent en évidence l'action des deux voies de l'esprit : *la majeure partie du traitement de l'information s'effectue automatiquement, sans que l'on s'en aperçoive, en dehors de l'écran radar de notre esprit conscient.* Les niveaux supérieurs de notre système nerveux central délèguent aux niveaux inférieurs des taches automatiques remplies de façon non consciente.

Dans ce cas, pouvons-nous être contrôlés par des messages subliminaux ? Pour en savoir plus sur ce sujet, reportez-vous à Regard critique sur : la persuasion subliminale.

Seuils différentiels

Pour fonctionner de façon effective, nous avons besoin de seuils absolus suffisamment bas pour nous permettre de détecter des images, des sons, des textures, des odeurs et des goûts importants. Nous avons également besoin de détecter de faibles différences entre les stimuli. Un musicien doit détecter des discordances minimes lorsqu'il accorde son instrument. Des parents doivent détecter la voix de leur enfant parmi celles d'autres enfants. Après avoir vécu deux années en Écosse, j'ai remarqué que le *bêlement* des moutons raisonne de manière identique dans mes oreilles (DM). Mais pas dans celles des brebis qui, après avoir été tondues, couraient tout droit vers le « *bèèè* » de *leur* agneau au milieu des bêlements des autres agneaux en détresse.

Le **seuil différentiel** (encore appelé *différence tout juste détectable*) est la différence minimale qu'une personne peut détecter entre deux stimuli quelconques dans 50 % des cas. Le seuil différentiel augmente avec la magnitude du stimulus. Si nous écoutons une musique d'une intensité de 40 décibels, nous pourrions détecter une augmentation de l'intensité de 5 décibels. Mais si nous augmentons le volume sonore à 110 décibels, nous serons probablement pas capables de détecter une variation de 5 décibels.

Seuil différentiel différence minimale qu'une personne peut détecter entre deux stimuli quelconques dans 50 % des cas. Nous percevons ce seuil différentiel en tant que *différence tout juste détectable*.

Loi de Weber principe selon lequel deux stimuli sont perçus comme différents si cette différence est un pourcentage minimal constant (plutôt qu'une quantité constante).

Persuasion subliminale

6-4 Est-ce que la sensation subliminale permet la persuasion subliminale ?

Espérant pénétrer notre inconscient, des entreprises commerciales proposent des programmes audio et vidéo pour nous aider à perdre du poids, arrêter de fumer, ou améliorer nos souvenirs. Les sons apaisants de l'océan peuvent masquer des messages que nous ne pouvons pas entendre consciemment : « Je suis mince » ; « la fumée a un mauvais goût » ; ou « je réussis bien les tests de mémoire, je peux restituer toutes les informations données ». Cela repose sur deux affirmations : (1) Nous pouvons de façon non consciente percevoir ces stimuli subliminaux (littéralement, « en dessous du seuil »). (2) Sans que nous en soyons avertis, ces stimuli ont des pouvoirs de suggestion extraordinaires. Le pouvons-nous ? Le font-ils ?

Nous venons de le voir, l'existence de *sensations* subliminales est un fait. Rappelez-vous que le seuil « absolu » correspond au niveau auquel nous détectons un stimulus dans *la moitié des cas.* Légèrement au-dessous, nous détecterons encore le stimulus de temps en temps.

Mais cela signifie-t-il que la *persuasion* subliminale est un fait établi ? La réponse quasi consensuelle donnée par les chercheurs est *non.* Les recherches effectuées en laboratoire ont révélé un *effet subtil* et éphémère sur la pensée. Peut-être que le fait de soumettre des sujets ayant soif au mot *soif* de façon subliminale pendant un intervalle très bref pourrait rendre une publicité pour une boisson désaltérante, plus persuasive (Strahan et al., 2002). De même, soumettre des personnes qui ont soif au mot Lipton Ice Tea® pourrait favoriser le choix de cette marque (Karremans et al., 2006 ; Veltkamp et al., 2011 ; Verwijmeren et al., 2011a, b). Toutefois, les vendeurs bonimenteurs de cassettes subliminales veulent prétendre une chose tout à fait différente à savoir que l'effet sur le comportement est *puissant et durable.*

Pour savoir si les cassettes subliminales avaient cet effet durable, Anthony Greenwald et ses collègues (1991, 1992) ont réparti aléatoirement en deux groupes des étudiants motivés pour leur faire écouter tous les jours pendant cinq semaines des cassettes subliminales vendues dans le commerce et ayant pour but d'améliorer soit l'estime de soi, soit la mémoire. Mais les chercheurs s'amusèrent et leur firent une « farce » ils échangèrent les étiquettes sur la moitié des cassettes. Certains étudiants pensaient recevoir des cassettes sur l'estime de soi alors qu'ils écoutaient,

Babs Reingold

en fait, les cassettes destinées à améliorer la mémoire. D'autres avaient les cassettes sur l'estime de soi mais ils pensaient que leur mémoire allait être renforcée.

Les cassettes furent-elles efficaces ? Les scores des tests de mémoire et d'estime de soi effectués avant et après cinq semaines ne montrèrent aucun effet. Cependant, les sujets s'étaient *persuadés* eux-mêmes qu'ils en avaient retiré le bénéfice *attendu.* Ceux qui *pensaient* avoir écouté la cassette « mémoire » *croyaient* que leur mémoire s'était améliorée. Il en était de même pour ceux qui pensaient avoir écouté la cassette « estime de soi ». En lisant ces résultats, nous entendons comme en écho des témoignages qui jalonnent les catalogues de vente de telles méthodes. En effet, ayant acheté quelque chose supposée ne pas pouvoir être entendue (et effectivement nous n'entendons rien !) beaucoup de clients écrivent des choses comme : « Je suis convaincu que vos cassettes furent très précieuses dans la reprogrammation de mon esprit. »

Pendant 10 ans Greenwald a conduit 16 essais contrôlés menés en double aveugle pour évaluer les cassettes de stimulation subliminale pour le développement personnel. Ses résultats ont été uniformes : Aucun enregistrement n'a été supérieur à un enregistrement « placebo ». L'efficacité réside dans la croyance que nous en avons (Greenwald, 1992).

À la fin des années 1800, Ernst Weber a noté quelque chose de si simple et si largement applicable que nous nous référons toujours à ce qui est appelé la **loi de Weber.** Cette loi stipule que pour qu'une personne puisse percevoir une différence entre deux stimuli, ils doivent différer d'une valeur minimum constante exprimée en *pourcentage* (et non d'une *quantité* constante). Le rapport entre le seuil différentiel S2- S1 et la valeur du stimulus S1 est constant. La proportion exacte varie selon la nature du stimulus. Pour qu'une personne normale puisse percevoir leurs différences, deux lumières doivent avoir une intensité différant de 8 %. Pour pouvoir distinguer deux objets selon leur poids, ces derniers doivent différer de 2 pour cent. Et deux tonalités doivent avoir une différence de fréquences de seulement 0,3 % (Teghtsoonian, 1971).

Le Seigneur est mon berger,
        Je ne manquerai de rien,
Il me fait reposer
            dans de verts pâturages.
    Il me conduit
            auprès des eaux reposantes,
Il restaure les forces de mon âme.
    Il me mène
            dans le droit chemin,
            Pour l'honneur de son nom.
Quand même j'aurais à marcher dans la vallée
            des ombres de la mort,
        Je ne craindrais aucun mal,
    parce que vous êtes avec moi.
        Votre bâton, votre houlette,
        Voilà mon réconfort.
Vous me dressez une table
        Sous les yeux mêmes de mes ennemis.
    Vous versez le parfum sur ma tête,
        Ma coupe est débordante.
Les bienfaits de votre bonté
        m'accompagneront
        Tous les jours de ma vie.
    Et j'habiterai
        de longs jours
        Dans la maison du Seigneur.

Le seuil différentiel Dans cet exemple de la copie du vingt-troisième Psaume, produite par ordinateur, la taille des caractères augmente légèrement à chaque ligne. Combien de lignes avez-vous besoin lire pour identifier une différence à peine perceptible ?

Adaptation sensorielle diminution de la sensibilité consécutive à une stimulation constante.

Cadre perceptif une prédisposition mentale de percevoir une chose et non une autre.

> « Nous devons avant tout reconnaître les changements ; personne ne veut ou n'a besoin de se rappeler 16 heures par jour qu'il porte des chaussures. »
>
> David Hubel, chercheur en neurosciences (1979)

Adaptation sensorielle

6-5 Quelle est la fonction de l'adaptation sensorielle ?

En entrant chez vos voisins, vous sentez une odeur de moisi dans le salon. Vous vous demandez comment ils peuvent supporter cela, mais au bout de quelques minutes vous ne la remarquez même plus. **L'adaptation sensorielle** est venue à votre secours. Après une exposition constante à un stimulus qui ne varie pas, nous devenons de moins en moins conscients de sa présence parce que nos cellules nerveuses sont moins fréquemment stimulées. (Pour vous rendre compte de ce phénomène, remontez votre montre de 3 cm sur votre poignet : vous allez la sentir – mais seulement pendant quelques instants.)

Pourquoi donc, si nous fixons un objet sans cligner des yeux, *ne* disparaît-il pas de notre vision ? Parce que, de façon imperceptible, nos yeux sont toujours en mouvement. Ils passent continuellement d'un point à un autre juste assez pour que la stimulation sur les récepteurs rétiniens change continuellement (**FIGURE 6.4**).

Que se passerait-il si vous pouviez empêcher ces mouvements oculaires ? Les objets que vous voyez s'évanouiraient-ils comme les odeurs ? Pour le savoir, les psychologues ont développé un instrument ingénieux permettant de maintenir une image constante sur la rétine. Imaginez que nous équipions un sujet, Mary, avec l'un de ces instruments : un projecteur miniature monté sur une lentille de contact (**FIGURE 6.5a**). Lorsque les yeux de Mary sont en mouvement, l'image venant du projecteur est aussi en mouvement. Ainsi, partout où regarde Mary, l'image s'y trouve aussi.

Si nous projetons des images à travers ce projecteur, que verra Mary ? Au début, elle va voir l'image complète. Mais après quelques secondes, lorsque ses récepteurs sensoriels vont commencer à se fatiguer, les choses vont devenir étranges. Peu à peu l'image disparaît, pour seulement réapparaître plus tard, puis disparaître à nouveau souvent par fragments (**FIGURE 6.5b**).

Bien que l'adaptation sensorielle réduise notre sensibilité, elle offre un avantage important : elle nous laisse la liberté de fixer notre *attention* sur les modifications de notre environnement qui sont pertinentes sans être distraits par des stimulations constantes non pertinentes. Les personnes qui sentent mauvais ou se parfument exagérément ne remarquent pas leur odeur parce que, comme vous et moi, ils s'adaptent à ce qui est constant et ne détectent que le changement. Nos récepteurs sensoriels sont alertés par la nouveauté ; ennuyez-les par la répétition et ils vont libérer notre attention pour des choses plus intéressantes. Point à retenir : *nous ne percevons pas le monde comme il est exactement, mais comme il est utile pour nous de le percevoir.*

Notre sensibilité à un stimulus qui varie constamment permet d'expliquer le contrôle que la télévision exerce sur notre attention. Les coupures, les montages, les panoramiques, les effets de zoom et les bruits inattendus exigent de l'attention. Personne ne peut résister à ce phénomène même les chercheurs spécialistes de la télévision : l'un d'entre eux remarqua que, même lors d'une conversation très intéressante, « je ne peux absolument pas m'empêcher de jeter régulièrement un coup d'œil sur l'écran » (Tannenbaum, 2002).

L'adaptation sensorielle influe même la façon dont nous percevons les émotions. En créant artificiellement un visage en associant à parts égales des expressions de colère et de peur, les chercheurs ont montré que notre système visuel s'adapte à une expression statique d'un visage en y devenant moins sensibles (Butler et al., 2008 ; **FIGURE 6.6**). L'effet est créé par notre cerveau, et non par nos rétines. Nous le

▼ FIGURE 6.4

L'œil et les saccades oculaire Notre regard saute d'un point à un autre tous les trentièmes de seconde. Ce dessin montre la façon dont une personne, par la poursuite oculaire, a regardé cette photo de Princes Street Gardens à Édimbourg (Henderson, 2007). Les cercles représentent les points sur lesquels le regard s'est porté lors de cette poursuite par saccades et la durée de fixation en millisecondes (300 millisecondes = 3/10ᵉ de seconde).

John M. Henderson

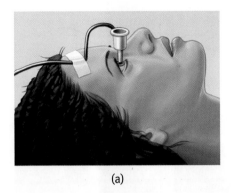

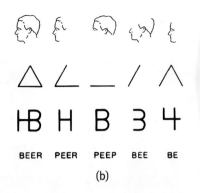

(a)   (b)

savons parce que l'illusion fonctionne également lorsque nous voyons l'image latérale avec un œil, et l'image centrale avec l'autre œil.

Les seuils et l'adaptation sensoriels sont d'importants facteurs de notre perception du monde qui nous entoure. Une grande partie de ce que nous percevons ne vient pas simplement du monde extérieur, mais aussi « de ce qu'il y a derrière nos yeux et entre nos oreilles ».

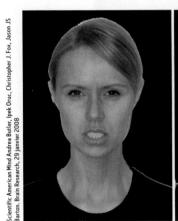

Scientific American Mind Andrea Butler, Ipek Oruc, Christopher J. Fox, Jason JS Barton. Brain Research, 29 janvier 2008

▼ **FIGURE 6.6**
L'adaptation émotionnelle et le regard Admirez ce visage exprimant la colère sur la gauche pendant 20 à 30 secondes, puis regarder le visage qui est au centre (exprime-t-il la peur ?). Puis regarder le visage exprimant la peur sur la droite pendant 20 à 30 secondes, avant de revenir à l'image centrale (exprime-t-il maintenant la colère ?). (D'après Butler et al., 2008.)

EXERCICE RÉCAPITULATIF

• Pourquoi, après avoir porté des chaussures pendant un certain temps, avez-vous cessé de les remarquer (et ce, bien sûr, jusqu'à ce que ce genre de question attire à nouveau votre attention sur elles) ?

Réponse : Les chaussures constituent un stimulus visuel permanent. L'adaptation sensorielle permet de nous concentrer sur d'autres stimuli.

Cadre perceptif

6-6 De quelle manière nos attentes, le contexte, nos émotions et notre motivation influencent-ils nos perceptions ?

Le voir pour le croire. Comme nous ne le réalisons pas complètement, croire c'est voir. Du fait de nos expériences passées, nous en venons à attendre certains résultats. Ces attentes peuvent nous fournir un **cadre perceptif,** ou prédisposition mentale, qui influence considérablement ce que nous percevons, par l'ouïe, le goût, l'odorat et la vue (traitement descendant).

Observez l'image centrale de la **FIGURE 6.7** page suivante, représente-t-elle une vieille dame ou une jeune fille ? Ce que nous voyons dans un tel dessin peut être influencé par le premier regard posé sur l'une ou l'autre des images adjacentes, qui elles ne sont pas ambiguës (Boring, 1930).

Les exemples quotidiens de cadre perceptif sont légion. En 1972, un journal britannique publia une photographie authentique, non retouchée, du « monstre » du Loch Ness. « Le cliché le plus étonnant qui soit », affirma le journal Si cette information crée en vous le même cadre perceptif que celui qu'elle a créé chez la majorité des lecteurs, vous aussi, vous verrez un monstre dans la

W.E. HILL, 1915

▼ FIGURE 6.7
Cadre perceptif Montrer à un ami, soit l'image de gauche, soit celle de droite. Ensuite, montrez-lui l'image du centre et demandez-lui « Que vois-tu ? ». Ce que décrit avoir vu votre ami, le visage d'une vieille femme ou le profil de la jeune femme, peut dépendre du premier dessin observé. Dans chacune de ces images, le sens est clair, et va définir des attentes perceptives.

*There
Are Two
Errors in The
The Title Of
This Book*

Book by Robert M. Martin, 2011

Avez-vous lu cette phrase, l'avez-vous jugée comme étant correcte, de façon implicite sans remarquer les deux erreurs ? Si vous êtes encore perplexe, lisez l'explication ci-dessous

La première erreur est la répétition de l'article « The ». Ironie, de l'auteur, la seconde erreur est de dire qu'il y en a deux, alors qu'il n'y en a qu'une.

« Nous n'entendons et nous ne saisissons que ce que nous savons déjà en partie. »

Henry David Thoreau, *Journal,* 1860

photographie reproduite à la **FIGURE** 6.8. Mais lorsqu'un chercheur sceptique regarda ces photographies avec une attente différente, il vit une branche d'arbre tordue, très vraisemblablement la même branche d'arbre que d'autres avaient vu dans le lac le jour où la photographie fut prise (Campbell, 1986). Avec ce cadre perceptif différent, vous pouvez maintenant remarquer que cet objet flotte sans mouvements alors qu'il devrait être accompagné de remous dans toutes les directions, comme le ferait un monstre qui nagerait.

Notre cadre perceptif peut également influencer ce que nous entendons. En témoigne ce sympathique pilote d'avion qui, au moment du décollage, se tourne vers son copilote un peu triste et lui dit « Cheer up (Allez, courage) ». S'attendant à entendre le commandement usuel « Gear up (remonte) » le copilote rentra promptement le train d'atterrissage – avant que l'avion n'ait quitté le sol (Reason et Mycielska, 1982).

Le cadre perceptif affecte également le goût. Lors d'une expérience des patrons de bar furent invités à goûter de la bière (Lee et al., 2006). Lorsque les chercheurs ajoutèrent quelques gouttes de vinaigre à une bière de marque, les goûteurs préférèrent cette bière jusqu'à ce qu'on leur avoue qu'ils buvaient une bière à laquelle du vinaigre avait été ajouté. Ils dirent alors qu'elle avait mauvais goût, se référant au goût acide général qu'il connaissait. Au cours d'une autre expérience, des enfants en âge préscolaire ont jugé que les frites avaient meilleur goût lorsqu'elles étaient servies dans la coupelle en carton McDonald's® que dans une coupelle en carton blanc toute simple, avec une différence de 6 contre 1 (Robinson et al., 2007).

Qu'est-ce qui détermine notre cadre perceptif ? Par l'expérience, nous formons des concepts, ou des *schémas*, qui permettent d'organiser et d'interpréter des informations inhabituelles. Nos schémas des monstres et des troncs d'arbres influencent le traitement descendant des sensations ambiguës.

Dans la vie de tous les jours, les stéréotypes sur le sexe (qui sont un autre exemple de cadre perceptif) peuvent colorer la perception. Sans les indices fournis par le bleu et le rose, on passerait son temps à essayer de savoir s'il faut désigner un bébé par le pronom « il » ou « elle ». Mais si un enfant s'appelle « David », les gens (surtout les enfants) l'ont perçu comme étant plus grand et plus fort que s'il s'était prénommé « Diana » (Stern et Karraker, 1989). Il semblerait que certaines différences de sexe n'existent qu'aux yeux de ceux qui cherchent à les voir.

Keystone/Stringer/Getty Images

▼ FIGURE 6.8
Croire c'est voir Que percevez-vous ? Est-ce Nessie, le monstre du Loch Ness, ou un tronc d'arbre ?

▼ FIGURE 6.9
Culture et influence du contexte
Qu'est-ce qui est au-dessus de la tête de la dame ? Dans cette étude, pratiquement tous les participants originaires d'Afrique de l'Est ont pensé qu'elle portait un bidon ou une boîte métallique, en équilibre sur sa tête, et que la famille était assise sous un arbre. Les Occidentaux, pour lesquels les coins et l'architecture en forme de boîte sont plus habituels, avaient le plus souvent vu une famille à l'intérieur, la dame étant assise sous une fenêtre. (Adapté de Gregory et Gombrich, 1973.)

Effets de contexte

Un stimulus donné peut déclencher des perceptions radicalement différentes, en partie à cause de nos cadres perceptifs différents, mais aussi à cause du contexte immédiat (**FIGURE 6.9**). Voyons quelques exemples.

- Lorsque des personnes tiennent une arme à feu, elles deviennent plus susceptibles de percevoir les autres personnes comme étant armées jusqu'aux dents ! Ce phénomène a conduit à ce que furent fusillées des personnes non armées qui effectivement avaient leur téléphone ou leur portefeuille en main (Witt & Brockmole, 2012).

- Imaginez que vous entendiez un bruit interrompu par les mots « la houe est sur la voiture ». Vous percevrez probablement le premier mot comme étant *roue*. Si l'on entend « l'eau est sur l'orange », nous percevrons vraisemblablement le mot *peau*. Ce curieux phénomène, montre que le cerveau peut remonter dans le temps et permettre à un nouveau stimulus d'être déterminé selon la perception que fut celle d'un ancien stimulus. Le contexte crée une attente qui influence notre perception, par traitement descendant (Grossberg, 1995).

- D'après vous, en regardant la **FIGURE 6.10**, que ressent cette femme ?

▼ FIGURE 6.10
Quelle émotion ce visage exprime-t-il ? (Voir **FIGURE 6.11**, page suivante.)

EXERCICE RÉCAPITULATIF

- Le *cadre perceptif* implique-t-il un traitement de l'information qui serait plutôt descendant ou plutôt ascendant ? Pourquoi ?

Réponse : Il implique un traitement de haut en bas. Notre cadre perceptif influence notre interprétation des stimuli en fonction de nos expériences, des hypothèses que nous faisons et de nos attentes.

La motivation et l'émotion

Les perceptions sont influencées de façon descendante non seulement par nos attentes et par le contexte mais aussi par nos émotions et nos motivations.

Le fait d'écouter de la musique triste plutôt que de la musique gaie peut prédisposer les gens à percevoir entre deux mots homonymes, celui dont la connotation est triste : *mort* au lieu de *mord*, *sang* au lieu de *sans*, ou encore *mal* au lieu de *mâle* (Halberstadt et al., 1995). Lorsqu'elles sont en colère, les personnes perçoivent souvent des armes en lieu et place d'objets totalement banals (Bauman et Steno, 2010). Après avoir écouté une musique irritante ou insupportable, les gens perçoivent un délit comme un vol qualifié comme étant plus grave qu'il n'est réellement (Seidel & Prinz, 2013).

Dennis Proffitt (2006a, b ; Schnall et al., 2008) ainsi que d'autres ont mis en évidence ce pouvoir de l'émotion par des expériences intelligentes qui montrent que :

- les destinations que l'on doit atteindre à pied semblent plus lointaines pour ceux qui ont été fatigués auparavant par de l'exercice ;

- une colline semble plus raide à ceux qui portent un sac à dos lourd ou à ceux qui sont simplement exposés à une musique classique triste et grave (et non pas à une musique légère pleine d'entrain). Comme pour beaucoup de difficultés de la vie, une colline semble moins pentue lorsqu'on est accompagné d'un ami pour la gravir ;

Julian Finney/Getty Images

▼ FIGURE 6.11
Le contexte donne toute sa signification Serena Williams a gagné ! (Exemple de Barrett et al., 2011.)

Julian Finney/Getty Images

« Lorsque c'est vous qui frappez la balle avec votre batte, elle ressemble à un pamplemousse. Lorsque ce n'est pas vous elle ressemble à un petit pois. »

George Scott, Ancien grand joueur de la Ligue de baseball

- une cible semble bien plus éloignée pour ceux qui envoient un objet lourd dans sa direction par opposition à ceux qui envoient un objet léger.

- Même une balle de softball semble plus grosse lorsqu'on la frappe bien, observent Jessica Witt et Dennis Proffitt (2005) après avoir demandé aux joueurs de choisir un cercle de la taille de la balle qu'ils venaient juste de frapper bien ou mal. (Il y a aussi un phénomène de réciprocité : voir une cible plus grande qu'elle n'est — comme cela arrive quand les athlètes se concentrent directement sur elle — va améliorer les performances [Witt et al., 2012]).

La motivation a également de l'importance. Les objets désirés, par exemple une bouteille lorsqu'on est assoiffé, semblent plus proches (Balcetis et Dunning, 2010). Ce biais perceptif vous apporte l'énergie pour continuer et aller le chercher. Nos motivations dirigent notre perception des images ambiguës.

Les émotions colorent aussi nos perceptions *sociales*. Les gens perçoivent le plus souvent l'isolement, la privation de sommeil, et les températures froides comme une « torture » s'ils y sont peu habitués (Nordgren et al., 2011). Les épouses qui se sentent aimées et appréciées perçoivent moins les tensions dans le couple, comme étant menaçantes : « c'est juste un mauvais jour » (Murray et al., 2003). Si on leur dit auparavant que cette équipe de football a régulièrement un comportement agressif, des arbitres professionnels assigneront plus de cartons de pénalités après avoir regardé des enregistrements vidéo de matchs où cette équipe ne se comportait pas loyalement (Jones et al., 2002). La morale de ces histoires : Croire c'est voir.

REVUE GÉNÉRALE Principes fondamentaux de la sensation et de la perception

OBJECTIFS D'APPRENTISSAGE

EXERCICE RÉCAPITULATIF Prendre un moment pour répondre à chacune de ces questions objectif d'apprentissage (répétées ici au sein de cette section). Puis aller à l'annexe C, révision complète du chapitre, pour vérifier vos réponses. La recherche suggère que d'essayer de répondre à ces questions de votre propre initiative permettra d'améliorer la mémorisation à long terme de ces réponses (McDaniel et al., 2009).

6-1 Qu'est-ce que *la sensation* et *la perception* ? Que signifient les termes de *traitement ascendant* et de *traitement descendant* ?

6-2 Quelles sont les trois étapes fondamentales du traitement de l'information par nos organes des sens ?

6-3 En quoi les *seuils absolus* et *les seuils différentiels* diffèrent-ils et quel effet, le cas échéant, un stimulus dont l'intensité est en dessous du seuil absolu peut-il avoir sur nous ?

6-4 Est-ce que la sensation subliminale permet une persuasion subliminale ?

6-5 Quelle est la fonction de l'adaptation sensorielle ?

6-6 De quelle manière nos attentes, le contexte, nos émotions et notre motivation influencent-ils nos perceptions ?

TERMES ET CONCEPTS À RETENIR

EXERCICE RÉCAPITULATIF Testez votre connaissance de ces termes en essayant d'écrire leur définition avant de vous reporter aux pages indiquées en référence pour vérifier votre réponse.

sensation, p. 230

perception, p. 230

traitement ascendant, p. 230

traitement descendant, p. 230

transduction, p. 230

psychophysique, p. 230

seuil absolu, p. 231

théorie de la détection de signaux, p. 231

subliminal, p. 231

amorçage, p. 231

seuil différentiel, p. 232

loi de Weber, p. 233

adaptation sensorielle, p. 234

cadre perceptif, p. 235

Vision : traitement sensoriel et perceptif

Énergie lumineuse et anatomie de l'œil

6-7 Quelles sont les caractéristiques de l'énergie de la lumière visible que nous percevons ? Quelles sont les structures de l'œil qui captent cette énergie ?

NOS YEUX REÇOIVENT DE L'ÉNERGIE LUMINEUSE et la *transform* (transduction) en messages neuronaux, que le cerveau traite finalement pour former ce que nous voyons consciemment. Comment cette extraordinaire capacité, qui semble aller de soi, est-elle possible ?

Le stimulus d'entrée : l'énergie lumineuse

Lorsque vous regardez une tulipe rouge vif, les stimuli qui atteignent nos yeux ne sont pas des particules de couleur rouge, mais des vibrations d'énergie électromagnétique que notre système visuel *perçoit* comme rouge. La lumière visible que nous percevons n'est qu'une mince bande du spectre complet des radiations électromagnétiques qui s'étend des ondes imperceptibles ultracourtes, ou rayonnement gamma, jusqu'aux ondes radio ayant elles une grande longueur d'onde (**FIGURE 6.12**). D'autres organismes sont sensibles à des parties différentes du spectre. Les abeilles, par exemple, ne voient pas le rouge, mais peuvent voir la lumière ultraviolette.

Deux caractéristiques physiques de la lumière nous aident à déterminer l'expérience sensorielle que nous en avons. La **longueur d'onde** de la lumière, qui est la distance entre le sommet d'une onde et celui de la suivante (**FIGURE 6.13a** page suivante), détermine sa **teinte** (la couleur que nous percevons, comme les pétales rouges de la tulipe et le vert de ses feuilles). L'**intensité**, la quantité d'énergie présente dans les ondes lumineuses (déterminée par *l'amplitude* d'une onde ou sa hauteur), influence sa brillance (**FIGURE 6.13b**). Pour comprendre *comment* nous transformons l'énergie physique en couleur et en signification, nous devons d'abord comprendre le fonctionnement de l'œil.

Longueur d'ondes distance entre les deux pics de deux oscillations d'une onde lumineuse ou sonore ; longueur d'un cycle vibratoire. Les longueurs d'ondes électromagnétiques varient depuis les signaux à très courte longueur d'ondes des rayons cosmiques jusqu'aux très longues ondes de la transmission radio.

Teinte la dimension d'une couleur qui est déterminée par la longueur d'onde de la lumière émise ; ce que nous nommons *bleu*, *vert*, et ainsi de suite.

Intensité quantité d'énergie dans une onde lumineuse ou une onde sonore, qui influence ce que nous percevons en tant que luminosité ou volume sonore. L'intensité est déterminée par l'amplitude de l'onde.

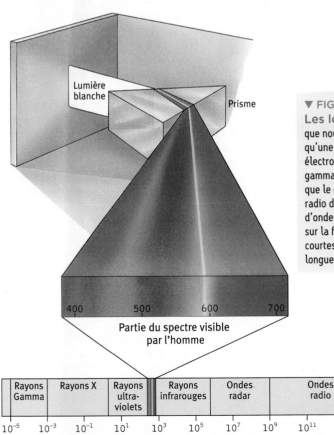

Lumière blanche

Prisme

400   500   600   700

Partie du spectre visible par l'homme

| Rayons Gamma | Rayons X | Rayons ultra-violets | | Rayons infrarouges | Ondes radar | Ondes radio | |

10^{-5} 10^{-3} 10^{-1} 10^1 10^3 10^5 10^7 10^9 10^{11} 10^{13}

Longueur d'onde en nanomètres (milliardièmes de mètre)

▼ FIGURE 6.12

Les longueurs d'ondes visibles Ce que nous voyons sous la forme de lumière n'est qu'une mince bande du large spectre de l'énergie électromagnétique qui s'étend des rayons gamma, dont la longueur d'onde est aussi petite que le diamètre d'un atome, jusqu'aux ondes radio de plus de 1 500 mètres. Les longueurs d'ondes visibles pour l'œil humain (agrandies sur la figure) s'étendent des ondes les plus courtes du bleu-violet jusqu'aux ondes, plus longues, de la lumière rouge.

▼ FIGURE 6.13
Propriétés physiques des ondes
(a) Les ondes diffèrent par leur *longueur d'onde,* distance entre les deux pics de deux vibrations. *Leur fréquence,* c'est-à-dire le nombre d'ondes entières effectuées en un temps donné, dépend de la longueur d'onde. Plus la longueur d'onde est petite et plus la fréquence est élevée. La longueur d'onde détermine la couleur de lumière perçue. (b) Les ondes varient aussi en *amplitude,* la hauteur entre deux pics de sens opposés. L'amplitude influence la perception de la *luminosité* des couleurs.

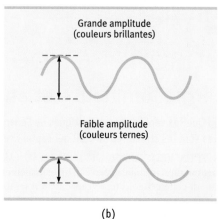

(a)

(b)

L'œil

La lumière pénètre dans l'œil à travers la *cornée,* qui protège l'œil et qui courbe les rayons lumineux afin de permettre une mise au point (**FIGURE 6.14**). Puis elle passe à travers la **pupille,** une petite ouverture dont la taille varie. Celle-ci est entourée de **l'iris,** un muscle lisse coloré qui contrôle la taille de la pupille, la dilatant ou la contractant en fonction de l'intensité lumineuse et même lorsque l'on imagine faire face à un ciel ensoleillé ou être dans une chambre peu éclairée (Laeng & Sulutvedt, 2014). L'iris répond également à nos états cognitifs et émotionnels. Lorsque vous ressentez du dégoût ou si vous êtes sur le point de répondre *Non* à une question, vos pupilles se contractent (de Gee et al., 2014 ; Goldinger & Papesh, 2012). Quand nous sommes amoureux, nos pupilles dilatées et nos yeux sombres témoignent subtilement de notre intérêt. Le caractère unique de chaque iris permet aux appareils d'identification par l'iris de confirmer l'identité d'une personne.

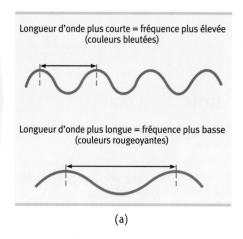

Pascal Goetgheluck/Sciences Source

▼ FIGURE 6.14
L'œil Les rayons lumineux réfléchis par la bougie traversent la cornée, la pupille et le cristallin. La courbure et l'épaisseur du cristallin se modifient pour amener des objets proches ou lointains à converger sur la rétine. Les rayonnements provenant du sommet de la bougie atteignent le bas de la rétine et ceux du côté gauche de la bougie touchent la partie droite de la rétine. L'image de la bougie sur la rétine est inversée et renversée.

Derrière la pupille se trouve le **cristallin** qui concentre les rayons lumineux entrants en formant une image sur la **rétine,** un tissu multicouche situé sur la face interne sensible du globe oculaire. Le cristallin concentre les rayons en changeant sa courbure, un processus appelé **accommodation.**

Depuis des siècles, les scientifiques savaient que lorsque l'image d'une bougie passait à travers une petite ouverture, elle projetait une image en miroir inversée sur un mur sombre derrière cette ouverture. Si la rétine reçoit ce type d'image inversée, comme sur la FIGURE 6.14, comment pouvons-nous voir le monde à l'endroit ? Léonard de Vinci, toujours animé de curiosité, eut une idée : peut-être que l'humeur vitrée de l'œil pouvait infléchir les rayons lumineux, inversant à nouveau l'image dans le bon sens au moment d'atteindre la rétine. Mais en 1604, l'astronome et expert en optique Johannes Kepler montra que la rétine *recevait* effectivement des images inversées du monde (Crombie, 1964). L'hypothèse de Léonard de Vinci fut ainsi infirmée. Comment pouvons-nous comprendre un tel monde ? « Je laisse cela aux philosophes de la nature », disait Kepler un peu perplexe.

La réponse d'aujourd'hui : la rétine ne « voit » pas une image entière. Mais ses millions de cellules réceptrices convertissaient en fait les particules d'énergie lumineuse en influx nerveux. *Ces* influx étaient envoyés au cerveau et assemblés à ce niveau pour créer une image perçue à l'endroit. Et le long de ce chemin, le traitement de l'information visuelle fait passer limage par des stades qui la rendent progressivement plus abstraite. Tout cela se passe avec une rapidité étonnante. Quand la balle rapide d'un lanceur de baseball approche le marbre, les signaux lumineux se frayent un chemin de la rétine du batteur à son cortex visuel, qui informe alors le cortex moteur, qui envoie alors aux muscles les ordres de se contracter le tout dans les 4/10e de seconde que dure le vol de la balle.

Pupille orifice de l'iris au centre de l'œil à travers lequel la lumière entre pour impressionner la rétine.

Iris anneau de tissu musculaire lisse qui forme la partie colorée de l'œil autour de la pupille et contrôle la taille de l'ouverture de la pupille.

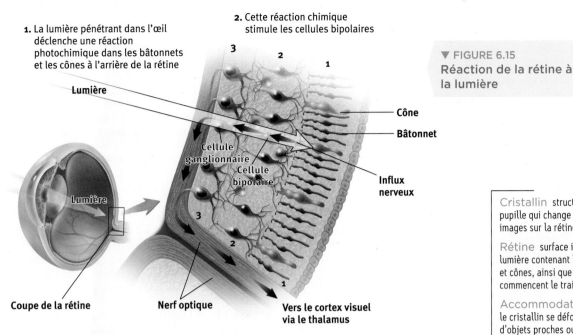

1. La lumière pénétrant dans l'œil déclenche une réaction photochimique dans les bâtonnets et les cônes à l'arrière de la rétine

2. Cette réaction chimique stimule les cellules bipolaires

Lumière

Cellule ganglionnaire

Cellule bipolaire

Cône

Bâtonnet

Influx nerveux

Lumière

Coupe de la rétine

Nerf optique

Vers le cortex visuel via le thalamus

3. Les cellules bipolaires activent les cellules ganglionnaires, dont les axones convergent pour former le nerf optique. Ce nerf transmet les informations au cortex visuel (via le thalamus) dans le cerveau

▼ FIGURE 6.15
Réaction de la rétine à la lumière

> Cristallin structure transparente derrière la pupille qui change de forme pour focaliser les images sur la rétine.
>
> Rétine surface interne de l'œil, sensible à la lumière contenant les cellules réceptrices, bâtonnets et cônes, ainsi que des couches de neurones qui commencent le traitement de l'information visuelle.
>
> Accommodation processus par lequel le cristallin se déforme pour condenser l'image d'objets proches ou lointains sur la rétine.
>
> Bâtonnets cellules réceptrices rétiniennes qui détectent le noir, le blanc, et le gris ; nécessaires pour la vision périphérique et la vision nocturne, quand les cônes ne répondent pas.
>
> Cônes cellules réceptrices rétiniennes concentrées près du centre de la rétine, fonctionnant à la lumière du jour ou dans des conditions de bon éclairage. Les cônes détectent la précision des détails et permettent la perception des couleurs.
>
> Nerf optique le nerf qui transporte l'influx nerveux de l'œil au cerveau.
>
> Point aveugle point où le nerf optique quitte l'œil. Il est aveugle car il n'y a aucune cellule réceptrice à cet endroit.

Traitement oculaire et cérébral de l'information

Traitement rétinien

6-8 Comment les bâtonnets et les cônes vont-ils traiter l'information, et quel chemin emprunte l'information qui se déplace de l'œil au cerveau ?

Imaginez que vous puissiez suivre une seule particule d'énergie photonique après son entrée dans votre œil. Tout d'abord, vous vous faufileriez à travers la couche cellulaire extérieure de la rétine, l'épithélium pigmenté. Ensuite, dans la partie plus profonde de la rétine vous rencontreriez ses cellules réceptrices, les **bâtonnets** et les **cônes** (**FIGURE 6.15**). Là, vous verriez l'énergie de la lumière déclencher des modifications chimiques. Cette réaction chimique susciterait des signaux neuronaux, activant les *cellules nerveuses bipolaires*, se trouvant à proximité. Les cellules bipolaires à leur tour vont activer les *cellules ganglionnaires*, voisines dont les axones s'entremêlent comme les brins d'une corde pour former le **nerf optique**. Le nerf optique est une autoroute qui amène l'information à votre cerveau, où votre thalamus se tient prêt à distribuer l'information ainsi reçue vers le cortex. Le nerf optique peut envoyer en même temps près d'un million de messages par l'intermédiaire d'environ un million de fibres ganglionnaires. (Le nerf auditif, qui nous permet d'entendre, transporte beaucoup moins d'informations via ses 30 000 fibres.) Nous payons un léger prix pour emprunter cette autoroute qui part de l'œil pour arriver cerveau. À l'endroit où le nerf optique quitte l'œil, il n'y a pas de cellules réceptrices, ce qui crée un **point aveugle** (**FIGURE 6.16**). Fermez un œil, vous ne verrez pas cependant un trou noir. Sans demander votre accord, votre cerveau comble ce trou.

EXERCICE RÉCAPITULATIF

▼ FIGURE 6.16
Le point aveugle

- Il n'y a pas de cellules réceptrices au point où le nerf optique quitte l'œil. Cela crée une tache aveugle dans votre vision. Pour le démontrer, fermez d'abord l'œil gauche, fixez le point noir avec l'œil droit, et déplacez le livre jusqu'à ce que l'une des voitures disparaisse. (Pouvez-vous prédire laquelle ?) Répéter l'expérience en fermant votre œil droit et notez maintenant quelle voiture a disparu. Pouvez-vous expliquer pourquoi ?

Réponse : Votre point aveugle est sur le côté nasal de chaque rétine, ce qui signifie que les objets à votre droite peuvent tomber sur la tache aveugle de l'œil droit. Les objets situés à votre gauche peuvent tomber sur le point aveugle de l'œil gauche. Normalement, le point aveugle ne porte pas préjudice à votre vision, parce que vos yeux se déplacent et qu'un œil capte ce que l'autre a laissé échapper.

▼ TABLEAU 6.1
Récepteurs oculaires humains : bâtonnets et cônes

	Cônes	Bâtonnets
Nombre	6 millions	120 millions
Situation dans la rétine	Centre	Périphérie
Sensibilité dans la pénombre	Faible	Élevé
Sensibilité à la couleur	Élevée	Faible
Sensibilité au détail	Élevée	Faible

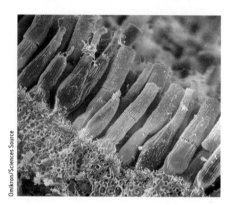

Omikron/Sciences Source

▼ FIGURE 6.17
Voies optiques, de l'œil aux aires corticales visuelles Les axones des neurones ganglionnaires formant le nerf optique arrivent au thalamus où ils font synapse avec les neurones qui se dirigent vers le cortex visuel.

Les cônes et les bâtonnets ont une répartition tissulaire différente et des tâches différentes (**TABLEAU 6.1**). *Les cônes* sont regroupés dans et autour de la **fovéa**, partie de la rétine correspondant à la zone centrale où se concentre le faisceau lumineux (voir FIGURE 6.14). De nombreux de cônes ont leur propre voie de conduction des influx jusqu'au cerveau : chaque cône transmet son message à une seule cellule bipolaire. Cette cellule permet de relayer un message propre à un cône vers le cortex visuel, la projection corticale de la fovéa est importante. Ces connexions directes préservent l'information précise des cônes, leur permettant de détecter plus facilement les détails fins. La fovéa procure une vision précise des objets. Elle est riche en cônes et chaque cône s'articule avec un seul neurone bipolaire ; le relais se fait avec un seul neurone ganglionnaire.

Les *bâtonnets* n'ont pas de voie neuronale individualisée comme les cônes. Les bâtonnets se partagent les neurones bipolaires qui envoient des messages combinés. Pour illustrer cette différence de sensibilité vis-à-vis des détails, fixez un mot de cette phrase, en concentrant ainsi son image sur les cônes de la fovéa : vous verrez que les mots situés à quelques centimètres sur le côté apparaissent brouillés. Leur image frappe les régions externes de la rétine, où prédominent les bâtonnets. La prochaine fois que vous prendrez votre voiture ou votre vélo, vous remarquerez aussi que vous pouvez détecter une voiture au niveau de votre vision périphérique bien avant d'en percevoir les détails.

Les cônes nous permettent également de voir les couleurs. Dans la pénombre, les cônes deviennent inefficaces, c'est pourquoi vous ne voyez pas les couleurs. Les bâtonnets, qui permettent la vision en noir et blanc, restent sensibles dans la pénombre. Plusieurs bâtonnets vont canaliser l'énergie lumineuse faible sur une seule cellule bipolaire. Ainsi, les cônes et les bâtonnets possèdent chacun leur type de sensibilité : les cônes pour le détail et la couleur, et les bâtonnets pour la lumière faible.

Lorsque vous entrez dans une salle de théâtre obscure ou que vous éteignez la lumière la nuit, votre vision va progressivement s'adapter. Vos pupilles se dilatent pour permettre à un maximum de lumière d'atteindre votre rétine. En général, cela prend au moins 20 minutes (parfois plus) avant que vos yeux ne soient complètement adaptés. Vous pouvez mettre en évidence cette adaptation à l'obscurité en fermant ou en couvrant un œil pendant plus de 20 minutes. Ensuite, baissez la lumière jusqu'à ce qu'elle ne soit plus assez forte pour lire ce livre avec votre œil ouvert. Enfin, ouvrez l'œil adapté à l'obscurité et lisez (très facilement). Cette période d'adaptation à l'obscurité reproduit la transition naturelle du crépuscule entre le coucher du soleil et l'obscurité. Nous avons été merveilleusement conçus.

Pour résumer : les couches de neurones de la rétine ne transmettent pas des impulsions électriques de façon passive. Ils aident également le codage et l'analyse sensoriels de l'information. Dans l'œil d'une grenouille, par exemple, la troisième couche de neurones contient les cellules « détectrices d'insectes » qui n'émettent des impulsions qu'en réponse à un stimulus ressemblant à une mouche en mouvement. Dans les yeux humains, l'information suit cette voie :

- Après traitement par près de 130 millions de bâtonnets et 7 millions de cônes, cellules réceptrices dans toute l'étendue l'information circule à nouveau vers les cellules neuronales bipolaires.

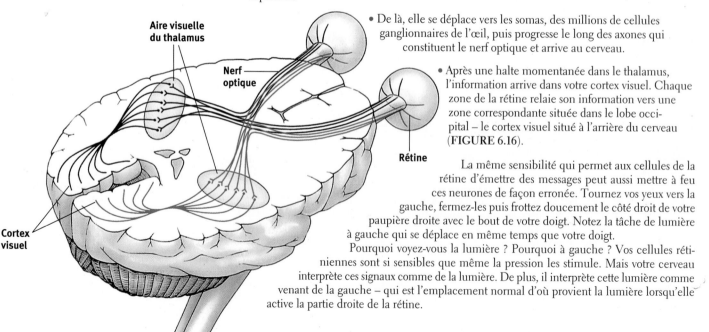

Aire visuelle du thalamus

Nerf optique

Rétine

Cortex visuel

- De là, elle se déplace vers les somas, des millions de cellules ganglionnaires de l'œil, puis progresse le long des axones qui constituent le nerf optique et arrive au cerveau.

- Après une halte momentanée dans le thalamus, l'information arrive dans votre cortex visuel. Chaque zone de la rétine relaie son information vers une zone correspondante située dans le lobe occipital – le cortex visuel situé à l'arrière du cerveau (**FIGURE 6.16**).

La même sensibilité qui permet aux cellules de la rétine d'émettre des messages peut aussi mettre à feu ces neurones de façon erronée. Tournez vos yeux vers la gauche, fermez-les puis frottez doucement le côté droit de votre paupière droite avec le bout de votre doigt. Notez la tâche de lumière à gauche qui se déplace en même temps que votre doigt. Pourquoi voyez-vous la lumière ? Pourquoi à gauche ? Vos cellules rétiniennes sont si sensibles que même la pression les stimule. Mais votre cerveau interprète ces signaux comme de la lumière. De plus, il interprète cette lumière comme venant de la gauche – qui est l'emplacement normal d'où provient la lumière lorsqu'elle active la partie droite de la rétine.

┌─ **EXERCICE RÉCAPITULATIF** ─┐

- Certains animaux nocturnes, comme les crapauds, les souris, les rats et les chauves-souris, ont une impressionnante vision nocturne grâce au nombre beaucoup plus grand de _____ (bâtonnets/cônes) que de _____ (bâtonnets/cônes) dans leurs rétines. Ces créatures ont probablement une vision en _____ (couleur/noir et blanc) très pauvre.

Réponses : bâtonnets ; cônes ; couleur.

- Les chats sont en mesure d'ouvrir leurs _____ beaucoup plus largement que nous le pouvons, ce qui permet un apport lumineux beaucoup plus important pour favoriser la vision nocturne.

Réponse : pupilles.

Vision des couleurs

6-9 **Comment percevons-nous la couleur dans le monde qui nous entoure ?**

Dans l'étude de la vision, l'un des mystères les plus fondamentaux et les plus intrigants est de savoir comment nous voyons le monde en couleur. Dans le langage courant, on parle comme si les objets possèdent une couleur : « Une tomate est rouge. » Rappelez-vous la vieille question : « Si un arbre tombe dans la forêt et que personne ne l'entend, cela fait-il du bruit ? ». Nous pouvons poser la même question à propos de la couleur : « Si personne ne voit la tomate, est-elle rouge ? »

La réponse est *non*. D'abord, la tomate est tout *sauf* rouge, parce qu'elle *renvoie* (réfléchit) des rayons lumineux de grande longueur d'ondes, se situant dans le rouge. Ensuite, la couleur de la tomate est le fruit de notre construction mentale. Comme le notait Isaac Newton (1704), « Les rayons [lumineux] ne sont pas colorés ». La couleur, comme tous les aspects de la vision, réside non dans l'objet, mais dans le théâtre de notre cerveau, ce qui est prouvé par nos rêves en couleur.

Comment, à partir de l'énergie lumineuse frappant la rétine, le cerveau fabrique-t-il notre expérience de la couleur et d'une telle multitude de couleurs ? Notre seuil différentiel pour les couleurs est si bas que nous pouvons distinguer plus de 1 million de couleurs différentes (Neitz et al., 2001). Au moins, pour la plupart d'entre nous. La vision des couleurs est déficiente chez à peu près 1 personne sur 50 ; cette personne est vraisemblablement un homme, car ce défaut est génétiquement lié au sexe.

Les recherches sur le mystère de la vision des couleurs commencèrent au XIXᵉ siècle lorsqu'Hermann von Helmholtz paracheva les intuitions d'un physicien anglais, Thomas Young. Toute couleur peut être créée par des combinaisons additives de différentes quantités de lumières de longueur d'onde des trois couleurs primaires rouge, vert et bleu. Sachant cela, Young et von Helmholtz ont formulé une hypothèse disant que : l'œil doit avoir trois types de récepteurs correspondant à ces couleurs. La **théorie trichromatique (trois couleurs) de Young-Helmholtz** implique donc que les récepteurs de l'œil font un mélange magique en s'associant par trois. Bien des années plus tard, les chercheurs mesurèrent la réponse de différents cônes à des stimuli de couleurs différentes et confirmèrent que la rétine doit avoir trois types de récepteurs chromatiques, chacun étant sélectivement plus sensible à l'une d'entre elles. Et ces couleurs sont en effet le rouge, le vert et le bleu. Lorsque nous stimulons des combinaisons de ces cônes, nous voyons d'autres couleurs. Nous voyons la couleur jaune quand la lumière stimule des cônes sensibles au rouge et au vert.

La plupart des personnes atteintes de déficience de la vision des couleurs ne sont pas réellement atteintes d'achromatopsie. Les cônes sensibles au rouge ou/ et au vert ne fonctionnent pas. Même s'ils ne le savent peut-être pas parce que depuis toujours leur vision leur *semble* normale, ils ont en fait une vision monochromatique (une seule couleur) ou dichromatique (deux couleurs), et non trichromatique, rendant difficile la distinction entre le rouge et le vert, comme dans la **FIGURE 6.18** (Boynton, 1979). Chez les chiens, également, les récepteurs pour les longueurs d'ondes du rouge font défaut, ce qui leur donne une vision des couleurs limitée, dichromatique (Neitz et al., 1989).

Mais pourquoi les daltoniens, aveugles au rouge et au vert, perçoivent-ils encore la couleur jaune ? Et pourquoi le jaune apparaît-il comme une couleur pure et non comme un mélange de rouge et de vert, de même que le violet paraît comme un mélange de rouge et de bleu ? La théorie trichromatique n'a pas éclairci tout le mystère de la vision des couleurs, et cela a suscité la curiosité d'un chercheur, Ewald Hering.

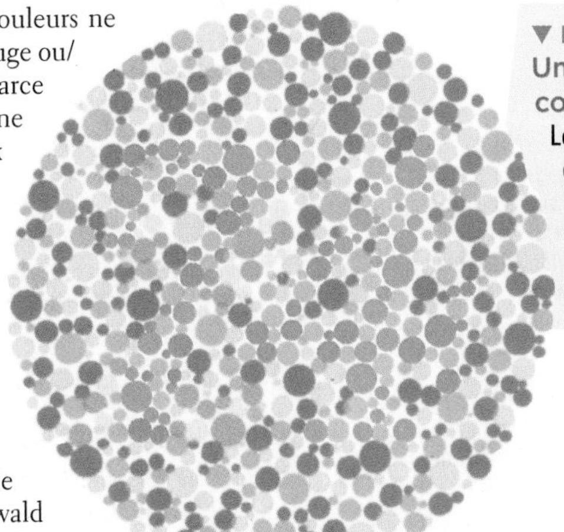

> « C'est l'esprit qui voit, c'est l'esprit qui entend. Toutes les autres parties de l'homme sont sourdes et aveugles. »
>
> Epicharme, *Fragments*, 550 AV. J.-C.

Fovéa le point focal central dans la rétine, autour duquel se regroupent les cônes de l'œil.

Théorie trichromatique (trois couleurs) de Young-Helmholtz théorie selon laquelle la rétine contient des récepteurs distincts pour trois couleurs, les uns surtout sensibles au rouge, d'autres au vert et d'autres encore au bleu, et dont la stimulation combinée peut aboutir à la perception de n'importe quelle couleur.

▼ **FIGURE 6.18**
Une vision des couleurs déficiente
Les personnes qui souffrent d'un déficit de la perception des couleurs rouge et verte ont du mal à percevoir le nombre ressortant du dessin.

Garo/Phanie/Sciences Source

Hering, physiologiste, trouva une solution dans le phénomène bien connu de la *rémanence*. Lorsque vous fixez pendant un moment un carré vert et qu'ensuite vous regardez une feuille de papier blanc, vous voyez une couleur dite magenta, *la couleur complémentaire du vert en synthèse additive*. Regarder un carré jaune et la couleur primaire en synthèse additive qui n'a pas servi au mélange pour l'obtenir, le bleu, apparaît sur le papier blanc. (Pour découvrir cela, essayez la démonstration du pavillon **FIGURE 6.19**.) Hering formula une autre hypothèse, celle des traitements *complémentaires* des couleurs : l'un responsable de la perception du rouge par rapport au vert et l'autre de la perception du bleu par rapport au jaune.

Un siècle plus tard, les chercheurs ont confirmé la théorie des couleurs complémentaires de Hering (**théorie du processus antagoniste**). Au niveau de la rétine, trois groupes de couleurs complémentaires, *rouge et vert, bleu et jaune, noir et blanc*, permettent la vision des couleurs. Rappelons que le thalamus relaie l'information visuelle de la rétine au cortex visuel. Dans les deux, la rétine et le thalamus, certains neurones sont activés « mis sur marche » par le rouge, mais inhibés « mis sur arrêt » par le vert. D'autres sont stimulés par le vert et inhibés par le rouge (DeValois et DeValois, 1975). Tout comme deux billes, l'une rouge et l'autre verte, envoyées dans un tunnel étroit, les messages « rouge » et « vert » ne peuvent voyager en même temps. Rouge et vert sont donc des adversaires, nous ne pouvons donc pas percevoir la couleur vert rougeâtre. Mais le rouge et le bleu voyagent dans des canaux séparés, c'est pourquoi nous *pouvons* voir du bleu magenta rougeâtre.

Comment explique-t-on l'effet de rémanence comme dans la démonstration du drapeau ? Lorsque nous regardons du vert, nous épuisons notre réponse verte. Lorsque maintenant nous fixons du blanc (qui contient toutes les couleurs y compris du rouge), seule la partie rouge du couple rouge/vert sera normalement perçue.

La solution actuelle de l'énigme de la vision des couleurs est schématiquement celle-ci : le traitement des couleurs s'effectue en deux étapes.

1. Les cônes rouges, verts et bleus de la rétine répondent à des degrés variables à différents stimuli colorés, comme le suggère la théorie trichromatique de Young-Helmholtz.

2. Leurs signaux, réponses des cônes à la stimulation sont ensuite traités par les cellules du processus antagoniste, comme le suggère la théorie de Hering.

EXERCICE RÉCAPITULATIF

- Quelles sont les deux principales théories de la vision des couleurs ? Sont-elles contradictoires ou complémentaires ? Expliquez.

Réponse : La *théorie trichromatique de Young et Helmholtz* dit que la rétine contient des cellules spécialisées dans la vision du rouge, du vert et du bleu. La *théorie des processus antagonistes* ou des couleurs complémentaires montre que la rétine possède des cellules spécialisées dans la vision rouge-vert, jaune-bleu, et blanc-noir. Ces théories sont complémentaires et décrivent les deux étapes de la vision des couleurs : (1) les récepteurs de la rétine au rouge, au vert et au bleu répondent aux différentes couleurs ; (2) les signaux transmis par l'activation des récepteurs sont ensuite traités par les cellules du processus antagoniste lorsqu'ils cheminent vers le cortex visuel.

Détection des caractéristiques

6-10 Où sont situés les détecteurs des caractéristiques, et que font-ils ?

Il était une fois, des scientifiques qui croyaient que le cerveau était comme un écran de cinéma, sur lequel l'œil projetait des images. Mais c'est alors qu'arrivèrent David Hubel et Torsten Wiesel (1979) qui montrèrent qu'une fonction du cerveau est en charge de déconstruire les images visuelles puis de les assembler à nouveau. Hubel et Wiesel, lauréats du prix Nobel, ont mené leurs travaux de recherche sur les **détecteurs des caractéristiques,** cellules nerveuses corticales qui répondent aux stimuli représentés par les caractéristiques spécifiques à une scène, à des contours particuliers, des lignes, des angles et des mouvements.

Au moyen de microélectrodes implantées dans le cortex de chats, ils avaient découvert que certains neurones étaient excités lorsque des images où figuraient des lignes orientées sous un certain angle ont été présentées à ces chats, tandis que d'autres neurones étaient excités par des images de lignes orientées différemment. Ils ont supposé que ces neurones spécialisés du cortex visuel occipital cortex maintenant connus comme détecteurs de caractéristiques recevaient des informations de cellules ganglionnaires rétiniennes individuelles. Ces cellules simples, détecteurs de caractéristiques transmettent ensuite l'information à d'autres zones corticales où des groupes de cellules (*amas de cellules complexes*) répondent à des schémas plus complexes.

Une zone du lobe temporal se trouvant juste derrière notre oreille droite (**FIGURE 6.20**) nous permet, par exemple, de percevoir les visages, et grâce à un réseau de neurones spécialisés, de les reconnaître à partir de différents points de vue (Connor, 2010). Si cette zone est électriquement stimulée, vous pourriez spontanément voir des visages. Si cette zone était lésée, vous ne pourriez pas reconnaître les visages familiers, alors que vous reconnaîtriez les autres formes et les autres objets.

Des chercheurs peuvent inhiber momentanément les aires cérébrales dévolues au traitement des visages par des ondes magnétiques. Alors les sujets deviennent incapables de reconnaître les visages ; en revanche ils seront capables de reconnaître des maisons parce que, le processus cortical de traitement des visages est différent du processus de perception des objets (McKone et al., 2007 ; Pitcher et al., 2007). Ainsi sur les enregistrements des IRM fonctionnelles, d'autres zones cérébrales s'activent lorsqu'un sujet regarde diverses catégories d'objets (Downing et al., 2001). L'activité cérébrale est si spécifique (**FIGURE 6.21**) qu'avec l'aide du scanner, un chercheur a remarqué qu'« en se fondant sur la structure de son activité cérébrale, on peut savoir si une personne regarde une chaussure, une chaise ou un visage » (Haxby, 2001).

Tout se passe comme si pour les objets importants et les événements vitaux, le cerveau de singe (et certainement aussi le nôtre) possédait un « vaste encyclopédie visuelle » répartie dans des cellules spécialisées (Perrett et al., 1988, 1992, 1994). Ces cellules répondent à un type de stimulus, comme un regard à caractère particulier, l'inclinaison de la tête, la posture ou les mouvements du corps. D'autres ensembles cellulaires intègrent ces informations et ne déclenchent un influx nerveux que lorsque tous les signaux confondus indiquent la direction et l'intention d'une personne qui s'approche. Cette analyse instantanée, qui a permis la survie de nos ancêtres, permet également à un gardien de but d'anticiper la direction que va prendre le ballon au moment même où un joueur frappe la balle, ou encore à un conducteur d'anticiper le prochain mouvement d'un piéton.

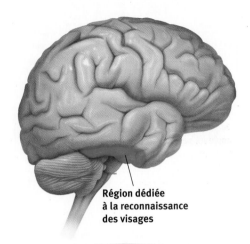

Région dédiée à la reconnaissance des visages

▼ FIGURE 6.20

Traitement de la reconnaissance des visages Chez les animaux vivant en société comme les hommes, l'aire temporale droite (montré ici sur une vue latérale du cerveau droit) assigne une bande cérébrale considérablement large à cette tâche cruciale qu'est la reconnaissance des visages.

| ■ | Visages | ■ | Chaises |
| ■ | Maisons | ■ | Maisons et chaises |

▼ FIGURE 6.21

Le cerveau révélateur Regarder des visages, des maisons et des chaises active différentes zones du cerveau droit.

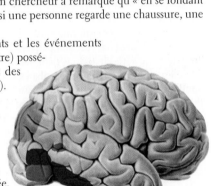

Super-cellules bien développées Dans ce match de Coupe du monde 2011, Abby Wambach de l'équipe des USA a traité instantanément des informations visuelles sur les positions et les mouvements des défenseurs et du gardien de but du Brésil et a réussi à prendre le ballon et le mettre dans les filets.

FIFA via Getty Images

Traitement parallèle traitement simultané de plusieurs aspects d'un problème ; mode de traitement de l'information propre au cerveau qui l'applique à de nombreuses fonctions, notamment la vision.

Gestalt un ensemble ressenti comme un tout organisé. Les psychologues de l'école de la Gestalt insistent sur notre tendance à intégrer des éléments d'information en un tout indissociable ayant une signification.

Traitement parallèle

6-11 **Comment le cerveau met-il en œuvre le traitement parallèle pour construire des perceptions visuelles ?**

Notre cerveau réalise ces exploits remarquables (et bien d'autres) grâce à des **traitements parallèles**, ce qui signifie qu'il peut faire plusieurs choses à la fois. Pour analyser une scène visuelle, le cerveau la divise en sous-dimensions comme la profondeur, le mouvement, les formes et la couleur et travaille sur chaque aspect simultanément (Livingstone et Hubel, 1988). Nous construisons ensuite nos perceptions en rassemblant le travail des différentes activités visuelles fonctionnant en parallèle (**FIGURE 6.22**).

Pour reconnaître un visage, par exemple, le cerveau intègre des informations que la rétine projette sur différentes zones du cortex visuel, les compare aux informations qu'il a en stock et vous permet de reconnaître l'image de *votre grand-mère*. Les chercheurs discutent pour savoir si l'information se trouve stockée dans une seule cellule ou si elle est répartie à travers un réseau de cellules. Certaines cellules complexes (*les cellules de grand-mère*) semblent répondre très sélectivement à 1 ou 2 visages sur 100 (Bower, 2009 ; Quiroga et al., 2013). Le processus complet de reconnaissance d'un visage nécessite une puissance cérébrale considérable : 30 % du cortex, 10 fois plus que ce que le cerveau consacre à l'audition.

Cependant, si vous détruisez ou inactivez la zone corticale responsable de tâches visuelles subalternes vous obtenez un résultat étrange, comme ce qui est arrivé à « Mme M. » (Hoffman, 1998). Ayant subi des lésions cérébrales postérieures bilatérales après un accident vasculaire cérébral, elle est incapable de percevoir le mouvement. Les gens qui se déplacent dans une pièce se trouvent « subitement ici ou là, mais je ne les ai pas vus se déplacer ». Verser du thé dans une tasse est devenu un véritable défi car le liquide semble figé et elle n'arrive pas à évaluer le niveau de remplissage de la tasse.

Les gens qui ont perdu une partie de leur cortex visuel après une intervention chirurgicale ou un accident vasculaire cérébral peuvent présenter une *vision aveugle*. Ils disent ne rien voir quand on place une série de bâtons dans leur champ visuel aveugle. Cependant, si on leur demande de déterminer si les bâtons sont placés verticalement ou horizontalement, leur intuition visuelle donne infailliblement la bonne réponse. Si on leur dit « vous avez bien répondu », ils sont ébahis. Il existe, semble-t-il, un deuxième « esprit » – un système de traitement parallèle – qui opère sans que les objets soient vus. Ces systèmes visuels séparés traitant l'action et la perception illustrent à nouveau la théorie des processus duaux – les deux voies de l'esprit.

* * *

Pensez aux merveilles de traitement visuel. Quand vous lisez cette page, les lettres imprimées sont transmises sur votre rétine par les rayons lumineux réfléchis, ce qui déclenche un processus envoyant des influx nerveux indéfinis à diverses aires corticales qui intègrent l'information et décodent sa signification, terminant ainsi le transfert de l'information de mon esprit au vôtre à travers le temps et l'espace (**FIGURE 6.23**). Le processus complet se produit instantanément, sans effort et de façon continue, c'est véritablement impressionnant. Comme l'a observé Roger Sperry (1985) : « Les avancées de la science n'ont fait qu'augmenter plutôt que diminuer nos sentiments de respect, de révérence et de crainte admirative. »

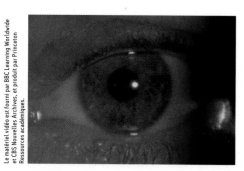

Le matériel vidéo est fourni par BBC Learning Worldwide et CBS Nouvelles Archives, et produit par Princeton Ressources académiques.

« Je suis une créature… si merveilleuse. »

Roi David, Psaume 139 : 14 (La sainte Bible, traduction L. Segond)

▼ FIGURE 6.22
Traitement parallèle Les études réalisées chez des patients cérébro-lésés suggèrent que le cerveau opère le traitement des couleurs, du mouvement, de la forme et de la profondeur dans des aires corticales différentes. Après avoir analysé les différents éléments d'une scène le cerveau les intègre et les synthétise en une image perçue. Comment le cerveau peut-il faire cela ? La réponse à cette question est le Saint-Graal de la recherche sur la vision.

Profondeur   Forme   Mouvement   Couleur

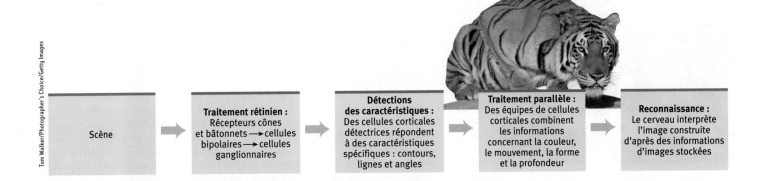

| Scène | → | **Traitement rétinien :** Récepteurs cônes et bâtonnets → cellules bipolaires → cellules ganglionnaires | → | **Détections des caractéristiques :** Des cellules corticales détectrices répondent à des caractéristiques spécifiques : contours, lignes et angles | → | **Traitement parallèle :** Des équipes de cellules corticales combinent les informations concernant la couleur, le mouvement, la forme et la profondeur | → | **Reconnaissance :** Le cerveau interprète l'image construite d'après des informations d'images stockées |

▼ FIGURE 6.23
Résumé simplifié du traitement de l'information visuelle

EXERCICE RÉCAPITULATIF

- Quelle est la séquence rapide des événements qui se produit lorsque vous voyez et reconnaissez un ami ?

Réponse : Les ondes lumineuses se reflètent sur la personne et vont frapper la rétine, où les cellules réceptrices transforment l'énergie des ondes lumineuses en impulsions nerveuses qui sont transmises au cerveau. Votre cerveau traite les éléments de ce stimulus visuel — profondeur, mouvement, forme et couleur — séparément mais simultanément. Il interprète cette information en fonction des informations précédemment stockées et de vos attentes, et la convertit en une perception consciente de votre ami.

Organisation perceptive

6-12 De quelle manière les psychologues gestaltistes comprennent-ils l'organisation de la perception ? Comment les principes de la relation figure/fond et du regroupement contribuent-ils à notre perception ?

C'est une chose que de comprendre comment nous voyons les couleurs et les formes. Mais comment organisons-nous et interprétons-nous nos sensations afin qu'elles deviennent des perceptions *chargées de sens* (une rose épanouie, un visage familier, un coucher de soleil) ?

Au début du XXe siècle, un groupe de psychologues allemands a remarqué que face à un ensemble de sensations, les gens ont tendance à les organiser en un **gestalt**, mot allemand qui signifie « forme » ou « tout ». Lorsque nous regardons droit devant nous, nous ne pouvons pas séparer la scène perçue de nos champs de vision latéraux. À tout instant nous ne pouvons pas fixer de limites à la scène perçue. Notre perception consciente est un ensemble intégré.

Considérez la **FIGURE 6.24** : les éléments individuels de cette figure, ou *cube de Necker*, ne sont rien d'autre que huit cercles bleus, chacun contenant trois lignes blanches convergentes. Mais, lorsque nous les voyons tous ensemble, nous voyons un cube qui change parfois d'orientation. Ce phénomène illustre parfaitement ce que les psychologues gestaltistes aimaient dire à savoir que, dans le cas de la perception, le tout peut dépasser la somme de ses parties. La molécule d'eau diffère de ces composants atomiques pris séparément.

Au cours du temps, les psychologues gestaltistes ont mis en évidence les nombreux principes que nous utilisons pour organiser nos sensations en perceptions (Wagemans et al., 2012a, b). Sous-jacente à l'ensemble de ces principes, se trouve une vérité fondamentale : *notre cerveau fait plus qu'enregistrer simplement des informations du monde environnant*. Percevoir n'est pas seulement ouvrir un obturateur et laisser l'image s'imprimer dans notre cerveau. Nous filtrons les informations qui entrent et *construisons* nos perceptions. L'esprit a son importance.

Perception des formes

Imaginez que vous vouliez développer un système vidéo assisté par ordinateur qui, comme votre système œil/cerveau, puisse reconnaître les visages au premier coup d'œil. De quelles aptitudes aurait-il besoin ?

Figure et fond : Pour commencer, le système aurait besoin de distinguer les visages de leur fond. De la même manière, pour notre système œil/cerveau la première tâche perceptive est d'appréhender un objet quelconque, appelé *figure*, comme distinct de son environnement,

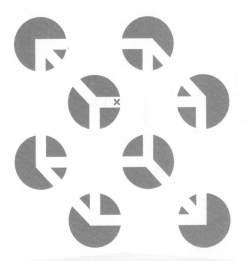

▼ FIGURE 6.24
Le cube de Necker Que voyez-vous : des cercles avec des traits blancs ou un cube ? Si vous fixez le cube, vous pouvez remarquer qu'il peut changer de perspective selon que vous visualisez le petit X du centre de l'image sur l'arête qui est en premier ou en arrière-plan. À certains moments, le cube peut sembler flotter en avant, les cercles étant derrière lui. À d'autres moments, les cercles peuvent devenir des trous par lesquels le cube apparaît, comme s'il flottait derrière eux. Il y a bien plus que la perception qui atteint vos yeux. (D'après Bradley et al., 1976.)

▼ FIGURE 6.25
Figures et fond réversibles

Proximité

Continuité

Fermeture

appelé *fond*. Parmi les voix que vous entendez dans une réception, celle sur laquelle vous fixez votre attention est la figure ; les autres représentent le fond. Lorsque vous lisez, les mots constituent les figures et le papier blanc le fond. Parfois le même stimulus peut déclencher plusieurs perceptions. Sur la **FIGURE 6.25**, la relation **figure/fond** s'inverse continuellement, mais nous organisons toujours le stimulus sous la forme d'une figure vue par rapport à un fond.

Regroupement   Maintenant que nous avons distingué la figure du fond, nous devons (ainsi que notre système vidéo/ordinateur) organiser la figure en une forme ayant une *signification*. Certaines caractéristiques fondamentales d'une scène, telles que la couleur, le mouvement ou le contraste lumineux, sont traitées de façon instantanée et automatique (Treisman, 1987). Pour mettre en ordre et en forme ces sensations élémentaires, notre esprit suit certaines règles de **regroupement** des stimuli. Ces règles, que nous appliquons dès l'enfance et dès la perception par le toucher illustrent le principe selon lequel la perception d'un tout diffère de la simple somme de ses constituants (Gallace & Spence, 2011 ; Quinn et al., 2002 ; Rock et Palmer, 1990). Prenons trois exemples :

Proximité Nous regroupons les figures proches. Nous ne voyons pas six lignes séparées, mais trois ensembles de deux lignes.

Continuité Nous percevons des schémas lisses et continus plutôt que discontinus. Le schéma pourrait être une série alternée de demi-cercles, mais nous le percevons sous forme de deux lignes continues : une ligne droite et une sinusoïde.

Fermeture Nous comblons les vides pour créer un objet complet. Nous supposons que les cercles à gauche sont complets mais partiellement bloqués par le triangle (illusoire). En ajoutant seulement des traits afin de fermer les cercles votre cerveau n'essaie plus de construire un triangle.

Ces principes habituels nous aident à construire la réalité. Mais ils nous égarent parfois comme dans le cas de notre perception de la niche de la **FIGURE 6.26**.

▼ FIGURE 6.26
Principes de regroupement Quel est le secret de cette niche impossible ? Vous percevez probablement cette niche comme un gestalt, une structure complète (quoi qu'impossible). En fait, votre cerveau impose ce sens de la globalité à la perception de cette image. Comme le montre la FIGURE 6.30, les principes gestaltistes de regroupement tels que la fermeture et la continuité sont ici mis en œuvre.

Figure-fond l'organisation du champ visuel en objets (les *figures*) qui se distinguent de ce qui les entoure (le *fond*).

Regroupement la tendance perceptive à organiser des stimuli en un groupe cohérent.

Taille relative Si nous admettons que deux objets ont une taille semblable, la plupart d'entre nous perçoivent celui qui projette l'image la plus petite sur la rétine comme étant le plus éloigné.

Falaise visuelle montage de laboratoire pour évaluer la perception de la profondeur chez les nourrissons et les jeunes animaux.

Indices binoculaires indications de profondeur, comme la disparité rétinienne, qui dépendent de la vision simultanée par les deux yeux.

EXERCICE RÉCAPITULATIF

• Du point de vue de la perception, le chanteur d'un groupe serait considéré comme étant _____ (la figure/le fond), et les autres musiciens seraient considérés comme _____ (la figure/le fond).

Réponses : figure ; fond

• Qu'entendons-nous quand nous disons que, dans la perception, l'ensemble peut dépasser la somme de ses parties ?

Réponse : Les psychologues de l'école de la gestalt utilisent cet aphorisme pour décrire notre tendance à organiser des groupes de sensations en des formes cohérentes porteuses de sens.

Perception de la profondeur

6-13 Comment utilisons-nous nos indices monoculaires et binoculaires pour percevoir, d'une part, le monde en trois dimensions et, d'autre part, ses mouvements ?

Des images bidimensionnelles parviennent à nos rétines et, cependant, nous réorganisons une perception tridimensionnelle. **La perception de la profondeur** nous permet d'estimer la distance qui nous sépare d'un objet. En un clin d'œil, nous estimons la distance d'une voiture qui arrive en face de nous ou la hauteur d'une maison. Cette aptitude est en partie innée. Eleanor Gibson et Richard Walk (1960) l'ont découverte en utilisant une falaise visuelle dont le précipice était recouvert d'un verre épais. L'idée de ces **expériences** vint à Gibson un jour où elle pique-niquait sur le bord du Grand Canyon. Elle se demanda : est-ce qu'un jeune enfant, regardant par-dessus, percevrait le dangereux précipice et reculerait ?

De retour dans leur laboratoire de l'université Cornell, Gibson et Walk placèrent des enfants de 6 à 14 mois au bord d'un canyon sécurisé : une falaise visuelle (**FIGURE 6.27**). Leurs mères les encouragèrent ensuite à ramper sur la vitre. La plupart refusèrent, indiquant ainsi qu'ils étaient capables d'apprécier la profondeur.

Avaient-ils *appris* à percevoir la profondeur ? Il semblerait que l'apprentissage ne soit qu'une partie de la réponse parce que le fait de marcher à quatre pattes, quel que soit l'âge où cela se produit, semble augmenter la prudence vis-à-vis de l'altitude (Campos et al., 1992). Lorsque les nourrissons commencent à se déplacer, leur expérience les amène à craindre les positions en altitude (Adolph et al., 2014).

Comment faisons-nous cela ? *Comment* transformons-nous deux images rétiniennes bidimensionnelles distinctes en une perception tridimensionnelle unique ?

Indices binoculaires Essayez donc ceci : les deux yeux ouverts, tenez deux stylos ou deux crayons à papier devant vous en joignant leurs extrémités. Faites maintenant la même chose avec un œil fermé. La tâche devient nettement plus difficile, ce qui montre l'importance des **indices binoculaires** pour estimer la distance des objets proches. Deux yeux sont plus efficaces qu'un seul.

Nos yeux étant séparés d'environ 7 à 8 cm, nos rétines reçoivent des images du monde environnant légèrement différentes. Lorsque le cerveau compare ces deux images, il peut juger de la distance de cet objet par rapport à vous. Plus leur **disparité rétinienne** (la différence entre les deux images) est importante, plus l'objet est proche. Essayez ceci. Tenez vos deux index juste en face de votre nez en séparant leurs ongles d'un centimètre et demi et vos rétines recevront des vues assez différentes. Si vous fermez un œil, puis l'autre, vous pouvez voir la différence. (Rapprochez vos doigts et vous pouvez créer une forme en « saucisse » **FIGURE 6.28**.) À une distance supérieure, celle de la longueur de vos bras vous pourrez distinguer une très petite distance les séparant.

▼ FIGURE 6.27
Falaise visuelle Eleanor Gibson et Richard Walk ont construit cette falaise miniature avec un précipice recouvert d'une vitre, pour voir si les enfants marchant à quatre pattes et les animaux nouveau-nés pouvaient percevoir la profondeur. Même encouragés, les enfants hésitaient à s'aventurer sur la vitre au-dessus du vide.

> **Disparité rétinienne** vision binoculaire pour percevoir la profondeur : en comparant les deux images formées un peu différemment sur la rétine des deux yeux, le cerveau calcule la distance. Plus la disparité (différence) entre les deux images est grande, plus l'objet est proche.

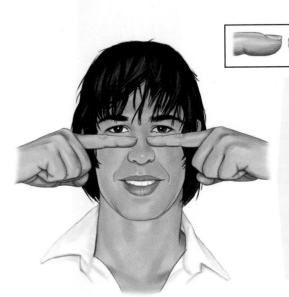

▼ FIGURE 6.28
Deux doigts font un : Tenez vos deux index à environ 15 cm devant vos yeux, les deux extrémités séparées d'un à deux centimètres. Maintenant, regardez au fond de la pièce au-delà de vos doigts, vous constaterez un résultat étrange (aspect en saucisse). Déplacez vos doigts plus loin et la disparité rétinienne ainsi que l'aspect en saucisse des doigts disparaissent.

« Je ne peux pas continuer à vivre avec une telle perception ignoble de la profondeur ! »

Les animaux carnivores, y compris les humains, ont des yeux qui permettent de fixer leur proie au loin et une vision binoculaire qui permet une perception améliorée de la profondeur. Les herbivores qui broutent, tels que les chevaux et les moutons, ont généralement les yeux sur les côtés de leur crâne. Bien que manquant d'une vision binoculaire permettant une perception de la profondeur, ils ont une vision périphérique par balayage.

Nous fabriquons facilement cette image dans notre système « œil-rétine voies optiques cortex » « caméra vidéo couplée à un ordinateur ». Les réalisateurs de films en relief, en trois dimensions (3D) simulent ou amplifient la disparité rétinienne en photographiant une scène avec deux appareils placés à quelques centimètres de distance l'un de l'autre. Les spectateurs portent des lunettes qui permettent ensuite à l'œil gauche de ne voir que l'image de la caméra gauche et à l'œil droit de ne voir que l'image de la caméra droite. Les amateurs de films en relief savent que l'effet provient d'une simulation ou d'une exagération de la disparité des deux images rétiniennes. De même, des appareils à double chambre placés sur un avion permettent de prendre des photographies qui serviront à créer des cartes faites d'images en trois dimensions.

Indices monoculaires Comment pouvons-nous déterminer si une personne se trouve à 10 mètres ou à 100 mètres de nous ? Dans ce cas, la disparité rétinienne, ne nous aide pas beaucoup parce qu'il n'y a pas de grande différence entre l'image projetée sur notre rétine droite ou sur notre rétine gauche. À cette distance, nous dépendons des **indices monoculaires** (indices de profondeur disponibles pour chaque œil pris séparément). Pour en avoir quelques exemples, reportez-vous à la **FIGURE 6.29**.

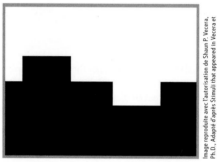

Hauteur relative Nous percevons les objets les plus hauts dans notre champ de vision comme les plus éloignés. Parce que nous percevons la partie inférieure d'une illustration figure/fond comme étant plus proche, nous la percevons en tant que figure (Vecera et al., 2002). En inversant l'illustration ci-dessus, la partie noire devient le fond, comme un ciel de nuit.

Mouvement relatif Lorsque nous bougeons, les objets immobiles semblent se déplacer. Si, voyageant en bus, vous fixez votre regard sur un objet quelconque, disons une maison, les objets situés au-delà de votre point de fixation semblent se déplacer avec vous. Les objets situés en face du point de fixation semblent se déplacer vers l'arrière. Plus un objet est loin du point de fixation, plus il semble se déplacer rapidement.

Direction du mouvement du passager

Taille relative Si nous supposons que deux objets sont similaires en taille, *la plupart* des gens perçoivent celui qui projette une image rétinienne plus petite comme étant plus éloigné.

La perspective linéaire Les lignes parallèles semblent converger en s'éloignant. Plus l'angle de convergence est aigu, plus la distance perçue apparaît grande.

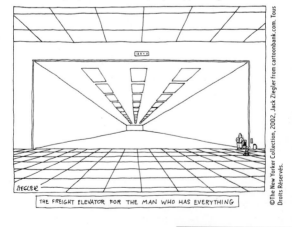

Interposition Si un objet masque partiellement la vue d'un autre objet, nous le percevons comme plus proche.

L'ombre produit également une sensation de profondeur en accord avec notre hypothèse que la lumière vient du dessus. Inversez l'illustration ci-dessous la cavité deviendra une excroissance.

▼ FIGURE 6.29
Indices monoculaires

EXERCICE RÉCAPITULATIF

• Comment percevons-nous normalement la profondeur ?

Réponse : Nous sommes normalement en mesure de percevoir la profondeur grâce à (1) aux indices binoculaires (qui sont basés sur notre disparité rétinienne), et (2) aux indices monoculaires (qui comprennent la hauteur relative, la taille relative, l'interposition, la perspective linéaire, l'ombre et la lumière, et le mouvement relatif).

Perception du mouvement

Imaginez que vous puissiez percevoir la couleur, la forme et la profondeur du monde, mais que vous ne puissiez pas en voir le mouvement. Non seulement vous ne pourriez pas monter à bicyclette, ni conduire une voiture, mais vous auriez aussi des problèmes pour écrire, manger ou marcher.

Normalement, notre cerveau calcule le mouvement en se fondant en partie sur l'hypothèse que les objets qui diminuent s'éloignent (et ne deviennent pas plus petits), tandis que ceux qui grandissent se rapprochent. Mais notre perception du mouvement n'est pas exempte de défauts. Chez les jeunes enfants, cette capacité de percevoir correctement un objet qui s'approche (et devient visuellement plus grand), comme un véhicule, n'est pas encore pleinement développée, ce qui les rend vulnérables aux accidents de la voie publique (Wann et al., 2011). Mais il n'y a pas que les enfants qui ont, de façon occasionnelle, des difficultés de perception du mouvement. Nos cerveaux adultes sont parfois trompés en croyant ce qu'ils ne voient pas. Lorsque de grands et de petits objets se déplacent à la même vitesse, les grands objets semblent se déplacer plus lentement. Ainsi les trains semblent rouler plus vite que les voitures et que les avions de ligne semblent atterrir plus lentement que les avions privés.

Le cerveau perçoit également une série rapide d'images variant légèrement comme si c'était un mouvement continu (un phénomène appelé *mouvement stroboscopique*). Comme les metteurs en scène de films d'animation le savent, un diaporama de 24 photos projetées en une seconde va créer une illusion de mouvement. Et il en est de même avec le mouvement des lumières des chapiteaux et des guirlandes de Noël. Lorsque deux lumières adjacentes clignotent successivement et de façon rapide, nous percevons une seule lumière qui serait située entre les deux et se déplacerait d'avant en arrière. Les enseignes lumineuses exploitent le **phénomène phi** en utilisant une succession de lumières clignotantes pour créer l'impression, par exemple, d'une flèche en mouvement.

Constance perceptive

6-14 De quelle manière la constance perceptive peut-elle nous aider à organiser nos sensations en des perceptions ayant une signification ?

Jusqu'à présent, nous avons vu que la fonction de la vision que nous avons comparée à un ensemble « vidéo/ordinateur » doit d'abord percevoir les objets comme nous le faisons, c'est-à-dire ayant une forme, une localisation et peut-être un mouvement distincts. Sa tâche suivante est encore plus délicate : il s'agit de reconnaître l'objet sans être trompé par ses changements de taille, de forme, de brillance ou de couleur, un traitement de l'information qui est *descendant* et que nous appelons **la constance perceptive**. Ainsi, nous pouvons identifier les choses et les personnes sans tenir compte de l'angle, de la distance et de l'éclairage à travers lesquels nous les voyons et en moins de temps qu'il n'en faut pour le dire. Cet exploit qui met au défi les ordinateurs les plus avancés, a stimulé la curiosité des chercheurs et ce, depuis des dizaines d'années. Il offre un défi monumental à la conception de notre système vidéo/ordinateur.

Constance de luminosité et de couleur

La perception de la couleur d'un objet dépend du contexte dans lequel il se trouve lorsqu'il est perçu. Si vous regardez une tomate isolée au travers d'un tube en papier, vous comprendrez mieux les choses. Sa couleur semblera changer selon que la lumière (et par conséquent les longueurs d'ondes des rayons lumineux réfléchis par sa surface), se modifie. Mais si vous avez vu la tomate comme un des ingrédients d'une salade composée, dans une assiette, sa couleur restera à peu près constante malgré les variations de l'éclairage. Cette perception de la couleur uniforme est connue comme **la constance de la couleur**.

Bien que nous considérions cette constance des couleurs comme acquise, ce phénomène reste remarquable. Un jeton de poker bleu sous un éclairage intérieur reflète des rayons lumineux de longueurs d'ondes équivalentes à celles réfléchies par un jeton de poker doré à la lumière du soleil (Jameson, 1985). Cependant, si vous mettez un oiseau bleu à l'intérieur, il ne ressemblera pas à un chardonneret. La couleur n'est pas dans les plumes de l'oiseau. Vous et moi voyons les couleurs grâce aux analyses qu'effectue notre cerveau de la lumière réfléchie par un objet quelconque en *référence aux objets environnants*.

LA FIGURE 6.31, page suivante illustre de manière spectaculaire la capacité d'un objet bleu à apparaître différemment dans trois environnements différents. Cependant, nous n'avons aucun mal à voir que ces disques sont bleus. Connaître la vérité, à savoir que ces disques sont d'une couleur bleue identique ne diminue en aucun cas la perception que nous en avons. Parce que nous construisons nos perceptions, nous pouvons accepter simultanément une réalité objective et une réalité perçue, subjective.

De façon similaire, la *constance de luminosité* (encore appelée *constance de brillance*) dépend du contexte. Nous percevons un objet comme ayant une luminosité constante, même si son éclairage varie. Cette perception de la constance dépend de la *luminance relative*, la quantité de lumière

---

Indices monoculaires indices de profondeur de champ, comme l'interposition et la perspective perçues par un seul œil à la fois.

Phénomène phi illusion du mouvement créée quand, pour deux ou plusieurs sources lumineuses adjacentes, l'extinction de l'une est suivie de l'allumage de l'autre.

Constance perceptive percevoir les objets comme étant immuables dans leur couleur, leur brillance, leur forme et leur taille alors même que l'éclairage et les images rétiniennes changent.

Constance des couleurs percevoir les objets familiers comme ayant une couleur uniforme, même si l'éclairage change et modifie les longueurs d'onde de la lumière réfléchie par les objets.

« De là à ici, d'ici à là, des choses drôles sont partout. »

Dr Seuss,
One Fish, Two Fish, Red Fish, Blue Fish, 1960

« Parfois je me demande : Pourquoi est-ce que ce Frisbee grossit ? Et soudain, il me frappe. »

Anonyme

▼ FIGURE 6.30

La solution Une autre vue de la niche impossible de la FIGURE 6.26 révèle les secrets de cette illusion. L'angle de prise de vue dans la FIGURE 6.26, entraîne un principe de regroupement et de fermeture qui nous amène à percevoir les baguettes sans solution de continuité.

Photo de Walter Wick. Reproduit de *JEUX* Magazine. © 1983 PCS Games Limited Partnership.

▼ FIGURE 6.31
La couleur perçue dépend du contexte (a) Croyez-le ou non, ces trois disques sont d'une couleur bleue identique (contraste simultané). (b) Retirer le contexte et constatez le résultat.

(a)   (b)

R. Beau Lotto/Lottolab

▼ FIGURE 6.32
Luminosité relative En raison du contexte environnant, nous percevons le carré B comme étant plus clair que le carré A. Mais, croyez-le ou non, ils sont identiques. Comme dirait le comédien Richard Pryor, « Qui allez-vous croire : moi, ou vos yeux qui vous mentent ? » Si vous croyez que vos yeux mentent ou que c'est votre cerveau qui vous trompe, photocopiez l'illustration, puis découper les carrés et comparez-les !

que reflète un objet *relativement à ce qui l'entoure* (**FIGURE 6.32**). Le papier blanc réfléchit 90 % de la lumière qui l'éclaire, le papier noir seulement 10 %. À l'extérieur, exposé à la lumière du soleil, le papier noir peut réfléchir jusqu'à 100 fois plus de lumière que le papier blanc se trouvant à l'intérieur, mais il semble toujours noir (McBurney et Collings, 1984). Mais si vous regardez un morceau de papier noir au soleil à travers un tube étroit de telle façon que rien d'autre ne soit visible, il peut sembler gris, car sous un soleil éclatant, il réfléchit une bonne quantité de lumière. Regardez-le sans le tube et il est de nouveau noir, car il a beaucoup moins de lumière que les objets qui l'entourent.

Le principe selon lequel nous percevons les objets, non de façon isolée, mais dans leur environnement, est particulièrement important pour les artistes, les décorateurs d'intérieur et les stylistes. Notre perception de la couleur et de la brillance d'un mur ou d'une tache de peinture sur une toile n'est pas seulement déterminée par la couleur dans le récipient, mais également par les couleurs qui l'entourent. La leçon à retenir est : *les comparaisons gouvernent nos perceptions.*

Constances de forme et de taille Parfois, la taille effective d'un objet ne change pas, mais cet objet *semble* changer de forme en fonction de l'angle de vision (**FIGURE 6.33**). Le plus souvent, grâce à la *constance de forme*, nous percevons les objets familiers, comme la porte de la **FIGURE 6.34**, sous une forme constante même si les images rétiniennes que nous avons d'eux changent. Notre cerveau effectue cet exploit grâce aux neurones du cortex visuel qui apprennent rapidement à associer différentes vues d'un objet (Li et DiCarlo, 2008).

Grâce à la *constance de taille*, nous percevons les objets comme ayant une taille constante même si la distance qui nous en sépare varie. Cela nous permet de supposer qu'une voiture est assez grande pour contenir des personnes, même si nous voyons son image minuscule à deux pâtés de maisons de là. Cela illustre la relation étroite entre la *distance* perçue d'un objet et sa *taille* perçue. Percevoir la distance d'un objet nous donne une indication concernant sa taille. De même, la connaissance de sa taille standard (par exemple, une voiture) nous donne des indications concernant sa distance.

Même pour notre jugement de la taille par rapport à la distance, nous prenons en considération l'environnement de l'objet. Cette interaction entre la taille perçue et la distance perçue contribue à expliquer plusieurs illusions bien connues, comme l'*illusion de la lune* : la lune semble jusqu'à 50 % plus grande lorsqu'elle est proche de la ligne d'horizon que lorsqu'elle est haut dans le ciel. Pouvez-vous imaginer pourquoi ?

▼ FIGURE 6.33
Perception de forme Ces deux plateaux de table sont-ils de dimensions différentes ? Ils semblent l'être. Mais, croyez-le ou non, ils sont identiques. (Mesurez et constatez.) Avec ces deux images de la même table, nous ajustons nos perceptions à notre angle de vision.

▼ FIGURE 6.34
Constance de la forme A mesure que la porte s'ouvre, l'image projetée sur la rétine prend une forme trapézoïdale. Pourtant, nous la percevons toujours comme rectangulaire.

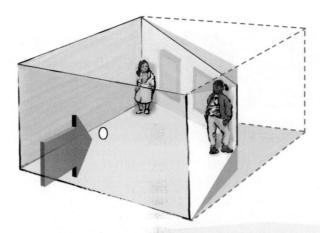

Susan Schwartzenberg © Exploratorium, www.exploratorium.edu

▼ FIGURE 6.35
L'illusion des filles qui grandissent ou rétrécissent Cette chambre déformée, dessinée par Adelbert Ames, semble avoir une forme rectangulaire normale quand nous la voyons avec un œil à travers un judas. La fille dans le coin le plus proche apparaît anormalement grande car nous jugeons sa taille en nous fondant sur l'hypothèse, fausse, qu'elle est à la même distance que la fille dans le coin le plus éloigné.

Pendant au moins vingt-deux siècles, les savants en ont été étonnés (Hershenson, 1989). Les indices monoculaires font que la lune perçue à l'horizon paraît plus lointaine. Quelle que soit son élévation perçue, la lune est évidemment toujours la même. Cependant la lune paraît plus grosse et plus lointaine lorsqu'elle est vue à l'horizon que lorsqu'elle est vue à la verticale. Le cerveau la voit selon la loi de Emmert : la taille perçue est proportionnelle à la distance perçue (Kaufman & Kaufman, 2000). Éliminez ces indices d'éloignement en regardant la lune à l'horizon à travers un tube de papier, et l'objet va immédiatement rétrécir.

Les relations taille/distance expliquent également pourquoi sur la **FIGURE 6.35**, les filles qui ont le même âge semblent de taille si différente. Comme le révèle le schéma, les deux filles ont en réalité presque la même taille mais la pièce est déformée. Vus avec un œil à travers un judas, les murs trapézoïdaux donnent la même image que celle d'une pièce rectangulaire normale, vue avec les deux yeux. Lorsqu'on lui montre la vue prise par l'œil unique de l'appareil photo, le cerveau fait l'hypothèse raisonnable que la pièce *est* normale et que chacune des filles se trouve à égale distance de nous. Étant donné les tailles différentes des images sur la rétine, notre cerveau finit par estimer que les deux filles ont des tailles très différentes.

Les illusions perceptives renforcent une leçon fondamentale : la perception n'est pas la simple projection du monde dans notre cerveau. Nos sensations sont plutôt désassemblées en morceaux d'informations que notre cerveau ré-assemble selon propre modèle fonctionnel du monde extérieur. Au cours de ce processus d'assemblage, nos suppositions, comme la relation habituelle entre la distance et la taille, peuvent nous induire en erreur. *Notre cerveau construit nos perceptions.*

* * *

La perception des formes, de la profondeur, du mouvement et la constance perceptive illustrent la manière dont nous organisons notre expérience visuelle. L'organisation des perceptions s'applique également aux autres sens. En écoutant un langage qui ne nous est pas familier, nous avons des difficultés à percevoir quand un mot s'arrête et quand commence le suivant. Si nous écoutons notre propre langue, nous entendons automatiquement des mots bien distincts. C'est également une forme d'organisation des perceptions. Mais cela va plus loin, car nous pouvons même organiser une succession de lettres – THEDOGATEMEAT – en mots constituant une phrase intelligible. Nous l'interpréterons plus vraisemblablement comme « The dog ate meat » (« Le chien a mangé de la viande ») plutôt que « The do gate me at » (« Le faire me porte à ») (McBurney et Collings, 1984). Ce processus implique non seulement une organisation, dont nous avons discuté, mais aussi une interprétation, c'est-à-dire trouver une signification à ce que nous percevons.

Perception et interprétation

Les philosophes ont discuté l'origine de nos capacités perceptives : l'inné ou l'acquis ? Jusqu'à quel point *apprenons*-nous à percevoir ? Le philosophe allemand Emmanuel Kant (1724-1804) prétendait que la connaissance provenait de notre façon *innée* d'organiser les expériences sensorielles. En effet, nous naissons avec la capacité à traiter des informations sensorielles. Mais le philosophe britannique John Locke (1632-1704) affirmait que nous apprenons *également à percevoir le monde à travers nos expér*iences vécues. En effet, nous apprenons à associer la distance d'un objet avec sa taille. Mais quelle est l'importance réelle de l'expérience vécue ? Jusqu'à quel point va-t-elle modeler l'interprétation de nos perceptions ?

« Supposons donc que l'esprit soit, comme on dit, une page blanche, vide de personnages, vierge de toute idée : comment cette page va-t-elle s'écrire ?… À cela je réponds, en une phrase : par l'expérience. »

John Locke, *Essai sur l'entendement humain*, 1690

Marcio Jose Sanchez/AP Photo

Apprendre à voir : À 3 ans, Mike May a perdu la vue dans une explosion. Plusieurs décennies plus tard, après avoir subi une greffe de cornée à l'œil droit, il vit sa femme et ses enfants pour la première fois. Hélas, même si les signaux pouvaient atteindre son cortex visuel (qui était resté inactif depuis si longtemps), il lui manquait l'expérience pour interpréter ces signaux. Il lui était en effet impossible de reconnaître les expressions ou les visages, excepté quelques caractéristiques telles que les cheveux. Cependant, il peut voir un objet en mouvement, et a appris à se déplacer dans ce monde nouveau pour lui et à s'émerveiller de certaines choses telles que la poussière en suspension dans la lumière du soleil (Abrams, 2002 ; Gorlick, 2010).

Gracieuseté de Hubert Dolezal

Adaptation perceptive « Raté ! », pense le Dr Hubert Dolezal alors qu'il voit le monde à travers des lunettes qui inversent sa vision. Que vous le croyez ou non, les chatons, les singes et les hommes peuvent s'adapter à un monde inversé.

Expérience et perception visuelle

6-15 Que révèlent les recherches sur la privation sensorielle, le recouvrement de la vue et l'adaptation perceptive sur les effets de l'expérience sur la perception ?

Privation sensorielle et recouvrement de la vue En écrivant à John Locke, William Molyneux se demandait si « un homme adulte, *né* aveugle, ayant appris par le *toucher* à distinguer un cube d'une sphère », pourrait, si on lui rendait la vue, distinguer visuellement les deux formes. La réponse de Locke fut *non*, car l'homme n'aurait jamais *appris* à voir ces différences.

L'hypothèse de Molyneux a, depuis, été testée chez des douzaines d'adultes qui, bien qu'aveugles de naissance, avaient recouvré la vue (Gregory, 1978 ; von Senden, 1932). La plupart étaient des patients nés avec une cataracte, c'est-à-dire un cristallin opaque leur permettant seulement de voir une lumière diffuse, un peu comme vous pourriez voir un brouillard diffus à travers une balle de ping-pong coupée en deux. Après l'opération de leur cataracte, les patients pouvaient distinguer les figures, du fond et pouvaient apprécier les couleurs, suggérant que ces aspects de la perception étaient innés. Mais, comme Locke le supposait, les patients autrefois aveugles ne pouvaient souvent pas reconnaître des objets qui leur étaient familiers au toucher.

Cherchant à exercer un contrôle plus strict que celui permis par les cas cliniques, les chercheurs ont réalisé l'expérience imaginaire de Molyneux chez des chatons et des bébés singes. Lors d'une expérience, ils ont recouvert leurs yeux de lunettes à travers lesquelles les animaux ne pouvaient voir qu'une lumière diffuse et imprécise (Wiesel, 1982). Après les premiers mois et une fois les lunettes retirées, ces animaux témoignèrent d'une limitation de perception très semblable à celle des hommes nés avec une cataracte. Ils pouvaient distinguer la couleur et la luminosité, mais ne pouvaient pas distinguer la forme d'un carré de celle d'un cercle. Leurs yeux n'avaient pas dégénéré ; leurs rétines envoyaient encore des signaux à leur cortex visuel. Mais en l'absence de stimulation précoce, les cellules corticales n'avaient pas développé de connexions normales. Les animaux restaient donc fonctionnellement aveugles aux formes. L'expérience guide, soutient et maintient l'organisation des connexions neuronales corticales qui vont permettre nos perceptions.

Chez les hommes comme chez les animaux, une période comparable de restriction sensorielle n'entraîne pas de lésion permanente, si elle a lieu à une période avancée de la vie. Couvrez les yeux d'un animal adulte pendant plusieurs mois et sa vision sera intacte après avoir enlevé le cache. Corrigez la cataracte qui s'est développée après la petite enfance et l'homme lui aussi jouira d'une vision normale.

L'effet de restriction des sens apparaissant dès la naissance chez les chats, les singes et les humains suggèrent que pour un bon développement de la perception sensorielle, il existe une *période critique* — une période optimale pendant laquelle l'exposition à certains stimuli, ou l'expérience de certaines situations, sont nécessaires. La chirurgie pratiquée en Inde chez les enfants aveugles révèle que les enfants aveugles de naissance peuvent bénéficier de l'exérèse des cristallins rendus opaque par des cataractes. Mais plus ils sont jeunes, plus le bénéfice chirurgical sera important même si leur acuité visuelle (netteté des images perçues) ne pourra jamais être normale (Sinha, 2013). L'environnement sculpte ce que la nature nous a donné. De façon moins spectaculaire cela se poursuit tout au long de la vie. D'où l'importance de nos expériences visuelles. Malgré les doutes sur leur coût social, les jeux vidéo d'action aiguisent nos capacités spatiales comme notre attention visuelle, nos coordinations œil/main et notre vitesse de réaction, ainsi que notre capacité de poursuite oculaire de différents objets (Jeon et al., 2012 ; Spence et Feng, 2010).

Les expériences de restrictions perceptives et d'avantages perceptifs, induites par des privations sensorielles précoces, fournissent une réponse partielle à la question qui revient toujours sur l'expérience : l'effet d'une expérience précoce dure-t-il toute la vie ? Pour certains aspects de la perception, la réponse est clairement *oui* : « Utilisez-la *vite* ou bien vous la perdrez ». Nous conservons l'empreinte de certaines expériences sensorielles précoces pendant très longtemps.

Adaptation perceptive Si nous mettons une nouvelle paire de lunettes, nous pouvons nous sentir légèrement désorientés et pris de vertige. Mais nous nous adaptons en un jour ou deux. Notre **adaptation perceptive** au changement des informations visuelles rend au monde son aspect normal. Imaginez maintenant une nouvelle paire de lunettes, beaucoup plus perturbante, qui déplace la position apparente des objets de 40 degrés vers la gauche. Lorsque vous les mettez pour la première fois et que vous lancez une balle à un ami, elle atterrit trop à gauche. Vous avançant, pour lui serrer la main, vous deviez sur la gauche.

Pourriez-vous vous adapter à ce monde déformé ? Les poussins ne peuvent pas s'y adapter. Lorsqu'on leur met des lentilles de ce genre, ils continuent à picorer à l'endroit où les graines leur *semblent* se trouver (Hess, 1956 ; Rossi, 1968). Mais les hommes s'adaptent rapidement à des lentilles déformantes. En quelques minutes, votre lancer de balle sera de nouveau précis et vous atteindrez votre cible. Enlevez les lunettes et vous allez ressentir un effet rémanent : au début, vos lancers vont se fourvoyer dans la direction *opposée*, arrivant trop à droite ; mais de nouveau, en quelques minutes, vous allez vous réadapter.

Avec un changement encore plus radical de lunettes qui met littéralement le monde à l'envers, vous pourriez encore vous adapter. Le psychologue George Stratton (1896) en fit l'expérience. Il inventa et porta pendant 8 jours un équipement optique plaçant la gauche à droite *et* le haut en bas, faisant de lui la première personne à expérimenter une image rétinienne dans le bon sens, en étant debout. Le sol était en haut, le ciel en bas.

Au début, Stratton fut désorienté. Lorsqu'il voulait marcher, il devait chercher ses pieds qui étaient maintenant en « haut ». Manger était presque impossible. Il avait la nausée et son humeur était maussade. Mais il persévéra et, vers le huitième jour, il lui fut possible d'atteindre sans effort quelque chose dans la bonne direction et de marcher sans se heurter aux objets. Lorsque Stratton enleva finalement son équipement, il se réadapta rapidement.

Lors d'expériences ultérieures, les personnes portant de tels équipements optiques furent même capables de conduire une moto, de faire du ski alpin et de piloter un avion (Dolezal, 1982 ; Kohler, 1962). Le monde autour d'eux semblait encore au-dessus de leur tête ou du mauvais côté. Mais en se déplaçant activement dans ce monde sens dessus dessous, ils se sont adaptés au contexte et ont appris à coordonner leurs mouvements.

> **Adaptation perceptive** capacité de la vision à s'adapter à un champ visuel artificiellement déplacé ou même inversé.

REVUE GÉNÉRALE Vision : traitement sensoriel et perceptif

OBJECTIFS D'APPRENTISSAGE

EXERCICE RÉCAPITULATIF Prenez un moment pour répondre à chacune de ces questions objectif d'apprentissage (répétées ici au sein de cette section). Puis aller à l'annexe C, révision complète du chapitre, pour vérifier vos réponses. La recherche suggère que d'essayer de répondre à ces questions de votre propre initiative permettra d'améliorer la mémorisation à long terme de ces réponses (McDaniel et al., 2009).

6-7 Quelles sont les caractéristiques de l'énergie de la lumière visible que nous percevons ? Quelles sont les structures de l'œil qui captent cette énergie ?

6-8 Comment les bâtonnets et les cônes vont-ils traiter l'information, et quel chemin emprunte l'information qui se déplace de l'œil au cerveau ?

6-9 Comment percevons-nous la couleur dans le monde qui nous entoure ?

6-10 Où sont situés les détecteurs des caractéristiques, et que font-ils ?

6-11 Comment le cerveau met-il en œuvre le traitement parallèle pour construire des perceptions visuelles ?

6-12 De quelle manière les psychologues gestaltistes comprennent-ils l'organisation de la perception ? Comment les principes de la relation figure/fond et du regroupement contribuent-ils à notre perception ?

16-13 Comment utilisons-nous nos indices monoculaires et binoculaires pour percevoir, d'une part, le monde en trois dimensions et, d'autre part, ses mouvements ?

6-14 De quelle manière la constance perceptive peut-elle nous aider à organiser nos sensations en des perceptions ayant une signification ?

6-15 Que révèlent les recherches sur la privation sensorielle, le recouvrement de la vue et l'adaptation perceptive sur les effets de l'expérience sur la perception ?

TERMES ET CONCEPTS À RETENIR

EXERCICE RÉCAPITULATIF Testez votre connaissance de ces termes en essayant d'écrire leur définition avant de vous reporter aux pages donnant les bonnes réponses.

longueur d'onde, p. 239

teinte, p. 239

intensité lumineuse, p. 239

pupille, p. 240

iris, p. 240

cristallin, p. 240

rétine, p. 240

accommodation, p. 240

bâtonnets, p. 241

cônes, p. 241

nerf optique, p. 241

point aveugle, p. 241

fovéa, p. 242

théorie trichromatique (trois couleurs) de Young-Helmholtz, p. 243

théorie du processus antagoniste, p. 244

détecteurs de caractéristiques, p. 245

traitement parallèle, p. 246

gestalt, p. 247

figure-fond, p. 248

groupement, p. 248

perception de la profondeur, p. 249

falaise visuelle, p. 249

indices binoculaires, p. 249

disparité rétinienne, p. 249

indices monoculaires, p. 250

phénomène phi, p. 251

constance perceptive, p. 251

constance des couleurs, p. 251

adaptation perceptive, p. 254

Audition le sens représenté par son organe qu'est l'oreille.

Fréquence le nombre de longueurs d'ondes complètes qui passent par un point en un temps donné (par seconde par exemple).

Tonalité caractère de hauteur d'un son, grave ou aigu, dépendant de la fréquence de l'onde sonore.

Les autres organes des sens

L'ouïe

COMME NOS AUTRES SENS, NOTRE **ouïe**, ou **audition**, est dotée d'une grande capacité d'adaptation. Pour nous qui communiquons de façon invisible en émettant des ondes invisibles en recevant les mêmes en retour, l'audition nous permet de recueillir des informations et d'établir des relations. La perte de l'audition est donc un handicap invisible. Ne pas comprendre le nom de quelqu'un, ne pas saisir ce que quelqu'un demande, ne pas profiter du récit d'une bonne histoire, tout revient à être privés de ce que les autres savent, et parfois à se sentir exclus. (Comme quelqu'un ayant une déficience auditive, je [DM] connais ce sentiment.)

Nous pouvons et c'est vrai pour la plupart d'entre nous, entendre une gamme de sons qui est assez étendue. L'étendue des sons que nous entendons le mieux est celle des sons de la voix humaine. Avec une audition normale, nous sommes remarquablement sensibles aux sons de faible intensité, comme le gémissement d'un enfant. (Si nos oreilles étaient plus sensibles encore, nous percevrions un sifflement permanent provenant des mouvements des molécules de gaz formant l'air.) La survie de nos lointains ancêtres dépendait de cette acuité auditive lors de la chasse ou lors du risque de confrontation avec des prédateurs.

De plus, nous sommes particulièrement sensibles aux variations du volume sonore. Parmi des milliers de voix humaines, nous reconnaissons facilement un ami au téléphone, dès qu'il nous dit « bonjour ». En outre, l'audition est rapide. « Remarquer quelque chose du coin de l'œil, tourner la tête, la reconnaître, et y répondre, vous prendra plus d'une seconde », note Seth Horowitz, chercheur en neurosciences cognitives, spécialiste de l'audition (2012). « La même réaction à un son nouveau ou soudaine sera au moins 10 fois plus rapide. » Une fraction de seconde après que cet événement ait stimulé nos récepteurs situés dans l'oreille, des millions de neurones ont été excités de manière simultanée et coordonnée pour en extraire les caractéristiques essentielles, les comparer avec nos expériences passées et identifier le stimulus (Freeman, 1991). Pour l'audition comme pour nos autres organes des sens, la question fondamentale est : comment le faisons-nous ?

Les sons musicaux Un violon émet des ondes sonores « rapides », dont la fréquence est plutôt élevée, et ayant une longueur d'onde plutôt courte créant une musique dont la tonalité se situe plutôt dans les aigus. Alors qu'un violoncelle ou une contrebasse émettent des ondes sonores « lentes », dont la fréquence est plus petite, donc une longueur d'onde plutôt grande, créant une musique dont la tonalité se situe plutôt dans les graves. Les différences dans la hauteur des ondes, ou amplitude, créent aussi des degrés de volume sonore différents.

Le stimulus d'entrée : les ondes sonores

6-16 Quelles sont les caractéristiques des ondes, venant de la propagation de proche en proche d'une pression exercée sur l'air ? Qu'est-ce que le son qui est perçu ?

Faites glisser un archer sur les cordes d'un violon et vous libérerez l'énergie des ondes sonores. Les molécules de différents gaz composant l'air qui se bousculent, chacune butant dans la suivante, engendrent des ondes d'air comprimé et dilaté, ressemblent aux ondulations en cercles faites sur une mare, à l'endroit où une pierre a été lancée. Au fur et à mesure que nous nageons dans cet océan formé par ces molécules en mouvement, l'oreille détecte les changements brefs de pression de l'air.

Comme les ondes visuelles, les ondes sonores ont une forme variable (**FIGURE 6.36**). *L'amplitude*, des ondes sonores détermine leur *intensité*. Leur longueur d'onde ou leur **fréquence**, détermine la **tonalité** d'un son que nous éprouvons. Les ondes longues ont une fréquence basse et une tonalité grave. Les ondes courtes ont une haute fréquence et une tonalité aiguë Un violon produit des ondes sonores bien plus courtes et rapides qu'un violoncelle ou une guitare basse.

▼ **FIGURE 6.36**
Propriétés physiques des ondes
(a) Les ondes diffèrent par leur *longueur d'onde*, distance entre les deux pics de deux vibrations. Leur *fréquence*, c'est-à-dire le nombre de cycles entiers, effectués en un temps donné, dépend de la longueur d'onde. Plus la longueur d'onde est petite et plus la fréquence est élevée. La longueur d'onde détermine la *tonalité*, grave ou aiguë du son. (b) Les ondes varient aussi en *amplitude*, la hauteur entre deux pics de sens opposés. Le volume sonore dépend de l'amplitude.

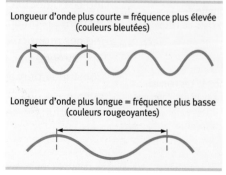

Longueur d'onde plus courte = fréquence plus élevée (couleurs bleutées)

Longueur d'onde plus longue = fréquence plus basse (couleurs rougeoyantes)

(a)

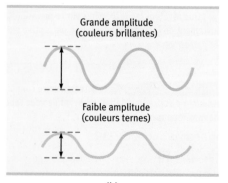

Grande amplitude (couleurs brillantes)

Faible amplitude (couleurs ternes)

(b)

Les *décibels* sont l'unité de mesure de l'énergie sonore. Le seuil absolu pour l'audition est fixé de façon arbitraire à 0 décibel. Chaque tranche de 10 décibels correspond à une augmentation d'une puissance 10 de l'intensité du son. Une conversation normale (60 décibels) est environ 10 000 fois plus forte qu'un chuchotement (20 décibels). Et le son, à peine tolérable, de 100 décibels d'un métro qui passe est 10 milliards de fois plus fort que le son détectable le plus faible.

L'oreille

6-17 **Comment l'oreille transforme-t-elle l'énergie acoustique en messages nerveux ?**

Le processus complexe qui transforme les vibrations de l'air en influx nerveux que notre cerveau décode sous forme de sons commence lorsque lui arrivent les ondes sonores qui entrent dans notre *oreille externe*. Une réaction en chaîne mécanique complexe commence lorsque l'oreille externe visible canalise les ondes sonores à travers *le canal auditif* jusqu'au *tympan*, une membrane tendue qui vibre avec les ondes (**FIGURE 6.37**, page suivante). **L'oreille moyenne** transmet les vibrations du tympan via un piston formé de trois petits os (*le marteau*, *l'enclume* et *l'étrier*) à un tube en forme d'escargot dans **l'oreille interne** : la cochlée. Les vibrations venant de l'extérieur provoquent, par l'intermédiaire de la membrane de la cochlée (la *fenêtre ovale*), la vibration du liquide qui remplit ce tube. Ce mouvement provoque des oscillations dans la *membrane basilaire* qui courbent *les cellules ciliées* tapissant sa surface tout comme le vent fait onduler un champ de blé. Ce mouvement des cellules ciliées déclenche des influx dans les fibres nerveuses adjacentes. Les axones convergent pour former le *nerf auditif* qui envoie les messages neuronaux (via le thalamus) jusqu'au *cortex auditif* du lobe temporal. Résumons : l'air qui vibre entraîne le mouvement du piston, ce qui engendre la propagation des ondes dans un liquide et crée des impulsions électriques aboutissant au cerveau : et voilà ! Nous entendons !

Peut-être que l'étape la plus étonnante du processus d'audition se produit au niveau des cellules ciliées, ces « faisceaux frémissants qui nous permettent d'entendre » grâce à leur « extrême sensibilité et à leur rapidité de mouvement » (Goldberg, 2007). Une cochlée possède 16 000 cellules ciliées, ce qui paraissait énorme jusqu'à ce qu'on les compare aux 130 millions (environ) de cellules photo-réceptrices de l'œil. Considérons maintenant leur capacité de réponse. L'inflexion des minuscules rangées de *stéréocils* (ou cils vibratiles) situés aux extrémités des cellules ciliées, d'un dixième de millionième de millimètre (la taille d'un atome) – ce qui équivaut à déplacer le sommet de la Tour Eiffel d'un centimètre et demi – suffit pour que cette stimulation des cellules ciliées vigilantes déclenchent leur excitation qui donne naissance à un influx nerveux grâce à une protéine particulière située à leur extrémité (Corey et al., 2004).

Partout dans le monde, 360 millions de personnes sont menacées par la perte de l'audition (OMS, 2012). Les lésions des récepteurs des cellules ciliées cochléaires ou de leurs nerfs associées sont responsables d'une **surdité neurosensorielle** (ou surdité nerveuse). La surdité neurosensorielle est parfois provoquée par certaines maladies, qui lèsent ces récepteurs mais le plus souvent elle est le résultat de changements biologiques liés à l'hérédité, au vieillissement et à l'exposition prolongée à un bruit ou une musique de volume sonore extrêmement élevée (assourdissante). La perte auditive neurosensorielle est plus fréquente que la **surdité de conduction** qui est provoquée par des lésions du système mécanique qui conduit les ondes sonores jusqu'à la cochlée.

Les cellules ciliées cochléaires ont été comparées aux longues franges d'un tapis. Libres, ces franges sont rapidement mises en mouvement par la pression d'air négative d'un aspirateur. Mais laisser un meuble lourd posé sur elles pendant une longue période et elles pourront n'être plus jamais mobilisables. En général, si votre voix ne parvient pas à couvrir un bruit, cela signifie qu'il est potentiellement dangereux, surtout s'il est prolongé et répétitif (Roesser, 1998). Cette expérience est fréquente lorsque les sons dépassent 100 décibels comme cela se produit dans les stades au moment des rencontres survoltées, chez les joueurs de cornemuse ou ceux qui écoutent leur baladeur de musique au volume maximal (**FIGURE 6.38** page suivante). Si nous avons des bourdonnements d'oreilles après avoir été exposés à des volumes sonores élevés, cela signifie que nous avons maltraité nos pauvres cellules ciliées. Une étude menée chez des adolescents spectateurs d'un récital de musique rock a montré qu'une durée d'exposition de trois heures à un volume sonore de 99 décibels, en moyenne, entraîne des acouphènes chez 25 % d'entre eux et une moins bonne audition chez 54 % de ces adolescents. De la même manière que la douleur témoigne d'une blessure corporelle, les bourdonnements d'oreilles annoncent une éventuelle lésion auditive. C'est l'équivalent auditif d'un saignement.

Le taux de surdité chez les adolescents atteint actuellement 1 sur 5, il a augmenté d'un tiers depuis le début des années 1990 (Shargorodsky et al., 2010). Les adolescents davantage que les adolescentes et les adultes traumatisent leurs oreilles en écoutant des sons à fort volume pendant de longues périodes (Zogby, 2006). L'exposition plus importante des hommes au bruit peut expliquer pourquoi l'audition des hommes a tendance à être moins fine que celle des femmes. Mais hommes comme femmes, les gens qui passent toute leur journée derrière une tondeuse à moteur ou un marteau-piqueur ou qui travaillent dans un night-club devraient porter des bouchons d'oreille. Les

J. Mark Terrill/AP Photo

Ce que Baylen peut entendre Lorsque le footballeur Drew Brees, a fêté la victoire de la Nouvelle Orléans au Super Bowl en 2010, il a mis un casque sur la tête de son fils Baylen pour protéger ses cellules ciliées vulnérables du bruit de la foule.

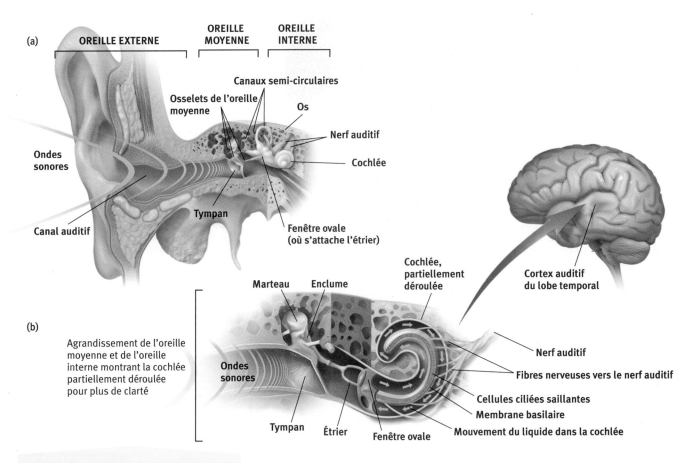

(a)

OREILLE EXTERNE | OREILLE MOYENNE | OREILLE INTERNE

Canaux semi-circulaires

Osselets de l'oreille moyenne

Os

Nerf auditif

Cochlée

Ondes sonores

Tympan

Canal auditif

Fenêtre ovale (où s'attache l'étrier)

(b)

Agrandissement de l'oreille moyenne et de l'oreille interne montrant la cochlée partiellement déroulée pour plus de clarté

Marteau   Enclume

Cochlée, partiellement déroulée

Cortex auditif du lobe temporal

Nerf auditif

Fibres nerveuses vers le nerf auditif

Cellules ciliées saillantes

Membrane basilaire

Mouvement du liquide dans la cochlée

Ondes sonores

Tympan   Étrier   Fenêtre ovale

▼ FIGURE 6.37

Écoutez donc : comment transformons-nous les ondes sonores en influx nerveux que notre cerveau interprète ? (a) L'oreille externe guide les ondes sonores jusqu'au tympan. Les os de l'oreille moyenne (marteau, enclume, étrier) amplifient et relaient les vibrations du tympan à travers la fenêtre ovale jusqu'à la cochlée remplie de liquide. (b) Comme l'indique la coupe détaillée de l'oreille moyenne et de l'oreille interne, les changements de pression qui en résultent dans le liquide cochléaire provoquent un plissement de la membrane basilaire et font onduler les cellules ciliées à sa surface. Les mouvements des cellules ciliées stimulent et excitent des cellules nerveuses, dont les fibres convergent pour former le nerf auditif. Ce nerf propage l'excitation vers le thalamus, en toute rigueur au corps genouillé interne ou médian, et au cortex auditif. Au total, quatre neurones, dont un neurone intracortical, forment la voie cochléaire ou auditive

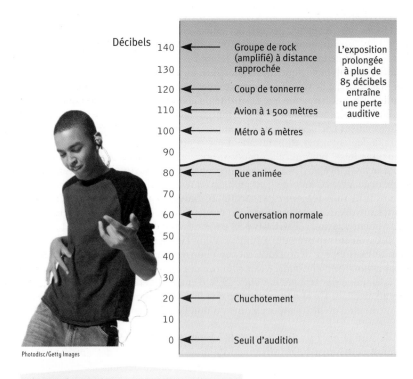

Décibels 140   Groupe de rock (amplifié) à distance rapprochée

130

120   Coup de tonnerre

110   Avion à 1 500 mètres

100   Métro à 6 mètres

90

80   Rue animée

70

60   Conversation normale

50

40

30

20   Chuchotement

10

0   Seuil d'audition

L'exposition prolongée à plus de 85 décibels entraîne une perte auditive

Photodisc/Getty Images

▼ FIGURE 6.38
Intensité de quelques sons courants

éducateurs sexuels déclarent : « Le préservatif ou l'abstinence, ce qui est encore plus sûr » ; les spécialistes de l'audition déclarent : « Portez des protections auditives ou alors fuyez ».

Jusqu'à maintenant, la seule solution dont on dispose pour restaurer l'audition chez les gens atteints d'une surdité de perception est une sorte d'oreille bionique, un **implant cochléaire**. En 2011, environ 219 000 personnes dans le monde en portaient un (NIDCD, 2013). Cet appareil électronique traduit les sons en impulsions électriques qui sont directement appliquées sur les nerfs cochléaires, convoyant ainsi certaines informations sonores jusqu'au cerveau. Les chatons et les enfants ayant une surdité congénitale qui portent des implants cochléaires montrent un « éveil » cortical de la zone cérébrale correspondante (Klinke et al., 1999 ; Sireteanu, 1999). L'implant permet aux enfants d'acquérir des compétences dans la communication orale (en particulier s'il est mis en place avant l'entrée à l'école ou même avant l'âge d'un an) (Dettman et al., 2007 ; Schorr et al., 2005). Les implants cochléaires peuvent aider à restaurer l'audition pour la plupart des adultes, mais seulement si leur cerveau a appris à traiter le son pendant l'enfance.

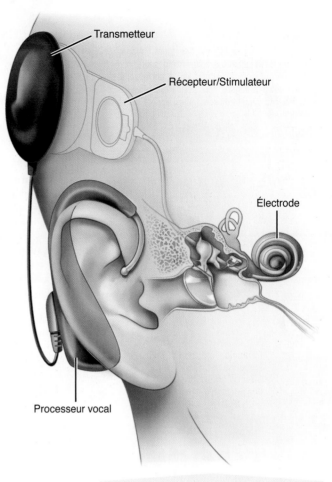

Transmetteur

Récepteur/Stimulateur

Électrode

Processeur vocal

EXERCICE RÉCAPITULATIF

- Quelles sont les étapes fondamentales qui transforment les ondes sonores en sons perçus ?

Réponse : *L'oreille externe* recueille les ondes sonores, qui sont traduites en ondes mécaniques par l'oreille *moyenne* et transformées en mouvements ondulatoires du fluide dans l'oreille *interne*. Le *nerf auditif* traduit alors l'énergie mécanique en ondes électriques et les envoie vers le cerveau, qui perçoit et interprète le son.

L'amplitude, des ondes sonores détermine la perception de _____ l'intensité/la tonalité du son.

Réponse : intensité ou volume sonore

- Plus les ondes sonores ont une grande longueur d'onde, plus leur fréquence est _____ (basse/haute) et plus leur tonalité est _____ (aiguë/grave)

Réponses : basse ; grave

Perception de l'intensité, de la tonalité et de la localisation des sons

6-18 Comment détecter l'intensité sonore, discriminer les tonalités et localiser les sons ?

Intensité des sons, forte et faible Comment se fait la perception de l'intensité sonore ? Si vous pensiez qu'elle est liée à l'intensité de la réponse d'une cellule ciliée, vous avez tort. En réalité, un son pur et de faible amplitude n'activera que les cellules ciliées sensibles à sa fréquence. Si l'intensité du son augmente, alors, les cellules ciliées voisines seront aussi stimulées et excitées. Ainsi, votre cerveau interprète le volume sonore par le *nombre* de cellules ciliées qui auront été excitées.

Même si une cellule ciliée perd sa sensibilité aux sons de faible intensité, il est possible qu'elle réponde encore aux sons de forte intensité. Cela explique un autre fait surprenant : les sons de très forte intensité peuvent être perçus de la même manière chez les personnes présentant ou non une perte auditive. Comme je souffre de perte auditive (DM), j'avais l'habitude de me demander, quand j'étais en présence d'une musique vraiment très forte, ce que j'entendrais si mon audition était normale. Je réalise maintenant que ce doit être à peu près la même chose : la différence ne réside que dans notre perception des sons de faible intensité. C'est la raison pour laquelle nous, les malentendants, ne voulons pas que *tous* les sons (forts et faibles) soient amplifiés. Nous voulons que les sons soient *compressés*, autrement dit que les sons faibles soient davantage amplifiés que les sons forts (ce dispositif est disponible dans les appareils auditifs digitaux modernes).

Audition des sons de tonalités différentes Comment savons-nous qu'un son est le pépiement aigu à haute fréquence d'un oiseau ou le ronflement grave, à basse fréquence, d'un moteur de camion ? La conception moderne de la perception des tonalités combine deux théories.

- La **théorie de l'emplacement** d'Hermann von Helmholtz suppose que nous entendons différentes tonalités car les différentes ondes sonores déclenchent une activité à des endroits différents le long de la membrane basilaire de la cochlée. Le cerveau peut ainsi déterminer la hauteur d'un son en repérant l'endroit spécifique de la membrane qui a généré le signal neuronal. Lorsque le futur

Prothèse auditive Les implants cochléaires fonctionnent en convertissant les sons en signaux électriques qui sont transmis à la cochlée et, par l'intermédiaire du nerf auditif, au cerveau.

Des expériences sont également en cours pour restaurer la vision — avec une rétine bionique (une puce 2 millimètres de diamètre avec photorécepteurs qui simulent les cellules rétiniennes endommagées), ou avec une caméra vidéo reliée à un ordinateur qui simule le cortex visuel. Lors des essais, les deux appareils ont permis à des personnes aveugles de bénéficier d'une vision partielle (Boahen, 2005 ; Steenhuysen, 2002).

Implant cochléaire appareil permettant de transformer les sons en signaux électriques et ainsi stimuler le nerf auditif par le biais d'électrodes implantées dans la cochlée.

Théorie de l'emplacement théorie qui stipule que l'audition des différentes tonalités des ondes sonores déclenche une activité à des endroits différents le long de la membrane basilaire de la cochlée.

Théorie des fréquences dans l'audition, théorie selon laquelle la fréquence des influx nerveux propagés par le nerf auditif correspond à la fréquence sonore, nous permettant ainsi de détecter la tonalité du son. (Aussi appelé *la théorie temporelle*.)

prix Nobel Georg von Békésy (1957) découpa des fenêtres dans la cochlée de cadavres humains ou de cochons d'Inde pour en observer l'intérieur au microscope, il découvrit que la cochlée vibrait en réponse au son, un peu comme un drap de lit que l'on secoue. Les ondes à haute fréquence déclenchaient une activité principalement à proximité du début de la membrane de la cochlée, Les ondes à basse fréquence entraînaient une vibration d'une plus grande partie de la membrane. Mais un problème demeure : La théorie de l'emplacement peut expliquer comment nous entendons les sons aigus, mais non les sons plus graves. Les signaux neuronaux générés par les sons graves ne sont pas aussi nettement localisés sur la membrane basilaire que las sons aigus.

- **La théorie des fréquences** (appelée aussi *théorie temporelle*) propose une autre solution : le cerveau analyse la hauteur tonale en interprétant la fréquence des influx nerveux, des excitations, propagées le long du nerf auditif. L'ensemble de la membrane basilaire vibre avec l'onde sonore qui arrive et cela déclenche vers le cerveau un train d'ondes neuronales qui a la même fréquence que l'onde sonore. Si une onde sonore a une fréquence de 100 ondes par seconde, 100 influx par seconde remontent le long du nerf auditif. Mais là encore il reste un problème : des neurones isolés ne peuvent émettre des influx à un rythme supérieur à 1 000 fois par seconde. Comment pouvons-nous alors percevoir des sons dont la fréquence est supérieure à 1 000 ondes par seconde (à peu près le troisième tiers supérieur d'un clavier de piano et au-delà) ?

- Prenez en compte le *principe de la salve* : comme des soldats qui tirent de façon alternée, de sorte que certains peuvent tirer tandis que les autres rechargent, les neurones peuvent exciter alternativement. En se déclenchant en salves rapides, ils peuvent atteindre une *fréquence combinée* allant bien au-delà de 1 000 cycles par seconde. Ainsi,

1. La théorie de l'emplacement rend mieux compte de la façon dont nous percevons *les sons aigus*.

2. La théorie des fréquences explique mieux la façon dont nous percevons *les sons graves*.

3. Pour les sons dont la tonalité est intermédiaire *la perception participe des deux mécanismes*.

EXERCICE RÉCAPITULATIF

- Quelle théorie de la perception de la tonalité s'appliquerait le mieux à un public appréciant les sons aigus d'un piccolo au sein d'un orchestre symphonique ? Que diriez-vous pour la tonalité grave d'un violoncelle ?

Réponses : théorie de l'emplacement ; théorie des fréquences

▼ FIGURE 6.39

Les ondes sonores atteignent une oreille plus rapidement et plus intensément que l'autre. À partir de cette information, notre cerveau, en état de vigilance, calcule l'emplacement du son. Par conséquent, comme on peut s'y attendre, les gens qui perdent l'audition d'une oreille ont souvent des difficultés à localiser les sons.

Pourquoi ne sommes-nous pas dotés d'une seule grosse oreille, au-dessus du nez par exemple ? « C'est pour mieux t'entendre », dit le loup au Petit Chaperon Rouge. Grâce à nos deux oreilles, nous jouissons d'une audition stéréophonique (« dans les trois dimensions d'un solide ou d'un espace »). Pour deux raisons au moins, deux oreilles valent mieux qu'une (**FIGURE 6.39**). Si une voiture utilise son avertisseur sonore à votre droite, votre oreille droite reçoit un son plus *intense* un peu *plus tôt* que votre oreille gauche.

Étant donné que le son se propage à la vitesse de 330 m/s dans l'air soit environ 1 000 km/h et que nos oreilles ne sont séparées que par une distance de 20 centimètres environ, la différence d'intensité et le temps de latence sont extrêmement faibles. Une différence tout juste perceptible dans la direction d'où proviennent deux sons correspond à une différence de temps de 0,000027 seconde ! Mais heureusement pour nous, notre système auditif est si sensible qu'il peut détecter une différence aussi minime (Brown et Deffenbacher, 1979 ; Middlebrooks et Green, 1991).

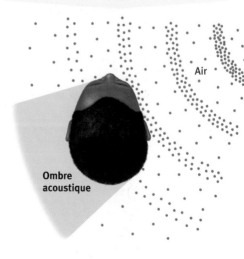

Air

Ombre
acoustique

Les autres sens

L'attribution de tissu cortical à la vision et à l'audition est prioritaire et primordiale. Mais des événements extraordinaires surviennent aussi grâce à nos autres organes des sens. Le requin et le chien se fient à leur remarquable sens de l'odorat, aidés en cela par l'importante surface du cortex qui lui est consacrée. Néanmoins, sans notre sens du toucher, du goût, de l'odorat et notre sens du mouvement et de la position du corps, nous autres humains serions sérieusement handicapés, et nos possibilités de jouir du monde qui nous entoure seraient grandement diminuées.

Le toucher

6-19 Comment percevons-nous le toucher ?

Le toucher et la somesthésie sont vitaux. Dès le début, le toucher est indispensable à notre développement. Les bébés rats, lorsqu'ils ne sont pas toilettés par leur mère, produisent moins d'hormone de croissance et ont une activité métabolique plus faible, un bon moyen de rester en vie jusqu'à ce que leur mère revienne près d'eux, mais une réaction qui retarde la croissance si la mère tarde à venir. Les bébés singes auxquels on permet de voir, d'entendre et de sentir leur mère, mais non de la toucher sont très malheureux ; ceux qui sont séparés de leur mère par un écran percé de trous permettant de la toucher le sont beaucoup moins. Les bébés prématurés prennent plus rapidement du poids et peuvent sortir plus tôt de la maternité s'ils sont stimulés par des massages (Field et al., 2006). En tant qu'adultes nous brûlons du désir de toucher, d'embrasser, de caresser et de se blottir l'un contre l'autre. Des expérimentations ont mis en contact des sujets qui ne se connaissaient pas et qui étaient séparés par un rideau. Ces sujets pouvaient communiquer, par le toucher des avant-bras leur colère, leur crainte, leur dégoût, leur amour, leur gratitude et leur sympathie d'une manière qui est loin d'être due au hasard (Hertenstein et al., 2006).

L'humoriste Dave Barry avait peut-être raison de dire de la peau est ce qui « empêche les gens de voir l'intérieur de votre corps, qui est repoussant, et qui empêche vos organes de tomber par terre ». Mais la peau fait plus que cela. Toucher différents points de la peau avec une douce chevelure, un fil métallique chaud ou froid ou la pointe d'une aiguille montre que certains points sont essentiellement sensibles à la *pression*, d'autres au *chaud*, au *froid* ou encore à la *douleur*. Notre « sens du toucher » est en fait un mélange de ces quatre sensations somesthésiques fondamentales distinctes et nos autres sensations cutanées sont des variations de pression, de chaleur, de froid et de la douleur. Quelques exemples :

- La caresse de centres adjacents sensibles à la pression engendre un chatouillis.

- La caresse répétée d'un point sensible à la douleur va créer une démangeaison.

- Toucher deux points adjacents sensibles au froid et à la pression crée une sensation d'humidité que vous pouvez ressentir en touchant un morceau de métal sec et froid.

- La stimulation de deux points rapprochés sensibles au chaud et au froid produit une sensation de brûlure (**FIGURE 6.40**).

Cependant, la sensation du toucher implique bien plus qu'une stimulation tactile. Le fait de nous chatouiller nous-même produit une réponse du cortex somatosensoriel plus faible que si l'on est chatouillé par quelque chose ou quelqu'un d'autre (Blakemore et al., 1998). De même, une caresse sensuelle de la jambe évoque une réponse différente du cortex somesthésique quand un homme hétérosexuel estime qu'elle est prodiguée par une jolie femme plutôt que par un homme (Gazzola et al., 2012). Nos réponses à ces stimuli révèlent comment la perception somesthésique est rapidement influencée par la cognition.

La douleur

6-20 Quelles sont les influences biologiques, psychologiques et socioculturelles qui affectent notre perception de la douleur ? Dans quelle mesure les substances placebo, l'hypnose, la distraction sont-elles des adjuvants du contrôle de la douleur ?

Il faut être reconnaissant aux douleurs occasionnelles. La douleur est la façon dont votre corps vous indique qu'il se passe quelque chose d'anormal. Elle attire votre attention sur une brûlure, une fracture ou une entorse, et vous signale qu'il faut immédiatement modifier votre comportement : « Tu viens de te tordre la cheville, alors reste immobile ! » Les rares personnes nées sans la capacité à ressentir la douleur peuvent subir de graves lésions ou même mourir avant d'atteindre l'âge adulte. En ne ressentant pas l'inconfort de certaines positions, qui nous les fait modifier, ces sujets vont soumettre leurs articulations à des contraintes excessives. Sans l'alarme de la sensation de la douleur les infections et les blessures non apparentes vont s'aggraver (Neese, 1991).

Beaucoup plus nombreux sont ceux qui vivent avec des douleurs chroniques, un peu comme une alarme qui ne veut pas s'éteindre. La souffrance de ces sujets atteints de maux de dos persistants ou récurrents, d'arthrose, de migraines ou de douleurs associées aux cancers fait poser deux questions : qu'est-ce que la douleur ? Comment peut-on la contrôler ?

Comprendre la douleur Notre expérience de la douleur varie grandement. Les femmes sont plus sensibles à la douleur que les hommes ne le sont (leurs sens de l'ouïe et de l'odorat ont aussi tendance à être aigus) (Ruau et al., 2011 ; Wickelgren, 2009). La sensibilité individuelle à la douleur

Le précieux sens du toucher Comme l'écrivit William James dans ses *Principles of Psychology* (1890), « le toucher est l'alpha et l'oméga de l'affection ».

▼ FIGURE 6.40

Chaud + froid = brûlant Lorsqu'une eau glacée passe dans l'un des tuyaux et que de l'eau agréablement chaude circule dans l'autre, nous percevons la sensation combinée comme une chaleur brûlante.

Eau froide — Eau chaude

BRÛLANT !

▼ FIGURE 6.41
Le circuit douloureux Les récepteurs sensoriels *(nocicepteurs)* répondent aux stimuli potentiellement blessants en envoyant un influx à la moelle épinière qui transmet le message au cerveau, celui-ci interprétant le signal comme de la douleur.

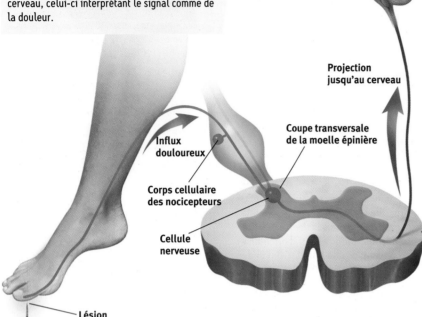

Projection jusqu'au cerveau

Influx douloureux

Coupe transversale de la moelle épinière

Corps cellulaire des nocicepteurs

Cellule nerveuse

Lésion tissulaire

Nocicepteurs récepteurs sensoriels qui permettent la perception de la douleur en réponse à des stimuli potentiellement nuisibles.

Théorie du contrôle du « portillon » *(gate control)* théorie qui suggère que la moelle épinière contient une « porte » neurologique qui interdit ou permet aux signaux douloureux de remonter jusqu'au cerveau. La « porte » est ouverte par l'activité des signaux douloureux remontant par les fibres nerveuses de petit diamètre et fermée par l'activité des fibres de grand diamètre ou par des informations en provenance du cerveau.

« La douleur est un cadeau. » Ainsi parle une étudiante en médecine, Ashlyn Blocker, qui a une mutation génétique rare qui l'empêche de ressentir de la douleur. À la naissance, elle ne pleurait pas. Étant enfant, elle avait pu courir pendant deux jours malgré une fracture de la cheville. Elle a mis ses mains sur un appareil qui était chaud et a été brûlée. Et elle a trempé ses mains dans l'eau bouillante pour récupérer une cuillère. « Tout le monde dans ma classe me questionne à ce sujet, et je dis : "Je peux sentir la pression, mais je ne peux pas ressentir la douleur." *Douleur !* Je ne peux pas te ressentir ! »

Jeff Riedel/Contour/Getty Images

varie également en fonction de nos gènes, de notre physiologie, de nos expériences et de notre attention, mais aussi de la culture à laquelle nous appartenons (Gatchel et al., 2007 ; Reimann et al., 2010). De ce fait, de la douleur associe des sensations cheminant par une *voie ascendante* et une expérience cognitive procédant de façon *descendante*.

INFLUENCES BIOLOGIQUES Il n'existe pas un type spécifique de stimulus déclenchant la douleur (comme la lumière déclenche la vision). En revanche, il existe différents **nocicepteurs**, récepteurs thermo-algésiques, des récepteurs sensitifs qui détectent les variations de température, de pression ou les stimuli chimiques nocifs (**FIGURE 6.41**).

Bien qu'aucune théorie de la douleur n'explique toutes les découvertes existantes, **la théorie du contrôle du « portillon »** *(gate control)* du psychologue Ronald Melzack et du biologiste Patrick Wall (1965, 1983 ; Melzack & Katz, 2013) fournit un modèle utile. La moelle épinière contient des fibres nerveuses de petite taille qui véhiculent la plupart des signaux douloureux et des fibres plus grosses qui conduisent la plupart des autres signaux sensitifs. Melzack et Wall ont émis l'hypothèse que la moelle épinière contient une sorte de « porte » neurologique. Lorsqu'un tissu est lésé, les fibres de petite taille activent et ouvrent la porte, et vous ressentez la douleur. L'activité des grandes fibres referme le portillon, bloquant les signaux de la douleur et les empêchant d'atteindre le cerveau. Ainsi, une façon de traiter une douleur chronique est de stimuler (électriquement, par massage ou même par acupuncture) l'activité de « fermeture du portillon » dans les grandes fibres neuronales (Wall, 2000).

La douleur n'est pas seulement un phénomène physique impliquant des nerfs lésés qui envoient des impulsions sur une région bien définie du cerveau, comme si l'on tirait une sonnette. Melzack et Wall ont noté que les messages du cerveau à la moelle épinière peuvent également fermer la porte.

Le cerveau peut également créer la douleur, comme il le fait dans les expériences de *sensation du membre fantôme*, persistant après que ce membre ait été amputé. Leur cerveau peut aussi mal interpréter l'activité spontanée qui se produit en l'absence de stimulus afférent. Comme celui qui rêve peut voir avec les yeux fermés, 7 sujets 10 vont ainsi ressentir une douleur ou des mouvements dans leur membre absent (Melzack, 1992, 2005). (Une de ces personnes peut très bien essayer de se relever d'un lit à l'aide d'une jambe absente ou de soulever une tasse avec une main absente.) Même les personnes qui sont nées avec un membre en moins ressentent parfois des sensations provenant de ce membre absent. Melzack (1998) soutient que le cerveau est préparé pour « s'attendre à recevoir des informations provenant d'un corps qui possède des membres ».

Des stimuli fantômes peuvent aussi mettre en jeu nos autres organes sensoriels, à l'instar du cortex qui amplifie une activité électrique en l'absence de stimulus pertinent. Les personnes souffrant d'une perte auditive entendent souvent le « son du silence » – des sons fantômes, une sensation de sifflement que l'on appelle *acouphène*. Les personnes qui perdent la vue à la suite d'un glaucome, d'une cataracte, du diabète ou d'une dégénérescence maculaire ont parfois des visions fantômes – des hallucinations non menaçantes (Ramachandran et Blakeslee, 1998). D'autres sujets, qui eux souffrent de lésions nerveuses du goût et de l'odorat connaissent des perceptions fantômes comme l'eau glacée paraissant sucrée et écœurante ou l'air frais ayant une odeur nauséabonde (Goode, 1999). Point à retenir sur les sensations : *nous ressentons, nous voyons, nous entendons, nous sentons et nous goûtons avec notre cerveau ; celui-ci peut les ressentir même en l'absence d'organes des sens fonctionnels.*

INFLUENCES PSYCHOLOGIQUES L'importance de l'attention que nous portons à la sensation douloureuse, conditionne sa perception. Des athlètes, concentrés sur la victoire, peuvent continuer à concourir malgré la douleur. Lors de l'épreuve olympique du 400 mètres relais en 2012, une fracture de la jambe a frappé Manteo Mitchell à mi-parcours ; malgré cet accident, cet athlète a poursuivi sa course.

Il semble également que nous modifiions nos *souvenirs* de douleur, qui sont souvent différents de la douleur que nous avons réellement subie. Au cours d'expériences ou après des examens médicaux, les gens ont tendance à négliger la durée de la douleur. Leur mémoire enregistre par contre deux facteurs : tout d'abord, les gens ont tendance à se souvenir du moment de son *niveau maximal*, ce qui peut les conduire à se souvenir d'une douleur d'intensité variable ayant des pics d'intensité maximale, comme étant pire que la douleur réellement ressentie (Stone et al., 2005). C'est cette douleur à son *acmé, qu'ils percevront*. Au cours d'une expérience, des chercheurs ont demandé à des gens de plonger une main pendant 60 secondes dans une eau douloureusement froide, puis de plonger l'autre main pendant 60 secondes dans la même eau suivie par une période supplémentaire de 30 secondes dans une eau légèrement moins froide (Kahneman et al., 1993). De quelle expérience vous attendriez-vous à vous souvenir comme étant la plus douloureuse ?

Curieusement, lorsqu'on leur demanda quelle expérience ils préféraient répéter, la plupart des sujets préférèrent l'expérience la plus longue, avec une douleur totale plus importante, mais moins pénible vers la fin. Des médecins ont appliqué cette méthode chez des patients qui subissaient un examen du côlon, prolongeant la sensation pénible d'une minute, mais en diminuant son intensité (Kahneman, 1999). Bien que cette sensation modérée ait été ajoutée à l'expérience d'une douleur franche, les patients qui ont subi cette méthode ont eu plus tendance, par la suite, à qualifier l'examen de moins douloureux que les personnes qui avaient subi un arrêt net de la douleur. (Si à la fin d'une dévitalisation dentaire douloureuse, le dentiste vous demande si vous préférez rentrer chez vous ou rester encore quelques minutes avec une douleur modérée, il a un certain nombre d'arguments pour prolonger votre douleur.)

La fin d'une expérience peut aussi colorer notre mémoire des plaisirs ressentis. Dans une expérience simple, certaines personnes, en recevant un cinquième et dernier morceau de chocolat, ont dit qu'il était banalement donné à la suite des quatre autres. D'autres, ont dit qu'il était l'ultime morceau, préféré aux autres et considéré comme participant de l'instant le plus agréable de cette expérience (O'Brien & Ellsworth, 2012). En toute chose il faut considérer la fin (J. de La Fontaine).

INFLUENCES SOCIOCULTURELLES Notre perception de la douleur varie notre situation sociale et nos traditions culturelles. Nous avons tendance à percevoir une douleur plus importante lorsque d'autres personnes semblent également souffrir (Symbaluk et al., 1997). Cela peut expliquer un autre aspect social apparent de la douleur. Par exemple, au cours des années 1980, dans certaines régions d'Australie, les opérateurs de saisie étaient sujets à des crises de douleurs aiguës causées par leurs travaux dactylographiques ou par d'autres tâches répétitives. Ils ne présentaient pourtant pas d'anomalies physiques visibles (Gawande, 1998). Parfois, la douleur d'une entorse est surtout localisée dans notre cerveau. Et lorsque des sujets ressentent de la compassion pour la douleur d'une autre personne, leur activité cérébrale peut en partie refléter celle de la personne qui souffre (Singer et al., 2004).

Ainsi, notre perception de la douleur est un phénomène biopsychosocial (Hadjistavropoulos et al., 2011). Le fait de considérer la douleur de cette manière peut nous aider à mieux la comprendre, à y faire face et à la traiter (**FIGURE 6.42**).

Le contrôle de la douleur

Si la douleur se trouve aux confins du soma et de la psyché, si elle est bien un phénomène physique et psychologique, elle peut alors être traitée sur ces deux plans à la fois. Selon les symptômes, les cliniciens utilisent, pour diminuer la douleur, une ou plusieurs armes thérapeutiques dans un arsenal comprenant les médicaments, la chirurgie, l'acupuncture, les stimulations électriques, les massages, l'exercice, l'hypnose, la relaxation et la distraction.

Cela explique quelques influences marquantes sur la douleur. Lorsque nous sommes distraits de la douleur (influence psychologique) et apaisés par la libération *d'endorphines*, substances naturelles qui abolissent la douleur (influence biologique), notre sensation algésique est atténuée. Les blessures dues au sport peuvent rester inaperçues jusqu'au moment

Distrait de la douleur Après un plaquage dans la première mi-temps, le footballeur de l'équipe du BK Hacken, Mohammed Ali Khan (en blanc), a dit qu'il « avait un peu mal », mais pensait que c'était « juste une contusion ». Concentré sur le jeu, il a continué à jouer. Dans la seconde mi-temps, il a été surpris d'apprendre par le médecin qu'il avait une fracture de la jambe.

Reinhold Matay/AP Photo

Influences biologiques :
- Activité des petites et grandes fibres dans la moelle épinière
- Différences génétiques dans la production d'endorphines
- Interprétation cérébrale de l'activité du SNC

Barros & Barros/Getty Images

Influences psychologiques :
- Attention à la douleur
- Apprentissage fondé sur l'expérience
- Attentes

Halfpoint/Shutterstock

Influences socioculturelles :
- Présence des autres
- Compassion pour la douleur des autres
- Attentes culturelles

Robert Nickelsberg/Hulton Archive. Getty Images

Expérience personnelle de la douleur

▼ FIGURE 6.42
Approche biopsychosociale de la douleur Nos expériences de la douleur sont bien plus que des messages nerveux envoyés à notre cerveau.

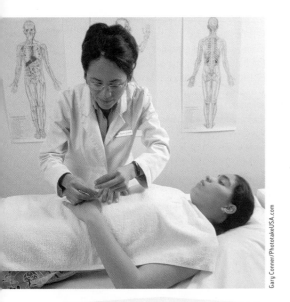

Acupuncture : une implantation d'aiguille salvatrice Cet acupuncteur essaye de soulager une femme qui souffre de mal de dos à l'aide d'aiguilles implantées en des points précis de sa main.

« Lorsque l'estomac est rempli et que le mal de ventre commence, tous les moyens de guérison sont inutiles. »

Saadi, *Le parterre de roses*, 1258

« La douleur est augmentée par l'attention qu'on lui porte. »

Charles Darwin, *Expression des émotions chez l'homme et les animaux*, 1872

de la rentrée aux vestiaires. Les individus porteurs d'un gène qui augmente la disponibilité des endorphines sont moins gênés par la douleur et leur cerveau répond moins à celle-ci (Zubieta et al., 2003). D'autres, porteurs d'une mutation génique qui interrompt la neurotransmission des circuits douloureux, peuvent être incapables de ressentir la douleur (Cox et al., 2006). Ces découvertes pourraient permettre d'entrevoir de nouveaux traitements antalgiques pouvant mimer ces effets génétiques.

EFFET PLACEBO Même un placebo, substance dite inerte par définition, peut aider à atténuer l'attention et la réponse suscitées par des expériences douloureuses et mimer ainsi l'effet des analgésiques (Eippert et al., 2009 ; Wager & Atlas, 2013). Après avoir reçu une injection d'eau salée piquante dans la mâchoire, les sujets d'une expérience ont reçu un placebo qui, leur a-t-on dit, devait soulager leur douleur. Ils se sont immédiatement sentis mieux. Le fait d'administrer des antalgiques placebos entraîne la libération de vrais neuromédiateurs opioïergiques comme le montre l'activité d'une zone cérébrale libérant ces médiateurs (Scott et al., 2007 ; Zubieta et al., 2005). Un commentateur remarquait (Thernstrom, 2006) : « La croyance devient réalité, lorsque l'esprit s'unit avec le corps. »

Une autre expérience a opposé deux placebos (des comprimés factices et une prétendue acupuncture) (Kaptchuk et al., 2006). Des sujets ressentant une douleur persistante au bras ont reçu soit un traitement simulé par acupuncture (avec de fausses aiguilles qui se rétractaient avant de piquer la peau), soit des comprimés bleus, ne contenant que de l'amidon, qui ressemblaient aux comprimés souvent prescrits pour traiter une entorse. Un quart des sujets traités par les fausses aiguilles et 31 % des sujets recevant les faux comprimés se sont plaints d'effets secondaires, par exemple de douleurs cutanées, d'une sécheresse de la bouche et de fatigue. Au bout de deux mois, les patients des deux groupes relataient une baisse de la douleur, le groupe traité par l'acupuncture simulée relatant la baisse la plus importante.

EFFET DE LA DISTRACTION DE L'ATTENTION Distraire les gens avec des images agréables (« *Pensez à un environnement chaud et agréable* ») ou détourner leur attention de la stimulation douloureuse (« *Comptez à l'envers de 3 en 3* ») est une façon très efficace d'activer les circuits inhibant la douleur et d'augmenter la tolérance à la douleur (Edwards et al., 2009). Une infirmière entraînée va distraire les patients qui craignent les injections en bavardant et en leur demandant de regarder ailleurs au moment de piquer. Pour les victimes de brûlures qui reçoivent des soins extrêmement douloureux, l'immersion dans un monde virtuel en 3D généré par ordinateur apporte une distraction encore plus efficace, comme la scène sous la neige montrée sur la **FIGURE 6.43**. Les images d'IRM fonctionnelle ont montré que le fait de jouer dans une réalité virtuelle réduit l'activité cérébrale liée à la douleur (Hoffman, 2004). Puisque la douleur est une interprétation faite par le cerveau, le distraire peut apporter un soulagement. Mieux encore, la recherche suggère d'amplifier l'effet analgésique en associant un placebo à la distraction de l'attention (Buhle et al., 2012), et d'exercer une synergie potentialisatrice avec l'hypnose. L'hypnose peut aussi détourner l'attention (voir Réflexion critique sur : l'hypnose et soulagement de la douleur).

▼ FIGURE 6.43
Contrôle de la douleur et réalité virtuelle Pour les victimes de brûlures subissant des greffes de peau qui sont douloureuses, une évasion dans la réalité virtuelle peut puissamment détourner l'attention, réduisant ainsi la douleur et la réponse du cerveau à une stimulation douloureuse. Les études d'IRM fonctionnelle ont montré une réduction de la réponse au stimulus nociceptif lorsque le patient est distrait.

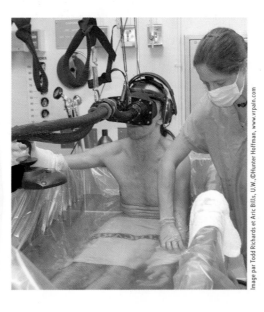

Hypnose et soulagement de la douleur

Imaginez que vous êtes sur le point d'être hypnotisé. L'hypnotiseur vous invite à vous asseoir, à fixer votre regard sur un point situé sur le mur et à vous relaxer. D'une voix douce et paisible, l'hypnotiseur suggère : ... « vos yeux vous piquent... vos paupières deviennent lourdes... de plus en plus lourdes... elles commencent à se fermer... vous êtes de plus en plus détendu... Votre respiration est maintenant profonde et régulière... vous êtes de plus en plus détendu... Votre corps tout entier commence à être lourd comme du plomb ».

Après quelques minutes de cette *induction hypnotique*, vous pouvez être sous **hypnose**. Les praticiens de l'hypnose n'exercent pas un contrôle de l'esprit du patient par un quelconque pouvoir magique ; ils amènent les patients à concentrer leur attention sur certaines images ou certains comportements. Dans une certaine mesure, presque tout le monde est sensible à la suggestion. Mais les patients qui sont facilement hypnotisables, tels que les 20 % des sujets qui peuvent obéir à la suggestion de ne pas sentir ou de ne pas réagir quand une bouteille d'ammoniac est présentée sous leur nez, sont souvent particulièrement sensibles à la suggestion et sont souvent dotés d'une imagination fertile (Barnier et McConkey, 2004 ; Silva et Kirsch, 1992).

La douleur peut-elle être soulagée par l'hypnose ? *Encore une fois, oui.* Lorsque des personnes non hypnotisées plongèrent leurs bras dans un bain d'eau glacée, elles ressentirent une douleur intense en moins de 25 secondes (Elkins et al., 2012 ; Jensen, 2008). Lorsque des sujets hypnotisés firent la même chose après qu'on leur a suggéré qu'ils ne sentiront aucune douleur, ils dirent en effet ne ressentir qu'une faible douleur. Comme le savent certains dentistes, même une hypnose légère peut réduire la crainte et donc l'hypersensibilité à la douleur.

L'hypnose inhibe l'activité cérébrale liée à la douleur. Des expériences faites lors d'interventions chirurgicales ont montré que les patients hypnotisés nécessitaient des doses moins élevées de médicaments, récupéraient plus vite et quittaient l'hôpital plus tôt que les témoins non hypnotisés (Askay et Patterson, 2007 ; Hammond, 2008 ; Spiegel, 2007). Quelque 10 % d'entre nous peuvent être si profondément hypnotisés que même une opération chirurgicale majeure peut être effectuée sans anesthésie. Sous hypnose, près de la moitié de la population peut profiter d'une atténuation au moins partielle de la douleur. L'emploi de l'hypnose en chirurgie s'est fortement développé en Europe et une équipe médicale belge a effectué plus de 5 000 interventions chirurgicales en associant l'hypnose à une anesthésie locale et une légère sédation (Song, 2006).

Les psychologues proposent deux explications du mécanisme d'action de l'hypnose. Une théorie propose que l'hypnose est une forme de l'*influence sociale* exercée normalement (Lynn et al., 1990 ; Spanos & Coe, 1992). Dans cette perspective, l'hypnose résulte de processus sociaux et mentaux déjà présents dans l'activité humaine. Comme des acteurs absorbés par leur rôle, les sujets commencent à se sentir et à se comporter de façon congruente à leur rôle de « bon sujet hypnotisable ». Ils peuvent permettre au praticien de diriger leur attention et fantasmes loin de la sensation douloureuse.

Une autre théorie considère l'hypnose comme un état particulier du processus de traitement de l'information, **la dissociation** — une scission entre les différents niveaux de conscience. La théorie de la dissociation propose une explication du ressenti du soulagement de la douleur chez les patients traités par l'hypnose pour le soulagement

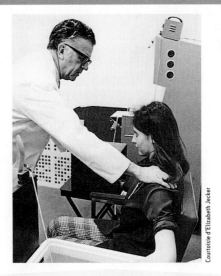

Courtoisie d'Elizabeth Jecker

Dissociation ou influence sociale ? Cette femme hypnotisée, lors d'une évaluation faite par le célèbre chercheur Ernest Hilgard, n'a exprimé aucune douleur lorsque son bras a été immergé dans un bain de glace. Mais lorsqu'on lui demandait d'appuyer sur un bouton si une partie quelconque de son corps ressentait la douleur, elle le faisait. Selon Hilgard, cela était la preuve de la dissociation ou de la conscience divisée. La proposition de la théorie de l'influence sociale soutient cependant que les personnes qui répondent ainsi sont absorbées par leur rôle de « bon sujet ».

de la douleur. L'activité corticale des zones qui reçoivent des informations de la sensibilité thermo-algésique est active tandis que les aires associatives connexes sont inactives. Cette théorie cherche également à expliquer pourquoi, alors qu'ils ne sont plus sous le regard du praticien certains patients exécutent encore des ordres donnés pendant la séance, les **suggestions post-hypnotiques** (Perugini et al., 1998).

L'atténuation de la douleur sous hypnose peut aussi être due à une autre forme du double traitement de l'information, *l'attention sélective*. L'imagerie cérébrale montre que l'hypnose augmente l'activité du lobe frontal, lieu du développement de l'attention (Oakley & Halligan, 2013). Elle réduit l'activité cérébrale dans une région qui traite les stimuli douloureux, mais pas au niveau du cortex sensoriel qui reçoit les messages douloureux bruts (Rainville et al., 1997). L'hypnose ne bloque donc pas les entrées sensorielles, bien qu'elle puisse bloquer notre attention envers ces stimuli. Cela permet d'expliquer pourquoi un athlète blessé, concentré sur la compétition, ne ressent aucune douleur, ou très peu, jusqu'à la fin de l'épreuve.

> **Hypnose** une interaction sociale au cours de laquelle une personne (le praticien) suggère à une autre (le patient) que certaines perceptions, sentiments, pensées ou comportements se produiront spontanément.
>
> **Dissociation hypnotique** état dans lequel des pensées et des comportements évoluent en dehors de la perception consciente.
>
> **Suggestion post-hypnotique** ordre donné, au cours d'une séance d'hypnose, exécuté alors que le sujet n'est plus hypnotisé ; utilisé par certains cliniciens pour aider à contrôler les symptômes et les comportements indésirables.

EXERCICE RÉCAPITULATIF

• Laquelle des options suivantes n'a pas été prouvée comme réduisant la douleur ?

a. Distraction de l'attention ; b. Hypnose ; c. Sensations de membre fantôme ; d. Endorphines

Réponse : c.

Lauren Burke/Digital Vision/Getty Images

▼ TABLEAU 6.2
Les fonctions de survie
des goûts de base

Goût	Indicateur
Sucré	Source d'énergie
Salé	Ion sodium essentiel à tous les processus physiologiques
Acide	Toxicité possible
Amer	Poisons potentiels
Umami	Protéines, croissance tissulaire

(Adapté de Cowart, 2005.)

« La vie ne se mesure pas par le nombre de
respirations, mais par les moments qui nous
coupent le souffle. »

Auteur inconnu

Impressionnez vos amis avec votre nouveau
mot du jour : Les sujets incapables de voir
sont dits frappés de cécité. Les personnes
incapables d'entendre souffrent de surdité.
Les personnes privées d'odorat souffrent
d'*anosmie*. 1 personne sur 7 500 naît avec
une anosmie. Elles ont non seulement du
mal à cuisiner et manger, mais aussi sont
un peu plus vulnérables aux états dépressifs
de l'humeur, aux accidents, et à l'insécurité
dans leurs relations (Croy et al., 2012, 2013).

Le goût

6-21 En quoi le goût et l'odorat sont-ils similaires et en quoi sont-ils différents ?

Comme le toucher, notre sens du goût met en jeu plusieurs sensations de base. Jusque récemment, on pensait que les sensations du goût étaient le sucré, l'acide, le salé et l'amer (McBurney et Gent, 1979), la plupart des autres goûts résultant d'un mélange de ces quatre sensations. Puis, alors qu'ils recherchaient des fibres nerveuses spécialisées pour chacune des quatre sensations de base du goût, les chercheurs ont découvert un récepteur spécialisé dans un cinquième goût, celui de *l'umami*, pour la saveur de la viande (mot japonais qui signifie délicieux, semblable au goût prononcé du glutamate monosodique).

Le goût n'est pas uniquement là pour notre plaisir (voir **TABLEAU 6.2**). Les goûts agréables ont attiré nos ancêtres vers les aliments riches en énergie et en protéines qui leur ont permis de survivre. Les goûts désagréables les ont détournés des nouveaux aliments qui pouvaient être toxiques. Nous voyons la transmission héréditaire de cette sagesse biologique chez nos enfants de 2 à 6 ans qui sont typiquement des mangeurs difficiles, en particulier lorsqu'on leur présente de nouvelles viandes ou des légumes au goût amer comme les épinards et les choux de Bruxelles (Cooke et al., 2003). Pour nos ancêtres et, en particulier pour leurs enfants, les toxines des viandes et des végétaux étaient des sources potentielles de danger et d'empoisonnement. Cependant, si on leur donne de petites quantités de manière répétée les enfants vont commencer à accepter ces aliments au goût déplaisant (Wardle et al., 2003). Nous arrivons à aimer ce que nous mangeons. Comparés aux bébés nourris au lait maternel, les bébés nourris au biberon de lait aromatisé à la vanille seront devenus adultes avec une nette préférence pour cet arôme (Haller et al., 1999 ; étude menée en Allemagne).

Le goût est un sens chimique. À l'intérieur des petites protubérances situées sur le dessus et les côtés de la langue existent plus de 200 papilles gustatives. Chacune contient un pore qui recueille les composants chimiques de la nourriture. Dans chaque pore des papilles gustatives, 50 à 100 cellules réceptrices du goût projettent des filaments semblables à des antennes qui ressentent les molécules de la nourriture. Certains de ces récepteurs sont surtout sensibles au goût sucré, d'autres à l'acide, à l'amer, au salé ou à l'umami. Il faut peu de chose pour déclencher une réponse qui alerte le lobe temporal. Lorsqu'un jet d'eau est dirigé sur la langue, l'addition d'une substance concentrée au goût sucré ou salé est repérée en seulement un dixième de seconde (Kelling et Halpern, 1983). Lorsque l'un de vos amis vous demande votre verre « juste pour goûter », vous pouvez lui enlever la paille après une fraction de seconde.

Les récepteurs du goût se renouvellent toutes les 1 à 2 semaines, si bien que ce n'est pas très grave si vous vous brûlez la langue avec de la nourriture très chaude. Cependant, lorsque vous vieillissez, le nombre de papilles gustatives diminue, tout comme la sensibilité au goût (Cowart, 1981). (Il n'y a rien d'étonnant à ce que les adultes apprécient des nourritures au goût prononcé que les enfants refusent.) Le tabac et l'alcool accélèrent ce déclin. Ceux qui ont perdu leur sens du goût disent que la nourriture ressemble à de la « paille », difficile à avaler (Cowart, 2005).

Bien que les papilles gustatives soient essentielles pour le goût, il faut davantage qu'un simple contact avec la langue pour susciter un goût. Vos attentes peuvent influencer le goût. Au cours d'une expérience des chercheurs ont donné aux participants des saucisses « végétariennes ». Les participants les ont alors trouvées véritablement bien moins bonnes que les mêmes saucisses cette fois-ci présentées comme « à base de viande » (Allen et al., 2008). De même, au cours d'une autre expérience, on a prévenu les participants qu'une bouteille de vin coûtait 65 euros (alors qu'en réalité elle n'en coûtait que 7), ce vin peu cher a eu bien meilleur goût et a entraîné plus d'activité dans la zone du cerveau qui répond aux expériences plaisantes (Plassmann et al., 2008).

L'odorat

La vie commence par une inspiration et se termine par une expiration. Entre la naissance et la mort, vous inspirez ou expirez chaque jour à peu près 20 000 bouffées d'air nécessaires pour vous maintenir en vie, vous baignez vos narines dans un flot de molécules chargées de senteurs. Les expériences sensorielles olfactives (*olfaction*) qui en découlent sont étonnamment intimes : vous inhalez quelque chose de la personne ou de la chose que vous sentez.

Comme le goût, l'odorat est un sens chimique. Nous sentons quelque chose lorsque des molécules d'une substance, transportées par l'air, atteignent un petit groupe d'environ 20 millions de cellules réceptrices situées au sommet de chaque cavité nasale (**FIGURE 6.44**). Ces récepteurs olfactifs, ondulant comme des anémones de mer sur un récif, répondent sélectivement à l'arôme d'un gâteau en train de cuire, à une bouffée de fumée de cigarette, au parfum d'un ami. Ils alertent immédiatement le cerveau par le biais de leurs fibres axonales. Appartenant à un système neuronal archaïque, les neurones olfactifs contournent le thalamus, organe de relais somesthésique et sensoriel où confluent toutes les voies à destination du cortex.

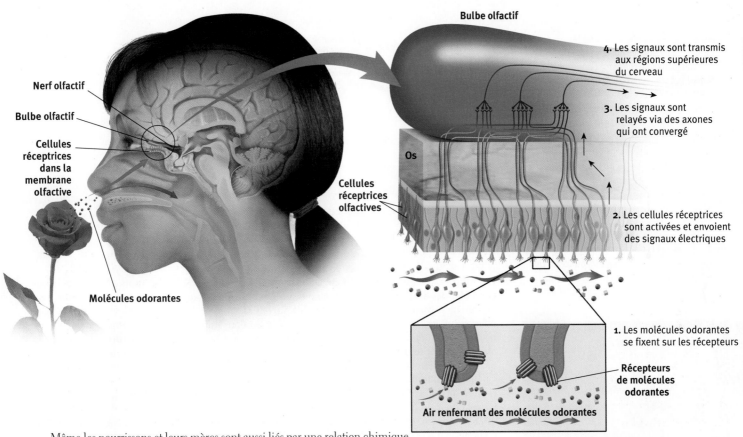

Bulbe olfactif

4. Les signaux sont transmis aux régions supérieures du cerveau

3. Les signaux sont relayés via des axones qui ont convergé

Os

2. Les cellules réceptrices sont activées et envoient des signaux électriques

Nerf olfactif

Bulbe olfactif

Cellules réceptrices dans la membrane olfactive

Cellules réceptrices olfactives

Molécules odorantes

1. Les molécules odorantes se fixent sur les récepteurs

Récepteurs de molécules odorantes

Air renfermant des molécules odorantes

Même les nourrissons et leurs mères sont aussi liés par une relation chimique, au sens littéral du terme. Ils apprennent vite à reconnaître leur odeur respective (McCarthy, 1986). Aidée par son odorat, une mère phoque retournant vers une plage bondée de petits retrouvera le sien. Cependant, l'acuité de notre odorat est moins impressionnante que celle de notre vision ou de notre ouïe. Regardant au dehors dans le jardin, nous voyons sa forme et ses couleurs dans ses moindres détails et nous entendons les oiseaux qui gazouillent, mais nous ne sentons pratiquement rien sauf si nous plongeons notre nez dans les fleurs.

Les molécules odorantes ont des tailles et des formes si variées qu'il faut un grand nombre de récepteurs différents pour les détecter. Une importante famille de gènes comprend des membres qui codent pour environ 350 protéines réceptrices qui reconnaissent des molécules odorantes particulières (Miller, 2004). Richard Axel et Linda Buck (1991), qui reçurent pour leurs travaux le prix Nobel en 2004, ont découvert que ces protéines réceptrices sont encastrées à la surface des neurones de la cavité nasale. Comme une clé s'insère dans une serrure, les molécules odorantes s'insèrent dans ces récepteurs. Cependant, il ne semble pas que nous ayons un récepteur distinct pour chaque odeur. Les odeurs stimulent une combinaison de récepteurs, dont le modèle est interprété par le cortex olfactif. De la même manière que les 26 lettres de l'alphabet s'associent pour former de nombreux mots, les molécules olfactives se fixent sur différents ensembles de récepteurs pour produire un milliard d'odeurs que nous pouvons détecter (Bushdid et al., 2014). C'est l'association des récepteurs olfactifs qui activent différents ensembles de neurones qui nous permet de différencier l'arôme d'un café qui vient d'être fait de celui d'un café passé depuis plusieurs heures (Zou et al., 2005).

La capacité à identifier les parfums et les odeurs varie en fonction du sexe et de l'âge. Les femmes et les adultes jeunes ont le meilleur sens de l'odorat (Wickelgren, 2009 ; Wysocki et Gilbert, 1989). La condition physique est également importante. Les fumeurs, les consommateurs pathologiques d'alcool ou les personnes atteintes de la maladie d'Alzheimer ou de Parkinson ont typiquement un sens de l'odorat diminué (Doty, 2001). Pour nous tous, cependant, le sens de l'odorat est maximal à l'âge de jeune adulte puis diminue progressivement (**FIGURE 6.45** page suivante).

En dépit de notre capacité à discriminer les fragrances, nous avons plus de difficultés à les décrire. Exercice : Qu'est-ce qui est le plus facile à décrire, le *son* qu'émet la cafetière annonçant la fin de la percolation ou *l'arôme* du café ? Pour la plupart des gens, c'est bien le son. Comparées aux sensations et aux souvenirs évoqués par la vision et l'audition, les odeurs paraissent plus primaires, plus difficiles à décrire et à se remémorer (Richardson et Zucco, 1989 ; Zucco, 2003).

Comme n'importe quel chien ou chat possédant un bon nez pourrait nous le dire, chacun d'entre nous possède sa signature chimique propre. (Une exception notable : un chien suivra la trace d'un

▼ FIGURE 6.44
Olfaction Pour que nous sentions une fleur, les molécules de son parfum, portées par l'air, doivent atteindre les récepteurs situés au sommet du nez. La sentir fait tourbillonner l'air jusqu'aux récepteurs, augmentant ainsi l'arôme. Les cellules réceptrices envoient des messages au bulbe olfactif du cerveau, qui sont transmis au cortex olfactif primaire du lobe temporal, puis vers les parties du système limbique impliquées dans la mémoire et dans les émotions.

« Il pourrait y avoir une pile de pneus de camion en feu dans notre salon, je pourrais ne pas nécessairement les sentir. Alors que ma femme peut détecter ne serait-ce qu'un grain de raisin gâté à seulement deux maisons de chez nous. »

Dave Barry, 2005

Layne Bailey/Le Charlotte Observer/AP Photo

▼ FIGURE 6.45

Âge, sexe et odorat Parmi les 1,2 million de personnes qui ont répondu à une enquête du magazine *National Geographic,* les femmes et les jeunes adultes ont obtenu les meilleurs résultats lors de la reconnaissance de six échantillons d'odeurs à identifier. (Données de Wysocki & Gilbert, 1989.)

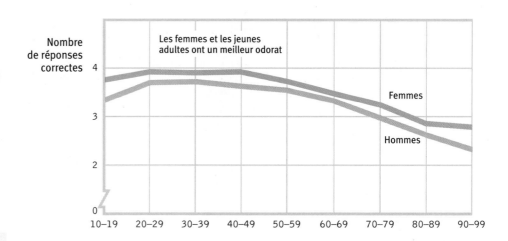

Nez et cognition l'homme possède environ 20 millions de récepteurs olfactifs. Un chien limier en possède 220 millions (Herz, 2007).

vrai jumeau, comme si elle avait été faite par l'autre [Thomas, 1974].) Les animaux, qui ont beaucoup plus de récepteurs olfactifs que nous, utilisent aussi leur sens de l'odorat pour communiquer et s'orienter. Bien avant qu'un requin n'ait pu voir sa proie ou le papillon sa femelle, des indices olfactifs ont guidé leur chemin, tout comme les saumons migrateurs qui retournent à leur rivière natale. Des saumons, après avoir été placés dans un appareil à éclosion, exposés à un ou deux produits chimiques empreints d'une odeur particulière, chercheront deux ans plus tard à retrouver la rivière qui porte l'odeur familière du site où ils ont été élevés (Barinaga, 1999).

Pour l'homme également, l'attirance pour certaines odeurs dépend des associations aux expériences qu'il a acquises (Herz, 2001). Chez les bébés que les mamans allaitent, une préférence pour l'odeur de la poitrine maternelle va s'installer. Il en est de même d'autres associations. Si des expériences gratifiantes sont liées à un parfum particulier, on en arrive à aimer ce parfum. Cela permet d'expliquer pourquoi les Américains ont tendance à apprécier bien plus l'odeur de l'essence de Wintergreen (qu'ils associent à des bonbons et des chewing-gums) que les Anglais (pour lesquels elle est le plus souvent associée à des médicaments). Dans un autre exemple d'odeurs évoquant des émotions désagréables, des chercheurs ont trompé des étudiants de l'université Brown à l'aide d'un jeu informatique truqué placé dans une pièce rendue odorante (Herz et al., 2004). Par la suite, s'ils étaient exposés à la même odeur pendant qu'ils travaillaient sur une tâche verbale, leur frustration était ravivée et ils abandonnaient plus vite que les étudiants exposés à une autre odeur ou à aucune.

Bien qu'il soit difficile de se rappeler des odeurs par leur nom, nous pouvons reconnaître des odeurs oubliées depuis longtemps ainsi que les souvenirs qui y sont associés (Engen, 1987 ; Schab, 1991). L'odeur de la mer, la fragrance d'un parfum ou un arôme issu de la cuisine d'un parent cher nous remémorent des souvenirs heureux. Ce phénomène a été bien compris par Lunn Poly, une chaîne anglaise d'agences de voyages. Pour évoquer des souvenirs de détente au soleil sur une plage de sable chaud, cette chaîne diffuse des odeurs d'huile solaire à la noix de coco dans ses magasins (Fracassini, 2000).

Nos circuits cérébraux permettent d'expliquer le pouvoir des odeurs à évoquer des souvenirs et des sentiments (**FIGURE 6.46**). Une ligne directe relie les zones du cerveau qui reçoivent les informations provenant du nez aux centres limbiques archaïques qui sont associés à la mémoire et à l'émotion. Ainsi, placés dans une pièce sentant mauvais, les gens expriment des jugements plus durs concernant des actes immoraux (par exemple mentir ou garder un portefeuille trouvé) et des attitudes plus négatives envers les homosexuels (Inbar et al., 2011 ; Schnall et al., 2008). Exposés à une odeur de poisson pendant qu'ils jouent à un jeu de société, les participants deviennent plus méfiants (Lee & Schwarz, 2012). Et lorsque vous montez dans un wagon où règne le parfum d'agrumes d'un produit de nettoyage, vous constatez que les voyageurs ont laissé moins de détritus (de Lange et al., 2012).

L'odorat est un sens archaïque. Des milliards d'années avant que les zones analytiques élaborées de notre cortex cérébral n'aient évolué pleinement,

▼ FIGURE 6.46

Goût, odeur et mémoire Les informations provenant des papilles gustatives (flèche jaune) vont atteindre une zone du lobe temporal. Cette zone est assez proche de celle où est reçue l'information olfactive qui interagit avec le goût. Les voies olfactives (zone rouge) atteignent aussi des zones impliquées dans le stockage de la mémoire, ce qui contribue à expliquer pourquoi une odeur peut déclencher un souvenir.

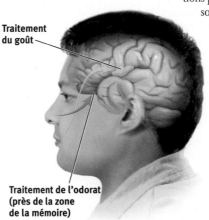

Traitement du goût

Traitement de l'odorat (près de la zone de la mémoire)

nos ancêtres mammifères reniflaient pour trouver de la nourriture et détecter les prédateurs. Lors de sa participation aux primaires républicaine du choix du candidat à la prochaine élection d'un gouverneur de New York, Carl Paladino comprit ce sens archaïque et ainsi que les odeurs répugnantes peuvent affecter les jugements. Il envoya un prospectus sentant les ordures et la pourriture sur lequel il y avait un message attaquant l'autre candidat. Il réussit à le battre à 62 % contre 38 % (Liberman et Pizarro, 2010).

EXERCICE RÉCAPITULATIF

• En quoi l'odorat diffère-t-il du toucher et du goût ?

Réponse : Nous possédons quatre sensations tactiles et cinq sensations gustatives, fondamentales. Mais nous n'avons aucun récepteur de sensations olfactives fondamentales. Au lieu de cela, différentes combinaisons d'activation de récepteurs olfactifs envoient des messages au cerveau, ce qui nous permet de reconnaître environ 10 000 odeurs différentes.

Position du corps et mouvement

6-22 Comment sentons-nous la position de notre corps et nos mouvements ?

D'importants capteurs situés dans les tendons et dans les muscles permettent de sentir la position et le mouvement des parties de notre corps, ce qu'on appelle la **kinesthésie**, ou sensibilité musculaire profonde. Si vous fermez les yeux ou bouchez vos oreilles vous pouvez imaginer pendant un instant que vous êtes aveugle ou sourd. Mais quel effet cela ferait-il de vivre sans le sens du toucher ou sans la kinesthésie, et donc sans être capable de sentir la position de vos membres lorsque vous vous réveillez la nuit ? Ian Waterman (Hampshire, Angleterre) le sait fort bien. En 1972, à l'âge de 19 ans, Waterman contracta une maladie virale rare qui détruisit les nerfs contrôlant son sens tactile et sa sensibilité profonde, de la position de son corps et de ses mouvements. Les personnes étant dans le même cas rapportent qu'elles se sentent désincarnées, comme si leur corps ne leur appartenait plus et n'était plus réel, comme si leur corps était mort (Sacks, 1985). Grâce à une rééducation de longue haleine, Waterman réapprit à marcher et à manger en se concentrant visuellement sur ses membres afin de les diriger. Mais si la lumière s'éteint, ce sujet va tomber (Azar, 1998). Même pour nous, la vision interagit avec la kinesthésie (N.d.T. : ou cinesthésie : sensibilité profonde consciente de la position du corps et des membres). Tenez-vous debout en plaçant votre talon droit devant les orteils de votre pied gauche. C'est facile, n'est-ce pas ? Maintenant, fermez les yeux et vous allez certainement vaciller.

Un sens associé, appelé **sens vestibulaire** ou de l'équilibre, surveille la position et les mouvements de la tête (et donc de l'ensemble du corps). Les gyroscopes biologiques responsables de notre sens de l'équilibre sont représentés par deux structures situées dans l'oreille interne. La première, les *canaux semi-circulaires*, ressemble à un bretzel en trois dimensions (voir FIGURE 6.37a). La seconde, reliant ces canaux de liaison au limaçon, est la paire de *sacs vestibulaires*, qui contiennent un fluide qui se déplace lorsque des mouvements de la tête et du cou Ces mouvements stimulent des récepteurs dotés de cils vibratiles qui envoient des messages au cervelet situé en arrière du tronc cérébral, nous permettant de percevoir continuellement la position de notre corps et de maintenir notre équilibre.

Si vous tournez sur vous-même et que vous vous arrêtez brusquement, le liquide contenu dans vos canaux semi-circulaires et vos récepteurs kinesthésiques ne reviennent pas immédiatement à l'état de repos. La rémanence de l'effet trompe votre cerveau pris de vertige en vous donnant la sensation que vous êtes toujours en train de tourner. Ainsi est illustré le principe de l'illusion : *Les mécanismes qui nous donnent normalement une perception exacte du monde peuvent, dans certaines conditions, nous leurrer.* Comprendre comment nous avons été ainsi trompés nous donne des pistes pour savoir comment fonctionne notre système perceptif.

© Robert Kanavel

Corps dans l'espace Ces membres d'une équipe sportive universitaire peuvent remercier leur oreille interne de transmettre des informations qui permettent à leur encéphale de contrôler si habilement la position de leur corps.

EXERCICE RÉCAPITULATIF

• Où les récepteurs kinesthésiques et les récepteurs sensoriels vestibulaires sont-ils situés ?

Réponse : Les récepteurs kinesthésiques sont situés dans nos articulations, les tendons et les muscles. Les récepteurs sensoriels vestibulaires sont situés dans notre oreille interne.

Interaction sensorielle

6-23 Comment *l'interaction sensorielle* influence-t-elle nos perceptions, et qu'est-ce que la *cognition incarnée* ?

Nos sens — vue, ouïe, goût, odorat, toucher — dialoguent et s'écoutent (Rosenblum, 2013). Lorsqu'il interprète le monde, le cerveau mélange tous les stimuli qu'il reçoit. Considérez ce qui arrive à votre sens du goût si vous pincez votre nez, si vous fermez les yeux, pendant que quelqu'un vous

Kinesthésie système pour détecter la position et le mouvement des différentes parties du corps.

Sens vestibulaire le sens du mouvement du corps et de la position, y compris le sens de l'équilibre.

Courtoisie de Action Hearing Loss

▼ FIGURE 6.47

L'interaction sensorielle Quand un sujet malentendant voit le visage de son interlocuteur, en ligne visiophonique, et qu'il peut interpréter le mouvement des lèvres pour y lire les syllabes prononcées, la discussion devient plus aisée (Knight, 2004).

donne à manger différents aliments. On peut alors confondre un morceau de pomme avec un carré de pomme de terre crue ; et un steak peut avoir un goût de carton. Privés de leur odeur, il est difficile de distinguer une tasse de café froid d'un verre de vin rouge. Notre sens de l'odorat met son nez dans nos affaires de goût.

Pour savourer un goût, nous respirons normalement l'arôme par le nez – c'est pourquoi il est beaucoup moins agréable de manger quand nous sommes enrhumés. L'odeur peut aussi changer notre perception du goût : l'odeur de fraise d'une boisson améliore la perception de son goût sucré. Selon sa texture, une frite à un goût de frais ou de rassis (Smith, 2011). Cela correspond à la mise en œuvre d'une **interaction sensorielle,** principe selon lequel un sens peut en influencer un autre. Odeur + texture + goût = saveur. Pourtant, en dépit de la contribution de l'odorat, le goût prend naissance dans la bouche (Stevenson, 2014).

La vision et l'audition peuvent interagir de façon similaire. Un léger clignotement de lumière que nous avons du mal à percevoir devient plus visible s'il est accompagné de légers sons répétitifs (Kayser, 2007). Et un son peut être plus facile à entendre si sa source peut être repérée visuellement. Si moi, David Myers (qui ai des problèmes d'audition), je regarde un film avec les sous-titres simultanés, je n'ai aucun problème à entendre les mots que je vois. Je peux donc penser que je n'en ai pas besoin Mais si la fonction « sous-titre » est éteinte, je me rends compte tout à coup de leur utilité. Les yeux guident les oreilles (**FIGURE 6.47**).

Mais que pensez-vous qu'il puisse arriver s'il y a discordance de la vision et de l'audition ? Si nous *voyons* une personne prononcer une syllabe alors que l'on en *entend* une autre ? Surprise, il se peut que l'on perçoive une troisième syllabe qui est en fait un mélange des deux informations. En voyant les mouvements de la bouche pour *Ga* tout en écoutant *Ba* nous pouvons percevoir *Da*. Ce phénomène est connu sous le nom *d'effet McGurk* (nommé ainsi après avoir été découvert par le psychologue Harry McGurk et son assistant John MacDonald en 1976). Pour nous tous, la lecture des mouvements des lèvres fait partie de l'audition.

Le toucher interagit également avec nos autres organes des sens. Lorsque le cerveau détecte les événements, il peut associer simultanément les signaux tactiles et visuels, grâce aux neurones provenant de l'aire corticale de la somesthésie qui se projettent sur le cortex visuel (Macaluso et al., 2000). Le toucher peut même interagir avec l'ouïe. Au cours d'une expérience, un souffle d'air (comme celui produit par notre bouche lorsque nous prononçons les syllabes « *pa* » et « *ta* ») a été envoyé sur le cou ou les mains tandis que les participants entendaient ces mêmes sons ou bien des sons déplaçant moins d'air comme « *ba* » ou « *da* ». Quel en fut le résultat ? Les participants ont souvent entendu par erreur les sons « *pa* » et « *ta* » au lieu de « *ba* » et « *da* » lorsqu'ils étaient associés à l'envoi du souffle d'air (Gick et Derrick, 2009). Grâce à l'interaction sensorielle, ils entendaient avec leur peau.

Notre cerveau associe même des appréciations tactiles et des jugements sociaux, comme l'ont démontré ces expériences ludiques :

- Après avoir tenu une boisson chaude entre leurs mains, les gens sont plus enclins à considérer une personne comme plus chaleureuse, à se sentir plus proche d'elle et à se conduire avec plus de générosité que lorsqu'ils ont tenu une boisson froide (Ijzerman et Semin, 2009 ; William et Bargh, 2008). La chaleur physique favorise la chaleur sociale.

- Au cours d'une expérience, les personnes que l'on a traitées avec froideur ont tendance à juger une pièce comme étant plus froide que celles qui ont été traitées chaleureusement (Zhong et Leonardelli, 2008). L'exclusion sociale fait littéralement ressentir le froid.

- Assis à un bureau sur une chaise bancale fait ressentir la relation à l'autre comme étant plus fragile (Kille et al., 2013).

- Lorsque les participants étaient orientés vers la gauche, par exemple en s'asseyant sur une chaise légèrement penchée vers la gauche et non pas légèrement penchée vers la droite, en serrant la main avec leur main gauche ou en utilisant la souris d'ordinateur de leur main gauche, ils avaient plus tendance à exprimer des tendances politiques de gauche (Oppenheimer et Trail, 2010). Lorsque des étudiants américains tenaient en main une balle molle, ils deviennent plus susceptibles de qualifier un visage de démocrate plutôt que républicain, et inversement lors de la tenue en main d'une balle plus ferme (Slepian et al., 2012).

Ces exemples de **cognition incarnée** illustrent comment les circuits cérébraux qui traitent nos sensations corporelles sont liés aux circuits cérébraux responsables de la cognition. Notre pensée vient de l'intérieur de notre corps.

De ce fait les sens interagissent. Lorsque nous essayons de déchiffrer le monde qui nous entoure, notre cerveau mélange les influx véhiculés par plusieurs voies. Pour beaucoup d'entre nous, une odeur, de menthe ou de chocolat par exemple, peut évoquer une sensation de goût (Stevenson et Tomiczek, 2007). Chez un petit nombre d'individus, les sens se rejoignent en un phénomène appelé *synesthésie*, au cours duquel un type de sensation (par exemple, le fait d'entendre un son) en produit une autre (par exemple, voir une couleur). Tôt dans la vie, « l'exubérance des connexions neuronales » produit certaines associations sensorielles arbitraires qui plus tard seront normalement, mais pas toujours, élaguées (Wagner & Dobkins, 2011). De ce fait, écouter de la musique peut activer des régions corticales sensibles à la couleur et déclencher une sensation de couleur (Brang et al., 2008 ; Hubbard et al., 2005). Le fait de voir le chiffre 3 peut provoquer une sensation de goût (Ward, 2003). Ceux qui éprouvent de tels changements sensoriels sont connus comme *synesthètes*.

* * *

Le **TABLEAU 6.3** résume nos systèmes sensoriels. La rivière de nos perceptions est alimentée par nos sensations, notre cognition et nos émotions. C'est pourquoi les différents niveaux d'analyse biologique, psychologique et socioculturel sont nécessaires (**FIGURE 6.48**).

> **Interaction sensorielle** le principe selon lequel un sens peut en influencer un autre, comme lorsque l'odeur de la nourriture influence son goût.
>
> **Cognition incarnée** influence de la somesthésie, de la motricité et d'autres états sur notre préférence cognitive et notre jugement.

▼ TABLEAU 6.3
Tableau synoptique des sens

Système sensoriel	Source du stimulus	Récepteurs
Vision	Ondes lumineuses	Bâtonnets et cônes de la rétine
Audition	Ondes sonores captées par l'oreille externe	Cellules ciliées de la cochlée dans l'oreille interne
Somesthésie et toucher	Pression, chaleur, froid sur la peau	Les récepteurs de la peau détectent la pression, la chaleur, le froid et la douleur
Goût	Molécules au contact de la langue	Récepteurs de la langue spécialisés pour chacun des cinq goûts fondamentaux : sucré, acide, salé, amer et umami
Olfaction	Molécules inhalées	Millions de récepteurs au sommet de la cavité nasale
Statique et équilibre du corps	Tout changement de position d'une partie du corps, en interaction avec la vision	Capteurs cinesthésiques ou kinesthésiques dans les articulations, les tendons et les muscles.
Mobilité et équilibre du corps	Mouvement des fluides dans l'oreille interne causé par les mouvements de la tête ou du corps	Récepteurs des cellules ciliées des canaux semi-circulaires et des sacs vestibulaires.

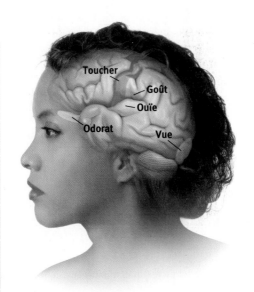

Si la perception est le produit de ces trois sources, que peut-on dire de la perception extrasensorielle (PES) qui affirme que la perception peut se produire sans entrée sensorielle ? Pour en savoir plus sur ce point reportez-vous à l'encadré Regard critique sur : La PES : une perception sans sensation ?

* * *

Pour appréhender le mystère de la vie avec un profond respect et une admiration mêlée d'effroi, nous n'avons nul besoin de regarder plus loin que notre propre système de perception et de sa capacité d'organiser des impulsions nerveuses en visions colorées, sons intenses et odeurs évocatrices. Comme l'a reconnu Hamlet, de Shakespeare, « Il y a plus de choses dans le ciel et la terre, Horatio, que n'en peut rêver votre philosophie ». Nos expériences sensorielles et perceptives ordinaires recèlent des choses vraiment extraordinaires, certainement beaucoup plus que tout ce qu'on a pu imaginer jusqu'ici dans notre psychologie.

Influences biologiques :
• Analyse sensorielle
• Phénomènes visuels innés
• Période critique du développement sensoriel

Influences psychologiques :
• Attention sélective
• Schèmes appris
• Principes gestaltistes
• Effets du contexte
• Cadre perceptif

Perception : Notre version de la réalité

Influences socioculturelles :
• Hypothèses et attentes culturelles

▼ FIGURE 6.48
La perception est un phénomène biopsychosocial Les psychologues étudient la façon dont la perception se construit par l'analyse biologique et socioculturelle des sensations.

La PES : une perception sans sensation ?

6-24 Quelles sont les affirmations de la PES ? Quelles sont les conclusions de la plupart des chercheurs en psychologie après avoir testé ces revendications ?

En l'absence d'entrée sensorielle, sommes-nous capables de **perceptions extrasensorielles** (PES) ? Existe-t-il vraiment des gens – ou même une personne – capables de lire dans les pensées, de voir au travers des murs ou de prédire l'avenir ? Près de la moitié des Américains en sont persuadés (AP, 2007 ; Moore, 2005).

Parmi les concepts de la parapsychologie, les plus faciles à tester et (pour un chapitre sur la perception) les plus pertinents sont de trois sortes :

- la *télépathie*, ou communication d'esprit à esprit ;

- la *voyance*, ou fait de percevoir des événements à distance, par exemple sentir qu'une maison est en feu dans un autre État ;

- la *prémonition*, qui consiste à percevoir des événements futurs tels qu'une mort inattendue dans les mois à venir.

Étroitement associées à ces phénomènes, on note des affirmations concernant la *psychokinèse* (PK) ou influence de l'« esprit sur la matière », par exemple la capacité de faire s'élever une table (lévitation) ou d'influencer un lancer de dés. (Cette affirmation est illustrée par la demande ironique : « Que tous ceux qui croient en la psychokinèse lèvent ma main. »)

Si la PES est réelle, nous aurions besoin de revoir notre raisonnement scientifique selon lequel nous sommes des créatures dont l'esprit est lié à notre cerveau et dont les expériences perceptuelles du monde sont uniquement faites de sensations. Parfois, de nouveaux éléments renversent nos conceptions scientifiques établies. La science, comme nous le verrons tout au long de cet ouvrage, nous offre diverses surprises, en particulier sur l'étendue de notre esprit inconscient, sur les effets de nos émotions sur la santé, sur ce qui guérit et ce qui ne guérit pas et sur bien d'autres choses encore.

La plupart des chercheurs en psychologie ainsi que des scientifiques restent sceptiques quant à l'existence de ce type de phénomènes. Mais

WHEN PSYCHICS PROPOSE

de nombreuses universités réputées au Royaume-Uni, aux Pays-Bas et en Australie possèdent maintenant des départements ou des unités de recherche en **parapsychologie** (Storm 2010a,b ; Turpin, 2005). Les parapsychologues qui travaillent dans ces universités font des expériences pour rechercher une éventuelle PES et d'autres phénomènes paranormaux. Avant de voir comment les parapsychologues effectuent leurs recherches sur la PES, considérons tout d'abord certaines croyances populaires.

Prémonitions ou prétentions ?

Un médium peut-il voir dans le futur ? Bien que l'on puisse rêver des pouvoirs d'un médium pour gérer son portefeuille d'actions en bourse, les prétendues prévisions des « meilleurs médiums » se sont révélées très peu fiables. Dans les années 1990, les médiums des journaux à sensation se sont tous trompés dans leurs prédictions d'événements surprenants. (Madonna n'est pas devenue une chanteuse de gospel, la Statue de la Liberté n'a pas perdu ses deux bras dans un attentat terroriste, la reine Elizabeth ne renonça pas au trône pour entrer au couvent.) Et les médiums ont manqué tous les événements récents importants. Où étaient donc les médiums quand on en aurait eu besoin le 10 septembre ? Pourquoi, malgré les 50 millions de dollars offerts en récompense, aucun d'entre eux n'a pu aider à localiser Oussama Ben Laden après le 11 septembre ? Ou s'est avancé pour prédire le crash des *stock options* en 2008 ? En 2010, lorsqu'une mine s'est effondrée bloquant 33 mineurs, le gouvernement chilien consulta 4 médiums. Leur verdict ? Ils sont tous morts (Kraul, 2010). Mais 69 jours plus tard, les 33 mineurs furent tous sauvés.

Après qu'Amanda Berry ait disparu à Cleveland en 2003, sa mère désemparée et désespérée se tourna vers un célèbre médium d'une émission télévision pour obtenir des réponses. « Chère madame, votre fille n'est pas vivante » dit le médium à la maman désespérée, qui décéda sans avoir vu sa fille qui fut sauvée en 2013 (Radford, 2013). Selon une analyse, le résultat montre que sur 116 cas de personnes disparues ou mortes, le rapport du médium était inconnu dans 83 cas, faux dans 33 et exact dans aucun cas. Pour le chercheur Ryan Shaffer (2013), c'est le record d'un « médium défectueux ».

Les analyses des visions extralucides proposées aux services de police montrent qu'elles aussi ne sont pas plus précises que les prédictions faites par d'autres (Nickell, 1994, 2005 ; Radford, 2010 ; Reiser, 1982). Mais le nombre de prédictions faites augmente la probabilité que l'une ou l'autre soit occasionnellement correcte et puisse alors être révélée à la presse par le médium. Les services de police sont prudents sur ce sujet. Lorsque des chercheurs ont demandé aux services de police des 50 plus grandes villes des États-Unis s'ils utilisaient des médiums, 65 % ont répondu *Non* (Sweat et Durm, 1993). Et parmi ceux qui l'avaient fait, aucun n'y avait trouvé une quelconque utilité.

De plus, des prédictions vagues peuvent plus tard être interprétées (« actualisées ») pour coller aux événements, qui fournissent alors un cadre perceptif permettant l'interprétation. Nostradamus, le célèbre médium français du XVIᵉ siècle, expliqua dans un moment d'égarement

---

Perception extrasensorielle (PES) affirmation controversée selon laquelle la perception peut se produire sans qu'il y ait d'entrée sensorielle. Elle comprend la télépathie, la voyance et la prémonition (précognition).

Parapsychologie étude des phénomènes paranormaux, comprenant la PES et la psychokinèse.

qu'il était « impossible de comprendre ses prophéties ambiguës jusqu'à ce qu'elles soient interprétées après l'événement et par l'événement lui-même ».

Les « visions » spontanées des gens ordinaires sont-elles plus précises ? Nos rêves, par exemple, annoncent-ils le futur, comme les gens des cultures occidentales ou orientales ont tendance à le croire ? Par exemple certaines personnes deviennent plus récalcitrantes à l'idée de prendre l'avion après avoir rêvé qu'un avion s'écrasait (Morewedge et Norton, 2009). Ou bien semblent-ils le faire parce que nous avons tendance à nous rappeler et à reconstruire uniquement les rêves à la lumière de ce qui s'est déjà produit ? Deux psychologues de Harvard (Murray et Wheeler, 1937) testèrent le pouvoir prophétique des rêves après l'enlèvement et l'assassinat du bébé de l'aviateur Charles Lindbergh en 1932, mais avant la découverte du corps. Les chercheurs demandèrent au public de raconter leurs rêves à propos de l'enfant. Sur les 1 300 récits de rêves envoyés, combien avaient vu l'enfant mort ? À peine 5 %. Et dans combien de rêves l'emplacement du corps s'était-il révélé exact, enterré au milieu des arbres ? Seulement 4 sur le 1 300. Bien que ce chiffre ne soit certainement pas supérieur au hasard, la précision de leur prémonition apparente a dû sembler mystérieuse à ces quatre rêveurs.

Étant donné les milliards d'événements qui se produisent dans le monde chaque jour et si l'on considère un nombre suffisant de jours, de surprenantes coïncidences surviennent inévitablement. Selon une estimation minutieuse, le simple hasard permet de prédire que plus de 1 000 fois par jour quelqu'un sur Terre pensant à une autre personne apprendra sa mort dans les cinq minutes suivantes (Charpak et Broch, 2004). Ainsi, lorsque nous expliquons un événement étonnant, nous devrions donner une « chance au hasard » (Lilienfeld, 2009). Avec suffisamment de temps et de gens, l'improbable devient inévitable.

Soumettre les PES à des tests expérimentaux

Confrontés à des assertions concernant la transmission de pensée, l'expérience extracorporelle ou la communication avec les morts, comment pouvons-nous séparer les idées folles de celles qui, tout en semblant farfelues, sont vraies ? Au cœur de la science, nous trouvons une réponse simple : testez-les pour voir si elles marchent. Si c'est le cas, tant pis pour notre scepticisme. Si ce n'est pas le cas, tant pis pour les idées.

Cette attitude scientifique est acceptée tant par les partisans que par les détracteurs de la parapsychologie, car pour prouver sa crédibilité, elle a besoin d'un phénomène reproductible et d'une théorie pour l'expliquer. Le parapsychologue Rhea White (1998) reconnaît que « l'image de la parapsychologie qui me vient à l'esprit, fondée sur près de 44 ans d'études sur ce sujet, est celle d'un petit avion [qui] roule perpétuellement depuis 1882 sur la piste de décollage de l'aéroport des sciences empiriques… sa course étant occasionnellement

ponctuée d'un décollage de quelques mètres seulement pour retomber à nouveau sur le tarmac. Il n'a jamais pu décoller suffisamment pour prendre son envol ».

Comment peut-on tester l'existence d'une PES lors d'une expérience contrôlée et reproductible ? Une expérience de laboratoire est totalement différente d'une démonstration sur une scène de spectacle. Dans un laboratoire, le scientifique contrôle ce que voit et entend le « médium ». Sur scène, le médium contrôle ce que voit et entend le public.

La recherche d'un test valable et fiable de la PES a entraîné des milliers d'expériences. Après avoir épluché les données de 30 d'entre elles, Lance Storm et ses collègues (2010a,b : 2013) ont conclu que, étant donné le nombre de participants ayant eu une expérience de PES ou croyant à la PES, il existe des preuves constantes et fiables de la parapsychologie. Le psychologue Ray Hyman (2010) qui étudie les recherches en parapsychologie depuis 1957 réplique que si c'est ça la meilleure preuve, elle ne l'impressionne pas beaucoup : « la parapsychologie ne sera acceptée scientifiquement que lorsqu'elle fournira une théorie positive avec… des preuves pouvant être répliquées de manière totalement indépendante. C'est ce point qu'elle doit encore atteindre après plus d'un siècle d'existence. »

Daryl Bem (2011), un psychosociologue respecté, a été un sceptique des médiums qui se montrent sur scène ; il eut un jour ce mot piquant : « Un médium est un acteur jouant le rôle d'un médium. » (1984). Cependant il a redonné l'espoir de l'existence de preuves pouvant être répliquées en menant neuf expériences semblant montrer des participants pouvant anticiper des événements futurs. Au cours de l'une d'entre elles une scène érotique devait apparaître de manière aléatoire sur un écran à deux emplacements différents. Les participants de la Cornell University devinèrent le bon emplacement dans 53,1 % des cas (battant de peu les 50 %, mais cette faible différence étant néanmoins statistiquement significative). Au cours d'une autre expérience, les participants visionnaient un ensemble de mots, passaient un test de mémorisation de ces mots puis répétaient un petit groupe de ces mots choisis au hasard. Les participants se souvenaient mieux des mots qu'ils avaient répétés, même lorsque la répétition avait lieu après qu'ils aient passé le test de mémorisation. Il semble que la répétition qui devait avoir lieu (un événement futur) ait affecté leur capacité à se rappeler les mots.

Bem se demanda si ces résultats « anormaux » reflétaient un avantage évolutif pour ceux qui pouvaient de manière prémonitoire anticiper des dangers futurs. Les critiques le raillèrent. Douglas Hofstadter, un scientifique cognitiviste écrivit (2011) « si une de ces affirmations était vraie, alors tous les fondements de la science contemporaine s'écrouleraient

« Pour être sûr d'atteindre la cible, commencez par tirer puis appelez une fois que vous avez atteint la cible. »

Ashleigh Brilliant, artiste écrivain

« Une personne qui parle beaucoup a parfois raison. »

Proverbe espagnol

« Au cœur de la science, un débat essentiel fait rage entre deux attitudes apparemment contradictoires : l'ouverture aux idées nouvelles, aussi bizarres ou illogiques soient-elles, et l'examen sceptique le plus impitoyable de toutes les idées, nouvelles ou anciennes. »

Carl Sagan (1987)

(Suite page suivante)

Test des pouvoirs dits psychiques dans la population britannique Les psychologues ont créé une « machine de l'esprit » pour voir si les gens pouvaient influencer ou prévoir un tirage au sort (Wiseman & Greening, 2002). Utilisant un écran tactile, on a demandé à des visiteurs de festivals britanniques de tirer à pile ou face à quatre reprises ; ils jouaient ainsi contre l'ordinateur qui ne divulguait pas le résultat. À la fin de l'expérience, près de 28 000 personnes avaient prédit 110 959 résultats — avec 49,8 % de bonnes réponses.

et nous devrions repenser tout ce que nous savons sur la nature de l'univers. » De plus, si les événements futurs avaient le pouvoir d'affecter de manière rétro- active les sentiments présents, pourquoi les gens ne pourraient- ils pas intuitivement prédire le résultat des jeux au casino ou l'évolution du marché boursier ?

Même si cet article a survécu à une enquête critique d'un des meilleurs journaux de psychologie, d'autres critiques ont trouvé que les méthodes utilisées étaient « fortement défectueuses » (Alcock, 2011) ou que les analyses statistiques étaient « biaisées » (Wagenmakers et al., 2011). David Helfand, astronome, observe (2011) qu'« un résultat, en particulier de cette importance, doit se reproduire plusieurs fois au cours de tests effectués par des chercheurs indépendants et sceptiques pour asseoir sa crédibilité. J'ai quelques doutes sur le fait que les expériences du professeur Bem puissent passer ce genre de test. »

Anticipant ce scepticisme, Bem a mis à disposition son matériel informatique à quiconque souhaiterait répliquer ses études et des réplications sont actuellement en cours. Une équipe de recherche a déjà mené cinq réplications des expériences de mémorisation dans plusieurs universités sans trouver de prémonition (Galak et al., 2012 ; Ritchie et al., 2012). Quels que soient les résultats, la science aura fait son travail. Elle aura été ouverte à des résultats mettant au défi sa propre vision du monde puis, par des recherches avec suivi, elle aura évalué la valeur de ces résultats. Et c'est ainsi que la science passe au crible les idées qui paraissent farfelues, laissant la majorité d'entre elles s'amonceler sur le tas d'idées déjà rejetées par le passé, tout en permettant à quelques-unes de nous surprendre parfois.

James Randi, un magicien sceptique, a longtemps offert 1 million de dollars « à toute personne capable de démontrer de réels pouvoirs psychiques, dans des conditions d'observation contrôlées » (Randi, 1999, Thompson, 2010). Des groupes français, australiens et indiens ont fait des offres semblables, atteignant jusqu'à 200 000 euros (CFI, 2003). L'approbation scientifique représenterait bien plus que cette somme aux yeux d'une personne si ses pouvoirs étaient authentifiés. Pour contredire ceux qui disent qu'il n'y a pas de PES, il suffit de trouver une personne qui soit capable de montrer un seul phénomène de PES reproductible. (Il suffirait à un seul cochon de parler pour contredire ceux qui disent que les cochons ne parlent pas.) Jusqu'à présent, personne n'a montré un tel pouvoir.

EXERCICE RÉCAPITULATIF

• Si un événement de PES se produit dans des conditions contrôlées, que devrait être l'étape suivante qui permettrait d'apporter la meilleure preuve de la réalité de cet événement ?

Réponse : L'expérience PES devra être reproduite dans d'autres études scientifiques.

REVUE GÉNÉRALE Les autres organes des sens

OBJECTIFS D'APPRENTISSAGE

EXERCICE RÉCAPITULATIF Prenez un moment pour répondre à chacune de ces questions objectif d'apprentissage (répétées ici au sein de cette section). Puis aller à l'annexe C, révision complète du chapitre, pour vérifier vos réponses. La recherche suggère que d'essayer de répondre à ces questions de votre propre initiative permettra d'améliorer la mémorisation à long terme de ces réponses (McDaniel et al., 2009).

6-16 Quelles sont les caractéristiques des ondes, venant de la propagation de proche en proche d'une pression exercée sur l'air ? Qu'est-ce que le son qui est perçu ?

6-17 Comment l'oreille transforme-t-elle l'énergie acoustique en messages nerveux ?

6-18 Comment détecter l'intensité sonore, discriminer les tonalités et localiser les sons ?

6-19 Comment percevons-nous le toucher ?

6-20 Quelles sont les influences biologiques, psychologiques et socioculturelles qui affectent notre perception de la douleur ? Dans quelle mesure les substances placebo, l'hypnose, la distraction sont-elles des adjuvants du contrôle de la douleur ?

6-21 En quoi le goût et l'odorat sont-ils similaires et en quoi sont-ils différents ?

6-22 Comment sentons-nous la position de notre corps et nos mouvements ?

6-23 Comment l'*interaction sensorielle* influence-t-elle nos perceptions, et qu'est-ce que la *cognition incarnée* ?

6-24 Quelles sont les affirmations de la PES ? Quelles sont les conclusions de la plupart des chercheurs en psychologie après avoir testé ces revendications ?

TERMES ET CONCEPTS À RETENIR

EXERCICE RÉCAPITULATIF Testez votre connaissance de ces termes en essayant d'écrire leur définition avant de vous reporter aux pages donnant les bonnes réponses.

audition, p. 256

fréquence, p. 256

tonalité, p. 256

oreille moyenne, p. 257

cochlée, p. 257

oreille interne, p. 257

perte auditive neurosensorielle, p. 257

surdité de conduction, p. 257

implant cochléaire, p. 259

théorie de l'emplacement, p. 259

théorie des fréquences, p. 260

nocicepteurs, p. 262

théorie du portillon ou du gate control, p. 262

hypnose, p. 265

dissociation, p. 265

suggestion post-hypnotique, p. 265

kinesthésie, p. 269

sens vestibulaire, p. 269

interaction sensorielle, p. 270

cognition incarnée, p. 271

perception extrasensorielle (PES), p. 272

parapsychologie, p. 272

ÉVALUEZ-VOUS LA SENSATION ET LA PERCEPTION

Évaluez-vous à plusieurs reprises tout au long de vos études. Cela permettra non seulement de vous aider à distinguer ce que vous savez de ce que vous ignorez mais aussi à vous faire bénéficier de l'effet test. Autrement dit, le test lui-même va vous aider à apprendre et à mémoriser l'information de manière plus efficace grâce précisément à ce qui est appelé l'effet *test*.

Principes fondamentaux de la sensation et de la perception

1. La sensation est _____ et la perception est _____.
   a. seuil absolu ; seuil différentiel
   b. traitement ascendant ; traitement descendant
   c. interprétation ; détection
   d. regroupement ; amorçage

2. Le processus par lequel nous organisons et interprétons l'information sensorielle est appelé _____.

3. Les stimuli subliminaux sont :
   a. trop faibles pour être traités par le cerveau, de quelque manière que ce soit.
   b. consciemment perçus plus de 50 pourcent du temps.
   c. toujours assez forts pour influencer notre comportement.
   d. en dessous de notre seuil absolu de perception consciente.

4. Un autre terme pour désigner le seuil différentiel est _____ _____ _____.

5. La loi de Weber indique que pour qu'une différence soit perçue entre deux stimuli, ces derniers doivent différer par :
   a. une quantité d'énergie fixe ou constante.
   b. un pourcentage minimum constant.
   c. une quantité constante d'évolution de la modification.
   d. plus de 7 pourcent.

6. L'adaptation sensorielle nous aide à nous concentrer sur les :

   a. stimuli visuels.

   b. stimuli auditifs.

   c. caractéristiques constantes de l'environnement.

   d. changements importants dans l'environnement.

7. Notre cadre perceptif influence ce que nous percevons. Cette disposition mentale reflète :

   a. nos expériences, les hypothèses que nous faisons et nos attentes.

   b. l'adaptation perceptive.

   c. notre capacité d'amorçage.

   d. les seuils différentiels.

La vision : traitement sensoriel et perceptif

8. La caractéristique physique de la lumière qui détermine la couleur que nous percevons, comme le bleu ou le vert, est _____.

9. L'amplitude d'une onde lumineuse détermine notre perception de _____.

   a. la luminosité.

   b. la couleur.

   c. la signification.

   d. la distance.

10. Le point aveugle dans votre rétine est situé là où :

    a. il y a des bâtonnets, mais pas de cônes.

    b. il y a des cônes mais pas de bâtonnets.

    c. le nerf optique quitte l'œil.

    d. se fait la jonction des cellules bipolaires et des cellules ganglionnaires.

11. Les cônes sont les cellules réceptrices de l'œil qui sont particulièrement sensibles à _____ de la lumière et sont responsables de notre vision _____.

    a. intensité importante ; noir et blanc

    b. intensité faible ; couleur

    c. intensité importante ; couleur

    d. intensité faible ; noir et blanc

12. Deux théories rendent compte de la vision des couleurs. La théorie trichromatique de Young-Helmholtz montre que l'œil contient _____, et la théorie du processus antagoniste dit que le système nerveux possède _____.

    a. un processus antagoniste rétinien ; trois paires de récepteurs de couleur

    b. des cellules spécialisées dans le processus antagoniste ; trois types de récepteurs de couleur

    c. trois paires de récepteurs de couleur.

    d. trois types de récepteurs de couleur ; des cellules spécialisées dans le processus antagoniste.

13. Quels processus mentaux vous permettent de percevoir la couleur jaune d'un citron ?

14. Les cellules du cortex visuel qui répondent à certaines lignes, bordures et angles sont appelées _____ _____.

15. La capacité du cerveau à traiter de nombreux aspects d'un objet ou d'un problème simultanément est appelée _____ _____.

16. Nos tendances pour combler les lacunes d'un motif et le percevoir comme étant continu sont deux exemples différents du principe organisateur appelé :

    a. interposition.

    b. perception de la profondeur

    c. constance de la forme.

    d. regroupement.

17. En écoutant un concert, vous prêtez attention à l'instrument soliste et vous percevez la musique jouée par l'orchestre qui l'accompagne. Cela illustre le principe organisateur de :

    a. figure sur fond.

    b. constance de la forme.

    c. regroupement.

    d. perception de la profondeur.

18. Les expériences visuelles de la falaise suggèrent que :

    a. les nourrissons n'ont pas encore développé la capacité de perception de la profondeur.

    b. les bébés qui ne marchent pas encore et qui rampent et les animaux très jeunes perçoivent la profondeur.

    c. nous n'avons aucun moyen de savoir si les enfants peuvent percevoir la profondeur.

    d. contrairement à d'autres espèces, les êtres humains sont capables de percevoir la profondeur dans la petite enfance.

19. La perception de la profondeur sous-tend notre capacité à :

    a. regrouper des éléments similaires dans une conception de gestalt du monde.

    b. percevoir les objets comme ayant une forme constante.

    c. apprécier les distances.

    d. combler les lacunes dans une figure.

20. Deux exemples d'indices de profondeur _____ sont l'interposition et la perspective linéaire.

21. Percevoir une tomate comme étant constamment rouge, malgré les changements d'éclairage, est un exemple de :

    a. constance de la forme.

    b. constance perceptive

    c. repère binoculaire.

    d. continuité.

22. Après une opération de chirurgie réparatrice de la vision, les patients qui étaient aveugles de naissance avaient des difficultés :

    a. à reconnaître des objets par le toucher.

    b. à reconnaître des objets par la vue.

    c. à distinguer la figure du fond.

    d. à distinguer une lumière vive d'une lumière pâle.

23. Au cours de certaines expériences, des sujets ont porté des verres qui ont inversé verticalement leur champ visuel. Après une période d'adaptation, ils ont appris à très bien fonctionner. Cette capacité est appelée _____ _____.

Les autres organes des sens

24. Le tube en forme d'escargot dans l'oreille interne, où les ondes sonores sont converties en activité neuronale, est appelé la _____.

25. Quelles sont les étapes fondamentales qui transforment les ondes sonores en sons perçus ?

26. La théorie _____ rend compte de l'audition des sons très aigus et la théorie _____ rend compte de l'audition des sons très bas.

27. La théorie de la perception de la douleur appelée théorie du portillon ou théorie du gate control propose que :

a. des récepteurs spécialisés de la perception douloureuse envoient des signaux directement au cerveau.

b. la douleur est une propriété sensorielle, et non cérébrale.

c. des petites fibres nerveuses de la moelle épinière conduisent la plupart des signaux de la douleur, mais l'activation de fibres de plus gros calibre peut inhiber la conduction des influx douloureux.

d. les stimuli qui produisent la douleur ne sont pas liés à d'autres sensations.

28. Comment l'approche biopsychosociale peut expliquer notre expérience vécue de la douleur ? Donner des exemples.

29. Nous avons des récepteurs nerveux spécialisés pour détecter les cinq goûts, quels sont-ils ? En quoi cette capacité fut utile à nos ancêtres ?

30. _____ est votre sens de la position du corps et du mouvement. Votre _____ _____ surveille spécifiquement le mouvement de votre tête, grâce à des capteurs situés dans l'oreille interne.

31. Pourquoi vous sentez-vous un peu étourdi immédiatement après un tour de montagnes russes ?

32. L'arôme d'un aliment peut grandement améliorer son goût. Ceci est un exemple de :

a. adaptation sensorielle

b. sensation chimique.

c. kinesthésie.

d. interaction sensorielle

33. Lequel des phénomènes de perception extrasensorielle suivants est soutenu par des preuves scientifiques solides reproductibles ?

a. télépathie

b. voyance

c. préconnaissance

d. aucune de ces réponses

Trouvez les réponses à ces questions dans l'annexe D, à la fin du livre.

Concepts fondamentaux de l'apprentissage
et du conditionnement classique

Conditionnement opérant

Biologie, cognition et apprentissage

CHAPITRE 7

L'APPRENTISSAGE

. . . .

Au début des années 1940, Keller Breland et Marian Breland, des étudiants de l'université du Minnesota, furent témoins du pouvoir des nouvelles technologies d'apprentissage. Leur mentor, B. F. Skinner, deviendra célèbre pour le *modelage comportemental* des rats et des pigeons. Les animaux étaient récompensés de façon programmée à mesure que leur comportement se rapprochait du comportement défini par le chercheur. Impressionnés par les résultats obtenus par Skinner, K. et M. Breland commencèrent à modeler le comportement des chats, des poules, des perruches, des dindes, des cochons, des canards, et les hamsters (Bailey & Gillaspy, 2005). Le reste est une autre histoire. Ils fondèrent Animal Behavior Entreprises et ont passé plus d'un demi-siècle à entraîner et dresser plus de 15 000 animaux de 140 espèces pour les films, spectacles itinérants, parcs d'attractions, corporations diverses et autorités gouvernementales. K. et M. Breland ont également formé des formateurs, y compris le premier directeur du dressage de Sea World.

Tout en écrivant un livre sur les dresseurs d'animaux, la journaliste Amy Sutherland se demandait si le modelage comportemental animal pouvait s'appliquer à son entourage (2006a, b). Si on peut apprendre à des babouins à faire de la planche à roulettes, à peindre à des éléphants, ne pourrait-on pas appliquer « les mêmes techniques… et travailler sur cette espèce têtue mais aimable, qu'est le mari américain » ? Petit à petit, elle a « commencé à remercier Scott lorsqu'il mettait sa chemise sale dans le panier à linge. S'il en mettait deux, je l'embrassais, et comme il appréciait mes récompenses, le tas devint plus petit. » Deux ans après « avoir considéré mon mari comme un animal exotique, mon mariage est beaucoup plus tranquille et mon mari est devenu encore plus adorable ».

Comme les maris et les autres animaux, une grande partie de ce que nous faisons, nous vient de ce que l'expérience nous apprend. En effet, le don le plus important de la nature est peut-être notre *adaptabilité* — notre capacité à apprendre de nouveaux comportements qui nous aident à faire face au monde en mutation incessante. Nous pouvons apprendre à construire des paillotes ou des igloos, des sous-marins ou des stations spatiales, et ainsi nous adapter à presque tous les environnements.

L'apprentissage nourrit l'espérance. Nous pouvons enseigner ce que nous pouvons apprendre et c'est encourageant pour les parents, les éducateurs, les entraîneurs. Grâce à un nouvel apprentissage, nous pouvons modifier ce qui a été appris. Cette hypothèse est la base du conseil aux entreprises, par exemple, de la psychothérapie cognitive et comportementale, et des programmes de réadaptation. Que vous soyez malheureux, que vous soyez mal aimé, que vous ayez échoué, l'important est de considérer que votre histoire n'est pas terminée.

Aucun sujet n'est plus au cœur de la psychologie que *l'apprentissage*. Dans les chapitres précédents, nous avons considéré l'apprentissage au cours de l'enfance, l'apprentissage par la vision, l'apprentissage des effets attendus d'un médicament, et l'apprentissage des rôles des genres. Dans les chapitres suivants, nous verrons comment l'apprentissage façonne notre pensée et notre langage, nos motivations et nos émotions, nos personnalités et nos attitudes. Dans le Chapitre 8, La Mémoire, nous allons voir comment le cerveau stocke et restitue ce qu'il a appris.

◼ Concepts fondamentaux de l'apprentissage et du conditionnement classique

Comment apprenons-nous ?

7-1 Qu'est-ce que *l'apprentissage*, et que sont les formes fondamentales d'apprentissage ?

Les psychologues définissent **l'apprentissage** comme le processus d'acquisition d'informations ou de comportements nouveaux relativement persistants. Par l'apprentissage, l'homme est capable de s'adapter à son environnement. Nous apprenons à prévoir et à anticiper des événements importants tels que l'alimentation ou la douleur *(conditionnement classique, répondant)*. Nous apprenons également à répéter des actes qui apportent des résultats bénéfiques et à éviter ceux qui entraînent des désagréments *(conditionnement opérant)*. Nous apprenons de nouveaux comportements en observant les événements ou en regardant les autres et par le langage nous apprenons des choses dont nous n'avons jamais eu l'expérience et que nous n'avons jamais observées *(apprentissage cognitif)*. Mais, *comment* apprenons-nous ?

Il y a plus de 200 ans, des philosophes, John Locke et David Hume faisaient écho aux conclusions d'Aristote, formulées 2 000 ans plus tôt : nous apprenons par *association*. Nos esprits relient naturellement les événements qui se suivent. Supposons que vous voyiez du pain fraîchement cuit et sentiez son arôme, que vous en mangiez et y trouviez du plaisir. La prochaine fois que vous verrez du pain frais et que vous sentirez son arôme, vous espérerez retirer le même plaisir à sa consommation. Les mêmes associations se font avec les sons. Si vous associez un son à une conséquence effrayante, votre peur pourra alors être déclenchée par le son lui-même. Comme s'exclamait un enfant de 4 ans après avoir vu un personnage de télévision se faire agresser, « si j'avais entendu cette musique, je n'aurais pas tourné au coin de la rue ! ». (Wells, 1981).

L'apprentissage par association opère souvent de manière subtile.

- Si vous donnez un stylo rouge à des gens (la couleur rouge étant souvent associée à la correction des fautes) plutôt qu'un stylo noir pour corriger une rédaction, ils trouveront plus d'erreurs et mettront une moins bonne note (Rutchick et al., 2010).

- Lors d'une élection, les gens sont plus enclins à soutenir des impôts pour l'aide à l'éducation si leur bureau de vote se trouve dans une école (Berger et al., 2008). Aux États-Unis, le Sud est plutôt conservateur. Si le bureau de vote se tient dans une église la tendance à voter contre le mariage de sujets du même sexe sera plus forte (Rutchick, 2010).

- Après avoir manipulé des billets de banque usagers et sales, les sujets jouant le rôle de vendeur dans une expérience de psychologie sociale ont tendance à être plus égoïstes et âpres au gain. Après avoir manipulé des billets neufs et propres, ils deviennent plus désintéressés et plus équitables (Yang et al., 2013).

L'apprentissage par association nourrit également nos comportements habituels (Wood et Neal, 2014). À mesure que nous répétons nos comportements dans un contexte donné, par exemple la position que nous adoptons dans le lit pour dormir, nos chemins pour arriver au campus, notre consommation de pop-corn au cinéma, ces comportements deviennent associés, inhérents au contexte. Notre expérience suivante du contexte déclenche alors automatiquement la réponse habituelle. Surtout à une époque où notre volonté est mise à l'épreuve, comme lorsque nous sommes mentalement fatigués, la tendance à se replier sur nos habitudes l'emporte (Neal et al., 2013). Cela est vrai pour les bonnes habitudes, manger des fruits, comme pour les mauvaises, consommer trop d'alcool, comportements qui sont engrammés dans nos circuits cérébraux (Graybiel & Smith, 2014).

Combien de temps faut-il pour prendre ces habitudes ? Pour le savoir une équipe de chercheurs britanniques a demandé à 96 étudiants de choisir un comportement sain (par exemple courir avant de dîner, ou manger des fruits à midi), de le faire pendant 84 jours et de noter si ce comportement leur semble automatique (quelque chose qu'ils font sans plus y penser et qu'ils trouveraient difficile de ne plus faire). En moyenne le comportement devint habituel en 66 jours environ (Lally et al., 2010). Avez-vous envie que quelque chose devienne habituel dans votre vie ? Faites le seulement chaque jour pendant deux mois ou un peu plus longtemps s'il s'agit d'un sport et il est probable que vous preniez cette nouvelle habitude.

D'autres animaux apprennent également par association. Quand elle est dérangée par un jet d'eau, *l'aplysie*, qui est un gastéropode marin, va rétracter ses branchies pour se protéger. Si les jets

---

Apprentissage processus qui permet d'acquérir de nouvelles informations ou de nouveaux comportements d'une manière relativement permanente.

Apprentissage par association apprendre que certains événements se produisent simultanément. Les événements peuvent être deux stimuli (comme dans le conditionnement classique) ou une réponse et ses conséquences (comme dans le conditionnement opérant).

Stimulus un événement ou une situation qui déclenche une réponse.

Comportement répondant comportement qui se produit en réponse automatique à un stimulus.

Comportement opérant comportement qui agit sur l'environnement, entraîne des conséquences.

Deux événements liés :

Stimulus 1 :
éclair

Stimulus 2 :
coup de
tonnerre

BOOM!

Réponse :
réaction
de peur,
tressaillement

Résultat après répétition :

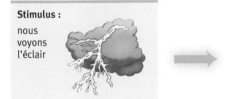

Stimulus :
nous
voyons
l'éclair

Réponse :
nous
tressaillons,
anticipant
le tonnerre

▼ FIGURE 7.1
Conditionnement
classique

continuent, comme c'est le cas dans une eau agitée, la réponse de rétraction va diminuer. Mais si cette aplysie de mer reçoit de façon répétée un choc électrique après avoir été arrosée, sa réponse de rétraction au jet d'eau devient plus forte. L'animal associe le jet d'eau au choc qui le suit.

Des animaux plus complexes peuvent apprendre à relier leur propre comportement aux résultats qui en découlent. Des phoques dans un aquarium vont répéter des comportements, comme battre des nageoires ou aboyer, pour inciter les gens à leur jeter un hareng.

En reliant deux événements qui se produisent d'une manière rapprochée, ces deux espèces animales font preuve d'un **apprentissage par association**. L'aplysie associe le jet d'eau au choc qui le suit et le phoque associe le fait de claquer des nageoires ou d'aboyer à celui de recevoir un hareng. Dans les deux cas, les animaux ont appris quelque chose d'important pour leur survie : prédire leur futur immédiat.

Le *conditionnement* est le processus consistant à apprendre des associations. Il existe sous deux formes principales :

- Dans *le conditionnement classique*, nous apprenons à associer deux stimuli et à anticiper les événements. (Un **stimulus** est un événement ou une situation qui déclenche une réponse.) Nous apprenons que l'éclair signale un grondement de tonnerre imminent, par conséquent, lorsque nous voyons un éclair proche, nous commençons à nous préparer (**FIGURE 7.1**). Nous associons un stimulus que nous ne contrôlons pas, et nous y répondons de façon automatique. Ce comportement est appelé **comportement répondant**.

- Dans *le conditionnement opérant*, nous apprenons à associer une réponse (notre comportement) et ses conséquences. De ce fait, nous apprenons (comme les autres animaux) à répéter les actes suivis d'une récompense (**FIGURE 7.2**) et à éviter les actes suivis d'une punition. Ces associations produisent des **comportements opérants**.

Pour simplifier, nous allons considérer séparément ces deux types d'apprentissage par association, bien qu'ils se produisent souvent ensemble dans la même situation. On raconte qu'un astucieux éleveur de bétail japonais équipa son troupeau de bipers électroniques, qu'il pouvait appeler depuis son téléphone portable. Après une semaine d'entraînement, les animaux avaient appris à associer deux stimuli : le bip sonore de leur appareil et l'arrivée de la nourriture (conditionnement classique répondant). Mais ils avaient aussi appris à associer leur bousculade vers la mangeoire au plaisir de manger (conditionnement opérant) ; ce qui simplifiait le travail du bouvier.

La plupart d'entre nous seraient incapables de donner l'ordre des chansons de son album favori ou de sa playlist. Cependant, entendre la fin d'un morceau de musique nous permet d'anticiper le morceau suivant (par association). De la même manière, en chantant votre hymne national, vous associez la fin de chaque ligne avec le début de la suivante. (Prenez une ligne en plein milieu et remarquez comme il est plus difficile de se rappeler la ligne *précédente*.)

S'il vous
plait ?

S'il vous
plait ?

▼ FIGURE 7.2
Conditionnement
opérant

(a) Réponse : être poli

(b) conséquence : recevoir
une friandise

(c) renforcement
du comportement

Apprentissage cognitif acquisition de processus mentaux, que ce soit par l'observation des événements, du comportement et des actions de l'autre, ou par le langage.

Conditionnement classique type d'apprentissage dans lequel un organisme en vient à associer deux ou plusieurs stimuli et à anticiper les événements.

Béhaviorisme (ou comportementalisme) courant selon lequel (1) la psychologie doit être une science objective qui (2) étudie le comportement sans référence aux processus et aux états mentaux. La plupart des chercheurs en psychologie sont aujourd'hui d'accord avec la première partie (1) de la définition, mais pas avec la seconde (2).

Stimulus neutre (SN) dans le conditionnement classique, stimulus qui ne déclenche aucune réponse, avant l'instauration du conditionnement.

Réponse inconditionnelle (RI) dans le conditionnement classique, c'est la réponse non apprise, spontanée, au stimulus inconditionnel (SI), comme la salivation lorsque l'on place de la nourriture dans la bouche.

Stimulus inconditionnel (SI) dans le conditionnement classique, stimulus qui déclenche une réponse de façon non conditionnée – naturelle et automatique.

Ivan Pavlov « La recherche expérimentale... devrait jeter des bases solides pour assurer l'avenir d'une véritable psychologie scientifique » (1927).

Le conditionnement n'est pas la seule forme d'apprentissage. Par **l'apprentissage cognitif**, nous acquérons des informations mentales qui guident notre comportement. *L'apprentissage par observation*, une forme d'apprentissage cognitif, nous permet d'apprendre à partir des expériences d'autrui. Les chimpanzés peuvent aussi apprendre des comportements essentiellement en observant d'autres individus les accomplir. Si un animal apprend à résoudre un problème pour obtenir de la nourriture en guise de récompense pendant qu'un autre le regarde, le second animal pourra exécuter le travail plus rapidement. Il en est de même pour nous : nous regardons et nous apprenons.

Intéressons-nous maintenant de plus près au conditionnement classique ou répondant.

• Pourquoi des habitudes, comme croquer une friandise avec une tasse de café, sont-elles si difficiles à modifier ?

Réponse : Les habitudes se forment lorsque nous répétons les comportements dans un contexte donné et, par conséquent, nous apprenons par des associations qui souvent se font à notre insu. Par exemple, nous pouvons avoir mangé une pâtisserie avec une tasse de café assez souvent pour associer la saveur du café à celle du gâteau, de sorte qu'une tasse de café seul nous semblera fade.

Conditionnement classique

7-2 Qu'est-ce que la conception comportementaliste de l'apprentissage ?

Pour beaucoup de gens, le nom d'Ivan Pavlov (1849-1936) est évocateur. Ses expériences au début du XXᵉ siècle, devenues les recherches les plus fameuses de la psychologie, sont classiques et le phénomène qu'il explora est celui que nous nommons à juste titre **le conditionnement classique.**

Les travaux de Pavlov ont également posé les fondements de nombreuses conceptions du psychologue John B. Les conceptions de Watson. Dans ses travaux de recherche sur les principes sous-jacents de l'apprentissage, Watson (1913) conseilla vivement à ses collaborateurs d'écarter toute référence aux pensées, aux sentiments et aux motivations personnelles. La psychologie à visée scientifique se doit plutôt d'étudier comment les organismes répondent aux stimuli présents dans leur environnement, déclare Watson. « Il faut théoriser la prédiction et le contrôle du comportement. L'introspection ne constitue pas une partie essentielle de ses méthodes. » Plus simplement, la psychologie devrait être une science objective qui se fonde sur un comportement observable.

Ce point de vue, que Watson a nommé **béhaviorisme**, ou **comportementalisme**, a influencé la psychologie nord-américaine au cours de la première moitié du XXᵉ siècle. Watson et Pavlov partageaient le même sentiment de dédain à l'égard des concepts « mentaux » tels que la conscience et la même conviction selon laquelle les principes de base de l'apprentissage étaient les mêmes chez tous les animaux, chez l'aplysie, le chien aussi bien que chez l'homme. Peu de chercheurs aujourd'hui s'accordent à penser que la psychologie doit éviter d'étudier les processus mentaux, mais presque tous reconnaissent que le conditionnement classique est une forme fondamentale de l'apprentissage qui permet à tous les organismes de s'adapter à leur environnement.

Les expériences de Pavlov

7-3 Qui était Pavlov et quelles sont les composantes fondamentales du conditionnement classique ?

Pavlov a été guidé durant toute sa vie par sa passion pour la recherche. Après avoir renoncé à suivre la voie de son père dans la prêtrise orthodoxe russe, il obtint son diplôme de médecin à l'âge de 33 ans et passa les 20 années suivantes à étudier le système digestif. Ce travail lui a valu le prix Nobel en 1904, le premier pour la Russie. Mais ce sont ses nouvelles expériences sur l'apprentissage, auxquelles il consacra les 30 dernières années de son existence, qui valurent à ce scientifique tenace sa place dans l'histoire.

Pavlov prit une nouvelle orientation lorsque son esprit créatif s'empara d'une découverte fortuite. Il remarqua que, lorsqu'il plaçait de la nourriture dans la gueule d'un chien, celui-ci salivait invariablement. De plus, non seulement le chien commençait à saliver lorsqu'il goûtait la nourriture mais aussi à la simple vue de la nourriture, de la gamelle, de la personne qui lui apportait régulièrement de la nourriture ou même au son du pas de cette personne. Au début, Pavlov considéra ces « sécrétions psychiques » comme une gêne jusqu'à ce qu'il réalise qu'elles correspondaient à une forme simple, mais importante, d'apprentissage.

Pavlov et ses assistants essayèrent d'imaginer ce que le chien pouvait penser ou ressentir lorsqu'il bavait en attendant sa nourriture. Cette approche n'aboutit qu'à des débats infructueux. Pour aborder le phénomène de façon plus objective, ils réalisèrent donc des expériences. Pour éliminer l'influence possible de stimuli extérieurs, ils isolèrent le chien dans une petite pièce, l'attachèrent et lui fixèrent un petit appareil qui conduisait sa salive vers un instrument de mesure

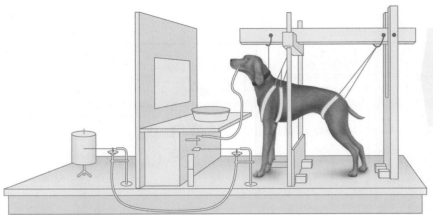

▼ FIGURE 7.3
Le dispositif de Pavlov pour enregistrer la salivation Une canule est placée dans la joue du chien pour recueillir la salive, et le volume de la sécrétion est mesuré dans un cylindre situé à l'extérieur de la cage.

(**FIGURE 7.3**). D'une pièce adjacente, ils pouvaient présenter la nourriture – au départ en glissant une gamelle de nourriture, plus tard en insufflant dans la gueule du chien de la poudre de viande à un moment précis. Ensuite, ils associèrent à la nourriture placée dans la gueule du chien divers **stimuli neutres (SN)**, des choses que le chien pouvait voir ou entendre mais ne pouvait associer à la nourriture. Si la vue ou le bruit signalait régulièrement l'arrivée de la nourriture, est-ce que le chien allait associer les deux stimuli ? Si c'était le cas, allait-il commencer à saliver en anticipant l'arrivée de nourriture ?

La réponse s'avéra *positive* pour les deux questions. Juste avant de placer la nourriture dans la gueule du chien pour provoquer la salivation, Pavlov faisait résonner un son. Après plusieurs associations entre le son et la nourriture, le chien se mit à saliver uniquement en entendant le son, par anticipation de la viande en poudre. Dans des expériences ultérieures, une sonnerie[1], une lumière, une tape sur la patte ou même la vision d'un cercle déclenchait la salivation. (Cela marchait aussi chez l'homme. Lorsque des jeunes Londoniens affamés regardèrent des figures abstraites avant de sentir du beurre de cacahuète ou de la vanille, leurs cerveaux commencèrent rapidement à répondre par anticipation à la seule image abstraite [Gottfried et al., 2003].)

Un chien n'apprend pas à saliver en réponse à la présence de nourriture dans sa gueule. C'est la présence de nourriture dans la gueule qui déclenche un réflexe de salivation automatique et *inconditionnel* chez le chien (**FIGURE 7.4**). De ce fait Pavlov l'appela **réponse inconditionnelle (RI)**. Et il appela la nourriture, le **stimulus inconditionnel (SI)**.

---

1. La « sonnerie » était peut-être une petite cloche électrique (Tully, 2003).

▼ FIGURE 7.4
Expérience classique de Pavlov Pavlov a présenté un stimulus neutre (un son) juste avant un stimulus inconditionnel (de la nourriture dans la bouche). Le stimulus neutre devient alors un stimulus conditionnel, produisant une réponse conditionnée.

AVANT LE CONDITIONNEMENT

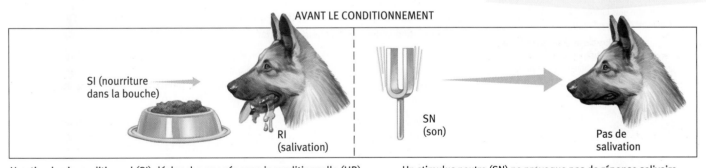

SI (nourriture dans la bouche) → RI (salivation)

SN (son) → Pas de salivation

Un stimulus inconditionnel (SI) déclenche une réponse inconditionnelle (UR).

Un stimulus neutre (SN) ne provoque pas de réponse salivaire.

PENDANT LE CONDITIONNEMENT

Stimulus neutre (son) + SI (nourriture dans la bouche) → RI (salivation)

Le stimulus inconditionnel est présenté à plusieurs reprises juste après un stimulus neutre. Le stimulus inconditionnel continue à produire une réponse inconditionnelle.

APRÈS LE CONDITIONNEMENT

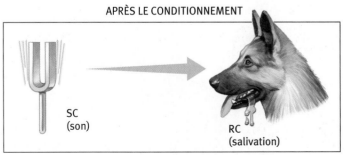

SC (son) → RC (salivation)

Le stimulus neutre produit maintenant une réponse conditionnée (RC), devenant ainsi un stimulus conditionnel (SC).

PEANUTS

Réponse conditionnée (RC) dans le conditionnement classique, réponse apprise à un stimulus conditionnel (SC), qui auparavant était neutre.

Stimulus conditionnel (SC) dans le conditionnement classique, un stimulus au départ neutre qui, après association avec un stimulus inconditionnel (SI), en vient à déclencher une réponse conditionnée.

Acquisition dans le conditionnement classique, étape initiale, au cours de laquelle on relie un stimulus neutre et un stimulus inconditionnel de sorte que le stimulus neutre commence à déclencher la réponse conditionnée. Dans le conditionnement opérant, période de consolidation d'une réponse renforcée.

Conditionnement d'ordre supérieur une procédure dans laquelle le stimulus conditionnel dans une expérience de conditionnement est apparié à un nouveau stimulus neutre. Ce dernier devient ainsi un second stimulus conditionnel souvent plus faible. Par exemple, un animal qui a appris qu'un son prédit un apport de nourriture pourrait alors apprendre qu'un signal lumineux prédit la survenue d'un signal sonore, et va commencer à répondre au stimulus lumineux seul. (Aussi appelé *conditionnement de second ordre.*)

Extinction diminution d'une réponse conditionnée ; se produit dans le conditionnement classique quand un stimulus inconditionnel (SI) ne suit pas un stimulus conditionnel (SC) ; se produit dans le conditionnement opérant lorsqu'une réponse n'est plus renforcée.

Récupération spontanée réapparition après une période de repos de la RC qui s'était éteinte.

La salivation en réponse au son, cependant, est apprise. Le chien associe cette *condition*, le retentissement du son, à l'apport de nourriture. Ainsi, nous appelons cette réponse, la **réponse conditionnée (CR)**. Le son, qui était auparavant un stimulus neutre et qui maintenant déclenche la salivation conditionnelle, est appelé **stimulus conditionnel (SC)**. Il est facile de distinguer ces deux types de stimuli. Souvenez-vous simplement : conditionnel = appris ; *in*conditionnel = *non* appris.

Si cette démonstration de l'apprentissage par association était si simple, qu'a donc fait Pavlov pendant les 30 années suivantes ? Comment son laboratoire de recherche a-t-il pu publier 532 articles sur le conditionnement salivaire (Windholz, 1997) ? Lui et ses associés ont exploré les cinq processus majeurs du conditionnement : *l'acquisition, l'extinction, la récupération spontanée, la généralisation* et la *discrimination*.

EXERCICE RÉCAPITULATIF

Un expérimentateur fait retentir un son juste avant de vous envoyer une bouffée d'air dans l'œil. Après maintes répétitions, votre œil se ferme quand vous entendez le son seul. Quel est le SN ? Le SI ? La RI ? Le SC ? La RC ?

Réponses : SN = son avant le conditionnement ; SI = bouffée d'air ; RI = clignement des paupières à la bouffée d'air ; SC = son après l'expérience ; RC = clignement à l'entente du son

Acquisition

7-4 Lors du conditionnement classique, quels sont les processus d'acquisition, d'extinction, de récupération spontanée, de généralisation et de discrimination ?

Pour comprendre le processus **d'acquisition**, ou apprentissage initial, de la relation stimulus-réponse, Pavlov et ses collègues ont dû prendre en compte le facteur temps : combien de temps faut-il entre la présentation du stimulus neutre SN (le son, la lumière, le toucher) et le stimulus inconditionnel (la nourriture) ? Dans la plupart des cas, il faut peu de temps, une demi-seconde suffit pour que cela marche bien.

Que se passerait-il, à votre avis, si la nourriture (SI) apparaissait avant le son (SC) plutôt qu'après ? Pensez-vous que le conditionnement pourrait avoir lieu ? C'est peu vraisemblable. Bien qu'il y ait des exceptions, le conditionnement apparaît rarement lorsque le SN vient après le SI. *Rappelez-vous, le conditionnement classique est biologiquement adaptatif car il aide les hommes et les animaux à se préparer à des événements fastes ou néfastes.* Pour les chiens de Pavlov, le son à l'origine neutre, devient un SC après avoir annoncé un événement biologique important : l'arrivée de la nourriture (SI). Pour un daim dans la forêt, le craquement d'une brindille (SC) peut être, entre autres, annonciateur d'un prédateur (SI).

Des recherches plus récentes menées sur des cailles japonaises mâles ont montré comment le SC pouvait signaler un autre événement biologique important (Domjan, 1992, 1994, 2005). Le chercheur allumait une lampe rouge avant de présenter une femelle en chaleur. Avec le temps, lorsque la lumière rouge annonçait l'arrivée imminente d'une femelle, le mâle commençait à s'exciter. De plus, la caille mâle avait développé une préférence pour la zone de la cage avec la lumière rouge et, lorsque la femelle arrivait, il copulait avec elle plus rapidement et libérait plus de sperme et de liquide séminal (Matthew et al., 2007). La réceptivité de la caille au conditionnement classique stimule ses fonctions reproductrices.

Eric Isselée/Shutterstock

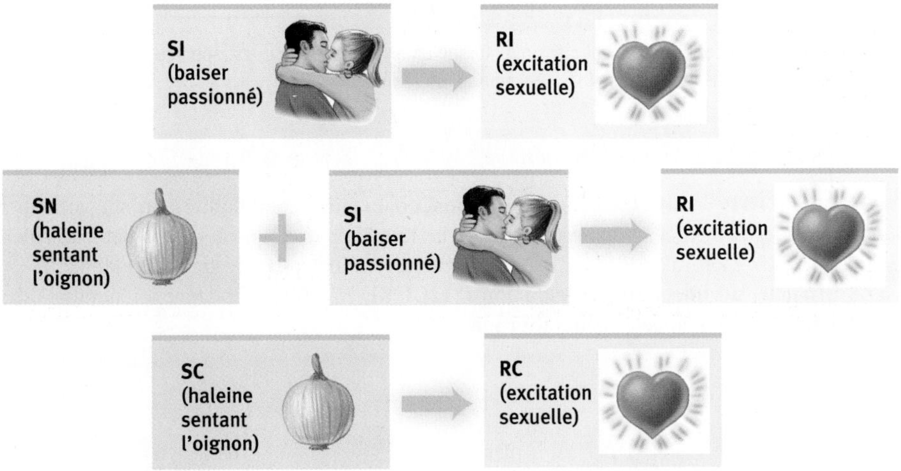

SI
(baiser
passionné) → **RI**
(excitation
sexuelle)

SN
(haleine
sentant
l'oignon) + **SI**
(baiser
passionné) → **RI**
(excitation
sexuelle)

SC
(haleine
sentant
l'oignon) → **RC**
(excitation
sexuelle)

▼ FIGURE 7.5

Un SC inattendu Le psychologue Michael Tirrell (1990) se souvient : « Ma première petite amie adorait les oignons – j'en vins ainsi à associer l'haleine sentant l'oignon avec les baisers. Pendant longtemps, l'haleine sentant l'oignon faisait fourmiller ma colonne vertébrale de haut en bas. Quelle sensation ! »

Chez les hommes également, les objets, les odeurs et les visions associés au plaisir sexuel – et même, au cours d'une expérience, une figure géométrique – deviennent des stimuli conditionnels de l'excitation sexuelle (Byrne, 1982 ; Hoffman, 2012). Généralement, une haleine sentant l'oignon ne déclenche pas d'excitation sexuelle. Mais l'odeur de l'oignon, associée à plusieurs reprises à un baiser passionné, peut devenir un SC de l'excitation sexuelle (**FIGURE 7.5**). Une leçon importante à tirer : *le conditionnement aide l'animal à survivre et à se reproduire lorsque celui-ci répond à des signaux qui lui permettent d'obtenir de la nourriture, d'éviter les dangers, de localiser les partenaires et d'assurer sa descendance* (Hollis, 1997). La mémoire, ce qui reste de l'apprentissage, entretient la nostalgie.

Par un **conditionnement d'ordre supérieur,** un nouveau SN peut devenir un nouveau S, et ce sans la présence d'un SI. Il suffit de l'associer au premier stimulus conditionnel. Si un son signale régulièrement de la nourriture et produit de la salivation, alors l'association d'une lumière à ce son peut aussi commencer à déclencher la salivation. Bien que ce conditionnement d'ordre supérieur (aussi appelé *conditionnement du second degré*) ait tendance à être plus faible que le conditionnement premier, il influence notre vie quotidienne. Imaginez quelque chose qui nous effraye beaucoup (par exemple un chien de garde associé à une morsure préalable de chien). Si quelque chose d'autre, comme le son d'un chien qui aboie, amène à penser à ce chien de garde, cet aboiement seul nous effrayera un peu.

Rappelez-vous :
SN = Stimulus Neutre
SI = Stimulus Inconditionnel
RI = Réponse Inconditionnelle
SC = Stimulus Conditionnel
RC = Réponse Conditionnée

───── **EXERCICE RÉCAPITULATIF** ─────

• Si l'arôme d'un gâteau vous met l'eau à la bouche, quel est le SI ? Le SC ? La RC ?

Réponse : Le gâteau (et son goût) sont les SI. L'arôme associé est le SC. La salivation provoquée par l'arôme est la RC.

▼ FIGURE 7.6

Courbe théorique de l'acquisition, de l'extinction, et de la récupération spontanée La courbe ascendante montre la croissance du nombre de RC. Sa croissance est d'autant plus rapide que le SN devient un SC en raison de l'appariement répété avec le SI *(acquisition)*. Le nombre de réponses RC diminue d'autant plus rapidement que le SC est présenté de plus en plus souvent seul *(extinction)*. Après un temps d'arrêt, la RC, de moindre intensité réapparaît *(récupération spontanée)*.

Conditionnement et récupération Pavlov se demanda ce qui se passerait après un apprentissage avec conditionnement, si le SC intervenait régulièrement sans le SI. Si le son se déclenche de façon répétée sans aucune nourriture, le son va-t-il continuer à déclencher une salivation ? La réponse fut mitigée. Les chiens salivaient de moins en moins, une réaction appelée **extinction**, ou diminution de la réponse qui a lieu lorsque le SC (son) ne signale plus un SI imminent (nourriture). Mais une réaction différente se produisit lorsque Pavlov laissait s'écouler plusieurs heures avant de faire retentir de nouveau le son. Après ce délai les chiens recommençaient à saliver en entendant le son (**FIGURE 7.6**). Suite à cette **récupération spontanée** – la réapparition d'une RC (affaiblie) après un temps de repos – Pavlov pensa que l'extinction dissimulait la RC, mais ne la faisait pas disparaître.

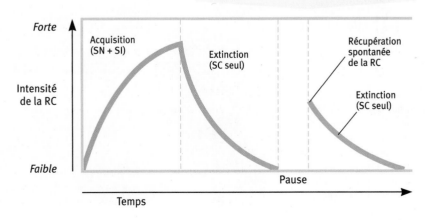

Généralisation tendance des stimuli
semblables au stimulus conditionnel à déclencher
des réponses similaires, une fois la réponse conditionnée acquise.

Généralisation Pavlov et ses étudiants notèrent qu'un chien conditionné à un son particulier répondait aussi légèrement à un nouveau son ayant un ton différent. De la même manière, un chien conditionné à saliver lorsqu'on le brosse va également saliver un peu si on le gratte (Windholz, 1989) ou si on le touche sur une autre partie du corps (**FIGURE 7.7**). Cette tendance à répondre à des stimuli voisins du SC est appelée **généralisation.**

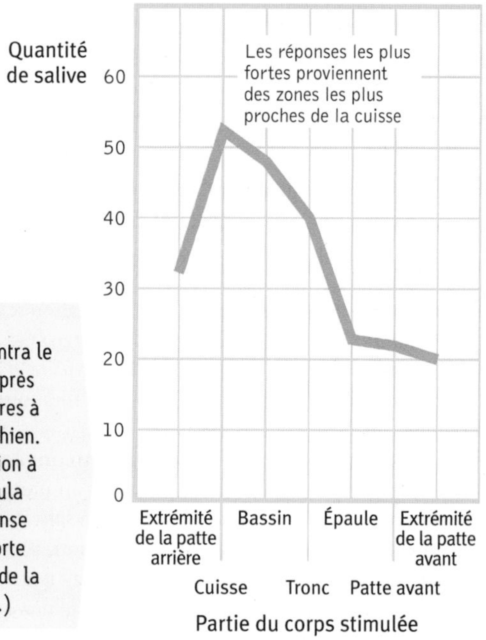

▼ FIGURE 7.7
Généralisation Pavlov démontra le phénomène de la généralisation après avoir attaché des vibreurs miniatures à différentes parties du corps d'un chien. Après avoir conditionné la salivation à la stimulation de la cuisse, il stimula d'autres régions du corps. La réponse conditionnée était d'autant plus forte que l'endroit stimulé était proche de la cuisse. (Données de Pavlov, 1927.)

La généralisation peut être adaptative, comme lorsque les enfants à qui l'on a appris à se méfier des automobiles roulant dans la rue répondent de la même manière aux camions et aux motos. Les craintes généralisées peuvent perdurer. Un écrivain argentin qui avait subi des tortures, manifestait encore sa peur par un mouvement de recul en voyant des chaussures noires : c'était la première chose qu'il avait vue quand ses tortionnaires s'étaient approchés de sa cellule. Ce phénomène de d'anxiété généralisée a été démontré au cours d'études en laboratoire où l'on a comparé des enfants maltraités à des enfants n'ayant pas reçu de mauvais traitements (**FIGURE 7.8**). Quand on leur montrait un visage exprimant de la colère sur un écran, les tracés électroencéphalographiques des enfants maltraités présentaient des ondes nettement plus amples et de plus longue durée (Pollak et al., 1998). Et quand le visage d'une personne aimée (ou détestée) est transformé en un autre visage lui ressemblant, nous avons aussi une certaine tendance à aimer (ou détester) ce visage vaguement similaire (Gawronski & Quinn, 2013).

Des stimuli qui ressemblent naturellement à des objets répugnants vont, par association, susciter du dégoût. Une nourriture normalement appétissante, comme un gâteau fondant, semble répugnante si elle est présentée sous forme d'excréments de chien (Rozin et al., 1986). Dans chacun de ces exemples, les réactions émotionnelles des gens à un stimulus sont généralisées à des stimuli similaires.

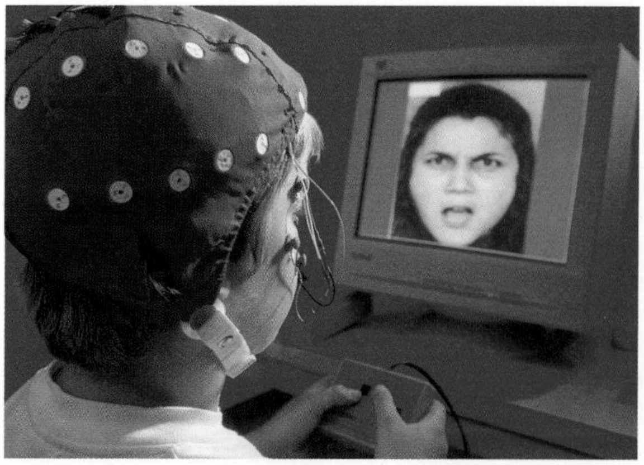

▼ FIGURE 7.8
La maltraitance chez l'enfant laisse des traces dans le cerveau Le cerveau sensibilisé des enfants mal-traités réagit plus fortement à la présentation de visages exprimant la colère (Pollak et al., 1998). Cette réponse d'anxiété généralisée peut aider à expliquer pourquoi les enfants maltraités risquent plus de souffrir de troubles psychologiques.

© UW-Madison News & Public Affairs, Photo par Jeff Miller

• Quel principe conditionné influence les affections de l'escargot ?

« Je me fiche que ce soit un dévidoir de ruban adhésif. Je l'aime. »

RÉPONSE : généralisation

Discrimination Les chiens de Pavlov apprirent aussi à répondre à un son d'une tonalité particulière et *non* à d'autres tonalités. Cette capacité apprise à *distinguer* un stimulus conditionnel (qui annonce le SI) d'autres stimuli voisins, mais non pertinents, est la **discrimination**. Être capable de reconnaître ces différences signe un comportement adaptatif. Des stimuli légèrement différents peuvent parfois avoir des conséquences très différentes. Confronté à un chien de garde, il se peut que votre cœur s'emballe ; confronté à un chien d'aveugle, il n'en sera pas de même.

L'héritage de Pavlov

7-5 Pourquoi le travail de Pavlov est-il si important ?

Que reste-t-il maintenant des idées de Pavlov sur le conditionnement ? Beaucoup de choses. La plupart des psychologues sont d'accord pour dire que le conditionnement classique est une forme fondamentale d'apprentissage. Jugées en fonction de nos connaissances actuelles sur les relations entre notre biologie, notre psychologie et notre environnement socioculturel, les idées de Pavlov étaient incomplètes. Mais si nous pouvons voir plus loin que ne le fit Pavlov, c'est parce que nous nous appuyons sur lui.

Pourquoi le travail de Pavlov est-il si important ? S'il nous avait simplement dit qu'un vieux chien peut apprendre de nouveaux tours, ses expériences seraient oubliées depuis longtemps. Pourquoi quelqu'un ferait-il attention au fait qu'un chien puisse être conditionné à saliver en entendant une sonnerie ? L'important réside, en premier lieu, dans cette observation : *de nombreuses autres réponses à de nombreux autres stimuli peuvent être conditionnées de façon classique chez de nombreux autres organismes* – en fait chez chaque espèce testée depuis le ver de terre jusqu'au poisson, en passant par le chien, le singe et les hommes (Schwartz, 1984). Le conditionnement classique est donc une manière pour pratiquement tous les organismes d'apprendre à s'adapter à leur environnement.

En second lieu, *Pavlov nous a montré comment un processus comme l'apprentissage pouvait être étudié de façon objective*. Il était fier du fait que sa méthode n'implique pratiquement aucun jugement ni hypothèse subjectifs sur ce qui pouvait se passer dans l'esprit du chien. La réponse salivaire est un comportement mesurable en termes de centimètres cubes de salive. Le succès de Pavlov suggéra donc un modèle scientifique dans la façon dont science psychologique naissante devait procéder – en isolant les éléments constitutifs élémentaires des comportements complexes et en les étudiant avec des méthodes de laboratoire objectives.

• Dans les films pornographiques, les images de femmes, sexuellement stimulantes, sont souvent associées aux violences envers les femmes. En se référant aux principes du conditionnement classique, quelles pourraient être les conséquences de la vision de ces images ?

RÉPONSE : Si la vue d'une attrayante femme nue ou presque dénudée (SI) suscite chez vous une excitation sexuelle (RI), la concomitance d'un nouveau stimulus (la violence) pourrait transformer cette violence en un stimulus conditionnel (SC) de l'excitation sexuelle, réponse conditionnée (RC).

Discrimination dans le conditionnement classique, capacité apprise à distinguer un stimulus conditionnel des stimuli voisins qui ne signalent pas un stimulus inconditionnel.

Les applications du conditionnement classique

7-6 Quelles sont les applications des travaux de Pavlov qui ont été mises à profit dans le domaine de la santé humaine et du bien-être ? Comment Watson a-t-il appliqué les principes de Pavlov à ses travaux sur les peurs apprises ?

D'autres chapitres de cet ouvrage, consacrés à la conscience, à la motivation, aux émotions, à la santé, aux troubles psychologiques, et à la thérapie, nous montrent comment les principes de Pavlov concernant le conditionnement classique s'appliquent à la santé de l'homme et à son bien-être. Deux exemples :

- Les anciens consommateurs de drogue ressentent une violente sensation de manque lorsqu'ils sont à nouveau confrontés à des éléments (lieux, personnes) associés à des périodes d'euphorie passée. Les spécialistes en toxicomanie suggèrent donc aux drogués de se tenir à l'écart des personnes et des éléments qui pourraient déclencher ces sensations de manque (Siegel, 2005).

- Le conditionnement classique agit même sur le système immunitaire qui défend l'organisme contre les maladies. Lorsque, par exemple, un médicament influençant les réponses immunitaires possède un goût particulier, ce goût peut par lui-même arriver à déclencher une réponse immunitaire (Ader et Cohen, 1985).

Le travail de Pavlov a fourni une base à l'idée de John Watson (1913) selon laquelle le comportement et les émotions de l'homme, bien qu'influencés biologiquement, étaient principalement un faisceau de réponses conditionnées. Travaillant avec un enfant de 11 mois prénommé Albert, Watson et Rosalie Rayner (1920 ; Harris, 1979) montrèrent comment des peurs spécifiques peuvent être conditionnées. Comme la plupart des enfants, le petit Albert craignait les bruits violents, mais pas les rats blancs. Watson et Rayner lui présentèrent un rat blanc et, au moment où il allait le toucher, donnèrent un coup de marteau sur une barre en acier située juste derrière sa tête. Après sept répétitions de la présentation du rat blanc suivie du bruit effrayant, Albert fondait en larmes à la simple vue du rat (une étude qui aujourd'hui poserait des problèmes d'éthique). Qui plus est, 5 jours plus tard, Albert montra une généralisation de sa réponse conditionnée en réagissant craintivement à la vue d'un lapin, d'un chien, d'un manteau en peau de phoque, mais non à la vue d'objets différents comme des jouets.

Pendant des années on se demanda ce qu'il était advenu du petit Albert. Russell Powell et ses collègues (2014) ont trouvé, à force de recherches, un enfant qui correspondait à sa description, et qui était le fils d'une des nourrices de l'hôpital. L'enfant, William Albert Barger, devint Albert B. — précisément le nom utilisé par Watson et Rayner. Albert étant encore vivant en 2007. C'était une personne facile à vivre, même si, peut-être par pure coïncidence, il avait une aversion pour les chiens. Albert est mort sans jamais rien savoir de son enfance passée dans une résidence de l'hôpital ou de son rôle dans l'histoire de la psychologie.

Les gens se demandèrent également ce qu'il était advenu de Watson. Après avoir perdu son poste de professeur à l'université Johns Hopkins à la suite d'une liaison avec Raynor qui était son élève et qu'il épousera, il travailla, en tant que psychologue, dans une agence de publicité. Là, il utilisa ses connaissances de l'apprentissage par association pour concevoir de nombreuses campagnes à succès, dont une pour la société Maxwell qui contribua à faire de la « pause-café » une coutume américaine (Hunt, 1993).

Le traitement du petit Albert serait inacceptable aujourd'hui du fait des règles d'éthique actuelles. De plus, certains psychologues ont eu des difficultés à répliquer les expériences de Watson et Rayner, remarquant que la crainte des petits enfants n'était pas apprise rapidement. Néanmoins, la crainte apprise du petit Albert a conduit de nombreux psychologues à se demander si chacun d'entre nous n'était pas un répertoire ambulant d'émotions conditionnées. Si tel était le cas, nos réponses non désirées aux stimuli engendrant nos émotions pourraient-elles être modifiées par l'application de procédures d'extinction ou par le conditionnement de nouvelles réponses aux stimuli suscitant des émotions ?

Un patient, qui depuis 30 ans souffrait d'une phobie des ascenseurs, a fait exactement ceci. Suivant les conseils de son thérapeute, il se força à entrer tous les jours dans 20 ascenseurs différents. En 10 jours, sa crainte s'était presque évanouie (Ellis et Becker, 1982). Avec le soutien d'AirTran, l'écrivain-comédien Mark Malkoff a éteint de la même façon sa peur de l'avion. Il a vécu dans un avion pendant 30 jours, faisant 135 vols qui l'amenèrent dans les airs 14 heures par jour (NPR, 2009). Après une semaine et demie sa crainte s'était estompée et il commença à jouer avec des passagers. (Sa farce préférée était « l'expérience du papier toilette » : il mettait une extrémité du rouleau dans les toilettes, déroulait le reste dans l'allée de l'avion et tirait la chasse d'eau. La totalité du rouleau était aspirée en trois secondes.) Dans le Chapitre 16, nous verrons d'autres exemples de la façon dont

John B. Watson Watson (1924) reconnut que ses paroles avaient dépassé sa pensée lorsqu'il proposa, en fanfaronnant, son célèbre projet : « Donnez-moi une douzaine de nourrissons en bonne santé, ayant une résistance physique pour pouvoir les élever dans mon monde et je vous garantis d'en choisir un au hasard et le former pour qu'il devienne un spécialiste, d'une discipline que j'aurais choisie, médecin, avocat, artiste, directeur des ventes, ou même mendiant et voleur, indépendamment de ses talents, penchants, tendances, capacités, vocations, et race de ses ancêtres. »

les psychologues utilisent les techniques comportementales pour traiter les troubles émotionnels et favoriser l'épanouissement personnel.

EXERCICE RÉCAPITULATIF

- Les travaux de Watson et Rayner ont montré que le Petit Albert avait acquis la peur des rats blancs, par présentation de ces rats en même temps que l'audition d'un son très bruyant. Dans cette expérience, quel était le SI ? La RI ? Le SN ? Le CS ? La RC ?

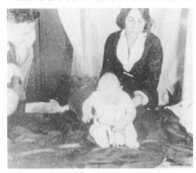

Archives de l'Histoire de la psychologie américaine, Le Centre pour l'histoire de la psychologie, Université d'Akron

RÉPONSES : Le SI était le bruit ; la RI était la réaction, de peur, au bruit ; le SN était le rat avant qu'il ait été apparié au bruit ; le SC était le rat après appariement ; la RC était la peur du rat.

REVUE GÉNÉRALE Concepts fondamentaux de l'apprentissage et du conditionnement classique

OBJECTIFS D'APPRENTISSAGE

EXERCICE RÉCAPITULATIF Prenez un moment pour répondre à chacune de ces questions objectif d'apprentissage (répétées ici au sein de cette section). Puis aller à l'annexe C, révision complète du chapitre, pour vérifier vos réponses. La recherche suggère que d'essayer de répondre à ces questions de votre propre initiative permettra d'améliorer la mémorisation à long terme de ces réponses (McDaniel et al., 2009).

7-1 Qu'est-ce que *l'apprentissage* et que sont les formes fondamentales d'apprentissage ?

7-2 Qu'est-ce que la conception comportementaliste de l'apprentissage ?

7-3 Qui était Pavlov, et quelles sont les composantes fondamentales du conditionnement classique ?

7-4 Lors du conditionnement classique, quels sont les processus d'acquisition, d'extinction, de récupération spontanée, de généralisation et de discrimination ?

7-5 Pourquoi le travail de Pavlov est-il si important ?

7-6 Quelles sont les applications des travaux de Pavlov qui ont été mises à profit dans le domaine de la santé humaine et du bien-être ? Comment Watson a-t-il appliqué les principes de Pavlov à ses travaux sur les peurs apprises ?

TERMES ET CONCEPTS À RETENIR

EXERCICE RÉCAPITULATIF Testez votre connaissance de ces termes en essayant d'écrire leur définition, avant de vous reporter aux pages indiquées en référence pour vérifier votre réponse.

apprentissage, p. 280

apprentissage par association, p. 281

stimulus, p. 281

comportement répondant, p. 281

comportement opérant, p. 281

apprentissage cognitif, p. 282

conditionnement classique, p. 282

béhaviorisme, comportementalisme, p. 282

stimulus neutre (SN), p. 283

réponse inconditionnelle (RI), p. 283

stimulus inconditionnel (SI), p. 283

réponse conditionnée (RC), p. 284

stimulus conditionnel (SC), p. 284

acquisition, p. 284

conditionnement d'ordre supérieur, p. 285

extinction, p. 285

récupération spontanée, p. 285

généralisation, p. 286

discrimination, p. 287

Conditionnement opérant type d'apprentissage dans lequel le comportement s'accroît s'il est suivi par un renforcement ou s'atténue s'il est suivi par une punition.

Loi de l'effet principe formulé par Thorndike selon lequel on a plutôt tendance à reproduire les comportements suivis de conséquences favorables que les comportements suivis de conséquences défavorables.

Cage ou boîte à conditionnement opérant utilisée pour la recherche sur le conditionnement opérant ; boîte (aussi connue sous le nom de *boîte de Skinner*) contenant un levier ou un bouton qu'un animal peut manipuler pour obtenir un renforcement – eau ou nourriture – et un appareil pour enregistrer le nombre de fois où l'animal appuie sur le levier ou picore le bouton.

Renforcement dans le conditionnement opérant, tout événement qui *accroît* le comportement qui le suit.

Modelage procédé du conditionnement opérant au cours duquel des renforcements guident le comportement vers une approximation de plus en plus proche du but désiré.

Conditionnement opérant

7-7 Qu'est-ce que le conditionnement opérant ?

C'est une chose classique de conditionner un animal à saliver en entendant un son ou un enfant à craindre les voitures dans la rue. Pour apprendre à un éléphant à marcher sur ses pattes postérieures ou à un enfant à dire « *s'il vous plaît* », nous devons nous tourner vers le conditionnement opérant.

Le conditionnement opérant et le conditionnement classique sont tous deux des formes d'apprentissage par association, cependant leur différence est très nette :

- *Le conditionnement classique* associe des stimuli (un SC et le SI qu'il signale). Il implique aussi un *comportement de réponse* (ou répondant), c'est-à-dire un comportement qui se produit comme une réponse automatique à un stimulus (par exemple, une salivation en réponse à la poudre de viande et plus tard en réponse à un son).

- Dans le **conditionnement opérant**, les sujets associent leurs propres actions à leurs conséquences. Les comportements suivis d'un renforcement positif augmentent ; ceux suivis d'une punition régressent souvent. Le comportement opérant est un comportement qui agit sur l'environnement pour produire des stimuli, récompenses ou punitions.

EXERCICE RÉCAPITULATIF

- Avec le conditionnement _____ nous apprenons à associer des événements que nous ne contrôlons pas. Avec le conditionnement _____ nous apprenons à associer notre comportement et les événements qui en découlent.

Réponses : classique ; opérant

Les expériences de Skinner

7-8 Qui était Skinner, et comment le comportement opérant est-il renforcé et modelé ?

B. F. Skinner (1904-1990) était sorti major de sa promotion de littérature anglaise et aspirait à devenir écrivain quand, cherchant une nouvelle orientation, il fit un troisième cycle de psychologie à l'université. Il devint l'une des figures les plus influentes et les plus controversées du béhaviorisme moderne. Skinner fonda ses recherches sur ce que le psychologue Edward L. Thorndike (1874-1949) a appelé **loi de l'effet** : un comportement récompensé est susceptible de se reproduire (**FIGURE 7.9**) ; le comportement puni est moins susceptible de se reproduire. En prenant la loi de l'effet de Thorndike comme point de départ, Skinner développa une technologie du comportement qui mit à jour les principes du *contrôle comportemental*. En modelant des comportements innés chez les pigeons, tels que marcher et picorer, il leur apprit des comportements qui leur étaient tout à fait inhabituels comme de se promener le long d'une figure en 8, de jouer au ping-pong ou de guider un missile dans la bonne direction en picorant sur une cible mobile montrée sur un écran.

Pour ses premières études, Skinner conçut une **cage à conditionnement opérant**, plus couramment connue sous le nom de *boîte de Skinner* (**FIGURE 7.10**). Cette boîte contient un levier ou

▼ FIGURE 7.9
Chat dans une boîte « à problèmes » (puzzle box) Thorndike utilisa un poisson comme récompense pour entraîner des chats à trouver leur chemin pour sortir de cette boîte à problèmes (à gauche) par le biais d'une série de manœuvres. Les performances du chat ont tendance à s'améliorer après un certain nombre d'essais successifs (à droite), ce qui illustre *la loi de l'effet de Thorndike*. (Adapté de Thorndike, 1898.)

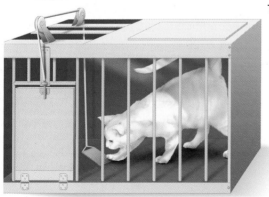

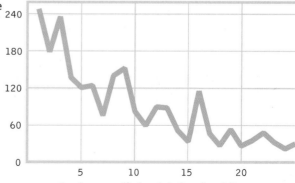

Temps nécessaire pour s'échapper (en secondes)

Essais successifs dans la boîte « à problèmes »

un bouton qu'un animal actionne ou picore pour libérer une récompense (nourriture ou eau). Un appareil qui lui est couplé enregistre les réponses. La conception de cette boîte crée une scène sur laquelle des chats ou d'autres animaux présentent le concept du **renforcement** de Skinner : tout événement qui renforce (augmente la fréquence de) la réponse précédente. Ce qui renforce dépend de l'animal et des conditions. Pour les gens ce peut être des éloges, de l'attention ou une rémunération. Pour un rat affamé et assoiffé, l'eau et la nourriture sont efficaces. Les expériences de Skinner ont fait bien plus que nous apprendre comment faire perdre ses habitudes à un rat. Elles ont étudié les conditions précises qui permettent un apprentissage efficace et durable.

Modelage du comportement

Imaginez que vous vouliez conditionner un rat affamé à appuyer sur un levier. Comme Skinner, vous pourriez essayer le **modelage** en guidant progressivement les actions de l'animal vers le comportement désiré. Après avoir observé comment l'animal se comporte naturellement avant l'entraînement, vous allez partir de son comportement existant. Vous pourriez donner au rat de la nourriture chaque fois qu'il s'approche du levier. Une fois que le rat s'approche régulièrement, vous allez exiger qu'il s'en approche plus près encore avant de le récompenser, puis encore plus près. Finalement, il devra le toucher avant que vous lui donniez la nourriture. Finalement, il devra le toucher avant que vous lui donniez la nourriture. Avec cette méthode *d'approximations successives*, vous récompensez les réponses qui sont toujours plus proches du comportement désiré et ignorez toutes les autres. C'est en développant un lien de dépendance entre les récompenses et le comportement souhaité que les chercheurs et les dresseurs d'animaux parviennent à modeler des comportements complexes.

Le modelage peut aussi nous aider à comprendre ce que perçoivent les organismes non verbaux. Un chien peut-il distinguer le vert du rouge ? Un bébé peut-il entendre la différence entre des sons de tonalité élevée et basse ? Si nous pouvons les former à répondre à un stimulus et non à un autre, on peut alors affirmer qu'ils perçoivent la différence. Les expériences montrent que certains animaux peuvent former des concepts. Si un expérimentateur renforce chez un pigeon l'habitude de picorer après avoir vu un visage humain, mais non une autre image, le comportement du pigeon nous montre qu'il est capable de reconnaître les visages humains (Herrnstein et Loveland, 1964). Dans cette expérience, le visage humain était un *stimulus discriminant*. Comme le feu vert, les stimuli discriminants signalent quelle réponse doit être renforcée. Après avoir été entraînés à distinguer des catégories d'événements ou d'objets, comme des fleurs, des voitures, des hommes et des chaises, les pigeons peuvent en général identifier la catégorie dans laquelle va se placer un nouvel objet (Bhatt et al., 1988 ; Wasserman, 1993). Avec de l'entraînement, des pigeons ont même appris à distinguer la musique de Bach de celle de Stravinsky (Porter et Neuringer, 1984).

Skinner remarqua que nous renforçons et modelons continuellement le comportement des autres, mais nous le faisons souvent de façon non intentionnelle. Par exemple, les caprices de Billy ennuient ses parents désorientés, mais voyez comment ils réagissent typiquement :

> *Billy :* Peux-tu nouer mes lacets ?
>
> *Le père :* (Continue à lire son journal.)
>
> *Billy :* Papa, j'ai besoin qu'on noue mes lacets.
>
> *Le père :* Oui, attends une minute.
>
> *Billy :* PAPAAAA ! LACE MES CHAUSSURES !
>
> *Le père :* Combien de fois t'ai-je dit de ne pas hurler ? Et maintenant, quelle chaussure laçons-nous en premier ?

Les pleurnicheries de Billy sont renforcées, car il obtient ce qu'il veut : l'attention de son père. La réponse de son père est renforcée, car il se débarrasse de quelque chose d'agaçant : les pleurnicheries de Billy.

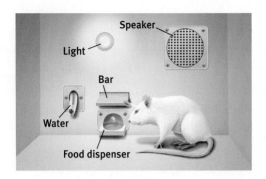

▼ **FIGURE 7.10**
Une boîte de Skinner À l'intérieur de cette boîte, le rat appuie sur un levier pour obtenir de la nourriture en récompense. À l'extérieur, un appareil de mesure (non représenté ici) enregistre les réponses cumulées de l'animal.

Will Burgess/Reuters/Landov

Le renforcement varie selon les circonstances La lampe chauffante peut être un renforçateur pour un animal (ce suricate qui a froid) mais pas pour un autre (un enfant qui a trop chaud). Elle peut être un renforçateur dans une situation (une vague de froid au zoo de Taronga de Sydney) mais pas dans une autre (une journée d'été étouffante).

Antonia Brune, Valentine Photography

Conditionner un chien à jouer du piano En utilisant une méthode par approximations successives, avec une récompense alimentaire pour chaque petite étape franchie avec succès — sautant sur le banc de piano, mettant ses pattes sur les touches, il produit réellement des sons — ce chien a appris à « jouer » du piano, et le fait maintenant très souvent !

Considérez un enseignant qui épingle une étoile dorée à côté du nom des enfants qui obtiennent 10/10 à une dictée. Comme chacun peut alors le voir, certains enfants font toujours un travail parfait. Les autres, qui ont peut-être travaillé plus dur que les premiers de la classe n'obtiennent pas de récompense. L'enseignant ferait mieux d'appliquer les principes du conditionnement opérant – pour renforcer l'amélioration progressive des élèves en orthographe (des approximations successives vers une orthographe parfaite des mots qu'ils trouvent compliqués).

Types de renforcement

7-9 Quelle est la différence entre le renforcement positif et le renforcement négatif, et quels sont les types fondamentaux de renforcements ?

Jusqu'à maintenant nous avons en réalité discuté du **renforcement positif**, qui renforce une réponse en *présentant* un stimulus typiquement agréable après une réponse. Mais comme nous l'avons vu avec l'histoire des jérémiades de Billy, il existe en fait *deux* types fondamentaux de renforcement (**TABLEAU 7.1**). Le **renforcement négatif** renforce une réponse en *éliminant ou réduisant* quelque chose de négatif. Les caprices de Billy ont été renforcés *positivement* parce que Billy a obtenu quelque chose de désirable : l'attention de son père. La réponse du père au caprice de Billy (faire les lacets de Billy) a été renforcée *négativement* parce qu'il a été débarrassé des pleurnicheries désagréables de Billy. De même prendre de l'aspirine peut soulager un mal de tête, appuyer sur le bouton d'alarme d'un réveil permet de stopper le bruit strident de la sonnerie. Toutes ces conséquences bienvenues entraînent un renforcement négatif et augmentent la probabilité que ce comportement se répète. Pour les personnes dépendantes de drogues, le renforcement négatif leur permettant d'échapper à l'angoisse du manque peut devenir une raison irrésistible d'en reprendre (Baker et al., 2004). Notez qu'un *renforcement négatif* n'est pas une *punition*. (Un conseil : répétez cette dernière phrase dans votre tête.) Un renforcement négatif représente plutôt *l'élimination* d'un événement punitif désagréable. Pensez au renforcement négatif comme quelque chose qui procure un soulagement : l'enfant ne pleurera plus, la céphalée se dissipera, une alarme dérangeante sera éteinte.

▼ TABLEAU 7.1
Comment renforcer un comportement

Conditionnement opérant	Description	Exemples
Renforcement positif	Ajout d'un stimulus agréable	Caresser un chien qui vient lorsque vous l'appelez ; payer la personne qui a repeint votre maison.
Renforcement négatif	Retirer un stimulus désagréable	Prendre des analgésiques pour mettre fin à la douleur ; fixez sa ceinture de sécurité pour mettre fin au signal d'alarme de non-bouclage de la ceinture.

Renforcement positif renforcement des comportements par la présentation de stimuli positifs. Tout stimulus qui, lorsqu'il est *présenté* après une réponse, renforce cette dernière est un renforçateur positif.

Renforcement négatif renforcement d'un comportement par l'arrêt ou la diminution de stimuli négatifs, comme un choc électrique. Un renforçateur négatif est un stimulus qui, lorsqu'il est *éliminé* après la réponse, renforce cette dernière. (*Remarque* : le renforcement négatif n'est pas une punition.)

Renforçateur primaire un stimulus de renforcement inné, tels que celui qui répond à un besoin biologique.

Renforçateur conditionnel un stimulus qui gagne son pouvoir renforçant grâce à son association avec un renforçateur primaire ; également connu en tant que *renforçateur secondaire*.

─────── **EXERCICE RÉCAPITULATIF** ───────

• Quel est le mode d'action du conditionnement opérant dans ce dessin ?

Réponse : Le bébé renforce négativement ses parents en arrêtant de pleurer une fois qu'ils ont répondu à son désir. Les parents renforcent positivement ses pleurs en la laissant dormir entre eux.

Parfois le renforcement négatif coïncide avec le renforcement positif. Imaginez ainsi un étudiant anxieux qui, après avoir raté un examen et eu une mauvaise note, étudie encore plus pour l'examen suivant. Ce redoublement d'effort peut être renforcé *négativement* par une diminution de son anxiété et *positivement* par une meilleure note. La gratification obtenue par l'évitement d'un stimulus aversif augment les chances de la répétition de ce comportement. Point à retenir : qu'il fonctionne en attribuant quelque chose de positif ou en réduisant quelque chose de négatif, un *renforcement désigne tout ce qui rend la répétition d'un comportement plus probable.*

Renforcements primaires et renforcements conditionnés Obtenir de la nourriture quand on a faim ou être soulagé d'un mal de tête – ne sont pas appris. Ces **renforcements primaires** sont innés. **Les renforcements conditionnés**, également appelés *renforcements secondaires*, tirent leur pouvoir d'une association apprise à des renforcements primaires. Si un rat mis dans une boîte de Skinner apprend qu'une lampe allumée indique de façon fiable que la nourriture arrive, le rat va manipuler ce qui est à sa portée, comme une pédale sur laquelle appuyer, pour allumer la lumière (voir FIGURE 7.10). La lumière est devenue un renforcement conditionné. Notre vie est pleine de renforcements secondaires – argent, bonnes notes, ton de voix agréable – chacun ayant été associé à une récompense plus générale. Si l'argent est un renforçateur conditionnel, c'est-à-dire si le désir d'argent des gens dérive de leur désir de nourriture, alors la faim rendra les gens plus avides d'argent, soutient une équipe de recherche européenne (Briers et al., 2006). En effet, dans leurs expériences, les personnes étaient moins enclines à faire des dons à des fondations lorsqu'elles étaient privées de nourriture, et avaient moins tendance à partager leur argent avec les autres participants lorsqu'elles se trouvaient dans une pièce ayant des arômes apéritifs, donnant faim.

Renforcements immédiats et différés Retournons à l'expérience imaginaire du façonnage des comportements dans laquelle un rat était conditionné à appuyer sur un levier. Avant de réaliser ce comportement « requis », le rat affamé va effectuer une succession de comportements « non requis » – gratter, renifler, aller et venir. Lorsque le renforcement représenté par la nourriture suit immédiatement l'un de ces comportements, ce dernier a des chances de se reproduire. Mais que se passera-t-il si le rat appuie sur le levier, mais que vous êtes distrait à ce moment-là et vous retardez le renforcement ? Si le retard dépasse 30 secondes, le rat n'apprendra pas à appuyer sur le levier. Ce seront d'autres comportements « parasites », qui risquent d'être renforcés (gratter renifler déambuler) en lieu et place du comportement recherché.

Contrairement aux rats, les hommes répondent à des renforcements retardés : le chèque de paie à la fin du mois, le diplôme est obtenu à la fin du semestre, le trophée à la fin de la saison sportive. En effet, pour fonctionner efficacement, nous devons apprendre à différer des récompenses. Dans les tests de laboratoire, certains enfants de 4 ans montrent cette capacité à différer l'obtention d'une récompense. Ils préfèrent attendre pour avoir une grosse friandise, plutôt qu'une petite à déguster tout de suite. C'est un grand pas vers la maturité que d'apprendre à retarder les récompenses et à contrôler ses envies afin d'obtenir des récompenses plus importantes (Logue, 1998a, b). Pas étonnant que les enfants qui font ce choix de différer une conduite aient tendance à mieux s'intégrer sur le plan social et à devenir des individus brillants (Mischel et al., 1989).

Mais, à notre détriment, les petites conséquences immédiates (par exemple, le plaisir de regarder la télévision tard le soir) sont parfois plus attrayantes que les conséquences plus tardives, mais parfois plus importantes (le fait d'être alerte et efficace le lendemain). Pour beaucoup d'adolescents, le plaisir immédiat d'un acte sexuel non protégé et risqué dans un moment de passion l'emporte sur la gratification différée d'un acte sexuel plus sûr parce que protégé (Loewenstein et Furstenberg, 1991). De même, pour bien trop d'entre nous, les joies immédiates procurées par nos véhicules actuels, gros consommateurs d'essence, par les voyages en avion et par l'air conditionné dépassent les conséquences bien plus importantes du réchauffement global, de la montée des eaux et des températures extrêmes que nous connaîtrons demain sur notre planète.

« Oh, pas mal. La lumière s'allume, j'appuie sur le levier, ils me signent un chèque. Comment ça se passe pour vous ? »

Programmes de renforcement

7-10 De quelle manière les différents programmes de renforcement affectent-ils notre comportement ?

Dans la plupart de nos exemples, la réponse désirée est renforcée chaque fois qu'elle se produit. Mais les **programmes de renforcement** varient. Lors du **renforcement continu**, l'apprentissage s'effectue rapidement et, de ce fait, il représente le meilleur choix de programme jusqu'à ce que le comportement soit maîtrisé. Mais l'extinction survient également rapidement. Lorsque le renforcement s'arrête – lorsque nous arrêtons l'apport de nourriture après l'appui sur le levier – le comportement s'arrête rapidement. Si un distributeur de friandises, normalement fiable, ne donne pas de barres chocolatées deux fois de suite, nous arrêtons d'y mettre des pièces (même si une semaine plus tard nous allons faire preuve d'une récupération spontanée en essayant de nouveau).

Dans la vie réelle, le renforcement continu est rare. Un vendeur ne conclut pas une vente à chaque visite. Mais il persiste car ses efforts ont été récompensés dans certains cas. Cette persistance est typique lors de **programmes** de **renforcement partiel (intermittent)** dans lesquels les réponses sont parfois renforcées et parfois pas. Bien que l'apprentissage initial soit plus lent, le renforcement intermittent produit une plus grande *résistance à l'extinction* que celle observée avec un renforcement continu. Imaginez un pigeon qui a appris à picorer un bouton pour obtenir de la nourriture. Lorsque l'expérimentateur diminue progressivement l'apport de nourriture jusqu'à ce qu'il ne se produise que rarement et de façon imprévisible, le pigeon peut picorer jusqu'à 150 000 fois sans obtenir de récompense (Skinner, 1953). Les machines à sous récompensent les joueurs de cette

> **Programme de renforcement** schéma qui définit à quelle fréquence la réponse sera renforcée.
>
> **Programme de renforcement continu** renforcement de la réponse souhaitée à chaque fois qu'elle se produit.
>
> **Programme de renforcement partiel (intermittent)** renforcer une réponse, seulement une partie du temps ; les résultats dans l'acquisition d'une réponse sont plus lents à venir mais présentent une plus grande résistance à l'extinction, comparativement à ceux obtenus par le renforcement continu.

façon, occasionnelle et imprévisible. Comme les pigeons, les joueurs essayent encore et toujours. Avec un renforcement partiel, l'espoir jaillit éternellement.

Leçon pour les parents : le renforcement partiel marche aussi chez les enfants. Céder *de temps à autre* aux caprices d'un enfant pour avoir la paix et le calme provoque un renforcement intermittent des caprices. C'est vraiment le meilleur moyen pour rendre un comportement persistant.

Skinner (1961) et ses collaborateurs ont comparé quatre programmes de renforcement intermittent. Certains sont fixes, d'autres varient de façon imprévisible.

Les programmes à proportion fixe renforcent le comportement après un nombre déterminé de réponses. Des cafétérias peuvent nous récompenser avec une boisson gratuite toutes les 10 boissons achetées. Une fois conditionnés, les comportements des rats peuvent être renforcés avec un programme à proportion fixe ou constante, par exemple, une boulette de nourriture après 30 actions requises Une fois conditionné, l'animal va s'arrêter brièvement, seulement après un renforcement, et va continuer ensuite à une cadence de réponses élevée (**FIGURE 7.11**).

Les programmes à proportion variable fournissent un renforcement après un nombre de réponses imprévisible. Ce renforcement imprévisible est celui vécu par les joueurs de machines à sous et les pêcheurs à la mouche. C'est ce qui fait que ces passions s'émoussent difficilement, alors même que la récompense n'est pas systématiquement obtenue. Comme les renforcements augmentent en même temps que le nombre de réponses, le programme à proportion variable produit un niveau élevé de réponses.

Les programmes à intervalles fixes renforcent la première réponse après un temps de pause fixe. Les animaux inclus dans ce type de programme expérimental ont tendance à agir plus fréquemment à mesure qu'approche le moment de la récompense. Les gens consultent plus fréquemment leur boîte aux lettres électronique à mesure que la date de livraison de ce qu'ils ont commandé se rapproche. Un enfant affamé remue plus souvent la gelée de fruits pour voir si elle « prend » bien Les pigeons picorent les touches d'un clavier plus rapidement à mesure que le moment d'obtention de la récompense qui renforce ce comportement se rapproche. Cela produit une courbe hachée faite d'arrêts et de reprises plutôt qu'un taux constant de réponses (voir FIGURE 7.11).

Les programmes à intervalles variables renforcent la première réponse après des intervalles de temps *variables*. Comme la phrase « vous avez du courrier » qui récompense finalement la persévérance à vérifier la boîte de courrier électronique ou son profil Facebook, les programmes à intervalles variables ont tendance à produire des réponses lentes, mais constantes. Cela est logique puisqu'il n'y a aucun moyen de savoir quand l'attente sera terminée (**TABLEAU 7.2**).

En général, le taux de réponse est supérieur lorsque le renforcement est lié au nombre de réponses (programme à proportion fixe ou variable) plutôt qu'au temps séparant deux réponses (programme à intervalle fixe ou variable). Mais les réponses sont plus constantes lorsque le renforcement est imprévisible (programme variable) que lorsqu'il est prévisible (programme fixe). Le comportement des animaux varie, bien que Skinner (1956) ait prétendu que ces principes de renforcement du conditionnement opérant étaient universels. Cela n'a pas beaucoup d'importance, disait-il, de savoir quelle réponse, quel renforcement

▼ **FIGURE 7.11**
Programme de renforcement intermittent Les pigeons du laboratoire de Skinner (1961) ont produit ces types de réponses à chacun des quatre modes de programmes de renforcement. (Les renforçateurs sont indiqués par les marques diagonales sur le graphique.) Pour les hommes comme pour les pigeons, le renforcement lié au nombre de réponses (*programme à proportion fixe ou variable*) produit une réponse supérieure au renforcement lié à un laps de temps écoulé (*programme à intervalle fixe ou variable*). Mais la prévisibilité de la récompense a également une importance. Un programme non prévisible (*variable*) produit une réponse plus constante qu'un programme à caractère prévisible (*fixe*).

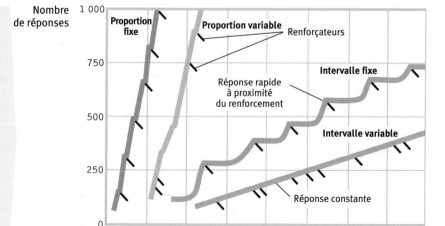

Nombre de réponses

▼ TABLEAU 7.2
Programmes de renforcement

	Fixe	Variable
Proportion	*Renforcement toutes les x fois :* renforcement survenant après chaque *nième* comportement, comme un café offert tous les 10 cafés consommés, ou payer les travailleurs par unité de produit fabriqué	*Après un nombre imprévisible :* renforcerment après un nombre aléatoire de comportements, comme lors du jeu aux machines à sous, ou de la pêche à la mouche
Intervalle	*Renforcement survenant de temps en temps :* renforcement des comportements après un temps fixe, tel que la pratique, par un magasin, des prix réduits tous les mardis.	*Après une durée imprévisible :* renforcement d'un comportement après une durée aléatoire de temps, comme lors de la vérification d'une réponse sur Facebook

ou quelle espèce vous utilisez. L'effet d'un programme de renforcement donné est pratiquement toujours le même : « Pigeon, rat, singe, qui est quoi ? Cela n'a aucune importance… Le comportement présente des propriétés étonnamment semblables. »

───── **EXERCICE RÉCAPITULATIF** ─────

- Quel est le programme de renforcement du comportement efficace des agents du démarchage par téléphone ? Lorsque vous surveillez la cuisson d'un gâteau en regardant régulièrement dans le four, quel est le programme de renforcement suivi ? À quelle catégorie de programme de renforcement font appel les compagnies aériennes lorsqu'elles proposent des programmes de fidélisation qui offrent un vol tous les 25 000 kilomètres ?

Réponses : Le comportement efficace des agents du démarchage par téléphone est renforcé selon un programme à proportion variable (après un nombre variable d'appels). Le comportement de surveillance de la cuisson des gâteaux est renforcé par un programme à intervalle fixe. Les campagnes de fidélisation des compagnies aériennes utilisent un programme de renforcement à proportion fixe.

Punition

7-11 En quoi la punition diffère-t-elle du renforcement négatif, et de quelle manière affecte-t-elle le comportement ?

Le renforcement augmente un comportement ; la **punition** a l'effet inverse. Ainsi, *une punition* est une conséquence qui *diminue* la fréquence d'un comportement précédent (**TABLEAU 7.3**). Les punitions rapides et sûres peuvent efficacement empêcher des comportements non désirés. Le rat qui reçoit un choc après avoir touché un objet défendu et l'enfant qui se brûle en touchant une poêle brûlante vont apprendre à ne pas répéter ce comportement. Le chien qui apprend à arriver en courant au son de l'ouvre-boîte électrique cessera de venir si son maître commence à utiliser l'ouvre-boîte pour l'attirer et le mettre à la cave. Les enfants deviennent souvent plus obéissants après une réprimande ou une punition les privant d'une activité (Owen et al., 2012).

Les comportements des criminels, dont la plupart sont impulsifs, sont également bien plus influencés par des punitions sûres et rapides que par la menace de sentences sévères (Darley et Alter, 2011). Ainsi, lorsque l'Arizona a introduit une punition exceptionnellement dure pour la première conduite en état d'ivresse, cela n'a pas modifié le taux d'alcoolisme au volant. Mais lorsqu'à Kansas City la police a commencé à patrouiller dans les zones où le taux de délinquance était élevé pour appréhender et punir efficacement les délinquants, ce taux alors chuté de manière spectaculaire.

Programme à proportion fixe ou constante dans le conditionnement opérant, un programme de renforcement qui renforce une réponse uniquement après un nombre déterminé de réponses.

Programme à proportion variable dans le conditionnement opérant, un programme de renforcement qui renforce une réponse après un nombre imprévisible de réponses.

Programme à intervalle fixe dans le conditionnement opérant, un programme de renforcement qui renforce une réponse seulement après une période de temps spécifiée.

Programme à intervalle variable dans le conditionnement opérant, un programme de renforcement qui renforce une réponse à intervalles de temps imprévisibles.

Punition un événement qui a tendance à *diminuer* le comportement qui la suit.

▼ TABLEAU 7.3
Modes de réduction d'un comportement

Type de punition	Description	Exemples
Punition positive	Administrer quelque chose de désagréable.	Pulvériser de l'eau sur un chien qui aboie ; infliger une amende pour excès de vitesse.
Punition négative	Supprimer quelque chose d'agréable.	Retirer le privilège de conduire à un adolescent ; retrait de la carte d'accès à la bibliothèque pour non-paiement d'une amende.

Ainsi comment devrions-nous interpréter les études sur la punition du point de vue de l'éducation parentale ? Beaucoup de psychologues et de partisans de l'éducation parentale non violente considèrent qu'il y a quatre inconvénients à la punition physique des enfants (Gershoff, 2002 ; Marshall, 2002).

1. *Le comportement puni n'est pas oublié, il est inhibé. Cette suppression temporaire peut (de manière négative) renforcer le comportement punitif des parents.* Lorsque l'enfant dit des gros mots et que les parents lui donnent une fessée, l'enfant, par la suite, cesse de dire des gros mots. Les parents pensent que la punition a stoppé avec succès le comportement de l'enfant. Il n'est donc pas étonnant que de très nombreux parents américains donnent des fessées à leurs enfants de 3 et 4 ans (plus de 9 sur 10 reconnaissent qu'ils le font) (Kazdin et Benjet, 2003).

2. *La punition enseigne la discrimination.* Dans le conditionnement opérant, *la discrimination* se produit lorsqu'un organisme apprend que certaines réponses, mais pas d'autres, sont renforcées. La punition a-t-elle été vraiment efficace pour mettre fin aux gros mots ? Ou bien l'enfant a-t-il simplement appris qu'il n'est pas bien de dire des gros mots à la maison mais qu'il peut le faire ailleurs ?

3. *La punition peut engendrer la peur.* Lors de conditionnement opérant, *la généralisation* se produit lorsque la réponse d'un organisme à des stimuli similaires est renforcée. L'enfant puni peut associer la crainte non seulement au comportement non désiré, mais aussi à la personne qui l'administre ou à l'endroit dans laquelle elle survient. Un enfant peut ainsi en venir à craindre le maître trop sévère et à souhaiter éviter l'école ou peut devenir encore plus anxieux (Gershoff et al., 2010). C'est pourquoi la plupart des pays européens et des États des États-Unis ont interdit les châtiments corporels à l'école et dans les orphelinats (stophitting.com). Trente-trois pays, dont les pays scandinaves, ont ensuite interdit les punitions physiques infligées par les parents, étendant ainsi aux enfants la protection légale apportée aux épouses.

4. *La punition physique peut augmenter l'agressivité en démontrant que l'agressivité est une façon de résoudre les problèmes.* Des études ont observé que les enfants recevant des fessées présentent plus de risque d'agressivité (MacKenzie et al., 2013). On sait, par exemple, que beaucoup de délinquants agressifs et de parents maltraitants proviennent de familles où les enfants ont été maltraités (Straus et Gelles, 1980 ; Straus et al., 1997).

Certains chercheurs ont remarqué un problème. Effectivement, disent-ils, les enfants punis physiquement peuvent être plus agressifs tout comme les personnes qui suivent une psychothérapie ont plus de risque de souffrir de dépression, parce qu'ils avaient au préalable des problèmes qui les ont amenés à suivre le traitement (Ferguson, 2013 ; Larzelere, 2000, 2004). Qui est la poule et qui est l'œuf ? La corrélation ne nous livre aucune réponse.

Si l'on tient compte d'un comportement antisocial préexistant, une ou deux fessées administrées occasionnellement à un enfant âgé de 2 à 6 ans qui se comporte mal semblent plus efficaces (Baumrind et al., 2002 ; Larzelere et Kuhn, 2005). Cela est particulièrement vrai si deux autres conditions sont remplies :

1. La fessée n'est utilisée qu'en renfort lorsque les tactiques disciplinaires plus modérées (par exemple une pause qui les éloigne de l'environnement renforçateur) ont échoué.

2. La fessée est associée à une bonne dose de raisonnement et de renforcement.

D'autres chercheurs ne sont pas convaincus. Après avoir contrôlé les mauvais comportements préalables, ils ont constaté que l'administration fréquente de fessées à de jeunes enfants prédisait leur agressivité future (Grogan-Kaylor, 2004 ; Taylor et al., 2010).

Les parents de jeunes difficiles ne savent souvent pas comment réussir à obtenir un comportement désiré sans cris ou sans coups (Patterson et al., 1982). Des programmes éducatifs pour de tels parents peuvent les aider à transformer les menaces (« tu ranges ta chambre immédiatement, sinon pas de dîner ») en des incitations positives (« tu seras bienvenu à table pour le dîner dès que tu auras nettoyé ta chambre »). Prenez un moment pour réfléchir. De nombreuses menaces de punition sont tout aussi fortes et peut-être même plus efficaces si elles sont reformulées de façon positive. Ainsi, le « si tu ne fais pas tes devoirs, tu n'auras pas la voiture » serait mieux formulé de la façon suivante…

En classe également les professeurs peuvent donner leurs remarques lors des interrogations en disant « Non, mais essaye plutôt cela… » et « Oui, ça y est ! ». Ces réponses réduisent les comportements indésirables tout en renforçant des alternatives plus souhaitables. Souvenez-vous : *la punition vous dit ce que vous ne devez pas faire ; le renforcement vous dit ce que vous devez faire.* Ainsi, la punition entraîne une sorte particulière de la moralité — fondée sur l'interdiction (ne *pas* faire ceci) plutôt que sur l'encouragement (Cheikh & Janoff-Bultman, 2013).

Ce qu'apprend souvent la punition, disait Skinner, c'est la manière de l'éviter. La plupart des psychologues préfèrent insister sur le renforcement. *Remarquez les personnes en train de faire quelque chose de bien et félicitez-les pour cela.*

EXERCICE RÉCAPITULATIF

- Remplissez les 4 cases blanches du tableau ci-dessous avec l'un des termes suivants : renforcement positif (RP), renforcement négatif (RN), punition positive (PP) et punition négative (PN). J'ai placé pour vous la première réponse (RP).

Type de stimulation	Donner	Priver
Désiré (par exemple, l'utilisation de la voiture familiale par un adolescent)	1. RP	2.
Indésirable/désagréable (par exemple, une insulte)	3.	4.

Réponses : 1. RP (renforcement positif) ; 2. PN (punition négative) ; 3. PP (punition positive) ; 4. RN (renforcement négatif)

L'héritage de Skinner

7-12 Pourquoi les idées de Skinner provoquent-elles des controverses, et comment appliquer les principes du conditionnement opérant à l'école, dans le sport, au travail et à la maison ?

B. F. Skinner suscita de vives réactions en affirmant franchement ses croyances. Il a insisté à plusieurs reprises sur l'importance des influences extérieures, et non sur les pensées et les sentiments dans le modelage du comportement. Et il a exhorté les gens à utiliser les principes du comportement opérant à à l'école, le travail et la maison. Voyant que le comportement est modelé par ses conséquences, il disait que nous devrions administrer des récompenses de façon à favoriser des comportements plus souhaitables.

Les opposants de Skinner n'étaient pas d'accord : ils dirent qu'il déshumanisait les individus en négligeant leur liberté personnelle et en cherchant à contrôler leurs actions. La réponse de Skinner : les conséquences externes contrôlent déjà le comportement des gens de façon hasardeuse. Pourquoi ne pas utiliser ces conséquences pour améliorer le comportement humain ? À la place des punitions infligées à la maison, dans les écoles ou les prisons, des systèmes de renforcement positif ne seraient-ils pas plus humains ? Enfin, s'il est humiliant de penser que nous sommes modelés par notre histoire, cette notion véridique nous permet aussi d'espérer pouvoir construire notre avenir. D'une certaine façon, par ses idées sur le renforcement positif des comportements assimilés à la force de caractère, Skinner a effectivement prévu une partie des conceptions de la psychologie positive d'aujourd'hui (Adams, 2012).

Les applications du conditionnement opérant

Dans les chapitres à venir nous verrons comment les psychologues appliquent les principes du conditionnement opérant pour aider les personnes à modérer leur hypertension artérielle ou à acquérir des compétences sociales. Les technologies du renforcement sont également efficaces à l'école, dans le domaine du sport, au travail et à la maison. Ces principes peuvent contribuer à nous améliorer (Flora, 2004).

À l'école Il y a 30 ans, Skinner imaginait le jour où des machines à enseigner et des manuels pourraient guider l'apprentissage par petites étapes en renforçant immédiatement les réponses correctes après vérification des connaissances acquises. Ces machines et ces textes, disait-il, allaient révolutionner l'éducation et libérer les professeurs en leur permettant de se concentrer sur les besoins particuliers des élèves.

B. F. Skinner « On m'a parfois demandé si je pensais fonctionner de la même manière que les organismes que j'étudie. La réponse est oui. Pour autant que je sache, à tout moment, mon comportement n'a été rien d'autre que le produit de mon patrimoine génétique, de mon histoire personnelle et de la situation actuelle. » (1983)

Apprentissage assisté par ordinateur Les ordinateurs ont permis d'atteindre l'objectif de Skinner de l'enseignement fait au rythme de chacun avec correction immédiate.

Christopher Halloran/
Shutterstock

Pour visualiser le rêve de Skinner, imaginez deux professeurs de mathématiques, chacun ayant une classe d'élèves de niveaux différents allant des jeunes prodiges aux élèves les plus lents. L'enseignant A donne à toute la classe le même cours de mathématiques, en sachant que les élèves brillants comprennent déjà les concepts et que les élèves plus lents seront frustrés et incapables de les comprendre. Face à une classe similaire, le Pr B adapte le contenu des cours à la vitesse d'apprentissage de chaque élève et corrige rapidement les réponses aux questions vérifiant la compréhension du cours, par renforcements positifs des élèves rapides comme des élèves lents. Si vous aviez suivi l'enseignement donné par le Pr B, appliquant les préceptes de Skinner, quelle aurait été votre réussite en mathématiques ?

L'ordinateur était son ultime espoir. « Une bonne instruction réclame deux choses, disait-il. Les étudiants doivent être informés immédiatement si ce qu'ils font est bien ou mal et, lorsque les notions sont acquises, ils doivent passer à l'étape suivante. » Ainsi, l'ordinateur pourrait être l'enseignant B — ajustant le rythme de l'enseignement au rythme d'assimilation des connaissances, interrogeant l'étudiant pour déceler les lacunes, ce dialogue permanent conduira à la bonne acquisition des connaissances. Skinner (1986, 1988, 1989), à la fin de sa vie, croyait que son idéal pouvait être atteint. La prédiction de la révolution éducative ne s'est pas concrétisée en partie parce que les premières machines à enseigner entraînaient souvent un apprentissage par cœur et non pas l'étude avec approfondissement des connaissances Actuellement, les logiciels interactifs pour les étudiants, l'utilisation d'Internet pour l'apprentissage et les examens en ligne, nous rapprochent de plus en plus de la vision de Skinner. Une alternative à l'enseignement unique pour tous serait, *l'enseignement modulable* grâce à un logiciel capable d'évaluer en permanence les capacités et les connaissances acquises de chaque élève et ainsi d'adapter le contenu et la progression de l'enseignement (Fletcher, 2013).

Dans le sport L'essentiel pour modeler le comportement, encore une fois, c'est de commencer par renforcer de petits succès, puis d'augmenter progressivement la difficulté. Les débutants en golf peuvent commencer par des « coups roulés » très courts. Lorsqu'ils acquièrent une bonne maîtrise, ils peuvent reculer de plus en plus loin. De la même manière, les joueurs de base-ball débutants commencent par des frappes modérées avec une balle surdimensionnée lancée de 3 ou 4 mètres, ce qui leur donne immédiatement le plaisir de frapper dans la balle. Au fur et à mesure que leur confiance grandit avec le succès et qu'ils acquièrent une bonne maîtrise à chaque niveau, les lanceurs reculent progressivement à 5 mètres, 7 mètres, 10 mètres puis 15 mètres, et finalement s'initient au baseball classique. Comparés aux enfants ayant appris avec des méthodes conventionnelles, ceux qui ont commencé avec cette méthode comportementale montrent une amélioration plus rapide de leurs capacités (Simek et O'Brien, 1981, 1988).

Le New Yorker Collection, 1989, Ziegler de cartoonbank.com. Tous Droits Réservés.

Au travail Sachant que le renforcement influence la productivité, de nombreuses sociétés ont invité leurs employés à partager les risques et les récompenses de leur société. D'autres se sont concentrées sur le renforcement du travail bien fait. Les récompenses ont plus de chance d'améliorer la productivité lorsque le but envisagé est bien défini et accessible. Message aux dirigeants d'entreprise : *récompensez des comportements spécifiques et réalisables, et non un mérite vaguement défini.*

Le conditionnement opérant nous rappelle également que le renforcement doit être *immédiat*. Thomas Watson, qui fut l'une des légendes d'IBM, l'avait bien compris. Quand il considérait qu'un employé avait atteint son but, il lui signait un chèque sur le champ (Peters et Waterman, 1982). Mais il n'est pas nécessaire que les récompenses soient matérielles ou extravagantes. Un bon manager peut se contenter de déambuler dans les bureaux et de féliciter les gens pour un bon travail, ou écrire une note d'appréciation concernant un projet mené à bien. Comme le disait Skinner, « le monde serait tellement plus riche si, dans la vie quotidienne, les renforcements étaient reliés de façon plus directe au travail productif ».

À la maison Comme nous l'avons vu, les parents peuvent eux aussi tirer un avantage du conditionnement opérant. Des chercheurs spécialistes en éducation parentale, nous rappellent que si des parents demandent à leur enfant : « Prépare-toi à aller au lit » mais cèdent à ses protestations et à son refus, ils renforcent les disputes et les pleurnicheries (Wierson et Forehand, 1994). Finalement, les parents exaspérés peuvent crier ou encore faire des gestes menaçants. Lorsque l'enfant, maintenant effrayé obéit, cela renforce le comportement de colère des parents. Au fur et à mesure, une relation destructive peut se développer entre les parents et l'enfant.

Pour interrompre ce cycle, les parents doivent se souvenir des principes fondamentaux du modelage comportemental : *remarquez les personnes qui font les choses bien et encouragez-les pour cela.* Soyez attentionnés et accordez des récompenses aux enfants quand ils se comportent *bien*. Choisissez un comportement spécifique, récompensez-le et vous le verrez évoluer. Si vos enfants se comportent mal ou adoptent une attitude provocante à votre égard, il est inutile de crier et de les frapper. Expliquez-leur simplement ce qui ne convient pas dans leur comportement et privez-les de toute récompense pendant un certain temps.

Enfin, nous pouvons utiliser le conditionnement opérant dans nos propres vies. Pour renforcer les comportements que nous désirons le plus (améliorer sa façon d'étudier) et supprimer ceux qui sont indésirables (arrêter de fumer par exemple) les psychologues suggèrent cette approche étape par étape :

1. *Énoncer un objectif réaliste et dont on peut mesurer le degré d'atteinte*. Si vous voulez, par exemple, augmenter votre temps de travail d'une heure par jour, annoncez votre but à vos amis proches.

2. *Décidez comment, quand et où vous allez travailler pour atteindre l'objectif fixé*. Prenez le temps de planifier vos tâches. Ceux qui précisent la façon dont ils vont mettre en place leurs objectifs, réussissent plus souvent à les atteindre (Gollwitzer & Oettingen, 2012).

3. *Notez à quelle fréquence vous vous comportez comme vous le souhaitez*. Vous pouvez noter votre temps de travail actuel en précisant les conditions qui doivent être réunies pour que vous puissiez travailler. (Quand j'ai commencé (DM) à écrire des traités de psychologie, j'ai fait le relevé des heures passé quotidiennement à cette tâche et ai été surpris de découvrir combien de temps je perdais. J'ai aussi été désagréablement surpris quand j'ai commencé (ND) à relever le temps passé effectivement à mon travail de rédaction.)

4. *Renforcez le comportement désiré*. Pour augmenter votre temps de travail, accordez-vous une récompense (un casse-croûte ou une autre activité qui vous plaît), mais seulement après avoir respecté les périodes d'étude prévues. Mettez-vous d'accord avec vos amis sur le fait que vous vous joindrez à eux pour leurs activités du week-end seulement si vous avez atteint votre quota d'étude de la semaine.

5. *Réduisez progressivement les récompenses que vous vous accordez*. Quand votre nouveau comportement deviendra plus habituel, donnez-vous mentalement une tape dans le dos au lieu de prendre un biscuit.

« J'ai écrit cinq cents mots. Puis-je avoir un autre gâteau sec ? »

Comparaisons entre le conditionnement opérant et le conditionnement classique

7-13 En quoi le conditionnement opérant diffère-t-il du conditionnement classique ?

Les deux formes du conditionnement, opérant et classique, sont des formes de *l'apprentissage par association*. Les deux formes de conditionnement impliquent les processus suivants : *acquisition, extinction, récupération spontanée, généralisation* et *discrimination*. Mais ces deux formes d'apprentissage présentent également des différences. Par le conditionnement classique (pavlovien), nous associons différents stimuli que nous ne contrôlons pas et nous y répondons automatiquement *(comportement répondant)* (TABLEAU 7.4). Lors du conditionnement opérant, nous associons nos propres comportements qui agissent sur notre environnement pour produire un stimulus récompensé ou puni *(comportement opérant)* à leurs conséquences.

Comme nous le verrons dans la partie suivante, notre biologie et nos processus cognitifs influencent le conditionnement classique répondant et le conditionnement opérant.

« Oh ! Quelle chose étrange que l'apprentissage »

William Shakespeare,
La Mégère apprivoisée, 1597

▼ TABLEAU 7.4
Comparaisons entre le conditionnement opérant et le conditionnement classique

	Conditionnement classique, répondant	Conditionnement opérant
Idée fondamentale	L'organisme associe les événements.	L'organisme associe les comportements et les événements qui en découlent.
Réponse	Involontaire, automatique	Volontaire, agit sur l'environnement.
Acquisition	Association d'événements ; le SN est couplé au SI et devient un SC.	Association d'une réponse à sa conséquence (renforcement ou punition).
Extinction	La RC décroît lorsque le SC est présenté seul de manière répétitive.	La réponse décroît lorsque le renforcement s'arrête.
Récupération spontanée	Réapparition après une période de repos d'une RC éteinte.	Réapparition après une période de repos d'une réponse éteinte.
Généralisation	La tendance à répondre à des stimuli similaires au SC.	La réponse des organismes à des stimuli similaires est également renforcée.
Discrimination	La capacité apprise à différencier un SC d'un autre stimulus qui ne signale pas de SI.	L'organisme apprend que certaines réponses, mais pas d'autres, seront renforcées.

- Saliver en réponse à un son couplé à un apport de nourriture est un comportement_____ ; appuyer sur un levier pour obtenir de la nourriture est un comportement _____.

Réponses : répondant ; opérant

REVUE GÉNÉRALE Conditionnement opérant

OBJECTIFS D'APPRENTISSAGE

EXERCICE RÉCAPITULATIF Prenez un moment pour répondre à chacune de ces questions objectif d'apprentissage (répétées ici au sein de cette section). Puis aller à l'annexe C, révision complète du chapitre, pour vérifier vos réponses. La recherche suggère que d'essayer de répondre à ces questions de votre propre initiative permettra d'améliorer la mémorisation à long terme de ces réponses (McDaniel et al., 2009).

7-7 Qu'est-ce que le conditionnement opérant ?

7-8 Qui était Skinner, et comment le comportement opérant est-il renforcé et modelé ?

7-9 Quelle est la différence entre le renforcement positif et le renforcement négatif, et quels sont les types fondamentaux de renforcements ?

7-10 De quelle manière les différents programmes de renforcement affectent-ils notre comportement ?

7-11 En quoi la punition diffère-t-elle du renforcement négatif, et de quelle manière affecte-t-elle le comportement ?

7-12 Pourquoi les idées de Skinner provoquent-elles des controverses, et comment appliquer les principes du conditionnement opérant à l'école, dans le sport, au travail et à la maison ?

7-13 En quoi le conditionnement opérant diffère-t-il du conditionnement classique ?

TERMES ET CONCEPTS À RETENIR

EXERCICE RÉCAPITULATIF Testez votre connaissance de ces termes en essayant d'écrire leur définition, avant de vous reporter aux pages indiquées en référence pour vérifier votre réponse.

conditionnement opérant, p. 290

loi de l'effet, p. 290

cage d'étude du conditionnement opérant, p. 290

renforcement, p. 291

façonnage ou modelage du comportement, p. 291

renforcement positif, p. 292

renforcement négatif, p. 292

renforçateur primaire, p. 292

renforçateur conditionnel, p. 292

programme de renforcement, p. 293

programme de renforcement continu, p. 293

programmes de renforcement partiel, p. 293

programme à proportion fixe, p. 294

programme à proportion variable, p. 294

programme à intervalle fixe, p. 294

programme à intervalle variable, p. 294

punition, p. 295

Biologie, cognition et apprentissage

En faisant saliver des chiens, courir des rats et picorer des pigeons, nous avons appris beaucoup de choses sur les processus fondamentaux de l'apprentissage. Mais les seuls principes du conditionnement n'expliquent pas tout. Aujourd'hui, les théoriciens de l'apprentissage reconnaissent qu'il est le résultat de la conjugaison de processus biologiques, psychologiques et socioculturels (**FIGURE 7.12**).

Contraintes biologiques s'exerçant sur le conditionnement

7-14 Comment les contraintes biologiques affectent-elles le conditionnement classique et le conditionnement opérant ?

Depuis Charles Darwin, les scientifiques ont toujours considéré que, dans leurs façons de se comporter et de fonctionner, les animaux ont en commun un même passé d'évolution et les caractéristiques générales qui en découlent. Pavlov et Watson pensaient, par exemple, que les lois fondamentales de l'apprentissage étaient essentiellement les mêmes pour tous les animaux. Ainsi'étude du comportement chez le pigeon ne devrait pas être très différente de celle faite chez l'homme. De plus, il semble que toute réponse naturelle puisse être conditionnée à un stimulus neutre quelconque.

Influences biologiques :
- Prédispositions génétiques
- Réponses inconditionnelles
- Réponses adaptatives

Influences psychologiques :
- Expériences antérieures
- Caractère prévisible des associations
- Généralisation
- Discrimination

Apprentissage

Influences socioculturelles :
- Préférences culturellement apprises
- Motivation, influencée par la présence des autres

▼ FIGURE 7.12
Influences biopsychosociales sur l'apprentissage Notre apprentissage résulte non seulement d'expériences liées à l'environnement mais aussi d'influences cognitives et biologiques.

Limites du conditionnement classique

En 1956, le chercheur Gregory Kimble, spécialiste de l'apprentissage proclamait, « Toute activité dont l'organisme est capable, peut être conditionnée... Ces réponses peuvent être conditionnées par application d'un stimulus que l'organisme peut percevoir » (p. 195). Vingt-cinq ans plus tard, Kimble (1981) reconnut humblement que « plus de cinq cents » publications scientifiques avaient montré son erreur. La capacité de conditionnement d'un animal est imposée par sa biologie, bien plus que ne l'avaient imaginé les premiers psychologues comportementalistes ou behavioristes. Les prédispositions biologiques de chaque espèce la préparent à apprendre les associations particulières qui favorisent sa survie. L'environnement ne fait pas tout.

John Garcia fit partie de ceux qui se sont opposés à cette idée dominante que tous les types d'associations peuvent être appris. Pendant qu'ils étudiaient les effets des radiations sur des animaux de laboratoire, Garcia et Robert Koelling (1966) remarquèrent que les rats commençaient à éviter de boire l'eau provenant des bouteilles en plastique, dans la chambre d'irradiation. Ils se demandèrent si le coupable n'était pas le conditionnement classique ? Se pouvait-il que les rats aient associé le goût de plastique de l'eau (un SC) aux malaises (RI) provoqués par les radiations (SI) ?

Pour vérifier ce qu'ils soupçonnaient, Garcia et Koelling présentèrent aux rats un goût, un son ou une vision particulière (SC), et leur donnèrent plus tard une substance ou leur firent subir une irradiation (SI) provoquant des nausées et des vomissements (RI). Deux découvertes furent saisissantes : d'abord, même s'ils étaient malades plusieurs heures après avoir testé un goût nouveau particulier, les rats évitaient ensuite cet arôme. Ce résultat semblait en contradiction avec la notion selon laquelle le SI doit suivre immédiatement le SC pour que le conditionnement s'effectue.

Ensuite, les rats rendus malades développaient une aversion pour les goûts, mais non pour les visions ou les sons. Cela contredisait l'idée des psychologues comportementalistes selon laquelle n'importe quel stimulus susceptible d'être perçu peut servir de SC. Mais cela contribue à l'adaptation des sens Pour les rats, la meilleure façon d'identifier des aliments souillés est d'y goûter ; si une sensation de malaise les gagne après la consommation d'un nouvel aliment, alors ils l'éviteront. Cette réaction, appelée *aversion gustative*, rend difficile les opérations de dératisation par des appâts toxiques.

Les hommes aussi semblent préparés biologiquement à apprendre certaines associations plutôt que d'autres. Si vous passez des heures vomir après avoir mangé des moules avariées, vous développerez probablement une aversion pour les moules, mais pas pour le restaurant où vous les avez mangées, ni pour les assiettes ou les gens avec qui vous étiez, ni pour la musique que vous avez

John Garcia Étant fils d'ouvriers agricoles californiens et travaillant à la ferme, Garcia alla à l'école pendant son enfance seulement durant la saison morte. Après être entré à l'université peu avant 30 ans et avoir obtenu son doctorat à 40 ans passés, il reçut une importante distinction (The American Psychological Association's Distinguished Scientific Contribution Award) « pour ses recherches originales et pionnières sur le conditionnement et l'apprentissage ». Il fut également élu membre de la National Academy of Sciences.

BSIP SA/Alamy

Aversion gustative Si vous avez été gravement malade après avoir mangé des huîtres, vous attendrez probablement assez longtemps avant d'en manger à nouveau. L'odeur et le goût des huîtres seraient devenus le stimulus conditionnel du réflexe nauséeux. Cet apprentissage se produit facilement parce que notre biologie nous prépare à acquérir l'aversion gustative à des aliments toxiques.

entendue dans ce même restaurant. Inversement, les oiseaux, qui chassent à vue, semblent biologiquement prédisposés à développer une aversion *à la vue* d'une proie avariée (Nicolaus et al., 1983).

Les premières découvertes de Garcia sur l'aversion gustative furent l'objet de critiques acerbes. Comme le disait le philosophe allemand Arthur Schopenhauer (1788-1860) les grandes idées sont d'abord ridiculisées, puis attaquées, pour finalement être acquises. Dans le cas de Garcia, les grandes revues refusèrent d'abord de publier son travail. Ces découvertes sont impossibles, dirent certains critiques. Mais comme cela arrive souvent dans le domaine scientifique, les découvertes provocatrices de Garcia et Koelling sur l'aversion du goût font maintenant partie des chapitres des traités scientifiques classiques.

Ces découvertes contribuèrent à l'amélioration des conditions de vie des animaux de laboratoire, en identifiant les traitements qui pouvaient être désagréables et en les bannissant. Dans une étude de conditionnement par aversion gustative menée chez les coyotes et les loups, des carcasses d'ovins, qui étaient leur nourriture ont été enduites d'une substance toxique nauséabonde. Par la suite, ils ont développé une aversion pour la viande ovine ; deux loups parqués plus tard avec un mouton vivant semblaient effectivement le craindre (Gustavson et al., 1974, 1976). Cette étude protégea non seulement les moutons de leurs prédateurs mais préserva à leur tour les coyotes et les loups effrayés par les moutons des éleveurs en colère, qui voulaient les exterminer. Les applications ultérieures de Garcia et Koelling ont évité aux babouins de dévaster les jardins africains, aux ratons laveurs d'attaquer les poulets, aux corbeaux et aux rapaces de manger les œufs des grues. Dans tous les cas, ces recherches permirent de préserver proies et prédateurs, qui occupent une niche écologique importante (Dingfelder, 2010 ; Garcia et Gustavson, 1997).

Tous ces exemples sont en accord avec le principe de Darwin selon lequel la sélection naturelle favorise les caractéristiques utiles à la survie. Ceux de nos ancêtres qui apprenaient vite à avoir du dégoût pour un aliment toxique avaient peu de risque d'en manger une nouvelle fois et plus de chance de survivre et d'assurer leur descendance. En effet, diverses sensations pénibles, de la nausée à l'anxiété en passant par la douleur, ont un rôle utile. Comme le voyant du niveau d'huile sur un tableau de bord de voiture, chacune prévient le corps d'une menace (Neese, 1991).

Souvenez-vous de ces cailles japonaises qui étaient conditionnées à être sexuellement excitées à la vue d'une lumière rouge signalant l'arrivée d'une femelle réceptive. Michael Domjan et ses collaborateurs (2004) rapportent que ce conditionnement est encore plus rapide, plus intense et plus durable si le SC a *une signification écologique*, par exemple s'il a quelque chose de semblable aux stimuli associés à l'activité sexuelle dans l'environnement naturel, tels que, dans ce cas, la tête empaillée d'une caille femelle. Domjan (2005) observe que, dans la réalité, les stimuli conditionnels sont naturellement associés aux stimuli inconditionnels qu'ils prédisent.

Cette tendance à apprendre des comportements favorisés par la sélection naturelle peut expliquer pourquoi les hommes semblent naturellement disposés à apprendre des associations entre la couleur rouge et la sexualité. Les femelles primates exhibent du rouge lorsqu'elles sont proches de l'ovulation. Chez la femme, l'augmentation du flux sanguin produit le rougissement lorsqu'elles flirtent ou sont excitées sexuellement. L'appariement fréquent du rouge et du sexe (le cœur de la Saint-Valentin, le rouge à lèvres de couleur rouge, le Quartier aux Lumières Rouges d'Amsterdam) augmente-t-il naturellement l'attirance des hommes pour les femmes ? Des expériences (Elliot et Niesta, 2008) suggèrent de manière constante que c'est le cas, sans que les hommes en aient conscience (**FIGURE 7.13**). Des études ont montré que

- les hommes avaient tendance à donner des pourboires plus généreux aux serveuses vêtues de rouge. En cherchant à dialoguer sur un site de rencontre, les hommes étaient plus susceptibles de communiquer avec une femme portant du rouge (Guéguen & Jacob, 2013, 2014).

> « Tous les animaux voyagent à travers le temps, vers les horizons qui favorisent leur survie, loin des cieux qui la menacent. Le plaisir et la douleur sont les étoiles qui les dirigent. »
>
> Psychologues Daniel T. Gilbert et Timothy D. Wilson, « Prospection : Vivre le futur », 2007

Aversion du goût des animaux
Au lieu de tuer les loups et les coyotes qui s'attaquent aux moutons, certains éleveurs ont rendu malades ces animaux avec des agneaux garnis de substances toxiques.

© blickwinkel/Alamy

▼ FIGURE 7.13
Rouge romantique Au cours d'une série d'expériences avec contrôle des autres facteurs (comme la luminosité de l'image), les hommes (mais pas les femmes) ont trouvé la femme sur la photographie plus attirante et sexuellement désirable lorsqu'elle était entourée d'un cadre rouge (Elliot et Niesta, 2008). Le phénomène a été constaté non seulement en Amérique du Nord et en Europe, mais aussi dans la nation ouest-africaine du Burkina Faso (Elliot et al., 2013).

Andrew Elliot

- les femmes choisissaient de porter un chemisier de couleur rouge plutôt que de couleur verte quand elles espéraient discuter avec un homme plutôt séduisant (Elliot et al., 2013).

- Au moment de l'ovulation, du pic de concentration plasmatique de l'hormone lutéinisante hypophysaire LH, les femmes sont plus susceptibles de porter des effets de couleur rouge ou rose (Beall & Tracy, 2013). La couleur rouge exerce chez les hommes son effet attrayant, mais uniquement pour les jeunes femmes pouvant encore avoir des enfants (Schwarz & Singer, 2013).

- Et il n'y a pas que les hommes : les femmes ont tendance à trouver les hommes plus attirants lorsqu'elles les voient sur un fond rouge ou habillé de rouge (Elliot et al., 2010 ; Roberts et al., 2010).

La prédisposition génétique à associer un SC à un SI qui le suit, de façon prévisible et immédiate, est adaptative. Car la cause précède souvent l'effet de façon immédiate, afin que nous puissions faire cette relation. Comme nous l'avons vu dans les résultats des études d'aversion gustative, ces prédispositions peuvent cependant nous tromper. Lorsque la chimiothérapie anticancéreuse déclenche des nausées et des vomissements plus d'une heure après l'administration du traitement, les patients peuvent avec le temps développer des nausées (et parfois de l'anxiété) conditionnées par la vue, les bruits et les odeurs associés à l'hôpital (**FIGURE 7.14**) (Hall, 1997). Le simple fait de retourner dans la salle d'attente de la clinique ou de voir les infirmières peut donc provoquer ces sensations de malaise conditionnées (Burish et Carey, 1986 ; Davey, 1992). Dans des conditions normales, cette sensation de dégoût face à des stimuli écœurants serait un phénomène adaptatif.

▼ FIGURE 7.14
Conditionnement des nausées chez les patients cancéreux

Limites du conditionnement opérant

Comme dans le cas du conditionnement classique répondant, les prédispositions naturelles d'un animal restreignent sa capacité de conditionnement opérant. L'auteur de science-fiction Robert Heinlein (1907-1988) dit avec raison : « N'essayez jamais d'apprendre à chanter à un porc, vous perdrez votre temps et agacerez cet animal. »

Nous pouvons facilement apprendre et retenir des comportements qui reflètent nos prédispositions biologiques. Lorsque vous renforcez un comportement avec de la nourriture, vous pouvez facilement conditionner un hamster à creuser ou à se dresser sur ses pattes, parce que ces actions font partie du comportement naturel de l'animal lorsqu'il cherche sa nourriture. Mais il est difficile d'utiliser des renforcements alimentaires pour modeler certains comportements du hamster qui ne sont normalement pas associés à la nourriture ou à la faim, comme par exemple se laver le museau (Shettleworth, 1973). De la même manière, les pigeons apprennent facilement à battre des ailes pour éviter un choc et à picorer pour obtenir de la nourriture, parce qu'ils ont naturellement tendance à fuir grâce à leurs ailes et à manger avec leur bec. Mais ils ont beaucoup de difficultés à apprendre à picorer pour éviter un choc et à battre des ailes pour obtenir de la nourriture (Foree et LoLordo, 1973). Le principe est le suivant : *les contraintes biologiques prédisposent les organismes à apprendre des associations qui sont naturellement adaptatives*.

Au départ, Marian et Keller Breland pensaient que les principes du conditionnement opérant pourraient fonctionner pour n'importe quelle réponse qu'un animal est capable de renvoyer. Mais peu à peu, ils furent confrontés aux contraintes des prédispositions biologiques. Dans un cas, ils avaient entraîné des cochons à saisir des grands « dollars » en bois et à les déposer dans une « banque porcine ». Cependant, après avoir appris ce comportement, les animaux commencèrent à revenir à leurs habitudes naturelles. Ils lâchaient la pièce, la poussaient avec leur groin comme les cochons ont l'habitude de le faire, la récupéraient et recommençaient l'opération, retardant leur renforcement alimentaire. Ce *glissement instinctif* se produisait lorsque les animaux revenaient à leurs schémas biologiquement ancrés.

« Une fois mordu, deux fois plus prudent. »

G. F. Northall, *Folk-Phrases*, 1894

Jeffery Jones/The Gallup Independent/AP Photo

Des athlètes naturels Les animaux peuvent plus facilement apprendre et retenir des comportements calqués sur leurs prédispositions biologiques, telles que la capacité innée des chevaux à éviter les obstacles avec rapidité et agilité.

Influence de la cognition sur le conditionnement

7-15 **Comment les processus cognitifs affectent-ils le conditionnement classique et le conditionnement opérant ?**

Processus cognitifs et conditionnement classique

Dans leur refus des concepts « mentalistes » comme la conscience, Watson et Pavlov ont sous-estimé l'importance des contraintes biologiques mais également les effets des processus cognitifs (pensées, perceptions et attentes). Les premiers behavioristes croyaient que les comportements appris des rats et des chiens pouvaient se réduire à des mécanismes ne faisant pas intervenir la pensée. Il n'était donc pas nécessaire d'envisager une activité cognitive. Mais Robert Rescorla et Allan Wagner (1972) ont montré qu'un animal pouvait apprendre le caractère *prédictible* d'un événement. Si un choc électrique est toujours précédé d'un son, puis parfois d'une lumière accompagnant ce son, un rat présentera une réaction de crainte au son mais non à la lumière. Bien que la lumière soit toujours suivie d'un choc, elle n'apporte aucune information nouvelle ; le son est un meilleur annonciateur. Plus l'association est prévisible et plus la réponse conditionnée est forte. C'est comme si l'animal apprenait une *attente*, une conscience de la probabilité d'apparition du SI.

Les associations peuvent influencer les attitudes (Hofmann et al., 2010). Lorsque des enfants anglais ont vu des personnages de dessin animé associés à une glace (*Hum !*) ou des choux de Bruxelles (*Berk !*), les enfants ont préféré les personnages associés à la glace (Field, 2006). D'autres chercheurs ont conditionné par conditionnement classique les attitudes des adultes, en utilisant les petits personnages des Pokémon® (Olson et Fazio, 2001). Les participants devaient jouer le rôle d'un vigile chargé de surveiller un écran vidéo où figuraient des séries de mots, des images et des personnages Pokémon®. Leur tâche, comme on leur a demandé, était de réagir à un Pokémon® cible en appuyant sur un bouton. À l'insu des participants, lorsque deux autres Pokémon® apparaissaient sur l'écran, l'un d'eux était constamment associé à des mots et à des images positives (tels que le mot *impressionnant* ou l'image appétissante d'une coupe glacée nappée de caramel par exemple) ; l'autre était associé à des mots et à des images négatives (tels que le mot *horrible* ou l'image d'un cafard par exemple). Évaluation des sentiments suscités par le personnage Pokémon intrus. Bien qu'ils n'aient eu aucune mémoire explicite de ces associations, les participants avaient développé des attitudes affectives plus positives pour les personnages associés aux stimuli positifs.

Des études avec suivi ont indiqué que les plaisirs et les dégoûts conditionnés sont encore plus importants lorsque les personnes remarquent et sont conscients des associations qu'ils ont apprises (Shanks, 2010). L'importance de la cognition.

Ces expériences permettent d'expliquer pourquoi les traitements par le conditionnement classique qui ne prennent pas en compte le jugement cognitif ont souvent un succès limité. Par exemple, le traitement des sujets consommateurs pathologiques d'alcool comprend souvent l'administration d'alcool mélangé à une substance provoquant des nausées. Vont-ils alors associer l'alcool aux troubles provoqués ? Si le conditionnement classique était simplement le fait « d'imprimer chez l'individu » les associations stimulus-réponse, on pourrait l'espérer, et – dans une certaine mesure – cela se produit effectivement. Cependant, les alcooliques savent que c'est la substance, et non l'alcool, qui est responsable de leur nausée. Cette conscience affaiblit souvent l'association de l'alcool à l'état nauséeux. Ainsi donc, et en particulier chez l'homme, même dans un conditionnement classique, ce n'est pas la simple association SC-SI qui compte, mais aussi la pensée.

Processus cognitifs et conditionnement opérant

B. F. Skinner a reconnu les fondements biologiques du comportement et l'existence de processus mentaux intimes. Néanmoins, de nombreux psychologues l'ont critiqué pour avoir fait l'économie de l'importance de la cognition.

Juste 8 jours avant de mourir de leucémie, Skinner (1990) assistait encore au congrès de l'American Psychological Association. Dans son dernier discours il opposa à nouveau sa résistance à la croyance grandissante que les processus cognitifs – pensées, perceptions, attentes – ont une place nécessaire dans la science de la psychologie et même dans notre compréhension du conditionnement. Il voyait la « science cognitive » comme un retour à l'introspection du début du siècle. Pour Skinner les pensées et les émotions étaient des comportements obéissant aux mêmes règles que les autres comportements.

Pour plus d'informations concernant le comportement animal (nous ne le traiterons pas) reportez-vous aux livres de Robin Fox et de Lionel Tiger.

« Tous les cerveaux sont, en substance, des machines à anticiper. »

Daniel C. Dennett,
Consciousness Explained 1991

« Les toilettes ? Oui bien sûr : c'est juste sur votre gauche au bout du couloir, puis légèrement à droite, à gauche, puis encore à gauche, puis tout droit et troisième à gauche et à droite ; puis c'est au fond du troisième couloir sur votre droite. »

Cependant, les preuves de l'existence de processus cognitifs ne peuvent être ignorées. Par exemple, les animaux inclus dans une étude avec renforcement programmé à intervalles fixes répondent de plus en plus fréquemment lorsqu'approche le moment où une réponse va provoquer un renforcement. Bien qu'un behavioriste strict se refuserait à parler d'« attentes », les animaux se comportent comme s'ils s'attendaient à ce que la répétition de la réponse produise bientôt la récompense.

D'autres preuves de la mise en œuvre de processus cognitifs ont été fournies par les études des rats dans les labyrinthes. Les rats explorant un labyrinthe sans récompense évidente semblent développer une **carte cognitive,** une représentation mentale du labyrinthe. Si l'expérimentateur place alors une récompense à la sortie du labyrinthe, ces rats ont immédiatement d'aussi bons résultats que ceux dont le comportement exploratoire a d'emblée été renforcé par de la nourriture pour explorer le labyrinthe. Comme les gens qui visitent une nouvelle ville, les rats qui explorent le labyrinthe font apparemment l'expérience d'un **apprentissage latent** lors des visites du labyrinthe antérieures à l'attribution de la récompense. L'existence de l'apprentissage ne se révèle que s'il y a une motivation à le mettre en application. Les enfants aussi peuvent apprendre en regardant leurs parents, mais ne montrer qu'il y a eu apprentissage que bien plus tard, lorsqu'ils en ont besoin. Point à retenir : *apprendre est bien plus que la simple association d'une réponse à une conséquence ; il y a aussi la cognition.* Dans le Chapitre 9, nous rencontrerons des preuves manifestes des capacités cognitives de l'animal à utiliser des aspects du langage et à résoudre des problèmes.

La perspective cognitiviste nous a également montré les limites des récompenses. Promettre à une personne une récompense pour une tâche qu'elle a plaisir à effectuer peut entraîner l'effet inverse à celui recherché. Les récompenses excessives peuvent détruire la **motivation intrinsèque** — le désir de se comporter de façon efficace et pour son propre bien. Des enfants participant à une étude de psychologie expérimentale au cours de laquelle ils recevraient une récompense pour avoir joué avec un jouet ou un puzzle intéressant. Ultérieurement, ils jouèrent *moins* avec le dit jouet que des enfants qui n'avaient pas participé à cette étude et donc n'avaient pas été récompensés (Deci et al., 1999 ; Tang & Hall, 1995). De même récompenser des enfants par des bonbons ou des jouets lorsqu'ils lisent réduit le temps qu'ils passent à lire (Marinak et Gambrell, 2008). C'est comme si les enfants pensaient : « Si j'ai besoin d'être acheté pour faire quelque chose, cela ne doit pas valoir le coût de le faire pour son seul intérêt. »

Pour bien comprendre la différence entre la **motivation intrinsèque** et la motivation extrinsèque (désir de se comporter d'une certaine façon afin de recevoir une récompense venant des autres ou d'éviter une punition angoissante) pensez à ce que vous êtes en train de vivre en ce moment. Ressentez-vous une pression à l'idée de devoir finir la lecture de ce livre à une date limite ? Êtes-vous inquiet de connaître la note de votre examen ? Êtes-vous désireux de savoir si cela comptera pour obtenir votre diplôme ? Si *c'est le cas,* vous subissez une motivation extrinsèque (c'est le cas chez la plupart des étudiants). Trouvez-vous que le contenu de ce cours est intéressant ? Avoir à apprendre ce cours vous donne-t-il le sentiment d'améliorer vos compétences ? S'il n'y avait pas un examen à la clé, seriez-vous assez curieux pour l'apprendre dans votre propre intérêt ? *Si oui,* vous êtes également poussé par une motivation intrinsèque.

Les entraîneurs des jeunes sportifs, qui ont comme objectif de promouvoir un intérêt durable dans cette activité, ne doivent pas uniquement exercer une pression pour les faire gagner, mais se concentrer aussi sur le plaisir intrinsèque du sport et l'atteinte du potentiel de chacun, (Deci et Ryan, 1985, 2009). Cette attitude peut aussi donner lieu à de plus grandes gratifications. Les étudiants qui mettent l'accent sur l'apprentissage (récompense intrinsèque) obtiennent souvent de bonnes notes et réussissent leurs examens diplômes (récompenses extrinsèques). Les médecins qui mettent l'accent sur la guérison (gratification intrinsèque) ont une vie épanouie (gratification extrinsèque). En effet, la recherche suggère que les personnes qui mettent l'accent sur la signification et l'importance de leur travail non seulement accomplissent mieux leur tâche, mais jouissent de gratifications plus extrinsèques (Wrzesniewski et al., 2014). Donner des choix aux gens augmente aussi leur motivation intrinsèque (Patall et al., 2008).

Néanmoins une récompense peut être efficace si elle est utilisée non pas pour contrôler ou soudoyer, mais pour reconnaître un travail bien fait (Boggiano et al., 1985). Les récompenses attribuées aux joueurs qui se sont le plus améliorés, par exemple, peuvent stimuler le sentiment de compétence et accroître le plaisir à la pratique de ce sport. Si les récompenses sont distribuées à juste titre, cela peut susciter la créativité et donner lieu à de meilleures performances (Eisenberger et Aselage, 2009 ; Henderlong et Lepper, 2002). Et les récompenses qui suivent souvent la réussite scolaire, tels que des bourses et des emplois, sont là pour l'attester.

Le **TABLEAU 7.5**, page suivante compare les influences de la biologie et de la cognition sur le conditionnement classique et sur le conditionnement opérant.

Apprentissage latent Comme les hommes, les animaux peuvent apprendre par l'expérience, avec ou sans renforcement. Après avoir exploré un labyrinthe pendant 10 jours, les rats reçurent une récompense alimentaire à la sortie du labyrinthe. Ils font rapidement preuve de leur précédent apprentissage du labyrinthe en ayant immédiatement d'aussi bons résultats (voire meilleurs) que les rats qui ont été renforcés pour explorer le labyrinthe (Tolman & Honzik, 1930).

Carte cognitive représentation mentale de la configuration de son propre environnement. Par exemple, à la suite de l'exploration d'un labyrinthe, les rats agissent comme s'ils en avaient acquis une carte cognitive.

Apprentissage latent apprentissage qui se fait mais ne devient apparent que lorsqu'une incitation permet de le mettre en évidence.

Motivation intrinsèque désir de se comporter de façon efficace pour son propre bien.

Motivation extrinsèque désir de se comporter de façon efficace afin d'être récompensé ou d'éviter une punition redoutée.

▼ TABLEAU 7.5
Influences de la biologie et de la cognition sur le conditionnement

	Conditionnement classique, répondant	Conditionnement opérant
Processus cognitif	Les organismes confrontés à un SC développent l'attente de l'arrivée du SI.	Les organismes prévoient que la réponse sera renforcée ou punie ; ils font aussi preuve d'un apprentissage latent qui n'a pas été renforcé.
Prédispositions biologiques	Les prédispositions naturelles limitent les associations systématiques stimulus-réponse.	Les organismes apprennent plus facilement des comportements similaires à leurs comportements naturels ; les comportements contre nature sont instinctivement déviés vers ceux qui sont naturels.

Apprentissage par observation

7-16 En quoi l'apprentissage par observation diffère-t-il de l'apprentissage par association ? Quel est le rôle des neurones miroirs dans l'apprentissage par observation ?

Albert Bandura « La poupée Bobo gonflable me suit partout où je vais. Ses photographies sont publiées dans tous les ouvrages d'introduction à la psychologie et virtuellement tous les étudiants choisissent des cours d'introduction à la psychologie. Je me suis récemment présenté dans un hôtel de Washington. Le réceptionniste me demanda : "Êtes-vous le psychologue qui a effectué l'expérience avec la poupée Bobo ?" Je répondis : "J'ai bien peur que ce soit mon héritage." Il répliqua : "Cela mérite un traitement de faveur. Je vais vous donner une suite dans la partie la plus calme de l'hôtel." » (2005) Une récente analyse des citations, des prix, et la lecture des traités montrent Albert Bandura comme le plus éminent psychologue du monde (Diener et al., 2014).

La cognition est certainement un des facteurs de l'**apprentissage par observation** au cours duquel les animaux supérieurs, et l'homme en particulier, peuvent apprendre sans expérience directe, en observant et en imitant le comportement des autres. Un enfant qui a vu sa grande sœur se brûler les doigts sur la cuisinière a ainsi appris à ne pas y toucher. Nous apprenons notre langue maternelle ainsi que toute sorte de comportements spécifiques en observant et en imitant les autres, c'est ce qu'on appelle le **mimétisme**.

Représentez-vous cette scène tirée d'une célèbre expérience réalisée par Albert Bandura, pionnier de la recherche sur l'apprentissage par observation (Bandura et al., 1961) : Un enfant d'âge préscolaire est entrain de dessiner Dans une autre partie de la pièce, un adulte fait des jeux de construction. Pendant que l'enfant regarde, l'adulte se lève et, pendant à peu près 10 minutes, cogne sur une grosse poupée Bobo gonflable, lui donne des coups de pied et la jette tout autour de la pièce en hurlant : « Écrase-lui le nez… Fais-la tomber… Frappe-la. »

L'enfant est ensuite emmené dans une autre pièce où il y a de nombreux jouets fascinants. Peu de temps après, l'expérimentateur revient et explique à l'enfant qu'il a décidé de garder ces beaux jouets « pour les autres enfants ». Il emmène alors l'enfant frustré dans une pièce adjacente contenant quelques jouets et en particulier une grosse poupée Bobo. Laissé seul, que fait l'enfant ?

Comparés à des enfants qui n'ont pas été en contact avec le modèle adulte, les enfants qui ont observé l'explosion agressive ont plus de risque de se défouler sur la poupée. Apparemment, le fait d'observer cette explosion d'agressivité a réduit leurs inhibitions. Mais *il y a quelque chose de plus* qu'une simple levée d'inhibition, car les enfants imitent également précisément les actes et utilisent les mêmes mots que ceux qu'ils ont entendus (**FIGURE 7.15**).

Selon Bandura, ce « quelque chose de plus » tient au fait que lorsque nous regardons un modèle, nous ressentons, par procuration, les *renforcements* et les *punitions* reçus par le modèle et nous apprenons à anticiper les conséquences d'un comportement dans des situations semblables à celles que nous sommes en train d'observer. Nous avons particulièrement tendance à imiter ceux que nous admirons, ceux que nous percevons comme semblables à nous-mêmes et ceux dont nous pensons qu'ils réussissent. Des images d'IRMf cérébrale montrent que lorsqu'une personne observe quelqu'un recevant une récompense (en particulier si cette personne lui ressemble), son propre système de récompense est activé, comme si c'était lui-même qui recevait cette récompense (Mobbs et al., 2009). Lorsque nous nous identifions à quelqu'un, nous vivons, par procuration, les conséquences de son comportement. Même nos craintes apprises peuvent s'éteindre lorsque nous observons quelqu'un d'autre évoluer en toute sécurité dans une situation redoutée (Golkar et al., 2013). Lord Chesterfield (1694-1773) en eut l'intuition : « Plus de la moitié de ce que nous sommes provient en vérité de l'imitation. »

Apprentissage par observation apprendre en observant les autres.

Mimétisme comportemental processus d'observation et d'imitation d'un comportement spécifique.

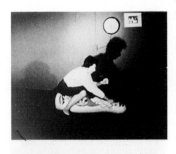

▼ FIGURE 7.15
La célèbre expérience de la poupée Bobo Remarquez comme les actions de l'enfant imitent directement celles de l'adulte.

Miroirs et imitation au niveau du cerveau

Au cours d'une chaude journée de l'été 1991, à Parme en Italie, un singe, dans un laboratoire, attendait que les chercheurs reviennent de leur déjeuner. Les chercheurs avaient implanté des électrodes près de son cortex moteur dans une région du lobe frontal qui permettait au singe de planifier et d'ordonner ses mouvements. Le moniteur prévenait les chercheurs de l'activité se produisant dans cette région du cerveau. Lorsque le singe mettait une cacahuète dans sa bouche, par exemple, le moniteur émettait un son. Ce jour-là, lorsqu'un des chercheurs est entré dans le laboratoire, un cornet de glace à la main, le singe le regarda. Lorsque le chercheur mit son cornet à la bouche, le moniteur émit un son – comme si le singe immobile, avait lui-même fait le geste de porter quelque chose à ses lèvres (Blakeslee, 2006 ; Iacoboni, 2008, 2009).

Le même son avait auparavant été émis par le moniteur, quand le singe avait regardé ses congénères ou des hommes porter une cacahuète à leur bouche. Les chercheurs du laboratoire de Giacomo Rizzolatti (2002, 2006), en restèrent tout ébaubis et ils pensèrent que les électrodes avaient été implantées dans des neurones d'un type jusqu'alors inconnu des neurones. Ces présumés **neurones miroirs** sont à la base fournit de l'imitation et de l'apprentissage par observation. Quand un singe effectue une tâche telle que saisir, tenir ou encore déchirer, donc par un mouvement à finalité précise, ces neurones sont activés. Mais ils sont également activés quand un singe en observe un autre effectuant la même tâche. Quand un singe observe, ces neurones miroirs reflètent ce qu'un autre singe est en train de faire. (Pour un débat sur l'importance des neurones miroir dont le rôle est parfois exagéré dans les articles de vulgarisation publiés dans la grande presse, voir Gallese et al., 2011 ; Hickok, 2014.)

L'imitation est largement répandue chez de nombreuses espèces. Au cours d'une expérience, un singe qui regarde un autre singe choisir certaines images pour obtenir des friandises apprend à imiter l'ordre de sélection de ces images (**FIGURE 7.16**, page suivante). D'autres recherches ont montré que les macaques Rhésus ne se réconcilient rapidement, après un combat, que rarement sauf s'ils sont élevés avec des macaques plus âgés qui pardonnent. Alors, le plus souvent, leur combat est aussi rapidement suivi d'une réconciliation (de Waal et Johanowicz, 1993). Les rats, les pigeons, les corbeaux et les gorilles apprennent en observant leurs semblables (Byrne et al., 2011 ; Dugatkin, 2002).

Comme nous le verrons dans le Chapitre 9, les chimpanzés apprennent par l'observation et imitent toutes sortes de comportements de recherche de nourriture ou d'utilisation d'outils puis les transmettent de génération en génération à l'intérieur de leur culture locale (Hopper et al., 2008 ; Whiten et al., 2007). Dans une étude menée sur 27 ans et ayant porté sur l'analyse de 73 790 observations de baleines à bosse, une seule baleine en 1980 a battu l'eau, provoquant une sorte de filet de bulles d'air, enserrant et concentrant ainsi les proies. Dans les années qui ont suivi, cette manière de prédation s'est propagée dans la population de ces baleines (Allen et al., 2013). Ce qu'une baleine à bosse voit, une baleine à bosse le fait.

Les neurones miroirs en action ?

« Votre mal de dos va me tuer ! »

Neurones miroirs neurones du lobe frontal qui, comme le croient certains scientifiques, sont excités lors de l'exécution de certaines actions ou lors de l'observation de cette action exécutée par l'autre. Le cerveau est le miroir des actions de l'autre et nous rend capable d'imitation et d'empathie.

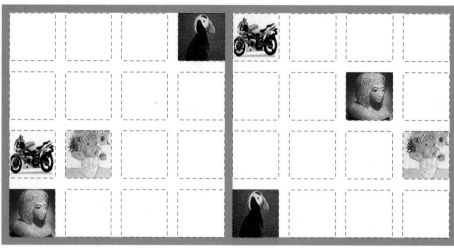

Écran du singe A   Écran du singe B

▼ FIGURE 7.16

Imitation cognitive Un singe A (à gauche) a regardé le singe B manipuler quatre photos s'affichant sur un écran et ce, dans un certain ordre pour obtenir une banane. Le singe A a appris à imiter cet ordre, même lorsque les mêmes images lui ont été présentées dans une configuration différente (Subiaul et al., 2004).

Il en est de même pour les singes. Erica van de Waal et les chercheurs de son équipe (2013) ont entraîné des groupes de singes verts (Vervet) à préférer des grains de maïs colorés en bleu ou en rose en provoquant une aversion gustative pour les grains d'une couleur en leur donnant un mauvais goût. Quatre à six mois plus tard, ils donnèrent naissance à une nouvelle génération. Ces nouveaux nés en observant leurs parents les imitèrent et mangèrent les graines de maïs de la couleur préférée ; un seul jeune sur 27 ne se comporta pas de cette manière. En outre, lorsque les singes mâles préférant les graines bleues ou roses migrèrent vers l'autre groupe, ils inversèrent leur préférence en imitant les habitudes de ce groupe. Ce que le singe voit, le singe le fait.

Ce phénomène d'imitation est très répandu chez l'homme. Nos leitmotivs, les modes que nous suivons, nos cérémonies, notre alimentation, nos traditions, nos vices et nos lubies sont propagés par des individus qui imitent d'autres individus. L'imitation modèle même les comportements des très jeunes enfants (Bates et Byrne, 2010). Peu après sa naissance, un bébé peut imiter un adulte qui tire la langue. Vers l'âge de 8 à 16 mois, les enfants imitent divers nouveaux gestes (Jones, 2007). Vers 1 an (**FIGURE 7.17**), ils regardent dans la même direction qu'un adulte (Meltzoff et al., 2009). Et vers l'âge de 14 mois les enfants imitent des actes observés à la télévision (Meltzoff, 1988 ; Meltzoff et Moore, 1989, 1997). Même lorsque nous sommes âgés de deux ans et demi, quand beaucoup de nos capacités mentales sont proches de celles d'un chimpanzé, nous surpassons considérablement les chimpanzés dans les tâches sociales comme l'imitation de la solution d'un autre en face d'un problème (Herrmann et al., 2007). Les enfants font ce qu'ils voient.

Notre prédisposition à apprendre de l'observation des adultes est si importante que des enfants âgés de 2 à 5 ans vont même imiter *jusqu'à l'excès*. Qu'ils vivent dans les régions urbaines d'Australie ou rurales d'Afrique, ils copient même les actes les plus insignifiants des adultes. Avant de prendre un jouet dans un récipient en plastique, ils vont d'abord passer un plumeau sur le récipient si c'est ce qu'ils ont observé (Lyons et al., 2007). Ou, imitant l'adulte, ils vont d'abord secouer un bâton sur une boîte

▼ FIGURE 7.17

Imitation Cet enfant âgé de 12 mois voit un adulte regarder à gauche, et dirige immédiatement son regard dans la même direction. (De Meltzoff et al., 2009.)

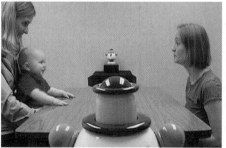

Meltzoff, A. N., Kuhl, P. K., Movellan, J. & Sejnowski, T. J. (2009). Fondements d'une nouvelle science de l'apprentissage. *Science, 325*, 284-288.

© Masa Ushioda/age fotostock

Erica van de Waal

avant d'utiliser ce bâton pour appuyer sur un bouton qui ouvre la boîte, alors qu'ils avaient simplement besoin d'appuyer sur le bouton pour ouvrir la boîte (Nielsen et Tomaselli, 2010).

Les hommes comme les singes ont un système nerveux miroir qui permet l'empathie et l'imitation. Les chercheurs ne peuvent insérer expérimentalement des électrodes dans les cerveaux humains mais ils peuvent utiliser les images d'IRMf pour voir l'activité cérébrale engendrée lorsque nous effectuons un acte ou que nous l'observons. Cette capacité de l'homme à simuler l'action des autres et à partager l'expérience des autres est-elle due à des neurones miroirs spécialisés ? Ou bien est-elle provoquée par des réseaux neuronaux ? Cette question est toujours discutée (Gallese et al., 2011 ; Iacoboni, 2008, 2009 ; Mukamel et al., 2010 ; Spaulding, 2013). Quoi qu'il en soit, le cerveau des enfants permet leur empathie et leur capacité à déduire l'état mental d'autrui, une capacité que l'on appelle *théorie de l'esprit*.

La réponse de notre cerveau à l'observation des autres rend les émotions contagieuses. Par cet écho neurologique, notre cerveau imite et ressent par procuration ce que nous observons. Les répétitions mentales de ces actions semblent si vraies que nous pouvons penser à tort que nous avons effectué une action alors que nous l'avons seulement observée (Lindner et al., 2010). Mais en répétant ces actes, nous attrapons l'état d'esprit des autres. En observant la manière dont ils se tiennent, leur visage, leurs voix et leur style d'écriture, nous synchronisons de façon non consciente notre état aux leurs, ce qui nous aide à ressentir ce qu'ils ressentent (Bernieri et al., 1994 ; Ireland et Pennebaker, 2010). On se met à bâiller après avoir vu quelqu'un bâiller, rire lorsque les autres rient.

Lorsqu'on regarde les acteurs d'un film fumer, le cerveau des fumeurs simule spontanément le fait de fumer une cigarette, ce qui permet d'expliquer leur envie pressante (Wagner et al., 2011). Lorsqu'on voit la douleur chez l'être aimé, notre visage reflète son émotion. Mais comme le montre la **FIGURE 7.18**,

Apprentissage social chez l'animal
Battre l'eau pour augmenter le produit de la chasse s'est répandu parmi les baleines à bosse, au travers de l'apprentissage social (Allen et al., 2013). De même, les singes apprennent à préférer, par observation, la couleur du maïs que les autres singes mangent.

« Les enfants ont besoin de modèles plus que de critiques. »

Joseph Joubert, *Pensées,* 1842

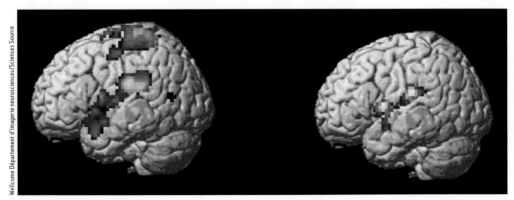

Wellcome Département d'imagerie neurosciences/Sciences Source

Douleur   Empathie

▼ **FIGURE 7.18**
Douleur ressentie et douleur imaginée dans le cerveau
L'activité cérébrale liée à la douleur réelle (à gauche) se reflète dans le cerveau d'un être cher qui l'observe (à droite). L'empathie apparaît dans les zones du cerveau émotionnel, mais pas dans le cortex somesthésique, qui reçoit les influx véhiculés par les voies de la sensibilité thermo-algésique.

Comportement prosocial comportement utile, constructif, positif. Le contraire du comportement antisocial.

notre cerveau aussi. Sur les images d'IRMf, la douleur imaginée par un partenaire amoureux et empathique déclenche un certain nombre d'activités cérébrales identiques à celles qui se produisent chez la personne qui souffre réellement (Singer et al., 2004). Même la lecture d'une fiction peut déclencher cette activité si nous simulons mentalement l'expérience décrite et la ressentons par procuration (Mar et Oatley, 2008 ; Speer et al., 2009). Dans une étude de psychologie expérimentale, des étudiants lisaient une histoire parlant d'un homme qui va surmonter tout ce qui pourrait s'opposer à ce qu'il vote. Ils vivaient donc en imagination la même expérience que le héros de cette histoire. Une semaine plus tard, ceux qui avaient lu cette histoire écrite à la première personne avaient été plus enclins à voter lors d'une primaire de l'élection présidentielle (Kaufman & Libby, 2012).

Les applications de l'apprentissage par observation

La grande nouvelle des études de Bandura et des recherches sur les neurones miroirs est que nous regardons, nous imitons mentalement et nous apprenons. Les modèles – dans la famille, dans le voisinage ou à la télévision – peuvent avoir des effets, bons ou mauvais.

Effets prosociaux

7-17 **Quel est l'impact du mimétisme prosocial et du mimétisme antisocial ?**

La bonne nouvelle est que les modèles **prosociaux** (positifs, utiles) peuvent avoir des effets prosociaux. Beaucoup d'entreprises commerciales utilisent efficacement le *mimétisme comportemental* pour entraîner leurs nouveaux employés à la communication, à la vente et au service au client (Taylor et al., 2005). Ceux qui sont entraînés développent des aptitudes plus rapidement lorsqu'ils peuvent observer des modèles de ces aptitudes montrés par des travailleurs expérimentés (ou des acteurs qui les simulent).

Les hommes et les femmes qui incarnent un comportement non violent et secourable peuvent susciter des comportements identiques. Le Mahatma Gandhi en Inde et Martin Luther King Jr., aux États-Unis, ont tous deux encouragé le pouvoir de l'imitation, faisant de l'action non violente une force puissante en faveur du changement social dans ces deux pays. Les médias nous offrent des modèles à imiter. Une équipe de recherche a constaté que dans sept pays, la vision d'émissions télévisées à caractère social a encouragé les comportements d'aide et de solidarité (Prot et al., 2013).

Les parents sont des modèles puissants. Les Chrétiens européens qui ont risqué leur vie pour sauver les Juifs des persécutions nazies avaient généralement une relation étroite avec au moins un parent ayant montré l'exemple d'une conduite morale et bienfaitrice pour l'humanité ; c'est également le cas des militants des droits civiques des années 1960 (London, 1970 ; Oliner et Oliner, 1988). L'apprentissage par observation de la moralité commence très tôt. Les enfants qui réagissent bien socialement et imitent facilement leurs parents ont tendance à devenir des enfants ayant déjà, dès l'école maternelle, une forte conscience intérieure (Forman et al., 2004).

Modèle de soignant Cette jeune fille est en train d'apprendre la technique d'allaitement des animaux abandonnés, ainsi que la compassion, en observant son tuteur, dans le cadre du programme « Humane Society ». Comme le dit le proverbe du XVIᵉ siècle, « Exemple vaut mieux que précepte ».

Les modèles sont surtout efficaces quand leur action est congruente à leur discours. Parfois, cependant, les modèles disent une chose et en font une autre. Pour encourager les enfants à lire, lisez-leur des livres, et entourez-les de livres et de gens qui lisent. Pour augmenter les chances que votre enfant pratique votre religion, pratiquez le culte et les activités religieuses avec eux. Beaucoup de parents semblent fonctionner selon le principe « Faites ce que je *dis*, et ne faites pas ce que je fais ». Les études de psychologie expérimentale suggèrent que les enfants apprennent à faire les deux choses ! (Rice & Grusec, 1975 ; Rushton, 1975). En présence d'une personne hypocrite, ils ont tendance à imiter l'hypocrisie en faisant ce que le modèle fait et en disant ce que le modèle dit.

Effets antisociaux La mauvaise nouvelle est que l'apprentissage par observation peut avoir *des effets antisociaux*. Cela nous aide à comprendre pourquoi des parents maltraitants peuvent avoir des enfants agressifs et pourquoi les hommes qui frappent leur épouse avaient souvent un père qui battait la leur (Stith et al., 2000). Certains chercheurs critiquant ce modèle d'imitation pensent que l'agressivité peut aussi être génétique. Nous savons au moins qu'avec les singes, l'agressivité peut avoir une origine environnementale. De nombreuses études nous ont appris que les jeunes singes séparés de leur mère et élevés dans un climat d'agressivité deviennent eux-mêmes agressifs en grandissant (Chamove, 1980). Les leçons que nous apprenons dans l'enfance ne sont pas faciles à oublier à l'âge adulte, et elles sont parfois transmises aux générations futures.

La télévision et les vidéos sur Internet sont des sources puissantes d'apprentissage par observation. Pendant qu'ils regardent la télévision et des vidéos, les enfants peuvent apprendre que la brutalité est une façon efficace de contrôler les autres, que les rapports sexuels libres et faciles apportent du plaisir sans entraîner ensuite de maladie ni de souffrance ou que les hommes doivent être durs et les femmes douces. Et ils ont amplement le temps d'apprendre ce type de leçon. Dans les pays développés, la plupart des enfants, au cours des 18 premières années de leur vie, passent plus de temps devant la télévision qu'à l'école. En moyenne un adolescent regarde la télévision plus de 4 heures par jour ; l'adulte la regarde en moyenne 3 heures (Robinson et Martin, 2009. Strasburger et al., 2010).

« Le problème avec la télévision, c'est que les gens doivent rester assis et garder les yeux rivés sur l'écran : la famille américaine moyenne n'a pas de temps pour ça. Par conséquent, les animateurs radio sont convaincus que… la télévision ne sera jamais un concurrent sérieux pour la radio. »

New York Times, 1939

David Strickler/The Image Works

Les enfants font-ils ce qu'ils voient ? Les enfants qui souffrent souvent de châtiments corporels ont tendance à être plus agressifs.

Les personnes qui regardent la télévision apprennent la vie écrite par un conteur bien particulier, qui reflète les mythes d'une culture, mais pas la réalité. Entre 1998 et 2006, la violence montrée aux heures de grande écoute a augmenté de 75 % (PTC, 2007). Si l'on prend en compte les programmes du câble et la location de films, le taux de démonstration de situations de comportements violent est faramineux. Une analyse de plus de 3 000 programmes proposés par le réseau et le câble scrupuleusement étudiés pendant un an, a révélé que près de 6 programmes sur 10 montraient des scènes de violence, que 74 % des actes de violence restaient impunis, que 58 % d'entre eux ne montraient pas la douleur de la victime, que près de la moitié des incidents impliquait une violence « justifiée » et que près de la moitié montrait le personnage responsable de ces actes sous une forme attrayante. Ces conditions définissent la formule des effets liés à *l'observation de violence* que beaucoup d'études décrivent (Donnerstein, 1998, 2011). Pour en savoir plus sur cet effet, reportez-vous à l'encadré Regard critique sur : L'observation de violence dans les médias entraîne-t-elle un comportement violent ? sur la page suivante.

Il est possible que l'effet le plus important de la télévision découle des activités qu'elle remplace. Les enfants et les adultes qui passent plusieurs heures par jour à regarder la télévision consacrent plusieurs heures de moins aux occupations actives : discuter, étudier, jouer, lire ou fréquenter des amis. Qu'auriez-vous fait de votre temps libre si vous aviez seulement passé deux fois moins d'heures devant la télévision et en quoi seriez-vous différent maintenant ?

La vision de la violence dans les médias entraîne-t-elle un comportement violent ?

Le magistrat qui, en 1993, prononça le jugement des deux enfants anglais de 10 ans accusés du meurtre d'un enfant de 2 ans avait-t-il raison de penser que la vision de « films violents » avait pu influencer les deux agresseurs ? Les médias américains étaient-ils en droit de se demander si Adam Lanza, le tueur des jeunes enfants et de leurs enseignants, en 2012 à la Sandy Hook Elementary School, Connecticut aurait pu être influencé par les jeux vidéo violents retrouvés à son domicile ? Pour tenter de comprendre si la vue de la violence conduisait à des comportements violents, les chercheurs ont mené des études corrélationnelles et expérimentales (Groves et al., sous presse).

Les résultats des études corrélationnelles sont en faveur de ce lien :

- Aux États-Unis et au Canada, le taux d'homicides a doublé entre 1957 et 1974, coïncidant avec l'introduction et le développement de la télévision. De plus, des régions où l'apparition de la télévision a été plus tardive montrent une progression des homicides également plus tardive (Centerwall, 1989).

- En 1975, les Blancs d'Afrique du Sud découvrirent la télévision pour la première fois. De la même manière, le taux d'homicides commença à doubler par la suite (Centerwall, 1989).

- Les enfants des écoles élémentaires fortement exposés à la violence retransmise par les médias (via la télévision, les films et les jeux vidéo) ont tendance à prendre plus part à des bagarres (**FIGURE 7.19**). Devenus adolescents, ils ont également plus de risques de présenter des comportements violents (Boxer et al., 2009).

Cependant, comme nous l'avons vu au Chapitre 1, la corrélation n'implique pas la causalité. Ces études corrélationnelles ne prouvent donc pas que le fait de voir de la violence provoque des comportements agressifs (Ferguson, 2009 ; Freedman, 1988 ; McGuire, 1986). Il se peut que les enfants agressifs préfèrent les programmes violents. Les enfants de parents maltraitants ou négligents sont peut-être plus agressifs et plus souvent livrés à eux-mêmes devant la télévision ou l'ordinateur. Il se peut aussi que la télévision, plutôt que d'influencer, ne fasse que refléter les tendances violentes des individus.

Pour déterminer la causalité, les psychologues mettent en œuvre des expériences. Dans ce cas, les expérimentateurs ont réparti au hasard certains téléspectateurs, les uns assistant à des émissions violentes, les autres à des émissions distrayantes et sans violence. Le fait de voir des actes cruels à la télévision incite-t-il les gens à réagir cruellement quand ils sont irrités ? Dans une certaine mesure, oui. C'est particulièrement le cas lorsqu'une personne attirante commet un acte violent réaliste, apparemment justifié, qui reste impuni et qui n'entraîne visiblement pas de peine, ni de tort (Donnerstein, 1998, 2011).

Les effets liés à l'observation de la violence semblent résulter d'au moins deux facteurs. Le premier est *l'imitation*. Plus de 100 études confirment que les gens imitent parfois ce qu'ils ont vu. Regarder des scènes magnifiant les comportements à risque (conduite dangereuse, sports extrêmes, rapports sexuels non protégés) augmente la prise de risque dans la vie réelle des téléspectateurs (Fischer et al., 2011 ; Geen & Thomas, 1986). Des enfants très jeunes (dès 14 mois) imitent des actes qu'ils observent à la télévision (Meltzoff et Moore, 1989, 1997). Lorsqu'ils regardent la télévision, leurs cerveaux simulent le comportement, puis après cette répétition interne, ils ont plus de chance de passer à l'acte. Ainsi, lors d'une expérience, le taux de violence était multiplié par sept dans les jeux d'enfants lorsque ceux-ci venaient juste de regarder un épisode de la série *Power Rangers* (Boyatzis et al., 1995). Les enfants, comme ceux que nous avons vus plus tôt dans l'expérience avec la poupée Bobo, imitent précisément les actes violents perpétrés par les modèles, y compris les prises de karaté. Une autre grande expérience a choisi, au hasard, des enfants d'âge préscolaire pour lesquels tout accès aux médias était supprimé (« diète médiatique »). La réduction de l'accès à des programmes de télévision montrant des scènes de violence et l'augmentation de la diffusion de programmes éducatifs ont entraîné une baisse de la manifestation des comportements agressifs (Christakis et al., 2013).

De même une exposition prolongée à la violence *désensibilise* les téléspectateurs. Ils deviennent indifférents en assistant à une bagarre, que ce soit à la télévision ou dans la vie réelle (Fanty et al., 2009 ; Rule et Ferguson, 1986). Des spectateurs masculins ayant regardé pendant trois soirs de suite des films où se mêlent violence et érotisme supportent de plus en plus facilement la vue de viols et de massacres. Comparés aux personnes du groupe témoin, ceux qui ont regardé les films ont éprouvé moins de compassion pour les victimes de violences domestiques et ils ont eu tendance à minimiser la gravité des blessures de ces victimes (Mullin et Linz, 1995). De même, ceux qui regardaient régulièrement des films avaient moins tendance à aider une femme blessée à ramasser sa béquille s'ils venaient juste de voir un film violent contrairement à ceux qui avaient vu un film non violent (Bushman et Anderson, 2009).

Les parents de Jason et ses amis plus âgés fument, mais lui déconseillent d'en faire autant. Les parents de Juan et ses amis ne fument pas, mais ils ne font rien pour l'en empêcher. Qui est le plus susceptible de commencer à fumer, Jason ou Juan ?

Réponse : Jason a plus de risques de commencer à fumer car selon les études menées sur l'apprentissage par observation, les enfants ont tendance à faire ce que font leurs parents et à dire ce qu'ils disent.

* * *

Notre connaissance des principes d'apprentissage vient du travail de centaines d'équipes de recherches Ce chapitre a mis l'accent sur les idées de quelques pionniers Ivan Pavlov, John Watson, B. F. Skinner, et Albert Bandura. Ils illustrent l'impact que peut produire la dévotion unique à quelques idées ou problèmes bien définis. Ces chercheurs ont défini les problèmes à résoudre et nous ont démontré l'importance de l'apprentissage. Comme le montre leur héritage, l'histoire intellectuelle est souvent écrite par des gens qui, prennent le risque de pousser des idées jusqu'à leurs extrêmes limites (Simonton, 2000).

En se fondant sur ces conclusions, la Commission média-violence de la Société internationale de recherche sur l'agression (2012) a conclu que les médias violents ne sont pas la principale cause des fusillades dans les écoles, mais que « l'exposition à la violence dans les médias est un facteur de risque d'accroissement des comportements agressifs ». Et l'American Academy of Pediatrics (2009) a prévenu les pédiatres que « la violence dans les médias pouvait contribuer à des comportements agressifs, à une désensibilisation à la violence, à des cauchemars et à la crainte d'être blessé ». En effet, pour un psychologue diabolique, le meilleur moyen d'insensibiliser quelqu'un à la brutalité est de l'exposer à une série de scènes de plus en plus violentes : combats, meurtres, mutilations dans des films sanglants (Donnerstein et al., 1987). Regarder des actes de cruauté entretient l'indifférence.

« Trente secondes de promotion pour une savonnette permettent de vendre du savon. Vingt-cinq minutes de surenchère de violence vendent de la violence. »

Paul Simon, sénateur américain, remarques au Communitarian Network, 1993

Stanislav Solntsev/Digital Vision/Getty Images

▼ FIGURE 7.19

Une forte exposition à la violence dans les médias favorise le comportement agressif futur Des chercheurs ont mené une étude incluant plus de 400 élèves des classes allant de la troisième à la cinquième année de l'enseignement primaire. Après avoir contrôlé les différences interindividuelles des comportements hostiles et agressifs, les chercheurs ont signalé une augmentation de l'agressivité chez ceux qui sont fortement exposés à des scènes de violence des émissions de TV, des films, et des jeux vidéo (Gentile et al., 2011 ; Gentile & Bushman, 2012).

Pourcentage d'élèves impliqués dans une bagarre à T2

Exposition à de la violence dans les médias à T1

■ Filles ■ Garçons

Faites correspondre les exemples de comportement (1-5) au principe de l'apprentissage sous-jacent (a-e) :

a. Conditionnement classique, ou répondant

b Conditionnement opérant

c Apprentissage latent

d. Apprentissage par observation

e. Prédispositions biologiques

1. Reconnaître, dans le noir, le chemin allant de votre lit à la salle de bains

2. Votre petit frère va se bagarrer après avoir regardé un film d'action violent

3. Saliver quand vous sentez des brownies cuisant dans le four

4. Ne pas aimer le goût du piment après avoir été violemment malade quelques heures après avoir mangé du piment

5. Votre chien accourt pour vous accueillir lors de votre arrivée à la maison.

Réponses : 1. c, 2. d, 3. a, 4. e, 5. b

OBJECTIFS D'APPRENTISSAGE

EXERCICE RÉCAPITULATIF Prenez un moment pour répondre à chacune de ces questions objectif d'apprentissage (répétées ici au sein de cette section). Puis aller à l'annexe C, révision complète du chapitre, pour vérifier vos réponses. La recherche suggère que d'essayer de répondre à ces questions de votre propre initiative permettra d'améliorer la mémorisation à long terme de ces réponses (McDaniel et al., 2009).

7-14 Comment les contraintes biologiques affectent-elles le conditionnement classique et le conditionnement opérant ?

7-15 Comment les processus cognitifs affectent-ils le conditionnement classique et le conditionnement opérant ?

7-16 En quoi l'apprentissage par observation diffère-t-il de l'apprentissage par association ? Quel est le rôle des neurones miroirs dans l'apprentissage par observation ?

7-17 Quel est l'impact du mimétisme prosocial et du mimétisme antisocial ?

TERMES ET CONCEPTS À RETENIR

EXERCICE RÉCAPITULATIF Testez votre connaissance de ces termes en essayant d'écrire leur définition avant de vous reporter aux pages donnant les bonnes réponses.

carte cognitive, p. 305

apprentissage latent, p. 305

motivation intrinsèque, p. 305

motivation extrinsèque, p. 305

apprentissage par observation, p. 306

mimétisme comportemental, p. 306

neurones miroirs, p. 307

comportement prosocial, p. 310

ÉVALUEZ-VOUS L'APPRENTISSAGE

Évaluez-vous à plusieurs reprises tout au long de vos études. Cela permettra non seulement de vous aider à distinguer ce que vous savez de ce que vous ignorez mais aussi à vous faire bénéficier de l'effet test. Autrement dit, le test lui-même va vous aider à apprendre et à mémoriser l'information de manière plus efficace grâce précisément à ce qui est appelé *l'effet test*.

Concepts fondamentaux de l'apprentissage et du conditionnement classique

1. L'apprentissage est défini comme « le processus qui permet d'acquérir de nouvelles _____ ou de nouveaux _____ d'une manière relativement permanente ».

2. Les deux formes d'apprentissage par association sont le conditionnement classique ou répondant, dans lequel l'organisme associe _____, et le conditionnement opérant, dans lequel l'organisme associe _____.

   a. deux ou plusieurs réponses ; une réponse et la conséquence

   b. deux ou plusieurs stimuli ; deux ou plus de deux réponses

   c. deux ou plusieurs stimuli ; une réponse et la conséquence

   d. deux ou plusieurs réponses ; deux ou plusieurs stimuli

3. Dans les expériences de Pavlov, le son fut au début un stimulus neutre, puis est devenu un stimulus _____.

4. Les chiens ont été entraînés à saliver à la vue d'un cercle, mais pas à celle d'un carré. Ce processus est un exemple de _____.

5. Après que Watson et Rayner aient provoqué le conditionnement répondant de peur à la vue d'un rat blanc chez le Petit Albert, l'enfant a plus tard manifesté un sentiment de peur en réponse à la vue d'un lapin, d'un chien et d'un manteau en peau de phoque. Cette réponse est une illustration du processus :

   a. d'extinction.

   b. de généralisation.

   c. de récupération spontanée.

   d. de discrimination de deux stimuli.

6. « Le sexe fait vendre ! » est un dicton dans la publicité. En utilisant des principes du conditionnement classique, expliquez comment des images sexuelles utilisées dans les publicités peuvent influencer votre choix d'un produit.

Conditionnement opérant

7. La loi de l'effet de Thorndike fut le point départ des travaux de _____ sur le conditionnement opérant et le contrôle du comportement.

8. Une façon de changer le comportement est de récompenser les comportements naturels évoluant par petites étapes à mesure que le fonctionnement de l'organisme se rapproche du comportement souhaité. Ce processus est appelé _____.

9. Votre chien aboie si fort que cela fait tinter vos oreilles. Vous tapez dans vos mains, le chien cesse d'aboyer, vos oreilles cessent de tinter, et ainsi que vous pensez, « je vais devoir le faire quand il aboiera à nouveau ». La fin de l'aboiement était pour vous un

   a. renforçateur positif.

   b. un renforçateur négatif.

   c. une punition positive.

   d. une punition négative.

10. Comment votre enseignant en psychologie pourrait-il utiliser le renforcement négatif pour encourager chez vous un comportement attentif pendant les cours ?

11. Si on renforce la réponse souhaitée en seulement quelques occasions et non chaque fois qu'elle se produit, on a affaire à un renforcement _____.

12. Un restaurant fait une offre publicitaire spéciale. Après avoir pris quatre repas, le cinquième vous sera offert par la direction du restaurant. Ceci est un exemple de programme de renforcement _____.

    a. à proportion fixe

    b. à proportion variable

    c. à intervalle fixe

    d. à intervalle variable

13. Le programme de renforcement partiel qui renforce une réponse après des périodes imprévisibles est un programme _____-_____.

14. Un proverbe datant du Moyen Âge dit qu'« un enfant brûlé craint le feu ». Dans le conditionnement opérant, la brûlure serait un exemple de

    a. renforçateur primaire.

    b. renforçateur négatif.

    c. punition

    d. renforcement positif.

Biologie, cognition et apprentissage

15. Les études menées par Garcia et de Koelling sur _____ - _____ ont montré que le conditionnement peut se produire même lorsque le stimulus inconditionnel (SI) ne suit pas immédiatement le stimulus neutre (SN).

16. La recherche sur l'aversion gustative a montré que certains animaux développent une aversion pour certains goûts, mais ne développent pas d'aversion par la vision et par l'audition. En quoi cette découverte conforte-t-elle les conceptions de la psychologie de l'évolution ?

17. L'obtention de la preuve que les processus cognitifs jouent un rôle important dans l'apprentissage vient en partie de la réalisation d'études dans lesquelles des rats

    a. récupèrent spontanément un comportement qui avait été appris.

    b. élaborent des cartes cognitives.

    c. manifestent un comportement répondant.

    d. manifestent une généralisation des réponses.

18. Des rats qui avaient exploré un labyrinthe sans aucune récompense étaient plus tard en mesure de se diriger dans ce labyrinthe aussi bien que les autres rats qui avaient reçu des récompenses alimentaires pour apprendre à se diriger dans ledit labyrinthe. Les rats qui avaient appris sans l'aide d'un renforcement positif démontrèrent _____ _____.

19. Les enfants apprennent de nombreux comportements sociaux par imitation des parents ou par imitation d'autres personnes prises comme modèle d'identification. Ce type d'apprentissage est appelé _____ _____.

20. Selon Bandura, nous apprenons en regardant les modèles parce que comme eux nous éprouvons _____ du renforcement ou _____ de la punition.

21. Les parents sont les meilleurs modèles à imiter par leurs enfants si

    a. leurs paroles et leurs actions sont congruentes.

    b. ils font preuve d'ouverture d'esprit.

    c. un des deux parents travaille, tandis que l'autre reste à la maison pour s'occuper des enfants.

    d. ils expliquent soigneusement pourquoi un comportement est acceptable chez les adultes mais pas chez les enfants.

22. Certains scientifiques croient que le cerveau possède des neurones _____ spécifiques de l'empathie et de l'imitation.

23. La plupart des experts s'accordent pour dire que la vision répétée de scènes de violence, dans les médias

    a. rend tous les téléspectateurs beaucoup plus agressifs.

    b. a peu d'effet sur les téléspectateurs.

    c. émousse la sensibilité des téléspectateurs à la violence.

    d. frustre les téléspectateurs et suscite, chez eux, la colère.

Trouvez les réponses à ces questions dans l'annexe D, à la fin du livre.

Étude et encodage de la mémoire

Stockage et récupération des souvenirs

Oubli, construction de la mémoire et amélioration de la mémoire

CHAPITRE 8

MÉMOIRE[1]

· · · · · · · · · · · ·

Vous pouvez être reconnaissant envers votre mémoire. Nous la considérons comme étant acquise, excepté quand elle fonctionne mal. Mais c'est notre mémoire qui nous permet de tenir compte du temps et de définir notre vie. C'est notre mémoire qui nous permet de reconnaître notre famille, de parler notre langue, de retrouver le chemin de notre maison et de trouver de la nourriture et de l'eau. C'est notre mémoire qui nous permet d'apprécier une expérience et de la revoir mentalement pour l'apprécier de nouveau. Nos souvenirs partagés nous rassemblent en tant qu'Irlandais ou Australiens, Serbes ou Albanais. Et nos souvenirs nous poussent parfois à affronter ceux dont nous n'avons pu oublier les offenses.

En grande partie, vous êtes ce dont vous vous souvenez. Sans la mémoire, où nous entreposons l'apprentissage que nous avons accumulé, nous ne pourrions savourer les moments heureux du passé, ni éprouver un sentiment de culpabilité ou de colère associé à des événements douloureux. Nous vivrions sans cesse dans le présent, chaque instant serait nouveau. Mais chaque individu serait un inconnu, chaque langue serait étrangère et chaque activité – s'habiller, cuisiner, faire du vélo – représenterait constamment un nouveau défi. Vous pourriez être un étranger pour vous-même, privé du sens continu de soi qui s'étend depuis votre passé lointain jusqu'au moment présent.

Les chercheurs étudient la mémoire selon différents aspects, en différenciant ses fonctions et ses propriétés. Nous commencerons par l'évaluation, la formation et l'encodage des souvenirs, et nous examinerons leur rétention, leur récupération et leur restitution. Ensuite, nous explorerons, ce qui arrive quand notre mémoire nous fait défaut, et examinerons les moyens de l'améliorer la mémoire.

1. Ce chapitre a bénéficié de la collaboration de Janie Wilson, Georgia Southern University, lors de la précédente édition.

Mémoire persistance de l'apprentissage au cours du temps par le biais du stockage et du rappel de l'information.

Étude et encodage de la mémoire

Étude de la mémoire

8-1 Qu'est ce que la mémoire, et comment peut-on l'évaluer ?

LA MÉMOIRE C'EST-CE QUI RESTE DE L'APPRENTISSAGE, les informations acquises que nous avons stockées et que nous pouvons restituer. Les recherches sur les cas mnésiques extrêmes nous ont permis de comprendre comment fonctionne la mémoire. Mon père (D.M.), âgé de 92 ans, fut victime d'une légère attaque cérébrale ayant une répercussion assez étrange. Il était aussi mobile qu'auparavant. Sa personnalité géniale était restée intacte, Il nous reconnaissait et, lorsqu'il était captivé par les albums de photos de famille, il pouvait évoquer son passé sans problème. Néanmoins, il avait perdu sa capacité à se souvenir de conversations récentes ou encore d'événements quotidiens. Il était incapable de me dire quel jour nous étions ou ce qu'il avait mangé à midi. Bien qu'on lui rappelait sans cesse la mort de son beau-frère, il continuait à accueillir la nouvelle avec étonnement et tristesse.

Olympiades de la mémoire Les participants à ce concours mondial de la mémoire lisent puis récitent de mémoire de longues suites de chiffres, de mots et de cartes à jouer. Les concurrents ont une capacité inhabituelle de concentration de l'attention, qu'ils peuvent améliorer en bloquant l'arrivée de tous les stimuli pouvant les distraire.

Autre cas extrême, celui des sujets qui seraient les lauréats des Jeux olympiques de la mémoire et à qui on décernerait une médaille d'or. Le journaliste russe Salomon Shereshevskii, S., avait simplement écouté une conférence tandis que les autres journalistes griffonnaient des notes sur leur carnet (Luria, 1968). Vous et moi pourrions répéter comme un perroquet le ferait, une suite d'environ 7 voire peut-être 9 chiffres. S. pouvait répéter des suites pouvant comprendre jusqu'à 70 chiffres, si elles avaient été lues à environ trois secondes d'intervalle dans une salle silencieuse et retirée. De plus, il pouvait se rappeler des chiffres ou des mots aussi bien à l'endroit qu'à l'envers. Sa précision était infaillible, même quand il se souvenait d'une liste apprise quinze ans plus tôt. « Oui, oui », il pourrait s'en souvenir. « Ce fut une série que vous m'aviez donnée alors que nous étions dans votre appartement… Vous étiez assis à la table et moi dans le fauteuil à bascule… vous portiez un costume gris… »

Étonnant ? Certes, mais considérez votre propre mémoire, qui aussi a une capacité impressionnante. Vous vous souvenez d'innombrables choses, des visages, des lieux et des événements ; des goûts, des odeurs et des textures ; voix sons et chansons. Dans une étude, des étudiants élèves ont écouté, pendant quatre dixièmes de seconde seulement, des extraits de chansons populaires. Combien de fois ont-ils reconnu la chanson et son interprète ? Plus de 25 pour cent du temps (Krumhansl, 2010). Nous reconnaissons souvent des chansons aussi vite que nous reconnaissons la voix de quelqu'un.

Cela est vrai aussi, pour les visages et les lieux. Imaginez-vous en train de visionner plus de 2 500 diapositives de visages ou d'endroits pendant dix secondes chacune. Un peu plus tard vous voyez 280 de ces diapositives appariées à d'autres encore jamais vues. Si vous êtes comme les sujets qui ont participé à l'expérience, vous reconnaîtrez 90 % des diapositives que vous avez vues précédemment (Haber, 1970). Au cours d'une expérience suivante, les sujets exposés à 2 800 images, chacune pendant trois secondes seulement, reconnurent les diapositives la deuxième fois avec une précision de 82 % (Konkle et al., 2010). Certaines personnes « super-physionomistes » montrent une extraordinaire capacité à reconnaître les visages. Dix-huit mois après avoir visionné une vidéo d'un vol à main armée, un agent de police doué de telles capacités a repéré et arrêté le voleur qui marchait dans une rue animée (Davis et al., 2013). Et il n'y a pas que les humains qui ont montré qu'ils avaient une si remarquable mémoire des visages (**FIGURE 8.1**).

▼ FIGURE 8.1
D'autres animaux sont doués de capacité de reconnaissance des visages Après avoir obtenu, à plusieurs reprises, des récompenses alimentaires associées à la vue de certaines têtes de moutons, mais non avec d'autres, les moutons se souviendront pendant deux ans de ces têtes (Kendrick & Feng, 2011).

Comment accomplissons-nous ces exploits de mémoire ? Comment notre cerveau prend-il des informations dans le monde qui nous entoure pour les stocker en lieu sûr afin de les utiliser ultérieurement ? Comment pouvons-nous nous souvenir de choses auxquelles nous n'avons pas pensé depuis des années, et pourtant oublier le nom d'une personne rencontrée une minute auparavant ? Comment les souvenirs sont-ils stockés dans notre cerveau ? Pourquoi vous rappellerez-vous vraisemblablement mal de la phrase : « *Le manifestant furieux jeta une pierre vers la fenêtre* » quand vous aurez progressé dans ce chapitre ? Dans ce chapitre, nous aborderons toutes ces questions fascinantes et bien d'autres, et en particulier nous verrons comment nous pouvons améliorer notre mémoire.

Mesure de la rétention mnésique

Pour un psychologue les preuves de la persistance de l'apprentissage prennent trois formes :

- Le **rappel** : rappeler des informations qui ne sont pas actuellement dans votre conscience vigile mais qui ont été apprises auparavant. Un questionnaire où il faut remplir les blancs teste vos capacités de rappel.
- La **reconnaissance** : identifier des informations précédemment apprises. Un questionnaire à choix multiples teste votre capacité de reconnaissance.
- Le **réapprentissage** : apprendre quelque chose plus rapidement lorsqu'on l'apprend pour la seconde fois ou ultérieurement. Lorsque vous étudiez pour l'examen final ou parlez une langue apprise dans votre enfance, vous allez réapprendre les informations plus facilement que lorsque vous l'avez fait initialement.

Bien après que vous ne puissiez plus vous souvenir de la plupart des élèves de votre classe de terminale, vous pouvez toujours les reconnaître sur une série de photographies de classe et repérer leurs noms sur une liste. Dans une expérience, les personnes qui avaient obtenu leur diplôme vingt-cinq ans plus tôt ne pouvaient pas se souvenir de nombre de leurs anciens camarades de classe. Mais ils pouvaient *reconnaître* 90 pour cent de leurs photos ainsi que leur nom (Bahrick et al., 1975). Si vous êtes comme la plupart des étudiants, vous pouvez reconnaître certainement plus de noms des Sept Nains, du conte de Blanche Neige que vous ne pouvez vous en souvenir (Miserandino, 1991).

Notre mémoire de reconnaissance est particulièrement vaste et rapide. « Votre ami porte-t-il un vêtement neuf ou vieux ? » « Un vieux. » « Cette séquence d'à peine quelques secondes appartient-elle à un film que vous avez déjà vu ? » « Oui. » « Oui. » « Avez-vous déjà vu cette personne (cette variation infime des mêmes caractéristiques de l'homme : deux yeux, un nez, etc.) ? » « Non. » Avant que votre bouche puisse émettre la réponse à n'importe laquelle des millions de questions de ce genre, l'esprit sait et sait qu'il sait.

La vitesse de *réapprentissage* peut être un indicateur de la mémoire. Un des pionniers de la recherche sur la mémoire Hermann Ebbinghaus (1850-1909) a montré cela il y a plus d'un siècle, en utilisant des syllabes sans signification. Il sélectionna au hasard un échantillon de syllabes, les travailla et s'autoévalua. Pour avoir une idée de cette expérience, lisez rapidement à haute voix, huit fois ou plus, la liste suivante (d'après Baddeley, 1982). Puis, après avoir regardé ailleurs, essayez de vous rappeler ses éléments :

JIH, BAZ, FUB, YOX, SUJ, XIR, DAX, LEQ, VUM, PID, KEL, WAV, TUV, ZOF, GEK, DID.

Le lendemain de l'apprentissage d'une telle liste, Ebbinghaus ne pouvait se souvenir que de quelques-unes de ces syllabes. Mais ils ne les avaient pas tout à fait oubliées. Comme le montre le graphique de la **FIGURE 8.2**, plus le nombre de répétitions à haute voix est important le premier jour, plus le temps pour *réapprendre* cette liste le deuxième jour, est court (corrélation négative). La répétition supplémentaire *(surapprentissage)* de l'information verbale augmente la rétention, surtout quand la pratique est répartie dans le temps. Cela signifie pour les étudiants que la répétition du contenu d'un cours, même après qu'il eut été appris, consolide sa connaissance.

Point à retenir : les tests de reconnaissance et de temps passé à réapprendre démontrent que *nous nous souvenons de plus que nous ne pouvons rappeler*.

Se souvenir des choses passées
Même si Taylor Swift et Leonardo DiCaprio n'étaient pas devenus célèbres, leurs camarades de classe, au lycée, seraient probablement encore capables de les reconnaître sur ces photos.

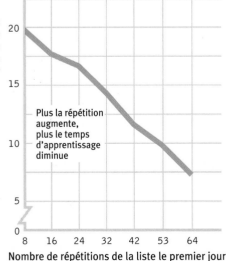

Temps en minutes nécessaire pour réapprendre la liste le deuxième jour

Plus la répétition augmente, plus le temps d'apprentissage diminue

Nombre de répétitions de la liste le premier jour

▼ FIGURE 8.2
Courbe de rétention mnésique d'Ebbinghaus Ebbinghaus découvrit que plus il passait de temps le premier jour à répéter une liste de syllabes sans signification, moins il avait besoin de répétitions pour la réapprendre le jour suivant. La vitesse de réapprentissage est une des mesures de la rétention mnésique. (De Baddeley, 1982.)

Encodage traitement de l'information permettant de l'introduire dans le système mnésique, par exemple en extrayant sa signification.

Stockage maintien de l'information encodée au fil du temps.

Rappel processus permettant de récupérer une information dans le système de stockage mnésique.

Traitement parallèle traitement simultané de plusieurs aspects d'un problème à la fois ; mode de traitement de l'information propre au cerveau qui l'applique à de nombreuses fonctions, notamment la vision.

Mémoire sensorielle enregistrement initial, très bref, des informations sensorielles dans le système mnésique.

Mémoire à court terme mémoire activée qui retient brièvement quelques éléments, par exemple les 10 chiffres d'un numéro de téléphone pendant qu'on le compose, avant que l'information ne soit stockée ou perdue.

Mémoire à long terme capacité relativement permanente et illimitée de stockage dans le système mnésique. Comprend les connaissances, les aptitudes et les expériences.

- Les questions à choix multiples évaluent notre _____. Les questions avec réponse à compléter évaluent notre _____.

  Réponses : reconnaissance ; rappel

- Si vous voulez être sûr de vous rappeler ce que vous êtes en train d'apprendre pour passer un examen, afin d'évaluer votre mémoire, serait-il préférable d'utiliser le *rappel* ou la *reconnaissance* ? Pourquoi ?

  Réponse : il vaudrait mieux que vous testiez votre mémoire par le *rappel* (par exemple avec des questions demandant de courtes réponses ou des questionnaires avec réponse à compléter) plutôt que par *la reconnaissance* (questionnaire avec réponse à choix multiple). Rappeler l'information est plus difficile que la reconnaître. Donc, si vous pouvez la rappeler, cela signifie que la rétention mnésique du matériel est plus solide que si vous aviez simplement à le reconnaître. Vos chances de réussite lors des exercices et des examens sont donc plus grandes.

Les modèles mnésiques

8-2 Comment les psychologues décrivent-ils le système mnésique humain ?

Les architectes construisent des maquettes des maisons pour aider leurs clients à imaginer leurs futurs logements. De même les psychologues créent des modèles mnésiques pour nous aider à comprendre comment notre cerveau fabrique et rappelle les souvenirs. Un *modèle de traitement de l'information* compare la mémoire humaine aux opérations d'un ordinateur. Ainsi, pour se souvenir d'un événement, nous devons :

- *intégrer l'information dans notre cerveau*, un processus appelé **encodage**,
- *retenir cette information*, un processus appelé **stockage**,
- puis la *retrouver*, un processus appelé **rappel**.

Comme toutes les analogies, le modèle de l'ordinateur a toutefois ses limites. Nos souvenirs sont moins exacts et plus fragiles que les données encodées dans la mémoire d'un ordinateur. De plus, la plupart des ordinateurs traitent l'information de manière séquentielle même lorsqu'ils passent d'une tâche à une autre. Notre cerveau habile, effectue plusieurs tâches à la fois (dont certaines inconsciemment) par le biais d'un **traitement parallèle**. Pour se concentrer sur ce traitement à plusieurs voies simultanées complexe, un modèle de traitement de l'information, le *connexionnisme*, considère que les souvenirs sont les produits de réseaux nerveux interconnectés. Les souvenirs spécifiques se forment par l'activation de voies particulières à l'intérieur de ces réseaux. À chaque fois que l'on apprend quelque chose de nouveau, les connexions nerveuses de notre cerveau se modifient, formant et renforçant des voies qui nous permettent d'interagir avec notre environnement toujours changeant et d'apprendre de celui-ci.

Pour expliquer les processus de formation des souvenirs, Richard Atkinson et Richard Shiffrin (1968) ont proposé un modèle en trois étapes :

1. Nous enregistrons d'abord l'information à retenir de manière fugace dans la **mémoire sensorielle.**

2. De là, nous traitons l'information dans **la mémoire à court terme**, où nous l'encodons par le biais de la *répétition*.

3. Enfin l'information passe dans **la mémoire à long terme** d'où elle est rappelée ultérieurement.

D'autres psychologues ont mis à jour ce modèle (**FIGURE 8.3**) pour prendre en compte de nouveaux concepts importants comme la *mémoire de travail et le traitement automatique*.

La mémoire de travail Alan Baddeley et d'autres psychologues (Baddeley, 2001, 2002 ; Barrouillet et al., 2011 ; Engle, 2002) ont mis en question la conception d'Atkinson et de Shiffrin, qui considère que la mémoire à court terme est un espace de stockage dans lequel arrivent brièvement nos pensées et nos expériences récentes. Cette étape n'est pas qu'une « étagère » temporaire où l'on dépose les informations entrantes. Elle ressemble plutôt au bureau actif d'un ordinateur : notre cerveau y traite les informations en donnant du sens aux nouveaux stimuli entrant et en les reliant aux souvenirs à long terme. La façon dont nous entendrons *les sons « scie tronc vert »*

▼ FIGURE 8.3

Un modèle actualisé de la mémoire Le modèle classique en trois étapes de Atkinson et Shiffrin nous aide à réfléchir sur le traitement des souvenirs, mais de nos jours, les chercheurs proposent d'autres modèles de la mémoire à long terme. Par exemple, certaines informations se glissent dans la mémoire à long terme via une « porte dérobée », sans participation de la conscience vigile *(traitement automatisé)*. Le traitement actif, avec effort, se produit au stade de la mémoire à court terme que beaucoup préfèrent dénommer maintenant *mémoire de travail*.

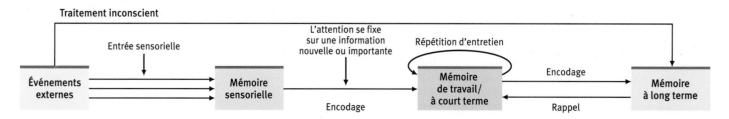

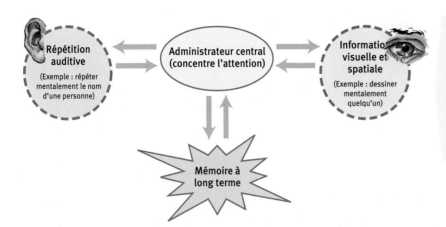

▼ FIGURE 8.4

Mémoire de travail Modèle d'Alan Baddeley (2002) de la mémoire de travail, simplifié ici, qui comprend une *répétition auditive* et *visuelle* des nouvelles informations. Un hypothétique *administrateur central* qui concentre l'attention et tire des informations de la mémoire à long terme pour aider à donner un sens aux nouvelles informations.

soit comme « six troncs verts » ou « citrons verts » dépendra de la manière dont le contexte et notre expérience guideront notre interprétation et le codage ces sons. Pour se concentrer sur le traitement actif de l'information qui a lieu à ce stade intermédiaire, les psychologues utilisent le terme de **mémoire de travail**. À l'instant même, vous utilisez votre mémoire de travail pour relier les informations que vous lisez aux informations que vous avez stockées précédemment (Cowan, 2010 ; Kail et Hall, 2001).

Pour la plupart d'entre vous, les pages que vous êtes en train de lire entrent dans votre mémoire de travail par votre vision. Vous pouvez également répéter l'information par le biais d'une répétition auditive. Lorsque vous intégrez ces souvenirs entrant dans votre mémoire à long terme, vous concentrez votre attention. Baddeley (1998, 2002) a fait l'hypothèse d'un *administrateur central* qui prend en charge le processus de concentration de l'attention (**FIGURE 8.4**).

Si vous ne concentrez pas notre attention, il n'est pas rare que les informations s'effacent. Si vous pensez que vous pouvez remettre quelque chose à plus tard, vous y portez moins d'attention et vous l'oublierez plus rapidement. Au cours d'une expérience, les sujets ont lu puis tapé sur leur ordinateur quelques bribes d'informations futiles dont ils auraient besoin ultérieurement, par exemple « les yeux d'une autruche sont plus gros que son cerveau ». Lorsqu'ils savaient que l'information était disponible sur l'ordinateur, ils dépensaient moins d'énergie pour s'en souvenir et se rappelaient moins bien de cette information sans importance (Sparrow et al., 2011 ; Wegner & Ward, 2013). Parfois Google remplace la répétition.

Mémoire de travail nouvelle conception de la mémoire à court terme qui se focalise sur le traitement actif et conscient des informations entrantes, auditives et visuelles/spatiales, ainsi que sur les informations rappelées au niveau de la mémoire à long terme.

Mémoire explicite mémoire de faits et d'expériences que l'on peut décrire consciemment, que l'on peut « déclarer ». (Aussi appelée *mémoire déclarative*.)

Traitement avec effort encodage qui nécessite une attention et un effort de la conscience vigile.

Traitement automatique encodage se faisant de façon non consciente de renseignements accessoires, tels que l'espace, le temps et la fréquence, et aussi de matériel cognitif bien appris, comme le sens des mots.

Mémoire implicite rétention des compétences acquises ou d'associations conditionnées classiquement, indépendantes de leur rappel conscient. (Aussi appelée *mémoire non déclarative*.)

EXERCICE RÉCAPITULATIF

- Quels sont les deux concepts qui modernisent le modèle classique d'Atkinson-Shiffrin du traitement de l'information en trois étapes ?

Réponse : (1) Nous constituons des souvenirs grâce au traitement automatique, qui se fait à notre insu. Le modèle Atkinson-Shiffrin traitait uniquement des souvenirs conscients. (2) Le concept plus récent de *mémoire de travail* souligne le traitement actif dont nous savons maintenant qu'il prend place dans le stade de la mémoire à court terme de Atkinson-Shiffrin.

- Quelles sont les deux fonctions fondamentales de la *mémoire de travail ?*

Réponse : (1) le traitement actif de l'information visuo-spatiale et sonore, et (2) la concentration de toute notre capacité d'attention.

Mémoire et encodage des souvenirs

Les deux voies de la mémoire : le traitement contrôlé et le traitement automatique

8-3 Comment peut-on différencier la mémoire explicite de la mémoire implicite ?

Le modèle d'Atkinson et de Shiffrin se concentre sur la manière dont nous traitons nos **souvenirs explicites** – les faits et les expériences que nous pouvons connaître et déclarer de façon consciente (appelée de ce fait *mémoire explicite* ou déclarative). Mais le fonctionnement de notre esprit emprunte aussi une deuxième voie non consciente Nous encodons les souvenirs explicites par un traitement conscient et contrôlé demandant des **efforts**. Mais « en coulisse », d'autres informations ne passent pas par le stade de l'encodage conscient et sont directement stockées. Ce **traitement automatique** qui se produit sans que nous en soyons conscients, produit des **souvenirs implicites** (formant *la mémoire implicite* ou *non déclarative*).

Traitement automatique et mémoire implicite

8-4 Quelle information encodons-nous automatiquement ?

Notre mémoire implicite comprend une *mémoire procédurale* destinée aux aptitudes automatiques, par exemple faire de la bicyclette et classiquement conditionnées par des stimuli. Si vous êtes attaqué par un chien dans l'enfance, vous pouvez, des années plus tard, sans rappeler l'association conditionnée, ressentir automatiquement une tension anxieuse à l'approche d'un chien.

Sans effort conscient, vous traitez aussi automatiquement des informations concernant :

- *L'espace.* Pendant que vous étudiez, vous encodez souvent l'endroit où apparaissent certaines choses sur la page ; plus tard, lorsque vous souhaiterez vous souvenir de ces informations, vous pourrez éventuellement visualiser leur localisation sur la page.

- *Le temps.* Tandis que se déroule votre journée, vous notez, sans y prêter attention, l'enchaînement des événements quotidiens. Ensuite, lorsque vous réalisez que vous avez oublié votre manteau quelque part, vous pouvez recréer cette suite d'événements et revenir sur vos pas.

- *La fréquence.* Vous conservez sans le moindre effort des traces du nombre de fois où les choses se produisent, ce qui vous permet de vous rendre compte que « c'est la troisième fois que je la rencontre cet après-midi ».

Notre esprit à deux voies se livre à un traitement de l'information particulièrement efficace. Tandis qu'une des voies met automatiquement de côté de nombreux détails routiniers, l'autre voie est libre de se concentrer sur le traitement conscient contrôlé. Prouesses mentales telles que la vision, la pensée et la mémoire peuvent sembler être des capacités isolées, mais ce n'est pas le cas. Nous scindons plutôt les informations en différents composants afin de les traiter séparément et simultanément.

Traitement avec effort et mémoire explicite

Le traitement automatique de l'information se fait sans effort. Lorsque vous voyez des mots dans votre langue maternelle, sur un camion de livraison, par exemple, vous ne pouvez pas vous empêcher de les lire et d'enregistrer leur signification. *Apprendre* à lire n'a pas été automatique. Peut-être vous souvenez-vous qu'il vous était difficile de prendre les lettres et de les assembler pour en faire un son. Mais avec l'expérience et la pratique, la lecture est devenue automatique. Imaginez maintenant d'apprendre à lire à l'envers des phrases comme celle-ci :

.euqitamotua rineved tuep élôrtnoc tnemetiart nU

Au départ, cela vous demande des efforts. Mais après assez d'entraînement, vous pourrez effectuer ce genre de tâche bien plus automatiquement. Nous développons de nombreuses compétences de cette façon : conduire, écrire, parler une nouvelle langue.

Mémoire sensorielle

8-5 Comment fonctionne la mémoire sensorielle ?

La mémoire sensorielle (**FIGURE** 8.3) alimente notre mémoire de travail active, l'enregistrement des images instantanées de scènes ou des échos de sons. Quelle part de cette page pourriez-vous percevoir et vous souvenir si elle vous était exposée pendant moins de temps qu'un flash de lumière ? Au cours d'une expérience les participants visionnèrent trois rangées de trois lettres pendant seulement $1/20^e$ de seconde (**FIGURE** 8.5). Une fois que les neuf lettres avaient disparu, les observateurs ne pouvaient se rappeler qu'environ la moitié de celles-ci.

N'avaient-ils pas eu assez de temps pour les observer ? *Non.* Georges Sperling démontra de façon très astucieuse que les gens *pouvaient* réellement voir et se rappeler toutes les lettres, mais seulement pendant un court instant. Plutôt que de leur demander de se rappeler les neuf lettres à la fois, Sperling faisait retentir un son aigu, médium ou grave, immédiatement *après* la projection rapide des neuf lettres. Cette indication amenait les sujets à ne noter respectivement que les lettres de la rangée du haut, du milieu ou du bas. Dans ces conditions, les observateurs manquaient rarement une lettre, montrant que les neuf lettres étaient toutes momentanément accessibles au souvenir.

▼ FIGURE 8.5
Rappel total bref Lorsque George Sperling (1960) dévoila un groupe de lettres similaires à celui-ci pendant un vingtième de seconde, les sujets ne pouvaient se rappeler que la moitié des lettres, environ. Mais quand il demandait aux sujets de se souvenir d'une ligne particulière immédiatement après que les lettres ont été à nouveau cachées, ils pouvaient le faire avec une précision quasi parfaite.

K	Z	R
Q	B	T
S	G	N

L'expérience de Sperling a montré que nous avons une mémoire sensorielle fugace des stimuli visuels appelée **mémoire iconique**. Pendant quelques dixièmes de seconde, les yeux enregistrent une photographie ou une représentation exacte de la scène et nous pouvons nous en rappeler chaque partie avec une précision surprenante. Mais si Sperling retardait le signal sonore de plus d'une demi-seconde, l'image s'évanouissait et, une fois encore, les sujets ne se souvenaient plus que de la moitié des lettres environ. L'écran visuel s'efface rapidement afin que de nouvelles images se superposent aux anciennes.

Nous possédons également une très bonne mémoire, bien que fugace, pour les stimuli auditifs, appelée **mémoire échoïque** (Cowan, 1988 ; Lu et al., 1992). Imaginez qu'en pleine conversation, votre attention se détourne vers l'écran de votre smartphone. Si votre partenaire un peu agacé teste votre attention en vous demandant : « Qu'est-ce que je viens de dire ? », vous pouvez retrouver dans votre esprit l'écho des derniers mots. Un écho auditif a tendance à persister pendant trois à quatre secondes.

> **Mémoire iconique** mémoire sensorielle momentanée de stimuli visuels ; une mémoire photographique ou picturale ne durant pas plus de quelques dixièmes de seconde.
>
> **Mémoire échoïque** mémoire sensorielle momentanée de stimuli auditifs ; même si l'attention ne se porte pas sur eux, les sons et les mots peuvent encore être rappelés dans les trois ou quatre secondes.

Capacité de la mémoire de travail et de la mémoire à court terme

8-6 Quelles sont les capacités de la mémoire à court terme et de la mémoire de travail ?

Rappelons que la mémoire de travail est une phase active, où notre cerveau donne un sens à l'information entrante et établit un lien avec des souvenirs engrammés. Quelles sont les limites de ce que nous pouvons retenir lors de cette étape intermédiaire ?

George Miller (1956) a proposé que nous pouvions stocker environ sept éléments d'information (plus ou moins deux) dans la mémoire à court terme. Le nombre magique de Miller, sept est la contribution de la psychologie à la liste des nombres sept magiques : les sept merveilles du monde, les sept mers, les sept péchés capitaux, les sept couleurs primaires, les sept notes de la gamme, les sept jours de la semaine, les sept sceaux de l'Apocalypse.

D'autres chercheurs ont confirmé que, si nous ne sommes pas distraits, nous pouvons nous rappeler environ 7 chiffres, 6 lettres et 5 mots (Baddeley et al., 1975). À quelle vitesse nos mémoires à court terme disparaissent-elles ? Lloyd et Margaret Peterson (1959) ont demandé à des sujets de se souvenir de trois groupes de consonnes, par exemple *CHJ*. Pour éviter que les sujets ne répètent les lettres, les chercheurs leur demandèrent de compter à haute voix à l'envers, de trois en trois, en partant de 100. Après trois secondes, les gens ne se souvenaient des lettres qu'une fois sur deux. Après douze secondes, le plus souvent, ils ne s'en souvenaient plus du tout (**FIGURE 8.6**). Sans le traitement actif qui, nous le savons maintenant, fait partie du concept de « mémoire de travail », les souvenirs à court terme ont une durée de vie limitée.

La capacité de la mémoire de travail varie en fonction de l'âge et d'autres facteurs. Comparés aux enfants et aux personnes âgées, les jeunes adultes ont une plus grande capacité de mémoire de travail et peuvent de ce fait utiliser leur espace de travail mental plus efficacement. Cela signifie

Après la mort de Miller en 2012, sa fille s'est souvenue de son meilleur moment de la pratique du golf : « Il a réussi le seul et unique trou-en-un coup de sa vie à l'âge de 77 ans, sur un parcours de sept trous… avec un fer sept. Il a adoré ce moment » (cité par Vitello, 2012).

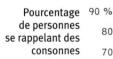

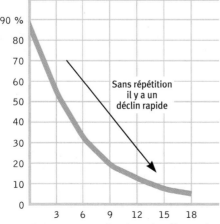

▼ FIGURE 8.6
Décroissance de la mémoire à court terme À moins qu'elle n'ait été répétée, l'information verbale risque d'être vite oubliée. (Données de Peterson & Peterson, 1959 ; voir également Brown, 1958.)

que leur capacité à accomplir de multiples tâches est relativement supérieure. Mais quel que soit notre âge, nous travaillons mieux et plus efficacement lorsque nous nous concentrons, sans être distraits, sur une seule tâche à la fois. *Ce qu'il faut retenir* : c'est probablement une mauvaise idée que de regarder la télévision tout en écrivant un texto à votre ami alors que vous essayez de rédiger un article de psychologie (Willingham, 2010) !

Contrairement à la capacité de la mémoire à court terme, la capacité de la mémoire de travail semble refléter le niveau d'intelligence (Cowan, 2008 ; Shelton et al., 2010). Imaginez que l'on vous montre une lettre de l'alphabet puis qu'on vous pose une question simple, puis qu'on vous montre une autre lettre et qu'on vous pose une autre question et ainsi de suite. Dans ce genre d'expériences, ceux qui peuvent jongler avec le plus de balles mentales, c'est-à-dire qui peuvent se souvenir du maximum de lettres malgré les interruptions, ont tendance à montrer dans la vie de tous les jours la plus forte intelligence et une grande capacité de concentration (Kane et al., 2007 ; Unsworth et Engle, 2007). Lorsqu'ils sont appelés pour rendre compte de ce qu'ils font à divers moments, ils ont moins tendance que les autres à déclarer que leur esprit était parti vagabonder loin de leur activité actuelle. Ceux qui ont une grande capacité de mémoire de travail, ceux dont l'esprit peut jongler avec plusieurs éléments lors du traitement de l'information ont également tendance à conserver plus d'informations après le sommeil et à résoudre des problèmes de façon créative (De Dreu et al., 2012 ; Fenn & Hambrick, 2012 ; Wiley & ; Jarosz, 2012).

EXERCICE RÉCAPITULATIF

- Quelle est la différence entre traitement de l'information automatique et traitement *demandant un effort*, et quels sont les exemples qui peuvent illustrer chacun des deux concepts ?

*Réponse : **Automatique** : ce traitement se produit de façon non consciente (automatiquement) pour des faits tels que l'enchaînement des événements et leur fréquence de survenue tout au long d'une journée, la lecture et la compréhension des mots dans notre propre langue. **Avec effort** : ce traitement nécessite une attention et donc une conscience vigile de ce qui se passe, par exemple, lorsque nous étudions de façon assidue un nouveau cours, ou lorsque nous apprenons les répliques d'un nouveau rôle dans d'une pièce de théâtre.*

- À quel stade du schéma en trois étapes de Atkinson-Shiffrin les mémoires *iconique* et *échoïque* interviennent-elles ?

Réponse : stade de la mémoire sensorielle

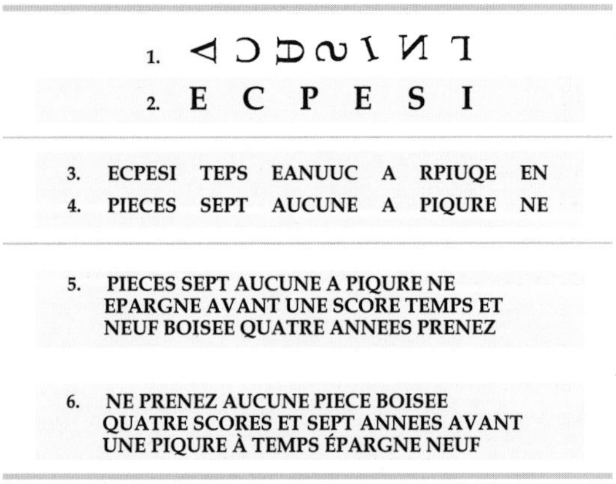

▼ FIGURE 8.7
Effets du regroupement sur la mémoire Lorsque Doug Hintzman (1978) a montré aux gens des informations similaires à celles-ci, ils les ont rappelées plus facilement quand elles ont été organisées en unités significatives, telles que des lettres, des mots et des phrases.

Stratégies du traitement contrôlé (demandant des efforts)

8-7 Quelles sont les stratégies de traitement contrôlé qui peuvent nous aider à nous souvenir de nouvelles informations ?

Plusieurs stratégies de traitement contrôlé peuvent améliorer notre capacité à former de nouveaux souvenirs. Plus tard, ces stratégies peuvent faire la différence entre la réussite ou l'échec du rappel de ces souvenirs.

LE REGROUPEMENT (TRONÇONNAGE OU « CHUNKING ») Regardez quelques secondes la première série de lettres de la **FIGURE 8.7**, puis regardez ailleurs et essayez de reproduire ce que vous avez vu. Impossible, non ? Mais vous pouvez facilement reproduire la deuxième série qui n'est pas moins complexe. De même, vous vous souviendrez sans doute des séries 4 et 6 plus facilement que des mêmes éléments se trouvant dans les séries 3 et 5. On démontre ainsi que le **regroupement** de l'information, c'est-à-dire leur organisation en groupes familiers que nous pouvons traiter, nous permet de nous en souvenir aisément. Essayez de vous souvenir de 43 nombres et lettres isolées. C'est impossible sauf si vous les organisez, par exemple en dix groupes ayant une signification comme « Essayez de vous souvenir de 48 nombres et lettres isolées ». ☺

Le regroupement se produit si naturellement que nous le considérons comme évident. Si votre langue maternelle est le français, vous pourrez reproduire parfaitement les quelque 150 segments qui constituent les mots dans les trois phrases du sixième paragraphe de la **FIGURE 8.7**. Cela pourrait étonner quelqu'un n'étant pas familiarisé avec votre langue. De même, j'admire un lettré chinois capable de jeter un coup d'œil à la **FIGURE 8.8** et de reproduire les idéogrammes d'un seul trait ; ou encore un joueur de basket-ball qui, en regardant une partie pendant quatre secondes, peut se rappeler la position des joueurs (Allard et Burnett, 1985). Nous nous souvenons mieux des informations que nous pouvons organiser en un arrangement ayant un sens pour nous.

LES MOYENS MNÉMOTECHNIQUES Les orateurs et les maîtres de la Grèce antique ont développé les **moyens mnémotechniques** pour les aider à retenir de longues tirades ou de longs discours. Nombre de ces moyens mnémotechniques utilisent une imagerie vivante car nous nous rappelons particulièrement bien des images mentales. Nous retenons plus facilement des mots concrets qui se prêtent à la formation d'images mentales visuelles que des mots abstraits. (Lorsque nous vous interrogerons, quels seront à votre avis les trois mots de cette liste dont vous aurez le plus de chance de vous souvenir : *bicyclette, vide, cigarette, inhérent, feu, procédé* ?) Si vous vous rappelez encore de la phrase concernant le manifestant lançant une pierre, c'est non seulement à cause de la signification que vous avez encodée, mais aussi parce que la phrase elle-même a permis la formation d'une image visuelle.

Le *système des mots repères*, repose sur notre aptitude supérieure à former des images visuelles. Il nécessite d'abord l'apprentissage d'une comptine : « *Un est un nain ; deux est un dieu ; trois est une croix ; quatre est une carte ; cinq est un sain ; six est une saucisse ; sept est une chaussette ; huit est une huître ; neuf est un œuf ; dix est un disque.* » Sans beaucoup d'efforts, vous allez bientôt être capable de compter par mots repères au lieu des nombres *nain, dieu, croix...* et ensuite d'associer visuellement ces mots repères avec les éléments à retenir. Vous êtes maintenant prêt à défier tout individu qui voudra vous donner une liste de courses à ne pas oublier. Des carottes ? Imaginez-les dans la main d'un nain. Du lait ? Faites-en boire à un dieu. Des serviettes en papier ? Drapez-les en croix. Pensez *nain, dieu, croix* et vous allez voir les images associées : carottes, lait, serviettes en papier. Avec peu d'erreurs, vous serez capables de vous souvenir des éléments de la liste dans n'importe quel ordre et de nommer n'importe lequel d'entre eux (Bugelski et al., 1968). Les champions de la mémoire ont compris les pouvoirs de ces moyens. Une étude, menée sur les participants au championnat du monde de la mémoire, a montré qu'ils n'étaient pas dotés d'une intelligence exceptionnelle, mais qu'ils utilisaient bien mieux les moyens mnémotechniques (Maguire et al., 2003).

Le regroupement (tronçonnage ou « chunking ») combiné à un moyen mnémotechnique peut nous aider à nous souvenir d'éléments peu familiers. Voulez-vous vous souvenir des couleurs de l'arc-en-ciel dans l'ordre de la longueur d'onde ? Pensez au moyen mnémotechnique ROJAVE BLIV (*rouge* *orange, jaune, vert, bleu, indigo, violet*). Devez-vous retenir les noms des cinq Grands Lacs d'Amérique du Nord ? Rappelez-vous simplement HOMES (Huron, Ontario, Michigan, Erie, Supérieur). Dans chaque cas, nous regroupons l'information en une forme plus familière en créant un mot (appelé un *acronyme*) avec les initiales des éléments à garder en mémoire.

HIÉRARCHIES Lorsque des gens deviennent experts dans un domaine précis, ils traitent l'information non seulement par regroupements, mais également par *hiérarchies*, constituées de quelques concepts généraux divisés et subdivisés en concepts ou en faits de plus en plus spécifiques. (La **FIGURE 8.12** montre la hiérarchie gouvernant le processus de mémoire empruntant la voie automatique et la voie avec effort.) L'organisation de la connaissance en hiérarchies nous aide à rappeler efficacement l'information. Gordon Bower et son équipe (1969) l'ont démontré en présentant des mots, soit répartis au hasard, soit groupés en catégories. Lorsque ces mots étaient groupés, le rappel était deux ou trois fois meilleur. Ces résultats montrent l'intérêt de hiérarchiser ce que vous étudiez et de faire particulièrement attention au plan d'un chapitre, aux titres, aux questions numérotées « Exercice de récupération » (comme la question 8-8 ci-dessous), à celles posées dans « », ainsi qu'aux révisions de chapitre. Prendre en notes un cours ou faire une fiche de lecture sous forme d'un plan, qui est un mode d'organisation hiérarchique, peut également s'avérer utile.

Effet d'espacement Nous retenons mieux l'information lorsque la répétition est répartie dans le temps. Plus de 300 expériences menées au siècle dernier ont mis en évidence systématiquement les avantages de l'**effet d'espacement** (Cepeda et al., 2006). *L'apprentissage en masse* (bachotage) peut permettre un apprentissage rapide à court terme et un sentiment de confiance. Mais, pour paraphraser Ebbinghaus (1885), un précurseur de la recherche sur la mémoire, ceux qui apprennent vite oublient aussi vite. *La fragmentation du temps d'étude* produit de meilleurs souvenirs à long terme. Une fois que l'apprentissage a duré suffisamment longtemps pour permettre la maîtrise du sujet, poursuivre l'étude devient à ce moment-là inefficace. Il vaut mieux utiliser plus tard ce temps de répétition supplémentaire, un jour après si vous avez besoin de vous souvenir de quelque chose pendant dix jours, ou un mois plus tard si vous avez besoin de vous en souvenir pendant six mois (Cepeda et al., 2008). Les effets d'espacement sont un des résultats les plus fiables de la psychologie, et s'appliquent aux habiletés motrices et à la réussite dans la pratique des jeux en ligne (Stafford &

春夏秋冬

▼ FIGURE 8.8
Un exemple de regroupement, pour ceux qui lisent les caractères chinois Après avoir regardé ces idéogrammes, pouvez-vous les reproduire avec exactitude ? Si oui, c'est que vous connaissez la langue chinoise.

Regroupement (ou tronçonnage, « chunking ») organiser des éléments en unités, familières, plus facilement gérables (tronçons). Ce procédé est souvent automatique.

Moyen mnémotechnique aide-mémoire, se dit en particulier des techniques qui utilisent des images vives et des stratégies d'organisation des informations.

Effet d'espacement tendance à l'obtention de meilleurs résultats de rétention mnésique à long terme par l'étude, l'apprentissage et la pratique régulièrement exercés au fil du temps, plutôt que par l'exercice intensif sur une courte durée.

« L'esprit met du temps à oublier ce qu'il met du temps à apprendre. »

Sénèque, philosophe latin (4 AV. J.-C.-65 AP. J.-C.)

Rendre les choses mémorables Pour des suggestions sur la façon d'appliquer l'effet de test à votre propre apprentissage, regardez cette animation cinq minutes : tinyurl.com/HowToRemember.

Dewar, 2014). Henry Roediger, chercheur en neuropsychologie cognitive (2013) résume : « Des centaines d'études ont montré que la fragmentation du temps d'étude conduit à une rétention plus durable de l'apprentissage. »

L'espacement de votre apprentissage sur plusieurs mois plutôt que sur peu de temps, peut vous aider à vous souvenir des informations votre vie durant. Au cours d'une expérience ayant duré neuf ans, Harry Bahrick et trois membres de sa famille (1993) ont réalisé des traductions de mots étrangers, un nombre de fois donné, à des intervalles allant de quatorze à cinquante-six jours. Ils ont observé de façon systématique que plus l'intervalle entre les séances de travail était long, meilleure était la capacité à retenir des informations jusqu'à cinq ans plus tard.

Une façon efficace d'espacer l'apprentissage consiste à s'interroger de manière *répétée* sur les sujets déjà étudiés, un phénomène que Henry Roediger et Jeffrey Karpicke (2006) appellent l'**effet des tests successifs (ou effet retest)**. Le test fait plus qu'évaluer l'apprentissage : Il l'améliore (Karpicke, 2012 ; McDaniel, 2012). Dans cet ouvrage par exemple, les questions exercice de récupération « paragraphes » offrent cette opportunité. Il vaut mieux effectuer le rappel d'information (ce qui est demandé au cours de n'importe quel examen) que de relire simplement le texte (ce qui peut vous laisser croire que vous maîtrisez le sujet alors que n'est pas le cas). Roediger (2013) explique : « Deux techniques que les élèves décrivent fréquemment pour étudier : souligner les phrases d'un texte ou relire simplement ce texte, sont en réalité inefficaces. » Heureusement, « l'Exercice de récupération (ou tests) est [une] stratégie puissante et générale pour l'apprentissage ». Comme un autre expert de la mémoire l'a expliqué : « Ce que nous rappelons à notre mémoire sera mieux mémorisé et plus facilement rappelé » (Bjork, 2011).

Point à retenir : l'espacement de l'apprentissage et l'autoévaluation valent mieux que le bachotage. La pratique ne peut pas conduire inévitablement à un résultat parfait, mais une pratique intelligente, celle qui fait une part importante à la répétition et aux tests récurrents, va laisser des souvenirs impérissables.

Les niveaux de traitement

8-8 Quels sont les différents niveaux de traitement et comment affectent-ils l'encodage ?

Les chercheurs spécialisés dans la neuropsychologie de mémoire ont découvert que nous traitions les informations verbales selon différents niveaux et que la profondeur du traitement pouvait affecter notre rétention à long terme. **Le traitement superficiel** encode à un niveau très élémentaire, par exemple les lettres d'un mot, ou à un niveau intermédiaire, comme le son d'un mot. **Le traitement en profondeur** permet un encodage *sémantique* fondé sur la signification des mots. Plus le traitement s'effectue en profondeur, meilleur est l'enregistrement de l'information.

Au cours d'une expérience classique, les chercheurs Fergus Craik et Endel Tulving (1975) présentèrent brièvement des mots à des sujets. Ils posèrent ensuite une question qui engageait le sujet à traiter les mots selon différents niveaux. Vous pouvez vous faire une idée de l'expérience en répondant rapidement aux questions suivantes :

Exemples de questions pour obtenir des différents niveaux de traitement	Mot rapidement projeté	Oui	Non
Traitement plutôt superficiel : Le mot est-il en majuscule ?	CHAISE	_____	_____
Traitement superficiel : Le mot rime-t-il avec train ?	Puritain	_____	_____
Traitement en profondeur : Le mot peut-il être introduit dans la phrase La fille posa la _____ sur la table.	Poupée	_____	_____

Quel type de traitement vous préparera le mieux à reconnaître les mots ultérieurement ? Dans l'expérience de Craik et Tulving, le traitement sémantique plus profond provoqué par la question 3 entraîne une bien meilleure mémorisation que le « traitement superficiel » suscité par la question 2 et celui, encore plus superficiel engendré par la question 1 (qui est particulièrement inefficace).

Donner à l'information une signification personnelle

Si la nouvelle information n'a aucune signification ou ne peut être reliée à notre expérience personnelle, nous avons du mal à la traiter. Mettez-vous à la place des étudiants à qui l'on demanda de se souvenir du passage enregistré suivant :

> La procédure est relativement simple. Tout d'abord, vous classerez les objets en différentes catégories. Bien entendu un seul tas peut suffire, cela dépend de la quantité que vous avez à traiter… Une fois l'opération terminée, vous répartirez à nouveau les objets en différentes catégories. Ensuite, vous pourrez les ranger à leur place. Ils pourront être utilisés encore une fois et le cycle entier devra alors être répété. De toute façon, cela fait partie de la vie.

Après avoir entendu le paragraphe que vous venez de lire, en l'absence de contexte lui donnant un sens, les étudiants s'en souvinrent très peu. (Bransford & Johnson, 1972). Quand on leur dit que le paragraphe concernait le lavage des vêtements (ce qui avait une signification pour eux), ils se rappelèrent bien mieux du passage ; ce sera probablement votre cas aussi si vous le relisez.

Pouvez-vous répéter la phrase à propos du manifestant que je vous ai donnée au début de ce chapitre ? (« L'émeutier en colère a jeté… ») ? Voici une autre phrase à propos de laquelle nous allons vous poser des questions par la suite : *Le poisson attaqua le nageur.*

Peut-être, comme les sujets d'une expérience menée par William Brewer (1977), vous souvenez-vous de la phrase sur le manifestant selon la signification que vous avez encodée en la lisant (« le manifestant furieux jeta une pierre *à travers* la fenêtre », par exemple) et non comme elle est écrite (« le manifestant furieux jeta une pierre *vers* la fenêtre »). En se référant à ce genre d'erreurs mentales, certains auteurs, comparent notre esprit à un metteur en scène qui, lorsqu'on lui transmet un script brut, imagine la mise en scène terminée (Bower & Morrow, 1990). Si l'on nous demande plus tard ce que nous avons entendu ou lu, nous ne nous souvenons pas du texte littéral, mais de *ce que nous avons encodé.* Ainsi, lorsque vous révisez un examen, vous allez vous souvenir des notes que vous avez prises lors du cours plutôt que du cours lui-même.

Nous pouvons éviter certaines de ces erreurs en reformulant les informations en termes plus significatifs. En se fondant sur l'expérience qu'il avait menée sur lui-même, Ebbinghaus estima que l'apprentissage des termes ayant une signification représentait 1/10e de l'effort fourni pour apprendre des termes n'ayant aucun sens. Comme le fit remarquer Wayne Wickelgren (1977, p. 346), chercheur spécialisé dans la mémoire : « Le temps que vous passez à réfléchir à ce que vous êtes en train de lire et à le relier à des informations déjà stockées est ce que vous pouvez faire de plus efficace pour apprendre quelque chose de nouveau. »

Les psychologues d'une troupe de théâtre, Helga Noice et Tony Noice (2006) ont décrit comment les acteurs donnent de la signification à cette tâche intimidante d'avoir à apprendre « tous ces textes ». Ils commencent par comprendre le sens général des tirades. « Un acteur divisait une demi-page de dialogue en trois [intentions] : flatter, faire sortir de sa réserve et apaiser ses craintes. ». Ayant ces trois séquences significatives en tête, l'acteur pouvait plus facilement se souvenir du dialogue.

Nous nous rappelons très bien des informations que l'on peut significativement relier à nous-mêmes. Si l'on vous demande si certains adjectifs décrivent bien une autre personne, vous les avez oubliés le plus souvent ; en revanche, si on vous pose la même question à votre sujet, vous vous souvenez très bien des mots. Ce phénomène, particulièrement développé au sein des cultures occidentales individualistes, est appelé *l'effet d'autoréférence* (Symons et Johnson, 1997 ; Wagar et Cohen, 2003). Une information considérée comme « pertinente à vos yeux » est traitée plus en profondeur et reste plus accessible. Il est donc bénéfique d'utiliser une partie de votre temps à trouver une signification personnelle à ce que vous étudiez.

Point à retenir : la quantité de ce que vous retenez dépend à la fois du temps que vous passez à l'apprendre et de ce que vous faites pour lui donner une signification et permettre son traitement en profondeur.

Effet retest amélioration de la mémoire après un rappel de l'information et non pas une simple lecture. Parfois appelé *apprentissage amélioré par les tests.*

Traitement superficiel encodage à un niveau de base fondé sur la structure ou l'apparence de mots.

Traitement en profondeur encodage sémantique basé sur la signification des mots ; a tendance à fournir la meilleure rétention.

EXERCICE RÉCAPITULATIF

- Quelles sont les meilleures stratégies d'apprentissage pour la rétention mnésique à long terme : le bachotage et la relecture du contenu des cours, ou l'étude régulière au fil du temps avec autoévaluations récurrentes ?

Réponse : bien que le bachotage permette l'acquisition de connaissances à court terme, l'apprentissage pratiqué régulièrement avec des autoévaluations répétées aura pour résultat une meilleure rétention à long terme.

- Si vous essayez de vous approprier le contenu du cours en lui donnant une signification personnelle, le traitement de l'information sera-t-il superficiel ou fait en profondeur ? Quel est le niveau de traitement qui conduit à une plus grande rétention ?

Réponse : Donner une signification personnelle à la matière nouvellement apprise implique un traitement en profondeur, parce que vous la traitez de manière sémantique, ce traitement étant fondé sur le sens des mots. La profondeur du traitement influe sur sa rétention à long terme.

OBJECTIFS D'APPRENTISSAGE

EXERCICE RÉCAPITULATIF Prenez un moment pour répondre à chacune de ces questions objectif d'apprentissage (répétées ici au sein de cette section). Puis allez à l'annexe C, révision complète du chapitre, pour vérifier vos réponses. La recherche suggère que d'essayer de répondre à ces questions de votre propre initiative permettra d'améliorer la mémorisation à long terme de ces réponses (McDaniel et al., 2009).

8-1 Qu'est-ce que la mémoire, et comment peut-on l'évaluer ?

8-2 Comment les psychologues décrivent-ils le système mnésique humain ?

8-3 Comment peut-on différencier la mémoire explicite de la mémoire implicite ?

8-4 Quelle information encodons-nous automatiquement ?

8-5 Comment fonctionne la mémoire sensorielle ?

8-6 Quelles sont les capacités de la mémoire à court terme et de la mémoire de travail ?

8-7 Quelles sont les stratégies de traitement contrôlé qui peuvent nous aider à nous souvenir de nouvelles informations ?

8-8 Quels sont les différents niveaux de traitement et comment affectent-ils l'encodage ?

TERMES ET CONCEPTS À RETENIR

EXERCICE RÉCAPITULATIF Testez votre connaissance de ces termes en essayant d'écrire leur définition, avant de vous reporter aux pages indiquées en référence pour vérifier votre réponse.

Stockage et récupération des souvenirs

Le stockage de la mémoire

8-9 Quelles sont les capacités de la mémoire à long terme ? Notre mémoire à long terme provient-elle d'un stockage des souvenirs dans des emplacements spécifiques ?

DANS L'OUVRAGE D'ARTHUR CONAN DOYLE *Une étude en rouge*, Sherlock Holmes donne une théorie très populaire de la capacité de la mémoire :

> Je considère que le cerveau d'un homme ressemble à l'origine à un petit grenier vide, et vous pouvez y entasser des meubles au fur et à mesure que vous le décidez… Ce serait une erreur de penser que cette petite pièce a des murs élastiques et peut se distendre à volonté. Selon sa capacité, il arrive un moment où, pour chaque addition d'une connaissance, vous oubliez quelque chose que vous saviez auparavant.

Contrairement au « modèle mnésique » de Sherlock Holmes, notre capacité de stockage des souvenirs à long terme est quasiment illimitée. Notre cerveau *n'est pas* comme un grenier qui, une fois plein, ne peut stocker plus d'éléments que si on jette les plus anciens.

Garder les informations dans le cerveau

J'étais émerveillé par ma belle-mère, pianiste et organiste à la retraite (D.M.). À l'âge de 88 ans, sa cécité l'empêchait de lire ses partitions de musique. Mais si vous la laissiez s'asseoir devant un clavier, elle se mettait à jouer parfaitement des centaines d'hymnes, y compris ceux auxquels elle n'avait pas pensé depuis vingt ans. À quel endroit son cerveau stockait-il ces milliers de phrases musicales ?

Pendant un temps, certains chirurgiens et chercheurs dans le domaine de la mémoire enregistrèrent, chez des patients, des évocations de souvenirs apparemment déclenchées par la stimulation du cerveau pendant l'opération. Cela prouvait-il que toute la mémoire de notre passé, pas seulement des morceaux de musique bien étudiés, se trouvait « là » avec toute sa précision dans tous ses détails, et que ce passé ne demandait qu'à être à nouveau vécu par son évocation ? En les analysant de plus près, il est apparu que ces retours en arrière n'étaient pas revécus, mais simplement inventés. Il ne s'agissait pas d'un retour à la mémoire d'expériences vécues et oubliées depuis longtemps (Loftus et Loftus, 1980). Un psychologue, Karl Lashley (1950), a fourni d'autres preuves du fait que la mémoire n'est pas localisée dans un seul lieu spécifique. Il a entraîné des rats à s'orienter dans un labyrinthe ; il a ensuite excisé certaines parties de leur cortex et retesté leur mémoire du labyrinthe. De façon surprenante, quelle que soit la partie du cortex qu'il retirait, les rats conservaient au moins une partie des souvenirs de la solution du labyrinthe. La mémoire a *son siège* dans le cerveau. Il n'est pas univoque. La mémoire est répartie dans un réseau de lieux différents. Ces emplacements spécifiques comprennent certains des circuits impliqués dans la première expérience vécue : Certaines cellules cérébrales excitées lors de cette première expérience sont à nouveau mises à feu à nouveau lors du rappel de cette expérience (G. Miller, 2012 ; J. F. Miller et al., 2013).

Point à retenir : malgré la grande capacité de stockage du cerveau, nous ne stockons pas les informations comme une bibliothèque stocke ses livres, dans des endroits précis et discrets. En revanche, des réseaux cérébraux encodent, stockent et restituent les informations qui constituent nos souvenirs.

Le système de la mémoire explicite : les lobes frontaux et l'hippocampe

8-10 Quel est le rôle joué par les lobes frontaux et l'hippocampe dans le processus de la mémoire ?

Ce réseau, qui traite et stocke vos souvenirs explicites, de faits et d'épisodes de votre vie, est formé de vos lobes frontaux et de votre hippocampe. Lorsque vous répétez mentalement une expérience passée, de nombreuses régions envoient des influx dans vos lobes frontaux pour qu'il traite votre mémoire de travail (Fink et al., 1996 ; Gabrieli et al., 1996 ; Markowitsch, 1995). Les lobes frontaux droit et gauche traitent différents types de souvenirs. Le fait de se rappeler un mot de passe et de le maintenir dans notre mémoire de travail, par exemple, active le lobe frontal gauche. Se remémorer visuellement un moment précis d'une soirée a plus de chances d'activer votre lobe frontal droit.

Les chercheurs en neurosciences cognitives ont trouvé que **l'hippocampe**, centre limbique situé dans le lobe temporal présentait l'équivalent de la touche « sauvegarde » pour les souvenirs explicites (**FIGURE 8.9**). L'hippocampe et les réseaux connexes sont actifs lors de la formation des souvenirs explicites tels que les noms, les images et les événements (Squire & Wixted, 2011).

Des lésions de l'hippocampe perturbent, de ce fait, le rappel des souvenirs explicites. Les mésanges ainsi que d'autres oiseaux stockent leur nourriture dans des centaines d'endroits différents et retournent à ces caches non marquées des mois plus tard, sauf s'ils ont subi une ablation de l'hippocampe (Kamil et Cheng, 2001 ; Sherry et Vaccarino, 1989). Les patients qui présentent des lésions de la partie gauche de l'hippocampe ont des difficultés à se remémorer les informations verbales, mais ils se souviennent sans problème des détails visuels et des endroits. Pour les personnes dont la partie droite est lésée, le phénomène est inversé (Schacter, 1996).

Les sous-régions de l'hippocampe ont également des fonctions différentes. Une partie est activée lorsque les personnes apprennent à associer des noms à des visages (Zeineh et al., 2003). Une autre l'est lorsque les champions de la mémorisation utilisent des moyens mnémotechniques spatiaux (Maguire et al., 2003b). La région située à l'arrière de l'hippocampe, qui traite des souvenirs spatiaux, se développe au fur et à mesure qu'un chauffeur de taxi londonien circule depuis longtemps dans le labyrinthe formé par les rues de cette ville (Woolett & Maguire, 2011).

Les souvenirs ne sont pas stockés de manière permanente dans l'hippocampe. En fait, l'hippocampe semble plutôt être une « zone de chargement » où le cerveau enregistre et stocke temporairement les éléments d'un souvenir : les odeurs, les sentiments, les sons et les lieux. Puis,

> **Hippocampe** centre neural localisé dans le système limbique, qui participe au traitement des souvenirs explicites en vue de leur stockage.

> « Nos souvenirs sont flexibles et superposables ; ils constituent un tableau panoramique avec une quantité inépuisable de crayons et de gommes. »
>
> Elizabeth Loftus et Katherine Ketcham,
> *The Myth of Repressed Memory*, 1994

▼ FIGURE 8.9

L'hippocampe Les souvenirs explicites des faits et des épisodes sont traités dans l'hippocampe (zone en orangé) et transmis à d'autres zones du cerveau où ils seront stockés.

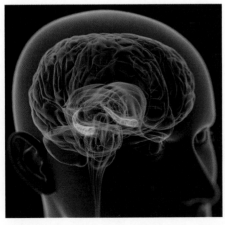

Roger Harris/Sciences Source

L'hippocampe a son héros Il y a parmi les animaux un rival du champion des olympiades de la mémoire. Il s'agit d'un oiseau qui a un cerveau simple de passereau, le Casse-Noisette de Clark qui, pendant l'hiver et le printemps, peut localiser jusqu'à 6 000 caches de pignons de pin qu'il avait précédemment enterrés (Shettleworth, 1993).

off the mark.com   by Mark Parisi

THE BAD NEWS IS WE LEFT A CLAMP IN YOUR TEMPORAL LOBE... THE GOOD NEWS IS THAT YOU WON'T REMEMBER WHAT I JUST SAID...

même que les vieux dossiers sont rangés dans une pièce en sous-sol, les souvenirs migrent pour être stockés ailleurs. Ce processus de stockage est appelé **consolidation de la mémoire**. L'ablation de l'hippocampe trois heures après que des rats ont appris la localisation de nouveaux aliments appétissants interrompt ce processus et empêche la formation de la mémoire à long terme ; son ablation quarante-huit heures après ne l'interrompt plus (Tse et al., 2007).

Le sommeil soutient la consolidation de la mémoire. Pendant le sommeil profond, notre hippocampe traite les souvenirs pour qu'ils puissent être rappelés ultérieurement. Après une expérience sur l'entraînement, les souvenirs du lendemain étaient d'autant meilleurs que l'activité de l'hippocampe durant la nuit de sommeil était importante (Peigneux et al., 2004). Pendant le sommeil, les chercheurs ont observé que l'hippocampe et le cortex cérébral présentaient des activités rythmiques simultanées, comme s'ils dialoguaient (Euston et al., 2007 ; Mehta, 2007). Ils suspectent que le cerveau rejoue les expériences de la journée tandis qu'il les transfère dans le cortex pour leur stockage à long terme. Les régions du cortex qui entourent l'hippocampe permettent le traitement et le stockage des souvenirs explicites (Squire et Zola-Morgan, 1991).

Tim Zurowski/Toutes les photos Canada/Corbis

Le système de la mémoire implicite : le cervelet et les noyaux gris centraux

8-11 **Quel est le rôle joué par le cervelet et les noyaux gris centraux dans le traitement de la mémoire ?**

Votre hippocampe et vos lobes frontaux sont des sites de traitement de vos souvenirs *explicites*. Mais vous pouvez les perdre et continuer malgré tout à emmagasiner des souvenirs *implicites* de vos compétences et de vos associations conditionnées grâce à leur traitement automatique. Joseph LeDoux (1996) se souvient d'une patiente atteinte d'une lésion cérébrale dont l'amnésie l'empêchait de reconnaître son médecin lorsque, chaque jour, il lui serrait la main en se présentant. Un jour, après lui avoir tendu la main, elle la retira brusquement, car son médecin l'avait piquée avec une punaise placée dans la paume de sa main. La fois suivante où il revint se présenter, elle refusa de lui serrer la main, sans être capable d'expliquer pourquoi. Ayant subi un conditionnement classique, elle ne pouvait simplement pas le faire. Intuitivement (implicitement) elle ressentait ce qu'elle ne pouvait pas expliquer.

Le *cervelet* joue un rôle capital dans la formation et le stockage des souvenirs implicites créés par le conditionnement classique. Les hommes atteints d'une lésion du cervelet sont incapables de développer certains réflexes conditionnés, par exemple associer un son à l'imminence d'une bouffée d'air et cligner des yeux par anticipation de l'arrivée de l'air (Daum et Schugens, 1996 ; Green et Woodruff-Pak, 2000). En interrompant chirurgicalement la fonction de différentes voies du cortex et du cervelet de lapins, des chercheurs ont montré que les lapins ne pouvaient également pas apprendre la réponse conditionnée de clignement des paupières (Krupa et al., 1993 ; Steinmetz, 1999). La formation de la mémoire implicite a besoin du cervelet.

Les *noyaux gris centraux*, structures profondes du cerveau impliquées dans la régulation de la motricité, facilitent la formation de nos souvenirs procéduraux des différentes aptitudes (Mishkin, 1992 ; Mishkin et al., 1997). Ils reçoivent des influx issus du cortex mais ne renvoient pas en retour d'informations au cortex pour que nous ayons conscience de l'apprentissage procédural. Si vous avez appris à faire du vélo, vous pouvez remercier vos noyaux gris centraux.

Notre système de mémorisation implicite permis par le cervelet et les noyaux gris centraux, permet d'expliquer l'amnésie infantile : les réactions implicites et les capacités apprises durant l'enfance perdurent. Cependant, en tant qu'adultes, notre mémoire *consciente* de nos trois *premières années est vierge*. Selon une étude, nous nous souvenons à l'âge de 7 ans de 60 % des événements vécus et dont nous avons parlé avec notre mère à l'âge de 3 ans. Mais à l'âge de 9 ans, il ne nous reste que 34 % de ces souvenirs (Bauer et al., 2007). Deux facteurs contribuent à cette amnésie infantile. Tout d'abord nous exprimons une grande partie de nos souvenirs explicites à l'aide de mots que les enfants qui ne parlent pas n'ont pas encore appris. Deuxièmement, l'hippocampe est l'une des dernières structures du cerveau arrivant à maturité, et plus la maturité est précoce plus nombreux seront les souvenirs (Akers et al., 2014).

Consolidation de la mémoire stockage cérébral de la mémoire à long terme.

EXERCICE RÉCAPITULATIF

- Quelles sont les parties du cerveau importantes pour la mémoire *implicite* et quelles sont les parties jouant un rôle clé dans la mémoire *explicite* ?

Réponse : le cervelet et les noyaux gris centraux sont importants pour le traitement des informations par la mémoire *implicite*, et l'hippocampe et des lobes frontaux sont la clé du traitement des informations par la mémoire *explicite*.

- Votre ami a subi des lésions cérébrales lors d'un accident. Il peut se rappeler comment lacer ses chaussures, mais a du mal à se souvenir de quoi que ce soit d'une conversation. Que s'est-il passé ?

Réponse : Notre mémoire *explicite* faite de souvenirs conscients de faits et d'épisodes diffère de notre mémoire faite de *implicite* rétention de compétences (comme nouer des lacets de chaussure) et de réponses classiquement conditionnées. Nos souvenirs implicites sont traités par des zones cérébrales plus anciennes qui ont apparemment échappé aux lésions provoquées par cet accident.

L'amygdale, les émotions et les souvenirs

8-12 Comment les émotions affectent-elles notre traitement mnésique ?

Nos émotions déclenchent une sécrétion des hormones dites du « stress » qui influencent la formation des souvenirs (N.d.T. : Catécholamines). Lorsque nous sommes excités ou stressés, ces hormones augmentent la production d'énergie sous forme de glucose disponible pour alimenter l'activité cérébrale, et signalent au cerveau que quelque chose d'important s'est produit. En outre, les « hormones du stress » fixent la mémoire. Le stress active *l'amygdale* (deux groupes de cellules traitant l'émotion situés dans le système limbique) pour qu'elle laisse une trace mnésique dans les lobes frontaux et les noyaux gris centraux pour qu'elle stimule l'activité dans les zones cérébrales où se forme la mémoire (Buchanan, 2007 ; Kensinger, 2007) **(FIGURE 8.10)**. Le résultat ? L'excitation peut graver certains événements dans le cerveau tout en supprimant les souvenirs des événements neutres se produisant au même moment (Birnbaum et al., 2004 ; Brewin et al., 2007).

Les émotions persistent souvent sans que nous soyons conscients de ce qui les a provoquées. Au cours d'une expérience ingénieuse, les patients présentant une lésion de l'hippocampe (les laissant incapables de former de nouveaux souvenirs explicites) regardaient d'abord un film triste puis un film gai. Après les avoir vus, ils ne se rappelaient pas consciemment de ces films mais les émotions de tristesse ou de gaîté persistaient (Feinstein et al., 2010).

Les événements particulièrement stressants peuvent former des souvenirs presque indélébiles. Suite à des expériences traumatisantes – une fusillade dans une école, une maison en feu, un viol – le souvenir précis de l'événement terrifiant peut revenir encore et encore, comme s'il était marqué au fer rouge. D'après James McGaugh (1994, 2003), « les expériences qui ont une forte valeur émotionnelle entraîneront des souvenirs plus intenses et plus fiables ». Cela a un sens adaptatif. La mémoire sert à prédire l'avenir et à nous prévenir des dangers potentiels. La mémoire des événements à forte charge émotionnelle produit une vision en tunnel des dits événements. Ils concentrent notre attention et nous rappellent les informations hautement pertinentes et éliminent les détails inutiles (Mather & Sutherland, 2012). Quel que soit l'événement rappelé, notre attention se porte sur lui au détriment du contexte.

Les modifications hormonales déclenchées par les émotions permettent d'expliquer pourquoi nous nous souvenons très longtemps d'événements excitants ou perturbants, comme notre premier baiser, ou l'endroit où nous étions lorsque nous avons appris la mort d'un ami. Au cours de l'enquête de Pew en 2006, 95 % des adultes américains remarquaient qu'ils pouvaient se souvenir exactement où ils étaient au moment où ils ont entendu la nouvelle des attentats du 11 Septembre et de ce qu'ils y faisaient. Cette clarté perçue des souvenirs d'événements surprenants et significatifs a conduit certains psychologues à parler de **souvenirs flash.** C'est comme si le cerveau ordonnait « garde cela ! ».

Les gens qui ont vécu le tremblement de terre de San Francisco en 1989 ont fait exactement cela. Un an et demi plus tard, ils avaient des souvenirs précis de l'endroit où ils étaient et de ce qu'ils y faisaient (attesté par ce qu'ils avaient décrit un ou deux jours après le séisme). Les souvenirs d'autres personnes concernant les circonstances dans lesquelles elles avaient simplement *entendu* parler du séisme étaient plus sujets à erreur (Neisser et al., 1991 ; Palmer et al., 1991).

Nos souvenirs flash sont remarquables par leur précision et la confiance avec laquelle nous nous en souvenons. Mais à force de se remémorer ces événements de les répéter au cours de discussions, leur souvenir peut se modifier. Avec le temps, pour certaines personnes quelques erreurs ont entaché leur souvenir du 11 Septembre quand on reprend le premier récit qu'elles avaient fait de cet événement. Cependant, pour la plupart, les souvenirs des gens sont demeurés stables pendant

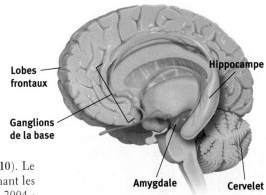

▼ FIGURE 8.10
Revue des structures cérébrales impliquées dans la mémoire
Lobes frontaux et *hippocampe* : formation de la mémoire explicite
Cervelet et *noyaux gris centraux* : formation de la mémoire implicite
Amygdale : formation de la mémoire liée aux émotions.

Qu'est-ce qui est le plus important, votre expérience ou le souvenir que vous en avez ?

Souvenir flash souvenir précis d'un moment ou d'un événement ayant une charge émotionnelle significative.

les deux ou trois ans qui ont suivi le 11 septembre 2001 (Conway et al., 2009 ; Hirst et al., 2009 ; Kvavilashvili et al., 2009).

Les souvenirs des expériences dramatiques restent vivants en partie parce que nous les répétons. Nous y pensons à eux et nous en faisons le récit à d'autres. Les souvenirs de nos meilleurs moments, que nous aimons que nous évoquons et que nous racontons perdurent aussi (Storm & Jobe, 2012 ; Talarico & Moore, 2012). Une étude 1563 a invité les supporters des Red Sox de Boston et des Yankees de New York à se souvenir des matchs de championnat de baseball disputés entre les deux équipes en 2003 (Yankees ont gagné) et 2004 (Red Sox de wons). Les supporters se sont mieux souvenus des matchs victorieux de leur équipe favorite (Breslin & Safer, 2011).

Modifications synaptiques

8-13 Comment les modifications synaptiques peuvent-elles affecter le traitement de la mémoire ?

À mesure que vous lisez ce chapitre et que vous réfléchissez et apprenez des choses sur la mémoire votre cerveau se modifie. Si on augmente l'activité dans une voie particulière, des interconnexions nerveuses se forment ou se renforcent.

La quête pour comprendre les bases physiques de la mémoire, sur la manière dont l'information est incarnée dans la matière, a fait jaillir les études sur les lieux de rencontre synaptiques où les neurones communiquent par le biais de leurs neuromédiateurs. Eric Kandel et James Schwartz (1982) ont observé ces modifications synaptiques qui ont lieu lors de l'apprentissage dans les neurones émetteurs d'un animal simple, *l'aplysie*, un escargot de mer californien. Ses quelque 20 000 cellules nerveuses sont particulièrement grandes et accessibles. Le Chapitre 7 a montré qu'il était possible de conditionner ces escargots marins (avec un choc électrique) pour qu'ils rentrent leurs branchies de façon réflexe sous l'effet d'un jet d'eau, un peu comme un soldat commotionné par l'explosion d'un obus sursaute en entendant une brindille craquer. Kandel et Schwartz ont découvert, que certains neurones de l'aplysie libèrent un neurotransmetteur, la *sérotonine*, de façon plus importante, au cours de l'apprentissage. Ces synapses deviennent alors plus efficaces pour la transmission de signaux. L'expérience et l'apprentissage peuvent augmenter, même doubler le nombre des synapses efficaces, même chez l'aplysie (Kandel, 2012).

Dans des expériences menées sur des hommes, la stimulation rapide de certaines connexions de circuits mnésiques augmente leur sensibilité pour des heures, voire des semaines. Le neurone émetteur a alors besoin d'un stimulus moins intense pour libérer le neuromédiateur, et les connexions entre les neurones sont plus nombreuses. Ce renforcement prolongé des décharges des potentiels nerveux appelé **potentialisation à long terme (PLT)**, fournit la base nerveuse de l'apprentissage et de la mémorisation d'associations (Lynch, 2002 ; Whitlock et al., 2006) (**FIGURE 8.11**). Plusieurs preuves confirment que la LTP est un des fondements physiques de la mémoire :

- Les substances qui bloquent la LTP interfèrent avec l'apprentissage (Lynch et Staubli, 1991).
- Des souris mutantes auxquelles il manque une enzyme nécessaire à la LTP ne peuvent apprendre comment sortir d'un labyrinthe (Silva et al., 1992).
- Des rats à qui l'on donne une substance augmentant la LTP apprendront à se diriger dans un labyrinthe avec 50 % d'erreurs en moins (Service, 1994).

Le passage d'un courant électrique à travers le cerveau ne fait pas disparaître les souvenirs anciens une fois que la potentialisation à long terme a eu lieu. Mais le courant va faire disparaître les souvenirs très récents. C'est ce que l'on observe à la fois chez les animaux de laboratoire et chez les personnes déprimées traitées par *électroconvulsivothérapie (ECT)*. Un coup sur la tête peut aboutir au même résultat. Les joueurs de football ou les boxeurs qui ont été momentanément assommés n'ont en général pas de souvenir des événements précédant le KO (Yarnell et Lynch, 1970). Leur mémoire de travail n'a pas eu le temps de consolider l'information et de la faire passer dans la mémoire à long terme avant la perte de connaissance.

Aplysie La limace de mer de Californie a été étudiée pendant quarante-cinq ans par le chercheur en neurosciences Eric Kandel. Les recherches menées sur cette espèce ont amélioré notre compréhension des bases neuronales de l'apprentissage.

▼ FIGURE 8.11
Doublement des sites récepteurs
Cette image de microscopie électronique (a) montre un seul site récepteur (gris) du neurone post-synaptique avant la potentialisation à long terme (PLT). L'image (b) montre que les sites récepteurs ont doublé après PLT. Cela signifie que le neurone post-synaptique a une sensibilité accrue pour la détection de la présence des molécules de neurotransmetteurs qui peuvent être libérées par le neurone présynaptique (De Toni et al., 1999.)

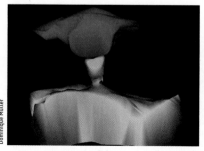 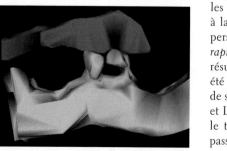

(a)   (b)

Récemment, j'ai fait un petit test de consolidation de la mémoire (D.M.). Alors que j'étais sur la table pour une opération d'une lésion des tendons liée à la pratique du basket-ball, on m'a donné un masque pour l'anesthésie. « Combien de temps serai-je encore avec vous ? » demandai-je à l'anesthésiste. Mon dernier souvenir était sa réponse : « Environ dix secondes. » Mon cerveau a passé dix secondes à consolider la mémoire de ses paroles, mais n'a pas pu engrammé autre chose avant le sommeil anesthésique.

Certains explorateurs de la biologie de la mémoire ont facilité la création d'industries pharmaceutiques qui rivalisent entre elles pour développer et tester des médicaments modifiant la mémoire. Ils ciblent un marché comprenant des millions de personnes atteintes de la maladie d'Alzheimer, des millions d'autres atteintes de *déficit cognitif léger* qui se transforment souvent en maladie d'Alzheimer et un nombre incalculable de millions de personnes qui aimeraient inverser le déclin de la mémoire, lié au temps. Nos souvenirs évanouis occasionneront peut-être d'énormes profits.

L'une des approches consiste à développer des médicaments qui augmentent la formation de *glutamate, un neuromédiateur qui accroît la communication synaptique (LTP)* (Lynch et al., 2011). Une autre approche est le développement de médicaments qui stimulent la production de la protéine CREB qui accroît également le processus de LTP (Field, 2005). L'augmentation de la production de CREB pourrait conduire à une production accrue d'autres protéines qui aident à remodeler les synapses et à transformer un souvenir à court terme en souvenir à long terme. Après l'augmentation de leur production de CREB, l'aplysie, la souris et la drosophile présentent une amélioration de l'apprentissage.

D'autres personnes souhaiteraient des médicaments pouvant bloquer la mémoire. Parmi elles se trouvent les personnes qui apprécieraient pouvoir prendre un médicament après une expérience traumatisante afin de réduire les souvenirs qui les importunent (Adler, 2012 ; Kearns et al., 2012). Au cours d'une autre expérience, des victimes d'accident de voiture, de viols ou d'autres traumatismes ont reçu pendant les dix jours qui ont suivi l'événement, soit un de ces médicaments, le propranolol, soit un placebo. Testées trois mois plus tard, aucune personne ayant reçu le médicament montrait des signes de troubles liés au stress alors que la moitié des personnes du groupe ayant reçu le placebo en présentaient (Pitman et al., 2002, 2005).

Au cours de votre vie, aurez-vous accès à des médicaments légaux non dangereux permettant d'améliorer la mémoire sans entraîner d'effets indésirables ni encombrer notre esprit avec des futilités que l'on ferait mieux d'oublier ? Nous n'avons pas encore de réponse à cette question. En attendant, un stimulant mnésique gratuit, efficace et sans risque, est déjà disponible sur les campus universitaires : *dormir suffisamment après l'apprentissage des cours !*

La **FIGURE 8.12** résume le système à deux voies de traitement et de stockage de la mémoire : souvenirs implicites (voie automatique) et souvenirs explicites (voie avec exigence d'effort). *Au bout du compte :* Apprenez quelque chose et vous modifierez un peu votre cerveau.

> **Potentialisation à long terme (PLT)** augmentation du potentiel d'excitabilité d'une cellule nerveuse, après une stimulation brève et rapide. Considérée comme la base neuronale de l'apprentissage et de la mémoire.

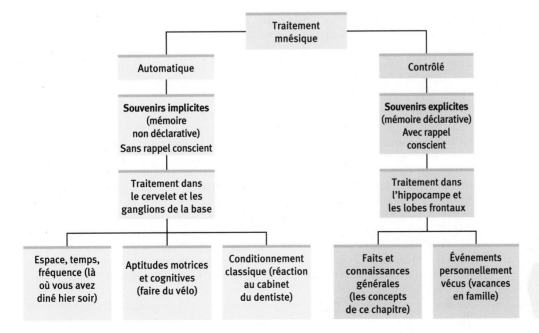

▼ FIGURE 8.12
Nos deux systèmes de mémoire

- Quelle est la région du cerveau qui réagit aux hormones du stress qui aident à la consolidation des souvenirs ?

Réponse : l'amygdale

- La base neuronale de l'apprentissage et de la mémoire, située dans les synapses des connexions des circuits mnésiques, résulte d'une stimulation brève et rapide. Elle est appelée _____-_____ _____.

Réponse : potentialisation à long terme

Récupération et restitution des souvenirs

Après la magie de l'encodage et du stockage par le cerveau, il nous reste encore une tâche déroutante consistant à rappeler cette information. Qu'est-ce qui déclenche le rappel des souvenirs ?

Indices de récupération

8-14 De quelle façon les indices externes, les émotions internes ou l'ordre d'apparition peuvent-ils influencer le rappel des souvenirs ?

Imaginez une araignée suspendue au milieu de sa toile, maintenue par les nombreux fils qui partent dans toutes les directions vers différents points. Si vous voulez tracer un chemin vers l'araignée, vous devez d'abord créer un chemin partant de l'un de ces points d'ancrage puis suivre le fil fixé sur ce point le long de la toile.

Le processus de rappel d'un souvenir suit le même principe parce que les souvenirs sont maintenus en réserve par un réseau d'associations, chaque morceau d'information étant interconnecté aux autres. Lorsque vous encodez dans votre mémoire une partie essentielle d'information, comme le nom de la personne assise à côté de vous en classe, vous l'associez à d'autres morceaux d'information sur votre entourage, votre humeur, votre position assise, etc. Ces bribes d'information peuvent servir *d'indices de rappel*, que vous pouvez utiliser ultérieurement pour accéder à l'information. Plus vous avez d'indices de rappel, plus vous avez de chances de trouver un chemin vers votre mémoire en suspens.

Les meilleurs indices de rappel proviennent des associations formées au moment où nous encodons un souvenir. Le goût, l'odorat et la vue nous évoquent souvent les personnes ou les événements qui y sont associés. Pour se souvenir des indices visuels lorsque l'on essaie de se rappeler quelque chose, il se peut que nous nous placions mentalement dans le contexte d'origine. Après avoir perdu la vue, John Hull (1990, p. 174) un érudit britannique, décrivit sa difficulté à se souvenir de ces détails :

> « Je savais que j'étais allé dans un endroit et que j'avais fait des choses particulières avec certaines personnes, mais où ? J'étais incapable de replacer les conversations… dans un contexte. Il n'y avait pas d'arrière-plan, aucune caractéristique me permettant d'identifier l'endroit. Généralement, les souvenirs des gens auxquels vous avez parlé durant la journée sont stockés dans des cadres qui incluent un arrière-plan. »

Amorçage Souvent nos associations sont activées sans que nous en ayons conscience. Le psychologue et philosophe William James parle de ce processus que nous appelons **amorçage** comme d'un « éveil des associations ». Voir ou entendre le mot *rabbit* (lapin) amorce l'association avec *hare* (lièvre), même si nous ne nous souvenons pas d'avoir entendu ni vu le mot *rabbit* (**FIGURE 8.13**).

L'amorçage est souvent une « mémoire sans mémoire », une mémoire invisible dont nous n'avons pas conscience. Quand vous traversez un couloir, si vous voyez une affiche signalant la disparition d'un enfant, vous serez « amorcés » de façon non consciente et interpréterez une relation ambiguë entre un enfant et un adulte comme un enlèvement éventuel (James, 1986). Bien que vous n'ayez pas un souvenir conscient de cette affiche, elle prédispose votre interprétation. Rencontrer quelqu'un qui nous rappelle une autre personne que nous avons rencontrée préalablement peut réveiller nos sentiments associés avec cette première personne, et nous pouvons ensuite les transférer dans le nouveau contexte (Andersen et Saribay, 2005 ; Lewicki, 1985).

L'amorçage peut aussi influencer notre comportement (Herring et al., 2013). Lors d'une étude, les participants dont le rappel de la mémoire a été amorcé par des mots ayant un rapport avec l'argent risquaient moins d'aider une autre personne lorsqu'on le leur demandait (Vohs,

« La mémoire n'est pas comme un récipient qui se remplit progressivement ; elle ressemble plus à un arbre sur lequel les souvenirs sont accrochés. »

Peter Russell, *The Brain Book* 1979

Posez deux questions très rapides à un ami : (a) Comment prononces-tu le mot épelé par les lettres *s-h-o-p* ? (b) Que fais-tu quand tu arrives à un feu vert ? Si votre ami répond « stop » à la seconde question, vous avez démontré l'amorçage.

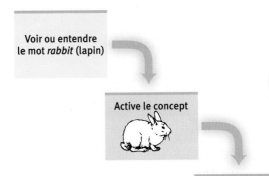

Voir ou entendre le mot *rabbit* (lapin)

Active le concept

Amorce le fait d'épeler *h-a-r-e* (lièvre), le mot prononcé *hair* (cheveu)

▼ FIGURE 8.13
L'amorçage – réveiller les associations
Après avoir vu ou entendu le mot *rabbit* (lapin), nous sommes ensuite plus enclins à épeler le mot *hair* (cheveu), comme *hare* (lièvre), qui se prononce pareil, lorsque nous l'entendons. La diffusion des associations peut inconsciemment activer des associations proches. Ce phénomène est appelé amorçage. (Adapté de Bower, 1986.)

2006). Dans une autre étude, les gens dont la mémoire a été amorcée avec des mots ou des images ayant un rapport à l'argent ont exprimé plus de soutien pour le capitalisme, la liberté des marchés et les inégalités sociales (Caruso et al., 2013). Dans ce cas, l'argent peut amorcer notre matérialisme et notre propre intérêt plutôt que les normes sociales qui nous encouragent à aider les autres (Ariely, 2009).

Mémoire dépendant du contexte Avez-vous remarqué que la mémoire dépend du contexte ? Vous vous replacez dans le contexte espace ou temps, enfance ou lieu précis, où vous avez vécu quelque chose qui peut amorcer le rappel de vos souvenirs. Comme le montre la **FIGURE 8.14** si l'on fait écouter à des plongeurs une liste de mots dans deux situations différentes, soit 3 mètres sous l'eau, soit assis sur la plage, ils se souviennent de plus de mots lorsqu'ils sont testés à nouveau au même endroit (Godden et Baddeley, 1975).

En revanche, l'expérience de quelque chose se déroulant en dehors du cadre habituel peut être déroutante. Avez-vous déjà rencontré votre médecin dans un endroit autre que son cabinet, dans un magasin ou un parc ? Vous connaissiez la personne, mais peut-être avez-vous eu du mal à comprendre qui il était et comment vous vous connaissiez ? Le **principe de spécificité de l'encodage** nous aide à comprendre comment les indices *spécifiques* d'un événement ou d'une personne déclenchent le plus efficacement son rappel à notre mémoire. Vous pouvez ne pas disposer dans un contexte inhabituel des indices de mémoire nécessaires à une reconnaissance rapide des visages. Nos souvenirs dépendent du *contexte*, et nous avons associé les indices à ce contexte.

Amorçage activation souvent non consciente d'associations particulières qui se font dans la mémoire.

Principe de spécificité de l'encodage l'idée que les indices et les contextes spécifiques à une mémoire particulière, à des souvenirs particuliers, seront les plus efficaces pour nous aider à les rappeler.

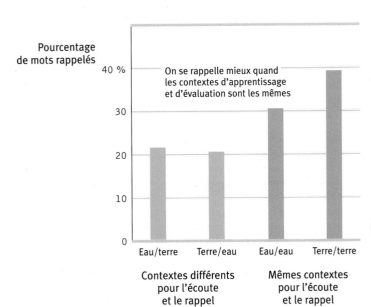

Pourcentage de mots rappelés

On se rappelle mieux quand les contextes d'apprentissage et d'évaluation sont les mêmes

40 %

30

20

10

0

Eau/terre   Terre/eau   Eau/eau   Terre/terre

Contextes différents pour l'écoute et le rappel

Mêmes contextes pour l'écoute et le rappel

Alexis Rosenfeld/Sciences Source

▼ FIGURE 8.14
Les effets de contexte sur la mémoire Les mots entendus en situation sous-marine ont été mieux rappelés si les sujets étaient immergés ; les mots entendus lorsqu'ils étaient émergés ont été mieux rappelés dans cette dernière position. (Données de Godden & Baddeley, 1975.)

Au cours de plusieurs expériences, Carolyn Rovee-Collier (1993) observa qu'un contexte familier active les souvenirs même chez un nourrisson de 3 mois. Après avoir appris qu'un coup de pied peut faire bouger un mobile dans un berceau (par l'intermédiaire d'un ruban relié à la cheville), l'enfant utilise cet apprentissage en donnant davantage de coups de pied lorsqu'on le replace dans le même berceau avec le même tour de berceau plutôt que dans un contexte différent.

Mémoire dépendant de l'état intérieur La mémoire dépendant de notre état est assez proche de *la mémoire dépendant du contexte*. Les choses que nous apprenons dans un état particulier, que nous soyons sobres ou que nous ayons bu, sont parfois plus facilement rappelées lorsque nous sommes de nouveau dans le même état. Ce que nous apprenons lorsque nous sommes ivres, nous nous en rappelons mal dans n'importe quel état (l'alcool interfère avec le stockage). Mais nous pouvons un peu mieux nous en rappeler lorsque nous sommes de nouveau ivres. Une personne qui cache de l'argent lorsqu'elle est ivre peut en oublier l'endroit jusqu'à ce qu'elle soit de nouveau ivre.

Nos humeurs fournissent un exemple d'état de dépendance mnésique. Les émotions qui accompagnent les événements agréables et désagréables deviennent des indices de rappel (Fiedler et al., 2001). Nos souvenirs sont en quelque sorte **congruents à l'humeur**. Si vous avez passé une mauvaise soirée (la personne avec laquelle vous aviez rendez-vous n'est pas venue, votre casquette de la Toledo Mud Hens a disparu, votre télé s'est éteinte dix minutes avant la fin du film), votre mauvaise humeur peut faciliter le rappel d'autres mauvais moments. Le fait d'être déprimé aigrit nos souvenirs en amorçant des associations négatives que nous utilisons ensuite pour expliquer notre humeur actuelle. Lors de nombreuses expériences, les gens qui se trouvaient dans une humeur euphorique, que cela soit par hypnose ou à cause des événements du jour (la victoire à la Coupe du monde de football pour un sujet allemand dans une étude), se remémoraient le monde au travers de lunettes aux verres teintés en rose (DeSteno et al., 2000 ; Forgas et al., 1984 ; Schwarz et al., 1987). Ils se jugeaient compétents et efficaces, considéraient les autres comme bienveillants et avaient plus de chances de voir les événements agréables.

Connaissant cette relation humeur-mémoire, cela ne devrait donc pas nous surprendre que dans certaines études, des sujets *actuellement* déprimés se souviennent de leurs parents comme les ayant rejetés, punis et culpabilisés, alors que des gens *précédemment* déprimés, mais qui ne le sont plus, décrivent leurs parents plus positivement, comme ceux qui n'ont jamais souffert d'une dépression de l'humeur (Lewinsohn et Rosenbaum, 1987 ; Lewis, 1992). De même, l'appréciation que donnent les adolescents sur la chaleur affective de leurs parents au cours d'une semaine donne peu d'indices sur la manière dont ils la décriront six semaines plus tard (Bornstein et al., 1991). Lorsque les adolescents sont « abattus », leurs parents leur semblent inhumains. Lorsque leur humeur s'éclaircit, leurs parents se métamorphosent de démons en anges. Nous pouvons hocher la tête d'un air entendu. Malgré tout, de bonne ou de mauvaise humeur, nous persistons à attribuer nos variations de jugement, de souvenirs et d'interprétation à la réalité. En étant d'une humeur maussade, nous pouvons lire de la colère dans le regard et notre humeur se ternira d'avantage. Si notre humeur signe le beau temps psychique nous lirons ce regard différemment et comme nous portant de l'intérêt et notre état n'en sera que meilleur. Les passions exagèrent tout.

Les effets de votre humeur sur le rappel mnésique permettent d'expliquer pourquoi cet état thymique persiste. Lorsque vous êtes heureux, vous vous souvenez de moments heureux et vous voyez le monde comme un endroit où règne le bonheur, ce qui permet de prolonger la bonne humeur. Déprimé, vous vous souvenez d'événements tristes, ce qui assombrit votre interprétation des événements présents. Pour ceux qui sont sujets à la dépression, ce processus peut aider à entretenir un cercle vicieux et leur faire broyer du noir.

Effet de position sérielle Un autre phénomène de notre rappel mnésique, l'**effet de position sérielle**, nous laisse songeur et peut expliquer pourquoi nous avons de si grands trous de mémoire lorsque nous nous remémorons une liste d'événements récents. Imaginez que c'est votre premier jour de travail et que votre chef vous présente vos collègues. Au fur et à mesure qu'on vous les présente, vous répétez tous les noms depuis le début. Lorsque la dernière personne sourit et s'en retourne travailler, vous vous sentez sûr de vous et pensez que vous serez capable le lendemain de saluer vos collègues par leur nom.

Mais n'y comptez pas. Comme vous aurez passé plus de temps à répéter les premiers noms que les derniers vous vous souviendrez probablement mieux des premiers noms le lendemain. Lors d'expériences les sujets qui ont vu une liste d'éléments (mots, noms, dates et même des odeurs) et ont dû se rappeler immédiatement ces éléments dans n'importe quel ordre sont tombés dans le piège de l'effet de position sériel (Reed, 2000). Ils se souvenaient pendant un bref instant particulièrement

« Je n'arrive pas à me rappeler de quoi nous discutions. Continue de hurler, peut-être cela va nous revenir. »

« Lorsqu'un sentiment était présent, ils pensaient qu'il ne s'en irait jamais ; lorsqu'il était passé, ils se sentaient comme s'il n'avait jamais été là ; lorsqu'il revenait, ils se sentaient comme s'il n'était jamais parti. »

George MacDonald, *What's Mine's Mine,* 1886

Mémoire congruente à l'humeur tendance à se rappeler d'expériences congruentes à sa bonne ou sa mauvaise humeur actuelle.

Effet de position sérielle notre tendance à nous souvenir surtout des derniers (*effet de récence*) et des premiers (*effet de primauté*) éléments d'une liste.

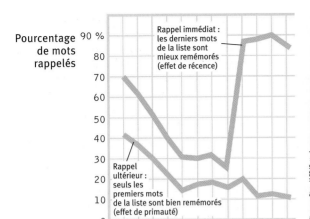

Pourcentage de mots rappelés

Rappel immédiat : les derniers mots de la liste sont mieux remémorés (effet de récence)

Rappel ultérieur : seuls les premiers mots de la liste sont bien remémorés (effet de primauté)

Position des mots sur la liste

Vincenzo Pinto/AFP/Getty Images

▼ **FIGURE 8.15**
L'effet de position sérielle Immédiatement après que le pape Francois ait parcouru son chemin dans l'assistance de cette réception spéciale, il se serait probablement mieux souvenu des noms des dernières personnes saluées *(effet de récence)*. Mais plus tard, il sera peut-être en mesure de se rappeler les noms des premières personnes rencontrées *(effet de primauté)*.

bien et rapidement des derniers éléments de la liste (*effet de récence*) peut-être parce que ces derniers éléments étaient encore dans leur mémoire de travail. Mais, après un certain laps de temps, lorsque leur attention s'est portée ailleurs, ils se souvenaient mieux des premiers éléments (*effet de primauté* ; voir **FIGURE 8.15**).

EXERCICE RÉCAPITULATIF

- Qu'est-ce que l'amorçage ?

Réponse : L'amorçage est l'activation d'associations qui se font souvent à notre insu. La vue d'une arme à feu, par exemple, pourrait prédisposer temporairement quelqu'un à interpréter un visage à l'expression ambiguë comme une menace ou à se souvenir d'un supérieur peu commode.

- Lors d'un test de mémoire, si nous sommes interrogés immédiatement après la présentation d'une liste de mots, nous avons tendance à mieux retenir les premiers et derniers éléments. Il s'agit de l'effet

_____ _____

Réponse : Position sérielle

REVUE GÉNÉRALE Stockage et récupération des souvenirs

OBJECTIFS D'APPRENTISSAGE

EXERCICE RÉCAPITULATIF Prenez un moment pour répondre à chacune de ces questions objectif d'apprentissage (répétées ici au sein de cette section). Puis allez à l'annexe C, révision complète du chapitre, pour vérifier vos réponses. La recherche suggère que d'essayer de répondre à ces questions de votre propre initiative permettra d'améliorer la mémorisation à long terme de ces réponses (McDaniel et al., 2009).

8-9 Quelles sont les capacités de la mémoire à long terme ? Notre mémoire à long terme participe-t-elle d'un stockage des souvenirs dans des emplacements spécifiques ?

8-10 Quel est le rôle joué par les lobes frontaux et l'hippocampe dans le processus de la mémoire ?

8-11 Quel est le rôle joué par le cervelet et les noyaux gris centraux dans le traitement de la mémoire ?

8-12 Comment les émotions affectent-elles notre traitement mnésique ?

8-13 Comment les modifications synaptiques peuvent-elles affecter le traitement de la mémoire ?

8-14 De quelle façon les indices externes, les émotions internes ou l'ordre d'apparition peuvent-ils influencer le rappel des souvenirs ?

TERMES ET CONCEPTS À RETENIR

EXERCICE RÉCAPITULATIF Testez votre connaissance de ces termes en essayant d'écrire leur définition, avant de vous reporter aux pages indiquées en référence pour vérifier votre réponse.

hippocampe, p. 329

consolidation de la mémoire, p. 330

souvenir flash, p. 331

potentialisation à long terme (PLT), p. 332

amorçage, p. 334

principe de spécificité de l'encodage, p. 335

mémoire congruente à l'humeur, p. 336

effet de position sérielle, p. 336

« Oh, est-ce aujourd'hui ? »

« L'amnésie s'immisce dans les fissures de notre cerveau et l'amnésie guérit. »

Joyce Carol Oates, « Words Fail, Memory Blurs, Life Wins », 2001

La femme qui ne peut pas oublier
« A. J. » dans la vie réelle est Jill Price, qui, avec l'écrivain Bart Davis, a raconté son histoire dans ses mémoires publiées en 2008. Jill Price se souvient de chaque jour de sa vie depuis quatorze ans avec une grande précision de tous les détails, des joies comme des peines. Les chercheurs ont identifié des zones cérébrales développées comme on peut en identifier chez les sujets « hyper-mnésiques » (Ally et al., 2013 ; LEPORT et al., 2012).

Oubli, construction de la mémoire et amélioration de la mémoire

L'oubli

8-15 Pourquoi oublions-nous ?

Parmi toutes les louanges adressées à la mémoire, tous les efforts pour la comprendre et tous les livres destinés à l'améliorer, a-t-on jamais entendu une voix s'élever et plaider en faveur de l'oubli ? William James (1890, p. 680) s'en fit pourtant le défenseur : « Si nous nous souvenions de tout, nous serions la plupart du temps en aussi mauvaise posture que si nous ne nous souvenions de rien. » Éliminer la masse d'informations inutiles ou périmées, comme l'endroit où nous avions garé la voiture hier, l'ancien numéro de téléphone d'un ami, les plats au restaurant déjà préparés et servis, constitue certainement une bénédiction. Le Russe « S », à la mémoire prodigieuse, que nous avons rencontré au début de ce chapitre, était obsédé par cet amoncellement de vieux souvenirs. Ils dominaient sa conscience vigile. Il avait des difficultés à penser de façon abstraite, à généraliser, à organiser et à évaluer. Après avoir lu une histoire, il pouvait la réciter mais avait du mal à résumer l'essentiel.

Un cas plus récent d'une vie perturbée par la mémoire envahissante est représenté par le sujet « A. J. », « dont l'expérience a été étudiée et vérifiée par une équipe de recherche de l'Université de Californie à Irvine, avec plusieurs dizaines d'autres cas de mémoire autobiographique très développée » (McGaugh & LePort, 2014 ; Parker et al., 2006). A. J., qui s'appelle en réalité Jill Price, parle de sa mémoire « comme d'un film qui ne s'arrête jamais. C'est comme un écran divisé. Je parle à quelqu'un et je vois quelque chose d'autre… À chaque fois que je vois une date à la télévision (ou n'importe où d'ailleurs), je retourne automatiquement à ce jour et je me souviens de l'endroit où j'étais, de ce que je faisais, de quel jour c'était, et encore et toujours, et encore et toujours. Cela ne s'arrête jamais, c'est incontrôlable et totalement épuisant ». Il est utile d'avoir une bonne mémoire mais tout autant d'avoir la capacité d'oublier. Si l'on vient à disposer d'un médicament augmentant la mémoire, il vaut mieux qu'il ne soit pas *trop* efficace.

Le plus souvent, cependant, nous sommes consternés et frustrés par notre mémoire imprévisible. Nos souvenirs sont capricieux. Ma propre mémoire [D.M.] peut facilement retrouver certains épisodes tels que ce premier baiser merveilleux que j'ai échangé avec la femme que j'aime ou encore des faits peu importants comme le nombre total de kilomètres à vol d'oiseau entre Londres et Détroit. En revanche, ma mémoire m'abandonne quand je découvre que je n'arrive pas à encoder, stocker ou rappeler le nom d'un étudiant ou l'endroit où j'ai posé mes lunettes de soleil.

L'oubli et les deux voies de l'esprit

Pour certains la perte de mémoire est sévère et permanente. Considérons le cas d'Henri Molaison (appelé H. M., 1926-2008). Pendant les cinquante-cinq ans qui suivirent l'ablation chirurgicale d'une grande partie de l'hippocampe, responsable de crises d'épilepsies sévères, Molaison fut incapable de former de nouveaux souvenirs conscients. Avant l'intervention, il était intelligent et faisait quotidiennement des mots croisés. Suzanne Corkin (2005, 2013), chercheur en neurosciences dit toutefois « Je connais H. M. depuis 1962, et il ne sait toujours pas qui je suis ». Il pouvait garder quelque chose à l'esprit pendant une demi-minute, assez pour poursuivre une conversation. Dès qu'il était distrait, il perdait le fil de tout ce qui venait de se dire ou passer. Sans le parenchyme cérébral nécessaire à stocker de nouvelles informations dans la mémoire à long terme, il ne pourra jamais donner le nom de l'actuel président des États-Unis (Ogden, 2012).

Molaison souffre d'**amnésie antérograde**, il peut se souvenir de son passé mais ne peut pas former de nouveaux souvenirs. (Ceux qui ne peuvent se rappeler leur passé, les informations anciennes stockées dans la mémoire à long terme, souffrent d'**amnésie rétrograde**.)

Le neurologue Oliver Sacks (1985, p. 26-27) décrit un autre patient, Jimmie, qui souffrait d'amnésie antérograde d'origine traumatique. Jimmy n'a aucun souvenir et donc aucune conscience du temps écoulé depuis 1945 (date de sa blessure).

Lorsque Jimmie donne son âge, 19 ans, Sacks lui présente un miroir : « Regarde dans le miroir et dis-moi ce que tu vois. Est-ce là le visage d'un homme de 19 ans qui te regarde dans le miroir ? »

Jimmie devient livide, agrippe la chaise, jure, puis dit frénétiquement : « Qu'est-ce qui se passe ? Qu'est-ce qui m'arrive ? Est-ce un cauchemar ? Suis-je fou ? Est-ce une plaisanterie ? » Lorsque son attention se détourne vers quelques enfants jouant au base-ball, sa panique prend fin, le miroir effrayant est rapidement oublié.

Sacks montra une photographie du *National Geographic*, à Jimmie. « Qu'est-ce que c'est ? », demanda-t-il.

« C'est la lune », répondit Jimmie.

« Non, ce n'est pas cela », répondit Sacks, « c'est une photographie de la Terre prise de la lune. »

« Doc, vous plaisantez ? Il aurait fallu que quelqu'un puisse apporter un appareil photo là-haut ! »

« Naturellement. »

« Héé ! Là, vous plaisantez, comment diable auriez-vous pu le faire ? » L'étonnement de Jimmie était celui d'un brillant jeune homme d'il y a soixante ans, réagissant avec émerveillement à son voyage de retour vers le futur.

Une étude précise portant sur ces personnes très particulières a montré quelque chose d'encore plus étrange : bien qu'ils soient incapables de se souvenir de faits nouveaux ou de n'importe quelle action récente, Molaison, Jimmie et d'autres personnes souffrant d'une amnésie du même type peuvent apprendre des tâches non verbales. Si on leur montre des formes difficiles à voir dans des dessins (comme ceux de la série *Où est Charlie ?*), ils peuvent les repérer très vite par la suite. Ils peuvent trouver leur chemin vers la salle de bain, bien qu'incapables de vous dire où elle se trouve. Ils peuvent apprendre à lire une écriture dans un miroir ou à résoudre des casse-tête et parviennent même à acquérir des compétences professionnelles ardues (Schacter, 1992, 1996 ; Xu et Corkin, 2001). Ils peuvent subir un conditionnement classique. Toutefois, *ils font toutes ces choses sans avoir la moindre conscience de les avoir apprises.* « Eh bien, cela est étrange, a déclaré Molaison, après avoir démontré sa capacité de mémoire non déclarative lors d'une épreuve de dessin en miroir. Je pensais que ce serait difficile. Mais il me semble que je l'ai fait assez bien » (Shapin, 2013).

Molaison et Jimmie ont perdu leur capacité à former de nouveaux souvenirs explicites tout en ayant gardé totalement intacte leur capacité de traitement automatique. Tout comme les patients atteints de la maladie d'Alzheimer qui ont perdu leur mémoire *explicite* des personnes et des événements, ils peuvent former de nouveaux souvenirs *implicites* (Lustig et Buckner, 2004). Ils peuvent apprendre *comment* faire une tâche sans avoir le moindre souvenir conscient d'avoir appris cette nouvelle aptitude. Ces cas malheureux confirment que nous avons deux systèmes mnésiques bien distincts contrôlés par différentes parties du cerveau.

Pour la plupart d'entre nous, l'oubli est un processus moins radical. Considérons maintenant quelques-unes des raisons expliquant notre oubli.

Échec de l'encodage

Nous ne nous apercevons pas d'une grande partie de ce que nous sentons, et ce que nous n'arrivons pas à encoder, nous ne nous en souviendrons jamais (**FIGURE 8.16**, page suivante). Le romancier anglais et critique C. S. Lewis (1967, p. 107) décrit l'énorme quantité d'informations que nous n'encodons jamais :

> « Nous pensons que chaque instant de notre vie est rempli. [Nous sommes] bombardés chaque seconde par des sensations, des émotions, des pensées… dont nous oublions simplement les neuf dixièmes. Le passé [est] une cataracte vrombissante de milliards de milliards de ces moments : chacun pris séparément est trop complexe à appréhender dans son intégralité, et leur somme va au-delà de tout ce que l'on peut imaginer… À chaque tic-tac de l'horloge, dans chaque partie habitée du monde, un trésor fabuleux d'événements divers qui font "l'histoire" tombe dans l'abîme de l'oubli total. »

L'âge peut influer sur l'efficacité de l'encodage. Les zones du cerveau qui sont très actives quand les jeunes adultes encodent de nouvelles informations le sont moins chez les adultes plus âgés. Cet encodage plus lent explique le déclin de la mémoire avec l'âge (Grady et al., 1995).

Peu importe notre âge, nous ne sélectionnons et ne remarquons que quelques éléments de la myriade d'images et de sons qui nous bombardent constamment. Prenez cet exemple : si vous vivez aux États-Unis vous avez vu des milliers de pennies au cours de votre vie. Vous pouvez certainement vous rappeler leur couleur et leur taille, mais vous rappelez-vous à quoi ressemble le côté face ? Si ce n'est pas le cas, rendons le test de mémoire plus facile : si les pièces en usage aux États-Unis vous

« Serveur, je souhaiterais commander ! À moins que j'aie déjà mangé ; si c'est le cas, apportez-moi l'addition. »

Amnésie antérograde incapacité à former de nouveaux souvenirs.

Amnésie rétrograde incapacité à rappeler les informations issues de son passé.

Henry Molaison Dans le but de réduire les crises graves d'épilepsie dont il souffrait, les chirurgiens ont fait l'exérèse d'une partie de l'hippocampe de H. Molaison. Une petite partie du parenchyme connexe a aussi subi une ablation. La conséquence fut « une sévère déconnexion de l'hippocampe résiduel » des autres centres (Annese et al., 2014).

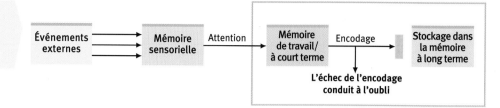

▼ FIGURE 8.16
L'oubli en tant qu'échec de l'encodage Nous ne pouvons pas nous rappeler ce que nous n'avons pas codé.

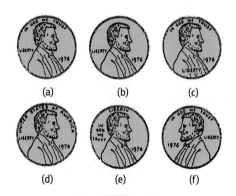

(a)   (b)   (c)

(d)   (e)   (f)

▼ FIGURE 8.17
Testez votre mémoire Lequel de ces pennies est le vrai ? (Si vous ne vivez pas aux États-Unis, essayez de dessiner de mémoire l'une des pièces de votre pays.) (D'après Nickerson et Adams, 1979.) Voir la réponse inversée ci-dessous.

Le premier penny (a) est le vrai.

sont familières, pouvez-vous simplement *reconnaître* le vrai penny sur la **FIGURE 8.17** ? La plupart des gens en sont incapables (Nickerson et Adams, 1979). De la même manière, peu de Britanniques peuvent dessiner de mémoire la pièce d'un penny (Richardson, 1993). Les détails de cette pièce n'ont pas grande signification – ils ne sont pas essentiels pour la distinguer des autres pièces. Sans effort, de nombreux souvenirs ne se forment jamais.

Le déclin du stockage

Même si nous avons encodé quelque chose correctement, nous pouvons parfois l'oublier avec le temps. Afin de tester la durabilité des souvenirs stockés, Ebbinghaus (1885) apprit davantage de listes de syllabes sans signification et mesura combien il en avait retenu en réapprenant chaque liste, de vingt minutes à trente jours plus tard. Ses résultats, confirmés par des expériences ultérieures, ont donné sa fameuse courbe de l'oubli : *l'oubli est initialement rapide, puis s'atténue avec le temps* (**FIGURE 8.18** ; Wixted et Ebbesen, 1991). La pente est importante au début puis devient plus faible. Harry Bahrick (1984) trouva une courbe de l'oubli similaire pour le vocabulaire espagnol appris à l'école. Comparés à ceux qui viennent juste de terminer un cursus d'espagnol au collège ou au lycée, ceux qui sont sortis de l'école depuis trois ans ont oublié une grande partie de ce qu'ils avaient appris (**FIGURE 8.19**). Cependant ce dont les gens se souviennent à ce moment-là, ils s'en souviendront encore vingt-cinq ans plus tard. Leur oubli s'est stabilisé.

▼ FIGURE 8.18
La courbe de l'oubli de Ebbinghaus Après avoir appris une liste de syllabes sans signification, comme YOX et JIH, Ebbinghaus a étudié ce qui était encore mémorisé tout au long d'un mois. Il a constaté que la mémoire pour l'information nouvelle disparaît rapidement, puis sur les niveaux. (Données de Ebbinghaus, 1885.)

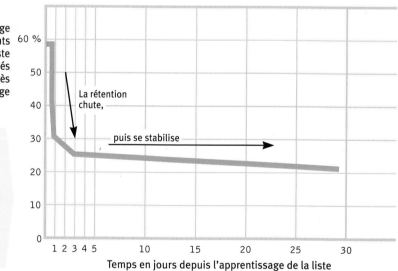

Pourcentage d'éléments de la liste remémorés après réapprentissage

La rétention chute,

puis se stabilise

Temps en jours depuis l'apprentissage de la liste

L'une des explications de ces courbes de l'oubli est une diminution progressive de la trace mnésique physique. Les chercheurs en neurosciences cognitives se rapprochent de plus en plus de la solution du mystère du stockage physique de la mémoire et améliorent notre compréhension de la manière dont le stockage de la mémoire décline. Les souvenirs sont comme les livres que vous ne pouvez pas trouver dans la bibliothèque de votre campus, ils peuvent devenir inaccessibles pour plusieurs raisons : soit ils n'ont jamais été achetés (non encodés), soit ils n'ont pas été conservés (déclin de la mémoire stockée), soit on ne peut les atteindre parce qu'on n'arrive pas à les retrouver (échec du rappel).

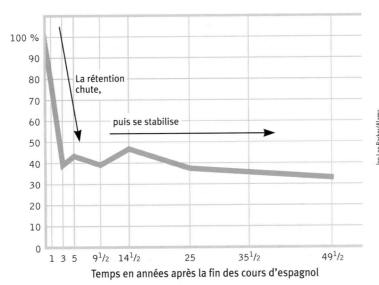

Pourcentage de vocabulaire d'origine retenu

La rétention chute,

puis se stabilise

Temps en années après la fin des cours d'espagnol

Jon Lee Parker/Alamy

▼ FIGURE 8.19
La courbe de l'oubli du vocabulaire espagnol appris à l'école Comparées aux personnes qui viennent juste d'arrêter les cours d'espagnol, celles qui les ont terminés trois ans plus tôt ont des souvenirs beaucoup plus faibles (test de vocabulaire). En revanche, ceux qui ont étudié l'espagnol il y a plus longtemps encore s'en souviennent presque aussi bien que ces derniers. (Données d'après Bahrick, 1984.)

Échec du rappel

Bien souvent, l'oubli ne provient pas d'un souvenir qui n'a pas été conservé, mais d'un souvenir qui n'est pas retrouvé. Nous stockons dans notre mémoire à long terme ce qui a de l'importance pour nous ou ce que nous avons répété. Mais parfois ces événements importants échappent à nos tentatives de récupération (**FIGURE 8.20**). Comme c'est frustrant lorsque le nom d'une personne reste bloqué sur le bout de la langue attendant d'être récupéré ! Si on nous donne un indice de rappel (« *ça commence par un M* »), nous pouvons facilement nous rappeler ces souvenirs fugitifs. On trouve souvent des problèmes de rappel derrière les trous de mémoire occasionnels des adultes plus âgés, qui sont bien plus fréquemment frustrés par ces oublis en disant « je l'ai sur le bout de la langue » (Abrams, 2008 ; Salthouse & Mandell, 2013).

Vous rappelez-vous du point principal de la deuxième phrase que je vous avais demandé de retenir ? Si ce n'est pas le cas, le mot *requin* vous sert-il d'indice de rappel ? Les expériences montrent qu'il est plus facile de retrouver l'image que vous avez stockée avec le mot *requin* (certainement celle que vous aviez visualisée) qu'avec le mot exact de la phrase, *poisson* (Anderson et al., 1976). (La phrase était « *le poisson attaqua le nageur* ».)

Parfois les problèmes de rappels proviennent d'une interférence et peut-être d'un oubli motivé.

Les sourds qui parlent couramment le langage des signes connaissent un phénomène comparable « sur le bout des doigts » (Thompson et al., 2005).

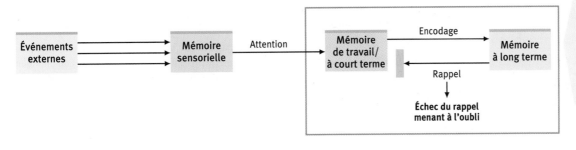

▼ FIGURE 8.20
Échec du rappel
Parfois, il arrive que les informations stockées ne peuvent pas être accessibles, ce qui conduit à les oublier.

Interférence À mesure que vous rassemblez de plus en plus d'informations, votre « grenier » mental ne se remplit jamais, mais il s'encombre certainement. La capacité à régler cet encombrement nous aide à nous concentrer, et la concentration nous aide à récupérer l'information. Parfois cependant, le désordre gagne la partie et les nouveaux apprentissages entrent en collision avec les anciens. L'**interférence proactive** (*agissant vers l'avant*) se produit lorsque quelque chose que vous avez appris précédemment perturbe le rappel des nouvelles informations. Si vous achetez une nouvelle serrure à combinaison, il se peut que votre souvenir de l'ancienne combinaison interfère.

L'**interférence rétroactive** (*agissant vers l'arrière*) se produit lorsqu'une information nouvelle rend plus difficile le rappel d'une information ancienne. Si quelqu'un met de nouvelles paroles sur la musique d'une vieille chanson, vous aurez peut-être du mal à vous souvenir des paroles originales. C'est un peu comme le lancement d'une deuxième pierre dans un étang qui perturbe les remous provoqués par la première.

Interférence proactive effet perturbateur d'un apprentissage antérieur sur le rappel d'informations nouvelles.

Interférence rétroactive effet perturbateur d'un apprentissage nouveau sur le rappel d'informations anciennes.

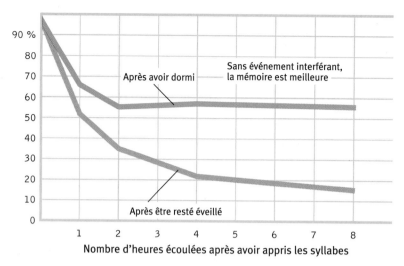

▼ FIGURE 8.21
Interférence rétroactive L'oubli est plus important quand une personne reste éveillée et vit de nouveaux événements. (Données de Jenkins & Dallenbach, 1924.)

Pourcentage de syllabes mémorisées

Après avoir dormi

Sans événement interférant, la mémoire est meilleure

Après être resté éveillé

Nombre d'heures écoulées après avoir appris les syllabes

Refoulement dans la théorie psychanalytique, le mécanisme de défense du moi, fondamental, qui bloque l'arrivée à la conscience de pensées, de sentiments et de souvenirs qui déclenchent un état d'angoisse menaçant l'intégrité du moi.

Consolidation de novo un processus dans lequel les souvenirs stockés précédemment sont potentiellement modifiés avant d'être stockés à nouveau.

Les informations présentées dans l'heure qui précède le coucher sont protégées de l'interférence rétroactive parce que les risques de survenue d'événements interférant sont réduits (Diekelmann & Born, 2010 ; Nesca et Koulac, 1994). Les chercheurs John Jenkins et Karl Dallenbach (1924) découvrirent cela au cours d'une expérience désormais classique. Jour après jour, deux personnes apprirent chacune, des syllabes sans signification et essayèrent de s'en rappeler jusqu'à huit heures après, soit en étant restées éveillées, soit après avoir dormi. Comme le montre la **FIGURE 8.21**, l'oubli survient plus rapidement lorsque le sujet est resté éveillé et s'est adonné à d'autres activités. Les expérimentateurs supposèrent que « l'oubli n'est pas tellement un problème de déclin des impressions et associations anciennes, mais plutôt un problème d'interférence, d'inhibition ou d'oblitération des anciennes par les nouvelles » (1924, p. 612).

L'heure qui précède le coucher constitue un bon moment pour transmettre des informations à la mémoire (Sculling et Mc Daniel, 2010). Mais les informations présentées dans les *secondes* qui précèdent le coucher sont rarement mises en mémoire (Wyatt et Bootzin, 1994). Si vous envisagez d'apprendre *en* dormant, oubliez cela tout de suite. Nous n'avons que très peu de souvenir des informations que l'on écoute pendant le sommeil, bien que les oreilles les aient enregistrées (Wood et al., 1992).

Bien évidemment, les anciens apprentissages n'entrent pas toujours en compétition avec les nouveaux. Une information préalablement apprise (le latin) peut souvent aider l'apprentissage d'une nouvelle information (le français). Ce phénomène est appelé *transfert positif*.

Oubli motivé Se souvenir de notre passé c'est souvent le revoir. (D.M.) Il y a quelques années, la grande boîte à gâteaux de notre cuisine était remplie de cookies aux pépites de chocolat qui venaient d'être cuits ; il y en avait d'autres qui refroidissaient, étalés sur des claies posées sur la table. Vingt-quatre heures plus tard, il n'en restait plus une miette. Qui les avaient pris ? Ma femme, mes trois enfants et moi étions les seules personnes présentes dans la maison pendant ce temps. Ainsi, pendant que les souvenirs étaient encore frais, j'ai immédiatement entrepris un petit test de mémoire. Andy reconnut en avoir engouffré une vingtaine ; Peter admit en avoir mangé 15 ; Laura, âgée alors de 6 ans, en avait englouti 15 ; et ma femme Carole s'est souvenue en avoir mangé 6. Je me suis rappelé en avoir mangé 15 et en avoir emporté 18 de plus au bureau. Nous avions accepté un peu honteusement la responsabilité de la disparition de 89 gâteaux. Nous étions encore loin du compte, il y en avait 160.

Pourquoi nos souvenirs nous font-ils défaut ? Cela se produit en partie parce que la mémoire est une, « historienne complaisante, servile et peu fiable » (Tavris & Aronson, 2007, p. 6).

Parlons d'une étude au cours de laquelle les chercheurs ont parlé de l'importance d'un brossage régulier des dents. Les participants se sont alors souvenus (plus que d'autres personnes) de s'être régulièrement brossé les dents durant les deux semaines qui avaient précédé (Ross et al., 1981).

La **FIGURE 8.22** nous rappelle que lorsque nous traitons les informations, nous les filtrons, nous les modifions ou nous en perdons une grande partie. Alors, pourquoi ma famille et moi-même avons-nous si fortement sous-estimé le nombre de gâteaux que chacun d'entre nous avait mangé ? Était-ce un problème *d'encodage* ? (N'avions-nous simplement pas fait attention à ce que nous avions mangé) ? Ou un problème de stockage – nos souvenirs des gâteaux, comme ceux d'Ebbinghaus concernant les syllabes sans signification, peuvent-ils s'être évanouis aussi vite que les gâteaux eux-mêmes ? Ou alors, se peut-il que l'information soit encore intacte, mais *introuvable* car il serait gênant de s'en souvenir ?[2]

Sigmund Freud aurait suggéré que nos systèmes de mémoire avaient censuré eux-mêmes cette information. Il proposait que nous **refoulions** les souvenirs douloureux pour protéger l'idée que nous nous faisons de nous-mêmes et diminuer l'anxiété. Mais la mémoire enfouie subsiste toujours, pensait Freud, pour être récupérée par certains indices ultérieurs ou par une analyse. Le refoulement était l'élément central de la théorie de la personnalité de la psychanalyse Freudienne et représentait une idée populaire de la psychologie au milieu du vingtième siècle et au-delà. Une étude menée en Norvège a mis en évidence que les personnes ayant une certaine éducation avaient plus tendance à croire aux souvenirs refoulés que celles qui l'étaient moins (Magnussen et al., 2006). Une étude américaine a montré que 81 % des étudiants et 60 à 90 % des thérapeutes (en fonction de leur école de pensée), ont convenu que « les souvenirs traumatiques sont souvent refoulés » (Patihis et al., 2014). De nos jours, cependant, de plus en plus de spécialistes de la mémoire pensent que le refoulement (s'il a lieu) est peu fréquent. Les gens réussissent à oublier des informations neutres sans intérêt (place de stationnement de la veille), mais ont plus de difficultés à oublier des événements ayant une charge émotionnelle (Payne & Corrigan, 2007). Ainsi, nous pouvons avoir des remontées de souvenirs d'expériences très traumatisantes que nous préférerions oublier.

Bits d'information

Mémoire sensorielle
Nos sens enregistrent momentanément des détails surprenants

Mémoire de travail/à court terme
Quelques éléments sont à la fois remarqués et encodés

Mémoire à long terme
Certains éléments sont modifiés ou perdus

Rappel depuis la mémoire à long terme
Selon les interférences, les indices de rappel, l'humeur et les motivations, certaines choses sont retrouvées, d'autres pas

---

EXERCICE RÉCAPITULATIF

• Quelles sont les trois voies empruntées par l'oubli, et comment cela se passe-t-il ?

Réponse : (1) *L'échec de l'encodage* : les informations ont été négligées et ne sont jamais entrées dans notre système de mémoire. (2) *le déclin du stockage* : les informations s'estompent dans notre mémoire. (3) *L'échec du rappel* : nous ne pouvons pas accéder aux informations enregistrées avec précision, parfois à cause d'interférences ou d'un oubli motivé.

▼ FIGURE 8.22
Pourquoi oublions-nous ? L'oubli peut survenir à toutes les étapes de la mémoire. Lorsque nous traitons l'information, nous en filtrons, modifions ou en perdons une grande partie.

Les erreurs de construction mnésique

8-16 Comment la désinformation, l'imagination et l'amnésie de la source peuvent-elles influencer notre construction mnésique ? Comment pouvons-nous décider si un souvenir est vrai ou faux ?

La mémoire n'est pas précise. Comme un scientifique qui déduit l'apparence d'un dinosaure à partir de ses vestiges, nous déduisons notre passé à partir des informations stockées en y ajoutant ce que nous avons ensuite imaginé, attendu, vu ou entendu. Nous ne nous rappelons pas des souvenirs, nous les retissons. Comme des pages de l'encyclopédie en ligne Wikipédia, les souvenirs peuvent être constamment révisés. Quand nous « rappelons » un souvenir, nous remplaçons souvent le tableau original par une toile légèrement retouchée (Hardt et al., 2010). (Les spécialistes de la mémoire nomment ce fait : la **consolidation de novo**.) Dans un sens, comme le dit Joseph LeDoux (2009), « la fidélité de votre mémoire se mesure à votre dernier souvenir. Moins vous vous le rappelez, plus il est proche de la réalité » Cela signifie que, d'une certaine mesure, « tous les souvenirs sont faux » (Berstein et Loftus, 2009).

Malgré ma connaissance de la psychologie de la mémoire, j'ai récemment réécrit mon propre passé (D.M.). Cela s'est passé lors d'un congrès international, pendant la communication sur la mémoire que présentait Elizabeth Loftus (2012) E. Loftus nous a montré une série de visages individuels que nous devions plus tard identifier, comme lors d'une séance d'identification dans une enquête judiciaire. Plus tard, elle nous a montré quelques paires de visages, un que nous avions vu et un nouveau inconnu, et nous a demandé d'identifier celui que nous avions vu. Mais elle avait glissé dans ce groupe de visages appariés *une paire* de nouveaux visages, dont l'un *ressemblait* à un visage déjà vu. La majorité d'entre nous, à tort, mais de façon compréhensible, l'a reconnu comme

---

2. Un de mes fils dévoreur de biscuits, à la lecture de ce manuel écrit par son père, a avoué, des années plus tard, qu'il avait « un peu menti ».

Effet de désinformation effet de corruption du souvenir d'un événement par des informations trompeuses.

ayant été vu précédemment. Et pour comble, quand elle nous a montré le premier visage et le leurre, la plupart d'entre nous a cru reconnaître plutôt ce dernier La consolidation de novo a fait que nous ; auditoire de psychologues supposés sachant ; avions remplacé le souvenir authentique par un faux souvenir.

Les chercheurs cliniciens explorent la consolidation de novo des souvenirs. Ils vont, chez des patients se rappelant un événement blessant ou frustrant, perturber la consolidation de novo par l'administration d'un médicament ou d'un électrochoc bref et indolore (Kroes et al., 2014 ; Lonergan, 2013). Si, en effet, il devient possible d'effacer de votre mémoire le souvenir d'un événement traumatisant en le rappelant à la conscience pour alors perturber son stockage, souhaiteriez-vous vous livrer à une telle manœuvre ? Si vous aviez été brutalisé, accepteriez-vous volontiers d'effacer de votre mémoire cette agression et les craintes qu'elle suscite ?

Effets de la désinformation et de l'imagination

Dans plus de 200 expériences, impliquant plus de 20 000 personnes, Loftus a montré comment des témoins oculaires reconstruisent leurs souvenirs d'un crime ou d'un accident. Au cours d'une expérience, deux groupes de participants ont vu un film d'accident de la route avant de répondre à des questions sur ce qu'ils avaient vu (Loftus et Palmer, 1974). Ceux à qui on a posé la question suivante « À quelle vitesse les voitures roulaient-elles lors de la *collision* ? » ont fourni des estimations de vitesses plus élevées que ceux à qui on a demandé « À quelle vitesse les voitures roulaient-elles lors de leur *téléscopage* ? » Une semaine plus tard, les chercheurs demandèrent aux spectateurs s'ils se souvenaient d'avoir vu des bris de verre. Ceux à qui on avait posé la question avec le mot « collision » étaient deux fois plus nombreux à se souvenir de morceaux de verre (**FIGURE 8.23**). En fait, le film ne montrait pas de verre brisé.

Dans de nombreuses expériences de suivi effectuées dans le monde entier, des gens ont observé un événement, et reçu ou non, des informations trompeuses à son sujet. Ils ont ensuite effectué un test de mémoire. Le résultat récurrent a mis en évidence un **effet de désinformation** : exposés à des informations trompeuses, nous avons tendance à avoir des souvenirs inexacts. Un « cédez le passage » devient un stop, un marteau se transforme en tournevis, une canette de soda prend la place d'un bocal de cacahuètes, des céréales deviennent un œuf au petit-déjeuner, ou un homme rasé de près devient un homme moustachu (Loftus et al., 1992).

Cet effet de désinformation est si puissant qu'il peut influencer les attitudes ou les croyances ultérieures (Bernstein et Loftus, 2009). Lors d'une expérience, les chercheurs ont suggéré à des étudiants hollandais qu'ils avaient été malades après avoir mangé des œufs avariés (Geraerts et al., 2008). Après avoir intériorisé cette suggestion, ces étudiants étaient moins enclins à manger des sandwichs faits avec des œufs, que ce soit tout de suite après l'expérience, ou quatre mois plus tard.

Cette désinformation est si solidement ancrée de façon non consciente que plus tard nous serons pratiquement incapables de distinguer parmi nos souvenirs les événements réels ou suggérés (Schooler et al., 1986). Peut-être vous souvenez-vous d'avoir raconté une expérience de votre enfance à un ami et d'avoir comblé les trous de mémoire avec des suppositions et des estimations plausibles. Nous faisons tous cela et après l'avoir raconté plusieurs fois, nous nous souvenons des détails supposés, désormais intégrés à nos souvenirs, comme si nous les avions effectivement observés (Roediger et al., 1993). Les faux souvenirs, comme de faux diamants, semblent réels.

Même le fait *d'imaginer* à plusieurs reprises des actes et des événements qui n'existent pas peut créer de faux souvenirs. On a demandé aux étudiants d'universités américaines et britanniques d'imaginer certains événements survenus dans l'enfance, comme avoir brisé une vitre avec leur main ou d'avoir eu une blessure au doigt avec perte de substance. Une personne sur quatre a ensuite rappelé l'événement imaginé comme quelque chose qui était vraiment arrivé (Garry et al., 1996 ; Mazzoni & Memon, 2003).

« La mémoire est immatérielle. Les choses la remplacent toujours. Votre lot de photographies va à la fois fixer et détruire le souvenir… Vous ne vous souvenez plus d'aucun détail de votre voyage… à l'exception d'une collection de misérables photographies. »

Annie Dillard, To Fashion a Text, 1988

▼ FIGURE 8.23
Construction de la mémoire Dans cette expérience, les gens voyaient un film d'accident de voiture (à gauche). Ceux à qui on a posé plus tard une question orientée, ont raconté un accident plus grave que celui qu'ils avaient vu (Loftus & Palmer, 1974).

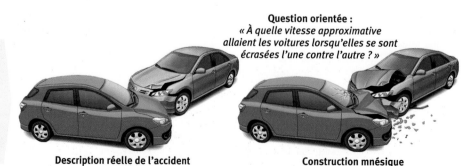

Question orientée :
« À quelle vitesse approximative allaient les voitures lorsqu'elles se sont écrasées l'une contre l'autre ? »

Description réelle de l'accident　　　**Construction mnésique**

Les faux souvenirs Plus de 5 000 lecteurs du magazine en ligne *Slate* ont été sollicités pour déclarer leurs souvenirs de divers événements mondiaux, trois s'étant réellement déroulés et trois faisant partie de fausses rumeurs et choisis au hasard (Frenda et al., 2013). Par exemple, lorsqu'on leur a demandé s'ils se souvenaient des mains tremblantes de Barack Obama saluant l'ancien président de l'Iran, Mahmoud Ahmadinejad, 26 % se sont rappelé cet événement, bien qu'il n'ait jamais eu lieu. (Le visage d'Ahmadinejad avait été placé sur une autre photo.)

Des photographies modifiées par informatique peuvent également produire cette *inflation de l'imagination*. Une expérience a montré à des participants une ancienne photographie issue de leur album photo familial modifiée par informatique, les montrant dans une montgolfière. Après avoir vu cette photographie trois fois (et non pas simplement des photos de la montgolfière), les enfants ont présenté plus de faux souvenirs et avaient un fort indice de confiance dans ces souvenirs. Lorsqu'ils furent réinterrogés plusieurs jours après, ils donnèrent encore plus de détails concernant ces faux souvenirs (Strange et al., 2007 ; Wade et al., 2002).

Les effets de désinformation et d'imagination se produisent en partie parce que les mêmes aires cérébrales sont activées lorsqu'on visualise quelque chose ou qu'on le perçoit réellement (Gonsalves et al., 2004). Des événements imaginés semblent plus familiers par la suite, et les choses familières semblent plus réelles. Ainsi, plus les gens sont capables d'imaginer de choses très imagées, plus elles ont des chances de se transformer en souvenirs (Loftus, 2001 ; Porter et al., 2000).

Au cours d'enquêtes menées dans des universités canadiennes et britanniques, près d'un quart des étudiants avaient parlé de souvenirs autobiographiques et avaient compris ultérieurement qu'ils ne pouvaient pas s'y fier (Mazzoni et al., 2010). J'adhère pleinement à cette proposition (D.M.). Pendant des dizaines d'années mon premier souvenir adoré était celui de mes parents revenant de l'hôpital par le bus et marchant jusqu'à la maison avec mon petit frère venant de naître. Lorsqu'une fois adulte je partageais ce souvenir avec mon père il m'assura qu'ils *ne* prirent jamais les transports en commun de Seattle pour ramener leur nouveau-né à la maison. L'esprit humain est livré avec un logiciel de traitement photographique incorporé.

Dans la partie sur les moyens mnémotechniques, je vous ai donné six mots en vous prévenant que je vous réinterrogerai dessus. De combien de ces mots pouvez-vous maintenant vous souvenir ? Combien de ceux-ci sont des mots très imagés ? Combien sont des mots peu imagés ? (Vous pouvez comparer votre liste à celle écrite à l'envers ci-dessous.)

Bicyclette, espace vide, cigarette, inhérente, feu, processus.

« Le nombre de choses dont je peux me rappeler n'est pas aussi étonnant que le nombre de choses dont je me rappelle qui ne sont pas étonnantes. »

Auteur Mark Twain (1835-1910)

Doonesbury

Amnésie de la source attribution d'un événement que nous avons vécu, lu, imaginé ou entendu à une mauvaise source. (Également appelée *source d'attribution erronée*.) L'amnésie de la source, associée à l'effet de désinformation, est au cœur de nombreux faux souvenirs.

Déjà-vu sentiment mystérieux qui nous fait dire : « J'ai déjà vécu cela. » Des stimuli dérivant de la situation présente peuvent déclencher de façon non consciente la récupération d'une expérience vécue.

« Avez-vous déjà ressenti cette étrange sensation de vujà dé. Pas déjà-vu ; vujà dé. C'est le sentiment bien particulier que, pour une raison quelconque, quelque chose qui n'est jamais arrivé avant vient juste d'arriver. Rien ne semble familier. Puis subitement, le sentiment s'en va. Vujà dé. »

Comédien George Carlin (1937-2008), dans *Funny Times*, décembre 2001

Amnésie de la source

Une des parties les plus fragiles d'un souvenir est sa source. Ainsi, nous pouvons reconnaître une personne sans avoir la moindre idée de l'endroit où nous l'avons vue. Nous pouvons rêver d'un événement et ensuite ne pas être sûr qu'il ait réellement eu lieu. Nous pouvons commettre des erreurs en nous souvenant de la manière dont nous avons appris un événement (Henkel et al., 2000). Les psychologues ne sont pas immunisés contre ce processus. Le fameux psychologue Jean Piaget fut surpris d'apprendre à l'âge adulte que les souvenirs vifs et riches en détails de son enfance – sa nourrice déjouant son kidnapping – étaient totalement faux. Piaget avait apparemment construit ses souvenirs à partir des histoires maintes fois racontées (sa nourrice, après sa conversion religieuse, a ensuite confessé que cela n'était jamais arrivé). En attribuant ses souvenirs à sa propre expérience plutôt qu'à l'histoire de sa nourrice, Piaget a subi une **amnésie de la source** (également appelée *source d'attribution erronée*). Cette erreur d'attribution est au cœur de nombreux faux souvenirs. Les écrivains et les compositeurs de chansons souffrent parfois d'amnésie de la source. Ils pensent qu'une idée est issue de leur imagination créative, alors qu'en fait, ils plagient (non intentionnellement) quelque chose qu'ils ont lu ou entendu.

Debra Poole et Stephen Lindsay (1995, 2001, 2002) ont mis en évidence l'amnésie de la source chez des enfants encore non scolarisés. Ils mirent en relation les enfants avec « M. Science » qui leur proposa des activités comme gonfler un ballon avec du bicarbonate de soude et du vinaigre. Trois mois plus tard, pendant trois jours consécutifs, les parents leur lurent une histoire décrivant des choses que les enfants avaient vécues avec M. Science et d'autres qu'ils n'avaient pas vécues. Par la suite, une autre personne leur demanda ce qu'ils avaient fait avec M. Science (« Est-ce que M. Science avait une machine où l'on pouvait tirer des cordes ? »), 4 enfants sur 10 se rappelaient spontanément de choses qui n'existaient que dans l'histoire.

L'amnésie de la source peut également expliquer l'impression de **déjà-vu**. Les deux tiers de nous ont connu cette fugace, et étrange sensation qui nous fait dire « J'ai déjà vécu cet instant ». Cela arrive le plus souvent chez les personnes instruites, les jeunes adultes doués d'une imagination fertile, et surtout lorsque vous êtes fatigué ou stressé (Brown, 2003, 2004a, b ; McAneny, 1996). Certains se demandent : « Comment puis-je reconnaître une situation que je vis pour la première fois ? » D'autres peuvent penser à un phénomène de réincarnation (« j'ai dû vivre la même chose dans une vie antérieure ») ou à une prémonition (« j'ai vu cette scène en esprit avant de la vivre »).

Alan Brown et Elisabeth Marsh (2009) ont imaginé un moyen curieux d'introduire l'impression de déjà-vu dans leur laboratoire. Ils ont invité des participants à regarder des symboles sur un ordinateur et de dire s'ils les avaient déjà vus auparavant. Ce que les participants ne savaient pas c'est que ces symboles avaient déjà été projetés de manière subliminale sur l'écran, trop brièvement pour qu'ils en aient conscience. Le résultat ? La moitié des participants dirent avoir une impression de déjà-vu, un sentiment de familiarité sans pouvoir consciemment expliquer pourquoi. Brown et Marsh supposèrent que les expériences de tous les jours peuvent inclure de rapides coups d'œil sur une scène avant de regarder ailleurs sans consciemment la traiter puis de la regarder à nouveau, simplement pour ressentir ce sentiment étrange de l'avoir déjà vu auparavant.

La clé du déjà-vu semble être la familiarisation avec un stimulus sans avoir une idée claire de l'endroit où nous l'avons déjà rencontré (Cleary, 2008). Normalement nous avons un sentiment de *familiarité* (grâce au traitement par le lobe temporal) avant de nous souvenir consciemment des détails (grâce au traitement par l'hippocampe et le lobe frontal). Lorsque ces fonctions (ainsi que les aires cérébrales) ne sont pas synchronisées, nous pouvons ressentir ce sentiment de familiarité sans aucun souvenir conscient. Notre cerveau, qui nous étonnera toujours, essaie de donner un sens à cette situation improbable et nous ressentons ce sentiment inquiétant que nous revivons une partie de notre vie s'étant déroulée auparavant. Après tout cette situation nous est familière, même si nous n'avons aucune idée du pourquoi. Notre amnésie de la source nous oblige à faire de notre mieux pour donner un sens à ce moment étrange.

Discerner les vrais souvenirs des faux

Comme la mémoire est une reconstruction aussi bien qu'une reproduction, on ne peut pas affirmer qu'un souvenir est réel seulement parce qu'on le ressent comme tel. De la même manière que les illusions perceptuelles peuvent sembler réelles, un souvenir fictif peut nous *sembler* réel.

Les faux souvenirs peuvent être persistants. Imaginons que nous devions lire à haute voix une liste de mots tels que *bonbons, sucre, miel,* et *goût.* Plus tard, nous vous demanderons de reconnaître les mots présentés qui figureront dans une liste plus longue. Si vous êtes comme toutes les personnes évaluées par Henry Roediger et Kathleen McDermott (1995), vous vous tromperez trois fois sur quatre et reconnaîtrez un mot similaire, mais n'ayant pas été présenté (comme *sucré*). Nous nous souvenons plus facilement de la partie essentielle que des mots eux-mêmes.

La construction mnésique nous aide à comprendre pourquoi 75 % des 301 coupables inno-centés ensuite par des tests ADN avaient été mal jugés à la suite d'une identification erronée par des témoins oculaires (Lilienfeld & Byron, 2013). Cela explique pourquoi les souvenirs de crimes « retrouvés sous hypnose » contiennent si facilement des erreurs, dont certaines sont suggérées par les questions orientées du praticien (« *Avez-vous entendu un grand bruit ?* »). Cela explique pourquoi deux personnes qui sortent ensemble et qui tombent amoureuses par la suite *surestiment* la première impression que chacun a eue de l'autre (« *Ce fut le coup de foudre* »), alors que ceux qui rompent une relation *sous*-estiment la force de leurs liens antérieurs (« *Ça n'a jamais vraiment collé entre nous* ») (McFarland et Ross, 1987). Cela montre aussi pourquoi les gens à qui l'on demande ce qu'ils pensaient il y a dix ans de la marijuana et de la différence entre les sexes évoquent des attitudes plus proches de leur opinion actuelle que de celle qu'ils avaient à cette époque-là (Markus, 1986). Ce que les gens ressentent le jour même semble être ce qu'ils ont toujours ressenti (Mazzoni et Vannucci, 2007).

Une équipe de recherche a interrogé 73 élèves masculins de troisième puis les a réinterrogés trente-cinq ans plus tard. Lorsqu'on leur a demandé de se souvenir de la manière dont ils ont rapporté leurs attitudes, leurs activités et leurs expériences, la plupart des hommes interrogés se souvenaient de ce qu'ils avaient déclaré à l'époque que de façon très aléatoire. Seulement une personne sur trois se souvenait avoir reçu des punitions physiques, alors qu'ils étaient 82 % à l'affirmer lors du premier interrogatoire (Offer et al., 2000). Comme le mentionne George Vaillant (1977, p. 197) après avoir étudié la vie de plusieurs adultes sur une longue période : « Il est courant qu'une chenille, devenue papillon, affirme que durant sa jeunesse elle était un petit papillon. La maturation fait de nous des menteurs. »

Les témoignages oculaires d'enfants

8-17 Dans quelle mesure peut-on se fier aux descriptions faites par des enfants, témoins oculaires d'un événement ?

Si les souvenirs peuvent être sincères, et pourtant sincèrement faux, les souvenirs des enfants à propos d'abus sexuels peuvent-ils être erronés ? Stephen Ceci (1993) pense que « ce serait vérita-blement horrible de perdre de vue la gravité des abus sexuels d'enfants. » Cependant les études de Ceci et Maggie Bruck (1993, 1995) sur les souvenirs des enfants les ont sensibilisés à la facilité avec laquelle ces souvenirs pouvaient être modelés. Par exemple, ils ont demandé à des enfants de 3 ans de montrer sur des poupées anatomiquement correctes où le pédiatre les avait touchés. Cinquante-cinq pour cent des enfants qui n'avaient pas subi d'examens génitaux ont montré les parties génitales ou anales.

Dans d'autres expériences, les chercheurs ont étudié les effets des techniques suggestives dans les interrogatoires (Bruck et Ceci, 1999, 2004). Au cours d'une étude, ils ont fait choisir à un enfant une carte tirée d'un ensemble d'événements possibles ; un adulte lisait alors ce qu'il y avait sur la carte. Par exemple : « Pense très fort et dis-moi si cela t'est déjà arrivé. Peux-tu te rappeler avoir été à l'hôpital pour une blessure d'un doigt pris dans un piège à souris ? » Lors d'entretiens, la même personne a régulièrement demandé aux enfants de penser à des événements réels ou fictifs, un autre adulte posait la même question. Après dix semaines d'entretien, un nouvel adulte a posé la même question. Le résultat fut étonnant : 58 % des enfants de moins de 6 ans racontaient des histoires fausses (souvent très vivantes) concernant un ou plusieurs des événements qu'ils n'avaient jamais vécus (Ceci et al., 1994). En voici une :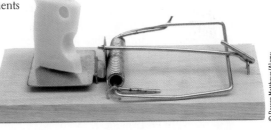

> Mon frère Colin était en train d'essayer de me prendre mon capitaine Torch (une figurine) et je ne voulais pas le lui laisser, alors il m'a poussé dans le tas de bois où était le piège à souris. Mon doigt s'est trouvé coincé dedans. Ensuite, nous sommes allés à l'hôpital, ma maman, mon papa et mon frère Colin m'ont emmené dans notre camionnette car c'était très loin. Et le docteur a mis un bandage sur mon doigt.

En entendant des histoires aussi détaillées, les psychologues professionnels spécialisés dans les interrogatoires d'enfants ne peuvent pas séparer de façon précise les vrais souvenirs des faux. Pas plus que les enfants eux-mêmes. L'enfant précédent, à qui on a rappelé que ses parents avaient plusieurs fois dit que l'incident du piège à souris n'était jamais arrivé et qu'il l'avait simplement imaginé, protesta : « Mais cela est réellement arrivé. Je m'en souviens ! » Au cours d'une autre expérience, des élèves d'une école maternelle ont simplement entendu par hasard une remarque erronée à propos du lapin qu'un magicien avait perdu et qui se trouvait en liberté dans leur classe. Ensuite, lorsque les enfants ont été interrogés de manière suggestive, 78 % d'entre eux se sont souvenus avoir véritablement vu le lapin (Principe et al., 2006). « [La] recherche m'a conduit à m'inquiéter de la possibilité de fausses allégations. Ce n'est pas rendre hommage à l'intégrité scientifique que de marcher au milieu de la route si les

---

REGARD CRITIQUE SUR

Les maltraitances : souvenirs fabriqués ou refoulés ?

8-18 **Pourquoi les rapports sur les souvenirs refoulés et récupérés sont-ils l'objet de débats passionnés ?**

Il y a deux tragédies liées au souvenir, en tant qu'adultes, des abus sexuels subis pendant l'enfance. L'une concerne le traumatisme des survivants qui ne sont pas crus lorsqu'ils racontent leur secret. L'autre est celui des innocents faussement accusés. Que doit-on donc dire sur ces cliniciens qui ont mené les gens à « retrouver » les souvenirs des abus sexuels subis pendant l'enfance ? Était-ce des thérapeutes bien intentionnés qui ont déclenché de faux souvenirs susceptibles d'anéantir la vie d'adultes innocents ? Ou alors ont-ils aidé à découvrir la vérité ?

Les recherches sur l'amnésie de la source et l'effet de désinformation ont mis en doute les souvenirs retrouvés à l'aide de thérapeutes. Certains thérapeutes ont raisonné ainsi avec leurs patients : « Les gens qui ont été abusés présentent souvent les mêmes symptômes que les vôtres ; vous avez donc probablement été victime d'abus. Voyons si, aidé(e) par l'hypnose ou les psychotropes, ou guidé(e) pour fouiller le passé et visualiser votre traumatisme, vous pouvez le retrouver. » Les patients exposés à de telles thérapies peuvent former l'image d'une personne menaçante. En allant plus loin, l'image devient plus précise. Ainsi la colère surgit chez les patients, ils sont stupéfaits, prêts à confondre et à poursuivre en justice la personne qui les a abusés et dont ils se souviennent. L'accusé (souvent un parent ou un proche) est tout aussi stupéfait et dévasté, et nie énergiquement l'accusation.

Les sceptiques ne mettent pas en doute le professionnalisme de la plupart des thérapeutes, ni la sincérité des accusateurs ; même s'ils se trompent, leurs souvenirs sont sincères. Les accusations des critiques sont plus spécifiquement dirigées vers les cliniciens qui utilisent des techniques de « travail sur la mémoire » telles que « l'imagerie guidée », l'hypnose et l'analyse des rêves. « Des milliers de familles ont été cruellement mises en pièce » avec des « filles adultes aimantes » accusant brutalement leur père (Gardner, 2006). Furieux, les cliniciens rétorquent que ceux qui contestent les souvenirs de mauvais traitements retrouvés à l'aide de thérapies ajoutent un traumatisme supplémentaire aux personnes victimes d'abus sexuels et se placent dans le camp des personnes qui maltraitent les enfants.

Y a-t-il un terrain d'entente raisonnable où travailler et ainsi mettre fin à la « guerre de la mémoire » de la psychologie ; ainsi que l'a exposé le chercheur et témoin expert Elizabeth Loftus (2011) « combat sans répit fait de harcèlement et de jets de vitriol » ? Les organisations professionnelles (l'American Medical, American Psychological et American Psychiatric Associations ; l'Australian Psychological Society ; la British Psychological Society et de l'Association des psychiatres du Canada) ont organisé des panels d'études et ont fait des déclarations publiques allant dans le sens d'une meilleure entente entre spécialistes (Patihis et al., 2014). Les psychologues impliqués dans la protection des enfants victimes d'abus et ceux qui protègent les adultes accusés à tort s'accordent sur les points suivants :

- **Les sévices sexuels existent.** Ils surviennent plus souvent qu'on ne le pensait autrefois. Bien que les sévices sexuels puissent prédisposer les victimes à des problèmes allant des troubles sexuels à la dépression (Freyd et al., 2007), il n'y a pas de « syndrome du survivant » caractéristique (Kendall-Tackett et al., 1993), aucun ensemble de symptômes qui nous permettent de repérer les victimes des abus sexuels (Kendall-Tackett et al., 1993).

- **L'injustice existe.** Certaines personnes innocentes ont été accusées à tort. En revanche, certaines personnes coupables ont échappé à leur responsabilité en mettant en doute les dires des victimes.

- **L'oubli advient.** Beaucoup de personnes ayant subi des abus étaient très jeunes lorsque l'on a abusé d'elles ou peuvent n'avoir pas compris la signification de ce qui leur arrivait – des circonstances dans lesquelles l'oubli est commun. L'oubli d'événements passés isolés, à la fois négatifs et positifs, est une part ordinaire de la vie quotidienne.

- **La récupération de souvenirs est également un lieu commun.** Guidés par une remarque ou un événement, nous retrouvons des souvenirs d'événements oubliés depuis longtemps, heureux ou malheureux. La question dont débattent les psychologues est double : les expériences douloureuses peuvent-elles être *refoulées avec force dans l'inconscient* ? Si oui, certaines techniques de thérapeutique de soutien peuvent-elles ramener ces expériences à la conscience ? (Les souvenirs qui font surface naturellement ont plus de chance d'être corroborés que les souvenirs assistés par un thérapeute [Geraerts et al., 2007].)

- **Les souvenirs d'événements survenus avant l'âge de 3 ans sont peu fiables.** Nous ne pouvons pas nous souvenir avec précision des événements survenus durant nos trois premières années. Comme nous l'avons vu précédemment, cette amnésie infantile se produit parce que nos voies cérébrales ne sont pas encore suffisamment développées pour former le type de souvenir que nous

données sont toutes du même côté. » (Voir réflexion critique sur : Souvenirs d'abus, souvenirs refoulés ou souvenirs construits ?)

Les enfants peuvent, cependant, être des témoins oculaires donnant des descriptions précises. Si on les interroge sur ce qu'ils ont vécu en employant des mots neutres qu'ils comprennent bien, les enfants se souviennent souvent avec exactitude de ce qui s'est passé et de la personne responsable (Goodman, 2006 ; Howe, 1997 ; Pipe, 1996). Lorsque les personnes qui les interrogeaient utilisaient des techniques moins suggestives et plus efficaces, les enfants (même âgés de 4 ou 5 ans) fournissaient des souvenirs plus précis (Holliday et Albon, 2004 ; Pipe et al., 2004). Les enfants furent surtout précis s'ils n'avaient pas parlé avec les adultes impliqués dans l'affaire avant d'être interrogés et s'ils firent leurs révélations dans un premier interrogatoire mené par une personne neutre posant des questions non orientées.

Comme les enfants (chez qui les lobes frontaux sont en cours de maturation), les adultes plus âgés dont les capacités des lobes frontaux déclinent sont plus susceptibles que les jeunes adultes à « fabriquer » de faux souvenirs. Cela rend les personnes âgées plus vulnérables aux escroqueries, comme quand un réparateur augmente artificiellement le coût d'une intervention en prétendant faussement, « Je vous ai dit qu'il en coûterait x, et vous avez accepté de payer » (Jacoby et al., 2005 ; Jacoby & Rhodes, 2006 ; Roediger & Geraci, 2007 ; Roediger & McDaniel, 2007).

---

formons ultérieurement. La plupart des psychologues, y compris les cliniciens et les psychologues conseils, restent donc sceptiques sur la question des souvenirs « retrouvés » d'abus sexuels subis pendant la petite enfance (Gore-Felton et al., 2000 ; Knapp et VandeCreek, 2000). Plus l'enfant est âgé au moment où il subit l'abus, et plus celui-ci est grave, plus il y a de chances que l'enfant se les rappelle (Goodman et al., 2003).

- *Les souvenirs « récupérés » sous hypnose ou sous l'influence de médicaments psychotropes ne sont pas fiables.* Les sujets hypnotisés incorporent des suggestions dans leurs souvenirs, y compris des souvenirs de « vies antérieures ».

- *Les souvenirs, qu'ils soient réels ou faux, peuvent être émotionnellement perturbants.* L'accusateur aussi bien que l'accusé peuvent souffrir lorsque ce qui est né d'une simple suggestion devient, comme un traumatisme réel, un souvenir brûlant provoquant des angoisses avec leur composante somatique (McNally, 2003, 2007). Les personnes qui ont perdu conscience au cours d'un accident dont elles ne se souviennent pas le savent bien. Elles peuvent développer par la suite des troubles anxieux lorsqu'elles sont hantées par les souvenirs construits à partir de photographies, d'articles de presse de récits faits par leurs amis (Bryant, 2001).

Le débat sur le refoulement et les abus sexuels d'enfants, tout comme de nombreux autres débats scientifiques, a engendré de nouvelles recherches et de nouvelles théories. Richard McNally et Elke Geraerts (2009 ; McNally, 2012) soutiennent que les victimes de la plupart des abus sexuels ne refoulent pas ces abus, mais arrêtent plutôt d'y consacrer leurs émotions et leurs pensées. Ils pensent que cette séparation de ces souvenirs a plus de chance de se produire lorsque :

- l'expérience était étrange, désagréable et déroutante plutôt que fortement traumatisante lorsqu'elle a eu lieu ;

- l'abus sexuel ne s'est produit qu'une fois ou très peu de fois ;

- les victimes ne passent pas leur temps à penser à cet abus, soit du fait de leur propre ténacité soit parce qu'aucun type de rappel n'est disponible.

McNally et Geraerts s'accordent sur le fait que les victimes peuvent se rappeler parfois spontanément de manière très précise les souvenirs d'un abus sexuel subi pendant l'enfance. Mais ces souvenirs se produisent souvent en dehors de toute thérapie. De plus les personnes qui se souviennent spontanément des maltraitances fabriquent rarement de faux souvenirs lorsqu'ils se trouvent dans les conditions de laboratoire. À l'inverse, les personnes qui pensent avoir retrouvé des souvenirs refoulés d'abus sexuels durant l'enfance au cours d'une thérapie ont tendance à avoir une forte imagination et obtiennent des notes élevées aux tests de mémoire sur les faux souvenirs (Clancy et al., 2000 ; McNally, 2003).

Le *refoulement* se produit-il donc réellement ? Ou bien ce concept, qui a été la première pierre de la théorie de Freud et de beaucoup d'autres courants de psychologie populaire, est-il trompeur ? Le Chapitre 13 reviendra sur ce débat houleux. Mais, cela semble être désormais une certitude : la réaction la plus courante à une expérience traumatisante (être témoin du meurtre de l'un de ses parents, avoir été terrorisé par des violeurs ou des pirates de l'air, avoir tout perdu dans une catastrophe naturelle) n'est pas le refoulement de l'expérience dans l'inconscient. Au contraire, de telles expériences sont gravées dans l'esprit sous forme de souvenirs précis qui persistent et nous hantent (Porter et Peace, 2007). Comme le disait Robert Kraft (2002) en parlant de l'expérience de ceux qui furent internés dans les camps de concentration nazis : « L'horreur marque la mémoire au fer rouge… laissant des souvenirs brûlants d'atrocité. »

EXERCICE RÉCAPITULATIF

- Imaginez que vous soyez juré lors du procès d'un de vos parents accusé d'abus sexuel sur la foi de témoignage et de souvenirs retrouvés. Quelles sont les réflexions sur les explorations de la mémoire que vous pourriez proposer au Jury ?

« Lorsque les souvenirs sont « récupérés » après de longues périodes d'amnésie, en particulier lorsque des moyens extraordinaires ont été utilisés pour assurer le recouvrement de la mémoire, il y a une forte probabilité que ces souvenirs soient faux. »

Royal College of Psychiatrists, groupe de travail sur les dénonciations faisant suite à des souvenirs de sévices sexuels sur des enfants (Brandon et al., 1998)

Réponse : Il sera important de se rappeler les points clés sur lesquels ont insisté la plupart des chercheurs et des associations professionnelles : que ce soit l'abus sexuel, l'injustice, l'oubli et la reconstitution de souvenirs, toutes ces choses sont possibles ; il est très banal de retrouver la mémoire de certains événements ; les souvenirs avant l'âge de 3 ne sont pas fiables : les souvenirs dits avoir été récupérés grâce à l'hypnose ou sous l'influence d'une narco-analyse sont particulièrement peu fiables ; et des souvenirs, réels ou inventés, peuvent être émotionnellement bouleversants.

Étant donné la fréquence de l'amnésie de la source, quelle serait notre vie si nous nous rappelions toutes les expériences que nous vivons éveillés ainsi que tous nos rêves ?

rêve d'avoir fait.
ne serions de ce fait pas certains de réagir à quelque chose qui auparavant ou à quelque chose que nous aurions
Réponse : les expériences réelles seraient confondues avec celles dont nous rêvons. Lorsque nous rencontrerions quelqu'un nous

Améliorer la mémoire

8-19 Comment pouvez-vous utiliser les résultats des recherches sur la mémoire pour améliorer vos performances à ce cours et aux autres cours ?

Les découvertes de la biologie bénéficient à la médecine. Les découvertes de la botanique et de la biologie végétale bénéficient à l'agriculture. Aussi, l'enseignement bénéficie des découvertes de la psychologie de la mémoire. Des suggestions concrètes pour améliorer la mémoire sont résumées ici pour plus de facilité. La méthode d'étude PIL2R (SQ3R en anglais) décrite dans l'introduction – visualiser le *Plan*, s'*Interroger*, *Lire*, *Rappeler* et *Revoir* – intègre plusieurs de ces stratégies.

Répétez plusieurs fois. Pour maîtriser les connaissances, répartissez (fractionnez) l'apprentissage dans le temps. Pour apprendre un concept, donnez-vous plusieurs sessions d'études séparées : Profitez des temps masqués de l'existence – un trajet en bus, une marche à travers le campus, l'attente du début du cours. Les nouveaux souvenirs sont faibles ; exercez-les et vous les renforcerez. Thomas Landauer (2001) suggère pour mémoriser des faits ou des chiffres spécifiques : « Répétez-le nom ou le nombre que vous essayez de mémoriser, attendez quelques secondes et répétez-le à nouveau ; attendez plus longtemps et répétez-le à nouveau. Attendez encore plus longtemps et répétez-le encore. Les attentes doivent durer aussi longtemps que possible sans perdre l'information ». La lecture rapide d'une matière complexe (survol) suivie d'une répétition *a minima* est très peu efficace pour sa mémorisation. La répétition et la réflexion critique sont plus intéressantes. Comme l'effet d'essai a montré, il paye pour étudier activement. Prendre des notes de cours manuscrites, ce qui nécessite de faire un résumé du contenu du cours avec votre vocabulaire conduit à une meilleure rétention mnésique que ne le fait la prise de notes à l'aide d'un ordinateur ou d'une tablette. « La plume est plus puissante que le clavier », disent les chercheurs Pam Mueller et Daniel Oppenheimer (2014).

Faites en sorte que le sujet étudié ait une signification. Pour construire un réseau d'indices de rappel, prenez en notes les cours en utilisant vos propres mots. Appliquer les concepts

Réflexion et mémoire Réfléchir à ce que nous lisons, en répétant et en approfondissant le sens de ce qui est dit, en donnant au sujet une signifiation personnelle, conduit à une meilleure rétention mnésique.

© Sigrid Olsson/PhotoAlto/Corbis

à votre propre vie. Traduisez-les en images. Organisez l'information pour la comprendre. Reliez la matière à ce que vous savez déjà ou avez vécu. Comme l'a suggéré William James (1890) : « Rattachez chaque nouveauté à une acquisition déjà présente. » Énoncez les concepts en vous servant de vos propres mots. Se répéter machinalement les mots de quelqu'un d'autre ne vous apportera que peu d'indices de rappel. Lors d'un examen, vous pourrez vous retrouver « collés » lorsque la question utilise un phrasé différent de celui que vous avez appris par cœur et mémorisé.

Activez des indices de rappel. Recréez mentalement la situation et l'humeur dans laquelle a eu lieu l'apprentissage initial. Entraînez votre mémoire en laissant une pensée indexer la suivante.

Utilisez des moyens mnémotechniques. Associez des idées à des mots afin de créer une image visuelle du concept facilement mémorisable *stalagmite monte, stalactite tombe* Inventez une histoire qui contient une image vivante de ces termes. Condensez l'information en acronymes. Créer des rimes rythmiques (« i *avant* e, *excepté après* c »)

Minimisez les interférences. Étudiez juste avant de dormir. N'étudiez pas, l'un après l'autre, deux sujets qui ont une forte chance d'interférer, comme le français et l'espagnol.

Dormez plus longtemps. Pendant le sommeil, le cerveau organise et consolide l'information dans la mémoire à long terme. Le manque de sommeil interrompt ce processus. Même dix minutes de repos en restant éveillé améliore la mémoire de ce que nous avons lu (Dewar et al., 2012). Ainsi, après une période intense d'étude dure, reposez-vous quelques minutes en position assise ou couchée avant d'aborder le sujet suivant.

Testez vos connaissances pour les réviser et pour déterminer ce qu'il reste à apprendre. Ne soyez pas enclin à trop de confiance du fait de votre capacité à reconnaître l'information. Testez votre rappel en utilisant les questions « Exercice de récupération » réparties tout au long de chaque chapitre, ainsi que les questions numérotées présentées dans les Objectifs d'apprentissage situés dans la partie révision du chapitre à la fin de chacun d'eux. Tracez le plan des paragraphes sur une page blanche. Définissez les termes et les concepts dont la liste se trouve à la fin du chapitre avant de retourner en arrière pour lire leurs définitions. Passer des tests pratiques ; les sites Web et les guides d'étude qui accompagnent de nombreux textes, dont celui-ci, sont une bonne source pour ces tests.

EXERCICE RÉCAPITULATIF

Quelles sont les stratégies recommandées pour améliorer la mémoire de ce que vous venez juste de lire ?

Réponse : répéter plusieurs fois pour stimuler la mémoire à long terme. Fractionner les sessions d'apprentissage (au lieu de bachoter). Passer plus de temps à répéter ou à penser activement aux matières apprises. Donner une signification personnelle aux informations apprises en faisant des associations vivantes et bien organisées. Rafraîchir sa mémoire en retournant dans le même contexte ou en reprenant le même état d'esprit afin d'activer les indices de rappel. Utiliser des moyens mnémotechniques. Minimiser les interférences. Planifier des nuits de sommeil complètes. Se tester régulièrement ; il est prouvé qu'il est très efficace de s'exercer au rappel de l'information pour la retenir.

OBJECTIFS D'APPRENTISSAGE

EXERCICE RÉCAPITULATIF Prenez un moment pour répondre à chacune de ces questions objectif d'apprentissage (répétées ici au sein de cette section). Puis allez à l'annexe C, révision complète du chapitre, pour vérifier vos réponses. La recherche suggère que d'essayer de répondre à ces questions de votre propre initiative permettra d'améliorer la mémorisation à long terme de ces réponses (McDaniel et al., 2009).

8-15 Pourquoi oublions-nous ?

8-16 Comment la désinformation, l'imagination et l'amnésie de la source peuvent-elles influencer notre construction mnésique ? Comment pouvons-nous décider si un souvenir est vrai ou faux ?

8-17 Dans quelle mesure peut-on se fier aux descriptions faites par des enfants, témoins oculaires d'un événement ?

8-18 Pourquoi les rapports sur les souvenirs refoulés et récupérés sont-ils l'objet de débats passionnés ?

8-19 Comment pouvez-vous utiliser les résultats des recherches sur la mémoire pour améliorer vos performances à ce cours et aux autres cours ?

TERMES ET CONCEPTS À RETENIR

EXERCICE RÉCAPITULATIF Testez votre connaissance de ces termes en essayant d'écrire leur définition avant de vous reporter aux pages donnant les bonnes réponses.

amnésie antérograde, p. 338

amnésie rétrograde, p. 338

interférence proactive, p. 341

interférence rétroactive, p. 341

refoulement, p. 343

consolidation de novo, p. 343

effet de la désinformation, p. 344

amnésie de la source, p. 346

impression de « déjà-vu », p. 346

ÉVALUEZ-VOUS MÉMOIRE

Évaluez-vous à plusieurs reprises tout au long de vos études. Cela permettra non seulement de vous aider à distinguer ce que vous savez de ce que vous ignorez mais aussi à vous faire bénéficier de l'effet test. Autrement dit, le test lui-même va vous aider à apprendre et à mémoriser l'information de manière plus efficace grâce précisément à ce qui est appelé *l'effet test*.

Étude et encodage de la mémoire

1. Un psychologue qui vous demande d'écrire autant d'objets dont vous pouvez vous souvenir après les avoir vus quelques minutes plus tôt, évalue votre _____ .

2. Les termes psychologiques qui correspondent à la réception de l'information, sa conservation et sa restitution sont _____ , _____ , et _____ .

3. Le concept de mémoire de travail
   a. définit l'idée de la mémoire à court terme en se concentrant sur le processus actif mis en œuvre à ce stade.
   b. divise la mémoire à court terme en deux catégories : la mémoire sensorielle et la mémoire de travail.
   c. divise la mémoire à court terme en deux domaines : la mémoire de travail (récupérable) et la mémoire inaccessible.
   d. clarifie l'idée de la mémoire à court terme en se concentrant sur l'espace, le temps et la fréquence de mise en œuvre.

4. La mémoire sensorielle peut être visuelle (mémoire _____) ou sonore (mémoire _____).

5. Notre mémoire à court terme d'encodage de nouvelles informations est limitée à environ _____ unités ou éléments

6. Les aide-mémoire qui utilisent l'imagerie visuelle (tels que des mots cheville) ou autres dispositifs organisationnels (tels que les acronymes) sont appelés _____ .

Stockage et récupération des souvenirs

7. L'hippocampe semble fonctionner comme un
   a. site de traitement temporaire pour souvenirs explicites.
   b. site de traitement temporaire pour souvenirs implicites.
   c. zone de stockage permanent pour les souvenirs ayant une charge émotionnelle.
   d. zone de stockage permanent de souvenirs iconiques et échoïques.

8. L'amnésie secondaire à des lésions de l'hippocampe laisse généralement les personnes incapables d'apprendre de nouveaux faits ou de se souvenir des événements récents. Cependant, ils peuvent être en mesure d'acquérir de nouvelles compétences, comme monter à bicyclette, qui fait appel à la mémoire _____ (implicite/explicite).

9. La potentialisation à long terme se réfère
   a. aux changements hormonaux provoqués par les émotions.
   b. au rôle de l'hippocampe dans le processus de la mémoire explicite.
   c. à une augmentation du potentiel d'excitabilité d'une cellule après une brève et rapide stimulation.
   d. au vieillissement du potentiel d'apprentissage.

10. Les odeurs spécifiques, les images, les émotions, ou d'autres associations qui nous aident à accéder à un souvenir, à activer notre mémoire sont des exemples de _____ _____ .

11. Lorsque vous vous sentez triste, pourquoi la vision d'images qui réveillent certains de vos meilleurs souvenirs peut-elle être souveraine ?

12. Lors d'une évaluation de la mémoire faite immédiatement après la présentation d'une liste de mots, les sujets ont tendance à se rappeler les premiers et derniers éléments plus facilement que ceux du milieu. Lorsqu'ils sont réévalués après un certain temps, ils ont plutôt tendance à se rappeler

a. les premiers éléments de la liste.

b. les premiers et derniers éléments de la liste.

c. quelques éléments, au hasard.

d. les derniers éléments de la liste.

Oubli, construction de la mémoire et amélioration de la mémoire

13. Lorsque l'oubli est dû à un défaut de l'encodage, l'information dénuée de sens n'a pas été transférée à partir de

a. l'environnement dans la mémoire sensorielle.

b. la mémoire sensorielle dans la mémoire à long terme.

c. la mémoire à long terme dans celle à court terme.

d. la mémoire à court terme dans celle à long terme.

14. « La courbe de l'oubli » de Ebbinghaus montre que, après une baisse initiale, la mémorisation de l'information nouvelle tend à

a. augmenter légèrement.

b. diminuer sensiblement.

c. décroître fortement.

d. évoluer en plateau.

15. L'heure précédant le coucher est un moment favorable à la mémorisation des informations, car dormir après l'acquisition de nouvelles connaissances minimise l'interférence _____.

16. Freud a proposé que les souvenirs douloureux ou inacceptables sont bloqués et n'arrivent pas à la conscience à travers un mécanisme appelé _____.

17. Une des raisons de la formation des faux souvenirs vient de notre tendance à combler les lacunes de la mémoire par des suppositions et des hypothèses raisonnables, fondées parfois sur des informations trompeuses. Cette tendance est un exemple :

a. d'interférence proactive.

b. de l'effet de la désinformation.

c. d'interférence rétroactive.

d. de la courbe de l'oubli.

18. La famille d'Eliza aime à raconter l'histoire quand elle avait 2 ans et qu'elle « avait volé la vedette » à sa tante, nouvelle mariée, lors de la réception donnée pour ses noces. Eliza peut se souvenir clairement l'événement, bien qu'elle était très jeune. Comment est-ce possible ?

19. Nous pouvons reconnaître un visage lors d'une réception mais être incapable de se rappeler pourquoi nous connaissons cette personne. Ceci est un exemple de _____ _____.

20. Quand une situation déclenche chez vous le sentiment que « je suis déjà venu ici », vous faites l'expérience de _____ _____.

21. Les enfants peuvent être des témoins oculaires précis si

a. les enquêteurs donnent aux enfants des indices sur ce qui est vraiment arrivé.

b. une personne neutre pose des questions non orientées peu après l'événement, en utilisant un vocabulaire que les enfants peuvent comprendre.

c. les enfants ont l'occasion de parler avec des adultes impliqués dans l'événement, avant l'entrevue.

d. les enquêteurs utilisent des termes techniques et médicaux précis.

22. Avec lequel des énoncés suivants, les psychologues impliqués dans l'étude des souvenirs d'abus seraient plutôt en désaccord ?

a. Il est peu vraisemblable que nous nous rappelions d'événements s'étant produits avant l'âge de 3 ans.

b. Nous avons tendance à réprimer les souvenirs extrêmement bouleversants.

c. Les souvenirs peuvent être émotionnellement bouleversants.

d. Les sévices sexuels existent.

Trouvez les réponses à ces questions dans l'annexe D, à la fin du livre.

La pensée

Le langage et la pensée

CHAPITRE 9

PENSÉE ET LANGAGE

Tout au long de l'histoire, nous avons, nous les hommes, déploré notre folie et célébré notre sagesse. Le poète T. S. Eliot était frappé par « ces hommes creux… à la tête remplie de paille ». Mais l'Hamlet de Shakespeare portait aux nues l'espèce humaine « noble dans sa raison !… aux facultés infinies !… semblable à un dieu dans sa perception ! ». Dans les chapitres précédents, nous aussi avons parfois été émerveillés par nos capacités et nos erreurs.

Nous avons étudié le cerveau humain, qui représente à peine 1,5 kg de tissus humides, de la taille d'un petit chou, mais qui contient des circuits plus complexes que le réseau téléphonique mondial. Nous avons été émerveillés par les compétences des nouveau-nés. Nous avons apprécié notre système sensoriel qui décompose des stimuli visuels en influx nerveux, les distribue pour un traitement parallèle et les réassemble ensuite en perceptions colorées. Nous avons noté la capacité apparemment sans limites de notre mémoire, et la facilité avec laquelle notre esprit à deux voies traite l'information, consciemment et inconsciemment. Il n'est donc pas étonnant que notre espèce ait eu le génie collectif d'inventer la caméra, la voiture et l'ordinateur, de découvrir l'atome et de décrypter le code génétique, de voyager dans l'espace ou dans les profondeurs de notre cerveau.

En même temps, nous avons vu que notre espèce était apparentée aux autres animaux, influencée par les mêmes principes qui gouvernent l'apprentissage chez les rats et les pigeons. Nous avons noté que nous, hommes « pas si sages », succombions facilement aux illusions de la perception, aux revendications des pouvoirs pseudo-psychiques et aux faux souvenirs.

Dans ce chapitre, nous rencontrerons d'autres exemples où se manifestent ces deux images de la condition humaine – rationnelle et irrationnelle. Nous verrons comment nous utilisons, en bien ou en mal, toutes les informations que nous recevons, percevons, stockons et récupérons. Nous examinerons notre aptitude au langage et envisagerons comment et pourquoi il se développe. Enfin, nous réfléchirons pour savoir dans quelle mesure nous méritons notre nom, *Homo sapiens* – homme sage.

▬ La pensée

Concepts

9-1 Qu'est-ce que la cognition ? À quoi servent les concepts ?

LES PSYCHOLOGUES QUI ÉTUDIENT LA **COGNITION** SE CONCENTRENT sur l'ensemble des activités mentales associées à la pensée, à la connaissance, aux souvenirs et à la communication des informations. Une de ces activités consiste à former des **concepts**, c'est-à-dire des associations mentales d'objets, d'événements, d'idées ou de gens similaires. Le concept de *chaise* comprend de nombreux éléments – une chaise haute de bébé, une chaise longue, la chaise du dentiste – qui servent tous à nous asseoir. Les concepts simplifient notre pensée. Imaginez la vie sans concept. Nous aurions besoin d'un nom différent pour chaque personne, événement, objet ou idée. Nous ne pourrions pas demander à un enfant de « jeter la balle », car il n'y aurait pas de concept de *balle* (ou de *jeter*). Au lieu de dire « ils étaient en colère », nous devrions décrire les expressions faciales, les intensités de la voix, et les mots. Les concepts tels que la *balle* ou la *colère* procurent un maximum d'informations avec un minimum d'effort cognitif.

Nous formons souvent nos concepts en développant des **prototypes** – une image mentale ou le meilleur exemple d'une catégorie (Rosch, 1978). Les gens acceptent plus rapidement l'affirmation « un rouge-gorge est un oiseau » que l'affirmation « un pingouin est un oiseau ». Pour la plupart d'entre nous, le rouge-gorge est l'oiseau le « plus oiseau » : il ressemble plus à notre prototype *d'oiseau*. De même, pour les habitants de l'Allemagne multiethnique moderne, les Allemands d'origine dite caucasienne sont les plus proches du prototype germanique (Kessler et al., 2010). Plus les objets correspondent à notre prototype d'un concept, que ce soit un oiseau ou un Allemand, plus nous les reconnaissons facilement comme des exemples du concept (**FIGURE 9.1**).

Une fois que nous avons placé un élément dans une catégorie, le souvenir ultérieur que nous en avons se rapproche plus du prototype de cette catégorie. C'est ce qui s'est passé pour ces étudiants belges à qui l'on a montré des visages composés d'un mélange de diverses ethnies. Par exemple, lorsqu'on leur montrait un visage mixte, composé de 70 % des caractéristiques d'une personne caucasienne (d'origine blanche) et de 30 % d'une personne asiatique, les étudiants classaient le visage dans la catégorie caucasienne (**FIGURE 9.2**). Par la suite, à mesure que leur mémoire se décalait vers le prototype caucasien, ils avaient plus de chances de se souvenir d'un visage à 80 % d'origine caucasienne que du visage à 70 % d'origine caucasienne qu'ils avaient réellement vu (Corneille et al., 2004). Si on leur montrait un visage à 70 % asiatique, ils se souvenaient par la suite d'un visage plus typiquement asiatique. Si l'on se rapporte au genre, les personnes à qui l'on montrait un visage à 70 % masculin le plaçaient dans la catégorie « masculin » (rien de surprenant), mais leur souvenir ultérieur était faussé, imaginant un visage plus typiquement masculin (Huart et al., 2005).

Si l'on s'éloigne du prototype, les limites des catégories peuvent être assez floues. La tomate est-elle un fruit ? Une fille de 17 ans est-elle une jeune fille ou une femme ? La baleine est-elle un mammifère ou un poisson ? Comme cet animal marin ne correspond pas à notre prototype du *mammifère*, nous mettons plus de temps à le reconnaître comme un mammifère. De même, nous sommes plus lents à percevoir une maladie quand nos symptômes ne correspondent pas à l'un de nos prototypes de maladies (Bishop, 1991). Les gens dont les symptômes de la crise cardiaque (essoufflement, grande fatigue, poids dans la poitrine) ne correspondent pas à leur prototype de *cet accident* (une douleur aiguë dans la poitrine) ne pensent pas à demander de l'aide. Aussi, quand les comportements n'entrent pas dans nos prototypes de *discrimination*, ou de distinction (Blancs contre Noirs, hommes contre femmes ou encore jeunes contre vieux), nous ne remarquons pas les préjugés. Les gens remarquent plus souvent les préjugés qu'ont les hommes à l'égard des femmes que les préjugés qu'ont les femmes envers les hommes ou envers d'autres femmes (Inman et Baron, 1996 ; Marti et al., 2000). Bien que les concepts peuvent guider et accélérer le cours de notre pensée, ils ne conduisent pas toujours à un jugement ou une décision sage.

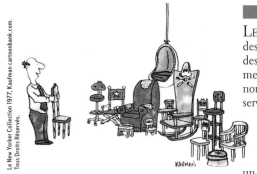

« Un peu d'attention, s'il vous plaît ! Je voudrais vous présenter le nouveau membre de notre famille. »

▼ **FIGURE 9.1**

Ces cryptogames non vasculaires sont-ils savoureux ? En langage botanique, un champignon est un cryptogame non vasculaire. Mais pour la plupart des gens ce terme *cryptogame* ne correspond à aucun prototype.

▼ **FIGURE 9.2**

Le classement des visages en différentes catégories influence la restitution du souvenir Si on leur montre un visage de type caucasien à 70 %, les gens ont tendance à classer la personne dans la famille caucasienne et à se rappeler le visage comme typiquement caucasien, alors qu'il ne l'était pas réellement. (Recreation of experiments. Courtoisie d'Olivier Corneille.)

90 % CA   80 % CA   70 % CA   60 % CA   50 %/50%   60 % AS   70 % AS   80 % AS   90 % AS

Résolution des problèmes : stratégies et obstacles

9-2 Quelles stratégies cognitives nous aident à résoudre les problèmes et quels obstacles nous en empêchent ?

Nous devons notre capacité à résoudre des problèmes à notre pensée rationnelle. Quelle route doit-on prendre pour éviter cet embouteillage ? Comment devons-nous réagir aux critiques d'un ami ? Comment rentrer à la maison alors qu'on a perdu ses clés ?

Certains problèmes sont résolus par *essais et erreurs*. Thomas Edison a essayé des milliers de filaments pour son ampoule avant d'en trouver un qui fonctionnait. Pour d'autres problèmes, nous utilisons un **algorithme**, une démarche pas à pas qui garantit une solution. Mais les algorithmes faits d'une progression pas à pas peuvent être fastidieux et exaspérants. Par exemple, pour trouver un autre mot utilisant toutes les lettres du mot *SPELOIOCHYG*, nous pourrions essayer chaque lettre dans chaque position, mais nous devrions produire et examiner les 907 200 combinaisons possibles. Mais plutôt que de vous donner un cerveau de la taille d'un ballon de plage pour faire ces calculs, la nature a eu recours à l'**heuristique**, des stratégies bien plus simples. C'est ainsi que nous pourrions réduire le nombre d'options de notre mot *SPELOIOCHYG*, en excluant les combinaisons rares de lettres, par exemple deux Y successifs et en regroupant par deux les lettres souvent ensemble (par exemple *CH, LO*). En utilisant l'heuristique puis en appliquant la démarche par essais et erreurs, vous pouvez tomber sur la réponse. L'avez-vous devinée ?[1]

Parfois, nous tournons autour d'un problème pendant un moment puis, tout à coup, les morceaux s'assemblent et nous percevons la solution dans un flash soudain d'inspiration appelé **insight** : une solution brutale, qui semble vraie et est très souvent satisfaisante (Topolinski et Reber, 2010). Le petit Johnny Appleton, âgé de 10 ans, a fait preuve d'inspiration en résolvant un problème qui avait bloqué des ouvriers du bâtiment : comment sauver un jeune rouge-gorge tombé dans un trou étroit profond de 0,7 m dans un bloc de béton. La solution de Johnny fut de verser doucement du sable en donnant à l'oiseau le temps de rester au sommet du tas de sable qui montait en permanence (Ruchlis, 1990).

Une équipe de chercheurs a identifié l'activité cérébrale associée aux flashs d'inspiration subite (Kounios et Beeman, 2009 ; Sandkühler et Bhattacharya, 2008). Ils ont donné un problème à résoudre à des sujets : penser à un mot qui formerait un mot composé ou une phrase avec chacun des trois mots d'un groupe (comme *pin, jus* et *amour*) et appuyer sur un bouton pour activer une sonnerie indiquant la proposition d'une solution. L'IRM fonctionnelle ou l'EEG ont mis en évidence l'activité cérébrale de la personne résolvant le problème. (Si vous voulez une indication, le mot est fruit[2].) Dans la première expérience, environ la moitié des solutions étaient obtenues après un « eurêka ! » soudain. Perspicacité Juste avant l'exclamation ! Les lobes frontaux impliqués dans la concentration de l'attention étaient activés et il y avait également une poussée d'activité dans le lobe temporal droit, juste au-dessus de l'oreille (**FIGURE 9.3**, page suivante). Dans une autre expérience, les chercheurs ont utilisé la stimulation électrique pour diminuer l'activité de l'hémisphère gauche et augmenter l'activité de l'hémisphère droit. Le résultat fut une amélioration de la perspicacité, moins contrainte par la référence aux expériences passées (Chi & Snyder, 2011).

Ce flash d'inspiration arrive soudainement sans sentiment préalable que l'on « brûle » ou que l'on est proche de la solution (Knoblich et Oellinger, 2006 ; Metcalfe, 1986). Lorsque la réponse surgit dans notre esprit *(pomme !)*, cela nous procure un sentiment de satisfaction, un sentiment de joie. Le plaisir d'une plaisanterie réside de la même façon dans notre compréhension soudaine d'une chute inattendue ou d'un double sens : « Tu n'as pas besoin d'un parachute pour faire de la chute libre. Tu as seulement besoin d'un parachute pour sauter une deuxième fois en chute libre. » Le comédien Groucho Marx était un maître en la matière : « J'ai tiré une fois sur un éléphant qui avait mis mon pyjama. Comment s'est-il procuré mon pyjama ?... Ça, je ne le saurai jamais. »

Aussi inventifs que nous soyons, d'autres tendances cognitives peuvent nous mener sur la mauvaise voie. Par exemple, nous recherchons les preuves qui confirment nos idées avec plus d'empressement que les preuves qui peuvent les réfuter (Klayman et Ha, 1987 ; Skov et Sherman, 1986). Peter Wason (1960) démontra cette tendance connue sous le nom de **biais de confirmation**, en donnant à des étudiants britanniques la suite de trois nombres 2-4-6. Il leur demanda de définir

Cognition terme qui recouvre toutes les activités mentales associées à la pensée, à la connaissance, à l'intelligence, à la mémoire et à la communication.

Concept association mentale d'objets, d'événements, d'idées ou de personnes similaires.

Prototype image mentale, ou meilleur exemple d'une catégorie. Associer de nouveaux éléments à un prototype offre une méthode rapide et facile pour classer les éléments dans des catégories (comme lorsque l'on rapporte les animaux à plumes au prototype oiseau, tel un rouge-gorge).

Algorithme règle logique méthodique ou procédure qui garantit la résolution d'un problème particulier. (N.d.T. : du nom du mathématicien arabe Al Khawarizmi) L'algorithme s'oppose à la méthode plus rapide mais plus entachée d'erreurs qu'est l'*heuristique*.

Heuristique stratégie de pensée simple qui nous permet souvent de porter des jugements et de résoudre les problèmes de manière efficace ; généralement plus rapide mais aussi plus entachée d'erreurs que les *algorithmes*.

Flash d'inspiration (insight) prise de conscience soudaine de la solution d'un problème ; contraste avec les solutions fondées sur les stratégies.

Biais de confirmation tendance à chercher de l'information qui soutient nos idées préconçues et à ignorer ou à fausser des preuves contradictoires.

Heuristique de recherche Pour trouver une bouteille de jus de goyave, vous pouvez la rechercher en parcourant toutes les allées d'un supermarché (algorithme), ou vous rendre directement au rayon des produits alimentaires naturels, secteur des boissons (heuristique). L'approche heuristique est souvent plus rapide, mais une recherche algorithmique vous garantit le résultat.

Jon Feingersh/Blend Images/Getty Images

---

1. Réponse à SPELOIOCHYG anagramme : PSYCHOLOGIE.

2. Le mot est *pomme* : pommier d'amour, pomme sauvage, compote de pommes.

Cadre mental tendance à aborder un problème d'une manière particulière, souvent d'une manière qui a été couronnée de succès dans le passé.

▼ **FIGURE 9.3**

Le moment où l'on se dit Eurêka Une poussée d'activité du lobe temporal droit accompagne le flash d'inspiration apportant la solution aux problèmes écrits (Jung-Beeman et al., 2004). Les points rouges désignent l'emplacement des électrodes de l'enregistrement de l'activité électrique corticale (EEG). Les lignes dessinées en gris clair montrent la répartition des activités à haute fréquence accompagnant le flash d'inspiration. L'activité électrique correspondante est localisée dans le lobe temporal droit (zone jaune).

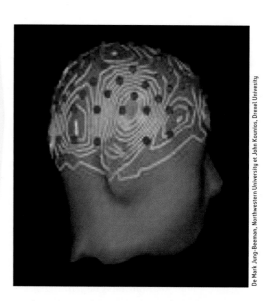

De Mark Jung-Beeman, Northwestern University et John Kounios, Drexel University

la règle qu'il avait utilisée pour construire cette série. (La règle était simple : trois nombres quelconques en ordre croissant.) Avant de donner leur réponse, les étudiants ont proposé leurs propres séries de trois nombres et, à chaque fois, Wason leur disait si leurs séries suivaient, ou non, sa règle. C'est seulement lorsqu'ils étaient *certains* de connaître la règle qu'ils pouvaient l'énoncer. Le résultat ? Rarement juste, mais jamais mis en doute : la plupart des étudiants de Wason formaient une idée fausse *(« peut-être est-ce compter de deux en deux »)*, puis cherchaient seulement à confirmer la fausse règle par des preuves (en testant *6-8-10, 100-102-104*, et ainsi de suite).

Selon Wason (1981), « les gens ordinaires fuient les faits, deviennent indécis et se défendent systématiquement contre la menace de nouvelles informations relatives à la solution du problème ». Ainsi, une fois que les gens adhèrent à la croyance selon laquelle : les vaccins sont la cause du trouble du spectre de l'autisme, les gens peuvent changer leur orientation sexuelle, la réglementation sur la possession d'armes à feu sauve des vies, ils préfèrent entendre des informations les confortant dans leur croyance. Les conséquences de ces croyances peuvent avoir une importance capitale. Les États-Unis déclenchèrent la guerre contre l'Irak sur la supposition que Saddam Hussein était en possession d'armes de destruction massive (ADM) constituant une menace immédiate. Lorsque cette hypothèse s'est révélée erronée, le SSCI (Senate Select Committee on Intelligence), commission bipartite a identifié des failles dans les processus de jugement comportant des biais de confirmation (2004). Les analystes du gouvernement « avaient tendance à accepter les informations qui confortaient [leurs suppositions]… plus facilement que celles qui les contredisaient ». Ils considéraient que les sources qui démentaient l'existence de telles armes « mentaient ou n'étaient pas informées sur les problèmes irakiens, alors que les sources qui rapportaient la poursuite de la production d'ADM étaient jugées comme fournissant des informations valables ».

« Une fois que l'esprit humain, dans sa faculté de compréhension, a fait sienne une idée… il rassemble ses forces pour recueillir tout ce qui la renforcera. »

Francis Bacon, *Novum Organum,* 1620

Une fois que nous nous sommes posé le problème de façon incorrecte, il est difficile de redéfinir la façon de l'aborder. Si la solution au problème des allumettes de la **FIGURE 9.4** vous échappe, c'est que vous subissez peut-être une *fixation*, une incapacité à voir un problème sous un angle nouveau (Pour la solution, voir la **FIGURE 9.5**.)

Le **cadre mental** est un exemple de fixation, il se réfère à notre tendance à aborder un problème en ayant déjà à l'esprit ce qui a précédemment fonctionné. En effet, les solutions qui ont été efficaces dans le passé sont souvent valables et applicables à de nouveaux problèmes. Considérez :

Si l'on vous propose la suite *U-D-T-Q-?-?-?*, quelles seront les trois dernières lettres ?

La plupart des gens ont des difficultés à voir que les trois dernières lettres seront *C*(inq), *S*(ix) et *S*(ept). Mais la résolution de ce problème peut rendre le prochain plus facile :

Étant donné la série de lettres *J-F-M-A -?-?-?*, quelles seront les trois suivantes ? (Si cela s'avère aussi difficile, demandez-vous quel mois nous sommes.)

Le *cadre perceptif* nous prédispose à l'interprétation, un cadre mental nous prédispose à l'élaboration d'une pensée. Ils peuvent nous empêcher de trouver une solution au problème comme lorsque notre cadre mental de nos expériences passées avec les allumettes nous prédispose à les placer dans un espace à deux dimensions.

▼ **FIGURE 9.4**

Le problème des allumettes Comment pourriez-vous disposer ces six allumettes pour former quatre triangles équilatéraux ?

De « Problem Solving » par M. Scheerer. Copyright © 1963 by Scientific American, Inc. Tous droits réservés.

La prise de décision et la formation du jugement

9-3 Qu'est-ce que l'intuition et comment l'heuristique de disponibilité, l'excès de confiance, la persévérance des préjugés et l'effet de présentation influencent-ils nos décisions et notre jugement ?

Lorsque, chaque jour, nous prenons ou émettons des centaines de décisions et jugements *(cela vaut-il la peine de prendre un manteau ? Puis-je faire confiance à cette personne ? Dois-je tenter le panier ou faire la passe au joueur qui est en veine ?)*, nous prenons rarement la peine et le temps de raisonner de façon systématique. En général, nous suivons notre **intuition**, ce sentiment et cette pensée rapide, automatique non raisonnée. Après avoir interrogé les responsables du gouvernement, des affaires et de l'éducation, le psychosociologue Irving Janis (1986) conclut que « souvent ils n'utilisent pas une approche réfléchie pour résoudre un problème. Comment arrivent-ils, d'une manière générale à prendre une décision ? Si vous leur posez la question demandez, ils vous répondront vraisemblablement… que c'est *"au pifomètre"* ».

L'heuristique de disponibilité

Lorsque nous avons besoin d'agir promptement, les raccourcis mentaux, que nous appelons *heuristiques*, nous permettent de porter rapidement des jugements. Grâce au traitement automatique de l'information, les jugements intuitifs sont rapides. Ils sont aussi généralement efficaces (Gigerenzer & Sturm, 2012). Mais les recherches menées par les psychologues cognitivistes Amos Tversky et Daniel Kahneman (1974) sur les heuristiques de disponibilité ont montré comment ces raccourcis généralement utiles ont pu parfois conduire des personnes intelligentes à prendre des décisions stupides[3]. L'**heuristique de disponibilité** se manifeste lorsque nous estimons la probabilité de survenue d'un événement sur la disponibilité mentale de l'information, sur la facilité avec laquelle des exemples de situations similaires nous viennent à l'esprit. Les casinos nous persuadent de jouer en signalant même les petits gains par une sonnerie et une lumière, les rendant vivants dans notre souvenir, tout en gardant sous silence et invisibles les fortes pertes.

L'heuristique de disponibilité peut nous égarer concernant le jugement que nous portons sur les autres. Tout ce qui permet à l'information de « jaillir dans notre esprit » – le fait qu'elle soit récente, vivante ou distincte – peut la rendre fréquente. Et si quelqu'un d'une ethnie particulière ou un groupe religieux commet un acte terroriste, ce qui s'est passé le 11 septembre 2001, notre mémoire facilement accessible de l'événement dramatique peut façonner l'impression que nous avons d'un groupe, dans son ensemble.

---

3. Ce travail conjoint de Tversky et Kahneman sur la prise de décision a reçu le prix Nobel d'économie en 2002 ; malheureusement, seul Kahneman était vivant pour recevoir cette magnifique distinction.

« Le problème est que je ne peux pas faire la différence entre une idée pleine de sagesse intuitivement et universellement admise et ce que m'ordonne mon esprit buté ! »

« Kahneman ainsi que ses collègues et ses élèves ont changé notre façon de penser sur la façon dont les gens pensent. »

American Psychological Association, président Sharon Brehm, 2007

« En créant ces problèmes, nous n'avions pas l'intention de tromper qui que ce fût. Tous nos problèmes nous ont, nous aussi, dupés. »
Amos Tversky (1985)

« La pensée intuitive [est] bien adaptée la plupart du temps… Mais parfois ce mode de pensée nous induit en erreur. »
Daniel Kahneman (2005)

Intuition sentiment ou pensée automatique, immédiate et sans effort, différente du raisonnement explicite conscient.

Heuristique de disponibilité estimation de la probabilité de survenue d'événements en fonction de leur souvenir immédiatement disponible ; s'ils viennent facilement à l'esprit (peut-être en raison de leur vivacité), nous présumons leur banalité.

Même pendant cette horrible année du 11 Septembre, les actes terroristes ont comparativement coûté la vie à peu de personnes. Cependant lorsque la catastrophe du 11 Septembre est mise en balance avec la réalité statistique des grands dangers (voir **FIGURE 9.6**), ce cas mémorable l'emporte. En effet, les images chargées d'émotion occasionnées par la terreur exacerbent nos peurs (Sunstein, 2007).

Nos craintes sont rarement justifiées (Pour en savoir plus sur le pouvoir des cas saisissants, tournez la page pour voir Regard critique sur : Le facteur « peur ».) Nous avons peur de prendre l'avion parce que nous visualisons les images d'une catastrophe aérienne. Nous avons peur de laisser nos filles et nos fils aller à l'école à pied parce que nous pensons à des films dans lesquels des enfants sont kidnappés et brutalisés. Nous avons peur de nager dans l'océan parce que nous nous prenons pour les victimes du film *Les dents de la mer*. Le simple fait de passer à côté d'une personne qui renifle et tousse augmente notre perception de divers risques infectieux (Lee et al., 2010). Et ainsi, grâce à la disponibilité de ces images, nous en venons à craindre des événements extrêmement rares.

Pendant ce temps, l'absence d'images disponibles comparables sur le changement climatique global, que certains scientifiques considèrent comme « un futur Armageddon avançant lentement » laisse la plupart d'entre nous indifférents (Pew, 2007). Quoi de plus disponible à réduire la perception que nous avons du changement climatique que le temps qu'il fait chez soi, qui ne nous dit rien des tendances météorologiques planétaires à long terme (Egan & Mullin, 2012 ; Zaval et al., 2014). Un temps exceptionnellement chaud augmente l'inquiétude de gens sur le réchauffement climatique mondial, tandis qu'une journée récente de mauvais temps, de froid, réduit leur inquiétude et met à mal les données scientifiques, moins mémorables (Li et al., 2011). Après l'ouragan Sandy qui a dévasté le New Jersey, l'expérience vécue de conditions météorologiques extrêmes a sensibilisé ses habitants à la préservation de l'environnement (Rudman et al., 2013).

Les événements dramatiques nous sidèrent. La probabilité de leur survenue souvent nous indiffère. À partir de 2013, 40 pays, parmi lesquels le Canada, de nombreux pays européens et les États-Unis, ont cependant cherché à exploiter ce pouvoir positif des images vivantes et mémorables en mettant sur les paquets de cigarette des messages de prévention incisifs, attirant l'œil ainsi que des photos explicites (Riordan, 2013). Cette campagne de prévention a donné des résultats (Huang et al., 2013). Nous raisonnons émotionnellement et négligeons les probabilités, remarque le psychologue Paul Slovic (2007). Nous sommes submergés par l'émotion et nous ne réfléchissons pas assez. Au cours d'une expérience, les donations à une petite fille de 7 ans souffrant de famine étaient plus importantes lorsque sa photographie *n'était pas* accompagnée d'informations statistiques sur les millions d'enfants africains dans le besoin comme elle (Small et al., 2007). « Plus il y a de morts, moins nous y faisons attention » remarquait Slovic (2010).

L'excès de confiance

Parfois nos jugements et nos décisions tournent mal simplement parce que nous sommes plus confiants que nous devrions l'être. Au travers de tâches diverses, les gens surestiment ce qu'était, est ou sera leur performance (Metcalfe, 1998). Si 60 % de personnes répondent correctement à

« Ne crois pas tout ce que tu penses. »

Pour offrir une représentation animée des changements climatiques, les scientifiques du Cal Tech ont créé une carte interactive mondiale des températures relevées au cours des 120 dernières années (voir www.tinyurl.com/TempChange).

▼ FIGURE 9.5
Solution du problème des allumettes
Pour résoudre ce problème, vous devez adopter une nouvelle perspective, et mettre fin à la fixation sur des solutions se trouvant dans un espace limité à deux dimensions.

De « Résolution des problèmes » par M. Scheerer. Copyright © 1963 by Scientific American, Inc. Tous droits réservés.

▼ FIGURE 9.6
Causes diverses des décès aux États-Unis en 2001 (Données collectées à partir de diverses sources gouvernementales par Randall Marshall et al., 2007.)

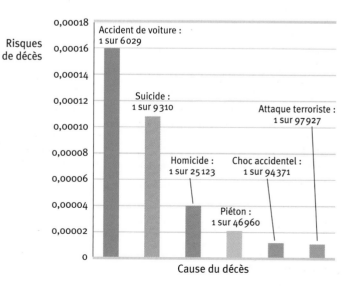

une question, par exemple « L'absinthe est-elle une liqueur ou une pierre précieuse ? », ils vont typiquement répondre en moyenne avec 75 % de certitude (Fischoff et al., 1977). (C'est une liqueur au goût de réglisse, d'anis.) Cette tendance à surestimer la précision de nos connaissances et de notre jugement représente un **excès de confiance**.

BP était une compagnie pétrolière trop confiante qui a minimisé les questions de sécurité avant l'explosion de la plateforme pétrolière qui déversa son pétrole dans le Golfe du Mexique, puis qui minimisa l'ampleur de la marée noire (Mohr et al., 2010 ; Urbina, 2010). C'est un excès de confiance qui a entraîné les agents de change ou les responsables d'investissement à mettre en avant leur capacité à obtenir des performances boursières supérieures à la moyenne (Malkiel, 2012). L'achat d'une action X, recommandé par un agent de change qui juge que c'est le meilleur moment pour acheter, est généralement contrebalancé par une vente faite par quelqu'un qui pense que c'est le meilleur moment pour vendre. Malgré leur confiance en eux, l'acheteur et le vendeur ne peuvent pas avoir tous les deux raison.

L'excès de confiance peut également nourrir des opinions politiques extrêmes. Les personnes ayant une connaissance superficielle des mesures visant à réduire les émissions de gaz carbonique, ou de l'impôt appelé « taxe carbone » expriment souvent de fortes opinions tranchées. En leur demandant d'expliquer les détails de ces politiques, ils vont être confrontés à leur propre ignorance, ce qui va les amener à exprimer des vues plus modérées (Fernbach et al., 2013). Parfois, l'ignorance conduit à l'excès.

Les classes sont pleines d'étudiants trop confiants en eux qui s'attendent à finir leurs devoirs ou écrire leurs mémoires, avant les délais impartis (Buehler et al., 1994, 2002). En fait, les projets sont le plus souvent terminés en deux fois plus de temps qu'il n'était prévu. Nous surestimons aussi les disponibilités que nous offre notre emploi du temps (Zauberman & Lynch, 2005). En surestimant les disponibilités que nous offre notre emploi du temps du mois prochain nous acceptons avec plaisir des invitations que nous ne pourrons pas honorer, étant donné les obligations à remplir déjà prévues. La même « erreur de planification » (sous-estimation du temps et des coûts) est universelle. Le projet gigantesque de construction du « Big Dig » de Boston s'étalait sur dix ans. Au total, il a fallu vingt ans pour le réaliser. Et le projet de rénovation d'une cuisine moyenne finit par coûter environ le double de ce que les propriétaires avaient envisagé (Kahneman, 2011).

L'excès de confiance peut avoir une valeur adaptative. Les gens qui se trompent par excès de confiance vivent plus heureux. Ils semblent plus compétents que d'autres (Anderson et al., 2012). De plus, quand on nous fournit un retour rapide et précis sur l'exactitude de nos jugements – un peu comme les météorologistes contrôlent leurs prévisions le lendemain –, nous pouvons apprendre à être plus réalistes sur la précision de nos jugements (Fischhoff, 1982). La sagesse qui consiste à savoir si nous savons une chose ou si nous l'ignorons naît de l'expérience.

Persévérance des préjugés

L'excès de confiance est étonnant, comme l'est le fait de **persévérer dans nos préjugés**, notre tendance à nous cramponner à nos convictions, face aux preuves les contredisant. Une étude portant sur la persévérance des croyances a inclus des sujets ayant des opinions opposées sur la peine capitale (Lord et al., 1979). Les participants, qu'ils soient pour ou contre, ont étudié deux séries de recherches, supposées nouvelles, l'une en faveur de l'idée selon laquelle la peine capitale décourage le crime et l'autre la réfutant. Après avoir lu ces études il fut impressionnant de voir les deux parties opposées confortées dans leur conviction. Chaque partie réfuta encore plus facilement les arguments de l'autre. Ainsi, le fait de montrer à des groupes pour ou contre la peine de mort les *mêmes* arguments mélangés, a en fait *augmenté* leur désaccord.

Pour ceux qui souhaitent maîtriser le phénomène de persévérance des préjugés, un remède simple existe : *considérer l'opinion opposée*. Lorsque les mêmes chercheurs ont reproduit cette étude sur la peine de mort, ils ont demandé à certains de leurs sujets d'être « aussi *objectifs* et *impartiaux* que possible » (Lord et al., 1984). Cette demande n'a en rien diminué l'évaluation biaisée des preuves. Cependant, ils demandèrent à un autre groupe : « Auriez-vous fait une même évaluation, bonne ou mauvaise, si la même étude avait donné des résultats en faveur de *l'autre* approche du problème ? » Ayant imaginé et pensé les résultats *opposés*, ces personnes furent moins partiales.

Plus nous arrivons à comprendre pourquoi nos croyances pourraient être vraies, et plus nous nous y accrochons. Une fois que nous nous somme convaincus que l'enfant est « doué » ou a un « trouble spécifique des apprentissages », nous avons tendance à ignorer les preuves qui contredisent notre croyance. Une fois que les croyances se sont formées et ont été justifiées, il faut plus de preuves irréfutables pour les modifier qu'il n'en a fallu pour les établir. Les préjugés persistent. Les croyances persévèrent souvent.

Prédire votre propre comportement
Quand aurez-vous terminé la lecture de ce chapitre ?

Loi de Hofstadter : Tout demande plus de temps à faire que ce qui avait été prévu, même si vous prenez en compte la loi de Hofstadter.

Douglas Hofstadter, *Gödel, Escher, Bach : The Eternal or Braid*, 1979

« Quand vous savez quelque chose, affirmez que vous le savez ; et quand vous ne savez pas une chose, admettez que vous l'ignorez ; la connaissance est à ce prix. Cela est de notoriété. »

Confucius (551-479 BCE.), *Entretiens*

Confiance aveugle tendance à surestimer la précision de nos connaissances et de notre jugement.

Persévérance des préjugés rester cramponné à ses conceptions initiales malgré la démonstration rationnelle de leur discrédit.

Le facteur « peur » – Pourquoi nous avons peur des mauvaises choses

9-4 Quels sont les facteurs qui contribuent à notre peur d'événements dont la survenue est improbable ?

Après les attaques du 11 Septembre, de nombreuses personnes craignaient plus de voyager en avion que de rouler en automobile. Dans un sondage Gallup de 2006, seulement 40 pourcent des Américains ont déclaré ne pas avoir peur de voyager en avion. Pourtant, de 2009 à 2011 les Américains eurent, à distance parcourue égale, 170 fois plus de risques de mourir dans un accident de la route que lors d'une catastrophe aérienne (National Safety Council, 2014). Aux États-Unis, 21 221 personnes sont mortes lors d'accidents de la route en 2011 alors qu'*aucun* décès n'eut lieu au cours d'un accident d'avion sur les vols réguliers. Ce fut la même chose en 2010. Lorsque vous devez prendre l'avion, c'est le chemin vers l'aéroport qui est le plus dangereux.

J'ai écrit un essai à la fin 2001, dans lequel j'ai calculé que si – du fait du 11 Septembre – les gens effectuaient 20 % de vols aériens en moins et prenaient à la place la route pour effectuer la moitié des kilomètres non parcourus en avion, environ 800 personnes de plus mourraient

dans un accident de la route dans l'année suivant le 11 Septembre (Myers, 2001). Lorsque, par la suite, le psychologue allemand Gerd Gigerenzer (2004, 2006 ; Gaissmaier & Gigerenzer, 2012) a comparé cette estimation avec les données sur les accidents de la route (pourquoi n'y ai-je pas pensé ?), il a trouvé qu'au cours du dernier trimestre 2001, la mortalité par accident de la route aux États-Unis avait véritablement augmenté significativement (**FIGURE 9.7**). À la fin de 2002, selon les estimations de Gigerenzer, 1 600 Américains « avaient perdu la vie sur la route en essayant d'éviter les risques de prendre l'avion ».

Pourquoi a-t-on peur des mauvaises choses ? Pourquoi redoute-t-on plus le terrorisme que les accidents ? Les psychologues ont identifié quatre influences qui nourrissent notre peur et nous font ignorer les risques plus importants.

1. *Nous redoutons ce que notre histoire ancestrale nous a préparés à redouter.* Les émotions humaines ont été soumises à rude épreuve pendant l'âge de pierre. Notre vieux cerveau nous a préparés à craindre les risques d'hier : les serpents, les lézards et les araignées

Lars Christensen/Shutterstock

© Transtock/Corbis

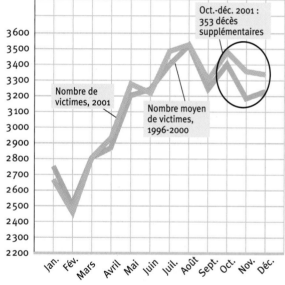

Victimes d'accidents de la route par mois aux États-Unis

Oct.-déc. 2001 : 353 décès supplémentaires

Nombre de victimes, 2001

Nombre moyen de victimes, 1996-2000

Jan. Fév. Mars Avril Mai Juin Juil. Août Sept. Oct. Nov. Déc.

▼ FIGURE 9.7

La peur des autoroutes meurtrières Les images des événements du 11 septembre 2001 ont doté les esprits américains d'une conscience aiguë du danger que n'ont pu dissoudre les millions de vols sans accidents effectués sur les lignes américaines au cours de l'année 2002 et des suivantes. La disponibilité mnésique des événements dramatiques est très grande, et elle façonne notre perception des risques. Dans les trois mois qui suivirent les attentats du 11 septembre 2001, ces perceptions erronées ont conduit plus d'Américains à se déplacer en voiture et nombre d'entre eux décédèrent lors d'accidents de la route. (Données de Gigerenzer, 2004.)

Le New Yorker Collection 1973, Fradon de cartoonbank.com. Tous Droits Réservés.

« Je suis heureux de dire que mon jugement final de l'affaire est presque toujours en accord avec mes préjugés. »

Les effets de présentation

L'effet de présentation, c'est-à-dire la manière dont nous présentons un problème, influence nos décisions et nos jugements. Imaginons deux chirurgiens expliquant les risques liés à une intervention. Le premier dit à ses patients que 10 % des patients meurent au décours d'une opération donnée. L'autre dit que 90 % survivent. Bien que l'information soit la même, l'effet produit est différent. Autant pour les patients que pour les médecins, le risque semble plus important pour les gens qui entendent que 10 % vont *mourir* (Marteau, 1989 ; McNeil et al., 1988 ; Rothman et Salovey, 1997).

De même 9 lycéens sur 10 évaluent qu'un préservatif est efficace s'il a un « taux de succès de 95 % » pour arrêter le virus du sida ; seulement 4 sur 10 le trouvent efficace si l'on donne un « taux d'échec de 5 % » (Linville et al., 1992). Pour effrayer les gens sur les risques, il faut parler plutôt en nombre, et non en pourcentages. Si on leur dit qu'une exposition à des produits chimiques est susceptible de tuer 10 personnes sur 10 millions (imaginez, 10 personnes

(ces trois créatures réunies ne tuent qu'une infime fraction des personnes tuées par les menaces modernes que sont par exemple les voitures ou la cigarette). Les risques d'hier nous ont préparés à craindre le confinement et la hauteur, donc, par conséquent, à avoir peur de prendre l'avion.

2. *Nous redoutons ce que nous ne pouvons contrôler.* On peut contrôler une voiture, mais pas un avion.

3. *Nous craignons ce qui est immédiat.* En avion, les craintes sont surtout condensées au décollage et à l'atterrissage, alors qu'en voiture le danger, banalisé, est réparti sur de nombreux moments.

4. *Grâce à l'heuristique de la disponibilité, nous redoutons ce qui est le plus présent dans notre mémoire.* Les souvenirs puissants disponibles, comme les images de l'avion de l'United Flight 175 pénétrant dans la tour du World Trade Center, nourrissent notre jugement du

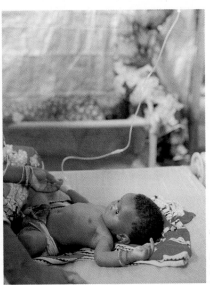

Ian Berry/Magnum Photos

Décès de populations entières, craintes et préoccupations Le tremblement de terre qui a ravagé Haïti en 2010 et qui a tué environ 250 000 personnes a suscité un émoi immense et justifié. Pendant ce temps, selon l'Organisation mondiale de la santé, le séisme silencieux du paludisme lié à la pauvreté tuait *tous les quatre mois* beaucoup plus d'êtres humains, la plupart habitant l'Afrique.

risque. Des milliers de trajets effectués en voiture sans problème ont mis fin à nos craintes concernant la conduite. Les attaques de requins tuent environ un Américain par an, alors que la maladie cardiaque en tue 800 000, mais il est beaucoup plus facile de visualiser une morsure de requin, et donc beaucoup de gens craignent les requins plus que les cigarettes (Daley, 2011). De même, nous nous souvenons (et avons peur) de catastrophes généralisées (ouragans, tornades, tremblements de terre) qui tuent les gens de façon spectaculaire, en masses. Mais nous craignons bien peu les dangers moins dramatiques qui tuent les gens un par un et se poursuivent dans le futur lointain. Citoyens horrifiés et commentateurs ont renouvelé leurs appels pour le contrôle des armes à feu aux États-Unis en 2012, après que 20 enfants et 6 adultes ont été tués dans une école élémentaire du Connecticut – et bien que plus d'Américains soient assassinés par des armes à feu chaque jour, mais de façon moins spectaculaire, un par un. Comme le remarque Bill Gates, chaque année un demi- million d'enfants de par le monde – l'équivalent de quatre 747 remplis d'enfants par jour – meurent d'une infection due à des rotavirus, et personne n'en entend jamais parler (Glass, 2004).

Les nouvelles et notre propre expérience mnésique peuvent nous faire craindre de manière disproportionnée des risques infinitésimaux. Comme l'expliquait un analyste du risque « si c'est dans le journal, ne vous en faites pas. La véritable définition de *"nouvelle"*, c'est quelque chose qui n'arrive pratiquement jamais » (Schneier, 2007).

> « Les sujets craintifs sont plus dépendants, plus facilement manipulés et contrôlés, plus sensibles à des mesures faussement simples, fortes, difficiles à supporter, et aux attitudes martiales. »
>
> George Gerbner, psychologue des médias. Commission de la Communication du Congrès Américain, 1981

EXERCICE RÉCAPITULATIF

• Pourquoi les nouvelles peuvent-elles être décrites comme « quelque chose qui arrive rarement » ? Comment le fait de savoir cela nous aide à limiter nos peurs ?

Réponse : même rare, un événement tragique comme un accident d'avion fait la une des journaux, à la différence, d'événements devenus banals comme les accidents de la route dont on déplore pourtant un beaucoup plus grand nombre de victimes. Sachant cela, nous pouvons nous préoccuper moins des événements peu probables et penser davantage à l'amélioration de la sécurité de notre vie quotidienne. (Par exemple, nous pouvons porter une ceinture de sécurité quand nous conduisons et utiliser les passages pour piétons quand nous sommes à pied.)

mortes !), ils sont plus effrayés que si on leur annonce le taux infinitésimal de 0,000001 (Kraus et al., 1992).

L'effet de présentation peut être un outil de persuasion particulièrement puissant. La définition soigneuse des différentes options peut pousser les gens vers la décision qui peut leur être bénéfique ou qui peut avantager la société dans son ensemble (Benartzi & Thaler, 2013 ; Thaler et Sunstein, 2008).

• *Pourquoi le fait de choisir d'être un donneur d'organes dépend de l'endroit où vous vivez.* Dans de nombreux pays européens ainsi qu'aux États-Unis, ceux qui renouvellent leur permis de conduire peuvent décider d'être donneur d'organes. Dans certains pays, l'option par défaut est *Oui*, mais les gens peuvent refuser. Dans ces pays, où le refus est possible, près de 100 % des personnes ont accepté d'être donneurs Aux États-Unis, la Grande-Bretagne, et l'Allemagne, l'option par défaut est *Non*, mais les gens peuvent « opter pour ». Là, moins de la moitié ont accepté d'être donneurs (Hajhosseini et al., 2013 ; Johnson & Goldstein, 2003).

> **Effet de présentation** façon dont la réponse est influencée par les différentes présentations d'une même question ; influence de la présentation d'une question sur les jugements et les réponses données.

- *Comment aider les employés à épargner pour leur retraite.* Une loi sur la retraite américaine de 2006 a reconnu l'effet de la présentation des options. Auparavant, les employés qui voulaient transférer une partie de leurs indemnités sur un plan d'épargne retraite devaient typiquement choisir de réduire leur salaire, ce que la plupart des gens font à contrecœur. Maintenant, on encourage les sociétés à inscrire automatiquement leurs employés, tout en leur laissant le choix de refuser (augmentant ainsi leur salaire). Dans les deux plans, l'employé choisit. Mais lorsqu'on leur a présenté l'option « choisir de refuser » plutôt que « choisir d'accepter », les inscriptions, d'après l'analyse de 3,4 millions d'employés, sont passées de 59 à 86 % (Rosenberg, 2010).

- *Comment aider à sauver la planète.* Même si la « taxe carbone » est le meilleur moyen de limiter les gaz à effet de serre, beaucoup de gens s'opposent à un nouvel impôt. Mais ils soutiennent plus volontiers le financement du développement des énergies nouvelles, plus « propres » par des primes de « compensation carbone » (Hardisty et al., 2010).

Point à retenir : ceux qui comprennent le pouvoir de l'effet de présentation peuvent l'utiliser pour infléchir nos décisions.

Les dangers et les pouvoirs de l'intuition

9-5 Comment les penseurs intelligents mettent-ils l'intuition à profit ?

Les périls de l'intuition, peurs irrationnelles, jugements fumeux, raisonnements paralogiques, nourrissent nos préjugés et nos craintes infondées. Une pensée non rationnelle peut persister même chez des gens auxquels on offre une rémunération élevée pour leur intelligence, auxquels on demande de justifier leurs réponses et qui sont médecins experts ou cliniciens (Shafir et LeBoeuf, 2002). Des gens très intelligents (y compris les agents fédéraux du renseignement des États-Unis, comme l'a montré une étude) sont également vulnérables et peuvent accepter ces idées non rationnelles (Reyna et al., 2013 ; Stanovich et al., 2013). Même les gens très intelligents peuvent avoir un mauvais jugement.

De ce fait, notre tête est-elle vraiment remplie de paille ? Bonne nouvelle : les scientifiques cognitivistes d'aujourd'hui nous révèlent également le pouvoir de l'intuition. Voici un résumé de certaines idées phares :

- *L'intuition est une analyse « gravée dans l'habitude »* (Simon, 2001). Il s'agit d'un savoir implicite ; nous ne pouvons pas expliquer ce que nous avons appris et mémorisé (Chassy & Gobet, 2011 ; Gore & Sadler-Smith, 2011). Les maîtres d'échecs démontrent ce savoir tacite lors de « blitz » (parties éclairs) où, après à peine plus d'un coup d'œil, ils savent intuitivement quelle est la bonne décision pour le coup suivant. (Burns, 2004). Nous constatons cette compétence dans les jugements intelligents et rapides chez les infirmières expérimentées, les pompiers, les critiques d'art, les mécaniciens en automobile et les musiciens. Les athlètes performants peuvent réagir *sans réfléchir.* En effet, la pensée consciente peut perturber les mouvements bien entraînés tels, que les font les batteurs au base-ball ou les joueurs de basket-ball lors des lancers francs. Pour nous tous qui avons développé une compétence particulière, ce qui ressemble à l'intuition instantanée sont une capacité acquise à percevoir une situation et à réagir en une fraction de seconde.

- *L'intuition sert généralement l'adaptation, permettant des réactions rapides.* Nos heuristiques rapides et simples nous permettent, par exemple, de supposer intuitivement que les objets qui apparaissent flous sont éloignés, ce qui est généralement vrai (excepté lors de matins brumeux). Si un étranger ressemble à quelqu'un qui nous a fait du mal ou qui nous a effrayés, nous pouvons, sans nous souvenir consciemment de l'expérience précédente, réagir avec prudence. Les associations automatiques et non conscientes des gens ayant une conviction une position politique peuvent même prédire leurs futures décisions politiques *avant* qu'ils les aient consciemment établies (Galdi et al., 2008). Ce qu'éprouvent les nouveaux mariés, ce qu'ils ressentent au plus profond d'eux-mêmes face à leur nouveau conjoint est prédictif de l'avenir de leur couple (McNulty et al., 2013). Nos associations apprises font surface sous la forme de sentiments viscéraux, d'intuitions qui sont les manifestations de nos deux voies de l'esprit.

- *L'intuition est formidable.* La psychologie cognitive moderne nous donne de nombreux exemples des influences non conscientes s'exerçant sur notre jugement (Custer et Aarts, 2010). Considérons ceci : beaucoup d'entre nous pensent que plus le choix est difficile, plus il faut être intelligent pour prendre des décisions rationnelles et non pas intuitives (Inbar et al., 2010). En réalité des psychologues hollandais ont montré que lorsque nous prenons des décisions difficiles, nous avons avantage à laisser notre cerveau travailler sur le problème sans y penser (Strik et al., 2010, 2011). Dans une série d'expériences, trois groupes d'individus ont lu des informations complexes (sur des appartements, ou des colocataires, ou des posters artistiques ou des matchs de football). Un des groupes a donné immédiatement sa préférence après avoir lu l'information sur chacune des quatre options. Le second groupe a eu plusieurs minutes pour analyser la situation et a pris des décisions légèrement plus intelligentes. Mais les plus sages de tous, étude après étude, étaient les gens du troisième groupe dont l'attention fut distraite pendant un moment, ce qui permit un traitement non-conscient des informations complexes. Au plan pratique : laisser un problème « reposer » tandis que nous vaquons à une autre occupation peut être fructueux (Sio et Ormerod, 2009). Lorsque nous faisons face à une décision difficile impliquant de nombreux faits, il serait sage de réunir toutes les informations que nous pouvons puis de dire « donnez-moi un peu de temps pour *ne pas* y penser ». En prenant le temps de nous reposer sur elles, nous laissons la machinerie psychique non consciente de travailler. Merci à notre cerveau actif, la pensée non consciente (raisonnement, résolution de problèmes, la prise de décision, capacité de planification) est étonnamment astucieuse (Creswell et al., 2013 ; Hassin, 2013).

Les critiques concernant ces recherches nous rappellent que les réflexions conscientes et délibérées favorisent aussi la pensée intelligente (Lassiter et al., 2009 ; Payne et al., 2008). Dans les situations difficiles, les décideurs, les joueurs d'échecs, prennent le temps de réfléchir (Moxley et al., 2012). Face à différents problèmes à résoudre les sujets prenant des décisions mûrement réfléchies sont conscients de l'option intuitive, mais savent quand la contourner (Mata et al., 2013). Considérons ces découvertes :

> Une batte et une balle ont coûté 110 $.
>
> La batte coûte 100 $ de plus que la balle.
>
> Combien coûte la balle ?

La réponse faite intuitivement par la plupart des gens est 10, mais elle est fausse ! Un instant de réflexion vous le montrera[4].

En fin de compte : Notre esprit à deux voies fabrique une douce harmonie, à mesure que la pensée critique et intelligente écoute les murmures créatifs de notre vaste esprit invisible, qui évalue les preuves, teste les conclusions et planifie notre activité future.

Jean Philippe Ksiazek/AFP/Getty

Hmm... Est-ce un mâle ou une femelle ? Lorsque la compétence acquise est prise en charge par la psychomotricité non consciente, automatique, elle fonctionne comme l'intuition. C'est ce qui se passe chez les « sexeurs » de poussins qui déterminent instantanément leur sexe. Ils le savent au premier coup d'œil mais ne peuvent pas vous en décrire en détail le processus.

La pensée créative

9-6 Qu'est-ce que la créativité et qu'est-ce qui l'encourage ?

La **créativité** est la capacité à créer des idées à la fois nouvelles et intéressantes (Hennessey et Amabile, 2010). Regardez l'incroyable moment créatif du mathématicien Andrew Wiles, de l'Université de Princeton. Pierre de Fermat, un génie malicieux du XVIIe siècle, mit au défi les mathématiciens de son époque de trouver des solutions à la hauteur des siennes à plusieurs problèmes numériques d'ordre théorique. Son fameux défi, *le dernier théorème de Fermat*, plongea l'esprit des plus grands mathématiciens dans la plus profonde perplexité, même après qu'un prix de 2 millions de dollars a été proposé en 1908 à la première personne capable de fournir une preuve.

Wiles réfléchissait au théorème de Fermat depuis plus de trente ans et approchait de la solution. Puis, un matin, par hasard, il fut frappé d'une « incroyable révélation ». « C'était d'une beauté inexprimable, si simple, si élégant. Je n'arrivais pas à comprendre comment j'avais pu passer à côté... Ce fut le moment le plus important de toute ma vie professionnelle. » (Singh, 1997, p. 25.)

La créativité comme celle dont fit preuve Wiles est soutenue par un certain niveau d'*aptitude* (capacité à apprendre). Ceux qui ont des résultats particulièrement élevés dans les tests d'aptitudes quantitatives à l'âge de 13 ans ont plus de chances d'obtenir des diplômes en sciences et en mathématiques et de publier leurs travaux ou de déposer des brevets (Park et al., 2008 ; Robertson et al., 2010). Et plus un sujet est intelligent et plus sa mémoire de travail est bonne (Arneson et al., 2011 ; Hambrick & Meinz, 2011). Cependant il y a clairement dans la créativité d'autres éléments que ceux révélés par les notes obtenues aux tests d'intelligence. En effet, l'activité cérébrale associée à

---

4. Il n'y a qu'une réponse : 5 dollars. La batte de base-ball aura coûté 105 $, pour un total 110 $ et donc bien 100 $ de plus que la balle.

Créativité capacité à produire des idées nouvelles, inventives et précieuses.

L'industrie de la créativité Sally Reis (2001) a constaté que les femmes véritablement créatives étaient « des travailleuses acharnées intelligentes, imaginatives et volontaires » et a donné l'exemple de Barbara McClintock, lauréate du prix Nobel de physiologie pour ses travaux en cytogénétique. Dans son discours de réception du prix Nobel de littérature en 2013 Alice Munro, représentée ici, a également parlé de la créativité comme d'un travail harassant. « Les histoires sont si importantes dans ce monde… [Le moment qui est le plus difficile est] quand vous parcourez l'histoire et que vous vous rendez compte à quel point elle est mauvaise. La première partie est passionnante, excitante, la seconde, assez bonne, mais un beau matin, vous la relisez et vous vous dites "quelle absurdité" et c'est là que vous allez vraiment travailler et ciseler le texte. Et pour moi, l'essentiel était là. »

Un environnement créatif

l'intelligence diffère de celle associée à la créativité (Jung & Haier, 2013). Les tests d'intelligence qui demandent une seule réponse correcte nécessitent une **pensée convergente**. Des lésions du lobe pariétal gauche altèrent cette capacité. Les tests de créativité *(Combien d'utilisations pouvez-vous trouver à une brique ?)* nécessitent une **pensée divergente**. Des lésions sur certaines régions des lobes frontaux peuvent laisser intactes les capacités de lecture, d'écriture et d'arithmétique, mais détruire l'imagination (Kolb et Whishaw, 2006).

Bien qu'il n'existe pas d'accord sur la mesure de la créativité ni de quotient de créativité (QC) correspondant au quotient intellectuel (QI), Robert Sternberg et ses collaborateurs ont identifié cinq composantes de la créativité (Sternberg, 1988, 2003 ; Sternberg et Lubart, 1991, 1992) :

1. *La compétence* ou base de connaissances bien développée, fournit les idées, les images et les expressions que nous utilisons comme unité de construction mentale. « La chance ne favorise que les esprits préparés », fit remarquer Louis Pasteur. Plus nous possédons d'unités de construction mentale, plus nous avons de chances de les combiner de façon nouvelle. Grâce à sa base de connaissances bien développée, Wiles a pu mettre à sa disposition les théorèmes et les méthodes nécessaires.

2. *La capacité d'imagination* est une aptitude à voir les choses de façon nouvelle, à reconnaître les schémas sous-jacents, à établir des connexions. Lorsque vous maîtrisez les éléments de base d'un problème, vous pouvez ensuite le redéfinir et explorer le problème d'une façon nouvelle. Copernic acquit d'abord une bonne connaissance du système solaire et des planètes, puis définit de manière créative le système comme tournant autour du Soleil et non autour de la Terre. La solution pleine d'imagination, proposée par Wiles, associait deux solutions incomplètes.

3. *Une personnalité aventureuse* accepte le risque et l'ambiguïté, persévère pour vaincre les obstacles et recherche des expériences nouvelles. Andrew Wiles explique qu'il travaillait à l'écart de la communauté des mathématiciens en grande partie pour pouvoir se concentrer sur son travail et éviter d'être distrait. Cette détermination est un trait de personnalité qui est durable.

4. *La motivation intrinsèque* est conduite principalement par l'intérêt, la satisfaction et le défi du travail en lui-même plutôt que par des pressions extérieures (Amabile et Hennessey, 1992). Les créatifs s'attachent moins à des motivations extrinsèques – dates limites de congrès, désir d'impressionner les gens ou de gagner de l'argent – qu'au plaisir intrinsèque et à la stimulation que représente leur travail. Quand on demanda à Isaac Newton comment il avait résolu des problèmes scientifiques si difficiles, il répondit : « J'y pensais constamment. » Wiles a répondu de façon analogue : « C'est que je suis tellement obsédé par ce problème… J'y pensais constamment – du lever au coucher. » (Singh et Riber, 1997).

5. *Un environnement créatif* suscite, soutient et précise les idées créatives. Wiles se faisait aider par les autres et collaborait avec un ancien élève. Après avoir étudié la carrière de 2 026 éminents scientifiques et inventeurs, Dean Keith Simonton (1992) remarqua que les plus grands d'entre eux étaient guidés, poussés, et aidés par leurs relations professionnelles. Les environnements qui encouragent la créativité soutiennent l'innovation, la formation d'équipes et la communication (Hülsheger et al., 2009). Ils minimisent également l'anxiété et favorisent la contemplation (Byron & Khazanchi, 2011). Après que Jonas Salk eut résolu un problème ayant conduit au vaccin de la poliomyélite tandis qu'il était dans un monastère. Il conçut l'Institut Salk pour fournir des espaces de contemplation de réflexion où les scientifiques pouvaient travailler sans être interrompus (Sternberg, 2006).

Si vous cherchez à favoriser votre créativité, la recherche suggère certaines idées :

- *Développez votre spécialité.* Demandez-vous ce qui a de l'importance pour vous et ce que vous préférez. Suivez votre passion et devenez un spécialiste dans un domaine.

- *Laissez vos idées mûrir un certain temps.* Une fois les connaissances acquises en nombre suffisant pour nourrir de nouvelles idées, le fait d'abandonner le problème (« laisser le tout reposer ») permet au traitement automatique d'élaborer de nouvelles associations d'idées. Ainsi réfléchissez fortement au problème, puis laissez-le de côté et revenez-y ultérieurement.

- *Laissez libre cours à votre pensée.* Tenez vous à distance des stimuli perturbant votre attention La créativité émerge de « l'attention décentrée » (Simonton, 2012a, b). Faites du jogging, sortez faire une longue promenade ou méditez. La sérénité est la mère de la spontanéité.

• *Intéressez-vous à d'autres cultures, à d'autres façons de penser.* Vivre à l'étranger permet au flot de la création de s'écouler. Après avoir contrôlé les variables dites « confondantes », les études montrent que les étudiants qui ont passé un certain temps à l'étranger sont plus aptes à résoudre les problèmes en apportant des solutions créatives (Lee et al., 2012 ; Tadmor et al., 2012). Les expériences multi-culturelles nous exposent à de multiples points de vue et facilitent la plasticité de la pensée flexible. Se sentir différent est un stimulus qui va activer la créativité (Kim et al., 2013 ; Ritter et al., 2012).

Pensée imaginative Les caricaturistes font souvent preuve de créativité en nous donnant à voir le monde à travers leur prisme, en mettant en relation des faits d'une manière pittoresque.

EXERCICE RÉCAPITULATIF

• Faites correspondre le processus ou la stratégie indiquée ci-dessous (1-10) avec sa description (a-j).

1. Algorithme	5. Fixation	8. Créativité
2. Intuition	6. Biais de confirmation	9. Effet de présentation
3. Flash d'inspiration	7. Excès de confiance	10. Persévérance des préjugés
4. Heuristique		

a. Incapacité à voir les problèmes sous un angle nouveau ; la pensée est concentrée mais cette concentration freine la recherche créative de nouvelles solutions.

b. Règle méthodologique ou procédure qui garantit une solution, mais exige du temps et des efforts.

c. En se fondant sur notre expérience, pensées et sentiments surviennent sans efforts rapidement et automatiquement ; mode de pensée courant et adaptable mais qui peut conduire à surestimer le sentiment et sous-estimer la réflexion.

d. Raccourcis cognitifs simples qui nous permettent d'agir rapidement et efficacement, mais qui ne nous préservent pas des conclusions erronées.

e. Eurêka ! Réaction qui signale que la solution est subitement apparue à la conscience.

f. Tendance à la recherche d'arguments en faveur de notre point de vue et d'arguments réfutant le point de vue opposé.

g. Ignorer la preuve de la fausseté de nos croyances ; ferme notre esprit à de nouvelles idées.

h. Surestimation de l'exactitude de nos croyances et jugements ; nous rend serein et facilite la prise de décisions, mais le risque d'erreurs est important.

i. Libeller une question ou une déclaration de sorte à solliciter la réponse désirée ; peut influencer les décisions des autres et produire un résultat trompeur.

j. La capacité de produire des idées nouvelles et précieuses.

Réponses : 1. b, 2. c, 3. e, 4. d, 5. a, 6. f, 7. h, 8. j, 9. i, 10. g

« Pour l'amour de Dieu, y a-il un médecin dans la maison ? »

Existe-t-il d'autres espèces ayant les mêmes capacités cognitives que nous ?

9-7 **Que savons-nous de la pensée des autres animaux ?**

Les animaux sont bien plus intelligents que nous le pensons souvent. Dans son livre publié en 1908, *L'esprit animal*, Margaret Floy Washburn, pionnier de la psychologie a fait valoir que la conscience et l'intelligence animale peuvent être déduites de leur comportement. En 2012, des chercheurs en neurosciences réunis en congrès à l'Université de Cambridge sont allés plus loin en disant que la conscience animale peut également être déduite de la structure de leur cerveau : « Les animaux non humains, comprenant tous les mammifères et les oiseaux, "possèdent les réseaux neuronaux" qui génèrent la conscience » (Low et al., 2012). Alors considérons ce que peut faire le cerveau animal.

Utilisation des concepts et des nombres

Même les pigeons – ayant simplement un cerveau d'oiseau – peuvent classer des objets (images de voitures, de chats, de chaises et de fleurs) en catégories ou concepts. Si on lui a montré la photographie d'une chaise qu'il n'a jamais vue, le pigeon a donné systématiquement un coup de bec sur la touche qui représente la catégorie « chaises » (Wasserman, 1995). Devant toucher des écrans pour recevoir une récompense sous forme de nourriture, les ours noirs ont appris à trier des photos en les répartissant dans les catégories « animaux » et « non animaux » (Vonk et al., 2012). Les grands singes, sont capables de comprendre les concepts « chat » et « chien ». Une fois que les singes ont appris à former les concepts « chats » et « chiens », certains neurones situés dans les lobes frontaux s'activent en réponse à une nouvelle image de type « chat », d'autres à de nouvelles images de type « chien » (Freedman et al., 2001).

Pensée convergente mode de pensée qui consiste à réduire le nombre de solutions afin d'en déterminer la meilleure pour résoudre un problème donné.

Pensée divergente mode de pensée qui consiste à multiplier pour un problème donné le nombre de solutions possibles ; pensée créative empruntant différentes directions.

Life on white/Alamy

Jusqu'à sa mort en 2007, Alex, un perroquet gris du Gabon, pouvait nommer et classer des objets (Pepperberg, 2006, 2009, 2013). Cette capacité numérique qui nous laisse bouche bée lui permettait de comprendre des nombres jusqu'à 8. Ainsi, il pouvait dire le nombre d'objets. Il pouvait ajouter deux petits groupes d'objets et annoncer la somme. Il pouvait indiquer lequel des deux nombres était le plus grand. Et il a donné des réponses correctes lorsqu'on lui a montré divers groupes d'objets. En lui posant la question, « Quelle est la couleur de quatre ? » (signifiant « Quelle est la couleur des objets qui sont au nombre de quatre ? »), il a pu donner la réponse.

Démonstration du flash d'inspiration

Le psychologue allemand Wolfgang Köhler (1925) a démontré que nous n'étions pas les seules créatures capables de faire preuve de perspicacité et de réflexion. Au cours d'une expérience avec un chimpanzé nommé Sultan, il mit un fruit et un long bâton à l'extérieur de la cage, hors de portée de l'animal, et un bâton plus petit à l'intérieur de la cage. Après avoir observé le petit bâton, le chimpanzé le saisit et essaya d'attraper le fruit. Après plusieurs essais infructueux, Sultan posa le bâton et sembla étudier la situation. Puis, soudain (comme s'il se disait « eurêka »), Sultan fit un bond, saisit à nouveau le petit bâton. Il l'utilisa pour attraper le bâton plus long qu'il mania pour prendre le fruit. Les grands singes ont même fait preuve de prévoyance en stockant des outils qu'ils pourraient utiliser pour récupérer de la nourriture le jour suivant (Mulcahy et Call, 2006).

Les oiseaux, aussi, peuvent être perspicaces. Christopher Bird et Nathan Emery (2009) ont construit une expérience en mettant en scène une fable d'Ésope dans laquelle un corbeau qui avait soif ne pouvait attraper un pichet rempli d'eau. Voir la solution dans la **FIGURE 9.8a**.

Utilisation des outils et transmission de la culture

Comme les hommes, de nombreuses autres espèces inventent des comportements et transmettent des schémas culturels à leurs pairs et à leur descendance (Boesch-Achermann et Boesch, 1993). Les chimpanzés qui construisent des habitats dans la forêt choisissent différents objets selon leurs besoins, y compris des branches de bois rigides pour faire des trous et des branches flexibles pour pêcher des termites (Sanz et al., 2004). Ils cassent un roseau ou une branche de bois, les débarrassent de leurs feuilles et de leurs brindilles, les amènent dans les termitières et attrapent les termites en faisant tourner le bâton et en le sortant soigneusement pour ne pas faire tomber les insectes. Et voilà, un repas de termites ! (C'est un renforcement très important pour un chimpanzé.) Un anthropologue, qui tenta d'utiliser la tactique habile du chimpanzé pour attraper les termites, échoua lamentablement.

▼ FIGURE 9.8

Les animaux ont des talents, eux aussi (a) Les corbeaux étudiés par Christopher Bird et Nathan Emery (2009) ont rapidement appris à élever le niveau de l'eau dans un tube en y laissant tomber des pierres pour attraper un ver flottant à la surface. D'autres corbeaux ont utilisé des brindilles pour attraper des insectes, et des bandes de métal pliées pour atteindre leur nourriture. (b) Les singes capucins ont appris non seulement à utiliser de lourdes pierres pour pouvoir casser des noix de palme et ainsi les ouvrir, mais aussi à essayer des marteaux de pierre et à en choisir un qui soit robuste et peu friable (Visalberghi et al., 2009). (c) Un mâle chimpanzé du Zoo Furuvik en Suède a été observé chaque matin ramassant des pierres et les agençant en un petit tas ordonné, qui, plus tard dans la journée, sera utilisé comme réserve de munitions pour lapider les visiteurs (Osvath & Karvonen, 2012). (d) Les dauphins se regroupent pour chasser en ban, et apprennent mutuellement à se servir d'outils (Bearzi & Stanford, 2010). Ce dauphin nageant dans la baie Shark, en Australie occidentale, appartient à un petit groupe qui utilise les éponges marines comme masques protecteurs du nez lors de l'exploration des fonds marins pour chasser les poissons (Krutzen et al., 2005).

Chris Bird & Nathan Emery

(a)

Ben Cranke/The Image Bank/Getty Images

(b)

Neurology/PA/AP Photo

(c)

Copyright Amanda K. Coakes

(d)

Les chercheurs ont découvert au moins 39 pratiques locales concernant l'utilisation d'outils par les chimpanzés, les techniques pour faire leur toilette et faire la cour à leur partenaire (Claidière & Whiten, 2012 ; Whiten et Boesch, 2001). Un groupe de chimpanzés peut très bien lécher les fourmis directement sur le bâton, alors qu'un autre groupe les détachera individuellement. Alors qu'un groupe utilise une pierre comme marteau pour briser les noix, un autre utilise un morceau de bois. Ces différences qui caractérisent les groupes, allant des différents modes de communication aux différentes façons de chasser sont, chez les chimpanzés, des équivalents de diversités culturelles. Plusieurs expériences ont mis en évidence la transmission culturelle entre chimpanzés dans les conditions de laboratoire (Horner et al., 2006). Si le chimpanzé A obtient de la nourriture, soit en faisant glisser soit en soulevant une porte, alors le chimpanzé B suivra la même technique de manipulation de la porte pour obtenir sa nourriture. Ce que fera également le chimpanzé C après avoir observé B et ainsi de suite. Le chimpanzé voit, le chimpanzé fait et ce, jusqu'à la sixième génération.

Johan Swanepoel/Alamy

Autres aptitudes cognitives

Un babouin connaît les voix de tous les membres de sa troupe, soit 80 animaux (Jolly, 2007). Les grands singes et les dauphins ont démontré qu'ils avaient une conscience de soi (en se reconnaissant dans un miroir). Il en est de même des éléphants, qui lorsqu'ils ont été testés ont également montré leurs capacités à apprendre, à se souvenir et à différencier des odeurs, à présenter de l'empathie, à coopérer, à enseigner et à utiliser spontanément des objets (Byrne et al., 2009). Et en tant que créature sociale, les chimpanzés ont montré de l'altruisme, de la coopération et de l'agressivité de groupe. Comme l'homme, ils tueront leurs voisins pour s'approprier son territoire et ils auront du chagrin lors de la mort d'un de leurs parents (Anderson et al., 2010 ; Biro et al., 2010 ; Mitani et al., 2010).

Il n'y a aucun doute sur le fait que d'autres espèces présentent des capacités cognitives remarquables. Mais il nous reste une grande question : peuvent-ils, comme l'homme, avoir un langage ? Dans la section suivante, nous allons d'abord examiner ce qu'est le langage et comment il se développe.

* * *

Si nous revenons à notre débat concernant notre mérite de porter le nom d'*Homo sapiens*, arrêtons-nous pour rédiger un bilan. Pour la prise de décision et le jugement, notre espèce, sujette à l'erreur, obtiendrait 12/20. Pour la résolution des problèmes et la créativité, les hommes sont inventifs quoique sujets aux fixations, nous recevrions sans doute une meilleure note, peut-être 16 ou 17/20. Quant à l'efficacité cognitive globale, notre heuristique faillible mais rapide et la pensée divergente devraient nous assurer un 18/20.

REVUE GÉNÉRALE La pensée

OBJECTIFS D'APPRENTISSAGE

EXERCICE RÉCAPITULATIF Prendre un moment pour répondre à chacune de ces questions objectif d'apprentissage (répétées ici au sein de cette section). Puis aller à l'annexe C, révision complète du chapitre, pour vérifier vos réponses. La recherche suggère que d'essayer de répondre à ces questions de votre propre initiative permettra d'améliorer la mémorisation à long terme de ces réponses (McDaniel et al., 2009).

9-1 Qu'est-ce que la cognition ? À quoi servent les concepts ?

9-2 Quelles stratégies cognitives nous aident à résoudre les problèmes et quels obstacles nous en empêchent ?

9-3 Qu'est-ce que l'intuition et comment l'heuristique de disponibilité, l'excès de confiance, la persévérance des préjugés et l'effet de présentation influencent-ils nos décisions et notre jugement ?

9-4 Quels sont les facteurs qui contribuent à notre peur d'événements dont la survenue est improbable ?

9-5 Comment les penseurs intelligents mettent-ils l'intuition à profit ?

9-6 Qu'est-ce que la créativité et qu'est-ce qui l'encourage ?

9-7 Que savons-nous de la pensée des autres animaux ?

TERMES ET CONCEPTS À RETENIR

EXERCICE RÉCAPITULATIF Testez votre connaissance de ces termes en essayant d'écrire leur définition, avant de vous reporter aux pages indiquées en référence pour vérifier votre réponse.

cognition, p. 356

concept, p. 356

prototype, p. 356

algorithme, p. 357

heuristique, p. 357

flash d'intuition, p. 357

biais de confirmation, p. 357

cadre mental, p. 358

intuition, p. 359

heuristique de disponibilité, p. 359

excès de confiance, p. 361

persévérance des préjugés, p. 361

effet de présentation p. 362

créativité, p. 365

pensée convergente, p. 366

pensée divergente, p. 366

■ Le langage et la pensée

IMAGINEZ UNE ESPÈCE EXTRATERRESTRE QUI pourrait transmettre les pensées d'une tête à l'autre simplement en faisant vibrer les molécules des gaz de l'air les séparant. Peut-être ces créatures étranges pourraient-elles jouer dans un nouveau film de science-fiction ?

En vérité, nous sommes ces créatures ! Lorsque nous parlons, notre cerveau et nos cordes vocales produisent des ondes de propagation de pression d'air que nous envoyons taper contre le tambour de l'oreille d'une autre personne, ce qui nous permet de transférer les pensées de notre cerveau au sien. Comme le remarque Steven Pinker (1998), un scientifique cognitiviste, nous nous asseyons parfois pendant des heures pour « écouter d'autres personnes produire des sons à chaque fois qu'elles expirent, parce que ces sifflements et ces couinements contiennent des *informations* ». « Et grâce à tous ces drôles de sons créés dans nos têtes par des ondes de pression d'air, on obtient l'attention des gens. Nous arrivons à leur faire faire quelque chose. Nous entretenons des relations » (Guérin, 2003). Selon la façon dont vibre l'air lorsque nous ouvrons notre bouche, nous pouvons recevoir une tape ou un baiser.

Mais le **langage** est bien plus que de l'air qui vibre. Lorsque je créais ce paragraphe (DM), mes doigts sur le clavier généraient des nombres binaires électroniques qui étaient traduits en lignes d'imprimés sur la page que vous lirez. Lorsqu'ils sont transmis par les rayons de la lumière qui se réfléchissent sur votre rétine, ces gribouillis imprimés activent des influx nerveux informes qui se projettent sur plusieurs aires de votre cerveau qui intègrent l'information, la comparent aux informations stockées et en décodent la signification. Grâce au langage, cette information passe de mon cerveau au vôtre. Les singes connaissent surtout ce qu'ils voient. Grâce au langage (parlé, écrit, ou gestuel), nous savons bien plus de choses que nous ne pouvons en voir et que nos ancêtres n'ont jamais apprises. Aujourd'hui, remarque Daniel Gilbert (2006) « Un banal chauffeur de taxi de Pittsburg en sait plus sur l'univers que Galilée, Aristote ou Léonard de Vinci, ou que tous ces autres hommes qui étaient si intelligents qu'ils avaient simplement besoin d'un nom. »

Pour Pinker (1990), le langage est le « joyau sur la couronne de la pensée ». Si vous n'étiez capable de retenir qu'une seule capacité cognitive, prenez le langage, suggère le chercheur Lera Boroditsky (2009). Sans la vue ou l'audition, vous pouvez encore avoir des amis, une famille, un travail. Mais sans langage, le pourriez-vous ? « Le langage est si fondamental pour nos expériences, est si profondément ancré dans l'être humain, qu'il est difficile d'imaginer de vivre sans. »

Le langage transmet la culture Les mots, qu'ils soient parlés, écrits ou exprimés par signes (la communication sans fil originale), permettent le transfert des informations d'un esprit à l'autre et, de ce fait, la transmission des connaissances de la civilisation qui ont été accumulées d'une génération à l'autre.

M. Spencer Vert/AP Photo

Structure du langage

9-8 Quelles sont les unités structurales de base d'un langage ?

Pensez à la façon dont nous pourrions inventer un langage. Pour un langage parlé, nous aurions besoin de trois éléments constitutifs.

- Les **phonèmes** représentent les plus petits sons distinctifs d'un langage. Pour dire *but* nous prononçons le son des phonèmes *b*, *u* et *t*. Les phonèmes sont différents des lettres pour dire *Phare* nous utilisons trois phonèmes – *f*, *a*, et *r*. Les linguistes, qui ont étudié près de 500 langages, ont identifié 869 phonèmes différents dans le langage humain, mais aucun langage ne les utilise tous (Holt, 2002 ; Maddieson, 1984). L'anglais en utilise environ 40 ; d'autres langues peuvent en avoir entre la moitié et le double. Généralement, les phonèmes consonantiques sont porteurs de plus d'informations que les voyelles. *Le verete de cette affermetion appereit evedente dens cette breve demenstretien.*

- Les **morphèmes** sont les unités élémentaires ayant une signification. En anglais, quelques morphèmes sont aussi des phonèmes – le pronom personnel *I* et l'article *a* par exemple (comme en français *à* et *y* par exemple). Mais la plupart sont formés par la combinaison de deux ou plusieurs phonèmes. Certains morphèmes, comme *battre* ou *doux*, sont des mots. Mais d'autres, comme le préfixe *pré-* de *prédire* ou le suffixe *-ait* de *l'imparfait*, constituent seulement une partie d'un mot.

Langage mots parlés, écrits ou mimés et façons dont nous les combinons pour transmettre une signification.

Phonème dans une langue, la plus petite unité portant un son distinctif.

Morphème dans une langue, la plus petite unité porteuse de sens ; peut-être un mot ou une partie d'un mot (comme un préfixe).

Grammaire système de règles qui nous permet de communiquer avec les autres. Dans une langue donnée, la *sémantique* est l'ensemble des règles permettant de déduire un sens à partir de sons, et la *syntaxe* est l'ensemble des règles permettant de combiner les mots en phrases grammaticalement sensées.

- La **grammaire** représente un système de règles qui nous permet de communiquer avec les autres. Ces règles grammaticales nous permettent de déduire la signification des sons (*sémantique*) et d'ordonner les mots dans la phrase (*syntaxe*).

Comme la vie, qui est construite à partir du code génétique simple formé d'un alphabet de quatre lettres, la complexité du langage repose sur quelque chose de simple. En anglais, par exemple, les phonèmes qui sont en nombre relativement petit, environ 40, peuvent être combinés pour former plus de 100 000 morphèmes, qui seuls ou en combinaison aboutissent aux 616 500 mots contenus dans l'*Oxford English Dictionary*. Nous pouvons ensuite utiliser ces mots pour créer un nombre pratiquement infini de phrases, dont la plupart (comme celle-ci) sont originales. Je sais que vous savez pourquoi je m'inquiète du fait que vous pensez que cette phrase commence à devenir trop compliquée, mais cette complexité – notre capacité à la communiquer et à la comprendre – nous permet de mettre l'accent sur les capacités du langage humain (Hauser et al., 2002 ; Premack, 2007).

« Eye dew. »

EXERCICE RÉCAPITULATIF

- Combien de morphèmes se trouvent dans le dans le mot « *livre* » ? Combien de phonèmes ?

Réponses : un morphème : *livre*, et quatre phonèmes : l, i, v, re.

Développement du langage

9-9 Quelles sont les étapes du développement du langage, et comment se fait l'acquisition d'une langue ?

Faites une évaluation rapide : combien de mots, de votre langue maternelle, avez-vous appris en moyenne chaque jour au cours des années allant de votre premier anniversaire jusqu'à votre diplôme universitaire ? Bien que vous n'utilisiez que 150 mots pour dire environ la moitié de ce que vous dites, vous avez probablement appris 60 000 mots (Bloom, 2000 ; McMurray, 2007). Cela fait en moyenne (à partir de 2 ans) environ 3 500 mots appris par an ou 10 par jour ! Comment avez-vous réussi cela ? Comment les 3 500 mots que vous avez appris par an peuvent-ils dépasser à ce point les 200 mots (environ) par an que vos professeurs vous ont appris sciemment ?

Cela reste l'un des grands mystères de l'humanité. Pouvez-vous énoncer toutes les règles de syntaxe de votre langue maternelle (la manière correcte d'ordonner les mots l'un après l'autre pour former des phrases) ? La plupart d'entre nous ne le peuvent pas. Cependant, avant de savoir additionner 2 + 2, vous pouviez créer vos propres phrases originales et grammaticalement correctes. Lorsque vous étiez en âge préscolaire vous compreniez et parliez avec une facilité qui fait honte à un étudiant de collège peinant pour apprendre une langue étrangère.

En tant qu'humain nous avons une facilité étonnante pour le langage. Avec une aisance remarquable, nous pouvons rechercher des dizaines de milliers de mots dans notre mémoire et les combiner sans le moindre effort, selon une syntaxe quasi parfaite, puis prononcer trois mots par seconde (Vigliocco et Hartsuiker, 2002). Il est rare que vous formiez les phrases dans votre esprit avant de les dire. Elles s'organisent plutôt elles-mêmes à mesure que nous parlons. Et pendant que nous faisons cela, nous adaptons également notre langage à notre contexte social et culturel, suivant des règles pour parler (*à quelle distance nous devons nous tenir ?*) et pour écouter (*est-ce OK si j'interromps maintenant ?*). Étant donné le nombre de façons qu'il y a de tout mélanger, c'est extraordinaire que nous maîtrisions ce ballet social. Ainsi, quand et comment cela se produit-il ?

Quand apprenons-nous le langage ?

Langage réceptif Le développement du langage des enfants va de la simplicité vers la complexité. Les enfants débutent leur vie sans le langage (*in fantis* signifie « qui ne parle pas »). Cependant, à 4 mois, les bébés peuvent différencier les sons du langage (Stager et Werker, 1997). Ils peuvent lire sur les lèvres. Ils préfèrent regarder un visage qui correspond à un son particulier, et nous savons qu'ils peuvent reconnaître que *ah* est formé par des lèvres largement ouvertes et que *i* est formé par une bouche dont les coins sont tirés vers l'arrière (Kuhl et Meltzoff, 1982). Cela marque le commencement du développement du *langage réceptif* du bébé, sa capacité à comprendre ce qu'on lui dit et ce qu'on dit sur lui. La compréhension du langage par les nourrissons dépasse considérablement sa production. Même à 6 mois, donc longtemps avant

Jaimie Duplass/Shutterstock

Stade du babillage à partir de 4 mois environ, stade de développement du langage au cours duquel l'enfant articule spontanément différents sons qui, au début, ne reflètent pas la langue maternelle.

Stade du mot-phrase stade du développement du langage apparaissant à l'âge de 1 à 2 ans environ, au cours duquel un enfant parle en prononçant principalement des mots simples.

Stade des phrases à deux mots débutant à l'âge de 2 ans environ, stade de développement du langage au cours duquel un enfant parle surtout par phrases construites avec deux mots.

Langage télégraphique stade de développement du langage au cours duquel un enfant parle comme on rédigeait autrefois un télégramme, « aller voiture », en utilisant principalement les noms et les verbes.

« Avoir idée. Parler mieux. Combiner mots. Faire phrases. »

de parler, de nombreux nourrissons reconnaissent des noms d'objets (Bergelson & Swingley, 2012, 2013). À 7 mois et au-delà, les bébés développent la faculté de faire ce que vous et moi trouvons difficile lorsque nous écoutons un langage non familier : segmenter les sons parlés en mots individuels.

Langage productif Longtemps après les débuts du langage réceptif, bébés vont acquérir un *langage productif*, la capacité à produire des mots. Ils reconnaissent les différences nom/verbe, comme on peut le voir à leurs réponses lors d'une mauvaise position syntaxique du nom ou du verbe, avant qu'ils ne prononcent des phrases contenant des noms et des verbes (Bernal et al., 2010).

Avant même que l'environnement ne modèle le langage du bébé, la nature lui offre une vaste gamme de sons possibles aux alentours de 4 mois, lorsqu'il entre dans le **stade du babillage**. Une grande partie des phonèmes babillés naturellement par l'enfant est constituée de paires de consonnes et de voyelles, produites par la simple projection de la langue vers l'avant de la bouche (*da-da, na-na, ta-ta*) ou par le mouvement des lèvres (*ma-ma*), des gestes naturels que font les bébés pour se nourrir (MacNeilage et Davis, 2000). Le babillage des bébés n'imite pas le discours des adultes qu'ils entendent. Le babillage comprend des sons provenant de diverses langues. Il n'est pas possible pour un auditeur de déterminer à partir de ce babillage si l'enfant est français, coréen ou éthiopien. Les enfants sourds qui observent leurs parents sourds parler avec les mains commencent plus souvent à babiller avec les leurs. (Petitto et Marentette, 1991).

À l'âge de 10 mois environ, le babillage de l'enfant a évolué et une oreille entraînée peut identifier sa langue maternelle (de Boysson-Bardies et al., 1989). S'ils ne sont pas exposés à d'autres langues, les bébés perdent leur capacité à entendre et à prononcer les sons et les intonations étrangers à leur langue maternelle (Meltzoff et al., 2009 ; Pallier et al., 2001). Ainsi, à l'âge adulte, ceux qui parlent seulement l'anglais ne peuvent pas identifier certains sons du parler japonais. Les adultes japonais adultes sans apprentissage de l'anglais ne peuvent entendre la différence entre les sons anglais *r* et *l*. Ainsi, un adulte japonais qui entend les syllabes *la-la-ra-ra* pense que ce sont les mêmes syllabes qui sont répétées. Un touriste japonais à qui l'on indique que la gare est : « just after the next light » (« juste après le prochain lampadaire »), pourra se demander : « The next what ? After the street veering right, or farther down, after the traffic light ? » (« Le prochain quoi ? Je tourne à droite après la rue, ou alors un peu plus bas après le feu rouge ? »)

Aux environs du premier anniversaire (l'âge exact varie selon les enfants), la plupart des enfants passent au stade du **mot-phrase**. Ayant déjà appris que les sons véhiculaient une signification, et s'il est entraîné de façon répétée à associer, par exemple, *poisson* avec l'image d'un poisson, un enfant de 1 an regardera vers un poisson lorsqu'un chercheur dira « poisson, poisson ! Regardez le poisson ! » (Schafer, 2005). Il commence aussi à utiliser les sons – en général une seule syllabe difficilement reconnaissable – *pa* ou *ma* pour communiquer quelque chose. Mais les membres de la famille apprennent rapidement à comprendre le langage de l'enfant qui, progressivement, se conforme de plus en plus au langage de la famille. Partout dans le monde, les premiers mots d'un bébé sont souvent des noms qui désignent des objets ou des gens (Tardif et al., 2008). À ce stade du mot-phrase, l'inflexion d'un mot peut équivaloir à une phrase : « *toutou !* » peut signifier « *regarde le chien qui est là-bas !* »

Vers 18 mois, leur apprentissage des mots augmente de façon exponentielle, il passe d'un mot par semaine à un mot par jour. Vers leur deuxième anniversaire, la plupart accèdent au stade d'une **phrase à deux mots** (TABLEAU 9.1). Ils commencent à prononcer des phrases de deux mots en **langage télégraphique**. Comme les anciens télégrammes (TRANSACTION ACCEPTÉE. ENVOYEZ ARGENT) ou nos textos, le langage d'un enfant de 2 ans contient surtout des noms et des verbes (*Veux jus*). Comme les télégrammes, il suit des règles de syntaxe ; l'arrangement des mots se fait selon un ordre qui a du sens. L'enfant parlant anglais prononce la plupart du temps les adjectifs avant les noms : « *blanche maison* » plutôt que « *maison blanche* ». Les Espagnols font le contraire comme dans « *casa blanca* ».

Une fois que les enfants sont sortis du stade des phrases de deux mots, ils commencent rapidement à prononcer des phrases plus longues (Fromkin et Rodman, 1983). S'ils ont pris du retard dans l'apprentissage d'un langage particulier, par exemple après avoir reçu un implant cochléaire ou avoir été adopté à l'extérieur de leur pays, leur langage se développe également selon la même

▼ TABLEAU 9.1
Résumé du développement du langage

Âge en mois (approximatif)	Étape
4	Le babillage est un discours fait de sons (« ah-reu »)
10	Le babillage révèle la langue maternelle (« pa-pa »)
12	Stade du mot phrase ou phrase d'un mot (« chat ! »)
24	Stade de la phrase de deux mots (« donne balle »)
24+	Développement rapide du langage en phrases complètes

séquence, bien qu'elle soit généralement plus rapide (Ertmer et al., 2007 ; Snedeker et al., 2007). Au début de l'école primaire, l'enfant comprend des phrases complexes et commence à apprécier l'humour véhiculé par les doubles sens : « Regarde sur ton berceau comme c'est beau, une mère-veille. »

EXERCICE RÉCAPITULATIF

- Quelle est la différence entre langage *réceptif* et langage *productif*, et à quel moment les enfants franchissent-ils ces étapes du langage ?

Réponse : Chez les bébés le premier stade du développement est celui du *langage réceptif*. Ces compétences, capacité à comprendre ce qui se dit à leur sujet, s'installent à l'âge de 4 mois environ. Puis, 4 mois plus tard le babillage des nourrissons est le début de l'acquisition du langage productif (capacité à produire des sons et éventuellement mots).

Explication du développement du langage

Les 6 000 langues environ connues dans le monde ont des structures très différentes (Evans et Levinson, 2009). Le linguiste Noam Chomsky considère néanmoins que tous les langages partagent certains éléments fondamentaux qu'il a appelés *la grammaire universelle*. Tous les langages humains par exemple, sont constitués de blocs de construction grammaticaux formés de noms, de verbes et d'adjectifs. De plus, nous dit Chomsky, les hommes sont nés avec une prédisposition innée à apprendre les règles de grammaire, ce qui permet d'expliquer pourquoi les enfants d'âge préscolaire apprennent si facilement le langage et utilisent aussi bien les règles de grammaire. Cela se produit si naturellement – aussi naturellement que les oiseaux apprennent à voler – que l'entraînement n'est pas d'une grande aide.

Nous ne sommes pas nés avec une prédisposition *spécifique* à l'apprentissage d'une langue et les langues sont beaucoup plus diversifiées que l'idée de la grammaire universelle nous le ferait penser (Bergen, 2014 ; Ibbotson, 2012). Les Européens et les populations indigènes d'Australie et de Nouvelle-Zélande, bien que séparés de 50 000 années peuvent facilement apprendre la langue de l'autre (Chater et al., 2009). Et quel que soit le langage avec lequel nous sommes en contact en tant qu'enfant, qu'il soit parlé ou gestuel, nous apprenons tous facilement sa grammaire et son vocabulaire spécifique (Bavelier et al., 2003). Et peu importe la langue, nous commençons surtout à parler à l'aide de noms (*chat, pa-pa*) plutôt qu'avec des verbes ou des adjectifs (Bornstein et al., 2004). La biologie et l'expérience travaillent de concert.

Aspect statistique de l'apprentissage Quand les adultes entendent une langue qui ne leur est pas familière, les syllabes ne semblent pas se dissocier les unes des autres. Un jeune couple de soudanais venant d'arriver en Amérique du Nord et qui n'est pas familiarisé avec la langue anglaise peut, par exemple, mal entendre United Nations (*Nations unies*) et le comprendre comme « Uneye Tednay Shuns ». À l'inverse, leur jeune fille âgée de 7 mois n'aura pas ce problème. Les très jeunes enfants présentent une capacité remarquable à apprendre les aspects statistiques du discours humain. (Aslin & Newport, 2012 ; Werker et al., 2012). Leur cerveau peut non seulement discerner les coupures de mots mais aussi analyser statistiquement les syllabes qui sont le plus souvent associées comme pour « hap-py-ba-by ». Après avoir entendu une voix produite par ordinateur qui récitait sur un ton monotone et sans interruption une liste de syllabes n'ayant aucun sens (*bidakupadotigolabubidaku…*) juste pendant deux minutes, des enfants de 8 mois étaient capables de reconnaître (comme le montrait leur attention) les séquences de trois syllabes qui revenaient le plus souvent (Saffran et al., 1996, 2009).

Des recherches ultérieures ont apporté la preuve de la surprenante capacité des enfants à emmagasiner le langage. Les enfants de 7 mois, par exemple, peuvent apprendre des structures de phrases simples. Après avoir entendu à maintes reprises des séquences de syllabes suivant la même règle, telle que *ga-ti-ga et li-na-li* (structure ABA), ils écoutent plus longtemps les syllabes ayant une séquence différente, telle que *wo-fe-fe* (une structure ABB) plutôt que la séquence *wo-fe-wo*. Le fait qu'ils puissent détecter la différence entre les deux structures montre que les bébés naissent avec une aptitude innée à l'apprentissage des règles de grammaire (Marcus et al., 1999).

Susan Meiselas/Magnum Photos

Création d'une langue Réunis comme s'ils étaient sur une île déserte (en fait, ils sont dans une école), les jeunes enfants sourds du Nicaragua ont, au fil du temps, en puisant dans les gestes et signes utilisés, créé leur propre langage des signes nicaraguayens. Son vocabulaire est élaboré et sa grammaire est complexe. Notre prédisposition biologique pour le langage n'implique pas son acquisition *ex nihilo*. Elle provient de l'activation, par les interactions sociales, des prédispositions innées et acquises qui travaillent de concert (Osborne, 1999 ; Sandler et al., 2005 ; Senghas & Coppola, 2001).

Purestock/Agefotostock

Un talent naturel Les enfants viennent au monde avec une remarquable capacité à assimiler le langage. Mais la langue qu'ils apprennent reflétera leurs interactions uniques avec les autres.

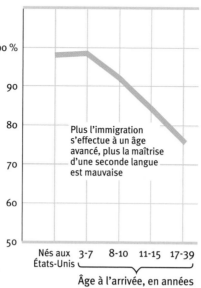

Pourcentage
de réponses correctes
au test de grammaire

Plus l'immigration
s'effectue à un âge
avancé, plus la maîtrise
d'une seconde langue
est mauvaise

Nés aux   3-7   8-10   11-15   17-39
États-Unis

Âge à l'arrivée, en années

▼ FIGURE 9.9
Notre capacité à apprendre une nouvelle langue diminue avec l'âge Dix ans après leur arrivée aux États-Unis, des immigrants asiatiques ont été soumis à un test de grammaire anglaise. Bien qu'il n'y ait pas de période critique bien définie pour apprendre une seconde langue, ceux qui étaient arrivés avant l'âge de 8 ans comprirent la grammaire anglaise aussi bien que ceux dont c'est la langue maternelle. Ceux qui avaient émigré plus tard ne l'avaient pas assimilée. (Données de Johnson & Newport, 1991.)

« L'enfance est le temps propice à l'apprentissage du langage ; Il n'y a aucun doute à ce sujet. Les jeunes enfants excellent dans ce domaine. Plus ils sont jeunes, plus c'est aisé pour eux ; c'est un jeu d'enfant. Un don éphémère fait à notre espèce. »

Lewis Thomas, *The Fragile Species*, 1992

« Les enfants peuvent apprendre plusieurs langues sans accent et avec une bonne grammaire s'ils sont exposés à la langue avant la puberté. Mais après la puberté, il est très difficile d'apprendre une deuxième langue aussi bien. De même, quand je suis allé au Japon, on m'a dit de ne même pas essayer de me courber pour saluer, car il y avait environ une douzaine de façons de le faire et que je le ferais toujours avec mon accent. »

Stephen M. Kosslyn, psychologue, « The World in the Brain », 2008

Période critique Pouvons-nous entraîner des adultes à effectuer ce même exploit d'analyse statistique plus tard dans leur vie ? Beaucoup de chercheurs pensent que non. L'enfance semble représenter une *période critique* (ou « sensible ») pour la maîtrise de certains aspects du langage avant que la fenêtre opportune de l'apprentissage du langage ne se ferme (Hernandez et Li, 2007). Les adultes qui apprennent une seconde langue parlent en général avec l'accent de leur langue maternelle. Apprendre la grammaire est encore plus difficile. Lors d'une expérience, des chercheurs ont demandé à des immigrés chinois et coréens de déterminer pour 276 phrases (« *Hier le chasseur tue un cerf* ») si elles étaient grammaticalement correctes ou non (Johnson et Newport, 1991). Certains avaient immigré dans leur enfance, d'autres à l'âge adulte mais tous les participants avaient passé environ dix ans aux États-Unis. Cependant, comme le montre la **FIGURE 9.9**, ceux qui avaient appris leur deuxième langue plus tôt l'avaient mieux apprise. Plus la personne est âgée au moment où elle émigre dans un nouveau pays, plus il lui est difficile d'apprendre la nouvelle langue et de s'imprégner de la culture (Cheung et al., 2011 ; Hakuta et al., 2003).

La fenêtre de l'apprentissage d'une langue se ferme peu à peu au cours de la petite enfance. Une exposition au langage plus tardive que la normale (vers l'âge de 2 ou 3 ans) déchaîne la capacité non utilisée d'acquisition d'un langage, et la nouvelle langue est adoptée rapidement. Mais vers 7 ans les enfants n'ayant pas été exposés à une langue, parlée ou gestuelle, perdent petit à petit leur capacité à maîtriser *n'importe quel* langage.

Surdité et développement du langage

L'impact des expériences précoces est également évident pour l'apprentissage du langage chez les enfants sourds[5] nés de parents entendants et ne parlant pas par signes, avant le stade d'apprentissage En général, ces enfants n'auront pas d'expérience du langage pendant leurs premières années. Un enfant né sourd qui apprend la langue des signes après l'âge de 9 ans ne le fait jamais aussi bien que celui qui devient sourd à l'âge de 9 ans après avoir appris l'anglais. Il n'apprendra pas l'anglais aussi bien que les enfants nés sourds qui ont appris la langue des signes dans l'enfance (Mayberry et al., 2002). Ceux qui ont appris le langage des signes durant leur adolescence ou à l'âge adulte sont comme des immigrants qui ont appris l'anglais après l'enfance. Ils peuvent maîtriser les mots de base et leur agencement, mais ils ne deviennent jamais aussi habiles, pour comprendre et faire passer des différences grammaticales subtiles, que ceux qui ont parlé par signes dès la naissance (Newport, 1990). De plus, les individus ayant eu un apprentissage tardif présentent une activité cérébrale moindre dans les zones de leur hémisphère droit qui sont actives quand les personnes ayant appris le langage des signes dès la naissance lisent ce langage (Newman et al., 2002). Comme la croissance d'une fleur est stoppée par l'absence d'éléments nutritifs, les enfants sont également bloqués sur le plan linguistique s'ils sont isolés du langage pendant la période critique nécessaire à son acquisition.

Plus de 90 % des enfants sourds naissent de parents entendants. La plupart d'entre eux souhaitent offrir à leurs enfants cette ouverture sur le monde des sons et de la parole. Les implants cochléaires : appareil permettant de transformer les sons en signaux électriques et ainsi stimuler le nerf auditif par le biais d'électrodes implantées dans la cochlée de l'enfant. Mais s'ils veulent que l'implant aide leur enfant à acquérir des compétences en communication verbale, ils ne peuvent retarder l'opération jusqu'à ce que l'enfant atteigne l'âge de donner son consentement. La pose des implants cochléaires chez les enfants fait l'objet de débats houleux. Les partisans de la culture des Sourds s'opposent à l'utilisation des implants chez les enfants sourds avant l'apprentissage de la parole. L'Association nationale des sourds, par exemple, soutient que la surdité n'est *pas* un

---

5. Les défenseurs de la culture sourde préfèrent écrire « Sourd » avec une capitale lorsque l'on parle des personnes qui s'identifient à la culture sourde.

handicap parce que les sujets sourds de naissance ne sont finalement pas désavantagés au plan linguistique. Il y a plus de cinq décennies, linguiste de l'Université Gallaudet William Stokoe (1960) a montré que la langue des signes est une langue à part entière avec sa propre grammaire, sa sémantique.

Certains partisans de la culture des Sourds prétendent que la surdité pourrait aussi bien être considérée comme une « amélioration de la vision » que comme un « déficit de l'audition ». Fermez vos yeux et vous noterez vous aussi immédiatement que votre attention est attirée vers vos autres sens. Au cours d'une expérience, des sujets qui avaient passé quatre-vingt-dix minutes assis tranquillement avec un bandeau sur les yeux les empêchant de voir localisaient plus précisément les sons (Lewald, 2007). Lorsqu'ils s'embrassent, les amoureux éliminent toute distraction en fermant les yeux, ce qui augmente leur sensibilité au toucher.

Les gens qui perdent un sens compensent cette perte par une légère amélioration de leurs autres capacités sensorielles (Backman et Dixon, 1992 ; Levy et Langer, 1992). Les musiciens aveugles sont plus susceptibles que ceux qui voient de développer une perception parfaite de la hauteur tonale (l'oreille absolue) (Hamilton, 2000). De même, avec une oreille bouchée, les personnes aveugles arrivent mieux à détecter une source sonore que les personnes voyantes (Gougoux et al., 2005 ; Lessard et al., 1998). Et lorsqu'ils lisent le Braille, qui nécessite la perception sensorielle du toucher, cette puissance de traitement vient de celle du cortex visuel non fonctionnel (Amedi et al., 2003).

Chez les chats sourds, les régions cérébrales normalement utilisées pour entendre se consacrent d'elles-mêmes au système visuel (Lomber et al., 2010). De même, les personnes qui sont sourdes depuis la naissance font bien plus attention à leur vision périphérique (Bavelier et al., 2006). Leur cortex auditif privé de stimulation sensorielle reste largement intact et finit par réagir au sens du toucher et de la vue (Karns et al., 2012). Une fois que ses ressources ont été redistribuées, le cortex auditif devient moins disponible pour l'audition, ce qui explique pourquoi les implants cochléaires sont les plus efficaces lorsqu'ils sont mis en place avant l'âge de 2 ans (Geers & Nicholas, 2013 ; Niparko et al., 2010).

Vivre dans un monde silencieux Dans le monde, 360 millions de personnes vivent avec une surdité incapacitante (OMS, 2013). Certains ont une surdité profonde ; d'autres (plus d'hommes que de femmes) ont une perte auditive (Agrawal et al., 2008). Certains étaient déjà sourds avant de parler (avant de développer le langage) ; d'autres ont connu le monde de l'audition. Certains communiquent avec la langue des signes et s'identifient linguistiquement à la culture sourde ; d'autres, particulièrement ceux qui sont devenus sourds après avoir acquis la langue orale, sont ainsi nommés « oralistes » et conversent avec les entendants par le biais de la lecture sur les lèvres ou de notes écrites. D'autres encore appartiennent à ces deux cultures.

Les défis de la vie sans audition peuvent être plus grands pour les enfants. Incapables de communiquer par les moyens habituels, les enfants s'exprimant par signe peuvent avoir du mal à coordonner leur jeu avec les enfants qui parlent. Les résultats scolaires peuvent également en souffrir : les matières académiques sont enracinées dans le langage *parlé*. Les adolescents peuvent se sentir socialement exclus, avec pour conséquence une perte de confiance en soi. Les enfants qui ont grandi avec d'autres sourds s'identifient davantage à leur culture et ont une estime positive d'eux-mêmes. Élevés dans une maison où l'on communique par signes, que ce soit par des parents sourds ou entendants, les enfants sourds se sentent souvent mieux acceptés et ont une meilleure estime d'eux-mêmes (Bat-Chava, 1993, 1994).

Les adultes dont l'audition décline sont également confrontés à des difficultés. Lorsque les personnes âgées malentendantes doivent déployer des efforts pour entendre les mots, il leur reste moins de capacités cognitives disponibles pour s'en souvenir et les comprendre (Wingfield et coll., 2005). Au cours de plusieurs études, les personnes malentendantes, en particulier lorsqu'elles ne portent pas d'appareil auditif, se décrivent également comme étant plus tristes, moins socialement engagées et subissent plus souvent l'irritation des autres (Chisolm et al., 2007 ; Fellinger et al., 2007 ; *National Council on Aging*, 1999). Ils peuvent ressentir une sorte de timidité. « C'est presque universel chez les sourds que de vouloir créer le moins d'ennuis possible aux entendants », note Henry Kisor (1990, p. 244), éditeur et éditorialiste d'un journal de Chicago, devenu sourd à l'âge de 3 ans. « Nous pouvons nous effacer et être timides jusqu'à en devenir invisibles. Cette tendance peut parfois être paralysante et je dois tout le temps lutter contre elle. » Helen Keller, sourde et aveugle, remarquait : « La cécité coupe les gens des choses. La surdité les coupe de leurs semblables. »

Non signifie *Non* peu importe comment vous le dites ! Les enfants sourds nés de parents sourds parlant la langue des signes, et les autres enfants ont énormément de choses en commun. Ils développent des compétences linguistiques à peu près au même rythme, et ils sont tout aussi capables de s'opposer aux souhaits de leurs parents et choisir leur propre voie.

Amélioration de l'audition

Aphasie trouble du langage, impossibilité de traduire une idée par des mots. Elle est généralement causée par des lésions de l'hémisphère gauche, soit de l'aire de Broca (altération de l'expression motrice du langage) ou de l'aire de Wernicke (altération de la compréhension).

Aire de Broca contrôle de l'expression du langage. Zone corticale se situant dans le lobe frontal de l'hémisphère gauche le plus souvent, qui dirige les mouvements des muscles de la parole.

Aire de Wernicke contrôle de la réception du langage. Zone corticale impliquée dans la compréhension et l'expression du langage ; habituellement située dans le lobe temporal gauche.

Je [DM] connais bien le problème. Ma mère, avec laquelle nous communiquions en écrivant des petits mots sur une « ardoise magique » effaçable, a passé les douze dernières années de sa vie dans un monde de silence, s'étant depuis longtemps affranchie du stress et de la contrainte d'essayer de communiquer avec les gens en dehors d'un petit cercle de famille et de vieux amis. Avec ma propre audition qui décline maintenant selon une trajectoire qui va rejoindre la sienne, je me surprends à m'asseoir devant et au milieu dans des salles de conférences ou au théâtre, à chercher des coins tranquilles dans les restaurants, à demander à ma femme de passer les coups de téléphone nécessaires à des amis dont l'accent diffère du nôtre et à utiliser une nouvelle technologie, qui lorsque je presse sur un bouton, transforme mon appareil auditif en un haut-parleur interne qui me transmet les sons issus du téléphone, de la télévision et des discours publics (*voir* hearingloop.org). Mais la plus grande frustration survient lorsque, avec ou sans appareil auditif, je ne peux entendre une plaisanterie qui fait rire tout le monde autour de moi ; lorsque, après des essais répétés, je ne peux même pas saisir la question de cette personne exaspérée et que je ne peux pas m'en sortir en bluffant ; lorsque les membres de ma famille renoncent et disent « laisse tomber » après avoir essayé trois fois de me dire une chose sans importance.

Au fur et à mesure que ma mère vieillissait, elle en vint à penser que la recherche des interactions sociales ne valait pas la peine qu'on se donnait. Cependant, je partage l'avis de l'éditorialiste Kisor, selon lequel la communication en vaut la peine (p. 246) : « Donc… je serre les dents et je fonce. » Entrer en contact, essayer d'atteindre et de communiquer avec les autres, même à travers un gouffre de silence, c'est affirmer notre humanité en tant qu'être social.

EXERCICE RÉCAPITULATIF

- Quelle a été la prémisse du travail de chercheur Noam Chomsky dans le développement de la langue ?

Réponse : Chomsky a soutenu que toutes les langues partagent une grammaire universelle, et les humains sont biologiquement prédisposés à apprendre les règles de grammaire de la langue.

- Pourquoi est-il si difficile d'apprendre une nouvelle langue à l'âge adulte ?

Réponse : La *période critique* de l'apprentissage des langues se situe dans l'enfance, quand nous pouvons assimiler la structure de la langue presque sans effort. Alors que nous franchissons cette étape du développement et de la maturation de notre cerveau, notre capacité à apprendre une nouvelle langue diminue considérablement.

Cerveau et langage

9-10 **Quelles sont les zones corticales impliquées dans le traitement du langage et de la parole ?**

Nous pensons que parler et lire, écrire et lire, ou chanter et parler sont essentiellement des exemples différents d'une même capacité globale, le langage. Mais considérez cette curieuse découverte : **l'aphasie**, une altération de l'usage du langage, peut être provoquée par une lésion de diverses aires corticales. Cela est d'autant plus curieux que certaines personnes aphasiques peuvent parler aisément, mais sont incapables de lire (en dépit d'une bonne vision), alors que d'autres peuvent comprendre ce qu'elles lisent, mais sont incapables de parler. D'autres peuvent écrire, mais ne peuvent pas lire, lire mais pas écrire, lire les chiffres, mais pas les lettres ou encore chanter, mais pas parler. Ces cas suggèrent que le langage est complexe et que différentes régions du cerveau doivent servir à différentes fonctions du langage.

En effet, en 1865, le médecin français Paul Broca montra qu'après la lésion d'une aire particulière du lobe frontal gauche (qui fut ensuite appelée **aire de Broca**), une personne avait de grandes difficultés *à former* des mots, alors qu'elle était capable de chanter des chansons familières et de comprendre ce qu'on lui disait.

En 1874, le chercheur allemand Carl Wernicke découvrit qu'après la lésion d'une zone particulière du lobe temporal gauche (**aire de Wernicke**), une personne pouvait encore parler, mais prononçait des mots sans signification. Un patient, à qui l'on demandait de décrire une image montrant deux enfants en train de voler des gâteaux dans le dos d'une femme, répondit : « La mère est partie travailler son travail pour être mieux, mais quand elle regarde les deux garçons, elle regarde de l'autre côté. Elle travaille de nouveau. » (Geschwind, 1979). Les lésions de l'aire de Wernicke empêchent également la compréhension.

Les neurosciences modernes ont confirmé l'activité cérébrale dans les aires de Broca et de Wernicke au cours du traitement du langage (**FIGURE 9.10**). Les fonctions du langage sont réparties également dans d'autres régions cérébrales. Des IRMf révèlent que différents réseaux de neurones sont activés par les noms et les verbes ou par les objets et les actions ; par différentes voyelles ; ou par la lecture d'histoires d'expériences visuelles ou d'expériences motrices (Shapiro et al., 2006 ; Speer et al., 2009). Différents réseaux neuronaux permettent également d'apprendre la langue maternelle et une seconde langue (Perani et Abutalebi, 2005).

« C'est la façon dont les systèmes interagissent et présentent une interdépendance dynamique qui inspire du respect, tant que nous n'avons pas perdu tout sens du merveilleux. »

Simon Conway Morris, « The Boyle Lecture », 2005

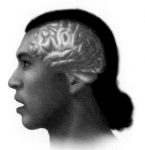
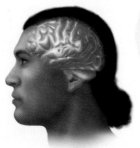

(a)
Dire des mots
(aire de Broca
et cortex moteur)

(b)
Entendre des mots
(cortex auditif
et aire de Wernicke)

▼ FIGURE 9.10
Activité corticale lors de la parole
et de l'audition

Ainsi, le point important à retenir est : dans le traitement du langage, comme dans les autres formes de traitement de l'information, le cerveau opère en divisant ses fonctions mentales (parler, percevoir, penser, se souvenir) en sous-fonctions. Votre expérience consciente de la lecture de cette page *semble* être indivisible. Cependant de nombreux réseaux neuronaux différents agissent de concert pour analyser la forme, le son, et le sens de chaque mot et en faire une synthèse pour la compréhension globale (Posner & Carr, 1992). Des zones cérébrales différentes traitent les informations sur *qui* a parlé et sur *ce qui* a été dit (Perrachione et al., 2011). Nous avons vu cette répartition des tâches corticales au Chapitre 6, dans le paragraphe traitant de la vision. Le cerveau décompose la vision en sous-tâches spécialisées, comme le discernement de la couleur, de la profondeur, du mouvement et de la forme. Et pour la vision comme pour le langage, un traumatisme localisé qui détruit l'une de ces populations de neurones peut entraîner chez les gens la perte de l'un des aspects du traitement. Concernant la vision, un accident vasculaire cérébral peut détruire la capacité de percevoir le mouvement mais pas celle de la perception des couleurs. Lors du traitement du langage, un accident vasculaire cérébral peut annuler la capacité de parler distinctement sans toucher à la capacité de lire. Ce que vous sentez comme un flux de perception constant et indivisible n'est en fait que l'extrémité visible de l'iceberg des subdivisions du traitement de l'information. *E pluribus unum* : Tous pour un.

EXERCICE RÉCAPITULATIF

- _____ _____ est la partie du cerveau qui, si elle est endommagée, pourrait altérer votre capacité à *prononcer* les mots. La lésion de _____ _____ pourrait altérer votre compréhension du langage.

Réponses : aire de Broca ; aire de Wernicke

Existe-t-il d'autres espèces dotées d'un langage ?

9-11 Que savons-nous sur la capacité des autres animaux à acquérir et à utiliser un langage ?

Les hommes ont longtemps proclamé fièrement que le langage les plaçait bien au-dessus de tous les autres animaux. « Lorsque nous étudions le langage humain », affirme le linguiste Noam Chomsky (1972), « nous approchons de ce que l'on pourrait appeler l'"essence de l'homme", les qualités de l'esprit qui sont, pour autant que nous le sachions, uniques [à l'homme]. » Voyons si la recherche sur le langage des animaux soutient cette affirmation, à savoir que l'espèce humaine est la seule qui en soit dotée.

Les animaux montrent des capacités de compréhension et de communication impressionnantes. Les singes vervets ont différents cris d'alarme selon les prédateurs : un aboiement pour un léopard, une toux pour un aigle et un chuintement pour un serpent. En entendant le cri d'alarme signalant la présence d'un léopard, ils grimpent dans l'arbre le plus proche. Dans le cas de l'appel pour l'aigle, ils se réfugient dans les buissons. En entendant le chuintement pour le serpent, ils se lèvent et examinent le sol (Byrne, 1991). Pour indiquer que la nature menaçante de ces présences ou de ces événements, un aigle, un léopard, un arbre qui tombe ou un groupe voisin, les singes associent 6 différents cris et les combinent pour en faire 25 suites différentes (Balter, 2010). Mais est-ce une langue pou autant ? Cette question fut l'objet de nombreuses études dont la plupart furent menées chez les chimpanzés.

À la fin des années 1960, les psychologues Allen et Beatrix Gardner (1969) se sont appuyés sur la tendance naturelle des chimpanzés à communiquer par gestes et enseignant le langage

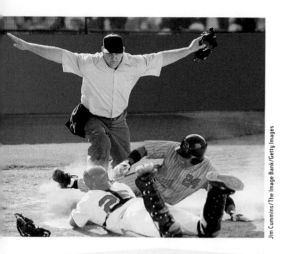

Parler avec les mains Le langage humain semble avoir évolué à partir d'une communication par gestes (Corballis, 2002, 2003 ; Pollick & de Waal 2007). Même aujourd'hui, les gestes sont naturellement et spontanément associés à la parole, en particulier lorsque le contenu du discours fait référence à l'espace. Le geste et la parole communiquent, et quand ils véhiculent la même information plutôt que des informations différentes (comme ils le font dans la langue des signes au baseball), nous, les humains nous en comprenons la signification plus rapidement et avec plus de précision (Hostetter, 2011 ; Kelly et al., 2010). Le joueur de champ extérieur William Hoy, le premier joueur sourd à rejoindre les « major leagues » (1892), aurait contribué à inventer des signes manuels pour dire « Strike » « Safe ! » « Yerr out ! » (sur la photo) (Pollard, 1992). Les arbitres dans tous les sports utilisent maintenant des signes, et les passionnés comprennent aisément ce langage sportif des signes.

des signes à Washoe, une jeune femelle chimpanzé. Après quatre ans, Washoe pouvait utiliser un vocabulaire de 132 signes. À la fin de sa vie en 2007, elle utilisait 245 signes (Metzler, 2011 ; Sanz et al., 1998). Washoe, exprimait par exemple, en langage des signes « Vous me sortez, s'il vous plaît ». Certaines associations de mot étaient créatives comme celle décrivant un cygne comme étant un « *oiseau d'eau* » ou une « *pomme qui est orange* » pour désigner une « orange » (Patterson, 1978 ; Rumbaugh, 1977). Mais certains psychologues furent sceptiques. Les chimpanzés étaient-ils des champions du langage ou les chercheurs étaient-ils des nigauds ? Considérez ceci :

- Le vocabulaire et les phrases des grands singes sont simples, ressemblant un peu à ceux des enfants de 2 ans. Contrairement aux enfants qui parlent ou s'expriment par signes, les grands singes n'acquièrent leur vocabulaire limité qu'avec beaucoup de difficultés (Wynne, 2004, 2008). Dire que les singes peuvent apprendre le langage parce qu'ils peuvent indiquer des mots par signes équivaut à dire que les hommes peuvent voler car ils peuvent sauter.

- Les chimpanzés peuvent faire des signes ou appuyer sur des boutons selon un certain ordre pour obtenir une récompense. Mais les pigeons, eux aussi, peuvent donner des coups de bec sur une touche pour avoir des graines. Les signes du chimpanzé pourraient n'être rien d'autre qu'une imitation des signes de l'éducateur et le résultat de l'apprentissage que certains gestes du bras permettaient de recevoir une récompense (Terrace, 1979).

- Les études menées sur le cadre perceptif (décrit au Chapitre 6) montrent que les gens ont tendance à voir ce qu'ils souhaitent voir ou ce qu'ils s'attendent à voir. Interpréter les signes des chimpanzés comme un langage n'est peut-être que l'expression d'un souhait optimiste de leurs éducateurs (Terrace, 1979). Lorsque Washoe a fait les signes *oiseau d'eau*, elle a peut-être nommé séparément *eau* et *oiseau*.

- « Donne orange moi donne mange orange moi mange orange… » est loin de la syntaxe subtile d'un enfant de 3 ans (Anderson, 2004 ; Pinker, 1995). Pour l'enfant, les « Tu chatouilles » et « Chatouille-moi » expriment des idées différentes. Un chimpanzé, privé de la syntaxe humaine, peut utiliser la même séquence de signes pour les deux phrases.

La controverse peut stimuler le progrès et dans ce cas, elle a apporté de nouvelles preuves de la capacité des chimpanzés à penser et à communiquer. Un résultat surprenant était que Washoe a entraîné son bébé adoptif Loulis à utiliser les signes qu'elle avait appris. Après la mort de son deuxième petit, Washoe se repliait sur elle-même lorsqu'on lui disait « bébé mort, bébé parti, bébé fini ». Deux semaines plus tard, Roger Fouts (1992, 1997), l'un de ses chercheurs soigneurs, transmit par signes une meilleure nouvelle : « J'ai un bébé pour toi. » Washoe a réagi avec une excitation intense. Ses poils étaient dressés sur la tête, elle marchait de long en large, tout essoufflée, en répétant encore et encore les signes « bébé, mon bébé ». Il fallut plusieurs heures à Washoe et à Loulis, le bébé adoptif, pour s'habituer l'un à l'autre après quoi Washoe brisa la glace en faisant le signe « viens bébé » et en serrant Loulis dans ses bras. Loulis apprit jusqu'à 68 signes sans aucune aide humaine, simplement en observant Washoe et trois autres chimpanzés entraînés au langage des signes.

Une autre découverte encore plus étonnante fut celle que Kanzi, un Bonobo qui avait 384 mots de vocabulaire, pouvait comprendre la syntaxe (les règles de l'ordonnance des mots) de l'anglais parlé (Savage-Rumbaugh et al., 1993). Kanzi, qui semblait avoir la capacité de langage réceptif d'un petit d'homme âgé de 2 ans, a réagi de manière appropriée à la question « Peux-tu me montrer la lumière ? », « peux-tu m'apporter la lampe torche ? » ou « peux-tu allumer la lumière ? » Lorsqu'on lui donna des animaux en peluche et qu'on lui demanda, pour la première fois, de « faire le chien qui mord le serpent », il porta le serpent à la gueule du chien.

De ce fait, comment interprétons-nous ces études ? Les hommes sont-ils la seule espèce utilisant un langage ? Si, par *langage*, nous voulons dire expression verbale ou gestuelle d'une grammaire complexe, la plupart des psychologues s'accordent actuellement sur le fait que seul l'homme possède le langage. Mais

Compréhension canine Rico, un chien border collie, avait un vocabulaire de 200 mots. Si on lui demandait de récupérer un jouet qui portait un nom qu'il n'avait jamais entendu, Rico pouvait choisir un nouveau jouet se trouvant dans un ensemble d'objets qui lui étaient familiers (Kaminski et al., 2004). S'il entendait ce mot pour la deuxième fois, quatre semaines plus tard, Rico pouvait le plus souvent, rapporter ce même jouet. Un autre border collie, Chaser, a établi un record en apprenant 1 022 noms d'objets (Pilley & Reid, 2011). Comme un enfant de 3 ans, il peut également les classer par fonction et par forme. Il peut « rapporter une balle » ou « chercher une poupée ».

si nous voulons dire, plus simplement, capacité à communiquer par l'intermédiaire d'une suite significative de symboles, les grands singes sont en effet capables de langage.

Une chose est sûre, les études sur le langage et la pensée des animaux ont amené les psychologues vers une meilleure appréciation des autres espèces, non seulement de nos traits communs, mais aussi du fait de leurs propres capacités remarquables. De par le passé, beaucoup de psychologues doutaient que d'autres espèces pouvaient élaborer des plans, former des concepts, compter, utiliser des outils, montrer de la compassion ou utiliser un langage (Thorpe, 1974). Mais aujourd'hui, grâce à la recherche sur les animaux, nous en savons plus. Il est vrai que seuls les humains sont capables de former des phrases complexes. De plus un enfant âgé de 2 ans et demi présente des aptitudes cognitives, par exemple suivre le regard d'un acteur vers une cible, que l'on n'observe pas chez les animaux même chez les chimpanzés (Hermann et al., 2010). Seuls les humains possèdent un gène (*FOXP2*) qui permet d'activer la lèvre, la langue, et les mouvements des cordes vocales, mouvements produisant la phonation et la parole humaine (Lieberman, 2013). Les êtres humains chez qui le gène a muté ont des difficultés à prononcer des mots.

Néanmoins, d'autres espèces ont de l'intuition, peuvent faire preuve de loyauté familiale et d'altruisme, communiquent les uns avec les autres, prennent soin les uns des autres et transmettent des schémas culturels d'une génération à l'autre. Accepter et travailler sur l'éthique des droits des autres animaux constitue une tâche inachevée

Mais est-ce un langage ? La capacité des chimpanzés à s'exprimer en American Sign Language (ASL) soulève des questions sur la nature même du langage. Ici, le formateur demande, « Qu'est-ce que c'est ? » Le signe en réponse est « Baby ». Est-ce que la réponse constitue une langue ?

EXERCICE RÉCAPITULATIF

- Si votre chien aboie à la vue d'un étranger devant votre domicile, qualifiez-vous cela de langage ? Comment qualifiez-vous les jappements significatifs de votre chien qui vous font savoir qu'il a besoin de sortir ?

Réponse : il s'agit assurément de communication. Mais si la langue se compose de mots et de règles grammaticales que nous utilisons pour les combiner afin de communiquer une signification, peu de scientifiques qualifieraient les aboiements et les jappements d'un chien, de langage.

Pensée et langage

9-12 Quelle est la relation existant entre la pensée et le langage, et quelle est la valeur de la pensée imagée ?

La pensée et le langage sont étroitement imbriqués. Se demander ce qui vient en premier lieu est l'une des énigmes de la psychologie, comparable au classique problème de « l'œuf et de la poule ». Nos idées apparaissent-elles d'abord puis viennent les mots les exprimant ? Nos pensées sont-elles conçues en mots et sont-elles inexprimables et impensables, sans eux ?

Le langage influence la pensée

Le linguiste Benjamin Lee Whorf (1956) affirmait que le langage en tant que tel façonnait les idées fondamentales. Whorf remarque que les Indiens Hopi ne possèdent pas de temps du passé dans la conjugaison de leurs verbes : ils sont donc d'après lui moins aptes à *penser* aux événements antérieurs.

L'hypothèse du **déterminisme linguistique** de Whorf est trop extrême. Nous pensons tous à des choses pour lesquelles nous n'avons pas de mots. (Pouvez-vous penser à une nuance de bleu que vous ne pouvez nommer ?) et nous avons régulièrement des pensées *asymboliques* (sans mots, sans images) comme lorsque quelqu'un qui regarde deux hommes portant des briques se demande si les hommes les feront tomber (Heavey et Hurlburt, 2008 ; Hurlburt et al., 2013).

Néanmoins, pour ceux qui parlent deux langues différentes comme l'anglais et le japonais, il semble clair que l'on puisse penser différemment selon la langue (Brown, 1986). À la différence de l'anglais qui possède un vocabulaire riche pour les émotions centrées sur le « soi » comme la colère, le japonais comporte de nombreux termes pour des émotions interpersonnelles comme la sympathie (Markus et Kitayama, 1991). De nombreuses personnes bilingues disent même qu'elles ont un sens du soi différent selon la langue qu'elles utilisent (Matsumoto, 1994). Au cours d'une série d'études menées avec des participants arabo-israéliens qui parlaient l'arabe et l'hébreu, les participants concevaient différemment leur monde social et avaient des préjugés automatiques envers les Arabes et les juifs différents selon la langue utilisée lors des tests (Danziger et Ward, 2010).

> Déterminisme linguistique l'hypothèse de Whorf stipule que le langage détermine notre façon de penser.

Prisma Bildagentur AG/Alamy

Culture et couleurs En Papouasie-Nou-velle-Guinée, les enfants Berinmo ont un mot pour désigner chaque nuance de la couleur « jaune », ce qui pourrait leur permettre de repérer et de se rappeler plus rapidement les différentes variations de cette couleur. « Les langues que nous parlons cisèlent précisément notre façon de penser, de voir le monde, de vivre », nous dit Lera Boroditsky, psychologue (2009).

▼ FIGURE 9.11

Langage et perception Quand les gens voient des blocs de carrés de couleurs dif-férentes, ils perçoivent plus distinctement ceux portant des noms de couleur différents. Ainsi, le carré « vert » et le carré « bleu » mis en opposi-tion dans le couple A peuvent sembler être plus différents que ne le sont les deux carrés bleus, tout aussi différents, mis en opposition dans le couple B (Özgen, 2004).

Selon les émotions qu'ils veulent exprimer, les parents bilingues seront souvent amenés à s'exprimer en passant d'une langue à une autre. « Quand ma mère se met en colère contre moi, elle va s'exprimer en Mandarin », a expliqué un étudiant américain d'origine chinoise. « Si elle est vraiment folle, elle va passer au Cantonais » (Chen et al., 2012). Les personnes bilingues peuvent même révéler des personnalités différentes lorsqu'elles passent le même test de personnalité dans les deux langues, les associations d'idées pouvant être différentes selon la culture (Chen & Bond, 2010 ; Dinges et Hull, 1992). Cela s'est produit lorsque des étudiants bilingues de l'université de Waterloo, nés en Chine, ont été invités à se décrire en anglais puis en chinois (Ross et al., 2002). En anglais, leur autodescription était typiquement canadienne : ils exprimaient principalement des choses positives les concernant ainsi que leurs humeurs. En chinois, leur description était typiquement chinoise. Ils étaient davantage en harmonie avec les valeurs chinoises et exprimaient autant les aspects positifs que négatifs de leur personnalité et de leurs humeurs. Ces mêmes changements de personnalité ont été mis en évidence lorsque des Américains et des Mexicains bilingues et biculturels passaient du cadre culturel associé à l'anglais à celui associé à l'espagnol ou vice versa (Ramirez-Esparza et al., 2006). « Si vous apprenez un nouveau langage, vous aurez une nouvelle âme », disait un proverbe tchèque.

Ainsi, nos mots peuvent ne pas *déterminer* ce que nous pensons mais *influencer* notre façon de penser (Boroditzki, 2011). Nous utilisons notre langage pour former des catégories. Au Brésil, la population isolée des Pirahã a des mots pour représenter les chiffres 1 et 2, mais les chiffres supé-rieurs sont simplement dénommés « beaucoup ». Par conséquent, si on leur montre une rangée de sept noisettes, il leur sera difficile de disposer autant de noisettes sur une ligne à partir du tas qu'ils possèdent (Gordon, 2004).

Les mots influencent également notre ressenti des couleurs. Que nous vivions au Nouveau-Mexique, en Nouvelle-Galle du Sud ou en Nouvelle-Guinée, nous *voyons* les couleurs de la même façon mais nous utilisons notre langue maternelle pour *classer* les couleurs et nous *en souvenir* (Davidoff, 2004 ; Roberson et al., 2004, 2005). Imaginez-vous entrain de regarder trois couleurs en considérant que deux d'entre elles sont « jaunes » et la troisième « bleue ». Par la suite, vous verrez et vous vous souviendrez des deux nuances de jaune comme étant similaires. Mais si vous parliez la langue de la tribu Berinmo de Papouasie-Nouvelle-Guinée, qui possède deux mots différents pour ces deux nuances de jaune, vous percevriez plus rapidement la différence entre ces deux jaunes et vous vous en souviendriez mieux. Et si vous parliez le russe, langue dans laquelle il existe des noms distincts pour les nuances de bleu comme « *glouboy* » et « *sinly* », vous vous souviendriez mieux du bleu, alors que le souvenir d'une nuance de jaune sera moins précis. Les mots ont de l'importance.

Les différences sont mieux perçues si nous attribuons des noms distincts. Sur le spectre des couleurs, le bleu cède la place au vert jusqu'à ce que nous tracions une ligne de partage entre la partie que nous appelons le « bleu » et celle que nous appelons le « vert ». Bien que l'on maintienne le même degré de différence entre les couleurs, deux nuances différentes qui portent le même nom comme les deux bleus de la **FIGURE 9.11** (contraste B), sont plus difficiles à différencier que deux nuances ayant un nom différent (« bleu » et « vert » du contraste A de la **FIGURE 9.11**) (Özgen, 2004). De même, deux lieux semblent plus proches et plus vulnérables à la même catastrophe naturelle s'ils sont identifiés comme appartenant au même État, plutôt que s'ils sont situés à la même distance mais appartenant à des États voisins (Burris & Branscombe, 2005 ; Mishra & Mishra, 2010). Les tornades ne connaissent pas les frontières, mais les hommes ne les oublient pas.

Étant donné l'influence subtile des mots sur la pensée, nous avons intérêt à bien choisir notre vocabulaire. Le sens des deux phrases suivantes est-il différent ? « A child learns language as *he* interacts with *his* caregiver » – « children learn language as *they* interact with *their* caregivers » ? Beaucoup d'études ont montré que oui. (N.d.T. : l'exemple est laissé en anglais eu égard à l'accord de l'adjectif possessif et du pronom personnel) Lorsqu'on entend un *nom masculin* (comme dans « l'artiste et son travail »), les gens ont plus tendance à dépeindre un homme (Henley, 1989 ; Ng, 1990). Si *le* et *son* étaient véritablement sans relation avec le genre, nous ne devrions pas être surpris d'entendre que « l'homme, comme les autres mammifères, nourrit ses petits ».

Étendre le langage, c'est aussi étendre la faculté de penser. La pensée et le langage se développent de concert chez les enfants (Gopnik et Meltzoff, 1986). En fait, il est très difficile de penser à certaines idées abstraites ou de les conceptualiser (*engagement, liberté* ou *faire des rimes*) sans langage ! Et ce qui est vrai pour les enfants en âge préscolaire l'est pour n'importe qui : *il est toujours profitable d'accroître notre vocabulaire.* C'est pourquoi la plupart des manuels, y compris celui-ci, introduisent des mots nouveaux pour enseigner de

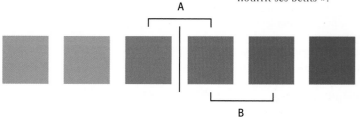

A

B

nouvelles idées et de nouvelles façons de penser. Et c'est pourquoi le psychologue Steven Pinker (2007) a appelé son livre sur le langage, *La matière de la pensée*.

L'accroissement du stock lexical contribue à expliquer ce que Wallace Lambert, chercheur à l'université McGill (1992 ; Lambert et al., 1993), appelle *l'avantage bilingue*. Les personnes bilingues possèdent la capacité d'inhiber l'émergence d'une langue lorsqu'ils utilisent l'autre. Et grâce au bon entraînement de leur « contrôle exécutif » des langues, ils parviennent mieux à ne pas focaliser leur attention sur des informations sans importance (Kroll & Bialystock, 2013). Cette fonction supérieure de contrôle de l'attention est patente à partir de l'âge de 7 mois et persiste à l'âge adulte et aide à la protection contre le déclin cognitif (Bak et al., 2014 ; Bialystok et al., 2012 ; Kroll et al., 2014.).

Lambert aida à développer un programme canadien permettant aux jeunes enfants de langue anglaise d'être immergés dans la langue française. (De 1981 à 2010, le nombre d'enfants canadiens, hors Québec, immergés dans la langue française est passé de 65 000 à 328 000 [Statistics Canada, 2013].) De façon non surprenante, les enfants obtiennent une fluidité naturelle en français impossible à atteindre avec n'importe quelle autre méthode d'enseignement des langues. De plus, comparés à des enfants de même niveau du groupe témoin, cela se fait sans nuire à leur maîtrise de l'anglais, et avec de meilleurs résultats aux tests d'aptitude, une meilleure créativité et une meilleure appréciation de la culture franco-canadienne (Genesee et Gándara, 1999 ; Lazaruk, 2007).

Que nous fassions partie d'une minorité ou d'une majorité linguistique, le langage nous lie les uns aux autres. Le langage nous relie à notre passé et à notre avenir. « Pour détruire un peuple, détruisez sa langue », remarquait le poète Joy Harjo.

« Tous les mots sont des piquets sur lesquels on accroche des idées. »

Henry Ward Beecher, *Proverbs from Plymouth Pulpit*, 1887

EXERCICE RÉCAPITULATIF

- L'hypothèse controversée de Benjamin Lee Whorf, appelée _____ _____, a suggéré que nous ne pouvons pas penser à des choses si nous n'avons pas les mots pour désigner ces concepts ou des idées.

Réponse : le déterminisme linguistique

Penser en images

Lorsque vous êtes seul, vous parlez-vous à vous-même ? « Penser », est-ce simplement converser avec vous-même ? Sans aucun doute, les mots véhiculent les idées. Mais parfois, les idées précèdent les mots. Pour ouvrir l'eau froide dans votre salle de bain, dans quelle direction tournez-vous le robinet ? Pour répondre à cette question, vous avez probablement utilisé votre mémoire *non déclarative* (procédurale) et non des mots, une image mentale de la manière d'effectuer cette action (voir Chapitre 8).

En effet, nous pensons souvent en images. Les artistes pensent par images. C'est également ainsi que font les compositeurs, les poètes, les mathématiciens, les athlètes et les scientifiques. Albert Einstein a raconté qu'il avait eu certains de ses flashs d'inspiration les plus profonds par l'intermédiaire d'images visuelles, et que ce n'est que plus tard qu'il les traduisit en mots. Le pianiste Liu Chi Kung exploita le pouvoir de la pensée en images. Il obtint la deuxième place au concours Tchaïkovski de 1958 puis fut emprisonné pendant la révolution culturelle en Chine. Peu après sa libération, et après avoir passé sept années sans toucher un piano, il fit son retour dans les concerts. Les critiques jugèrent son interprétation meilleure que jamais. Comment avait-il pu faire ? « J'ai pratiqué, dit Liu, chaque jour. J'ai répété chacun des morceaux que je jouais avant, note après note, dans mon esprit. » (Garfield, 1986.)

Pour quelqu'un qui a appris une discipline comme la danse classique, le simple fait de *regarder* cette activité stimule certaines aires corticales – prémotrice, pariétale et le cervelet. C'est ce qu'a montré une équipe de chercheurs anglais après avoir recueilli des images d'IRM fonctionnelle pendant que ces personnes regardaient des vidéos (Calvo-Merino et al., 2004). Il en est de même pour l'imagination d'une expérience physique qui active certains réseaux neuronaux identiques à ceux activés lorsque l'expérience est réelle (Grèzes et Decety, 2001). Pas étonnant que la pratique mentale fasse maintenant partie de l'entraînement des athlètes en vue des Jeux Olympiques (Suinn, 1997 ; Ungerleider, 2005).

Une expérience portant sur la pratique mentale des lancers francs au basket-ball a été menée avec une équipe féminine de l'université du Tennessee, pendant 35 rencontres (Savoy et Beitel, 1996). Au cours de cette période, le pourcentage de lancers francs réussis par l'équipe passa de 52 après un entraînement physique standard à 65 après un entraînement mental. Pendant l'entraînement mental, les joueuses s'imaginèrent à plusieurs reprises faire des lancers francs dans diverses conditions et se faire « chahuter » par l'équipe adverse. Le résultat spectaculaire de cette expérience fut que,

« Quand nous voyons une personne marchant dans la rue se parler à elle-même, nous supposons généralement qu'elle souffre d'un trouble mental. Mais nous nous parlons tous à nous-même en permanence, et nous pesons qu'il est judicieux de garder nos bouches fermées… Tout se passe comme si nous étions en conversation avec un ami imaginaire possédant une patience infinie. À qui sommes-nous en train de parler ? »

Sam Harris, « We Are Lost in Though », 2011

lors d'une prolongation, l'équipe du Tennessee remporta le championnat national, grâce en partie à ses lancers francs réussis.

La répétition mentale peut également vous aider à atteindre vos buts dans le domaine scolaire comme l'ont démontré des chercheurs avec deux groupes d'étudiants de première année de psychologie, une semaine avant un examen mi-trimestriel (Taylor et al., 1998). (Les autres élèves, non impliqués dans une simulation mentale, formèrent le groupe témoin.) Le premier groupe fut invité à passer cinq minutes par jour à visualiser la liste de notes sur le tableau de résultats et à imaginer obtenir 16/20, ce qui les rendrait joyeux et fiers. Cette *simulation de résultats quotidienne* n'eut pas beaucoup d'effet : les étudiants ne gagnèrent que deux points par rapport à leur moyenne de résultats aux examens. Le deuxième groupe devait passer cinq minutes par jour à se visualiser en train d'étudier de manière efficace : lire les chapitres, relire les notes, faire fi de toute distraction et refuser les sollicitations de sorties. Cette *simulation* fut bénéfique. Ce second groupe commença à réviser plus tôt, et consacra plus de temps à cette activité, ce qui lui permit de battre le groupe témoin de 8 points. *Point à retenir :* il est plus bénéfique de passer du temps à s'imaginer *comment* arriver quelque part plutôt que de rêver à la destination souhaitée.

* * *

Que peut-on dire alors à propos de la relation entre la pensée et le langage ? Comme nous l'avons vu, le langage influence la pensée. Mais si la pensée n'affectait pas également le langage, il n'y aurait jamais aucun mot nouveau. Les mots nouveaux ainsi que de nouvelles associations d'anciens mots expriment de nouvelles idées. Le terme de basket-ball « *slam dunk* », qui désigne un panier frappé en suspension, fut inventé après que l'action elle-même soit devenue assez fréquente. *Blogs* ce néologisme fit partie de notre langue après l'apparition des blocs-notes en ligne. Nous pouvons donc simplement dire que *la pensée affecte le langage, qui ensuite affecte notre pensée* (**FIGURE 9.12**).

▼ FIGURE 9.12
L'interaction de la pensée et du langage Ces interactions se font dans les deux sens. La pensée affecte notre langage, qui à son tour affecte notre pensée.

Les recherches de la psychologie sur la pensée et le langage reflètent les différents points de vue concernant notre espèce issus de recherches effectuées dans des domaines comme la littérature ou la religion. L'esprit humain est simultanément capable d'erreurs intellectuelles grossières et d'une puissance intellectuelle frappante. Les erreurs de jugement sont fréquentes et peuvent avoir des conséquences désastreuses. Il est donc important que nous prenions conscience de nos capacités à nous tromper. Nos heuristiques efficaces nous sont cependant souvent très utiles. De plus, notre ingéniosité pour résoudre des problèmes et notre extraordinaire capacité de langage placent certainement l'espèce humaine comme une espèce ayant des « facultés pratiquement infinies ».

Quelle heure est-il maintenant ? Lorsque nous vous avons demandé (dans la section sur l'excès de confiance) d'estimer le temps que vous mettriez à assimiler ce chapitre, l'avez-vous sous-estimé ou surestimez ?

EXERCICE RÉCAPITULATIF

• Qu'est-ce que la pratique mentale, et comment peut-elle vous aider à vous préparer à faire face à un événement ?

Réponse : La pratique mentale utilise la représentation mentale visuelle pour répéter mentalement les comportements futurs, activant certaines des mêmes zones corticales utilisées pendant la pratique réelle. La visualisation des détails du processus est plus efficace que la visualisation de l'attente de votre objectif final.

REVUE GÉNÉRALE Le langage et la pensée

OBJECTIFS D'APPRENTISSAGE

EXERCICE RÉCAPITULATIF Prendre un moment pour répondre à chacune de ces questions d'objectif d'apprentissage (répétées ici au sein de cette section). Puis aller à l'annexe C, révision complète du chapitre, pour vérifier vos réponses. La recherche suggère que d'essayer de répondre à ces questions de votre propre initiative permettra d'améliorer la mémorisation à long terme de ces réponses (McDaniel et al., 2009).

9-8 Quelles sont les unités structurales de base d'un langage ?

9-9 Quelles sont les étapes du développement du langage, et comment se fait l'acquisition d'une langue ?

9-10 Quelles sont les zones corticales impliquées dans le traitement du langage et de la parole ?

9-11 Que savons-nous sur la capacité des autres animaux à acquérir et à utiliser un langage ?

9-12 Quelle est la relation existant entre la pensée et le langage, et quelle est la valeur de la pensée imagée ?

TERMES ET CONCEPTS À RETENIR

EXERCICE RÉCAPITULATIF Testez votre connaissance de ces termes en essayant d'écrire leur définition, avant de vous reporter aux pages indiquées en référence pour vérifier votre réponse.

langue, p. 370

phonème, p. 370

morphème, p. 370

grammaire, p. 371

stade du babillage, p. 372

stade du mot-phrase, p. 372

stade des phrases à deux mots, p. 372

langage télégraphique, p. 372

aphasie, p. 376

aire de Broca, p. 376

aire de Wernicke, p. 376

déterminisme linguistique, p. 379

ÉVALUEZ-VOUS — PENSÉE ET LANGAGE

Évaluez-vous à plusieurs reprises tout au long de vos études. Cela permettra non seulement de vous aider à distinguer ce que vous savez de ce que vous ignorez mais aussi à vous faire bénéficier de l'effet test. Autrement dit, le test lui-même va vous aider à apprendre et à mémoriser l'information de manière plus efficace grâce précisément à ce qui est appelé l'*effet test*.

 La pensée

1. Un regroupement mental des choses semblables est appelé _____ .

2. La procédure la plus systématique pour résoudre un problème est _____ .

3. Oscar décrit ses convictions politiques comme « étant très libérales », mais il a décidé de s'intéresser aux opinions opposées aux siennes. De quelle manière son jugement pourrait-il être affecté par le *biais de confirmation* et par la *persévérance des préjugés* lors de cet effort intellectuel ?

4. Un obstacle majeur à la résolution de problèmes est la fixation, qui est représentée par

   a. une tendance à fonder nos jugements sur les souvenirs émergents.

   b. une tendance à attendre que se produise ce que notre perspicacité nous a fait entrevoir.

   c. l'incapacité à examiner un problème sous un autre angle.

   d. une règle empirique d'évaluation de la vraisemblance d'un événement à partir de ce que l'on aurait pu imaginer.

5. Les attaques terroristes telles que celles du 11 septembre 2001 dont les États-Unis furent victimes, ont beaucoup incité certains observateurs à penser d'abord en 2014 que la disparition de l'appareil du vol 370 de la Malaysian Airlines était probablement aussi l'œuvre des terroristes. Cette hypothèse illustre ce qu'est l'heuristique de _____ .

6. Lorsque les consommateurs répondent plus positivement à l'étiquetage de viande de hachée de bœuf indiquant « 75 pourcent maigre » plutôt qu'à celui « 25 pourcent de matière grasse », ils ont été influencés par _____ .

7. Lequel des éléments suivants n'est pas caractéristique d'une personne créative ?

   a. Compétente

   b. Motivation extrinsèque

   c. Personnalité aventureuse

   d. Compétences de la pensée imaginative

 Le langage et la pensée

8. Les enfants atteignent le stade de développement de la parole représenté par la formation d'un mot-phrase, à l'âge d'environ :

   a. 4 mois.

   b. 6 mois.

   c. 1 an.

   d. 2 ans.

9. Les trois blocs fondamentaux de la construction de la langue sont _____ , _____ , et _____ .

10. Lorsque les jeunes enfants parlent en phrases courtes en utilisant principalement les verbes et les substantifs, on a affaire à _____ .

11. Selon Chomsky, toutes les langues partagent une _____ .

12. La plupart des chercheurs conviennent que les singes peuvent

   a. communiquer à travers des symboles.

   b. reproduire la plupart des sons de la parole humaine.

   c. maîtriser une langue principale à l'âge adulte.

   d. dépasser les compétences linguistiques d'un enfant de 3 ans.

Trouvez les réponses à ces questions dans l'annexe D, à la fin du livre.

CHAPITRE 10

L'INTELLIGENCE

· · · · · · · · · · · · ·

Trois énormes controverses ont suscité un débat récent dans la psychologie et au-delà. La première concerne la « guerre de la mémoire » et pose la question de savoir si les expériences traumatisantes sont refoulées, et peuvent être récupérées plus tard avec un effet thérapeutique. La deuxième grande controverse concerne la « guerre des genres », où l'on se demande dans quelle mesure l'inné et l'acquis (la nature et la culture) façonnent nos comportements en tant qu'homme et femme. Dans ce chapitre, nous allons rencontrer la « guerre de l'intelligence » : chacun d'entre nous possède-t-il une capacité mentale générale innée (intelligence) et pouvons-nous quantifier cette capacité sous forme d'un chiffre significatif ?

Les responsables scolaires, les juges et les scientifiques discutent de l'utilité et de l'équité des tests visant à évaluer les capacités mentales d'un individu et à leur assigner un score. Les tests d'intelligence représentent-ils une manière constructive de guider les personnes vers des opportunités adaptées ? Ou bien s'agit-il, sous couvert de science, d'une arme discriminatoire puissante ? Posons-nous d'abord certaines questions fondamentales :

- Qu'est-ce que l'intelligence ?
- Quelle est la meilleure façon de l'évaluer ?
- Dans quelle mesure vient-elle de l'hérédité plutôt que de l'environnement ?
- Que signifient réellement les différences de résultats aux tests entre groupes et individus ? Devons-nous utiliser ces différences pour classer les gens et les admettre dans des écoles ou des universités particulières ? Pour les embaucher ?

Ce chapitre a pour but d'offrir quelques réponses. Il identifie également diverses capacités mentales. Il en conclut que la recette de la réussite allie le talent au courage.

Heiner Heine/© imagebroker/Alamy

Guérison, pratique tradition-nelle Le concept de l'intelligence, en tant que construction sociale, varie d'une culture à l'autre. Ce guérisseur du Cameroun exprime son intelligence par ses connaissances des plantes médicinales et sa compréhension des attentes des patients.

« La mesure du *facteur g* est l'une des mesures les plus fiables et les plus valables des sciences du comportement… Le *facteur g* est prédictif des devenirs sociaux importants tels que les niveaux éducatifs et professionnels et ce, bien mieux que tout autre trait. »

Robert Plomin (1999), généticien du comportement

Jonathan Larsen/Diadem Images/Alamy

Qu'est-ce que l'intelligence ?

10-1 Comment les psychologues définissent-ils *l'intelligence*, et quels sont les arguments qui permettent de définir le *facteur g* ?

Dans de nombreuses études *l'intelligence* a été définie comme tout ce que les *tests d'intelligence* peuvent mesurer, ce qui avait tendance à lui donner une définition scolaire. Mais l'intelligence n'est pas une caractéristique assimilable à la taille ou au poids, et qui a la même signification partout dans le monde. Les gens utilisent le terme « *intelligence* » pour désigner les qualités qui contribuent à la réussite, dans un contexte culturel donné à une époque donnée (Sternberg et Kaufman, 1998). Dans la forêt équatoriale du Cameroun, *l'intelligence* peut être la connaissance de la valeur médicinale des plantes indigènes. Dans une université nord-américaine, ce peut être la maîtrise de concepts difficiles enseignés dans des matières complexes. Dans les deux cas, **l'intelligence** est la capacité à apprendre à partir de l'expérience, à résoudre des problèmes et à utiliser son savoir pour s'adapter à de nouvelles situations.

Vous connaissez probablement des personnes douées en sciences, d'autres qui excellent en sciences humaines, d'autres encore en gymnastique, dans le domaine artistique que ce soit la musique ou la danse. Peut-être connaissez-vous un artiste talentueux qui est désarçonné par le plus simple des problèmes mathématiques, ou encore un étudiant brillant en mathématiques mais qui ne peut tenir une conversation ayant pour sujet, la littérature. Toutes ces personnes sont-elles intelligentes ? Pouvez-vous mesurer leur intelligence sur une seule échelle ? Ou auriez-vous besoin de plusieurs échelles ?

Le facteur d'intelligence générale de Spearman, et la réponse de Thurstone

Charles Spearman (1863-1945) pensait que nous possédions une **intelligence générale** (souvent abrégée en g ou facteur g) qui est au cœur de tous nos comportements intelligents, que ce soit la navigation en mer l'excellence dans l'apprentissage scolaire. Les sujets aussi pouvaient aussi posséder des aptitudes exceptionnelles dans certains domaines. Il remarqua que les gens qui ont de bons résultats dans un domaine, comme l'intelligence verbale, ont en général un résultat supérieur à la moyenne dans d'autres domaines tels que l'aptitude spatiale ou l'aptitude à raisonner. La conviction de Spearman se fondait en partie sur l'*analyse factorielle* des résultats de ces études. Ce procédé identifie des données qui varient ensemble, dans le même sens et forment ainsi des facteurs regroupant de ces données.

L'idée d'une aptitude mentale globale exprimée par un unique score d'intelligence était contro-versée à l'époque de Spearman, et le reste encore aujourd'hui. L'un des premiers opposant à Spearman était L. L. Thurstone (1887-1955). Il fit passer à ses sujets 56 tests distincts et identifia mathématique-ment sept groupes d'aptitudes mentales de base (fluidité verbale, compréhension verbale, habileté spatiale, vitesse de perception, capacité numérique, raisonnement inductif et mémoire). Thurstone ne classait pas ses sujets sur une unique échelle d'aptitude générale. Mais lorsque d'autres chercheurs étudièrent les profils des sujets testés par Thurstone, ils décelèrent une tendance persistante : ceux qui avaient des résultats excellents dans l'un des sept groupes, avaient aussi de bons résultats aux autres. Ainsi conclurent-ils qu'il y avait toujours quelques éléments en faveur de l'existence d'un facteur g.

Les capacités mentales sont aussi diverses que les habiletés physiques. La capacité de courir vite est différente de la coordination entre l'œil et la main nécessaire pour lancer une balle vers une cible. Malgré tout, il reste une certaine tendance à ce que les bonnes choses surviennent en même temps – que les capacités à courir vite et à lancer avec précision soient corrélées. Il en est de même pour l'intelligence. Différentes aptitudes distinctes ont tendance à s'assembler et sont suffisamment corrélées pour que l'on puisse définir un facteur d'intelligence générale. Les différentes capacités sont localisées dans des réseaux neuronaux distincts. Le facteur g trouve son explication dans le fonctionnement coordonné de ces différents réseaux (Hampshire et al., 2012).

Selon Satoshi Kanazawa (2004, 2010), l'intelligence générale s'est développée sous une forme d'intelligence qui aide les personnes à résoudre de *nouveaux* problèmes – comment arrêter la propagation d'un feu, comment trouver de la nourriture en cas de sécheresse, comment retrouver son groupe situé de l'autre côté d'une rivière qui a débordé. Les problèmes plus fréquents, par exemple trouver un compagnon, lire sur les visages étrangers ou retrouver son chemin vers le campement, nécessitent un autre type d'intelligence. Kanazawa affirme que le score d'intelligence générale *est* corrélé à notre capacité à résoudre divers problèmes nouveaux (comme ceux qui se posent dans des situations scolaires ou professionnelles), mais *n'est pas* lié aux capacités individuelles de chacun à faire face aux *situations familières* dues à notre évolution comme se marier, devenir parent, tisser des liens d'amitié étroits, et se déplacer sans carte.

Théories des intelligences multiples

10-2 En quoi les théories de Gardner et de Sternberg sur les intelligences multiples diffèrent-elles, et quelles sont les critiques auxquelles ils ont dû faire face ?

Depuis le milieu des années 1980 surtout, différents psychologues ont cherché à étendre la définition de *l'intelligence* au-delà de l'idée de la réussite scolaire et universitaire.

Les intelligences multiples de Gardner

Howard Gardner a identifié huit *intelligences relativement indépendantes*, y compris les aptitudes verbales et mathématiques évaluées par les tests classiques (**FIGURE 10.1**). Ainsi, l'informaticien-programmeur, le poète, l'adolescent des rues débrouillard qui devient un administrateur habile et le défenseur arrière d'une équipe de basket-ball font preuve de différents types d'intelligence (Gardner, 1998). Gardner (1999) a également proposé une neuvième intelligence possible ; *l'intelligence existentielle* ; la capacité « à réfléchir aux grandes questions sur la vie, la mort, l'existence ».

Gardner (1983, 2006 ; 2011 ; Davis et al., 2011) considère ces domaines d'intelligence comme de multiples capacités qui viennent dans des emballages différents. Une lésion cérébrale, par exemple, peut détruire un type d'aptitude, mais laisser les autres, intactes. Arrêtons-nous sur le cas du **syndrome du savant.** Malgré certaines capacités préservées, qui sont des îlots d'intelligence brillants dans un océan d'affaiblissement psychique, ces personnes vont obtenir des notes faibles lors de la passation des tests d'intelligence et vont montrer des capacités de langage altérées (Treffert & Wallace, 2002). Certains peuvent être cependant capables de calculer des nombres aussi rapidement et précisément qu'une calculatrice ou d'identifier presque instantanément le jour de la semaine correspondant à n'importe quelle date historique donnée, ou peuvent rendre des travaux artistiques incroyables ou interpréter des œuvres musicales avec une virtuosité exceptionnelle (Miller, 1999).

Quatre personnes sur cinq atteintes de ce syndrome sont des hommes, et la plupart sont aussi atteints d'un *trouble du spectre de l'autisme*, trouble neuro-développemental. Le champion de

> **Intelligence** qualité mentale consistant en la capacité d'apprendre à partir des expériences, de résoudre des problèmes et d'utiliser ses connaissances pour s'adapter à de nouvelles situations.
>
> **Intelligence générale** (*g*) facteur de l'intelligence générale qui, selon Spearman et d'autres auteurs, est le soubassement de nos aptitudes mentales spécifiques, et est donc mesuré lors de chaque tâche d'un test d'intelligence.
>
> **Syndrome du savant** état d'une personne aux capacités mentales limitées mai qui possède, par ailleurs, une aptitude spécifique exceptionnelle – par exemple dans le domaine du calcul ou du dessin.

▼ FIGURE 10.1
Les huit formes d'Intelligences de Gardner Gardner a proposé aussi une neuvième composante possible, l'intelligence existentielle. Ce serait la capacité à réfléchir aux questions profondes sur la vie.

NATURALISTE • LINGUISTIQUE • INTERPERSONNELLE • LOGIQUE-MATHÉMATIQUE • INTRAPERSONNELLE • MUSICALE • CORPORELLE, KINESTHÉSIQUE • SPATIALE

Îlots de génie : le syndrome du savant Après un court vol en hélicoptère au-dessus de Singapour, l'artiste et savant britannique Stephen Wiltshire a fidèlement reproduit de mémoire une vue aérienne de la ville en dessinant pendant cinq jours.

Puis Chih Wey/Xinhua/ZUMA Fil/Newscom

mémoire, Kim Peek, qui présente le syndrome du savant n'est pas autiste mais a inspiré le film *Rain Man*. Il pouvait lire et mémoriser une page en huit à dix secondes. Il a, durant toute sa vie, mémorisé 9 000 livres, y compris les œuvres de Shakespeare et la Bible. Il pouvait fournir des indications comme le ferait un GPS comme dans toutes les grandes villes des États-Unis, mais il ne pouvait pas boutonner ses vêtements. Et il présentait très peu d'aptitudes pour les concepts abstraits. Un jour que son père lui demanda au restaurant de « baisser la voix », il glissa sur sa chaise de manière à abaisser son larynx. Lorsqu'on lui demanda de parler de l'adresse de Gettysburg de Lincoln (N.d.T. : il s'agit du discours de Lincoln prononcé le 19 novembre 1863), il répondit « 227, North West Front Street. Mais il n'y resta qu'une nuit, il fit son discours le jour suivant » (Treffert et Christensen, 2005).

Les trois types d'Intelligence de Sternberg

Robert Sternberg (1985, 2011) s'accorde avec Gardner pour dire que l'intelligence, telle qu'elle est classiquement définie, n'explique pas à elle seule, la réussite. Et il s'accorde avec l'idée de Gardner à propos des intelligences multiples. Mais il propose une *théorie triarchique*, composée de trois types d'intelligence au lieu de huit ou neuf :

- *L'intelligence analytique (les capacités scolaires à résoudre un problème)*, est évaluée par les tests d'intelligence formés de problèmes précis avec une seule réponse exacte. Ces tests prédisent assez bien la réussite scolaire et plus modestement la réussite professionnelle.

- *L'intelligence créative*, l'intelligence imaginative et la capacité à produire de nouvelles idées.

> « Vous devez être prudent, si vous êtes bon dans un domaine, assurez-vous que vous ne pensez pas que vous êtes bon dans des domaines qui ne sont pas faits pour vous… Parce que j'ai très bien réussi dans un domaine [le développement de logiciels], les gens s'attendent à ce que je fasse preuve de sagesse pour m'exprimer sur des sujets que j'ignore. »
>
> Bill Gates, Philanthrope (1998)

Le New Yorker Collection, 1988, Donald Reilly de cartoonbank.com

« Vous êtes sage, mais vous manquez de connaissances sur les arbres. »

- *L'intelligence pratique*, nécessaire pour accomplir les tâches de la vie quotidienne, qui sont souvent des problèmes mal définis avec des solutions multiples. Le succès d'un manager, par exemple, dépend moins de ses capacités scolaires à résoudre les problèmes que d'une capacité effective à se diriger soi-même et à organiser son propre travail et celui des autres. Sternberg et Richard Wagner (1993, 1995 ; Wagner, 2011) ont mis au point un test d'intelligence pratique de direction des équipes qui mesure la capacité à rédiger des notes utiles, à motiver ses collaborateurs, à déléguer des tâches et des responsabilités, à comprendre les gens et à promouvoir leur propre carrière. Les cadres d'entreprise ayant d'excellents résultats à ce test ont tendance à percevoir des salaires plus élevés et obtiennent de meilleures appréciations de leurs résultats.

Avec le soutien de l'US College Board (qui administre le test de raisonnement SAT (Scholastic Assessment Test) largement utilisé dans les lycées et les universités américaines), Sternberg (2006, 2007, 2010) et un groupe de collaborateurs ont développé de nouvelles mesures de la créativité (imaginer, par exemple, une légende pour un dessin animé sans titre) et de la pensée pratique (imaginer, par exemple, comment monter un lit double dans un escalier en colimaçon). Les évaluations plus générales amélioraient la prédiction du déroulement des premières années d'université des étudiants américains et ce avec une réduction des différences interethniques.

Les conceptions de Gardner et de Sternberg diffèrent sur des points spécifiques, mais ils sont d'accord sur deux points importants : les capacités multiples peuvent contribuer à la réussite dans la vie, et les différentes capacités dont nous pouvons être doués ajoutent du piquant à la vie et sont des défis pour l'éducation. De nombreux enseignants ont reçu des formations, inspirées des idées de ces deux auteurs, pour évaluer les variétés d'aptitudes et appliquer la théorie des intelligences multiples dans leur classe.

Intelligence de la rue Cet enfant qui vend des friandises dans les rues de Manaus, au Brésil, a développé une intelligence pratique dès un très jeune âge.

Critique de la théorie des intelligences multiples

Ne serait-ce pas magnifique que le monde soit suffisamment juste pour qu'une faiblesse dans un domaine quelconque soit compensée par du génie dans un autre ? Hélas ! Répliquent ceux qui critiquent ces idées, le monde n'est pas juste (Fergusson, 2009 ; Scarr, 1989). Des recherches, utilisant l'analyse factorielle, confirment *l'existence* d'un facteur d'intelligence générale (Johnson et al., 2008) : le facteur g a de l'importance. Il prédit nos performances sur diverses tâches complexes, dans diverses professions. (Gottfredson, 2002a, b ; 2003a, b ; voir aussi la **FIGURE 10.2**). Tout comme la capacité à sauter ne permet pas de prédire les performances au saut lorsque la barre est placée à 30 centimètres du sol, mais le permet lorsque la barre est placée plus haut, les résultats extrêmement élevés aux tests explorant les capacités cognitives prédisent des réussites exceptionnelles, par exemple l'obtention d'un doctorat ou la publication de leurs travaux (Kuncel et Hezlett, 2010).

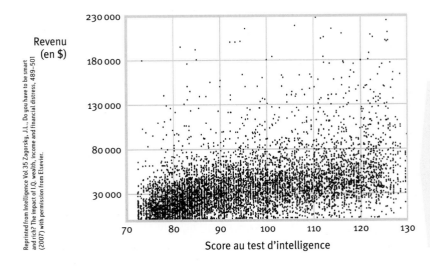

▼ FIGURE 10.2
Riche et intelligente ? Jay Zagorsky (2007) a suivi 7 403 participants à l'Enquête longitudinale nationale américaine de la Jeunesse, pendant vingt-cinq ans. Comme le montre ce diagramme, leurs scores d'intelligence et leurs revenus sont faiblement corrélés, coefficient de corrélation r = +0,30, Chaque point a pour abscisse le score d'intelligence mesurée quand le sujet était jeune et pour ordonnée le revenu à l'âge adulte.

Reprinted from Intelligence Vol 35 Zagorsky, J.L., Do you have to be smart and rich? The impact of I.Q, wealth, income and financial distress, 489–501 (2007) with permission from Elsevier.

Génie de l'intelligence spatiale En 1998, le champion du monde de jeu de dames Ron « Suki » King of Barbados a établi un nouveau record en jouant simultanément contre 385 joueurs en trois heures et quarante-quatre minutes. Ainsi, tandis que ses adversaires avaient souvent des heures pour définir leur tactique de jeu, King ne pouvait consacrer environ que trente-cinq secondes pour chaque jeu. Pourtant, il a réussi à remporter les 385 parties !

Courtesy of Cameras on Wheels

Pour en savoir plus sur la manière dont le courage et l'autodiscipline nourrissent la réussite, voir le Chapitre 11.

Même ainsi, la « réussite » n'est pas une recette à un seul ingrédient. Être très intelligent peut vous aider à entrer dans une profession (par l'école et les programmes d'éducation que vous y trouvez) mais cela ne vous fera pas réussir une fois entré. La réussite associe talent et *courage* : ceux qui réussissent brillamment sont aussi consciencieux, ont beaucoup de relations et ont une énergie tenace. K. Anders Ericsson (2002, 2007 ; Ericsson et al., 2007) parle d'une *règle des 10 ans* : un des ingrédients fréquent des performances des maîtres des échecs, des danseuses étoiles, des champions sportifs, des informaticiens surdoués, des musiciens virtuoses, des grands médecins est « environ dix ans de pratique quotidienne intense » (Ericsson, 2002, 2007 ; Simon & Chase, 1973). Devenir musicien professionnel nécessite une certaine capacité cognitive. Mais il faut aussi pratiquer environ onze mille heures en moyenne, et un *minimum* de trois mille heures (Campitelli & Gobet, 2011). La recette du succès est un don de la nature qui doit être cultivé intensément.

EXERCICE RÉCAPITULATIF

- Comment montrer que l'existence du syndrome du savant est en faveur de la théorie de Gardner sur les intelligences multiples ?

Réponse : Les personnes atteintes du syndrome du savant ont une capacité globale mentale limitée, mais possèdent une ou plusieurs compétences exceptionnelles. Selon Howard Gardner, tout se passe comme si nos capacités étaient compartimentées et non pas l'expression d'une intelligence générale englobant l'ensemble de nos talents.

L'intelligence émotionnelle

10-3 **Quels sont les quatre composantes de l'intelligence émotionnelle ?**

Est-ce qu'être en harmonie avec soi-même et avec les autres est le signe d'une intelligence, différente de l'intelligence académique ? Certains chercheurs disent *Oui*. Ils définissent *l'intelligence sociale* comme étant le savoir-faire qu'impliquent les situations sociales et la gestion de votre réussite (Cantor & Kihlstrom, 1987). Les personnes ayant une intelligence sociale élevée peuvent interpréter les situations sociales aussi bien qu'un joueur de football doué parvient à comprendre l'organisation de la défense de l'équipe adverse ou qu'un météorologiste déduit le temps qu'il fera. Ce concept fut proposé en premier en 1920 par le psychologue Edward Thorndike qui remarqua : « Le meilleur mécanicien dans une usine peut échouer dans la fonction de contremaître à cause d'un manque d'intelligence sociale » (Goleman, 2006, p. 83).

Un axe de recherche a exploré un aspect spécifique de l'intelligence sociale appelé **intelligence émotionnelle**, composée de quatre capacités (Mayer et al., 2002, 2011, 2012.) :

- *Percevoir* les émotions (les reconnaître sur les visages, dans la musique et dans les histoires) ;
- *Comprendre les* émotions (les prédire envisager leur changement et leur intrication)

Intelligence émotionnelle capacité de percevoir les émotions, de les comprendre, de les maîtriser et de les utiliser.

- *Gérer* les émotions (savoir comment les exprimer dans des situations variées)
- *Utiliser* les émotions pour permettre une réflexion adaptative ou créative.

Les personnes dotées d'une intelligence émotionnelle ont plutôt une forte conscience de soi et une conscience sociale. Les sujets qui ont obtenu les meilleurs résultats lors de la passation des tests évaluant la gestion des émotions ont de bien meilleures relations avec leurs amis (Lopes et al., 2004). Ils arrivent à ne pas être submergés par la dépression, l'anxiété ou la colère. Ils savent quoi dire à un ami qui a de la peine, comment encourager leurs collègues et faire face à des conflits.

Ces sujets qui ont obtenu de bons résultats lors des tests portant sur l'intelligence émotionnelle ont des résultats professionnels un peu supérieurs aux autres (O'Boyle et al., 2011). Ils peuvent préférer obtenir des satisfactions venant avec le temps à long terme plutôt que de céder aux pulsions conduisant à une gratification immédiate. En parlant simplement, on dit qu'ils sont émotionnellement intelligents. Ils réussissent souvent leur carrière, leur vie de couple, l'éducation de leurs enfants, alors que d'autres personnes dont les aptitudes scolaires sont plus élevées (mais qui ont moins d'intelligence émotionnelle) échouent dans ces domaines (Cherniss, 2010a, b ; Ciarrochi et al., 2006).

Certains savants, cependant, ont peur que le concept de l'intelligence émotionnelle recouvre un champ trop important (Visser et al., 2006). Howard Gardner (1999) inclut dans les huit formes d'intelligence multiple qu'il décrit, l'intelligence intra et interpersonnelle. Mais, dit-il, nous devons également respecter la sensibilité émotionnelle, la créativité, la motivation de chacun d'entre nous et les considérer comme des caractères importants mais différents. Élargir la conception de « *l'intelligence* » pour y inclure tout ce qui a de l'importance pour nous lui fera perdre de sa signification.

La devise de la procrastination : « Le travail acharné paie tardivement ; la paresse paie immédiatement. »

* * *

Pour un résumé des théories de l'intelligence, voir le **TABLEAU 10.1**.

▼ TABLEAU 10.1
Comparaison des théories de l'intelligence

Théorie	Résumé	Points forts	Autres considérations
Facteur d'intelligence générale de Spearman (g)	L'intelligence générale est prédictive des capacités scolaires.	Différentes capacités, telles que verbales et spatiales, ont une certaine tendance à être corrélées.	Les capacités humaines sont trop diverses pour être englobées dans un seul facteur d'intelligence générale.
Théorie des capacités mentales primaires de Thurstone	L'intelligence peut être découpée en sept groupes d'aptitudes mentales de base (fluidité verbale, compréhension verbale, capacité spatiale, vitesse de perception, capacité numérique, raisonnement inductif et mémoire).	Un seul facteur g n'est pas aussi instructif que les scores des sept aptitudes mentales primaires.	Les sept capacités mentales primaires de Thurstone montrent une tendance à évoluer en même temps, ce qui suggère l'existence sous-jacente d'un facteur g.
Théorie des intelligences multiples de Gardner	Nos capacités ont tout intérêt à être classées en huit ou neuf intelligences indépendantes, qui comprennent un large éventail de compétences dépassant les aptitudes scolaires traditionnelles.	L'intelligence est bien plus qu'une compétence verbale et mathématique. D'autres capacités sont tout aussi importantes à notre adaptabilité en tant qu'être humains.	Devrait-on considérer nos capacités comme des formes d'*intelligences* ? Ne devrait-on pas plutôt dénommer *talents*, celles qui sont moins vitales ?
Théorie triarchique de Sternberg	Notre intelligence est mieux définie si on la divise en trois domaines qui prédisent le succès dans le monde réel : analyse, créativité et pragmatisme.	Ces trois domaines peuvent être évalués de manière fidèle.	1. Ces trois domaines sont peut-être moins indépendants que le pensait Sternberg. Ils peuvent participer d'un facteur g sous-jacent. 2. Des tests supplémentaires sont nécessaires pour compléter la valeur prédictive de la réussite de ces domaines, avec une fidélité satisfaisante.
L'intelligence émotionnelle	L'intelligence sociale est un indicateur important de la réussite dans la vie. L'intelligence émotionnelle est un aspect essentiel. Elle est constituée de la perception, de la compréhension, de la maîtrise et de la manifestation adaptée des émotions.	Les quatre composantes qui permettent de prédire la réussite sociale.	N'est-ce pas trop élargir le concept d'intelligence ?

OBJECTIFS D'APPRENTISSAGE

EXERCICE RÉCAPITULATIF Prenez un moment pour répondre à chacune de ces Questions objectif d'apprentissage (répétées ici au sein de cette section). Puis allez à l'annexe C, révision complète du chapitre, pour vérifier vos réponses. La recherche suggère que tenter de répondre à ces questions sur votre propre permettra d'améliorer votre rétention à long terme (McDaniel et al., 2009).

10-1 Comment les psychologues définissent-ils *l'intelligence*, et quels sont les arguments qui permettent de définir *le facteur g ?*

10-2 En quoi les théories de Gardner et de Sternberg sur les intelligences multiples diffèrent-elles, et quelles sont les critiques auxquelles ils ont dû faire face ?

10-3 Quelles sont les quatre composantes de l'intelligence émotionnelle ?

TERMES ET CONCEPTS À RETENIR

EXERCICE RÉCAPITULATIF Testez votre connaissance de ces termes en essayant d'écrire leur définition, avant de vous reporter aux pages indiquées en référence pour vérifier votre réponse.

intelligence, p. 387

intelligence générale (*g*), p. 387

syndrome du savant, p. 387

intelligence émotionnelle, p. 390

Évaluation de l'intelligence

10-4 Quelles sont les différences entre les tests d'aptitude et les tests de connaissance ?

Un **test d'intelligence** évalue les capacités mentales des gens et les compare à celles d'autres personnes au moyen d'une note, d'un score numérique. Comment pouvons-nous concevoir de tels tests, et qu'est ce qui fait leur crédibilité ? Examinons les raisons qui ont amené les psychologues à créer des tests d'évaluation des capacités mentales et comment ils les ont utilisés.

À ce jour, vous avez déjà été confronté à des douzaines de tests différents concernant vos capacités : tests passés à l'école primaire pour évaluer vos capacités à lire et à compter, examens, tests d'intelligence, examen du permis de conduire entre autres. Les psychologues les classent en **tests de connaissance**, censés *refléter* ce que vous avez appris ou en **tests d'aptitude**, destinés à *prévoir* votre capacité à acquérir une compétence nouvelle. Les examens couvrant ce que vous avez appris durant votre cours de psychologie sont des tests de connaissance. Un examen d'entrée à l'université, cherchant à prévoir votre capacité à effectuer le travail universitaire, est un test d'aptitude – un « test d'intelligence légèrement déguisé » déclare Howard Gardner (1999). En effet, disent Meredith Frey et Douglas Detterman (2004), les résultats totaux au Scholastic Assessment Test américain présentent un coefficient de corrélation égal à +0,82 avec les résultats aux tests d'intelligence générale effectués sur un échantillon national d'élèves et étudiants âgés de 14 à 21 ans (**FIGURE 10.3**).

Test d'intelligence méthode permettant d'évaluer les aptitudes mentales d'un individu et de les comparer à celles d'autres personnes au moyen d'une valeur quantitative, numérique (N.d.T. : psychologie différentielle).

Test de connaissance test conçu pour évaluer ce qu'une personne a appris.

Test d'aptitude test conçu pour prédire les résultats qu'obtiendra un sujet, dans un domaine donné ; *l'aptitude* est la capacité d'apprendre.

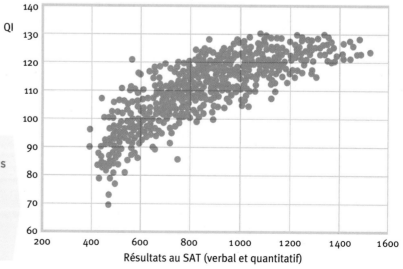

▼ FIGURE 10.3
De proches cousins : les résultats aux tests d'aptitude et aux tests d'intelligence Ce nuage de points montre la corrélation très forte entre les résultats aux tests d'intelligence et ceux obtenus au SAT verbal et quantitatif. (D'après Frey et Detterman, 2004.)

Tests modernes des capacités mentales

10-5 Quand et pourquoi les tests d'intelligence ont-ils été créés, et en quoi les tests actuels diffèrent-ils des premiers tests ?

Certaines sociétés s'intéressent à promouvoir le bien-être collectif de la famille, de la communauté ou de la société. D'autres sociétés mettent l'accent sur les chances de chaque individu. Un pionnier de cette tradition individualiste, Platon, écrivit il y a plus de deux mille ans dans *La République* : « Il n'y a pas deux personnes qui soient nées tout à fait semblables ; chacune diffère de l'autre par ses dons naturels, l'une est plus qualifiée pour une tâche et l'autre pour une autre. » Héritiers de l'individualisme de Platon, les sociétés occidentales réfléchissent sur comment et pourquoi les aptitudes mentales sont si différentes d'un sujet à l'autre.

Francis Galton : la croyance en l'hérédité du génie de l'intelligence

Les tentatives occidentales d'évaluation de ces différences ont véritablement commencé avec le scientifique anglais Francis Galton (1822-1911), qui a été fasciné par la mesure quantitative des traits humains. Lorsque son cousin, Charles Darwin, proposa que la nature sélectionne les caractères permettant aux individus en meilleure santé de survivre, Galton se demanda s'il serait possible de mesurer la « capacité naturelle » et d'encourager les individus ayant de fortes capacités à s'accoupler. Lors de l'exposition sur l'hygiène et la santé de Londres en 1884, plus de 10 000 visiteurs passèrent un test d'évaluation de leur « force intellectuelle » fondé sur le temps de réaction, l'acuité senso-rielle, la force musculaire et leurs caractéristiques somatiques et staturo-pondérales. Mais hélas, sur ces mesures, des adultes éminents et des étudiants terminant des études supérieures ne se sont pas démarqués des autres. Aucune corrélation de ces mesures ne fut établie.

Bien que la quête de Galton sur la mesure d'une intelligence simple échouât, il nous apporta quelques techniques statistiques que nous utilisons encore (ainsi que la phrase « l'inné et l'ac-quis », ou « *la nature et la culture* »). Et sa croyance persistante de la transmission héréditaire du génie, reflétée par le titre de son livre, *Le Génie héréditaire*, illustre une leçon importante issue de l'histoire de la recherche sur l'intelligence et de l'histoire de la science : bien que la science prétende à l'objectivité, les scientifiques sont influencés par leurs propres suppositions et attitudes.

Alfred Binet : prédire la réussite scolaire

Le mouvement moderne d'évaluation de l'intelligence trouve ses racines dans la loi française, votée au début du XXe siècle, rendant l'école obligatoire pour tous les enfants. Les responsables français savaient que certains enfants, y compris de nombreux nouveaux arrivants à Paris, auraient des difficultés d'adaptation et que la création de classes spéciales serait nécessaire. Mais comment les écoles pourraient-elles émettre des jugements équitables portant sur les capacités d'apprentissage des différents enfants ? Les enseignants pouvaient considérer les enfants n'ayant reçu déjà qu'une faible éducation comme moins aptes que les autres. Les enseignants pouvaient aussi préjuger des capacités des enfants en fonction de leur origine sociale et en faire un critère de répartition dans différentes classes. Pour minimiser ce biais, le ministre de l'éducation publique de la France a donné à Alfred Binet et ses collaborateurs, dont faisait partie Théodore Simon, la mission d'étudier ce problème.

En 1905, Binet et Simon ont d'abord présenté leurs travaux sous le titre archaïque « Nouvelles méthodes de diagnostic de l'idiotie, de l'imbécillité et de la débilité mentale » (Nicolas & Levine, 2012). Ils commencèrent à poser l'hypothèse selon laquelle tous les enfants suivent le même développement intellectuel, mais que certains se développent plus rapidement. De ce fait, au cours des tests, un enfant « retardé » aura des résultats correspondant aux résultats habituels obtenus par un enfant plus jeune, et un enfant « brillant » aura des résultats comparables à ceux d'un enfant plus âgé. Leur objectif consista donc à mesurer **l'âge mental** de chaque enfant, par le niveau de performance caractéristique d'un âge chronologique. L'enfant moyen de 9 ans, par exemple, a donc un âge mental de 9 ans. Les enfants au-dessous de la moyenne, comme les enfants de 9 ans ayant des résultats comparables à ceux d'enfants de 7 ans, rencontreront des difficultés lors de l'accomplissement d'un travail scolaire normal pour leur âge. Un enfant de 9 ans qui réussit à faire les devoirs demandés à un enfant de 11 ans devrait voir sa scolarité se dérouler brillamment.

Pour mesurer l'âge mental, Binet et Simon postulèrent que l'aptitude mentale, comme l'aptitude athlétique, est une capacité générale qui se manifeste de plusieurs façons. Ils ont testé une variété de raisonnement et de résolutions de problèmes et de questions posées aux deux filles de Binet, puis à des élèves parisiens, considérés comme brillants et faibles. Les éléments qu'ils ont développés pour élaborer les tests pouvaient prédire les aptitudes scolaires des enfants.

Alfred Binet (1857-1911) « Certains philosophes modernes ont approuvé ce jugement définitif déplorable affirmant que l'intelligence d'un individu est une quantité fixe, et que cette quantité ne peut pas être augmentée. Nous devons protester et agir contre ce pessimisme brutal » (Binet, 1909, p. 141).

Âge mental une mesure du degré de développement intellectuel faite au moyen du test d'intelligence conçu par Binet ; l'âge chronologique correspond le plus souvent à un niveau de perfor-mance donné atteint par la moyenne des enfants d'un âge donné. Ainsi, un enfant, quel que soit son âge, qui obtient des résultats aux tests égaux à la moyenne des résultats obtenus par une population d'enfants âgés de 8 ans se voit attribuer un âge mental de 8 ans.

« Le test du QI a été inventé pour prédire le rendement scolaire, rien d'autre. Si nous voulions quelque chose qui pourrait prédire la réussite dans la vie, nous devrions construire un autre test qui le compléterait ».

Robert Zajonc, Spécialiste de psychologie sociale
(1984b)

Notez que Binet et Simon n'avaient fait aucune hypothèse concernant *la raison* pour laquelle un enfant était lent, normal ou précoce. L'opinion personnelle de Binet penchait vers une explication environnementale. Pour augmenter les capacités des enfants ayant de mauvais résultats, il suggérait une « gymnastique mentale » pouvant les entraîner à développer la durée de leur attention et leur autodiscipline. Il pensait que son test d'intelligence ne mesurait pas l'intelligence innée comme on mesure la hauteur avec un mètre. Ce test n'avait plutôt qu'un but pratique : identifier les écoliers français ayant besoin d'une attention particulière. Binet espérait que son test pourrait être utilisé pour améliorer l'éducation des enfants, mais craignait également qu'il soit utilisé pour les cataloguer et limiter leurs possibilités (Gould, 1981).

EXERCICE RÉCAPITULATIF

• Qu'est-ce que Binet espérait réaliser en définissant l'*âge mental* d'un enfant ?

Réponse : Binet espérait que pour un enfant, l'établissement de son *âge mental* (l'âge qui correspond généralement au niveau de la performance de l'enfant), aiderait à identifier les placements scolaires les plus appropriés.

Stanford-Binet   version américaine du test d'intelligence original de Binet, faite par Terman à l'Université de Stanford, très largement utilisée.

Quotient intellectuel (QI)   défini à l'origine comme le rapport de l'âge mental *(am)* à l'âge chronologique *(ac)* multiplié par 100 (ainsi, QI = *am/ac* × 100). Dans les tests d'intelligence contemporains, la performance moyenne pour un âge donné se voit attribuer la valeur 100.

Lewis Terman : le QI inné

Les craintes de Binet devinrent réalité peu après sa mort en 1911, lorsque d'autres adaptèrent ses tests pour les utiliser comme mesure numérique de l'intelligence héréditaire. Cela commença lorsque Lewis Terman (1877-1956), professeur à l'université de Stanford, s'aperçut que les questions et les normes d'âge développées à Paris ne s'appliquaient pas bien aux écoliers californiens. Adaptant certains des éléments initiaux de Binet, en ajoutant d'autres et établissant de nouvelles normes d'âge, Terman étendit l'échelle de test des adolescents aux « adultes d'une intelligence supérieurs ». Il donna à sa révision le nom qu'elle porte encore aujourd'hui : le **Stanford-Binet**.

À partir de ces tests, le psychologue allemand William Stern établit le célèbre **quotient intellectuel ou QI**. Le QI était simplement l'âge mental d'une personne divisé par son âge réel et multiplié par 100 pour éliminer les décimales :

$$QI = \frac{\text{âge mental}}{\text{âge chronologique}} \times 100$$

Ainsi, un enfant moyen dont l'âge mental et l'âge réel sont les mêmes possède un QI égal 100. Mais un enfant de 8 ans qui répond aux questions comme le ferait normalement un enfant de 10 ans a un QI de 125.

La formule originale du QI marchait assez bien pour les enfants, mais pas pour les adultes. (Une personne de 40 ans qui obtient aux tests des résultats équivalents à ceux d'un individu moyen de 20 ans devra-t-elle se voir assigner un QI de seulement 50 ?) La plupart des tests d'intelligence actuels, y compris le Stanford-Binet, ne calculent plus le QI de cette façon (bien que le terme « *QI* » persiste dans le vocabulaire quotidien comme un raccourci pour « résultat au test d'intelligence »). Au lieu de cela, ils représentent les performances de la personne testée, *relativement aux résultats moyens des personnes du même âge*. À cette performance moyenne est arbitrairement attribuée la valeur 100 avec environ deux tiers des sujets obtenant des notes comprises entre 85 et 115.

Terman (1916, p. 4) promut ainsi une large utilisation des tests d'évaluation de l'intelligence pour « prendre en compte les inégalités des dons naturels chez les enfants » en évaluant leurs « aptitudes professionnelles ». En accord avec la *pensée eugéniste* de Francis Galton – largement critiqué, qui, au XIXe siècle, proposait d'évaluer les caractéristiques humaines et d'utiliser les résultats pour encourager uniquement les personnes intelligentes et en bonne santé à se reproduire – Terman prévoyait que l'utilisation des tests d'intelligence aboutirait « finalement à restreindre la reproduction de la faiblesse mentale et à l'élimination d'une quantité énorme de crimes, de pauvreté et d'inefficacité industrielle » (p. 7).

Avec l'aide de Terman, le gouvernement américain développa de nouveaux tests pour évaluer les recrues de l'armée durant la Première Guerre mondiale, ainsi que les nouveaux immigrants – c'était la première fois au monde qu'un test d'intelligence était utilisé de manière massive. Pour certains psychologues, les résultats indiquaient l'« infériorité » des peuples ne partageant pas leur héritage anglo-saxon. Ces découvertes furent un des éléments du climat culturel qui aboutit, en 1924, à la loi sur l'immigration qui réduisit les quotas d'immigration pour l'Europe de l'Est et du Sud à moins d'un cinquième de ceux pour les pays du Nord et de l'Ouest de l'Europe.

La fierté maternelle de Mme Randolph est exagérée.

Binet aurait été horrifié que ses tests soient adaptés et utilisés pour tirer de telles conclusions. Ces jugements à l'emporte-pièce devinrent en effet gênants pour la plupart de ceux qui étaient favorables aux tests. Même Terman en vint à se rendre compte que les résultats des tests reflétaient non seulement les capacités mentales innées des gens, mais aussi leur éducation, leur langue natale et leur familiarité avec la culture contenue dans le test. Quoi qu'il en soit, les abus d'application des premiers tests d'intelligence nous permettent de nous rappeler que la science peut être porteuse de morale. Derrière l'écran de l'objectivité scientifique se cache parfois l'idéologie.

> **Échelle d'intelligence de Wechsler pour adultes [Wechsler Adult Intelligence Scale (WAIS)]** WAIS et ses versions pour les enfants sont les tests d'intelligence les plus largement utilisés ; ces tests comprennent des épreuves verbales et des épreuves de performance, non verbales.

EXERCICE RÉCAPITULATIF

- Quel est le QI d'un enfant de 4 ans ayant un âge mental de 5 ans ?

Réponse : 125 (5 ÷ 4 × 100 = 125)

David Wechsler : distinctions des compétences

Le psychologue David Wechsler créa le test d'intelligence le plus utilisé actuellement, **l'échelle d'intelligence de Wechsler pour adultes,** avec une version pour les enfants d'âge scolaire appelé *échelle d'intelligence de Wechsler pour enfants*, et un autre test pour les enfants âgés de moins de 6 ans (Evers et al., 2012). La dernière édition du test de Wechsler pour adultes est constituée de 15 sous-tests, parmi lesquels :

- *Similitudes* : raisonnement portant sur les points communs de deux objets ou de deux concepts, par exemple « En quoi le coton et la laine se ressemblent-ils ? »
- *Vocabulaire* : Nommer les objets représentés, ou définir des mots (« Qu'est-ce qu'une guitare ? »)
- *Assemblage de blocs ou de cubes* : Traitement visuel abstrait, comme « En utilisant les quatre blocs, construisez une figure comme celle dessinée sur la carte ».
- *Séquences de lettres et de chiffres* : après avoir entendu une série de chiffres et de lettres, répéter la séquence des chiffres en ordre croissant puis celle des lettres par ordre alphabétique : « R-2-C-1-M-3 ».

Le test de Weschler WAIS fournit non seulement un niveau d'intelligence global, comme le fait le test de Stanford-Binet, mais sépare également les résultats en un score de compréhension verbale, un score d'organisation perceptuelle, un score de mémoire de travail et un score de vitesse de traitement. Des différences importantes entre ces résultats peuvent fournir des indices sur les forces et les faiblesses de la cognition. Par exemple, un faible score de compréhension verbale combiné à des scores élevés sur d'autres sous-tests pourrait indiquer un problème de lecture ou de langage. D'autres comparaisons peuvent également aider un psychologue ou un psychiatre à établir un plan de rééducation chez les patients qui ont souffert d'un accident vasculaire cérébral. Dans cette optique les tests aident à atteindre l'objectif que Binet s'était donné : identifier les possibilités d'amélioration des points faibles et tirer parti des points forts ; ce que les enseignants peuvent faire en particulier. Ces utilisations ne sont possibles, bien sûr, que lorsque nous pouvons nous fier aux résultats des tests.

Correspondance de modèles de formes La résolution de puzzles sous forme de cubes teste la capacité à analyser des formes. Les tests d'intelligence de Wechsler, que l'on fait passer individuellement, existent sous des formes adaptées aux adultes et aux enfants.

© Richard T. Nowitz/Corbis

EXERCICE RÉCAPITULATIF

- Un employeur face à plusieurs candidats pour un seul poste disponible est intéressé par la possibilité d'évaluer le potentiel de chaque candidat. Pour l'aider à décider qui il devrait embaucher, il devrait utiliser un test évaluant _____ (réussite d'exécution/aptitude). Ce même employeur souhaitant tester l'efficacité d'un nouveau programme de formation serait avisé de recourir à un test _____ (réussite d'exécution/aptitude).

Réponses : aptitude ; réussite

Principes de construction des tests

10-6 Qu'est-ce qu'une courbe normale, que veut dire qu'un test est standardisé, qu'il est fiable, qu'il est valide ?

Pour être largement acceptés, les tests psychologiques doivent satisfaire trois critères : ils doivent être *standardisés*, *fiables* et *valides*. Les tests de Stanford-Binet et de Wechsler satisfont ces exigences.

Standardisation définir les scores significatifs en comparaison avec les performances d'un groupe testé préalablement.

Courbe normale la courbe en forme de cloche qui décrit la distribution de nombreuses caractéristiques physiques et psychologiques. La plupart des sujets obtiennent des notes proches de la moyenne et plus nous nous éloignons en allant vers les extrêmes, plus le nombre de sujets ayant obtenu ces notes extrêmes est faible.

Standardisation

Le nombre de questions d'un test d'intelligence auxquelles vous avez répondu correctement ne nous apprend pas grand-chose. Pour connaître le degré de réussite vous devez avoir une référence. Les concepteurs d'un test soumettent, à sa passation, un échantillon représentatif d'individus. Les notes obtenues, ou les scores de ce groupe prétesté deviennent la base des comparaisons futures. Si vous passez ce test ultérieurement, dans les mêmes conditions standardisées, selon les mêmes procédures, la comparaison de votre score à ceux obtenus par l'échantillon représentatif de la population sera significative Ce processus est appelé **standardisation**

Si nous construisons un graphique des scores obtenus par les sujets testés, les scores forment généralement un motif en forme de cloche appelé **courbe normale.** Que nous mesurions la taille, le poids ou les capacités intellectuelles, les résultats des personnes testées ont tendance à former cette *courbe en cloche.* Le point culminant est le milieu, ou score moyen. Dans un test d'intelligence, nous attribuons la valeur 100 à ce score moyen (**FIGURE 10.4**). Lorsque nous nous éloignons de la moyenne (vers l'une ou l'autre des extrêmes), nous trouvons de moins en moins de sujets. Pour les tests de Stanford-Binet et de Wechsler, le score d'une personne indique si la performance de cet individu se trouve au-dessus ou en dessous de la moyenne. Une note d'intelligence supérieure aux 98 % de l'ensemble des notes mais inférieure aux 2 % restant aura une valeur égale à 130. Une note d'intelligence inférieure aux 98 % de l'ensemble des notes mais supérieure aux 2 % restant aura une valeur égale à 70.

Les échelles de Stanford-Binet et de Wechsler sont étalonnées, standardisées périodiquement pour garder les résultats moyens proches de 100. Si vous avez passé récemment la quatrième version du WAIS, votre performance a été comparée à celle d'un échantillon d'étalonnage ayant passé le test en 2007, et non à l'échantillon initial de David Wechsler de 1930. Si vous comparez les résultats de l'échantillon de l'étalonnage le plus récent avec ceux de l'échantillon de 1930, pensez-vous que nous obtenons une augmentation ou une diminution des performances ? Curieusement – étant donné que les notes obtenues aux tests d'entrée à l'université ont parfois baissé dans les années 1960 et 1970 – les scores aux tests d'intelligence ont augmenté. Ce phénomène mondial est appelé *l'effet de Flynn* en hommage au chercheur néo-zélandais James Flynn (1987, 2012), qui fut le premier à mesurer l'ampleur de ce phénomène. Comme le montre la **FIGURE 10.5**, le score d'intelligence d'une personne moyenne en 1920 – selon les normes actuelles – n'était que de 76 ! Une telle augmentation des performances a été observée dans 29 pays, du Canada aux zones rurales de l'Australie (Ceci et Kanaya, 2010). Bien qu'on ait noté récemment une inversion dans certaines parties du monde, cette augmentation historique est maintenant largement considérée comme un phénomène important (Lynn, 2009 ; Teasdale et Owen, 2005, 2008).

Les causes de l'effet de Flynn restent un mystère pour la psychologie. Cela vient-il d'une plus grande complexité des tests ? Mais l'augmentation a commencé avant que la pratique des tests ne soit largement répandue et a même été observée au sein des enfants non encore scolarisés. Une meilleure alimentation aurait-elle un effet ? Comme l'explication nutritionniste le laissait prévoir, les gens sont devenus plus intelligents mais aussi plus grands. Dans l'Angleterre de l'après-guerre, remarque Flynn (2009), les enfants issus des classes économiquement les plus faibles ont le plus profité de l'amélioration des apports nutritionnels mais l'augmentation de l'intelligence a été la plus forte parmi les enfants des classes économiquement aisées. Ou enfin l'effet de Flynn tire-t-il son origine d'une meilleure éducation ? D'un environnement plus stimulant ? D'un taux

▼ **FIGURE 10.4**

Courbe de distribution normale
Les résultats aux tests d'aptitude ont tendance à former une courbe en cloche, dite normale, avec un maximum qui est la valeur moyenne autour de laquelle les valeurs sont distribuées. Pour l'échelle de Wechsler, par exemple, le score moyen est égal à 100.

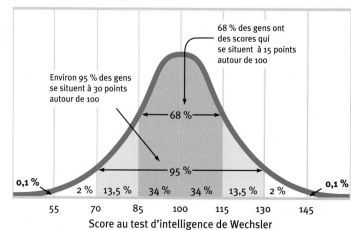

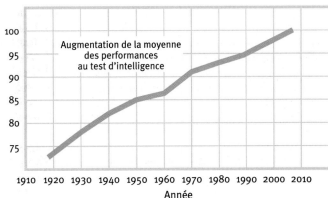

Scores au test d'intelligence fondés sur les échantillons de standardisation de 2007

Augmentation de la moyenne des performances au test d'intelligence

Année

▼ FIGURE 10.5
Devient-on plus intelligent ? Dans tous les pays étudiés, les notes obtenues aux tests d'intelligence ont augmenté au cours du xxᵉ siècle, comme le montrent les résultats des tests passés entre 1918 et 2007 ici, en utilisant les échelles de Wechsler et la version américaine du Stanford-Binet. En Grande-Bretagne, les résultats des tests ont augmenté de 27 points depuis 1942. (Données de Horgan, 1995, mis à jour avec Flynn, 2012, 2014.)

de maladies infantiles plus faible ? Des familles plus petites et d'un investissement parental plus important (Sundet et al., 2008) ? Flynn (2012) attribue l'augmentation de la performance de notre besoin de développer de nouvelles habiletés mentales pour faire face aux environnements modernes. Mais d'autres soutiennent qu'il peut être dû à des modifications des tests (Kaufman et al., 2013). Quelle que soit la combinaison des facteurs justifiant le progrès des performances dans les tests d'intelligence, le phénomène contredit un point précis, partagé par certains théoriciens de l'hérédité, selon lequel le taux de natalité élevé au cours du xxᵉ siècle dans les couches de la population présentant les résultats les plus bas aurait fait chuter les scores de l'intelligence humaine (Lynn et Harvey, 2008).

Fiabilité

Savoir où vous vous situez par rapport à un groupe standardisé ne nous renseignera pas beaucoup sur votre intelligence si le test n'a pas une certaine **fiabilité**. Un test est fiable si les résultats obtenus sont cohérents indépendamment du psychologue et du lieu de passation. Pour évaluer la fiabilité d'un test, les chercheurs soumettent le même groupe de personnes à plusieurs passations. Ils peuvent utiliser le même test ou couper le test en deux moitiés et voir si les résultats aux questions paires et impaires sont en accord. Si les deux résultats coïncident, ou sont *corrélés*, le test est fiable. Plus la corrélation des résultats du *test-retest* ou entre les *deux moitiés* (méthode split-half) du test est élevée, plus la fiabilité du test est grande. Les tests que nous avons considérés jusqu'à présent – Stanford-Binet, WAIS et WISC – ont tous une fiabilité d'environ +0,9, ce qui est très élevé. Lors d'un second test, les résultats des sujets ont tendance à être très proches de ceux du premier.

Validité

Une fiabilité importante ne permet pas d'assurer la **validité** d'un test – à savoir dans quelle mesure le test apprécie effectivement ce qu'il est censé mesurer ou prédit ce qu'il est censé prédire. Imaginez que vous utilisiez un mètre de ruban mal étalonné pour mesurer la taille de sujets. Vos résultats seraient très fiables. Peu importe combien de fois vous avez mesuré, les tailles des personnes seraient les mêmes. Mais vos résultats ne seraient pas valides ; vous ne seriez pas capables de donner l'information promise, la taille réelle des sujets.

Les tests qui mesurent le comportement que l'on souhaite mesuré ou *critère d'évaluation principal* ont une **validité de contenu**. Le test routier pour un permis de conduire a une validité de contenu, car il présente un échantillon des tâches auxquelles un conducteur doit habituellement faire face. Votre examen de fin d'année a une validité de contenu s'il évalue votre maîtrise d'un échantillon représentatif du cours. Mais nous attendons des tests d'intelligence qu'ils aient une **validité de prédiction** : ils doivent prédire la satisfaction de l'exigence du critère et d'une certaine manière c'est ce qu'ils font.

Les tests d'aptitude générale sont-ils aussi prédictifs que fidèles ? Comme les critiques se plaisent à le faire remarquer, la réponse est assurément *non*. Le pouvoir prédictif des tests d'aptitude est assez fort pour les petites classes, mais s'affaiblit par la suite. Les scores aux tests d'aptitude scolaire prédisent de façon assez satisfaisante les résultats à l'école des enfants ayant entre 6 et 12 ans, où le coefficient de corrélation du score d'intelligence et des résultats scolaires est d'environ +0,6 (Jensen, 1980). Les résultats aux tests d'intelligence sont encore plus corrélés aux résultats des *tests de connaissance* : +0,81, lors d'une comparaison entre les résultats aux tests d'intelligence de 70 000 enfants anglais

Fiabilité mesure de la probabilité qu'un test donne des résultats constants, comme cela peut être évalué par l'homogénéité des résultats aux deux moitiés du test, ou lors d'un deuxième passage du test.

Validité qualité d'un test liée à sa capacité de donner des résultats cohérents avec ce qu'il doit prédire ou mesurer. (Voir aussi *validité de contenu* et *validité prédictive*.)

Validité du contenu le test donne bien un résultat cohérent avec le comportement qu'il doit mesurer.

Validité prédictive succès avec lequel un test prédit le comportement qu'il est censé prédire ; il est évalué en calculant la corrélation entre les résultats au test et le comportement utilisé comme critère (également appelé validité de critère).

effectués à l'âge de 11 ans et leurs résultats scolaires au cours de l'examen national passé à l'âge de 16 ans (Deary et al., 2007, 2009). Le SAT, utilisé aux États-Unis comme test d'entrée à l'université, a moins de succès pour prédire la réussite lors de la première année d'université. (Le coefficient de corrélation r, qui est inférieur à +0,5, passe cependant légèrement au-dessus lorsqu'on ajuste le test en tenant compte des étudiants qui obtiennent un score élevé et choisissent des cours difficiles [Berry et Sackett, 2009 ; Willingham et al., 1990]). Lorsque les Américains passent le GRE (Graduate Record Examination, un test d'aptitude équivalent au SAT, mais qui s'applique au 3ᵉ cycle), la corrélation avec le cursus du 3ᵉ cycle est encore plus faible : r = +0,4 quoique encore significative (Kuncel et Hezlett, 2007).

Pourquoi le pouvoir prédictif des tests d'aptitude diminue-t-il au fur et à mesure que les étudiants s'élèvent dans l'échelle éducative ? Considérons une situation comparable : pour tous les joueurs de ligne au football américain (qu'ils soient canadiens ou américains), le poids du corps est corrélé au succès. Un joueur de 135 kg aura tendance à surpasser un opposant de 90 kg. Mais dans un intervalle étroit allant de 130 à 145 kg, qui est classiquement celui des joueurs professionnels, la corrélation entre le poids et les performances devient négligeable (**FIGURE 10.6**). Plus *l'étendue* des poids corporelle est réduite, moins le poids corporel a de pouvoir prédictif. De la même manière, si une université réservée à l'élite n'accepte que des étudiants ayant des scores d'aptitude élevés, leurs scores ne pourront pas prédire grand-chose. Cela sera vrai, même si le test a une valeur prédictive excellente avec un échantillon d'étudiants plus diversifié. Il est vrai aussi que l'inflation des notes due au système moderne de notation a induit une dilution des notes les plus élevées. Avec leur étendue réduite, les notes obtenues dans le secondaire ne prédisent pas mieux la réussite universitaire que ne le faisait le test SAT (Sackett et al., 2012). Ainsi, quand nous validons un test en l'utilisant sur un grand échantillonnage de la population, mais que nous l'utilisons ensuite sur un groupe plus restreint, il perd une grande partie de sa valeur prédictive.

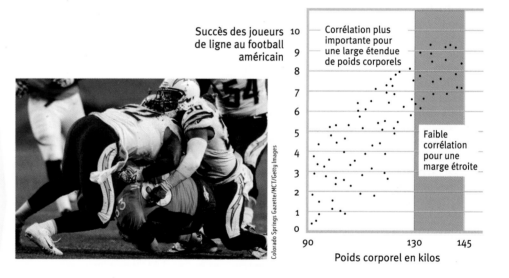

▼ FIGURE 10.6

La diminution du pouvoir prédictif
Imaginons une corrélation entre le poids corporel des joueurs de ligne, au football, et de leur succès sur le terrain. Notez comment la relation devient insignifiante lorsque nous réduisons l'étendue des poids corporels qui va de 127 à 145 kg. À mesure que l'étendue diminue, son pouvoir prédictif diminue.

EXERCICE RÉCAPITULATIF

• Quels sont les trois critères qu'un test psychologique doit satisfaire afin d'être largement accepté ? Expliquez.

Réponse : Un test psychologique doit être standardisé (prétesté sur un groupe similaire de personnes), fiable (donnant des résultats cohérents), et valide (mesurer ce qu'il est censé mesurer).

• Les coefficients de corrélation ont été utilisés dans cette section. Voici une revue rapide : les corrélations n'indiquent pas de relation de cause à effet, mais nous disent si deux valeurs sont liées d'une certaine façon. Une corrélation de −1.0 représente un _____ parfait (accord/désaccord) entre deux ensembles de scores : à mesure qu'un score augmente, l'autre score_____ (augmente/diminue). Un coefficient de corrélation égal à _____ représente une absence totale association. La corrélation la plus élevée, +1.0, représente un _____ parfait (accord/désaccord) : à mesure qu'un score augmente l'autre _____ (augmente/diminue).

Réponses : désaccord ; diminue ; zéro ; accord ; augmente

REVUE GÉNÉRALE Évaluation de l'intelligence

OBJECTIFS D'APPRENTISSAGE

EXERCICE RÉCAPITULATIF Prenez un moment pour répondre à chacune de ces questions objectif d'apprentissage (répétées ici au sein de cette section). Puis allez à l'annexe C, révision complète du chapitre, pour vérifier vos réponses. La recherche suggère que d'essayer de répondre à ces questions de votre propre initiative permettra d'améliorer la mémorisation à long terme de ces réponses (McDaniel et al., 2009).

10-4 Quelles sont les différences entre les tests d'aptitude et les tests de connaissance ?

10-5 Quand et pourquoi les tests d'intelligence ont été créés, et en quoi les tests actuels diffèrent-ils des premiers tests ?

10-6 Qu'est-ce qu'une courbe normale, que veut dire qu'un test a été standardisé, qu'il est fiable, qu'il est valide ?

TERMES ET CONCEPTS À RETENIR

EXERCICE RÉCAPITULATIF Testez votre connaissance de ces termes en essayant d'écrire leur définition, avant de vous reporter aux pages indiquées en référence pour vérifier votre réponse.

test d'intelligence, p. 392

test de réussite, p. 392

test d'aptitude, p. 392

âge mental, p. 393

Stanford-Binet, p. 394

quotient intellectuel (QI), p. 394

Wechsler Adult Intelligence Scale (WAIS), p. 395

standardisation, p. 396

courbe normale, p. 396

fiabilité, p. 397

validité, p. 397

validité de contenu, p. 397

validité prédictive, p. 397

La dynamique de l'intelligence

Les chercheurs étudient des questions que l'on s'est toujours posées sur l'intelligence humaine. Vous le savez bien : vous êtes plus intelligent que certaines personnes mais moins intelligent que d'autres. Ainsi, qu'est-ce qui dans votre cerveau, au cœur même de votre intelligence, engendre cette différence ? Est-ce la *taille* relative de votre cerveau ? (Einstein avait-il un grand cerveau ?) la quantité de *parenchyme cérébral* ? La *vitesse de conduction* de l'influx, dans les réseaux neuronaux ? Ce sont là quelques possibilités que les chercheurs ont identifiées.

Ici, nous allons nous concentrer sur deux autres questions : Quelle est la stabilité de l'intelligence au cours de la vie ? (Est-ce que la précocité constatée chez un enfant de 5 ans est susceptible de donner naissance à un étudiant doué qui plus tard sera une personne âgée brillante ?) Et quels sont les traits et les talents de ceux qui se situent aux deux extrêmes quantifiables de l'intelligence ?

Stabilité ou changement ?

10-7 Quelle est la stabilité des résultats des tests d'intelligence tout au long de la vie, et comment le vieillissement affecte-t-il l'intelligence cristallisée et l'intelligence fluide ?

Si des sujets sont testés régulièrement tout au long de leur vie, leurs scores d'intelligence vont-ils rester stables ? Commençons par explorer la stabilité des capacités mentales vers la fin de la vie.

Intelligence et vieillissement

Qu'arrive-t-il à notre capacité intellectuelle au sens large lorsque nous vieillissons ? Est-ce qu'elle diminue progressivement, comme le fait la force de notre corps ? Ou bien demeure-t-elle constante ? La quête des réponses à ces questions illustre les mécanismes d'autocorrection de la psychologie. Cette recherche s'est développée par phases.

Phase I : études transversales montrant un déclin intellectuel Dans des *études transversales*, les chercheurs testent et comparent au même moment des gens d'âges différents. Au cours de ces études, les adultes plus âgés donnent moins de réponses correctes lorsqu'ils passent des tests d'intelligence que les jeunes adultes. David Wechsler (1972), créateur du WAIS, concluait donc que « le déclin des capacités intellectuelles avec l'âge est une composante du processus général [de vieillissement] de l'organisme pris dans son ensemble ».

Pendant longtemps, cette vision plutôt sombre du déclin mental n'a pas été contestée. Bien des dirigeants prévoyaient des mises à la retraite obligatoires pensant que leurs entreprises pourraient tirer un bénéfice du remplacement des travailleurs vieillissants par des employés plus jeunes et plus compétents. Comme chacun « sait », on ne peut pas apprendre à un vieux chien de nouveaux tours.

Phase II : études longitudinales montrant une stabilité intellectuelle
Après que les universités dans les années 1920 eurent commencé à soumettre les futurs étudiants à des tests d'aptitude d'entrée dans les facultés, plusieurs psychologues ont vu là une chance de procéder à une étude de l'intelligence faite de façon *longitudinale*. Ils ont fait passer les tests à cette même **cohorte** au même groupe de personnes, sur une période de plusieurs années (Schaie & Geiwitz, 1982). Ce qu'ils constatèrent fut une surprise : jusqu'à un âge avancé, l'intelligence restait stable (**FIGURE 10.7**). Et même pour certains tests, les notes obtenues augmentaient.

Comment alors expliquer les résultats des études transversales ? Rétrospectivement, les chercheurs identifièrent la source de la différence. Lorsqu'une étude transversale, un peu ancienne, comparait des personnes âgées de 30 ans à d'autres âgées de 70 ans, elle compare non seulement deux populations d'âges différents, mais aussi deux époques différentes. Elle comparait généralement des gens peu éduqués (nés au début du XXᵉ siècle) à d'autres ayant reçu une meilleure éducation (nés après 1950), des gens élevés dans des familles nombreuses à d'autres nés dans des familles plus réduites, et des gens grandissant dans des familles peu fortunées à d'autres élevés dans des familles plus aisées.

Selon cette vision plus optimiste, le mythe du déclin brutal de l'intelligence avec l'âge est mis au rebut (Conclusion tirée des résultats d'études longitudinales). La célèbre artiste-peintre Anna Mary Robertson Moses (« Grandma Moses ») a commencé à peindre dans sa soixante-dixième année, et à 88 ans un magazine populaire l'a nommée « Jeune Femme de l'année ». À 89 ans, l'architecte Frank Lloyd Wright conçut le musée Guggenheim de New York. Comme chacun le sait, si vous avez la santé, vous n'êtes jamais trop vieux pour apprendre.

Phase III : tout dépend Il est clair que quelque chose ne va pas si tout le monde est au courant de l'existence de deux faits différents et totalement opposés gouvernent l'influence de l'âge sur l'intelligence. Tout d'abord, les études longitudinales génèrent leurs propres inconvénients. En effet, ceux qui survivent à la fin d'une étude de ce type peuvent être des gens particulièrement brillants et en bonne santé dont l'intelligence a moins de chance de diminuer. (Peut-être y avait-il un certain déclin d'intelligence chez les personnes plus jeunes décédées avant la fin de l'expérience.) Après avoir ajusté les résultats en tenant compte des individus disparus, comme dans le cas d'une étude récente menée auprès de 2 000 sujets de plus de 75 ans à Cambridge, en Angleterre, il a été constaté qu'il y avait en effet un déclin plus important de l'intelligence. Cela est d'autant plus vrai chez les sujets de plus de 85 ans (Brayne et al., 1999).

Le problème s'est compliqué depuis que l'on a mis en évidence que l'intelligence n'était pas un trait isolé mais plutôt un ensemble de capacités distinctes. Les tests d'intelligence qui mesurent la rapidité de raisonnement mettent sans doute les gens âgés en position défavorable à cause d'une plus grande lenteur de leurs mécanismes neuronaux à traiter l'information. Lorsque nous rencontrons des anciens amis dans la rue, les noms sont plus lents à refaire surface à l'esprit – « comme des bulles d'air dans la mélasse » selon David Lykken (1999). Mais, être plus lent ne signifie pas forcément être moins intelligent. Au cours de quatre études, les meilleures performances moyennes de remplissage de grilles de mots croisés du *New York Times* (en quinze minutes) étaient obtenues par les adultes ayant de 50 à 60 et 70 ans (Salthouse, 2004). Les tests sur la « sagesse » qui ont pour but d'évaluer les « connaissances sur la vie en général, le sens du jugement ainsi que l'aptitude à pouvoir donner des conseils quant à la meilleure manière de procéder face à des circonstances complexes et incertaines » suggèrent également que les adultes plus âgés se défendent plutôt bien (Baltes et al., 1993, 1994, 1999).

Ainsi, les réponses à nos questions sur l'âge et l'intelligence vont donc dépendre de ce que nous mesurons et comment nous le mesurons. **L'intelligence cristallisée**, c'est-à-dire les connaissances que nous accumulons, mises en évidence par des tests de vocabulaire et d'analogies, *augmente* jusqu'à un âge avancé. **L'intelligence fluide**, c'est-à-dire notre capacité à raisonner rapidement et

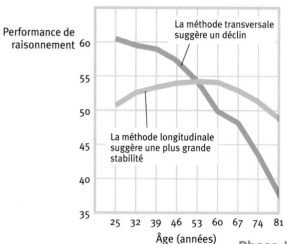

▼ FIGURE 10.7
Étude transversale *versus* longitudinale des effets de l'âge
Les études transversales d'un type d'intelligence verbale (raisonnement inductif) ont montré un déclin de ce dernier avec l'âge. La méthode longitudinale (les mêmes sujets sont évalués au cours du temps, plusieurs années) a montré une légère hausse des notes de ce type d'intelligence, à l'âge adulte. (Données de Schaie, 1994.)

« La connaissance, c'est savoir qu'une tomate est un fruit ; la sagesse, c'est de ne pas en mettre dans une salade de fruits. »

Anonyme

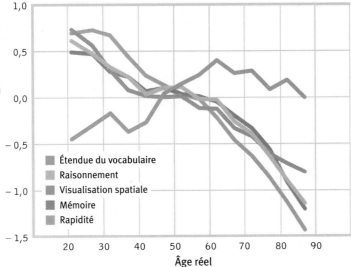

Score standardisé (score z ou nombre d'écarts types au-dessus ou en dessous de la moyenne)

Étendue du vocabulaire
Raisonnement
Visualisation spatiale
Mémoire
Rapidité

Âge réel

▼ FIGURE 10.8
Avec l'âge nous perdons certes, mais nous gagnons aussi. Des études révèlent que les capacités de vocabulaire se développent avec l'âge, tandis que les capacités liées à l'intelligence fluide diminuent. (Données de Salthouse, 2010.)

Ann Baldwin/Shutterstock

de façon abstraite, par exemple résoudre des problèmes de logique nouveaux, *diminue* lentement à partir de la vingtaine ou de la trentaine jusqu'à l'âge de 75 ans, puis plus rapidement en particulier après 85 ans (Cattell, 1963 ; Horn, 1982 ; Salthouse, 2009, 2013). Avec l'âge nous perdons certes mais nous gagnons aussi. Nous perdons notre mémoire de rappel et notre vitesse de traitement de l'information, mais nous gagnons du vocabulaire et des connaissances (**FIGURE 10.8**). Nos décisions sont également moins faussées par nos émotions négatives comme l'anxiété, la dépression et la colère (Blanchard-Fields, 2007 ; Carstensen et Mikels, 2005). Et malgré leur intelligence fluide moindre, les personnes âgées font également preuve d'une plus grande sagesse en envisageant des solutions multiples, en étant capables de faire des compromis, et en reconnaissant les limites de leurs connaissances (Grossman et al., 2010, 2012).

Ces différences cognitives liées à l'âge expliquent pourquoi les personnes âgées sont moins promptes à adopter les nouvelles technologies (Charness et Boot, 2009). Ces différences cognitives aident aussi à expliquer pourquoi les mathématiciens et les scientifiques produisent la plus grande part de leur travail le plus créatif lorsqu'ils ont 30 ans environ, quand l'intelligence fluide est à son apogée (Jones et al., 2014). En revanche, les auteurs, historiens, philosophes tendent à produire le meilleur de leur œuvre à partir de 40 ans environ, après avoir accumulé plus de connaissances (Simonton, 1988, 1990). Les poètes par exemple (qui se fient à l'intelligence fluide) atteignent le sommet de leur art plus tôt que les auteurs de prose (qui ont besoin d'un socle de connaissances plus importantes). Cela s'observe dans toutes les grandes traditions littéraires, qu'il s'agisse d'une langue morte ou d'une langue vivante.

Cohorte groupe de personnes partageant une caractéristique commune, suivie pendant une durée suffisamment longue pour examiner l'évolution de cette caractéristique.

Intelligence cristallisée ensemble des connaissances et des aptitudes verbales que nous accumulons ; a tendance à augmenter avec l'âge.

Intelligence fluide capacité à raisonner rapidement et de façon abstraite ; tend à diminuer avec l'âge.

EXERCICE RÉCAPITULATIF

- Le chercheur A est bien décidé à en apprendre davantage sur la modification de l'intelligence au cours de la vie. Le chercheur B veut étudier l'intelligence de groupes de sujets de différents âges. Quel chercheur devrait utiliser la méthode transversale, et quel chercheur, la méthode longitudinale ?

Réponse : Le chercheur A devrait élaborer une *étude longitudinale* pour évaluer l'évolution et les modifications de l'intelligence d'un même échantillon de population au cours de la vie. Le chercheur B devrait élaborer une *étude transversale* pour évaluer les différences d'intelligence d'un échantillon de population de sujets d'âges différents à un temps donné.

Stabilité tout au long de la vie

Maintenant, qu'en est-il de la stabilité des scores d'intelligence obtenus au début de la vie ? Pour les nourrissons et les bébés, les qualités d'attention, de la vitesse de traitement de l'information, et de l'apprentissage donnent une certaine idée de leur score d'intelligence dans l'enfance et au début de l'âge adulte plus tard (Fagan, 2011 ; Rose et al., 2012). Pour les enfants extrêmement attardés ou très précoces, les premières indications peuvent avoir une grande valeur prédictive. Alors que des observations fortuites et des tests d'intelligence pratiqués avant l'âge de 3 ans ne prédisent que très faiblement les aptitudes futures de l'enfant (Humphreys et Davey, 1988 ; Tasbihsazan et al., 2003). Souvenez-vous que même Albert Einstein a appris très lentement à parler et pensait très lentement (Quasha, 1980).

« Jeunes, nous apprenons, en vieillissant nous comprenons. »

Marie Von Ebner-Eschenbach, *Aphorismes*, 1883

« Ma chère Adèle, je suis âgé de 4 ans et je peux lire n'importe quel livre anglais. Je peux dire tous les substantifs et les adjectifs et les formes actives des verbes latins de même que 52 lignes de la poésie latine. »

Francis Galton, lettre à sa sœur, 1827

Ironiquement, les scores SAT et GRE sont mieux corrélés entre eux qu'ils ne le sont avec ce qu'ils sont supposés mesurer, la réussite scolaire. Ainsi, la validité de contenu de ces tests est très supérieure à leur validité prédictive. Si les résultats d'un test étaient très influencés par le psychologue chargé de la passation, la chance, ou la condition psychique su sujet (comme tant de gens le croient), alors ce test serait dénué des qualités de fiabilité.

Vers l'âge de 4 ans, les performances des enfants aux tests d'intelligence commencent à prédire leurs futurs scores à l'adolescence et à l'âge adulte. La constance des résultats dans le temps augmente avec l'âge de l'enfant. La stabilité remarquable des scores d'aptitude à la fin de l'adolescence est visible dans une étude de l'Educational Testing Service américain portant sur 23 000 étudiants ayant passé le SAT, puis plus tard, le GRE (Angoff, 1988). Dans les deux tests, les scores mathématiques et les scores verbaux ne sont que faiblement corrélés – montrant que ces aptitudes sont distinctes. Cependant, les scores verbaux du SAT présentent une corrélation de r = +0,86 avec les scores verbaux du GRE passés quatre à cinq ans plus tard. Il existe également une corrélation étonnante de r = +0,86 entre les deux tests mathématiques. Compte tenu du temps écoulé et des expériences éducatives différentes de ces 23 000 étudiants, la stabilité de leurs scores d'aptitude est remarquable.

Ian Deary et ses collaborateurs (2004, 2009, 2013) ont rassemblé des résultats obtenus lors d'études menées à long terme. Leur étude longitudinale surprenante fut permise par leur pays, l'Écosse, qui a fait quelque chose qu'aucune autre nation n'avait fait auparavant ni n'a fait depuis. Un lundi matin, le 1er juin 1932, pratiquement tous les enfants du pays nés en 1921, soit 87 498 enfants âgés d'environ 11 ans ont passé un test d'intelligence. Le but était d'identifier les enfants de la classe ouvrière qui pourraient bénéficier de la poursuite des études. Soixante-cinq ans plus tard, Patricia Whalley, la femme du collègue de Deary, Lawrence Whalley, découvrit les résultats de ces tests sur une étagère poussiéreuse d'une salle d'archive du Conseil écossais pour la recherche et l'éducation située près du bureau qu'occupait Deary à l'université d'Édimbourg. Lorsque Whalley lui apprit la nouvelle, Deary répondit : « Cela va changer notre vie. »

Et ce fut le cas, avec des douzaines d'études sur la stabilité et la capacité prédictive des résultats de ces premiers tests. Par exemple, lorsque le test d'intelligence administré à ces enfants écossais âgés de 11 ans en 1932 fut redonné aux 542 survivants lors du changement de millénaire, alors âgés de 80 ans, la corrélation entre les deux groupes de résultats, obtenus après près de 70 ans d'une vie riche d'expériences diverses, fut étonnante (**FIGURE 10.9**). Idem lorsque 106 survivants ont été retestés à 90 ans (Deary et al., 2013). Une étude ultérieure qui a suivi des Écossais, nés en 1936 depuis l'âge de 11 ans jusqu'à 70 ans, a confirmé la remarquable stabilité de l'intelligence, indépendante des circonstances vécues (Johnson et al., 2010).

Les enfants de 11 ans qui à l'époque avaient obtenu de bons résultats avaient plus de chances de vivre encore de manière indépendante à l'âge de 77 ans et étaient moins sujets au développement tardif de *la maladie d'Alzheimer* (Starr et al., 2000 ; Whalley et al., 2000). Soixante-dix pour cent des filles dont les résultats étaient situés dans le quart supérieur étaient encore vivantes à l'âge de 76 ans, contre seulement 45 % des filles ayant eu des résultats dans le quart inférieur (**FIGURE 10.10**). (La Seconde Guerre mondiale a tué prématurément de nombreux hommes ayant passé ce test.) D'autres études suivant d'importants échantillons de personnes ont confirmé ce phénomène : les enfants et les adultes les plus intelligents sont ceux qui vivent le plus longtemps en bonne santé (Calvin et al., 2011 ; Deary et al., 2008, 2010 Johnson et al., 2011). Une étude conduite sur 93 religieuses montra que celles dont l'aptitude verbale était plus faible lors de l'examen écrit à l'entrée du couvent passé pendant leur adolescence avaient plus de risque de souffrir de la maladie d'Alzheimer après l'âge de 75 ans (Snowdon et al., 1996).

« Savoir si vous vivrez assez vieux pour profiter de votre retraite dépend en partie de votre QI à l'âge de 11 ans. »

Ian Deary, « Intelligence, Health, and Death », 2005

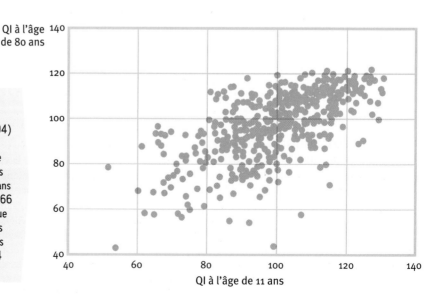

▼ **FIGURE 10.9**
Persistance de l'Intelligence
Lorsque Ian Deary et ses collègues (2004) ont testé des sujets écossais âgés de 80 ans en utilisant un test d'intelligence qu'ils avaient passé à l'âge de 11 ans, les notes obtenues à 11 ans et soixante-dix ans après sont assez bien corrélées, r = + 0,66 (Données de Deary et al., 2004.) Lorsque 207 survivants ont été de nouveau testés à 90 ans, la corrélation avec leurs scores obtenus à l'âge de 11 ans était r = +0,54 (Deary et al., 2013).

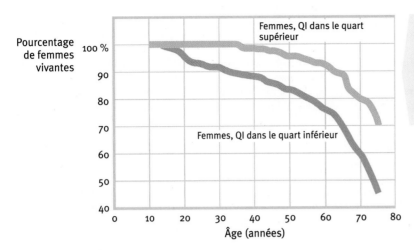

▼ FIGURE 10.10

Intelligence et durée de vie Les femmes qui à l'âge de 11 ans ont un QI se situant au-delà du 75ᵉ percentile vivent plus longtemps que celles dont le QI se situe en deçà du 25ᵉ percentile (Données de Whalley & Deary, 2001.)

Faisons une pause : avez-vous une idée de la raison pour laquelle les gens les plus intelligents ont des chances de vivre plus longtemps ? Deary (2008) propose quatre explications :

1. L'intelligence favorise une meilleure éducation, un meilleur travail et un environnement plus sain.

2. L'intelligence encourage une vie saine : moins de tabagisme, une meilleure alimentation, plus d'exercice.

3. Les événements survenus pendant la période prénatale ou les maladies de la petite enfance peuvent avoir influencé l'intelligence et la santé.

4. Un corps « bien câblé », qualité du système nerveux qui est mise en évidence par une grande vitesse de réaction, favorise peut-être l'intelligence et la longévité.

Les deux extrêmes de l'intelligence

10-8 Quelles sont les caractéristiques des personnes se trouvant aux deux extrêmes de l'intelligence (élevée et faible) ?

Une façon de juger de la validité et de la signification d'un test, quel qu'il soit, consiste à comparer les gens dont les résultats sont situés aux deux extrêmes de la courbe normale. Ces deux groupes doivent différer de façon notable, et c'est le cas.

Les scores les plus faibles : le retard mental

À un extrême de la courbe normale des tests d'intelligence se trouvent les sujets dont les scores sont particulièrement bas. Pour pouvoir porter le diagnostic de **déficience intellectuelle** (anciennement dénommée *retard mental*), chez un sujet, deux critères doivent être retrouvés. Le premier est un faible score de test. Les directives de l'AAIDD (American Association on Intellectual and Developpemental Disabilities) précisent que les performances doivent se trouver approximativement à deux écarts types en dessous de la moyenne (Schalock et al., 2010). Pour un test d'intelligence ayant une moyenne de 100 et un écart type de 15, cela signifie (si on prend en compte certaines variations des résultats individuels au test) que le QI est d'approximativement de 70 ou inférieur. Le deuxième critère est que la personne doit avoir des difficultés d'adaptation aux exigences normales de la vie indépendante, telle qu'elle est exprimée dans trois domaines :

* *aptitudes conceptuelles* comme le langage, la lecture la valeur de l'argent, de temps et de nombre ;

* *aptitudes sociales* comme les aptitudes interpersonnelles, la responsabilité sociale et la capacité à suivre les règles et les lois fondamentales et à éviter d'être pris pour victime ;

* *aptitudes pratiques* comme les soins d'hygiène quotidienne, les aptitudes au travail, les déplacements et les soins de santé.

Le retard mental est un trouble du développement qui apparaît avant l'âge de 18 ans, et résulte parfois de causes physiques connues. Le **syndrome de Down,** par exemple, est une maladie dont la gravité est variable et qui est attribuée à la présence d'un chromosome 21 surnuméraire dans le patrimoine génétique de l'individu (Trisomie 21).

Pensez à une raison pouvant expliquer pourquoi les personnes chez qui on diagnostique un léger retard mental (ceux dont le score au test d'intelligence se situe juste en dessous du score de

---

Déficience intellectuelle capacité mentale limitée caractérisée par une note obtenue aux tests d'intelligence égale ou inférieure à 70 ou moins, et des difficultés d'adaptation aux exigences de la vie. (Anciennement dénommée *retard mental, débilité mentale ; oligophrénie*)

Syndrome de Down condition clinique comportant des troubles somatiques et une déficience intellectuelle modérée à sévère, causée par un chromosome 21 surnuméraire (trisomie 21).

70) sont peut-être plus en mesure de vivre en toute indépendance de nos jours qu'il y a plusieurs décennies lorsqu'elles étaient placées dans des institutions. Rappelez-vous que, grâce à *l'effet de Flynn*, les tests ont été périodiquement réétalonnés. Comme cela se produisait, les personnes qui avaient obtenu une note proche de 70 lors des passations précédentes voyaient leur note réduite brutalement d'environ 6 points. Deux personnes ayant le même niveau de capacités pourraient maintenant être classées différemment, selon le moment de la passation du test (Kanaya et al., 2003 ; Reynolds et al., 2010). Comme la limite de la déficience intellectuelle a changé, plus de personnes sont devenues admissibles dans des centres médico-éducatifs et peuvent percevoir des allocations sociales.

Et aux États-Unis (l'un des rares pays industrialisés où la peine de mort est encore en vigueur), il y a moins de condamnations à la peine capitale : la Cour suprême a statué en 2002 sur la question de l'exécution de personnes ayant une déficience intellectuelle et a affirmé que cela représentait un « châtiment cruel et inhabituel ». Pour les personnes dont l'intelligence est quantifiée par une note proche de 70, les tests d'intelligence peuvent avoir des conséquences importantes. Ce fut le cas de Teresa Lewis, une « personnalité dépendante » ayant des capacités intellectuelles limitées et qui fut exécutée dans l'État de Virginie en 2010. Lewis dont le QI était de 72 a reconnu faire partie d'un complot au cours duquel deux hommes ont assassiné son mari et le fils de celui-ci afin de pouvoir percevoir les primes des assurances vie et les partager avec les criminels (Eckholm, 2010). Si seulement son QI avait été de 69 !

En 2014, la Cour suprême des États-Unis a reconnu l'imprécision et l'arbitraire d'un score limite de 70, et a exigé des États dans lesquels il y avait des prisonniers dans le couloir de la mort et dont le QI était un peu supérieur à 70, de réunir un faisceau de preuves plus important. Ainsi, Ted Herring, dont le QI était de 72 et 74 lors de la passation des tests, mais qui ne savait pas que l'été succédait au printemps et comment prendre les correspondances des autobus, pourrait être retiré du couloir de la mort en Floride (Alvarez & Schwartz, 2014).

EXERCICE RÉCAPITULATIF

- Pourquoi les psychologues ne portent-ils PAS le diagnostic d'une déficience intellectuelle en se fondant uniquement sur la note obtenue par un sujet lors de la passation des tests d'intelligence ?

Réponse : le QI est seulement une mesure de la capacité de fonctionnement d'une personne. Les autres facteurs importants à considérer dans une évaluation globale comprennent la compréhension des concepts, les compétences sociales et les compétences pratiques.

L'autre extrémité : les sujets surdoués

Dans un célèbre projet commencé en 1921, Lewis Terman a étudié plus de 1 500 écoliers californiens ayant un QI supérieur à 135. Contrairement au mythe populaire selon lequel les enfants intellectuellement surdoués sont fréquemment mal dans leur peau, les enfants ayant brillamment réussi les tests de Terman (« Les Termites »), ainsi que d'autres enfants testés ultérieurement, étaient tout à fait adaptés, en excellente santé et avaient de bons résultats scolaires (Friedman & Martin, 2012 ; Koenen et al., 2009 ; Lubinski, 2009a). Étudiés de nouveau au cours des 70 années suivantes, la plupart des participants du groupe de Terman avaient atteint un niveau d'éducation élevé (Austin et al., 2002 ; Holahan et Sears, 1995). Nombreux étaient médecins, avocats, scientifiques, professeurs et écrivains, mais aucun n'était lauréat du prix Nobel.

Une étude plus récente de jeunes enfants précoces ayant passé le SAT de mathématiques à l'âge de 13 ans en ayant des résultats dans le quart supérieur des 1 % d'enfants du même groupe d'âge, avaient deux fois plus de chances à l'âge de 33 ans d'être des spécialistes que ceux qui étaient dans le quart inférieur des meilleurs 1 % (Wai et al., 2005). Comparés avec ceux qui ont passé le SAT de mathématiques, les enfants de 13 ans ayant eu de très bons résultats aux aptitudes verbales avaient plus de chances d'être devenus des professeurs de lettres ou d'avoir écrit un roman, et ce à l'âge de 38 ans (Kell et al., 2013). Environ 1 % des Américains obtiennent un doctorat. Mais parmi ceux ayant obtenu le meilleur score sur 10 000 au cours du SAT qui dure simplement deux heures et qu'ils avaient passé à l'âge de 12 ou 13 ans, la moitié en ont obtenu.

Un des spécialistes de la psychologie de l'enfant, Jean Piaget, commença à l'âge de 15 ans à publier des articles scientifiques sur les mollusques. Il devint par la suite l'un des psychologues du développement les plus célèbres du XXe siècle (Hunt, 1993). Les enfants qui ont des aptitudes scolaires exceptionnelles sont parfois plus isolés, introvertis et enfermés dans leur propre monde (Winner, 2000). Cependant, la plupart se développent sans problème.

Certains critiques remettent en question plusieurs des hypothèses des programmes, actuellement en vogue, consacrés aux « enfants surdoués », comme par exemple l'idée que 3 à 5 % seulement des enfants sont surdoués et qu'il est rentable d'identifier et de « dépister » ces aptitudes chez ces quelques sujets particuliers, de les séparer des autres élèves en les mettant dans des classes

Terman avait évalué par la méthode des tests deux futurs lauréats du prix Nobel de physique, mais à l'époque ils n'avaient pas obtenu une note supérieure à celle définie par Terman lors de l'étalonnage du test dans une population d'étudiants dits doués (Hulbert, 2005).

spécifiques et de leur donner un enrichissement scolaire non accessible aux autres enfants. Les critiques remarquent que cette détection des aptitudes engendre parfois des prophéties qui s'accomplissent d'elles-mêmes : ceux qui sont désignés implicitement comme étant non doués peuvent être incités à le devenir (Lipsey et Wilson, 1993 ; Slavin et Braddock, 1993). En refusant aux enfants dont « les aptitudes sont plus faibles » l'opportunité d'une éducation renforcée, on peut élargir le fossé des résultats existant entre les aptitudes des deux groupes et accroître l'isolement social (Carnegie, 1989 ; Stevenson et Lee, 1990). Comme les enfants des minorités ethniques ou ceux de milieux défavorisés sont souvent placés dans des groupes scolaires moins bons, le dépistage peut également favoriser la ségrégation et les préjugés, ce qui, remarquent les critiques, n'est sûrement pas une saine préparation au travail et à la vie dans une société multiculturelle.

Les opposants ou les partisans d'une éducation particulière pour les enfants surdoués sont cependant d'accord sur une chose : les enfants ont des dons différents. Certains enfants présentent un potentiel ou un talent exceptionnel dans un domaine donné. Éduquer les enfants comme s'ils étaient tous semblables est aussi naïf que de penser qu'un don est quelque chose que l'on a ou pas, comme les yeux bleus. Il n'est pas nécessaire de coller des étiquettes aux enfants pour promouvoir leurs talents particuliers et pour tous les pousser aux frontières de leurs propres capacités et de leur compréhension. En donnant à chaque enfant une *place propice* à l'expression de ses talents (comme lorsque l'on donne les moyens d'étudier les mathématiques à un niveau supérieur à un élève doué pour cette discipline), alors nous pouvons promouvoir l'équité et l'excellence pour tous (Subotnik et al., 2011).

Les extrêmes de l'intelligence Moshe Kai Cavalin a obtenu son troisième diplôme d'études universitaires à l'âge de 14 ans, en réussissant les examens d'un diplôme de mathématiques de l'UCLA. Selon sa mère, il a commencé à lire à l'âge de 2 ans.

Joe Klamar/AFP/Getty Images

REVUE GÉNÉRALE La dynamique de l'intelligence

OBJECTIFS D'APPRENTISSAGE

EXERCICE RÉCAPITULATIF Prenez un moment pour répondre à chacune de ces questions objectif d'apprentissage (répétées ici au sein de cette section). Puis allez à l'annexe C, révision complète du chapitre, pour vérifier vos réponses. La recherche suggère que d'essayer de répondre à ces questions de votre propre initiative permettra d'améliorer la mémorisation à long terme de ces réponses (McDaniel et al., 2009).

10-7 Quelle est la stabilité des résultats des tests d'intelligence tout au long de la vie, et comment le vieillissement affecte-t-il l'intelligence cristallisée et l'intelligence fluide ?

10-8 Quelles sont les caractéristiques des personnes se trouvant aux deux extrêmes de l'intelligence (élevée et faible) ?

TERMES ET CONCEPTS À RETENIR

EXERCICE RÉCAPITULATIF Testez votre connaissance de ces termes en essayant d'écrire leur définition, avant de vous reporter aux pages indiquées en référence pour vérifier votre réponse.

cohorte, p. 400

intelligence cristallisée, p. 400

intelligence fluide, p. 400

déficience intellectuelle, p. 403

syndrome de Down, p. 403

Les influences de la génétique et de l'environnement sur l'intelligence

Certaines familles sont intelligentes. Mais pourquoi ? Les aptitudes intellectuelles sont-elles principalement héréditaires ? Ou sont-elles modelées par l'environnement ?

Il y a peu de débats qui déchaînent autant les passions et qui aient de telles implications politiques. Considérez ceci : si nous héritions en grande partie de nos différentes aptitudes mentales et si le succès reflétait ces capacités, le statut socio-économique des individus correspondrait à leurs différences innées. Ainsi, ceux qui sont au sommet pourraient croire que leur supériorité mentale innée justifie leur position sociale.

« J'ai dit à mes parents que si les diplômes étaient si importants, ils auraient dû payer pour une donneuse d'ovules intelligente. »

Voir le Chapitre 4 pour une étude de l'*héritabilité*.

Mais si les aptitudes mentales étaient essentiellement nourries par notre environnement, les enfants issus de milieux défavorisés auraient souvent des vies désavantagées. Dans ce cas, le statut socio-économique serait dû à une inégalité des chances.

Mettons de côté, autant que possible, ces implications politiques, et examinons à présent les preuves.

Les études de jumeaux et les études d'adoption

10-9 Quelle est la preuve d'une influence de l'hérédité sur l'intelligence ? Qu'est-ce que l'héritabilité ?

Les gens qui partagent les mêmes gènes ont-ils aussi en commun des capacités intellectuelles comparables ? Comme vous pouvez le voir sur la **FIGURE 10.11**, qui résume de nombreuses études, la réponse est clairement *oui*. Considérons ces découvertes :

- Les scores d'intelligence de « vrais » jumeaux élevés ensemble sont presque aussi semblables que ceux d'une personne qui passe le même test à deux reprises (Haworth et al., 2009 ; Lykken, 2006). (Les « faux » jumeaux, qui n'ont en commun que la moitié de leurs gènes, présentent des résultats beaucoup moins similaires.) Les estimations de l'**héritabilité** de l'intelligence, c'est-à-dire l'étendue des variations des scores aux tests d'intelligence qui peut être attribuée à une variation génétique, vont de 50 à 80 % (Calvin et al., 2012 ; Johnson et al., 2009 ; Neisser et al., 1996). Les jumeaux monozygotes présentent également une similitude substantielle (et une héritabilité) de leurs aptitudes pour la musique, les mathématiques ou le sport, l'hérédité représente même plus de la moitié de la variance dans les notes obtenues en mathématiques et en sciences à l'examen de fin d'études britannique passé à l'âge de 16 ans (Shakeshaft et al., 2013, étude ayant porté sur plus de 11 000 jumeaux ; Vinkhuyzen et al., 2009).

- L'imagerie cérébrale révèle que les cerveaux des jumeaux monozygotes ont des volumes similaires de substance grise et de substance blanche, et les zones associées à l'intelligence verbale et spatiale sont pratiquement les mêmes (Deary et al., 2009 ; Thompson et al., 2001). Leurs cerveaux présentent des activités comparables lorsqu'ils effectuent des tâches mentales (Koten et al., 2009).

- Existe-t-il des gènes particuliers pour les génies ? Les chercheurs actuels ont identifié des régions chromosomiques importantes pour l'intelligence et ils ont identifié des gènes spécifiques qui, semble-t-il, influencent les variations de l'intelligence et les difficultés d'apprentissage (Davies et al., 2011 ; Plomin et al., 2013). Mais les efforts pour isoler des gènes spécifiques régulant l'intelligence n'ont pas abouti (Chabris et al., 2012). Une équipe internationale de plus de 200 chercheurs mis en commun leurs données sur l'ADN et de la scolarisation de 126 559 personnes (Rietveld et al., 2013). Aucun segment d'ADN n'avait de valeur prédictive de la durée de la scolarité, et l'ensemble des variations génétiques qu'ils ont examinées ne représentaient que 2 % des différences de scolarisation. Après avoir examiné l'imagerie cérébrale de 21 151 sujets, les chercheurs ont pu identifier une variation génétique prédictive d'un volume cérébral légèrement plus grand que la moyenne. Mais il est connu que la taille du cerveau a une valeur prédictive de l'intelligence qui reste modeste (Stein et al., 2012). La recherche génétique se poursuit et l'on y voit un plus clair : Intelligence est *polygénétique*, implique de nombreux gènes comme nombre de traits de comportements complexes. Wendy Johnson (2010) fait un parallèle entre l'intelligence et la taille : 5 % de nos différences individuelles concernant notre taille sont provoquées par 54 variations spécifiques de gènes et nous ne connaissons pas encore la cause des 95 % restantes. L'important est l'action concertée de plusieurs gènes pour la régulation de la taille comme pour la régulation de l'expression de l'intelligence.

Autres éléments de preuve des effets de l'environnement :

- Lorsque l'environnement varie beaucoup, ce qui se produit parmi les enfants ayant des parents peu éduqués, les différences environnementales sont plus prédictives des notes d'intelligence (Rowe et al., 1999 ; Tucker-Drob et al., 2011 ; Turkheimer et al., 2003).

- Des études ont également montré que l'adoption d'enfants qui avaient été maltraités ou négligés va entraîner une augmentation des notes obtenues lors de la passation des tests d'intelligence (Van Ijzendoorn et Juffer, 2005, 2006). La même chose est constatée lorsque des enfants venant de milieux pauvres sont adoptés par des familles appartenant à la classe moyenne (Nisbett et al., 2012).

- Des études ont été menées chez les « jumeaux virtuels » : enfants d'âge identique adoptés étant nourrissons, sans lien de parenté mais élevés ensemble. Le coefficient de corrélation de leurs notes obtenues après passation des tests d'intelligence était égal à r = +0,28 (Segal et al., 2012). Cela suggère une influence modeste de leur environnement commun.

Héritabilité proportion de variation entre individus qu'il est possible d'attribuer aux gènes. L'héritabilité d'un caractère peut varier en fonction de l'étendue des populations et des environnements étudiés.

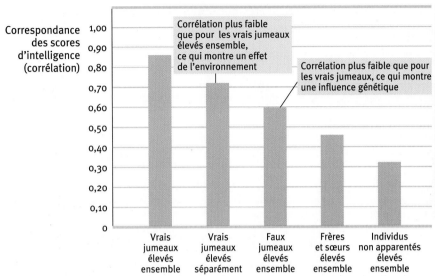

Correspondance des scores d'intelligence (corrélation)

Corrélation plus faible que pour les vrais jumeaux élevés ensemble, ce qui montre un effet de l'environnement

Corrélation plus faible que pour les vrais jumeaux, ce qui montre une influence génétique

Vrais jumeaux élevés ensemble — Vrais jumeaux élevés séparément — Faux jumeaux élevés ensemble — Frères et sœurs élevés ensemble — Individus non apparentés élevés ensemble

▼ FIGURE 10.11
Intelligence : nature et culture Les personnes les plus génétiquement semblables ont des notes ou des scores d'intelligence très similaires. Rappelez-vous : r = + 1,0 indique une corrélation parfaite ; zéro indique une absence totale de corrélation. (Données de McGue et al., 1993.)

Cherchant à démêler les effets des gènes et de l'environnement, les chercheurs ont comparé les résultats aux tests d'intelligence des enfants adoptés avec ceux (a) de leurs frères et sœurs adoptifs, (b) de leurs *parents biologiques*, dont ils ont reçu les gènes, et (c) de leurs *parents adoptifs*, qui ont procuré l'environnement familial. Mais au fil du temps, les enfants adoptés accumulent des expériences au sein de leurs différentes familles adoptives. Ainsi pourriez-vous vous attendre à constater que l'influence de l'environnement familial se développe avec l'âge et que le legs génétique s'amenuise ?

Si c'est le cas, les généticiens du comportement ont une surprise pour vous. Avec l'âge, les similitudes sur le plan mental entre les enfants adoptés et leur famille adoptive déclinent jusqu'à ce que la corrélation devienne pratiquement nulle à l'âge adulte (McGue et al., 1993). À mesure que nous accumulons des expériences de la vie, les influences génétiques – et non pas les influences environnementales – deviennent plus apparentes. Les similitudes entre les vrais jumeaux, par exemple, sont conservées et peuvent même s'accroître jusqu'à 80 ans. Ainsi, comme le disent Ian Deary et ses collaborateurs (2009, 2012) l'héritabilité de l'intelligence générale augmente passant « d'environ 30 % » lors de la petite enfance à « bien plus de 50 % à l'âge adulte ». Au cours d'une étude massive portant sur 11 000 paires de jumeaux réalisée dans quatre pays, l'héritabilité du facteur *g* est passée de 41 % au milieu de l'enfance à 55 % lors de l'adolescence pour atteindre 66 % au début de l'âge adulte (Haworth et al., 2010). De même, les scores d'aptitude verbale des enfants adoptés ressemblent au fil du temps de plus en plus à ceux de leurs parents biologiques (**FIGURE 10.12**). Qui aurait pu le deviner ?

« L'élevage sélectif m'a donné une aptitude pour le droit mais j'aime toujours aller chercher un canard mort sur un étang gelé. »

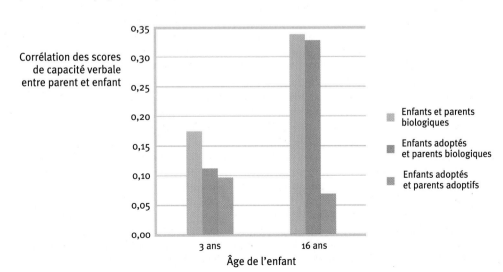

Corrélation des scores de capacité verbale entre parent et enfant

■ Enfants et parents biologiques

■ Enfants adoptés et parents biologiques

■ Enfants adoptés et parents adoptifs

3 ans — 16 ans

Âge de l'enfant

▼ FIGURE 10.12
À quoi est assimilable l'aptitude verbale des enfants adoptés ? Après des années passées auprès de leur famille adoptive les notes d'aptitude verbale des enfants adoptés tend à se rapprocher des aptitudes verbales de leurs parents *biologiques*. (Données de Plomin & DeFries, 1998.)

- Vérifions votre compréhension de l'héritabilité : si les conditions environnementales s'égalisent, l'héritabilité de l'intelligence :

    a. augmente.   b. diminue.   c. reste inchangée.

Réponse : a. (Héritabilité : variation expliquée par les influences génétiques ; la part de l'héritabilité augmentera à mesure que diminuera la variation environnementale.)

Influences de l'environnement

10-10 **Que révèlent les preuves de l'influence de l'environnement sur l'intelligence ?**

Nos gènes induisent une différence. Même si nous étions tous élevés dans le même environnement intellectuellement stimulant, nous aurions des aptitudes différentes. Mais les expériences de la vie sont également importantes. Les environnements humains sont rarement aussi pauvres que les cages sombres et ingrates habitées par les rats souffrant de privations qui vont développer des cortex cérébraux plus minces que la normale (Rosenzweig, 1984). Cependant, de sévères conditions de vie laissent aussi des marques sur notre cerveau.

Influences précoces de l'environnement

L'intrication de la biologie et de l'expérience vécue plus n'a jamais été aussi évidente que lorsque les conditions de vie sont désastreuses et sans espoir. C'est ce que J. McVicker Hunt (1982) a observé dans un orphelinat Iranien démuni. L'enfant typique observé par Hunt dans cet orphelinat ne pouvait pas s'asseoir seul à l'âge de 2 ans ni marcher à l'âge de 4 ans. Le peu de soins que recevaient

ces jeunes enfants ne constituait pas une réponse à leurs cris, leurs gazouillements ou tout autre comportement. Les enfants ne développaient alors aucun sens d'un contrôle personnel sur leur environnement. Ils devenaient des sortes de « masses passives et maussades ». Une extrême privation était en train de tuer leur intelligence naturelle, ce qui a été confirmé par d'autres études menées chez les enfants élevés dans les orphelinats roumains ou ailleurs (Nelson et al., 2009, 2013 ; van Ijzendoorn et al., 2008).

Négligence dévastatrice Certains orphelins roumains, comme cet enfant de l'orphelinat Leaganul Pentru Copii en 1990, ont une interaction minimale avec les soignants, et ont subi un retard de développement.

Conscient à la fois des effets dramatiques des premières expériences et l'impact de l'intervention précoce, Hunt a mis en place un programme de formation d'*enrichissement humain dirigé* pour les aidants iraniens, leur apprenant à jouer à des jeux favorisant l'apprentissage de la langue avec des bébés de 11 mois. Ils imitaient le babillage des bébés, les encouragés à répéter les vocalises des mots énoncés et, enfin, ils ont familiarisé les nourrissons à l'écoute des sons de la langue perse. Les résultats furent impressionnants. Vers 22 mois, les enfants étaient capables de nommer plus de 50 objets ou parties de leur corps. Ils étaient devenus tellement charmants que la plupart furent adoptés : un succès sans précédent pour l'orphelinat.

Les découvertes de Hunt sont un cas extrême d'une constatation plus générale. Parmi les personnes pauvres, les conditions environnementales peuvent ralentir le développement cognitif. Une étude, menée dans 1 450 écoles de Virginie, a trouvé que les écoles qui regroupent un grand nombre d'enfants pauvres avaient souvent des professeurs moins qualifiés ; ce qui était prédictif de l'obtention de résultats médiocres. (Tuerk, 2005).

Les contraintes qu'implique la pauvreté entravent également le développement *cognitif*. Comme un ordinateur dont la vitesse est réduite par l'exécution de plusieurs opérations simultanées, les soucis et les difficultés auxquels les gens pauvres doivent faire face consomment les ressources cognitives (« bande passante cognitive ») qui ne sont plus disponibles pour l'élaboration de la réflexion. Par exemple, la passation des tests du fonctionnement cognitif chez les producteurs de canne à sucre en Inde donne de meilleurs résultats si elle se fait après qu'ils aient été rémunérés pour leur récolte, lorsque leurs soucis d'argent ne les perturbent plus (Mani et al., 2013). La pauvreté peut épuiser la capacité cognitive.

La malnutrition peut également jouer un rôle. En palliant la malnutrition infantile par des compléments alimentaires, les effets de la pauvreté sur le développement physique et cognitif s'amoindrissent (Brown et Pollitt, 1996).

Ainsi des conditions de vie très défavorables, la malnutrition, la privation sensorielle, et l'isolement social, peuvent retarder le développement normal du cerveau. L'inverse est-il également vrai ? Un environnement riche apportera-t-il aux enfants une intelligence supérieure ? La plupart des experts sont dubitatifs (Bruer, 1999 ; DeLoache et al., 2010 ; Reichert et al., 2010). Il n'y a aucune recette de confection d'un environnement pour transformer rapidement un nourrisson normal en génie. Tous les bébés devraient jouir d'une exposition normale aux images, aux sons et au langage. Bien que les expériences vécues avant la scolarisation soient importantes, le verdict de Sandra Scarr (1984), qui est largement partagé, est le suivant : « Les parents qui cherchent à donner à leur bébé des cours d'éducation spéciale perdent leur temps. »

Éducation scolaire et intelligence

Plus tard au cours de l'enfance, l'éducation scolaire porte ses fruits, ce qui se reflète dans les scores d'intelligence. L'éducation scolaire et l'intelligence interagissent et favoriseront toutes deux les revenus ultérieurs (Ceci et Williams, 1997, 2009). Hunt croyait fortement dans la capacité de l'éducation à augmenter les chances de réussite des enfants en développant leurs aptitudes sociales et cognitives. Dans son livre de 1961, *Intelligence and Experience*, il aida en effet à lancer en 1965 le projet « Head Start », un programme financé par le gouvernement fédéral des États-Unis et destiné à plus de 30 millions d'enfants âgés de moins de 6 ans, dont la plupart proviennent de familles vivant en dessous du seuil de pauvreté (Head Start, 2013). Ce programme a-t-il réussi ? Des études suggèrent que le programme « Head Start » augmente la volonté de réussite scolaire et favorise un peu la réussite des études secondaires. (Deming, 2009 ; Mervis, 2011a ; Pianta et al., 2009). Généralement, les bénéfices du programme s'estompent avec le temps (rappelant que l'expérience vécue *après* « Head Start » a aussi de l'importance).

Des résultats encourageants proviennent des programmes préscolaires intensifs et de haute qualité (Mervis, 2011a ; Tucker-Drob, 2012). Dans un certain nombre d'expériences, les notes d'intelligence augmentent, avec l'administration aux femmes enceintes et aux nouveau-nés de compléments alimentaires (3,5 points), avec des expériences préscolaires de qualité (4 points), et avec des programmes de lecture interactive (6 points) (Protzko et al., 2013).

Les gènes et l'expérience tissent ensemble le tissu de l'intelligence. (L'*épigénétique* est le domaine qui étudie l'interaction de l'inné et de l'acquis.) Mais ce que nous accomplissons avec notre intelligence dépend également de nos propres croyances et de nos motivations. Une analyse portant sur 72 431 étudiants d'université a montré que la motivation pour les études et les aptitudes à étudier prédisaient aussi bien les résultats universitaires que les diplômes acquis précédemment (Credé et Kuncel, 2008). La motivation affecte même les performances aux tests d'intelligence. Une quarantaine d'études ont montré que lorsqu'on promet de l'argent aux adolescents s'ils réussissent, ceux-ci obtiennent une meilleure note lors de la passation de ces tests (Duckworth et al., 2011).

Ces observations corroborent la recherche menée par la psychologue Carol Dweck (2006, 2012a, b). Elle signale que croire que l'intelligence est modifiable, non fixée, peut favoriser un *état d'esprit de croissance, de progression* qui va conduire à la production d'un important travail d'acquisition et d'approfondissement des connaissances Une fois à l'université, ces sujets auront plus tendance à s'épanouir et à être heureux (Howell, 2009). Dweck a développé des modes d'intervention pour apprendre de manière efficace aux jeunes adolescents que le cerveau est comme un muscle qui se développe de plus en plus à mesure que nous l'utilisons du fait du développement des connexions neuronales. Encourager un enfant pour les *efforts* qu'il fait plutôt que pour ses capacités favorise son état de croissance d'esprit en attribuant les succès obtenus au travail produit (Gunderson et al., 2013). Favoriser un état d'esprit de croissance rend également les adolescents plus résilients s'ils ont été sujets à des frustrations r (Yeager et al., 2013, 2014). En effet, les grandes réussites dans les domaines des sports, de la science, de la musique proviennent de la combinaison de capacités, des possibilités, des efforts et du travail discipliné (Ericsson et al., 2007 ; Subotnik et al., 2011).

Les études dites « naturalistes » confirment que : capacité + possibilité + motivation = succès. Les bonnes obtenues en mathématiques par les élèves de lycées et les notes obtenues par les étudiants aux examens reflètent leurs aptitudes mais aussi leur autodiscipline, leur croyance en la puissance de l'effort, et une étonnante sagacité (Murayama et al., 2013 ; Richardson et al., 2012 ; von Stumm et al., 2011). Les Indiens américains ont remporté sept victoires aux concours nationaux d'orthographe, de 2008 à 2014. Cette réussite fut vraisemblablement influencée par une forte croyance culturelle selon laquelle les efforts seront couronnés de succès (Rotin et al., 2012).

« Ce sont nos choix… qui montrent qui nous sommes vraiment, beaucoup plus que nos aptitudes. »

Professeur Dumbledore à Harry Potter dans J. K. Rowling *Harry Potter et la Chambre des Secrets*, 1999

Différences entre groupes dans les résultats aux tests d'intelligence

S'il n'existait pas de différences entre les divers groupes aux tests d'aptitude, les psychologues pourraient débattre avec courtoisie des rôles respectifs de l'environnement et de l'hérédité dans leur tour d'ivoire. Mais il en existe. Quelles sont-elles ? Et que devons-nous faire de ces différences ?

Similitudes et différences entre les genres

10-11 **Quelles sont les différences de résultats aux tests d'aptitudes mentales entre les hommes et les femmes et pourquoi existent-elles ?**

En sciences, comme dans la vie de tous les jours, ce sont les différences et non les ressemblances qui suscitent l'intérêt. Comparées aux ressemblances anatomiques et physiologiques entre les hommes et les femmes, les différences entre les sexes sont relativement mineures. Dans le test qui a été fait passer en 1932 à tous les enfants écossais âgés de 11 ans, par exemple, le score moyen d'intelligence des filles était de 100,6 et celui des garçons était de 100,5 (Deary et al., 2003). Tant que le facteur g est concerné, les garçons et les filles, les hommes et les femmes font partie de la même espèce.

Cependant, la plupart des gens trouvent des différences plus intéressantes. Les filles dépassent les garçons en orthographe, excellent dans le domaine de la fluidité verbale, sont plus aptes à localiser les objets, détectent mieux les émotions, sont plus sensibles au toucher, au goût et aux odeurs (Halpern et al., 2007). Les garçons ont de meilleurs résultats aux tests portant sur les capacités spatiales et les problèmes mathématiques complexes, bien qu'en calcul et dans les performances mathématiques globales, les filles et les garçons aient à peu près les mêmes résultats (Else-Quest et al., 2010 ; Hyde et Mertz, 2009 ; Lindberg et al., 2010). Les scores des capacités mentales des garçons varient plus que ceux des filles. Ainsi partout dans le monde les garçons sont plus nombreux que les filles aux deux extrêmes (inférieure et supérieure) (Brunner et al., 2013). Les garçons, par exemple, sont plus souvent retrouvés dans les classes d'éducation spéciale, mais aussi parmi les sujets dont la note obtenue au test de mathématiques SAT, est très élevée.

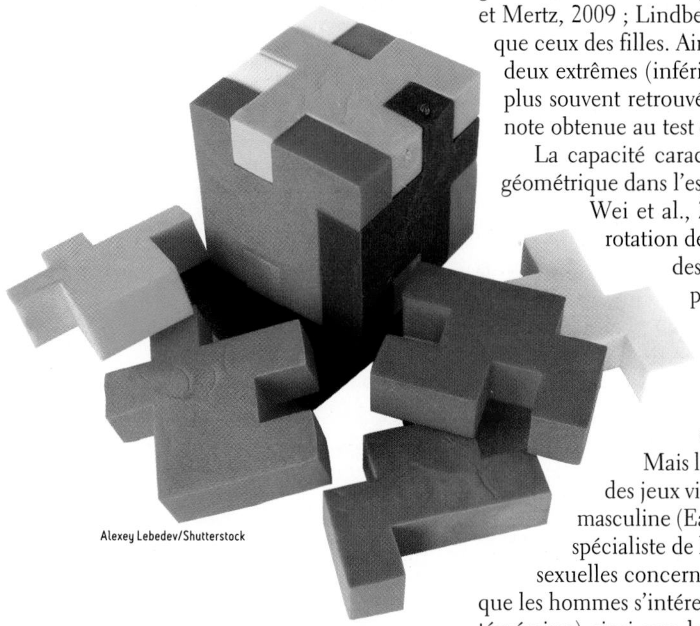

La capacité caractéristique masculine apparaît dans les tests d'habileté de représentation géométrique dans l'espace tel que celui représenté sur la **FIGURE 10.13** (Maeda & Yoon, 2013 ; Wei et al., 2012). La solution exige une représentation rapide, en imagination, de la rotation des objets dans l'espace, Une telle capacité spatiale peut être utile pour caser des bagages dans un coffre d'automobile, jouer aux échecs ou résoudre certains problèmes de géométrie. Selon une perspective évolutionniste (Geary, 1995, 1996 ; Halpern et al., 2007), ces mêmes aptitudes ont aidé nos ancêtres masculins à chasser des proies et à retrouver le chemin de leur habitat. La survie de nos ancêtres féminins était améliorée par leur mémoire accrue de l'emplacement des plantes comestibles – un héritage que les femmes, qui ont une meilleure mémoire de l'emplacement des objets, ont conservé. Mais l'expérience a aussi de l'importance. Une expérience a révélé que la pratique des jeux vidéo renforce les capacités de représentation spatiale. Cette activité est plutôt masculine (Eagan et al., 2013 ; Feng et al., 2007). Selon Steven Pinker (2005), psychologue spécialiste de l'évolution, il semble que les influences biologiques affectent les différences sexuelles concernant les priorités de la vie (les femmes portent plus d'intérêt aux autres alors que les hommes s'intéressent plus à l'argent et aux choses), la prise de risque (les hommes sont plus téméraires) ainsi que le raisonnement mathématique et les aptitudes spatiales. Il remarque que ces différences s'observent dans toutes les cultures, restent stables au fil du temps, existent chez les enfants génétiquement nés garçons mais élevés comme des filles et sont influencées par les hormones prénatales. Mais les influences sociales construisent aussi le genre. Stephen Ceci et Wendy Williams (2010, 2011) montrent que les préférences culturellement influencées aident également à expliquer

Alexey Lebedev/Shutterstock

Quels sont les deux cercles qui contiennent un assemblage de blocs identique à celui dans le cercle de gauche ?

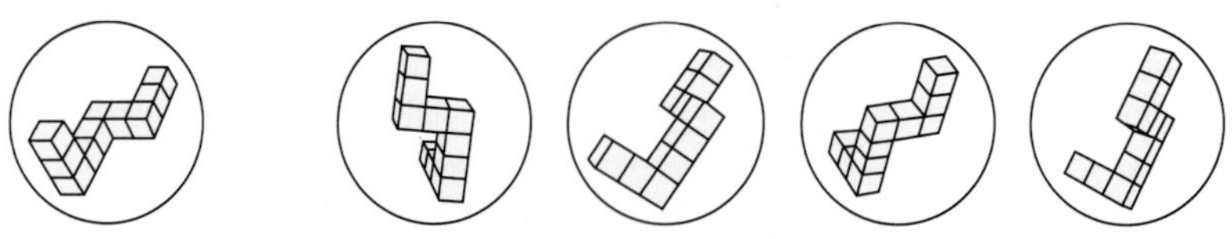

Modèle

Réponses

▼ FIGURE 10.13

Le test de rotation mentale
Évaluation des aptitudes de représentations dans l'espace. (De Vandenberg & Kuse, 1978.) Voir la réponse ci-dessous.

Réponse : première et quatrième propositions.

Republié avec la permission de Perceptual and Motor Skills, from Mental Rotations, A Group Test Of Three-Dimensional Spatial Visualization, *Steven G. Vandenberg Et Allan R. Kuse, Volume 47, Numéro 2, Octobre 1978 : p. 599-604* (doi : 10.2466/pms.1978.47.2.599) ; permission Mental Rotations, A Group Test Of Three-Dimensional Spatial Visualization Steven G. Vandenberg, et Allan R. Kuse.

que les femmes choisissent des professions à vocation sociale plutôt que des professions faisant appel à des connaissances mathématiques.

D'autres chercheurs nous rappellent que les attentes sociales et les occasions divergentes modèlent les intérêts et les capacités des garçons et des filles (Crawford et al., 1995 ; Eccles et al., 1990). En Asie et en Russie, les adolescentes ont surclassé les garçons lors du passage d'un examen scientifique international ; en Amérique du Nord et en Grande-Bretagne, ce sont les garçons qui ont obtenu les notes plus élevées (Fairfield, 2012). Dans les cultures prônant l'égalité entre les sexes, comme en Suède et en Islande, le fossé séparant les capacités mathématiques des deux sexes est très étroit contrairement à celui observé dans les pays ne prônant pas cette égalité, tels que la Turquie ou la Corée (Guiso et al., 2008 ; Kane & Mertz, 2012). Depuis les années 1970, les inégalités entre les sexes se sont réduites aux États-Unis. Ainsi, le ratio garçon/fille d'obtention de notes très élevées en mathématiques lors du SAT (supérieur à 700) a diminué, passant de 13/1 à 3/1, chez les adolescents âgés de 12 à 14 ans. (Nisbett et al., 2012).

Ressemblances et différences ethniques

10-12 **Quelles sont les différences de résultats aux tests d'aptitudes mentales entre les groupes ethniques ou raciaux et pourquoi existent-elles ?**

Deux autres faits dérangeants mais admis par tous alimentent ce débat sur les différences de groupe :

- Les scores moyens aux tests d'intelligence ne sont pas les mêmes pour tous les groupes ethniques.

- Les personnes (et les groupes) ayant de très bons résultats aux tests sont plus susceptibles d'avoir un niveau d'éducation plus élevé ainsi qu'un salaire plus important.

Les scores moyens aux tests d'intelligence diffèrent pour de nombreux groupes ethniques. Les résultats des Néo-Zélandais originaires d'Europe sont plus élevés que ceux des Maoris natifs de la Nouvelle-Zélande ; ceux des Juifs d'Israël sont plus élevés que ceux des Arabes nés en Israël ; La plupart des Japonais se démarquent de la plupart des Burakumin, une minorité japonaise stigmatisée. Les entendants ont de meilleurs scores que les personnes qui sont nées sourdes (Braden, 1994 ; Steele, 1990 ; Zeidner, 1990). Et les Américains blancs ont surclassé les Noirs américains. Cette différence Noir-Blanc a quelque peu diminué au cours des dernières années, surtout chez les enfants (Dickens & Flynn, 2006 ; Nisbett et al., 2012). De telles différences entre *groupes* ne nous donnent aucune indication pour juger les individus. Les femmes vivent en moyenne quatre ans de plus que les hommes, mais que vous soyez homme ou femme, cela ne vous dit pas combien de temps vous allez vivre.

Comme nous l'avons vu, l'hérédité contribue aux différences *individuelles* d'intelligence. Mais les différences de certains caractères héréditaires entre divers groupes peuvent être entièrement liées à l'environnement. Considérons une expérience naturelle : laissez des enfants grandir au contact de la langue dominante de leur culture, alors que d'autres enfants, nés sourds, n'y sont pas exposés. Si on les soumet ensuite à un test d'intelligence dans cette langue dominante, il n'est pas surprenant que les enfants ayant la maîtrise de la langue aient de meilleurs scores. Bien que les différences des performances individuelles puissent être en grande partie d'ordre génétique, les différences entre groupes ne le sont pas (**FIGURE 10.14** page suivante).

« **L'ordinateur humain** » La championne indienne des mathématiques Shakuntala Devi entra en 1982 dans le *Livre Guinness des Records du Monde* quand elle multiplia deux nombres de 13 chiffres choisis au hasard (7 68 369 774 870 × 2 465 099 745 779) en donnant le résultat du produit en quelques secondes, un nombre à 26 chiffres : 18 947 668 177 995 426 462 773 730 (Pandya, 2013).

© David Turnley/Corbis ; © Rob Howard/Corbis ; ©Barbara Bannister/Gallo Images/Corbis ; © Dave Bartruff/Corbis ; © Haruyoshi Yamaguchi/Corbis ; ©Richard T. Nowitz/Corbis ; © Owen Franken/Corbis ; © Sean De Burca/Corbis

▼ **FIGURE 10.14**
Les différences entre les groupes et l'impact environnemental Même si la variation entre les membres d'un groupe reflète les différences génétiques, la différence moyenne entre les groupes peut être entièrement due à l'environnement. Imaginez qu'un même mélange de graines soit semé dans des sols différents. Alors que les différences de taille des tiges des plantes *dans* chaque jardinière sont génétiques, la différence de taille *entre* les plantes des deux jardinières sera due à l'environnement. (Inspiré par Lewontin, 1976.)

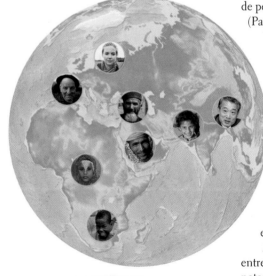

Nature et métissage La nature ne trace pas de frontières nettes entre les races qui se fondent progressivement l'une dans l'autre, tout autour du monde. Mais le besoin humain du recours à des classifications pousse les gens à se définir socialement comme appartenant à une ethnie ou une race qui finalement deviennent des catégories fourre-tout mêlant caractéristiques physiques, identité sociale, et nationalité.

De la même manière, l'écart entre les ethnies est-il environnemental ? Considérez le fait suivant :

Les recherches génétiques révèlent que, sous la peau, les ethnies se ressemblent étrangement. La différence génétique moyenne entre deux villageois islandais ou entre deux Kényans surpasse de loin la différence entre ces deux ethnies (Cavalli-Sforza et al., 1994 ; Rosenberg et al., 2002). De plus, les apparences peuvent être trompeuses. Les Européens (blancs de peau) et les Africains (noirs de peau) sont génétiquement plus proches que ne le sont les Africains et les Aborigènes d'Australie (tous deux noirs de peau).

Le concept d'ethnie ne correspond pas à une catégorie biologique bien définie. Beaucoup d'autres scientifiques sociologues, de ce fait, voient les ethnies principalement comme des édifices sociaux dont les frontières physiques sont mal définies du fait que chaque ethnie se fond peu à peu dans l'ethnie géographiquement voisine (Helms et al., 2005 ; Smedley et Smedley, 2005). De plus, compte tenu du nombre croissant de gens ayant des ancêtres d'origines diverses, de plus en plus de personnes résistent à toute catégorisation ethnique et s'identifient comme d'origine multiraciale (Pauker et al., 2009).

Les performances aux tests d'intelligence de la population actuelle, qui est mieux nourrie, bénéficie d'une meilleure éducation et est davantage préparée aux tests, dépassent bien plus celles de la population de 1930 – que les résultats aux tests d'intelligence d'un individu blanc moyen d'aujourd'hui dépassent ceux d'un individu noir moyen. L'étude de recherches a noté que les performances aux tests d'évaluation de l'intelligence passés par les populations africaines subsahariennes sont les mêmes que celles des adultes d'origine britanniques en 1948 et qu'il est possible qu'il y ait une augmentation de ces performances à venir du fait de l'amélioration de la nutrition et du développement économique et éducatif (Wicherts et al., 2010).

Lorsque les Blancs et les Noirs possèdent ou ont reçu la même connaissance pertinente, ils présentent les mêmes aptitudes au traitement de l'information. Les chercheurs Joseph Fagan et Cynthia Holland (2007) remarquent que « les données supportent l'idée que les différences culturelles dans l'apport de l'information peuvent rendre compte des différences ethniques de QI ».

L'école et la culture ont de l'importance. Les pays dont l'économie a engendré un large fossé entre les riches et les pauvres ont tendance à avoir également un important fossé séparant les notes aux tests d'évaluation de l'intelligence passés par les riches et les pauvres (Nisbett, 2009). De plus, la politique de l'éducation, par exemple la fréquentation des écoles maternelles, les disciplines enseignées à l'école et le temps annuel consacré à l'instruction, prédisent les différences nationales aux tests d'intelligence et de connaissance (Rindermann et Ceci, 2009). Mais cette différence d'aptitudes mathématiques peut refléter un esprit consciencieux plutôt que de meilleures compétences. Les étudiants asiatiques passent 30 % de plus de temps à l'école et bien plus de temps à étudier les mathématiques, soit à l'école, soit à l'extérieur. Ainsi (Geary et al., 1996 ; Larson et Verma, 1999 ; Stevenson, 1992) ils ont ainsi des résultats supérieurs à ceux des étudiants américains.

À différents moments de l'histoire, certains groupes ethniques ont vécu un âge d'or, une période exceptionnelle de réussite. Il y a vingt-cinq siècles, les Grecs et les Égyptiens, puis les Romains ont vécu cet âge d'or. Au VIIIᵉ et IXᵉ siècles, le génie semblait résider dans le monde arabe. Il y a cinq cents ans, les Aztèques et les peuples de l'Europe du Nord étaient à l'apogée de leur civilisation. De nos jours, nombreux sont ceux qui soulignent le génie technologique des Asiatiques et à la réussite culturelle du peuple juif. La culture s'épanouit et décline au fil des siècles ; et non les gènes. Ce fait rend difficile l'attribution à une ethnie, une quelconque supériorité naturelle.

EXERCICE RÉCAPITULATIF

• Dans le pays X, vivant dans la prospérité, tout le monde mange à sa faim et à volonté. Dans le pays Y, les sujets riches sont bien nourris, mais les pauvres ne mangeant pas tout à fait à leur faim sont souvent maigres. Dans quel pays va-t-on constater la supériorité de l'héritabilité du poids corporel ?

Réponse : L'héritabilité (différences d'origine génétique) du poids corporel sera plus grande dans le pays X, où les différences environnementales portant sur les apports alimentaires sont minimes.

La question des biais

10-13 Les tests d'intelligence sont-ils inappropriés et biaisés ?

Si l'on considère que *l'ethnie* est un concept significatif, le débat sur les différences d'intelligence entre les ethnies fait apparaître trois conceptions (Hunt & Carlson, 2007) :

Des différences ethniques de l'intelligence sont d'origine génétique.

• Des différences ethniques de l'intelligence sont d'origine sociale.

• Il existe des différences ethniques concernant les résultats aux tests d'intelligence parce que ceux-ci sont inadaptés ou biaisés.

Nous avons considéré les différences ethniques selon ces deux postulats. Passons maintenant à la troisième considération : les tests d'intelligence sont-ils biaisés ? La réponse dépend de la définition du terme « *biais* » que l'on choisit parmi les deux qui existent.

Les deux significations du terme « biais »

La signification *scientifique* du *biais* repose sur la validité d'un test, autrement dit savoir s'il prédit un comportement futur uniquement pour certains groupes testés. Si le SAT, par exemple, prédit avec exactitude la réussite au lycée des femmes, mais pas des hommes, le test sera alors biaisé. Dans le sens statistique du terme, il existe un consensus presque unanime chez les psychologues (résumé par le National Research Council's Committee on Ability Testing et l'American Psychological Association's Task Force on Intelligence) pour dire que les principaux tests d'aptitude américains ne sont *pas* biaisés (Hunt et Carlson, 2007 ; Neisser et al., 1996 ; Wigdor et Garner, 1982). La validité prédictive des tests est approximativement la même pour les femmes et les hommes, les Noirs et les Blancs, pour les riches et les pauvres. Si une note du résultat au test d'intelligence est égale à 95 est prédictive de l'obtention de notes d'examen légèrement inférieurs à la moyenne, cette prédiction un peu grossière est généralement applicable à tout le monde.

Nous pouvons aussi considérer qu'un test est biaisé s'il détecte non seulement les différences innées d'intelligence, mais également les différences de performances dues aux expériences culturelles. C'est ce qui s'est en fait produit pour les immigrants venus d'Europe de l'Est au début des années 1900. Manquant d'expérience pour répondre aux questions sur leur nouvelle culture, beaucoup furent classés comme faibles d'esprit. En ce sens, les tests d'intelligence sont biaisés. Ils mesurent les capacités développées d'un individu, qui reflètent en partie son éducation et ses expériences.

Vous avez pu lire des exemples d'éléments de tests qui mettent en jeu des suppositions de la classe moyenne (par exemple qu'une soucoupe va avec une tasse). Ces éléments vont-ils introduire un biais dans le test en défaveur de ceux qui n'utilisent pas de soucoupes ? De telles questions peuvent-elles expliquer les différences ethniques dans les résultats des tests ? Si c'est le cas, les tests peuvent être porteurs de discrimination, reléguant des enfants potentiellement capables (certains d'entre eux peuvent avoir une langue maternelle différente) dans des classes et des situations sans débouchés. Aussi, certains chercheurs recommandent de poser des questions culturellement neutres, par exemple en évaluant la capacité des gens à apprendre de nouveaux mots, proverbes et analogies, ce qui pourrait permettre d'obtenir des tests d'aptitude culturellement équitables (Fagan & Holland, 2007, 2009).

Les défenseurs des tests d'aptitude ont remarqué qu'il existe tout autant de différences entre groupes ethniques dans les éléments non verbaux, comme compter à rebours (Jensen, 1983, 1998). De plus, ajoutent-ils, accuser le test parce qu'un groupe a un résultat moins bon revient à blâmer le messager qui porte une mauvaise nouvelle. Pourquoi accuser le test de montrer des expériences et des chances inégales ? Si, à cause d'une malnutrition, les gens souffrent d'un retard de croissance, va-t-on accuser la toise qui révèle cette situation ? Si des expériences passées inégales prédisent des réussites futures inégales, un test d'aptitude valide détectera de telles inégalités.

Ainsi, les attentes de ceux qui construisent les tests peuvent être la source d'un biais dans un test d'intelligence. Cela est cohérent avec ce que nous avons observé tout au long de ce texte : nos attentes et attitudes peuvent influencer nos perceptions et nos comportements. Cela est également vrai pour la personne qui passe le test.

EXERCICE RÉCAPITULATIF

• Quelle est la différence entre un test qui est biaisé culturellement et un test dont la validité est biaisée ?

Réponse : Un test peut être *culturellement* biaisé si des scores plus élevés sont atteints par ceux qui sont imprégnés par cette culture. Ce même test ne peut pas être biaisé dans sa *validité* s'il prédit ce qu'il est censé prédire. Par exemple, le SAT peut être biaisé culturellement en faveur de ceux ayant une expérience du système scolaire américain, mais il n'a pas de validité prédictive de la réussite universitaire.

Attentes des psychologues qui construisent les tests

Lorsque Steven Spencer et ses collègues (1997) donnèrent un test de mathématiques complexe à des hommes et des femmes ayant les mêmes capacités, les femmes eurent de moins bon résultats que les hommes, excepté quand on avait persuadé les femmes qu'en général elles réussissaient ce test aussi bien que les hommes. Autrement dit, quelque chose a affecté leur performance. Claude Steele et Joshua Aronson, Spencer (2002) ont à nouveau observé l'effet de la **menace du stéréotype**, autosuggérée lorsque les étudiants noirs se voyaient rappeler leur race juste avant la passation de tests d'aptitudes verbales. L'échec en était la conséquence. Des études réalisées par la suite ont confirmé que les minorités et les femmes qui souffrent d'un stéréotype négatif peuvent avoir un potentiel universitaire qui ne se réalise pas (Nguyen et Ryan, 2008 ; Walton et Spencer, 2009). Si lorsque vous passez un examen, ou un test vous êtes inquiet parce que le groupe auquel vous appartenez y échoue souvent, vos doutes et l'énergie que vous dépensez pour vous maîtriser peuvent détourner votre mémoire de travail et amoindrir vos performances (Schmader, 2010). Ces pensées et les inquiétudes au sujet de ce que les autres pensent de vous, peuvent être source de distraction. C'est pourquoi la menace du stéréotype peut réduire l'attention, l'apprentissage et la réussite (Inzlicht et Kang, 2010 ; Rydell, 2010). Retirer la menace en substituant au mot « test » l'expression « exercice de mise en route » et les sujets appartenant aux minorités en proie à ces menaces de stéréotype, va effectuer beaucoup mieux les exercices des tests (Taylor & Walton, 2011).

Les critiques soutiennent que la menace du stéréotype ne rend pas pleinement compte des différences de scores d'aptitude observées entre les sujets noirs et les sujets blancs. C'est aussi le cas de l'écart observé entre les sexes lors de la passation de tests mathématiques de haut niveau (Sackett et al., 2004, 2008 ; Stoet & Geary, 2012). Mais cela explique pourquoi les Noirs ont de meilleurs résultats lorsque les examinateurs sont noirs que lorsque les examinateurs sont blancs (Danso et Esses, 2001 ; Inzlicht et Ben-Zeev, 2000). Et cela peut expliquer également pourquoi les femmes ont eu de meilleurs résultats au test de mathématiques lorsqu'elles l'ont passé dans un groupe ne comprenant pas d'homme et pourquoi les femmes ont plus de difficulté à gagner aux échecs lorsqu'elles *croient* que leur adversaire est un homme (Maass et al., 2008). Et cela explique « l'effet Obama », la découverte que les adultes d'origine afro-américaine ont eu de meilleurs résultats aux tests d'aptitude verbale lorsqu'ils les ont passés immédiatement après avoir vu le discours d'investiture du candidat Barack Obama défiant les stéréotypes ou lorsqu'ils les passèrent juste après sa victoire aux élections présidentielles de 2008 (Marx et al., 2009).

Steele (1995, 2010) conclut que le fait d'annoncer aux étudiants qu'ils ne réussiront certainement pas (comme

---

« Le cours de maths est difficile ! »

Poupée Barbie parlante « Teen talk » (introduite en février 1992, rebaptisée en octobre 1992)

La menace du stéréotype La réussite scolaire peut être entravée par le doute de soi et l'énergie dépensée pour la maîtrise de soi, qui peuvent nuire à l'attention, à la mémoire et aux résultats.

Roy Mehta/Iconica/Getty Images

les programmes de soutien de type « minority support » l'impliquent parfois), agit comme un stéréotype qui peut éroder leurs performances. Avec le temps, de tels étudiants peuvent ne plus associer leur estime de soi à la réussite scolaire et rechercher à être reconnus par ailleurs. Ainsi, entre la classe de quatrième et la terminale, les garçons d'origine afro-américaine souffrent d'une aggravation de l'écart entre leur estime de soi et leurs résultats et la tendance vers l'échec est plus affirmée (Osborne, 1997).

Une expérience a demandé au hasard à certains enfants afro-américains de cinquième d'écrire un texte pendant quinze minutes sur les valeurs qu'ils jugeaient les plus importantes (Cohen et al., 2006, 2009). Cet exercice simple d'auto-affirmation eut l'effet visible d'augmenter leur résultat semestriel d'en moyenne 0,26 lors de la première expérience et de 0,34 lors de la répétition. Un bref exercice d'affirmation de soi renforcerait-il les chances de réussite scolaire ? « Il était difficile pour nous de le croire, a rapporté Geoffrey Cohen (2013), mais depuis, nous avons reproduit l'expérience », y compris chez les femmes faisant des études de physique. D'autres équipes de recherche ont également reproduit les avantages de l'exercice d'affirmation de soi (Bowen et al., 2012 ; Harackiewicz et al., 2013 ; Miyake et al., 2010 ; Sherman et al., 2013). Les étudiants faisant partie de minorités et suivant des programmes universitaires qui les poussent à croire en leur potentiel ou à se concentrer sur l'idée que l'intelligence est modelable et non pas fixe ont, de même, obtenu de bien meilleurs résultats scolaires et abandonnent moins leurs études (Wilson, 2006).

* * *

Que pouvons-nous concrètement conclure des tests d'aptitude et de la question des biais ? Les tests ne sont pas biaisés d'un point de vue scientifique, car ils permettent de faire des prédictions statistiques valides pour des groupes différents. Les tests semblent en effet biaisés (et de manière appropriée du point de vue de certains) à cause de leur sensibilité aux différences de performance qui relèvent de l'expérience culturelle. Les essais sont-ils discriminatoires ? De nouveau, la réponse pourra être *oui* ou *non*. Dans un sens, *oui*, leur but étant de choisir, de distinguer des individus. Dans un autre sens, *non*, leur but est de réduire la discrimination en évitant de se fier à des critères subjectifs pour avoir accès à une école ou un emploi – par exemple vos relations, votre manière de vous habiller ou si vous correspondez à la « bonne personne ». Les tests d'embauche des fonctionnaires, par exemple, ont été conçus pour établir une sélection plus objective et plus correcte des individus en réduisant l'influence des opinions politiques, du sexe et de l'origine des sujets, qui existait auparavant. La suppression des tests d'aptitude forcerait les gens qui décident des admissions ou de l'attribution des postes à se fier à d'autres considérations, comme par exemple leur opinion personnelle.

Peut-être devrions-nous donc concentrer nos objectifs concernant les tests d'aptitudes mentales sur trois fronts. Tout d'abord, nous devrions prendre conscience des avantages qu'Alfred Binet, pionnier de la psychologie différentielle, prédisait : permettre aux écoles de repérer qui bénéficierait au mieux d'un soutien précoce. Deuxièmement, nous devons rester vigilants quant à la crainte émise par Binet, à savoir que les résultats aux tests d'intelligence soient interprétés à tort comme des mesures littérales de la valeur d'une personne et de son potentiel. Finalement, nous devons nous souvenir que les compétences mesurées par les tests d'intelligence générale sont importantes car elles permettent la réussite dans certains domaines de la vie. Mais le test ne reflète qu'un seul aspect de la compétence personnelle, tout en manquant les pensées irrationnelles et d'autres façons de penser commune à nous tous (Stanovich et al., 2013, 2014). Notre intelligence pratique et notre intelligence émotionnelle sont également importantes tout comme les autres formes de créativité, de talent et de caractère.

Point à retenir : il existe plusieurs façons de réussir, nos différences ne sont que des variations de la faculté d'adaptation humaine. Les grandes réalisations résultent non seulement des capacités à pouvoir faire les choses, avec une égalité des chances, mais aussi de la motivation à vouloir faire ces choses. La compétence + l'application → l'accomplissement.

> **Menace du stéréotype** préoccupation fondée sur l'autosuggestion selon laquelle on est jugé d'après un stéréotype négatif.

> « Presque toutes les choses joyeuses de la vie sont en dehors de la mesure des tests de QI. »
>
> Madeleine L'Engle, *A Circle of Quiet,* 1972

> « [Einstein] a montré que le génie est égal à l'intelligence plus la sagacité élevée à la puissance 2. »
>
> Walter Isaacson, « Quête finale d'Einstein », 2009

EXERCICE RÉCAPITULATIF

• Quel est le principe psychologique qui contribue à expliquer pourquoi les femmes ont tendance à plus mal jouer quand elles croient que leur adversaire lors d'une partie d'échecs en ligne, est un homme ?

Réponse : la menace du stéréotype

REVUE GÉNÉRALE Les influences de la génétique et de l'environnement sur l'intelligence

OBJECTIFS D'APPRENTISSAGE

EXERCICE RÉCAPITULATIF Prenez un moment pour répondre à chacune de ces questions objectif d'apprentissage (répétées ici au sein de cette section). Puis allez à l'annexe C, révision complète du chapitre, pour vérifier vos réponses. La recherche suggère que d'essayer de répondre à ces questions de votre propre initiative permettra d'améliorer la mémorisation à long terme de ces réponses (McDaniel et al., 2009).

10-9 Quelle est la preuve d'une influence de l'hérédité sur l'intelligence ? Qu'est-ce que l'héritabilité ?

10-10 Que révèlent les preuves de l'influence de l'environnement sur l'intelligence ?

10-11 Quelles sont les différences de résultats aux tests d'aptitudes mentales entre les hommes et les femmes et pourquoi existent-elles ?

10-12 Quelles sont les différences de résultats aux tests d'aptitudes mentales entre les groupes ethniques ou raciaux et pourquoi existent-elles ?

10-13 Les tests d'intelligence sont-ils inappropriés et biaisés ?

TERMES ET CONCEPTS À RETENIR

EXERCICE RÉCAPITULATIF Testez votre connaissance de ces termes en essayant d'écrire leur définition, avant de vous reporter aux pages indiquées en référence pour vérifier votre réponse.

héritabilité, p. 406

menace du stéréotype, p. 414

ÉVALUEZ-VOUS L'INTELLIGENCE

Évaluez-vous à plusieurs reprises tout au long de vos études. Cela permettra non seulement de vous aider à distinguer ce que vous savez de ce que vous ignorez mais aussi à vous faire bénéficier de l'effet test. Autrement dit, le test lui-même va vous aider à apprendre et à mémoriser l'information de manière plus efficace grâce précisément à ce qui est appelé l'effet test.

Qu'est-ce que l'intelligence ?

1. Charles Spearman a suggéré que notre _____ _____ repose sur une variété de capacités intellectuelles.

2. L'existence du syndrome du savant semble soutenir l'hypothèse de

a. La distinction de Sternberg des trois types d'intelligence.

b. La critique des théories de l'intelligence multiple.

c. La théorie de Gardner sur les intelligences multiples.

d. La conception de l'intelligence sociale de Thorndike.

3. Les trois types d'intelligence de Sternberg sont _____, _____, et _____.

4. Les sujets doués d'une intelligence émotionnelle ont tendance à

a. rechercher une gratification immédiate.

b. comprendre leurs propres émotions, mais non celles des autres.

c. comprendre les émotions des autres, mais pas les leurs.

d. réussir dans leur carrière.

Évaluation de l'intelligence

5. Le QI d'un enfant de 6 ans ayant un âge mental mesuré égal à 9 ans sera de

a. 67.

b. 133.

c. 86.

d. 150.

6. L'échelle de Wechsler (WAIS) est mieux à même de nous dire

a. quelle partie de l'intelligence d'un individu est déterminée par l'héritage génétique.

b. si le sujet testé réussira dans un emploi.

c. comment le psychologue compare les capacités de vocabulaire et de raisonnement arithmétique du sujet testé à une population étalonnée.

d. si la personne testée a des compétences spécifiques pour la musique et les arts vivants.

7. Le test Stanford-Binet, la Wechsler Adult Intelligence Scale, et la Wechsler Intelligence Scale for Children donnent des résultats cohérents, par exemple lorsque les mêmes sujets sont soumis à une nouvelle passation. En d'autres termes, ces tests possèdent une grande _____.

La dynamique de l'intelligence

8. Utilisez les concepts de l'intelligence cristallisée et fluide pour expliquer pourquoi les auteurs ont tendance à produire leur travail le plus créatif plus tard dans la vie, et pourquoi les scientifiques déploient leurs capacités plus tôt.

9. Les enfants et les adultes plus intelligentes ont tendance à vivre plus sainement et plus longtemps. Lequel des éléments suivants N'EST PAS une raison possible de ce phénomène ?

   a. L'intelligence favorise une meilleure éducation, un meilleur travail et un environnement plus sain.

   b. L'intelligence encourage une vie saine : moins de tabagisme, une meilleure alimentation, plus d'exercice.

   c. Les gens intelligents ont des temps de réaction plus longs, ce qui rend leur mise en danger moins probable.

   d. Un corps « bien câblé », qualité du système nerveux qui est mise en évidence par une grande vitesse de réaction, favorise peut-être l'intelligence et la longévité.

 Les influences de la génétique et de l'environnement sur l'intelligence

10. L'argument le plus fort en faveur de l'influence de l'hérédité sur l'intelligence est la constatation suivante :

    a. les jumeaux monozygotes, mais pas les autres frères et sœurs, ont des notes aux tests d'intelligence qui sont presque identiques.

    b. la corrélation entre les scores aux tests d'intelligence de jumeaux dizygotes n'est pas plus élevée que pour les autres frères et sœurs.

    c. Les similitudes mentales entre frères et sœurs adoptés augmentent avec l'âge.

    d. les enfants de familles pauvres ont des notes d'intelligence qui sont semblables.

11. Dire que l'héritabilité a une part de 50 pourcent dans l'intelligence signifie que 50 pourcent

    a. de l'intelligence d'un individu est dû à des facteurs génétiques.

    b. des similitudes entre deux groupes de personnes est attribuable à des gènes.

    c. de la variation de l'intelligence dans un groupe de personnes est attribuable à des facteurs génétiques.

    d. de l'intelligence est dû à des gènes de la mère et le reste est dû à des gènes du père.

12. L'effet environnemental le plus clairement établi sur le développement intellectuel serait :

    a. d'exposer les nourrissons normaux à des programmes d'enrichissement avant le 1er âge.

    b. de grandir dans une maison ou un quartier économiquement défavorisé.

    c. d'être élevé dans des conditions de dénuement extrême.

    d. d'être jumeau monozygote.

13. _____ peut conduire à de mauvais résultats en ruinant la confiance en eux qu'ont les sujets testés.

Trouvez les réponses à ces questions dans l'annexe D, à la fin du livre.

CHAPITRE 11

CE QUI MOTIVE NOS CONDUITES :
LA FAIM, LA SEXUALITÉ, L'AMITIÉ
ET L'ACCOMPLISSEMENT DE SOI

. . . .

Je me souviens très bien [DM] de la réponse à la question que je posais lors d'un cours d'introduction à la psychologie. Plusieurs élèves ont levé le doigt pour vouloir répondre, et un élève a levé son pied gauche. Le pied appartenait à Chris Klein, et cette manifestation apparaissait comme tout à fait improbable. À la naissance, Chris a souffert d'une anoxie, qui a rendu obligatoire une mesure d'assistance respiratoire pendant quarante minutes. « Un médecin a voulu le laisser partir », se souvient sa mère.

La conséquence a été une paralysie motrice sévère. Le cortex contrôlant la motricité volontaire a été lésé et Chris est incapable de contrôler ses mains constamment en mouvement (il porte des gants de protection). Il ne peut pas se nourrir, s'habiller, ou faire sa toilette. Et il ne peut pas parler. Mais Chris a un esprit vif et possède un pied gauche très mobile. C'est grâce à ce pied qu'il contrôle la manette de son fauteuil motorisé. En utilisant son gros orteil, il peut taper des phrases, que son système de communication peut stocker, et ainsi dialoguer et envoyer des courriels. Et Chris a beaucoup de volonté et de motivations.

Lorsque Chris était élève dans une école de la banlieue de Chicago, trois enseignants ont douté de ses possibilités pour entrer à l'université. Pourtant, il a persisté, et, avec beaucoup de soutien, il poursuivit son aventure dans mon collège appelé « Hope ». Cinq ans plus tard, son pied gauche l'amenant à l'estrade pour recevoir son diplôme, ses camarades de classe admiratifs ont salué sa réussite par une ovation spontanée.

Aujourd'hui, Chris est un orateur inspiré pour les écoles, les églises, et des événements communautaires, donnant « une voix à ceux qui n'en ont pas, et un coup de main aux personnes handicapées ». Il est président de l'United States Society of Augmentative Alternative Communication. Il est en train d'écrire un livre, *Lessons from the Big Toe*. Et il a trouvé l'amour et s'est marié.

Bien que peu d'entre nous soyons aux prises à des difficultés comparables à celles que Chris surmonte, nous cherchons tous à agir pour notre réussite. Nous sommes poussés par des motifs biologiques, tels que la faim et la sexualité. Et nous sommes entraînés par des motivations sociales, telles que l'appartenance et l'accomplissement. La volonté de Chris Klein pour vivre, apprendre, et aimer est l'essence même des *motivations* qui dictent nos conduites.

Commençons par regarder comment les psychologues ont abordé l'étude de la motivation.

Un homme motivé : Chris Klein Pour voir et entendre Chris présentant son histoire, visitez tinyurl.com/ChrisPsychStudent.

Les concepts fondamentaux de la motivation

11-1 Comment les psychologues définissent-ils *la motivation ?* Selon quelles perspectives considèrent-ils les comportements motivés ?

Les psychologues définissent la **motivation** comme un besoin ou un désir qui donne de l'énergie et dirige les comportements. Nos motivations sont issues des interactions entre l'innée (les exigences somatiques) et l'acquis (l'attirance liée à nos processus de pensée et notre culture). Considérons quatre points de vue pour appréhender les comportements motivés.

- *La théorie de l'instinct* (remplacée aujourd'hui par une *perspective évolutionniste*) se concentre sur les comportements génétiquement prédisposés.
- *La théorie de la réduction des pulsions* étudie la façon dont nous répondons à des stimuli internes.
- *La théorie de l'activation*, de la vigilance adaptée se concentre sur l'obtention d'un niveau optimal de stimulation.
- Et la *hiérarchie des besoins* d'Abraham Maslow décrit de quelle façon certains de nos besoins sont prioritaires.

L'instinct et la psychologie évolutionniste

Au début du XXe siècle, sous l'influence de Charles Darwin, il était à la mode de classer toutes sortes de comportements sous le vocable d'« instincts ». Si quelqu'un faisait son autocritique, cela était dû à son « instinct d'autodépréciation ». S'il se vantait, cela reflétait son « instinct d'auto-affirmation ». Après avoir passé en revue 500 livres, un sociologue établit une liste de 5 759 instincts humains supposés ! En peu de temps, cette tendance à tout dénommer « instinct » s'effondra d'elle-même. Plutôt que *d'expliquer* les comportements humains, les premiers théoriciens de l'instinct se contentaient de *les nommer*. Cela revenait à « expliquer » les mauvais résultats d'un enfant brillant en lui collant l'étiquette d'« élève très médiocre ». Nommer un comportement, ce *n'est pas* l'expliquer.

Pour être qualifié **d'instinct**, un comportement complexe doit avoir une structure fixe commune à toute une espèce et ne pas être appris (Tinbergen, 1951). De tels comportements sont courants dans d'autres espèces (rappelez-vous de l'empreinte chez les oiseaux ou du retour des saumons vers leur frayère natale). Certains comportements humains, tels que les réflexes innés du nourrisson, de succion, des points cardinaux ainsi que nombre d'autres, sont l'expression de besoins physiologiques et psychologiques à la fois.

La théorie de l'instinct ne peut pas expliquer la plupart des comportements humains, mais ce qu'elle sous-entend persiste dans théorie évolutionniste de la psychologie : les gènes régulent la prédisposition à l'expression de certains comportements caractéristiques des espèces s. Nous avons vu, au Chapitre 7, le débat sur les prédispositions biologiques des animaux à apprendre certains comportements, et leurs limites. Et nous verrons plus loin comment l'évolution peut influencer nos phobies, nos comportements de coopération et notre attirance pour d'autres personnes.

Motivation besoin ou désir qui anime et dirige un comportement.

Instinct comportement complexe qui est rigidement structuré au sein d'une espèce et qui n'est pas appris.

Mêmes motivations, câblages différents Plus le système nerveux est complexe, plus l'organisme est capable d'adaptation. Le tisserin et les êtres humains satisfont leur besoin d'un abri, mais d'une façon qui reflète leurs capacités innées. Le comportement de l'être humain est flexible ; il peut apprendre toutes les techniques nécessaires pour construire une maison. Le schéma de comportement de l'oiseau est fixe ; il ne peut construire que ce genre de nid.

Les pulsions et les incitations

Lorsque la première théorie de la motivation instinctive s'effondra, elle fut remplacée par la **théorie du contrôle des pulsions** par leur réduction. Ainsi un besoin physiologique suscite un état d'activation qui conduit l'organisme à réduire ce besoin, par exemple en mangeant ou en buvant. À de rares exceptions près, lorsqu'un besoin physiologique *croît*, une pulsion psychologique – un état d'activation, de motivation – se développe aussi.

La finalité physiologique de ce contrôle des pulsions est l'**homéostasie**, c'est-à-dire le maintien d'un état d'équilibre interne. Un exemple d'homéostasie (littéralement « rester le même ») est le système de régulation de la température corporelle, qui fonctionne comme un thermostat. Ces deux systèmes fonctionnent grâce à des boucles de rétrocontrôle : des capteurs indiquent la température de la pièce à un appareil de contrôle. Si la température de la pièce diminue, le système de contrôle allume la chaudière. De la même manière, si la température du corps diminue, les vaisseaux sanguins se contractent pour conserver la chaleur et nous nous sentons poussés à nous couvrir avec des vêtements qui nous tiendront plus chaud ou à chercher un endroit plus chaud (**FIGURE 11.1**).

▼ FIGURE 11.1
Théorie du contrôle des pulsions Cette théorie est fondée sur l'*homéostasie*, la tendance naturelle de l'organisme à maintenir un état interne stable, une constance du milieu intérieur. Ainsi, si nous sommes privés d'eau, notre soif nous pousse à boire et à restaurer l'état normal d'hydratation de l'organisme.

Nous sommes non seulement *poussés* par notre « besoin » de réduire nos pulsions, mais nous sommes aussi *attirés* par des **incitations**, qui sont des stimuli positifs ou négatifs, qui nous séduisent ou nous répugnent. C'est une des façons dont notre propre apprentissage influence nos motivations. Selon ce que nous avons appris, l'arôme d'une bonne nourriture, que ce soient des cacahuètes fraîchement grillées ou des fourmis grillées, peut motiver notre comportement. Tout comme le peut la vue des personnes que nous trouvons attirantes ou effrayantes.

Lorsqu'il y a à la fois une incitation et un besoin, nous nous sentons fortement poussés. La personne privée de nourriture qui hume l'odeur de la cuisson de la pizza ressent une forte sensation de faim. Pour chaque motivation, nous pouvons donc nous demander : « Comment est-elle poussée par nos besoins physiologiques innés et tirée par les incitations de l'environnement ? »

Théorie du contrôle des pulsions théorie selon laquelle un besoin physiologique crée un état de tension et d'excitation (une pulsion) qui motive un organisme à satisfaire ce besoin.

Homéostasie principe fondamental de la physiologie ; maintien de la constance de la composition et des caractéristiques du milieu intérieur ; régulation de la composition biochimique de l'organisme comme la glycémie autour d'une valeur donnée.

Incitation stimulus environnemental positif ou négatif qui motive le comportement.

L'activation optimale

Cependant, nous sommes bien plus que des systèmes homéostatiques. Certains comportements motivés *augmentent* véritablement l'activation. Des animaux bien nourris vont quitter leur abri pour explorer les alentours et obtenir des informations, et ce apparemment en l'absence de pulsions fondées sur des besoins. La curiosité pousse des singes à grimper partout pour essayer de déterminer comment ouvrir un loquet qui ne sert à rien ou comment ouvrir une fenêtre qui leur permet de voir à l'extérieur de leur enclos (Butler, 1954). Elle pousse un enfant de 9 mois à explorer tous les endroits de la maison qui lui sont accessibles. Elle pousse également les scientifiques dont le présent texte discute les travaux. Elle motive les aventuriers et les explorateurs comme Aron Ralston et Georges Mallory. Lorsqu'on lui demanda pourquoi il avait voulu faire l'ascension du mont Everest, Mallory répondit, selon le *New York Times* : « Parce qu'il est là. » Ceux qui, comme Mallory, aiment les

Poussé par la curiosité
Les jeunes singes et les enfants sont fascinés par l'inconnu. Leur motivation pour explorer maintient un niveau optimal d'activation et est l'une des motivations qui ne remplissent aucun besoin physiologique immédiat.

Loi Yerkes-Dodson principe selon lequel le rendement augmente avec la stimulation de l'activation jusqu'à un point donné, au-delà duquel il diminue.

Hiérarchie des besoins pyramide de Maslow des besoins humains, ayant pour base les besoins physiologiques qui doivent d'abord être satisfaits. En allant vers le sommet, elle suit la satisfaction des besoins de sécurité puis la satisfaction des besoins psychologiques.

états d'excitation intense, apprécient probablement aussi la musique rythmée, les aliments nouveaux et les comportements à risque, et la réussite professionnelle (Roberti et al., 2004 ; Zuckerman, 1979, 2009). Bien qu'ils aient été qualifiés de personnes à la recherche de sensations, nombre de sujets prenant de tels risques (tels que les alpinistes) sont motivés par d'autres objectifs tels que la maîtrise des émotions et la maîtrise de l'action par l'entraînement (Barlow et al., 2013).

Ainsi, l'objectif de la motivation humaine n'est pas d'éliminer l'activation, mais de rechercher un niveau optimal d'activation. Une fois que tous nos besoins biologiques sont satisfaits, nous nous sentons poussés à éprouver des stimulations et nous avons soif d'informations. En l'absence de stimulation, nous nous ennuyons et cherchons un moyen d'augmenter l'activation jusqu'à un niveau optimal. Cependant, confrontés à trop de stimulations, nous nous sentons tendus et nous cherchons un moyen de diminuer l'activation.

Deux psychologues du début du XXe siècle ont étudié la relation de l'excitation et de la conduite et ont établi la **loi Yerkes-Dodson,** qui dit qu'une excitation modérée entraînerait une conduite adaptée optimale (Yerkes & Dodson, 1908). Lorsque vous passez un examen par exemple, l'esprit doit être éveillé de façon adaptée, sans atteindre un état d'hyper-vigilance anxieuse. Entre l'apathie et l'hyper-vigilance anxieuse, une vie équilibrée va s'épanouir. Mais les niveaux d'éveil, de stimulation optimale dépendent de la tâche à accomplir. Les tâches plus difficiles nécessitent l'activation minimale la plus adaptée pour le meilleur résultat à atteindre (Hembree, 1988) (**FIGURE 11.2**). Lorsque l'on est anxieux, il n'est pas nécessaire d'augmenter l'état d'activation par l'absorption d'une boisson contenant une substance psycho-stimulante comme la caféine.

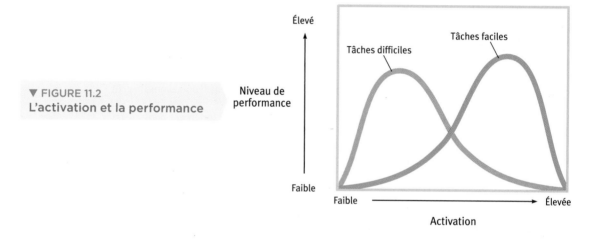

▼ FIGURE 11.2
L'activation et la performance

EXERCICE RÉCAPITULATIF

- Les résultats de l'exécution d'une tâche sont meilleurs quand nous sommes modérément activés lorsque la tâche est difficile et quand nous sommes très stimulés lorsque la tâche est simple ou bien apprise.
(1) Comment cela se passe chez ceux qui pratiquent la course à pied ? (2) Comment cela se passe chez les sujets anxieux qui passent un examen difficile ? (3) Comment cela se passe chez les sujets anxieux, ayant appris les techniques de relaxation, qui passent un examen difficile ?

Réponse : (1) Les coureurs ont tendance à exceller lorsqu'ils sont stimulés par les autres concurrents. (2) Une anxiété importante affectant les personnes soumises à la passation d'un test peut perturber cette passation et ses résultats. (3) Enseigner aux élèves anxieux comment se détendre avant un examen peut leur permettre de mieux composer (Hembree, 1988).

« La faim est la forme la plus alarmante de la pauvreté. »

Alliance to End Hunger, 2002

Comme le monde de la psychologie est petit : Abraham Maslow a été le premier étudiant du Pr Harry Harlow, père de la théorie de l'attachement chez les primates. (Harlow avait eu pour maître à Stanford Lewis Terman, célèbre pour ses travaux sur l'intelligence.)

Une hiérarchie des motivations

Certains besoins sont prioritaires. Présentement, vos besoins en air et en eau étant (je l'espère) satisfaits, d'autres motivations – comme votre désir de réussite (que nous verrons ultérieurement dans ce chapitre) – vont animer et diriger votre comportement. Si votre besoin en eau n'est plus satisfait, c'est votre soif qui va vous préoccuper. Mais si vous étiez privé d'air, votre soif disparaîtrait.

Abraham Maslow (1970) décrivit ces priorités sous la forme d'une **hiérarchie des besoins** (**FIGURE 11.3**). À la base de la pyramide sont situés nos besoins physiologiques, comme la nourriture et l'eau. Ce n'est que lorsque ces besoins sont satisfaits que nous sommes amenés à nous préoccuper de notre besoin de sécurité, puis à répondre aux besoins propres à l'homme de donner et de recevoir de l'amour et de jouir de sa propre estime. Après cela, dit Maslow (1971), on trouve le besoin de se réaliser pleinement selon ses possibilités.

Vers la fin de sa vie, Maslow émit l'hypothèse que certaines personnes atteignaient également un niveau de *transcendance de soi*. Arrivées au niveau de l'accomplissement de soi, les personnes cherchent

**Besoins de
transcendance du soi**
Besoin de trouver
une signification et
une identité au-delà du soi

**Besoins d'accomplissement
de soi**
Besoin de se montrer pleinement
à la hauteur de son potentiel unique

Besoins d'estime
Besoin d'estime de soi, de réussite,
de compétences et d'indépendance ;
besoin de reconnaissance
et du respect d'autrui

Besoins d'appartenance et d'amour
Besoin d'aimer et d'être aimé,
d'appartenir et d'être accepté ;
besoin d'éviter la solitude et la séparation

Besoins de sécurité
Besoin de sentir que le monde
est organisé et prévisible ;
besoin de se sentir en sécurité

Besoins physiologiques
Besoin de satisfaire la faim et la soif

▼ FIGURE 11.3
Pyramide des besoins de Maslow Réduit à un
état proche de la famine par leurs dirigeants, les habitants
de Panem, pays imaginé par Suzanne Collins dans son
livre « Hunger Games » brûlent du désir de se nourrir et de
survivre. L'héroïne Katniss exprime des besoins de niveau
supérieur pour atteindre l'état de transcendance et va inspirer
le pays tout entier.

à donner la pleine mesure de leurs capacités. Au niveau de la transcendance de soi, les personnes recherchent des significations, des objectifs et une communion dépassant le soi, qui sont transpersonnelles (Koltko-Rivera, 2006).

La hiérarchie de Maslow est quelque peu arbitraire ; l'ordre de ces besoins n'est pas universellement fixé. Certaines personnes font la grève de la faim pour exprimer une opinion politique. La culture a aussi son importance. L'estime de soi importe plus dans les pays individualistes où les citoyens ont tendance à se concentrer sur la réussite personnelle plutôt que sur l'identité communautaire et sur la famille (Oishi et al., 1999). Tout en étant d'accord avec les niveaux des besoins décrits par Maslow, les psychologues évolutionnistes d'aujourd'hui notent que l'acquisition et le maintien d'une amitié et la protection de sa progéniture sont aussi de des motivations humaines universelles (Kenrick et al., 2010).

Cependant, la simple idée que certains mobiles soient plus convaincants que d'autres fournit un cadre pour réfléchir à ce qu'est la motivation. Les enquêtes sur la satisfaction de la vie, menées partout dans le monde soutiennent cette idée de base (Oishi et al., 1999 ; Tay et Diener, 2011). Dans les pays les plus pauvres, où l'argent fait défaut ainsi que la nourriture et le logement, la satisfaction des besoins pécuniaires est la plus significative du sentiment bien-être. Dans les pays riches, où la plupart des individus sont en mesure de subvenir à leurs besoins fondamentaux, la satisfaction du bien-être au sein du foyer est un meilleur indicateur.

Examinons à présent quatre motivations représentatives, en commençant par le niveau physiologique, la faim, et en remontant, via les motivations sexuelles, jusqu'à des besoins de niveaux supérieurs, comme l'appartenance ou l'identification et la réussite. Nous verrons, pour chacun de ces niveaux, comment l'expérience vécue et la physiologie interagissent.

EXERCICE RÉCAPITULATIF

• Comment la théorie des instincts, la théorie de contrôle des pulsions et la théorie de l'activation adaptée contribuent-elles à notre compréhension des comportements motivés ?

Réponse : Les instincts et la psychologie de l'évolution nous aident à expliquer les fondements génétiques de nos comportements non appris et caractéristiques de l'espèce. De par la théorie du contrôle des pulsions, nous savons que nos besoins physiologiques (comme la faim) créent un état vigilant qui nous pousse à réduire ce besoin (par exemple, en mangeant). La théorie de l'activation adaptée suggère que nous devons maintenir un niveau optimal d'excitation, ce qui contribue à expliquer notre motivation à adopter des comportements qui ne répondent à aucun besoin physiologique.

• Après avoir roulé pendant des heures seul, vous apercevez enfin un restaurant dans une ville qui vous est inconnue. Bien qu'il semble vide et d'un aspect sinistre, vous vous y arrêtez parce que vous avez *vraiment* faim. Comment pourriez-vous expliquer votre comportement en vous fondant sur la pyramide des besoins de Maslow ?

Réponse : Selon Maslow, notre volonté de répondre aux besoins physiologiques de la faim et de la soif a la priorité sur les besoins de sécurité, nous incitant à prendre des risques parfois pour nous procurer de la nourriture.

REVUE GÉNÉRALE Les concepts fondamentaux de la motivation

OBJECTIFS D'APPRENTISSAGE

EXERCICE RÉCAPITULATIF Prenez un moment pour répondre à chacune de ces questions objectif d'apprentissage (répétées ici au sein de cette section). Puis allez à l'annexe C, révision complète du chapitre, pour vérifier vos réponses. La recherche suggère que d'essayer de répondre à ces questions de votre propre initiative permettra d'améliorer la mémorisation à long terme de ces réponses (McDaniel et al., 2009).

11-1 Comment les psychologues définissent-ils la *motivation ?* Selon quelles perspectives considèrent-ils les comportements motivés ?

TERMES ET CONCEPTS À RETENIR

EXERCICE RÉCAPITULATIF Testez votre connaissance de ces termes en essayant d'écrire leur définition, avant de vous reporter aux pages indiquées en référence pour vérifier votre réponse.

motivation, p. 420

instinct, p. 420

théorie du contrôle des pulsions, p. 421

homéostasie, p. 421

incitation, p. 421

loi de Yerkes-Dodson, p. 422

hiérarchie des besoins, p. 422

■ La faim

Une démonstration éclatante de la suprématie des besoins physiologiques a été faite lorsqu'une équipe de recherche, menée par Ancel Keys (1950), a étudié l'inanition chez des sujets, objecteurs de conscience, en temps de guerre. Après trois mois d'une alimentation normale, ils ont réduit de moitié les apports de nourriture chez 36 hommes choisis parmi 200 volontaires. Les hommes ayant subi ces privations devinrent apathiques et ralentis afin de limiter les dépenses énergétiques. Leur poids corporel chuta rapidement, se stabilisant à environ 25 % au-dessous de leur poids initial.

Mais les effets psychologiques étaient particulièrement frappants. Conformément à la théorie de Maslow sur la hiérarchie des besoins, ces hommes devinrent obsédés par la nourriture. Ils parlèrent de nourriture. Ils en rêvaient le jour. Ils collectionnaient des recettes, lisaient des livres de cuisine et se délectaient à la vue de délicieux aliments interdits. Préoccupés par leurs besoins élémentaires insatisfaits, ils perdirent tout intérêt pour les activités sociales et sexuelles. Comme le décrivit l'un des sujets, « si nous regardons un spectacle, la partie la plus intéressante est contenue dans les scènes dans lesquelles les gens sont en train de manger. Je suis incapable de rire devant la scène la plus drôle du monde et les scènes d'amour sont totalement sans intérêt ».

Les préoccupations de ces hommes affamés illustrent la puissance des motivations sur notre conscience. Lorsque nous avons faim ou soif, que nous sommes fatigués ou sexuellement stimulés, il semble que les autres choses ont peu d'importance. Lorsque ce n'est pas le cas, la nourriture, la boisson, le sommeil ou la sexualité ne semblent pas avoir autant d'importance dans votre vie, ni maintenant, ni jamais.

« On ne veut pas embrasser quand on a faim. »

La journaliste Dorothy Dix (1861-1951)

« La nature équipe souvent les éléments essentiels de la vie – s'alimenter, avoir une sexualité épanouie, prendre soin de soi et des autres – d'une gratification intégrée. »

Frans de Waal, « Morals Without God? », 2010

WELL, GEEZ, WHAT DO YOU **THINK** I'D PAINT ?...

STARVING ARTIST SALE

Dave Coverly/Speed Bump

Au cours d'études menées à l'université d'Amsterdam, Loran Nordgren et ses collaborateurs (2006, 2007) s'aperçurent que les personnes se trouvant dans un état de motivation « intense » (que ce soit par la fatigue, la faim ou la stimulation sexuelle) deviennent davantage conscientes d'avoir éprouvé de tels sentiments par le passé et les perçoivent comme des forces entraînant le comportement des autres. (Peut-être vous souvenez-vous au Chapitre 8 d'un effet comparable de notre actuelle bonne ou mauvaise humeur à l'évocation de nos souvenirs ?) Dans une autre expérience, des sujets ont reçu la somme de 4 \$ qu'ils pouvaient conserver ou retirer pour s'offrir à manger. Les personnes qui avaient faim surestimèrent la valeur de la collation qui les amènerait à la satiété ; les personnes qui n'avaient pas faim, qui étaient arrivées à satiété, sous-estimèrent la valeur de la collation qu'elles prendraient quand elles auraient faim. La valeur de la surestimation est symétrique de la valeur de la sous-estimation (Fisher & Rangel, 2014). De même, lorsque la motivation sexuelle est présente, les hommes interprètent le plus souvent un sourire comme une incitation au flirt, plutôt que comme un signe convivial (Howell et al., 2012). Faites vos courses dans une épicerie avec un estomac vide et vous aurez certainement plus tendance à penser que ces beignets remplis de confiture représentent ce que vous avez toujours aimé et ce que vous voudrez demain. *La motivation a énormément d'importance.*

« Celui qui est rassasié ne comprend pas celui qui a faim. »

Proverbe irlandais

La physiologie de la faim

11-2 **Quels sont les facteurs physiologiques qui produisent la sensation de faim ?**

La faim ressentie par les volontaires affamés de Keys était la réponse d'un système homéostatique destiné à maintenir un poids corporel normal et un apport suffisant en éléments nutritifs. Mais qu'est-ce qui, précisément, déclenche la faim ? Est-ce la contraction d'un estomac vide ? C'est l'intuition qu'en avait A. L. Washburn qui travaillait avec Walter Cannon (Cannon & Washburn, 1912). Washburn accepta d'avaler un ballon relié à un dispositif enregistreur (**FIGURE 11.4**). Une fois gonflé dans son estomac, le ballon en transmettait les contractions. Washburn a fourni des informations au sujet de sa *sensation* de faim en appuyant sur une touche à chaque fois, il sentit une douleur de la faim. Ils découvrirent que chaque fois que Washburn ressentait la faim, il avait des contractions stomacales.

La faim peut-elle être ressentie sans les tiraillements d'estomac ? Pour répondre à cette question, les chercheurs retirèrent l'estomac de quelques rats et relièrent directement l'œsophage à l'intestin grêle (Tsang, 1938). Les rats continuèrent-ils à manger ? Oui en effet. La faim persiste également chez les personnes auxquelles on a enlevé l'estomac, lors d'une maladie cancéreuse ou ulcéreuse.

Si les tiraillements d'un estomac vide ne sont pas l'unique origine de la faim, quels sont les autres phénomènes impliqués ?

La biochimie et le cerveau

Les hommes et les animaux régulent automatiquement leur apport calorique pour éviter les déficits énergétiques et maintenir un poids corporel constant. Cela suggère que d'une certaine manière, l'organisme est informé des ressources dont il dispose. L'une de ces ressources est le

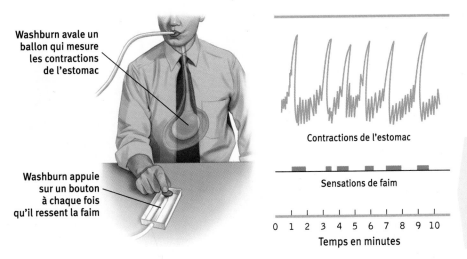

Washburn avale un ballon qui mesure les contractions de l'estomac

Washburn appuie sur un bouton à chaque fois qu'il ressent la faim

Contractions de l'estomac

Sensations de faim

0 1 2 3 4 5 6 7 8 9 10
Temps en minutes

▼ **FIGURE 11.4**
Suivi des contractions de l'estomac
En utilisant cette procédure, Washburn a montré que les contractions de l'estomac (transmises par le ballon) accompagnent notre sensation de faim (indiquée par une pression sur une touche). (De Cannon, 1929.)

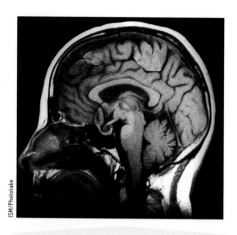

▼ FIGURE 11.5

L'hypothalamus L'hypothalamus (de couleur orange) remplit diverses fonctions d'entretien de l'organisme, incluant le contrôle de la faim. Les vaisseaux irriguent l'hypothalamus ; il peut ainsi répondre à toute variation du milieu intérieur. Il peut aussi répondre à tout stimulus venant des neurones afférents.

Glucose sucre circulant dans le sang, principale source d'énergie cellulaire. Lorsque sa concentration dans le sang est faible, nous avons une sensation de faim (Hypoglycémie).

Point de référence poids corporel de référence « pondérostat ». Quand votre poids corporel est inférieur à ce poids, la faim augmente et le métabolisme diminue.

Le métabolisme de base correspond à la dépense énergétique de l'organisme à l'état de repos.

glucose, le sucre contenu dans le sang. L'augmentation du taux d'*insuline* (une hormone sécrétée par le pancréas) diminue le taux de glucose sanguin (glycémie), en partie, après l'avoir fait pénétrer dans les cellules, en le convertissant en graisse mise en réserve, pour simplifier Si la glycémie vient à chuter, vous ne serez pas conscient de cette baisse du taux de sucre. Mais votre cerveau, qui surveille automatiquement votre biochimie sanguine et l'état interne de votre organisme, déclenchera la sensation de faim. Les signaux provenant de l'estomac, des intestins et du foie (indiquant si le glucose s'accumule ou est utilisé) informent le cerveau sur la nécessité de manger ou non.

Mais comment le cerveau intègre-t-il ces messages et déclenche-t-il le signal d'alarme ? Ce travail s'effectue dans diverses aires nerveuses, certaines localisées dans les profondeurs de votre cerveau, dans l'hypothalamus, cerveau végétatif et endocrinien (**FIGURE 11.5**). Par exemple, un de ces noyaux (appelé le *noyau arqué*) présente un centre qui sécrète des hormones stimulant l'appétit. Lorsqu'on le stimule électriquement, des animaux bien nourris commencent à manger. Lorsque cette zone est détruite, même un animal affamé ne montre aucun intérêt pour la nourriture. Un autre groupe de neurones sécrète des hormones supprimant la sensation de faim. Lorsqu'on le stimule électriquement les animaux arrêtent de manger. Si l'on détruit cette zone, l'animal se mettra à manger jusqu'à devenir obèse (Duggan et Booth, 1986 ; Hoebel et Teitelbaum, 1966).

Les vaisseaux sanguins relient l'hypothalamus au reste du corps afin qu'il puisse répondre aux variations des concentrations plasmatiques de divers substrats. Une de cette tâche est de surveiller le niveau des hormones de l'appétit de l'organisme comme la *ghréline*, une hormone qui stimule l'appétit et qui est sécrétée par l'estomac à jeun. Lors des opérations chirurgicales de dérivation pour le traitement de l'obésité sévère, les chirurgiens isolent ou suppriment une partie de l'estomac. L'estomac restant produit alors beaucoup moins de ghréline, et l'appétit de la personne diminue (Ammori, 2013 ; Lemonick, 2002). En plus de l'insuline et la de ghréline, le groupe des hormones régulant l'appétit inclut la *leptine*, l'*orexine*, et le *peptide Y* ou *PYY* ; la **FIGURE 11.6** décrit la façon dont elles influencent la sensation de faim.

Des manipulations expérimentales des hormones de l'appétit nous donnent l'espoir de découvrir des médicaments visant à réduire l'appétit. Ces médicaments présentés sous forme de pulvérisations nasales ou de dispositif transdermique pourraient contrebalancer les effets des substances chimiques sécrétées par l'organisme et induisant la faim, ou mimer (voire augmenter) le taux des substances chimiques réfrénant la faim.

▼ FIGURE 11.6

Les hormones de la régulation de l'appétit

- *Ghréline* : hormone sécrétée par l'estomac à jeun ; envoie le signal « j'ai faim » au cerveau.
- *Insuline* : seule hormone hypoglycémiante ; sécrétée par le pancréas, contrôle la glycémie en faisant pénétrer le glucose dans les cellules.
- *Leptine* : hormone protéique sécrétée par les cellules adipeuses ; en abondance, elle provoque le cerveau pour augmenter le métabolisme et diminuer la faim.
- *Orexine* : ou hypocrétine, hormone hypothalamique peptidique stimulant l'appétit et la vigilance.
- *PYY* : hormone peptidique « *satiétogène* » (« je n'ai plus faim ») sécrétée par l'intestin grêle en période postprandiale en fonction de l'apport calorique.

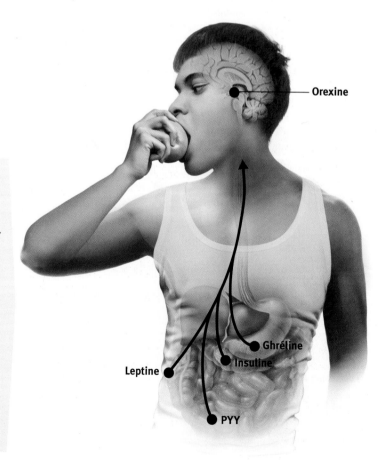

Orexine

Ghréline

Insuline

Leptine

PYY

L'interaction complexe des hormones de l'appétit et de l'activité cérébrale peut aider à expliquer la prédisposition apparente du corps à maintenir de lui-même un poids particulier. Lorsque des rats soumis à des restrictions alimentaires descendent au-dessous de leur poids normal, le « pondérostat » signale à l'organisme le besoin de restaurer la perte de poids : la faim s'accroît et la la dépense d'énergie diminue. Les cellules adipeuses crient (façon de parler...) « Nourris-moi ! » et capturent le glucose plasmatique (Ludwig & Friedman, 2014). Ainsi, la faim augmente et la dépense énergétique diminue. Ce poids stable vers lequel le poids des rats sous-alimentés va retourner est leur **point de référence** (Keesey et Corbett, 1983). Chez le rat comme chez l'homme, l'hérédité influence notre morphologie et notre point de référence approximatif.

Le corps humain régule son poids par le contrôle de la prise de nourriture, la dépense énergétique et son **métabolisme basal** – le niveau de dépense énergétique permettant de maintenir les fonctions essentielles de l'organisme quand celui-ci est au repos. À la fin de leurs six mois de sous-alimentation, les hommes ayant participé à l'expérience de Key s'étaient stabilisés à environ trois quarts de leur poids normal, alors qu'ils ne mangeaient que la *moitié* de ce qu'ils ingéraient auparavant. Comment leur corps a-t-il pu vaincre ce cauchemar ? Ils avaient réduit leur dépense énergétique, en partie grâce à une inactivité mais aussi grâce à une diminution de 29 % de leur métabolisme basal.

Cependant, certains chercheurs doutent que l'organisme ait une tendance programmée à maintenir un poids optimum (Assanand et al., 1998). Ils remarquent qu'un changement lent mais continu du poids corporel peut modifier le point de référence de quelqu'un et que des facteurs psychologiques dirigent aussi parfois notre sensation de faim. En ayant un accès illimité à une large gamme d'aliments savoureux, les hommes et les animaux ont tendance à se suralimenter et à prendre du poids (Raynor et Epstein, 2001). Pour toutes ces raisons, certains chercheurs ont abandonné l'idée d'un *point de référence* biologiquement fixé. Ils préfèrent utiliser le terme de *point de réglage* pour indiquer le niveau auquel le poids d'une personne se règle en réponse à un apport et à une dépense caloriques (qui sont influencés par l'environnement et la biologie).

Preuve du contrôle par le cerveau de la prise de nourriture La souris qui est en surpoids, à gauche, possède des récepteurs hypothalamiques de la satiété qui ne sont pas fonctionnels.

Voisin/Phanie/Sciences Source

Au cours des 40 prochaines années, vous allez manger environ 20 tonnes de nourriture. Si, au cours de ces années, vous augmentez votre consommation quotidienne de seulement 3 grammes de plus que nécessaire à vos besoins énergétiques, vous prendrez environ 11 kg (Martin et al., 1991).

EXERCICE RÉCAPITULATIF

- La faim se produit en réponse à une _____ (augmentation/diminution) de la glycémie et une _____ (augmentation/diminution) du taux de ghréline.

Réponses : diminution ; augmentation

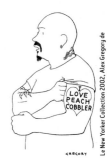

Le New Yorker Collection 2002, Alex Gregory de cartoonbank.com. Tous Droits Réservés.

« Ne vous faites jamais tatouer lorsque vous êtes ivre et affamé. »

La psychologie de la faim

11-3 **Quels sont les facteurs culturels ou écologiques influençant la faim ?**

Notre envie de manger est en effet stimulée par notre état physiologique – notre chimie corporelle et notre activité hypothalamique. Cependant, la faim ne se limite pas à l'estomac. Ce fut particulièrement frappant quand Paul Rozin et ses collègues peu scrupuleux (1998) testèrent deux patients souffrant d'amnésie qui étaient incapables de se souvenir d'un événement survenu une minute auparavant. Si vingt minutes après avoir ingéré un repas convenable, on leur offrait un autre repas, les deux patients le mangeaient facilement... tout comme un troisième, vingt minutes après avoir terminé le second. Cela prouve que nous savons quand nous devons manger en partie parce que nous nous souvenons de notre dernier repas. À mesure que le temps passe après notre dernier repas, nous anticipons le suivant et commençons à ressentir la sensation de faim.

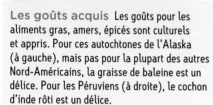

Les goûts acquis Les goûts pour les aliments gras, amers, épicés sont culturels et appris. Pour ces autochtones de l'Alaska (à gauche), mais pas pour la plupart des autres Nord-Américains, la graisse de baleine est un délice. Pour les Péruviens (à droite), le cochon d'inde rôti est un délice.

Les préférences de goût : biologie et culture

La chimie corporelle et les facteurs environnementaux influencent tous les deux non seulement le moment où l'on ressent la faim, mais aussi le type d'aliment dont nous avons envie – notre préférence gustative. Quand vous êtes tendu ou déprimé, avez-vous envie d'aliments sucrés ou de féculents contenant beaucoup de glucides ? Êtes-vous comme les supporters d'une équipe de football qui, après la défaite de leur équipe favorite, ont tendance à compenser leur tristesse par la consommation d'aliments riches en calories (Cornil & Chandon, 2013) ? Les glucides aident à faire remonter le taux de sérotonine, un neuromédiateur qui a des effets apaisants. Lorsqu'ils sont stressés, les rats comme les hommes trouvent que manger goulûment des biscuits Oreo® est une récompense extraordinaire (Artiga et al., 2007 ; Sproesser et al., 2014).

Nos préférences pour les goûts sucrés et salés sont génétiques et universelles. D'autres préférences gustatives sont conditionnées, comme chez les gens à qui l'on donne des nourritures très salées et qui développent une préférence pour un excès de sel (Beauchamp, 1987), ou chez ceux qui développent une aversion pour une nourriture qui les a rendus malades. (La fréquence des maladies infantiles augmente fortement leurs chances de développer des aversions alimentaires.)

La culture affecte également le goût. Les Bédouins aiment manger les yeux des chameaux, ce que la plupart des Nord-Américains trouveront répugnant. Beaucoup de Japonais apprécient le natto, un plat de soja fermenté qui « sent l'assemblage de l'ammoniac et de l'odeur d'un pneu qui brûle » rapporte l'expert Rachel Herz (2012). Bien que de nombreux Occidentaux trouvent ces nourritures dégoûtantes, elle ajoute que les Asiatiques, sont souvent effrayés par ces Occidentaux qui aiment « les fluides corporels fermentés des ongulés » (c'est-à-dire le fromage, dont certaines variétés possèdent les mêmes bactéries et les odeurs de pieds mal lavés). De la même manière, la plupart des habitants d'Amérique du Nord et d'Europe évitent les viandes de chien, de rat et de cheval, qui sont toutes appréciées ailleurs.

Les rats ont tendance à éviter les aliments non familiers (Sclafani, 1995). Tout comme nous, en particulier s'il s'agit d'aliments d'origine animale. Cette *néophobie* (dégoût des choses non familières) avait certainement pour nos ancêtres une valeur adaptative, servant à les protéger vis-à-vis de substances potentiellement toxiques. Ce dégoût a été bénéfique. Néanmoins au cours d'expériences, des sujets qui ont goûté plusieurs fois de nouvelles boissons à base de fruits ou des plats « exotiques » ont classiquement ressenti que leur attirance pour ce goût nouveau augmentait en général ; de plus, le contact avec un nouveau type de nourriture favorise l'envie d'en essayer d'autres (Pliner, 1982 ; Pliner et al., 1993).

Les autres préférences gustatives sont aussi le résultat de l'adaptation. Par exemple, les épices les plus couramment utilisées dans la cuisine des pays à climats chauds (où la nourriture, et en particulier la viande, risque de se périmer plus rapidement) inhibent la croissance des bactéries (**FIGURE 11.7**). Les nausées dues à la grossesse et l'aversion de la nourriture atteignent leur paroxysme vers la dixième semaine d'aménorrhée, lorsque l'embryon qui se développe est le plus vulnérable aux toxines. Ainsi vos préférences gustatives sont dictées par une sagesse biologique.

▼ FIGURE 11.7
Pays chauds et mets épicés Les habitants des pays à climat chaud, dans lesquels la nourriture pouvait se gâter rapidement, préparent des plats épicés pour limiter la croissance bactérienne (Sherman & Flaxman, 2001). En Inde, il y a en moyenne près de 10 épices par recette de viande ; en Finlande il y a seulement 2 épices.

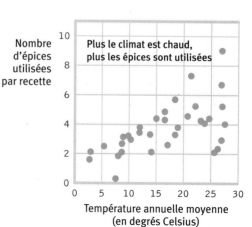

Nombre d'épices utilisées par recette

Plus le climat est chaud, plus les épices sont utilisées

Température annuelle moyenne (en degrés Celsius)

L'écologie de l'alimentation

Aussi surprenant que cela puisse paraître des situations contrôlent également notre nourriture, ce que les psychologues ont dénommé *l'écologie de l'alimentation*. Voici trois situations que vous avez peut-être rencontrées, mais que vous avez sous-estimées :

- Mangez-vous plus lorsque vous mangez avec les autres ? La plupart d'entre nous l'ont fait (Herman et al., 2003 ; Hetherington et al., 2006). Après une fête, vous pouvez vous rendre compte que vous avez trop mangé. Cela arrive parce que la présence des autres tend à amplifier nos tendances comportementales (vous en saurez plus sur la *facilitation sociale* au Chapitre 13).

- *Le biais de l'unité* se produit avec une non-conscience similaire Au CNRS, Centre national de la recherche scientifique, Andrew Geier et ses collègues (2006) ont exploré les causes possibles du tour de taille des Français inférieur à celui des Américains. Les Français proposent des portions de nourriture plus petites, tant pour la taille des sodas que pour celle des yaourts. Cela a-t-il de l'importance ? (On peut tout aussi bien commander deux petits sandwichs au lieu d'un gros.) Pour le savoir, les chercheurs ont offert aux participants divers aliments en libre-service. Par exemple, dans le hall d'un immeuble résidentiel, ils ont disposé des bretzels entiers ou des demi-bretzels, des bonbons Tootsie Rolls® en grand ou en petit format, un gros bol rempli de M&M's® avec une petite ou une grosse cuillère pour se servir. Ils constatèrent systématiquement que si on leur offre une portion standard plus grosse, les participants consomment plus de calories. Dans une autre étude, les gens mangeaient des portions de pâtes plus importantes quand elles étaient servies dans une plus grande assiette (Van Ittersum & Wansink, 2012). Les enfants mangent également plus lorsque le repas est servi dans de la vaisselle dont la taille convient plutôt à des adultes (DiSantis et al., 2013). Même les spécialistes de la nutrition se sont servis des parts de plus de crème glacée plus importante de 31 % quand on leur a donné une grande coupe, et plus importante de 15 % lorsqu'ils se servaient avec une grande cuillère à glace (Wansink, 2006, 2007). Les gens se servent d'avantage et boivent plus lorsque les vers sont courts et larges que lorsque les verres sont hauts et étroits. Et ils prennent plus de nourriture lorsque, sur les buffets elle est plus facile d'accès (Marteau et al., 2012). L'importance des portions est fonction de la taille des contenants.

- *La variété des aliments* stimule également l'appétit. Lorsqu'on nous présente un buffet de desserts nous avons tendance à en manger plus que si on nous demande de choisir une part de notre dessert favori. Pour nos premiers ancêtres, la variété était source de bonne santé. Lorsque la nourriture est abondante et variée, le fait de manger plus nous apporte les vitamines et les minéraux dont nous avons besoin et nous produisons du tissu adipeux qui nous protégera pendant le froid hivernal ou la famine. Lorsque nous ne disposons pas d'aliments variés, nous mangeons moins, ce qui permet d'économiser les réserves de nourriture jusqu'à ce que l'hiver ou la famine cesse (Polivy et al., 2008 ; Remick et al., 2009).

EXERCICE RÉCAPITULATIF

- Après une randonnée de huit heures sans nourriture, votre plat préféré tant attendu vous est présenté et vous en avez l'eau à la bouche. Pourquoi ?

Réponse : Vous avez appris à répondre à la vue et à l'arôme qui annoncent l'arrivée de l'aliment. Des *facteurs déclenchants physiologiques* (glycémie basse) et des *facteurs déclenchants psychologiques* (anticipation d'un repas savoureux) augmentent votre faim.

Obésité et contrôle du poids

11-4 Quels facteurs prédisposent certaines personnes à devenir obèses et à le rester ?

L'obésité peut être socialement toxique en affectant la façon dont on vous traite et dont vous vous sentez. L'obésité a été associée à une déficience du bien-être psychologique, en particulier parmi les femmes, et à une augmentation marquée de la survenue d'état dépressif (de Wit et al., 2010 ; Lupino et al., 2010 Rifkin, 2014). Les enfants obèses âgés de 6 à 9 ans ont 60 % de risque en plus de souffrir de harcèlement scolaire (Lumeng et al., 2010). Et l'obésité n'est pas sans risques pour la santé somatique. Trop peu de gens trop gros gagnent la bataille contre leur embonpoint. Pourquoi ? Pourquoi certaines personnes prennent-elles du poids alors que d'autres qui mangent en même quantité ne prennent que rarement un kilo ?

La souffrance de l'obèse Chris Christie, gouverneur du New Jersey (sur Nightline, le 3 juillet 2012, avant de subir une intervention de chirurgie bariatrique) : « Je pense qu'il y a un malentendu fondamental sur le poids corporel. Je pense que les gens disent "ouais, il doit tout simplement pas être discipliné, vous savez, ou il ne doit pas avoir la volonté"... Si cela avait été facile je l'aurais déjà fait. »

« Les hommes américains disent peser en moyenne 86 kg et les femmes 75 kg. Ces deux chiffres sont supérieurs de près de 9 kg à ceux de 1990. »

Elizabeth Mendes, www.gallup.com 2011

« Tu te souviens quand on devait d'abord engraisser les enfants ? »

Physiologie de l'obésité

Le stockage de la graisse par notre organisme obéit à des lois de la régulation des besoins énergétiques. La graisse est une forme idéale d'énergie stockée, qui fournit au corps une réserve de carburant riche en calories pour subsister durant les périodes où la nourriture est rare – circonstance fréquente dans la vie de nos ancêtres préhistoriques. Dès lors il n'est pas étonnant que les gens des sociétés en développement ont souvent trouvé que les corps bien en chair étaient plus attirants : l'obésité signait le statut social (Furnham & Baguma, 1994 ; Swami et al., 2011).

Dans les parties du monde où la nourriture et les sucreries sont maintenant disponibles en abondance, la règle qui a jadis servi nos ancêtres affamés (*si tu trouves de la graisse ou du sucre riche en énergie, mange-le !*) est désormais devenue inadaptée. Pratiquement partout où ce livre est lu, les individus souffrent d'un problème de poids corporel de plus en plus important. Une étude mondiale de 188 pays (Ng et al., 2014) a révélé que

- entre 1980 et 2013, la proportion des adultes en surpoids est passée de 29 à 37 % chez les hommes, et de 30 à 38 % chez les femmes ;

- au cours des trente-trois dernières années, *aucun* pays n'a réussi à réduire la prévalence de l'obésité. Nous disons bien aucun ;

- les variations nationales sont énormes, avec un pourcentage de sujets en surpoids allant de 85 % aux îles Tonga à 3 % au Timor-Leste.

Selon l'Organisation mondiale de la santé (OMS), une personne en surpoids a un *indice de masse corporelle* (IMC) de 25 ou plus ; quelqu'un obèse a un IMC de 30 ou plus. (Voir www.tinyurl.com/GiveMyBMI pour calculer votre IMC et vous situer dans la population) Aux États-Unis, le taux d'obésité de l'adulte a plus que doublé ces quarante dernières années, atteignant 36 %, et l'obésité des enfants et des adolescents a quadruplé (Flegal et al., 2010, 2012). En 1990, aucun État des États-Unis n'avait un taux supérieur de sujets obèses supérieur à 15 %. En 2010, aucun État n'avait un taux d'obésité *inférieur* à 20 % (CDC, 2012).

Dans un résumé de 97 études portant sur 2,9 millions de personnes, il a été montré que le simple excès de poids était sans conséquence somatique, alors que l'obésité était pourvoyeuse de risques somatiques (Flegal et al., 2013). La forme physique a plus d'importance qu'un léger embonpoint. Mais la véritable obésité augmente le risque de diabète, d'hypertension artérielle, de maladies cardiaques, de calculs, d'arthrose et de certains types de cancer, augmentant les coûts des soins et diminuant ainsi l'espérance de vie (DeGonzales et al., 2010 ; Jarrett et al., 2010 ; Sun et al., 2009). Une grande obésité augmente le risque de comportements suicidaires (Wagner et al., 2013). De récentes recherches ont également lié l'obésité des femmes au risque qu'elles développent ultérieurement un déclin cognitif, comme une maladie d'Alzheimer ou une perte de parenchyme cérébral (Bruce-Keller et al., 2009 ; Whitmer et al., 2008). Une expérience a constaté une amélioration des performances de la mémoire chez des sujets qui douze semaines auparavant avaient subi une opération chirurgicale visant à réduire l'obésité et avaient perdu du poids de façon significative. Le déclin cognitif s'est accentué chez les sujets qui n'avaient pas subi cette opération (Gunstad et al., 2011).

Point de référence et métabolisme La recherche sur la physiologie de l'obésité remet en cause le stéréotype selon lequel les gens qui sont fortement en surpoids ne sont que des gloutons sans volonté. Une fois devenus gros, nous avons besoin de moins de nourriture pour maintenir notre poids que nous n'en avons eu besoin pour l'atteindre. Le tissu adipeux a un rendement métabolique plus faible que le muscle, il consomme moins d'énergie nutritionnelle pour se maintenir. Lorsque le poids d'une personne obèse descend au-dessous de son point de référence (ou point de réglage), l'appétit de la personne augmente par stimulation centrale et le métabolisme diminue. Le corps s'adapte à la privation en brûlant moins de calories et en cherchant à rétablir le poids perdu. Le cerveau est coupable de nouvelle prise de poids (Cornier, 2011).

Les personnes maigres sont naturellement disposées à se mouvoir d'avantage. Elles brûlent plus de calories que les personnes en surpoids qui conservent leur énergie et ont tendance à être plutôt sédentaires (Levine et al., 2005). Ces différences individuelles du métabolisme au repos permettent d'expliquer pourquoi deux personnes de la même taille, du même âge et du même niveau d'activité peuvent maintenir le même poids, même si l'une des deux mange bien moins que l'autre.

Le facteur génétique Nos gènes nous prédisposent-ils à manger plus ou moins ? Pour brûler plus de calories faut-il se mouvoir ou être moins sédentaire ? Des études montrent une influence de la génétique sur le poids corporel. Prenons deux exemples :

- Bien qu'ils partagent les mêmes repas, le poids de frères et sœurs adoptés n'est corrélé ni à celui des parents adoptifs ni à celui des autres enfants de la famille. Le poids des sujets étudiés ressemble plutôt à celui de leurs parents biologiques (Grilo et Pogue-Geile, 1991).

- De vrais jumeaux ont des poids très proches, même lorsqu'ils ont été élevés séparément (Hjelmborg et al., 2008 ; Plomin et al., 1997). Plusieurs études ont montré que la corrélation de leurs poids était égale à r = + 0,74. La corrélation plus faible r = + 0,32 chez les « faux » jumeaux suggère que les gènes sont responsables des deux tiers de la variation de l'IMC (Maes et al., 1997).

Le facteur alimentaire et l'activité Les gènes nous racontent une partie importante de l'histoire de l'obésité. Mais les recherches révèlent que les facteurs environnementaux sont tout aussi importants.

Des études menées en Europe, au Japon et aux États-Unis montrent que les enfants et les adultes qui sont en *manque de sommeil* sont plus vulnérables à l'obésité (Keith et al., 2006 ; Nedeltcheva et al., 2010 ; Taheri, 2004a, b). Avec la privation de sommeil, les niveaux de leptine (qui informe le cerveau sur la quantité de graisse corporelle) chutent et la ghréline (hormone gastrique qui stimule l'appétit) augmente.

L'influence sociale représente un autre facteur. Une étude menée pendant trente-deux ans a suivi 12 067 personnes et a découvert que ces personnes avaient plus de risques de devenir obèses lorsqu'un de leurs amis devenait obèse (Christakis et Fowler, 2007). Si l'ami devenu obèse était un ami proche, les risques de devenir obèse étaient pratiquement multipliés par trois. De plus, la corrélation entre les poids des amis n'était pas simplement due à la recherche de compagnons semblables. L'amitié a de l'importance.

La plus forte preuve que l'environnement a autant d'influence que les gènes sur le poids vient de *notre monde qui nous fait grossir* (**FIGURE 11.8**). Comment expliquer la croissance du problème de l'obésité ? Le changement de *la consommation alimentaire* et du *niveau d'activité* en est responsable. Nous mangeons plus et nous nous dépensons moins, ayant des modes de vie qui s'apparentent à ceux des lots d'animaux de rente que les fermiers engraissent tout en les laissant inactifs. Aux États-Unis, les métiers qui nécessitent une activité physique modérée ont vu leur taux décliner, passant de 50 % en 1960 à 20 % en 2011 (Church et al., 2011). Dans le monde, 31 % des adultes (y compris 43 % des Américains et 25 % des Européens) sont maintenant sédentaires, ce qui signifie qu'il y a en moyenne moins de vingt minutes par jour d'activité physique modérée comme la marche (Hallal et al., 2012). Les activités sédentaires augmentent le risque d'être en surpoids, comme le montre la prévalence du surpoids chez les conducteurs de camion américains, soit 86 % (Jacobson et al., 2007).

Résultat : les nouveaux stades, les théâtres, les strapontins dans le métro (mais pas les sièges d'avions) offrent des sièges plus larges pour répondre à cette croissance de la population en surpoids (Hampson, 2000 ; Kim et Tong, 2010). Les Washington State Ferries ont abandonné les sièges

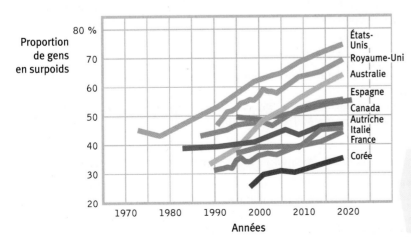

▼ FIGURE 11.8
Évolution et projection du surpoids dans les pays de l'OCDE (Organisation de coopération et de développement économiques).

standard datant d'une cinquantaine d'années, dont la surface était de 45 centimètres : « Les fesses d'une surface de 45 cm appartiennent au passé », explique un porte-parole (Shepherd, 1999). La ville de New York, faisant face à ce problème des « grosses fesses en forme de pomme », a remplacé la plupart de ses sièges de métro de 44 cm de large ayant des rebords par des sièges plats (Hampson, 2000). En fin de compte, la population d'aujourd'hui a besoin de plus d'espace.

Remarquez comment ces découvertes renforcent une leçon familière que nous avons vue au Chapitre 10 au cours de notre étude sur l'intelligence : il peut y avoir un taux d'héritabilité élevé (influence génétique sur les différences individuelles) sans pour autant que l'hérédité explique les différences entre groupes. Les gènes déterminent en grande partie pourquoi aujourd'hui une personne est plus forte qu'une autre. L'environnement détermine pourquoi les gens sont plus forts aujourd'hui qu'il y a cinquante ans. Notre comportement alimentaire met aussi en évidence l'interaction maintenant familière entre les facteurs biologiques, psychologiques et socioculturels. Les conseils pour éliminer les kilos superflus se trouvent dans le **TABLEAU 11.1**.

> « Nous installons des fast-food à tous les coins de rue, nous avons mis de la nourriture de mauvaise qualité dans nos écoles, nous nous sommes débarrassés des cours d'éducation physique, nous avons mis des friandises et des sodas partout où l'on pouvait, à toutes les caisses des magasins. Voyez le résultat. C'est réussi ! »
>
> Harold Goldstein, directeur exécutif du California Center for Public Health Advocacy, 2009, imaginant une vaste expérience américaine pour encourager la prise de poids

▼ **TABLEAU 11.1**
Gestion du tour de taille

Les personnes aux prises avec l'obésité sont bien avisées de demander une évaluation médicale et des conseils. Pour d'autres qui souhaitent perdre quelques kilos, voici quelques conseils donnés par les nutritionnistes :

- *Commencez que si vous vous sentez motivé et discipliné.* Pour la plupart des gens, la perte de poids permanente nécessite un changement continu dans les habitudes alimentaires associées à un exercice accru.

- *Bougez et dormez suffisamment.* Les personnes inactives sont souvent en surpoids. Surtout quand il est soutenu par sept à huit heures de sommeil par nuit, l'exercice vide les cellules graisseuses, renforce les muscles, accélère le métabolisme, aide à réduire votre point de référence, à réduire le stress et l'envie, induite par le stress, d'aliments réconfortants riches en glucides (Bennett, 1995 ; Kolata, 1987 ; Thompson et al., 1982).

- *Réduire l'exposition aux signaux alimentaires alléchants.* Gardez les aliments appétissants hors de la maison, et de stocker d'autres aliments appétissants hors de vue.

- *Limitez la variété et manger des aliments sains.* En offrant plus de variété, les gens consomment plus. Mangez des repas simples avec des féculents complets, des fruits et des légumes. Les aliments riches en eau tels que les légumes et les bouillons peuvent remplir l'estomac avec peu de calories. Les corps gras sains, tels que ceux trouvés dans l'huile d'olive et le poisson, aident à réguler l'appétit et ont un effet préventif de l'athérome (Taubes, 2001, 2002). Il vaut mieux manger des haricots verts croquants que des pralines croquantes.

- *Réduisez la taille des portions.* Servez les aliments dans des bols ou des plats plus petits et utilisez des couverts plus petits.

- **Ne vous privez pas de manger toute la journée au risque de faire un repas du soir qui va surcompenser.** Ce modèle d'alimentation, fréquent chez les personnes en surpoids, ralentit le métabolisme. En outre, ceux qui prennent un petit déjeuner équilibré sont, en fin de matinée, plus alertes et moins fatigués (Printemps et al., 1992).

- *Méfiez-vous des compulsions alimentaires incoercibles.* Surtout pour les hommes, manger lentement peut conduire à moins manger (Martin et al., 2007). Parmi les personnes qui restreignent délibérément leur alimentation, boire de l'alcool ou se sentir anxieux ou déprimé peut déclencher l'envie de manger (Herman & Polivy, 1980).

- *Avant de manger avec les autres, décider ce que vous allez manger.* Manger avec des amis peut nous détourner de la surveillance de notre propre alimentation (Ward & Mann, 2000).

- *Rappelez-vous, la plupart des gens font parfois des faux pas.* Une faute ne signifie pas une dégringolade complète.

- *Rapprochez-vous d'un groupe de soutien.* Rejoignez d'autres personnes avec qui vous pourrez partager vos objectifs et vos progrès (Freedman, 2011).

© Tony Freeman/Photo Edit – Tous droits réservés.

Un américain inactif : ne vous laissez pas avachir ! Le temps passé à regarder la télévision est corrélé à l'obésité Au fil du temps, les modes de vie sont devenus plus sédentaires et le temps passé à regarder la télévision ou d'autres écrans a augmenté. La prévalence de l'obésité a augmenté en Grande-Bretagne, au Canada et aux États-Unis (Pagani et al., 2010). Plus les écrans des postes de télévision sont devenus plats, plus les gens sont devenus gros.

EXERCICE RÉCAPITULATIF

Pourquoi deux personnes de la même taille, du même âge et du même niveau d'activité maintiennent-elles le même poids corporel, même si l'une des deux mange bien moins que l'autre ?

Réponse : Les individus ont des points de référence très différents et des métabolismes génétiquement régulés qui conduisent à une consommation différente des apports caloriques.

OBJECTIFS D'APPRENTISSAGE

EXERCICE RÉCAPITULATIF Prenez un moment pour répondre à chacune de ces questions objectif d'apprentissage (répétées ici au sein de cette section). Puis allez à l'annexe C, révision complète du chapitre, pour vérifier vos réponses. La recherche suggère que d'essayer de répondre à ces questions de votre propre initiative permettra d'améliorer la mémorisation à long terme de ces réponses (McDaniel et al., 2009).

11-2 Quels sont les facteurs physiologiques qui produisent la sensation de faim ?

11-3 Quels sont les facteurs culturels ou écologiques qui influencent la faim ?

11-4 Quels sont les facteurs qui prédisposent certaines personnes à devenir obèses et à le rester ?

TERMES ET CONCEPTS À RETENIR

EXERCICE RÉCAPITULATIF Testez votre connaissance de ces termes en essayant d'écrire leur définition, avant de vous reporter aux pages indiquées en référence pour vérifier votre réponse.

glucose, p. 426

point de référence, p. 427

métabolisme de base, p. 427

La motivation sexuelle

La sexualité fait partie de la vie. Mise à part une minorité de sujets se considérant comme « **asexuels** », les rencontres et l'accouplement sont, depuis la puberté, une priorité pour la plupart d'entre nous. Nos sentiments et nos comportements sexuels subissent des influences psychologiques et physiologiques.

La physiologie de la sexualité

La sexualité n'est pas comme la faim, car il ne constitue pas, comme l'alimentation, un réel *besoin*. (Si nous n'avons pas de relations sexuelles, nous pouvons nous sentir à l'agonie, mais nous ne mourons pas.) Pourtant la motivation sexuelle existe. Si ce n'avait pas été le cas pour tous vos ancêtres, vous ne seriez pas en train de lire ce livre. La motivation sexuelle est le moyen ingénieux grâce auquel la nature entraîne les sujets à procréer, permettant ainsi la survie de l'espèce. Lorsque deux personnes se sentent attirées l'une vers l'autre, il leur est difficile de ne pas penser qu'elles sont guidées par une régulation génétique très ancienne dans l'évolution. De même que le plaisir que nous prenons à manger est une invention de la nature permettant à notre corps d'obtenir la nourriture qui lui est nécessaire, le désir et le plaisir sexuels sont pour nos gènes une façon de se conserver et de se disséminer. La vie se transmet lors d'un rapport sexuel.

> « La clause non écrite du certificat de naissance stipule qu'après avoir atteint la maturité, on ressent le besoin de participer à des activités qui vont conduire à la délivrance de plusieurs certificats de naissance. »
>
> Natalie Angier écrivain de science, 2007

Hormones et comportement sexuel

11-5 Comment les hormones influencent-elles la motivation sexuelle humaine ?

Parmi les forces motrices du comportement sexuel se trouvent les *hormones sexuelles*. L'hormone sexuelle mâle principale est **la testostérone**. Les principales hormones sexuelles féminines sont les **œstrogènes**, tel que l'estradiol. Les hormones sexuelles nous influencent tout au long de notre vie :

- Au cours de la période prénatale, les hormones orientent le développement sexué.

- La puberté est caractérisée par un taux élevé de sécrétions hormonales.

- Après la puberté et tout au long de la vie adulte ces hormones vont réguler le comportement sexuel.

Chez la plupart des mammifères, la nature synchronise nettement l'activité sexuelle et la fertilité. Les femelles deviennent sexuellement réceptives (« en chaleur ») lorsque la concentration en œstrogènes est maximale au moment de l'ovulation. On peut déclencher expérimentalement, cette réceptivité sexuelle en injectant des œstrogènes à des animaux femelles. Le taux des hormones mâles est plus constant et les chercheurs ne peuvent pas manipuler aussi facilement le comportement sexuel d'animaux mâles par des traitements hormonaux (Feder, 1984). Néanmoins, les rats mâles qui ont subi une ablation des testicules (lieu de la biosynthèse de la testostérone) vont négliger les femelles réceptives. L'intérêt est progressivement restauré par des injections de testostérone.

Personne « asexuelle » personne n'ayant aucune attirance sexuelle pour les autres.

Testostérone la plus importante des hormones sexuelles masculines. Elle est présente à la fois chez les hommes et les femmes, mais la testostérone, plus abondante chez les hommes, stimule le développement des organes sexuels masculins chez le fœtus, et le développement des caractères sexuels secondaires masculins lors de la puberté.

Œstrogènes hormones sexuelles, telles que l'estradiol, sécrétées en plus grande quantité par les femmes, contribuant à la formation des caractères sexuels féminins. Chez les mammifères femelles, non humains, les oestrogènes atteignent une concentration maximale pendant l'ovulation et stimulent la réceptivité sexuelle.

Les hormones influencent le comportement sexuel humain d'une manière plus subtile. Chez les femmes qui ont un partenaire, le désir sexuel augmente légèrement lors de l'ovulation, quand il y a une forte augmentation des œstrogènes et une hausse plus faible de testostérone. Ces changements peuvent parfois être identifiés dans les manifestations comportementales et les modulations de la voix (Haselton & Gildersleeve, 2011). Une étude a invité des femmes vivant en couple à tenir un journal intime de leur activité sexuelle. Pour les jours qui encadraient le moment de l'ovulation, la fréquence des rapports sexuels augmentait de 24 % (Wilcox et al., 2004).

Les femmes ont beaucoup moins de testostérone que les hommes. Et plus que les autres mammifères femelles, les femmes sont sensibles à leur taux de testostérone (van Anders, 2012). Si le taux de testostérone naturelle d'une femme diminue, comme c'est le cas après une ovariectomie ou une ablation des glandes surrénales, le désir sexuel peut s'estomper. C'est ce qui s'est produit au cours d'une expérience menée sur des centaines de femmes chirurgicalement ou naturellement ménopausées qui ont trouvé que le traitement substitutif par un dispositif transdermique de testostérone avait restauré leur activité sexuelle, leur excitabilité et leur désir (Braunstein et al., 2005 ; Buster et al., 2005 ; Petersen et Hyde, 2011).

Chez les hommes qui ont un taux de testostérone anormalement bas, les traitements hormonaux substitutifs permettent souvent d'augmenter le désir sexuel, l'énergie et la vitalité (Yates, 2000). Chez l'homme, des fluctuations normales du taux de testostérone, d'un sujet à l'autre et d'une heure à l'autre, ont peu d'influence sur les pulsions sexuelles (Byrne, 1982). En effet, les hormones mâles varient parfois en *réponse* à la stimulation sexuelle (Escasa et al., 2011). Dans une étude menée en Australie chez des hommes pratiquant la planche à roulettes, le taux circulant de testostérone a considérablement augmenté en présence d'une femme attrayante, entraînant des manœuvres et des figures risquées (Ronay & von Hippel, 2010). La stimulation sexuelle peut être la *cause*, aussi bien que la conséquence, d'une élévation du taux de testostérone. Versant de la vie maritale : Des études internationales ont trouvé que les pères mariés avaient tendance à avoir des concentrations circulantes en testostérone moins importantes que celles des hommes célibataires et des hommes mariés sans enfants (Gettler et al., 2013 ; Gray et al., 2006).

Le zénith et le nadir des sécrétions hormonales affectent le désir sexuel des hommes et des femmes, et la variation de ce désir survient à deux moments prévisibles de la vie et parfois lors d'une troisième période qui elle est peu prévisible.

1. *La poussée pubertaire des hormones sexuelles déclenche le développement des caractères sexuels secondaires et l'attrait pour la sexualité.* Si l'on empêche cette élévation hormonale, comme cela se produisait aux XVIIᵉ et XVIIIᵉ siècles chez des garçons prépubères que l'on castrait afin de préserver leur voix de soprano pour l'opéra italien, le développement des caractères sexuels et du désir sexuel ne se développe pas normalement (Peschel et Peschel, 1987).

2. *Chez la femme les taux circulants d'œstrogène s'effondrent au moment de la ménopause* (Chapitre 4). À mesure que le taux d'hormones sexuelles décroît, même si la sexualité fait toujours partie de la vie, la fréquence des fantasmes et des rapports s'amenuise (Leitenberg et Henning, 1995).

3. *Pour certains, la chirurgie ou les médicaments peuvent provoquer des changements hormonaux.* Chez les hommes adultes qui ont subi une castration, les pulsions sexuelles décroissent en général en même temps que leur taux de testostérone (Hucker et Bain, 1990). De la même manière, les violeurs masculins perdent la majeure partie de leurs pulsions sexuelles s'ils prennent un médicament (Depo-Provera®) qui réduit leur taux de testostérone à une concentration circulante comparable à celle observée chez un garçon prépubère (Bilefsky, 2009 ; Money et al., 1983).

Pour résumer, nous pouvons comparer les hormones sexuelles humaines et, en particulier la testostérone, au carburant d'une voiture. S'il n'y a pas d'essence, la voiture ne va pas rouler. Mais si son volume est juste suffisant, le fait d'en ajouter dans le réservoir ne va pas changer la façon dont roule la voiture. L'analogie est imparfaite, car les hormones interagissent avec la motivation sexuelle. Cependant, cette image montre bien que la biologie est une explication nécessaire, mais pas suffisante, du comportement sexuel humain. Le carburant hormonal est essentiel, les stimuli psychologiques, qui démarrent le moteur, lui permettent de rester en marche et d'enclencher la vitesse supérieure.

EXERCICE RÉCAPITULATIF

• L'hormone sexuelle mâle est la _____. Les principales hormones sexuelles féminines sont les _____.

Réponses : testostérone ; œstrogènes

Le cycle de la réponse sexuelle

11-6 Quelles sont les étapes qui marquent le cycle de la réponse sexuelle chez l'homme et en quoi les paraphilies diffèrent-elles des troubles des fonctions sexuelles ?

Dans les années 1960, William Masters, un gynécologue-obstétricien, et sa collaboratrice, Virginia Johnson (1966), firent les gros titres des journaux par leurs travaux au cours desquels ils enregistraient les réponses physiologiques de volontaires qui se masturbaient ou avaient des rapports sexuels. Avec l'aide de 382 femmes et de 312 hommes volontaires, un échantillon quelque peu atypique formé seulement de gens capables et désireux de manifester de l'excitation ou d'avoir des orgasmes tout en étant observés dans un laboratoire, Masters et Johnson rapportèrent leurs observations de plus de 10 000 « cycles » sexuels. Leur description du **cycle de réponse sexuelle** identifia quatre étapes.

1. *Excitation* : les zones génitales subissent un afflux sanguin important provoquant la turgescence du clitoris et du pénis. Le vagin se dilate et les sécrétions permettant sa lubrification augmentent ; la tension mammaire augmente.

2. *Plateau* : l'excitation culmine tandis que la respiration, le pouls et la pression artérielle continuent d'augmenter. Le pénis devient turgescent et atteint une longueur moyenne de 5,6 pouces ; mesures faites chez 1 661 hommes, par mesure de la longueur du préservatif utilisé (Herbenick, 2014). Du liquide séminal (contenant souvent suffisamment de spermatozoïdes vivants pour permettre la conception) peut apparaître à son extrémité. Les sécrétions vaginales continuent d'augmenter, et le clitoris se rétracte. L'orgasme est imminent.

3. *Orgasme* : des contractions musculaires se font dans tout le corps au cours de l'orgasme ; elles sont accompagnées par une nouvelle augmentation de la fréquence respiratoire, du pouls et de la pression artérielle. L'excitation et l'orgasme d'une femme favorisent la conception en aidant à propulser la semence issue du pénis, en positionnant l'utérus pour recevoir les spermatozoïdes, en accompagnant le sperme plus loin vers l'intérieur, et en favorisant sa rétention (Furlow & Thornhill, 1996). La sensation de plaisir sexuel est apparemment identique pour les deux sexes. Un groupe d'experts n'a pu distinguer de façon fiable les descriptions de l'orgasme écrites par des hommes de celles écrites par des femmes (Vance et Wagner, 1976). Une étude par Tomographie des Émissions de Positrons (PET Scan) a montré que ce sont les mêmes régions sous corticales qui sont activées chez les hommes et les femmes lors de l'orgasme (Holstege et al., 2003a, b).

4. *Résolution* : le corps revient progressivement à son état initial à mesure que les vaisseaux sanguins génitaux ramènent le sang de la circulation locale vers la circulation générale. Cela se passe assez rapidement si l'orgasme est survenu relativement lentement. (C'est comme un picotement nasal qui s'en va rapidement si vous éternuez et lentement autrement.) L'homme entre dans une **période réfractaire** pouvant durer de quelques minutes à un jour ou plus, pendant laquelle il est incapable d'éprouver un autre orgasme. La période réfractaire, bien plus courte chez la femme, lui permet d'éprouver un autre orgasme si elle est de nouveau stimulée pendant ou juste après cette phase de résolution.

Un homme âgé de 50 ans, non-fumeur, a un risque sur 1 million de souffrir d'un infarctus à tout moment. Ce risque est multiplié par deux (2 pour 1 million) dans les deux heures qui suivent un rapport (excepté chez ceux qui ont une activité sexuelle régulièrement). En comparaison avec les risques associés à un effort intense ou à la colère, ce risque est négligeable et ne doit pas nous empêcher de dormir ou de poursuivre notre activité sexuelle (Jackson, 2009 ; Muller et al., 1996).

Les dysfonctionnements sexuels, ou troubles des fonctions sexuelles et les paraphilies

Masters et Johnson cherchaient non seulement à décrire le cycle de la réponse sexuelle chez l'homme mais également à comprendre et à traiter les incapacités à l'accomplir. Les **dysfonctionnements sexuels** sont des troubles qui gênent de façon régulière l'excitation ou les relations sexuelles. Certains concernent la motivation sexuelle (libido), et en particulier un manque d'énergie ou d'excitabilité sexuelle. On peut y inclure les **troubles de l'érection** (incapacité d'avoir ou maintenir une érection) et *l'éjaculation précoce*. Pour les femmes, le problème peut être la douleur ou le **trouble orgasmique féminin** (détresse liée à l'absence ou rareté de l'orgasme). Dans différentes enquêtes portant sur 30 000 femmes de Boston et 32 000 autres femmes américaines, environ 4 femmes sur 10 présentaient des problèmes d'ordre sexuel comme des dysfonctionnements orgasmiques ou un désir émoussé, mais une femme sur huit seulement éprouvait un sentiment de détresse (Luftey et al., 2009 ; Shifren et al., 2008). La plupart des femmes qui ont souffert de problèmes sexuels ont impliqué la relation émotionnelle à leur partenaire pendant le rapport sexuel (Bancroft et al., 2003).

Cycle de réponse sexuelle les quatre étapes de la réponse sexuelle décrites par Masters et Johnson : l'excitation, le plateau, l'orgasme et la résolution.

Période réfractaire période de repos après l'orgasme, au cours de laquelle un homme ne peut pas atteindre un autre orgasme.

Dysfonctionnements sexuels troubles qui perturbent de façon régulière l'excitation ou les relations sexuelles.

Trouble de l'érection incapacité de développer ou de maintenir une érection en raison de l'afflux sanguin insuffisant vers les corps caverneux du pénis.

Trouble de l'orgasme chez la femme sentiment de détresse lié à la rareté ou à l'absence d'orgasme.

Paraphilie excitation sexuelle provoquée par des fantasmes, des comportements particuliers, des objets indispensables à la satisfaction sexuelle, ou provoquée par sa propre souffrance ou celle des autres et/ou d'autres personnes non consentantes.

SIDA (syndrome d'immunodéficience acquise) infection sexuellement transmissible mortelle causée par le *virus de l'immunodéficience humaine* (VIH). Le SIDA épuise le système immunitaire, laissant la personne vulnérable aux infections.

La thérapie peut aider les hommes et les femmes souffrant de dysfonctionnements sexuels (Frühauf et al., 2013). Par exemple, lors de thérapie comportementale, les hommes apprennent à contrôler leur éjaculation et les femmes s'entraînent à atteindre d'elles-mêmes l'orgasme. Depuis l'introduction du Viagra® en 1998 les troubles érectiles sont maintenant fréquemment traités. Les traitements féminins aussi efficaces *pour stimuler le désir* ne sont pas encore disponibles.

Les dysfonctionnements sexuels englobent des troubles de l'excitabilité et des troubles de réalisation de l'acte sexuel. Les personnes atteintes de **paraphilie** éprouvent du désir, mais son objet est différent. L'American Psychiatric Association (2013) qualifie ce comportement de trouble si

- ce comportement déprime le sujet qui est conscient de la déviance de sa relation à cet objet *ou*

- il entraîne un préjudice ou risque de préjudice pour les autres.

Le tueur en série Jeffrey Dahmer était atteint de *nécrophilie*, une attirance sexuelle pour les cadavres. L'*exhibitionnisme* se définit comme étant le plaisir que procure l'exposition des organes génitaux ou des comportements sexuels sans consentement de la part de l'autre. La *pédophilie* est la recherche d'expérience de l'excitation sexuelle obtenue par des relations avec des enfants prépubères.

Maladies sexuellement transmissibles (MST)

11-7 Comment les MST peuvent-elles être évitées ?

Dans le monde, plus de 1 million de personnes contractent chaque jour une *maladie sexuellement transmissible* (MST ; aussi appelée en anglais STD pour *Sexually Transmited Disease*) (OMS, 2013). Les adolescentes, qui n'ont pas encore achevé leur maturation biologique et dont le taux d'anticorps protecteurs est encore faible, semblent particulièrement vulnérables (Dehne et Riedner, 2005 ; Guttmacher, 1994). Une étude récente du Centers for Desease Control menée chez des adolescentes américaines de 14 à 19 ans ayant eu des relations sexuelles a permis le diagnostic de MST chez 39,5 % d'entre elles (Forhan et al., 2008).

Pour comprendre les calculs arithmétiques de la transmission de l'infection, imaginez ce scénario. Au cours d'une année, Pat a des relations avec 9 personnes et chacune d'elle, à la même période, a eu des relations avec 9 autres personnes, qui à leur tour ont eu des relations avec 9 autres. Combien de partenaires « fantômes » (les ex-partenaires des partenaires) auront Pat ? Le nombre réel – 511 – est plus de cinq fois supérieur à l'estimation donnée par l'étudiant moyen (Brannon & Brock, 1993).

Le préservatif ne protège pas contre les MST à transmission cutanée comme l'herpès (Medical Institute, 1994 ; NIH, 2001). Les effets furent nets lorsque la Thaïlande a favorisé l'utilisation à 100 % des préservatifs par ceux qui font le commerce de leur corps. Sur une période de quatre ans, l'utilisation des préservatifs est passée de 14 à 94 % et le nombre annuel de MST bactériennes s'est effondré passant de 410 406 à 27 362 (OMS, 2000).

Cependant, au regard des diverses études disponibles, le préservatif est efficace à 80 % pour réduire le risque de transmission du *VIH* (*virus de l'immunodéficience humaine*, responsable du **SIDA**) d'un partenaire infecté (Weller et Davis-Beaty, 2002 ; OMS, 2003). Bien que le SIDA puisse être transmis par d'autres moyens, tels que le partage de seringues lors de la consommation de drogues, sa transmission sexuelle est la plus courante. La prévalence du SIDA chez la femme est en augmentation rapide, en partie parce que le virus est transmis de l'homme à la femme beaucoup plus souvent que de la femme à l'homme. Le sperme peut transporter plus de virus que les sécrétions vaginales et cervicales. Le sperme infecté par le VIH peut également persister pendant plusieurs jours dans le vagin et sur le col de l'utérus, augmentant le temps du risque d'exposition au virus (Allen & Setlow, 1991 ; OMS, 2004).

La plupart des Américains atteints du SIDA avaient un âge compris entre 25 et 44 ans (US Centers for Disease Control and Prevention, 2011). Étant donné la longue période d'incubation du SIDA, cela signifie que beaucoup de ces jeunes ont été infectés quand ils étaient adolescents. En 2012, la mort de 1,6 million de personnes atteintes du SIDA dans le monde a laissé d'innombrables partenaires esseulés et des millions d'orphelins (ONUSIDA, 2013) éplorés. L'Afrique subsaharienne est l'habitat des deux tiers des personnes infectées par le VIH, et le traitement médical prolongeant la vie et les soins de fin de vie ruinent les ressources sociales de ces régions.

Beaucoup de gens pensent que les rapports sexuels buccaux sont moins risqués mais des études récentes montrent un lien significatif entre ces pratiques et la transmission des MST, comme les infections dues au *papillomavirus humain (HPV)*. Les risques augmentent avec l'augmentation du nombre de partenaires sexuels (Gillison et al., 2012). La plupart des infections au HPV peuvent désormais être évitées grâce à une vaccination faite avant tout contact sexuel.

EXERCICE RÉCAPITULATIF

- L'incapacité à achever le cycle de réponse sexuelle peut être considérée comme un _____ _____. L'exhibitionnisme serait considéré comme une _____.

Réponses : dysfonctionnement sexuel ; paraphilie

- D'un point de vue biologique, le SIDA est plus facilement transmis par la femme. Vrai ou faux ?

Réponse : faux. Le SIDA se transmet plus facilement des hommes aux femmes.

La psychologie de l'acte sexuel

11-8 Comment les stimuli externes et les fantasmes contribuent-ils à l'excitation sexuelle ?

Les facteurs biologiques influencent puissamment la motivation et le comportement sexuels. Les grandes variations spatio-temporelles et individuelles expliquent aussi la grande part des facteurs psychologiques (**FIGURE 11.9**). Ainsi, malgré la biologie commune qui sous-tend la motivation sexuelle, les 281 raisons invoquées pour avoir des rapports sexuels vont du « rapprochement avec Dieu » à « faire taire mon petit ami » (Buss, 2008 ; Meston et Buss, 2007).

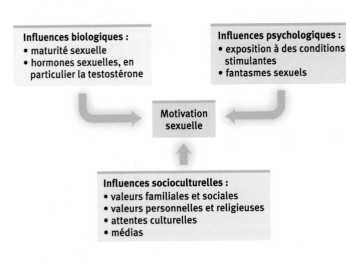

▼ FIGURE 11.9
Niveaux d'analyse de la motivation sexuelle
Comparée à notre motivation pour nous alimenter, notre motivation sexuelle est moins influencée par les facteurs biologiques. Les facteurs psychologiques et socioculturels jouent un rôle plus important.

Stimuli externes

Les hommes et les femmes sont stimulés par l'écoute, la vision ou la lecture de scènes ayant un contenu érotique (Heiman, 1975 ; Stockton & Murnen, 1992). Au cours de 132 expériences de ce type, les sensations d'excitation sexuelle reflétaient bien plus les réponses génitales (de manière plus évidente) chez les hommes que chez les femmes (Chivers et al., 2010).

Les gens peuvent penser que ce type d'excitation est agréable ou dérangeant. (Ceux qui la trouvent dérangeante limitent souvent leurs contacts avec des éléments de ce genre, comme ceux qui veulent contrôler leur faim et qui réduisent leur exposition à des tentations.) L'exposition répétée peut souvent entraîner une diminution de la réponse émotionnelle aux stimuli érotiques *(habituation)*. Dans les années 1920, quand les robes des femmes occidentales raccourcirent à la hauteur du genou, une jambe visible représentait un stimulus érotique d'intensité faible.

Des éléments sexuellement explicites peuvent-ils avoir des effets négatifs ? Des recherches indiquent que c'est effectivement le cas.

- *Acceptation du viol.* La description de femmes sexuellement contraintes et qui apprécient cette violence a eu tendance à augmenter l'acceptation, par le spectateur, de l'idée fausse selon laquelle les femmes apprécient le viol, et à accroître les désirs de violence envers les femmes chez les spectateurs de sexe masculin (Malamuth et Check, 1981 ; Zillmann, 1989).

- *Dévalorisation du partenaire.* Les images de femmes ou d'hommes sexuellement attirants peuvent entraîner les gens à dévaloriser leur partenaire ou leur relation. Après que des étudiants aient vu, à la télévision ou dans des magazines, la description de femmes très attirantes, ils trouvent souvent une femme quelconque ou leur propre petite amie ou leur femme moins attirante (Kenrick et Gutierres, 1980 ; Kenrick et al., 1989 ; Weaver et al., 1984).

- *Satisfaction émoussée.* Regarder des films X a tendance, de la même manière, à diminuer la satisfaction des gens vis-à-vis de leur partenaire sexuel (Zillmann, 1989). Peut-être que la lecture ou la vision de matériel érotique contribue à susciter une attente que peu d'hommes et de femmes peuvent voir se réaliser.

Stimuli imaginaires

On dit que le cerveau est l'organe sexuel le plus important. Les stimuli générés par notre imagination, influencent également l'excitation sexuelle et le désir. Malgré l'absence de sensations génitales à la suite d'une lésion de la moelle épinière, des désirs sexuels peuvent encore être éprouvés (Willmuth, 1987).

On peut être excités sexuellement par le souvenir d'une activité sexuelle antérieure, mais aussi par les fantasmes, qui peuvent procurer un orgasme à quelques femmes (Komisaruk & Whipple, 2011). Environ 95 % des hommes et des femmes déclarent avoir eu des fantasmes sexuels. Mais les hommes (qu'ils soient homosexuels ou hétérosexuels) fantasment plus souvent sur le sexe, d'une manière plus physique et moins romantique (Schmitt et al., 2012). Ils préfèrent aussi regarder des livres ou des vidéos dans lesquels le sexe est pratiqué de façon plus impersonnelle et rapide (Leitenberg et Henning, 1995). Les fantasmes sexuels n'indiquent *pas* un problème ou une insatisfaction sexuels. Au contraire, les personnes ayant une vie sexuelle très active ont davantage de fantasmes.

EXERCICE RÉCAPITULATIF

- Quels sont les facteurs qui influencent notre motivation et notre comportement sexuels ?

Réponse : les influences comprennent : des facteurs biologiques tels que la maturité sexuelle et la sécrétion des hormones sexuelles ; des facteurs psychologiques comme les stimuli de l'environnement et les fantasmes ; des facteurs socioculturels tels que les valeurs et les attentes de la famille et le milieu culturel.

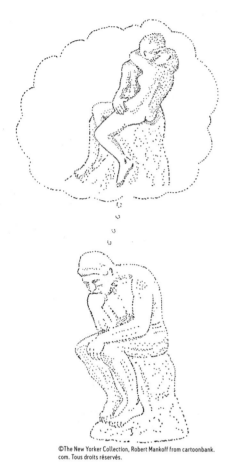

©The New Yorker Collection, Robert Mankoff from cartoonbank. com. Tous droits réservés.

« Les préservatifs doivent être utilisés lors de tous rapports sexuels occasionnels. »

Anonyme

La grossesse chez l'adolescente

11-9 Quels sont les facteurs influençant les comportements sexuels et l'utilisation des contraceptifs chez les adolescents ?

Les attitudes et les comportements sexuels varient considérablement selon les cultures. « Les rapports sexuels entre adultes non mariés » sont « moralement inacceptables », 97 % des Indonésiens, 58 % des Chinois, 30 % des Américains, et 6 % des Allemands sont d'accord avec cette affirmation (Pew, 2014). Nous appartenons tous à la même espèce, mais à certains égards nous sommes différents par nos façons de penser. En comparaison avec les adolescentes européennes, les adolescentes américaines d'aujourd'hui ont un taux de grossesse plus élevé, mais un taux inférieur à celui de la génération de leurs parents (CDC, 2011, 2012).

Quelle est l'origine de ces variations de la sexualité et de la grossesse chez les adolescents ? Les études de jumeaux montrent l'influence génétique du comportement sexuel des adolescents via le développement hormonal pubertaire, et aussi l'influence de l'exposition des environnements qui stimulent l'activité sexuelle (Harden, 2014). Les autres facteurs d'influence sont :

Une communication minimale à propos du contrôle des naissances. Beaucoup d'adolescents se sentent mal à l'aise pour discuter de contraception avec leurs parents, leurs partenaires ou leurs pairs. Les adolescents qui parlent librement avec leurs parents et qui ont une relation exclusive avec un partenaire avec lequel ils peuvent parler ouvertement, ont plus de chances d'utiliser un moyen de contraception (Aspy et al., 2007 ; Milan et Kilmann, 1987).

La culpabilité vis-à-vis du sexe. Selon une enquête, 72 % des filles américaines de 12 à 17 ans ayant eu des relations sexuelles disent qu'elles le regrettent (Reuters, 2000). L'inhibition ou l'ambivalence sexuelle peut réduire l'activité sexuelle, mais aussi réduire les moyens de contrôle des naissances (Gerrard et Luus, 1995 ; MacDonald et Hynie, 2008).

La consommation d'alcool. La plupart des rapports sexuels occasionnels sont facilités par l'imprégnation alcoolique (Fielder et al., 2013 ; Garcia et al., 2013). Ceux qui consomment de l'alcool avant un rapport sexuel sont moins susceptibles d'utiliser des préservatifs (Kotchick et al., 2001). En déprimant les centres cérébraux qui contrôlent le jugement, l'inhibition et la conscience de soi, l'alcool tend à annuler les retenues habituelles. C'est un phénomène bien connu des hommes qui ont tendance à imposer des relations sexuelles par la force.

Les normes véhiculées par les médias concernant les rapports sexuels non protégés. Les médias aident à écrire les scénarios sociaux qui affectent nos perceptions et nos actions. Ainsi, quels sont les scénarios sexuels que les médias gravent de nos jours dans nos esprits ? Des scènes à contenu sexuel apparaissent dans environ 85 % des films, 82 % des émissions de télévision, 59 % des vidéos musicales, et 37 % des paroles de chansons (Ward et al., 2014). Et les partenaires sexuels lors des émissions de télévision font rarement état des préoccupations liées au contrôle des naissances ou aux MST (Brown et al., 2002 ; Kunkel, 2001 ; Sapolsky & Tabarlet, 1991). Plus les adolescents voient des émissions ou lisent des textes ayant un contenu sexuel (même en ayant contrôlé les autres facteurs pouvant prédire une activité sexuelle précoce), plus ils risquent de percevoir leurs pairs comme sexuellement actifs, de développer des attitudes sexuelles dites « permissives » et d'avoir des relations sexuelles précoces (Escobar-Chaves et al., 2005 ; Kim & Ward, 2012 ; Parkes et al., 2014).

L'influence des médias peut se traduire par une augmentation ou une diminution de la prise de risque sexuel. Une étude a demandé à plus d'un millier de jeunes âgés de 12 à 14 ans quels étaient les films qu'ils avaient vus, et plus tard, à l'âge de 18 ans, quelles avaient été leurs expériences sexuelles adolescentes (O'Hara et al., 2012). Après contrôle des diverses caractéristiques des adolescents et de leur la famille, plus les adolescents avaient vu de films à contenu sexuel, plus grande était leur prise de risque sexuel, plus leur activité sexuelle avait été précoce, plus le nombre de partenaires, était important et plus l'utilisation du préservatif était irrégulière. Une autre étude a analysé l'effet de la série de MTV *16 and Pregnant*, qui dépeint les conséquences des rapports sexuels non protégés et ce que c'est que d'avoir un enfant. En analysant les téléspectateurs et les taux de survenue de grossesse dans certaines régions, les chercheurs ont conclu que le programme a conduit à une réduction de 6 % du taux national de grossesse chez les adolescentes (Kearney & Levine, 2014).

Les relations sexuelles apparaissant plus tardivement ont une charge émotionnelle plus élevée. Une étude nationale a porté sur des participants âgés d'environ 30 ans. Même après le contrôle de plusieurs autres facteurs, ceux qui ont eu leur premier rapport sexuel assez tardivement ont manifesté une relation plus satisfaisante avec leur partenaire et une vie de couple plus épanouie (Harden, 2012). Plusieurs autres facteurs prédisent aussi la retenue sexuelle :

- *Une grande intelligence.* Les adolescents qui ont les scores d'intelligence les plus élevés retardent plus souvent leur première expérience sexuelle, car ils évaluent les éventuelles conséquences négatives et se concentrent plutôt sur la réussite future que sur le plaisir de l'instant (Halpern et al., 2000).

- *L'engagement religieux.* Les adolescents et les adultes pratiquants, attendent plus souvent le mariage pour avoir des relations sexuelles (Hull et al., 2011 ; Lucero et al., 2008).

- *La présence du père.* Dans des études ayant suivi des centaines de jeunes filles néo-zélandaises et américaines âgées de 5 à 18 ans, l'absence du père était liée à des rapports sexuels avant l'âge de 16 ans et à la grossesse chez les adolescentes (Ellis et al., 2003). Ces associations étaient encore présentes après l'ajustement des facteurs pouvant avoir des influences négatives comme la pauvreté. Un fort attachement familial, des familles qui partagent toujours leur repas et dont les parents connaissent les activités et les amis de leurs adolescents, prédit également une initiation sexuelle plus tardive (Coley et al., 2008).

- *La participation à des activités communautaires.* Dans plusieurs expériences, les adolescentes qui font du bénévolat en tant que professeur, assistante ou qui s'impliquent dans un projet communautaire ont un taux de grossesse plus faible que d'autres adolescentes choisies au hasard, formant le groupe témoin (Kirby, 2002 ; O'Donnell et al., 2002). Les chercheurs ne sont pas certains d'en connaître la raison. Est-ce le travail au bénéfice de la société qui favorise les sentiments de compétence personnelle, de contrôle de soi et de responsabilité ? Cela encourage-t-il une ligne de conduite plus orientée vers l'avenir ? Ou alors cela ne fait-il que réduire le nombre de possibilités d'avoir des relations sexuelles non protégées ?

Apic/Moviepix/Getty Images

Se tenir au courant de l'hyper-sexualité Une analyse des 60 jeux vidéo les plus vendus a montré que sur 489 personnages, 86 % étaient des hommes (comme la plupart des adeptes de ces jeux). Les personnages féminins étaient beaucoup plus susceptibles que les personnages masculins d'être « hyper-sexualisés », partiellement nus ou vêtus de façon suggestive, avec une taille très mince et une poitrine imposante (Downs & Smith, 2010). Ces représentations peuvent conduire à des attentes irréalistes quant à la sexualité et à contribuer à la sexualisation précoce des filles. L'American Psychological Association suggère de riposter en enseignant aux filles la façon « de valoriser qui elles sont plutôt que ce qu'elles montrent » (APA, 2007).

• Quels sont, parmi les cinq facteurs suivants, les trois facteurs qui contribuent aux grossesses non désirées chez les adolescentes ?

   a. Consommation d'alcool   d. Modèles de médias

   b. Niveau d'intelligence supérieur   e. Une meilleure communication sur les options

   c. Rapports sexuels non protégés

Réponses : a., c., d.

L'orientation sexuelle

11-10 **Que nous ont appris les recherches menées sur l'orientation sexuelle ?**

Motiver, c'est dynamiser et diriger un comportement. Jusqu'à présent nous nous sommes intéressés à la libido (désir et énergie sexuelle) mais pas à son objet, ou vers qui elle est dirigée. Notre **orientation sexuelle** persistante se manifeste envers les êtres ayant le même sexe que le nôtre (*orientation homosexuelle*) ou envers ceux du sexe opposé (*orientation hétérosexuelle*) ou les deux (*orientation bisexuelle*). Nous ressentons cette attirance dans nos intérêts, nos pensées et nos fantasmes (qui est cette personne que vous imaginez ?) L'attitude vis-à-vis de l'homosexualité varie selon les cultures. « La société doit accepter l'homosexualité ? » *Oui*, disent 88 % des Espagnols, 80 % des Canadiens, 60 % des Américains, 39 % des Sud-Coréens, 21 % des Chinois, et 1 % des Nigérians ; l'homosexualité féminine est partout plus acceptée (Pew, 2013). Qu'une culture condamne ou accepte l'union de deux êtres du même sexe, l'hétérosexualité est prévalente.

Orientation sexuelle : statistiques descriptives

Combien de personnes sont-elles exclusivement homosexuelles ? Environ 10 % comme le présume souvent la grande presse ? Près de 20 %, moyenne américaine estimée au cours d'une enquête menée en 2013 (Jones et al., 2014) ? Selon plus d'une douzaine d'enquêtes nationales qui ont exploré l'orientation sexuelle en Europe et aux États-Unis, une meilleure estimation conclut à environ 3 ou 4 % des hommes et 2 % des femmes (Chandra et al., 2011 ; Herbenick et al., 2010a. ; Savin-Williams et al., 2012). Lorsque Gallup a demandé à 121 290 Américains de définir leur identité sexuelle « personnellement, vous identifiez-vous comme lesbienne, gaie, bisexuelle ou "transgenre" ? » 3,4 % ont répondu *Oui* (Portes & Newport, 2012). Lorsque le National Center for Health Statistics a demandé à 34 557 Américains, ils ont trouvé essentiellement le même résultat : tous sauf 3,4 % ont répondu « hétérosexuel », 1,6 % ont répondu « gay » ou « lesbienne » et 0,7 % « bisexuel » (Ward et al., 2014).

Les méthodes d'enquête qui garantissaient absolument l'anonymat des personnes révèlent qu'un ou deux pour cent des personnes interrogées se disent « homosexuelles » (Coffman et al., 2013). En outre, dans les pays moins tolérants, les sujets ont tendance à cacher leur orientation sexuelle. Environ 3 % des hommes en Californie expriment sur Facebook une préférence homosexuelle par exemple, alors que seulement environ 1 % le font dans le Mississippi. Pourtant, dans les deux États, environ 5 % des recherches de sites pornographiques sur Google concernent des sites homosexuels. Craigslist ajoute que pour les hommes qui cherchent des « rencontres occasionnelles » avec d'autres hommes, les demandes ont tendance à être au moins aussi grandes dans les États les moins tolérants, où il y a aussi plus de recherches sur Google pour « Mon mari est-il gay ? » (Stephens-Davidowitz, 2013).

Moins de 1 % des personnes – par exemple 12 adultes hollandais sur 7 076 – ont dit dans une étude (Sandfort et al., 2001) être activement bisexuelles. Un plus grand nombre d'adultes (13 % des femmes et 5 % des hommes lors d'une enquête américaine du National Center of Health Statistics) disent avoir eu une expérience homosexuelle au cours de leur vie (Chandra et al., 2011). Et encore plus de sujets parmi les adultes ont occasionnellement des fantasmes homosexuels. Dans les évaluations de laboratoire, certains hommes s'affirmant « bisexuels » sont stimulés par des images érotiques masculines, comme le montrent les réactions des organes génitaux. D'autres regardent plus longtemps les images érotiques et sont sensibles aux images masculines et féminines en manifestant une excitation génitale (Cerny & Janssen, 2011 ; Lippa, 2013 ; Rieger et al., 2013 ; Rosenthal et al., 2012).

Notes en marge :

Dans une étude britannique, sur les 18 876 personnes contactées, 1 % étaient « asexuelles » et ont déclaré n'avoir « jamais ressenti d'attirance sexuelle » (Bogaert, 2004, 2006b ; 2012). Les personnes s'identifiant comme « asexuelles » sont aussi susceptibles que les autres déclarer se masturber, y prendre du plaisir, éprouver un effet anxiolytique ou y trouver une mesure hygiénique.

Orientation sexuelle attirance sexuelle durable pour les sujets du même sexe (orientation homosexuelle), du sexe opposé (orientation hétérosexuelle), ou pour les deux sexes (orientation bisexuelle).

Comment se sent-on lorsque l'on est homosexuel dans une culture hétérosexuelle ? Si vous êtes hétérosexuel, une façon de comprendre cet état est d'imaginer comment vous vous sentiriez si vous étiez isolé socialement pour admettre ouvertement ou afficher vos sentiments envers quelqu'un de l'autre sexe. Comment réagiriez-vous si vous aviez entendu les gens faire des remarques grossières et désobligeantes envers les personnes hétérosexuelles, ou si la plupart des films, des émissions de télévision et les publicités parlaient de l'homosexualité ? Et que pourriez-vous répondre si les membres de votre famille avaient plaidé en faveur du changement de votre style de vie hétérosexuelle et de votre engagement dans un mariage homosexuel ?

Face à de telles réactions, certaines personnes se débattent avec leurs attirances sexuelles, en particulier pendant l'adolescence et se sentent rejetés par leurs parents ou harcelés par leurs semblables. L'absence de soutien social entraîne une faible estime de soi, la survenue d'un état anxieux ou dépressif (Jager & Davis-Kean, 2011 ; Kwon, 2013 ; Oswalt & Wyatt, 2011), une augmentation du risque suicidaire (Plöderl et al., 2013 ; Ryan et al., 2009 ; Wang et al., 2012). Au départ, ils tentent d'ignorer ou de nier leurs désirs, espérant ainsi les chasser. Mais ces désirs sont toujours présents. Ensuite, ils peuvent essayer de changer leur condition par la psychothérapie, la volonté ou la prière. Mais, en général, l'orientation persiste, comme dans le cas des hétérosexuels qui sont également incapables de devenir homosexuels (Haldeman, 1994, 2002 ; Myers et Scanzoni, 2005). De plus, comme nous l'avons remarqué au Chapitre 6, l'orientation sexuelle est si fondamentale qu'elle opère de façon non consciente, comme les expériences d'attrait du regard vers des images spécifiques de personnes nues non perçues consciemment.

Aujourd'hui, les psychologues considèrent de ce fait que l'orientation sexuelle n'est pas choisie volontairement et qu'elle ne peut être changée de son propre gré. L'American Psychological Association déclarait en 2009 « que les efforts pour changer d'orientation sexuelle ont peu de chance de réussir et impliquent certains risques de blessures ». D'une certaine façon, c'est comme de savoir si on est droitier ou gaucher : beaucoup de gens sont droitiers, quelques-uns sont gauchers. Seules quelques personnes sont réellement ambidextres. Quelle qu'elle soit, la façon d'être de chacun est durable.

Cette conclusion se rapporte plus fortement aux hommes. L'orientation sexuelle des femmes a tendance à être plus faiblement ressentie et potentiellement plus fluide et variable (Chivers, 2005 ; Diamond, 2008 ; Dickson et al., 2013). En général, les hommes ont une sexualité « plus simple ». Leur plus faible variabilité sur le plan sexuel se manifeste de plusieurs façons, note Roy Baumeister (2000). En tenant compte de facteurs tels que l'époque, la culture, la situation, le niveau d'éducation, la pratique religieuse et l'influence des pairs, les besoins et les intérêts sexuels des femmes adultes sont plus flexibles et variables. Les femmes, par exemple, préfèrent le plus souvent l'alternance de périodes d'activité sexuelle importante et des périodes de quasi-abstinence (Mosher et al., 2005). En observant la dilatation de la pupille et les réponses génitales à la vue de films érotiques, et dans leurs attitudes implicites, les femmes hétérosexuelles présentent des attirances bisexuelles plus importantes que les hommes (Rieger & Savin-Williams, 2012 ; Snowden & Gray, 2013). Baumeister décrit cette sexualité plus variable des femmes comme une différence dans *la plasticité érotique*.

Chez l'homme, une forte libido est associée à une augmentation de l'attraction envers les femmes (s'il est hétérosexuel) ou envers les hommes (s'il est homosexuel). Chez la femme, une forte libido est associée à une augmentation de l'attirance envers les hommes et les femmes (Lippa, 2006, 2007a ; Lippa et al., 2010). Et lorsqu'on leur montre un film sexuellement explicite, l'excitation génitale et sexuelle subjective de l'homme montre qu'il préfère le plus souvent les stimuli sexuels (pour les hétérosexuels, les représentations féminines). Les femmes répondent plus de manière non spécifique aux représentations de l'activité sexuelle impliquant des hommes ou des femmes (Chivers et al., 2007).

L'idée reçue considérant l'homosexuel comme un agresseur d'enfants est-elle vraie ? *Non.* La réponse génitale mesurée chez les hommes lors de la vision de diverses images sexuelles indique que l'orientation sexuelle est sans rapport avec la pédophilie (Blanchard et al., 2009 ; Herek, 2014). Une équipe de recherche canadienne dirigée par Ray Blanchard (2012 ; Dreger, 2011 a) a équipé 2 278 hommes (principalement des délinquants sexuels) avec un dispositif qui mesure leur « réponse phallométrique » lors de la vision de photos nues d'adultes et d'enfants des deux sexes, accompagnées par un commentaire à caractère érotique (« phallométrie » : mesure du diamètre pénien, de la turgescence pénienne par pléthysmographie). La plupart des hommes n'ont pas exprimé de réponse génitale à la vue d'images d'enfants, mais à la vue d'images d'hommes adultes (s'ils sont homosexuels) ou de femmes adultes (s'ils sont hétérosexuels). Certains des hommes ont montré des tendances pédophiles, en manifestant une réponse génitale principalement lors de la vision de photos de jeunes garçons ou fillettes.

Stan Honda/AFP/Getty Images

Poussé au suicide En 2010, un étudiant de l'Université Rutgers, Tyler Clementi a sauté de ce pont après la divulgation de sa rencontre intime avec un autre homme. Des affaires identiques d'adolescents homosexuels s'étant suicidés après avoir subi des brimades ont été réouvertes. Depuis 2010, les Américains, principalement de moins de 30 ans, ont été de plus en plus favorables aux homosexuels.

L'orientation sexuelle est moins influencée par les valeurs personnelles que les autres comportements sexuels Comparativement aux personnes qui assistent rarement aux offices religieux, par exemple, ceux qui y assistent ont, pour un tiers d'entre eux, vécu ensemble avant le mariage, et déclarent avoir eu beaucoup moins de partenaires sexuels. Mais (si ce sont des hommes) ils sont tout aussi susceptibles d'être homosexuels (Smith, 1998).

Stephen J. Carrera/AP Photo

Notez que la question scientifique n'est pas « Quelles sont les causes de l'homosexualité ? » (ou « Quelles sont les causes de l'hétérosexualité ? ») mais « Quelles sont les causes des différentes orientations sexuelles ? » En quête de réponses, la psychologique scientifique compare les origines et la physiologie de personnes dont les orientations sexuelles *diffèrent*.

Les origines de l'orientation sexuelle

Donc, notre orientation sexuelle est quelque chose que nous ne choisissons pas et (surtout pour les hommes) et qui est immuable. D'où proviennent ces préférences sexuelles ? Voyons si vous pouvez prévoir le consensus issu de centaines d'études en répondant par *oui* ou par *non* aux questions suivantes :

1. L'homosexualité est-elle liée à des problèmes de relation parentale : mère dominante et père effacé, ou mère possessive et père hostile ?

2. L'homosexualité implique-t-elle une crainte ou une haine des personnes de l'autre sexe conduisant les individus à diriger leurs désirs sexuels vers des membres de leur propre sexe ?

3. L'orientation sexuelle est-elle liée aux taux circulants d'hormones sexuelles ?

4. De nombreux homosexuels ont-ils été victimes de sévices sexuels, lorsqu'ils étaient enfants, maltraités ou séduits par un homosexuel adulte ?

La réponse à toutes ces questions fut : *Non* (Storms, 1983). Dans une recherche de possibles influences de l'environnement sur l'orientation sexuelle, les enquêteurs de l'Institut Kinsey ont interrogé près de 1 000 homosexuels et 500 hétérosexuels. Ils ont vérifié pratiquement chaque cause psychologique imaginable de l'homosexualité : relations parentales, expériences sexuelles enfantines, relations avec l'entourage, rendez-vous amoureux (Bell et al., 1981 ; Hammersmith, 1982). Ils ont découvert que les homosexuels n'ont pas été plus que les hétérosexuels étouffés par l'amour maternel ou négligés par leur père. Dans une enquête nationale auprès de 35 000 adultes, ceux qui ont une attirance homosexuelle étaient un peu plus enclins à déclarer avoir subi des abus sexuels dans l'enfance. Mais 86 % des hommes et 75 % des femmes ayant une attirance homosexuelle n'ont pas signalé de tels abus (Roberts et al., 2013).

Considérons ceci : si les « pères distants » ont plus de chances d'avoir des fils homosexuels, peut-on en conclure que les garçons élevés dans un foyer dont le père est absent seront « gays » à l'âge adulte ? (Ils ne le seront pas.) Peut-on dire que le nombre croissant de foyers dont le père est absent a augmenté le nombre d'hommes homosexuels ? (La réponse est également non.) La plupart des enfants élevés par des « gays » ou des « lesbiennes » grandissent en étant hétérosexuels et sont bien adaptés (Gartrell et Bos, 2010).

Alors, qu'est-ce qui détermine l'orientation sexuelle ? Une théorie a proposé que les gens développent une attirance érotique pour ceux du même sexe que le leur s'ils sont séparés par sexe au moment où leurs pulsions sexuelles se développent (Storms, 1981). En effet, les hommes homosexuels ayant grandi dans un entourage majoritairement masculin ont tendance à dire que leur puberté s'est manifestée plus précocement (Bogaert et al., 2002). Mais même dans une culture tribale où un comportement homosexuel est attendu de tout garçon avant le mariage, l'hétérosexualité l'emporte (Hammack, 2005 ; Money, 1987). (Comme l'illustre cette pratique, un *comportement* homosexuel n'implique pas obligatoirement une *orientation* homosexuelle.) En outre, bien que les attitudes des membres de l'entourage peuvent être prédictives des comportements sexuels des adolescents, elles ne le sont pas de l'attirance homosexuelle. « L'influence des pairs a peu ou pas d'effet » sur l'orientation sexuelle (Brakefield et al., 2014).

Il résulte de cinquante ans de recherches et de théories que, s'il existe des facteurs environnementaux influençant l'orientation sexuelle, nous ne les connaissons pas encore. Cette réalité a incité les chercheurs à explorer les comportements homosexuels chez les animaux et à considérer les différences génétiques, cérébrales et prénatales pouvant exister entre les homosexuels et les hétérosexuels.

Attrait pour des êtres du même sexe dans d'autres espèces

Dans les jardins publics de Boston, les gardiens ont résolu le mystère de la non-éclosion des œufs d'un couple de cygnes amoureux. Les deux cygnes étaient des femelles. Au Zoo de Central Park de New York, les pingouins Silo et Roy du même sexe ont vécu plusieurs années en couple. Des comportements sexuels entre animaux de même sexe ont également été

Juliette et Juliette Le couple de cygnes amoureux de Boston, « Roméo et Juliette », s'est révélé être, comme le sont de nombreux autres couples d'animaux, un couple du même sexe.

John Tlumacki/Les Boston Globe/Getty Images

observés chez plusieurs centaines d'autres espèces, y compris les grizzlis, les gorilles, les singes, les flamants roses, et les hiboux (Bagemihl, 1999). Parmi les béliers, par exemple, 7 à 10 % manifestent une attirance pour les mâles en évitant les brebis et en cherchant à s'accoupler avec d'autres mâles (Perkins & Fitzgerald, 1997). Le comportement homosexuel semble être une composante un élément naturel du monde animal.

Variations anatomiques cérébrales et homosexualité Le chercheur Simon LeVay (1991) a étudié des coupes d'hypothalamus prélevées chez des homosexuels ou des hétérosexuels décédés. Ce chercheur homosexuel, LeVay voulait faire quelque chose « en rapport avec [son] identité homosexuelle ». Pour éviter de biaiser les résultats, il fit une *étude en aveugle*, sans savoir quels donneurs étaient homosexuels. Pendant neuf mois, il scruta à travers son microscope un amas de cellules qu'il pensait être important. Puis, un matin, il découvrit la clé de l'énigme : un amas cellulaire était systématiquement plus grand chez les hommes hétérosexuels que chez les femmes et les hommes homosexuels. LeVay dit (1994) : « J'étais pratiquement en état de choc… Je partis seul faire une promenade sur les falaises dominant la mer. Je m'assis pendant une demi-heure juste pour penser à ce que cela pouvait vouloir dire ».

Le fait que le cerveau puisse différer avec l'orientation sexuelle ne devrait pas nous surprendre (Bao and Swaab, 2011 ; Savic & Lindström, 2008). Rappelez-vous : *toute chose psychologique est en même temps biologique*. À quel moment cette différence cérébrale s'exprime-t-elle ? À la conception ? Dans l'utérus ? Au cours de l'enfance ou de l'adolescence ? Est-ce l'expérience qui provoque ces différences ? Ou bien est-elle due aux gènes ou aux hormones prénatales (ou aux gènes par le biais des hormones prénatales) ?

LeVay ne considère pas le centre hypothalamique comme le centre de l'orientation sexuelle ; il le voit plutôt comme une partie importante de la voie neuronale impliquée dans le comportement sexuel. Il reconnaît que le type de comportement sexuel peut influencer l'anatomie cérébrale. Chez les poissons, les oiseaux, les rats et les hommes, les structures cérébrales varient avec l'expérience – y compris sexuelle – déclare Marc Breedlove, chercheur spécialiste de la sexualité (1997). Mais LeVay croit qu'il est plus vraisemblable que l'anatomie cérébrale influence l'orientation sexuelle. Son intuition semble confirmée par la découverte d'une différence hypothalamique similaire entre les béliers selon qu'ils sont attirés ou non par le même sexe (Larkin et al., 2002 ; Roselli et al., 2002, 2004). Selon Qazi Rahman et Glenn Wilson, psychologues de l'université de Londres (2003), « la neuro-anatomie corrélée à l'homosexualité masculine se différencie très tôt après la naissance, si ce n'est même avant la naissance ».

Les réponses vis-à-vis d'odeurs dérivées des hormones sexuelles ont mis également en évidence une différence cérébrale (Savic et al., 2005). L'hypothalamus des femmes hétérosexuelles, à qui on fait sentir l'odeur d'un parfum dérivé de la sueur de l'homme, s'active au niveau d'une zone gouvernant l'activité sexuelle. Les cerveaux des hommes homosexuels ont répondu de manière similaire à cette odeur. Mais l'activation de la zone cérébrale correspondante, chez les hommes hétérosexuels, ne s'est activée qu'en réponse à l'odeur d'un dérivé hormonal féminin. De même, lors d'autres études sur les réponses cérébrales aux odeurs dérivées de la sueur et aux images de visages masculins ou féminins, les « gays » et les « lesbiennes » diffèrent de leurs homologues hétérosexuels (Kranz et Ishai, 2006 ; Martins et al., 2005).

Influences génétiques Des résultats indiquent que l'orientation sexuelle est aussi génétiquement régulée. « Premièrement, il semble qu'il existe une homosexualité familiale », comme l'ont remarqué Brian Mustanski et Michael Bailey (2003). « Deuxièmement, les études menées chez les jumeaux ont établi que les gènes jouaient un rôle substantiel dans l'explication des différences individuelles de l'orientation sexuelle. » Les jumeaux monozygotes ont relativement plus de chances que les jumeaux dizygotes d'être tous deux homosexuels (Alanko et al., 2010 ; Lángström et al., 2008, 2010). (Comme l'orientation sexuelle diffère chez beaucoup de « vrais » jumeaux, en particulier chez les vraies jumelles, nous savons que d'autres facteurs sont à l'œuvre.)

Les chercheurs sont aussi parvenus, par des manipulations génétiques, à créer des drosophiles femelles qui agissent comme des mâles pendant la parade nuptiale (et poursuivent d'autres femelles) et des mâles qui agissent comme des femelles (Demir et Dickson, 2005). Barry Dickson (2005) explique qu'ils ont « pu démontrer que, chez la drosophile, un seul gène suffit à déterminer

« Les hommes "gays" n'ont tout simplement pas les cellules du cerveau contrôlant l'attrait pour les femmes. »

Simon LeVay, *The Sexual Brain,* 1993

tous les aspects de l'orientation et du comportement sexuel de cette mouche ». Chez l'homme, il existe certainement de multiples gènes, qui interagissent probablement avec d'autres influences pour modeler l'orientation sexuelle. Une étude du génome entier de 409 paires de frères homosexuels des zones de deux chromosomes qui pourraient moduler l'orientation sexuelle. L'un est transmis par la mère (Sanders et al., 2014). Et des groupements fonctionnels et des radicaux fixés sur les bases de l'ADN peuvent affecter l'expression des gènes. Certains scientifiques pensent qu'en modifiant la sensibilité à la testostérone, de telles influences épigénétiques pourraient aussi causer, dans l'utérus, la masculinisation des femelles, ou la féminisation des mâles (Rice et al., 2012).

Des chercheurs ont étudié la question de savoir comment des « gènes de l'homosexualité » pourraient se retrouver dans le fonds génétique commun étant donné que ces sujets homosexuels ne devraient pas avoir de descendance. Une des réponses possibles est la sélection parentale. Souvenez-vous de la psychologie évolutionniste, au Chapitre 4, nous rappelant que beaucoup de nos gènes se retrouvent également chez les membres de notre famille biologique. Peut-être alors que les gènes des homosexuels survivent pour conforter la survie et la réussite reproductrice de leurs nièces, neveux ou autres parents (qui portent également un grand nombre de ces gènes). Les homosexuels font des oncles généreux, suggère une étude menée aux îles Samoa (Vasey et VanderLaan, 2010).

Une *théorie sur les « femmes fécondes »* enrichit le faisceau d'arguments en faveur de la responsabilité génétique maternelle (Bocklandt et al., 2006). Des études italiennes récentes confirment ce que d'autres avaient découvert, à savoir qu'il y a plus de membres de la famille qui sont homosexuels du côté de la mère d'un homme homosexuel que du côté de son père (Camperio-Ciani et al., 2004, 2009, 2012 ; VanderLaan et al., 2011, 2012). Et les parents du côté maternel ont une descendance plus importante que celle des parents maternels des hommes hétérosexuels. Peut-être, supposent les chercheurs, que les gènes qui amènent les femmes à être fortement attirées par les hommes et de ce fait à avoir plus d'enfants, disposent également les hommes (y compris certains de leurs parents masculins) à être aussi attirés par les hommes (LeVay, 2011). Ainsi, le faible taux de reproduction dû aux hommes homosexuels semble être compensé par un taux de reproduction assurée par leur famille maternelle, taux qui lui est accru.

Influences prénatales Il existe un niveau élevé d'orientation homosexuelle, chez les vrais comme chez les faux jumeaux, ce qui suggère que le facteur en cause pourrait ne pas être seulement une influence génétique commune mais également un environnement prénatal commun. Chez les animaux, et dans quelques cas chez l'homme, l'orientation sexuelle du fœtus a été altérée par des conditions hormonales anormales durant la période prénatale. Gunter Dorner (1976, 1988), un chercheur allemand, pionnier de la recherche sur l'influence prénatale des hormones, a manipulé un fœtus de rat en l'exposant à des hormones mâles, « inversant » ainsi son orientation sexuelle. Dans d'autres études, les brebis issues de mères ayant reçu une injection de testostérone au cours d'une période critique du développement du fœtus montrent un comportement homosexuel (Money, 1987).

Chez l'homme, une période critique pour le système de contrôle neuro-endocrinien du cerveau pourrait exister entre le milieu du deuxième mois et le cinquième mois après la conception (Ellis et Ames, 1987 ; Gladue, 1990 ; Meyer-Bahlburg, 1995). Il semble que l'exposition à des taux hormonaux caractéristiques de ceux auxquels sont exposés des fœtus féminins durant cette période pourrait prédisposer la personne (quel que soit son sexe) à être attirée par les hommes dans sa vie ultérieure. Simon LeVay (2011, p. 216) remarque que « les hormones sexuelles prénatales contrôlent la différenciation sexuelle des centres cérébraux impliqués dans les comportements sexuels ». De ce fait il semblerait que les fœtus femelles les plus exposés à la testostérone et les fœtus mâles moins exposés à la testostérone aient plus de chance de présenter ultérieurement des caractères non typiques de leur genre et de ressentir des désirs envers les personnes de même sexe.

Le système immunitaire de la mère peut également jouer un rôle dans le développement de l'orientation sexuelle. Selon Ray Blanchard (2004, 2008a, b, 2014) et Anthony Bogaert (2003), les hommes qui ont des frères plus âgés ont plus de chances d'être homosexuels, environ 1/3 de chances en plus par frère qui le précède. En considérant que les chances d'avoir un premier fils homosexuel sont de 2 %, elles s'élèvent à 3 % pour le second fils, à 4 % pour le troisième, et ainsi de suite (voir **FIGURE 11.10**). La raison de ce phénomène curieux – *l'effet de l'ordre de naissance au sein d'une fratrie* – n'est pas très claire. Blanchard suspecte une réaction immunitaire défensive chez la mère provoquée par des substances étrangères produites par les fœtus masculins. Les anticorps maternels

« La recherche scientifique moderne indique que l'orientation sexuelle est… en partie déterminée par la génétique, mais plus particulièrement par l'activité hormonale dans l'utérus. »

Glenn Wilson et Qazi Rahman, *Born Gay: The Psychobiology of Sex Orientation*, 2005

pourraient se renforcer après chaque nouvelle grossesse portant un fœtus masculin et empêcher le cerveau du fœtus d'un futur garçon de se développer selon un schéma typiquement masculin. L'effet de l'ordre de naissance au sein d'une fratrie ne se produit que chez les garçons ayant des frères aînés issus de la même mère (qu'ils soient ou non élevés ensembles), ce qui concorde avec cette explication biologique. L'orientation sexuelle n'est pas affectée par les frères adoptifs (Bogaert, 2006). Cet effet de l'ordre de naissance sur l'orientation sexuelle ne se retrouve pas chez les femmes qui ont des sœurs plus âgées, qui ont eu un frère jumeau, ni chez les hommes qui ne sont pas droitiers (Rose et al., 2002).

Différences de caractères entre les homosexuels et les hétérosexuels

Les individus homosexuels, quel que soit leur sexe, ont de nombreux traits se trouvant aux confins de ceux des femmes hétérosexuelles et des hommes hétérosexuels (**TABLEAU 11.2** ; voir aussi LeVay, 2011 ; Rahman et Koerting, 2008). Par exemple, la cochlée et le système auditif des « lesbiennes » se développent d'une manière intermédiaire entre celle des femmes hétérosexuelles et celle des hommes hétérosexuels, ce qui semble imputable à l'influence prénatale des hormones (McFadden, 2002). Les « gays » ont tendance à être plus petits et d'un poids plus faible, même à la naissance, que les hommes hétérosexuels, alors que les femmes ayant fait un mariage homosexuel avaient tendance à avoir un poids de naissance plus important que la moyenne féminine (Bogaert, 2010 ; Frish et Zdravkovic, 2010). Le nombre de stries digitales peut également être différent. Bien que la plupart des gens aient plus de stries digitales sur la main droite que sur la main gauche, certaines études ont trouvé une plus grande différence gauche-droite chez les hommes hétérosexuels que chez les femmes et chez les hommes homosexuels (Hall et Kimura, 1994 ; Mustanski et al., 2002 ; Sanders et al., 2002). Étant donné que les stries digitales finissent de se développer avant la seizième semaine chez le fœtus, cette différence doit être due aux hormones prénatales.

▼ FIGURE 11.10
L'effet du rang de naissance dans la fratrie Le chercheur Ray Blanchard (2008a) propose ces courbes approximatives représentant la probabilité de l'homosexualité d'un homme en fonction du nombre de ses frères plus âgés. Cette corrélation a été constatée dans plusieurs études, mais uniquement chez les hommes droitiers (environ 9 hommes sur 10 le sont).

▼ TABLEAU 11.2
Corrélations biologiques de l'orientation sexuelle

Caractéristiques différentes des homosexuels

L'orientation sexuelle fait partie d'un ensemble de caractéristiques. Des études, dont certaines méritent d'être répliquées, montrent qu'il existe des différences biologiques et comportementales.

- les aptitudes spatiales
- le nombre de stries de l'empreinte digitale
- le développement du système auditif
- la latéralité
- les préférences professionnelles
- les longueurs relatives des doigts
- la non-conformité sexuelle
- l'âge d'apparition de la puberté chez les mâles
- la taille et le poids de naissance
- la durée du sommeil
- l'agressivité physique
- la façon de marcher

En moyenne (la preuve est la plus forte pour les hommes), les résultats pour les gays et les lesbiennes se situent entre celles des hommes et des femmes hétérosexuels. Trois influences biologiques (cérébrales, génétiques et prénatales) peuvent contribuer à ces différences.

Différences cérébrales

- L'amas de cellules hypothalamiques est plus petit chez les femmes et les hommes homosexuels que chez les hommes hétérosexuels.
- L'hypothalamus des hommes gays réagit comme celui des femmes hétérosexuelles à l'odeur d'hormones liées au sexe.

Influences génétiques

- L'orientation sexuelle partagée est plus élevée chez les jumeaux monozygotes que chez les jumeaux dizygotes.
- L'attirance sexuelle des drosophiles peut être manipulée génétiquement.
- L'homosexualité masculine semble souvent être transmise du côté de la mère de la famille.

Influences prénatales

- L'exposition anormale aux hormones prénatales peut conduire à l'homosexualité chez les humains et autres animaux.
- Les hommes ayant plusieurs frères biologiques plus âgés sont plus susceptibles d'être gays, peut-être dû à une réaction du système immunitaire maternel.

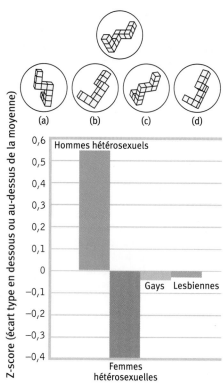

Réédité avec la permission de Perceptual and Motor Skills, de Mental Rotations, A Group Test Of Three-Dimensional Spatial Visualization, Steven G. Vandenberg et Allan R. Kuse, Volume 47, Numéro 2, Octobre 1978 : p. 599-604 (doi: 10.2466/pms.1978.47.2.599) ; permission conveyed through Copyright Clearance Center, Inc.

▼ FIGURE 11.11

Aptitudes spatiales et orientation sexuelle Lesquelles parmi les quatre figures, une fois retournées, correspondent au modèle situé au-dessus ? Les hommes hétérosexuels ont tendance à trouver cette tâche plus facile que les femmes hétérosexuelles. Les femmes et les hommes homosexuels ont une position intermédiaire. (De Rahman et al., 2003 ; 60 personnes testées dans chaque groupe.)

Réponse : Figures a et d.

« Il n'y a aucun argument scientifique prouvant que l'orientation sexuelle puisse être modifiée. »

UK Royal College of Psychiatrists, 2009

Une autre différence que vous n'auriez jamais imaginée entre les homosexuels et les hétérosexuels est apparue dans des études montrant que les capacités spatiales des hommes homosexuels sont similaires à celles des femmes hétérosexuelles (Cohen, 2002 ; Gladue, 1994 ; McCormick et Witelson, 1991 ; Sanders et Wright, 1997). Sur les représentations de rotation spatiale des objets telles que celle illustrée par la **FIGURE 11.11**, les hommes hétérosexuels ont tendance à se démarquer des femmes hétérosexuelles et à avoir des notes plus élevées. (Les femmes qui ont un frère jumeau ont aussi des notes plus élevées que la moyenne féminine [Vuoksimaa et al., 2010].) Des études menées par Qazi Rahman et ses collaborateurs (2003, 2008) ont montré que, concernant un certain nombre d'autres mesures, les résultats obtenus par les gays et les lesbiennes se trouvaient entre les résultats des hommes hétérosexuels et ceux des femmes hétérosexuelles. Mais les femmes hétérosexuelles et les hommes homosexuels ont de meilleurs résultats que les hommes hétérosexuels pour la mémorisation de la localisation des objets au cours de tâches semblables à celles demandées dans les jeux de mémoire (Hassan et Rahman, 2007).

* * *

La cohérence des découvertes génétiques, prénatales et cérébrales a fait pencher la balance vers l'explication biologique de l'orientation sexuelle (Rahman et Wilson, 2003 ; Rahman et Koerting, 2008). Certaines personnes se demandent pourtant si la cause de l'orientation sexuelle a une importance. Peut-être que non, mais les suppositions sont importantes. Pour justifier sa signature, un projet de loi de 2014 qui a rendu certains actes homosexuels passibles de la prison à vie, le président de l'Ouganda, Yoweri Museveni, a déclaré que l'homosexualité n'est pas innée mais plutôt « choisie » (Balter, 2014 ; Landau et al., 2014).

Les résultats des nouvelles recherches biologiques sont à double tranchant (Diamond, 1993 ; Roan, 2010). Si l'orientation sexuelle, comme la couleur de la peau ou le sexe, est influencée génétiquement, la défense des droits civiques est encore plus justifiée. En même temps, cette recherche peut aussi accroître la possibilité troublante que les marqueurs génétiques de l'orientation sexuelle puissent un jour être identifiés lors de tests fœtaux et utilisés pour avorter d'un enfant prédisposé à une orientation sexuelle non souhaitée ou que des traitements hormonaux puissent engendrer une orientation sexuelle désirée.

EXERCICE RÉCAPITULATIF

- Quels sont, parmi les cinq facteurs suivants, les trois facteurs identifiés par la recherche qui influencent l'orientation sexuelle ?

  a. Une mère dominatrice

  b. La taille de certains groupes de cellules de l'hypothalamus

  c. L'exposition prénatale aux hormones

  d. Un père distant ou absent

  e. Pour les hommes, avoir des frères plus âgés

Réponses : b., c., e.

Sexe et valeurs humaines

11-11 La recherche scientifique sur la motivation sexuelle est-elle dépourvue de tout jugement de valeur ?

Conscients que les valeurs sont à la fois personnelles et culturelles, la plupart des sexologues et des éducateurs s'emploient à garder leurs écrits exempts de tout jugement de valeur. Mais les mots que nous utilisons pour décrire les comportements peuvent refléter nos valeurs personnelles. Le fait de classer certains comportements sexuels dans les « perversions », ou dans « les autres styles de vie sexuelle » dépendra de notre attitude envers ces comportements. Les qualifications décrivent, mais elles jugent aussi.

La recherche scientifique concernant la motivation sexuelle n'a pas pour but de définir la signification personnelle de la sexualité. On peut tout connaître sur le sexe – que les spasmes initiaux de l'orgasme de l'homme et de la femme surviennent à intervalles de 0,8 seconde, que les mamelons de la femme sont en érection (environ 10 mm) à l'acmé de l'excitation sexuelle, que la pression artérielle systolique augmente d'environ 60 mm de mercure et que le nombre de respirations par minute peut aller jusqu'à 40 – mais ne pas comprendre la signification humaine de l'intimité sexuelle.

Une des significations de cette intimité se trouve certainement dans la façon dont elle exprime notre nature sociale profonde. Une enquête récente a demandé à 2 035 personnes mariées à quel moment ils avaient eu leur premier rapport sexuel (tout en contrôlant les facteurs comme l'éducation, l'engagement religieux et la durée des relations). Ceux qui ont attendu un engagement amoureux fort pour avoir leurs premières relations, par exemple en se mariant, ont non seulement décrit des relations plus satisfaisantes, une plus grande stabilité de leur couple, mais aussi une complétude de leur sexualité (Busby et al., 2010 ; Galinsky & Sonenstein, 2013). Pour les hommes et les femmes, mais surtout pour les femmes, l'orgasme se produit plus souvent (et avec moins de regrets) lorsque la relation sexuelle fait partie de la relation amoureuse, que lorsqu'elle est l'issue d'une rencontre occasionnelle (Garcia et al., 2012, 2013). On connaît mieux les goûts culinaires des personnes avec qui on est régulièrement à table que ceux de quelqu'un que l'on invite pour la première fois ; en est-il de même dans la relation charnelle ?

Les avantages de l'engagement, « la force des vœux prononcés », sont indépendants de l'orientation sexuelle. La stabilité des couples gays est globalement identique à celle des autres couples *si* ces personnes sont mariées ou liées par une union civile ; et dans le cas contraire l'instabilité, aussi, est presque identique (Rosenfeld, 2014). Ainsi, comme les personnes gays peuvent maintenant se marier, nous pouvons nous attendre à une même stabilité des couples.

L'activité sexuelle est un acte social significatif. L'homme et la femme peuvent parvenir seuls à l'orgasme et, pourtant, la plupart trouvent plus de satisfaction après avoir eu des relations sexuelles et un orgasme avec la personne qu'ils aiment (ils présentent aussi une plus grande augmentation de la concentration en *prolactine* associée à la satisfaction sexuelle et à la satiété) (Brody et Tillmann, 2006). Le désir sexuel et le sentiment amoureux sont deux états mentaux différents et intriqués. Les études d'imagerie cérébrale fonctionnelles montrent que ces deux états font partie d'un continuum qui correspond à l'activation de l'insula et du circuit de la récompense (Cacioppo et al., 2012). (N.d.T. : Insula : cortex situé au fond de la scissure de Sylvius et « face » aux corps striés, si on regarde une coupe coronale du cerveau.) Le sentiment amoureux toujours cultivé et la vie du couple fusionnel sont les fruits d'une sexualité épanouie.

L'amour en partage Pour la plupart des adultes, une relation sexuelle ne satisfait pas seulement un besoin biologique, mais aussi un besoin social d'intimité.

Yuri Arcurs/Shutterstock

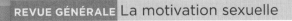

REVUE GÉNÉRALE La motivation sexuelle

OBJECTIFS D'APPRENTISSAGE

EXERCICE RÉCAPITULATIF Prenez un moment pour répondre à chacune de ces questions objectif d'apprentissage (répétées ici au sein de cette section). Puis allez à l'annexe C, révision complète du chapitre, pour vérifier vos réponses. La recherche suggère que d'essayer de répondre à ces questions de votre propre initiative permettra d'améliorer la mémorisation à long terme de ces réponses (McDaniel et al., 2009).

11-5 Comment les hormones influencent-elles la motivation sexuelle humaine ?

11-6 Quelles sont les étapes qui marquent le cycle de la réponse sexuelle chez l'homme et en quoi les paraphilies diffèrent-elles des troubles des fonctions sexuelles ?

11-7 Comment les MST peuvent-elles être évitées ?

11-8 Comment les stimuli externes et les fantasmes contribuent-ils à l'excitation sexuelle ?

11-9 Quels sont les facteurs influençant les comportements sexuels et l'utilisation des contraceptifs chez les adolescents ?

11-10 Que nous ont appris les recherches menées sur l'orientation sexuelle ?

11-11 La recherche scientifique sur la motivation sexuelle est-elle dépourvue de tout jugement de valeur ?

TERMES ET CONCEPTS À RETENIR

EXERCICE RÉCAPITULATIF Testez votre connaissance de ces termes en essayant d'écrire leur définition, avant de vous reporter aux pages indiquées en référence pour vérifier votre réponse.

asexuel, p. 433

testostérone, p. 433

œstrogènes, p. 433

cycle de la réponse sexuelle, p. 435

période réfractaire, p. 435

dysfonctionnement sexuel, troubles des fonctions sexuelles, p. 435

troubles de l'érection, p. 435

trouble orgasmique féminin, p. 435

paraphilies, p. 436

SIDA (syndrome d'immunodéficience acquise), p. 436

orientation sexuelle, p. 440

Appartenance et accomplissement

Le besoin d'appartenance

> **Besoin d'appartenance au groupe** nécessité d'établir des relations et de se sentir intégré dans un groupe.

11-12 **Quelle est la preuve de notre besoin humain d'appartenance ?**

Séparés de nos amis ou de notre famille – isolés en prison, seuls dans une nouvelle école, ou expatriés – nous ressentons profondément la perte des liens qui nous unissent aux personnes qui nous sont chères. Nous sommes ce qu'Aristote, philosophe grec, appelait *un animal social.* Aristote écrivait dans son *Éthique à Nicomaque* : « Sans amis, personne ne choisirait de vivre, même s'il possédait tous les autres biens. » Ce profond *besoin d'appartenance* notre **besoin d'appartenance** semble une motivation humaine fondamentale (Baumeister & Leary, 1995). Bien que le besoin de vie solitaire soit variable nous ressentons, pour la plupart d'entre nous, le besoin d'appartenir à un groupe de personnes et même d'être fortement attachés à certaines d'entre elles en entretenant des relations durables et étroites. Comme le prétend le théoricien de la personnalité Alfred Adler, l'homme a « un besoin pressant d'appartenir à une communauté » (Ferguson, 1989, 2001, 2010). Nos besoins psychologiques guident nos comportements adaptatifs lorsque ces besoins sont satisfaits, notre sentiment de bien-être est accru (Sheldon, 2011).

Photodisc/Getty Images

Les avantages de l'appartenance au groupe

Les liens sociaux ont favorisé le taux de survie chez nos ancêtres. Ceux qui avaient tissé des liens étaient plus enclins à se reproduire et à élever leur progéniture jusqu'à la maturité. Les liens de l'attachement ont amené les mères à garder leurs enfants près d'elles, à les apaiser à les protéger contre les menaces (Esposito et al., 2013). En anglais, le terme *wretched* (malheureux) a pour origine un mot d'anglais médiéval (*wrecche*) qui signifie « ne plus avoir de parents à ses côtés ».

La coopération pratiquée par nos ancêtres a également amélioré leur survie. En combattant seuls, nos ancêtres ne faisaient pas partie des prédateurs les plus redoutables. Mais en tant que chasseurs, ils ont appris que six mains valaient mieux que deux. Ceux qui cherchaient de la nourriture étaient mieux protégés contre leurs ennemis, humains ou animaux, lorsqu'ils évoluaient en groupe Ceux qui ressentaient un besoin d'appartenance ont survécu et se sont reproduits plus efficacement, et ce sont leurs gènes qui prédominent actuellement. Nous sommes des créatures sociales innées. Notre besoin d'appartenance au groupe nous amène à nous lier d'amitié avec ceux avec qui nous pourrons coopérer et à éviter ceux qui vont nous exploiter (Feinberg et al., 2014). Dans toutes les sociétés du monde, les gens appartiennent à des groupes (et, comme l'explique le Chapitre 13, ils préfèrent le « nous » à « eux »).

Avez-vous des amis proches, des personnes à qui vous confiez vos fluctuations de l'humeur ? Avoir quelqu'un qui se réjouit avec nous d'une bonne nouvelle nous permet de nous sentir encore plus heureux de cette bonne nouvelle et de cette amitié (Reis et al., 2010). Les amis proches peuvent littéralement nous procurer chaleur et apaisement comme si nous tenions une tasse de thé apaisante et chaude (Inagaki & Eisenberger, 2013). Le besoin d'appartenance est plus profond, semble-t-il, que le besoin d'être riche. Une autre étude a trouvé que, à l'université, les étudiants *les plus* heureux ne se distinguaient pas par leur argent, mais par « les relations étroites et intenses qu'ils nouaient avec les autres » (Diener et Seligman, 2002).

Le besoin d'appartenance se reflète dans nos pensées et nos émotions. Nous passons beaucoup de temps à penser à nos relations actuelles et à celles que nous espérons. Lorsque des relations s'établissent, nous nous sentons souvent joyeux. On a vu des gens qui tombaient amoureux à en avoir les joues douloureuses à cause de sourires irrépressibles. Si on leur demande « qu'est-ce qui est nécessaire à votre bonheur ? » ou « qu'est-ce qui donne un sens à votre vie ? », la plupart des gens citent, avant tout, le fait de pouvoir vivre une relation satisfaisante avec leur famille, leurs amis ou un partenaire amoureux (Berscheid, 1985). Le bonheur se trouve dans notre foyer.

Mauricio Anton/Sciences Source

« Nous devons nous aimer les uns les autres ou mourir. »

W. H. Auden, « 1er Septembre, 1939 »

Considérons ceci : quel a été le moment qui vous a apporté le plus de satisfaction cette semaine ? Des chercheurs en psychologie sociale ont posé cette question à des étudiants américains et sud-coréens, puis ils leur ont demandé d'évaluer le moment au cours duquel les divers besoins avaient été satisfaits (Sheldon et al., 2001). Dans les deux pays, le moment le plus gratifiant était celui où l'estime de soi et les besoins de relation et d'appartenance étaient pleinement satisfaits. Lorsque notre besoin de relation est satisfait et en équilibre avec deux autres besoins psychologiques fondamentaux – *l'autonomie* (sens du contrôle personnel) et *la compétence* –, nous éprouvons un sentiment profond de bien-être et une estime de soi élevée (Deci et Ryan, 2002, 2009 ; Milyavskaya et al., 2009). En effet, *l'estime de soi* est un indicateur de la façon dont nous sommes appréciés et acceptés (Leary, 2012).

Est-il étonnant, alors, que notre comportement social vise à accroître nos sentiments d'appartenance ? Pour nous faire accepter, généralement, nous nous conformons aux normes du groupe. Nous avons des règles de conduite, nous obéissons à des lois, et nous aidons les membres du groupe. Nous maîtrisons notre comportement, dans l'espoir de faire une bonne impression. Nous dépensons des milliards en vêtements, en produits de beauté, en régimes amincissants ou en appareils de remise en forme – étant tous motivés par notre recherche d'amour et d'amitié.

Si le cercle de nos relations est trop bien dessiné, bien défini et exigeant, notre besoin d'appartenance nourrit à la fois de profonds attachements et de dangereuses menaces. De ce besoin de définir un « nous » naissent les familles aimantes, les amitiés fidèles et l'esprit d'équipe, mais aussi les gangs d'adolescents, les conflits ethniques et le nationalisme fanatique.

Pour le meilleur ou pour le pire, nous dépensons beaucoup d'énergie pour construire et entretenir nos relations. La familiarité favorise l'appréciation et non le mépris. Projetés dans des groupes, à l'école, au travail, dans un abri lors d'une tornade, nous nous comportons comme des aimants, nous nous rapprochons, nous nouons des liens. Nous nous sentons malheureux, lorsque nous nous séparons. Nous nous promettons de nous appeler, de nous écrire, de nous revoir.

La cause en est le besoin de se sentir aimer qui active le système sous cortical de la récompense et le système procurant le sentiment de sécurité. Au cours d'une expérience, impliquant une exposition à une source de chaleur algogène, des étudiants follement amoureux ont ressenti bien moins de douleur lorsqu'ils regardaient une photographie de l'être aimé (que lorsqu'ils regardaient une photographie d'un étranger ou lorsqu'ils étaient distraits par une activité verbale) (Younger et al., 2010). Les photos de nos proches activent également une région du cerveau associée à la sécurité, dans le cortex préfrontal, qui amortit les sentiments de douleur physique (Eisenberger et al., 2011). L'amour est un analgésique naturel.

Même lorsque cessent des relations de mauvaise qualité, les gens souffrent. Au cours d'une étude effectuée dans 16 pays, et d'enquêtes répétées menées aux États-Unis, les gens séparés ou divorcés avaient deux fois moins de chances de se déclarer « très heureux » que les gens mariés (Inglehart, 1990 ; NORC, 2010). Le divorce est prédictif d'une mortalité plus précoce. Les études qui ont suivi 6,5 millions de personnes dans 11 pays révèlent que, par rapport aux personnes mariées, les personnes séparées ou divorcées sont porteuses d'un risque de décès précoce (Sbarra et al., 2011).

Les enfants qui sont déplacés d'un foyer d'accueil à l'autre ou qui sont soumis à des changements répétés de leur famille d'accueil connaissent la peur d'être seuls. Après avoir souffert de plusieurs ruptures d'attachements naissants, ces enfants auront plus de difficultés à nouer des liens solides (Oishi & Schimmack, 2010). La preuve en est donnée par les situations extrêmes comme celle des enfants qui grandissent dans des institutions sans sentiment d'appartenance ou qui sont enfermés à la maison et sévèrement négligés. Trop de ces enfants restent repliés sur eux-mêmes, effrayés, mutiques.

Quel que fut le sentiment de sécurité qui imprégna nos premières années, nous savons ce qu'est l'anxiété, la solitude, la jalousie, la culpabilité qui accompagnent la rupture ou la menace de rupture de nos liens. Un peu comme les meilleurs moments de la vie sont les débuts d'une relation proche – une nouvelle amitié, tomber amoureux, avoir un enfant –, les pires moments sont ceux de la rupture (Jaremka et al., 2011). Lorsque nous sommes endeuillés nous considérons souvent la vie comme vide et sans intérêt. Même les premières semaines passées sur un campus universitaire peuvent être angoissantes. Mais notre besoin d'appartenance nous pousse à former un nouveau réseau de relations (Oishi et al., 2013).

La nécessité de se connecter Six jours par semaine, des femmes des Philippines travaillent comme aides à domicile dans 154 000 foyers de Hong Kong. Le dimanche, elles se pressent dans le quartier central des affaires pour pique-niquer, danser, chanter, parler et rire. « L'humanité ne pourrait pas donner meilleure illustration du bonheur », a rapporté un observateur (*Économiste*, 2001).

Vincent Yu/AP Photo

Quand les immigrants et les réfugiés s'installent seuls dans de nouveaux endroits, le stress et la solitude peuvent être déprimants. Après avoir placé individuellement ces familles pendant des années dans des communautés isolées, la politique américaine actuelle encourage *la migration en chaîne* (Pipher, 2002). En général, la deuxième famille soudanaise s'installant dans une ville s'adapte généralement mieux que la première.

L'isolement social peut augmenter les risques de déclin mental et de maladies (Cacioppo et Hawkley, 2009). Mais si un sentiment d'acceptation et si des relations s'établissent, l'estime de soi se renforce, tout comme les sentiments positifs et la santé (Blackhart et al., 2009 ; Holt-Lunstad et al., 2010 ; Smart Richman & Leary, 2009). Les liens sociaux contribuent à vivre une vie saine et heureuse.

Endurer la douleur de l'ostracisme
Les cadets d'origine caucasienne de l'Académie militaire américaine de West Point ont pratiqué l'ostracisme, pendant des années, vis-à-vis d'Henry en espérant qu'il démissionnerait. Il a opposé une résistance à leur attitude cruelle et a ainsi pu en 1877 devenir le premier diplômé de West Point d'origine afro-américaine.

Ostracisme exclusion sociale délibérée des individus ou des groupes.

La douleur d'être exclu

Pouvez-vous vous souvenir d'un moment où vous vous êtes senti exclu, ignoré ou évité ? Peut-être avez-vous eu le sentiment d'être ignoré lors d'une conversation ? Peut-être que les autres vous ont évité, ont détourné les yeux en votre présence ou même se sont moqués de vous dans votre dos ? Si vous êtes dans un groupe dont vous ne parlez pas la langue, vous aurez le sentiment d'être exclu (Dotan-Elias et al., 2009). Lors d'un entretien d'embauche simulé, les femmes se sentent plus exclues si les personnes chargées du recrutement ont utilisé un langage comportant des pronoms personnels et des adjectifs possessifs exclusivement masculins *(il, eux, lui)* plutôt que *(il ou elle)* ou neutre *(leur)* (Stout & Dasgupta, 2011).

Toutes ces expériences sont des exemples d'**ostracisme** d'exclusion sociale (Williams, 2007, 2009). Dans le monde, les humains utilisent de nombreuses formes d'ostracisme : l'exil, l'emprisonnement, l'assignation à résidence, pour punir et donc contrôler le comportement social. Pour les enfants, même un isolement très bref peut constituer une punition. Si on demande à des sujets de décrire des événements *douloureux*, les sujets interrogés décriront près de quatre fois sur cinq des événements faits de difficultés relationnelles (Pillemer et al., 2007). Des sentiments de solitude peuvent aussi se propager à travers un réseau social quand les gens se plaignent de la solitude (Cacioppo et al., 2009).

Être évité – qu'on nous tourne le dos, qu'on refuse de nous adresser la parole ou qu'on évite notre regard – fait que nous ressentons notre besoin d'appartenance menacé (Wirth, 2010). « C'est la chose la plus méprisable que vous puissiez faire à une personne, surtout si vous la savez sans défense. Je n'aurai jamais dû naître », dit Lea qui a, toute sa vie, été victime du silence de sa mère et de sa grand-mère. Comme Lea, les personnes répondent souvent à l'ostracisme social en faisant des efforts pour être acceptées, puis épuisées par leur combat abandonnent et souffrent de dépression de l'humeur. William Blake a vécu vingt-cinq ans emprisonné et à l'isolement. « Je ne peux pas comprendre comment mourir puisse être plus difficile et plus terrible que de vivre ce que j'ai dû endurer », a-t-il dit (Blake, 2012). Pour lui, l'exclusion sociale est une peine pire que la mort.

Subir l'ostracisme c'est ressentir une véritable douleur, comme Kipling Williams, chercheur en psychologie sociale, et ses collaborateurs, ont pu le constater avec surprise au cours de leur étude sur l'exclusion dans ce qu'il est convenu d'appeler les réseaux sociaux (Gonsalkorale et Williams, 2006). (Peut-être que vous pouvez vous souvenir de ce que vous avez ressenti lors d'un courriel sans réponse, en étant ignoré dans un forum de discussion, ou en voyant que vos profils sont peu consultés.) Ils ont découvert que ce type d'ostracisme laissait des traces : il engendrait une augmentation d'activité dans une zone cérébrale, le *cortex cingulaire antérieur* ou circonvolution du corps calleux antérieure, qui est également activée en réponse à une douleur physique (Eisenberger, 2012 ; Kross et al., 2011). Lorsqu'on nous montre des photos de nos anciens amours si romantiques, pour qui notre cœur se brisa, nous souffrons dans notre corps et dans notre pensée (Wager et al., 2013). Cela permet d'expliquer une découverte surprenante : le paracétamol, un antalgique antipyrétique (Tylénol®, l'Anacin®. N.d.T. : antalgiques disponibles aux États-Unis) diminue la douleur « *sociale* » aussi bien que la douleur physique (DeWall et al., 2010). Dans toutes les cultures, les gens utilisent les mêmes mots (par exemple, *blessé, écrasé*) pour la douleur sociale et la douleur physique (MacDonald & Leary, 2005). D'un point de vue psychologique, nous ressentons une douleur « sociale », avec cette même sensation émotionnelle désagréable qui marque la douleur physique.

Et la douleur, quelle que soit sa source, centralise notre attention et motive une action pour la corriger. Rejetés et incapables de remédier à la situation, les gens peuvent soulager leur stress en recherchant de nouveaux amis, en mangeant des aliments réconfortants tels que ceux riches en

CBS Photo Archive/Getty Images

L'acceptation sociale et le rejet Les participants qui réussissent au reality show *Survivor* forment des alliances et se font accepter par leurs pairs. Les autres reçoivent le châtiment social ultime qui est d'être chassés de l'île.

calories (comme la crème glacée), ou dans la lumière de la foi (Aydin et al., 2010 ; Maner et al., 2007 ; Sproesser et al., 2014). Parfois, ils peuvent devenir désagréables. Dans une série d'expériences, les chercheurs ont dit à certains élèves (soumis à la passation d'un test de personnalité) qu'ils étaient du type « susceptibles de se retrouver seuls dans la vie », ou que les gens qu'ils avaient rencontrés ne voulaient pas les intégrer dans le groupe qu'ils étaient entrain de constituer (Baumeister et al., 2002 ; Gaertner et al., 2008 ; Twenge et al., 2001, 2002, 2007). Les chercheurs dirent à d'autres étudiants qu'ils « auraient des relations gratifiantes tout au long de leur vie » ou que « tout le monde aimerait bien travailler avec eux ». Ceux qui étaient exclus avaient plus tendance à avoir un comportement d'échec et à avoir de mauvais résultats aux tests d'aptitude. Ce rejet interférait aussi avec leur empathie pour les autres et les rendait plus susceptibles d'adopter un comportement de dénigrement ou d'agressivité envers ceux qui les avaient exclus (en hurlant par exemple). « Si des étudiants intelligents, bien intégrés et qui réussissent leurs études… peuvent devenir agressifs quand ils sont soumis à une petite expérience de laboratoire sur l'exclusion sociale », déclare l'équipe de recherche, « il est effrayant d'imaginer les tendances agressives que peut occasionner… une série de rejets ou une exclusion systématique de la part d'un groupe auquel on veut appartenir, dans la vie sociale réelle. » En effet, Williams (2007), a observé que l'ostracisme « marque chaque cas de violence à l'école ».

Remarque : Les chercheurs ont ensuite expliqué l'expérience et ont rassuré les participants.

EXERCICE RÉCAPITULATIF

• Comment les élèves ont-ils réagi quand, lors d'études de psychologie sociale, on leur a fait sentir qu'ils étaient rejetés ou non désirés ? Qu'est-ce qui peut expliquer ces résultats ?

Réponse : Chez ces étudiants, le besoin fondamental d'appartenance semble avoir été perturbé. Ils se sont engagés plus de comportements autodestructeurs, ont obtenu de mauvais résultats aux tests d'aptitude, sont plus agressifs et montrent moins d'empathie.

« Si personne ne s'est retourné sur notre passage quand nous sommes entrés, ne nous a répondu quand nous avons parlé, ne s'est intéressé à ce que nous avons fait, et si chaque personne que nous avons rencontrée nous a ignorés et a agi comme si nous étions des potiches, une sorte de rage et de désespoir nous confinant à l'impuissance nous habitera longtemps. »

William James, *Principles of Psychology*, 1890/1950, p. 293-294

Réseaux sociaux

11-13 Comment les réseaux sociaux nous influencent-ils ?

En tant que créatures sociales nous vivons pour entrer en relation. On a demandé au chercheur George Vaillant (2013) ce qu'il avait appris des 238 hommes, membres l'Université Harvard, qu'il avait étudiés et suivis de 1930 à la fin de leur vie. Il a répondu : « Le bonheur, c'est l'amour. » Un adage Zoulou reprend cette idée : *Umuntu ngumuntu ngabantu* – « une personne n'est une personne qu'à travers les autres ».

« Il ne fait aucun doute dans mon esprit que ce qui se trouve au cœur de la révolution de la communication est le désir humain de tisser des liens. »

Josh Silverman, président de Skype, 2009

Réseaux sociaux, téléphones mobiles, médias sociaux Regardez autour de vous et voyez les hommes « connectés » : ils parlent, mais aussi écrivent des textos, des lettres, chattent, jouent en réseau, ou envoient des courriels. Les changements sur la façon de nous relier ont été rapides et vastes.

- À la fin de 2013, le monde comptait 7,1 milliards d'habitants et 6,8 milliards de contrats de téléphonie mobile (ITU, 2013). Mais les conversations téléphoniques représentent maintenant moins de la moitié des appels passés sur les téléphones portables aux États-Unis (Wortham, 2010). Au Canada et ailleurs, les courriels ont fait place aux messages envoyés par téléphone, aux textes publiés sur les réseaux sociaux et autres moyens de communications électroniques (IPSOS, 2010a). Le texto frappé rapidement n'est pas vraiment écrit, dit un observateur (McWhorter, 2012), mais plutôt une nouvelle forme de conversation : « un dialogue digital ».

- Trois adolescents américains sur quatre envoient des messages par téléphone mobile. La moitié d'entre eux (surtout des filles) envoie plus de 60 messages par jour (Lenhart, 2012). Pour beaucoup, c'est comme si les amis fidèles étaient toujours présents, pour le meilleur et pour le pire.

- Combien d'entre nous utilisent ce qui est convenu d'appeler les réseaux sociaux comme Facebook, ou Twitter ? Parmi les jeunes américains entrant à l'université en 2010, 94 % le faisaient (Pryor et al., 2011). Si on peut se faire tant « d'amis » sur un réseau social, il devient difficile de résister à son attrait. Notre besoin d'appartenance explique cela. Vérifiez-le ou alors passez outre.

Les effets sociaux des réseaux sociaux En reliant les personnes ayant des opinions similaires, Internet fonctionne comme un amplificateur des relations sociales. En temps de crise ou d'état de stress personnel, il peut apporter un certain soutien. Il fonctionne aussi comme un entremetteur en ligne. (Je [ND] peux en témoigner. J'ai rencontré ma femme « en ligne ».) Comme la communication électronique est devenue partie intégrante de la vie, les chercheurs se sont mis à explorer comment ces changements pouvaient affecter nos relations. Les réseaux sociaux nous rendent-ils plus ou moins isolés socialement ?

LES RÉSEAUX SOCIAUX FONT-ILS QUE NOUS SOMMES SOCIALEMENT PLUS OU MOINS ISOLÉS ? La communication en ligne dans les forums et lors des jeux se font la plupart du temps entre inconnus. Les adolescents et les adultes qui ont passé beaucoup de temps en ligne ont passé moins de temps avec des amis ; par conséquent, les relations réelles se sont distendues (Kraut et al., 1998 ; Mesch, 2001 ; Nie, 2001). Plus récemment, les personnes seules, dont le sentiment de bien-être social est faible ont tendance à passer plus de temps sur la toile que la population moyenne. Ceux dont le sentiment de bien-être social est élevé qui ont papillonné ont passé plus temps dans des conversations en face-à-face (Bonetti et al., 2010 ; Pea et al., 2012 ; Stepanikova et al., 2010). Ceux qui sont sur les réseaux sociaux sont également moins enclins à connaître leurs voisins réels et ont « 64 % de chance de moins que les non-utilisateurs d'Internet, de se fier à leurs voisins pour les aider à prendre soin d'eux-mêmes ou d'un membre de leur famille » (Pew, 2009).

Mais l'Internet a également diversifié nos types de relations sociales. (Je suis maintenant connecté [DM] à d'autres personnes intéressées par la technologie des prothèses auditive partout dans le monde). Et malgré la baisse des rapports de voisinage, les réseaux sociaux renforcent surtout nos liens avec les personnes que nous connaissons déjà (DiSalvo, 2010 ; Ugander et al., 2012 ; Valkenburg & Peter, 2009). Si votre réseau social vous aide à vous connecter à vos amis, à rester en contact avec votre famille étendue ou à trouver un soutien lorsque vous faites face à des difficultés, alors vous n'êtes plus seul (Rainie et al., 2011). Les réseaux sociaux nous relient. Mais ils peuvent aussi, comme vous l'avez sûrement remarqué, devenir de gigantesques consommateurs de temps et de capacités d'attention qui interfèrent avec le temps de sommeil, le temps consacré à l'exercice physique, et aux vraies relations. Si vous restez deux jours sans accès aux réseaux sociaux, cette période sera suivie, comme pour la plupart des étudiants par une surcompensation du temps passé sur la toile, tout comme un jeun de deux jours peut être suivi d'un banquet. (Sheldon et al., 2011). Le résultat est que les relations sociales en ligne l'emportent sur les relations vraies.

LA COMMUNICATION ÉLECTRONIQUE STIMULE-T-ELLE UN SAIN DÉVOILE-MENT DE SOI ? Le *dévoilement de soi* consiste à faire part de ses opinions, de ses sentiments profonds, ses joies, soucis, et ses points faibles avec les autres. Se confier peut être un moyen sain de faire face aux défis de jour en jour. Lorsque nous communiquons par Internet plutôt qu'en face à face, nous sommes souvent moins focalisés sur les réactions des autres. Nous sommes moins conscients de nous-même et donc moins inhibés. Parfois cela peut aller jusqu'à l'extrême, comme lorsque des adolescents envoient des photos d'eux-mêmes, envois qu'ils regretteront plus tard, ou lorsque des « groupes de la haine » envoient des messages favorisant la discrimination ou le crime. Le plus souvent, cependant, cette augmentation des confidences permet d'approfondir l'amitié (Valkenburg et Peter, 2009).

Bien que les relations via les réseaux électroniques soient bénéfiques, la nature nous a destinés à communiquer en face à face, et il semble que ce mode de communication soit prédictif d'une vie plus satisfaisante (Killingsworth et Gilbert, 2010 ; Lee et al., 2011). L'envoi de messages ou de courriels est gratifiant, mais une conversation vivante, les yeux dans les yeux avec la famille et les amis apporte bien plus que cela.

LA PERSONNALITÉ AUTHENTIQUE PEUT-ELLE ÊTRE RÉVÉLÉE PAR LA PRATIQUE DES RÉSEAUX SOCIAUX OU LES CONVERSATIONS DANS LES FORUMS DE DISCUSSION ?

Nous avons tous entendu des histoires de prédateurs qui, sur internet, se cachent derrière de fausses personnalités, des valeurs usurpées ou des motivations mensongères. En général cependant, les réseaux sociaux révèlent la véritable personnalité d'un sujet. Au cours d'une étude les participants ont été soumis, par deux fois, à la passation d'un test de personnalité. Dans un des tests, ils ont décrit leur véritable personnalité ; dans l'autre ils ont décrit leur « moi idéal ». D'autres volontaires ont alors utilisé les profils Facebook des participants pour créer un groupe indépendant de notes sur les personnalités. Les évaluations faites à partir des « profils Facebook » étaient bien plus proches de la personnalité véritable des participants que de leur personnalité idéale (Back et al., 2010). Au cours d'une autre étude, les personnes qui semblaient les plus agréables sur leur page Facebook semblaient également les plus agréables dans les rencontres en face-à-face (Weisbuch et al., 2009). Les messages écrits sur Twitter révèlent de façon similaire votre ouverture d'esprit (Qiu et al., 2012). Votre profil qui apparaît sur les réseaux sociaux reflète en vérité ce que vous êtes !

LES RÉSEAUX SOCIAUX FAVORISENT-ILS LE NARCISSISME ?

Le **narcissisme** est l'estime de soi exacerbée. Les personnes narcissiques sont autosuffisantes, centrées sur elles-mêmes et font leur autopromotion. Certains tests de personnalité évaluent le narcissisme par des questions comme « j'aime être le centre de toutes les attentions ». Les sujets qui ont des notes élevées lors de la passation des tests évaluant le narcissisme sont particulièrement actifs sur les sites des réseaux sociaux. Ils collectionnent les prétendus « amis ». Ils postent souvent des photographies mises en scènes, plus séduisantes. Ils ont plus tendance à se « venger » quand les gens publient des commentaires négatifs. Et, sans surprise, ils *apparaissent* comme plus narcissiques aux personnes étrangères à leur réseau (Buffardi et Campbell, 2008 ; Carpenter, 2012).

Pour les personnalités narcissiques, les sites de réseaux sociaux sont plus qu'un lieu de rencontre ; ce sont des lieux où ils expriment la pleine mesure de leur caractère et le renforcent. Une étude a réparti au hasard des étudiants pour qu'ils éditent et expliquent leur profil en ligne pendant quinze minutes ou pour qu'ils passent ce laps de temps à étudier et à expliquer un itinéraire par Google Maps (Freeman et Twenge, 2010). Après avoir terminé leurs tâches, ils furent tous évalués. Quels sont ceux qui ont eu les notes les plus élevées d'évaluation du narcissisme ? Ceux qui avaient passé leur temps à se concentrer sur eux-mêmes.

À la recherche d'un équilibre

À Taïwan comme aux États-Unis, les plus mauvaises notes ont été associées à un excès de temps passé sur internet, que ce soit sur les réseaux sociaux ou les jeux en ligne (Chen et Fu, 2008 ; Kaiser Family Foundation, 2010 ; Walsh et al., 2013). Au cours d'une enquête américaine, 47 % des plus gros consommateurs d'Internet et d'autres médias recevaient surtout des notes inférieures ou égales à 10, alors que 23 % seulement de ceux qui y allaient le moins obtenaient de telles notes (Kaiser Foundation, 2010).

Dans le monde actuel, chacun d'entre nous est mis au défi de trouver le bon équilibre entre le monde réel et le monde « en ligne ». Les experts proposent quelques suggestions pratiques pour trouver un juste milieu.

- *Maîtrisez votre temps.* Tenez un journal de la gestion de votre temps. Puis demandez-vous : « Reflète-t-il mes priorités ? Est-ce que je passe plus de temps sur Internet que je devrais ? Mon temps passé sur Internet interfère-t-il avec mes résultats à l'école ou au travail ? Ma famille ou mes amis ont-ils fait des commentaires à ce sujet ? »

- *Ne vous laissez pas abuser par vos sens.* Là encore demandez-vous : « Suis-je émotionnellement distrait par des préoccupations excessives sur Internet ? Que puis-je ressentir lorsque je me déconnecte et que je passe à une autre activité, comment je me sens ? »

« Les femmes sur ces sites de rencontres ne semblent pas croire que je suis le prince charmant. »

Narcissisme estime de soi exacerbée.

« Cela m'empêche de regarder mon téléphone toutes les deux secondes. »

- « *Cachez* » *vos amis internautes qui vous distraient le plus des autres activités.* Et dans vos propres messages, pratiquez cette règle d'or. Avant d'envoyer le message, demandez-vous : « est-ce qu'il contient quelque chose que j'aurais envie de lire si quelqu'un d'autre le postait ? »

- *Essayez d'éteindre vos appareils mobiles ou laissez-les ailleurs.* L'attention sélective – la lumière de votre esprit – ne peut être qu'à un seul endroit à un moment précis. Lorsque nous essayons de faire deux choses à la fois, l'une des deux n'est pas bien faite (Willingham, 2010). Si vous voulez étudier ou travailler de manière productive, balayez la tentation de vérifier vos courriels, vos textos ou les messages postés sur les réseaux sociaux. Les sons qui avertissent l'arrivée d'un courriel, les fenêtres qui s'ouvrent sur l'écran sur lequel vous travaillez peuvent interrompre votre travail et détournent votre attention juste au moment où vous arrivez à vous concentrer. (Je [DM] suis en train de lire les épreuves de ce chapitre alors que je suis dans un café, où je peux échapper aux distractions du bureau.)

- *Essayez un régime sans pratique de réseaux sociaux* (arrêtez pendant une heure, un jour ou une semaine) *ou un régime avec un temps limité de fréquentation des réseaux sociaux* (consultez-les qu'une fois vos devoirs terminés, ou seulement lors de votre pause déjeuner). Notez ce que vous perdez et ce que vous gagnez avec ce nouveau « régime ».

- *Reposez votre réflexion par une promenade dans la nature.* Les capacités d'apprentissage sont meilleures après une promenade apaisante en forêt, qui à la différence des déambulations dans des rues bondées, va rénover vos capacités de concentration (Berman et al., 2008). Renouer avec la nature stimule nos esprits et aiguise nos esprits (Zelenski & Nisbet, 2014).

Comme a dit le psychologue Steven Pinker (2010) : « La solution n'est pas de déplorer la technologie, mais de développer des stratégies de contrôle de soi, comme nous le faisons avec toutes les autres tentations. »

EXERCICE RÉCAPITULATIF

- La pratique des réseaux sociaux a tendance à _____ (renforcer/affaiblir) vos relations avec les personnes que vous connaissez déjà, à _____ (augmenter/diminuer) le dévoilement de soi et à _____ (révéler/cacher) votre véritable personnalité.

Réponses : renforcer ; augmenter ; révéler

Motivation d'accomplissement

11-14 Comment définir la motivation de l'accomplissement de soi ?

Le point de vue biologique sur la motivation, l'idée que les besoins physiologiques nous conduisent à satisfaire ces besoins, ne fournit qu'une explication partielle de ce qui stimule et dirige notre comportement. La faim et le besoin d'appartenance au groupe ont aussi des composantes biologiques. Il y a aussi des motivations qui ne sont pas vitales. Des milliardaires peuvent être motivés à gagner toujours plus d'argent, des vedettes de cinéma à devenir de plus en plus célèbres, des hommes politiques à accumuler toujours plus de pouvoirs, des sujets intrépides à accomplir des exploits de plus en plus risqués. Ces motivations ne semblent pas cesser, une fois que la satisfaction recherchée est obtenue. Plus nous réussissons, plus l'attrait de la réussite croît.

Pensez à quelqu'un de votre entourage qui fait son possible pour réussir et tente d'exceller dans les tâches où le résultat obtenu peut être évalué. Puis pensez à une autre personne moins motivée. Le psychologue Henry Murray (1938) définit la **motivation d'accomplissement** de la première personne à laquelle vous avez pensé comme un désir de réaliser des projets importants, de maîtriser des aptitudes et des idées, de contrôler et d'atteindre un niveau élevé.

Grâce à leur ténacité et leur soif de réussite, les gens qui ont une grande motivation d'accomplissement réussissent mieux. Dans une étude, 1 528 enfants californiens, dont les scores aux tests d'intelligence se situaient dans le 1 % des meilleurs scores, ont été suivis au cours de leur vie. Quarante années plus tard, quand les chercheurs comparèrent ceux qui avaient le mieux réussi professionnellement avec ceux qui avaient le moins bien réussi, ils découvrirent une différence dans la motivation. Ceux qui avaient le mieux réussi étaient plus ambitieux, plus énergiques et plus persévérants. Enfants, ils avaient des passe-temps plus actifs. Adultes, ils s'impliquaient dans plus activités sociales collectives et dans les activités sportives (Goleman, 1980). Les enfants doués sont les plus à même d'apprendre. Les adultes qui ont réussi sont entreprenants actifs et persévérants. La plupart

« Le génie c'est 1 % d'inspiration et 99 % de transpiration. »

Thomas Edison (1847-1931)

d'entre nous avons de l'énergie au début et la fin d'un projet. La motivation augmente mesure que l'on approche de la réalisation totale du projet et diminue à mesure que l'on se rapproche d'une date fixée pour terminer ce projet. Si l'objectif change en cours de route et que l'on passe d'un objectif de réalisation un objectif de date, on peut rester en panne au milieu du gué. Et ne plus progresser (Bonezzi et al., 2011).

D'autres études menées chez des lycéens et des étudiants ont montré que l'autodiscipline, en tant que facteur prédictif de la réussite scolaire, avait dépassé la valeur prédictive des notes des tests d'intelligence, de la réussite scolaire, l'assiduité et les récompenses universitaires. Lorsqu'on les associe à un enthousiasme positif, les efforts tenaces et soutenus prédisent aussi la réussite des professeurs et de leurs étudiants qui obtiennent de bons résultats scolaires (Duckworth et al., 2009). « La discipline l'emporte sur le talent » concluent les chercheurs Angela Duckworth et Martin Seligman (2005, 2006).

Calum's Road par Roger Hutchinson, reproduit avec l'aimable autorisation de Birlinn Ltd.

La discipline perfectionne aussi le talent. Lorsqu'ils ont 20 ans, les violonistes virtuoses ont déjà accumulé des milliers d'heures de pratique, soit le double que les violonistes qui se destinent à enseigner cette discipline (Ericsson et al., 2001, 2006, 2007). Une autre étude effectuée chez des érudits, des athlètes et des artistes a montré que tous avaient une grande motivation, une autodiscipline et étaient prêts à consacrer des heures chaque jour à l'atteinte de leurs buts (Bloom, 1985). Mozart avait déjà composé à l'âge de 8 ans. Cet exemple des enfants est une illustration de l'importance des dons innés (Hambrick & Meinz, 2011 ; Ruthsatz & Urbach, 2012). Dans le sport, la musique et les échecs, par exemple, les différences de temps de pratique comptent pour un tiers ou moins dans les différences de résultats (Hambrick et al., 2014a, b ; Macnamara et al., 2014). Ces virtuoses de la réussite se distinguaient par leurs talents naturels extraordinaires et par leur discipline quotidienne remarquable.

Duckworth et Seligman ont dénommé ce sacrifice durable de soi et cette ambition passionnée : le **cran**. « Si vous voulez briller devant des milliers de personnes », dit le proverbe, « vous devez remettre l'ouvrage sur le métier des milliers de fois sans personne pour vous admirer ».

Bien que l'intelligence soit distribuée selon une courbe en cloche, la réussite ne l'est pas. Ce qui nous indique que la réussite implique bien plus que des aptitudes innées. C'est pourquoi les spécialistes en psychologie organisationnelle tentent de trouver des moyens d'impliquer et de motiver des gens ordinaires pour des emplois ordinaires (Appendice A : Psychologie du travail). Et c'est pourquoi l'entraînement des étudiants à la « difficulté », la résistance au stress, conduit à de meilleurs résultats (Maddi et al., 2009).

La route de Calum : ce que le courage peut accomplir Après avoir passé sa vie sur l'île écossaise de Raasay, labourant une petite parcelle de terre, s'occupant du phare et pêchant, Malcom (surnommé Callum) MacLeod (1911-1988) se sentait angoissé. Le gouvernement local refusait constamment de construire une route permettant aux véhicules d'atteindre la partie nord-est de l'île où il vivait. Comme la population jadis florissante avait diminué pour ne plus compter que deux personnes, MacLeod et sa femme, il répondit avec une détermination héroïque. Un matin de printemps 1964, MacLeod, ayant alors cinquante ans, pris une hache, un fendoir, une pelle et une brouette. À la main, il commença à transformer le chemin existant en une route de 2,8 km (Miers, 2009).

« Avec une route » expliquait un ancien voisin, « il espérait que de nouvelles générations retourneraient à l'extrémité nord de Raasay » et restaureraient sa culture (Hutchinson, 2006). Jour après jour il travailla sur les pentes escarpées de la colline, le long de pentes dangereuses et sur des tourbières. Finalement, 10 ans plus tard, il atteignit son but suprême. La route, que depuis le gouvernement a goudronnée, reste un exemple visible de ce que la vision plus un courage déterminé peuvent accomplir. Cela nous amène tous à réfléchir : quelle route, quel accomplissement pourrait-on avec des efforts soutenus construire dans les années à venir ?

EXERCICE RÉCAPITULATIF

• Les chercheurs ont trouvé un meilleur facteur prédictif de la réussite scolaire et universitaire que les scores aux tests d'intelligence. Quel est ce facteur ?

Réponse : l'autodiscipline

Motivation de l'accomplissement désir d'accomplir quelque chose d'important, de maîtriser des aptitudes et des idées, d'atteindre rapidement des exigences élevées.

Cran en psychologie décrit la passion et la persévérance dans la poursuite des objectifs à long terme.

REVUE GÉNÉRALE Appartenance et accomplissement

OBJECTIFS D'APPRENTISSAGE

EXERCICE RÉCAPITULATIF Prenez un moment pour répondre à chacune de ces questions objectif d'apprentissage (répétées ici au sein de cette section). Puis allez à l'annexe C, révision complète du chapitre, pour vérifier vos réponses. La recherche suggère que d'essayer de répondre à ces questions de votre propre initiative permettra d'améliorer la mémorisation à long terme de ces réponses (McDaniel et al., 2009).

11-12 Quelle est la preuve de notre besoin d'appartenance ?

11-13 Comment les réseaux sociaux nous influencent-ils ?

11-14 Comment définir la motivation de l'accomplissement de soi ?

TERMES ET CONCEPTS À RETENIR

EXERCICE RÉCAPITULATIF Testez votre connaissance de ces termes en essayant d'écrire leur définition avant de vous reporter aux pages donnant les bonnes réponses.

besoin d'appartenance au groupe, p. 448

ostracisme, p. 450

narcissisme, p. 453

motivation de l'accomplissement, p. 454

cran, p. 455

ÉVALUEZ-VOUS CE QUI MOTIVE NOS CONDUITES : LA FAIM, LA SEXUALITÉ, L'AMITIÉ ET L'ACCOMPLISSEMENT DE SOI

Évaluez-vous à plusieurs reprises tout au long de vos études. Cela permettra non seulement de vous aider à distinguer ce que vous savez de ce que vous ignorez mais aussi à vous faire bénéficier de l'effet test. Autrement dit, le test lui-même va vous aider à apprendre et à mémoriser l'information de manière plus efficace grâce précisément à ce qui est appelé *l'effet test*.

Les concepts fondamentaux de la motivation

1. La psychologie évolutionniste d'aujourd'hui partage une idée qui était une hypothèse de la théorie de l'instinct. Cette idée est :

   a. les besoins physiologiques suscitent des états psychologiques.

   b. les gènes régulent les comportements caractéristiques d'une espèce.

   c. les besoins physiologiques abaissent le seuil d'excitabilité, élèvent la sensibilité au stimulus.

   d. motiver, c'est dynamiser et diriger un comportement.

2. Exemple d'un besoin physiologique : _____. Exemple d'une motivation psychologique : _____.

   a. la faim ; une force interne nous entraînant à trouver de la nourriture

   b. une force interne nous entraînant à trouver de la nourriture ; la faim

   c. la curiosité ; une force interne nous entraînant à apaiser l'état d'excitation

   d. une force interne nous entraînant à apaiser l'état d'excitation ; la curiosité

3. Jan déambule dans la cuisine d'un ami, sent l'odeur du pain en train de cuire, et sent que la faim la gagne. L'odeur de la cuisson du pain est _____ (une incitation/une pulsion).

4. La théorie _____ tente d'expliquer des comportements qui ne réduisent pas les besoins physiologiques.

5. Lors d'une tâche difficile, comme passer un examen dans une matière difficile, les meilleurs résultats seront vraisemblablement obtenus lorsque le niveau d'activation est

   a. très élevé

   b. modéré

   c. très bas

   d. nul

6. Selon la hiérarchie des besoins de Maslow, nos besoins les plus élémentaires sont physiologiques, y compris le besoin de nourriture et d'eau ; et juste au-dessus se trouvent les besoins :

   a. de sécurité

   b. d'estime de soi

   c. d'appartenance

   d. d'autotranscendance

La faim

7. La journaliste Dorothy Dix (1861-1951) fit remarquer « on ne veut pas embrasser quand on a faim ». Comment peut-on expliquer cette affirmation en se référant à la pyramide des besoins de Maslown ?

8. Selon le concept du point de référence, notre corps se maintient à un niveau de poids particulier. Ce « pondérostat » est un exemple de _____.

9. Lequel des éléments suivants concernant le choix des aliments est-il génétiquement régulé ?

   a. Une aversion pour manger les chats et les chiens

   b. Un intérêt pour les nouveaux aliments

   c. Une préférence pour les aliments sucrés et salés

   d. Une aversion pour les glucides

10. Le sucre dans le sang, appelé _____, est la source d'énergie du corps. Lorsqu'elle est _____ (basse/haute), nous nous ressentons la faim.

11. La dépense énergétique de votre corps au repos est dénommée _____ _____

12. Les personnes obèses trouvent qu'il est très difficile de perdre du poids de façon permanente. Cela est dû à plusieurs facteurs, y compris le fait que

   a. le régime déclenche la néophobie alimentaire.

   b. le point de référence des personnes obèses est inférieur à la moyenne.

   c. avec un régime, le métabolisme augmente.

   d. il existe une influence génétique du poids corporel.

13. Sanjay a récemment adopté le régime alimentaire typique des collégiens, une alimentation riche en matières grasses et en sucres. Il sait qu'il peut gagner du poids, mais c'est sans importance car il pourra, plus tard perdre ce poids superflu. Qu'en pensez-vous ?

 La motivation sexuelle

14. L'effet remarquable des remaniements hormonaux sur le comportement sexuel humain est :

- **a.** la fin de désir sexuel chez les hommes de plus de 60 ans
- **b.** la forte hausse de l'intérêt sexuel à la puberté
- **c.** la diminution du désir au moment de l'ovulation
- **d.** l'augmentation des niveaux de testostérone chez les mâles castrés.

15. En décrivant le cycle de la réponse sexuelle, Masters et Johnson ont noté que

- **a.** une phase en plateau suit l'orgasme
- **b.** les hommes vivent une période réfractaire au cours de laquelle ils ne peuvent pas avoir d'orgasme
- **c.** les sensations qui accompagnent l'orgasme sont plus fortes chez les hommes que chez les femmes
- **d.** la testostérone est libérée de façon égale chez les femmes et les hommes

16. Quelle est la différence entre les dysfonctionnements sexuels et les paraphilies ?

17. L'utilisation des préservatifs pendant les rapports sexuels _____ (réduit/ne réduit pas) le risque de contracter le VIH et _____ (protège/ne protège pas) pleinement contre les MST par contact dermique.

18. Donner un exemple de stimulus externe qui pourrait influencer le comportement sexuel :

- **a.** le taux sanguin de testostérone
- **b.** l'apparition de la puberté
- **c.** un film aux scènes érotiques explicites
- **d.** un fantasme ou un rêve érotique

19. Quels sont les facteurs que les chercheurs ont jusqu'ici jugés *sans rapport* avec le développement de notre orientation sexuelle ?

 Appartenance et accomplissement

20. Lequel des éléments suivants ne fait pas partie des preuves en faveur du besoin d'appartenance ?

- **a.** Les étudiants qui se sont évalués comme étant « très heureux » ont aussi tendance à avoir des relations satisfaisantes.
- **b.** L'exclusion sociale, telle que l'exil ou l'assignation à résidence, est considérée comme une peine grave.
- **c.** Comme les adultes, les enfants adoptés ont tendance à ressembler à leurs parents biologiques et recherchent ce lien parental.
- **d.** Les enfants qui sont très négligés deviennent repliés sur eux-mêmes, effrayés et mutiques.

21. Quelles sont les façons de gérer, avec succès, notre temps passé sur les réseaux sociaux ?

Trouvez les réponses à ces questions dans l'annexe D, à la fin du livre.

CHAPITRE 12

ÉMOTIONS, STRESS ET SANTÉ

· · · · · · · · · · · · ·

Nul besoin de vous dire que les sentiments colorent votre vie et qu'en période de stress, ils peuvent la perturber ou la sauver. La peur, la colère, la tristesse, la joie et l'amour sont des états physiologiques qui entraînent souvent des réactions physiques. Nerveux du fait d'une rencontre importante, nous sentons un nœud dans notre estomac. Anxieux de parler en public, nous nous dirigeons aux toilettes. Prévoyant une dispute avec un membre de la famille, nous avons un mal de tête atroce.

Nous avons tous le souvenir d'un moment où nous avons été submergés par nos émotions. Je me souviens très bien de ce jour où je suis allé dans une grande surface avec Peter, mon premier enfant qui commençait à marcher, pour y déposer une pellicule. Alors que je posais Peter au sol et que je m'apprêtais à remplir le formulaire, un passant me dit : « Vous devriez faire plus attention à votre enfant si vous ne voulez pas le perdre ! » Je n'eus que le temps de glisser la pellicule dans la fente de la machine et, avant même d'avoir repris ma respiration, Peter n'était plus derrière moi.

J'éprouvai une légère angoisse en le cherchant d'un côté du comptoir. Pas de Peter en vue. Mon angoisse commença à s'amplifier légèrement. Je regardai de l'autre côté du comptoir, il n'y était pas non plus. Mon cœur commença à s'accélérer et je fis le tour des autres comptoirs. Toujours pas de trace de Peter. Mon angoisse tourna à la panique et je commençai à parcourir les rayons du magasin en courant. Je ne le trouvai nulle part. Le gérant du magasin, informé de mon inquiétude, fit une annonce publique et demanda aux clients d'essayer de retrouver un enfant perdu. Peu de temps après, je croisai le client qui m'avait mis en garde et qui me dit d'un air méprisant : « Je vous avais prévenu que vous alliez le perdre. » Je pensai à un enlèvement (les étrangers adoraient ce beau petit garçon) et à ma négligence qui risquait de me faire perdre ce que j'aimais plus que tout, et que j'allais devoir rentrer chez moi face à ma femme sans notre enfant unique.

En passant près du comptoir du service clientèle, je le trouvai là ; il avait été retrouvé et ramené par un client obligeant. En un instant, la panique se transforma en une sorte de joie extatique. Quand j'attrapai mon fils, mes larmes se mirent à couler, je fus incapable d'exprimer mes remerciements et je sortis du magasin en titubant et plein d'allégresse.

Les émotions sont subjectives. Vous ne pouvez pas les ramasser, les jeter, ou les commander comme si vous étiez dans votre restaurant préféré. Mais les émotions sont réelles, explique le chercheur Lisa Feldman Barrett (2012, 2013) : « Mes colères sont vécues et ne sont pas des illusions. Quand je suis en colère, je ressens cette colère au fond de moi. Voilà la réalité. » D'où viennent nos émotions ? Pourquoi les ressentons-nous ? De quoi sont-elles faites ?

Les émotions sont les réponses adaptatives de notre corps. Elles augmentent nos chances de survie. Quand nous devons faire face à des défis, les émotions canalisent notre attention et apportent de l'énergie à nos actes (Cyders et Smith, 2008). Notre cœur bat plus vite. Notre démarche est plus rapide. Tous nos sens sont en alerte. L'annonce d'une bonne nouvelle inattendue peut nous faire venir les larmes aux yeux. Nous levons nos mains triomphalement. Nous ressentons une sorte d'exubérance et une confiance nouvelle. Cependant, les émotions négatives et prolongées peuvent nuire à notre santé.

Introduction à l'étude des émotions

Émotion : excitation, comportement et cognition

12-1 De quelle manière l'activation, les comportements expressifs et la cognition interagissent-ils dans l'expression des émotions ?

COMME MA RECHERCHE ANGOISSÉE [DM] de Peter l'illustre, les **émotions** sont un mélange

- *d'activation corporelle* (battements du cœur).
- *de comportements expressifs* (accélération du pas).
- et d'*expérience consciente*, y compris des pensées (« *est-ce un enlèvement ?* ») et des sensations (panique, peur, joie).

Le problème pour les psychologues était de savoir comment ces trois éléments s'assemblaient. Pour cela, nous devons répondre à deux grandes questions :

1. La première est un vieux débat du type « qui de la poule ou de l'œuf est le primum movens ? » : l'activation physiologique *précède*-t-elle notre expérience émotionnelle ou lui *succède*-t-elle ? (Ai-je d'abord remarqué que mon cœur se mettait à battre précipitamment et que je pressais le pas, puis ressenti la terreur d'avoir perdu Peter ? Ou bien, mon sentiment de peur a-t-il surgi en premier, incitant énergiquement mon cœur et mes jambes à réagir ?)

2. La deuxième est de connaître l'interaction entre la *pensée* (cognition) et le *sentiment* : la cognition précède-t-elle toujours l'émotion ? (Ai-je pensé à la menace de l'enlèvement avant de réagir émotionnellement ?)

Non seulement l'émotion, mais la plupart des phénomènes psychologiques (vision, sommeil, mémoire, sexualité, etc.) peuvent être abordés par ces trois versants : physiologique, comportemental et cognitif.

Autorisation de David Myers

Les premières théories de l'émotion, tout comme les recherches récentes ont cherché à répondre à ces questions.

Premières théories de l'émotion

Théorie de James et Lange : l'activation neurovégétative précède l'émotion Le sens commun enseigne à la plupart d'entre nous que nous pleurons parce que nous sommes tristes, que nous invectivons quelqu'un parce que nous sommes en colère et que nous tremblons parce que nous sommes effrayés. Il y a tout d'abord une prise de conscience puis des sentiments. Cependant, pour le psychologue William James, l'un des pionniers en ce domaine, cette vision des émotions issue du sens commun va dans le mauvais sens. Selon James, « nous nous sentons tristes parce que nous pleurons, en colère parce que nous frappons quelqu'un et effrayés parce que nous tremblons » (1890, p. 1066). L'idée de James, qui fut aussi proposée par le physiologiste danois Carl Lange, fut baptisée **théorie de James-Lange.** James et Lange auraient supposé que j'ai d'abord remarqué que mon cœur battait très vite puis, secoué par la peur, j'ai ressenti le souffle de l'émotion. La peur a *suivi* ma réaction neurovégétative.

Théorie de Cannon-Bard : l'éveil comportemental et les états émotionnels sont contemporains Le physiologiste Walter Cannon (1871-1945) exprima son désaccord avec la théorie de James et Lange. Les battements du cœur signalent-ils la peur, la colère ou l'amour ? Cannon pensait que les réponses de l'organisme – la fréquence cardiaque, la transpiration et la température corporelle – étaient trop semblables lors d'états émotionnels très différents et changeaient trop lentement pour pouvoir *provoquer* les diverses émotions. Cannon, et plus tard un autre physiologiste, Philip Bard, conclurent que les réponses de l'organisme et l'expérience émotionnelle avaient lieu séparément mais simultanément. Selon la **théorie de Cannon-Bard** mon cœur a commencé à battre au moment même *où* j'ai ressenti la peur. Le stimulus déclenchant l'état émotionnel est aussi un stimulus du système nerveux sympathique et de sa fonction ergotrope. *Simultanément* le stimulus a atteint le cortex, et l'état émotionnel a occupé le champ de la conscience. Les battements de mon cœur n'ont pas provoqué mon sentiment de peur pas plus que mon sentiment de peur n'a provoqué l'accélération cardiaque.

Si nos réponses corporelles et expériences émotionnelles se produisent simultanément, l'une n'affectant *pas* l'autre, comme Cannon et Bard le croyaient, alors les sujets qui souffrent d'une lésion de la moelle épinière ne devraient pas exprimer d'états émotionnels différents après la blessure. Mais les situations *sont* différentes, selon une étude de 25 soldats de la Seconde Guerre mondiale

Expression de la Joie Selon la théorie de James-Lange, nous ne sourions pas juste parce que nous partageons la joie de nos coéquipiers. Nous partageons aussi cette joie parce que nous sourions avec eux.

Matt Sullivan/Reuters/Landov

(Hohmann, 1966). Ceux qui avaient une *lésion de la partie inférieure de la moelle*, avec une perte de sensibilité affectant seulement les jambes, ne décrivirent que peu de changements de l'intensité de leurs émotions. Mais ceux qui avaient des *lésions hautes de la moelle*, qui ne pouvaient rien sentir au-dessous du cou, rapportèrent des changements. Certaines réactions étaient bien moins intenses que celles qu'ils ressentaient avant leur lésion. L'un deux confessait à propos de sa colère : « Je n'ai pas le même coup de sang que celui que j'avais l'habitude d'avoir. C'est une sorte de colère mentale. » Les autres émotions, celles qui sont surtout exprimées dans les régions du corps situées au-dessus du cou, étaient ressenties avec *plus* d'intensité. Ces hommes décrivaient une augmentation des pleurs, des constrictions de la gorge et de la poitrine, lors d'adieux, en célébrant leur culte ou en regardant un film émouvant. Les réponses de notre organisme nourrissent semble-t-il les émotions que nous ressentons.

Mais la plupart des chercheurs sont d'accord pour dire que les émotions que nous ressentons impliquent aussi la cognition (Averill, 1993 ; Barrett, 2006). Que nous craignons ou pas l'homme derrière nous dans une rue sombre dépend entièrement de la manière dont nous interprétons ses actions comme hostiles ou amicales.

Émotion réponse de l'ensemble de l'organisme qui implique 1) une activation physiologique, 2) les comportements expressifs et 3) l'expérience consciente.

Théorie de James et Lange théorie selon laquelle notre expérience des émotions correspond à la conscience de nos réponses physiologiques aux stimuli des émotions.

Théorie de Cannon-Bard théorie selon laquelle un stimulus suscitant une émotion déclenche simultanément (1) les réponses physiologiques et (2) l'expérience subjective de l'émotion.

Théorie des deux facteurs théorie de Schachter-Singer disant que pour éprouver l'émotion, celle-ci doit être (1) physiquement activée et (2) interprétée par les processus cognitifs.

EXERCICE RÉCAPITULATIF

- Selon la théorie de Cannon-Bard, (a) notre *réponse physiologique* à un stimulus (par exemple, un cœur battant), et (b) nos *émotions* se produisent _____ (simultanément/séquentiellement). Selon la théorie de James-Lange, (a) et (b) se produisent _____ (simultanément/séquentiellement).

Réponses : simultanément/séquentiellement (d'abord la réponse physiologique, puis l'émotion ressentie)

Théorie des deux facteurs de Schachter et Singer : Activation physiologique + Activité cognitive = Émotion

12-2 Pour ressentir des émotions devons-nous les interpréter consciemment et les identifier ?

Stanley Schachter et Jerome Singer (1962) pensaient qu'une expérience émotionnelle nécessite de prendre conscience de notre activation : nos réactions physiques et nos pensées (nos perceptions, nos souvenirs et nos interprétations), s'associent pour créer l'émotion. Cette **théorie bifactorielle** suggère que les émotions sont formées de deux éléments : un éveil physiologique et une évaluation cognitive.

Considérez comment notre activation due à un événement déborde sur un événement ultérieur. Imaginez qu'après une course tonifiante vous arriviez à la maison pour trouver un message vous informant que vous avez obtenu le travail que vous attendiez depuis longtemps. Avec l'activation causée par la course, allez-vous vous sentir plus exalté que si vous receviez la nouvelle après une sieste ?

Pour explorer cet *effet de débordement*, Schachter et Singer stimulèrent des étudiants avec une injection d'adrénaline qui déclenche un sentiment d'excitation. Imaginez que vous soyez l'un de leurs sujets : après avoir reçu l'injection, vous allez dans une salle d'attente où vous vous trouvez avec une autre personne (en fait un complice de l'expérimentateur) qui se comporte de façon euphorique ou irritée. Pendant que vous observez cette personne, vous commencez à sentir votre rythme cardiaque s'accélérer, le sang monter au visage et votre respiration devenir plus rapide. Si l'on vous a prévenu que ces réactions provenaient de l'injection, qu'allez-vous ressentir ? Les sujets de Schachter et Singer éprouvèrent peu d'émotion car ils attribuèrent cette excitation à l'injection. Mais si l'on vous a dit que l'injection ne provoque aucun effet, qu'allez-vous ressentir ? Peut-être réagiriez-vous comme d'autres participants Ils ont réagi de façon mimétique. Ils étaient heureux si le complice était euphorique, irritable si le complice était irrité.

Cette découverte – le fait qu'un état d'activation puisse être vécu sous forme d'une émotion ou d'une autre très différente, selon la façon dont on l'interprète et dont on l'identifie – a été reproduite dans des dizaines d'expériences (Reisenzein, 1983 ; Sinclair et al., 1994 ; Zillmann, 1986). Comme le remarquait le chercheur Daniel Gilbert (2006) : « L'état physiologique dans lequel on se trouve lors de l'émoi suscité par la vue d'une femme portant un chemisier transparent est identique à celui provoqué par la peur d'être en équilibre sur un pont suspendu. »

Point à retenir : l'activation alimente l'émotion ; la cognition la canalise.

L'effet d'entraînement L'excitation des supporters lors d'un match de football peut alimenter la colère, qui peut provoquer des émeutes ou d'autres affrontements violents.

Oleg Popov/Reuters/Landov

Zajonc, LeDoux, et Lazarus : la cognition précède-t-elle toujours l'émotion ?

Le cœur est-il toujours soumis à l'esprit ? Devons-nous *toujours* interpréter notre état d'activation avant de pouvoir ressentir une émotion ? Robert Zajonc, 1923-2008 (1980, 1984a) a prétendu que nous avons véritablement de nombreuses réactions émotionnelles qui ne sont pas liées à notre interprétation d'une situation ou qui se produisent même avant cette dernière. Peut-être vous souvenez-vous d'avoir aimé quelque chose ou quelqu'un immédiatement, sans même savoir pourquoi.

Par exemple, des sujets qui voient de façon répétée des stimuli projetés trop brièvement pour qu'ils puissent les interpréter vont en venir à préférer ces stimuli. Sans être conscients d'avoir vu ces stimuli, ils vont, malgré tout, les apprécier. Nous avons un radar automatique particulièrement sensible aux informations ayant un contenu émotionnel significatif de telle sorte que même un stimulus projeté de manière subliminale peut vous amener à vous sentir mieux ou moins bien face au stimulus suivant (Murphy et al., 1995 ; Zeelenberg et al., 2006). Au cours d'un ensemble d'expériences, des boissons fruitées ont été présentées à des gens assoiffés après avoir assisté à la projection subliminale (qu'ils n'ont donc pas perçue) d'un visage. Ceux qui ont été exposés à un visage plutôt heureux se sont mis à boire presque deux fois plus que ceux qui ont été exposés à un visage neutre (Berridge et Winkielman, 2003). Si on leur projetait un visage en colère, ils buvaient nettement moins.

Les chercheurs en neurosciences cherchent à cartographier les voies neuronales des émotions (Ochsner et al., 2009). Nos réponses émotionnelles peuvent suivre deux voies nerveuses différentes. Certaines émotions (en particulier les sentiments complexes comme la haine ou l'amour) empruntent une voie haute. Un stimulus suivant cette voie atteindrait (via le thalamus) le cortex cérébral (**FIGURE 12.1a**). Là il serait analysé et identifié avant que la commande de réponse ne soit envoyée, via l'amygdale (le centre de contrôle des émotions).

Mais parfois certaines émotions (particulièrement simples comme l'attirance, le dégoût ou la peur) empruntent ce que Joseph LeDoux (2002) appelle la « voie basse » et suivent des trajets neuronaux

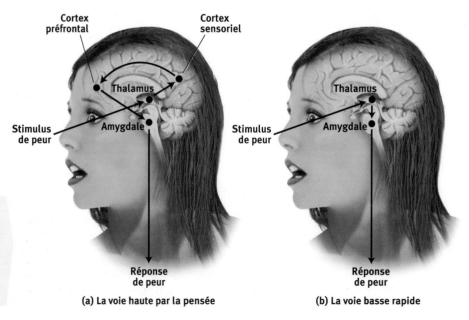

▼ FIGURE 12.1
Les voies cérébrales des émotions
Dans les deux voies du cerveau, l'influx sensoriel peut être acheminé (a) au cortex (via le thalamus) pour l'analyse puis transmission à l'amygdale ; ou (b) directement à l'amygdale (via le thalamus) pour une réaction émotionnelle instantanée.

(a) La voie haute par la pensée

(b) La voie basse rapide

court-circuitant le cortex. Suivant la voie basse, un stimulus engendrant de la peur passerait de l'œil ou de l'oreille directement à l'amygdale (**FIGURE 12.1B**). Ce raccourci, qui court-circuite le cortex, permet la réaction émotionnelle qui a lieu en un éclair avant que notre intellect n'intervienne. Comme nos réflexes rapides qui opèrent également en dehors du cortex la vitesse de la réaction de l'amygdale est telle que l'on peut ne pas se rendre compte de ce qui s'est vraiment passé (Dimberg et al., 2000).

L'amygdale envoie plus de projections neuronales vers le cortex qu'elle n'en reçoit. Il est plus facile pour nos sentiments de détourner notre pensée qu'il ne l'est pour notre pensée de commander nos sentiments (LeDoux et Armony, 1999). Dans une forêt, nous sursautons au bruissement proche d'une feuille, laissant le cortex décider plus tard s'il a été émis par un serpent ou simplement par le vent. Des preuves de ce genre ont convaincu Zajonc que *certaines* de nos réactions émotionnelles n'impliquaient pas une élaboration de la pensée.

Richard Lazarus (1991, 1998), un spécialiste de l'émotion, admet que notre cerveau traite une énorme quantité d'informations et y réagit sans que nous en soyons conscients ; il reconnaît volontiers que certaines réponses émotionnelles ne requièrent pas une pensée *consciente*. Une grande partie de notre vie émotionnelle passe par la voie basse automatique et rapide. Mais, dit-il, comment *saurions*-nous à quoi nous sommes en train de réagir si nous n'évaluons pas d'une certaine manière la situation ? Cette appréciation peut s'effectuer sans effort et nous pouvons ne pas en être conscients, mais c'est tout de même une fonction mentale. Pour savoir si un stimulus est bon ou mauvais, le cerveau doit avoir une idée de ce dont il s'agit (Storbeck et al., 2006). Ainsi, comme le dit Lazarus, les émotions surviennent lorsque nous *évaluons* un événement comme bénéfique ou menaçant pour notre bien-être, même si nous ne *connaissons* pas exactement la nature de cet événement. Nous associons le son d'un bruissement de feuilles à la présence d'une menace. Après analyse, nous réalisons que ce n'est « que le vent ».

En résumé, comme Zajonc et LeDoux l'ont démontré, certaines réponses émotionnelles – en particulier les simples attirances, dégoûts et peurs – n'impliquent pas de pensée consciente (**FIGURE 12.2**). Nous pouvons craindre une araignée, même si nous « savons » qu'elle est inoffensive. De telles réponses sont difficiles à modifier en changeant notre pensée. Nous pouvons automatiquement aimer une personne plus qu'une autre. Cette attirance instantanée peut même influencer nos décisions politiques si nous votons (comme beaucoup de personnes) pour un candidat que nous *aimons* plutôt que pour celui qui exprime des positions plus proches des nôtres (Western, 2007).

Mais ce que nous ressentons face à une décision politique est également soumis à nos souvenirs, nos attentes et nos interprétations, comme Lazarus, Schachter, et Singer l'avaient prédit. Les individus très émotifs éprouvent des émotions intenses en partie *à cause* de leurs interprétations. Ils peuvent *se sentir concernés* par les événements comme s'ils étaient d'une certaine façon dirigés contre eux et *généraliser* leurs expériences en grossissant des incidents isolés de façon disproportionnée (Larsen & Diener al., 1987). Ainsi, apprendre à *penser* de façon plus positive peut aider les gens à *se sentir* mieux. Même si la voie basse émotionnelle fonctionne de manière automatique, la voie haute de la pensée nous permet de reprendre un peu de contrôle sur notre vie émotionnelle. Les émotions automatiques et la pensée consciente tissent ensemble le tissu de nos vies émotionnelles. (Le **TABLEAU 12.1** page suivante résume les théories sur les émotions).

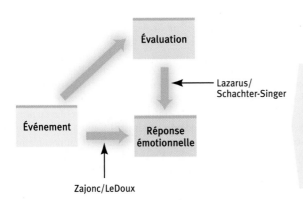

▼ FIGURE 12.2
Deux voies pour les émotions Zajonc et LeDoux ont souligné que certaines réponses émotionnelles sont immédiates, avant toute évaluation consciente. Lazarus, Schachter, et Singer ont souligné que notre évaluation et qualification des événements déterminent également nos réponses émotionnelles.

▼ TABLEAU 12.1
Résumé des théories des émotions

Théorie	Explication des émotions	Exemple
James-Lange	Les émotions naissent de la conscience des réponses corporelles spécifiques aux stimuli des états émotionnels.	Nous ressentons l'augmentation de la fréquence des battements du cœur lors d'une menace et cette sensation viscérale profonde qui provoque la peur.
Cannon-Bard	Les stimuli des états émotionnels déclenchent des réponses somatiques et un ressenti subjectif simultané.	La fréquence cardiaque augmente en même temps que la peur surgit.
Schachter-Singer	L'expérience de l'émotion dépend de deux facteurs : l'activation somatique et l'interprétation cognitive.	L'état excité peut être interprété en fonction du contexte comme étant : la peur, l'euphorie.
Zajonc ; LeDoux	Certaines réponses émotionnelles se produisent instantanément, sans évaluation cognitive consciente.	Sursaut provoqué de façon réflexe par un bruit dans la forêt avant que ce bruit soit identifié comme une menace.
Lazarus	L'évaluation cognitive (« Est-ce dangereux ou non ? ») – faite parfois de façon non consciente – définit l'émotion.	« Ce bruit n'est que le souffle du vent »

EXERCICE RÉCAPITULATIF

• Les chercheurs ont été en désaccord pour savoir si les réponses émotionnelles se produisent en l'absence de traitement cognitif. Comment qualifieriez-vous l'approche de chacun des chercheurs suivants : Zajonc, Ledoux, Lazarus, Schachter, et Singer ?

Réponses : Zajonc et LeDoux ont suggéré que nous éprouvons des émotions sans appréhension cognitive consciente. Lazarus, Schachter, et Singer ont souligné l'importance de l'appréhension cognitive de nos états émotionnels.

L'émotion exprimée par le corps

Que vous tombiez amoureux ou que vous pleuriez la mort d'un être cher, il est inutile de vous convaincre que les émotions impliquent le corps. Sentir sans notre corps serait comme respirer sans nos poumons. Certaines réponses physiques sont faciles à remarquer. D'autres réponses émotionnelles se produisent sans que vous en ayez conscience.

Les émotions et le système nerveux autonome

12-3 Quel est le lien entre l'activation émotionnelle et le système nerveux autonome ? Comment l'activation peut-elle affecter les performances ?

« La peur donna des ailes à ses pieds. »

Virgile, *Enéide*, 19 AV. J.-C.

En cas de crise, le *système nerveux sympathique*, partie du *système nerveux autonome (SNA)*, mobilise votre corps pour l'action (**FIGURE 12.3**). Il stimule vos glandes surrénales pour libérer l'adrénaline (épinéphrine) et la noradrénaline (norépinéphrine). Pour fournir de l'énergie, votre foie déverse du glucose supplémentaire dans votre sang. Afin d'apporter l'oxygène nécessaire pour brûler ce sucre, votre respiration s'accélère. Votre fréquence cardiaque et votre pression artérielle augmentent. Votre digestion se ralentit, détournant le sang des organes internes vers vos muscles. Le glucose sanguin étant amené dans les muscles volumineux, il vous est plus facile de courir. Vos pupilles se dilatent, laissant passer plus de lumière. Et pour refroidir votre corps ainsi mis en mouvement, vous transpirez. Si vous étiez blessé, votre sang coagulerait plus vite.

Selon la *Loi Yerkes-Dodson*, le niveau de vigilance affecte les performances de différentes façons, en fonction de la tâche, un niveau de vigilance adaptée modérée conduisant à une performance optimale (Yerkes & Dodson, 1908). Lorsque vous passez un examen par exemple, il est bon d'être modérément éveillé, être alerte mais sans trembler de nervosité. Une vigilance trop faible obère la performance. Et, comme nous le verrons, une hypervigilance confine à l'anxiété et est aussi perturbante.

**L'activation physiologique est contrôlée
par notre système nerveux autonome**

Système sympathique (activation)		Système parasympathique (apaisement)
Les pupilles se dilatent	YEUX	Les pupilles se contractent
Diminue	SALIVATION	Augmente
Transpire	PEAU	Sèche
Augmente	RESPIRATION	Diminue
Accélère	CŒUR	Ralentit
S'inhibe	DIGESTION	S'active
Sécrètent les hormones du stress	GLANDES SURRÉNALES	Diminution de la sécrétion des hormones du stress
Réduit	FONCTIONNEMENT DU SYSTÈME IMMUNITAIRE	Augmenté

▼ FIGURE 12.3
L'éveil émotionnel Le système nerveux autonome fonctionne comme un centre de contrôle de la crise en provoquant une libération d'énergie puis une restauration quand le danger est passé.

Lorsque la crise passe, le *système parasympathique*, l'autre branche de notre système nerveux autonome, calme peu à peu notre corps à mesure que les hormones de stress sont éliminées de la circulation (fonction trophotrope). Après votre prochaine crise pensez à cela : sans effort conscient, votre réponse corporelle face au danger est merveilleusement coordonnée et adaptative, vous préparant à *fuir* ou *combattre*. Les différentes émotions sont-elles marquées par des états de vigilance différents ?

La physiologie des émotions

12-4 **Les différentes émotions activent-elles différentes réponses physiologiques et différentes voies cérébrales ?**

Imaginez-vous menant une expérience destinée à mesurer les réponses physiologiques des émotions. Dans quatre pièces différentes, vous avez une personne qui regarde un film : dans la première, un film d'horreur ; dans la deuxième, un film provoquant la colère ; dans la troisième, un film érotique ; et dans la quatrième, un film parfaitement ennuyeux. À partir du poste de contrôle, vous surveillez les réponses physiologiques de chaque personne, en examinant la transpiration, le rythme respiratoire et la fréquence cardiaque. Pouvez-vous dire qui est effrayé ? Qui est en colère ? Qui est stimulé sexuellement ? Qui s'ennuie ?

© Gary Dobner/Alamy

L'activation émotionnelle
L'allégresse et la peur panique impliquent des activations physiologiques similaires. Cela nous permet de passer rapidement d'une émotion à l'autre.

Avec de l'entraînement, vous pourriez probablement identifier le spectateur qui s'ennuyait. Mais discerner des différences physiologiques entre l'activation provoquée par la peur, la colère ou le désir sexuel serait beaucoup plus difficile (Barrett, 2006). Les différentes émotions peuvent partager des signatures biologiques similaires.

Une région unique du cerveau unique peut servir de siège à différentes émotions. Considérez l'éventail des émotions très large de *l'insula*. (N.d.T. : Insula : cortex situé au fond de la scissure de Sylvius et « face » aux corps striés, si on regarde une coupe coronale du cerveau). L'insula est activée lorsque nous ressentons diverses émotions sociales comme le désir, la fierté et le dégoût. Sur les scanners cérébraux, elle s'active lorsque les gens mordent dans un aliment qui les dégoûte, sentent ce même aliment désagréable, pensent qu'ils vont manger un cafard tout aussi dégoûtant ou ressentent un dégoût moral en face d'organismes vicieux exploitant des veuves crédules (Sapolsky, 2010). D'autres régions cérébrales régulent plusieurs fonctions en parallèle.

« Personne ne m'a jamais dit que la douleur pouvait être ressentie comme la peur. Je n'ai pas peur, mais c'est le même sentiment. Les mêmes crampes d'estomac la même agitation, le bâillement. J'ai toujours la gorge serrée. »

C. S. Lewis, *A Grief Observed*, 1961

Les états émotionnels comme la peur, la colère, l'excitation sexuelle et le dégoût sont *ressentis* différemment. Et ils ont souvent une *apparence* différente pour les autres. Les gens peuvent paraître « paralysés par la peur » ou « prêts à exploser ». La peur et la joie, entraînent une augmentation similaire de la fréquence cardiaque, mais stimulent différents muscles faciaux. Quand on a peur, les muscles des sourcils se contractent. Quand on est joyeux, les muscles des joues et ceux se trouvant sous les yeux se contractent, ce qui entraîne un sourire (Witvliet et Vrana, 1995).

Les émotions diffèrent bien plus par les circuits cérébraux (Panksepp, 2007). Les observateurs qui regardent des visages exprimant la crainte ont montré une plus grande activité de l'amygdale que les sujets qui ont regardé des visages exprimant la colère (Whalen et al., 2001). Les scanners cérébraux et les tracés d'EEG montrent que les émotions activent également différentes zones du cortex cérébral. Lorsque nous ressentons une émotion négative, comme le dégoût, par exemple, le

---

REGARD CRITIQUE SUR

Détection du mensonge

12-5 Quelle est l'efficacité de l'enregistrement des modifications somatiques par des appareils polygraphiques pour l'aide à la détection des mensonges ?

Un *détecteur de mensonge* ou **polygraphe** peut-il révéler les mensonges ? Le polygraphe ne détecte pas littéralement le mensonge. Il mesure les variations du rythme respiratoire, de l'activité cardiovasculaire et de la transpiration qui accompagnent l'émotion. Si vous passez au détecteur de mensonge, l'examinateur surveille ces réponses physiologiques au moment où vous répondez à des questions. Il peut demander : « Dans les 20 dernières années, vous est-il arrivé de prendre quelque chose qui ne vous appartenait pas ? » Cette question est une question de contrôle destinée à rendre n'importe qui légèrement nerveux. Si vous faites un pieux mensonge et dites non (*comme la plupart des gens le font*), le polygraphe va détecter une activation. Cette réponse va établir une ligne basale qui servira de comparaison utile avec les réponses aux questions critiques (« Avez-vous déjà dérobé quelque chose à votre employeur précédent ? »). Si vos réponses aux questions critiques sont plus faibles que celles observées lors des questions contrôles, l'investigateur en déduit que vous dites la vérité.

Mais il y a deux problèmes : tout d'abord, notre activité physiologique est très semblable d'une émotion à l'autre et l'anxiété, l'irritation et la culpabilité engendrent toutes une réactivité physiologique similaire. Deuxièmement, des personnes innocentes répondent par une tension accrue à l'accusation implicite contenue dans les questions critiques posées (**FIGURE 12.4**). De nombreuses victimes de viol « ratent » les tests de détection de mensonge en réagissant émotionnellement tout en disant la vérité à propos de leur assaillant (Lykken, 1991).

En 2002, la National Academy of Sciences américaine nota dans un rapport : « Aucun espion n'a pu être découvert par le polygraphe ». Ce n'est pas faute d'avoir essayé. Le FBI, la CIA et le Department of Defense and Energy aux États-Unis ont dépensé des millions de dollars pour tester des dizaines de milliers d'employés et l'emploi du polygraphe

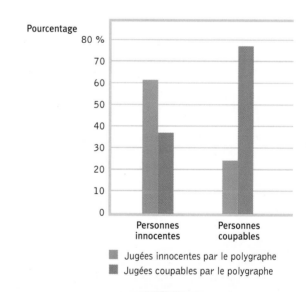

▼ **FIGURE 12.4**

Combien de fois les tests de détection de mensonge ? Dans une étude, les experts du polygraphe interprétaient les données polygraphiques de 100 personnes qui avaient été suspectes dans des crimes de vol (Kleinmuntz & Szucko, 1984). La moitié des suspects était coupable et avait avoué ; l'autre moitié avait été prouvée innocente. Si les experts du polygraphe avaient été les juges, plus d'un tiers des innocents aurait été déclaré coupable, et un quart des coupables aurait été déclaré innocent.

cortex préfrontal droit a tendance à être plus actif que le gauche. De la même manière, les personnes plus enclines à la dépression, ainsi que celles qui ont des personnalités « négatives », ont une activité plus importante dans le lobe frontal droit (Harmon-Jones et al., 2002).

Les humeurs positives ont tendance à déclencher plus d'activité dans le lobe frontal gauche. Les personnes ayant une personnalité « positive » – les nourrissons alertes et débordant de vie ou les adultes enthousiastes, énergiques et toujours orientés vers un objectif – montrent également une plus grande activité frontale gauche (Davidson, 2000, 2003 ; Urry et al., 2004). En fait, plus l'activité initiale frontale est prépondérante dans le lobe gauche ou plus l'activité du lobe gauche est importante lorsqu'elle est évoquée, et plus cette personne est d'un naturel optimiste (Drake et Myers, 2006).

Pour résumer, nous ne pouvons pas voir facilement des différences dans les émotions lorsque nous suivons les fréquences cardiaque et respiratoire et la transpiration. Mais les expressions du visage et l'activité cérébrale peuvent varier selon les émotions. Dans ce cas, est-ce que nous montrons certains signes indicateurs lorsque nous mentons ? Pour en savoir plus, reportez-vous à l'encadré Regard critique sur la détection du mensonge,

---

EXERCICE RÉCAPITULATIF

• Comment les deux divisions du système nerveux autonome affectent nos réactions émotionnelles ?

Réponse : La *partie sympathique* du SNA stimule notre état de vigilance et nous fait vivre plus intensément les états émotionnels ; elle stimule la sécrétion de l'adrénaline et de la noradrénaline, hormone du stress pour préparer notre corps au combat ou à la fuite. La *branche parasympathique* du SNA prend le relais une fois la crise passée pour, la restauration de notre corps et l'amène à un état physiologique et émotionnel calme.

---

en Europe a également augmenté (Meijer et Verschuere, 2010). Durant cette période, Aldrich Ames, un espion russe agissant au sein de la CIA ne fut pas découvert. « On fit passer Ames au détecteur de mensonge et il réussit tous les tests », déclara Robert Park (1999). « Personne ne pensa à enquêter sur la source de sa richesse si soudaine car, après tout, il avait passé les tests avec succès. »

Une approche plus efficace pour la détection des mensonges utilise le *test de connaissance du coupable*, qui évalue aussi les réponses physiologiques d'un suspect aux détails d'un crime connus seulement de la police et du coupable (Ben-Shakhar et Elaad, 2003). Si une caméra et un ordinateur ont été volés, par exemple, seule la personne coupable devrait réagir violemment à des détails tels que la marque de la caméra ou de l'ordinateur. Si l'on accumule suffisamment de preuves spécifiques de ce genre, une personne innocente sera rarement accusée à tort.

Plusieurs équipes de recherche actuelles sont en train d'explorer de nouvelles manières de coincer les menteurs. Les chercheurs en « neuroscience légale » s'intéressent directement au siège du mensonge : le cerveau. Les enregistrements d'EEG ont révélé une onde cérébrale indiquant la connaissance d'une scène de crime et des images d'IRM fonctionnelle ont montré que des cerveaux de menteurs s'activaient là où le cerveau des honnêtes gens ne s'active pas (Langleben et al., 2002, 2006, 2008 ; Lui et Rosenfeld, 2009). Le signal qui vendra la mèche du mensonge de Pinocchio ne sera peut-être plus la longueur de son nez, mais plutôt l'activité révélatrice de certains endroits comme son lobe frontal gauche ou son cortex cingulaire antérieur qui sont activés lorsque le cerveau inhibe la révélation de la vérité (**FIGURE 12.5**). Un nouveau projet de 10 millions de dollars *Law and Neuroscience* (loi et neuroscience), mené par le psychologue Michael Gazzaniga, a pour but d'évaluer la bonne utilisation des nouvelles technologies par ceux qui recherchent à identifier les terroristes, à condamner les criminels et à protéger les innocents (Dingfelder, 2007). En 2010, une cour fédérale des États-Unis a déclaré que la détection du mensonge par IRM fonctionnelle n'était pas encore prête à

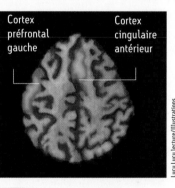

Cortex préfrontal gauche | Cortex cingulaire antérieur

▼ **FIGURE 12.5**

Menteur, menteur, le cerveau est en feu Un scan IRMf a identifié deux zones du cerveau qui sont devenues particulièrement actives lorsqu'un participant a menti en disant ne pas posséder le cinq de trèfle. (IRMf numériser à partir Langleben et al., 2002.)

être utilisée par la cour (Miller, 2010). De nombreux neuroscientifiques sont d'accord (Gazzaniga, 2011 ; Wagner, 2010). D'autres répliquent que les jugements des jurés et des juges fondés sur leur intuition sont « pires que la science qui est exclue » (Schauer, 2010).

Polygraphe machine couramment utilisée dans le but de détecter les mensonges et qui mesure plusieurs réponses physiologiques accompagnant l'émotion (comme la transpiration et les changements cardiovasculaires et respiratoires).

REVUE GÉNÉRALE Introduction à l'étude des émotions

OBJECTIFS D'APPRENTISSAGE

EXERCICE RÉCAPITULATIF Prendre un moment pour répondre à chacune de ces questions objectif d'apprentissage (répétées ici au sein de cette section). Puis aller à l'annexe C, révision complète du chapitre, pour vérifier vos réponses. La recherche suggère que d'essayer de répondre à ces questions de votre propre initiative permettra d'améliorer la mémorisation à long terme de ces réponses (McDaniel et al., 2009).

12-1 De quelle manière l'activation, les comportements expressifs et la cognition interagissent-ils dans l'expression des émotions ?

12-2 Pour ressentir des émotions devons-nous les interpréter consciemment et les identifier ?

12-3 Quel est le lien entre l'activation émotionnelle et le système nerveux autonome ? Comment l'activation peut-elle affecter les performances ?

12-4 Les différentes émotions activent-elles différentes réponses physiologiques et différentes voies cérébrales ?

12-5 Quelle est l'efficacité de l'enregistrement des modifications somatiques par des appareils polygraphiques pour l'aide à la détection des mensonges ?

TERMES ET CONCEPTS À RETENIR

EXERCICE RÉCAPITULATIF Testez votre connaissance de ces termes en essayant d'écrire leur définition, avant de vous reporter aux pages indiquées en référence pour vérifier votre réponse.

émotion, p. 460

théorie de James et Lange, p. 460

théorie Cannon-Bard, p. 460

théorie des deux facteurs, p. 461

polygraphe, p. 467

Expression des émotions

LES COMPORTEMENTS EXPRESSIFS RÉVÈLENT UNE ÉMOTION. LES DAUPHINS, qui ont apparemment un sourire plaqué sur leur visage, semblent heureux. Pour déchiffrer les émotions des gens, nous observons leur corps, écoutons les intonations de leur voix et étudions leur visage. Ce langage non verbal varie-t-il avec la culture ou bien est-il universel ? Nos expressions influencent-elles les émotions que nous éprouvons ?

« Votre visage, monsieur, est un livre où les hommes peuvent lire d'étranges choses. »

(Lady Macbeth à son mari, William Shakespeare *Macbeth*)

Détecter les émotions chez les autres

12-6 Comment pouvons-nous communiquer de façon non verbale ?

Pour les Occidentaux, une poignée de main ferme dévoile immédiatement une personnalité extravertie et expressive (Chaplin et al., 2000). Avec un regard passionné, un regard dur ou en détournant les yeux, nous pouvons communiquer l'intimité, la domination ou la soumission (Kleinke, 1986). Un regard dardant et qui se détourne est un signe d'anxiété (Perkins et al., 2012). Chez les personnes passionnément amoureuses, les échanges de regard sont classiquement prolongés (Rubin, 1970). De tels regards intimes peuvent-ils déclencher les mêmes sentiments chez des personnes étrangères ? Pour le savoir, des chercheurs demandèrent à des « couples » homme-femme qui ne se connaissaient pas de fixer intensément pendant deux minutes les mains ou les yeux de l'autre. Après s'être séparés, les couples qui s'étaient regardés dans les yeux déclarèrent avoir éprouvé une sensation d'attirance et d'affection (Kellerman et al., 1989).

En général, nous sommes assez performants dans la lecture des indications non verbales. Si on visionne dix secondes d'une vidéo montrant la fin d'un « speed-dating », il est fréquent que l'on puisse détecter si une personne est attirée par l'autre (Place et al., 2009). Nous excellons dans la détection des menaces non verbales. Nous ressentons facilement la présentation subliminale de mots dits « négatifs » (*serpent* ou *bombe* ; Dijksterhuis & Aarts, 2003). Dans une foule, les visages en colère vont « ressortir » plus rapidement que les visages heureux (Hansen et Hansen, 1988 ; Pinkham et al., 2010). Les signes de l'état émotionnel sont également faciles à repérer. Lorsqu'une image d'une

Un langage muet d'émotion Une danse classique hindoue utilise le visage et le corps pour exprimer de façon vivante 10 états émotionnels différents (Hejmadi et al., 2000).

© Ruby/Alamy

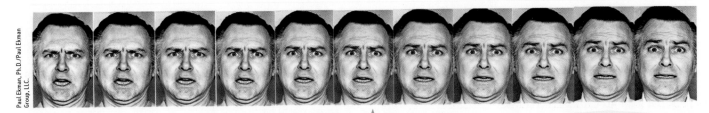

personne avec les bras levés, bombant le torse et arborant un léger sourire à des sujets – qu'ils soient canadiens ou habitants les îles Fidji – ils perçoivent tous une personne fière d'elle-même et ayant une position sociale élevée (Tracy et al., 2013).

L'expérience peut nous sensibiliser à des émotions particulières, comme l'a montré une expérience utilisant une série de visages (comme ceux de la **FIGURE 12.6**) transformés par « morphing » passant de la colère à la peur (ou la tristesse). En regardant ces visages, les enfants qui ont été physiquement maltraités décèlent la colère plus vite que les autres. Montrez-leur un visage où l'expression de la peur est présente à 50 % et celle de la colère à 50 % : ils ont tendance à plutôt percevoir la colère. Leur perception devient plus sensible au moindre signe de danger, ce qui n'est pas le cas chez les enfants ne subissant pas de mauvais traitements.

Les muscles faciaux sont difficilement contrôlables et peuvent révéler des émotions que l'on veut cacher. Le fait de hausser simplement la partie interne du sourcil, ce que peu de gens font consciemment, traduit une inquiétude ou du chagrin. Des sourcils haussés et rapprochés dévoilent la peur. L'activation des muscles situés sous l'œil et des pommettes hautes suggèrent un sourire naturel. Un sourire feint, comme celui que nous faisons pour un photographe, est souvent figé pendant plusieurs secondes, puis soudain disparaît (**FIGURE 12.7**). Les sourires sincères exprimant le bonheur ont tendance à être plus brefs et disparaissent moins brutalement (Bugental, 1986).

Nos cerveaux sont d'étonnants détecteurs d'expressions subtiles. Des chercheurs ont filmé un professeur s'adressant à des élèves, qui eux, n'étaient pas filmés. Un extrait de dix secondes avec, soit la voix, soit le visage du professeur, comportait pour les spectateurs, adultes ou enfants, assez d'informations pour déterminer si le professeur appréciait et admirait l'enfant auquel il s'adressait (Babad et al., 1991). Au cours d'une autre expérience, un coup d'œil sur un visage pendant simplement 1/10e de seconde suffisait pour que les participants puissent juger du charme et de l'honnêteté d'une personne ou pour évaluer la compétence d'un politicien et prédire le soutien des votants (Willis & Todorov, 2006). « La première impression… se produit avec une vitesse étonnante », remarquent C. Olivola et A. Todorov (2010).

Malgré l'aptitude de notre cerveau à détecter les émotions, il nous est difficile de détecter les expressions trompeuses (Porter et Ten Brinke, 2008). La différence de comportement entre les menteurs et ceux qui disent la vérité est trop petite pour que la plupart des gens puissent la détecter (Hartwig et Bond, 2011). Dans un résumé de 206 études portant sur le discernement entre vérité et mensonge, la précision des gens était juste de 54 %, à peine mieux que le simple hasard (Bond et DePaulo, 2006). De plus, les recherches dont nous disposons indiquent que pratiquement personne, mis à part peut-être les professionnels de la police haut placés ne bat de beaucoup le simple hasard (Bond et DePaulo, 2008 ; O'Sullivan et al., 2009). Peut-on percevoir de façon non consciente ce que nous ne percevons pas consciemment ? Peut-être… Distraire l'attention des gens plutôt que les encourager à se concentrer favorise la découverte du mensonge (Reinhard et al., 2013). Si vous voulez attraper la personne qui a volé votre toutou, faites parler votre cœur.

Certains d'entre nous sont plus sensibles que d'autres aux indices physiques. Dans une étude, on a demandé à plusieurs centaines de personnes de qualifier les expressions d'états émotionnels montrées lors de la projection de court-métrage. Ainsi on pouvait voir des parties de visage ou de corps exprimant une émotion, une voix déformée accompagnant parfois l'image (Rosenthal et al., 1979). Par exemple, après une scène de deux secondes montrant uniquement le visage d'une femme bouleversée, les chercheurs demandaient si la femme était en train de critiquer quelqu'un qui arrivait en retard ou bien parlait de son divorce. Munies de ces minces indices, certaines personnes étaient de bien meilleurs détecteurs d'émotions que d'autres. Les gens introvertis ont tendance à mieux lire les émotions des autres et il est plus facile de lire les émotions chez une personne extravertie (Ambady et al., 1995).

▼ FIGURE 12.6
L'expérience influence la façon dont nous percevons les émotions Regardez le visage qui est au centre se transformer progressivement en associant peur et colère ; les enfants physiquement maltraités étaient plus susceptibles, que les autres enfants, de percevoir le visage exprimant la colère (Pollak & Kistler, 2002 ; Pollak & Tolley-Schell, 2003).

▼ FIGURE 12.7
Lequel des deux sourires du chercheur Paul Ekman est feint, lequel est naturel ? Le sourire sur la photo de droite met en jeu les muscles d'un sourire naturel.

Ces gestes, ces expressions faciales et ces intonations qui sont tous absents dans la communication écrite, apportent d'importantes informations. Une étude a clairement mis en évidence cette différence. Dans un groupe, les participants ont entendu pendant trente secondes l'enregistrement du dialogue de personnes décrivant leur séparation. Dans l'autre groupe, les participants ont lu le texte du dialogue. Les sujets qui ont *entendu* l'enregistrement étaient mieux à même de décrire l'état émotionnel des protagonistes (Mason et al., 2010).

Dans un courriel, l'absence « d'expression émotionnelle entretient l'ambiguïté ». Pour pallier cela, nous intégrons parfois des illustrations de l'émotion dans nos messages. Du fait de l'absence de nuances vocales par lesquelles on signale que l'on est sérieux, que l'on plaisante ou que l'on est sarcastique, nous risquons de communiquer ce que Piaget appelait l'*égocentrisme* en négligeant comment l'autre prendrait nos « plaisanteries » (Kruger et al., 2005).

Genre, émotion et comportement non verbal

12-7 **La capacité à communiquer de façon non verbale est-elle liée au sexe ?**

« Cela n'a pas été si difficile, n'est ce pas »

L'intuition féminine est-elle, comme beaucoup le pensent, supérieure à l'intuition masculine ? Dans son analyse composée de 125 études sur la sensibilité aux indices non verbaux, Judith Hall (1984, 1987) a découvert qu'en règle générale, les femmes surpassent les hommes pour lire les indices émotionnels chez les autres quand on leur fait voir de minces indices concernant leur comportement. Cet avantage féminin émerge tôt dans le développement. Dans une analyse des résultats de 107 études, les bébés, les fillettes et les adolescentes ont obtenu de meilleurs résultats dans l'interprétation des émotions faciales que les hommes (McClure, 2000).

La sensibilité des femmes aux indices non verbaux permet d'expliquer leur sensibilité accrue dans le domaine de la littérature. Lorsque des hommes ont été invités à décrire les états émotionnels éprouvés dans certaines situations, ils le faisaient en termes très simples (Barrett et al., 2000). Vous pouvez faire le test vous-même : demandez à des gens de vous dire ce qu'ils pourraient ressentir en disant au revoir à leurs camarades lors d'une cérémonie de remise de diplômes. Les résultats de la recherche suggèrent que vous aurez plus de chances d'entendre les hommes dire simplement : « Je ne me sentirais pas bien », alors que les femmes exprimeraient des sentiments plus complexes tels que : « Un sentiment plutôt ambivalent… Je me sentirais à la fois heureuse et triste ».

L'aptitude des femmes à déceler les émotions des autres peut également contribuer à leur plus grande faculté à répondre émotionnellement (Vigil, 2009). Dans des études portant sur 23 000 personnes issues de 26 cultures différentes, les femmes se décrivaient comme étant plus ouvertes aux sentiments que les hommes (Costa et al., 2001). Les enfants montrent la même différence entre les sexes : les filles expriment plus intensément leurs émotions (Chaplin & Aldao, 2013). Cela permet d'expliquer la perception extrêmement forte que l'expression émotionnelle est « plus vraie pour les femmes », un point de vue exprimé par presque 100 % des Américains âgés de 18 à 29 ans (Newport, 2001).

Exception : Faites ce test rapide – Imaginez un visage en colère. Est-ce celui d'un homme ou d'une femme ? Si vous êtes comme trois étudiants sur quatre de l'université d'État de l'Arizona, vous avez imaginé un homme (Becker et al., 2007). Si un visage sexuellement neutre est transformé pour exprimer la colère, la plupart des personnes le perçoivent comme étant celui d'un homme. S'il sourit, il a plus de chances d'être perçu comme étant celui d'une femme (**FIGURE 12.8**). La colère est ressentie par la plupart des gens comme une émotion plus masculine.

▼ FIGURE 12.8
S'agit-il d'un homme ou d'une femme ? Les chercheurs ont manipulé un visage neutre. Les sujets interrogés voyaient plutôt un visage d'homme quand il exprimait la colère et plutôt un visage de femme quand il arborait un sourire (Becker et al., 2007).

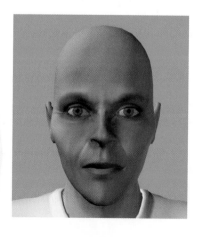

La perception de l'émotivité des femmes nourrit, et est nourrie, par le fait qu'on attribue l'émotivité des femmes à leur disposition (trait) et celle des hommes aux circonstances (état) : « elle est émotive. Il a passé une mauvaise journée » (Barrett & Bliss-Moreau, 2009). De nombreux facteurs, y compris les normes culturelles, influencent l'interprétation des émotions (Mason & Morris, 2010). Néanmoins, il existe, dans les descriptions des expériences émotionnelles, des différences liées au sexe. Lors des enquêtes, les femmes (plus que les hommes) se décrivent comme étant empathiques. Si vous éprouvez de *l'empathie*, vous vous identifiez aux autres et vous imaginez ce que c'est que de vivre à leur place. Vous vous réjouissez avec ceux qui se réjouissent et pleurez avec ceux qui pleurent. Les lecteurs de roman, qui s'identifient à leurs personnages préférés, ont des capacités d'empathie plus importantes. (Mar et al., 2009). Cela peut aider à expliquer pourquoi, les femmes lisent plus de romans (Tepper, 2000). Les mesures physiologiques, telles que le changement de la fréquence cardiaque face au chagrin d'autrui, confirment qu'il existe, entre les hommes et les femmes une différence des capacités d'empathie, bien qu'elle soit plus faible que ne le rapportent les enquêtes (Eisenberg & Lennon, 1983 ; Rueckert et al., 2010).

Les femmes *expriment* plus d'empathie, pleurent et éprouvent plus souvent du chagrin face à la détresse de quelqu'un. Comme le montre la **FIGURE 12.9**, cette différence entre les genres est très nette lorsqu'on visionne des enregistrements effectués sur des étudiants et étudiantes en train de regarder des courts-métrages soit tristes (un enfant dont l'un des parents est mourant), soit joyeux (une comédie bouffonne), soit d'épouvante (un homme sur le point de tomber d'un immeuble très haut) (Kring et Gordon, 1998). Les femmes ont aussi tendance à ressentir plus profondément les événements émotionnels (lorsqu'elles regardent des images de mutilation par exemple) – avec une activation cérébrale plus importante dans les zones sensibles à l'émotion. Et elles se souviendront mieux des scènes trois semaines plus tard (Canli et al., 2002).

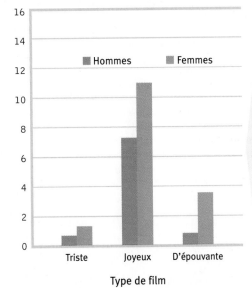

▼ FIGURE 12.9

Sexe et expressivité Les femmes et les hommes qui assistaient à la projection d'un film n'exprimaient pas des réponses physiologiques très différentes, ne décrivaient pas non plus des états émotionnels très différents. Mais les visages des femmes *majoraient* les expressions des émotions. (Données de Kring & Gordon, 1998.)

———— EXERCICE RÉCAPITULATIF ————

• Les _____ (femmes/hommes) disent éprouver plus intensément les émotions, et ont tendance à être plus aptes à lire le comportement non verbal.

Réponse : femmes

Culture et expression émotionnelle

12-8 Les gestes et les expressions faciales signifient-ils la même chose dans toutes les cultures ?

La signification des *gestes* varie avec la culture. Le Président américain Richard Nixon l'a appris à ses dépens après avoir fait le signe Nord American du « OK » le pouce en l'air, devant la foule des Brésiliens, venus l'accueillir ne réalisant pas qu'au Brésil c'était une insulte. L'importance de la définition culturelle des gestes fut à nouveau mise en évidence en 1968 quand les Nord-Coréens publièrent les photographies des officiers d'un navire espion américain (ayant été capturés) qui étaient censés être heureux. Or, sur la

▼ FIGURE 12.10
Les expressions faciales sont-elles universelles ou sont-elles liées à la culture du sujet ? Comme les sujets appartenant à différentes cultures parlent différentes langues, expriment-ils les émotions de façon différente ? Quel visage exprime le dégoût ? La colère ? La peur ? Le bonheur ? La tristesse ? La surprise ? (De Matsumoto & Ekman, 1989) Voir les réponses ci-dessous.

De gauche à droite, de haut en bas : le bonheur, la surprise, la peur, la tristesse, la colère, le dégoût.

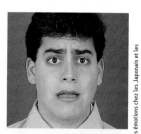

Ekman & Matsumoto, les expressions faciales des émotions chez les Japonais et les Caucasiens.

photographie, trois des hommes faisaient un geste obscène avec le majeur : ils avaient expliqué à leurs ravisseurs que c'était un « signe hawaïen portant bonheur » (Fleming et Scott, 1991).

Les *expressions faciales* ont-elles des significations différentes selon les cultures ? Pour le savoir, deux équipes de recherche ont montré des photographies de diverses expressions faciales à des personnes de différentes parties du monde et leur ont demandé d'identifier les émotions (Ekman et al., 1975, 1987, 1994 ; Izard, 1977, 1994). Vous pouvez essayer vous-même en appariant les six émotions avec les six visages de la **FIGURE 12.10**.

Vous avez probablement bien réussi, quelle que soit votre origine culturelle. Un sourire est un sourire dans le monde entier. C'est pareil pour la tristesse et, dans une moindre mesure, pour les autres expressions faciales fondamentales (Jack et al., 2012). (Quelle que soit la culture, froncer les sourcils quand on est joyeux ne se fait jamais.)

Les expressions faciales contiennent certains accents non verbaux qui fournissent des indices particuliers à chaque culture (Marsh et al., 2003). C'est pourquoi il n'est pas surprenant que des données issues de 182 études ont montré une précision légèrement supérieure lorsqu'il s'agit de juger une émotion au sein de sa propre culture (Elfenbein et Ambady, 2002, 2003a, b). Cependant, on retrouve généralement les mêmes signes révélateurs de l'émotion dans toutes les cultures. Partout dans le monde, les enfants pleurent lorsqu'ils sont malheureux, secouent la tête lorsqu'ils se méfient et sourient quand ils sont heureux. Les enfants aveugles qui n'ont jamais vu un visage, font de même (Eibl-Eibesfeldt, 1971). Les gens aveugles de naissance ont spontanément les mêmes expressions du visage pour exprimer des émotions telles que la joie, la tristesse, la peur et la colère (Galati et al., 1997).

Les expressions musicales des émotions traversent également les cultures. Les musiques joyeuses ou tristes sont ressenties comme joyeuses ou tristes n'importe où dans le monde. Que vous viviez dans un village africain ou une ville européenne, la musique rythmée semble joyeuse et la musique lente semble plus triste (Fritz et al., 2009).

Ces catégories émotionnelles communes reflètent-elles des expériences *culturelles* communes par exemple liées aux films ou aux programmes TV vus dans le monde entier ? Apparemment non. Paul

Émotions universelles Peu importe où vous vivez sur terre, vous n'aurez aucun mal à identifier quelle photo représente Michael Owen et ses fans se sentant désemparés (après avoir raté un but) et triomphant (après en avoir marqué un).

Phil Noble/AP Photo

Tom Purslow/Manchester United via Getty Images

Ekman et son équipe ont demandé à des sujets isolés de Nouvelle-Guinée d'exprimer diverses émotions en réponse à des affirmations telles que : « Pensez que votre enfant est mort ». Lorsque les chercheurs montrèrent les bandes vidéo des émotions faciales des habitants de Nouvelle-Guinée à des étudiants nord-américains, ceux-ci purent aisément les lire.

Ainsi nous pouvons dire que les muscles faciaux parlent un langage universel. Cette découverte n'aurait pas surpris Charles Darwin (1809-1882), qui avait émis l'hypothèse que, dans les temps préhistoriques, avant que nos ancêtres ne communiquent par des mots, ils communiquaient les menaces, les remerciements ou la soumission par l'expression faciale. Ces expressions communes les ont aidés à survivre (Hess et Thibault, 2009). Lors d'une dispute, un ricanement, par exemple, conserve certaines caractéristiques de la façon dont un animal gronde en montrant les dents. Les expressions émotionnelles contribuent à d'autres égards aussi à notre survie. La surprise nous oblige à hausser les sourcils et à écarquiller les yeux afin de nous permettre d'obtenir plus d'informations. Le dégoût nous fait froncer le nez, le fermant pour le protéger des odeurs fétides.

Les sourires aussi sont des phénomènes sociaux ainsi que des réflexes émotionnels. Les lauréats des jeux Oympiques, ayant remporté une médaille d'or, sont dans un état d'euphorie, mais ne sourient pas pendant la cérémonie solennelle. Mais ils arborent de larges sourires lors des félicitations faites par les « officiels et face à la foule et aux caméras » (Fernández-Dols & Ruiz-Belda, 1995). Ainsi, un simple coup d'œil à l'expression spontanée d'un judoka après une compétition olympique donne un très bon indice sur celui qui a gagné, quel que soit son pays d'origine (Matsumoto & Willingham., 2006, 2009a). Même les athlètes aveugles de naissance, qui n'ont jamais observé de sourire, présentent ce même sourire dans des situations identiques (Matsumoto et al., 2009 b).

Bien que nous partagions un langage facial universel, l'interprétation des visages dans un contexte particulier a été adaptative pour nous (**FIGURE 12.11**). Les gens jugent un visage exprimant la colère, mis dans une situation effrayante, comme exprimant la peur. Un visage effrayant est vu, dans un contexte blessant, comme s'il exprimait la douleur (Carroll & Russell, 1996). Les réalisateurs de cinéma exploitent ce phénomène en créant des contextes et des bandes sonores qui amplifient notre perception de certaines émotions.

Bien que les cultures partagent un langage facial universel pour les émotions de base, elles diffèrent dans l'*intensité* avec laquelle elles expriment l'émotion. Les cultures qui encouragent l'individualisme, comme en Europe de l'Ouest, en Australie, en Nouvelle-Zélande et en Amérique du Nord, présentent des émotions particulièrement visibles (van Hemert et al., 2007). Dans la culture chinoise, qui encourage les individus à s'adapter aux autres, les émotions personnelles sont moins visibles (Matsumoto et al., 2009b ; Tsai et al., 2007). Au Japon, les personnes tirent plutôt leurs

« Pour savoir ce que le cœur ressent, regardez le visage. »

Proverbe guinéen

En état d'apesanteur, les fluides corporels des astronautes se déplacent vers le haut du corps et leurs visages sont boursouflés. Cela rend la communication non verbale plus difficile, augmentant le risque de malentendus, en particulier parmi les équipages multinationaux (Gelman, 1989).

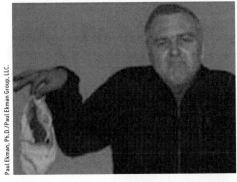

Paul Ekman, Ph.D./Paul Ekman Group, LLC.

RR Provine. Emotional tears and NGF: A biographical appreciation and research beginning. Archives italiennes de Biologie, 149, 271-276.

▼ FIGURE 12.11
Nous interprétons l'expression faciale, selon le contexte Le fait que nous percevions l'homme en haut comme dégoûté ou en colère dépend du corps sur lequel apparaît son visage (Aviezer et al., 2008). En bas, les larmes accentuent l'expression de la tristesse (Provine et al., 2009).

Effet de rétroaction de l'expression faciale tendance qu'ont les muscles du visage selon leur état de contraction à déclencher des sentiments correspondants tels que la peur, la colère, ou le bonheur.

Effet de rétroaction comportementale tendance du comportement à influencer nos propres pensées, nos propres sentiments, nos propres actions et celles des autres.

émotions du contexte environnant. De plus, leur bouche, qui est si expressive chez les Américains, transmet moins d'information que leurs yeux révélateurs (Masuda et al., 2008 ; Yuki et al., 2007).

Il existe des différences culturelles aussi au sein d'un *même* pays. Les Irlandais et leurs descendants américains ont tendance à être plus expressifs que les Scandinaves et leurs descendants américains (Tsai et Chentsova-Dutton, 2003). Et cela nous rappelle une leçon familière : comme la plupart des événements psychologiques, on comprend mieux les émotions si l'on considère qu'il ne s'agit pas seulement d'un phénomène biologique et cognitif, mais aussi d'un phénomène socioculturel.

EXERCICE RÉCAPITULATIF

- Les personnes de cultures différentes risquent-elles d'interpréter différemment plutôt les expressions faciales ou plutôt les gestes. ?

Réponse : gestes.

Les effets des expressions faciales

12-9 **Nos expressions faciales influencent-elles ce que nous ressentons ?**

Alors que Williams James se démenait avec les sentiments de la dépression et du chagrin, il en vint à croire que nous pouvions contrôler les émotions en exécutant « les mouvements extérieurs » de chaque émotion que nous voulions ressentir. « Pour vous sentir de bonne humeur, conseillait-il, redressez-vous gaiement, regardez gaiement autour de vous et agissez comme si la gaieté était déjà là. »

Les études sur les effets émotionnels des expressions faciales ont révélé précisément ce que James aurait pu prédire. Les expressions peuvent non seulement communiquer une émotion, mais aussi l'amplifier et la réguler. Dans son livre datant de 1872, *L'expression des émotions chez l'homme et les animaux*, Darwin affirmait : « L'expression libre d'une émotion par des signes extérieurs l'intensifie… Celui qui laisse libre cours à des gestes violents va accroître sa rage. »

Darwin avait-il raison ? Testons son hypothèse : faites un large sourire. Maintenant, prenez un air renfrogné. Sentez-vous la différence de la « thérapie du sourire » ? Au cours de douzaines d'expériences, les sujets ont ressenti une différence. Par exemple, James Laird et ses collaborateurs (1974, 1984, 1989) induisirent subtilement des étudiants à afficher une expression renfrognée en leur demandant de « contracter leurs muscles » et de « froncer les sourcils » (c'était, soi-disant, pour permettre aux chercheurs d'attacher des électrodes sur leur visage). Le résultat ? Les étudiants ont déclaré se sentir un peu en colère, et ils ont adopté d'autres émotions primaires de façon similaire. Les sujets décrivirent, par exemple, avoir ressenti plus de peur que de colère, de dégoût ou de tristesse lorsqu'ils avaient été incités à constituer une expression de peur : « Haussez les sourcils et ouvrez grand vos yeux. Reculez légèrement votre tête de manière à plisser légèrement votre menton et laissez votre bouche se détendre et pendre un peu ouverte » (Duclos et al., 1989).

Cet **effet de la rétroaction de l'expression faciale** a été repéré de nombreuses fois, dans divers endroits et pour de nombreuses émotions de base (**FIGURE 12.12**). En activant l'un des muscles du sourire en tenant un stylo entre les dents (plutôt que doucement dans la bouche, ce qui produit une expression neutre) rend les situations stressantes plus supportables (Kraft & Pressman, 2012). Un sourire plus chaleureux, exécuté non seulement avec la bouche, mais en relevant aussi les joues ce qui plisse les yeux, marche encore mieux et déclenche des sensations positives lorsque l'on réagit à quelque chose d'agréable ou d'amusant (Soussignan, 2001). Souriez chaleureusement à l'extérieur et vous vous sentirez mieux à l'intérieur. Lorsque vous souriez, vous comprenez même encore plus vite les phrases qui décrivent des événements agréables (Havas et al., 2007). Renfrognez-vous et le monde entier vous semblera se renfrogner en retour.

Ainsi votre visage est bien plus qu'un simple panneau d'affichage de vos sentiments ; il nourrit aussi vos sentiments. Ainsi il n'est pas étonnant que les gens se sentent moins déprimés après les injections de Botox qui paralysent les muscles et ainsi effacent les rides (Wollmer et al., 2012). Quatre mois après le traitement, les sujets ont décrit une humeur plus maussade. Des études menées par la suite ont mis en évidence que la paralysie du froncement du sourcil liée aux injections de Botox ralentissait la capacité des patients à lire des phrases tristes ou empreintes de colère et ralentissait l'activité des circuits cérébraux liée aux émotions (Havas et al., 2010 ; Hennenlotter et al., 2008). Ainsi, il semble que le Botox calme les rides émotionnelles de la vie.

D'autres chercheurs ont observé de la même façon un **effet de rétroaction du comportement** (Flack 2006 ; Snodgrass et al., 1986). Vous pouvez reproduire leurs expériences : marchez pendant

« Chaque fois que j'ai peur
Je garde la tête haute
Et je siffle un air joyeux. »

Richard Rodgers et Oscar Hammerstein,
Le Roi et moi, 1958

Une demande de vos auteurs : souriez souvent pendant que vous lisez ce livre.

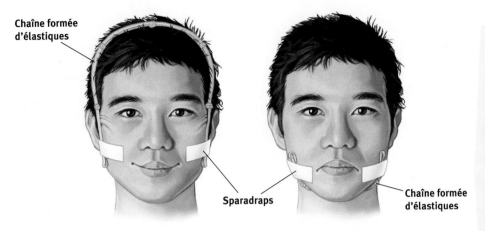

Chaîne formée d'élastiques

Sparadraps

Chaîne formée d'élastiques

▼ **FIGURE 12.12**

Comment faire sourire les gens sans leur demander de sourire Faites comme Kazuo Mori et Hideko Mori (2009) l'ont fait avec les étudiants au Japon : fixer des bandes de caoutchouc sur les côtés du visage avec des pansements adhésifs, puis les amener soit sur la tête soit sous le menton. (1) En se référant à *l'effet de rétroaction faciale*, quel sentiment pourraient exprimer ces étudiants quand les bandes de caoutchouc soulèvent leurs joues comme dans un sourire ? (2) Quand les bandes de caoutchouc tirent leurs joues vers le bas et que le visage fait la moue ?

Réponses : (1) La plupart des étudiants disent se sentir plutôt heureux quand leurs joues sont soulevées vers le haut. (2) La plupart des étudiants disent se sentir plus tristes qu'heureux quand leurs joues sont tirées vers le bas.

quelques minutes en faisant des pas courts et traînants et en gardant vos yeux baissés. Maintenant, marchez de long en large en faisant de grands pas, en balançant vos bras et en gardant les yeux fixés droit devant vous. Pouvez-vous sentir le changement d'humeur ? Réaliser les mouvements éveille nos émotions.

De même, les gens perçoivent différemment les comportements ambigus selon le doigt qui se déplace de haut en bas lors de la lecture d'une histoire. (Une étude a prétendu que la partie du cortex moteur commandant la motricité des différents doigts était proche de la partie du cortex de compréhension de la lecture) Si les participants lisaient l'histoire tout en mobilisant leur majeur étendu, les comportements dans l'histoire semblaient plus hostiles. S'ils la lisaient avec le pouce, ils semblaient plus positifs. Les gestes hostiles amorcent une perception hostile (Chandler & Schwarz, 2009 ; Goldin-Meadow & Beilock, 2010).

Vous pouvez utiliser votre connaissance de l'effet de rétroaction pour devenir plus empathique : laissez votre visage mimer l'expression d'une autre personne. Agir comme agit l'autre nous aide à ressentir ce qu'il ressent (Vaughn & Lanzetta, 1981). En fait, l'imitation naturelle des émotions de l'autre permet d'expliquer pourquoi les émotions sont contagieuses (Dimberg et al., 2000 ; Neumann & Strack, 2000). Les messages Facebook positifs, ont un effet d'entraînement, conduisant les « amis Facebook » à exprimer aussi des émotions plus positives (Kramer, 2012). Les primates aussi s'imitent et cette synchronisation de l'expression les aide à se lier entre eux (et à nous) (de Waal, 2009). Perdre cette capacité à imiter l'autre peut rendre les liens émotionnels difficiles à établir, comme ce travailleur social souffrant du syndrome de Moebius, paralysie faciale rare, diagnostiquée alors qu'il secourait des réfugiés de l'ouragan Katrina : « Quand les gens avaient un regard triste, je ne pouvais pas leur exprimer ma compassion par mon regard. J'essayai de le faire avec des mots et le ton de ma voix mais cela ne marchait pas. Dénudées de leur expression faciale, les émotions mouraient là, sans être partagées » (Carey, 2010).

REVUE GÉNÉRALE Expression des émotions

OBJECTIFS D'APPRENTISSAGE

EXERCICE RÉCAPITULATIF Prenez un moment pour répondre à chacune de ces questions objectif d'apprentissage (répétées ici au sein de cette section). Puis allez à l'annexe C, révision complète du chapitre, pour vérifier vos réponses. La recherche suggère que d'essayer de répondre à ces questions de votre propre initiative permettra d'améliorer la mémorisation à long terme de ces réponses (McDaniel et al., 2009).

12-6 Comment pouvons-nous communiquer de façon non verbale ?

12-7 La capacité à communiquer de façon non verbale est-elle liée au sexe ?

12-8 Les gestes et les expressions faciales signifient-ils la même chose dans toutes les cultures ?

12-9 Nos expressions faciales influencent-elles ce que nous ressentons ?

TERMES ET CONCEPTS À RETENIR

EXERCICE RÉCAPITULATIF Testez votre connaissance de ces termes en essayant d'écrire leur définition, avant de vous reporter aux pages indiquées en référence pour vérifier votre réponse.

effet de rétroaction de l'expression faciale, p. 474

effet de rétroaction du comportement, p. 474

Ressentir l'émotion

12-10 Quelles sont les émotions de base, et quelles sont les deux dimensions qui permettent de les différencier ?

COMBIEN Y A-T-IL D'ÉMOTIONS DISTINCTES ? Carroll Izard (1977) a isolé 10 émotions de base (joie, intérêt-excitation, surprise, tristesse, colère, dégoût, dédain, peur, honte et culpabilité), dont la plupart sont déjà présentes dans l'enfance (**FIGURE 12.13**). D'autres auteurs comme Tracey et Robins (2004) pensent que la fierté est également une émotion distincte, signalée par un petit sourire, une tête légèrement penchée vers l'arrière et une posture ouverte. Le sentiment amoureux, aussi, peut être une émotion fondamentale (Shaver et al., 1996). Toutefois, Izard considère que les autres émotions sont des combinaisons des dix premières. Il dit que l'amour, par exemple, est un mélange de joie et d'intérêt-excitation.

▼ **FIGURE 12.13**
Les émotions naturelles du bébé Pour identifier les émotions présentes dès la naissance, Carroll Izard a analysé les expressions faciales des nourrissons.

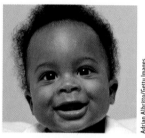

(a) La joie (bouche souriante, joues levées, étincelle dans l'œil)

(b) La colère (sourcils rapprochés et froncés vers le bas, les yeux fixes, la bouche en carré)

(c) L'intérêt (sourcils soulevés et froncés, la bouche légèrement arrondie, les lèvres peuvent être pincées)

(d) Le dégoût (nez froncé, lèvre supérieure relevée, langue sortie)

(e) La surprise (sourcils levés, yeux grands ouverts, bouche en ovale)

(f) La tristesse (coins intérieurs des sourcils levés, coins de la bouche vers le bas)

(g) La peur (sourcils rapprochés et rehaussés, paupières relevées, coins de la bouche rétractés)

▼ **FIGURE 12.14**
Les deux dimensions de l'émotion James Russell, David Watson, Auke Tellegen, et d'autres ont décrit les émotions comme des variations de deux composantes : *activation* (basse ou élevée) et *valence* (agréable ou désagréable).

Agréable/Positif

Relaxation — Enthousiasme, exaltation

Activation faible — **Activation élevée**

Tristesse, léthargie — Peur, colère

Désagréable/Négatif

Les ingrédients de l'émotion comprennent non seulement l'activation physiologique et le comportement expressif, mais aussi notre expérience consciente. De par le monde, différentes personnes placent les émotions ressenties selon les deux dimensions illustrées sur la **FIGURE 12.14** – les *valences* agréables (ou positives) opposées les valences désagréables (ou négatives), ou encore une *activation* faible opposée à une activation élevée (Russell et al., 1989, 1999a, b, 2009 ; Watson et al., 1999). Toute émotion représente une combinaison du sentiment de bien-être ou de mal-être et de vigilance activée ou apaisée. Sur les dimensions de la valence et de l'activation, *terrifié* est plus fort qu'apeuré (plus désagréable et plus activé) ; *enragé* est plus *fort qu'irrité* ; ravi *est plus fort* qu'heureux.

Examinons maintenant la colère et le bonheur. Quelles sont leurs fonctions ? Et qu'est-ce qui influence la façon dont nous les éprouvons ?

La colère

12-11 **Quelles sont les causes et les conséquences de la colère ?**

La colère, les sages l'ont dit, est « une courte folie » (Horace, 65-8 AV. J.-C.) qui « emporte l'esprit de suite » (Virgile, 70-19 AV. J.-C.) Et peut être « beaucoup plus blessante que la blessure qui l'a causée » (Thomas Fuller, 1654 à 1734). Mais ils parlent aussi de « nobles colères » (William Shakespeare, 1564-1616) « qui rendent brave n'importe quel poltron » (Caton, 234-149 AV. J.-C.) et « ramènent… la force » (Virgile).

Faisant face à une menace ou un défi, la peur déclenche la fuite mais la colère déclenche le combat, chacun d'eux étant un comportement adaptatif. Qu'est-ce qui nous met en colère ? La colère est parfois une réponse à quelque chose qui est perçue comme une mauvaise action de la part de quelqu'un en particulier lorsque l'action de l'autre semblait volontaire, injustifiée et évitable (Averill, 1983). Mais les petits tracas et les ennuis anodins – les odeurs infectes, les températures élevées, les embouteillages, les maux et les douleurs – ont aussi le pouvoir de nous mettre en colère (Berkowitz, 1990).

Et la colère peut nous être nocive : l'hostilité chronique est liée aux maladies cardiaques. La colère augmente la fréquence cardiaque, provoque la transpiration, et stimule la sécrétion de testostérone (Herrero et al., 2010 ; Kubo et al., 2012 ; Peterson & Harmon-Jones, 2012). La colère augmente le débit sanguin cérébral « du système d'alarme », qui nous oblige à réfléchir sur pourquoi nous sommes en colère (Denson et al., 2009). Comment, dans ce cas, pouvons-nous nous débarrasser de notre colère ? Selon une enquête Gallup menée chez des adolescents, les garçons disent qu'ils se sortent de cette situation ou passent leur colère en faisant de l'exercice physique ; les filles décrivent plus souvent qu'elles en parlent avec un ami, qu'elles écoutent de la musique ou qu'elles écrivent (Ray, 2005). Les livres et les articles de vulgarisation traitant de l'agressivité nous indiquent que libérer notre colère peut être meilleur que l'intériorisation de sa colère. Lorsque nous sommes irrités, devons-nous nous en prendre violemment à celui qui nous a offensés ? Les chroniqueurs qui donnent des conseils ont-ils raison de dire que l'on doit apprendre aux plus jeunes à exprimer leur colère ? Les thérapeutes du « recovery movement » (mouvement thérapeutique) ont-ils raison d'encourager notre colère contre nos parents décédés, de nous faire maudire nos patrons de façon imaginaire ou de nous confronter à ceux qui nous ont maltraités pendant l'enfance ?

Les cultures individualistes encouragent les gens à exprimer leur colère. Ces conseils sont rarement suivis par les sujets appartenant à une culture centrée sur la communauté. Les individus qui ressentent fortement leur *inter*dépendance voient la colère comme une menace pour l'harmonie du groupe (Markus et Kitayama, 1991). À Tahiti, par exemple, les gens apprennent à considérer les autres et à être courtois. Au Japon, dès l'enfance, l'expression de la colère est beaucoup moins fréquente que dans les pays de culture occidentale où la politique actuelle semble être de mettre la colère à la mode.

Dans les cultures occidentales, le conseil : « laissez votre colère s'exprimer » part de l'hypothèse que nous libérons notre colère en l'apaisant par des actions violentes ou des fantasmes (catharsis). Les expérimentateurs déclarent que *parfois* quand les gens répliquent à un provocateur, ils peuvent en effet se calmer (Geen & Quanty, 1977 ; Hokanson & Edelman, 1966 ; Vérone & Sullivan, 2008). Mais cela tend à être vrai que *si*

- ils dirigent leur contre-attaque vers le provocateur.
- leurs représailles semblent justifiables.
- leur cible n'est pas intimidante.

En bref, l'expression de la colère peut *temporairement* être apaisante *si* elle ne nous laisse pas avec un sentiment de culpabilité ou d'anxiété. Mais en dépit du sentiment de triomphe temporaire, la catharsis permet rarement de se débarrasser de sa colère. Le plus souvent, l'expression de la colère peut nourrir une colère plus forte. D'un côté, elle peut entraîner des représailles et envenimer un conflit mineur pour aboutir à une confrontation majeure. D'un autre côté, l'expression de la colère peut augmenter la colère. Comme *le comportement manifesté en rétroaction* la recherche démontre que l'*expression* de la colère peut encore la faire *croître* (Flack, 2006 ; Snodgrass et al., 1986). Une étude portant sur 100 ingénieurs et techniciens frustrés qui venaient d'être licenciés par une compagnie aérospatiale a mis en évidence les dégâts provoqués par la colère (Ebbesen et al., 1975). À certains, les chercheurs ont posé des questions libérant l'hostilité, telles que : « Pouvez-vous citer des circonstances au cours desquelles la société n'a pas été correcte avec vous ? » Après avoir exprimé leur colère, ces sujets ont rempli un questionnaire évaluant leur état d'esprit vis-à-vis de la compagnie. Cette occasion d'« évacuer » leur hostilité avait-elle permis de la réduire ? Pas du tout, au contraire. Ces personnes exprimèrent *plus* d'hostilité que celles avec qui des sujets neutres avaient été abordés.

> **Catharsis** libération émotionnelle. En psychologie, l'hypothèse de la catharsis soutient que « libérer » l'énergie exprimée dans l'agressivité (en action ou en imagination) apaise les pulsions agressives.

Le souffle libérateur Ma fille (DM) qui vit en Afrique du Sud, a ressenti une catharsis temporaire en encourageant son nouveau pays lors d'un match de la coupe du monde de football. « À chaque fois que j'étais en colère contre l'Uruguay, je soufflais dans la vouvouzela et unissais ma voix au chœur des protestataires, libérant quelque chose en moi. »

Mike Hutchings/Reuters/Landov

SIX CHIX

Catharsis : est-ce vrai ?

« La colère ne disparaîtra jamais tant que les pensées qui animent le ressentiment sont entretenues. »

Bouddha, 500 av. J.-C.

Dans une autre étude, des personnes qui avaient été provoquées devaient frapper dans un punching-ball en pensant à la personne qui les avait mises en colère. Ensuite lorsqu'on leur donna l'occasion de se venger, elles devinrent encore plus agressives. « Le fait de décharger son agressivité pour réduire sa colère revient à utiliser de l'essence pour éteindre un feu », conclut le chercheur Bushman (2002).

Lorsque la colère nourrit des actes ou des paroles agressives que nous regrettons plus tard, c'est une mauvaise adaptation. La colère peut amorcer des préjugés. Après les attentats du 11 Septembre, les Américains qui ont répondu plus par de la colère que par de la peur ont également fait preuve d'intolérance envers les immigrés et les musulmans (DeSteno et al., 2004 ; Skitka et al., 2004). Les éclats de colère qui nous calment temporairement sont d'une autre manière dangereux : ils peuvent se renforcer et constituer une habitude. Si les directeurs stressés peuvent éliminer une partie de leur tension en réprimandant un employé, la prochaine fois qu'ils se sentiront irrités et tendus, ils auront davantage tendance à exploser de nouveau. Réfléchissez : la prochaine fois que vous serez en colère, vous serez enclin à refaire ce qui a apaisé (et renforcé) votre colère dans le passé.

Quelle est donc la meilleure façon de maîtriser sa colère ? Les experts font trois suggestions.

- *Attendez.* Vous pouvez diminuer l'activation physiologique de la colère en attendant. « L'organisme est comme une flèche », note Carol Tavris (1982), « ce qui monte doit redescendre. Toute excitation émotionnelle va retomber si vous attendez suffisamment longtemps. »

- *Trouver un élément qui va distraire votre attention et la déplacer de l'objet de la colère.* Calmez-vous par l'exercice physique, la musique ou en confiant vos sentiments à un ami. L'imagerie cérébrale montre que ruminer intérieurement les raisons de votre colère ne fait qu'augmenter le flux sanguin dans l'amygdale (Fabiansson et al., 2012).

- *Décentrez-vous.* Essayez de vous déplacer mentalement, loin de la situation comme si vous la regardiez se dérouler à distance. La « décentration » réduit la rumination, la colère et agressivité (Kross & Ayduk, 2011 ; Mischkowski et al., 2012).

La colère n'est pas toujours mauvaise. Utilisée avec sagesse, elle peut communiquer une certaine force ainsi qu'une certaine compétence (Tiedens, 2001). La colère incite aussi les gens à agir et à atteindre les objectifs (Aarts et al., 2010). L'expression contrôlée de la colère est plus adaptative que les poussées hostiles ou les sentiments de colère contenus. Lorsque James Averill (1983) demanda à des participants de se souvenir ou de noter consciencieusement leurs expériences de colère, ils se sont souvent souvenus qu'ils réagissaient de façon autoritaire et non de façon blessante. Leur colère les entraînait souvent à discuter des problèmes avec la personne les offensant, diminuant ainsi la gravité de l'incident. La civilité signifie non seulement de garder le silence à propos des irritations triviales, mais aussi de communiquer sur celles qui sont importantes de façon claire et autoritaire. La constatation non accusatrice d'un sentiment, comme le fait de faire savoir à un partenaire : « Je me sens irrité quand tu me laisses tes assiettes sales à laver », peut aider à résoudre les conflits. La colère qui exprime un grief et qui pourrait aller vers la réconciliation plutôt que des représailles peut être bénéfique pour la relation à l'autre.

Qu'en est-il si le comportement de quelqu'un vous fait vraiment mal et que vous ne parvenez pas à résoudre le conflit ? La recherche recommande l'une des réponses les plus anciennes : le pardon. Sans laisser la personne qui vous a fait du mal s'en tirer à bon compte ni l'inviter à vous faire plus de mal encore, lui pardonner soulage la colère et calme le corps. Pour explorer les effets neuronaux du pardon, les étudiants allemands avaient subi une exploration radiologique par scanner de leur cerveau pendant que quelqu'un contrecarrait leur projet de gagner de l'argent (Strang et al., 2014). Ensuite, les élèves ont été invités à dire s'ils accordaient leur pardon à l'auteur du méfait. Le pardon a augmenté le débit sanguin vers les régions du cerveau qui aident les gens à comprendre leurs propres émotions et à prendre des décisions socialement appropriées.

EXERCICE RÉCAPITULATIF

- Lequel des éléments suivants fait partie d'une stratégie efficace pour réduire les sentiments de colère ?

  a. Riposter verbalement ou physiquement.

  b. Attendre ou se calmer

  c. Exprimer la colère en action ou en la simulant

  d. Se sentir blessé mais garder le silence

Réponse : b

Le bonheur

12-12 Quel est le *phénomène du « qui se sent bien, agit bien »* et quel est l'objet de la recherche de la psychologie positive ?

Les gens aspirent au bonheur et à la santé et souhaitent qu'il en soit de même pour l'autre Et pour une bonne raison. Le sentiment d'être heureux ou malheureux colore tous les aspects et moments de notre vie. Les gens heureux perçoivent le monde comme étant plus sûr et sont plus confiants. Ils prennent des décisions et coopèrent plus facilement. Ils évaluent les demandeurs d'emploi plus favorablement, savourent leurs expériences passées heureuses sans insister sur les ratages et se lient facilement. Ils vivent de manière plus saine, plus satisfaisante et plus énergique (DeNeve et al., 2013 Mauss et al., 2011). Lorsque votre humeur est sombre, c'est la vie dans son ensemble qui semble déprimante et insignifiante. Vous réfléchissez avec plus de scepticisme et vous vous occupez de manière plus critique de votre entourage. Laissez votre humeur s'améliorer, votre esprit s'ouvrir et devenez plus enjoué et créatif (Baas et al., 2008 ; Forgas, 2008b ; Fredrickson, 2013).

Cela permet d'expliquer pourquoi le bonheur des étudiants peut prédire leur vie future. Une étude a montré que ceux qui étaient les plus heureux à l'âge de 20 ans étaient plus susceptibles de se marier et moins susceptibles de divorcer (Stutzer & Frey, 2006). Au cours d'une autre étude, qui a enquêté sur des milliers d'étudiants américains en 1976 et les a réétudiés à l'âge de 37 ans, les étudiants heureux avaient réussi socialement et gagnaient significativement plus d'argent que leurs camarades moins heureux que la moyenne (Diener et al., 2002). Lorsque nous sommes heureux, nos relations, notre propre image et nos espoirs pour le futur semblent tous plus prometteurs.

De plus, et c'est l'une des découvertes les plus fiables de la psychologie, non seulement le bonheur nous permet de nous sentir bien, mais il *fait* aussi du bien. Études après études, une expérience qui active la bonne humeur (comme trouver de l'argent, réussir une tâche difficile ou se rappeler un événement heureux) rend les individus plus enclins à donner de l'argent, à ramasser le papier qu'autrui vient de laisser tomber, à donner son temps et faire d'autres bonnes actions. C'est ce que les psychologues appellent le **phénomène du « qui se sent bien, agit bien »** (Salovey, 1990).

L'inverse est également vrai : faire le bien favorise également un état de bien-être. Cet état, par exemple, conforte la volonté de faire don d'un rein. Et ce don d'organe renforce la sensation de bien-être du donneur (Brethel-Haurwitz & Marsh, 2014). Un sondage fait auprès de plus de 200 000 personnes dans 136 pays a constaté que, presque partout, les gens éprouvent du bonheur après avoir dépensé de l'argent pour autrui, plutôt que pour eux-mêmes (Aknin et al., 2,013). Certains conseillers en psychologie recommandent la pratique du *se sentir bien et bien agir* en exigeant des sujets supervisés, qu'ils fassent chaque jour une « bonne action » et qu'ils apprécient le bien-être ainsi procuré.

La psychologie positive

William James avait écrit à propos de l'importance du bonheur (« la motivation secrète de tout ce que nous faisons ») dès 1902. Dans les années 1960, les *psychologues dits humanistes* s'étaient intéressés à l'épanouissement de l'individu en tant que modèle de personnalité et en ne se référant pas aux profondeurs de l'inconscient, des conflits et des difficultés vécues dans l'enfance. Au vingt et unième siècle, sous la direction de l'ancien président de l'American Psychological Association, Martin Seligman, la **psychologie positive** met en œuvre des méthodes scientifiques pour étudier l'épanouissement humain en tant que modèle d'étude de la personnalité. Dans ce nouveau champ de la psychologie beaucoup d'études se sont intéressées au **bien-être subjectif**, perçu soit comme un sentiment de bonheur (parfois défini comme une proportion plus élevée de sentiments positifs que de sentiments négatifs) soit comme un sentiment de satisfaction de la vie. Par exemple, les chercheurs explorent :

- *les émotions positives* en évaluant des exercices et des interventions dont le but est d'accroître le bonheur (Schueller 2010 ; Sin & Lyubomirsky, 2009).
- *la santé positive* en étudiant comment les émotions positives améliorent et confortent le bien-être physique (Seligman, 2008 ; Seligman et al., 2011).
- *les neurosciences positives* en examinant les fondements biologiques des émotions positives, la résilience et le comportement social (www.posneuroscience.org).
- *l'éducation positive* en évaluant les efforts éducatifs pour accroître l'« engagement » des étudiants, la résilience, la force de caractère, l'optimisme et sens donné à sa vie (Seligman et al., 2009).

Phénomène du « qui se sent bien, agit bien » les individus ont tendance à être serviables s'ils sont de bonne humeur.

Psychologie positive étude scientifique de l'épanouissement humain, ayant pour objectif la découverte et le renforcement des forces et des qualités des individus et des communautés pour les aider à prospérer.

Bien-être subjectif sentiment de complétude et de bonheur procuré par une vie satisfaisante. Utilisé avec les mesures de bien-être objectif, critères physiques et économiques pour évaluer la qualité de vie des personnes.

Martin E. P. Seligman « Le but principal d'une psychologie positive est de mesurer, de comprendre, et ensuite de construire les forces humaines et les vertus civiques. »

Autorisation de Martin Seligman

Pris dans leur ensemble, la satisfaction tirée de sa vie passée, le bonheur vécu dans le présent, et la confiance en l'avenir définissent le premier pilier du mouvement de la psychologie positive : *le bien-être positif*. Seligman considère le bonheur comme la résultante d'une vie agréable, engagée, et à laquelle on a donné un sens.

La psychologie positive vise à construire non seulement une vie agréable, dit Seligman, mais aussi une vie bonne dans laquelle les qualités du sujet sont mises à profit, qui ont un sens et qui dépassent les seuls intérêts du sujet. Le deuxième pilier, *le caractère positif*, se concentre sur l'exploration et l'amélioration de la créativité, du courage, de la compassion, de l'intégrité, de la maîtrise de soi, de la sagesse de la spiritualité et de sa capacité à entraîner ses congénères.

Le troisième pilier, *groupes positifs*, *communautés*, et *cultures*, vise à favoriser un milieu de vie positif. Cela comprend la santé des familles, des quartiers salubres et vivables, des écoles communales qui remplissent pleinement leur mission, des médias socialement responsables, et le dialogue civique.

« La psychologie positive », ont dit Seligman et ses collègues en 2005, « est un terme générique désignant l'étude des émotions positives, des traits de caractère positifs, et des institutions favorisant l'épanouissement de la personnalité ». Son objectif diffère des intérêts traditionnels de la psychologie tels que définis au cours de son premier siècle d'existence. L'objet de la psychologie consistait en la compréhension et le soulagement des abus subis dans l'enfance, de l'anxiété, de la dépression de la maladie, des préjugés et de la pauvreté. En effet, des articles traitant des émotions négatives sélectionnés depuis 1887 sont plus nombreux que ceux portant sur l'étude des émotions positives dans un rapport de 17/1.

Dans le passé, les temps où régnaient une paix et une prospérité relative ont fait que la culture a eu pour vocation l'attention portée aux plus faibles, et les soins apportés à ceux qui souffraient. Ce que Seligman (2002) a appelé la promotion de « d'une meilleure qualité de vie » La prospère société athénienne du Ve siècle a enrichi la philosophie et a contribué à la naissance de la démocratie. Le XVe siècle, de la Renaissance, a vu la ville de Florence enrichir les Beaux-Arts. L'Angleterre Victorienne, dans l'élan de générosité de l'Empire britannique, a cultivé l'honneur, la discipline, et le sens du devoir. Dans ce millénaire, Seligman croit que la prospérité des cultures occidentales est une occasion similaire pour créer une œuvre monumentale humaine et scientifique à savoir une psychologie plus positive, soucieuse non seulement de la faiblesse et des blessures psychiques, mais aussi de la force mentale et de la vertu. Grâce à son charisme, le mouvement a gagné en force, avec des disciples dans 77 pays de la Croatie à la Chine (IPPA, 2009, 2010 ; Seligman, 2004, 2011). Les recherches qu'ils ont menées sur l'épanouissement humain nous ont donné un aperçu des nombreux aspects de notre bien-être, et des facteurs prédictifs du bonheur.

La psychologie aura-t-elle une mission plus positive au cours de ce siècle ? Sans mépriser la nécessité de panser les blessures psychiques et soigner les troubles mentaux, les praticiens de la psychologie positive l'espèrent. Ainsi l'*American Psychologist* et le *British Psychologist* ont publié des numéros spéciaux consacrés à la psychologie positive ; de nombreux livres ont été édités ; des scientifiques du monde entier travaillent en réseau au sein de groupes de recherche ; des prix, des bourses de recherche, des universités d'été, des programmes d'études supérieurs dotés de bourse de la psychologie positive ont été créés. Les psychologues ont raison d'être optimistes au vu de toutes ces actions. Tout faire pour promouvoir le versant d'une psychologie plus positive peut aider à atteindre l'objectif le plus ambitieux de Seligman : en l'an 2051, 51 % du monde sera « en plein essor ». « Nous avons tout en main pour être non seulement les témoins », dit-il, « mais aussi les acteurs de cet essor » (Seligman, 2011).

La courte vie des hauts et des bas émotionnels

12-13 Comment le temps, le bien-être, les capacités d'adaptation, et la comparaison aux autres modifient-ils notre niveau de bonheur ?

Certains jours de la semaine sont-ils plus emplis de bonheur que d'autres ? Examinant un échantillon de données qui est vraisemblablement le plus important que la psychologie n'ait jamais réuni, le psychosociologue Adam Kramer (à ma demande [DM] et grâce à la coopération de Facebook) a effectué une observation naturaliste des mots traduisant les émotions dans des milliards de mises à jour de profils. Après avoir éliminé les jours exceptionnels, comme les vacances, il a recherché la fréquence des mots traduisant des émotions positives et négatives selon les jours de la semaine. Quels sont les jours où l'humeur est la plus positive ? Le vendredi et le samedi (**FIGURE 12.15**). Une analyse similaire de mots liés aux émotions dans 59 millions messages Twitter a montré que du vendredi au dimanche, là étaient les plus beaux jours de la semaine (Golder & Macy, 2011). Est-ce le cas pour vous aussi ?

Sur le long terme, nos fluctuations émotionnelles ont tendance à s'équilibrer. C'est également vrai au cours d'une journée (**FIGURE 12.16**). Les émotions positives augmentent au cours de la première moitié de la journée puis diminuent (Kahneman et al., 2004 ; Watson, 2000). Les événements stressants – comme une dispute, avoir un enfant malade, une panne de voiture – peuvent déclencher une

« Le bonheur ne dure pas. »

Sénèque, *Agamemnon*, 60 AP. J.-C.

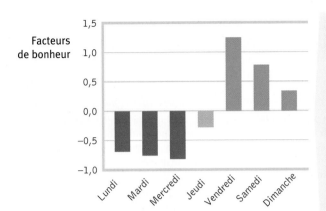

▼ **FIGURE 12.15**
Utilisation de la science de l'analyse des réseaux sociaux pour identifier les jours heureux Adam Kramer (correspondance personnelle, 2010) a relevé les mots évoquant des émotions positives et négatives parmi des « milliards » (le nombre exact est la propriété exclusive de l'auteur) écrits par les utilisateurs américains de Facebook entre le 7 septembre 2007 et le 17 novembre 2010.

La résistance humaine En 1994, 7 semaines après son mariage, Anna Putt, une anglaise du South Midlands que l'on voit ici avec Des, son mari, fut terrassée par une attaque vasculaire au niveau du tronc cérébral qui la laissa totalement dépendante. « Pendant les mois qui suivirent, se rappelle-t-elle, j'étais paralysée des pieds jusqu'au cou et incapable de communiquer. Ce furent des moments vraiment TRÈS angoissants. Mais grâce à ma foi et aux encouragements de ma famille, de mes amis et de l'équipe médicale, j'ai essayé de rester positive. » Au cours des 3 ans qui suivirent, elle redevint capable de « parler » (en faisant un signe de tête devant des lettres), de diriger un fauteuil roulant électrique avec sa tête et d'utiliser un ordinateur (l'inclinaison de la tête lui permet de guider un curseur relié à des lunettes). Malgré sa paralysie, elle dit « apprécier aller dehors à l'air frais ». Sa devise est « ne regarde pas en arrière, va de l'avant. Dieu ne voudrait pas que j'arrête d'essayer et je n'en ai pas l'intention. La vie est ce que vous en faites ! »

humeur sombre. Il n'y a là rien d'étonnant. Mais le lendemain, l'humeur sombre a presque toujours disparu (Affleck et al., 1994 ; Bolger et al., 1989 ; Stone et Neale, 1984). Nos jugements globaux que nous portons sur nos vies montrent que les bons ou les mauvais événements ont souvent des effets persistants, mais notre humeur généralement s'adapte à nouveau (Luhmann et al., 2012). S'il s'est produit quelque chose, la plupart des individus ont tendance à passer d'un jour sombre à une humeur *meilleure* que d'habitude le lendemain.

Même lorsque des événements négatifs s'étirent sur de plus longues périodes, notre mauvaise humeur s'arrête en général. Il peut sembler que les ruptures sentimentales sont dévastatrices, mais les blessures finissent par guérir. Les enseignants qui attendent d'être titularisés dans une université pensent qu'ils se sentiront rabaissés toute leur vie si le poste leur est refusé. En réalité, cinq à dix ans plus tard, le niveau de bonheur est à peu près le même que celui de ceux qui ont été titularisés (Gilbert et al., 1998).

La douleur suscitée par la perte d'un être cher ou l'anxiété liée à un traumatisme personnel (comme des mauvais traitements pendant l'enfance, un viol ou les horreurs de la guerre), peuvent persister. Mais en général même une tragédie n'entraîne pas un état dépressif permanent. Les personnes qui deviennent aveugles ou paralysés peuvent ne pas récupérer complètement leur état de bien-être précédent, mais ceux qui ont une personnalité dite agréable récupèrent généralement mieux et retrouvent des états de bonheur quotidien proches de ceux connus antérieurement (Boyce & Wood, 2011). Il en est de même de ceux qui doivent subir une dialyse rénale ou ont une colostomie permanente (Riis et al., 2005 ; Smith et al., 2009). Daniel Kahneman (2005) explique que « si vous devenez tétraplégique, vous commencerez petit à petit à penser à d'autres choses, et plus vous penserez à autre chose, moins vous vous sentirez malheureux ». Contrairement à ce que croient beaucoup de gens, même les patients « enfermés » dans leur corps immobile « souhaitent rarement mourir » (Bruno et al., 2008, 2011 ; Nizzi et al., 2012 ; Smith et Delargy, 2005).

La réalité est surprenante : *nous surestimons la durée de nos émotions et nous sous-estimons notre résistance et notre capacité d'adaptation.* (En tant que personne ayant hérité d'une perte d'audition et une évolution rejoignant celle de ma mère qui a passé les 13 dernières années de sa vie totalement sourde, ces résultats me donnent du courage [DM].)

« Le soir arrivent les pleurs et le matin, l'allégresse. »

Psaume 30 : 6. La Sainte Bible, Traduction L. Segond

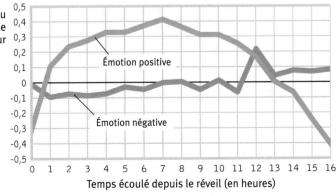

▼ **FIGURE 12.16**
Fluctuations de l'humeur au cours d'une journée Lorsque le psychologue David Watson (2000) eu analysé près de 4 500 descriptions de l'état de l'humeur de 150 personnes il a montré que l'humeur variait de façon positive et négative de part et d'autre d'une ligne moyenne.

Richesse et bien-être

« Pensez-vous que vous seriez plus heureux si vous gagniez plus d'argent ? » *Oui* répondirent 73 % des Américains interrogés lors d'un sondage Gallup en 2006. Quelle est l'importance de se « sentir très à l'aise financièrement » ? *C'est très important*, disent 82 % des étudiants américains entrant à l'Université (**FIGURE 12.17**).

Dans une certaine mesure, la richesse est corrélée au bien-être. Considérons ces découvertes :

- Dans la plupart des pays, et en particulier les pays pauvres, ceux qui ont beaucoup d'argent sont typiquement plus heureux que ceux qui en ont juste assez pour subvenir à leurs besoins vitaux (Diener et Biswas-Diener, 2009 ; Howell et Howell, 2008 ; Lucas et Schimmack, 2009). Comme nous le verrons, ils sont également en meilleure santé que ceux qui sont stressés par la pauvreté et le manque de contrôle de leur vie.

- Dans les pays riches, les gens sont également un peu plus heureux que dans les pays pauvres (Diener et al., 2009 ; Inglehart, 2008 ; Tay & Diener, 2011). Il en est de même des personnes vivant aux États-Unis et ayant les plus hauts revenus (Oswald et Wu, 2010).

Ainsi, il semble que d'avoir assez d'argent pour ne pas avoir faim et avoir un sentiment de contrôle sur votre vie permet d'acheter un peu de bonheur (Fischer & Boer, 2011). Des données australiennes confirment que le pouvoir de l'argent à accroître le bonheur est significatif pour les bas revenus et diminue à mesure que les revenus augmentent (Cummins, 2006). Une augmentation des salaires de 1 000 dollars annuels est bien plus importante pour les salariés moyens du Malawi que pour les salariés moyens vivant en Suisse. Cela implique, ajoute-t-il, que l'augmentation des bas salaires fera bien plus pour améliorer le bien-être des hommes que d'augmenter les hauts salaires.

Une fois que l'on a assez d'argent pour être à l'aise et se sentir en sécurité, en amonceler de plus en plus a de moins en moins d'importance. Vivre dans le luxe diminue notre capacité à savourer les plaisirs simples de la vie (Quoidbach et al., 2010). Si vous avez skié dans les Alpes, votre descente en luge de la colline voisine semble bien pâle en comparaison.

Considérez ceci : pendant la dernière moitié du vingtième siècle, le pouvoir d'achat moyen du citoyen américain a presque triplé. Cette richesse qui a permis l'achat de deux fois plus de voitures par individu, sans mentionner les ordinateurs portables, les iPad®, les téléphones portables et les TV-HD, a-t-elle également permis d'acheter plus de bonheur ? Comme le montre la **FIGURE 12.18**, l'Américain moyen est certainement plus riche, mais pas plus heureux. En 1957, 35 % des individus se disaient « très heureux », ils étaient un peu moins nombreux en 2012 (33 %). Il en est de même en Europe, en Australie et au Japon où l'augmentation du salaire réel n'a *pas* entraîné d'accroissement du sentiment de bonheur (Australian Unity, 2008 ; Diener et Biswas-Diener, 2002, 2009 ; Di Tella et Mac Culloch, 2010). En Chine le niveau de vie s'est élevé mais pas la satisfaction de la vie (Davey & Rato, 2012 ; Easterlin et al., 2012). De telles découvertes font l'effet d'une bombe pour le matérialisme moderne : *la croissance économique d'une société d'abondance n'améliore donc pas de manière apparente son bien-être social ou moral.*

Ironiquement, dans toutes les cultures, les personnes qui se battent le plus pour devenir riches ont tendance à avoir un bien-être plus faible. C'est particulièrement le cas de ceux qui veulent gagner davantage d'argent pour se prouver quelque chose, avoir du pouvoir ou se faire valoir plutôt que d'assurer le bien-être de leur famille (Ryan, 1999 ; Niemiec et al., 2009 ; Srivastava et al., 2001). Par contre ceux qui se battent pour obtenir une certaine intimité, un développement personnel et contribuer au bien-être d'une communauté ont une meilleure qualité de vie (Kasser, 2002, 2011).

« Mon cher Waldron, l'argent ne vous rendra pas plus heureux, Ainsi, au lieu d'une augmentation, je vais vous donner du Prozac. »

« Mais le côté positif est que l'argent ne peut pas acheter le bonheur, alors quelle importance ? »

« Les Australiens sont trois fois plus riches que leurs parents et grands-parents ne l'étaient dans les années 1950, mais ils ne sont pas plus heureux. »

Un manifeste pour le bien-être, 2005

▼ **FIGURE 12.17**
Les étudiants face au désir de biens matériels Enquêtes menées auprès de plus de 200 000 étudiants qui entrent chaque année dans les universités américaines. Ces enquêtes ont révélé que le désir de richesse croissait depuis les années 1970. (Données issues de *The Freshman américaine* enquêtes, UCLA, de 1966 à 2013.)

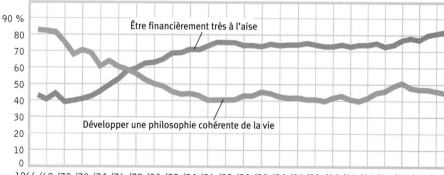

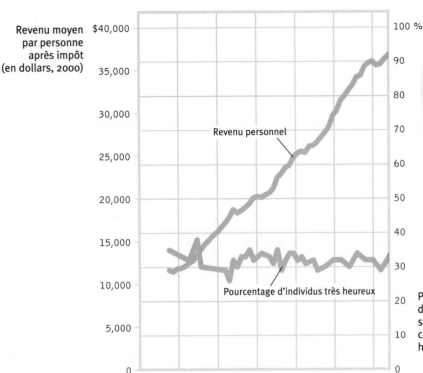

▼ FIGURE 12.18
L'argent peut-il acheter le bonheur ?
Il nous aide certainement à éviter certaines situations douloureuses. Pourtant, bien que le pouvoir d'achat ait presque triplé depuis les années 1950, le bonheur vécu de l'Américain moyen est resté pratiquement inchangé. (Happiness data from National Opinion Research Center surveys; income data from *Historical Statistics of the United States* and *Economic Indicators*)

Deux phénomènes psychologiques : l'adaptation et la comparaison

Deux principes psychologiques expliquent pourquoi, chez les personnes qui ne sont pas pauvres, plus d'argent n'apporte qu'un sentiment temporaire de bonheur et pourquoi nos émotions semblent comme attachées à des élastiques qui nous tirent vers le haut et vers le bas. Chaque principe suggère, à sa façon, que le bonheur est relatif.

Le bonheur est relatif à nos propres expériences

Le **phénomène du niveau d'adaptation** décrit notre tendance à juger divers stimuli par rapport à ce que nous avons vécu auparavant. Comme l'explique le psychologue Harry Helson (1898-1977), nous ajustons nos points de *neutralité* – par exemple le niveau auquel un son ne semble ni fort ni faible, une température ni chaude ni froide, un événement ni agréable ni déplaisant – en nous fondant sur notre expérience. Ensuite, nous enregistrons et réagissons à des variations au-dessus ou au-dessous de ces niveaux. Ainsi, après une première sensation de plaisir, ces améliorations deviennent notre « nouvelle normalité », et nous avons alors besoin de quelque chose d'encore mieux pour vivre une nouvelle époque de bonheur. Ce qui était merveilleux hier devient banal aujourd'hui.

Pourrions-nous créer un paradis social permanent ? Probablement pas (Campbell, 1975 ; Di Tella et al., 2010). Ceux qui ont récemment gagné à la loterie, bénéficié d'un héritage ou réalisé une économie importante ressentent souvent une sorte d'exaltation (Diener et Oishi, 2000 ; Gardner et Oswald, 2007). Ce serait pareil si vous vous éveillez demain dans votre utopie – peut-être un monde sans factures, sans maladies, avec des résultats parfaits, avec quelqu'un qui vous aime sans réserve. Mais très vite, vous allez peu à peu réajuster votre niveau d'adaptation et ajuster votre nouveau niveau neutre en incluant ces expériences. Rapidement, vous serez de nouveau parfois content (lorsque les résultats dépassent vos prévisions), parfois déprimé (lorsqu'ils sont au-dessous de vos prévisions) et parfois neutre. *Point à retenir :* la satisfaction ou le déplaisir, le succès ou l'échec sont tous des jugements que nous faisons en nous fondant sur nos expériences précédentes. Comme l'a remarqué Richard Ryan (1999), la satisfaction « a une demi-vie très courte ». Il en est de même de notre déception ce qui signifie que vous allez rebondir d'un revers bien plus tôt que vous ne l'espérez.

> **Phénomène du niveau de l'adaptation**
> notre tendance à former un jugement (à propos de sons, de lumières, ou de revenus) par rapport à un niveau neutre défini à partir de notre expérience antérieure.

« Le plaisir finit par se dissiper… Le plaisir est toujours conditionné au changement et disparaît une fois la satisfaction obtenue. »

Nico Frijda, psychologue néerlandais (1988)

« J'ai une maxime du style de celles que l'on trouve dans les "biscuits porte-bonheur" et dont je suis très fier : rien dans la vie n'est aussi important que ce que vous pouvez croire au moment où vous y pensez. Par conséquent, rien ne vous rendra jamais aussi heureux que vous l'imaginez. »

L. Kahneman, psychologue, lauréat du prix Nobel en sciences économiques ; Gallup interview, « What Were They Thinking? », 2005

> Privation relative sentiment d'être plus mal loti que ceux à qui l'on se compare.

L'effet de comparaison avec les autres contribue à expliquer pourquoi les étudiants ayant un niveau d'aptitude scolaire donné ont tendance à estimer que leur valeur est d'autant plus élevée qu'ils ont étudié dans une école où le niveau était médiocre (Marsh & Parker, 1984). Si à la sortie du lycée vous étiez en tête de classe, vous pourriez vous sentir inférieur aux autres élèves si vous entrez dans une école ou une université où tous les élèves étaient aussi en tête de classe.

« Comparez-vous et votre joie s'envolera. »

Attribué à Theodore Roosevelt

Le bonheur est relatif à la réussite des autres Nous sommes toujours en train de nous comparer aux autres. Et le fait que nous nous sentions bien ou mal dépend de qui sont ces autres (Lyubomirsky, 2001). Notre esprit n'est lent ou maladroit que lorsque les autres sont astucieux et agiles. Ce sentiment d'être plus mal loti que ceux auxquels nous nous comparons représente le concept de **privation relative.** Quand Miguel Cabrera a signé un contrat de 248 millions de dollars avec un club de baseball cela a dû faire chuter la satisfaction des autres joueurs célèbres, dont les contrats de plusieurs millions sont néanmoins inférieurs. De même, la poussée économique qui a augmenté la richesse de certains Chinois habitant en ville peut avoir alimenté chez d'autres un sentiment de privation relative (Davey & Rato, 2012 : Easterlin et al., 2012). Voir les autres réussir peut susciter chez nous de grands espoirs, mais lorsque les résultats sont inférieurs à ce que l'on avait espéré, la déception nous envahit.

La satisfaction vient moins de notre revenu que du classement de notre revenu (Boyce et al., 2010). Il vaut mieux gagner 50 000 $ lorsque les autres en gagnent 25 000 $ que de gagner 100 000 $ lorsqu'un de vos amis, un voisin ou un collaborateur en gagne 200 000 $ (Solnick et Hemenway, 1998, 2009). De même, une augmentation sera d'autant plus satisfaisante qu'elle sera supérieure à celle accordée à vos collègues (Graham, 2011).

De telles comparaisons nous aident à comprendre pourquoi les individus qui perçoivent un salaire moyen ou élevé dans un pays donné et qui se comparent aux individus relativement pauvres, ont tendance à être légèrement plus satisfaits de leur vie que leurs compatriotes moins riches. Malgré tout, lorsqu'une personne a atteint un revenu moyen, une augmentation ultérieure influence peu son bonheur. Pourquoi ? Parce que lorsque les gens gravissent l'échelle du succès, ils se comparent essentiellement à ceux qui sont à leur niveau actuel ou au-dessus (Gruder, 1977 ; Suls et Tesch, 1978 ; Zell et Alicke, 2010). « Un mendiant n'envie pas un millionnaire, mais il va envier un autre mendiant qui vit mieux que lui », note le philosophe britannique Bertrand Russell (1930, p. 90). Ainsi, « Napoléon enviait César, César enviait Alexandre qui, je le parie, enviait Hercule qui n'a jamais existé. Vous ne pouvez donc pas vous débarrasser de l'envie au moyen du seul succès, car il y aura toujours dans l'histoire ou dans la légende certaines personnes qui ont encore mieux réussi que vous » (p. 68-69).

Au cours des cinquante dernières années, les inégalités se sont aggravées dans les pays occidentaux. La marée économique montante, illustrée **FIGURE 12.18** a plutôt profité aux yachts qu'aux chaloupes. Cela a-t-il de l'importance ? Les lieux qui souffrent de grandes inégalités ont des taux de criminalité plus élevés, des prévalences de l'obésité, des troubles anxieux et l'usage de drogues plus élevées, et une espérance de vie plus faible (Kawachi et al., 1999 ; Ratcliff, 2013 ; Wilkinson & Pickett, 2009). Les époques et les lieux marqués par une plus grande inégalité des revenus ont également tendance à être moins heureux. Les comparaisons sociales faites par les sujets concernés expliquent aussi cette situation (Hagerty, 2000 ; Helliwell et al., 2013 ; Oishi et al., 2011).

De la même manière que le fait de se comparer avec ceux qui ont une meilleure situation que la nôtre peut engendrer de la jalousie, on peut s'estimer heureux lorsque nous nous comparons avec ceux qui sont plus malheureux. Au cours d'une étude, des femmes de l'université du Wisconsin-Milwaukee ont analysé les privations et les souffrances des autres (Dermer et al., 1979). Elles ont pu constater comme la vie était difficile à Milwaukee en 1900. Ils ont imaginé puis écrit sur diverses tragédies personnelles, comme étant brûlé et défiguré. Plus tard, les femmes ont exprimé une plus grande satisfaction de leurs propres vies. De la même manière, lorsque des individus légèrement déprimés lisent quelque chose à propos de quelqu'un de plus déprimé, ils se sentent un peu mieux (Gibbons, 1986). « Je pleurais car je n'avais pas de chaussures, jusqu'à ce que je rencontre un homme qui n'avait pas de pieds », dit un dicton persan.

Quels sont les facteurs prédictifs du bonheur ?

12-14 **Quels sont certains des facteurs prédictifs du bonheur ?**

Les personnes heureuses ont de nombreux caractères en commun (**TABLEAU 12.2**). Pourquoi certaines personnes semblent-elles si joyeuses et d'autres si sombres ? Là comme ailleurs, la réponse se trouve dans les interactions entre la nature et la culture (ou l'inné et l'acquis).

« Les chercheurs disent que je ne suis pas plus heureux en étant plus riche, mais sais-tu combien gagne un chercheur ? »

▼ **TABLEAU 12.2**
Le bonheur c'est...

Les chercheurs ont observé que les gens heureux avaient tendance à	Cependant, le bonheur ne semble quasiment pas relié à d'autres facteurs tels que
Avoir une bonne estime d'eux-mêmes (dans les pays qui prônent l'individualisme)	L'âge
Être optimistes, ouverts et agréables	Le sexe (les femmes sont plus souvent déprimées, mais aussi plus souvent joyeuses)
Avoir des amis proches ou un mariage heureux	La parentalité (avoir ou non des enfants)
Avoir un travail et des loisirs qui utilisent leurs aptitudes	La beauté physique
Avoir une foi religieuse authentique	
Bien dormir et faire de l'exercice	

* *Sources* : Résumé d'après 'DeNeve & Cooper (1998) ; Diener et al. (2003, 2011) ; Headey et al. (2010) ; Lucas et al. (2004) ; Myers (1993, 2000) ; Myers & Diener (1995, 1996) ; et Steel et al. (2008). Veenhoven (2014) propose une banque de données de plus de 13 000 corrélats de bonheur : worlddatabaseofhappiness.eur.nl.

Les gènes ont de l'importance. D'après une étude effectuée sur plusieurs centaines de vrais et faux jumeaux, environ 50 % des différences du niveau de bonheur chez les personnes sont dues à des facteurs héréditaires (Gigantesco et al., 2011 ; Lykken et Tellegen, 1996). D'autres études de jumeaux révèlent une héritabilité similaire ou légèrement inférieure (Bartles et Boomsma, 2009 ; Lucas, 2008 ; Nes et al., 2010). Les vrais jumeaux qui ont été élevés séparément sont souvent heureux de façon similaire. En outre, les chercheurs travaillent au niveau du noyau de la cellule afin de déterminer comment des gènes spécifiques peuvent influencer notre bonheur (De Neve et al., 2012 ; Fredrickson et al., 2013).

Mais notre histoire personnelle et notre culture ont également de l'importance. Sur le plan personnel, comme nous l'avons vu, nos émotions ont tendance à s'équilibrer autour d'un niveau défini pas nos expériences. D'un point de vue culturel, les groupes diffèrent en fonction des caractères qui ont de la valeur. L'estime de soi et la réussite ont plus d'importance dans les cultures occidentales qui valorisent l'individualisme. L'acceptation et l'harmonie sociales sont plus importantes dans les cultures communautaires comme au Japon qui mettent en valeur la famille et la communauté (Diener et al., 2003 ; Fulmer et al., 2010 ; Uchida et Kitayama, 2009).

Selon nos gènes, nos perspectives et nos expériences récentes, notre bonheur semble fluctuer autour d'un « point de référence » du bonheur qui dispose certaines personnes à être toujours optimistes et d'autres à être plus négatives. Même ainsi, après avoir suivi des milliers de vies pendant vingt ans, des chercheurs ont déterminé que la satisfaction que nous avons de notre vie n'est pas fixe (Lucas et Donnellan, 2007). Le bonheur peut augmenter ou diminuer et peut aussi être influencé par des facteurs que nous pouvons contrôler. Un exemple frappant : au cours d'une étude à long terme menée auprès de personnes vivant en Allemagne, les couples mariés étaient aussi satisfaits de leur vie que le sont des vrais jumeaux (Schimmack et Lucas, 2007). La qualité des relations a beaucoup d'importance.

Si nous pouvons augmenter notre bonheur au niveau *individuel*, pouvons-nous utiliser la recherche sur le bonheur pour rediriger nos priorités *nationales* vers l'atteinte du bonheur. Beaucoup de psychologues y croient. Ed Diener (2006, 2009, 2013), soutenu par 52 collaborateurs, a proposé des moyens permettant aux nations de mesurer le bien-être national. « Ceux qui font de la politique devraient s'intéresser au bien-être subjectif non seulement à cause de sa valeur inhérente pour les citoyens, mais aussi parce que le bien-être subjectif des individus peut avoir des impacts positifs pour la société en tant que tout. »

Les recherches sur le bonheur offrent de nouveaux moyens d'estimer l'impact de diverses politiques publiques, nous disent Diener et ses collaborateurs. Les sociétés heureuses sont non seulement prospères mais ce sont également des lieux où les gens se font confiance, se sentent libres et apprécient des relations étroites (Helliwell et al., 2013 ; Oishi et Schimmack, 2010). Ainsi lorsque nous débattons des revenus minimums, des inégalités économiques, du taux des impôts, des lois sur le divorce, des soins de santé et de l'urbanisation, le bien-être psychologique des personnes devrait être une des considérations principales. Ce point est maintenant affirmé

« Je devrais me lamenter en pensant à ces années perdues à accumuler une fortune, alors que j'apprends que mon bonheur est génétiquement programmé. »

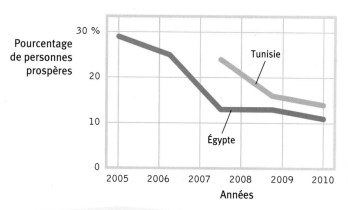

par 41 gouvernements qui ont ajouté des mesures de bien-être à leurs priorités nationales (Diener, 2013). Une enquête annuelle menée auprès de la population de la Grande-Bretagne, par exemple, demande à ses citoyens la façon dont ils se sentent satisfaits de leur vie, la façon dont ils jugent que leur vie est pénible, et si par le passé ils se sentaient plus anxieux ou plus heureux (BLS, 2012). L'Organisation de coopération et de développement économiques (2013) a proposé des lignes directrices à ses 34 pays membres pour savoir comment évaluer, à l'aide de questionnaires, le bien-être des citoyens. Le pouvoir prédictif de l'estimation du bien-être national était bien visible en 2011, lorsque les gouvernements de Tunisie et d'Égypte ont été renversés. Les révoltes populaires furent la conséquence du déclin du sentiment de satisfaction de leur vie (**FIGURE 12.19**).

▼ FIGURE 12.19

Déclin du sentiment de bien-être en Égypte et en Tunisie avant les révoltes populaires Les sondages Gallup ont évalué le pourcentage de la population qui prospérait. Le critère était une note de satisfaction de leur vie égale à 7 ou plus avec l'espoir pour les cinq prochaines années d'atteindre une note égale à 8. L'échelle d'évaluation proposée comprenait dix degrés. Ce bien-être a commencé à décliner avant les manifestations de 2011, qui ont conduit à un changement de gouvernement, et les a annoncées. (Données Clifton & Morales, 2011.)

Suggestions, fondées sur des preuves, pour mener une vie plus heureuse[1]

Votre bonheur, comme votre taux de cholestérol, est une prédisposition génétique. Cependant, comme le taux de cholestérol est influencé par le régime alimentaire et l'exercice, le bonheur est en partie sous notre contrôle (Layous & Lyubomirsky, 2014 ; Nes, 2010). Voici 11 suggestions fondées sur la recherche pour améliorer votre humeur et augmenter votre satisfaction de la vie.

1. *Prenez conscience que le bonheur durable n'est pas obligatoirement dû à la réussite financière.* Nous nous adaptons à changer en ajustant nos attentes. Ni la richesse, ni toute autre situation à laquelle nous aspirons, ne garantiront le bonheur.

2. *Maîtrisez votre temps.* Les gens heureux ont le sentiment de contrôler leur vie. Pour maîtriser votre emploi du temps, établissez des objectifs et répartissez-les en objectifs quotidiens. Cela peut paraître frustrant au début parce que nous avons tous tendance à surestimer la quantité de choses que nous pouvons accomplir dans une journée donnée. La bonne nouvelle c'est que nous *sous-estimons* ce que nous pouvons accomplir en une année, en y travaillant un peu tous les jours.

3. *Agissez comme si vous étiez heureux.* La recherche montre que les gens qui sont manipulés pour afficher une expression souriante se sentent mieux. Affichez donc un visage heureux. Parler *comme si* vous aviez une estime de vous positive, soyez optimiste et ouvert. Nous pouvons souvent agir sur nous pour atteindre un état d'esprit plus heureux.

4. *Cherchez un travail et des loisirs qui engagent vos compétences.* Les gens heureux se trouvent dans un état de *flux* plongés dans une tâche qui leur impose un défi sans pour autant la trouver accablante. Le plus cher des loisirs (rester assis sur un yacht) ne permet pas de ressentir le flux le plus simple procuré par le jardinage, la socialisation, ou les travaux d'artisanat.

5. *Partagez des moments de vie, cela vous rendra plus heureux que l'accumulation de biens.* Dépensez votre argent pour vivre des moments qui vous enchanteront, dont vous pourrez parler, dont vous pourrez vous souvenir cela vous enrichira plus que l'achat d'objets (Carter & Gilovich, 2010 ; Kumar & Gilovich, 2013). Cela est particulièrement vrai pour les moments vécus en partage (Caprariello & Reis, 2012). Les études coûtent cher, mais ce qu'elles procurent n'a pas de prix. Mais comme l'a dit cet expert qu'était Art Buchwald, « Les meilleures choses dans la vie ne sont pas les choses. »

6. *Rejoignez le mouvement « de ceux qui bougent ».* Les exercices d'aérobic peuvent soulager la dépression et l'anxiété légère et promouvoir la santé et de l'énergie. Les esprits sains habitent des corps sains. Remuez votre popotin au lieu de rester assis sur le canapé !

---

1. Résumé de David G. Myers, *The Pursuit of Happiness* (Harper).

RubberBall Sélectionne/Alamy

7. *Donnez à votre corps le sommeil dont il a besoin.* Les gens heureux mènent une vie active mais réservent du temps au sommeil réparateur et à la solitude. Beaucoup de gens souffrent d'une dette de sommeil, ce qui se traduit par une fatigue constante une diminution de la vigilance et une humeur sombre.

8. *Privilégiez les relations proches.* Des amitiés sincères peuvent vous aider à surmonter les moments difficiles. Se confier à quelqu'un est bon pour le corps et l'esprit. Comparés à ceux qui ne sont pas heureux, les gens heureux s'engagent moins dans des petits bavardages superficiels et bien plus dans des conversations ayant un sens (Mehl et al., 2010). Ne donnez pas à ceux que vous aimez, le sentiment qu'ils ne comptent *pas* en prenant la résolution d'être attentifs à ceux qui vous sont proches. En étant bienveillant avec eux comme vous pouvez l'être avec d'autres, en les soutenant, en jouant avec eux et en partageant des choses avec eux.

9. *Ne vous focalisez pas sur vous-même.* Ouvrez-vous à ceux qui en ont besoin. Accomplissez des actes de bonté. Les gens heureux sont plus serviables (ceux qui se sentent font du bien). Mais faire le bien autour de soi procure aussi du bien-être.

10. *Comptez vos bienfaits et notez vos gratitudes.* Tenir un journal de gratitude augmente le bien-être (Emmons, 2007 ; Seligman et al., 2005). Quand quelque chose de bien arrive, comme une réussite, prenez le temps de l'apprécier et de savourer l'expérience (Sheldon & Lyubomirsky, 2012). Mémorisez les événements positifs et pourquoi ils se sont produits. Exprimez votre reconnaissance aux autres.

11. *Soyez attentif à votre moi spirituel.* Pour beaucoup de gens, la foi est un moyen de faire partie d'une communauté de soutien, une raison de se focaliser au-delà de soi-même, et un sentiment de but et d'espoir. Cela permet d'expliquer pourquoi les personnes actives dans les communautés de foi font preuve de plus de bonheur et s'en sortent souvent bien lors des moments difficiles.

EXERCICE RÉCAPITULATIF

- Lesquels des facteurs suivants ne sont PAS prédictifs du bonheur tel que décrit par les sujets ? Quels sont les meilleurs facteurs prédictifs du bonheur ?

  a. Âge

  b. Traits de personnalité

  c. Relations amicales et sociales étroites

  d. Sexe

  e. Sommeil et l'exercice

  f. La foi religieuse

Réponses : L'âge et le sexe (a et d.) ne sont PAS des facteurs prédictifs du bonheur. Les meilleurs facteurs prédictifs sont les traits de la personnalité, les relations amicales et sociales étroites, le sommeil, l'exercice et la foi religieuse (b., c., e. et f.).

REVUE GÉNÉRALE Ressentir l'émotion

OBJECTIFS D'APPRENTISSAGE

EXERCICE RÉCAPITULATIF Prenez un moment pour répondre à chacune de ces questions objectif d'apprentissage (répétées ici au sein de cette section). Puis allez à l'annexe C, révision complète du chapitre, pour vérifier vos réponses. La recherche suggère que d'essayer de répondre à ces questions de votre propre initiative permettra d'améliorer la mémorisation à long terme de ces réponses (McDaniel et al., 2009).

12-10 Quelles sont les émotions fondamentales et quelles sont les deux dimensions qui permettent de les différencier ?

12-11 Quelles sont les causes et les conséquences de la colère ?

12-12 Quel est le phénomène du *« qui se sent bien, agit bien »* et quel est l'objet de la recherche de la psychologie positive ?

12-13 Comment le temps, le bien-être, les capacités d'adaptation, et la comparaison aux autres modifient-ils notre niveau de bonheur ?

12-14 Quels sont certains des facteurs prédictifs du bonheur ?

TERMES ET CONCEPTS À RETENIR

EXERCICE RÉCAPITULATIF Testez votre connaissance de ces termes en essayant d'écrire leur définition, avant de vous reporter aux pages indiquées en référence pour vérifier votre réponse.

catharsis, p. 477

phénomène du « qui se sent bien, agit bien », p. 479

psychologie positive, p. 479

bien-être subjectif, p. 479

phénomène d'adaptation, p. 483

privation relative, p. 484

Stress et maladie

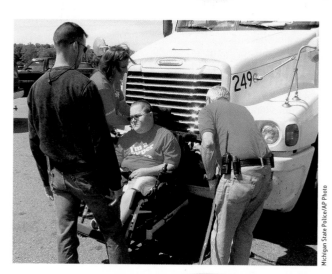

Le stress extrême Enregistrement audio de quelqu'un appelant le 911 parlant de l'état de détresse de Ben Carpenter : « Tu ne vas pas le croire. Il y a un semi-remorque qui pousse un gars en fauteuil roulant sur l'autoroute Red Arrow ! »

ÉPROUVEZ-VOUS SOUVENT DU STRESS dans votre vie quotidienne ? Jamais ? Rarement ? Parfois ? Ou très souvent ? Lorsque des enquêteurs posèrent une question semblable à d'autres étudiants, environ 85 % répondirent avoir ressenti du stress au cours des trois derniers mois et la plupart dirent que cela avait bloqué leur travail scolaire au moins une fois (Associated Press, 2009). À l'entrée dans une grande école ou une université, 18 % des garçons et 39 % des filles disent être souvent dépassés par tout ce qu'ils ont dû faire au cours de l'année passée (Pryor et al., 2011).

Le stress vous frappe souvent sans prévenir. Imaginez le stress de Ben Carpenter, un homme de 21 ans qui a vécu le voyage le plus violent et le plus rapide du monde en chaise roulante. Comme il traversait une rue, ses poignées de fauteuil roulant se sont retrouvées coincées dans la calandre d'un camion semi-remorque. Le conducteur, ignorant de l'accident, a accéléré sur l'autoroute, en poussant le fauteuil roulant à une vitesse de 80 km par heure ! « C'était très effrayant », dit Ben qui souffrait de dystrophie musculaire.

Dans cette partie nous allons explorer le stress. Commençons par quelques termes de base.

Le stress : quelques concepts fondamentaux

12-15 Quels sont les événements qui provoquent les réponses de stress, et comment répondons-nous et nous adaptons-nous au stress ?

Le *stress* est un concept difficile à appréhender. Nous utilisons parfois le terme de stress de façon informelle pour désigner des menaces ou des défis (« Ben a subi beaucoup de stress »), d'autres fois pour décrire nos réponses (« Ben a ressenti un stress violent »). Pour un psychologue, le trajet dangereux du camion était un *facteur de stress*. Les réactions physiques et émotionnelles de Ben étaient une *réaction de stress*. Et le processus par lequel il a été menacé par le camion était aussi un *stress*. Par conséquent, le **stress** est le processus au cours duquel nous évaluons et prenons en compte les menaces et les défis de notre environnement (**FIGURE 12.20**). Le stress provient moins des événements eux-mêmes que de la manière dont nous les évaluons (Lazarus, 1998). En entendant des bruits grinçants, une personne seule dans sa maison peut les ignorer et ainsi ne pas éprouver de stress, tandis qu'une autre soupçonnant la présence d'un intrus s'inquiète. Une personne peut juger une nouvelle activité professionnelle comme un défi bienvenu, tandis qu'une autre peut la percevoir comme un risque d'échec.

▼ **FIGURE 12.20**
Évaluation du stress Les événements de nos vies passent par un filtre psychique. Comment nous évaluons la portée d'un d'événement, l'intensité du stress que nous vivons et comment nous y répondons efficacement.

Événement stressant
(un test de mathématiques compliqué)

Évaluation

Menace
(« Oh là là ! Je n'y comprends rien ! »)

Défi
(« Je dois appliquer tout ce que je sais »)

Réponse

Stress faisant perdre la tête

Activation, concentration

S'ils sont éphémères ou perçus comme un défi, les facteurs de stress peuvent avoir des effets positifs. Un stress momentané peut mobiliser le système immunitaire pour lutter contre les infections et guérir les blessures (Segerstrom, 2007). Le stress peut également nous stimuler et nous motiver pour vaincre les difficultés. Dans une enquête Gallup World Poll, ceux qui ont été stressés mais pas déprimés ont déclaré avoir été stimulés et satisfaits de leur vie. Ceci est l'opposé du ralentissement dépressif décrit par ceux qui étaient déprimés mais non stressés (Ng et al., 2009). Les athlètes victorieux, les artistes qui ont du succès, les grands professeurs et les grands leaders brillent et se surpassent lorsqu'ils sont stimulés par un défi (Blascovich et Mendes, 2010). Comparés à la population générale, les dirigeants militaires et commerciaux produisent des niveaux inférieurs à la moyenne d'hormones de stress et sont moins anxieux (Sherman et al., 2012). Après avoir surmonté un état de stress important, certaines personnes reviennent avec une meilleure estime d'elles-mêmes, une spiritualité accrue et le sentiment d'avoir un but dans la vie. En effet, l'expérience d'un état de stress au début de la vie renforce la résilience (Seery, 2011). Parfois, l'adversité engendre la croissance.

Mais un stress intense ou prolongé peut être nocif. Les métiers difficiles et exigeants qui épuisent mentalement ceux qui les exercent ont des conséquences fâcheuses sur la santé physique (Huang et al., 2010). Les femmes enceintes qui vivent des situations stressantes ont tendance à avoir des grossesses plus courtes, dommageables pour la santé des enfants (Entringer et al., 2011).

Notre psychisme influence notre santé somatique. Cela n'a rien de surprenant. *Les recherches de cette médecine comportementale apportent cependant un nouveau rappel de l'un des thèmes majeurs de la psychologie contemporaine : le corps et l'esprit interagissent.* Avant de les explorer, intéressons-nous de plus près aux facteurs de stress et aux réactions face au stress.

> **Stress** processus par lequel nous percevons et répondons à certains événements, appelés les *facteurs de stress*, et que nous interprétons comme une menace ou une mise à l'épreuve.

« Beaucoup trop de parents rendent la vie dure à leurs enfants en essayant, avec trop de zèle, de la rendre facile pour eux-mêmes. »

Johann Wolfgang von Goethe (1749-1832),
poète et dramaturge allemand

Les facteurs de stress : les facteurs déclenchants

Les facteurs de stress sont répartis en trois grandes catégories : les catastrophes, les changements importants de l'existence et les soucis quotidiens. Ils peuvent tous être nocifs.

Les catastrophes Ce sont des événements imprévisibles, à grande échelle, tels qu'une guerre, un tremblement de terre, les explosions, les inondations et les tempêtes. Après de tels événements, les conséquences sur la santé physique et émotionnelle peuvent être considérables. Au cours des quatre mois qui ont suivi le passage de l'ouragan Katrina, le taux de suicide chez les habitants de la Nouvelle-Orléans a triplé (Saulny, 2006). Et dans les enquêtes effectuées dans les trois semaines après les attaques terroristes du 11 septembre 2001, 58 % des Américains ont dit qu'ils éprouvaient plus que la moyenne un sentiment d'hyper-vigilance et un état anxieux (Silver et al., 2002). Les personnes vivant dans la région de New York étaient particulièrement susceptibles de présenter de tels symptômes (HMHL, 2002 ; NSF, 2001). Regarder longuement les images télévisées des attaques du 11 Septembre est prédictif de la survenue deux à trois ans plus tard de conséquences fâcheuses pour la santé (Silver et al., 2013).

© Julien Tack

Le stress toxique Des événements imprévisibles, les grandes catastrophes naturelles telles que le tremblement de terre qui a dévasté Haïti en 2010, augmentent l'incidence des maladies liées au stress. Lorsqu'un tremblement de terre a frappé Los Angeles en 1994, le nombre de morts subites, dues à des crises cardiaques, a été multiplié par cinq. La plupart sont survenues dans les deux premières heures qui suivaient le tremblement de terre et près de l'épicentre, et étaient sans rapport avec l'effort physique (Muller & Verrier, 1996).

Pour les réfugiés qui fuient leur pays d'origine après une catastrophe, le stress est double : d'une part, le traumatisme du déracinement et de la séparation avec la famille et, d'autre part, la difficulté à s'adapter à une culture étrangère qui a son langage, ses particularités ethniques, son climat et ses normes sociales spécifiques (Pipher, 2002 ; Williams et Berry, 1991). Au cours des six premiers mois, avant que leur moral commence à remonter, ces réfugiés ressentent souvent un choc culturel et une dégradation de leur bien-être (Markovizky et Samid, 2008). Dans les années à venir, de telles migrations peuvent devenir de plus en plus fréquentes en raison du changement climatique.

Événements de vie significatifs   Les transitions de la vie – quitter la maison, subir un divorce, perdre son emploi, le décès d'un être cher – sont souvent douloureusement ressenties. Même les événements heureux, comme un mariage, peuvent être stressants. Beaucoup de ces changements se produisent au cours de l'âge adulte. Une enquête, dans laquelle on a demandé à 15 000 adultes canadiens « Imaginez-vous essayant d'entreprendre trop de choses à la fois », a montré que cela a provoqué chez les jeunes adultes les états de stress les plus importants (Statistique Canada, 1999). Le stress des jeunes adultes a été également visible lorsqu'on demanda à 650 000 Américains s'ils avaient ressenti beaucoup de stress le jour précédent l'enquête (**FIGURE 12.21**).

Certains psychologues étudient les effets sur la santé de ces changements dans la vie en suivant des sujets au cours du temps. D'autres comparent les changements d'existence évoqués par ceux qui ont eu ou n'ont pas eu de problèmes de santé spécifiques comme, par exemple, une crise cardiaque. De telles études ont montré que les personnes veuves, divorcées ou licenciées depuis peu étaient plus vulnérables aux maladies (Dohrenwend et al., 1982 ; Strully, 2009). Une étude finlandaise portant sur 96 000 personnes veuves a confirmé ce phénomène : leur risque de décès doublait dans la semaine suivant la mort de leur partenaire (Kaprio et al., 1987). L'accumulation des situations de crise – perte d'emploi, perte du domicilie et de sa compagne ou son compagnon – majore les risques.

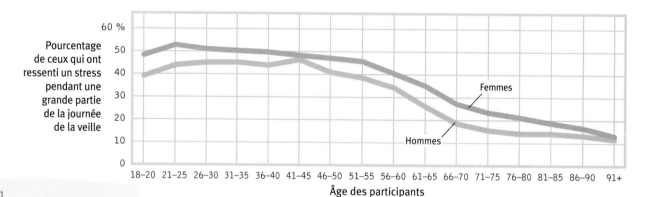

▼ FIGURE 12.21
L'âge et le stress Un sondage Gallup-Healthways réalisé en 2008 et 2009 auprès de plus de 650 000 Américains a montré que les jeunes souffraient plus d'un état de stress quotidien. (Données de Newport & Pelham, 2009.)

Soucis quotidiens   Les événements n'ont pas besoin de bouleverser notre vie pour être stressants. Les *ennuis de tous les jours* sont des facteurs de stress : les liaisons téléphoniques défectueuses, un colocataire exaspérant, les files d'attente dans les magasins, le trop-plein de choses à faire, les courriels et les « spams » qui nous contrarient, le bruit ambiant (Lazarus, 1990 ; Pascoe & Richman, 2009 ; Ruffin, 1993). Certaines personnes hors haussent ces tracas. Pour certaines personnes, ces ennuis quotidiens peuvent s'accumuler et porter un coup à la santé et au bien-être.

Beaucoup de personnes font face à des problèmes quotidiens plus importants. Lorsque la grande crise de 2008-2009 était à son maximum, les facteurs de stress cités par les Américains étaient le plus souvent liés à l'argent (76 %), au travail (70 %) et à l'économie (65 %) (APA, 2010). Dans les quartiers et zones défavorisées de nombreuses personnes sont confrontées régulièrement à l'insuffisance des revenus, au chômage, à la monoparentalité, et à la surpopulation. Ces facteurs de stress font partie de leur vie quotidienne.

Les pressions économiques quotidiennes peuvent être combinées à des préjugés « anti-gay » ou au racisme qui, comme les autres facteurs de stress, ont des conséquences psychologiques et physiques (Lick et al., 2013 ; Pascoe & Richman, 2009 ; Schetter et al., 2013). Penser que les personnes que vous rencontrez tous les jours se méfient de vous, ne vous aiment pas ou mettent en doute vos compétences rend votre vie quotidienne particulièrement stressante. Le stress qui est prolongé a des conséquences sur notre santé et notre système cardiovasculaire en particulier. Pour de nombreux Afro-Américains, l'hypertension artérielle est une conséquence du stress (Mays et al., 2007 ; Ong et al., 2009).

Le système de réponse au stress

L'intérêt médical pour le stress remonte à Hippocrate (460-377 av. J.-C.). Mais ce n'est que dans les années 1920 que Walter Cannon (1929) confirma que la réponse au stress faisait partie d'un système unifié corps-esprit. Il observa que le froid extrême, le manque d'oxygène et les incidents stimulant l'émotivité suscitaient une libération par la partie centrale des glandes surrénales (médullo-surrénale) des hormones du stress, surtout l'adrénaline et la noradrénaline. Lorsqu'il est alerté par l'un des nombreux circuits cérébraux, le système nerveux sympathique est stimulé et prépare la réponse somatique adaptative que Cannon a résumée dans l'aphorisme *combattre ou fuir*. Les fréquences, cardiaques et respiratoires augmentent et le sang de la circulation splanchnique est détourné vers les circulations des muscles striés, la douleur est atténuée et les sucres et les graisses sont libérés des réserves corporelles.

Depuis Cannon, les physiologistes ont identifié un deuxième système de réponse au stress. Sur des instructions provenant du cortex cérébral (via l'hypothalamus et l'hypophyse), la partie externe des glandes surrénales (cortico-surrénale) sécrète des hormones de stress de type *glucocorticoïde*, comme le *cortisol*. Le biologiste Robert Sapolsky nous explique (2003) que ces deux systèmes œuvrent à des vitesses différentes : « Dans le scénario combattre ou fuir, l'adrénaline est l'hormone qui distribue les armes ; les glucocorticoïdes nous permettent d'établir les plans pour les nouveaux porte-avions nécessaires à l'effort de guerre ». Les armes liées à l'adrénaline ont tiré très rapidement lors d'une expérience involontaire sur un vol de la compagnie British Airways, entre San Francisco et Londres. Trois heures après le décollage, un message erroné informait les passagers que leur avion était sur le point de s'écraser dans l'océan. Bien que les membres de l'équipage se soient immédiatement rendu compte de l'erreur et aient tenté de calmer les passagers terrifiés, beaucoup d'entre eux ont eu besoin d'une aide médicale (Associated Press, 1999).

Les quarante années de recherche sur le stress du scientifique canadien Hans Selye (1936, 1976) ont permis de développer les découvertes de Cannon. Les réactions des animaux à différents facteurs de stress, comme des chocs électriques ou une intervention chirurgicale, ont contribué à faire du stress un concept majeur à la fois en psychologie et en médecine. Selon Selye, la réponse adaptative du corps au stress était si générale, qu'elle se met en marche quel que soit l'intrus comme une simple alarme antivol. Il l'appela **syndrome général d'adaptation (SGA)** et voyait ce processus composé de trois phases (**FIGURE 12.22**). Supposons que vous souffriez d'un choc physique ou émotionnel.

▼ FIGURE 12.22

Syndrome général d'adaptation de Selye Quand la galerie d'une mine d'or et de cuivre s'est effondrée en 2010, au Chili, les familles et les amis des mineurs se sont précipités sur le lieu de la catastrophe et redoutèrent le pire. Beaucoup de ceux qui se tenaient éveillés, à l'extérieur de la mine étaient quasiment épuisés par le stress lié à l'inquiétude et à l'attente. Au bout de dix-huit jours, ils ont reçu des nouvelles des 33 mineurs qui, par bonheur, étaient vivants.

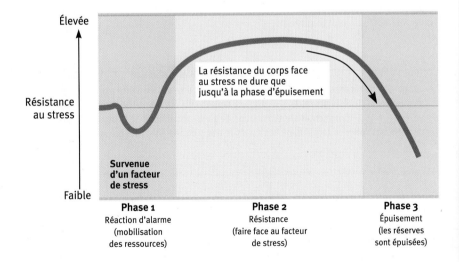

Phase 1
Réaction d'alarme
(mobilisation
des ressources)

Phase 2
Résistance
(faire face au facteur
de stress)

Phase 3
Épuisement
(les réserves
sont épuisées)

La résistance du corps face au stress ne dure que jusqu'à la phase d'épuisement

- Pendant la *phase 1*, vous éprouvez une *réaction d'alarme* due à l'activation soudaine de votre système nerveux sympathique. Votre fréquence cardiaque augmente. Le sang est détourné ver vos muscles striés Vous sentez le malaise dû au choc. Grâce à la mobilisation de vos ressources, vous êtes maintenant prêt à affronter le problème de la phase 2, celle de résistance.

- Pendant la *phase 2*, votre *résistance*, votre température, votre pression artérielle et votre fréquence respiratoire demeurent élevées. Vos glandes surrénales sécrètent des hormones dans votre circulation sanguine. Vous vous engagez totalement et rassemblez toutes vos forces pour faire face au problème. À mesure que le temps passe, si le stress persiste, les réserves de votre organisme diminuent.

- Vous avez atteint la *phase 3, l'épuisement*. Durant cette phase, vous êtes plus vulnérable à la maladie ou même, dans des cas extrêmes, à l'effondrement et à la mort.

Le principe fondamental de Selye : bien que le corps humain soit conçu pour supporter un stress temporaire, un stress prolongé peut entraîner une détérioration physique. Le stress vécu dans la petite enfance est insidieux et conduit à de plus grandes réponses au stress et à un risque de maladie accru, à l'âge adulte (Miller et al., 2011). La production par le cerveau de nouveaux neurones se ralentit et certains circuits nerveux dégénèrent (Dias-Ferreira et al., 2009 ; Mirescu et Gould, 2006). Une étude récente a montré qu'un raccourcissement des *télomères* – fragments d'ADN situés à l'extrémité des chromosomes – se produisait chez des femmes prenant en charge des enfants handicapés (Epel et al., 2004). Lorsque ces fragments d'ADN, appelés télomères, deviennent trop courts, la cellule ne peut plus se diviser et finit par mourir. Les cellules des femmes les plus stressées paraissaient dix ans plus vieilles que leur âge chronologique. Cela peut aider à comprendre pourquoi les gens soumis à d'importants stress semblent vieillir plus vite. Même les rats craintifs, facilement stressés, meurent plus vite (au bout de six cents jours environ) que leurs congénères plus confiants, dont l'espérance de vie est d'en moyenne sept cents jours (Cavigelli et McClintock, 2003).

Il y a d'autres façons de « gérer » le stress. Lors de la mort d'un être cher, l'isolement est souvent adopté. Se retirer. Économiser l'énergie. En face d'une catastrophe extrême, par exemple le naufrage d'un bateau, certaines personnes deviennent paralysées par la peur. Une autre réaction (plus fréquente chez les femmes) consiste à rechercher et à apporter du soutien (Taylor et al., 2000, 2006). Ce comportement de **la main tendue et de l'offre de son amitié** est bien visible dans les démonstrations d'entraide qui font suite à une catastrophe naturelle.

Face au stress, les hommes plus que les femmes ont tendance à se retirer socialement, à se tourner vers l'alcool ou à devenir agressifs. Les femmes répondent plus souvent au stress en étant attentionnées et en se réunissant avec d'autres. Cela peut être lié en partie à *l'ocytocine*, une hormone modératrice du stress associée à la formation du couple chez les animaux et libérée chez l'homme à l'occasion d'une étreinte, d'un massage ou lors de l'allaitement (Campbell, 2010 ; Taylor, 2006). L'imagerie cérébrale reflète ces différences de réponse au stress : chez les femmes, les zones importantes pour le traitement de la reconnaissance des visages et l'empathie deviennent plus actives ; chez les hommes, ces zones deviennent moins actives (Mather et al., 2010).

Il est souvent bénéfique de rassembler nos forces pour combattre ou fuir une menace extérieure. Mais cela a un coût. Quand le stress est momentané, le coût est faible. Mais lorsqu'il persiste nous pouvons en payer le prix fort et devenir moins résistants aux infections et aux autres menaces de notre bien-être mental et physique.

« Vous souffrez peut-être de ce qui est connu sous le nom du syndrome du nid plein. »

EXERCICE RÉCAPITULATIF

- Le système de réponse au stress : Lorsque nous devons être mis en alerte par un événement incontrôlable négatif, notre système nerveux _____ nous éveille. La fréquence cardiaque et la respiration sont en _____ (augmentation/diminution). Le sang est détourné de la digestion vers les _____ de notre squelette. Le corps libère des sucres et des graisses. Tout cela prépare le corps pour la réponse _____ – _____ – _____ .

Réponses : sympathique ; augmente ; muscles ; combattre ou fuir « fight-or-flight »

Le stress et la vulnérabilité aux maladies

12-16 Comment le stress nous rend-il plus vulnérables aux maladies ?

Pour étudier comment le stress et les comportements sains et nocifs pouvaient influencer la santé et les maladies, les psychologues et les médecins ont créé un domaine interdisciplinaire, celui de la *médecine comportementale*, qui intègre les connaissances de la médecine et celles du comportement. La **psychologie de la santé** fournit la contribution de la psychologie à la médecine comportementale. Le champ de la **psycho-neuro-immunologie,** met l'accent sur les interactions corps-esprit (Kiecolt-Glaser, 2009). Ce nom assez difficile prend tout son sens lorsqu'il est prononcé lentement : vos pensées et vos sentiments (*psycho*) influencent votre cerveau (*neuro*) qui influence à son tour les hormones endocriniennes qui affectent notre système immunitaire combattant les maladies. Et ce nouveau domaine est l'étude (*ologie*) de ces interactions.

Tendre la main et se lier d'amitié en situation de stress, les gens (surtout les femmes) apportent souvent un soutien à d'autres (tendre la main) et nouent des liens d'amitié en cherchant aussi le soutien d'autrui.

Psychologie de la santé discipline qui apporte une contribution psychologique à la médecine comportementale.

Psycho-neuro-immunologie étude de la manière dont les processus psychologiques, nerveux et endocriniens affectent le système immunitaire et l'état de santé qui en découle.

Si vous avez déjà ressenti un mal de tête dû au stress, ou senti votre pression artérielle augmenter sous l'effet de la colère, alors il n'est nul besoin de vous convaincre des effets physiologiques de nos états psychiques. Le stress peut même réduire vos capacités à lutter contre la maladie parce que votre système nerveux et votre système endocrinien influencent votre système immunitaire (Sternberg, 2009). Vous pouvez assimiler le système immunitaire à un système de surveillance complexe. Lorsqu'il fonctionne correctement, il défend l'organisme en repérant et détruisant les bactéries, les virus et d'autres substances étrangères. Quatre types de cellules effectuent ces missions de recherche et de destruction (**FIGURE 12.23**).

- *Les lymphocytes* B sont formés dans la moelle osseuse et libèrent des anticorps qui luttent contre les infections bactériennes.

- Les *lymphocytes T* (globules blancs) dont la maturation se fait dans le thymus et dans d'autres cellules du système lymphatiques, luttent contre les cellules tumorales, les virus, et les substances étrangères.

- *Le macrophage* (« gros mangeur ») identifie, poursuit et ingère les envahisseurs dangereux et les cellules épuisées.

- *Les lymphocytes NK* (pour « natural killer ») poursuivent les cellules malades (comme celles infectées par les virus ou le cancer).

L'âge, l'alimentation, l'hérédité, la température du corps et le stress influencent l'activité du système immunitaire. Lorsque votre système immunitaire ne fonctionne pas correctement, il peut s'égarer dans deux directions.

1. Un dérèglement à la hausse peut le faire attaquer les propres tissus de l'organisme, ce qui provoque une réaction allergique ou une maladie auto-immune, comme le lupus, la sclérose en plaques, ou certaines formes d'arthrite. Les femmes, qui sont immunologiquement plus fortes que les hommes, sont plus porteuses de maladies auto-immunes (Nussinovitch & Schoenfeld, 2012 ; Schwartzman-Morris & Putterman, 2012).

2. Il peut, inversement, réagir de façon insuffisante et conduire, par exemple, un virus herpétique dormant à se manifester, à des cellules cancéreuses à se multiplier, à une infection bactérienne à s'aggraver. Pour protéger les organes transplantés, que le système immunitaire du receveur considère comme des corps étrangers (non-moi), les chirurgiens peuvent volontairement provoquer une immuno-suppression.

▼ FIGURE 12.23
Une vue simplifiée des réponses immunitaires

Le stress peut également déclencher la suppression immunitaire en réduisant la libération de lymphocytes qui vont lutter contre la maladie. Ainsi, lorsque les animaux sont physiquement contraints, reçoivent des chocs électriques inévitables ou sont soumis à une surpopulation, à des bruits, à une eau froide, à un échec dans un groupe ou à une séparation avec leur mère, leur système immunitaire devient moins actif (Maier et al., 1994). Une étude a surveillé la réponse immunitaire chez 43 singes pendant six mois (Cohen et al., 1992). La moitié n'ont pas été perturbés. Les autres furent stressés en étant enfermés chaque mois avec de nouveaux compagnons (3 ou 4 nouveaux singes). À la fin de l'expérience, les singes dont la vie sociale avait été perturbée, ont vu leur système immunitaire affaibli.

Le stress inhibe de la même manière le système immunitaire chez l'homme. Voyons quelques exemples :

- *Les plaies post-chirurgicales cicatrisent moins rapidement chez les sujets stressés.* Lors d'une expérience, on a pratiqué des petites incisions sur des étudiants en dentisterie (des petits trous précis dans la peau). Comparées aux lésions pratiquées pendant les vacances, celles qui avaient été faites trois jours avant un examen important cicatrisaient 40 % plus lentement (Kiecolt-Glaser et al., 1998). D'autres études ont montré que les conflits conjugaux entraînent également un retard de cicatrisation de petites incisions (Kiecolt-Glaser et al., 2005).

- *Les sujets stressés sont plus vulnérables aux rhumes.* Les stress importants de la vie augmentent les risques d'infections respiratoires (Pedersen et al., 2010). Lorsque les chercheurs ont introduit par voie nasale un rhinovirus chez des personnes stressées et chez des personnes relativement non stressées, l'infection rhino-pharyngée s'est développée chez 47 % des personnes stressées (**FIGURE 12.24**). Alors qu'elle ne s'est développée que chez seulement 27 % des sujets non stressés. Les expériences qui ont suivi ont confirmé que les personnes les moins stressées et les plus heureuses étaient également les moins vulnérables au virus du rhume instillé expérimentalement (Cohen et al., 2003 ; Cohen & Pressman, 2006).

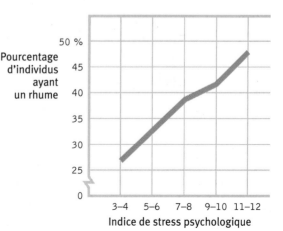

© D. Hurst/Alamy

- *Un faible niveau de stress peut augmenter l'efficacité des vaccins.* Des infirmières ont administré à des adultes plus âgés un vaccin contre la grippe et ont évalué la résistance aux infections bactériennes et virales. Le vaccin était plus efficace chez les personnes âgées qui ont été moins soumises au stress (Segerstrom et al., 2012).

L'effet du stress sur le système immunitaire a une cause physiologique. Il faut de l'énergie pour poursuivre les intrus, entraîner une inflammation et maintenir la fièvre. De ce fait, lorsque notre corps est malade, il réduit sa production d'énergie musculaire par le biais de l'inactivité et d'un sommeil accru. Le stress agit de façon contraire. Il crée un besoin d'énergie qui va entrer en concurrence. Il déclenche une réponse d'activation du type combattre ou fuir, qui détourne l'énergie destinée au système immunitaire combattant l'infection vers les muscles et le cerveau. Cela nous rend plus vulnérable à la maladie. *Point à retenir :* le stress ne nous rend pas malade, mais il modifie le fonctionnement de notre système immunitaire, nous rendant moins capables de résister aux infections.

▼ FIGURE 12.24

Le stress et le rhume Dans une expérience menée par Sheldon Cohen et ses collègues (1991), les personnes qui avaient obtenu les notes les plus élevées lors de tests évaluant leur sensibilité au stress étaient également les plus vulnérables lorsqu'ils étaient exposés expérimentalement à un rhinovirus (Données de Cohen et al., 1991.)

Laurent/Yakou/Sciences Source

Pourcentage d'individus ayant un rhume

50 %
45
40
35
30
25
0

Indice de stress psychologique
3–4   5–6   7–8   9–10   11–12

• Le domaine de la _____ étudie les interactions corps-esprit, y compris les effets psychologiques, nerveux, et endocriniens sur le système immunitaire et la santé générale.

Réponse : psychoneuroimmunologie

• Quel est l'effet général du stress sur notre état de santé ?

Réponse : Le stress tend à réduire la capacité de notre système immunitaire à fonctionner correctement, de sorte que le stress élevé conduit généralement à une plus grande incidence des maladies somatiques.

Stress et SIDA

Nous savons que le stress supprime la réponse immunitaire. Qu'est-ce que cela signifie pour les personnes atteintes du *SIDA (virus de l'immunodéficience humaine)* ? Comme son nom l'indique, le SIDA est un trouble d'ordre immunitaire – un syndrome d'immunodéficience acquise induit par le *VIH (virus de l'immunodéficience humaine)*. Bien que les décès liés au SIDA aient diminué de 29 % depuis 2001, le SIDA reste la sixième principale cause mondiale de décès et la première en Afrique (ONUSIDA, 2013 ; OMS, 2013).

Si une maladie transmise par contact humain tue lentement (comme c'est le cas pour le SIDA qui se transmet par les échanges de liquides corporels, principalement le sperme et le sang), elle peut faire beaucoup plus de victimes. Ceux qui sont porteurs du virus ont le temps de le transmettre pendant les premières semaines particulièrement contagieuses, souvent sans savoir qu'ils sont infectés. En 2012, dans le monde entier, près de 2,3 millions de personnes (dont un peu plus de la moitié sont des femmes) ont été infectées par le VIH, souvent sans le savoir (UNAIDS, 2013). Quand l'infection par le VIH se manifeste sous la forme du SIDA, quelques années après l'infection initiale, la personne a du mal à combattre d'autres maladies, comme la pneumonie.

Le stress ne peut pas occasionner le SIDA. Mais, se peut-il que le stress et les émotions négatives accélèrent la transition entre l'infection par le VIH et la déclaration d'un SIDA ? Le stress peut-il entraîner une accélération du déclin chez les personnes malades ? Une analyse menée chez 33 252 participants à travers le monde suggère que la réponse aux deux questions est *Oui* (Chida & Vedhata, 2009). Plus les personnes infectées par le VIH sont victimes du stress plus la progression de la maladie est rapide.

Des efforts pour réduire le stress permettraient-ils de mieux contrôler cette maladie ? Là encore il semble que la réponse soit *Oui*. Des initiatives visant à l'éducation, au soutien des groupes endeuillés, à une thérapie cognitive, à des cours de relaxation et à l'établissement de programmes d'exercice physique pour réduire la détresse ont toutes eu des conséquences individuelles positives sur les personnes atteintes par le VIH (Baum et Posluszny, 1999 ; McCain et al., 2008 ; Schneiderman, 1999). Mais comparé aux traitements médicamenteux disponibles, les avantages se sont montrés faibles.

Bien que le SIDA soit maintenant plus facilement traitable, il vaut toujours mieux prévenir l'infection par le VIH. Cette démarche est au cœur de nombreux programmes éducatifs comme le programme ABC (*a*bstinence, *b*e faithful, use *c*ondoms ou abstinence, fidélité, préservatifs) utilisé dans beaucoup de pays, avec un succès notable en Ouganda (Altman, 2004 ; UNAIDS, 2005). En plus de ces programmes qui visent à influencer les normes et les comportements sexuels d'aujourd'hui, les programmes de *prévention associée* comprennent également des stratégies médicales (telles que les médicaments et la circoncision qui réduisent la transmission du VIH) et les efforts pour réduire les inégalités sociales qui accroissent le risque de VIH (UNAIDS, 2010).

Photofusion/UIG/Getty Images

L'Afrique, première victime du SIDA Au Lesotho, en Ouganda et dans d'autres pays d'Afrique, les efforts de prévention ont fait appel à la campagne de sensibilisation « ABC » – « *A*bstinence, *Be* faithfull and use *C*ondoms ».

Stress et cancer

Le stress ne produit pas de cellules cancéreuses. Mais dans un système immunitaire sain fonctionnant correctement, les lymphocytes, les macrophages et les cellules NK recherchent et détruisent les cellules cancéreuses et les cellules lésées par le cancer. Si le stress affaiblit le système immunitaire, peut-il diminuer les capacités de cette personne à combattre son cancer ? Pour explorer l'existence d'un lien possible entre le stress et le cancer, les chercheurs ont implanté des cellules tumorales ou administré des substances *cancérigènes* à des rongeurs. Ceux qui avaient été exposés à des stress incontrôlables, tels que des chocs inévitables, avaient affaibli leur système immunitaire (Sklar et Anisman, 1981). Les rongeurs stressés, comparativement à leurs homologues non stressés, ont développé un cancer plus souvent, la croissance de la tumeur expérimentale a commencé plus tôt, et a été plus importante, donnant des tumeurs plus volumineuses.

Ce lien entre le stress et le cancer existe-t-il aussi chez l'homme ? Les résultats sont mitigés. Certains chercheurs ont démontré que le risque de cancer était plus élevé un an après une dépression, un profond désespoir ou un deuil (Chida et al., 2008 ; Steptoe et al., 2010). Dans une grande étude suédoise, le risque de cancer du côlon était 5,5 fois plus élevé chez les personnes ayant des antécédents de stress en milieu professionnel que chez celles qui avaient déclaré ne pas connaître ces difficultés. Cette différence n'était pas due à des différences entre les groupes portant sur l'âge, le tabagisme, l'alcool, ou des caractéristiques physiques (Courtney et al., 1993). D'autres chercheurs n'ont découvert aucun lien entre le stress et le cancer (Coyne et al., 2010 ; Petticrew et al., 1999, 2002). Par exemple, les prisonniers de guerre et les survivants des camps de concentration n'ont pas montré un taux de cancer plus élevé.

Un danger lié à la publication d'études sur les émotions et les cancers est qu'elles peuvent inciter certains patients à s'accuser eux-mêmes de leur cancer : « Si seulement j'avais été plus ouvert, plus détendu et plus optimiste… ». Un corollaire du danger est l'« arrogance du bien portant », qui attribue sa bonne santé à son caractère sain et jette l'opprobre sur la maladie : « Elle a un cancer ? C'est ce que vous attrapez en gardant vos sentiments pour vous et en étant si gentille. » La mort devient alors l'échec ultime.

Il est donc important de répéter que *le stress ne crée pas les cellules cancéreuses*. Au pire, il pourrait affecter leur croissance en diminuant les défenses naturelles de l'organisme contre les cellules malignes qui prolifèrent (Antoni et Lutgendorf, 2007). Bien qu'une attitude détendue et pleine d'espoir puisse accroître ces défenses, nous devons être conscients de la frontière étroite qui sépare la science de nos désirs. Les processus biologiques puissants à l'œuvre dans les cancers évolués ou le sida ne sont vraisemblablement pas susceptibles d'être détournés en évitant le stress ou grâce à un esprit déterminé mais détendu (Anderson, 2002 ; Kessler et al., 1991). Cela explique pourquoi les recherches indiquent systématiquement que la psychothérapie n'augmente pas la durée de vie du patient (Coyne et al., 2007, 2009 ; Coyne et Tennen, 2010).

> « Ce n'est pas moi qui me suis donné un cancer. »
>
> Le maire de Princeton, Barbara Boggs Sigmund (1939-1990), New Jersey

Lorsque les causes organiques de la maladie sont inconnues, il est tentant d'invoquer des causes psychosomatiques. Avant la découverte du germe responsable de la tuberculose, les explications du rôle de la personnalité dans la maladie étaient fréquentes (Sontag, 1978).

Stress et maladies cardiaques

12-17 Pourquoi certains d'entre nous sont-ils plus sujets que d'autres aux maladies coronariennes ?

Éloignons-nous de la réalité pendant un moment. Dans ce nouveau monde, vous vous réveillez chaque jour, prenez votre petit déjeuner, et prenez connaissance des dernières nouvelles. Le monde politique bourdonne, les événements locaux occupent beaucoup de temps d'antenne, et votre équipe sportive préférée remporte des victoires de temps en temps. Mais il y a un fait divers : Quatre appareils Jumbo Jet Boeing 747 se sont écrasés hier et les 1 642 passagers sont morts. Vous avez terminé votre petit déjeuner, vous prenez vos livres, et vous vous dirigez vers votre classe. Une journée ordinaire s'annonce.

Remplacer « accidents d'avion » par **maladie coronarienne,** la principale cause de décès aux États-Unis et vous revenez ainsi à la réalité. Environ 600 000 Américains meurent chaque année d'une maladie de cœur (CDC, 2013). Cette maladie survient quand il y a un rétrécissement des vaisseaux sanguins qui alimentent le muscle cardiaque (artères coronaires). L'hypertension artérielle et des antécédents familiaux augmentent le risque de survenue de la maladie. Le tabagisme, l'obésité, une alimentation riche en graisses, l'inactivité physique, et un taux de cholestérol élevé sont des facteurs de risque de survenue de cette maladie.

Le stress et la personnalité jouent également un grand rôle dans les maladies du cœur. Plus les sujets sont victimes de traumatismes psychiques, plus leur corps réagit par un mécanisme *inflammatoire*, qui va toucher le cœur et générer d'autres maladies (O'Donovan et al., 2012). Arracher un cheveu à quelqu'un et mesurer son taux de cortisol circulant (une hormone du stress) et cela vous aidera à prédire le risque de survenue d'une crise cardiaque (Pereg et al., 2011).

Maladie coronarienne obstruction des vaisseaux qui irriguent le muscle cardiaque ; principale cause de décès dans de nombreux pays développés.

Type A concept créé par Friedman et Rosenman pour désigner les personnalités aimant la compétition, se conduisant durement envers les autres, impatientes, agressives verbalement, et coléreuses.

Type B concept créé par Friedman et Rosenman pour désigner les personnalités paisibles et sereines.

Personnalité de type A Lors d'une étude devenue classique, Meyer Friedman, Ray Rosenman et leurs collaborateurs testèrent l'hypothèse que le stress pouvait accroître la vulnérabilité aux maladies cardiaques. Ils mesurèrent le taux de cholestérol et la vitesse de coagulation chez 40 conseillers fiscaux à différents moments de l'année (Friedman et Ulmer, 1984). De janvier à mars, les résultats aux tests étaient tout à fait normaux. Puis, au moment où les conseillers commencèrent à s'agiter pour finir les déclarations de revenus de leurs clients avant la date limite du 15 avril, leur cholestérol et leur vitesse de coagulation sanguine grimpèrent jusqu'à des valeurs dangereuses. En mai et juin, une fois la date limite passée, ces valeurs revinrent à la normale. Pour ces hommes, le stress a prédit le risque de crise cardiaque. La pression artérielle augmente chez les étudiants quand surviennent les difficultés (Conley & Lehman, 2012).

Pourquoi certains d'entre nous sont-ils plus sujets que d'autres aux maladies coronariennes générées par le stress ? Pour répondre à cette question, les chercheurs qui avaient étudié le comportement des fiscalistes ont lancé une étude d'une durée de neuf ans avec un corpus expérimental de plus de 3 000 hommes en bonne santé et âgés de 35 à 59 ans. Au début de l'étude, ils interrogèrent chaque homme pendant quinze minutes à propos de son travail et de ses habitudes alimentaires. Au cours de l'entretien, ils notèrent la manière de s'exprimer et le comportement de chacun. Ils baptisèrent **type A** ceux qui semblaient les plus réactifs, les plus acharnés à la compétition, ceux qui conduisaient brutalement, les impatients, les surmotivés, les obsédés par le temps, ceux qui avaient tendance à se mettre en colère ou à être verbalement agressifs. Ils appelèrent **type B** un nombre à peu près équivalent de personnes qui étaient plus accommodantes. Quel groupe, d'après vous, a montré la vulnérabilité aux maladies coronariennes la plus élevée ?

Neuf ans plus tard, 257 de ces hommes, dont 69 % de type A, avaient eu une crise cardiaque. De plus, aucun des types B « purs » – les plus doux et les mieux organisés de leur groupe – n'eut de crise cardiaque.

Comme cela arrive souvent dans le domaine scientifique, cette excitante découverte a provoqué un intérêt énorme du public. Mais après la période d'euphorie, les chercheurs ont voulu en savoir plus. Les résultats étaient-ils fiables ? Et si oui, quelle était la composante toxique dans le profil de type A : la conscience du temps ? La compétitivité ? La colère ?

Plus de 700 études ont exploré les corrélations psychologiques possibles ou les éventuels facteurs prédictifs des maladies cardiovasculaires (Chida et Hamer, 2008 ; Chida et Steptoe, 2009). Elles ont révélé que les émotions négatives étaient au centre du problème pour les individus de type A, en particulier la colère associée à un tempérament aux réactions agressives. Quand nous sommes harcelés ou interpellés, notre système nerveux sympathique actif redistribue le flux sanguin à nos muscles, l'éloignant de nos viscères (N.d.T. : réduction du débit sanguin splanchnique). Un de ces organes, le foie, qui métabolise le cholestérol et les lipides sanguins ne peut pas faire son travail. Les individus réactifs de type A sont plus souvent « prêts au combat ». Ainsi, le sang d'un individu de type A peut contenir un excès de graisses et de cholestérol qui, plus tard constituera des plaques d'athérome En outre le stress, venant parfois des conflits provoqués par leur caractère rugueux, peut provoquer des troubles du rythme cardiaque. Chez les personnes dont le cœur est fatigué, ces troubles du rythme peuvent provoquer une mort subite (Kamarck & Jennings, 1991). L'animosité est également corrélée à d'autres facteurs de risque comme le tabagisme, l'alcoolisme et l'obésité (Bunde et Suls, 2006). L'esprit et le cœur des gens interagissent de manière importante.

Des centaines d'autres études menées sur des hommes et des femmes jeunes ou adultes ont confirmé que ceux ou celles qui réagissaient avec colère face à de petits incidents étaient les plus sujets aux problèmes coronariens. Le refoulement des sentiments négatifs ne fait qu'accroître les risques (Kupper et Denollet, 2007). Une autre étude a suivi 13 000 personnes d'âge moyen pendant cinq ans. Parmi les individus dont la pression artérielle était normale, ceux qui étaient très coléreux étaient trois fois plus sujets à la crise cardiaque, même après que les chercheurs aient contrôlé l'influence de la consommation de tabac et du poids (Williams et al., 2000). Une autre étude a suivi 1 055 étudiants en médecine de sexe masculin pendant trente-six ans. Ceux qui avaient déclaré être colériques avaient cinq fois plus de risques d'avoir eu une crise cardiaque à l'âge de 55 ans (Chang et al., 2002). La colère « semble fouetter en retour et nous toucher au niveau des muscles cardiaques » (Spielberger et London, 1982).

En Inde et en Amérique, les chauffeurs d'autocars qui ont une personnalité de type A conduisent de façon brutale : ils freinent, passent, et klaxonnent plus souvent que leurs collègues de type B, plus détendus (Evans et al., 1987).

« Le feu que vous allumez pour attaquer votre ennemi vous brûle souvent plus que lui. »

Proverbe chinois

© PhotoSpin, Inc/Alamy

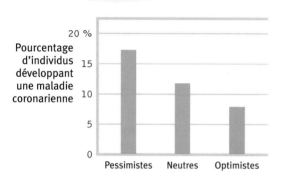

▼ FIGURE 12.25
Pessimisme et maladies du cœur
Une équipe de recherche de Harvard School of Public Health a montré que le risque de survenue d'une maladie du cœur dans les dix ans était multiplié par deux chez les hommes au caractère pessimiste. (Données de Kubzansky et al., 2001.)

« Un cœur joyeux est un bon remède, mais un esprit abattu dessèche les os. »

Proverbes 17:22, La Sainte Bible, traduction L. Segond

Personnalité de type D Au cours des dernières années, un autre type de personnalité a intéressé les chercheurs qui étudient l'influence du stress sur les maladies du cœur. Les individus de type A dirigent leur émotion négative envers l'autre pour le dominer. Les sujets de personnalité de type D répriment leur émotion négative pour éviter la désapprobation de l'entourage. L'émotion négative éprouvée, dans les relations sociales, par ces personnes de *type D* est principalement représentée par un sentiment de *détresse* (Denollet, 2005 ; Denollet et al., 1996). Une analyse de 12 études a montré que chez le sujet de type D, le risque de mortalité et de crise cardiaque non fatale était augmenté de manière significative (Grande et al., 2012).

Effets du tempérament pessimiste et de la dépression Les effets fâcheux du pessimisme semblent être similaires à ceux de l'état dépressif. Laura Kubzansky et ses collègues (2001) ont étudié 1 306 hommes en bonne santé qui avaient été considérés, une dizaine d'années auparavant, comme étant optimistes, pessimistes ou neutres. Au bout des dix ans, les pessimistes étaient deux fois plus sujets aux maladies cardiaques que les optimistes, même après avoir écarté d'autres facteurs de risque tels que le tabagisme (**FIGURE 12.25**).

La dépression peut également être fatale. Les gens heureux ont tendance à être en meilleure santé et à vivre plus vieux que leurs pairs malheureux (Diener et Chan, 2011 ; Siahpush et al., 2008). Même un grand sourire de bonheur peut prédire la longévité comme l'ont découvert des chercheurs en examinant les photographies de 150 joueurs de la Ligue Majeure de Baseball qui avaient été prises dans le *Baseball Register* de 1952 (Abel & Kruger, 2010). Ces joueurs étaient tous décédés au moment de l'étude en 2009 mais en moyenne ceux qui ne souriaient pas étaient morts à l'âge de 73 ans alors que ceux qui affichaient un large sourire sincère étaient morts à l'âge de 80 ans. Les personnes qui font de larges sourires ont tendance à avoir de nombreuses relations sociales, qui permettent de prédire la durée de vie (Hertenstein, 2009).

Les preuves accumulées suggèrent que « la dépression augmente considérablement le risque de mortalité, imputable à des causes non naturelles et à des maladies cardiovasculaires » (Wulsin et al., 1999). Après avoir suivi 63 469 femmes pendant une dizaine d'années, les recherches ont trouvé plus du double de décès par crise cardiaque chez les femmes qui initialement étaient dépressives (Whang et al., 2009). Au cours des années qui suivent une crise cardiaque, les personnes dépressives ont quatre fois plus de risques que celles non dépressives de développer d'autres problèmes cardiaques (Frasure-Smith et Lesperance, 2005). La dépression « décourage » le cœur.

Stress et processus inflammatoire Les personnes déprimées ont tendance à fumer plus et à faire moins de sport (Whooley et al., 2008), mais le stress aussi est mauvais pour le cœur :

- Les chercheurs qui ont suivi 17 415 Américaines d'âge moyen ont trouvé une augmentation du risque de crise cardiaque de 88 % chez celles qui faisaient face à d'importants stress au travail (Slopen et al., 2010).

- Au Danemark, une étude menée sur 12 116 infirmières a mis en évidence que celles qui subissaient une pression « bien trop forte » présentaient une augmentation de 40 % des risques de maladie cardiaque (Allesøe et al., 2010).

- Aux États-Unis, une étude menée pendant dix ans sur des employés d'âge moyen a trouvé que la perte involontaire de leur travail avait plus que doublé leur risque de faire une crise cardiaque (Gallo et al., 2006). Selon une étude menée pendant quatorze ans sur 1 059 femmes, celles qui présentaient des symptômes liés à un stress post-traumatique présentaient trois fois plus de risques de souffrir d'une affection cardiaque (Kubzansky et al., 2009).

La **FIGURE 12.26** montre que la maladie cardiaque et la dépression peuvent toutes deux se produire lorsqu'un stress chronique déclenche une inflammation persistante (Matthews, 2005 ; Miller et Blackwell, 2006). Après une crise cardiaque, le stress et l'anxiété augmentent les risques de décès ou d'une autre crise cardiaque (Roest et al., 2010). Le stress, comme nous l'avons vu, perturbe le système immunitaire qui combat les maladies, permettant au corps de focaliser son énergie sur la réponse de fuite ou de combat face à la menace. Cependant, les hormones de stress augmentent une des réponses immunitaires, la production de protéines, qui contribue à l'inflammation.

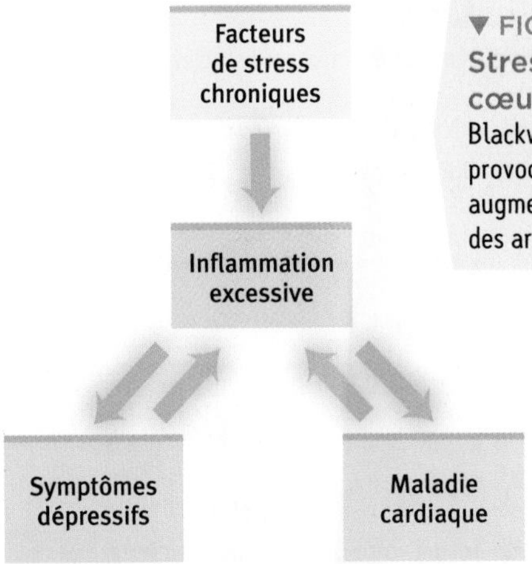

Facteurs
de stress
chroniques

↓

Inflammation
excessive

Symptômes
dépressifs

Maladie
cardiaque

▼ FIGURE 12.26

Stress → inflammation → maladies du cœur et dépression Gregory Miller et Ekin Blackwell (2006) rapportent que le stress chronique provoque un processus inflammatoire durable, ce qui augmente le risque de dépression et de thrombose des artères.

Ainsi les personnes qui subissent des menaces sociales, par exemple les enfants élevés dans des familles très sévères, sont plus sujettes aux réponses inflammatoires (Dickerson et al., 2009 ; Miller et Chen, 2010). L'inflammation aide à combattre les infections ; si vous vous coupez, l'inflammation recrute les cellules combattant l'infection. Mais une inflammation persistante peut entraîner des problèmes comme l'asthme ou une thrombose ou sténose artérielle et aggrave la dépression. Les chercheurs découvrent à l'heure actuelle les mécanismes moléculaires par lesquels le stress active chez certaines personnes des gènes pouvant contrôler l'inflammation (Cole et al., 2010).

Nous pouvons considérer les effets du stress sur notre résistance aux maladies comme un prix à payer pour les bénéfices du stress (**FIGURE 12.27**). Le stress dynamise notre existence en nous stimulant et en nous motivant. Une vie sans stress aurait du mal à être compétitive et productive.

* * *

Tout ce qui est psychologique est en même temps physiologique. Les états psychologiques sont des événements physiologiques qui influencent d'autres aspects de notre système physiologique. Faites une pause pour *penser* que vous mangez un quartier d'orange – penser au jus sucré et un peu acide de ce fruit pulpeux qui coule sur votre langue – peut déclencher la salivation. Comme le disait le sage indien Santi Parva, il y a plus de quatre mille ans : « Les troubles mentaux proviennent de causes physiques et, de la même manière, les troubles physiques proviennent de causes mentales ». Notre psychisme influence notre santé somatique. Nous sommes des systèmes biopsychosociaux.

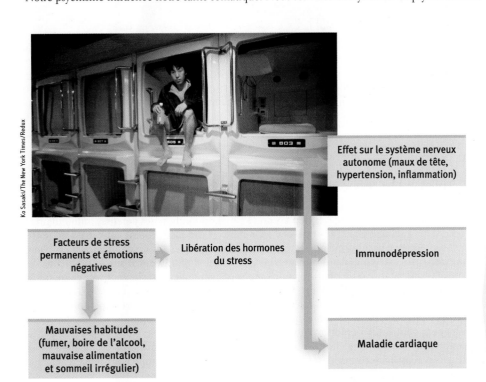

Effet sur le système nerveux autonome (maux de tête, hypertension, inflammation)

Facteurs de stress permanents et émotions négatives

Libération des hormones du stress

Immunodépression

Mauvaises habitudes (fumer, boire de l'alcool, mauvaise alimentation et sommeil irrégulier)

Maladie cardiaque

Ko Sasaki/The New York Times/Redux

▼ FIGURE 12.27

Le stress peut créer de nombreux dommages à la santé Cela est particulièrement vrai lorsque le stress est vécu par des gens en colère, déprimés ou anxieux. Pour de nombreuses personnes, la perte d'emploi et de revenus causée par la récente récession économique a été un facteur de stress. Comme de nombreux chômeurs japonais, cet homme vit dans un « hôtel capsule » de Tokyo.

- Quelle est la composante de la personnalité de type A qui a été la plus étroitement associée à la maladie coronarienne ?

Réponses : ressentir souvent beaucoup de colère et être négatif.

- En quoi la personnalité de type D diffère-t-elle de la personnalité de type A ?

Réponse : Les sujets ayant une personnalité de type D éprouvent un sentiment de détresse plutôt que de la colère, et ils ont tendance à réprimer leurs émotions négatives afin d'éviter la désapprobation sociale.

REVUE GÉNÉRALE Stress et maladie

OBJECTIFS D'APPRENTISSAGE

EXERCICE RÉCAPITULATIF Prenez un moment pour répondre à chacune de ces questions objectif d'apprentissage (répétées ici au sein de cette section). Puis aller à l'annexe C, révision complète du chapitre, pour vérifier vos réponses. La recherche suggère que d'essayer de répondre à ces questions de votre propre initiative permettra d'améliorer la mémorisation à long terme de ces réponses (McDaniel et al., 2009).

12-15 Quels sont les événements qui provoquent les réponses de stress, et comment répondons-nous et nous adaptons-nous au stress ?

12-16 Comment le stress nous rend-il plus vulnérables aux maladies ?

12-17 Pourquoi certains d'entre nous sont-ils plus sujets que d'autres aux maladies coronariennes ?

TERMES ET CONCEPTS À RETENIR

EXERCICE RÉCAPITULATIF Testez votre connaissance de ces termes en essayant d'écrire leur définition, avant de vous reporter aux pages indiquées en référence pour vérifier votre réponse.

stress, p. 489

syndrome général d'adaptation (GAS), p. 491

soigner et se lier d'amitié, p. 492

psychologie de la santé, p. 492

psycho-neuro-immunologie, p. 492

maladies coronariennes, p. 496

type A, p. 497

type B, p. 497

■ Santé et stratégie d'adaptation

LA SAUVEGARDE DE LA SANTÉ COMMENCE PAR LA MISE EN PLACE DE stratégies visant à prévenir les maladies ou à améliorer le bien-être. Traditionnellement, les gens pensent à leur santé uniquement lorsque cela ne va pas et consultent un médecin pour un diagnostic et un traitement. Cela revient, disent les psychologues de la santé, à ignorer l'entretien de votre voiture et à n'aller au garage que lorsqu'elle tombe en panne. L'entretien de notre santé inclut le soulagement du stress, la prévention des maladies et la promotion du bien-être.

Faire face au stress

12-18 Quelles sont les deux attitudes qui permettent de soulager le stress ?

Les facteurs de stress sont inévitables. Cette constatation, associée au fait que le stress chronique est corrélé aux maladies cardiaques, à la dépression et à une diminution des défenses immunitaires, nous adresse un message clair. Nous devons apprendre à **faire face** (coping) aux stress de notre vie en les soulageant par des méthodes émotionnelles, cognitives ou comportementales. Nous faisons directement face à certains facteurs de stress par le **coping centré sur le problème.** Si notre impatience conduit à un conflit familial, nous pouvons aller directement voir ce membre de la famille pour résoudre le problème. Nous avons tendance à utiliser la stratégie centrée sur le problème lorsque nous avons le sentiment de contrôler la situation et que nous pensons pouvoir changer les circonstances ou, du moins, pouvoir nous changer nous-mêmes. Nous nous tournons vers le **coping centré sur l'émotion** lorsque nous *croyons* que nous ne pouvons pas changer la situation. Si, malgré tous nos efforts, nous ne pouvons tomber d'accord avec ce membre de la famille, nous pouvons soulager notre stress en nous confiant à nos amis pour rechercher leur soutien et leur réconfort.

Coping (« faire face à ») atténuer le stress en utilisant des stratégies émotionnelles, cognitives, ou comportementales.

Coping centré sur le problème tente de réduire directement l'état de stress en modifiant le facteur déclenchant ou la manière dont nous agissons face à ce facteur.

Coping centré sur les émotions tente de réduire l'état de stress en évitant ou en ignorant le facteur déclenchant et en économisant les réactions émotionnelles liées au stress.

Impuissance, résignation apprise comportement de désespoir ou de résignation passive appris par un animal ou un humain lorsqu'il est incapable d'éviter des événements aversifs répétés.

Lorsque nous sommes confrontés à un problème, certains d'entre nous ont tendance à répondre calmement par un coping centré sur le problème, d'autres par un coping centré sur les émotions (Connor-Smith et Flachsbart, 2007). Nos sentiments de maîtrise de soi, notre façon d'expliquer les situations, et nos liens amicaux tous influent notre capacité à faire face avec succès.

Contrôle personnel

12-19 En quoi le sentiment de perte de contrôle affecte-t-il la santé ?

Imaginez la scène : deux rats reçoivent simultanément des chocs électriques. Un des deux rats peut tourner un volant pour arrêter les chocs (comme illustré dans **FIGURE 12.28**). Le rat qui ne peut pas tourner la roue, devient, à l'inverse de l'autre, plus sensible aux ulcères et voit son immunité déprimée. (Laudenslager & Reite, 1984). Chez l'homme aussi, les menaces incontrôlables entraînent les réponses au stress les plus importantes (Dickerson et Kemeny, 2004).

À certains moments, nous nous sentons tous impuissants, en proie au désespoir, et déprimés après avoir vécu une série de déconvenues. Martin Seligman et ses collègues ont montré que pour certains animaux et certaines personnes, une série d'événements incontrôlables crée un état d'**impuissance apprise,** accompagnée de sentiments de résignation passive (**FIGURE 12.29**). Dans une série d'expériences, des chiens étaient attachés à un harnais et recevaient des chocs électriques répétés, sans possibilité de les éviter (Seligman & Maier, 1967). Si on les place ensuite dans une autre situation où ils pourraient éviter ces chocs, simplement en sautant une barrière, ils se recroquevillent, comme s'ils n'avaient aucun espoir. D'autres chiens qui avaient pu échapper aux premiers chocs ont réagi différemment. Ils avaient appris qu'ils pouvaient contrôler la situation et facilement échapper aux chocs dans la nouvelle situation (Seligman & Maier, 1967). Dans d'autres expériences, les gens ont montré des tendances similaires à l'impuissance apprise (Abramson et al., 1978, 1989 ; Seligman, 1975).

Le sentiment de perte de contrôle nous rend plus vulnérables aux maladies. Une étude célèbre, portant sur des personnes âgées vivant en institution et ayant peu de contrôle de leurs activités, a montré que ces personnes avaient tendance à décliner plus vite et à mourir plus tôt que celles qui conservaient le contrôle de leurs activités (Rodin, 1986). Des travailleurs capables de choisir leur environnement de travail pour être moins sujets aux interruptions et aux distractions de leur attention éprouvent moins de stress (O'Neill, 1993). Cela peut expliquer pourquoi les hauts fonctionnaires britanniques ayant un poste de cadre vivent plus longtemps que ceux qui ont un poste d'employé de bureau ou d'ouvrier, et pourquoi les travailleurs finlandais soumis à peu de stress au travail ont deux fois moins de risques de mourir de maladies cardiovasculaires que ceux qui exercent une activité professionnelle pénible et sur laquelle ils ont peu de contrôle. Plus les travailleurs ont le contrôle de leurs activités, plus ils vivent longtemps (Bosma et al., 1997, 1998 ; Kivimaki et al., 2002 ; Marmot et al., 1997).

Le sentiment de contrôle permet aussi d'expliquer le lien étroit existant entre le statut économique et la longévité (Jokela et al., 2009). Une étude des épitaphes gravées sur 843 stèles d'un vieux cimetière de Glasgow, en Écosse, a permis de constater que les individus ayant vécu le plus longtemps reposaient dans les tombes ornées des piliers les plus hauts et les plus onéreux (signe d'aisance financière) (Carroll et al., 1994). De même, les régions d'Écosse les moins peuplées, avec les taux de chômage les plus bas, présentent également une longévité accrue. Ici comme ailleurs, le statut économique élevé prédit un moindre risque de maladies cardiaques et respiratoires (Sapolsky, 2005). La richesse est également un facteur prédictif de santé chez l'enfant (Chen, 2004).

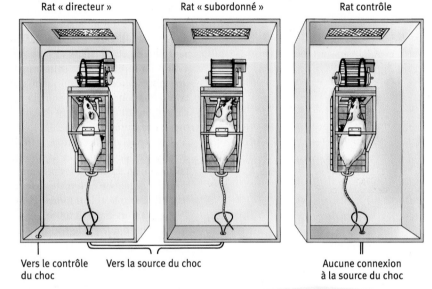

Rat « directeur »   Rat « subordonné »   Rat contrôle

Vers le contrôle du choc   Vers la source du choc   Aucune connexion à la source du choc

▼ FIGURE 12.28

Perte de contrôle des situations et conséquences sur l'état de santé Le rat actif à gauche peut supprimer les chocs électriques en tournant la roue. Parce qu'il a le contrôle sur le choc, il n'est pas plus susceptible de développer des ulcères que le rat témoin à droite, qui ne reçoit aucun choc. Le rat « soumis » au centre reçoit les mêmes chocs que le rat actif, mais ne peut pas les supprimer. Il est, par conséquent, plus susceptible de développer des ulcères. (Adapté de Weiss, 1977.)

Événements négatifs incontrôlables → Sentiment de perte de contrôle → Comportement d'impuissance généralisée

▼ FIGURE 12.29

Impuissance, résignation apprise Lorsque les animaux et les humains ne peuvent pas contrôler la survenue d'événements négatifs répétés, ils adoptent souvent un comportement résigné ou d'impuissance.

Avec l'élévation du statut économique, le risque de mortalité infantile diminue tout comme le faible poids à la naissance, le tabagisme et la violence. Même parmi les primates, ceux qui se trouvent au plus bas de l'échelle sociale développent plus facilement des maladies que leurs compagnons au statut plus élevé, lorsqu'ils ont été exposés au virus de type Influenza (Cohen et al., 1997). Mais pour les babouins et les singes situés en haut de l'échelle sociale, qui doivent fréquemment défendre physiquement leur position dominante, ce statut social élevé impose aussi du stress (Sapolsky, 2005).

Pour quelles raisons le sentiment de perte de contrôle des situations est-il prédictif des problèmes de santé ? Parce que perdre le contrôle provoque une sécrétion accrue des hormones de stress. Quand des rats ne peuvent contrôler un choc ou quand des primates ou des hommes se sentent incapables de contrôler leur environnement, le taux des hormones du stress augmente, la pression artérielle s'élève et la réponse immunitaire diminue (Rodin, 1986 ; Sapolsky, 2005). Une étude a constaté ces effets chez les infirmières, qui ont évalué leur charge de travail et la possibilité de maîtrise de leur travail. Le taux de cortisol circulant et la pression artérielle étaient proportionnels à la charge de travail, mais seulement chez les infirmières qui avaient peu possibilité de maîtrise de leur travail (Fox et al., 1993). Une autre étude a montré que les animaux élevés en captivité sont plus sujets au stress et plus vulnérables aux maladies que les animaux sauvages (Roberts, 1988). La surpopulation dans les banlieues, les prisons et les dortoirs de pensionnat représente une autre source de la diminution du sentiment de contrôle des situations et de l'augmentation du taux d'hormones de stress et de la pression artérielle (Fleming et al., 1987 ; Ostfeld et al., 1987). En renforçant ce sentiment de contrôle, les gens mènent souvent des vies plus heureuses et en meilleure santé (Ng et al., 2012).

En augmentant le contrôle exercé par ces individus, en permettant, par exemple, aux prisonniers de déplacer des chaises et de choisir l'éclairage de leur cellule ainsi que les programmes de la télévision, en autorisant les personnes à choisir leur environnement de travail, en permettant aux résidants de maison de retraite de faire des choix relatifs à leur cadre de vie, on améliore notablement leur état de santé et leur moral (Humphrey et al., 2007 ; Krueger & Killham, 2006 ; Ruback et al., 1986 ; Warburton et al., 2006).

Au cours d'une étude réalisée chez des pensionnaires de maison de retraite, 93 % de ceux qui furent encouragés à exercer un contrôle plus important sur leur existence étaient devenus plus alertes, plus actifs et plus heureux (Rodin, 1986). Le chercheur Ellen Langer affirme que « percevoir un contrôle est fondamental pour le fonctionnement de l'homme » (1983, p. 291). « Pour les jeunes comme pour les vieux », elle a suggéré que les cadres de vie devraient renforcer le sentiment de maîtrise des situations. Il n'est pas étonnant alors, que les appareils mobiles et les enregistreurs vidéo numériques, qui améliorent notre maîtrise du choix des programmes de divertissement, soient si populaires.

Google intègre efficacement ces principes. Chaque semaine, les employés de Google peuvent passer 20 % de leur temps à travailler sur des projets qu'ils trouvent personnellement intéressants. Ce programme d'innovation « Time Off » accroît le contrôle personnel des employés sur leur environnement de travail, et a été bénéfique. Gmail a été développé de cette façon.

Les gens prospèrent quand ils vivent dans des conditions de liberté et d'autonomie. Les citoyens des pays où règne la démocratie s'estiment plutôt heureux (Inglehart et al., 2008).

En somme une liberté assortie de limites est appréciable. Mais est-ce que le fait d'avoir de plus en plus de choix entraîne une vie plus heureuse ? Certains chercheurs ont suggéré que les cultures occidentales d'aujourd'hui offrent un « excès de liberté » avec des choix en abondance. Cela peut conduire à un sentiment de satisfaction émoussé, une dépression accrue voire même un comportement inhibé (Schwartz, 2000, 2004). Dans une étude, les gens qui avaient le choix de 30 marques de confiture ou de chocolat étaient moins satisfaits de leur décision que ne l'étaient ceux à qui on proposait seulement 6 marques (Iyengar & Lepper, 2000). Cette *tyrannie du choix* s'accompagne d'une surcharge d'informations et très certainement de plus de regrets de n'avoir pas choisi certaines options proposées. (Avez-vous déjà eu le sentiment de perdre votre temps quand l'éventail du choix était top large ?)

Lieu de contrôle interne *versus* externe à l'individu

Supposons que le sentiment de perte de contrôle des situations est stressant et morbide, les sujets pensant maîtriser les situations sont-ils de ce fait en meilleure santé ? Considérez votre propre sentiment de contrôle des situations. Pensez-vous que votre vie est hors de votre contrôle ? Que le monde est dirigé par quelques personnes toutes puissantes ? Que le fait d'obtenir un travail dépend essentiellement du fait d'être au bon endroit, au bon

Heureux d'avoir le contrôle sur leur vie Après avoir travaillé pendant plusieurs mois à la construction de leur maison aux côtés des volontaires de « Habitat for Humanity » cette famille va enfin connaître la joie d'avoir sa propre maison.

moment ? Ou croyez-vous, au contraire, que vous maîtrisez votre propre destin. Que le citoyen moyen peut influencer les décisions du gouvernement ? Que le succès est le fruit d'un long travail ?

Des centaines d'études ont comparé les gens qui avaient une perception de contrôle différente. D'un côté, il y a ceux qui pensent avoir ce que Julian Rotter appelle un **lieu de contrôle externe,** ils perçoivent que la chance ou des forces externes gouvernent leur destin. D'un autre côté, il y a ceux qui ont la perception que **le lieu du contrôle est interne** et qui croient contrôler leurs propres destinées. Études après études, ceux qui ont un contrôle interne ont mieux réussi à l'école et au travail, ont agi de façon plus indépendante, étaient en meilleure santé et se sentaient moins déprimés que ceux qui un contrôle externe (Lefcourt, 1982 ; Ng et al., 2006). Une étude menée à long terme et qui a suivi 7 500 sujets a montré que ceux qui, à l'âge de 10 ans, pensaient que le lieu de contrôle était interne présentaient moins d'obésité, une pression artérielle plus basse et moins de sentiment de détresse à l'âge de 30 ans (Gale et al., 2008).

Une autre façon de dire que nous croyons que nous sommes maîtres de notre propre vie est de dire que nous avons un *libre arbitre*, ou que nous pouvons contrôler notre propre volonté. Des études montrent que les personnes qui croient en la liberté et ne sont pas fatalistes, apprennent mieux, ont un meilleur rendement au travail, se comportent de façon plus utile, et sont pleinement convaincus qu'il faut punir ceux qui enfreignent les règles (Clark et al., 2014 ; Job et al., 2010 ; Stillman et al., 2010).

Il y a à présent plus de jeunes Américains qui pensent que le lieu de contrôle des situations est externe à leur personne (Twenge et al., 2004). Ce changement peut aider à expliquer l'augmentation de la prévalence des troubles dépressifs et d'autres troubles psychologiques chez les jeunes (Twenge et al., 2010).

Lieu de contrôle externe perception que le hasard ou des forces extérieures qui échappent à notre contrôle personnel déterminent notre destin.

Lieu de contrôle interne perception que nous contrôlons notre propre destin.

Maîtrise de soi capacité de contrôler ses pulsions, de différer une conduite, et de retarder la gratification à court terme pour un réel bénéfice qui viendra plus tard.

EXERCICE RÉCAPITULATIF

- Pour faire face au stress, nous avons tendance à utiliser, des stratégies centrées sur _____ (l'émotion/le problème) quand nous sentons que nous maîtrisons la situation, et des stratégies centrées sur _____ (l'émotion/le problème) quand nous pensons que nous ne pouvons pas changer une situation.

Réponses : problème ; émotion

Perte et renforcement du contrôle de soi

12-20 Comment la maîtrise de soi peut-elle être épuisée, et pourquoi est-il important de la reconstruire ?

La **maîtrise de soi** est la capacité de contrôler ses pulsions, de différer une conduite, et de retarder la gratification à court terme pour un réel bénéfice qui viendra plus tard. Dans les études, la maîtrise de soi prédit une bonne santé, un revenu plus élevé et de meilleures notes (Kuhnle et al., 2012 ; Moffitt et al., 2011). Dans une étude qui a suivi pendant une année scolaire des élèves de classe de huitième (aux États-Unis) une meilleure maîtrise de soi avait une valeur prédictive de la réussite scolaire deux fois plus importante que la note obtenue aux tests d'intelligence (Duckworth & Seligman, 2005).

La maîtrise de soi est en constante évolution, de jour en jour, d'heure en heure, et même de minute en minute. Comme un muscle, le contrôle de soi s'affaiblit à la suite d'un effort soutenu, se reconstitue par le repos et se renforce par l'exercice (Baumeister & Tierney, 2011 ; Hagger et al., 2010 ; Vohs & Baumeister, 2011). Exercer sa volonté épuise temporairement l'énergie mentale nécessaire pour être maître de soi lors d'autres tâches (Vohs et al., 2012). Au cours d'une expérience, les personnes qui avaient faim qui avaient résisté à la tentation de manger des cookies au chocolat abandonnaient plus rapidement les tâches fastidieuses que celles qui n'y avaient pas résisté. Et après avoir épuisé leur volonté lors de tâches expérimentales en laboratoire, comme réprimer des comportements inappropriés ou ignorer des mots clignotants sur un écran d'ordinateur, les sujets, dans leurs réponses à des questionnaires avaient moins de retenue dans leurs réactions agressives en réponse à une provocation et dans leurs relations sexuelles (Finkel et al., 2012 ; Gaillot & Baumeister, 2007). Un affaiblissement de la capacité de maîtrise de soi peut survenir comme par exemple lors du contrôle de la consommation d'alcool (Hofmann et al., 2012).

Exercer sa volonté diminue l'activation des neurones dans les régions associées à la maîtrise de soi, à la maîtrise du désir (Wagner et al., 2013). L'absorption de sucre est-elle la méthode douce de la maîtrise de soi ? Le sucre n'est pas qu'agréable, il augmente également l'activation des neurones dans les régions de maîtrise du désir (Chambers et al., 2009). Dans plusieurs études, il a été montré que l'apport de sucre (limonade avec saccharose mais pas avec édulcorant) a eu un effet émollient :

Marty Lederhandler/AP Photo

LatitudeStock/ Brian Fairbrother/Getty Images

Il a renforcé la volonté et à réduit l'impulsivité financière (Masicampo & Baumeister, 2008 ; Wang & Dvorak, 2010). Même les chiens peuvent éprouver l'épuisement de maîtrise de soi et l'effet régénérant du sucre (Miller et al., 2010).

Pour améliorer la maîtrise de soi, les chercheurs font fi des règles diététiques visant à bannir les friandises de l'alimentation. Il vous suffit de vous rincer la bouche avec un liquide sucré pour vous donner l'énergie mentale dont vous avez besoin (Hagger & Chatzisarantis, 2013 ; Sanders et al., 2012). Vous obtiendrez le coup de pouce nécessaire à la maîtrise de soi, à la maîtrise du désir immédiat, à la capacité de différer une conduite, sans augmenter votre tour de taille.

La réduction de l'énergie mentale après avoir exercé la capacité de maîtrise de soi est de courte durée. L'exercice régulier de la maîtrise de soi augmente cette capacité, comme l'exercice physique est fatigant sur le moment mais augmente, au long cours, les capacités de résistance. Le renforcement du contrôle de soi s'observe dans leurs performances à diverses tâches de laboratoire et dans leur amélioration de la gestion personnelle de leur alimentation, de leur consommation d'alcool ou de cigarette et dans les travaux ménagers (Denson et al., 2011 ; Oaten et Cheng, 2006a, b).

Point à retenir : développez l'autodiscipline dans un domaine de votre vie, et votre autocontrôle renforcé se fera dans d'autres domaines, cela vous fera vivre une vie plus saine, plus heureuse et plus réussie.

Style explicatif : optimisme versus pessimisme

12-21 Comment l'analyse optimiste des situations influence-t-elle la santé et la longévité ?

Dans *The How of Happiness* la psychologue Sonja Lyubomirsky (2008) raconte l'histoire vraie de Randy. Randy a vécu une vie difficile en tout point. Son père et son meilleur ami se sont suicidés. En grandissant, le petit ami de sa mère le traitait mal. Le premier mariage de Randy fut perturbé. Sa femme fut infidèle, et ils ont divorcé. Malgré ces revers, Randy est une personne heureuse dont la présence peut éclairer une pièce. Il se remaria et apprécia son rôle de beau-père de trois garçons. Il trouva aussi une vie professionnelle enrichissante. Randy, dit-il, a fait face à ces défis de la vie en sachant qu'après la pluie, vient le beau temps.

L'histoire de Randy illustre comment notre vision du monde modifie notre façon de « gérer » le stress. *Les pessimistes* s'attendent à une évolution négative des situations (Aspinwall & Tedeschi, 2010 ; Carver et al., 2010 ; Rasmussen et al., 2009). Lorsque les situations se dégradent, les pessimistes ne sont pas surpris ; ils s'y attendaient depuis longtemps. Ils attribuent leurs mauvais résultats à leur manque de capacité (« je ne sais pas faire cela ») ou à des situations échappant à leur contrôle (« je ne peux rien y faire »). À *l'inverse, les optimistes* comme Randy se maîtrisent mieux, résistent mieux au stress et sont en meilleure santé (Aspinwall et Tedeschi, 2010 ; Boehm & Kubzansky, 2012 ; Carver et al., 2010). Lors du dernier mois d'un semestre, les élèves les plus optimistes déclaraient être moins fatigués, moins tousser et avoir moins de maux ou de douleurs. Pendant les premières semaines stressantes de l'entrée à la faculté de Droit les plus optimistes (« il est peu probable que j'échoue ») sont de meilleure humeur et sont mieux immunisés contre les infections (Segerstrom et al., 1998). Les optimistes confrontés au stress n'ont pas de variation importante de la pression artérielle et ils se remettent plus rapidement d'un pontage coronarien.

Des étudiants optimistes ont plus de chances de continuer à avoir de bonnes notes en pensant que l'effort, de bonnes habitudes de travail et de l'autodiscipline peuvent faire la différence (Noel et al., 1987 ; Peterson et Barrett, 1987). Si on interroge des couples d'étudiants, qui se sont formés il y a un moins six mois, à propos de sujets sur lesquels ils ne sont pas d'accord, les optimistes et leurs partenaires se considèrent de manière constructive comme engagés l'un envers l'autre ; ils ont alors tendance à se sentir plus soutenus et satisfaits des résolutions prises et de leur relation (Srivastava et al., 2006). L'optimisme est aussi facteur de bien-être et de réussite en Chine et au Japon (Qin & Piao, 2011). Les attentes et les objectifs à atteindre qui sont réalistes renforcent la motivation (Oettingen et Mayer, 2002).

Considérez l'importance constante et étonnante de ces facteurs que sont l'optimisme et les émotions positives d'après ces différentes autres études :

- Une équipe de chercheurs a suivi 941 sujets hollandais âgés de 65 à 85 ans pendant près de dix ans (Giltay et al., 2004, 2007). Parmi ceux qui faisaient partie du quart des personnes les moins optimistes, 57 % sont morts. Dans le quart de ceux qui étaient les plus optimistes, seuls 30 % sont morts.

- Une équipe de chercheurs finlandais a suivi 2 428 hommes pendant dix ans. Elle a constaté deux fois plus de décès chez les individus ayant un état d'esprit sombre et désespéré par rapport à ceux qui étaient optimistes (Everson et al., 1996). Les chercheurs américains ont trouvé les mêmes résultats après avoir suivi 4 256 anciens combattants de la guerre du Vietnam (Phillips et al., 2009).

- Une étude devenue fameuse a suivi 180 religieuses catholiques ayant écrit de courtes autobiographies vers l'âge de 22 ans. Bien qu'elles aient mené, par la suite, des styles de vie similaires, celles qui avaient pu exprimer du bonheur, de l'amour ainsi que d'autres sentiments positifs, ont vécu en moyenne sept ans de plus que leurs homologues plus austères (Danner et al., 2001). Vers l'âge de 80 ans, environ 54 % de celles qui avaient exprimé peu d'émotions positives étaient décédées, contre seulement 24 % de celles qui avaient un esprit positif.

L'optimisme touche aussi les familles, de sorte que certaines personnes sont vraiment nées sous une bonne étoile, augurant d'une vie pleine d'espoir. Si l'on considère les jumeaux monozygotes, si l'un est optimiste, l'autre le sera souvent aussi (Mosing et al., 2009). Un marqueur génétique de l'optimisme est un gène qui améliore la sécrétion de, l'*ocytocine* « l'hormone du lien social » (Saphire-Bernstein et al., 2011).

La bonne nouvelle est que nous tous, même les plus pessimistes, pouvons apprendre à devenir plus optimiste. En comparaison avec les pessimistes qui ont tenu un journal de leurs activités quotidiennes, ceux qui sont devenus enclins à voir le bon côté des situations difficiles et la visualisation de leurs objectifs comme réalisables ont décrit un état mental moins empreint d'une humeur maussade (Sergent & Mongrain, 2014). L'optimisme est la lumière qui peut égayer l'humeur de chacun.

Soutien social

12-22 En quoi le soutien social est-il un facteur de bonne santé ?

Le soutien social, se sentir aimé et encouragé par des amis intimes et par sa famille, favorise le bonheur et la santé. Lors d'enquêtes de grande envergure, certaines suivant des milliers de personnes pendant plusieurs années, les relations étroites qu'elles entretenaient pouvaient prédire leur santé. Les personnes risquaient moins de mourir prématurément si elles étaient soutenues par des relations étroites avec leur entourage (Uchino, 2009). Lorsque des chercheurs de l'université de Birgham Young ont analysé les données de 148 études totalisant plus de 300 000 personnes dans le monde, ils ont confirmé cet effet étonnant du soutien social (Holt-Lunstad et al., 2010). Ceux qui bénéficiaient d'importantes relations sociales présentaient des taux de survie près de deux fois plus élevés que ceux qui avaient très peu de relations. L'impact de ces faibles rapports humains semblait pratiquement aussi important que l'effet de la consommation de 15 cigarettes par jour ou de l'alcoolisme et deux fois plus important que l'obésité ou l'absence d'exercice. Un petit sentiment d'acceptation, comme cela se produirait lors d'une petite discussion, peut allonger l'espérance de vie (Steptoe et al., 2013). Les hommes ne sont pas les seuls à profiter de leurs amis. Chez les babouins, de forts liens sociaux avec les parents et les amis prédisent également la longévité (Silk et al., 2010).

Nous avons besoin des autres. Certains comblent ce besoin en entrant en relation avec des amis, leur famille, leurs collègues de travail, les membres de leur communauté religieuse ou d'autres groupes de soutien. Le besoin d'appartenance est si fort que les gens vont parfois risquer leur santé pour être socialement acceptés (Rawn & Vohs, 2011). D'autres se lient entre eux par un mariage positif et heureux apportant du soutien. Dans une analyse de la biographie de 72 000 sujets, les personnes mariées n'ayant été confrontées qu'à peu de conflits conjugaux ont vécu plus longtemps, en meilleure santé que les célibataires (Robles et al., 2014). Une étude effectuée sur une période de soixante-dix ans par l'université de Harvard a montré qu'un bon mariage à 50 ans entraînait une meilleure santé en vieillissant que ne le ferait un faible taux de cholestérol au même âge (Vaillant, 2002). D'un autre côté, le divorce est un facteur prédictif d'une mauvaise santé. Dans une analyse de 32 études regroupant plus de 6,5 millions de sujets, les personnes divorcées avaient un risque de mort prématurée augmenté de 23 % (Sbarra et al., 2011).

Qu'est-ce qui explique ce lien entre le soutien social et la santé ? Est-ce parce que les adultes d'âge moyen ou âgés qui vivent seuls ont plus de risques de fumer, d'être obèses, d'avoir un taux de cholestérol élevé et donc deux fois plus de risques d'avoir des crises cardiaques (Nielsen et al., 2006) ? Ou parce que les gens en bonne santé ont davantage tendance à soutenir les autres et à se marier ? Les deux propositions sont possibles. Mais les recherches indiquent qu'il existe aussi d'autres possibilités.

Les attentes positives motivent souvent la réussite éventuelle.

« Nous n'avons tout simplement pas été capables de battre des ailes assez énergiquement. »

« L'optimiste proclame que nous vivons dans le meilleur des mondes possibles, et le pessimiste craint que cela soit vrai. »

James Branch Cabell,
The Silver Stallion d'argent, 1926

Le rire entre amis est un bon remède Le rire nous éveille, masse nos muscles, puis nous laisse détendu (Robinson, 1983). L'humour (sans sarcasmes hostiles) peut désamorcer le stress, soulager la douleur, et renforcer l'immunité (Ayan, 2009 ; Berk et al., 2001 ; Dunbar et al., 2011 ; Kimata, 2001). Les gens qui rient beaucoup ont aussi tendance à moins souffrir de maladies du cœur (Clark et al., 2001).

Mark Andersen/Rubberball/Getty Images

Le soutien social nous calme et réduit notre pression artérielle et les taux circulants « d'hormones du stress ». Nombre d'études soutiennent cette observation (Hostinar et al., 2014 ; Uchino et al., 1996, 1999). Pour voir si le soutien social pouvait calmer les réponses des gens à la menace, une équipe de recherche a soumis des femmes mariées et heureuses à la menace d'un choc électrique à la cheville alors qu'elles étaient allongées sur la table pour passer une IRM fonctionnelle (Coan et al., 2006). Pendant cette expérience, certaines femmes tenaient la main de leur mari. D'autres tenaient la main d'une personne anonyme et d'autres enfin ne tenaient personne. Pendant l'attente de ces chocs occasionnels, les cerveaux de ces femmes étaient moins actifs dans les régions de réponse à la menace lorsqu'elles tenaient la main de leur mari. Cet apaisement était le plus important chez les femmes dont le mariage était le plus heureux. La famille et les amis qui nous apportent le réconfort, qu'ils soient humains ou non, nous permettent d'atténuer les menaces. Après un événement stressant, les patients de Medicare qui avaient un chien ou un autre animal de compagnie consultaient moins leur médecin (Siegel, 1990).

Le soutien social favorise le fonctionnement de notre système immunitaire. Cet effet a été montré chez des volontaires en bonne santé lors d'études sur la résistance au virus du rhume (Cohen et al., 1997, 2004). Après leur avoir administré des gouttes nasales contaminées par le virus du rhume, ils ont été mis en quarantaine et observés pendant cinq jours. (Dans ces expériences plus de 600 volontaires ont perçu la somme de 800 dollars en dédommagement.) En tenant compte de l'égalité de certains facteurs (l'âge, l'origine ethnique, le sexe, le tabagisme et autres habitudes de vie), les personnes ayant le plus de liens sociaux avaient moins de risques d'être infectées. Et si elles s'enrhumaient, les mucosités étaient moins abondantes. Plus de sociabilité signifie moins de sensibilité. Dit froidement, il ne faut pas minimiser l'effet des liens sociaux.

Les relations étroites nous donnent l'opportunité d'un « traitement à cœur ouvert », une chance de confier nos sentiments douloureux (Frattaroli, 2006). Bien que le fait de parler d'un événement stressant puisse exciter temporairement les gens, à long terme, cela les apaise en réduisant l'activité du système limbique (Lieberman et al., 2007 ; Mendolia et Kleck, 1993). Au cours d'une étude, 33 survivants de l'Holocauste furent invités à passer deux heures à se souvenir de leurs expériences, et beaucoup le firent avec des détails intimes jamais révélés jusqu'alors (Pennebaker et al., 1989). Dans les semaines suivantes, beaucoup regardèrent et montrèrent à leur famille et à leurs amis la vidéo de ces souvenirs. Ceux qui se confièrent le plus ouvertement eurent une amélioration plus importante de leur santé quatorze mois plus tard. La confidence est bénéfique pour le corps et l'âme. Au cours d'une étude menée sur les conjoints survivants de personnes s'étant suicidées ou ayant péri dans un accident de voiture, celles qui ruminaient leur chagrin, seules, présentaient plus de problèmes de santé que celles qui les exprimaient ouvertement (Pennebaker et O'Heeron, 1984).

Réprimer ses émotions peut se faire au détriment de la santé physique. Quand Pennebaker, psychologue spécialiste de la santé (1985), étudia plus de 700 étudiantes, il observa qu'environ une sur 12 décrivait une expérience sexuelle traumatisante dans son enfance. Comparées aux femmes qui avaient éprouvé des traumatismes non sexuels, comme le décès d'un parent ou un divorce, celles qui avaient subi des sévices sexuels, en particulier celles qui avaient gardé leur secret, souffraient

« Malheur à celui qui est seul et qui tombe sans avoir un second pour le relever. »

Ecclésiaste 4:10, La Sainte Bible, traduction L. Segond

plus de maux de tête et de douleurs d'estomac. Une autre étude effectuée chez 437 ambulanciers australiens a confirmé les effets nocifs sur la santé de la répression des émotions, après avoir été témoin de traumatismes (Wastell, 2002).

Même le fait d'écrire ses problèmes personnels dans un journal intime peut être utile (Burton et King, 2008 ; Hemenover, 2003 ; Lyubomirsky et al., 2006). Dans une analyse des 633 victimes de traumatismes, l'écriture avait un effet psychothérapeutique équivalent à celui de la psycho-thérapie de soutien (van Emmerik et al., 2013). Dans une autre expérience, une réduction des troubles durant les quatre à six mois qui suivirent a été observée chez les volontaires qui ont tenu un journal quotidiennement (Pennebaker, 1990). Un volontaire l'expliquait ainsi : « Bien que je n'aie parlé à personne de ce que j'avais écrit, j'étais finalement capable de le prendre en compte, d'affronter la douleur au lieu d'essayer de la nier. Maintenant, cela ne me perturbe pas d'y penser. »

Si nous souhaitons faire plus d'exercice, boire moins, arrêter de fumer ou atteindre un poids adapté, nos liens sociaux peuvent nous détourner de nos objectifs ou nous y amener. Si vous essayez d'atteindre un objectif, envisagez ce que votre entourage peut vous apporter Ce réseau social n'est pas seulement constitué personnes que vous connaissez, mais aussi des amis de vos amis. Voilà trois degrés de séparation entre vous et les personnes les plus éloignées. Au sein de ce réseau, d'autres peuvent influencer vos pensées, sentiments et actions à votre insu (Christakis & Fowler, 2009). L'obésité, par exemple se dissémine dans un réseau d'une manière qui ne semble pas refléter simplement la recherche de personnes semblables.

Réduire le stress

Avoir un sentiment de contrôle, développer des pensées plus optimistes et construire un soutien social peut nous aider à *éprouver* moins de stress et à améliorer ainsi notre santé. De plus, ces facteurs sont liés : les personnes qui pensent à eux et voient leur futur de manière optimiste ont également tendance à avoir des liens sociaux qui favorisent une bonne santé (Stinson et al., 2008). Mais parfois, nous ne pouvons pas soulager le stress et nous avons simplement besoin de le *gérer*. L'« aérobic », la relaxation, la méditation et la spiritualité peuvent nous aider à rassembler notre force intérieure et à réduire les effets du stress.

« Y a-t-il quelqu'un parmi vous qui soit spécialisé dans la gestion du stress ? »

L'aérobic

12-23 Quelle est l'efficacité des exercices d'aérobic sur la gestion du stress et l'amélioration du bien-être ?

L'**aérobic** est un exercice soutenu qui consomme de l'oxygène et améliore l'état du cœur et des poumons. Le jogging, la natation ou le vélo en sont des exemples courants. Il est difficile de trouver quelque chose de négatif à dire sur l'exercice. Selon une estimation, un exercice modéré n'augmente pas seulement votre longévité (en moyenne de deux ans) mais améliore également votre qualité de vie, vous fournissant plus d'énergie et une meilleure humeur (Seligman, 1994 ; Wang et al., 2011).

L'exercice aide à combattre les maladies du cœur en le renforçant, augmentant le flux sanguin, maintenant les vaisseaux sanguins dilatés et diminuant à la fois la pression artérielle et la réponse de la tension artérielle au stress (Ford, 2002 ; Manson, 2002). Comparativement aux adultes inactifs, les gens qui font de l'exercice ont deux fois moins de crises cardiaques (Powell et al., 1987 ; Visich et Fletcher, 2009). Grâce à l'exercice, le muscle brûle les mauvaises graisses qui, lorsqu'elles ne sont pas utilisées par lui, sont responsables de l'obstruction des artères (Barinaga, 1997). Dans une étude portant sur plus de 650 000 adultes américains, marcher pendant cent cinquante minutes par semaine prédit de vivre sept ans de plus (Moore et al., 2012). Les gens qui évitent les activités sédentaires, comme regarder la télévision, ont également tendance à vivre plus longtemps (Veerman et al., 2012 ; Wilmot et al., 2012).

Les gènes transmis par nos lointains ancêtres étaient ceux qui nous permettaient d'avoir l'activité physique essentielle nécessaire à la chasse, la recherche de nourriture et la pratique de l'élevage (Raichlen & Polk, 2013). Lorsque l'exercice active ces gènes dans les cellules musculaires, ils répondent par la production de protéines. Chez la personne moderne inactive,

> **Aérobic** exercice soutenu qui augmente la capacité d'adaptation du cœur et des poumons à l'effort. Il peut également soulager la dépression et l'anxiété.

ces gènes produisent moins de protéines, ce qui augmente notre sensibilité vis-à-vis de plus de vingt maladies chroniques, comme le diabète de type 2, les maladies coronariennes, les accidents vasculaires cérébraux, la maladie d'Alzheimer et le cancer (Booth et Neufer, 2005). L'inactivité est donc potentiellement toxique. Mais l'activité physique peut affaiblir l'influence de certains facteurs de risque génétiques. Dans une analyse de 45 études, le risque d'obésité a baissé de 27 % (Kilpeläinen et al., 2012).

L'exercice peut-il renforcer l'esprit ? De nombreuses études suggèrent que l'aérobic peut réduire le stress, la dépression et l'anxiété. Par exemple, les Américains, les Canadiens et les Britanniques qui font de l'aérobic trois fois par semaine se débrouillent mieux face aux événements stressants, ont davantage confiance en eux, ont plus de vigueur et sont moins souvent déprimés et fatigués que ceux qui en font moins (McMurray, 2004 ; Mead et al., 2010 ; Puetz et al., 2006 ; Smits et al., 2011). Passer de la pratique de l'exercice physique à une vie plus sédentaire peut augmenter, chez la femme, le risque de dépression de 51 % sur deux ans (Wang et al., 2011). Dans une enquête menée sur des étudiants de 21 pays, l'exercice physique était un facteur important de la satisfaction dans leur vie (Grant et al., 2009).

Mais nous pouvons formuler cette observation autrement : les gens stressés et déprimés font moins d'exercice. Ces observations ne sont que des corrélations, le rapport de cause à effet est incertain. Pour résoudre cette ambiguïté les chercheurs ont mené différentes expériences. Ils ont réparti au hasard les gens stressés, déprimés ou anxieux soit vers un groupe de traitement par aérobic, soit vers un groupe témoin. Ils mesurèrent ensuite les effets éventuels de l'exercice « aérobic » sur le stress, l'humeur dépressive, l'anxiété, ou sur tout autre état. Une expérience classique a consisté à répartir au hasard, en trois groupes, des étudiantes souffrant d'un trouble dépressif d'intensité légère. Un a participé à un programme d'exercice aérobic. Un autre a pris part à un programme d'exercices de relaxation. Le troisième groupe était le groupe témoin (McCann et Holmes, 1984). Comme le montre la **FIGURE 12.30**, dix semaines plus tard, les jeunes femmes appartenant au programme d'aérobic décrivaient une diminution plus importante de l'intensité du trouble dépressif. Beaucoup d'entre elles étaient en état de guérison clinique.

Des dizaines d'autres expériences confirment que l'exercice évite ou réduit la dépression et l'anxiété (Conn, 2010 ; Rethorst et al., 2009 ; Windle et al., 2010). L'exercice est non seulement aussi efficace que les médicaments, mais il permet une meilleure prévention des rechutes (Babyak et al., 2000 ; Salmon, 2001). Lors d'un essai thérapeutique les expérimentateurs ont

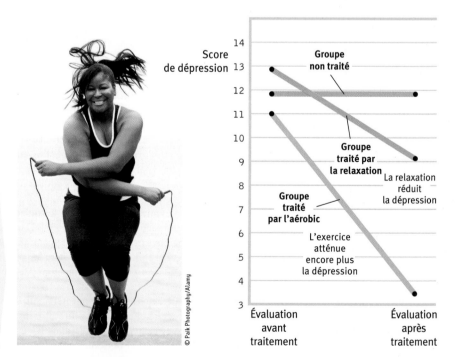

▼ FIGURE 12.30

Les exercices d'aérobic et la dépression Les étudiantes souffrant d'un état dépressif d'intensité légère qui ont participé à un programme d'exercices aérobic ont vu l'intensité décroître, comparativement à celles qui ont fait seulement des exercices de relaxation ou n'ont reçu aucun traitement. (Données de McCann & Holmes, 1984.)

réparti au hasard des patients souffrant d'un trouble dépressif en trois groupes : un premier groupe soumis à des exercices physiques, un deuxième traité par un médicament antidépresseur, et un troisième groupe témoin. L'intensité du trouble dépressif a été réduite de façon comparable chez les patients du premier et du deuxième groupe. La réduction a été plus durable dans le premier groupe (Hoffman et al., 2011).

L'exercice vigoureux augmente immédiatement le débit sanguin cérébral (Watson, 2000). Même une marche de dix minutes suscite deux heures de bien-être accru en augmentant le niveau d'énergie et en abaissant la tension (Thayer, 1987, 1993). Comment expliquer les effets des exercices physiques ? À certains égards, l'exercice fonctionne comme un antidépresseur. L'exercice augmente l'activité, s'opposant ainsi au ralentissement moteur de l'état dépressif. Il entraîne souvent une relaxation musculaire et un sommeil plus profond. Il remet en ordre les molécules de notre pharmacie endogène qui améliorent l'humeur – les neuromédiateurs, comme la noradrénaline, la sérotonine et les endorphines (Jacobs, 1994 ; Salmon, 2001). Et il peut accroître la *neurogenèse*. Chez les souris, l'exercice entraîne la production par le cerveau d'une molécule qui agit en stimulant la production de nouveaux neurones résistant au stress (Hunsberger et al., 2007 ; Reynolds, 2009 ; van Praag, 2009).

À un plus faible niveau, le sens de l'accomplissement et l'amélioration physique et de l'image de son corps qui accompagnent souvent une pratique quotidienne du sport peuvent améliorer l'image que l'on a de soi conduisant à un meilleur état émotionnel. L'exercice (au moins une demi-heure pendant au moins cinq jours consécutifs par semaine) est comme un médicament qui empêche et traite les maladies, augmente l'énergie, calme l'anxiété et favorise la bonne humeur. Un médicament que nous voudrions tous prendre s'il existait. Cependant, très peu de personnes (une sur quatre aux États-Unis) en profitent (Mendes, 2010).

Un stimulant de l'humeur Lorsque l'énergie mentale s'affaiblit et que l'humeur devient maussade, il n'y a pas mieux que l'exercice physique pour se sentir mieux. Pratiquant le basket-ball quotidiennement à l'heure du déjeuner, je peux le confirmer (DM) de même que je peux le confirmer par ma pratique de la course à pied (ND).

Relaxation et méditation

12-24 De quelle manière la méditation et la relaxation peuvent-elles influencer les états de stress et la santé ?

Connaissant les effets néfastes du stress, pourrions-nous apprendre à contrecarrer ces réponses au stress en modifiant notre façon de penser et notre mode de vie ? Vers la fin des années 1960, des psychologues reconnus commencèrent à expérimenter le *biofeedback*, un système d'enregistrement amplifiant et donnant des informations sur des changements physiologiques minimes dont beaucoup étaient contrôlés par le système nerveux autonome. Les instruments de biofeedback sont des miroirs qui réfléchissent le résultat des efforts du sujet, lui permettant d'apprendre quelles techniques contrôlent, ou non, une réponse physiologique donnée. Après dix ans de recherche, cependant, les chercheurs décidèrent que les premières affirmations sur le biofeedback avaient été surévaluées et exagérées (Miller, 1985). Selon un groupe d'experts des National Institutes of Health en 1995, c'est sur les céphalées de tension que le biofeedback fonctionne le mieux.

Les méthodes simples de relaxation, qui ne demandent pas d'équipement coûteux, apportent en grande partie les mêmes bénéfices que ceux promis par le biofeedback. La **FIGURE 12.30** montre que les exercices d'aérobic réduisent l'intensité des signes et des symptômes de l'état dépressif. Mais avez-vous remarqué sur ce schéma que l'intensité de l'état dépressif diminuait également chez les femmes suivant un traitement de relaxation ? Plus de 60 études ont montré que la relaxation pouvait aider à soulager les céphalées, l'hypertension, l'anxiété et l'insomnie (Nestoriuc et al., 2008 ; Stetter et Kupper, 2002).

Ces résultats ne surprendraient pas Meyer Friedman et ses collaborateurs. Ils ont évalué les effets de la relaxation dans un programme de rééducation conçu pour les sujets ayant une personnalité de *Type* A en convalescence d'un infarctus du myocarde (les sujets ayant une personnalité de *type* A ont une vulnérabilité supérieure aux sujets ayant une personnalité de *type* B). Ils ont réparti au hasard plusieurs centaines d'hommes d'âge moyen dans deux groupes. Le premier groupe a reçu les conseils habituels des cardiologues concernant les médicaments, l'alimentation et la nécessité de faire de l'exercice. Le deuxième groupe a reçu des conseils similaires, mais ils ont suivi un programme de

Des amis à fourrure pour égayer la fin de la semaine À la fin de la semaine de cours certaines écoles apportent des petits animaux sur le campus. C'est un moyen d'aider les élèves à se détendre et de diminuer l'intensité du stress. Cette étudiante à l'Université Emory se détend en s'amusant avec des chiens et chiots. D'autres écoles proposent un jardin zoologique rempli d'animaux familiers ou encouragent les enseignants à apporter leurs propres animaux de compagnie.

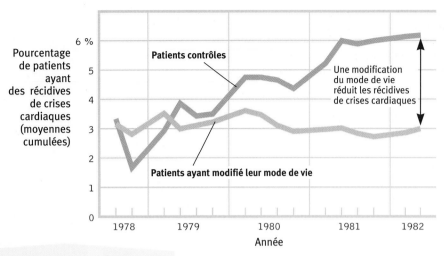

▼ FIGURE 12.31
Crises cardiaques récurrentes et modification de style de vie Le San Francisco Recurrent Coronary/Prevention Project fait partie des conseils d'un cardiologue aux malades en convalescence d'une crise cardiaque. Les récidives ont été moins nombreuses chez les sujets qui ont été guidés pour modifier leur mode de vie de type A. (Données de Friedman & Ulmer, 1984.)

« Asseyez-vous seul et en silence. Baissez la tête, fermez les yeux, respirez doucement, et imaginez-vous regardant dans votre propre cœur… À chaque expiration dites "Seigneur Jésus-Christ, aie pitié de moi"… Essayez de vous éloigner de toutes les autres pensées. Soyez calme, patient, et répétez cette prière très fréquemment. »

Grégoire du Sinaï, mort en 1346

rééducation. Ils ont appris à se détendre en marchant, en parlant, et en mangeant plus lentement. Ils ont appris à sourire et à rire d'eux-mêmes. Ils ont appris à admettre leurs erreurs – prendre le temps de profiter de la vie – et à réanimer la flamme de leur foi religieuse. Cet entraînement fut bénéfique (**FIGURE 12.31**). Au cours des trois années qui ont suivi ce programme, les personnes du second groupe eurent deux fois moins de crises cardiaques que celles du premier groupe. Cela, écrivit l'exubérant Friedman, est une réduction spectaculaire et encore jamais vue dans la récidive de crises cardiaques. Une étude britannique effectuée à plus petite échelle a réparti des sujets à risque de crise cardiaque en deux groupes, un groupe témoin un groupe qui suivait un programme de modification du mode de vie (Eysenck et Grossarth-Maticek, 1991). Au cours des 13 années qui suivirent, cette étude montra également une réduction de 50 % du taux de mortalité chez ceux qui avaient modifié leurs modes de penser et de vie. Après avoir souffert d'une crise cardiaque à l'âge de 55 ans, Friedman commença à suivre sa propre technique comportementale et vécut jusqu'à 90 ans (Wargo, 2007).

Le temps peut guérir toutes les blessures, mais la relaxation peut aider à accélérer ce processus. Dans une étude, des patients ayant subi une intervention chirurgicale ont été répartis au hasard dans deux groupes. Les deux groupes ont reçu un traitement standard, mais le second groupe a également participé à un exercice de relaxation de quarante-cinq minutes et a reçu des enregistrements pour la pratique de séances de relaxation à utiliser avant et après l'intervention Une semaine après cette intervention chirurgicale, les patients ayant pratiqué la relaxation se décrivaient comme moins stressés et montraient une meilleure cicatrisation (Broadbent et al., 2012).

La méditation est une pratique moderne qui a une longue histoire. Plusieurs grandes religions du monde, invitent à la méditation pour réduire la souffrance et améliorer la sensibilisation, la perspicacité et la compassion. De nombreuses études ont confirmé les avantages psychologiques de la méditation (Goyal et al., 2014 ; Sedlmeier et al., 2012). Aujourd'hui, la méditation fait partie des programmes de gestion du stress, tels que *la méditation en pleine conscience*. Si vous avez appris cette pratique, vous pourrez vous détendre et contempler silencieusement à votre état intérieur, sans le juger (Kabat-Zinn, 2001). Si vous voulez bien vous asseoir, fermez les yeux, et imaginez votre corps de la tête aux pieds. Concentrez votre attention sur certaines parties du corps et ressentez ce que procure cette concentration. Vous porterez votre attention sur votre respiration, en considérant chaque mouvement respiratoire.

Pratiquer la méditation en pleine conscience peut améliorer de nombreuses mesures thérapeutiques. Lors d'une étude portant sur 1 140 personnes, un groupe de personnes a reçu un traitement par la méditation en pleine conscience pendant plusieurs semaines. L'autre groupe n'a pas bénéficié de cette pratique. Les niveaux d'anxiété et de dépression étaient moins élevés chez ceux qui avaient pratiqué ce type de méditation (Hofmann et al., 2010). Dans une autre étude, l'entraînement à cette pratique de méditation a amélioré le fonctionnement du système immunitaire et le « coping » chez des femmes pour qui le diagnostic de cancer du sein au stade précoce venait d'être fait (Witek-Janušek et al., 2008). La pratique de la méditation en pleine conscience a mené à la réduction des troubles du sommeil, de la consommation de cigarettes, des crises de boulimie, de la consommation d'alcool et d'autres substances toxiques (Bowen et al., 2006 ; Brewer et al., 2011 ; Cincotta et al., 2011 ; de

Dios et al., 2012 ; Kristeller et al., 2006). Quinze minutes de pratique quotidienne de pleine méditation sont suffisantes pour améliorer les performances de prise de décision (Hafenbrack et al., 2014).

Donc, que se passe-t-il dans le cerveau lorsque nous pratiquons cette méditation ? Les études corrélationnelles et expérimentales offrent trois explications. La pleine conscience

- *renforce les liens entre les différentes régions du cerveau.* Les régions affectées sont celles associées à la concentration de l'attention, à la vision, à l'audition, et à la conscience de soi (Ives-Deliperi et al., 2011 ; Kilpatrick et al., 2011).

- *active les régions du cerveau associées à la conscience de soi* (Davidson et al., 2003 ; Way et al., 2010). Lors de la confrontation à des situations évoquant diverses émotions, les sujets qui pratiquent la méditation en pleine conscience montrent moins d'activation dans l'amygdale, une région du cerveau associée à la peur, et plus l'activation dans le cortex préfrontal, qui facilite la régulation des émotions (Creswell et al., 2007).

- *calme l'activation du cerveau dans les situations émotionnelles.* Cette activation sous-corticale fut manifeste lors d'une étude dans laquelle les participants ont regardé deux films, l'un triste, l'autre neutre. Les sujets du groupe témoin, qui ne sont pas formés à méditation en pleine conscience, ont montré de fortes différences dans l'activation de zones corticales et sous-corticales lors de la vision des deux films. Ceux qui avaient pratiqué la méditation en pleine conscience ont montré peu de changement dans les réponses corticales et sous-corticales évoquées lors de la vision des deux films (Farb et al., 2010). Les images désagréables déclenchent également de plus faibles réponses électriques sur l'EEG, chez les personnes pratiquant la méditation (Brown et al., 2013). La méditation en pleine conscience favorise la tranquillité de l'âme.

Dean Mitchell/Shutterstock

L'exercice et la méditation ne sont pas les seules voies qui mènent à un état de relaxation. Le massage aide à relaxer les nourrissons prématurés et ceux qui souffrent de douleurs. Une analyse de 17 expériences a révélé un autre avantage : la thérapie par le massage détend les muscles et aide à réduire la dépression (Hou et al., 2010).

Et puis il y a les mystiques qui cherchent à utiliser la puissance de l'esprit pour pouvoir subir une intervention de chirurgie dentaire sans anesthésie locale par la novocaïne. Leur objectif : transcender l'action du médicament.

Communautés religieuses et santé

12-25 Qu'est-ce que le « facteur religieux », et quelles sont les explications possibles du lien entre la foi et la santé ?

Un grand nombre d'études, environ 1 800 menées lors de la première décennie du XXIᵉ siècle a révélé une autre corrélation assez étonnante, appelé le *facteur religieux* (Koenig et al., 2011). Les personnes croyantes et pratiquantes ont tendance à vivre plus longtemps que celles qui ne sont

© MaRoDee Photography/Alamy   Fuse/Jupiterimages   Sura Nualpradid/Shutterstock   casejustin/Shutterstock

© Georgios Kollidas/Alamy   Georgios Kollidas/Shutterstock   ppart/Shutterstock pas pratiquantes. Une telle étude a comparé les taux de mortalité chez 3 900 personnes vivant dans deux communautés israéliennes. La première communauté était formée de 11 collectivités religieuses orthodoxes ; la seconde de 11 collectivités non religieuses (Kark et al., 1996). Après l'observation de ces communautés, pendant seize ans les chercheurs ont déclaré que « l'apparte-nance à une communauté religieuse était associée à un sentiment de protection intense », qu'on ne pouvait expliquer par l'âge ou les différences économiques. Dans chaque groupe d'âge, le taux de mortalité de ceux qui appartenaient à des communautés religieuses était deux fois moins élevé que celui des gens n'en faisant pas partie. C'est à peu près comparable à la différence de mortalité entre les sexes.

Comment pouvons-nous interpréter ces résultats ? La corrélation ne signifie pas « relation de cause à effet » les corrélations simples peuvent laisser de nombreux facteurs incontrôlés (Sloan et al., 1999, 2000, 2002, 2005). Une autre interprétation peut être faite : les femmes sont plus pratiquantes que les hommes et vivent plus longtemps qu'eux. Le lien religieux exprime peut-être simplement la différence de longévité entre les hommes et les femmes. Apparemment non. Par exemple, une étude menée sur huit ans par le NIH a suivi 92 395 femmes âgées de 50 à 79 ans. Même après avoir contrôlé de nombreux facteurs, la recherche a montré que le risque de décès durant la période de l'étude était inférieur de 20 % chez les femmes qui assistaient aux offices reli-gieux au moins une fois par semaine (Schnall et al., 2010). Mais l'association entre l'engagement religieux et la durée de vie s'observe aussi chez les hommes (Benjamins et al., 2010 ; Mc Cullough et al., 2000, 2005, 2009). Une étude ayant suivi 5 286 Californiens sur une période de vingt-huit ans a montré, après ajustements pour l'âge, le sexe, l'origine ethnique et le niveau d'instruction, que les personnes qui avaient une pratique religieuse fréquente avaient eu 36 % moins de risques de décéder, quelle que soit l'année (**FIGURE 12.32**). Au cours d'une autre étude contrôlée ayant suivi plus de 20 000 personnes sur une période de huit ans (Hummer et al., 1999) cet effet s'est traduit pour une personne de 20 ans par une espérance de vie de 83 ans si elle est une pratiquante fidèle de 75 ans si elle n'est pas pratiquante.

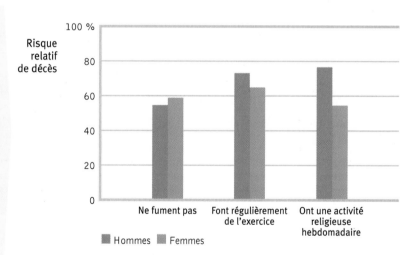

▼ FIGURE 12.32
Les facteurs prédictifs de la longévité : ne pas fumer, pratiquer fréquemment et régulièrement de l'exercice, pratiquer une religion
L'épidémiologiste William Strawbridge et ses collègues (1997, 1999 ; Oman et al., 2002) ont suivi 5 286 adultes âgés de plus de 28 ans, à Alameda, Californie. Après ajustement des facteurs âge et niveau d'instruction, les chercheurs ont constaté que ne pas fumer, pratiquer un exercice physique régulier, et pratiquer une religion sont des facteurs prédictifs d'une diminution du risque de décès au cours d'une année donnée. Les femmes assistant à des offices religieux hebdomadaires, par exemple, comparativement à un groupe de femmes ne le faisant pas, voient leur risque de décès réduit de 54 %.

Ces corrélations ne signifient pas que les non-pratiquants qui débutent une activité religieuse et ne changent rien d'autre vivront 8 années de plus. Néanmoins, les résultats montrent que l'engagement religieux, comme le fait de ne pas fumer et l'exercice physique, est un *facteur prédictif* de santé et de longévité. Pouvez-vous imaginer quelles variables pourraient intervenir dans ces corrélations ? La recherche met en exergue trois ensembles pouvant exercer une influence (**FIGURE 12.33**) :

- *Comportements sains* : La religion favorise *la maîtrise de soi* (McCullough & Willoughby, 2009), et les sujets pratiquant une religion ont tendance à fumer et à boire beaucoup moins et à avoir une vie plus saine (Islam & Johnson, 2003 ; Koenig & Vaillant, 2009 ; Masters & Hooker, 2013 ; Park, 2007). Selon une enquête Gallup menée sur 550 000 Américains, 15 % de ceux qui étaient très pratiquants fumaient, contre 28 % de ceux qui ne pratiquaient pas

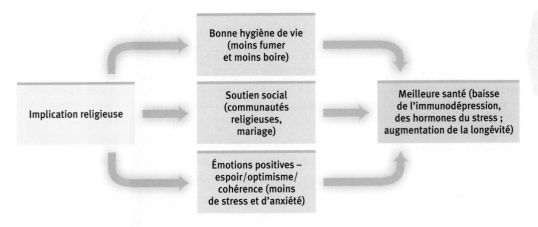

▼ FIGURE 12.33
Explications possibles de la corrélation entre la pratique religieuse et la santé/la longévité

(Newport et al., 2010). Mais de telles différences ne sont pas suffisamment importantes pour expliquer la baisse de mortalité importante dans les communautés religieuses israéliennes. Dans des études américaines récentes, il restait une différence de 75 % concernant la longévité après avoir écarté les mauvaises habitudes telles que l'inactivité et le tabagisme (Musick et al., 1999).

- *Soutien social :* Le soutien social peut-il expliquer le facteur religieux (Ai et al., 2007 ; Kim-Yeary et al., 2012) ? Que ce soit dans le judaïsme, le christianisme ou l'islam, la foi est une expérience communautaire. Appartenir à une de ces communautés religieuses c'est accéder à un réseau de soutien. Les participants actifs sont là pour s'entraider les uns les autres en cas de malheur. De plus, la religion encourage un autre facteur prédictif de santé et de longévité : le mariage. Dans les communautés religieuses israéliennes, par exemple, le divorce est presque inexistant.

- *Émotions positives :* Cependant, même après avoir fait l'ajustement statistique pour le genre, la mauvaise hygiène de vie, les liens sociaux et les troubles de santé préexistants, les études sur la mortalité signalent encore que les personnes pratiquant une religion ont tendance à vivre plus longtemps (Chida et al., 2009). Les chercheurs peuvent alors avancer l'hypothèse que les sujets pratiquants ont une vision cohérente du monde, un sentiment d'espoir dans l'avenir, des sentiments d'acceptation absolue ainsi que des moments de détente dans la méditation pour ceux qui prient ou observent le Shabbat. Ces variables peuvent également expliquer des constats faits récemment chez les personnes pratiquant une religion concernant un meilleur fonctionnement du système immunitaire, un nombre d'hospitalisations plus faible et, chez les patients atteints du sida, une quantité moindre d'hormones du stress et une augmentation de la longévité (Ironson et al., 2002 ; Koenig et Larson, 1998 ; Lutgendorf et al., 2004).

EXERCICE RÉCAPITULATIF

- Quelles sont certaines des tactiques que nous pouvons utiliser pour gérer efficacement le stress que nous ne pouvons pas éviter ?

Réponse : L'aérobic, la pratique de la relaxation, la méditation en pleine conscience, et l'engagement religieux

REVUE GÉNÉRALE Santé et stratégie d'adaptation

OBJECTIFS D'APPRENTISSAGE

EXERCICE RÉCAPITULATIF Prenez un moment pour répondre à chacune de ces questions objectif d'apprentissage (répétées ici au sein de cette section). Puis allez à l'annexe C, révision complète du chapitre, pour vérifier vos réponses. La recherche suggère que d'essayer de répondre à ces questions sur votre propre va améliorer votre rétention à long terme (McDaniel et al., 2009).

12-18 Quelles sont les deux attitudes qui permettent de soulager le stress ?

12-19 En quoi le sentiment de perte de contrôle affecte-t-il la santé ?

12-20 Comment la maîtrise de soi peut-elle être épuisée, et pourquoi est-il important de la reconstruire ?

12-21 Comment l'analyse optimiste des situations influence-t-elle la santé et la longévité ?

12-22 En quoi le soutien social est-il un facteur de bonne santé ?

12-23 Quelle est l'efficacité des exercices d'aérobic sur la gestion du stress et l'amélioration du bien-être ?

12-24 De quelle manière la méditation et la relaxation peuvent-elles influencer les états de stress et la santé ?

12-25 Qu'est ce que le « facteur religieux », et quelles sont les explications possibles du lien entre la foi et la santé ?

TERMES ET CONCEPTS À RETENIR

EXERCICE RÉCAPITULATIF Testez votre connaissance de ces termes en essayant d'écrire leur définition avant de vous reporter aux pages donnant les bonnes réponses.

« coping », stratégie d'adaptation à une situation, p. 500

stratégie d'adaptation centrée sur les problèmes, p. 500

stratégie d'adaptation centrée sur les émotions, p. 500

impuissance apprise, ou résignation apprise, p. 501

locus de contrôle externe, lieu de contrôle externe, lieu de maîtrise externe, p. 503

locus de contrôle interne, lieu de contrôle interne, lieu de maîtrise interne, p. 503

maîtrise de soi, p. 503

exercice aérobie, p. 507

 ÉVALUEZ-VOUS ÉMOTIONS, STRESS ET SANTÉ

Évaluez-vous à plusieurs reprises tout au long de vos études. Cela permettra non seulement de vous aider à distinguer ce que vous savez de ce que vous ignorez mais aussi à vous faire bénéficier de l'effet test. Autrement dit, le test lui-même va vous aider à apprendre et à mémoriser l'information de manière plus efficace grâce précisément à ce qui est appelé *l'effet test*.

Introduction à l'étude des émotions

1. La théorie de _____ – _____ de l'émotion soutient qu'une réponse physiologique précède ce que nous ressentons.

2. Supposons que, après avoir passé une heure sur un tapis de course, vous recevez une lettre disant que votre demande de bourses d'études a été approuvée. La théorie des deux facteurs de l'émotion serait de prédire que votre activation physique va
   a. réduire votre joie.
   b. la rendre plus intense.
   c. transformer votre joie en sentiment de soulagement.
   d. ne pas avoir d'effet.

3. Zajonc et LeDoux soutiennent que certaines réactions émotionnelles se produisent avant que nous ayons pu les ressentir ou les interpréter. Lazare n'est pas d'accord avec cette proposition. Ces psychologues diffèrent quant à savoir si les réponses émotionnelles se produisent en l'absence
   a. d'excitation physique.
   b. d'adrénaline
   c. de traitement cognitif.
   d. d'apprentissage.

4. Que mesurent les enregistrements polygraphiques et pourquoi leurs résultats sont-ils discutables ?

Expression des émotions

5. Quand les gens sont amenés à assumer des expressions d'horreur, ils disent souvent avoir un peu peur. Ce résultat est connu sous le nom d'effet _____ _____

Ressentir l'émotion

6. Une des conclusions les plus constantes de la recherche psychologique est que les gens heureux sont aussi
   a. plus susceptibles d'exprimer la colère.
   b. généralement plus chanceux.
   c. surtout présents dans les pays riches.
   d. plus susceptibles d'aider les autres.

7. La psychologie _____ est un domaine scientifique dont l'objet porte sur la façon dont les humains se développent et prospèrent.

8. Après avoir déménagé dans un nouvel appartement, vous trouverez que les bruits de la rue vous irritent, mais après un certain temps, ils ne vous dérangeront plus. Cette réaction illustre

   a. le principe de la privation relative.

   b. le phénomène d'adaptation.

   c. se sentir bien et agir bien.

   d. le principe de la catharsis.

9. Un philosophe a observé que nous ne pouvons pas échapper à l'envie, car nous nous comparons toujours à quelqu'un qui réussit mieux, qui est plus épanoui, ou plus riche. En psychologie, cette observation est incarnée par le principe _____ _____.

Stress et maladie

10. Le syndrome général d'adaptation de Selye (GAS) consiste en une réaction d'alarme, suivi par _____, puis par _____.

11. Lorsqu'elles sont confrontées à un stress, les femmes sont plus susceptibles que les hommes de souffrir de _____ – et – _____.

12. Le nombre de maladies et de troubles psychologiques liés au stress était plus élevé que d'habitude dans les mois suivant un tremblement de terre. Ces résultats suggèrent que

    a. les soucis quotidiens ont des conséquences néfastes sur la santé.

    b. vivre un événement très stressant augmente la vulnérabilité d'une personne à la maladie.

    c. la quantité de stress éprouvée par une personne est directement proportionnelle au nombre de facteurs de stress.

    d. les petits événements ne causent pas de stress, mais les grands événements peuvent avoir des conséquences fâcheuses.

13. Lequel des éléments suivants ne figure pas parmi les trois principaux types de facteurs de stress ?

    a. Catastrophes

    b. Changements importants survenant au cours de la vie

    c. Soucis quotidiens

    d. Se sentir menacé par les événements dont nous entendons parler

14. Les résultats de la recherche ont montré que le risque de cancer était plus élevé un an après une dépression, un profond désespoir ou un deuil. En décrivant ce lien, les chercheurs sont prompts à souligner que

    a. l'accumulation de stress provoque le cancer.

    b. la colère est l'émotion négative la plus étroitement liée au processus cancérogène.

    c. le stress ne crée pas les cellules cancéreuses, mais il affaiblit les défenses naturelles du corps.

    d. le sentiment optimiste sur les chances de survie garantit la guérison du cancer.

15. Un proverbe chinois appelle à la prudence : « Le feu que vous avez allumé pour attaquer votre ennemi vous brûle souvent plus que lui. » Comment ce proverbe peut-il s'appliquer aux sujets ayant une personnalité de type A ?

16. Les composantes de la personnalité de type A qui ont été liées plus étroitement à la maladie coronarienne sont la colère et d'autres sentiments _____.

Santé et stratégie d'adaptation

17. Lorsque vous êtes confrontés à une situation sur laquelle vous sentez que vous n'avez pas de prise, il est plus efficace d'utiliser une stratégie d'adaptation centrée sur _____ (l'émotion/le problème) -

18. La recherche de Seligman a montré qu'un chien va adopter un comportement d'impuissance, de résignation apprise, s'il a reçu des chocs répétés et

    a. a eu la possibilité de s'échapper.

    b. n'a eu aucun contrôle sur les chocs.

    c. a éprouvé de la douleur ou un sentiment de malaise.

    d. n'a pas eu de nourriture ou d'eau avant les chocs.

19. Lorsque les patients âgés prennent une part active à leur soin et à l'entretien de leur cadre de vie, leur moral et leur santé tendent à s'améliorer. Ces résultats montrent le bénéfice du sentiment d'un locus de contrôle ou lieu de maîtrise _____ (interne/externe).

20. Les gens qui entretiennent des liens sociaux et amicaux sont moins susceptibles de mourir prématurément que ceux qui ne le font pas. Ainsi l'hypothèse suivante est confortée :

    a. les liens sociaux peuvent être une source de stress.

    b. La longévité est liée au sexe.

    c. La personnalité de type A est responsable de nombreux décès prématurés.

    d. Le soutien social a un effet bénéfique sur la santé.

21. Parce qu'il déclenche la libération de neurotransmetteurs régulant l'humeur comme la noradrénaline, la sérotonine et les endorphines, l'exercice _____ augmente les niveaux d'énergie et aide à soulager la dépression et l'anxiété.

22. La recherche sur le facteur religieux a constaté que

    a. les sujets pessimistes ont tendance à être en meilleure santé que les optimistes.

    b. nos attentes influencent le stress ressenti.

    c. Les personnes croyantes et pratiquantes ont tendance à vivre plus longtemps que celles qui ne le sont pas.

    d. La pratique favorise l'isolement, la dépression et la mauvaise santé.

Trouvez les réponses à ces questions dans l'annexe D, à la fin du livre.

Pensée sociale

Influence sociale

Relations antisociales

Relations prosociales

CHAPITRE 13

PSYCHOLOGIE SOCIALE

· · · · · · · · · · · ·

En 1569, **Dirk Willems** dû faire face à une prise de décision. Menacé de mort sous la torture en tant que membre d'une minorité religieuse persécutée, il s'échappa de sa prison d'Asperen, aux Pays-Bas, et s'enfuit en traversant un étang gelé. Son gardien de prison, plus fort et plus lourd, s'élança à sa poursuite mais la glace se brisa et il tomba dans l'eau, incapable de remonter, implorant de l'aide.

Ayant sa liberté en face de lui, Willems agit avec un ultime dévouement. Il revint sur ses pas pour sauver son poursuivant, qui obéissant aux ordres le ramena en captivité. Quelques semaines plus tard, Willems fut condamné à « périr par les flammes jusqu'à ce que mort s'ensuive ». En l'honneur de ce martyre, les habitants d'Asperen viennent de donner le nom de ce héros populaire à une rue (Toews, 2004).

Qu'est-ce qui a poussé les gens à ressentir du mépris pour les minorités religieuses comme celle de Dirk Willems et à se comporter de manière aussi malveillante ? Qu'est-ce qui a motivé la réponse de dévouement de Willems et de tant d'autres qui sont morts en essayant de sauver d'autres personnes ? Qu'est-ce qui nous motive lorsque nous offrons de la gentillesse et de la générosité aux autres ?

Comme le démontrent ces exemples, nous somme des animaux sociaux. Nous pouvons supposer le meilleur ou le pire chez les autres. Nous pouvons les approcher en serrant les poings ou en ouvrant les bras. Cependant, comme l'a remarqué le romancier Herman Melville : « Nul ne peut vivre uniquement pour soi. Nos vies sont liées les unes aux autres par des milliers de fils invisibles. » Les *psychosociologues* explorent ces connexions en étudiant scientifiquement comment nous *pensons aux autres*, les *influençons* et *entrons en relation* avec eux.

■ Pensée sociale

13-1 **Quel est le champ d'étude des psychosociologues ? De quelle manière avons-nous tendance à expliquer le comportement d'autrui et le nôtre ?**

Les psychologues de la personnalité se concentrent sur la personne. Ils étudient les traits de caractère et la dynamique qui explique pourquoi *des gens différents peuvent agir différemment* dans une situation donnée, par exemple celle à laquelle Willems a dû faire face. (Auriez-vous aidé le garde et l'auriez-vous sorti de l'eau gelée ?) Les **psychosociologues** se concentrent sur la situation. Ils étudient les influences sociales permettant d'expliquer pourquoi *une même personne* peut agir *différemment* selon la situation. Le gardien de la prison aurait-il agi différemment, en choisissant de ne pas ramener Willems en prison, si les circonstances avaient été différentes ?

Dirk Willemfz. 1569.

Gravure de Dirk Willems par l'artiste néerlandais Jan Luyken (extrait de *The Martyrs Mirror*, 1685)

L'erreur fondamentale d'attribution

Notre comportement social provient de notre cognition sociale. En particulier lorsque l'inattendu se produit, nous voulons comprendre et expliquer pourquoi les gens ont agi comme ils l'ont fait. Après avoir étudié comment les gens expliquaient le comportement des autres, Fritz Heider (1958) exposa sa **théorie de l'attribution** : nous pouvons attribuer le comportement aux caractères stables et constants d'une personne (*attribution de disposition*) ou alors à la situation (*attribution de situation*)

En cours, par exemple, nous remarquons que Juliette ne dit pas grand-chose ; au café, Jack parle sans arrêt. Nous supposons alors que c'est ainsi qu'ils doivent être, Juliette doit être timide et Jack extraverti. Comme les individus ont des traits de personnalité stables, de telles attributions, liées à leur disposition, peuvent être fondées. Mais parfois nous sommes en proie à ce qu'on appelle l'**erreur fondamentale d'attribution** (Ross, 1977) : en surestimant l'influence de la personnalité et sous-estimant celle de la situation. En classe, Jack peut être aussi silencieux que Juliette. Mais surprenez Juliette lors d'une soirée et vous aurez de la peine à reconnaître votre paisible camarade de classe.

Une expérience réalisée par David Napolitan et George Goethals (1979) a mis en évidence cette erreur fondamentale d'attribution. Ils firent converser, un par un, des étudiants du Williams College avec une jeune femme qui se comportait soit amicalement et chaleureusement, soit de façon distante et critique. Avant les conversations, les chercheurs ont dit à la moitié des étudiants que le comportement de la jeune femme serait spontané. Ils ont révélé à l'autre moitié des étudiants la véritable situation : ils avaient demandé à la jeune femme de se comporter de se *comporter* de façon amicale (ou inamicale).

Le fait de connaître la vérité a-t-il changé les impressions des étudiants sur cette femme ? Pas le moins du monde ! Si la jeune femme se comportait de façon amicale, les deux groupes d'étudiants en déduisaient qu'elle était vraiment chaleureuse. Si elle jouait un rôle inamical, ils en déduisaient qu'elle était réellement froide. En d'autres termes, ils attribuèrent son comportement à une disposition personnelle *même après qu'on leur eut dit que son comportement dépendait de la situation*, qu'elle était simplement en train de jouer ce personnage pour les besoins de l'expérience.

Quels sont les facteurs qui influencent nos attributions ?

L'erreur fondamentale d'attribution s'observe plus souvent dans certaines cultures que dans d'autres. Les pays occidentaux de culture individualiste attribuent souvent un comportement aux dispositions d'une personne. Dans les cultures de l'est de l'Asie, par exemple, les personnes sont plus sensibles au pouvoir de la situation (Heine et Ruby, 2010 ; Kitayama et al., 2009). Cette différence est apparue dans des expériences où l'on demandait aux participants d'observer une scène, par exemple un gros poisson en train de nager. Les Américains se sont plutôt focalisés sur le poisson alors que les participants japonais se sont plus intéressés au poisson et à son environnement (Chua et al., 2005 ; Nisbett, 2003).

Nous commettons tous des erreurs fondamentales d'attribution. Par exemple, votre professeur de psychologie est-il timide ou extraverti ?

Si vous répondez « extraverti » souvenez-vous que vous ne connaissez votre professeur que dans le cadre d'une salle de cours, une situation qui réclame un comportement extraverti. Votre professeur

Psychologie sociale étude scientifique du mode de pensée des individus, la façon dont ils s'influencent et dont ils entrent en relation.

Théorie de l'attribution théorie par laquelle nous nous expliquons le comportement de quelqu'un par les circonstances qui l'impliquent ou par la personnalité du sujet.

Erreur fondamentale d'attribution tendance qu'ont les observateurs, lors de l'analyse du comportement, à sous-estimer la part des circonstances et à surestimer la part de la personnalité du sujet.

(qui observe son propre comportement non seulement pendant son cours mais aussi lorsqu'il se trouve en famille, dans des réunions ou lorsqu'il voyage) pourrait vous répondre « Moi, extraverti ? Tout dépend des circonstances. En cours ou avec de vieux amis, oui, je suis extraverti. Mais dans une assemblée, je suis plutôt timide. » En dehors de leur cadre professionnel, les professeurs semblent moins professoraux, les présidents moins présidentiels et les managers moins directifs.

Ainsi, lorsque nous expliquons *notre propre* comportement, nous sommes attentifs à la façon dont il se modifie en fonction de la situation (Idson et Mischel, 2001). (Il existe une exception importante, nous attribuons le plus souvent nos propres actions intentionnelles et admirables à nos propres bonnes raisons qu'aux raisons liées à la situation [Malle, 2006 ; Malle et al., 2007].) Nous sommes également sensibles au pouvoir de la situation lorsque nous expliquons le comportement de ceux que nous connaissons bien et que nous avons vus dans différents contextes. Nous faisons souvent une erreur fondamentale d'attribution lorsqu'un étranger se comporte mal. Ayant simplement vu ce supporter au visage rouge hurlant contre l'arbitre au moment le plus chaud de la compétition, nous supposons que c'est une mauvaise personne. Mais en dehors du stade, c'est peut-être un très bon voisin et un parent admirable.

Lorsque vous agissez, vos yeux regardent vers l'extérieur ; vous voyez le visage des autres, pas le vôtre. Si vous pouvez adopter le point de vue de l'observateur apprécierez-vous mieux votre propre style ? Pour tester cette idée, les chercheurs ont filmé la relation de deux personnes, une caméra étant derrière chaque personne. Ensuite, ils ont montré à chaque personne le film de leur relation, filmée du point de vue de l'autre personne. Le résultat a été concluant. Voyant leur comportement du point de vue de l'autre personne, les participants ont mieux apprécié le pouvoir de la situation (Lassiter & Irvine, 1986 ; Storms, 1973).

Quelles sont les conséquences de nos attributions ?

La façon dont nous expliquons les actions des autres, en les attribuant à la personne ou à la situation, peut avoir des conséquences importantes dans la vie réelle (Fincham et Bradbury, 1993 ; Fletcher et al., 1990). Une personne doit décider si elle doit attribuer la gentillesse d'une autre à un intérêt sexuel ou amoureux. Dans un couple, un partenaire doit décider si la remarque acerbe de la personne qu'il aime reflète l'humeur d'un mauvais jour ou une disposition habituelle. Un jury doit décider si un assassinat était prémédité ou s'il s'agissait de légitime défense. Dans une étude, 181 juges ont prononcé des peines plus légères pour acte de violence lorsqu'un scientifique a expliqué qu'un gène était responsable de la modification des zones du cerveau régulant le comportement agressif de l'accusé (Aspinwall et al., 2012).

Pour terminer, considérez également les effets sociaux et économiques des attributions : comment expliquez-vous la pauvreté et le chômage ? En Grande-Bretagne, en Inde, en Australie et aux États-Unis, (Furnham, 1982 ; Pandey et al., 1982 ; Wagstaff, 1982 ; Zucker et Weiner, 1993) les personnes aux idées politiques conservatrices avaient tendance à attribuer ce genre de problèmes sociaux aux dispositions personnelles des pauvres ou des chômeurs : « Les gens récoltent généralement ce qu'ils méritent. Ceux qui ne travaillent pas sont souvent des assistés. Les gens qui prennent des initiatives peuvent toujours s'en sortir. » Après avoir invité des sujets à réfléchir sur l'importance des choix qu'ils font, en leur ayant rappelé les choix qu'ils ont faits ou en leur faisant observer les choix faits par d'autres personnes, ces sujets deviennent plus susceptibles de penser que l'on obtient ce que l'on mérite (Savani & rotin, 2012). Les partisans d'une politique libérale, qui n'accordent pas d'importance aux choix que feraient les individus, ont plus tendance à rendre responsables les événements passés ou présents : « Si vous ou moi devions vivre avec la même éducation limitée, le même manque d'opportunité et la même discrimination, ferions-nous mieux ? » Ils pensent que pour comprendre les événements terroristes et les prévenir, il faut examiner de plus près les situations qui engendrent les terroristes. Il est plus efficace de drainer les marécages que d'écraser les moustiques.

Point à retenir : ce que nous attribuons aux dispositions des individus ou à leurs situations a de réelles conséquences.

Près de 7 étudiantes sur 10 disent avoir connu un homme ayant attribué par erreur leur gentillesse à une sollicitation d'ordre sexuel (Jacques-Tiura et al., 2007).

« Otis, dis à cet homme de se ressaisir. »

Une question d'attribution
Que l'on attribue la pauvreté et l'absence de domicile fixe à des circonstances sociales ou à des dispositions personnelles influence et reflète nos opinions politiques.

Attitudes et actions

13-2 Comment les attitudes et les actions agissent-elles de concert ?

Les **attitudes** sont des sentiments, souvent influencés par nos croyances, qui prédisposent nos réactions vis-à-vis des objets, des personnes ou des événements. Si nous *croyons* que quelqu'un est menaçant, nous pouvons *ressentir* de la peur et de la colère envers cette personne et *agir* sur la défensive. La relation entre nos actions et nos attitudes est à double sens : nos attitudes affectent nos actions et nos actions affectent nos attitudes.

Nos attitudes affectent nos actions

Considérez le débat sur le réchauffement climatique. D'un côté, il y a les partisans de la théorie du changement climatique et le Groupe intergouvernemental d'experts sur le changement climatique (2014), qui mettent en garde contre l'accumulation de gaz à effet de serre, la fonte des glaciers, la diminution des glaces de l'Arctique, la hausse du niveau des océans, la mort des récifs coralliens, les modifications de l'habitat animal et végétal et le réchauffement climatique. D'un autre côté, il y a les sceptiques du changement climatique qui sont nombreux dans le grand public. Les 31 % en 1998 qui pensaient que « la gravité du réchauffement climatique est généralement exagérée » sont devenus 42 % en 2014 (Dugan, 2014). Et les 34 % d'Américains qui en 2014 ont dit lors d'un sondage Gallup qu'ils se souciaient « beaucoup » du réchauffement climatique étaient essentiellement les mêmes qu'en 1989 (Newport, 2014).

Sachant que l'attitude du public affecte la politique publique, les militants des deux tendances cherchent à persuader le public. Ces efforts de persuasion empruntent généralement deux formes :

- **La voie périphérique de la persuasion** n'engage pas une réflexion systématique mais produit des résultats rapides car les personnes répondent à des indices non fondés (en se fiant à ce que pensent certaines célèbres personnes respectées) et font des jugements hâtifs. Un politicien digne de confiance peut déclarer le changement climatique un canular. Une publicité pour un parfum peut nous attirer par des images de deux personnes magnifiques, ou célèbres et amoureuses.

- **La voie centrale de la persuasion** fournit des preuves et des arguments scientifiques qui sont destinés à déclencher des réflexions favorables. Elle se produit surtout lorsque les personnes sont naturellement capables d'analyser une situation ou impliqués dans le débat. Les scientifiques étudiant le climat rassemblent les preuves du réchauffement climatique. Une annonce publicitaire peut faire l'éloge des caractéristiques d'une voiture. Comme la voie centrale de la persuasion fait plus appel à la réflexion et est moins superficielle, elle est plus durable.

Ceux qui essayent de nous persuader tentent d'influencer notre comportement en changeant notre attitude. Mais d'autres facteurs, comme la situation extérieure, influencent également le comportement. Une forte pression sociale peut affaiblir la relation attitude/comportement (Wallace et al., 2005). Lors des votes en appel nominal, les politiciens votent parfois ce que souhaitent leurs partisans même si en privé ils désapprouvent fortement cette demande (Nagourney, 2002). Dans ce cas la pression extérieure dépasse le lien attitude/comportement.

Les attitudes affectent particulièrement le comportement lorsque les influences extérieures sont minimes, en particulier lorsque l'attitude est stable, spécifique au comportement et facile à se souvenir (Glasman et Albarracín, 2006). Une expérience a utilisé des informations marquantes, faciles à se remémorer pour persuader les gens que la pratique régulière du bronzage constant favorisait à terme les risques de cancer de la peau. Un mois plus tard, 72 % des participants avaient une peau moins bronzée et seulement 16 % avaient une peau plus bronzée que ceux qui se trouvaient sur la liste d'attente et représentaient le groupe témoin (McClendon et Prentice-Dunn, 2001). La persuasion peut changer les attitudes ce qui modifie le comportement.

Nos actions affectent nos attitudes

Envisageons maintenant un principe plus surprenant : non seulement les gens défendent parfois ce qu'ils croient, mais ils en viennent aussi à croire aux idées qu'ils ont soutenues. Plusieurs faisceaux de preuves confirment que les *attitudes se mettent en place après le comportement* (**FIGURE 13.1**).

Attitude sentiment, souvent influencé par nos croyances, qui prédispose nos réactions vis-à-vis des objets, des personnes ou des événements.

Voie périphérique de la persuasion persuasion influencée par des stimuli accessoires, tels que l'attrait exercé par celui qui parle.

Voie centrale de la persuasion voie empruntée lorsque des personnes intéressées se concentrent sur les arguments et y répondent par des pensées favorables.

Actions

Attitudes

▼ FIGURE 13.1

Les attitudes suivent les comportements Des actions collectives, telles que celles des équipes sportives (l'Allemagne fête ici sa victoire dans la Coupe du monde 2014), nourrissent des sentiments d'estime mutuelle. De telles attitudes, à leur tour, favorisent un comportement positif.

Le phénomène du « doigt dans l'engrenage » Comment réagiriez-vous si quelqu'un vous amenait à agir contre vos croyances ? Dans beaucoup de cas, les gens adaptent leurs attitudes. Durant la guerre de Corée, de nombreux soldats américains capturés furent emprisonnés dans des camps dirigés par des communistes chinois. Sans user de brutalité, les gardiens s'assurèrent de la collaboration des prisonniers pour des activités diverses. Certains faisaient simplement des commissions ou remplissaient des tâches simples pour obtenir des privilèges. D'autres faisaient des appels à la radio et de fausses confessions. D'autres encore révélaient des informations concernant les autres prisonniers ou des secrets militaires. À la fin de la guerre, 21 prisonniers choisirent de rester avec les communistes. Beaucoup d'autres revinrent chez eux après un « lavage de cerveau », convaincus que le communisme était une bonne chose pour l'Asie.

Comment les Chinois dirigeant ces camps parvinrent-ils à obtenir ces résultats surprenants ? Un élément essentiel était l'utilisation efficace du **phénomène du « doigt dans l'engrenage »** – ils savaient que les personnes ayant d'abord acquiescé à une demande mineure, ont tendance à accepter plus facilement, plus tard, une requête plus importante. Les Chinois commençaient par des requêtes sans conséquences comme écrire des affirmations banales mais augmentaient graduellement les demandes faites aux prisonniers (Schein, 1956). La chose suivante qu'ils devaient copier pouvait être une liste des carences du capitalisme. Ensuite, peut-être pour obtenir certains privilèges, les prisonniers participèrent à des groupes de discussion, écrivirent des autocritiques ou se livrèrent à des confessions publiques. Après avoir fait cela, les prisonniers modifièrent souvent leurs convictions pour être en conformité avec leurs actes publics. Ce point est simple, pour obtenir des gens qu'ils adhèrent à quelque chose d'important, « commencez par de petites choses et augmentez progressivement » (Cialdini, 1993) : une vétille rend la prochaine action plus facile. Succombez à une tentation et vous trouverez qu'il est plus difficile de résister à la prochaine.

Dans des dizaines d'expériences les chercheurs ont amadoué les participants pour qu'ils agissent contre leurs attitudes ou violent leurs règles morales en obtenant toujours le même résultat : l'action devient la croyance. Lorsque l'on amène les gens à blesser des victimes innocentes, en faisant des commentaires acerbes ou en envoyant des chocs électriques, ils se mettent en général à dénigrer leur victime. Incités à écrire ou à parler au nom d'une cause envers laquelle ils éprouvaient des doutes, ils commencent à croire en leurs propres paroles.

Heureusement, le principe selon lequel l'attitude fait suite au comportement fonctionne aussi bien pour les bonnes actions que pour les mauvaises. La tactique du « doigt dans l'engrenage » peut être efficace pour promouvoir les organisations caritatives, encourager les dons de sang et stimuler les ventes de produits. Au cours d'une expérience classique, des chercheurs se faisant passer pour des « conducteurs prudents » bénévoles ont demandé à certains résidents californiens l'autorisation de poser un grand panneau dans le jardin devant leur maison, sur lequel les mots suivants étaient maladroitement gribouillés : « Conduisez avec prudence ». 17 % seulement des personnes sollicitées ont consenti à faire installer ce panneau. Par ailleurs, ils ont abordé d'autres résidents en leur demandant d'abord une chose simple : « Accepteriez-vous d'afficher un panneau de 8 cm de haut avec les mots suivants : "Soyez un conducteur prudent" ? » Presque tous ont donné leur accord. Lorsque deux semaines plus tard, les chercheurs ont repris contact avec les derniers résidents consultés afin de poser les grands panneaux disgracieux dans le jardin devant leur maison, 76 % d'entre eux ont

Phénomène du « doigt dans l'engrenage » tendance à obéir à des ordres de plus en plus exigeants après avoir obéi au premier, qui était le moins exigeant.

« Si le roi détruit un homme, cela prouve pour lui qu'il devait être mauvais. »

Thomas Cromwell, dans Robert Bolt
A Man for All Seasons, 1960

accepté (Freedman et Fraser, 1966). Pour s'assurer un engagement important, il est souvent payant de mettre le doigt dans l'engrenage : commencez petit puis construisez peu à peu.

Les attitudes ethniques suivent aussi le comportement. Au cours des années qui ont suivi le processus de déségrégation du système scolaire américain avec la mise en vigueur du Civil Rights Act de 1964, les Blancs américains ont exprimé moins de préjugés ethniques. Au fur et à mesure que les Américains de différentes régions réagissaient de façon similaire – grâce à l'établissement de normes semblables contre la discrimination ethnique sur le plan national – ils ont commencé à penser aussi de la même manière. Les expériences confirment l'observation : l'action morale renforce les convictions morales.

Jouer un rôle affecte les attitudes Lorsque vous adoptez un nouveau **rôle**, lorsque vous devenez un étudiant, que vous vous mariez ou que vous commencez un nouveau travail, vous vous efforcez de suivre les prescriptions sociales. Au début, vos comportements peuvent sembler faux, parce que vous *jouez* un rôle. Les soldats peuvent commencer par se sentir comme s'ils jouaient à un jeu de guerre. Les premières semaines d'un mariage peuvent être comme jouer au « papa et à la maman ». Mais avant longtemps, ce qui a commencé comme un rôle au théâtre de la vie est devenu *vous*. Les chercheurs ont confirmé cet effet en évaluant l'attitude des gens avant et après l'adoption d'un nouveau rôle, parfois dans une situation expérimentale et parfois dans la vie quotidienne, comme avant et après avoir commencé un nouveau travail.

La réalité a dépassé la fiction lors d'un jeu de rôle. Cela s'est passé lors d'une expérience de psychologie sociale célèbre et controversée au cours de laquelle des étudiants se sont portés volontaires pour passer du temps dans une prison factice. Philip Zimbardo (1972), psychologue à l'Université Stanford a attribué au hasard le rôle de gardien à quelques volontaires. Ils reçurent un uniforme, une matraque, un sifflet et des instructions pour faire respecter certaines règles. Les autres devinrent les prisonniers et furent enfermés dans des cellules vides et forcés de revêtir une humiliante tenue de prisonnier. Après un jour ou deux, les participants interprétaient leur rôle avec zèle. Ensuite, la simulation est devenue réelle trop réelle. La plupart des gardiens adoptèrent des attitudes méprisantes et certains développèrent des habitudes cruelles et dégradantes. Un par un, les prisonniers se sont effondrés, se sont rebellés, ou se sont résignés. Au bout de six jours, Zimbardo a dû interrompre l'expérience.

Certains remettent en question la fiabilité des résultats de Zimbardo (Griggs, 2014). Une chose est vraie, jouer un rôle peut entraîner les tortionnaires (Staub, 1989). Au début des années 1970, la junte militaire au pouvoir en Grèce a amené doucement les militaires à jouer ce rôle. Tout d'abord, un stagiaire montait la garde à l'extérieur d'une cellule d'interrogatoire. Après ce premier cran de l'engrenage enclenché, le garde prit place à l'intérieur de la cellule. Ce n'est qu'à partir de ce moment-là qu'ils furent prêts à être impliqués activement dans les interrogatoires et la torture. Nous devenons graduellement ce que nous faisons. Une étude menée chez des jeunes Allemands a montré que la formation militaire a renforcé certains traits de leur personnalité les rendant moins agréables avec autrui et ces traits ont encore persisté cinq ans, après avoir quitté l'armée (Jackson et al., 2012). Et il est vrai pour nous tous que chaque fois que nous agissons comme ceux qui nous entourent, insensiblement, nous nous modifions pour leur ressembler.

Mais les hommes ne sont pas tous pareils. Dans la simulation de la prison de Zimbardo, et dans d'autres situations engendrant l'atrocité, certaines personnes succombent à la situation et d'autres

---

« Feignez-le, jusqu'à ce que vous puissiez le faire. »

Proverbe des Alcooliques anonymes

Le pouvoir de la situation
La simulation des situations carcérales imaginée par Philip Zimbardo, en 1972 à l'université de Stanford, a créé une situation fâcheuse (à gauche). Ceux qui ont joué le rôle de gardien se sont très vite comportés de façon humiliante en vers ceux qui jouaient le rôle des prisonniers. En 2004, des gardes américains de la prison militaire d'Abou Ghraib ont fait subir de mauvais traitements aux prisonniers irakiens (à droite). Pour Zimbardo (2004, 2007), les atrocités perpétrées en Irak étaient dues aux mauvaises conditions matérielles de la prison plutôt qu'au comportement pervers de quelques individus : « Quand les gens ordinaires sont déplacés dans un nouvel endroit malsain comme le sont la plupart des prisons, la situation l'emporte sur la nature humaine. »

Philip G. Zimbardo, Inc.

AP Photo

non (Carnahan et McFarland, 2007 ; Haslam et Reicher, 2007, 2012 ; Mastroianni et Reed, 2006 ; Zimbardo, 2007). Les gens et les situations interagissent. Dans l'eau, le sel se dissout mais pas le sable. De même, lorsqu'elles sont mises en présence de pommes pourries, seules certaines se gâtent : il en irait de même pour les humains (Johnson, 2007).

La dissonance cognitive : réduire la tension psychique

Nous avons vu jusqu'à présent que nos actions peuvent affecter nos attitudes, transforment parfois les prisonniers en collaborateurs, les incrédules en croyants, et des gardes complaisants en gardes infligeant de mauvais traitements. Mais pourquoi ? Une des raisons est que lorsque nous nous rendons compte que nos attitudes et nos actions ne concordent pas, nous éprouvons un sentiment de tension interne, appelée *dissonance cognitive*. En effet, les régions du cerveau qui deviennent actives quand les gens éprouvent un conflit cognitif et un effet dysphorique deviennent également actives quand les gens éprouvent une dissonance cognitive (Kitayama et al., 2013). Selon la **théorie de la dissonance cognitive** proposée par Leon Festinger (1957), pour apaiser cette tension, les gens vont souvent mettre en accord leurs attitudes et leurs actions.

Des dizaines d'expériences ont exploré ce phénomène de dissonance cognitive. Ces expériences ont amené les sujets à adopter un comportement en désaccord avec leur attitude et ayant des conséquences prévisibles. Comme l'un des sujets d'une de ces expériences, vous pourriez accepter, en échange de 2 dollars, d'aider un chercheur à écrire un article en faveur d'une chose à laquelle vous ne croyez pas (par exemple une augmentation des frais de scolarité). Vous sentant responsable de ces affirmations (qui sont incompatibles avec vos attitudes), vous allez vraisemblablement éprouver ce sentiment de dissonance, en particulier si vous pensez qu'un responsable pourrait lire votre texte. Pour réduire cet inconfort mental vous pourriez commencer à croire à votre prose mensongère. À ce moment-là, c'est comme si nous raisonnions ainsi : « Si j'ai choisi de la faire (ou de le dire), je dois y croire ». Plus nous nous sentons responsables et pensons avoir agi librement en faisant cet acte dérangeant, plus nous ressentons cette dissonance. Plus nous la ressentons, plus nous sommes motivés pour trouver une constance, par exemple en changeant notre attitude pour nous aider à trouver une justification dans cet acte.

Le principe selon lequel les attitudes font suite au comportement renferme une autre implication encourageante. Bien que nous ne puissions pas contrôler directement nos sentiments, nous pouvons les influencer en changeant notre comportement. Si nous nous sentons déprimés, nous pouvons suivre les conseils des thérapeutes cognitivistes et nous exprimer de manière plus positive, démontrant une meilleure acceptation de soi-même et moins d'autocritique. Si nous ne sommes pas amoureux, nous pouvons le devenir davantage en nous comportant comme si nous l'étions – en étant prévenant, en exprimant notre affection et en affirmant l'être. Cela explique pourquoi l'identité des adolescents qui font du bénévolat est plus empreinte de compassion. « Affectez de la vertu, si vous n'en avez point », dit Hamlet à sa mère. « Car l'usage peut presque changer l'empreinte de la nature. » Ce que l'on prétend peut devenir la réalité. La conduite sculpte le caractère. Nous devenons ce que nous faisons.

Point à retenir : les actes mauvais façonnent notre moi. Mais il en est de même des bonnes actions. Agissez comme si vous aimiez quelqu'un et vous l'aimerez rapidement. Changer notre comportement peut changer ce que nous pensons des autres et ce que nous ressentons envers nous-mêmes.

Rôle ensemble d'attentes (normes) attachées à une position qui définissent la manière dont les sujets qui occupent cette position doivent se comporter.

Théorie de la dissonance cognitive théorie selon laquelle nous agissons pour réduire l'inconfort (dissonance) que nous ressentons lorsque deux de nos pensées (cognitions) sont contradictoires. Par exemple, quand nous devenons conscients que nos attitudes et nos actions sont en contradiction, nous pouvons réduire la dissonance qui en résulte en modifiant nos attitudes.

« Restez assis toute la journée à vous morfondre, soupirer, et répondre à tout avec une voix morne, et votre mélancolie sera plus profonde… Si nous voulons vaincre les tendances émotionnelles indésirables en nous-mêmes, nous devons… suivre le mouvement qui nous entraînera vers des dispositions contraires à celles que nous entretenons. »

William James, *Principles of Psychology*, 1890

EXERCICE RÉCAPITULATIF

• Un jour de neige, Marco va à l'université en voiture et évite de justesse une voiture qui dérape et passe au feu rouge. « Ralentis donc ! Quel mauvais conducteur », pense-t-il. Un instant après, Marco glisse au feu à un carrefour et s'écrie : « Oh là là ! Ces routes sont dangereuses. Il faudrait penser à sortir les chasse-neige. » Quel est le principe de psychologie sociale illustré par Marco ? Expliquez votre réponse.

Réponse : en attribuant le comportement de l'autre personne à sa personnalité (« c'est un mauvais conducteur ») et le sien propre aux circonstances (« ces routes sont dangereuses »), Marco a fait la démonstration de ce qu'était l'erreur fondamentale d'attribution.

• Comment nos attitudes et nos actions s'influencent-elles ?

Réponse : Nos attitudes influencent souvent nos actions et ce de telle manière que nos attitudes soient congruentes à nos croyances. Cependant, nos attitudes découlent de nos actions ; nous arrivons à croire en ce que nous avons fait.

• Quand les gens agissent d'une manière qui n'est pas en harmonie avec leurs attitudes, puis changent d'attitude pour être en accord avec leurs actions, la théorie de la _____ _____ tente d'expliquer pourquoi.

Réponse : dissonance cognitive

REVUE GÉNÉRALE Pensée sociale

OBJECTIFS D'APPRENTISSAGE

EXERCICE RÉCAPITULATIF Prenez un moment pour répondre à chacune de ces questions objectif d'apprentissage (répétées ici au sein de cette section). Puis allez à l'annexe C, révision complète du chapitre, pour vérifier vos réponses. La recherche suggère que d'essayer de répondre à ces questions de votre propre initiative permettra d'améliorer la mémorisation à long terme de ces réponses (McDaniel et al., 2009).

13-1 Quel est le champ d'étude des psychosociologues ? De quelle manière avons-nous tendance à expliquer le comportement d'autrui et le nôtre ?

13-2 Comment les attitudes et les actions agissent-elles de concert ?

TERMES ET CONCEPTS À RETENIR

EXERCICE RÉCAPITULATIF Testez votre connaissance de ces termes en essayant d'écrire leur définition, avant de vous reporter aux pages indiquées en référence pour vérifier votre réponse.

psychologie sociale, p. 518

théorie de l'attribution, p. 518

erreur fondamentale d'attribution, p. 518

attitude, p. 520

voie périphérique de la persuasion, p. 520

voie centrale de la persuasion, p. 520

phénomène du doigt dans l'engrenage, p. 521

rôle, p. 522

théorie de la dissonance cognitive, p. 523

 Influence sociale

L'enseignement principal de la psychologie sociale est le pouvoir énorme de l'influence sociale. Cette influence peut être observée dans notre conformisme, notre obéissance vis-à-vis de l'autorité et notre comportement lorsque nous sommes en groupe. Les suicides, les alertes à la bombe, les détournements d'avion et les observations de soucoupes volantes ont une curieuse tendance à se produire par vagues. Sur les campus universitaires, les jeans représentent le code vestimentaire ; dans les rues de Wall Street (New York) ou de Bond Street (Londres), le costume et la cravate sont de rigueur. Lorsque nous savons comment agir, nous préparer, parler, la vie s'écoule de façon plus tranquille. Armés des principes de l'influence sociale, les publicitaires, les œuvres de bienfaisance et ceux qui mènent campagne cherchent à influencer les décisions de nos achats, de nos dons et de nos intentions de vote. Repliés avec a ceux qui partagent leurs doléances, les dissidents peuvent petit à petit devenir des rebelles, et les rebelles des terroristes. Examinons à présent ces forces sociales. Quelle est leur puissance ? Comment opèrent-elles ? Quand les brisons-nous ?

> « Avez-vous déjà remarqué comment un exemple, bon ou mauvais, peut entraîner les autres ? Comment une voiture en stationnement interdit incite les autres conducteurs à faire de même ? Comment une blague raciste en entraîne une autre ? »
>
> Marian Wright Edelman, *The Measure of Our Success*, 1992

Conformisme : se soumettre aux pressions sociales

13-3 Qu'est-ce que l'imitation automatique, et que nous apprennent les expériences sur le conformisme concernant le pouvoir des influences sociales ?

L'imitation automatique

Les poissons nagent en bancs. Les oiseaux se déplacent par volées. Les hommes aussi ont tendance à aller avec leur groupe, à penser comme lui et à l'imiter. Le comportement est contagieux. Les chimpanzés ont de grandes chances de bâiller après avoir observé un autre chimpanzé bâiller (Anderson et al., 2004). Il en est de même pour l'homme. Si une personne se met à bâiller, à rire, à tousser ou à regarder le ciel, d'autres membres du groupe vont bientôt faire de même. Le bâillement par imitation peut aussi se produire entre espèces différentes : les chiens bâillent plus souvent après avoir observé le bâillement de leurs maîtres (Silva et al., 2012). Même la lecture d'un texte sur le bâillement incite les personnes à bâiller (Provine, 2012), peut-être l'avez-vous remarqué ?

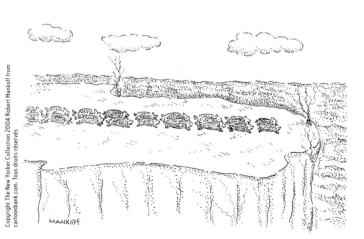

« Regardez, je me doute bien de quelque chose, cependant, quel autre choix avons-nous que celui de suivre le mouvement ? »

Comme le caméléon qui se pare de la couleur de son environnement, nous autres, humains, nous adoptons le ton émotionnel de ceux qui nous entourent. Le simple fait d'entendre une personne lisant un texte neutre avec un ton joyeux ou triste entraîne la transmission syntonique de l'humeur aux auditeurs (Neumann et Strack, 2000). Nous sommes par nature des imitateurs qui reproduisent de façon non consciente les expressions, les postures et le ton de la voix des autres.

Tanya Chartrand et John Bargh (1999) se sont emparés de cette imitation et l'ont appelée *l'effet caméléon* (Chartrand et Bargh, 1999). Ils ont demandé à des étudiants de travailler dans une pièce à côté d'un complice travaillant pour l'expérimentateur. Parfois, le complice se passait les mains sur le visage. Ce complice agitait parfois son pied. Les sujets avaient tendance à aussi se frotter le visage ou à agiter le pied. D'autres études ont observé que les participants adaptaient leur grammaire pour la faire correspondre à ce qu'ils lisaient ou aux personnes qu'ils entendaient (Ireland et Pennebaker, 2010).

Cela ne devrait donc pas nous surprendre que, selon des études complexes, l'obésité, la perte de sommeil, la consommation de drogue, la solitude et le bonheur se disséminent par le biais des réseaux sociaux (Christakis et Fowler, 2009). Nous formons avec nos amis un système social. Sur les sites, les avis positifs sur un sujet donné génèrent plus d'avis positifs. Ce phénomène est appelé « l'élevage positif » (Muchnik et al., 2013). Lors d'une expérience de grande envergure menée aux États-Unis, le jour des élections des membres du Congrès en 2010, Facebook a montré à 61 millions de personnes un message les encourageant à voter, avec un lien vers un lieu de vote local et une possibilité de voter en cochant à distance une case « J'ai voté ». Ceux qui avaient également reçu des messages avec des photos des « amis Facebook » ayant déjà voté, étaient influencés, en tout cas suffisamment pour augmenter le nombre de votants de 282 000 suffrages (**FIGURE 13.2**).

La mimique automatique aide *l'empathie* – capacité de ressentir ce que ressentent les autres. Cela contribue à expliquer pourquoi nous nous sentons plus heureux lorsque nous sommes entourés de personnes heureuses plutôt que de personnes tristes. Les études effectuées sur des groupes de travailleurs anglais révèlent l'existence d'un *lien de l'humeur* qui en fait partager les fluctuations (Totterdell et al., 1998). Par empathie, certaines personnes bâillent à la vue d'autres personnes le faisant (Morrison, 2007). L'imitation empathique favorise l'affection (van Baaren et al., 2003, 2004). Peut-être avez-vous noté que lorsque quelqu'un acquiesce d'un signe de tête comme vous et reprend vos mots, vous ressentez une certaine entente avec lui et une certaine affection ?

Parfois, la suggestibilité et l'imitation conduisent à la tragédie. Pendant les huit jours qui ont suivi le massacre de la Columbine High School en 1999 dans le Colorado, tous les États américains, excepté l'État du Vermont, ont fait l'objet de menaces similaires. À lui seul, l'État de Pennsylvanie a enregistré 60 menaces de ce genre (Cooper, 1999). Le sociologue David Phillips et ses collègues (1985, 1989) ont découvert que le nombre de suicides augmentait parfois après un suicide hautement médiatisé. Par exemple, après le suicide de Marilyn Monroe le 5 août 1962, le nombre de suicides au mois d'août aux États-Unis a dépassé de 200 le nombre habituel.

Se conformer à ce qui est non conformiste Ces étudiants affirment-ils leur individualité ou leur identification au groupe ?

« Quand je remarque une synchronisation des mouvements et un mimétisme, que ce soit lors des bâillements, du rire, de la danse, ou des singeries, je vois une connexion sociale et la recherche de lien social. »

« The Empathy Instinct », 2009,
Frans de Waal, primatologue.

Informational message

Today is Election Day

Find your polling place on the U.S. Politics Page and click the "I Voted" button to tell your friends you voted.

| 0 | 1 | 1 | 5 | 5 | 3 | 7 | 6 |

People on Facebook Voted

I Voted

Social message

Today is Election Day

Find your polling place on the U.S. Politics Page and click the "I Voted" button to tell your friends you voted.

| 0 | 1 | 1 | 5 | 5 | 3 | 7 | 6 |

People on Facebook Voted

I Voted

Jaime Settle, Jason Jones, and 18 other friends have voted.

▼ FIGURE 13.2
Influence de la pratique des réseaux sociaux Le jour des élections des membres du Congrès des États-Unis en 2010, Facebook a diffusé un *message d'information* qui a encouragé la participation au scrutin. Le message a eu encore plus d'influence mesurable lorsqu'il était accompagné d'un *message social* qui montrait que des « amis » avaient voté (Bond et al., 2012).

NON SEQUITUR   by WILEY

> Quelle est la cause de ces vagues de comportements ? Les gens agissent-ils de la même manière en raison de l'influence qu'ils exercent les uns sur les autres ? Ou parce qu'ils sont confrontés en même temps aux mêmes événements et aux mêmes conditions de vie ? À la recherche de réponses, les psychosociologues ont mené des expériences sur la pression du groupe et le conformisme.

Conformisme et normes sociales

La suggestibilité et l'imitation sont des formes subtiles de **conformisme** (adapter notre comportement ou notre pensée pour les amener à être en accord avec les normes adoptées par le groupe). Pour étudier le conformisme, Solomon Asch (1955) élabora un test simple. Imaginez que vous êtes un participant à ce que vous croyez être une étude de la perception visuelle. Vous arrivez à temps pour prendre place à une table avec cinq autres personnes. L'expérimentateur demande laquelle de ces trois lignes de comparaison est identique à la ligne de référence. Vous voyez bien que la réponse est la ligne 2, et vous attendez votre tour pour le dire. Vous commencez à vous ennuyer lorsque la série suivante s'avère tout aussi facile.

Alors le troisième essai arrive, et la réponse correcte semble tout aussi claire (**FIGURE 13.3**). Mais la première personne donne une réponse qui pour vous est évidemment mauvaise : « la ligne 3 ». Lorsque le second, puis le troisième et le quatrième sujet donnent la même réponse fausse, vous vous redressez sur votre siège et louchez sur les lignes. Lorsque le cinquième sujet s'avère être en accord avec les quatre premiers, vous sentez votre cœur commencer à battre plus fort et c'est alors que l'expérimentateur vous regarde et s'enquiert de votre réponse. L'expérimentateur cherche alors à obtenir de vous une réponse. Tiraillé entre l'unanimité des cinq autres sujets et l'évidence de ce que vous montrent vos yeux, vous vous sentez tendu et beaucoup moins sûr de vous que vous ne l'étiez un instant avant. Vous hésitez avant de répondre, vous demandant si vous devez subir le malaise d'être regardé comme un drôle d'oiseau. Quelle réponse donnerez-vous ?

Dans les expériences menées par Asch, répondant seuls à ce genre de question, les étudiants se sont trompés dans moins de 1 % des cas. Mais les chiffres furent bien différents lorsque plusieurs autres, en accord avec l'expérimentateur, répondirent incorrectement. Bien que la plupart des personnes dirent la bonne réponse alors que les autres mentaient, Asch fut néanmoins troublé par les résultats : dans plus d'un tiers des cas, ces étudiants « intelligents et sensés » furent alors « désireux d'appeler blanc ce qui était noir », en répondant dans le même sens que le groupe.

Conformité adapter son comportement ou sa façon de penser pour les faire coïncider avec les normes du groupe.

Influence sociale normative influence résultant de la volonté d'une personne d'obtenir l'approbation ou d'éviter la désapprobation.

Influence sociale informationnelle influence résultant de la volonté d'une personne d'accepter les opinions d'autrui.

▼ FIGURE 13.3
Les expériences de la conformité de Asch Laquelle des trois lignes est égale à la ligne de référence ? Que croyez-vous que la plupart des gens diraient après avoir entendu cinq autres personnes dire que c'est la « Ligne 3 » ? Sur cette photo d'une des expériences de Asch, l'étudiant au centre montre le malaise grave qui l'envahit et qui vient de son désaccord avec les réponses des autres membres du groupe (dans ce cas, ils sont complices de l'expérimentateur).

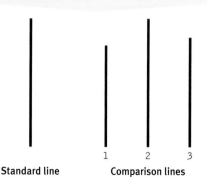

Standard line   Comparison lines
                    1   2   3

Bien que les expériences menées ultérieurement n'aient pas toujours montré un tel degré de conformisme, elles révèlent que le conformisme s'accroît lorsque :

- nous sommes placés dans des conditions où nous nous sentons mal à l'aise ou incompétents ;

- le groupe comprend au moins trois personnes ;

- le groupe est unanime (le soutien d'un seul autre participant dissident augmente considérablement notre courage social) ;

- nous admirons le statut du groupe et sommes séduits par lui ;

- nous n'avons fait aucun choix antérieur sur une réponse quelconque ;

- d'autres membres du groupe observent notre comportement ;

- notre culture encourage fortement le respect des conventions sociales.

Pourquoi pensons-nous souvent comme les autres pensent et faisons-nous comme eux ? Pourquoi dans les résidences universitaires, l'attitude des étudiants devient plus semblable à celle de ceux qui vivent à leur côté (Cullum et Harton, 2007) ? Pourquoi, lorsque des questions portant sur des sujets matière à controverse, les réponses des étudiants sont plus diverses lorsqu'elles se font de façon anonyme, par voie électronique, plutôt qu'à main levée (Stowell et al., 2010) ? Pourquoi applaudissons-nous quand les autres applaudissent, mangeons-nous quand les autres mangent, croyons-nous ce que croient les autres et même voyons-nous ce qu'ils voient ?

Le plus souvent, c'est pour éviter un rejet ou recevoir l'approbation sociale. Dans ces conditions, nous répondons à une **influence sociale normative**. Nous sommes sensibles aux *normes sociales*, qui sont des règles implicites concernant un comportement accepté et attendu, car le prix à payer pour être différent peut être très élevé. Nous avons un besoin d'appartenance à un groupe.

D'autres fois nous nous conformons parce que nous voulons être précis. Le groupe fournit des informations et seule une personne très têtue n'écoutera jamais les autres. Comme l'avait observé Joseph Joubert, un essayiste français du xviiie siècle, « ceux qui ne se rétractent jamais s'aiment plus que la vérité ». Lorsque nous acceptons l'opinion des autres à propos de la réalité, nous répondons à une **influence sociale informationnelle**. En 2004, Rebecca Denton a mis en évidence qu'il est parfois bénéfique de supposer que les autres ont raison et de suivre leur guide. Denton a établi le record de la plus grande distance parcourue à contresens sur une autoroute britannique dont les deux voies sont séparées : elle a roulé 48 kilomètres avec un seul léger coup sur le côté, avant que l'autoroute ne présente une sortie et que la police ne soit capable de crever ses pneus. Denton, qui était en état d'ébriété, expliqua par la suite qu'elle pensait que les centaines d'autres conducteurs qui venaient vers elle étaient tous à contresens (Woolcock, 2004).

Le conformisme est-il bon ou mauvais ? La réponse dépend en partie des valeurs influencées par notre culture. Les Européens de l'Ouest et les habitants de la plupart des pays anglophones ont tendance à préférer l'individualisme. Les habitants de nombreux pays d'Asie, d'Afrique et d'Amérique latine valorisent plutôt le respect des normes adoptées par le groupe. Dans les expériences sur l'influence sociale qui ont été menées dans 17 pays, le taux de conformisme est plus bas dans les cultures plutôt individualistes (Bond et Smith, 1996). Les étudiants américains, par exemple, ont tendance à se considérer moins conformistes que les autres dans les domaines allant des achats des biens de consommation aux opinions politiques (Pronin et al., 2007). Nous sommes, à nos yeux, des individus au milieu d'un troupeau de moutons.

Tatouages : non-conformisme hier, conformisme aujourd'hui ? Si les tatouages en viennent à être à la mode, alors, par définition, ils deviendront démodés.

« J'aime beaucoup la façon dont vous procédez pour vous conformer à l'identité du groupe. »

Comme les humains, les animaux migrateurs et les animaux vivant en troupeau se conforment aux normes du groupe et aux informations données par le groupe (Claidière & Whiten, 2012). Suivre les autres apporte des informations ; comparées aux oies solitaires, les oies migrant en groupe évoluent avec plus de précision. (La foule serait-elle source de sagesse ?) Mais rester dans le troupeau souligne aussi l'appartenance au groupe.

EXERCICE RÉCAPITULATIF

- Parmi les propositions suivantes, laquelle renforce le conformisme vis-à-vis d'un groupe ?

    a. Trouver que le groupe est attirant   c. Venir d'une culture individualiste

    b. Se sentir en sécurité   d. S'être engagé déjà auparavant

Réponse : a

Obéissance : suivre les ordres

13-4 Que nous ont enseigné les expériences d'obéissance de Milgram concernant le pouvoir des influences sociales ?

Le psychosociologue Stanley Milgram (1963, 1974), élève de Solomon Asch et condisciple de Philip Zimbardo, savait que les gens se soumettent souvent à la pression sociale. Mais comment répondent-ils à des ordres illégaux ? Pour le savoir il entreprit ce qui est devenu l'une des expériences les plus connues et les plus controversées de la psychologie sociale (Benjamin et Simpson, 2009).

Imaginez que vous soyez l'un des quelque 1 000 participants aux 20 expériences de Milgram. Répondant à une annonce, vous vous présentez au département de psychologie de l'université de Yale pour participer à une expérience sur les effets de la punition sur l'apprentissage. L'assistant du Pr Milgram vous demande, ainsi qu'à un autre sujet, de tirer au sort pour déterminer qui sera l'« enseignant » et qui sera l'« élève ». Les deux bulletins du tirage au sort, portent la mention « enseignant » et comme on vous demande de choisir, en premier un bulletin, vous serez obligatoirement l'enseignant. On vous demande alors, de vous asseoir devant une machine avec des interrupteurs portant des indications de leur fonction (en fait, les deux bulletins du tirage au sort, portent la mention « enseignant »). Le soi-disant élève qui parait doux et docile, est conduit dans une pièce voisine et attaché sur une chaise. Des fils partent de la chaise et arrivent à votre machine dans une pièce voisine. Votre rôle est d'apprendre à l'élève une liste de mots appariés, puis de le tester. Si l'élève donne une mauvaise réponse, vous devez manipuler les interrupteurs pour délivrer un choc électrique bref. Pour la première mauvaise réponse, vous appuyez sur l'interrupteur indiquant « 15 volts – léger choc ». Après chaque erreur commise par l'élève, vous vous déplacez jusqu'au bouton suivant, de tension supérieure. Chaque action sur un interrupteur s'accompagne d'un signal sonore et d'un signal lumineux.

L'expérience commence et vous délivrez les chocs après la première et la deuxième fausse réponse. Si vous poursuivez, vous entendez l'élève grogner lorsque vous appuyez sur le troisième, le quatrième et le cinquième bouton. Après avoir appuyé sur le huitième bouton (étiqueté « 120 volts : choc modéré »), l'élève se plaint que les chocs sont douloureux. Après le dixième (« 150 volts : choc intense »), il crie : « Sortez-moi de là ! Je ne veux plus faire partie de l'expérience ! Je refuse de continuer ! » Vous reculez en entendant ces plaintes, mais l'expérimentateur vous pousse : « S'il vous plaît, continuez ; l'expérience exige que vous continuiez. » Si vous résistez encore, il insiste : « Il est absolument essentiel que vous poursuiviez » ou « Vous n'avez pas d'autres choix, vous *devez* continuer. »

Si vous obéissez, vous entendez les protestations de l'élève s'élever jusqu'à des cris d'agonie au fur et à mesure que vous augmentez l'intensité des chocs après chaque nouvelle erreur. Arrivé au niveau de 330 volts, l'élève refuse de répondre et bientôt le silence tombe. Pourtant, l'expérimentateur vous pousse vers le, dernier commutateur 450 volts. Posez la question, dit-il, et si la réponse n'est pas donnée, administrer le choc suivant, plus intense.

Suivriez-vous les ordres de l'expérimentateur d'envoyer un choc électrique à quelqu'un ? À partir de quel niveau refuseriez-vous d'obéir ? Avant d'entreprendre les expériences, Milgram a demandé aux sujets participants ce qu'ils feraient. La plupart des gens étaient sûrs qu'ils cesseraient dès la première douleur ressentie par l'élève, et certainement avant qu'il ne hurle de douleur. Ce fut aussi la prédiction faite par chacun des 40 psychiatres à qui Milgram demanda de prévoir le résultat de l'expérience. Ces prédictions furent-elles exactes ? Elles ne s'approchèrent même pas du résultat. Lorsque Milgram mena l'expérience avec d'autres hommes âgés de 20 à 50 ans, il fut encore étonné. Plus de 60 % des participants « enseignant » ont respecté totalement les consignes, jusqu'à manipuler le dernier interrupteur. Même lorsque Milgram effectua une nouvelle étude, avec 40 nouveaux « enseignants » et un élève se plaignant d'un « léger problème cardiaque », les résultats furent semblables. Parmi les nouveaux enseignants, 65 % obéirent à chacun des ordres de l'expérimentateur jusqu'à administrer les 450 volts (**FIGURE 13.4**). Dix études effectuées par la suite incluant des femmes révélèrent que leur niveau de conformité était similaire à celui des hommes (Blass, 1999).

Les cultures changent avec le temps. Les chercheurs se demandaient si les résultats des expériences de Milgram pouvaient être expliqués par l'état d'esprit régnant en Amérique des années 1960. Pour le savoir Jerry Burger a refait l'expérience de base de Milgram. 70 % des participants obéirent jusqu'au bouton 150 volts, une légère diminution par rapport aux résultats de Milgram. Et dans une réplication ayant eu lieu dans une émission de téléréalité française, 81 % des gens, poussés par les acclamations des spectateurs, ont obéi et torturé une victime hurlant (Beauvois et al., 2012).

Stanley Milgram (1933-1984) Les expériences sur l'obéissance de ce psychologue « appartiennent maintenant au bagage de la connaissance de soi de toute personne cultivée de notre époque » (Sabini, 1986).

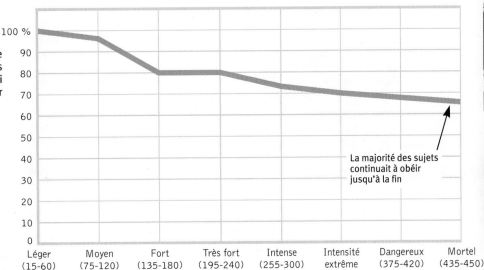

Pourcentage de sujets ayant obéi à l'expérimentateur

100 %
90
80
70
60
50
40
30
20
10
0

Léger (15-60)   Moyen (75-120)   Fort (135-180)   Très fort (195-240)   Intense (255-300)   Intensité extrême (315-360)   Dangereux (375-420)   Mortel (435-450)

Intensité du choc électrique en volts

La majorité des sujets continuait à obéir jusqu'à la fin

Stanley Milgram, Droits détenus par Alexandra Milgram

▼ FIGURE 13.4

Suite donnée aux expériences de Milgram sur la soumission à l'autorité Dans une réplication de l'expérience originale, 65 % des adultes de sexe masculin ayant joué le rôle de l'« enseignant » ont pleinement obéi aux ordres de l'expérimentateur pour continuer à administrer les décharges électriques en cas de mauvaise réponse. Ils l'ont fait en dépit de la connaissance d'une maladie de cœur de l'« élève » et malgré ses cris de protestation après qu'ils ont administré ce qu'ils pensaient être une décharge de 150 volts et des cris d'agonie poussés après 330 volts. (Données de Milgram, 1974.)

Les « enseignants » de l'expérience de Milgram pensaient-ils que tout était factice, qu'aucun choc électrique n'était administré ? Croyaient-ils que l'élève était un complice qui ne faisait que prétendre recevoir des chocs ? Réalisaient-ils que l'expérience voulait en fait tester leur bonne volonté à obéir à des instructions infligeant une punition ? *Non.* Les « enseignants » manifestaient une véritable angoisse, ils étaient en sueur, tremblaient, riaient nerveusement et se mordaient les lèvres.

L'usage par Milgram de la tromperie et du stress a déclenché un débat sur l'éthique de ses recherches. Pour sa défense, Milgram déclara qu'après avoir appris qu'ils avaient été trompés et avoir compris l'enjeu de ces recherches, pratiquement aucun participant ne regretta d'y avoir pris part (bien que peut-être à ce moment-là, les participants aient réduit leur impression de dissonance cognitive, sensation de malaise résultant du conflit intérieur entre leur conviction et leur comportement.) Quand 40 des « enseignants » qui avaient le plus souffert furent interrogés plus tard par un psychiatre, aucun ne présentait de séquelles émotionnelles. D'après Milgram, les expériences ont provoqué moins de stress chez les participants que les examens importants auxquels font face les étudiants et qui se terminent par un échec (Blass, 1996). D'autres chercheurs, cependant, après avoir étudié les archives de Milgram, ont décrit un climat assez tendu qui régnait sur les séances de commentaires des résultats des expériences. La détresse des participants était plus importante qu'il ne l'avait dit (Nicholson, 2011 ; Perry, 2013).

Lors d'expériences ultérieures, Milgram découvrit certains détails qui influençaient considérablement les sujets. Selon la situation, la proportion de ceux qui se soumettaient totalement pouvait varier de 0 à 93 %. La soumission était plus importante quand :

- *la personne qui donnait les ordres était à proximité du sujet et perçue comme une figure légitime d'autorité.* Ce fut le cas en 2005, lorsque l'entraîneur de basket de l'université de Temple fit entrer en jeu Nehemiah Ingram, un joueur de 113 kg, avec comme instruction de jouer à la « déloyale ». Suivant les ordres, Ingram heurta au bout de quatre minutes un adversaire et lui cassa le bras droit.

- *la figure d'autorité était soutenue par une institution prestigieuse.* Milgram obtint une moins bonne adhésion lorsqu'il fit ses expériences en dehors du cadre de l'université de Yale. Les gens ont demandé : Pourquoi, pendant le génocide rwandais de 1994, de si nombreux citoyens hutus massacrèrent leurs congénères tutsis ? C'était en partie parce qu'ils appartenaient à « une culture dans laquelle les ordres venus d'en haut, même s'il s'agit de répandre le mal », sont compris comme ayant force de loi (Kamatali, 2014).

- *la victime était dépersonnalisée ou considérée comme lointaine même si elle était proche.* Dans le même ordre d'idée, lors de combats, de nombreux soldats n'ont pas fait feu sur l'ennemi qu'ils

Jeff Widener/AP Photo

Mourir debout pour la démocratie
Certaines personnes, environ une sur trois dans les expériences de Milgram, résistent à la coercition sociale, comme l'a fait cet homme désarmé à Pékin, en s'opposant seul à un convoi de chars, au lendemain de la répression du soulèvement des étudiants de la place Tiananmen en 1989

The Wreck of HMS Birkenhead off the Cape of Good Hope on 26 Feb. 1852, 1892 (litho) (later colouration), Hemy, Thomas Marie Madawaska (1852-1937)/The Argory, County Armagh, Northern Ireland/Bridgeman

La « parade militaire » du Birkenhead Pour calmer les passagers et leur donner la priorité, les soldats obéirent aux ordres de se mettre en rang sur le pont de leur navire en train de faire naufrage.

voyaient, ou ont mal visé intentionnellement Ces refus de tuer ont été rares chez les soldats qui opéraient par artillerie à longue portée ou sur des avions de combat (Padgett, 1989). Les soldats qui ont tué des ennemis par manipulation de drones télécommandés ont beaucoup moins souffert de stress post-traumatique que les anciens combattants qui étaient sur les théâtres d'opération en Afghanistan et en Irak (Miller, 2012).

• *il n'y avait personne représentant un modèle de défi de l'ordre donné.* « L'enseignant » ne voyait pas de sujet refusant d'obéir aux ordres de l'expérimentateur.

Le pouvoir d'autorités légitimes et proches est particulièrement apparent dans les récits de ceux qui ont obéi aux ordres de perpétrer les atrocités de l'Holocauste. Si l'obéissance ne suffit pas à expliquer l'Holocauste, dans lequel l'idéologie antisémite a également joué un rôle, elle en était un des facteurs importants. Au cours de l'été 1942, environ 500 Allemands d'âge moyen, officiers de police de réserve, furent envoyés à Jozefow, en Pologne, dans un territoire occupé par l'Allemagne. Le 13 Juillet, le commandant du groupe, visiblement bouleversé a informé ses recrues, la plupart étaient pères de famille, des ordres reçus. Ils devaient procéder à une rafle des juifs d'un village qui avaient soi-disant aidé l'ennemi. Les hommes valides devaient être transférés dans des camps de travail et tous les autres devaient être exécutés sur place.

Le commandant donna à ses recrues une chance de refuser d'exécuter les ordres. Douze seulement refusèrent immédiatement. En dix-sept heures, les 485 officiers restants tuèrent 1 500 femmes, enfants et vieillards sans défense en leur tirant une balle dans la nuque alors qu'ils étaient couchés face contre terre. Confrontés aux supplications de leurs victimes et voyant l'horreur de ce qu'ils faisaient, environ 20 % des policiers firent finalement dissidence, s'arrangeant soit pour rater leur victime, soit pour s'éloigner et se cacher jusqu'à ce que le massacre soit terminé (Browning, 1992). Mais, dans la vraie vie comme dans l'expérience de Milgram, ceux qui résistèrent le firent très tôt et ne représentèrent que la minorité.

Des événements différents se déroulèrent dans le village français de Chambon sur Lignon. Là, les villageois ont défié ouvertement les ordres de coopérer avec le « Nouvel Ordre » en abritant les Juifs français, qui étaient destinés à la déportation en Allemagne. Les ancêtres protestants de ces villageois avaient eux-mêmes été persécutés et leurs pasteurs leur avaient appris à « résister chaque fois que [leurs] adversaires [leur] demandaient d'obéir à un ordre contraire à la loi divine » (Rochat, 1993). Sommé par la police de donner une liste des juifs cachés, le pasteur avait donné l'exemple du refus : « Je ne connais pas de juifs, je connais seulement des êtres humains. » Sans réaliser à quel point la guerre serait longue et terrible ni connaître les punitions et la pauvreté qu'ils endureraient, les villageois firent, dès le début, le choix de résister. Soutenus par leurs croyances, leurs modèles, leur solidarité, leurs propres actes initiaux, ils restèrent, insoumis, jusqu'à la fin de la guerre.

De peur que vous supposiez que l'obéissance est toujours mauvaise et la résistance toujours positive, considérez l'obéissance de ces soldats britanniques qui en 1852 voyageaient avec des civils à bord de la frégate *Birkenhead*. Lorsqu'ils approchèrent de leur port en Afrique du Sud, *la frégate* s'empala sur un rocher. Pour calmer les passagers et permettre l'évacuation dans l'ordre des civils à bord des trois chaloupes disponibles, les soldats qui n'aidaient pas les passagers ou ne travaillaient pas au pompage reçurent l'ordre de se mettre en ligne comme pour la parade. « Ne bougez pas » dit l'officier tandis que les chaloupes s'éloignaient. Héroïquement, aucun soldat ne courut frénétiquement pour exiger une place dans la chaloupe. Tandis que le bateau coulait, tous tombèrent à la mer, la plupart se noyèrent ou furent dévorés par les requins. Pendant près d'un siècle, remarqua James Michener (1978), « la parade du Birkenhead resta le modèle qui permettait de mesurer le comportement héroïque en mer ».

Enseignements tirés des études sur le conformisme et la soumission

Que nous apprennent les expériences de Asch et de Milgram sur nous-mêmes ? Comment le fait d'appuyer sur un bouton délivrant un choc électrique est-il relié à notre comportement social quotidien ? Les expériences psychologiques n'ont pas pour objet de recréer les comportements véritables de notre vie de tous les jours, mais de saisir et d'explorer les processus sous-jacents qui façonnent ces comportements. Au cours de ces expériences dans lesquelles les sujets avaient à choisir entre s'en tenir à leurs propres références ou être sensibles à celles des autres, firent face à un dilemme que nous rencontrons tous fréquemment.

Dans les expériences de Milgram et leurs réplications modernes, les participants ressentirent un déchirement. Devraient-ils répondre aux plaintes de la victime ou aux ordres de l'expérimentateur ? Leur sens moral leur suggérait de ne pas faire de mal, mais il les poussait aussi à obéir à l'expérimentateur et à être un bon élément au sein de l'équipe de recherche. Lorsque la bonté et l'obéissance entrent en conflit, c'est en général l'obéissance qui l'emporte.

Ces expériences démontrent que les influences sociales peuvent être assez puissantes pour inciter les gens à se conformer à des mensonges ou à capituler devant la cruauté. Milgram voyait cela comme la leçon fondamentale de son travail : « Des gens ordinaires, faisant simplement leur travail et sans aucune hostilité particulière, peuvent devenir les agents d'un terrible processus de destruction » (1974, p. 6).

> « Je ne faisais qu'obéir aux ordres. »
>
> Adolf Eichmann, Responsable de la déportation nazie des Juifs vers les camps de concentration

Si on se concentre uniquement sur l'ultime décharge, 450 volts, ou sur des violences perpétrées dans le monde réel, on peut difficilement comprendre ce caractère inhumain. Mais nous ne savons pas comment ils en sont arrivés là, peut-être en franchissant des petits paliers. Milgram ne prenait pas ses sujets au piège en leur demandant dès le départ d'envoyer à leur « élève » un choc électrique suffisamment important pour faire se dresser les cheveux sur la tête. Il exploitait plutôt l'effet du « doigt dans l'engrenage », en commençant par une légère décharge électrique et en l'augmentant étape par étape. Dans l'esprit de ceux qui délivraient les chocs électriques, le premier pas devenait justifié, rendant l'étape suivante tolérable. À Jozefow, au Chambon sur Lignon ou dans les expériences de Milgram, ceux qui ont résisté l'ont souvent fait dès le début. Après les premières actions d'obéissance ou de résistance, les attitudes commençaient à suivre et à justifier le comportement.

C'est ce qui arrive lorsque des individus succombent graduellement au mal. Dans n'importe quelle société, l'horreur se développe à partir de l'acquiescement des gens à des choses insignifiantes. Les chefs nazis soupçonnèrent que la plupart des civils allemands seraient réticents à abattre ou à gazer les juifs directement, mais ils les trouvèrent d'une bonne volonté étonnante pour s'occuper des documents administratifs concernant l'Holocauste (Silver et Geller, 1978). Milgram a constaté une réaction similaire dans ses expériences. Lorsqu'il demanda à 40 hommes de faire passer le test d'apprentissage pendant que quelqu'un d'autre appuyait sur le bouton, 93 % obéirent. La cruauté n'est pas que le fait de sujets diaboliques. Il suffit de sujets ordinaires influencés par des circonstances fâcheuses. Des étudiants ordinaires peuvent brimer les « bizuths » de leur groupe. Des employés ordinaires peuvent suivre les ordres de produire et de commercialiser des produits nocifs. Des soldats ordinaires peuvent suivre les ordres pour punir et torturer les prisonniers (Lankford, 2009).

> « Tout le mal commence par 15 volts. »
>
> Philip Zimbardo, Stanford conférence 2010

EXERCICE RÉCAPITULATIF

- Les plus célèbres expériences d'obéissance de la psychologie, dans lesquelles la plupart des participants ont obéi aux exigences d'une figure représentant l'autorité, qui étaient d'infliger des chocs douloureux présumés dangereux à un candidat innocent, ont été menées par le spécialiste de psychologie sociale, _____ _____.

  Réponse : Stanley Milgram

- Quelles sont les situations que les chercheurs ont jugées les plus susceptibles d'encourager un comportement d'obéissance chez les participants ?

  Réponse : Les études de Milgram ont montré que les gens étaient plus enclins à suivre les ordres lorsque : l'expérimentateur était à proximité et représentait une figure légitime de l'autorité, la victime n'était pas à proximité, et qu'il n'y avait personne pour dissuader « l'enseignant » d'obéir aux ordres.

Le comportement en groupe

13-5 **De quelle manière notre comportement est-il affecté par la présence des autres ?**

Imaginez-vous être dans une salle, tenant une canne à pêche. Votre tâche consiste à enrouler le fil de nylon aussi vite que vous le pouvez. Dans certains cas vous rembobinez le fil à l'aide du moulinet en présence d'un autre participant qui doit également le rembobiner le plus vite possible. Sa présence va-t-elle modifier vos performances ?

Facilitation sociale Les athlètes qualifiés se surpassent souvent face au public. Ce qu'ils font bien, ils le font encore mieux quand les gens les regardent.

Au cours d'une des premières expériences de psychologie sociale, Norman Triplett (1898) découvrit que les adolescents rembobinaient bien plus rapidement le fil de nylon à l'aide du moulinet lorsqu'ils étaient en présence de quelqu'un faisant de même. Même si une analyse plus récente des résultats a révélé que la différence était modeste (Stroebe, 2012), Triplett a inspiré des expériences de psychologie sociale observant l'influence du groupe sur le comportement individuel. L'influence du groupe agit au sein des groupes très simples, par exemple une personne en présence d'une autre, mais aussi au sein de groupes bien plus complexes.

Facilitation sociale

Cette performance supérieure en présence d'autrui, découverte par Triplett, est connue sous le nom de **facilitation sociale.** Mais pour des tâches difficiles (apprendre des syllabes sans aucun sens ou résoudre des séries complexes de multiplications), les gens réussissent moins bien s'il y a des observateurs ou d'autres personnes faisant la même chose. Des études complémentaires ont montré que la présence d'autrui peut parfois aider et parfois gêner la performance (Guerin, 1986 ; Zajonc, 1965). Pourquoi ? Lorsque nous sommes observés par d'autres, nous sommes stimulés et cette activation amplifie nos autres réactions. Elle renforce la réponse *la plus probable* : une réponse correcte si la tâche est facile, une réponse incorrecte si la tâche est difficile. Ainsi, les meilleurs joueurs de billard qui réussissent 71 % de leurs tirs lorsqu'ils sont seuls, réussissent 80 % de leurs tirs lorsque quatre personnes les regardent (Michaels et al., 1982). Les mauvais joueurs de billard qui réussissent 36 % de leurs tirs lorsqu'ils sont seuls, n'en réussissent que 25 % devant des spectateurs.

Les effets stimulants d'une assistance enthousiaste contribuent vraisemblablement à expliquer l'avantage que représente pour différents sports d'équipe le fait de jouer « à domicile », ce qui a été mis en évidence au cours d'études effectuées sur plus de 250 000 manifestations sportives universitaires ou professionnelles de différents pays (Allen & Jones, 2014 ; Jamieson, 2010). Les équipes locales gagnaient 6 parties sur 10 (un peu moins pour le baseball, le cricket et le football américain, un peu plus pour le basket, le rugby et le football – voir **TABLEAU 13.1**). Pour la plupart des sports, jouer à domicile est favorable.

La facilitation sociale permet également d'expliquer un effet bizarre de la foule. Comme le savent les comiques et les acteurs, une « bonne salle » est une salle pleine. La foule déclenche l'excitation. Une comédie semble modérément amusante à ceux qui l'ont vue dans une salle vide et beaucoup plus drôle à ceux qui l'ont vue dans une salle comble (Aiello et al., 1983 ; Freedman et Perlick, 1979). Assis côte à côte, les sujets d'une expérience vont apprécier davantage une personne sympathique et moins une personne peu sympathique (Schiffenbauer et Schiavo, 1976 ; Storms et Thomas, 1977). Ainsi si vous devez choisir une salle pour un cours ou installer des chaises pour une réunion, ayez juste assez de places assises.

Facilitation sociale amélioration des résultats lors de tâches simples ou bien maîtrisées en présence des autres.

Paresse sociale tendance qu'ont les sujets au sein d'un groupe à fournir un effort moindre quand la somme totale des efforts permet d'atteindre un but commun, que lorsqu'ils sont individuellement responsables de l'effort à fournir.

Désindividualisation perte de la conscience de soi et de son libre arbitre. Cette désindividualisation se produit souvent lorsque la participation au groupe est stimulante et permet de rester anonyme.

▼ TABLEAU 13.1
Avantage donné par les rencontres « à domicile »
dans les sports d'équipe.

Sport	Années	Victoires remportées à domicile
Ligue nipponne de baseball	1998-2009	53.6 %
Ligue majeure de baseball	1903-2009	53.9 %
Ligue nationale de hockey	1917-2009	55.7 %
Rugby international	1871-2009	56.9 %
Ligue nationale de football	1966-2009	57.3 %
Ligue internationale de cricket	1877-2009	57.4 %
Association nationale de basket-ball	1946-2009	60.5 %
Association nationale féminine de basket-ball	2003-2009	61.7 %
Première ligue d'Angleterre de football	1993-2009	63.0 %
NCAA masculine de basket-ball	1947-2009	68.8 %
Ligue majeure de football	2002-2009	69.1 %

Source : données de Moskowitz & Wertheim, 2011.

Point à retenir : ce que vous faites bien, vous avez des chances de le faire encore mieux devant un public et en particulier devant un public chaleureux. Ce que vous trouvez difficile en temps normal peut sembler impossible lorsque d'autres vous regardent.

Paresse sociale

Les expériences de facilitation sociale évaluent l'effet de la présence des autres sur l'exécution d'une tâche individuelle, comme jouer au billard. Mais qu'arrive-t-il lorsque la tâche est effectuée en groupe ? Dans une équipe de tir à la corde, par exemple, pensez-vous que les efforts que chacun va effectuer individuellement seront supérieurs, inférieurs ou équivalents à ceux qu'ils déploieraient dans une compétition à un contre un ?

Pour le découvrir, des chercheurs de l'Université du Massachusetts demandèrent à des étudiants dont ils avaient bandé les yeux de « tirer aussi fort qu'ils le pouvaient » sur une corde. Lorsqu'ils firent croire aux étudiants que trois autres personnes tiraient également derrière eux, ils déployèrent seulement 82 % des efforts mis en œuvre lorsqu'ils se croyaient seuls à tirer (Ingham et al., 1974). Dans une autre expérience des sujets aux yeux bandés assis dans un groupe ont applaudi et crié aussi fort qu'ils le pouvaient en écoutant à travers un casque des applaudissements ou des hurlements (Latané, 1981). Lorsqu'on leur disait qu'ils le faisaient avec d'autres, les sujets firent environ un tiers de bruit en moins que lorsqu'ils pensaient que leur effort individuel était identifiable.

Pour décrire cette diminution de l'effort, Bibb Latané et ses collaborateurs (1981 ; Jackson et Williams, 1988) utilisèrent le terme de **paresse sociale.** Au cours d'expériences menées aux États-Unis, en Inde, en Thaïlande, au Japon, en Chine et à Taïwan, la paresse sociale fut observée dans des tâches variées, quoique plus particulièrement chez les hommes appartenant à des cultures individualistes (Karau et Williams, 1993). Pourquoi cette paresse sociale ? Il y a trois raisons :

- Les gens qui agissent au sein d'un groupe se sentent *moins responsables* et se soucient donc beaucoup moins de ce que peuvent penser les autres.

- Les membres du groupe peuvent considérer que leur participation n'est pas *indispensable* (Harkins et Szymanski, 1989 ; Kerr et Bruun, 1983).

- Lorsque les membres du groupe partagent les bénéfices à parts égales sans que la contribution effective de chacun soit prise en compte, ils peuvent baisser les bras (comme vous l'avez sûrement remarqué lors de la création de groupes à l'université). À moins de s'identifier fortement au groupe ou d'être très motivé, ils peuvent *se reposer* sur les efforts des autres membres du groupe.

Désindividualisation

Ainsi, la présence d'autrui peut stimuler les gens (facilitation sociale) ou diminuer leur sentiment de responsabilité (paresse sociale). Parfois, la présence des autres fait les deux. Le résultat peut être un comportement débridé allant de la bataille de nourriture au réfectoire jusqu'au vandalisme ou à l'émeute. Le fait d'abandonner la conscience de soi et son libre arbitre, appelé **désindividualisation**, se produit souvent lorsque la participation au groupe permet aux gens de se sentir *stimulés* et *anonymes*. Dans une expérience, les femmes de l'Université de New York ont revêtu la tenue des membres du Ku Klux Klan avec la cagoule, les rendant ainsi anonymes. Comparativement aux femmes identifiables formant le groupe témoin, les femmes portant la cagoule du Klan ont délivré à une victime, deux fois plus de chocs électriques (Zimbardo, 1970). (Comme dans toutes ces expériences, la « victime » ne recevait pas réellement de décharges.)

La désindividualisation se développe, pour le meilleur ou pour le pire dans de nombreuses situations. Les guerriers tribaux qui se dépersonnalisent en peignant leur visage ou en portant des masques ont plus tendance que ceux dont le visage est découvert à tuer, torturer ou mutiler les ennemis capturés (Watson, 1973). Dans les forums de discussion, sur la toile, les harceleurs qui ne vous diraient jamais en face que « vous êtes un imposteur », se cachent derrière l'anonymat. Le fait d'abandonner la conscience de soi et son libre arbitre, que ce soit dans la foule, pendant un concert de rock, un match de football, ou lors d'un office religieux, nous rend plus sensibles à ce que ressent le groupe, pour le meilleur et pour le pire. Pour la comparaison de la facilitation sociale de la paresse sociale, et de la désindividualisation, se reporter au **TABLEAU 13.2** la page suivante.

Se donner de la peine ou travailler à peine ? Lors des projets collectifs, comme le nettoyage d'une plage pendant la Journée de la Terre, la paresse sociale se produit souvent, quand des individus se reposent sur les efforts des autres.

Désindividualisation Au cours des émeutes et des pillages qui ont eu lieu en Angleterre en 2011, l'excitation du groupe et l'anonymat dû à l'obscurité, aux cagoules et aux masques, ont contribué à la désinhibition comportementale des émeutiers. Plus tard, certaines des personnes arrêtées ont donné des explications confuses de leur propre comportement.

▼ **TABLEAU 13.2**
Comportement en présence d'autres personnes : trois phénomènes

Phénomène	Contexte social	Effet psychologique de la présence des autres	Effet comportemental
Facilitation sociale	Être observé individuellement	Excitation accrue	Amplification du comportement dominant : amélioration des résultats de l'exécution de tâches simples ou bien maîtrisées en présence des autres ; situation inverse pour les tâches mal maîtrisées.
Paresse sociale	Projets collectifs	Diminution du sentiment de responsabilité lorsque les personnes ne sont pas individuellement responsables	Diminution de l'effort
Désindividualisation	Effet de groupe qui favorise l'excitation et l'anonymat	Baisse de la conscience de soi	Maîtrise de soi réduite

* * *

Nous avons examiné dans quelles conditions le fait d'être en *présence* d'autres personnes pouvait inciter les gens à se reposer sur les efforts des autres ou les motiver à s'impliquer davantage, rendre plus facile les tâches aisées et plus difficiles les tâches complexes et enfin renforcer l'humeur ou alimenter la violence des bandes. La recherche a montré la façon dont les effets des *interactions* au sein d'un groupe pouvaient être bons ou mauvais.

Polarisation de groupe

13-6 Qu'est-ce que la *polarisation de groupe* et la *pensée de groupe,* et quel est notre pouvoir en tant qu'individu ?

La différence initiale entre les groupes d'étudiants a souvent tendance à croître au fil du temps. Si les étudiants de première année de l'université X ont tendance à être plus « doués en art » et ceux de l'université Y plus doués pour les affaires et le commerce, il y a des chances que cette différence s'accentue en fin de cursus. De même comme le note Eleanor Maccoby (2002) après des dizaines d'années d'observation sur le développement en fonction du sexe, les différences liées au sexe auront tendance à devenir plus importantes. Les filles parlent plus intimement que les garçons, jouent et fantasment de manière moins agressive qu'eux et ces différences s'affirment avec le temps à mesure que les garçons ou les filles communiquent principalement avec des personnes du même sexe.

Dans chaque cas, les croyances et les attitudes que nous apportons à un groupe se renforcent à mesure que nous en parlons avec d'autres personnes partageant la même opinion. Ce processus, appelé **polarisation de groupe**, peut avoir des résultats bénéfiques, comme lorsqu'il affermit une quête spirituelle assumée ou renforce la détermination des participants à un groupe d'entraide. Mais il peut aussi avoir les pires conséquences. Par exemple, Georges Bishop et moi-même (DM) avons découvert que lorsque des étudiants ayant beaucoup de préjugés discutaient de racisme, leurs préjugés se *renforçaient* (**FIGURE 13.5**). Les étudiants ayant peu de préjugés devenaient encore plus tolérants.

La polarisation de groupe peut nourrir l'extrémisme et le terrorisme avec des actes suicidaires. Les analyses des organisations terroristes du monde entier révèlent que la mentalité des terroristes ne surgit pas de façon soudaine (McCauley, 2002 ; McCauley & Segal, 1987 ; Merari, 2002). Cette mentalité prend lentement naissance, entre des personnes qui se rassemblent pour exprimer leurs griefs. Elles deviennent de plus en plus extrémistes à mesure qu'elles interagissent dans l'isolement (parfois avec d'autres « frères » et « sœurs » dans des camps). De plus en plus, ils clivent le monde en deux parties : « nous » contre « eux » (Moghaddam, 2005 ; Qirko, 2004). Étant donné l'isolement du groupe par les phénomènes de polarisation de groupe et de pensée de groupe, En 2006, le National Intelligence américain disait : « Nous estimons que la menace opérationnelle des cellules terroristes radicales continuera à se développer. »

Lorsque j'ai commencé mes études de psychosociologie en effectuant des expériences sur la polarisation du groupe, je n'ai jamais imaginé les dangers potentiels ni les possibilités créatives de la polarisation d'un groupe *virtuel*. La communication par Internet et les réseaux sociaux ont créé des lieux virtuels où des personnes peuvent s'isoler des autres en n'ayant pas les mêmes points de vue. Si nous mettons dans nos signets de liens favoris et de média sociaux des adresses

▼ **FIGURE 13.5**
Polarisation de groupe Si un groupe partage les mêmes opinions, les discussions renforcent les opinions dominantes. Discuter du racisme augmente les préjugés d'un groupe de lycéens intolérants et les réduit chez des lycéens appartenant à un groupe plus tolérant. (Données de Myers & Bishop, 1970.)

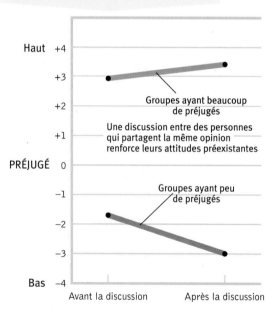

« Qu'est-ce qui explique la montée du fascisme dans les années 1930 ? L'émergence de la pensée radicale chez les étudiants dans les années 1960 ? La montée du terrorisme islamique dans les années 1990 ?… Le dénominateur commun est simple à définir : *Quand les gens se retrouvent dans des groupes partageant les mêmes opinions, le risque d'adopter des opinions extrémistes est particulièrement grand.* On a affaire au phénomène de *polarisation de groupe.* »

Cass Sunstein, *Going to Extremes,* 2009

de sites qui tiennent des propos dignes d'une « presse de caniveau », que nous réprouvons, nous pouvons grossir les rangs des groupes qui se complaisent dans la diffusion de ces idées. Les gens lisent les blogs qui renforcent leurs points de vue et ces blogs sont reliés à d'autres blogs apparentés (**FIGURE 13.6**). Au fil du temps, la polarisation politique qui entraîne un « dégoût de tous les partis », résultant disent certains politologues (Iyengar & Westwood, 2014) devient beaucoup plus importante que la polarisation raciale.

Comme Internet relie les gens de la même opinion et rassemble leurs idées, les sceptiques du réchauffement climatique, ceux qui ont été enlevés par des OVNI et les théoriciens conspirateurs trouvent un soutien auprès de gens partageant les mêmes idées ou les mêmes suspicions. Les partisans de la suprématie blanche peuvent devenir encore plus racistes. Et les membres des milices privées peuvent devenir encore plus violents. Plus les participants passent de temps en discussion dans les forums fermés de « la toile noire » plus leurs propos deviennent violents (Chen, 2012). Dzhokhar et Tamerlan Tsarnaev qui ont perpétré un attentat à la bombe contre le Marathon de Boston se seraient « auto-radicalisés » en participant à ces forums (Wilson et al., 2013). Dans les lieux qui sont des chambres d'écho des mondes virtuels, comme dans le monde réel, séparation + conversation = polarisation.

Mais l'amplification sociale permise par Internet peut aussi apporter de bonnes choses. Les sites de réseaux sociaux mettent en relation des amis, des membres de la famille partageant des intérêts communs ou faisant face à des difficultés semblables. Les conciliateurs, ceux qui ont survécu à un cancer ou les parents endeuillés peuvent trouver une certaine force ou une consolation auprès de ces âmes sœurs. En amplifiant, par la propagation, les préoccupations et les idées communes à différents membres de ces réseaux, la communication par internet peut favoriser des entreprises à caractère social. (Je [DM] connais cette amplification par les réseaux sociaux des malentendants, de la question de l'amélioration des techniques de prothèse auditive en Amérique).

Point à retenir : en reliant et en amplifiant les penchants des personnes ayant les mêmes opinions, Internet peut avoir des conséquences particulièrement néfastes mais aussi particulièrement positives.

Lada Adamic and Nahtalie Glance.

▼ FIGURE 13.6
Opinions convergentes dans la « blogosphère »
Les principales liaisons des blogs bleus libéraux se font avec les blogs exprimant les mêmes opinions. Il en est de même pour les blogs exprimant des opinions conservatrices en rouge. (Les couleurs intermédiaires affichent des liens qui franchissent la frontière libéraux-conservateurs.) Chaque point représente un blog, et la taille de chaque point reflète le nombre de liens vers d'autres blogs. (De Lazer et al., 2009.)

« Je me demande si nous pourrions bénéficier d'une meilleure intégration sociale parmi ceux qui ne manifestent pas d'opinions antigouvernementales. »

Frank Cotham/La collection New Yorker/Condé Nast

Pensée de groupe

Les interactions de groupe peuvent influencer nos décisions personnelles ; mais n'ont-elles jamais faussé d'importantes décisions nationales ? Considérez le « fiasco de l'opération de la Baie des Cochons » à Cuba. En 1961, le Président John F. Kennedy et ses conseillers décidèrent d'envahir Cuba avec 1 400 exilés cubains entraînés par la CIA. Lorsque les envahisseurs furent facilement capturés et que le lien avec le gouvernement américain fut établi, Kennedy se demanda avec du recul : « Comment avons-nous pu être aussi stupides ? »

Pour le savoir, le psychosociologue Irving Janis (1982) étudia les processus de prise de décision qui aboutirent à ce fiasco. Il découvrit que le moral très élevé du Président récemment élu et de ses conseillers engendra une confiance injustifiée dans ce plan. Pour préserver la bonne impression du groupe, les points de vue opposés furent supprimés ou autocensurés, en particulier après que le Président eut exprimé son enthousiasme pour le plan. Comme personne ne s'élevait fortement contre cette idée, chacun supposa qu'il y avait un soutien consensuel en sa faveur. Pour décrire cette pensée harmonieuse mais irréaliste d'un groupe, Janis inventa le terme de **pensée de groupe**.

Des études ultérieures montrèrent que la pensée de groupe, alimentée par un excès de confiance, le conformisme, l'autojustification et la polarisation du groupe, avait contribué à d'autres fiascos historiques, Comme l'échec de la prévision de l'attaque de Pearl Harbor par les Japonais en 1941, l'escalade de la guerre du Vietnam, la dissimulation du Watergate, l'accident du réacteur nucléaire de Tchernobyl (Reason, 1987), l'explosion de la navette spatiale *Challenger* (Esser et Lindoerfer, 1989) et la guerre en Irak, lancée sur la présomption erronée de la présence d'armes de destruction massive en Irak (U.S. Senate Intelligence Committee, 2004).

« Un des dangers de la Maison Blanche, si je me fonde sur les lectures que j'ai faites de son histoire, est que vous vous trouvez enrôlé dans la pensée de groupe où tout le monde est d'accord sur tout, où il n'y a aucune discussion et où il n'y a pas d'opinion divergente. »

Barack Obama, 1er décembre 2008, conférence de presse

Polarisation de groupe affirmation des opinions dominantes d'un groupe par la discussion au sein du groupe.

Pensée de groupe mode de pensée engendrée par le désir d'être en harmonie avec les décisions prises par le groupe, en n'évaluant pas les autres alternatives plus réalistes.

« La vérité jaillit de la discussion entre amis. »

David Hume, 1711-1776, Philosophe

« Si vous avez une pomme et que j'en ai une aussi et si nous échangeons nos pommes, nous aurons en définitive toujours une pomme chacun. Mais si vous avez une idée et que j'en ai une autre et que nous les échangeons, nous aurons alors chacun deux idées. »

Attribué au dramaturge George Bernard Shaw, 1856-1950

Malgré les dangers de la pensée de groupe, deux têtes valent mieux qu'une. Sachant cela, Janis étudia également les cas où les présidents américains et leurs conseillers prirent collectivement de bonnes décisions, comme par exemple la mise en place, par l'administration Truman, du plan Marshall pour remettre l'Europe sur pied après la Seconde Guerre mondiale et l'action de « l'administration Kennedy » pour empêcher l'installation de missiles soviétiques à Cuba. Dans ces circonstances – mais aussi dans le monde des affaires, pensait Janis – le phénomène de pensée de groupe est évité par un chef qui accueille volontiers des opinions différentes, suscite les critiques des experts concernant les plans en cours d'élaboration ou confie à certains la tâche d'identifier les problèmes. De la même manière que la suppression des avis contraires entraîne un groupe vers de mauvaises décisions, les débats ouverts sont souvent le creuset où s'élaborent les bonnes décisions. Cela est particulièrement vrai dans le cas où la convergence des points de vue différents se fait en un point d'où partiront les idées les plus créatives (Nemeth et Ormiston, 2007 ; Page, 2007). Nous sommes plus intelligents à plusieurs.

Le pouvoir des individus

En affirmant le pouvoir de l'influence sociale, nous ne devons pas négliger notre pouvoir en tant qu'individu. Le *contrôle social* (le pouvoir de la situation) et le *contrôle personnel* (le pouvoir de l'individu) interagissent. Les gens ne sont pas des boules de billard. Quand nous ressentons une pression, nous pouvons réagir de manière opposée à ce que l'on attend de nous, ce qui nous permet d'affirmer notre libre arbitre (Brehm et Brehm, 1981).

Des individus engagés peuvent influencer la majorité et contribuer à faire l'histoire sociale. Si cela n'avait pas été le cas, le communisme serait une théorie obscure, le christianisme serait une petite secte du Proche-Orient et le refus de Rosa Park de s'asseoir à l'arrière des bus n'aurait pas allumé le mouvement pour les droits civiques aux États-Unis. L'histoire des techniques est également souvent faite par des minorités innovatrices qui surmontent la résistance au changement de la majorité des individus. Pour de nombreuses personnes, le train était un non-sens ; certains fermiers craignaient que le bruit du train n'empêchât les poules de pondre. Les gens se moquaient du bateau à vapeur de Robert Fulton en l'appelant « folie de Fulton ». Comme le dit plus tard Fulton : « Jamais une simple remarque encourageante, un espoir lumineux ou un souhait chaleureux n'a croisé ma route. » Le même genre de réaction accueillit l'imprimerie, le télégraphe, la lampe à incandescence et la machine à écrire (Cantril et Bumstead, 1960).

Le pouvoir d'un ou deux individus d'influencer les majorités se nomme l'*influence des minorités* (Moscovici, 1985). Lors de l'étude de groupes dans lesquels un ou deux individus exprimaient de façon ferme une attitude polémique ou un jugement perceptif inhabituel, un résultat revenait constamment : une minorité qui demeure fermement sur ses positions a beaucoup plus de chances d'influencer la majorité qu'une minorité qui parle pour ne rien dire. Cette tactique ne vous rendra pas populaire, mais peut vous rendre influent. Cela est particulièrement vrai si votre confiance en vous suscite chez les autres le désir de comprendre *pourquoi* vous réagissez de cette façon. Même lorsque l'influence d'une minorité n'est pas encore visible, les gens peuvent, en privé, développer de la sympathie pour l'opinion de la minorité et reconsidérer leur point de vue (Wood et al., 1994).

En conclusion, le pouvoir de l'influence sociale est énorme, mais le pouvoir d'un individu engagé l'est également. Pour la musique classique, l'apport de Mozart est d'une importance capitale. Il en est de même pour Shakespeare pour le théâtre. Pour l'histoire du monde, Hitler, Mao, Gandhi furent des personnalités qui changèrent son cours. Les forces sociales sont importantes. Mais les individus comptent, aussi.

Gandhi La vie du chef nationaliste hindou le Mahatma Gandhi, qui fut aussi un chef spirituel, apporte la preuve irréfutable qu'une voix minoritaire cohérente et constante peut parfois influencer la majorité. Les appels à la non-violence et aux jeûnes diffusés par Gandhi ont contribué à la conquête de l'indépendance de l'Inde en 1947.

EXERCICE RÉCAPITULATIF

- Qu'est ce que la facilitation sociale, et pourquoi est-elle plus susceptible de se produire lorsque l'individu exécute une tâche qu'il maîtrise bien ?

  Réponse : Cette amélioration de la performance en présence d'autres personnes est plus susceptible de se produire lorsque l'exécution de la tâche à accomplir est bien maîtrisée. Ainsi l'éveil cognitif causé par la présence d'un public tend à renforcer la réponse la plus probable. L'inverse se produit lorsque la tâche est moins bien maîtrisée.

- Les gens ont tendance à exercer moins d'effort quand ils agissent au sein d'un groupe que quand ils agissent seuls. Cela s'appelle la _____ _____.

  Réponse : paresse sociale

- Vous organisez une réunion des candidats à des élections, qui s'opposent farouchement. Pour augmenter le plaisir, des amis ont suggéré de distribuer des masques de visages des candidats qui seront portés par leurs partisans respectifs. Que va-t-il se passer une fois que les partisans auront revêtu ces masques ?

  Réponse : L'anonymat dû au port du masque, associé à l'excitation due au climat querelleur pourrait créer un état de *désindividualisation* (abandonner la conscience de soi et son libre arbitre).

- Lorsque des groupes ayant des opinions similaires discutent d'un sujet, l'opinion dominante en sort renforcée. On dénomme ce phénomène la _____ _____.

  Réponse : polarisation de groupe

- Lorsque le désir subjectif de cohérence d'un groupe l'emporte sur le désir d'analyse objective on dit que l'on a affaire à la _____.

  Réponse : pensée de groupe

OBJECTIFS D'APPRENTISSAGE

EXERCICE RÉCAPITULATIF Prenez un moment pour répondre à chacune de ces questions objectif d'apprentissage (répétées ici au sein de cette section). Puis allez à l'annexe C, révision complète du chapitre, pour vérifier vos réponses. La recherche suggère que d'essayer de répondre à ces questions de votre propre initiative permettra d'améliorer la mémorisation à long terme de ces réponses (McDaniel et al., 2009).

13-3 Qu'est-ce que l'imitation automatique, et que nous apprennent les expériences sur le conformisme concernant le pouvoir des influences sociales ?

13-4 Que nous ont enseigné les expériences d'obéissance de Milgram concernant le pouvoir des influences sociales ?

13-5 De quelle manière notre comportement est-il affecté par la présence des autres ?

13-6 Qu'est-ce que la *polarisation de groupe* et la *pensée de groupe*, et quel est notre pouvoir en tant qu'individu ?

TERMES ET CONCEPTS À RETENIR

EXERCICE RÉCAPITULATIF Testez votre connaissance de ces termes en essayant d'écrire leur définition, avant de vous reporter aux pages indiquées en référence pour vérifier votre réponse.

conformité, p. 526

influence sociale normative, p. 527

influence sociale informationnelle, p. 527

facilitation sociale, p. 532

théorie de la dissonance cognitive, p. 523

paresse sociale, p. 533

désindividualisation, p. 533

polarisation de groupe, p. 534

pensée de groupe, p. 535

■ Relations antisociales

Les psychosociologues étudient le mode de pensée des individus, leurs relations et les *influences* réciproques. Qu'est-ce qui nous rend blessant, qui nous pousse à aider l'autre ou nous fait tomber amoureux ? Comment pouvons-nous transformer un conflit destructeur en une paix juste ? Dans cette section, nous considérerons les aspects des relations *antisociales* réunis par les chercheurs qui ont étudié les préjugés et l'agressivité.

Préjugés

13-7 Qu'est-ce qu'un *préjugé* ? Quelles sont ses origines sociales et émotionnelles ?

Préjugé signifie « jugement a priori ». C'est une attitude injustifiable et généralement négative envers un groupe, souvent différent par sa culture, son origine ethnique ou son sexe. Comme toutes les attitudes, le préjugé est un mélange de trois parties :

> **Préjugé** attitude injustifiable généralement négative envers un groupe ou ses membres. Les préjugés sont généralement des croyances stéréotypées, simplistes, des sentiments négatifs, et poussent à la discrimination.

Stéréotype croyance généralisée (parfois vraie, mais souvent trop générale) concernant un groupe de personnes.

Discrimination comportement injustifiable généralement négatif envers un groupe ou ses membres.

- *des croyances* (dans ce cas appelées **stéréotypes**) ;
- *des émotions* (hostilité, envie ou crainte) ;
- des prédispositions à *agir* (discriminer).

Certains stéréotypes peuvent correspondre à des données partiellement exactes. Si vous présumez que les jeunes gens ont tendance à rouler plus vite que les femmes âgées, vous pouvez avoir raison. Les gens perçoivent les Australiens comme étant plus rudes que les Britanniques, et une analyse de millions de messages de Facebook a montré que les Australiens ont plus souvent prononcé des jurons (Kramer & Chung, 2011). Mais les stéréotypes peuvent conduire à la caricature, comme lorsque les libéraux et les conservateurs s'estiment réciproquement extrémistes (Graham et al., 2012). Les stéréotypes peuvent aussi influencer le comportement. *Croire* que les gens obèses sont gloutons, *ressentir* de l'antipathie envers une personne qui souffre d'obésité c'est avoir un *préjugé*, une *attitude* négative envers cette personne. Éviter toutes les personnes obèses sur les sites de rencontres, ou ne pas retenir la candidature potentielle d'une personne sous prétexte qu'elle est obèse comme un candidat potentiel de l'emploi, est discriminer ; la **discrimination** est un comportement négatif.

Quelle est l'importance des préjugés ?

Le préjugé naît de deux attitudes explicites (manifestes) et implicites (automatiques) envers les personnes d'un groupe ethnique particulier, d'un genre donné, ayant une orientation sexuelle donnée, ou un point de vue. Voyons quelques exemples.

Préjugé ethnique explicite À en juger parce que disent les Américains, les attitudes racistes ont changé de façon considérable au cours des cinquante dernières années. Par exemple, le soutien de toutes les formes de contact entre les ethnies, y compris les relations amoureuses interethniques (**FIGURE 13.7**) a augmenté de manière spectaculaire. « Il est bon pour les Noirs et les Blancs de se rencontrer », cette affirmation était acceptée par 48 % des Américains en 1987 et le fut par 86 % en 2012 (Pew, 2012). « Le mariage entre Noirs et Blancs » était approuvé par 4 % des Américains en 1958 et par 87 % en 2013 (Newport, 2013).

En dépit de la disparition du préjugé *manifeste*, les préjugés *subtils* persistent. Malgré le soutien affirmé de plus en plus important pour les mariages interethniques, de nombreuses personnes admettent que dans des situations intimes (sortir avec quelqu'un, se marier, danser), elles se sentiraient mal à l'aise avec quelqu'un d'une autre origine ethnique. Et nombre de personnes *disant* se sentir mal à l'aise avec quelqu'un proférant des injures racistes, répondent en réalité avec indifférence lorsqu'elles entendent des propos racistes (Kawakami et al., 2009). Ces préjugés subtils peuvent également prendre la forme de « petites offenses », envers une personne de couleur réglant la circulation ou la retenue des gens à choisir, dans le train, un siège libre se trouvant côté de quelqu'un d'une autre race (Wang et al., 2011). Des expériences récentes illustrent que les préjugés peuvent non seulement être subtils, mais aussi automatiques et non-conscients.

Cependant, des préjugés manifestes persistent. Après l'attentat du 11 Septembre et les guerres en Irak et en Afghanistan, 4 Américains sur 10 ont reconnu « avoir quelques préjugés envers les musulmans » et environ la moitié des non-musulmans en Europe de l'Ouest et aux États-Unis percevaient les musulmans comme des personnes « violentes » (Saad, 2006 ; Wike et Grim, 2007). Un observateur américain a noté qu'« aux États-Unis les musulmans sont une des dernières minorités qu'il est encore possible d'humilier publiquement » car les Américains se sentent menacés par les Arabes et l'opposition vis-à-vis des mosquées et de l'immigration a connu une flambée en 2010

▼ **FIGURE 13.7**

Les préjugés et leur évolution dans le temps Au cours du dernier quart de siècle, les Américains ont de plus en plus approuvé les mariages interraciaux. Le taux d'approbation augmente avec les générations successives. (Données de Pew, 2012.)

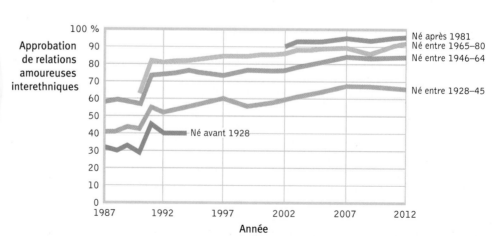

(Kristof, 2010 ; Lyons et al., 2010). Pour les musulmans, cette perception négative est réciproque et la plupart des musulmans en Jordanie, en Égypte, en Turquie et en Grande-Bretagne considèrent que les Occidentaux sont « immoraux » et « cupides ».

Préjugé implicite Comme nous l'avons vu tout au long de ce livre, l'esprit humain traite les pensées, les souvenirs et les attitudes en empruntant deux voies différentes. Parfois, ce traitement est *explicite* – sur « l'écran radar de notre conscience ». Il est dans une plus grande mesure *implicite*. La façon dont nos attitudes influencent notre comportement est non consciente. Les études modernes indiquent que le préjudice est souvent implicite, une attitude automatique que l'on pourrait comparer au réflexe rotulien. Tenez compte de ces conclusions :

Associations raciales implicites Lors de la passation de tests d'associations implicites, les chercheurs ont démontré que même les personnes qui nient avoir les préjugés raciaux peuvent suggérer des associations négatives (Banaji & Greenwald, 2013). (En 2014, environ 16 millions de personnes avaient passé le test implicite d'association, que vous pouvez retrouver en consultant la page www.implicit.harvard.edu.) Par exemple, 9 sujets blancs sur 10 ont pris plus de temps pour identifier les mots agréables (*paix* et *paradis*) comme « bonne association » lorsqu'ils sont présentés avec des noms évoquant des Afro-Américains (comme *Latisha* et *Darnell*) plutôt que des noms évoquant des Américains blancs (comme *Katie* et *Ian*). En outre, les personnes qui associent plus rapidement les bonnes choses avec des noms ou des visages blancs sont aussi les plus rapides à percevoir des traits évoquant la colère et la menace sur des visages noirs (Hugenberg & Bodenhausen, 2003).

Bien que la méthode des tests soit utile pour étudier les préjugés, les critiques mettent en garde contre leur utilisation pour évaluer et qualifier des individus (Oswald et al., 2013). À l'inverse, les partisans de la méthode des tests rétorquent que des partis pris implicites prédisent des comportements comme l'amabilité et permettent d'évaluer la qualité du travail (Banaji & Greenwald, 2013). Lors de l'élection présidentielle américaine de 2008, les préjugés implicites ou explicites prédirent quels électeurs allaient soutenir le candidat Barack Obama. Son élection à son tour servit à réduire les préjugés implicites (Bernstein et al., 2010 ; Payne et al., 2010 ; Stephens-Davidowitz, 2014).

Condescendance inconsciente Lors d'une étude de psychologie sociale, des femmes blanches, universitaires, ont évalué des dissertations qui comprenaient des erreurs. Lors de l'évaluation des compositions prétendument écrites par des étudiants blancs, les femmes donnèrent des notes assez faibles souvent assorties de commentaires sévères. Ce ne fut pas le cas lorsque les dissertations avaient été écrites, soi-disant, par des étudiants noirs (Harber, 1998). Les stéréotypes raciaux des examinateurs ont-ils modifié la façon de corriger, les conduisant à être moins sévères et à adopter une attitude condescendante ? Dans les évaluations du monde réel, ces faibles attentes et la « louange gonflée et la critique insuffisante » pourrait entraver la réussite des élèves de la minorité qui en résulte, nota le chercheur. (Pour empêcher une telle partialité, de nombreux enseignants lisent les dissertations, après que les copies aient été rendues anonymes.)

Perceptions influencées par l'origine raciale Nos attentes influencent nos perceptions. En 1999, Amadou Diallo a été accosté alors qu'il rejoignait son appartement par des policiers à la recherche d'un violeur. Quand il sortit son portefeuille, les policiers, croyant voir une arme à feu, ont criblé son corps de 19 balles sur 41 tirs. Pour savoir comment ce meurtre tragique d'un homme innocent sans arme a pu se produire, deux équipes de recherche ont reconstitué la situation (Correll et al., 2002, 2007 ; Greenwald et al., 2003 ; Sadler et al., 2012). Ils ont demandé à des sujets voyant des scènes se dérouler sur un écran d'appuyer sur des boutons rapidement pour « tirer » ou « ne pas tirer » sur des hommes qui apparaissaient soudainement sur l'écran. Certains de ces hommes à l'écran tenaient une arme à feu. D'autres tenaient un objet inoffensif, comme une lampe de poche ou une bouteille. Les sujets (les Noirs et les Blancs, dans une étude) ont plus souvent tiré sur des hommes noirs que sur des hommes blancs qui tenaient des objets inoffensifs. Le fait de présenter rapidement au préalable aux participants l'image d'un visage noir plutôt que celle d'un visage blanc a fait qu'ils ont eu également plus de chances de percevoir par erreur l'objet présenté rapidement ensuite comme un revolver (**FIGURE 13.8**). La fatigue diminue le contrôle de la motricité volontaire et augmente les réactions automatiques, amplifie les préjugés raciaux et facilite la décision de faire feu. (Ma et al., 2013).

Est-ce que ce biais cognitif peut nous aider à comprendre la mort de Trayvon Martin survenue en 2013 ? Alors qu'il marchait en direction de la maison de la

« Malheureusement, le monde a encore beaucoup à apprendre pour vivre dans la diversité. »

Message adressé par le pape Jean-Paul II, à l'Organisation des Nations unies, 1995

▼ FIGURE 13.8
L'ethnie influence les perceptions
Au cours des expériences de Keith Payne (2006), les participants ont vu (1) le visage d'un homme blanc ou le visage d'un homme noir, immédiatement suivi par (2) la photo d'une arme ou d'un outil, puis l'image a été masquée (3). Les participants étaient plus susceptibles de percevoir par erreur l'image d'une arme à la place de celle de l'outil quand elle avait été précédée par l'image d'un visage d'un homme noir plutôt que le visage d'un homme blanc.

1.   2.   3.

fiancée de son père située dans une résidence fermée de Miami, un résident suspicieux commença à le suivre, se disputa avec lui, tira un coup de feu et tua Martin. Les commentateurs posèrent la question suivante : si Martin avait été un adolescent blanc sans armes, aurait-il été perçu et traité de la même façon ?

Réponse corporelle réflexe Même les personnes qui exprimaient consciemment peu de préjugés pouvaient émettre des signaux révélateurs lorsque leur corps réagissait sélectivement à une autre ethnie. Les chercheurs en neurosciences peuvent détecter ces signaux quand des sujets regardent des visages blancs et noirs. Les préjugés implicites peuvent apparaître dans les réponses des muscles du visage et dans l'activation de l'amygdale, centre limbique régulant les émotions (Cunningham et al., 2004 ; Eberhardt, 2005 ; Stanley et al., 2008).

Si une sensation de malaise révèle qu'il vous arrive d'éprouver, envers d'autres personnes, des sentiments que vous préféreriez bannir, rappelez-vous ceci : c'est ce que nous *faisons* de nos sentiments qui est important. En maîtrisant nos sentiments et nos actions, et en remplaçant les vieilles habitudes par de nouvelles fondées sur de nouvelles amitiés, nous pouvons nous libérer de tout préjugé.

Préjugés liés au sexe   La manifestation des préjugés sexistes a également fortement diminué. En 1937, un tiers des Américains disait aux enquêteurs de Gallup vouloir élire une femme qualifiée à la présidence si celle-ci était choisie par leur parti ; en 2012 ce nombre est passé à 95 % (Gallup Brain, 2008 ; Jones, 2012). Presque tout le monde est maintenant d'accord pour dire que les femmes et les hommes doivent recevoir le même salaire pour le même travail.

Mais les préjugés et la discrimination relatifs au genre persistent. Bien que l'égalité des sexes ait été prouvée par les tests d'intelligence, les gens ont tendance à trouver que leur père est plus intelligent que leur mère (Furnham et Wu, 2008). En Arabie saoudite, les femmes n'ont pas le droit de conduire une voiture. Dans les pays occidentaux, nous payons davantage ceux qui s'occupent de nos ordures (habituellement des hommes) que ceux (habituellement des femmes) qui s'occupent de nos enfants. Dans le monde, les femmes sont plus susceptibles de vivre dans la pauvreté (ONU, 2010) ; près des deux tiers des adultes analphabètes sont des femmes (Unesco, 2013) ; et 30 % ont souffert de violences conjugales (Devries et al., 2013).

Nulle part les bébés de sexe féminin ne sont exposés au soleil, à flanc de colline, pour les faire mourir, comme cela se pratiquait dans la Grèce antique. Cependant, la mortalité naturelle des femmes et le ratio normal des naissances qui est de 105 garçons pour 100 filles expliquent difficilement l'estimation mondiale de 163 millions de femmes « manquantes » (lisez bien ce chiffre lentement) (Hvistendahl, 2011). Dans de nombreux pays les garçons sont souvent préférés aux filles. En Inde, il y a 3,5 fois plus de recherches par Google demandant comment concevoir un garçon (Stephens-Davidowitz, 2014). Avec l'apparition de tests permettant les avortements sélectifs en fonction du sexe, plusieurs pays asiatiques ont connu un effondrement des naissances de filles. Bien que la Chine ait annoncé que les avortements sélectifs (ou génocide sexuel) sont maintenant considérés comme un crime, le sex-ratio des naissances est encore de 118 garçons pour 100 filles, similaire au sex-ratio de l'Inde, qui est de 112 garçons pour 100 filles (CIA, 2014) 95 % des enfants dans les orphelinats chinois étaient des filles (Webley, 2009). Chez les moins de 20 ans, il y a 32 millions de garçons de plus que de filles et de très nombreux célibataires chinois seront incapables de trouver une femme (Zhu et al., 2009). Ce déficit de population féminine contribue à la hausse de la criminalité, de la violence, la prostitution et de la traite des êtres humains (Brooks, 2012).

Les études ont montré que la plupart des gens ont en général une *opinion* plus positive des femmes que des hommes (Eagly, 1994 ; Haddock et Zanna, 1994). Les gens à travers le monde considèrent que les femmes ont certaines caractéristiques que l'on a tendance à préférer : l'aptitude à éduquer un enfant, la sensibilité et l'aménité (Glick et al., 2004 ; Swim, 1994). Cela peut expliquer pourquoi les femmes ont tendance à aimer les femmes plus que les hommes aiment les hommes (Rudman et Goodwin, 2004). C'est peut-être la raison pour laquelle les gens préfèrent un visage légèrement féminisé (créé par ordinateur), qu'il soit masculin ou féminin, à un visage légèrement masculinisé. Le chercheur David Perrett et ses collaborateurs (1998) pensent qu'un visage masculin légèrement féminisé symbolise les qualités d'un bon père, telles que la gentillesse et un esprit coopératif. Quand la British Broadcasting Corporation demanda à 18 000 femmes de deviner lequel des deux hommes de la **FIGURE 13.9** était plus susceptible de passer une annonce personnelle stipulant « recherche une femme pour l'aimer et la chérir toute ma vie », lequel pensez-vous qu'elles ont choisi ?

▼ FIGURE 13.9
(1) Qui préférez-vous ?   (2) Lequel de ces deux hommes a fait publier une annonce pour rechercher « une femme pour l'aimer et la chérir toute ma vie » ? Voir la réponse ci-dessous.

La recherche montre qu'un visage dont les caractéristiques ont été subtilement féminisées véhicule une image sympathique que les gens ont tendance à associer plus volontiers à un père dévoué qu'à un homme volage. Ainsi, 66 % des femmes ont choisi le visage (b), créé par ordinateur.

(a)

Pr Dave Perrett, Université St. Andrews

(b)

Orientation sexuelle et préjugés Dans la plupart des pays du monde, les gays et les lesbiennes ne peuvent pas ouvertement et sereinement divulguer qui ils sont et qui ils aiment (Katz-Wise & Hyde, 2012 ; Organisation des Nations unies, 2011). Des dizaines de pays ont des lois qui criminalisent les relations homosexuelles. Mais les différences culturelles sont énormes : en Espagne 6 % des personnes interrogées disent que « l'homosexualité est moralement inaccep-table » contre 98 % au Ghana (Pew, 2014). Dans les pays occidentaux, les préjugés « anti-gay » persistent, même s'ils sont en nette régression. Considérons ces découvertes :

- Dans les enquêtes nationales, 40 % des Américains dits « LGBT » affirment qu'il serait très ou assez difficile pour quelqu'un comme eux « de vivre ouvertement leur homosexualité » dans leur milieu social (Jones, 2012). Trente-neuf pour cent ont déclaré avoir « été rejetés par un ami ou un membre de la famille » en raison de leur orientation sexuelle ou leur « identité de genre » Et 58 % ont déclaré être des « victimes soumises aux insultes ou à des plaisanteries blessantes » (Pew, 2013).

- Dans l'enquête National School Climate Survey, 8 des 10 adolescents dits LGBT ont rapporté qu'ils étaient victimes de harcèlement lié à leur orientation, sexuelle, au cours de l'année précédant l'enquête. (GLSEN, 2012).

Pensez-vous que les attitudes et pratiques qui désignent, dénigrent, et provoquent une discrimi-nation des gays et des lesbiennes augmentent le risque de survenue de troubles psychologiques ou somatiques chez ces personnes ? Dans les États américains sans législation contre la discrimination et la haine des personnes dites « LGBT », la prévalence des troubles dépressifs et d'autres troubles de même nature est plus élevée chez ces personnes, après corrections des différents facteurs dits « confondants ». Dans les communautés où les préjugés anti-gay sont ancrés, la mortalité par suicide ou due à des maladies cardio-vasculaires est élevée dans les populations gay et lesbienne. Dans seize États des États-Unis qui ont interdit le mariage homosexuel entre 2001 et 2005, les populations gay et lesbienne ont connu une augmentation de 37 % de la prévalence des troubles dépressifs, 42 % d'augmentation de la prévalence des troubles liés à la consommation d'alcool, et une augmentation de 248 % de celle des troubles anxieux généralisés. De façon contemporaine les dites communautés des autres états, ne voient pas la prévalence des troubles mentaux augmenter (Hatzenbuehler, 2014).

Les origines sociales du préjugé

Pourquoi les préjugés prennent-ils naissance ? Les inégalités et les divisions sociales en sont en partie responsables.

Inégalités sociales Lorsque certaines personnes ont de l'argent, du pouvoir et du prestige et que d'autres n'en ont pas, les « possédants » développent habituellement des attitudes qui justifient cet état de fait. Le **phénomène du monde équitable** reflète une idée que nous enseignons classiquement à nos enfants, à savoir que le bien est récompensé et que le mal est puni. À partir de là, il n'y a qu'un pas à faire pour considérer que ceux qui réussissent sont sûrement bons et ceux qui souffrent, sont sûrement mauvais. Ce genre de raisonnement permet au riche de considérer sa propre fortune et la misère du pauvre comme justement méritées. Dans un cas extrême, les maîtres d'esclaves considèrent les esclaves comme paresseux, ignorants et irresponsables, comme ayant en fait tous les traits qui « justifient » qu'on les réduise en esclavage. Les stéréotypes rationalisent les inégalités.

Les victimes de la discrimination peuvent réagir soit par une autocritique, soit par de la colère (Allport, 1954). Ces deux réactions peuvent alimenter les préjugés selon le mouvement classique qui consiste à *rendre responsable la victime*. Les circonstances de la pauvreté favorisent-elles un taux plus élevé de crimes ? Si c'est le cas cette fréquence plus élevée peut être utilisée pour justifier le maintien des discriminations envers ceux qui vivent dans la pauvreté.

Nous et eux : groupe d'appartenance et groupe de non-apparte-nance Nous avons hérité de nos ancêtres préhistoriques ce besoin d'appartenir, de vivre et d'aimer en groupe. La solidarité apportait une certaine sécurité (ceux qui ne se rassemblaient pas en bandes laissaient moins de descendants). Que ce soit à la chasse, pour se défendre ou pour attaquer, 10 mains valent mieux que 2. Diviser notre monde en « nous » et « eux » entraîne le racisme et la guerre, mais cela amène aussi les avantages de la solidarité du groupe. De ce fait, nous soutenons notre groupe, et nous sommes capables de tuer ou de mourir pour lui. En effet, nous nous définissons – nous affirmons notre identité – en grande partie par l'appartenance à notre groupe. À travers notre *identité sociale* nous nous associons à certains groupes et nous nous distinguons des autres (Dunham et al., 2013 ; Hogg, 1996, 2006 ; Turner, 1987, 2007). Lorsque Ian se définit

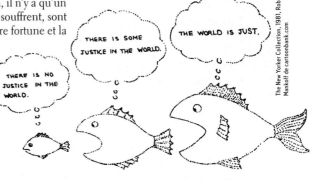

THERE IS NO JUSTICE IN THE WORLD.

THERE IS SOME JUSTICE IN THE WORLD.

THE WORLD IS JUST.

The New Yorker Collection, 1981, Robert Mankoff de cartoonbank.com

Groupe d'appartenance La célèbre « Tartan Army » des supporters de l'équipe de football d'Écosse, montrée ici lors d'un match contre le grand rival, l'Angleterre. Ils partagent une identité sociale qui les définit en tant que « nous » (le groupe d'appartenance écossaise) face à « eux » (le groupe anglais de non-appartenance).

« Enfin, si les peuples devaient choisir parmi toutes les coutumes du monde ils préféreraient choisir les leurs. »

Hérodote, 440 av. J.-C. Historien grec

« Si le Tibre atteint les murs de la ville, si le Nil n'irrigue pas les champs, si le ciel est immobile ou si la Terre tremble, si la famine sévit, si la peste frappe, le cri unanime sera : "Les chrétiens dans la fosse aux lions !" »

Tertullien, *Apologeticus*, 197 ap. J.-C.

comme un homme, Australien, étudiant de l'université de Sydney, catholique et descendant des MacGregor, il sait qui il est et nous aussi.

L'évolution nous a préparés à nous forger des jugements instantanés en présence d'un étranger : ami ou ennemi ? Nous avons tendance, dès la plus tendre enfance, à aimer ceux qui font partie de notre groupe, qui nous *ressemblent* et qui parlent comme nous – avec le même accent que le nôtre (Gluszec et Dovidio, 2010 ; Kinzler et al., 2009). Un cercle imaginaire circonscrit le « nous », notre **groupe d'appartenance**. Mais la définition sociale de qui vous êtes implique également de savoir qui vous n'êtes pas. Les gens qui se trouvent en dehors du cercle, « eux », forment le **groupe de non-appartenance**. De telles identifications à un groupe produisent un **biais de groupe**, nous favorisons notre groupe. Ce biais existe, même si la répartition en groupe se fait au hasard en tirant à pile ou face. Lors d'expériences de psychologie sociale, les gens ont favorisé les membres de leur propre groupe lors de l'attribution des récompenses (Tajfel, 1982 ; Wilder, 1981). Une telle discrimination ne produit pas d'hostilité envers les autres groupes mais renforce plutôt les liens entre les membres du groupe et le besoin d'entraide mutuel, comme lors de l'embauche de l'enfant d'un ami, qui se fera au détriment des autres candidats (Greenwald & Pettigrew, 2014).

Le besoin de distinguer les ennemis des amis favorise les préjugés envers les étrangers (Whitley, 1999). Pour les Grecs de l'époque classique, tous les non-Grecs étaient des « barbares ». Actuellement, la plupart des enfants pensent que leur école est la meilleure des écoles de la ville. Dans les lycées, les étudiants forment souvent des clans (les athlètes, les « gothiques », les fans de skateboard, les truands, les originaux, les tarés) et ils dénigrent ceux qui se trouvent hors de leur groupe. Même des chimpanzés ont été surpris à essuyer l'endroit où ils avaient été touchés par des chimpanzés d'un autre groupe (Goodall, 1986). Ils présentent également de l'empathie pour leur groupe d'appartenance en bâillant plus lorsqu'ils voient bâiller des membres de leur groupe d'appartenance que des membres d'un autre groupe (Campbell et de Waal, 2011).

Le biais du groupe explique la puissance cognitive des membres ou des sympathisants d'un parti politique (Cooper, 2010 ; Douthal, 2010). À la fin des années 1980 aux États-Unis, la plupart des démocrates pensaient que l'inflation avait augmenté sous le mandat du Président républicain Ronald Reagan (alors qu'elle avait fortement diminué). En 2010, la plupart des républicains pensaient que les impôts avaient augmenté sous la présidence de Barack Obama, démocrate (alors qu'ils avaient diminué pour la plupart).

Origines émotionnelles des préjugés

Les préjugés jaillissent non seulement des divisions de la société, mais également des passions. Selon la **théorie du bouc émissaire**, trouver quelqu'un qu'on peut rendre responsable lorsque les choses vont mal, peut fournir une cible pour sa colère. Après les attentats du 11 Septembre, certaines personnes se sentant offensées ont attaqué des Américains innocents, sous le prétexte qu'ils étaient d'origine arabe. D'autres ont appelé à l'élimination de Saddam Hussein, le Président irakien que les Américains avaient jusqu'ici toléré à contrecœur. Philip Zimbardo (2001) note que : « La peur et la colère engendrent l'agressivité et l'agressivité contre les citoyens d'une ethnie différente engendre le racisme qui, à son tour, engendre de nouvelles formes de terrorisme. » Dix ans après le 11 Septembre, l'animosité envers les musulmans est toujours vivace, avec des mosquées incendiées et des efforts pour empêcher la construction d'un centre culturel islamique près de « Ground Zero ».

Les préjugés aboutissant à la désignation d'un bouc émissaire prennent leur source dans les préjugés régnant parmi les personnes économiquement faibles et se sentant frustrées. Le sentiment de frustration éprouvé à un moment donné peut encore asseoir ces préjugés. Au cours d'expériences, des étudiants mis en échec ou déstabilisés et insécurisés vont souvent restaurer leur propre estime de soi en dénigrant une école rivale ou une autre personne (Cialdini et Richardson, 1980 ; Crocker et al., 1987). Pour accroître l'appréciation que nous avons de notre propre statut, il est utile de dénigrer les autres. C'est pourquoi l'infortune d'un rival procure parfois une bouffée de plaisir. (La langue allemande a une expression idiomatique, *Schadenfreude*, pour désigner cette joie secrète que nous ressentons lors de l'échec d'un rival.) En revanche, les personnes qui se sentent aimées et soutenues ont tendance à être plus ouvertes aux autres qui sont différents et à les accepter plus facilement (Mikulincer et Shaver, 2001).

Les émotions négatives nourrissent les préjugés. Lorsqu'ils sont confrontés à des menaces de terreur, à la mort ou lorsqu'ils vivent des frustrations, les gens ont tendance à s'accrocher plus fermement à leur groupe d'appartenance ou à leurs amis. Les actes de terrorisme subis renforcent le sentiment patriotique, en même temps qu'ils ont tendance à engendrer des sentiments xénophobes et haineux envers ceux qui menacent notre monde (Pyszczynski et al., 2002, 2008). Les quelques personnes qui n'éprouvent pas cette peur et chez qui l'activité amygdalienne de traitement des émotions est absente, comme les enfants atteints du syndrome de Williams d'origine génétique, n'ont pas de préjugés raciaux (Santos et al., 2010).

> « Les malheurs d'autrui ont le goût du miel. »
>
> Dicton japonais

Origines cognitives des préjugés

13-8 Quelles sont les origines cognitives des préjugés ?

Les préjugés jaillissent des divisions de la société, des passions, mais également des processus fondamentaux d'élaboration de la pensée Les stéréotypes constituent un produit dérivé de la façon dont nous simplifions le monde d'un point de vue cognitif.

Catégorisation Un moyen de simplifier notre monde est de ranger les choses par catégories. Un chimiste classe les molécules en composés minéraux et composés organiques. Les thérapeutes vont procéder à une classification des troubles mentaux. Nous classons les êtres humains par ethnies ou races, en plaçant souvent ceux qui ont plusieurs origines dans le groupe correspondant à leur identité minoritaire. Malgré son origine multiethnique, le Président Obama qui a été élevé par une mère et des grands-parents blancs est considéré comme un Noir par les Américains blancs. Les chercheurs pensent que cela se produit parce qu'une fois que l'on apprend les caractéristiques d'un groupe racial familier, l'attention sélective d'un observateur est attirée par les caractéristiques distinctives de la minorité qui lui est moins familière. Jamin Halberstadt et ses collaborateurs (2011) ont mis en évidence cet effet des associations apprises en montrant à des Néozélandais des visages mélangeant les types chinois et caucasiens. Comparés aux participants d'origine chinoise, les Néo-Zélandais d'origine européenne classaient plus facilement les visages plus ambigus dans le groupe des chinois (voir **FIGURE 13.10**).

Cependant, en classant les individus en groupes, nous avons tendance à attribuer à un individu, les caractéristiques de son groupe. Nous reconnaissons cependant combien *nous* différons des autres individus de *notre* groupe. Mais nous surestimons l'homogénéité des autres groupes (nous percevons *une homogénéité du groupe étranger*). « Eux » – les membres d'un autre groupe – paraissent se ressembler et agir de la même manière, mais « nous » possédons des différences individuelles (Bothwell et al., 1989). Pour les personnes d'un groupe ethnique, ceux d'une autre ethnie paraissent avoir des habitudes, des personnalités et des attitudes plus semblables qu'elles ne le sont réellement. Cette reconnaissance plus importante des individualités de visages de

---

Groupe d'appartenance « nous » ; les personnes avec qui nous partageons une identité commune.

Groupe de non-appartenance « eux » ; ceux perçus comme différents ou comme étant en dehors de notre groupe.

Biais de groupe tendance à favoriser les membres de notre propre groupe.

Théorie du bouc émissaire théorie selon laquelle avoir quelqu'un à blâmer constitue un exutoire pour les préjugés.

▼ FIGURE 13.10

Métissage et identification Lorsque les Néo-Zélandais ont rapidement classé 104 photos en fonction de l'origine ethnique, les personnes d'ascendance européenne ont plus souvent que ceux d'origine chinoise classé les deux photos du milieu comme étant des sujets plutôt d'origine chinoise (Halberstadt et al., 2011).

| 100 % Chinois | 80 % Chinois 20 % Caucasien | 60 % Chinois 40 % Caucasien | 40 % Chinois 60 % Caucasien | 20 % Chinois 80 % Caucasien | 100 % Caucasien |

Dr. Jamin Halberstadt

notre propre ethnie, appelée **effet trans-ethnique**, se forme durant la petite enfance, entre l'âge de 3 et 9 mois (Anzures et al., 2013 ; Telzer et al., 2013). La capacité à identifier des visages différents d'individus de notre groupe ethnique est similaire au *biais de classe d'âge* ; nous possédons une meilleure mémoire de reconnaissance des visages de son propre groupe d'âge (Rhodes & Anastasi, 2012).

Cependant, avec quelques efforts et un peu d'expérience, nous pouvons améliorer notre capacité à différencier les visages individuels des membres d'un autre groupe ethnique (Hugenberg et al., 2010 ; Young et al., 2012). Par exemple, les personnes d'origine européenne parviennent à mieux identifier les visages africains si elles regardent souvent les matchs de basket-ball à la télévision, où un grand nombre de joueurs sont d'origine africaine (Li et al., 1996). Et plus des personnes chinoises ont résidé longtemps dans un pays occidental, moins elles présentent cet effet transethnique (Hancock et Rhodes, 2008).

Se souvenir des cas marquants Comme nous l'avons vu au Chapitre 9, nous jugeons souvent de la fréquence des événements en fonction des exemples qui nous viennent facilement à l'esprit. Dans une expérience classique, des chercheurs ont réparti des étudiants volontaires de l'université de l'Oregon en deux groupes et leur ont montré des informations concernant 50 hommes (Rothbart et al., 1978). La liste du premier groupe comportait 10 hommes arrêtés pour des délits *non violents*, comme la contrefaçon. La liste du second groupe comportait 10 hommes arrêtés pour des délits *violents*, comme des agressions. Lorsque, plus tard, les deux groupes se rappelèrent combien d'hommes dans leur liste avaient commis un délit *quelconque*, les membres du second groupe surestimèrent le nombre des délinquants. Les cas frappants, violents, aisément disponibles en mémoire, nourrissent nos stéréotypes (**FIGURE 13.11**).

▼ FIGURE 13.11

Les cas marquants alimentent les pensées stéréotypées Les terroristes musulmans qui ont perpétré les attentats du 11 Septembre ont fait naître dans de nombreux esprits un stéréotype considérant les musulmans comme des partisans du terrorisme. En fait, une commission de l'US National Research Council sur le terrorisme a montré que s'ils donnent cette image, en réalité la plupart des terroristes ne sont pas musulmans et « la grande majorité des personnes de confession musulmane n'ont aucun lien avec le terrorisme, ni aucune indulgence envers ses manifestations » (Smelser & Mitchell, 2002).

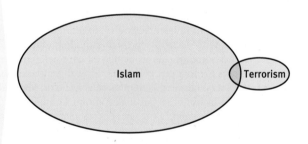

Le phénomène du monde équitable Nous avons noté auparavant que les gens justifient souvent leurs préjugés en rendant les victimes responsables de leur sort. Si le monde est équitable « les gens obtiennent ce qu'ils méritent ». On rapporte qu'un civil allemand visitant le camp de concentration de Bergen-Belsen peu après la Seconde Guerre mondiale aurait dit : « Ces prisonniers devaient être de terribles criminels pour subir un tel traitement. »

Le *biais de l'après-coup* fonctionne également ici (Carli et Leonard, 1989). Avez-vous jamais entendu des gens dire que les victimes de viol, les épouses trompées ou les gens atteints du sida n'avaient eu que ce qu'ils méritaient ? Dans certains pays, comme le Pakistan, les femmes victimes de viol ont subi des châtiments sévères pour avoir enfreint la loi prohibant l'adultère (Mydans, 2002). Au cours d'une expérience illustrant cette culpabilisation des victimes, les participants ont entendu le compte rendu d'un rendez-vous qui se termina par le viol de la femme (Janoff-Bulman et al., 1985). Ils la considérèrent comme partiellement fautive. Rétrospectivement, ils pensèrent : « Elle aurait dû s'en douter. » D'autres personnes auxquelles on raconta la même histoire, mais sans parler du viol, ne perçurent pas une invitation au viol. Le biais de réflexion rétrospective ou de réflexion après-coup favorise un climat tendant à blâmer les victimes parmi les membres du premier groupe de l'étude. La culpabilisation de la victime rassure également les gens en leur faisant croire que cela ne peut pas leur arriver.

Effet trans-ethnique la tendance à se souvenir des visages des personnes du même groupe ethnique qu'on ne le ferait pour des visages de personnes appartenant à un autre groupe. L'effet trans-ethnique est aussi appelé parfois *biais inter-ethnique*.

Agression tout acte destiné à nuire à quelqu'un, physiquement ou émotionnellement.

Les gens ont également tendance à justifier le système social de leur culture (Jost et al., 2009 ; Kay et al., 2009). Nous sommes enclins à voir les choses comme elles devraient être. Du fait de ce conservatisme naturel, il est difficile de faire passer des lois entraînant des changements sociaux majeurs, comme la sécurité sociale ou une politique de lutte contre le réchauffement climatique. Mais une fois que cette politique en place, notre « justification du système » à tendance à la conserver.

EXERCICE RÉCAPITULATIF

- Lorsque les jugements fondés sur les préjugés nous amènent à blâmer une personne qui ne le mérite pas, cette personne est appelée _____.

Réponse : bouc émissaire

Agressivité

13-9 Quelle est la différence entre la définition de *l'agressivité* que donne la psychologie et celle que l'on admet dans la vie de tous les jours ? Quels sont les facteurs biologiques qui nous amènent à nous faire du mal mutuellement ?

Les préjugés font du mal mais l'agressivité fait bien souvent encore plus de mal. En psychologie, l'**agressivité** est un comportement indésirable destiné à blesser ou détruire, qu'il soit accompli en retour et sans aucune hostilité ou comme un moyen calculé pour parvenir à une fin. L'affirmation de soi déployée par un professionnel de la vente n'est pas agressive. La douleur provoquée par les soins dentaires n'est pas non plus due à l'agressivité de votre chirurgien-dentiste. Mais la personne qui répand une méchante rumeur vous concernant, celle qui vous injurie sur les réseaux sociaux, ou encore l'ennemi qui vous attaque pour vous voler votre argent sont agressifs.

Le comportement d'agressivité émerge de l'interaction entre la biologie et l'expérience vécue. Pour qu'un pistolet tire une balle, on doit appuyer sur la gâchette ; pour certaines personnes à la détente facile, il en faut peu pour déclencher une explosion. Examinons d'abord les facteurs biologiques qui influencent les seuils auxquels apparaissent nos comportements agressifs. Ensuite, nous examinerons les facteurs psychologiques qui appuient sur la gâchette.

La biologie de l'agressivité

Les comportements agressifs varient trop largement d'une culture à l'autre, d'une époque à l'autre ou d'un individu à l'autre pour être considérés comme des comportements instinctifs. Mais la biologie a une *influence* sur l'agressivité. Les facteurs biologiques sont génétiques, nerveux et biochimiques.

Influences génétiques Nos gènes influencent l'agressivité. Nous le savons car certains animaux ont été sélectionnés pour leur agressivité – parfois pour le sport, parfois pour la recherche. Les études sur les jumeaux suggèrent que les gènes influencent également l'agressivité humaine (Miles et Carey, 1997 ; Rowe et al., 1999). Si un « vrai » jumeau admet « avoir un tempérament violent », l'autre va souvent, et de manière indépendante, admettre la même chose. Les « faux » jumeaux ont beaucoup plus de chances de répondre différemment. À l'heure actuelle, les chercheurs sont en quête de marqueurs génétiques présents chez les individus responsables des crimes les plus violents. L'un d'entre eux est déjà bien connu et il est porté par la moitié de l'humanité : le chromosome Y. Un autre exemple est le marqueur constitué par *le gène codant pour la monoamine oxydase A (MAOA)* enzyme du catabolisme des neurormédiateurs comme la dopamine et la sérotonine. Parfois appelé le « gène guerrier », les sujets chez qui ce gène est peu exprimé ont tendance à se comporter de manière agressive quand on les provoque. Un essai a comparé le comportement des sujets chez qui le gène codant pour la MAO A est peu exprimé (MAO A-) à des sujets témoins. Dans cet essai qui comportait un jeu mettant en situation des individus spoliés qui devaient se venger, si la spoliation était important les sujets MAO A- étaient très agressifs alors que si elle était moins importante leur comportement ne différait pas de celui des sujets témoins (McDermott et al., 2009).

Influences nerveuses Il n'existe pas de structure précise régulant les comportements agressifs chez l'homme. L'agressivité est un comportement complexe qui se déclenche dans des conditions particulières. Mais les cerveaux animaux et humains possèdent des systèmes qui produisent ou inhibent un comportement agressif quand ils sont stimulés (Denson, 2011 ; Moyer, 1983 ; Wilkowski et al., 2011). Considérons ces découvertes :

- Une électrode télécontrôlée a été implantée dans une zone du cerveau d'un singe dominant, d'une colonie en captivité. Une fois stimulée, elle inhibe les comportements agressifs. Lorsque les chercheurs placent, dans la cage abritant la colonie, un bouton contrôlant l'activation de l'électrode, un petit singe apprend par lui-même à activer le bouton chaque fois que le chef devient menaçant.

L'autorisation de posséder des armes à feu sauve-t-elle ou ôte-t-elle des vies ? Au cours des 40 dernières années aux États-Unis, plus de 1 million de personnes, soit plus du total des décès dans toutes les guerres dans l'histoire américaine, ont été tuées par des armes à feu, en dehors de tout théâtre d'opérations militaires. Comparativement aux personnes de même sexe, de même race, de même âge et de même lieu de résidence, ceux qui ont une arme à feu chez eux ont été deux fois plus susceptibles d'être assassinés et trois fois plus susceptibles de se suicider. La situation est donc paradoxale, car cette arme était censée les protéger (Anglemyer et al., 2014 ; Stroebe, 2013). Les pays dont le taux de possession d'armes à feu est élevé ont également tendance à avoir des taux élevés de mortalité par armes à feu (VPC, 2013).

« C'est une affaire d'hommes. »

- Un neurochirurgien a implanté une électrode à des fins diagnostiques dans le système limbique (amygdale) d'une femme ayant de bonnes manières. Le cerveau n'ayant pas de récepteurs sensoriels, elle était incapable de sentir la stimulation. Mais après l'enclenchement d'un interrupteur, elle émit un grognement et dit « Prenez ma tension artérielle. Prenez-la maintenant », puis se leva et se mit à frapper le médecin.

- Des études sur des criminels violents ont révélé une diminution d'activité dans les lobes frontaux, lesquels jouent un rôle important dans le contrôle des pulsions. Si les lobes frontaux sont lésés, inactifs, déconnectés ou n'ont pas encore atteint leur maturité, l'agressivité est plus probable (Amen et al., 1996 ; Davidson et al., 2000 ; Raine, 2013).

Influences biochimiques Nos gènes fabriquent notre système nerveux qui fonctionne de manière électrochimique. Les hormones, comme la testostérone, circulent dans le sang et influencent les systèmes neuronaux qui contrôlent l'agressivité. Un taureau enragé devient un animal paisible lorsque la castration diminue sa concentration en testostérone. Cependant, si on lui injecte de la testostérone, la souris douce et castrée sera à nouveau agressive.

Les êtres humains sont moins sensibles aux changements hormonaux. Mais, à mesure qu'ils prennent de l'âge, leur concentration en testostérone et leur agressivité diminuent. Un adolescent de 17 ans agressif dont l'activité hormonale est intense devient en mûrissant un homme de 70 ans hormonalement plus calme et doux. Les hommes plus que les femmes ont tendance à avoir un visage plutôt large, un trait corrélé à la testostérone, qu'arrondi ou allongé. Et la largeur du visage d'un homme est un signe prédictif de l'agressivité et des comportements pouvant porter préjudice à lui-même ou à autrui (Carré et al., 2009 ; Hehman et al., 2013 ; Stirrat & Perrett, 2010). Les femmes ont cette intuition en *percevant* les hommes chez qui le rapport largeur sur hauteur du visage est plus grand comme étant plus dominants (Valentine et al., 2014).

Des niveaux élevés de testostérone sont corrélés à l'irritabilité, à la faible tolérance aux frustrations, à l'affirmation de soi et à l'impulsivité : des qualités qui prédisposent à des réactions quelque peu plus agressives à la provocation ou à la compétition pour un plus haut statut (Dabbs et al., 2001b ; McAndrew, 2009 ; Montoya et al., 2012). Chez les adolescents et les adultes, les niveaux élevés de testostérone sont corrélés à la délinquance, à l'utilisation de drogues dures et à des réponses agressives et brutales à la frustration (Berman et al., 1993 ; Dabbs et Morris, 1990 ; Olweus et al., 1988). Les médicaments qui réduisent fortement la concentration en testostérone apaisent les tendances agressives des hommes.

L'alcool, une autre substance qui circule parfois dans le sang, *provoque* des réponses agressives à la frustration. Les données de la police et les enquêtes dans les prisons, comme les expériences, montrent que les personnes aux tendances agressives ont plus de chances de boire et de devenir violentes lorsqu'elles sont ivres (White et al., 1993). Les statistiques nationales sur la criminalité indiquent que 73 % des homicides en Russie et 57 % des homicides aux États-Unis sont dus à l'influence de l'alcool (Landberg & Norström, 2011). Les effets de l'alcool sur les comportements agressifs sont à la fois biologiques et psychologiques (Bushman, 1993 ; Ito et al., 1996 ; Taylor et Chermack, 1993). *Prenez garde*, l'alcool que vous avez absorbé peut augmenter l'agressivité (Bègue et al., 2009). Il en est de même pour l'alcool qui a été versé à votre insu dans une boisson. À moins que les personnes soient distraites, l'alcool a tendance à concentrer leur attention sur les provocations plutôt que sur les éléments inhibiteurs (Giancola et Corman, 2007). L'alcool amène également les gens à interpréter des actes ambigus (par exemple une bousculade dans une foule) comme une provocation (Bègue et al., 2010).

« Nous pourrions éviter les deux tiers de tous les crimes simplement en plongeant dans un sommeil cryogénique tous les jeunes gens valides dès l'âge de 12 ans et ce jusqu'à leur 28ᵉ anniversaire. »

David T. Lykken, *The Antisocial Personalities,* 1995

La hyène femelle efflanquée chargée de testostérone : une véritable machine de combat
L'embryologie inhabituelle de la hyène fait qu'elle fournit beaucoup de testostérone à son fœtus femelle. Il en résulte que les jeunes hyènes femelles semblent nées pour se battre.

Karl Ammann/Getty Images

Facteurs psychologiques et socioculturels de l'agressivité

13-10 Quels sont les facteurs psychologiques et socioculturels qui peuvent déclencher l'agressivité ?

Les facteurs biologiques influencent la facilité avec laquelle l'agressivité se déclenche. Mais quels sont les facteurs psychologiques et socioculturels facilitant et déclenchant ces comportements agressifs ?

Expériences aversives La souffrance forge parfois le caractère. Au cours d'expériences de laboratoire cependant, ceux que l'on rend malheureux rendent souvent les autres malheureux (Berkowitz, 1983, 1989). Ce phénomène est appelé le **principe de frustration-agressivité** : La frustration crée la colère, qui peut déclencher l'agressivité. Une analyse de 27 667 incidents majeurs de « frappeurs atteints » au baseball entre 1960 et 2004 a mis ce lien en évidence (Timmerman, 2007). Les lanceurs avaient plus de risques d'atteindre un batteur lorsque :

- ils avaient été frustrés par le batteur précédent ayant frappé un coup de circuit ;
- le batteur actuel avait frappé un coup de circuit la fois d'avant ;
- ou un équipier a été atteint au cours de la précédente moitié de manche.

D'autres stimuli aversifs comme les températures élevées, la douleur physique, les insultes personnelles, les odeurs nauséabondes, la fumée de cigarette, la foule et bien d'autres encore, peuvent susciter l'hostilité. Au cours d'expériences de laboratoire, lorsque les gens sont placés dans une pièce surchauffée, ils se sentent plus agressifs et pensent et agissent avec plus d'agressivité. Le simple fait de penser à des mots évoquant des températures suffocantes suffit pour augmenter la survenue de pensées hostiles (DeWall & Bushman, 2009). Au cours des matchs de baseball, le nombre de batteurs heurtés par le lanceur augmente avec la température (Reifman et al., 1991 ; voir **FIGURE 13.12**). À travers le monde, le taux de crimes violents et de violences conjugales est plus élevé au cours des années, des saisons, des mois ou des jours de forte chaleur (Anderson et Anderson, 1984). D'autres études menées dans différents domaines : archéologie, économie, géographie, science politique, psychologie donnent des résultats convergents qui montrent tout au long de l'histoire humaine, que les températures plus élevées furent prédictives de comportements individuels violents de déclarations de guerre guerres et d'éclatement de révolutions (Hsiang et al., 2013). D'après les données disponibles, Craig Anderson et ses collaborateurs (2000 ; 2011) prévoient qu'un réchauffement de 2 °C de la planète pourrait provoquer, toutes choses étant égales par ailleurs, des dizaines de milliers de cas d'agressions et de meurtres supplémentaires. Cela se produira avant même l'apparition d'une augmentation de la violence liée à la sécheresse, la pauvreté, l'insécurité alimentaire et la migration induites par le changement climatique.

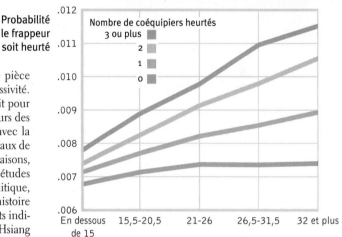

Probabilité que le frappeur soit heurté

Température (en °C)

▼ FIGURE 13.12

Température et agressivité Richard Larrick et ses collègues (2011) ont recensé les cas de batteurs qui ont été touchés par les lanceurs au cours de 4 566 468 confrontations qui ont eu lieu lors de 57 293 rencontres de la Major League Baseball depuis 1952. La probabilité qu'un batteur soit atteint est accrue si un ou plusieurs des coéquipiers du lanceur ont été touchés, et lorsque la température augmente.

Renforcement, modélisation, maîtrise de soi L'agressivité peut être une réponse naturelle à des événements désagréables, mais l'apprentissage peut modifier les réactions naturelles. Comme l'a expliqué le Chapitre 7, nous apprenons lorsque notre comportement est renforcé et nous apprenons en regardant les autres.

Nos réactions ont plus tendance à être agressives dans des situations où l'expérience nous a appris que le comportement agressif était bénéfique. Les enfants dont l'agressivité réussit à intimider les autres enfants peuvent devenir plus agressifs. Des animaux qui ont combattu avec succès pour obtenir de la nourriture ou une femelle deviennent de plus en plus féroces. Pour créer un monde plus convivial et plus respectueux, nous ferions mieux de susciter et de récompenser la sensibilité et la coopération dès le plus jeune âge, en expliquant par exemple aux parents comment faire preuve d'autorité, sans donner l'exemple de la violence. Souvent, c'est ce que font les parents exaspérés – frapper, crier et donner l'exemple de la violence.

Les programmes de formation des parents leur conseillent d'éviter d'utiliser la violence comme modèle en criant et en frappant leurs enfants. En revanche, ces programmes les encouragent à renforcer les comportements souhaitables et à formuler les instructions de manière plus positive. (Dites « Vous pourrez aller jouer lorsque vous aurez terminé de charger le lave-vaisselle », plutôt que « Si vous ne chargez pas le lave-vaisselle, vous n'irez pas jouer. »)

Un *programme de remplacement des comportements agressifs* a donné de bons résultats avec les jeunes délinquants et membres de gangs et leurs parents. Il a appris à ces jeunes et à leurs parents comment communiquer, les a entraînés à contrôler la colère et à encourager un raisonnement moral plus réfléchi (Goldstein et al., 1998). Le résultat ? Les taux de récidive avec arrestation ont décru plus qu'habituellement.

Différents modèles culturels renforcent et suscitent diverses tendances vis-à-vis de la violence. Par exemple, les taux de criminalité sont plus élevés (et le « bonheur national » moyen plus faible)

Principe de frustration-agressivité principe selon lequel la frustration-privation de satisfaction vécue comme un refus opposé par autrui (D. Anzieu) crée la colère, qui peut générer l'agressivité.

au cours des époques et dans les pays marqués par une forte disparité entre les riches et les pauvres (Messias et al., 2011 ; Oishi et al., 2011 ; Wilkinson & Pickett, 2009). Aux États-Unis, dans les cultures et les familles où les pères se sont peu impliqués dans l'éducation des enfants le taux de violence est élevé (Triandis, 1994). Même après avoir contrôlé les facteurs tels que l'éducation parentale, l'ethnie, les revenus et la maternité des adolescentes, le taux d'incarcération des jeunes hommes américains élevés dans des maisons où le père est absent, est deux fois plus important (Harper et McLanahan, 2004).

La violence peut varier selon la culture à l'intérieur d'un même pays. Richard Nisbett et Dov Cohen (1996) montrèrent comment la violence pouvait être différente selon la culture à l'intérieur d'un même pays. Ils analysèrent la violence chez les Blancs dans les villes du sud des États-Unis fondées par des bergers écossais ou irlandais dont la tradition insistait sur « l'honneur viril », l'usage des armes pour protéger les troupeaux et un passé marqué par l'esclavagisme. Leurs descendants avaient fait tripler le taux d'homicide et étaient plus favorables au châtiment corporel pour les enfants, aux initiatives guerrières et à la possession non réglementée d'armes à feu que ne le sont leurs pairs dans les villes de Nouvelle-Angleterre, fondées par des puritains traditionnellement calmes, des Quakers et des artisans et fermiers hollandais. Dans les États prônant la « culture de l'honneur » le taux d'étudiants venant à l'école avec des armes à feu ou responsables de fusillade dans une école est plus important (Brown et al., 2009).

Modèles et exemples de violence sexuelle Les parents ne constituent pas les seuls modèles d'agressivité. Aux États-Unis comme ailleurs, la télévision, les films, les jeux vidéo et le réseau internet offrent une très forte proportion de programmes de jeux et de récits violents. La vision répétée de scènes de violence réduirait notre sensibilité à la vue de comportements cruels (Montag et al., 2012). Cette vision répétée abaisse notre seuil de tolérance à la provocation et met facilement à feu des comportements agressifs. Cette vision répétée nous fait adopter des **scénarios sociaux**. Lorsque nous nous trouvons dans des situations nouvelles, nous nous raccrochons à ces scénarios sociaux. Après avoir vu de nombreux films d'action, les jeunes pourraient acquérir un schéma comportemental face à une situation conflictuelle. Si on les provoque, ils peuvent agir « comme un homme » en intimidant ou en éliminant la menace. Plus de 100 études confirment ainsi que les gens imitent parfois ce qu'ils ont vu. La vision de scènes où sont mis en valeur les comportements à risque (conduite dangereuse, sports extrêmes, rapports sexuels non protégés) augmente la prise de risque (Fischer et al., 2011).

Les paroles des chansons peuvent aussi influencer les schémas comportementaux. Dans les expériences, les hommes universitaires allemands qui ont écouté les paroles de chansons misogynes avaient tendance à mettre des plus grandes quantités de sauce piquante quand on leur demandait de préparer un échantillon de cette sauce. Ils ont aussi manifesté rappelé plus de sentiments et de croyances misogynes. Les paroles d'une chanson décrivant de la haine envers les hommes avaient un effet similaire sur le comportement agressif des auditrices (Fischer et Greitemeyer, 2006).

Les scènes des rapports sexuels représentées dans les films pornographiques ont souvent des effets néfastes. Les chercheurs ont constaté que regarder des films pornographiques à plusieurs reprises, même s'il n'y a pas de scènes de violence tend à faire minimiser la gravité des agressions sexuelles (Harris, 1994). Au cours d'une étude, des étudiants non encore diplômés visionnèrent six films courts, sexuellement explicites, par semaine pendant six semaines (Zillmann et Bryant, 1984). Un groupe témoin visionnait des films non érotiques pendant la même période de six semaines. Trois semaines plus tard, les deux groupes lurent dans un journal un article à propos d'un homme accusé du viol d'une auto-stoppeuse et furent requis pour prononcer une peine d'emprisonnement. Les peines recommandées par ceux qui avaient regardé les films sexuellement explicites étaient deux fois moins longues que les peines recommandées par les membres du groupe témoin.

Tandis que le contenu sexuel non violent modifie les attitudes sexuelles d'agressivité, le contenu sexuel violent peut aussi augmenter la volonté des hommes à se comporter agressivement envers les femmes. Une conférence tenue par 21 psychosociologues, a abouti au consensus suivant (Surgeon General, 1986) : « La pornographie qui présente une agression sexuelle comme agréable pour la victime augmente l'acceptation de l'usage de la force dans les relations sexuelles. » Contrairement à une opinion très populaire, la vue de telles scènes n'offre pas un dérivatif à des pulsions réprimées. Au contraire, « dans des études de laboratoire mesurant les effets à court terme, l'exposition à la pornographie violente augmente le comportement punitif envers les femmes ».

À un moindre degré, la pornographie non violente peut également influencer l'agressivité. Un ensemble d'études explorant les effets de la pornographie sur l'agressivité envers les partenaires a constaté que la consommation de la pornographie est prédictive de l'aveu de comportements sexuels

Scénario social guide modelé sur la culture qui permet de savoir comment agir dans diverses situations.

agressifs et de la volonté des participants d'administrer des chocs auditifs douloureux à leur partenaire lors d'expérience en laboratoire (Lambert et al., 2011). S'abstenir de voir des films pornographiques diminue l'agressivité des sujets qui visionnent régulièrement de tels films. Il n'en est pas de même avec les mets dont on est friand.

Les jeux vidéo violents enseignent-ils les scénarios sociaux de la violence ?
Des expériences menées en Amérique du Nord, en Europe de l'Ouest, à Singapour et au Japon indiquent que la pratique de jeux favorisant les relations sociales accroît l'aménité et réduit l'acrimonie (Greitemeyer & Osswald, 2010, 2011 ; Prot et al., 2014). Par exemple, jouer à *Lemmings*, dont le but est d'aider les autres encourage l'altruisme. Un effet parallèle se produit-il après avoir joué à un jeu qui reproduit de la violence ? Les jeux vidéo violents sont devenus l'objet d'un débat, après que des assassinats commis par des adolescents dans plus d'une douzaine de lieux ont semblé reproduire le carnage du jeu vidéo auquel ils avaient si souvent joué (Anderson, 2004a, 2013).

En 2002, trois jeunes gens du Michigan passèrent une partie de la nuit à boire de la bière et à jouer au jeu *Grand Theft Auto III*, dont les règles consistent à renverser des piétons avec une voiture, puis les frapper à coups de poing avant de laisser un corps ensanglanté (Kolker, 2002). Ils prirent ensuite leur propre voiture. Ils percutèrent un cycliste de 38 ans avant de le piétiner et de le frapper à coups de poing, puis retournèrent chez eux pour continuer leur jeu. (La victime, un père de trois enfants, mourut six jours plus tard.)

La reproduction de ce comportement violent fait poser la question : Quels sont les effets des jeux mettant en scène un tel comportement ? Peuvent-ils élever le seuil de sensibilité à la violence et favoriser l'attrait pour la violence. Près de 400 études regroupant un corpus expérimental de 130 000 personnes proposent une réponse (Anderson et al., 2010). Les jeux vidéo peuvent provoquer l'élaboration de pensées agressives, diminuer l'empathie, et d'augmenter l'agressivité. Les étudiants de sexe masculin qui passent le plus d'heures à jouer à des jeux vidéo violents avaient aussi tendance à être les plus agressifs physiquement (Anderson et Dill, 2000). (Ils reconnaissent, par exemple, avoir frappé ou attaqué une autre personne) Les personnes désignées au hasard pour jouer à un jeu où elles devaient tuer des gens gémissant de douleur (plutôt que de jouer à *Myst*, qui est un jeu non violent) montraient par la suite davantage d'hostilité. Dans la suite de l'expérience, ils avaient plus de chances de soumettre leurs condisciples à un bruit très intense. Les études des jeunes adolescents révèlent que ceux qui jouent beaucoup aux jeux vidéo violents deviennent plus agressifs et ressentent le monde qui les entoure comme étant plus hostile (Gentile, 2009 ; Hassin et al., 2013). Si on compare leur comportement à celui d'adolescents qui ne pratiquent pas ces jeux, ils sont moins bien notés, et plus impliqués dans des bagarres et des débats survoltés.

Mais n'est-ce pas simplement parce que les enfants ayant naturellement un caractère hostile sont attirés par ces jeux ? Apparemment non. Les comparaisons faites entre les adeptes des jeux vidéo violents et les autres montrent que ces derniers ont un comportement moins hostile lorsqu'il est évalué par des tests et participent moins à des bagarres. Près de 4 adeptes des jeux violents sur 10 avaient été impliqués dans des bagarres alors que seulement 4 sujets qui ne pratiquaient pas ces jeux violents sur 100 l'avaient été (Anderson, 2004a). Certains chercheurs pensent que les jeux vidéo violents ont même plus d'effets sur les comportements agressifs et la cognition que les émissions violentes à la télévision ou les films, en partie du fait de la participation plus active et du fait que la violence est récompensée lors de ces jeux (Anderson & Warburton, 2012).

D'autres chercheurs n'adhèrent pas à ces conclusions (Ferguson, 2013, 2014). Ils remarquent que de 1996 à 2006, la violence des jeunes a diminué tandis que les ventes de jeux vidéo ont augmenté. Ils font valoir que d'autres facteurs, la dépression, la violence familiale, l'influence de leurs semblables sont de meilleurs facteurs prédictifs de l'agressivité. Aussi, la pratique de ces jeux lutte contre l'ennui et la fréquentation de la rue (Engelstätter et al., 2011). De plus certains remarquent que les grands joueurs de jeux vidéo sont rapides et vifs, ils développent des temps de réaction rapides et améliorent leurs capacités visuelles (Dye et al., 2009 ; Green et al., 2010). La pratique régulière des jeux vidéo peut satisfaire les besoins fondamentaux de maîtriser un savoir faire et de relations sociales (Granic et al., 2014).

Une décision de la Cour suprême des États-Unis prise en 2011 a aboli une loi de l'État de Californie interdisant la vente aux enfants de jeux vidéo violents (un peu comme l'interdiction de la vente de matériel à caractère sexuel explicite aux enfants). La majorité de la Cour, non persuadée par les preuves apportées sur les nuisances de ces jeux, a précisé que le premier amendement sur la liberté d'expression protégeait même les jeux à caractère offensif. Ainsi, le débat continue.

Andrew Berwick via www.freak.no/Reuters/Landov

Coïncidence ou cause ? En 2011, le norvégien Anders Behring Breivik, après avoir posé des bombes et provoqué des explosions dans les bâtiments du gouvernement à Oslo, est allé là où se réunissait un camp de jeunes. Il a ouvert le feu et tué 69 personnes, principalement des adolescents. Brevik a provoqué des débats houleux en se comparant à un franc-tireur du jeu MW2 : « je considère ce jeu *[Modern Warfare 2]* surtout comme faisant partie de ma formation ». Les jeux violents pratiqués par Breivik, comme ceux pratiqués par l'auteur de la tuerie perpétrée dans l'école primaire de Newtoown, Connecticut, entretiennent-ils la violence ou s'agit-il d'une simple coïncidence ? Pour répondre à ces questions il faut recourir à la psychologie expérimentale.

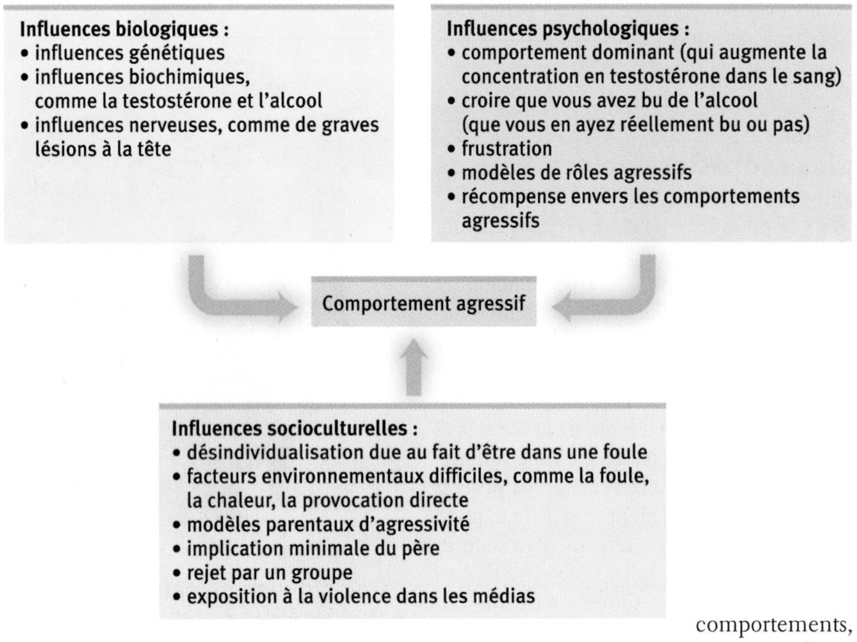

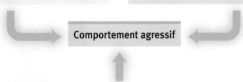

Influences biologiques :
- influences génétiques
- influences biochimiques, comme la testostérone et l'alcool
- influences nerveuses, comme de graves lésions à la tête

Influences psychologiques :
- comportement dominant (qui augmente la concentration en testostérone dans le sang)
- croire que vous avez bu de l'alcool (que vous en ayez réellement bu ou pas)
- frustration
- modèles de rôles agressifs
- récompense envers les comportements agressifs

Comportement agressif

Influences socioculturelles :
- désindividualisation due au fait d'être dans une foule
- facteurs environnementaux difficiles, comme la foule, la chaleur, la provocation directe
- modèles parentaux d'agressivité
- implication minimale du père
- rejet par un groupe
- exposition à la violence dans les médias

* * *

En résumé les recherches révèlent de nombreuses influences biologiques, psychologiques et slocioculturelles sur les comportements agressifs. Les comportements complexes tels que la violence ont, en général, de nombreux déterminants, faisant de toute explication univoque, une simplification abusive. Se demander ce qui provoque la violence revient à se demander quelle est la cause du cancer. Ceux qui étudient les effets de l'exposition à l'amiante des cancers peuvent nous rappeler que l'amiante est ?, mais seulement une parmi d'autres. Comme beau-?ses, l'agressivité est un phénomène biopsychosocial

?conclusion heureuse : les tendances historiques ?monde est en train de devenir moins violent (Pinker, ?les gens soient différents selon le moment et l'endroit ?e les environnements sont également différents. Les ?ards, sont devenus les Scandinaves d'aujourd'hui ?s. Les comportements agressifs, comme tous les comportements, naissent de l'interaction entre des individus et des situations.

▼ **FIGURE 13.13**
Explication biopsychosociale de l'agressivité De nombreux facteurs contribuent à l'adoption d'un comportement agressif ; il y a donc plusieurs façons de modifier ce comportement. On peut citer l'apprentissage de la maîtrise de la colère, le développement des capacités à communiquer, éviter les situations évoquant la violence dans les médias et les jeux vidéo.

- Quels sont les facteurs biologiques, psychologiques et socioculturels qui interagissent pour engendrer des comportements agressifs ?

Réponse : Notre biologie (gènes), structure du système nerveux, biochimie neuronale, et taux circulants de testostérone et d'alcool) influence nos tendances agressives. Les facteurs psychologiques (comme la frustration, les gratifications obtenues précédemment par l'adoption de comportements agressifs, et l'observation des comportements agressifs d'autrui) peuvent les déclencher et les renforcer. Les influences sociales, comme la violence au milieu de vie et l'ostracisme exercé par un autre groupe, et les influences culturelles comme le culte de la vengeance, de l'honneur bafoué et l'absence d'autorité paternelle, peuvent être des facteurs responsables de l'adoption de comportements agressifs.

REVUE GÉNÉRALE Relations antisociales

OBJECTIFS D'APPRENTISSAGE

Prenez un moment pour répondre à chacune de ces questions objectif d'apprentissage (répétées ici au sein de cette section). Puis allez à l'annexe C, révision complète du chapitre, pour vérifier vos réponses. La recherche suggère que d'essayer de répondre à ces questions de votre propre initiative permettra d'améliorer la mémorisation à long terme de ces réponses (McDaniel et al., 2009).

13-7 Qu'est-ce qu'un *préjugé ?* Quelles sont ses origines sociales et émotionnelles ?

13-8 Quelles sont les origines cognitives des préjugés ?

13-9 Quelle est la différence entre la définition de *l'agressivité* que donne la psychologie et celle que l'on admet dans la vie de tous les jours ? Quels sont les facteurs biologiques qui nous amènent à nous faire du mal mutuellement ?

13-10 Quels sont les facteurs psychologiques et socioculturels qui peuvent déclencher l'agressivité ?

TERMES ET CONCEPTS À RETENIR

Testez votre connaissance de ces termes en essayant d'écrire leur définition, avant de vous reporter aux pages indiquées en référence pour vérifier votre réponse.

préjugé, p. 537

stéréotype, p. 538

discrimination, p. 538

phénomène du monde équitable, p. 541

groupe d'appartenance, p. 542

groupe de non-appartenance, p. 542

biais du groupe d'appartenance, p. 542

théorie du bouc émissaire, p. 542

effet de race, p. 544

agressivité, p. 545

principe de frustration-agressivité, p. 547

scénario social, p. 548

Relations prosociales

Les spécialistes de la psychologie sociale se concentrent non seulement sur le côté sombre des relations sociales, mais aussi sur le côté lumineux, par l'étude des comportements dits « *pro-sociaux* » qui se manifestent par la tendance à aider son prochain. Les comportements positifs sont caractérisés par l'altruisme, l'intérêt porter à la vie de son prochain, le besoin d'apaiser des situations conflictuelles.

Attrait pour son prochain

Arrêtez-vous un moment et pensez à vos relations à deux, avec un ami proche et quelqu'un qui a suscité en vous des sentiments amoureux. Quelle est cette alchimie psychologique qui explique ces liens ? La psychosociologie nous propose quelques éléments de réponse.

La psychologie de l'attirance

13-11 Pourquoi devenons-nous l'ami ou tombons-nous amoureux de certaines personnes mais pas d'autres ?

Nous nous demandons sans cesse comment nous pouvons gagner l'affection d'autrui et ce qui fait que notre propre affection se développe ou s'efface. La familiarité alimente-t-elle le dédain ou, au contraire consolide-t-elle l'affection ? Est-ce que, qui se ressemble s'assemble ou est-on attiré par son contraire ? La beauté est-elle uniquement superficielle ou l'attirance physique a-t-elle beaucoup d'importance ? Pour explorer ces questions, considérons trois éléments qui favorisent notre affection pour autrui : la proximité, l'attirance physique et la ressemblance.

Proximité Avant de devenir étroites, les amitiés doivent d'abord débuter. *La proximité* – le voisinage géographique – est le facteur prédictif le plus puissant de l'amitié. La proximité fournit des possibilités d'agressions, mais, beaucoup plus souvent, elle suscite l'affection. Toutes les études montrent que les gens ont plus tendance à apprécier et même à épouser, ceux qui vivent dans le voisinage, qui sont assis à côté d'eux en cours, qui travaillent dans le même bureau, qui partagent le même parking, qui mangent dans le même restaurant. Regardez autour de vous. La vie à deux commence par une rencontre.

La proximité incite à l'affection en grande partie à cause de l'**effet de simple exposition**. L'exposition répétée à de nouveaux stimuli augmente notre goût pour eux. Cela s'applique à des syllabes dénuées de sens, des morceaux de musique, des figures géométriques, des caractères chinois, des visages humains ou les lettres de notre propre nom (Moreland et Zajonc, 1982 ; Nuttin, 1987 ; Zajonc, 2001). Les personnes ont même un peu plus de chances de se marier avec quelqu'un dont le nom ou le prénom ressemble un peu au leur (Jones et al., 2004).

Dans une certaine mesure, la familiarité engendre la tendresse (Bornstein, 1989, 1999). Des chercheurs démontrèrent cet effet en demandant à quatre femmes ayant le même pouvoir de séduction d'assister silencieusement à un cours suivi par 200 étudiants pendant 0, 5, 10 ou 15 cours (Moreland et Beach, 1992). À la fin du trimestre, on montra aux étudiants des diapositives de chacune de ces femmes et on leur demanda de les classer selon leur pouvoir d'attraction. Quelle fut la plus attirante ? La plus séduisante fut celle qu'ils avaient vue le plus souvent. Ce phénomène ne saurait surprendre le jeune Taïwanais qui écrivit plus de 700 lettres à sa petite amie pour la supplier de l'épouser. Elle se maria, en effet, mais avec le facteur ! (Steinberg, 1993).

La familiarité engendre l'acceptation Lorsque ce pingouin blanc, rare, est né au zoo de Sydney, en Australie, ses semblables « en smoking » le rejetèrent. Les gardiens du jardin zoologique pensèrent que pour le faire accepter ils devraient le teindre en noir. Mais après trois semaines de contact, les autres pingouins finirent par l'accepter.

L'effet de simple exposition Il s'applique aussi à nous-mêmes. Parce que le visage humain n'est pas parfaitement symétrique, le visage que nous voyons dans le miroir n'est pas le même que celui que voient nos amis. En général, nous préférons l'image familière que nous renvoie le miroir, alors que nos amis préfèrent l'image inversée (Mita et al., 1977). La personne que la chancelière allemande Angela Merkel voit chaque matin dans son miroir est présentée à droite ; c'est probablement la photo qu'elle préférerait. Nous pourrions être plus à l'aise avec l'image inverse (à gauche) qui est celle que nous voyons.

Électeur

George Bush

Photo composée en proportion
60:40

▼ **FIGURE 13.14**
J'aime le candidat qui ressemble à ma petite personne Jeremy Bailenson et ses collègues (2005) ont fabriqué des images incorporant des visages d'électeurs dans les visages des candidats à l'élection de 2004 du président des États-Unis, George Bush et John Kerry. Sans savoir que leur propre visage avait été incorporé, les participants ont préféré les candidats dont la photographie avait été modifiée par incorporation de caractéristiques du leur.

Aucun visage n'est plus familier que son propre visage. Cela permet d'expliquer une observation intéressante faite par Lisa DeBruine (2004) : nous aimons les autres personnes dont les visages ont certaines caractéristiques semblables aux nôtres. Lorsque DeBruine (2002) demanda à des étudiants de l'université de McMaster de participer à un jeu avec un joueur hypothétique, ils se montrèrent plus coopératifs et plus confiants envers ceux dont les images ressemblaient aux traits de leur propre visage. J'ai confiance en moi (voir aussi **FIGURE 13.14**).

Pour nos ancêtres, l'effet de simple exposition était un phénomène adaptatif. Ce qui était familier était en général sécurisant et accessible. Ce qui ne l'était pas était plus souvent dangereux et menaçant. L'évolution semble nous avoir programmés pour avoir tendance à nous lier avec ceux qui nous sont familiers et à nous méfier de ceux qui ne le sont pas (Zajonc, 1998). Les préjugés instinctifs contre ceux qui nous sont culturellement différents relèvent peut-être d'une réponse émotionnelle automatique primitive (Devine et al., 2012). Les chercheurs disent que l'important est ce que nous faisons de ces préjugés réflexes. Laissons-nous ces sentiments contrôler notre comportement ? Ou devons-nous surveiller nos sentiments et agir de la manière qui reflète nos valeurs conscientes de l'égalité humaine ?

Comment faire des rencontres à notre époque ? Si l'on n'a pas rencontré l'âme sœur, les sites de rencontres en ligne vont augmenter nos chances. Les études publiées sur ce sujet sont rares. Mais une chose semble bien établie : certaines personnes, y compris les prédateurs occasionnels, se présentent de manière malhonnête en falsifiant leur âge, leur condition sociale et leurs caractéristiques physiques. Néanmoins, Katelyn McKenna, John Bargh et leurs collègues ont fait une découverte surprenante : les amitiés et les relations amoureuses qui naissent d'une rencontre sur internet ont, en moyenne, légèrement tendance à être plus durables et plus satisfaisantes que les rencontres habituelles (Bargh et al., 2002, 2004 ; Cacioppo et al., 2013 ; McKenna et al., 2002). Dans une de leurs études, les personnes se sont décrites telles qu'elles étaient. En conversant en ligne avec quelqu'un pendant vingt minutes, ils se sont sentis plus proches de cette personne que de celle qu'ils avaient rencontrée en face à face. Cela était vrai même lorsque (à leur insu), il s'agissait de la même personne ! Les amitiés nouées sur internet sont vécues comme des amitiés authentiques, des amitiés comme les autres. Il n'est pas étonnant alors que le nombre de couples qui se forment classiquement lors de rencontres à l'école, au travail, par la famille, ou, surtout, par les amis soit complété par une hausse du nombre de couples nés d'une rencontre sur internet. Une récente enquête menée à l'échelle nationale auprès de couples hétéros, gays et lesbiens a montré que près d'un quart des couples hétérosexuels et des deux tiers des couples de même sexe se sont formés grâce à une rencontre en ligne (Rosenfeld & Thomas, 2012 ; voir **FIGURE 13.15**).

« *Speed dating* » ou comment tomber amoureux en quelques minutes. Dans un processus mis au point par un rabbin qui propose des mariages arrangés, les intéressés rencontrent une succession de partenaires potentiels, soit en personne soit maintenant par l'intermédiaire d'une « webcam » (Bower, 2009). Après une conversation de trois à huit minutes, ils rencontrent la personne suivante. (Lors d'une réunion en tête à tête, un partenaire – généralement la femme – reste assis et les autres circulent dans la pièce.) Ceux qui veulent se rencontrer à nouveau peuvent prendre des dispositions pour des rencontres futures. Pour de nombreux participants, quatre minutes de conversation suffisent

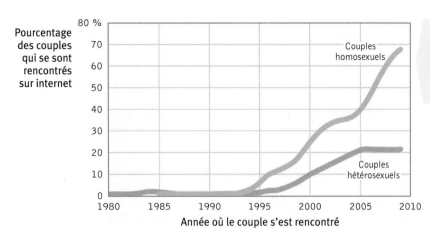

Pourcentage des couples qui se sont rencontrés sur internet

80 %
70
60
50
40
30
20
10
0

1980 1985 1990 1995 2000 2005 2010

Couples homosexuels

Couples hétérosexuels

Année où le couple s'est rencontré

▼ FIGURE 13.15

Pourcentage des couples hétérosexuels et homosexuels qui se sont connus par l'intermédiaire de sites de rencontre en ligne (Données de Rosenfeld & Thomas, 2012.)

pour qu'un sentiment puisse commencer à être éprouvé envers l'autre et pour savoir quels sont les partenaires préférés (Eastwick & Finkel, 2008a, b).

Pour les chercheurs, le speed dating offre une occasion unique pour étudier les effets des premières impressions lors de la naissance du sentiment amoureux. Parmi les résultats récents on peut citer :

• Les hommes se dévoilent plus que les femmes. Des observateurs (hommes ou femmes) en regardant des vidéos de rencontres en speed-dating peuvent trouver que le comportement des hommes fait preuve de plus de romantisme que celui des femmes. (Place et al., 2009).

• Lorsqu'on leur donne plus d'options, le choix des personnes devient plus superficiel. Le fait de rencontrer de nombreux partenaires conduit les gens à se focaliser sur les caractères les plus facilement accessibles, tels que la taille et le poids (Lenton & Francesconi, 2010). Cela s'est avéré vrai même lorsque les chercheurs ont contrôlé le temps passé avec chaque partenaire.

• Les hommes souhaitent prendre contact avec plus de partenaires lors d'un speed-dating ; les femmes ont tendance à être plus exigeantes. Mais cette différence entre les genres disparaît si le rôle conventionnel est inversé, de telle sorte que les hommes restent assis tandis que les femmes circulent (Finkel & Eastwick, 2009).

Attirance physique Une fois que la proximité vous a apporté le contact, qu'est-ce qui affecte le plus vos premières impressions ? La sincérité de la personne ? L'intelligence ? La personnalité ? Des centaines d'expériences révèlent que c'est vraisemblablement quelque chose de plus superficiel : l'apparence physique. Pour les personnes à qui l'on explique que « la beauté n'est que superficielle » et qu'« il ne faut pas se fier aux apparences », le pouvoir de l'attirance physique est déconcertant.

Dans une étude, des chercheurs apparièrent, au hasard, de nouveaux étudiants de l'université du Minnesota pour une « soirée dansante de bienvenue » (Walster et al., 1966). Avant la soirée, chacun avait passé une batterie de tests de personnalité et d'aptitudes et les chercheurs notèrent le niveau d'attirance physique de chaque étudiant. Au cours de la soirée, les couples tirés au sort dansèrent et discutèrent pendant plus de deux heures, puis s'arrêtèrent quelques instants pour laisser à chacun le temps de donner une évaluation de son partenaire. Qu'est-ce qui a déterminé si oui ou non ils s'appréciaient mutuellement ? Une seule chose semblait importante : l'apparence. Aussi bien les hommes que les femmes préféraient les partenaires agréables à regarder. Les femmes sont plus susceptibles de dire que les regards d'autrui ne les influencent pas (Lippa, 2007). Mais les études montrent que les regards d'un homme affectent le comportement des femmes (Eastwick et al., 2014A, b). Des expériences de speed-dating ont confirmé l'influence de l'attirance physique sur la première impression quel que soit le sexe (Belot et Francesconi, 2006 ; Finkel et Eastwick, 2008).

L'attrait physique est prédictif du succès et du nombre de rendez-vous que ces sujets obtiendront. L'attrait physique influence la première impression de la personnalité que se fait l'interlocuteur. Nous ne supposons pas que les gens séduisants sont plus compatissants mais les participants à ces études les perçoivent comme plus sains, plus heureux, plus sensibles, comme ayant plus de succès et étant socialement mieux adaptés (Eagly et al., 1991 ; Feingold, 1992 ; Hatfield et Sprecher, 1986). Des gens attirants et bien habillés ont une probabilité plus grande de faire bonne impression à des

William Haefeli/La collection New Yorker/Condé Nast

« Je voudrais connaître l'algorithme qui avait dit que nous formerions un bon couple. »

Avec l'autorisation de Leigh Rubin and Creators Syndicate, Inc.

Lorsque l'homme de Néandertal tombe amoureux.

« La beauté est la meilleure lettre de recommandation qui soit. »

Aristote, *Apophtegmes*, 330 AV. J.-C.

Pourcentage d'hommes et de femmes qui « pensent constamment à leur apparence »

	Hommes	Femmes
Canada	18 %	20 %
États-Unis	17	27
Mexique	40	45
Venezuela	47	65

d'après l'enquête menée par Roper Starch, rapporté par McCool (1999).

91 % des opérations de chirurgie esthétique sont pratiquées sur des femmes (American Society of Plastic Surgeons, 2010). Les femmes se souviennent mieux que les hommes des apparences physiques (Mast & Hall, 2006).

Les chirurgiens plasticiens américains procèdent à l'ablation annuelle d'un nez qui mesurerait 1,6 km ! (*Harper*, 2009).

employeurs potentiels et de connaître une réussite professionnelle (Cash et Janda, 1984 ; Langlois et al., 2000 ; Solomon, 1987). Les analyses des revenus montrent que les rondeurs ou l'obésité pénalisent les sujets alors que la beauté est bénéfique (Engemann et Owyang, 2005).

Même les bébés ont préféré les visages attrayants plutôt que les autres (Langlois et al., 1987). Il en est de même pour les aveugles comme l'a découvert le Pr John Hull de l'université de Birmingham (1990, p. 23), après être lui-même devenu aveugle. Le fait qu'un collègue fasse des commentaires au sujet de la beauté d'une femme influence de manière étrange ses sentiments. Il trouve cela « déplorable… Qu'est-ce que cela peut me faire ce que les hommes voyants peuvent penser des femmes… et pourtant je prends à cœur ce qu'ils pensent, et je me sens incapable de me défaire de ce préjugé ».

Pour ceux qui trouvent que l'importance de l'apparence semble injuste et bien intelligente, deux découvertes peuvent les rassurer. En premier lieu, l'attirance physique est étonnamment non corrélée à l'estime de soi et au bonheur (Diener et al., 1995 ; Major et al., 1984). Une des raisons est peut-être que, sauf après comparaison avec des individus très beaux, peu de gens se trouvent vraiment laids (grâce, peut-être, à l'effet d'exposition simple) (Thornton et Moore, 1993). Une autre raison est que les personnes particulièrement séduisantes se demandent parfois si l'appréciation de leur travail n'est pas simplement une réaction à leur apparence physique. Lorsque des gens moins séduisants sont appréciés pour leur travail, ils ont plus de chances d'accepter les compliments comme sincères (Berscheid, 1981).

La beauté dépend de la culture. Espérant paraître attirants, les gens, dans des cultures différentes, ont percé leur nez, tatoué leur corps, allongé leur cou, bandé leurs pieds, teint leurs cheveux, Ils ont beaucoup mangé pour avoir une figure ronde ou supprimé leur graisse par liposuccion pour être mince, appliqué des produits chimiques dans l'espoir de faire disparaître leurs poils ou pour faire repousser leurs cheveux, bandé leur poitrine avec des bandes de cuir pour empêcher leurs seins de grossir ou mis des prothèses en silicone dans leurs seins et porté un Wonderbra® pour les rendre plus gros. L'idéal culturel a également changé selon l'époque. Pour les femmes, en Amérique du Nord, l'idéal ultramince des années 1920 a laissé la place, dans les années 1950, à l'idéal doux et voluptueux de Marilyn Monroe, pour être depuis remplacé par l'idéal actuel mince mais à forte poitrine.

Certains aspects de la séduction, cependant, traversent les lieux et les époques (Cunningham et al., 2005 ; Langlois et al., 2000). En fournissant des indices concernant le potentiel reproducteur, le corps influence l'attirance sexuelle. Comme les psychologues spécialistes de l'évolution l'expliquent (Chapitre 4), les hommes issus de cultures très diverses, de l'Australie à la Zambie, jugent les femmes plus attirantes si elles ont une apparence juvénile et fertile, suggérée par un rapport taille sur hanche très faible (Karremans et al., 2010 ; Perilloux et al., 2010 ; Platek et Singh, 2010). (J'ai [DM] toujours pensé que ma femme avait l'air mignonne, et que c'était inné et indicible.) Les femmes sont attirées par les hommes d'apparence saine et en particulier, surtout lorsqu'elles sont en période d'ovulation, par les hommes qui paraissent mûrs, dominants, masculins et ont une bonne situation (Gallup et Frederick, 2010 ; Gangestad et al., 2010). Mais le visage a également de l'importance. Lorsque les gens évaluent séparément le visage et le corps d'une personne de sexe opposé, le visage a tendance à mieux prédire l'attirance physique globale (Currie et Littel, 2009 ; Peters et al., 2007).

Dans l'œil du spectateur L'attrait exercé par un visage dépend de la culture. Pourtant, certaines caractéristiques physiques, comme une apparence saine, exercent partout le même attrait.

   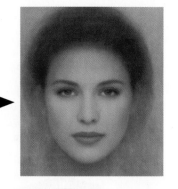

Partout également les gens semblent préférer des caractéristiques physiques (nez, jambes, apparence physique) qui ne soient pas anormalement grandes ou petites. Un visage qui se situe dans la moyenne est attirant (**FIGURE 13.16**). Au cours d'une démonstration astucieuse de ce phénomène, les chercheurs ont digitalisé les visages de 32 étudiants et utilisé un ordinateur pour obtenir un visage « moyen » (Langlois et Roggman, 1990). Les étudiants ont jugé les visages moyens recomposés plus attirants que 96 % des visages des individus. L'une des raisons découle du fait que les visages moyens recomposés sont symétriques, et que les personnes dont le visage et le corps sont symétriques sont aussi plus sexuellement attirantes (Rhodes et al., 1999 ; Singh, 1995 ; Thornhill et Gangestad, 1994). En réunissant la moitié de votre visage à son reflet dans le miroir, vous obtiendrez votre nouveau visage symétrique qui sera nettement plus attirant.

L'attirance physique dépend aussi de nos sentiments envers la personne en question. Imaginez deux personnes. La première est honnête, polie, et a le sens de l'humour. La deuxième est insolente, injuste et grossière. Laquelle sera plus attirante physiquement ? La plupart des gens percevront la première personne, ayant des traits de caractère attirants, comme étant également plus attirante physiquement (Lewandowski et al., 2007). Nous trouvons attirants ceux que nous aimons. Dans une

▼ **FIGURE 13.16**
La moyenne est attrayante. Lequel de ces visages présentés par le psychologue David Perrett de l'Université de St. Andrews (2002, 2010) est le plus attrayant ? La plupart des gens disent que c'est le visage de droite, visage virtuel, qui est composé à partir de ces 3 visages auxquels ont été ajoutées les caractéristiques de plus de 57 autres visages réels.

Transformation extrême Dans les pays riches qui mettent en valeur la beauté, nombre de personnes, comme cette femme de l'émission de télévision américaine *Extreme Makeover*, ont recouru à la chirurgie esthétique pour améliorer leur apparence.

comédie musicale de Rodgers et Hammerstein, le prince charmant demande à Cendrillon : « Est-ce que je vous aime parce que vous êtes belle ou est-ce que vous êtes belle parce que je vous aime ? » Il est probable que cela soit les deux. Au fur et à mesure que nous voyons la personne que nous aimons encore et encore, ses imperfections physiques deviennent de moins en moins perceptibles et son pouvoir de séduction devient plus évident (Beaman et Klentz, 1983 ; Gross et Crofton, 1977). Comme le dit Shakespeare dans le *Songe d'une nuit d'été* : « L'amour ne voit pas avec les yeux mais avec l'âme. » Aimez quelqu'un et sa beauté grandira.

Ressemblance Si la proximité vous a mis en contact avec quelqu'un et que votre apparence a permis une première impression favorable. Qu'est-ce qui va maintenant déterminer si ces relations vont déboucher sur de l'amitié ? Par exemple, si vous en arrivez à mieux connaître quelqu'un, l'alchimie fonctionnera-t-elle mieux si vous êtes opposés ou si vous êtes semblables ?

Cela permet d'écrire de bonnes histoires, lorsque des personnages très différents vivent en bonne harmonie : le rat, la taupe et le blaireau dans *Le vent dans les saules*, la grenouille et le crapaud dans les livres d'Arnold Lobel, Edward and Bella, *Twilight series*. Les histoires nous enchantent en exprimant ce que nous éprouvons rarement. Dans la vraie vie, les contraires se repoussent (Rosenbaum, 1986 ;

« Vous pouvez toujours jouer les offusqués, mais personne ne peut résister à un visage parfaitement symétrique. »

Herman Miller /
AP Photo

De la simple exposition vient la beauté Le célèbre siège de bureau créé par la compagnie Herman Miller, fut reconnu pour ses qualités de confort mais sa ligne fut peu appréciée. Pour certains, il ressemblait à « un meuble de jardin » ou à « un insecte préhistorique géant » (Gladwell, 2005). Mais avec les récompenses attribuées à ses concepteurs, les reproductions dans les journaux, les imitations, le vilain petit canard est devenu le siège de bureau le plus vendu, et a acquis ses lettres de noblesse dans le monde du beau. Il en va de même pour les personnes.

Montoya & Horton, 2013). Les amis et les couples ont beaucoup plus de chances d'avoir des attitudes, des croyances et des intérêts communs (et, pour autant que cela ait de l'importance, le même âge, la même origine ethnique, la même religion, la même éducation, la même intelligence, le même comportement vis-à-vis du tabac et le même statut économique) que n'en ont des personnes appariées au hasard.

En outre, plus les gens se ressemblent, plus leurs liens affectifs sont durables (Byrne, 1971). Le journaliste Walter Lippmann avait raison de supposer que l'amour était plus durable lorsque « les amoureux aiment beaucoup de choses en commun et pas simplement l'autre ». La ressemblance engendre le contentement. Une application met en relation des sujets avec des possibilités de rencontre en fonction de la similitude de leur caractère décrit sur Facebook.

La proximité, l'attraction physique et les ressemblances ne sont pas les seuls déterminants de l'attirance. Nous apprécions également ceux qui nous apprécient. En particulier lorsque notre image de nous-même est mauvaise. Lorsque nous pensons que quelqu'un nous aime, nous nous sentons bien et réagissons de façon plus chaleureuse envers lui, ce qui l'incite à nous aimer davantage (Curtis et Miller, 1986). Être aimé est une puissante récompense.

En effet, une *théorie simple de l'effet renforçateur* de l'attirance, selon laquelle nous aimons ceux dont le comportement est le plus gratifiant et ceux qui sont capables de nous soutenir pour atteindre le but que nous nous sommes fixé (Montoya & Horton, 2014). Lorsqu'une personne vit ou travaille à proximité immédiate de quelqu'un d'autre, cela coûte moins de temps et d'effort de développer une relation amicale et de jouir de ses avantages. Les personnes attirantes sont esthétiquement plaisantes, et avoir des relations avec elles peut être valorisant sur le plan social. Il est réconfortant de fréquenter des personnes qui ont des opinions similaires aux nôtres.

EXERCICE RÉCAPITULATIF

- Les gens ont tendance à se marier avec quelqu'un qui vit ou travaille à proximité. Ceci est un exemple de l'action de _____ _____ _____

  Réponse : l'effet de simple exposition.

- Comment l'attirance physique peut-elle influencer la perception des autres ?

  Réponse : Être physiquement attrayant tend à susciter des premières impressions positives. Les gens ont tendance à croire que les sujets attirants sont en meilleure santé, plus heureux, et plus à l'aise socialement.

L'amour romantique

13-12 De quelle manière l'amour romantique évolue-t-il avec le temps ?

Parfois, les gens franchissent rapidement le pas qui mène des premières impressions à l'amitié, pour arriver à l'état complexe, mystérieux et plus intense de l'amour romantique. Si l'amour persiste, *l'amour passionnel*, temporaire, va s'adoucir en une *complicité amoureuse* plus durable (Hatfield, 1988).

L'amour passionnel Un élément majeur de l'**amour passionnel** est l'excitation. La théorie bifactorielle des émotions (Chapitre 12) peut nous aider à comprendre cette fusion positive et intense avec autrui (Hatfield, 1988). Cette théorie considère que :

- les émotions sont constituées de deux éléments – *la stimulation physique* et *l'évaluation cognitive* ;

- la stimulation provenant de n'importe quelle source peut accroître une émotion ou une autre, selon la façon dont nous interprétons et identifions cette stimulation.

L'excitation peut venir de l'intérieur, alors que nous découvrons une nouvelle relation. Pour tester cette théorie bifactorielle, des étudiants de sexe masculin ont été stimulés par une peur, une course sur place, la vue de films érotiques ou l'écoute de monologues drôles ou rébarbatifs. On les mit ensuite en présence d'une jeune femme attirante et on leur demanda de donner une appréciation de celle-ci (ou de leur petite amie). À la différence des sujets qui n'avaient pas été stimulés, ceux qui l'avaient été attribuèrent une partie de leur excitation à la femme ou à leur petite amie et se sentirent plus attirés par cette dernière (Carducci et al., 1978 ; Dermer et Pyszczynski, 1978 ; White et Kight, 1984).

En dehors du laboratoire, des chercheurs ont étudié les gens passant sur deux ponts traversant la rivière Capilano, un torrent des Rocheuses de la Colombie britannique (Dutton et Aron, 1974, 1989). L'un était une passerelle suspendue à 70 mètres au-dessus des rochers, l'autre un pont bas et solide.

Snapshots at jasonlove.com

© Jason Love

Bill regarda Susan, Susan regarda Bill. Soudain, la mort n'était plus à l'ordre du jour Ce fut le coup de foudre.

Une jeune femme attirante, complice de l'expérience, interceptait les hommes à l'extrémité de chacun des ponts, sollicitait leur aide pour remplir un bref questionnaire. Elle leur proposait ensuite son numéro de téléphone au cas où ils souhaiteraient en savoir plus sur l'étude. Une proportion beaucoup plus importante de ceux qui venaient juste de traverser le pont le plus haut, qui avaient eu le cœur battant, acceptèrent le numéro de téléphone et appelèrent ensuite la jeune femme. Avoir le cœur qui bat et associer une partie de cette excitation à une personne désirable, c'est sentir la poussée de la passion. L'adrénaline rend le cœur plus amoureux. Et lorsque le désir sexuel est associé à une affection de plus en plus importante, il s'ensuit la passion de l'amour romantique (Berscheid, 2010).

Complicité amoureuse Bien que le désir et l'affection de l'amour romantique persistent souvent, l'intense fusion à l'autre, les frissons du désir, le sentiment vertigineux de « flotter sur un nuage » s'estompent généralement. Les Français ont-ils donc raison de dire que « l'amour fait passer le temps et le temps fait passer l'amour » ? Ou bien, l'amitié et l'engagement peuvent-ils permettre à une relation de se poursuivre lorsque la passion se refroidit ?

Lorsque l'amour mûrit, il se transforme en **complicité amoureuse**, plus solide, en un attachement profond et affectueux (Hatfield, 1988). Le torrent d'hormones facilitant la passion (testostérone, dopamine et adrénaline) s'abaisse et laisse la place à une autre hormone, *l'ocytocine*, qui soutient les sentiments de confiance, de calme et de lien avec un partenaire. Dans les mariages apportant le plus de satisfaction, l'attrance et le désir sexuel perdurent mais il n'y a plus l'obsession des premiers temps de la relation amoureuse (Acevedo et Aron, 2009).

Il peut y avoir une sagesse adaptative à cette transition de la passion vers l'affection (Reis et Aron, 2008). L'amour passion donne souvent naissance à des enfants dont la survie est aidée par le déclin de l'obsession des parents l'un envers l'autre. Le fait de ne pas saisir que la durée de vie d'un amour passionnel est limitée peut vouer une relation à l'échec (Berscheid et al., 1984). En effet, conscients de la courte durée de l'amour passion, certaines sociétés ont considéré que de tels sentiments ne pouvaient justifier un mariage raisonnable. Il est préférable, préconisent de telles sociétés, de choisir (ou d'avoir quelqu'un qui choisit pour vous) un partenaire du même milieu et ayant des intérêts communs aux vôtres. Dans les cultures non occidentales, où les individus accordent moins d'importance à l'amour pour le mariage, les taux de divorce sont plus faibles (Levine et al., 1995).

Une des clés d'une relation gratifiante et durable est **l'équité** : les deux partenaires reçoivent en proportion de ce qu'ils donnent. Lorsque l'équité existe, leurs chances d'arriver à une complicité amoureuse durable et satisfaisante sont bonnes (Gray-Little et Burks, 1983 ; Van Yperen et Buunk, 1990). Selon une enquête nationale, « partager les travaux ménagers » arrive en troisième rang après « la fidélité » et « des relations sexuelles heureuses » sur la liste des neuf choses que les gens associent à un mariage réussi. « J'aime les câlins. J'aime les baisers. Mais ce que j'aime réellement c'est qu'on m'aide à faire la vaisselle. » Centre de recherche de Pew (2007).

L'importance de l'équité s'étend au-delà du mariage. Partager, prendre les décisions ensemble, donner et recevoir un soutien émotionnel, favoriser et prendre soin du bien-être l'un de l'autre, sont au cœur de n'importe quel type de relation amoureuse (Sternberg et Grajek, 1984). C'est vrai pour les amoureux, pour des parents et leurs enfants, et pour des amis intimes.

Un autre élément vital de la relation amoureuse est représenté par les **confidences intimes**, la révélation de détails intimes, le dévoilement de soi, comme nos goûts et nos dégoûts, nos rêves et nos soucis, les moments dont nous sommes fiers et ceux dont nous avons honte. « Lorsque je suis avec mes amis », notait Sénèque (homme d'État romain), « je pense que je suis seul et que je suis libre de dire n'importe quoi comme de le penser. » Le fait de s'ouvrir aux autres engendre de l'affection, et l'affection engendre l'ouverture de soi aux autres (Collins et Miller, 1994). Lorsqu'une personne révèle une petite chose, l'autre fait de même, la première en raconte encore plus et ainsi de suite, au fur et à mesure que les amoureux ou les amis progressent vers une intimité plus grande (Baumeister et Bratslavsky, 1999).

Dans le cadre d'une expérience, des étudiants volontaires ont été répartis par groupe de deux et ont été amenés à engager une conversation intense de quarante-cinq minutes avec des questions de plus en plus personnelles comme par exemple : « Quand avez-vous chanté tout seul la dernière fois ? » à « Quand avez-vous pleuré devant une autre personne, pour la dernière fois ? » « Quand avez-vous pleuré seul, pour la dernière fois ? » D'autres passaient le même temps à parler de choses insignifiantes du type « comment trouvais-tu ton lycée ? » (Aron et al., 1997). Au terme de l'expérience, ceux qui avaient participé à ce tête-à-tête de plus en plus intense sur le plan de l'intimité se sont sentis extrêmement proches des partenaires avec qui ils avaient discuté, bien plus que les autres qui n'avaient échangé que des banalités.

Amour passionnel état d'exaltation provoqué par les sentiments d'amour fusionnel, généralement présent au début de chaque histoire d'amour.

Complicité amoureuse attachement affectueux profond que nous ressentons pour ceux avec qui nous partageons notre vie.

Équité condition, au cours d'une relation, dans laquelle les gens reçoivent en proportion de ce qu'ils donnent.

Confidence intime action de révéler des aspects intimes de soi aux autres.

« Lorsque deux personnes sont sous l'influence de la passion la plus violente, la plus folle, la plus trompeuse, et la plus fugace comme la plupart des passions, elles sont capables de jurer qu'elles resteront dans cet état d'exaltation, anormal et épuisant, jusqu'à ce que la mort les sépare. »

George Bernard Shaw, « Getting Married », 1908

HI & LOIS

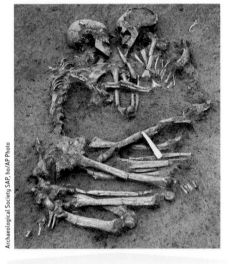

L'amour est une chose ancienne En 2007, un couple de « Roméo et Juliette » âgé de 5 000 ou 6 000 ans a été déterré, près de Rome.

L'intimité peut également croître lorsque l'on fait une pause pour réfléchir et écrire nos sentiments. Des chercheurs ont invité une personne de chacun des 86 couples sortant ensemble à passer vingt minutes par jour pendant trois jours soit à écrire leurs pensées et sentiments les plus profonds à propos de leur relation, soit à écrire simplement leurs activités quotidiennes (Slatchter et Pennebaker, 2006). Ceux qui avaient écrit à propos de leurs sentiments ont exprimé plus d'émotion dans leurs messages à leur partenaire dans les jours qui ont suivi l'expérience et 77 % étaient encore ensemble trois mois plus tard (comparés aux 52 % qui avaient écrit à propos de leurs activités).

En plus de l'équité et des confidences intimes, le troisième point essentiel pour que l'amour persiste, est le *soutien positif*. Même si les conflits relationnels sont inévitables, nous pouvons nous demander à nous-mêmes si notre façon de communiquer exprime le plus souvent des sarcasmes ou du soutien, du mépris ou de la sympathie, des ricanements ou des sourires. Les couples malheureux se critiquent, sont en désaccord et se dénigrent perpétuellement. Chez les couples heureux, dont les relations perdurent, les interactions positives (les compliments, les contacts, les rires) sont au moins 5 fois plus nombreuses que les interactions négatives (sarcasmes, désaccord, insultes) (Gottman, 2007 ; voir aussi Sullivan et al., 2010).

D'après la formule mathématique de l'amour, la complicité amoureuse est le résultat de la somme des confidences intimes et du soutien mutuel équitable.

EXERCICE RÉCAPITULATIF

• Comment la théorie bifactorielle de l'émotion peut-elle nous aider à expliquer l'*amour passionnel ?*

Réponse : Les émotions sont constituées de (1) l'excitation physique et (2) de notre interprétation de cet état physiologique d'excitation. Les chercheurs ont constaté que toute source d'excitation (courir, la peur, le rire) produit un état physiologique proche de celui provoqué par la présence d'un sujet aimé.

• Les deux composantes essentielles pour maintenir la complicité amoureuse sont : _____ et _____ _____ .

Réponses : l'équité ; le dévoilement de soi

Altruisme

13-13 **À quel moment sommes-nous les plus ou les moins enclins à venir en aide à autrui ?**

L'**altruisme** est l'attention désintéressée portée au bien-être d'autrui. En sauvant son geôlier, Dirk Willems a montré un exemple d'altruisme. Carl Wilkens et Paul Rusesabagina ont fait de même à Kigali au Rwanda. Willkens, un missionnaire de l'Église adventiste du Septième Jour vivait avec sa famille à Kigali lorsque la milice de la population Hutu commença à massacrer la minorité ethnique Tutsi en 1994. Le gouvernement américain, les hauts dignitaires de l'église et ses amis l'implorèrent de partir. Il refusa. Après avoir évacué sa famille et après le départ des autres Américains de Kigali, il resta seul et combattit ce génocide de 800 000 personnes. Lorsque la milice vint pour le tuer, lui et ses serviteurs Tutsis, ses voisins Hutus dissuadèrent les miliciens. Malgré les menaces de mort répétées, il passa ses jours risquant les barrages routiers pour amener de l'eau et de la nourriture aux orphelins et pour négocier, plaider et forcer son chemin au milieu des carnages, sauvant des vies encore et encore. Plus tard, il expliqua « qu'il me semblait simplement que c'était la bonne chose à faire » (Kristof, 2004).

Altruisme attention désintéressée portée au bien-être d'autrui.

Quelque part à Kigali, Rusesabagina, un Hutu marié à une Tutsie et gérant d'un hôtel de luxe, donna refuge à plus de 1 200 Tutsis terrifiés et Hutus modérés. Lorsque les forces de paix internationales abandonnèrent la ville et que la milice hostile menaça les réfugiés dans « l'hôtel Rwanda » (comme il fut ensuite appelé dans un film en 2004), le courageux Rusesabagina commença à se faire rembourser ses faveurs passées, soudoya la milice et téléphona à des personnes influentes à l'étranger pour faire pression sur les autorités locales, épargnant ainsi les vies des occupants de l'hôtel du chaos qui l'entourait. Wilkens et Rusesabagina ont fait preuve d'altruisme, une attention désintéressée portée au bien-être d'autrui.

L'altruisme devint une préoccupation majeure des psychosociologues à la suite d'un acte de violence particulièrement répugnant. Un rôdeur frappa Kitty Genovese de plusieurs coups de couteau, puis la viola alors qu'elle gisait, mourante, devant son appartement du Queens (New York) à 3 h 30 du matin, le 13 mars 1964. « Oh ! Mon Dieu, il m'a poignardée ! », criait la femme dans le silence du petit matin. « S'il vous plaît, aidez-moi ! » Les fenêtres s'ouvrirent et les lumières s'allumèrent lorsque ses voisins entendirent ses cris. Son agresseur s'enfuit, puis revint sur ses pas pour poignarder et la violer de nouveau. Ce n'est que lorsqu'il fut parti pour de bon que quelqu'un fit enfin quelque chose : appeler la police. Il était 3 h 50.

Finbarr O'Reilly/Reuters/Landow

Intervention des témoins

En réfléchissant aux témoignages décrivant les circonstances du meurtre de cette femme et à d'autres tragédies, la plupart des commentateurs se lamentaient de l'« apathie » et de l'« indifférence » des témoins. Plutôt que de les blâmer, les psychosociologues John Darley et Bibb Latané (1968b) attribuèrent l'inaction des témoins à un facteur de situation important, à savoir la présence d'autres personnes. Ils supposaient que, dans certaines circonstances, la plupart d'entre nous auraient fait de même. Pour paraphraser l'écrivain français Voltaire, nous sommes tous coupables du bien que nous n'avons pas fait.

Après avoir mis en scène des situations d'urgence dans diverses conditions, Darley et Latané ont résumé leurs résultats dans un arbre de décision : nous allons prêter main-forte uniquement si la situation nous permet de *remarquer* l'incident, puis de *l'interpréter* comme ayant un caractère d'urgence et, enfin, de *prendre la responsabilité* de venir en aide (**FIGURE 13.17**). À chaque étape, la présence d'autres témoins détourne les gens du chemin qui les conduit à apporter de l'aide.

Darley et Latané arrivèrent à ces conclusions après avoir interprété les résultats d'une série d'expériences. Par exemple, des étudiants étaient dans salles de laboratoire différentes et se parlaient par interphone, et les expérimentateurs ont simulé une situation d'urgence. Chaque étudiant était dans un box séparé et seule la personne dont l'interphone était allumé pouvait être entendue. L'un des étudiants était complice des expérimentateurs. Lorsque vint son tour, il appela à l'aide et émit des sons comme s'il était en proie à une crise d'épilepsie (Darley et Latané, 1968a).

Comment réagirent les autres étudiants ? Comme le montre la **FIGURE 13.18**, page suivante, ceux qui pensaient qu'ils étaient les seuls à pouvoir entendre la victime, et donc

« Aucun incident isolé n'a autant incité les psychosociologues à s'intéresser à un aspect du comportement social que l'assassinat de Kitty Genovese. »

R. Lance Shotland (1984)

▼ FIGURE 13.17

Le processus de prise de décision menant à l'intervention des témoins Avant de porter secours, il faut d'abord remarquer une urgence, puis l'interpréter correctement, et ensuite se sentir responsable. (Adapté de Darley & Latané, 1968b)

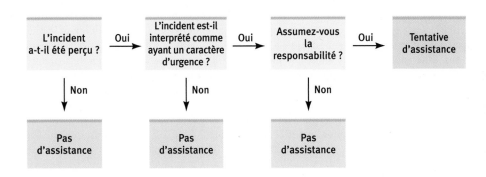

L'incident a-t-il été perçu ? → **Oui** → L'incident est-il interprété comme ayant un caractère d'urgence ? → **Oui** → Assumez-vous la responsabilité ? → **Oui** → Tentative d'assistance

↓ Non — Pas d'assistance
↓ Non — Pas d'assistance
↓ Non — Pas d'assistance

© Viviane Moos/CORBIS

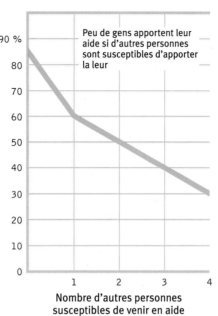

Pourcentage de personnes apportant une aide

90 %
80
70
60
50
40
30
20
10
0

Peu de gens apportent leur aide si d'autres personnes sont susceptibles d'apporter la leur

1   2   3   4

Nombre d'autres personnes susceptibles de venir en aide

▼ FIGURE 13.18
Secours portés lors d'une urgence Quand les gens pensaient qu'ils étaient les seuls à avoir entendu les appels à l'aide d'une personne qu'ils croyaient être victimes d'une crise d'épilepsie, ils ont généralement apporté leur aide. Mais quand ils pensaient que quatre autres personnes avaient aussi entendu les appels au secours, moins d'une personne sur trois a répondu. (Données de Darley & Latané, 1968a)

Effet témoin tendance pour tout témoin d'un incident donné à être moins susceptible de fournir de l'aide si d'autres témoins sont présents.

Théorie de l'échange social théorie selon laquelle notre comportement social est un processus d'échange, dont l'objectif est d'accroître les avantages et de réduire les inconvénients.

Norme de réciprocité espoir que les personnes vont aider celles qui les ont aidées.

Norme de responsabilité sociale espoir que les gens vont aider ceux qui en ont besoin.

qu'ils portaient l'entière responsabilité de l'aide, lui portèrent secours en général. Ceux qui croyaient que d'autres pouvaient aussi entendre furent plus enclins à ne rien faire. Lorsque plusieurs personnes partageaient la responsabilité d'apporter de l'aide, c'est-à-dire lorsque la *responsabilité semblait diffuse*, chacun des auditeurs était moins enclin à porter secours.

Des centaines d'autres expériences ont confirmé cet **effet témoin**. Par exemple, des chercheurs et leurs assistants ont emprunté 1 497 ascenseurs dans trois villes différentes et ont fait « accidentellement » tomber une pièce ou un crayon devant 4 813 passagers (Latané et Dabbs, 1975). Lorsque la personne dans le besoin se trouvait seule avec une autre personne, elle recevait de l'aide dans 40 % des cas. En présence de cinq autres témoins, l'aide ne se manifestait que dans seulement 20 % des cas.

Les observations réalisées sur le comportement des gens dans des milliers de situations similaires (relayer un appel téléphonique d'urgence, aider un automobiliste en panne, donner du sang, ramasser un livre tombé, donner de l'argent ou du temps) ont mis en évidence que la probabilité que nous aidions quelqu'un est *meilleure* lorsque :

- la victime semble avoir besoin d'aide et la mériter ;

- la victime nous ressemble par certains aspects ;

- la victime est une femme ;

- nous venons juste de voir quelqu'un porter secours ;

- nous ne sommes pas pressés ;

- nous sommes dans une petite ville ou une zone rurale ;

- nous nous sentons coupables ;

- nous sommes tournés vers les autres et non préoccupés ;

- nous sommes de bonne humeur.

Ce dernier résultat montrant que les gens heureux sont particulièrement secourables est l'une des découvertes les plus constantes de toute la psychologie. Comme le poète Robert Browning (1868) a observé, « Oh, rendez nous heureux et vous nous rendrez bons » Peu importe la raison pour laquelle les gens se sentent heureux. Peu importe la raison pour laquelle les gens se sentent heureux – que ce soit parce qu'ils se sentent intelligents et chanceux, qu'ils pensent à des choses joyeuses, qu'ils aient trouvé de l'argent ou même qu'ils aient reçu une suggestion posthypnotique – ils deviennent alors plus généreux et davantage désireux d'aider (Carlson et al., 1988). Et s'ils ressentent un sentiment d'élévation après avoir été témoins d'un acte désintéressé de quelqu'un d'autre ou après avoir appris celui-ci, leur volonté d'aider devient encore plus prononcée (Schnall et al., 2010).

Donc le bonheur engendre l'obligeance. Mais il est aussi vrai que l'amabilité nourrit le bonheur. Faire des dons caritatifs active les zones cérébrales du système de récompense (Harbaugh et al., 2007). Cela permet d'expliquer certaines observations curieuses : ceux qui donnent le plus d'argent aux autres sont plus heureux que ceux qui dépensent leur argent presque entièrement pour eux. Une enquête menée auprès de plus de 200 000 personnes dans le monde a montré que, les gens dans les pays riches et pauvres étaient plus heureux si elles avaient fait des dons à un organisme de bienfaisance, lors du mois précédent (Aknin et al., 2013). Faire profiter, de son argent, son prochain stimule l'humeur de nombre de personnes. Au cours d'une expérience, les chercheurs ont donné aux participants une enveloppe avec de l'argent et leur ont demandé de le dépenser soit pour eux soit pour les autres (Dunn et al., 2008, 2013). Selon vous, quel était le groupe le plus heureux à la fin de la journée ? C'était, bien sûr, celui à qui l'on avait demandé de le dépenser pour les autres.

• Pourquoi aucun témoin n'est-il venu au secours de Kitty Genovese ? Qu'est le principe de la psychologie sociale illustré par cet événement ?

Réponse : en présence des autres, un individu est moins susceptible de remarquer une situation, l'interpréter correctement comme étant une urgence, et prendre la responsabilité pour apporter son aide. L'affaire Kitty Genovese a démontré cet *effet témoin* qui fait que chaque témoin a compté sur l'action des autres qui connaissaient la gravité de l'événement.

Les normes de l'assistance

13-14 Comment la théorie de l'échange social et les normes sociales expliquent-elles notre comportement d'assistance ?

Pourquoi aidons-nous ? Une opinion généralement répandue est que chaque interaction entre individus est sous-tendue par un intérêt personnel, que notre but constant est d'obtenir des récompenses optimales et de minimiser les coûts. Les comptables appellent cela *l'analyse coûts/bénéfices*. Les philosophes l'appellent *l'utilitarisme*. Les psychosociologues l'appellent **théorie de l'échange social.** Si vous vous demandez si vous allez donner votre sang, vous pouvez évaluer les coûts de ce don (temps, inconfort et anxiété) face aux bénéfices (réduction de culpabilité, approbation sociale et sensation de bien-être). Si les récompenses que vous attendez de votre aide excèdent les coûts prévus, vous allez aider.

D'autres pensent que nous venons en aide parce que notre socialisation nous dit de le faire, par le biais de normes qui nous indiquent comment nous *devons* nous conduire. Par le biais de la socialisation, nous nous familiarisons avec la **norme de réciprocité,** selon laquelle nous devons aider ceux qui nous ont rendu service et non leur faire du mal. Dans nos relations avec les personnes de statut équivalent, la norme de réciprocité nous oblige à donner autant que nous recevons (sous forme de services, cadeaux ou invitations sociales). Dans une expérience, les gens qui ont été généreusement traités sont également devenus plus susceptibles d'être généreux envers un étranger – ils « payent en retour » (Tsvetkova & Macy, 2014).

La norme de réciprocité a commencé à apparaître lorsque Dave Tally, un sans-abri de Tempe en Arizona, trouva 3 300 dollars dans un sac à dos égaré par un étudiant de l'université d'Arizona qui souhaitait s'acheter une voiture d'occasion (Lacey, 2010). Au lieu d'utiliser l'argent pour réparer sa bicyclette, s'acheter à manger et trouver un abri dont il avait grand besoin, Tally ramena le sac à dos à l'organisme des services sociaux où il travaillait comme bénévole. L'étudiant remercia Tally de son aide en lui donnant une récompense. En entendant l'histoire de l'acte désintéressé de Tally, des dizaines d'autres personnes lui envoyèrent de l'argent et lui offrirent un travail.

Nous apprenons également la **norme de responsabilité sociale** qui consiste à aider ceux qui ont besoin de notre aide, des jeunes enfants ou ceux qui ne peuvent donner autant qu'ils reçoivent, même si les coûts surpassent les avantages. Un ouvrier du bâtiment, Wesley Autrey, est l'exemple même de cette norme de responsabilité sociale. Le 2 janvier 2007, lui et ses filles de 6 et 4 ans attendaient le métro de New York. Devant eux un homme fut pris d'une crise d'épilepsie, se leva, puis trébucha au bord du quai et tomba sur les rails. Voyant les lumières du métro approcher, « j'ai dû prendre une décision immédiate » se souvint ensuite Autrey (Buckley, 2007). Sa décision, que ses filles virent avec effroi, fut de sauter du quai, repousser l'homme pour le mettre entre les rails dans un espace qui a à peine 30 cm de profondeur et de se coucher sur lui. Lorsque le train crissa pour s'arrêter, cinq wagons étaient passés au-dessus de sa tête, laissant du cambouis sur son bonnet en laine. Lorsque Autrey cria « j'ai mes deux filles sur le quai. Dites-leur que leur père va bien », les témoins l'applaudirent.

Les gens qui assistent aux offices religieux toutes les semaines sont préparés à pratiquer la norme de responsabilité sociale et elles le font parfois. Lors d'enquêtes menées sur les Américains il est décrit qu'elles consacrent bénévolement deux fois plus de temps aux pauvres et aux infirmes que les personnes qui assistent rarement ou jamais aux offices religieux (Hodgkinson et Weitzman, 1992 ; Independent Sector, 2002). Entre 2006 et 2008, les sondages Gallup ont interrogé plus de 300 000 personnes issues de 140 pays et ont comparé les personnes « très religieuses » (pour lesquelles la religion était importante à leurs yeux et qui avaient assisté aux services religieux dans la semaine précédant le sondage) aux personnes moins religieuses. La probabilité que des personnes très religieuses, bien que souvent plus pauvres, aient « donné de l'argent à une œuvre de charité au cours du mois dernier » et aient donné du temps bénévolement dans une organisation caritative, fut deux fois plus grande (Pelham et Crabtree, 2008).

Wesley Autrey, héros du Métro de New York « Je n'ai pas l'impression d'avoir fait quelque chose de spectaculaire ; j'avais simplement vu quelqu'un qui avait besoin d'aide ». Cinq ans plus tard, une situation similaire s'est produite quand un homme a été poussé sur les rails du métro ; mais là personne ne lui a porté secours (Nocera, 2012). Les psychosociologues ont réfléchi à la question suivante : quelles sont les conditions à réunir pour que les gens apportent leur aide ?

Conflit situation au cours de laquelle les individus perçoivent que leurs actions, leurs objectifs ou leurs idées sont incompatibles.

Piège social situation dans laquelle les parties en conflit, défendant leur propre intérêt plutôt que celui du groupe, sont dépendantes de comportements destructeurs.

Conflit et médiation

Nous vivons une époque étonnante. Les mouvements démocratiques de la fin du vingtième siècle ont renversé avec une vitesse surprenante les règles totalitaires des pays de l'Est et des pays Arabes et les espoirs d'un nouvel ordre mondial ont brisé la glace de la Guerre Froide. Et pourtant, le XXIe siècle a commencé par des actes terroristes et la guerre. Le monde continue de dépenser près de 5 milliards de dollars chaque jour pour ses armes et ses armées, argent qui pourrait être utilisé pour le logement, la nourriture, l'éducation et la santé. Sachant que les guerres commencent dans les esprits humains, les psychologues se sont demandé ce qui engendre, dans l'esprit humain, un conflit destructeur. Comment la diversité sociale, perçue comme une menace, peut-elle donner naissance à un esprit de coopération ?

Éléments du conflit

13-15 Comment les pièges sociaux et les perceptions en miroir alimentent-ils les conflits sociaux ?

Pour un psychosociologue, un **conflit** est une incompatibilité apparente entre des actions, des buts ou des idées. Les éléments d'un conflit sont en grande partie les mêmes à tous les niveaux, qu'il s'agisse de nations engagées dans une guerre, de dissensions culturelles au sein d'une société ou d'individus dans un conflit de couple. Dans chaque situation, les gens s'empêtrent dans un processus social potentiellement destructeur qui peut produire des résultats que personne ne souhaite. Parmi ces processus destructeurs, on trouve les pièges sociaux et les perceptions biaisées.

Pièges sociaux Dans certaines situations, nous pouvons augmenter notre bien-être collectif en poursuivant notre propre intérêt. Comme l'écrivait l'économiste libéral Adam Smith dans *La Richesse des nations* (1776) : « Ce n'est pas de la bonne volonté du boucher, du brasseur ou du boulanger que nous attendons notre dîner, mais de leur attention à leurs propres intérêts. » Dans d'autres situations, nous causons du tort au bien-être collectif en poursuivant notre propre intérêt. De telles situations sont des **pièges sociaux.**

Prenez la simple matrice de jeu de la **FIGURE 13.19**, qui est semblable à celles utilisées dans des expériences réalisées avec des milliers de personnes. Dans ce jeu, les deux parties peuvent perdre ou gagner selon les choix individuels des joueurs. Faites comme si vous étiez le joueur 1 et que vous et le joueur 2 receviez la somme indiquée après avoir séparément choisi A ou B. (Vous pouvez demander à quelqu'un de regarder la matrice avec vous et de tenir le rôle du joueur 2.) Qu'allez-vous choisir : A ou B ?

Vous et le joueur 2 êtes pris dans un dilemme. Si vous choisissez A tous les deux, vous faites tous les deux un bénéfice en recevant chacun 5 dollars. Si vous choisissez B tous les deux, aucun de vous ne fera de bénéfice, vous ne recevrez rien. Malgré tout, sur un seul essai, vous servez vos intérêts si vous choisissez B : vous ne pouvez pas perdre et vous pouvez gagner 10 dollars. Mais la même chose est vraie pour l'autre joueur. D'où le piège social : aussi longtemps que vous poursuivez tous deux votre seul intérêt immédiat et choisissez B, vous allez tous deux finir sans rien, le résultat typique, alors que vous auriez pu gagner 5 dollars.

▼ FIGURE 13.19

Matrice de jeu du piège social En poursuivant son intérêt et en ne faisant pas confiance aux autres, on peut se retrouver perdants. Pour illustrer ce phénomène, imaginez que vous jouiez à ce jeu. Les triangles roses montrent les résultats pour le joueur 1, qui dépendent des choix faits pas les deux joueurs. Si vous étiez le joueur 1, choisiriez-vous A ou B ? (Ce jeu est appelé « jeu à somme non nulle » car le résultat final n'a pas besoin d'être égal à zéro ; les deux parties peuvent gagner ou les deux peuvent perdre.)

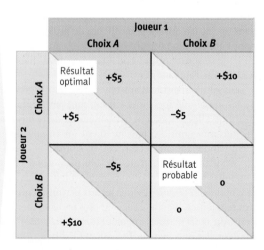

De nombreuses situations de la vie réelle opposent de la même manière les intérêts individuels des gens au bien-être communautaire. Chaque pêcheur de baleine pense que les quelques baleines qu'il prend ne mettent pas l'espèce en danger et que si lui ne les tue pas, d'autres le feront de toute façon. Il en résulte que certaines espèces de baleines sont menacées de disparition. Il en est de même pour les chasseurs de bisons d'hier et les braconniers d'aujourd'hui qui tuent les éléphants pour l'ivoire. Les propriétaires de voiture et les propriétaires de leur logement disent : « Les voitures électriques et les voitures hybrides sont plus chères et pas aussi élégantes que le modèle que je voudrais acheter. Du reste, le pétrole que je brûle n'ajoute pas grand-chose à l'effet de serre. » Si d'autres raisonnent de la même façon, le résultat global est la menace d'une catastrophe : le réchauffement climatique global, la montée des eaux et des climats plus extrêmes.

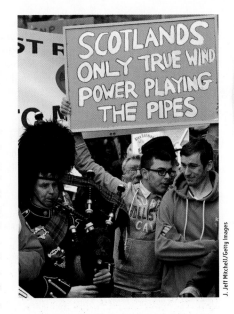

J. Jeff Mitchell/Getty Images

Les pièges sociaux nous incitent à trouver des moyens de réconcilier notre droit à rechercher notre bien-être personnel avec notre responsabilité dans le bien-être de tous. Les psychologues explorent donc des façons de convaincre les gens de coopérer à une amélioration mutuelle par le biais de *règlements* acceptés par tous, d'une meilleure *communication* et en favorisant la *conscience* de notre responsabilité envers la communauté, la nation et l'ensemble de l'humanité (Dawes, 1980 ; Linder, 1982 ; Sato, 1987). Si on leur donne des règlements efficaces, une bonne communication et une prise de conscience, les gens coopèrent plus souvent, que ce soit en jouant à des jeux de laboratoire ou au jeu de la vie réelle.

Perceptions de l'ennemi

Les psychologues ont observé une curieuse tendance, chez ceux qui sont en conflit, à se former l'un de l'autre une mauvaise image. Ces images déformées sont ironiquement si semblables que nous les appelons **perceptions en miroir** : de même que nous « les » voyons comme peu dignes de confiance et animés de mauvaises intentions, « ils » nous voient de la même façon. Chacun transforme l'autre en démon.

Les perceptions en miroir engendrent souvent un cercle vicieux d'hostilité. Si Jean croit que Marie est fâchée avec lui, il va l'éviter, la poussant à se comporter d'une façon qui justifie sa perception. C'est la même chose avec les pays qu'avec les individus. Les perceptions peuvent devenir des **prophéties qui s'accomplissent.** Un pays peut en influencer un autre à agir de telle manière que son attitude soit justifiée.

Les personnes comme les nations ont également tendance à voir leurs propres actions comme des réponses à une provocation et non pas comme la cause de ce qui se produit ensuite. Lorsqu'ils répondent à ce qui est perçu comme étant une provocation, ils ripostent souvent plus durement, comme l'ont fait des volontaires de l'université de Londres au cours d'une expérience (Shergill et al., 2003). Ils ont utilisé un appareil pour appuyer mécaniquement sur le doigt d'un autre volontaire après avoir reçu une pression sur leur propre doigt. Bien que leur tâche fût d'appuyer avec la même pression, ils ont typiquement répondu avec une force environ 40 % plus importante que celle qu'ils avaient ressentie. Bien qu'ils aient cherché à répondre uniquement par une pression douce, leur appui s'est rapidement intensifié en une pression dure, un peu comme un enfant qui après une bagarre déclare : « Je l'ai juste poussé mais il m'a frappé plus fort. »

La perception en miroir nourrit également des cycles semblables d'hostilité au niveau mondial. Pour la plupart, la torture semble plus justifiée lorsqu'elle est effectuée par « nous » plutôt que par « eux » (Tarrant et al., 2012). Dans les médias américains, les musulmans qui tuent ont été dépeints comme des fanatiques, des terroristes odieux, alors que l'Américain qui a tué 16 Afghans a été dépeint comme quelqu'un étant stressé par des difficultés financières, ivre, victime d'un traumatisme crânien, ayant des difficultés conjugales, épuisé par quatre tours de garde, et traumatisé par la vue d'un ami ayant eu la jambe arrachée (Greenwald, 2012).

Perception en miroir point de vue mutuel de personnes souvent en conflit, chacun se considérant comme étant juste et bon et considérant l'autre comme étant faux et mauvais.

Prophétie qui s'accomplit croyance qui fait que les comportements se modifient et mènent à la situation prévue.

Le point important n'est pas de savoir si la vérité se trouve à mi-chemin de ces deux points de vue, car on peut être plus précis. Le point important est que les perceptions des ennemis sont souvent les images en miroir des nôtres. De plus, lorsque les ennemis changent, les perceptions se modifient également. Dans les esprits et les médias américains, les Japonais de la Seconde Guerre mondiale « assoiffés de sang, cruels et fourbes » et sont devenus plus tard nos alliés « intelligents, travailleurs, disciplinés et pleins de ressource » (Gallup, 1972).

- Pourquoi les supporters d'une équipe sportive ont-ils tendance à ressentir de la satisfaction lorsque l'équipe adverse est battue ? Pourquoi de tels sentiments, dans d'autres contextes, rendent-ils plus difficile la résolution des conflits ?

Réponse : Les amateurs de sport peuvent se sentir comme partie intégrante d'un groupe, groupe de référence ou d'appartenance qui se distingue d'un groupe étranger ou de non-appartenance (les supporters de l'équipe rivale). Le jugement biaisé dû à l'appartenance au groupe tend à se développer, conduisant aux préjugés et au souhait de l'échec du groupe étranger. Ainsi, la perte de l'équipe rivale peut sembler justifiée. Dans les conflits, ce genre de pensée a des conséquences non souhaitables surtout quand dans chaque partie du conflit se développe une perception en miroir (images négatives déformées, qui sont ironiquement similaires).

Favoriser la paix

13-16 De quelle manière pouvons-nous transformer les sentiments de préjugés, d'agressivité et de conflits en des attitudes qui favorisent la paix ?

Comment pouvons-nous faire la paix ? Le contact, la coopération, la communication et la conciliation transforment-ils les antagonismes nourris par les préjugés et les conflits en des attitudes qui favorisent la paix ? Les recherches indiquent que dans certains cas, c'est possible.

Contact Le fait de rapprocher les parties en conflit peut-il aider ? Cela dépend. Les contacts empreints de sentiments négatifs accroissent *l'ini*mitié (Barlow et al., 2012). Lorsque les contacts sont empreints de sentiments positifs et ne mettent pas en jeu une rivalité et si les parties ont le même statut, comme des vendeurs travaillant au même poste, ils peuvent être bénéfiques. Les collègues de différentes ethnies ayant initialement des préjugés se sont, dans ces circonstances, généralement acceptés mutuellement. Cette observation est confirmée par une méta-analyse de plus de 500 études de contact en face-à-face de la population générale avec des groupes minoritaires (comme des minorités ethniques, les personnes âgées et les personnes handicapées). Parmi le quart de million de personnes étudiées dans 38 pays, les contacts ont été corrélés avec des attitudes plus positives et dans des études expérimentales, ils ont conduit à des attitudes plus positives (Al Ramiah & Hewstone, 2013 ; Pettigrew et Tropp, 2011). Voyons quelques exemples.

- Avec le contact interethnique, « les attitudes des Blancs et des Noirs sud-africains sont devenues plus proches » (Dixon et al., 2007 ; Finchilescu et Tredoux, 2010). En Afrique du Sud comme ailleurs, cet effet du contact est légèrement plus faible concernant la façon dont les ethnies ayant un statut plus bas considèrent les ethnies de statut plus élevé (Durrheim et Dixon, 2010 ; Gibson et Claassen, 2010). Pourtant, les amitiés intergroupe ont conduit des adolescents noirs sud-africains à avoir des attitudes plus positives envers les adolescents blancs minoritaires (Swart et al., 2011).

- Le contact personnel des hétérosexuels avec des homosexuels est influencé non seulement par ce qu'ils savent mais aussi par ceux qu'ils connaissent (Collier et al., 2012 ; Smith et al., 2009). Lors des enquêtes d'opinion, la raison invoquée par les sujets interrogés qui expriment une opinion favorable au mariage homosexuel est « d'avoir des amis, des membres de leur famille, ou des connaissances qui sont "gais ou lesbiennes" » (Pew, 2013).

- Un contact amical entre des Noirs et des Blancs qui sont colocataires améliore l'attitude non seulement des uns envers les autres, mais aussi envers d'autres groupes ethniques (Gaither & Sommers, 2013 ; Tausch et al., 2010).

- Même un contact indirect avec un membre d'un groupe étranger (par la lecture d'une histoire ou par l'intermédiaire d'un ami qui a un ami dans un groupe de non-appartenance) a tendance à réduire les préjugés (Cameron et Rutland, 2006 ; Pettigrew et al., 2007).

Cependant, le simple contact n'est pas toujours suffisant. Dans la plupart des écoles sans ségrégation, les groupes ethniques se rassemblent d'eux-mêmes à la cantine, dans la salle de classe ou dans la cour d'école (Alexander et Tredoux, 2010 ; Clack et al., 2005 ; Schofield, 1986). Dans chaque groupe, les personnes croient souvent qu'ils accepteraient volontiers plus de contacts avec l'autre groupe mais supposent que l'autre groupe ne pense pas de même (Richeson et Shelton, 2007). « Je ne tends pas la main vers eux parce que je n'ai pas envie d'être rejeté ; ils ne tendent pas la main vers moi simplement parce qu'ils ne sont pas intéressés. » Lorsque ces mauvaises perceptions en miroir sont corrigées, l'amitié peut prendre forme et les préjugés disparaître.

Coopération Pour voir si des ennemis pouvaient venir à bout de leurs différences, le chercheur Muzafer Sherif (1966) commença par susciter un conflit. Il plaça 22 garçons d'Oklahoma City dans deux zones séparées d'un camp de scouts. Il mit alors les deux équipes à l'épreuve en organisant une série de compétitions, avec des prix pour les vainqueurs. En peu de temps, chacun des groupes devint très fier de lui-même et hostile aux injures de l'autre groupe telles que « faux jetons » ou « frimeurs puants ». Des batailles de nourriture éclatèrent pendant les repas. Les tentes furent dévastées. Des bagarres durent être interrompues par les membres de l'encadrement. Lorsque M. Sherif remit ensemble les deux groupes, ils s'évitèrent les uns les autres, sauf pour se menacer et se moquer les uns des autres. Ils ne se doutaient pas qu'en quelques jours ils deviendraient amis.

Malgré tout, Sherif obtient ce résultat en leur donnant des **objectifs supérieurs** – des buts partagés qui nécessitaient leur coopération. Une rupture organisée de l'approvisionnement en eau du camp nécessita que les 22 garçons travaillent ensemble pour rétablir l'arrivée d'eau. La location d'un film, à une époque où la diffusion par Netflix n'existait pas, demanda la mise en commun de leurs ressources financières. Un camion embourbé nécessita que tous les garçons poussent et tirent ensemble pour le faire repartir. Ayant utilisé l'isolement et la compétition pour transformer des étrangers en ennemis, M. Sherif utilisa le partage de situations difficiles et des buts communs pour réconcilier les ennemis et en faire des amis. Ce qui apaisa les conflits, ce ne fut pas le contact lui-même, mais le contact dans la *coopération*.

Le fait de partager une situation difficile – la peur d'une menace externe et un désir ardent d'en venir à bout – a permis d'unifier fortement la population dans les semaines qui suivirent le 11 Septembre. Le patriotisme remonta en flèche lorsque les Américains sentirent « qu'ils étaient attaqués ». Les enquêtes Gallup ont montré que l'approbation de « leur président » était passée de 51 % dans la semaine précédant l'attentat à 90 % (un niveau jamais atteint) dix jours après celui-ci (Newport, 2002). À la fois sur Internet ou dans les discussions de tous les jours, l'utilisation du mot « *nous* » (comparé à « *je* ») est devenue fréquente après les événements du 11 Septembre (Pennebaker, 2002). Les enfants et les jeunes exposés à la guerre, et les membres des groupes minoritaires face au rejet ou à la discrimination, sont à même de développer un sentiment d'identification au groupe (Bauer et al., 2014 ; Ramos et al., 2012).

Dans ces moments-là, la coopération peut amener les gens à définir un nouveau groupe qui rassemble et unifie les sous-groupes (Dovidio et Gaertner, 1999). Demandez aux membres de deux groupes de s'asseoir autour d'une table en alternance et non pas l'un en face de l'autre. Ensuite, donnez-leur un nouveau nom commun. Faites-les travailler ensemble. Puis voyez comment le « nous et eux » se transforme en « nous » simplement. Après le 11 Septembre un jeune homme du

« Vous ne pouvez pas serrer la main avec un poing fermé. »

Indira Gandhi, 1971

Shawn Baldwin/fichier/AP Photo

Kofi Annan « Notre identité, pour la plupart d'entre nous, est le fruit de l'union d'identités, qui ainsi nous rattache à des groupes très différents. Nous *pouvons* aimer ce que nous sommes, sans haïr ce que nous ne sommes *pas*. Nous pouvons nous épanouir dans nos propres traditions, alors même que nous apprenons des autres » (Discours de réception du prix Nobel, 2001).

Objectifs supérieurs objectifs communs qui permettent de surmonter les divergences et exigent une coopération.

New Jersey âgé de 18 ans décrivit ce changement de sa propre identité sociale : « Je me considérais comme un Noir. Mais aujourd'hui, je me sens Américain plus que jamais. » (Sengupta, 2001). Au cours d'une expérience, les Blancs américains qui lisaient un article de journal sur le terrorisme menaçant de nouveau tous les Américains exprimaient par la suite moins de préjugés envers les Afro-Américains (Dovidio et al., 2004).

Si les contacts coopératifs entre membres de groupes rivaux encouragent des attitudes positives, pouvons-nous appliquer ce principe dans des écoles multiculturelles ? Pouvons-nous favoriser les amitiés interethniques en remplaçant les situations de compétition par des situations de coopération dans les salles de cours ? Cet apprentissage coopératif peut-il alors maintenir, voire améliorer, les résultats des étudiants ? De nombreuses expériences menées sur des adolescents dans 11 pays ont confirmé que, dans les trois cas, la réponse était *oui* (Roseth et al., 2008). En classe comme dans la pratique du sport, les membres de groupes interethniques qui travaillent ensemble sur des projets et jouent ensemble dans des équipes sportives en viennent classiquement à éprouver de l'amitié envers ceux des autres ethnies. Sachant cela des milliers d'enseignants ont introduit l'apprentissage coopératif interethnique dans leurs classes.

Ce pouvoir de l'activité coopérative à transformer en amis des anciens ennemis a conduit les psychologues à insister sur la nécessité de développer les échanges et la coopération internationale. Certaines expériences ont montré que la seule pensée de la menace du changement climatique réduit les hostilités internationales (Pyszczynski et al., 2012). Qu'il s'agisse de tribus du Brésil ou de pays européens, les groupes autrefois ennemis ont réussi à nouer des liens, une interdépendance et une identité sociale partagée pour atteindre un but commun (Fry, 2012). Lorsque nous nous lançons dans un commerce équitable, lorsque nous travaillons pour protéger notre destin commun sur cette planète fragile et lorsque nous devenons plus conscients du fait que nos espoirs et nos craintes sont partagés, nous changeons nos perceptions biaisées qui nourrissent les conflits en une solidarité fondée sur des intérêts communs.

Communication Lorsque les conflits réels deviennent intenses, un médiateur neutre (un conseiller conjugal, un médiateur des conflits dans le domaine professionnel, un diplomate ou un volontaire appartenant à la communauté) peut faciliter la communication devenue indispensable (Rubin et al., 1994). Le médiateur aide chacune des parties à exprimer son propre point de vue et à comprendre les besoins et les objectifs de l'autre. S'il est efficace, le médiateur peut remplacer une compétition *vainqueur-vaincu* par une coopération *vainqueur-vainqueur*, aboutissant à un résultat mutuellement bénéfique. Un exemple classique : deux amis, après s'être querellés pour une orange, ont accepté de la partager. L'un pressera la moitié pour obtenir du jus L'autre utilisera la peau pour aromatiser un gâteau. Si seulement elles avaient pu se parler toutes les deux, elles auraient pu se mettre d'accord sur la solution vainqueur-vainqueur, l'une ayant tout le jus et l'autre toute l'écorce.

Les objectifs supérieurs permettent de surmonter les divergences Les efforts de coopération pour atteindre des objectifs communs sont un moyen efficace de briser les barrières sociales.

Conciliation La compréhension et le désir de coopération sont surtout nécessaires, quoique moins vraisemblables, dans les périodes de colère et de crise (Bodenhausen et al., 1994 ; Tetlock, 1988). Lorsque les conflits s'intensifient, les images deviennent plus stéréotypées, et les jugements plus rigides, la communication plus difficile, voire même impossible. Chaque partie est vraisemblablement prête à menacer, exercer une contrainte ou se venger. Dans les semaines précédant la guerre du Golfe en 1990, le Président George Bush menaça, sous les feux de la presse, « de botter les fesses de Saddam ». Saddam Hussein communiqua de la même façon, menaçant de « faire nager les Américains dans leur sang ».

Dans ces conditions, existe-t-il une autre solution que de faire la guerre ou de se rendre ? Le psychosociologue Charles Osgood (1962, 1980) propose une stratégie « *d'initiatives progressives et réciproques pour réduire la tension* » surnommée **GRIT** (Graduated and Reciprocated Initiatives in Tension-Reduction). En appliquant les GRIT, une partie annonce d'abord qu'elle reconnaît qu'il existe des intérêts mutuels et qu'elle a l'intention de réduire les tensions. Elle prend alors l'initiative d'un ou de plusieurs actes de conciliation mineurs. Sans diminuer sa capacité de riposte, ce modeste début ouvre la porte à une action réciproque de l'autre partie. Si l'ennemi répond avec hostilité, on peut répondre de la même manière. Il en va de même pour n'importe quel geste de conciliation.

En laboratoire, un petit geste de conciliation (un sourire, un geste amical, un mot d'excuse) peut permettre à chaque partie de commencer à réduire la tension à un niveau plus sûr où la communication et la compréhension mutuelle peuvent commencer (Lindskold et al., 1978, 1988). Au cours d'un conflit international bien réel, la décision du Président John F. Kennedy de stopper les essais nucléaires dans l'atmosphère a marqué le début d'une série d'actes de conciliation réciproques qui a abouti au traité d'interdiction des essais nucléaires en 1993.

Comme le fait de travailler en ayant un objectif commun nous le rappelle, nous sommes plus semblables que différents. La civilisation avance non par les conflits et l'isolement culturel, mais en drainant les connaissances, les aptitudes et les œuvres d'art que chaque culture a léguées à l'humanité tout entière. Grâce au partage culturel, chaque société moderne est enrichie par un mélange de cultures (Sowell, 1991). Nous devons remercier la Chine pour le papier, l'imprimerie et la boussole qui a ouvert le chemin des grandes découvertes. Nous devons remercier l'Égypte pour la trigonométrie. Il faut également remercier le monde arabe et les Hindous pour les chiffres arabes. Tout en célébrant et proclamant ces héritages culturels, nous pouvons accueillir l'enrichissement dû à la diversité sociale actuelle. Nous pouvons nous considérer comme des instruments individuels dans le grand orchestre de l'humanité. Et nous, issus du monde entier, qui lisons ce livre, nous pouvons affirmer notre propre héritage culturel lorsque nous construisons des ponts de communication, de compréhension et de coopération entre les traditions culturelles.

« Pour commencer, je tiens à exprimer mes sincères remerciements et ma profonde satisfaction pour l'occasion qui m'est donnée de vous rencontrer. Bien qu'il subsiste des différences profondes entre nous, je pense que le fait même de ma présence ici aujourd'hui est une avancée majeure. »

EXERCICE RÉCAPITULATIF

• Quels sont les moyens pour vider les conflits et promouvoir la paix ?

Réponse : Les médiateurs devraient encourager les contacts d'égal à égal, la coopération pour l'atteinte d'objectifs supérieurs (objectifs qui vont permettre de surmonter les divergences), la compréhension par la communication, et des gestes de conciliation, chacun cédant un peu de terrain.

GRIT Graduated and Reciprocated Initiatives in Tension-Reduction : stratégie visant à réduire les tensions internationales.

REVUE GÉNÉRALE Relations prosociales

OBJECTIFS D'APPRENTISSAGE

EXERCICE RÉCAPITULATIF Prenez un moment pour répondre à chacune de ces questions objectif d'apprentissage (répétées ici au sein de cette section). Puis allez à l'annexe C, révision complète du chapitre, pour vérifier vos réponses. La recherche suggère que d'essayer de répondre à ces questions de votre propre initiative permettra d'améliorer la mémorisation à long terme de ces réponses (McDaniel et al., 2009).

13-11 Pourquoi devenons-nous l'ami ou tombons-nous amoureux de certaines personnes mais pas d'autres ?

13-12 De quelle manière l'amour romantique évolue-t-il avec le temps ?

13-13 À quel moment sommes-nous les plus ou les moins enclins à venir en aide à autrui ?

13-14 Comment la théorie de l'échange social et les normes sociales expliquent-elles notre comportement d'assistance ?

13-15 Comment les pièges sociaux et les perceptions en miroir alimentent-ils les conflits sociaux ?

13-16 De quelle manière pouvons-nous transformer les sentiments de préjugés, d'agressivité et de conflits en des attitudes qui favorisent la paix ?

TERMES ET CONCEPTS À RETENIR

EXERCICE RÉCAPITULATIF Testez votre connaissance de ces termes en essayant d'écrire leur définition avant de vous reporter aux pages donnant les bonnes réponses.

effet de simple exposition, p. 551

amour passionnel, p. 556

amour complice, p. 557

équité, p. 557

dévoilement de soi, p. 557

altruisme, p. 558

effet témoin, p. 560

théorie de l'échange social, p. 561

norme de réciprocité, p. 561

norme de responsabilité sociale, p. 561

conflit, p. 562

piège social, p. 562

perceptions en miroir, p. 563

prophétie qui s'accomplit, p. 563

objectifs supérieurs, p. 565

GRIT, p. 567

ÉVALUEZ-VOUS PSYCHOLOGIE SOCIALE

Évaluez-vous à plusieurs reprises tout au long de vos études. Cela permettra non seulement de vous aider à distinguer ce que vous savez de ce que vous ignorez mais aussi à vous faire bénéficier de l'effet test. Autrement dit, le test lui-même va vous aider à apprendre et à mémoriser l'information de manière plus efficace grâce précisément à ce qui est appelé *l'effet test*.

Pensée sociale

1. Si nous rencontrons une personne qui semble être sous l'influence d'une drogue, et que nous faisons l'erreur fondamentale d'attribution, nous allons probablement attribuer le comportement de la personne à
   a. la faiblesse morale ou une personnalité addictive.
   b. la pression des pairs.
   c. la disponibilité des drogues dans les rues de la ville.
   d. l'acceptation par la société de la consommation de drogues.

2. Les célébrités dans la publicité conduisent souvent les consommateurs à acheter des produits par la voie de la persuasion qui est _____ (périphérique/centrale).

3. Nous avons tendance à accepter une demande plus importante et aussi plus facilement si nous avons déjà accepté une demande de moindre importance. Cette tendance est appelée phénomène du _____ _____.

4. Le thérapeute de Jamal lui a suggéré d'« agir comme si » il était confiant, même s'il n'est pas sûr de lui et timide. Quelle théorie de la psychologie sociale illustre cette suggestion, et quel est le but que le thérapeute espère atteindre ?

Influence sociale

5. Les chercheurs ont trouvé que la personne est plus susceptible de se conformer à un groupe si
   a. les membres du groupe ont des opinions diverses.
   b. la personne se sent compétente et en sécurité.
   c. la personne admire le statut du groupe.
   d. personne d'autre n'observe le comportement de la personne.

6. Dans les expériences de Milgram, le taux d'obéissance aux ordres était plus élevé lorsque
   a. l'« élève » était loin de « l'enseignant ».
   b. l'« élève » était près de « l'enseignant ».
   c. d'autres « enseignants » ont refusé d'aller plus loin dans l'obéissance à l'expérimentateur.
   d. l'« enseignant » détestait « l'élève ».

7. Le Dr Huang, célèbre professeur de musique, donne des conférences passionnantes sur l'histoire de la musique, mais devient nerveux et fait des erreurs lors du commentaire, devant sa classe, des résultats des examens. Pourquoi son comportement varie-t-il avec la tâche à accomplir ?

8. Dans une situation de groupe qui favorise l'excitation et l'anonymat, une personne perd parfois la conscience et la maîtrise de soi. Ce phénomène est appelé _____.

9. Lorsque nos opinions sont partagées par d'autres personnes et sont ainsi confortées, nous sommes face à un phénomène appelé _____ _____.

Relations antisociales

10. Les préjugés formulés à l'égard d'un groupe impliquent des sentiments négatifs, une tendance à la discrimination, et des croyances abusivement généralisées. Il s'agit alors de _____.

11. Si plusieurs meurtres très médiatisés sont commis par des membres d'un groupe particulier, nous pouvons avoir tendance à réagir par la peur et la suspicion envers tous les membres de ce groupe. Quel est le principe psychologique qui peut expliquer cette réaction ?

12. L'effet de non-appartenance aux autres groupes se produit lorsque nous supposons que d'autres groupes sont _____ (très/peu) différents du nôtre.

13. La preuve d'une régulation biochimique des comportements agressifs est apportée par le fait que :

    a. le comportement agressif varie largement d'une culture l'autre.

    b. les animaux peuvent être élevés pour devenir agressifs.

    c. la stimulation d'une zone du système limbique produit un comportement agressif.

    d. un taux circulant de testostérone plus élevé que la moyenne est associé à des comportements violents chez les mâles.

14. Des études montrent que les parents de jeunes délinquants ont tendance à utiliser les coups pour faire respecter la discipline. Cela donne à penser que les comportements agressifs peuvent être :

    a. appris et renforcés positivement.

    b. déclenchés par l'exposition à des médias violents.

    c. appris par l'observation de modèles agressifs.

    d. dus à des changements hormonaux lors de la puberté.

15. Une conférence des chercheurs en sciences sociales qui étudient les effets de la pornographie a adopté à l'unanimité la conclusion que la pornographie violente :

    a. a peu d'effet sur la plupart des téléspectateurs.

    b. est la principale cause de viols déclarés et non déclarés.

    c. conduit les téléspectateurs à être plus tolérants envers la coercition dans les relations sexuelles.

    d. n'a pas d'autre effet que de divertir et de provoquer une excitation momentanée.

16. L'aspect des films pornographiques qui influence le plus directement les comportements agressifs des hommes envers les femmes semble être :

    a. la longueur du film.

    b. l'érotisme dépeint.

    c. la représentation de la violence sexuelle.

    d. l'attrait exercé par les acteurs.

Relations prosociales

17. Plus un stimulus est répété et devient banal, plus nous avons tendance à l'accepter. Cela illustre l'effet de _____ _____.

18. Les deux membres d'un couple heureux de fêter leur 50ᵉ anniversaire de mariage éprouvent un profond amour _____ même si leur amour _____, lui, s'est émoussé au fil des ans.

19. Après un exercice vigoureux, vous rencontrez une personne séduisante, et vous êtes soudainement saisi par des sentiments romantiques pour cette personne. Cette réponse soutient la théorie des deux facteurs de l'émotion, ce qui suppose que les émotions comme l'amour passionnel comprennent l'excitation physique et

    a. une gratification.

    b. la proximité.

    c. l'amour complice.

    d. notre interprétation de cette excitation.

20. L'effet témoin stipule qu'un observateur particulier est moins susceptible d'apporter de l'aide à une victime si

    a. elle lui ressemble.

    b. personne d'autre n'est présent.

    c. d'autres personnes sont présentes.

    d. l'incident se produit dans une zone déserte ou rurale.

21. Nos ennemis ont souvent de nous, les mêmes impressions négatives que nous avons d'eux. Cela illustre le concept des perceptions en _____.

22. Une façon de résoudre les conflits et promouvoir la coopération est de proposer à des groupes rivaux des objectifs communs qui leur permettent de surmonter leurs différences. Ces objectifs sont qualifiés de _____.

Trouvez les réponses à ces questions dans l'annexe D, à la fin du livre.

CHAPITRE 14

LA PERSONNALITÉ

· · · · · · · · · · · · ·

Lady Gaga éblouit des millions de spectateurs par des arrangements musicaux originaux, des tenues excentriques et la théâtralité de son jeu provoquant lors de ses tours de chant. Durant les spectacles produits à travers le monde, Lady Gaga se montre imprévisible et c'est là sa caractéristique la plus prévisible. Elle a porté une robe confectionnée de viande à l'occasion d'une cérémonie de remise de prix, elle s'est produite sur scène habillée d'une robe en forme de bulle en matière plastique, et a « un peu intimidé » le président Barack Obama avec ses talons de 40 cm de haut.

Les fans et les critiques de Lady Gaga peuvent compter sur son ouverture d'esprit et sa curiosité pour tenter de nouvelles expériences et sur l'énergie que lui procurent les feux de la rampe. Mais ils peuvent aussi compter sur son attention, son dévouement sans limite à sa musique et à ses tours de chant. Elle se décrit comme une lycéenne « très dévouée, très studieuse et très disciplinée ». Maintenant, à l'âge adulte, elle fait preuve de la même autodiscipline : « Je suis très attentive aux détails et chaque minute du spectacle doit être parfaitement réglée. »

Lady Gaga présente des traits distinctifs et durables de son mode de pensée, de ses affects, et de ses comportements. Les chapitres précédents ont porté sur les moyens que nous développons tous pour acquérir les capacités suivantes : percevoir, apprendre, mémoriser, penser et ressentir. Ce chapitre met l'accent sur ce qui nous rend unique, à savoir notre *personnalité*.

Une grande partie de ce livre traite de la personnalité. Les chapitres précédents considéraient les influences biologiques sur la personnalité ; le développement de la personnalité tout au long de la vie. Ils ont envisagé les rapports qui s'établissent entre la personnalité et l'apprentissage, la motivation, les émotions, et la santé. Les influences sociales sur la personnalité ont également été traitées. Le chapitre suivant étudiera les troubles de la personnalité. Ce chapitre se consacre à la personnalité elle-même – ce qu'elle est et comment les chercheurs l'étudient.

Nous commençons par aborder les deux théories de la personnalité qui sont historiquement importantes : la *théorie psychanalytique* de Sigmund Freud et l'approche *humaniste*. Ces conceptions globales de la nature humaine ont posé les fondations des théories modernes de la personnalité que ce chapitre va présenter en dépeignant les explorations scientifiques les plus récentes de la personnalité.

À l'heure actuelle, les chercheurs en psychologie de la personnalité étudient ses dimensions fondamentales, et l'interaction des personnes et des environnements. Ils étudient également l'estime de soi, les biais d'autocomplaisance, et les influences culturelles sur notre conception du Moi et sur les réponses à la question existentielle « Qui suis-je ». Ils étudient l'inconscient ; les données issues de cette recherche auraient probablement surpris Freud lui-même.

Sigmund Freud (1856-1939) « Je fus
le seul travailleur dans un nouveau domaine. »

Introduction à l'étude de la personnalité et aux théories psychodynamiques

Qu'est-ce que la personnalité ?

14-1 Quelles sont les théories historiquement importantes et les théories actuelles qui contribuent à la compréhension de la personnalité ?

La **PERSONNALITÉ** D'UN INDIVIDU CORRESPOND À SON mode caractéristique de penser, de ressentir et d'agir. Deux théories historiquement importantes font partie de notre patrimoine culturel. La théorie psychanalytique de Sigmund Freud a proposé que la sexualité infantile et les motivations inconscientes façonnent la personnalité. L'approche « humaniste » met l'accent sur nos capacités internes de développement et d'accomplissement de soi. Les théoriciens modernes se sont appuyés sur ces deux grandes conceptions. Les théories des traits de personnalité examinent par exemple l'ensemble des comportements caractéristiques (*traits*). Les *théories sociocognitives* explorent l'interaction des traits de la personnalité, le mode d'élaboration de la pensée et du contexte social. Commençons par les théories psychodynamiques.

Les théories psychodynamiques

Les **théories psychodynamiques** de la personnalité considèrent le comportement humain comme une interaction dynamique entre l'esprit conscient et l'esprit inconscient, comprenant les motivations et les conflits qui y sont associés. Ces théories sont les héritières de la **psychanalyse** freudienne, sa théorie de la personnalité et les thérapies qui y sont associées. Freud a été le premier à porter un regard clinique sur notre inconscient.

La perspective psychanalytique de Freud : explorer l'inconscient

14-2 Comment les traitements de Freud utilisés pour soigner les troubles psychologiques l'ont-ils amené à concevoir l'inconscient ?

Demandez à une centaine de personnes dans la rue de vous citer un psychologue décédé important, suggère Keith Stanovich (1996, p. 1), et vous verrez que « Sigmund Freud l'emportera haut la main ». Dans l'esprit des gens, Freud est à la psychologie ce qu'Elvis Presley est au rock and roll. L'influence de Freud persiste non seulement en psychiatrie, en psychologie clinique mais aussi dans l'interprétation littéraire et cinématographique. Presque 9 cours sur 10 portant sur la psychanalyse dans les universités américaines se font en dehors du département de psychologie (Cohen, 2007). Ses concepts du début du vingtième siècle sont passés dans le langage du XXIᵉ siècle. Sans réaliser quelle est leur origine, nous parlons *d'ego, de refoulement, de projection, de complexe* (comme lors de « complexe d'infériorité »), *de rivalité entre frères, de lapsus et de fixation*. Qui donc était Freud ? Qu'a-t-il enseigné ?

Comme nous tous, Sigmund Freud est un produit de son temps. L'ère victorienne pendant laquelle il vivait était une époque de découvertes et d'avancées scientifiques fantastiques mais elle est aussi aujourd'hui connue comme une époque de refoulement sexuel et de domination masculine. Les rôles des femmes et des hommes étaient clairement établis, la supériorité des hommes était assumée et seule la sexualité des hommes était généralement reconnue (discrètement).

Bien avant d'entrer à l'université de Vienne en 1873, le jeune Sigmund Freud montra des signes d'indépendance et d'intelligence remarquable. Il aimait tellement lire la poésie, la philosophie et le théâtre qu'il laissa une fois s'accumuler sa dette chez le libraire au-delà de ses moyens. Adolescent, il prenait souvent son dîner dans sa minuscule chambre à coucher afin de ne pas perdre de temps pour ses études. À la sortie de l'école de médecine, Freud commença à exercer comme médecin libéral, se spécialisant dans les troubles nerveux. Rapidement, cependant, il fut confronté à des patients dont les troubles n'avaient aucune signification neurologique. Un patient pouvait avoir perdu toute sensation dans la main, alors qu'il n'existe aucun nerf sensoriel dont la lésion pourrait engourdir seulement la main et rien d'autre. Les recherches de Freud pour trouver l'origine de tels troubles engagèrent son esprit dans une direction destinée à changer la compréhension humaine du Soi.

Personnalité mode caractéristique de penser, de ressentir et d'agir d'un individu.

Théories psychodynamiques conceptions de la personnalité mettant en avant l'importance des expériences vécues dans l'enfance et le rôle des pulsions primaires constituant l'inconscient.

Psychanalyse théorie de Freud d'étude de la personnalité par l'investigation spécifique des formations de pensées inconscientes (A. Braconnier) ; techniques utilisées dans le traitement des troubles psychologiques en cherchant à exposer et interpréter les conflits intrapsychiques.

« La femme… reconnaît le fait de sa castration et avec cela elle reconnaît aussi la supériorité de l'homme et sa propre infériorité mais elle se révolte aussi contre cet état de choses désagréable. »

Sigmund Freud, *Sur la sexualité féminine*, 1931

Les troubles neurologiques peuvent-ils avoir une origine psychologique ? L'observation de ses patients a conduit Freud à sa « découverte » de l'**inconscient**. Il émit l'hypothèse que la perte de sensation dans la main de quelqu'un pouvait être due à la peur qu'éprouvait cette personne de toucher ses organes génitaux ; que la cécité ou la surdité inexpliquées pouvaient être causées par le désir de ne pas voir ou de ne pas entendre quelque chose qui suscitait une anxiété intense. Après quelques essais infructueux avec l'hypnose, Freud s'orienta vers l'**association libre**, qui consistait à demander au patient de se détendre et de dire tout ce qui lui venait à l'esprit, même si c'était embarrassant ou insignifiant. Il partait du principe qu'une série de « dominos mentaux » s'effondrait, partant du lointain passé de ses patients pour rejoindre le présent perturbé. Il pensait que les associations libres permettaient de remonter la série en produisant un enchaînement de pensées conduisant à l'inconscient du patient. Il retrouvait et libérait ainsi des souvenirs douloureux inconscients, datant souvent de l'enfance.

L'idée selon laquelle l'esprit est en grande partie caché (**FIGURE 14.1**) est à la base de la théorie de Freud. La partie *consciente* de la perception est comme la partie de l'iceberg qui flotte au-dessus de la surface. Au-dessous de notre conscience, se trouve l'*inconscient*, beaucoup plus grand, contenant des pensées, des souhaits, des sentiments et des souvenirs. Certaines de ces pensées sont gardées temporairement dans une aire *préconsciente*, d'où nous pouvons les faire passer dans la perception consciente. Ce que Freud considérait comme plus intéressant encore, c'était la masse des passions et des pensées inacceptables que, pensait-il, nous *refoulons* ou empêchons avec force d'accéder à notre conscience, car elles seraient trop douloureuses à admettre. Freud croyait que, bien que nous n'en soyons pas conscients, ces idées et ces sentiments embarrassants nous influencent fortement, s'exprimant parfois sous une forme déguisée, à travers le travail que nous choisissons, nos croyances, nos habitudes quotidiennes, nos symptômes troublants.

Structure de la personnalité

14-3 Comment Freud considérait-il la personnalité ?

Pour Freud, la personnalité humaine, y compris ses luttes internes et ses émotions, provient d'un conflit entre nos pulsions et des contraintes, entre nos pulsions biologiques agressives teintées de recherche de plaisir et les contrôles sociaux internalisés qui s'y opposent. Selon lui, la personnalité résulte de nos efforts pour résoudre ce conflit fondamental et pour exprimer ces pulsions selon des modalités qui donnent satisfaction sans susciter en même temps une culpabilité ou une punition. Pour comprendre la dynamique de l'esprit au cours de ce conflit, Freud proposa trois systèmes interactifs, le *Ça, le Moi* et *le Surmoi* (**FIGURE 14.1**).

L'énergie psychique inconsciente du **Ça** nous pousse constamment à satisfaire les pulsions fondamentales pour survivre, se reproduire et agresser. Le Ça opère selon le *principe de plaisir* qui

Inconscient selon Freud, un réservoir de pensées, de désirs, de sentiments et de souvenirs souvent inacceptables. Selon les psychologues contemporains, il s'agit d'un traitement de l'information dont nous ne sommes pas conscients.

Association libre en psychanalyse, une méthode d'exploration de l'inconscient dans laquelle la personne se détend et dit tout ce qui lui vient à l'esprit, sans se soucier du caractère embarrassant ou insignifiant de ses pensées.

Ça selon Freud, réservoir d'énergie psychique inconsciente qui lutte pour satisfaire les pulsions primaires sexuelles et agressives. Le Ça opère selon le *principe de plaisir* en exigeant une gratification immédiate.

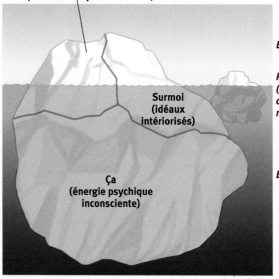

Moi (en majorité conscient ; fait la paix entre le Ça et le Surmoi) / Esprit conscient / Préconscient (hors de notre conscient mais accessible) / Surmoi (idéaux intériorisés) / Ça (énergie psychique inconsciente) / Esprit inconscient

▼ FIGURE 14.1
Conception de Freud de la structure de l'appareil psychique Les psychologues ont utilisé l'image de l'iceberg pour illustrer l'idée de Freud de la constitution de la personnalité psychique : elle est le plus souvent cachée sous la surface du Moi conscient. Notez que le Ça est totalement inconscient, mais le Surmoi et en particulier le Moi sont « le siège d'opérations conscientes et inconscientes (D. Widlöcher) » Contrairement aux parties d'un iceberg, cependant, le Ça, le Moi et le Surmoi interagissent.

« Cinquante c'est beaucoup. »
« Prends cent cinquante. »

Le Moi a du mal à concilier les exigences du Surmoi et du Ça, disait Freud.

« J'ai entendu dire que dès que nous prenons conscience de nos pulsions sexuelles, quelles qu'elles soient, nous devrons les cacher. »

Moi agent conscient qui gouverne les rapports de la personne au monde (D. Widlöcher) et concilie les pulsions du Ça et les exigences du Surmoi pour affronter la réalité. Le Moi fonctionne sur le *principe de réalité*, pour satisfaire les désirs du Ça d'une manière réaliste et qui procurera du plaisir plutôt que de la douleur.

Surmoi partie de la personnalité qui, selon Freud, représente les idéaux intériorisés et fournit des normes pour le jugement (la conscience) et pour les aspirations futures.

Stades psychosexuels stades de développement de l'enfance (oral, anal, phallique, de latence, génital) au cours desquels, selon Freud, l'énergie psychique pulsionnelle du Ça pour rechercher le plaisir porte sur des zones érogènes distinctes.

Complexe d'Œdipe selon Freud, désirs sexuels d'un garçon portant sur sa mère et sentiments de jalousie et de haine pour le père considéré comme un rival.

---

cherche une gratification immédiate. Pour imaginer une personne dominée par le Ça, pensez à un nouveau-né qui pleure pour réclamer la satisfaction d'un besoin sans se soucier de l'état ou des exigences du monde extérieur. Pensez aussi aux personnes qui choisissent de privilégier les perspectives présentes plutôt que de se soucier de l'avenir : ceux qui consomment souvent du tabac, de l'alcool ainsi que d'autres drogues et préfèrent faire la fête maintenant plutôt que de sacrifier le plaisir du moment présent au bénéfice du bonheur ou des réussites futures (Keough et al., 1999).

Au fur et à mesure que le **Moi** se développe, le jeune enfant réagit au monde réel. Le Moi, qui opère selon le *principe de réalité*, cherche à assouvir les pulsions du Ça de façon réaliste, afin de procurer un plaisir de longue durée. (Imaginez ce qui arriverait si, dépourvus d'un Moi, nous exprimions sans retenue nos pulsions sexuelles et agressives chaque fois que nous les ressentons.) Le Moi renferme nos perceptions, nos pensées, nos jugements et nos souvenirs en partie conscients.

Débutant vers l'âge de 4 ou 5 ans, selon Freud, le Moi d'un enfant reconnaît les demandes du **Surmoi**, qui vient d'apparaître. Le Surmoi est une voix de la conscience morale qui force le Moi à envisager non seulement le réel, mais également *l'idéal*. Le Surmoi se concentre sur la façon dont on *doit* se comporter. Il nous pousse à la perfection, jugeant nos actions et suscitant des sensations positives de fierté, ou négatives de culpabilité. Quelqu'un dont le Surmoi est particulièrement développé peut être vertueux, et en même temps tenaillé par la culpabilité ; un autre, dont le Surmoi est faible, peut être d'une indulgence gratuite pour lui-même et impitoyable envers les autres.

Comme les exigences du Surmoi s'opposent souvent à celles du Ça, le Moi lutte pour réconcilier les deux. Le Moi est le « directeur » de la personnalité, il joue le rôle de médiateur entre les demandes impulsives du Ça, les demandes contraignantes du Surmoi et les demandes réelles du monde extérieur. Si la chaste Jane est sexuellement attirée par John, elle peut satisfaire à la fois le Ça et le Surmoi en rejoignant, par exemple, l'organisation de bénévoles où John travaille régulièrement.

Développement de la personnalité

14-4 Quels sont les stades du développement proposés par Freud ?

L'analyse de l'histoire de ses patients persuada Freud que la personnalité se formait durant les premières années de l'existence. Il en conclut que les enfants passaient par une série de **stades psychosexuels**, au cours desquels les énergies liées à la recherche du plaisir provenant du Ça se concentraient sur différentes zones corporelles sensibles au plaisir, appelées *zones érogènes* (**TABLEAU 14.1**). Chaque stade comporte ses propres défis que Freud considérait comme des tendances conflictuelles.

Freud pensait que pendant le *stade phallique*, par exemple, les garçons cherchent la stimulation génitale. Il développait à la fois des désirs sexuels inconscients pour sa mère et de la jalousie et de la haine pour son père qu'il considérait comme un rival. Devant ces sentiments, les garçons, selon lui, se sentaient coupables et avaient une peur secrète que leur père ne les punisse, par exemple en les castrant. Freud appelait cet ensemble de sentiments le **complexe d'Œdipe**, d'après la légende grecque d'Œdipe qui sans le savoir tua son père et se maria avec sa mère. Certains psychanalystes de l'époque de Freud pensaient que les filles éprouvaient, parallèlement, un *complexe d'Électre*.

▼ **TABLEAU 14.1**
Stades psychosexuels de Freud

Stade	Points essentiels
Oral (0-18 mois)	Le plaisir vient de la zone bucco-pharyngée par les actions de téter, sucer, mordre, mâcher
Anal (18-36 mois)	Le plaisir vient de l'élimination intestinale et vésicale ; maîtrise des demandes de contrôle
Phallique (3-6 ans)	Les organes génitaux deviennent la zone de plaisir ; maîtrise des sentiments sexuels incestueux
Latence (6 ans jusqu'à la puberté)	Une phase de quiescence des sentiments sexuels
Génital (à partir de la puberté)	Maturation des intérêts sexuels

Freud disait que les enfants s'accommodaient, finalement, de ces impressions menaçantes, en les refoulant et en s'identifiant au parent rival (essayant de devenir comme lui). C'est comme si quelque chose à l'intérieur de l'enfant décidait « si tu ne peux pas le battre [le parent du même sexe], sois de son côté ». Grâce à ce processus d'**identification**, le Surmoi de l'enfant acquiert de la force en intégrant beaucoup des valeurs de ses parents. Freud croyait que l'identification avec le parent du même sexe fournissait ce que les psychologues contemporains appellent notre *identité sexuelle*, notre sentiment d'être un homme ou une femme ou une combinaison des deux. Freud supposait que les relations que nous avons, au cours de la petite enfance, en particulier avec nos parents et les personnes qui s'occupent de nous, influencent le développement de notre identité, de notre personnalité et de nos faiblesses.

Selon la conception de Freud, un comportement inadapté chez l'adulte peut résulter de conflits non résolus durant les stades psychosexuels antérieurs. À n'importe quel point des stades oral, anal ou phallique, des conflits aigus peuvent bloquer ou **fixer** les énergies de recherche de plaisir à ce stade. Les personnes présentant des tendances soit à la privation (peut-être en raison d'un sevrage brutal et précoce du bébé), soit à l'excès sur le plan oral pouvaient être fixées au stade oral. Ces adultes fixés au stade oral pourraient montrer soit une dépendance passive (comme celle d'un enfant en nourrice), soit un refus exagéré de cette dépendance, par exemple en se comportant durement ou en exprimant des sarcasmes très mordants. Ils pourraient aussi continuer à chercher des gratifications orales en mangeant ou fumant de façon excessive. De cette manière, Freud suggérait que les tendances de la personnalité sont orientées dès un âge précoce.

Les idées de Freud sur la sexualité étaient controversées à sa propre époque. Morton Hunt, historien de la psychologie, remarque (2007, p. 211) que « Freud était considéré comme un libertin viennois et un pansexuel ayant l'esprit mal tourné ». Aujourd'hui, les idées de Freud sur le conflit œdipien et l'anxiété de castration sont contestées même par les théoriciens et les thérapeutes psycho-dynamiciens (Shedler, 2010, b). Cependant elles font partie de l'histoire des idées occidentales et sont encore enseignées.

Mécanismes de défense

14-5 De quelle manière, selon Freud, les gens se défendent-ils contre l'anxiété ?

L'anxiété, disait Freud, est le prix que nous payons à la civilisation. En tant que membres de groupes sociaux, nous devons contrôler nos pulsions sexuelles et agressives, ne pas les exprimer. Mais parfois, le Moi a peur de perdre le contrôle dans cette guerre interne entre le Ça et le Surmoi. Le résultat présumé est un nuage noir d'anxiété floue, qui nous donne un sentiment d'instabilité sans en connaître vraiment la raison.

Selon Freud, à de tels moments, le Moi se protège par des **mécanismes de défense**, tactiques qui atténuent ou réorientent l'anxiété en déformant la réalité. Pour Freud, *tous ces mécanismes de défense fonctionnent indirectement et inconsciemment.* Comme l'organisme se défend inconsciemment contre la maladie, il en est de même, pensait Freud, pour le Moi, qui défend inconsciemment son intégrité menacée par l'anxiété. Par exemple le **refoulement** bannit de la conscience les souhaits et les sentiments générateurs d'anxiété. Selon Freud, *le refoulement est sous-jacent à tous les autres mécanismes de défense.* Cependant, comme le refoulement est souvent incomplet, les besoins réprimés peuvent apparaître à travers les symboles des rêves et les lapsus que nous faisons lors de nos conversations.

Freud croyait qu'il pouvait détecter l'inconscient chez un patient en proie à des difficultés financières et qui, ne voulant pas prendre de pilules (*pills* en anglais), disait : « S'il vous plaît ne me donnez pas de factures (*bills* en anglais), car je ne peux pas les avaler ». (De même, les lapsus à connotation sexuelle peuvent survenir chez les hommes assis à côté d'une jeune femme séduisante plutôt que d'un homme d'âge moyen [Motley & Baars, 1979].) Il considérait que les plaisanteries étaient une façon d'exprimer des tendances sexuelles ou agressives refoulées, et que les rêves étaient « la voie royale vers l'inconscient ». Le contenu des rêves gardé en mémoire (leur *contenu manifeste*) était, croyait-il, une expression censurée des désirs inconscients de la personne qui rêve (le *contenu latent* des rêves). En analysant les rêves des patients, Freud recherchait la nature de leurs conflits intérieurs.

Le **TABLEAU 14.2** page suivante décrit six autres exemples bien connus de mécanismes de défense.

« Oh, par pitié !... fume ! »

« Bonjour, mon abhorrée – euh, je veux dire mon adorée. »

Identification   processus par lequel, selon Freud, les enfants intègrent les valeurs de leurs parents dans leur Surmoi en développement.

Fixation   selon Freud, maintien de la production d'énergie psychique de la recherche du plaisir à un stade psychosexuel précoce, où les conflits n'étaient pas encore résolus.

Mécanismes de défense   dans la théorie psychanalytique, « méthodes » de protection de l'intégrité du Moi pour réduire l'anxiété qui la menace, en déformant inconsciemment la réalité.

Refoulement   dans la théorie psychanalytique, mécanisme de défense de base qui bannit de la conscience des pensées, des sentiments et des souvenirs anxiogènes.

▼ **TABLEAU 14.2**
Mécanismes de défense

Freud croyait que le *refoulement*, mécanisme de défense fondamental qui bannit les pulsions générant l'angoisse, permet à d'autres mécanismes de défense de s'exprimer ; six sont présentés dans ce tableau.

Mécanismes de défense	Processus inconscient employé pour éviter l'émergence de pensées ou de sentiments générateurs d'angoisse ou d'anxiété	Exemple
Régression	Retourner à un stade psychosexuel précoce, où une partie de l'énergie psychique est restée fixée.	Un petit garçon va régresser au stade oral qui va lui procurer un confort rassurant ; et ce, par la succion du pouce, dans la voiture qui l'emmène vers son premier jour d'école.
Formation réactionnelle	Transformer des pulsions inacceptables en leur contraire.	Pour refouler des sentiments de colère, une personne va se monter exagérément amicale.
Projection	Déguiser ses propres pulsions menaçant l'intégrité du Moi en les attribuant à d'autres.	« Le voleur pense que tout un chacun est un voleur » (Dicton du Salvador).
Rationalisation	Proposer des autojustifications, à la place des raisons inconscientes réelles, plus menaçantes pour celui qui les a suscitées.	Un consommateur d'alcool régulier va justifier sa consommation par nécessité d'entretenir ses relations sociales.
Déplacement	Dévier ses pulsions sexuelles ou agressives envers un objet ou une personne plus acceptable ou moins menaçant.	Une petite fille donne un coup de pied à son chien après que sa mère l'ait punie en l'envoyant dans sa chambre.
Déni	Refus de croire ou même percevoir les événements douloureux.	Refuser d'admettre d'être trompé par l'infidélité de son conjoint

Régression Face à un stress léger, les enfants et les jeunes orangs-outans cherchent protection et réconfort auprès de ceux qui prennent soin d'eux. Freud aurait interprété ces comportements comme une régression à un stade de développement plus précoce.

• Selon les idées de Freud sur la structure de la personnalité en trois parties, le _____ fonctionne selon le *principe de réalité* et tente de concilier les exigences d'une manière qui produit du plaisir à long terme plutôt que de la douleur ; le _____ fonctionne selon le *principe de plaisir* et cherche la gratification immédiate ; et le _____ représente la voix de nos idéaux intériorisés (notre *conscience*).

Réponse : Moi ; Ça ; Surmoi

• Du point de vue psychanalytique, les conflits non résolus au cours de l'un des stades psychosexuels peuvent conduire à la _____ à ce stade.

Réponse : fixation

• Freud pensait que nos mécanismes de défense fonctionnent _____ (consciemment/inconsciemment) et nous protègent contre _____.

Réponses : inconsciemment ; anxiété

Les théoriciens néofreudiens et les partisans de l'approche psychodynamique

14-6 Quelles sont les idées de Freud acceptées ou rejetées par ses disciples ?

Dans une période historique où les gens ne parlaient jamais de sexe, et certainement pas des désirs inconscients pour des relations sexuelles avec un des parents, les écrits de Freud ont suscité des débats considérables. « Au Moyen Âge, ils m'auraient brûlé », faisait remarquer Freud à un ami « Maintenant, ils se contentent de brûler mes livres » (Jones, 1957). Malgré la controverse, Freud a fait des adeptes. Plusieurs jeunes médecins, ambitieux ont formé un cercle autour de leur maître charismatique. Ces pionniers de la psychanalyse, que nous appelons maintenant *néofreudiens*, acceptaient les idées fondamentales de Freud et sa technique d'entretien thérapeutique : les structures de personnalité du Ça, du Moi et du Surmoi, l'importance de l'inconscient, personnalité naissant dans l'enfance, la dynamique de l'anxiété et les mécanismes de défense. Mais ces derniers se détournèrent de Freud sur deux points importants. En premier lieu, ils insistèrent beaucoup plus sur le rôle du conscient dans l'interprétation des expériences et la manière de faire face à l'environnement. Deuxièmement, ils doutaient que le sexe ou l'agressivité fussent des motivations éclipsant toutes les autres. Au contraire, ils insistèrent davantage sur des motivations plus élevées et sur les interactions sociales.

Alfred Adler et Karen Horney, par exemple, pensaient, comme Freud, que l'enfance était importante. Mais ils pensaient que les tensions *sociales* de l'enfance, et non les tensions sexuelles, étaient déterminantes pour la formation de la personnalité (Ferguson, 2003). Adler (qui a proposé l'idée toujours présente du *complexe d'infériorité*) avait lutté pour surmonter les maladies infantiles et les accidents. Il a estimé qu'une grande part de notre comportement est guidée par les efforts visant à vaincre des sentiments d'infériorité de l'enfance et à conquérir un pouvoir et une supériorité.

Alfred Adler « L'individu se sent à l'aise dans la vie et trouve que son existence vaut la peine d'être vécue tant qu'il est utile aux autres et qu'il peut surmonter les sentiments d'infériorité » (*Problems of Neurosis*, 1964).

Karen Horney « L'opinion selon laquelle les femmes sont des créatures infantiles et émotives et en tant que telles, incapables de responsabilité et d'indépendance est l'œuvre de la tendance masculine à peu respecter les femmes pour ce qu'elles sont » (*Feminine Psychology*, 1932).

Carl Jung « Tout ce qui est créatif s'écoule de la fontaine vivante de l'instinct ; l'inconscient est la source même de ces pulsions créatrices » (1960).

Horney disait que l'anxiété enfantine suscitait le désir d'amour et de sécurité. Elle s'opposait aussi à l'hypothèse de Freud, dont les racines plongeaient dans sa culture conservatrice, selon laquelle les femmes ont un Surmoi faible et souffrent d'un « désir de pénis », et cherchait à contrebalancer cette vision masculine.

Carl Jung a commencé par être un disciple zélé de Freud, mais ensuite il s'en est écarté. Il accordait moins d'importance aux facteurs sociaux et pensait, comme Freud, que l'inconscient exerçait une influence primordiale. Mais pour Jung, l'inconscient contenait autre chose que les pensées et les sentiments refoulés d'une personne. Il croyait à l'existence d'un **inconscient collectif,** un réservoir commun d'images ou d'*archétypes* provenant des expériences universelles de notre espèce. Jung disait que l'inconscient collectif expliquait pourquoi les préoccupations spirituelles étaient profondément enracinées chez de nombreuses personnes et pourquoi les sujets appartenant à différentes cultures partageaient certains mythes et images. La plupart des psychologues psychodynamiciens contemporains, et d'autres psychologues appartenant à différentes écoles, écartent le concept d'expérience héritée, mais pensent que l'histoire de notre évolution commune a façonné certaines dispositions universelles. Ils sont également convaincus que l'expérience peut laisser des marques *épigénétiques* (voir Chapitre 4).

Freud est mort en 1939. Depuis, certaines de ses idées ont été incorporées dans les différents points de vue qui constituent la théorie psychodynamique. « La plupart des théoriciens et des thérapeutes contemporains de la théorie psychodynamique ne soutiennent pas l'idée selon laquelle la sexualité constitue la base de la personnalité », déclare Drew Westen (1996). « Ils ne parlent pas du Ça et du Moi et ne classent pas leurs patients sous les appellations : oral, anal, phallique. » Ils assument, avec Freud et les arguments de la science psychologique d'aujourd'hui, le fait qu'une grande partie de notre vie mentale est inconsciente. Avec Freud, ils supposent également que nous sommes souvent l'objet de conflits internes et qu'une lutte met en scène les désirs, les peurs et les valeurs, et que l'enfance façonne notre personnalité et modes d'attachement à l'autre.

Inconscient collectif concept créé par Carl Jung, qui exprime l'héritage culturel fait de l'ensemble des souvenirs attachés à l'histoire de notre espèce.

Évaluer les processus inconscients

14-7 Que représentent les tests projectifs, comment sont-ils utilisés et quelles sont les critiques dont ils sont l'objet ?

Les tests de personnalité reflètent les idées fondamentales des différentes théories de la personnalité. Ces outils, utiles à ceux qui étudient la personnalité ou pratiquent la psychothérapie, sont conçus d'après des théories spécifiques. Donc, quel pourrait être l'outil d'évaluation le plus adapté à un praticien de tradition freudienne ?

« La croissance des bois vers l'avant montre une personnalité déterminée, mais le petit soleil indique un manque de confiance en soi… »

© 1983 par Sidney Harris, American Scientist Magazine

Test projectif test de personnalité, comme le Rorschach, qui fournit des stimuli ambigus, conçus pour déclencher la projection de la dynamique de la personnalité sur la situation évoquée par le test.

Test d'Aperception Thématique (TAT) test projectif dans lequel les gens expriment leurs sentiments et leurs intérêts en construisant une histoire à partir de scènes, au contenu ambigu, qui leur sont présentées.

Test de Rorschach test projectif le plus largement utilisé, composé d'un ensemble de 10 taches d'encre. Il a été conçu par Hermann Rorschach ; il cherche à identifier les sentiments des gens en analysant leurs interprétations des taches.

« Nous ne voyons pas les choses telles qu'elles sont ; nous les voyons telles que nous sommes. »

Le Talmud

Un tel test devrait ouvrir une sorte de chemin permettant d'entrer dans l'inconscient pour déterrer les reliquats des premières expériences de l'enfance, pour se déplacer en dessous de ce qui est exprimé en surface et révéler nos conflits et nos pulsions cachés. Les instruments objectifs d'évaluation tels que les questionnaires dichotomiques en vrai/faux ou d'accord/pas d'accord seraient donc inadaptés, car ils n'atteindraient essentiellement que la surface consciente.

Les **tests projectifs** ambitionnent de fournir ce type de « radiographie psychologique » en demandant au sujet de décrire un stimulus à caractère ambigu ou de construire une histoire à partir de celui-ci. Le praticien peut supposer que tous les espoirs, les désirs ou les craintes que les patients voient dans ces images ambiguës sont les projections de leurs sentiments ou de leurs conflits intérieurs.

Henry Murray (1933) a démontré une base possible pour un tel test lors d'une fête organisée pour les 11 ans de sa fille aînée. Murray a engagé les enfants dans un jeu effrayant appelé « Meurtre ». Lorsqu'on a montré aux enfants quelques photos prises après le jeu, les enfants trouvaient qu'ils avaient l'air plus méchants qu'avant la partie. Il semblait à Murray que ces enfants avaient *projeté* leurs sentiments intérieurs dans ces images.

Quelques années plus tard, Murray a introduit le **Test d'Aperception Thématique (TAT)** un test dans lequel les gens voient des images de scènes ambiguës et construisent une histoire à partir d'elles. Une utilisation de ces scènes permet d'évaluer la *motivation à la réussite* (Schultheiss et al., 2014). Ceux qui imaginent, en voyant une image d'un garçon songeur, qu'il est en train de fantasmer autour d'une réussite, sont présumés projeter leurs propres objectifs. « En règle générale », a déclaré Murray, « le sujet quitte la séance de test en ignorant qu'il a présenté au psychologue ce qui équivaut à une radiographie de son moi intérieur » (cité par Talbot, 1999).

Le test projectif le plus largement utilisé porte le nom du psychiatre suisse Hermann Rorschach (1884-1922). Il a construit le célèbre **test de Rorschach,** dans lequel les gens décrivent ce qu'ils voient dans une série de taches d'encre (**FIGURE 14.2**), à partir d'un jeu d'enfant. Ses amis et lui faisaient couler de l'encre sur un papier, le repliaient puis disaient ce qu'ils voyaient dans la tache d'encre obtenue (Sdorow, 2005). Voyez-vous des animaux féroces ou des armes ? Peut-être avez-vous des tendances agressives. Mais ces hypothèses sont-elles bien raisonnables ? Les réponses sont diverses.

Certains cliniciens apprécient le test de Rorschach offrant même aux juges des évaluations basées sur ce test projectif quant au potentiel de violence des criminels. D'autres le considèrent comme un outil diagnostique intéressant, une source d'hypothèses, ou une sorte de technique « brise-glace » pouvant apporter des signes révélateurs lors d'un entretien. La Society for Personality Assessment (2005) demande « une utilisation responsable » (qui ne devrait *pas* inclure de décision sur l'existence d'abus sexuel au cours de l'enfance). Et en réponse aux critiques passées concernant la cotation du test et son interprétation (Sechrest et al., 1998), il existe maintenant un outil informatique qui se fonde sur de nombreuses recherches et qui permet d'harmoniser les résultats proposés par les examinateurs, renforçant ainsi la validité du test (Erdberg, 1990 ; Exner, 2003).

Mais les preuves sont insuffisantes pour ses détracteurs qui insistent sur le fait que le test de Rorschach ne constitue pas une « IRM » de nos émotions. Ils donnent comme argument que seuls quelques résultats sur les nombreux issus du test de Rorschach, par exemple ceux liés à l'hostilité et

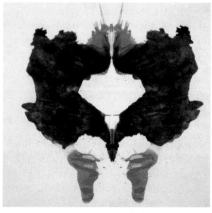

▼ FIGURE 14.2

Le test de Rorschach Dans ce test projectif, les gens disent ce qu'ils voient dans une série de taches d'encre symétriques. Certains de ceux qui utilisent ce test sont confiants dans l'interprétation de ce que ces stimuli ambigus vont révéler des aspects inconscients de la personnalité du sujet.

Spencer Grant/Sciences Source

à l'anxiété, se sont avérés valides (Wood, 2006). De plus, ils déclarent que le test n'est pas fidèle. Les évaluations fondées sur un ensemble de taches d'encre établissent un diagnostic « pathologique » chez beaucoup d'adultes normaux (Mihura et al., 2013 ; Wood et al., 2003, 2006, 2010). Les autres techniques d'évaluation projectives ne valent guère mieux. Scott Lilienfeld, James Wood et Howard Garb (2001) avertissent que « même des professionnels expérimentés peuvent se laisser abuser par leur intuition et leur foi dans des méthodes qui manquent de preuves tangibles. Lorsqu'un corpus de recherche important démontre l'erreur de nos anciennes intuitions, il est temps d'adopter de nouvelles manières de penser. »

> « Le Rorschach [Test des taches d'encre], curieusement, se distingue parce qu'il est à la fois le plus chéri et le plus honni de tous les outils d'évaluation psychologique. »
>
> John Hunsley et J. Michael Bailey, 1999

Évaluer la perspective psychanalytique de Freud et les perspectives contemporaines de l'inconscient

14-8 Comment les psychologues actuels considèrent-ils la psychanalyse freudienne ?

La recherche moderne contredit de nombreuses idées de Freud

Nous critiquons Freud en nous fondant sur la perspective de ce début du XXIe siècle, qui sera elle-même sujette à révision. Freud n'avait pas accès aux neuromédiateurs et à l'ADN ni à tout ce que nous avons appris depuis, concernant le développement humain, la pensée et l'émotion. Selon certains, critiquer ses théories en les comparant aux concepts actuels, c'est comme si nous critiquions une Ford T en la comparant aux modèles de voiture hybrides d'aujourd'hui. (Il est toujours très tentant de juger les personnes du passé en se fondant sur nos perspectives actuelles.)

Les défenseurs de Freud, comme ses détracteurs s'accordent pour dire que les récents travaux de recherche contredisent beaucoup de ses idées. Actuellement, les psychologues du développement considèrent notre développement comme un processus qui s'étend tout au long de la vie et ne se limite pas à l'enfance. Ils doutent que les enfants aient un réseau neuronal suffisamment mature pour leur permettre de supporter autant de traumatismes émotionnels que Freud le pensait. Certains pensent que Freud a surestimé l'influence parentale et sous-estimé l'influence des pairs. Ils doutent également que la conscience et l'identité sexuelle se forment chez l'enfant vers l'âge de 5 à 6 ans lors de la résolution du complexe d'Œdipe. L'acquisition de l'identité sexuelle se produit plus tôt et devient fortement masculine ou féminine même en l'absence du parent de même sexe que l'enfant. Ils notent que les idées de Freud à propos de la sexualité de l'enfant résultent de son scepticisme sur les histoires d'abus sexuels subis pendant l'enfance, et racontées par ses patientes ; histoires que certains spécialistes présument qu'il attribuait à leurs propres désirs et conflits sexuels de l'enfance (Esterson, 2001 ; Powell et Boer, 1994). Aujourd'hui, nous comprenons comment les questionnements de Freud pouvaient avoir créé de faux souvenirs d'abus sexuels mais nous savons également que les abus sexuels sur les enfants existent réellement.

> « De nombreux aspects de la théorie freudienne sont en effet dépassés, à juste titre : Freud est mort en 1939, et il n'a pas commencé assez tôt les révisions qui s'imposaient. »
>
> Drew Westen (1998) (psychologue)

Comme nous l'avons vu au Chapitre 3, les idées nouvelles concernant le rôle des rêves contredisent l'opinion de Freud qui pensait qu'ils maquillaient et satisfaisaient nos souhaits. Il en est de même pour les lapsus qui peuvent être expliqués par une compétition entre des choix verbaux similaires dans notre réseau mnésique. Si quelqu'un dit : « je ne veux pas ranger ça : il y a trop de mortel », cette personne mélange peut-être *merdier* et *bordel* (Foss et Hakes, 1978). Les chercheurs n'ont trouvé que peu d'arguments en faveur de la théorie de Freud selon laquelle les mécanismes de défense masquent les pulsions sexuelles et agressives (bien que notre gymnastique cognitive fonctionne assez bien pour protéger notre estime de soi). L'histoire n'a également pas réussi à soutenir une autre des idées de Freud, à savoir que le refoulement sexuel provoquerait des troubles psychologiques. De Freud à nos jours, l'inhibition sexuelle a diminué, alors que cela n'a pas été le cas pour les troubles psychologiques.

Les psychologues critiquent également les théories de Freud pour leurs imperfections scientifiques. Rappelez-vous, nous avons vu au Chapitre 1 qu'une bonne théorie scientifique explique des observations et doit fournir des hypothèses susceptibles d'être testées. La théorie de Freud repose sur peu d'observations objectives et offre peu d'hypothèses testables. (Pour Freud, ses propres souvenirs et les interprétations qu'il faisait des rêves, des associations libres et des lapsus de ses patients constituaient des preuves suffisantes.)

Quel est le problème le plus sérieux posé par la théorie de Freud ? Elle offre des explications après-coup de n'importe quelle caractéristique (le tabagisme d'une personne, la peur des chevaux chez une autre, l'orientation sexuelle d'une troisième…) qui ne permettent pas de *prédire* ces comportements ou ces traits de personnalité. Si vous

éprouvez de la colère en pensant à la mort de votre mère, vous illustrez cette théorie, car « votre besoin de dépendance non résolu durant l'enfance est menacé ». Cependant, si vous ne ressentez pas de colère, vous illustrez toujours sa théorie parce que « vous refoulez votre colère ». Ce serait « comme parier sur un cheval après l'arrivée de la course » (Hall & Lindzey, 1978, p. 68.). Une bonne théorie doit conduire à des prédictions testables.

La psychologie devrait-elle donc afficher l'ordre de « ne pas ressusciter » cette ancienne théorie ? Les partisans de Freud s'y opposent. Critiquer les théories de Freud du fait de l'absence de prédictions testables revient, selon eux, à critiquer le base-ball parce qu'il n'est pas un exercice d'aérobic, ce qu'il n'a jamais prétendu être. Freud n'a jamais prétendu que la psychanalyse était une science prédictive. Il a simplement déclaré que les psychanalystes pouvaient, par un travail rétrospectif, donner un sens à notre état d'esprit (Rieff, 1979).

Les partisans de Freud déclarent aussi que certaines de ses idées *sont* durables. C'est Freud qui a attiré notre attention sur l'inconscient et l'irrationnel, à un moment où ces idées n'avaient pas cours. Aujourd'hui, de nombreux chercheurs étudient notre pensée non rationnelle (Ariely, 2010). Le psychologue Daniel Kahneman a été lauréat du prix Nobel d'économie 2002 pour ses études sur nos processus de prise de décision défectueux. C'est Freud qui a attiré notre attention sur l'importance de la sexualité humaine, et sur la tension entre nos pulsions biologiques et notre bien-être social. C'est Freud qui a dénoncé notre autosatisfaction, qui a exposé nos mécanismes de défense et qui nous a mis en garde contre notre potentiel à faire le mal.

L'idée de refoulement à l'aune des recherches modernes Toute la théorie psychanalytique de Freud repose sur l'idée selon laquelle l'esprit humain *refoule* souvent les expériences douloureuses qu'il bannit dans l'inconscient jusqu'à ce qu'elles remontent à la surface comme des livres égarés depuis longtemps dans un grenier poussiéreux. Récupérer et résoudre les désirs conflictuels de l'enfance entraînerait une guérison émotionnelle. Le refoulement devint un concept largement accepté, utilisé pour expliquer des phénomènes hypnotiques et des troubles psychologiques. Certains psychologues psychodynamiciens ont étendu la notion de refoulement pour expliquer la récupération de souvenirs apparemment perdus des traumatismes subis pendant l'enfance (Boag, 2006 ; Cheit, 1998 ; Erdelyi, 2006). Selon une enquête, 88 % des étudiants pensent que les expériences douloureuses sont normalement refoulées de notre conscient et renvoyées vers l'inconscient (Garry et al., 1994).

Les chercheurs contemporains reconnaissent que nous épargnons parfois notre Moi en négligeant des informations angoissantes (Green et al., 2008). Cependant, beaucoup soutiennent que le refoulement, s'il se produit véritablement, constitue une réaction mentale rare en réponse à un traumatisme terrible. Même ceux qui ont été le témoin du meurtre d'un de leur parent ou qui ont survécu aux camps de la mort nazis conservent les souvenirs de ces horreurs sans les refouler (Helmreich, 1992, 1994 ; Malmquist, 1986 ; Pennebaker, 1990). « Des douzaines d'études bien conduites n'ont pas rapporté le moindre cas convaincant de refoulement dans tous les articles publiés sur les traumatismes », conclut John Kihlstrom, chercheur spécialiste de la personnalité (2006).

Certains chercheurs soutiennent que le stress extrême et prolongé, comme celui qui se manifeste chez certains enfants victimes de graves abus, peut provoquer une perte de mémoire en lésant l'hippocampe (Schacter, 1996). Mais la réalité bien plus courante est que le stress accru (et les hormones de stress qui y sont associées) *accentue* la mémoire. Les événements traumatisants tels que la torture ou le viol hantent leurs survivants qui sont soumis à des épisodes de flash-back non désirés. Ces souvenirs sont gravés dans l'âme. Selon les mots d'une survivante de l'Holocauste, Sally H. (1979) : « Vous voyez les bébés. (1979). Vous voyez les mères qui crient. Vous voyez les personnes pendues. Vous restez assise et ce visage ne vous quitte pas. C'est quelque chose que l'on ne peut oublier. »

L'inconscient moderne

14-9 **Comment la recherche contemporaine a-t-elle développé notre compréhension de l'inconscient ?**

Nous savons désormais que Freud avait au moins raison sur une grande idée à la base de la pensée de la psychodynamique contemporaine : nous avons, en effet, un accès limité à toutes les choses qui pénètrent notre esprit (Erdelyi, 1985, 1988, 2006 ; Norman, 2010). Notre esprit à deux voies possède un vaste domaine que nous ne voyons pas. Certains chercheurs affirment même que « la plupart de la vie quotidienne d'une personne est déterminé par des processus inconscients » (Bargh & Chartrand, 1999).

« Nos arguments sont de même nature que les spéculations d'un homme qui dirait : "S'il y avait un chat invisible sur cette chaise, cette chaise paraîtrait vide ; or la chaise a l'air vide ; par conséquent, un chat invisible se trouve sur elle". »

C. S. Lewis, *Quatre Amours*, 1958

« Bien que [Freud] ait clairement fait un certain nombre d'erreurs dans la formulation de ses idées, sa compréhension des processus mentaux inconscients était assez correcte. En fait, elle est très en accord avec l'hypothèse des chercheurs en neurosciences que la plupart des processus mentaux sont inconscients, ou non-conscients. »

Eric Kandel, chercheur en neurosciences (2012) Lauréat du prix Nobel en 2000

« Les résultats de la recherche… remettent sérieusement en question la notion psychanalytique classique de refoulement. »

Yacov Rofé, psychologue, « Does Repression Exist? », 2008

« Pendant l'Holocauste, de nombreux enfants… ont été contraints de supporter l'insupportable. Pour ceux qui continuent à souffrir, la douleur est toujours présente, de nombreuses années plus tard, aussi vivace qu'au premier jour. »

Eric Zillmer, Molly Harrower, Barry Ritzler, et Robert Archer, *The Quest for the Nazi Personality*, 1995

Néanmoins, beaucoup de chercheurs pensent maintenant que l'inconscient n'est pas un réservoir bouillonnant de passions et de censures mais plutôt un système de traitement d'informations plus « modéré » qui opère sans que l'on en soit conscient. Selon ces chercheurs, l'inconscient comprend :

- des schémas qui contrôlent automatiquement nos perceptions et nos interprétations (Chapitre 6) ;

- un amorçage par des stimuli qui ne sont pas sous notre direction consciente (Chapitres 6 et 8) ;

- une activité de l'hémisphère droit qui permet à la main gauche d'un patient au cerveau dédoublé d'exécuter des instructions indépendantes de son raisonnement verbal (Chapitre 2) ;

- une mémoire implicite qui opère indépendamment d'un rappel conscient, même chez les patients amnésiques (Chapitre 8) ;

- des émotions qui s'activent instantanément avant toute analyse consciente (Chapitre 12) ;

- des stéréotypes qui influencent automatiquement et inconsciemment la façon dont nous traitons les informations sur nous-mêmes et sur les autres (Chapitre 13).

Plus que nous n'en avons conscience, nous sommes dirigés par une sorte de pilote automatique. Notre esprit vagabonde, en activant « le réseau par défaut » du cerveau (Mason et al., 2007). Le traitement inconscient se produit constamment. Comme un immense océan, l'inconscient est immense. La compréhension du traitement inconscient de l'information est comparable à la théorie préfreudienne de l'existence d'un courant de pensée non conscient et enfoui à partir duquel nos comportements spontanés et nos idées créatives se font jour en venant à la conscience (Bargh et Morsella, 2008).

La recherche conforte l'existence de deux des mécanismes de défense décrits par Freud. Par exemple, une étude a démontré le mécanisme de défense par *formation réactionnelle* (transformer les pulsions inacceptables en leur contraire). Des hommes qui ont décrit de fortes attitudes « homophobes », comparativement à ceux qui ne déclarent pas de telles attitudes, ont ressenti une plus grande excitation physiologique en visionnant des films montrant des scènes de rapports homosexuels, même s'ils niaient toute excitation (l'excitation était mesurée par le débit sanguin des corps caverneux) (Adams et al., 1996). De même, les données préliminaires indiquent que les personnes qui ont des pulsions homosexuelles inconscientes mais qui se disent hétérosexuelles ont des attitudes plus négatives envers les « gays » et ne soutiennent pas les mesures politiques qui leur sont favorables (Weinstein et al., 2012).

Le mécanisme de défense nommé par Freud *projection* (attribution de nos propres pulsions menaçantes aux autres) a aussi été confirmé. Les gens ont tendance à retrouver leurs traits, leurs attitudes et les buts de leur conduite chez autrui (Baumeister et al., 1998 ; Maner et al., 2005). Les chercheurs d'aujourd'hui appellent cela l'*effet de faux consensus* ; la tendance à surestimer la mesure dans laquelle d'autres partagent nos croyances et nos comportements. Les gens qui se livrent à des consommations massives et compulsives d'alcool ou qui dépassent les limites de vitesse ont tendance à penser que beaucoup font de même. Cependant, les mécanismes de défense ne fonctionnent pas exactement comme l'avait supposé Freud. Ils semblent guidés moins par des pulsions sexuelles et agressives qu'il imaginait que par le besoin de protéger notre image du moi.

Finalement, l'histoire récente a soutenu la théorie de Freud selon laquelle nous nous défendons inconsciemment contre l'anxiété. Des chercheurs ont proposé que « la terreur due à notre prise de conscience de la vulnérabilité et de la mort » peut être source d'angoisse (Greenberg et al., 1997). Près de 300 études évaluant la **théorie de la gestion de la peur** montrent que le fait de penser à sa mort en écrivant, par exemple, une courte dissertation sur la mort et les émotions qui y sont associées, provoque divers mécanismes de défense de gestion de la peur (Burke et al., 2010). Par exemple, l'angoisse de mort augmente l'estime de soi et l'agressivité envers ses rivaux (Cohen & Solomon, 2011 ; Koole et al., 2006).

Confrontés à un monde menaçant, les individus agissent non seulement pour renforcer leur estime de soi mais aussi pour adhérer plus fortement à des visions du monde qui répondent à leur questionnement sur la signification de la vie. La perspective de la mort favorise les sentiments religieux ; les profondes convictions religieuses permettent aux gens d'être moins sur la défensive lorsqu'on leur rappelle la mort – ils ont moins de risques de se soulever pour défendre leur vision du monde (Jonas et Fischer, 2006 ; Norenzayan et Hansen, 2006). De plus, lorsqu'ils envisagent la mort, ils privilégient d'autant plus les relations avec leur entourage proche (Cox & Arndt,

« Ça dit : "Un jour, vous allez mourir." »

« J'ai cherché l'Éternel, et il m'a répondu ; il m'a délivré de toutes mes frayeurs. »

Psaume 34:5, La Sainte Bible, traduction L. Segond.

2012 ; Mikulincer et al., 2003). La mort réelle d'êtres chers peut aussi provoquer des réactions de protection. Pendant des années, j'ai (ND) étudié la façon de réagir des sujets qui pensent à la mort (Kashdan et al., 2014). C'était fascinant, mais pas assez pour me faire lever du canapé. Le choc de la mort inattendue de ma propre mère, cependant, m'a motivé pour courir à nouveau, et mener une vie plus saine (Hayasaki, 2014). D'être confronté à la mort, peut inciter à aimer plus la vie.

EXERCICE RÉCAPITULATIF

- Quelles sont les trois grandes idées, toujours reconnues, que nous a laissées la théorie psychanalytique de Freud ? Quelles sont les trois grandes critiques portées sur l'œuvre de Freud ?

Réponse : Freud a d'abord attiré l'attention sur (1) l'importance des expériences de l'enfance, (2) l'existence de l'inconscient, et (3) sur nos mécanismes de défense contre l'angoisse menaçant l'intégrité du Moi. L'œuvre de Freud a été critiquée comme (1) n'étant pas scientifiquement vérifiable et donnant des explications a posteriori, (2) se concentrant trop sur les conflits sexuels dans l'enfance, et (3) se fondant sur le refoulement. La recherche moderne n'a pas confirmé ces hypothèses.

- Quels sont les éléments de la psychanalyse traditionnelle que les théoriciens et les thérapeutes psycho-dynamiciens modernes ont conservés, et quels sont ceux qu'ils ont généralement abandonnés ?

Réponse : Les théoriciens de la psychanalyse et les thérapeutes psychodynamiciens d'aujourd'hui se fondent toujours sur les techniques d'entretien que Freud a utilisées, et ils ont encore tendance à se concentrer sur les événements survenus dans l'enfance, les conflits intrapsychiques non résolus dus à un attachement qui n'était pas suffisamment bon, et sur les influences de l'inconscient. Cependant, ils ne s'intéressent plus à la fixation à un stade psychosexuel, ou à l'idée que la résolution des conflits sexuels fonde notre personnalité.

REVUE GÉNÉRALE Introduction à l'étude de la personnalité et aux théories psychodynamiques

OBJECTIFS D'APPRENTISSAGE

EXERCICE RÉCAPITULATIF Prendre un moment pour répondre à chacune de ces questions objectif d'apprentissage (répétées ici au sein de cette section). Puis aller à l'annexe C, révision complète du chapitre, pour vérifier vos réponses. La recherche suggère que d'essayer de répondre à ces questions de votre propre initiative permettra d'améliorer la mémorisation à long terme de ces réponses (McDaniel et al., 2009).

14-1 Quelles sont les théories historiquement importantes et les théories modernes utiles à notre compréhension de la personnalité ?

14-2 Comment les traitements que Freud a utilisés pour soigner les troubles psychologiques l'ont-ils amené à concevoir l'inconscient ?

14-3 Comment Freud considérait-il la personnalité ?

14-4 Quels sont les stades du développement proposés par Freud ?

14-5 De quelle manière, selon Freud, les gens se défendent-ils contre l'anxiété ?

14-6 Quelles sont les idées de Freud acceptées ou rejetées par ses disciples ?

14-7 Que représentent les tests projectifs, comment sont-ils utilisés et quelles sont les critiques dont ils sont l'objet ?

14-8 Comment les psychologues actuels considèrent-ils la psychanalyse freudienne ?

14-9 Comment la recherche contemporaine a-t-elle développé notre compréhension de l'inconscient ?

TERMES ET CONCEPTS À RETENIR

EXERCICE RÉCAPITULATIF Testez votre connaissance de ces termes en essayant d'écrire leur définition, avant de vous reporter aux pages indiquées en référence pour vérifier votre réponse.

personnalité, p. 574

théories psychodynamiques, p. 574

psychanalyse, p. 574

inconscient, p. 575

libre association, p. 575

ça, p. 575

moi, p. 576

surmoi, p. 576

stades psychosexuels, p. 576

complexe d'Œdipe, p. 576

identification, p. 577

fixation, p. 577

mécanismes de défense, p. 577

refoulement, p. 577

inconscient collectif, p. 579

test projectif, p. 580

test d'Aperception Thématique (TAT), p. 580

test de Rorschach, p. 580

théorie de la gestion de la peur, p. 583

 Les théories humanistes et les théories des traits de personnalité

Les théories humanistes

14-10 De quelle manière les psychologues humanistes considèrent-ils la personnalité, et quels objectifs poursuivent-ils en étudiant la personnalité ?

DANS LES ANNÉES 1960, CERTAINS psychologues de la personnalité étaient en désaccord avec le caractère négatif de la théorie psychodynamique qui se focalisait sur les pulsions et les conflits et avec la psychologie mécaniste de B. F. Skinner, le *béhaviorisme* (Voir le Chapitre 7) ou comportementalisme. Prenant le contre-pied des idées de Freud se fondant sur les troubles venant des conflits des profondeurs psychologiques du sujet, ces **psychologues humanistes** se sont intéressés à la manière dont les sujets se démenaient pour se définir et se réaliser. Le modèle d'étude de la personnalité est donc différent. Contrairement à l'objectivité scientifique du béhaviorisme, ils étudièrent les personnes par le biais des expériences et des sentiments qu'ils décrivaient eux-mêmes.

Deux théoriciens précurseurs, Abraham Maslow (1908-1970) et Carl Rogers (1902-1987), ont avancé la perspective de la « *troisième force* » insistant sur le potentiel de l'homme.

Abraham Maslow : la réalisation de soi

Maslow a suggéré que nous étions motivés par une *hiérarchie des besoins* (Chapitre 11). Si nos besoins physiologiques sont satisfaits, nous sommes alors préoccupés par notre sécurité personnelle ; si nous parvenons à une sensation de sécurité, nous cherchons alors à aimer, à être aimé et à nous aimer nous-mêmes. Une fois notre besoin d'amour satisfait, nous rechercherons l'estime de nous-mêmes. L'ayant acquise, nous aspirerons finalement à notre réalisation de soi (ou accomplissement de soi), c'est-à-dire à exprimer pleinement notre potentiel, et à une *transcendance de soi* (une signification, un but et une communion au-delà du soi).

Maslow (1970) développa ses idées en étudiant des personnes créatives et en bonne santé plutôt que des sujets souffrant de troubles psychiques. Il fonda sa description du développement personnel sur une étude de personnalités, comme Abraham Lincoln, qui semblaient remarquables par leur vie riche et productive. Selon Maslow, ces personnalités partageaient certaines caractéristiques : elles étaient conscientes d'elles-mêmes, s'étaient acceptées, étaient ouvertes et spontanées, affectueuses et attentionnées, et n'étaient pas paralysées par l'opinion d'autrui. Sécurisées par la connaissance qu'elles avaient d'elles-mêmes, elles étaient plus centrées sur les problèmes potentiels que sur elles-mêmes. Elles avaient souvent focalisé leur énergie sur une tâche particulière, qu'elles considéraient comme leur mission dans l'existence. La plupart préféraient avoir quelques relations profondes plutôt que de nombreuses relations superficielles. Elles étaient, en général, mues par des *expériences élevées* personnelles ou spirituelles, surpassant la conscience ordinaire.

Ce sont, dit Maslow, les qualités d'un adulte à maturité, celles que l'on retrouve chez ceux qui ont assez appris de la vie pour être compatissants, pour avoir dépassé leurs sentiments ambivalents vis-à-vis de leurs parents, pour avoir trouvé leur voie, pour avoir « acquis assez de courage pour être impopulaires, pour n'être pas honteux d'être ouvertement vertueux. » Le travail de Maslow avec des étudiants le conduisit à faire l'hypothèse que ceux qui avaient des chances de parvenir à cet épanouissement à l'âge adulte étaient aimables, attentionnés, « affectueux avec ceux de leurs aînés qui le méritaient » et « secrètement mal à l'aise en face de la cruauté, du manque de valeurs et de l'esprit grégaire si souvent retrouvé chez les jeunes gens ».

Carl Rogers : une perspective centrée sur la personne

Carl Rogers, un des psychologues humanistes proche de Maslow, partageait l'essentiel de ses opinions. Rogers pensait que les individus étaient essentiellement bons et qu'ils possédaient les possibilités de s'accomplir. Chacun d'entre nous ressemble à une graine, conçue pour croître et se développer sauf si elle est gênée par un environnement qui inhibe sa croissance. Rogers (1980) affirmait qu'un climat favorisant la croissance nécessitait trois conditions.

Abraham Maslow « Toute théorie de la motivation qui est digne d'attention doit prendre en compte les plus hautes capacités de la personne forte et en bonne santé mais aussi les efforts que font les personnes souffrant d'un trouble mental pour surmonter leur handicap » (*Motivation and Personality*, 1970, p. 33).

Théories humanistes conception de la personnalité qui met l'accent sur les possibilités et les ressources des personnes en bonne santé pour aboutir leur épanouissement.

Réalisation de soi selon Maslow, un des besoins psychologiques ultimes qui s'impose une fois les besoins physiques et psychologiques fondamentaux satisfaits, et l'estime de soi ancrée ; motivation pour être totalement soi-même.

Exemple d'un père qui n'offre *pas* une considération positive inconditionnelle :

« Rappelle-toi bien mon garçon, que tu gagnes ou que tu perdes n'a aucune importance, sauf si tu veux que ton papa t'aime. »

L'image de l'empathie S'en ouvrir à l'autre et lui faire des confidences est plus facile lorsqu'il fait preuve d'une réelle compréhension. Lors d'une telle relation, nous pouvons nous détendre et exprimer pleinement notre vrai moi. Souvenez-vous d'une conversation au cours de laquelle quelqu'un brûlait d'impatience de parler au lieu de vous écouter. Considérez maintenant la dernière fois où quelqu'un vous a écouté en faisant preuve d'empathie. En quoi ces deux expériences sont-elles différentes ?

Considération positive inconditionnelle selon Rogers, attitude d'acceptation totale envers une autre personne.

Conception du soi ensemble de nos pensées et des sentiments que l'on a sur nous-mêmes, en réponse à la question : « Qui suis-je ? »

• *L'authenticité* : lorsque les gens sont *authentiques*, ils expriment ouvertement leurs sentiments, en laissant tomber leurs masques, en étant transparents et ouverts.

• *L'acceptation* : lorsque les gens nous *acceptent*, ils portent sur nous une **considération positive inconditionnelle**. C'est une attitude de grâce, qui nous apprécie même en connaissant nos échecs. C'est un profond soulagement d'avoir abandonné nos prétentions, d'avoir confessé nos pires sentiments et de découvrir que nous sommes encore acceptés. Dans un mariage heureux, une famille unie ou une amitié proche, nous sommes libres d'être spontanés sans avoir peur de perdre l'estime de l'autre.

• *L'empathie* : lorsque les gens font preuve d'*empathie*, ils partagent et reflètent nos sentiments et réfléchissent nos opinions. « Nous écoutons rarement avec une compréhension réelle, une véritable empathie », disait Rogers. « Pourtant, écouter de cette façon particulière est l'une des forces de changement les plus puissantes que je connaisse. »

L'authenticité, l'acceptation et l'empathie sont, selon Rogers, l'eau, le soleil et les éléments nutritifs qui permettent aux personnes de se développer comme des chênes vigoureux. En effet, « lorsque les gens sont acceptés et appréciés, ils ont tendance à développer une attitude plus attentionnée vis-à-vis d'eux-mêmes » (Rogers, 1980, p. 116). Lorsque les gens sont écoutés avec empathie, « il devient possible pour eux d'écouter plus attentivement le flux de leurs expériences intérieures ».

L'écrivain Calvin Trillin (2006) se souvient d'un exemple d'authenticité et d'acceptation parentale. Dans un camp où travaillait sa femme Alice qui s'occupait d'enfants atteints de troubles sévères, il y avait L., une « enfant magique » atteinte d'une maladie génétique qui l'obligeait à la nourrir à la sonde et ne lui permettait de marcher qu'avec de grandes difficultés. Alice se souvient,

> Un jour, que nous jouions au jeu du mouchoir, j'étais assise derrière elle et elle me demanda de lui tenir son courrier pendant qu'elle se levait pour courir autour du cercle. Comme cela lui prit pas mal de temps pour faire le tour du cercle, j'ai eu le temps de voir qu'il y avait une lettre de sa mère sur le dessus de la pile. Puis j'ai fait quelque chose de vraiment terrible... Je voulais simplement savoir ce que les parents de cet enfant avaient bien pu faire pour la rendre si particulière, pour faire d'elle la personne la plus optimiste, la plus enthousiaste, la plus remplie d'espoir que j'avais jamais rencontrée. Je parcourus rapidement la lettre et mes yeux tombèrent sur cette phrase : « Si Dieu nous avait demandé de choisir parmi tous les enfants du monde, L., nous t'aurions choisi toi. » Avant que L. ait eu le temps de revenir à sa place dans le cercle, je montrais cette lettre à Bud, assis à côté de moi. « Dépêche-toi de lire ceci », lui chuchotais-je. « C'est le secret de la vie. »

Maslow et Roger auraient souri en connaissance de cause. Pour eux, une des caractéristiques essentielles de la personnalité est notre **conception du soi**, l'ensemble des pensées et des sentiments que nous avons en réponse à la question : « Qui suis-je ? ». Si la conception que nous avons de notre moi est positive, nous avons tendance à percevoir le monde et à agir de façon positive. Si elle est négative, si à nos propres yeux nous sommes bien en deçà de notre *moi idéal*, disait Rogers, nous nous sentons insatisfaits et malheureux. Une tâche nécessaire pour les thérapeutes, les parents, les enseignants et les amis est donc d'aider les autres à se connaître, à s'accepter et à être authentiques avec eux-mêmes.

Évaluer le soi

14-11 De quelle manière les psychologues humanistes évaluent-ils le sens du soi de quelqu'un ?

Les psychologues humanistes évaluent parfois la personnalité en demandant aux participants de remplir des questionnaires qui évaluent la conception qu'ont les gens de leur soi. Un questionnaire, inspiré par Carl Rogers, demande aux gens de se décrire eux-mêmes, à la fois comme ils auraient aimé être *idéalement*, et comme ils sont *réellement*. Lorsque le soi idéal et le soi réel sont presque identiques, disait Rogers, la conception du soi est positive. Donc, pour évaluer le développement personnel du sujet durant le traitement, il examinait les rapprochements successifs du soi idéal et du soi réel.

Certains psychologues humanistes pensent que toute évaluation standardisée de la personnalité est dépersonnalisante, même un questionnaire. Plutôt que forcer quelqu'un à répondre dans le cadre de catégories étroites, ces psychologues humanistes pensent que les entretiens et les conversations intimes permettent une meilleure compréhension de l'expérience unique de chaque individu.

Évaluer les théories humanistes

14-12 De quelle manière les théories humanistes ont-elles influencé la psychologie ? À quelles critiques ont-elles fait face ?

On peut dire à propos des psychologues humanistes ce qui a été dit à propos de Freud : leur impact s'est fait sentir un peu partout. Les idées de Maslow et Rogers ont influencé l'éducation des enfants, l'enseignement, le conseil et la gestion des entreprises. Et ils ont jeté les bases de la psychologie positive scientifiques d'aujourd'hui (Chapitre 12).

Ils ont aussi influencé, parfois de manière inattendue, la majeure partie de la psychologie en vigueur aujourd'hui. Avoir une idée positive de soi-même est-elle la clé du bonheur et du succès ? L'acceptation et l'empathie aident-elles à nourrir des sentiments positifs vis-à-vis de soi-même ? Les gens sont-ils, par essence, bons et capables de s'améliorer ? Beaucoup de personnes répondent *oui*, *oui* et encore *oui*. En 2006, les étudiants américains ont affirmé un sentiment d'estime de soi plus élevé que ne l'avaient fait des étudiants en 1975. Cette affirmation entraînait de grands espoirs de réussite professionnelle (Twenge & Campbell, 2008). Si on leur donne le choix, les étudiants nord-américains d'aujourd'hui préfèrent le renforcement de leur sentiment d'estime de soi, par exemple par un compliment ou une bonne note à leurs examens, à la dégustation de leur plat préféré ou au plaisir de la chair (Bushman et al., 2011). Le message de la psychologie humaniste a été entendu.

La proéminence de la perspective humaniste a essuyé une série de critiques. En premier lieu, disaient-elles, ses concepts sont vagues et *subjectifs*. Considérons la description de Maslow d'une personne qui a atteint un degré de complétude : une personne spontanée, ouverte, aimante, s'acceptant elle-même et productive. A-t-on affaire à une description scientifique ? N'est-ce pas, simplement, une description des idéaux et des valeurs personnelles du théoricien ? Ce qu'a fait Maslow, a remarqué M. C. Brewster Smith (1978), c'est donner des images de ses propres héros. Imaginez un autre théoricien qui aurait commencé avec une autre série de héros, comme Napoléon, John D. Rockefeller, Sr., et Donald Trump. Ce théoricien aurait probablement décrit les gens qui se réalisent comme « peu préoccupés par les besoins et les avis des autres », « désireux d'arriver » et « obsédés par le pouvoir ».

Certaines critiques s'élèvent également contre l'idée présentée par Rogers selon laquelle « la seule question qui importe est : "Suis-je en train de vivre d'une façon qui me satisfait profondément et qui exprime vraiment ce que je suis ?" » (cité par Wallach et Wallach, 1985). *L'individualisme* encouragé par la psychologie humaniste, c'est-à-dire agir en fonction des sentiments de l'individu et avoir confiance en ces derniers, être vrai avec soi-même, chercher l'accomplissement de soi, peut conduire à l'auto-indulgence, l'égoïsme et une érosion des contraintes morales (Campbell et Specht, 1985 ; Wallach et Wallach, 1983). Imaginez-vous en train de travailler sur un projet de groupe avec des gens qui refusent de remplir toute tâche ingrate et qui ne correspondent pas à leurs compétences.

Les psychologues humanistes répliquent que l'acceptation solide de soi-même, sans recours à des mécanismes de défense, constitue réellement le premier pas vers l'aptitude à aimer autrui. En effet, les personnes qui se sentent intrinsèquement aimées et acceptées pour ce qu'elles sont, et non simplement pour ce qu'elles ont accompli, manifestent moins d'attitudes défensives (Schimel et al., 2001). Ceux qui se sentent aimés et acceptés par leur partenaire se sentent plus heureux et se comportent plus affectueusement (Gordon & Chen, 2010).

La dernière accusation portée contre la psychologie humaniste est qu'elle est *naïve*, qu'elle n'arrive pas à apprécier la réalité de notre propension humaine à faire le mal. Face aux menaces concernant le réchauffement de la planète, la surpopulation, le terrorisme et la propagation des armes nucléaires, l'apathie peut se développer à partir de deux types de raisonnement. L'un est un optimisme naïf qui nie les menaces (« les gens sont bons, par essence ; tout va s'arranger »). L'autre est un désespoir noir (« c'est sans espoir ; pourquoi essayer ? »). L'action nécessite assez de réalisme pour alimenter une inquiétude et assez d'optimisme pour fournir de l'espoir. La psychologie humaniste, disent les critiques, encourage l'espoir dont on a besoin mais pas le réalisme également nécessaire par rapport au mal.

« On réussit plutôt bien lorsqu'on cesse de penser que les gens sont fondamentalement bons. »

• Qu'est ce qu'a apporté la *psychologie humaniste* ?

Réponse : Ce mouvement a cherché à ce que la psychologie s'intéresse à nos capacités de progresser vers la réalisation de soi. Il ne fait pas référence aux conflits intrapsychiques ni au conditionnement. Autrement dit il ne fait référence ni aux théories freudiennes ni au comportementalisme, il souligne la façon dont les gens en bonne santé luttent pour la définition et la réalisation de soi.

• Que signifie l'*empathie* ? Que peut-on dire de la *réalisation de soi* ? Quels sont les psychologues humanistes qui ont employé ces termes ?

Réponses : *être empathique* revient à partager et à refléter les sentiments d'une autre personne. Carl Rogers pensait qu'en étant empathique, on fait progresser ceux à qui l'on s'adresse. Abraham Maslow a proposé que la *réalisation de soi* est la motivation qui permet de donner à l'épanouissement de soi la pleine mesure de ses capacités. C'est l'un des besoins psychologiques ultimes (l'autre étant le dépassement de soi).

Les théories des traits de personnalité

14-13 **Comment les psychologues utilisent-ils les traits de caractère pour décrire la personnalité ?**

Plutôt que se concentrer sur des forces inconscientes et des occasions déjouées de développement, certains chercheurs s'emploient à définir la personnalité en tant que de modèles comportementaux stables et immuables, comme l'ouverture d'esprit et l'autodiscipline manifestées par Lady Gaga. Cette perspective remonte en partie à une rencontre remarquable au cours de laquelle Gordon Allport, un étudiant en psychologie de 22 ans, particulièrement curieux, interrogea Freud à Vienne en 1919. Il découvrit rapidement à quel point le fondateur de la psychanalyse était préoccupé par la recherche des motivations cachées même dans le propre comportement d'Allport pendant qu'il l'interrogeait. Cette expérience poussa Allport finalement à faire ce que Freud n'avait pas fait, c'est-à-dire décrire la personnalité en tant que **traits** de caractère fondamentaux qui sont les comportements caractéristiques et les motivations conscientes des gens (comme la curiosité qui, par exemple, incita Allport à rendre visite à Freud). « Rencontrer Freud, dit Allport, m'enseigna que [la psychanalyse], malgré tous ses mérites, plonge peut-être trop profondément dans le psychisme de l'individu, et que les psychologues feraient tout aussi bien d'accorder l'importance qu'elle mérite aux motivations manifestes avant d'évaluer l'inconscient. » Allport définit alors la personnalité à l'aide de modèles de comportements identifiables. Il était moins intéressé par l'*explication* que par la *description* des traits individuels.

Comme Allport, Isabel Briggs Myers (1897) et sa mère, Katharine Briggs, voulaient décrire les différences importantes de la personnalité. Elles ont essayé de trier les gens selon les types de personnalité définis par Carl Jung, en se basant sur leurs réponses à 126 questions. L'indicateur typologique *Myers-Briggs*, traduit dans 30 langues, est un test assez simple qui est passé par plus de 2 millions de personnes par an, surtout pour le conseil, les formations aux postes de direction et le développement d'équipe de travail (CPP, 2008). Il propose des choix tels que : « En général, accordez-vous plus de valeur aux sentiments qu'à la logique, ou plus de valeur à la logique qu'aux sentiments ? » Les préférences des participants sont ensuite comptabilisées et qualifiées sous la forme de types, comme par exemple, le type « sentimental » ou le type « réfléchi » qui sont alors décrits à la personne passant le test en termes flatteurs. Ceux présentant un type sentimental sont, par exemple, désignés comme étant « sympathiques, sensibles et pleins de tact » ; les types réfléchis sont décrits comme « ayant des qualités d'analyse ». (Chaque type a ses qualités, de telle sorte que chacun est flatté.)

La plupart des gens adhèrent au type de profil qu'on leur annonce et qui, en fait, est le reflet de leurs préférences déclarées. Ils peuvent également l'accepter comme base pour être associés à des collègues de travail ou se voir confier des tâches correspondant théoriquement à leur tempérament. Mais les résultats de la recherche nous amènent à penser de plus en plus que les gens ne devraient pas accepter aveuglément la validité des conclusions des tests. Une enquête du National Research Council note, que malgré la large utilisation de ce test pour les conseils en entreprise et en choix professionnels, l'utilisation initiale de ce test a largement anticipé la recherche sur sa valeur comme indicateur de réussite au travail et que « le succès de cet instrument, en l'absence de toute valeur scientifique prouvée, pose problème » (Druckman et Bjork, 1991, p. 101 ; voir aussi Pittenger, 1993). Malgré la multiplication des travaux de recherche sur les tests de Myers-Briggs suite à cette mise en garde, ce test reste encore un outil de conseil et d'entraînement, mais n'est plus un instrument de recherche.

Trait modèle caractéristique du comportement ou disposition à ressentir et à agir ; évalué par des auto-questionnaires et les descriptions effectuées par l'entourage.

Explorer les traits de personnalité

Le fait de classer les gens selon tel ou tel type de personnalité ne permet pas de rendre compte de leur individualité dans leur ensemble. Chacun d'entre nous est un mélange complexe de nombreux traits de caractère. Comment pourrions-nous décrire autrement notre personnalité ? Nous pourrions décrire une pomme en la qualifiant par différents traits dimensionnels : grosse ou petite, rouge ou jaune, douce ou acide. En plaçant les gens sur plusieurs traits de personnalité simultanément, les psychologues peuvent décrire d'innombrables variations de personnalités individuelles. (Rappelez-vous qu'au Chapitre 6, nous avions vu que les variations de seulement trois dimensions de la couleur à savoir la teinte, l'intensité et l'éclat, suffisaient pour créer plusieurs milliers de couleurs.)

Quelles sont les dimensions des traits qui décrivent la personnalité ? Si vous avez un rendez-vous amoureux avec un(e) inconnu(e), quels sont les traits de personnalité qui pourraient vous donner une idée précise de cette personne ? Allport et son associé H. S. Odbert (1936) ont compté dans le texte intégral d'un dictionnaire tous les mots utilisables pour décrire quelqu'un. Combien en ont-ils trouvé ? Presque 18 000 ! Comment, donc, les psychologues peuvent-ils condenser cette liste en un nombre maniable de traits de personnalité de base ?

L'analyse factorielle La technique de l'*analyse factorielle* est une procédure statistique permettant d'identifier des groupes d'items d'un test qui varient toujours ensemble et qui représentent une dimension ou une composante fondamentale de l'intelligence (telles que l'aptitude spatiale ou l'aptitude verbale). Imaginez que des gens qui se disent extravertis, aient également tendance à dire qu'ils aiment s'amuser et plaisanter et n'aiment pas rester seuls à lire. Cet ensemble de comportements ainsi corrélés statistiquement reflète un facteur fondamental ou trait ; dans ce cas, *l'extraversion*.

Les psychologues britanniques Hans et Sybil Eysenck pensent que nous pouvons réduire nos variations individuelles normales à deux ou trois dimensions, en particulier l'*extraversion-introversion* et la *stabilité-instabilité émotionnelle* (**FIGURE 14.3**). La passation du *questionnaire de personnalité d'Eysenck* a été faite dans trente-cinq pays, de la Chine à l'Ouganda en passant par la Russie. Lorsque les réponses ont été analysées, les dimensions extraversion et émotion ont émergé inévitablement en tant que dimensions fondamentales de la personnalité (Eysenck, 1990, 1992). H. et S. Eysenck ont pensé, et la recherche l'a confirmé, que ces facteurs sont génétiquement influencés.

Biologie et personnalité L'activité cérébrale des extravertis s'ajoute à la liste toujours croissante des traits et des états mentaux explorés par les techniques d'imagerie cérébrale. Ces études indiquent que les extravertis cherchent à être stimulés parce que leur niveau normal d'*excitation cérébrale* est relativement bas. Par exemple, les images obtenues par tomographie par émission de positrons montrent qu'une zone du lobe frontal impliquée dans l'inhibition du comportement est moins active chez les personnes extraverties que chez les personnes introverties (Johnson et al., 1999). La dopamine ainsi que l'activité neuronale dopaminergique dépendante ont tendance à être plus importantes chez les extravertis (Kim et al., 2008 ; Wacker et al., 2006).

« Russ est le genre de personne qui ne veut jamais être seul avec ses pensées. »

▼ FIGURE 14.3
Deux dimensions de la personnalité
En utilisant un repère avec deux axes (nord-sud et est-ouest) la cartographie peut nous en dire beaucoup. Deux facteurs de personnalité fondamentaux (l'extraversion-introversion et la stabilité-instabilité) sont tout aussi utiles pour décrire les variations de la personnalité. Diverses combinaisons définissent d'autres traits, plus spécifiques (d'après H. Eysenck &S ; Eysenck, 1963). Ceux qui sont naturellement introvertis, tels que la primatologue Jane Goodall, peuvent être particulièrement doués pour les études de terrain. Des politiciens qui réussissent, dont l'ancien Président américain Bill Clinton, sont souvent extravertis.

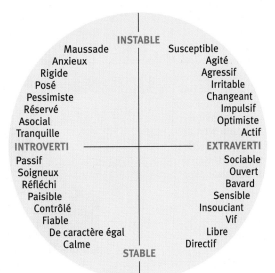

INSTABLE

Maussade — Susceptible
Anxieux — Agité
Rigide — Agressif
Posé — Irritable
Pessimiste — Changeant
Réservé — Impulsif
Asocial — Optimiste
Tranquille — Actif
INTROVERTI — **EXTRAVERTI**
Passif — Sociable
Soigneux — Ouvert
Réfléchi — Bavard
Paisible — Sensible
Contrôlé — Insouciant
Fiable — Vif
De caractère égal — Libre
Calme — Directif

STABLE

Notre biologie influence également notre personnalité par d'autres façons. Comme vous vous en souvenez peut-être lorsque nous l'avons abordé au Chapitre 4 avec les études de jumeaux et d'adoption, nos gènes sont responsables en partie de notre tempérament et du type de comportement qui définit notre personnalité. Jerome Kagan, par exemple, attribue la différence de timidité et d'inhibition chez les enfants à la réactivité de leur système nerveux autonome. Ceux qui possèdent un système nerveux autonome réactif, répondent au stress avec plus d'anxiété et d'inhibition. Un enfant plus intrépide et curieux peut devenir un adulte qui fera de l'escalade ou qui conduira vite.

Les différences de caractère chez les chiens (énergie, affection, réactivité et intelligence exploratoire) sont aussi présentes et aussi constantes que les différences de personnalité chez les humains (Gosling et al., 2003 ; Jones & Gosling, 2005). Les singes, les

Erik Lam/Shutterstock

La stigmatisation de l'introversion

14-14 Quels sont certains des malentendus fréquents que l'on rencontre lorsque l'on donne une définition de l'introversion ? Est-ce que l'extraversion mène plus souvent à la réussite que l'introversion ?

Les psychologues décrivent la personnalité, mais ne proposent pas une description de la personnalité « idéale ». La société, elle, le fait. Les cultures occidentales, par exemple, mettent en valeur l'extraversion. Être introverti peut vouloir dire que vous « n'êtes pas dans le coup » (Cain, 2012).

Il suffit de regarder nos super-héros. Superman est extraverti et donc audacieux et énergique. Son alter ego introverti, Clark Kent, est affable et maladroit. Le message est clair : si vous êtes un super-héros, vous êtes un extraverti.

Les émissions de télévision, aussi, présentent les vedettes à la mode, « les coqueluches des jeunes » et les réussites exemplaires comme les fruits de l'extraversion. Don Draper, le célèbre directeur d'une agence de publicité de la série télévisée *Mad Men*, est le parangon de l'extraversion. Il est dominant et charismatique. Les femmes veulent qu'il les remarque. Encore une fois, tout est clair : l'extraversion est le gage de la réussite.

Pourquoi mettons-nous l'extraversion si souvent en valeur et déprécions-nous l'introversion ? Beaucoup de gens ne comprennent pas ce qu'est vraiment l'introversion. Ils ont tendance à confondre introversion et timidité, mais ces deux traits sont différents. Ont été définis comme introvertis des sujets sensibles qui pouvaient trouver leur maximum d'éveil à des niveaux bas de stimulation venant de leur environnement. Une étude classique a montré que les personnes introverties sont plus sensibles au goût. Quand on leur a donné à boire du jus de citron, les sujets introvertis salivèrent plus que les sujets extravertis (Corcoran, 1964). Les personnes timides restent silencieuses par peur d'être mal jugées.

On pourrait aussi penser que le caractère introverti est un obstacle à la réussite. Au contraire, l'introversion a ses avantages ; en tant que supérieurs hiérarchiques, les sujets introvertis se montrent plus à l'écoute des collaborateurs qui font part de leurs idées, qui remettent en question certaines choses établies, et assument cette responsabilité.

AMC/La collection Kobal/ressources de l'art

En la circonstance, les dirigeants introvertis sont plus efficaces que les extravertis (Grant et al., 2011). Ainsi, de façon surprenante, une analyse de 35 études a montré qu'il n'y avait aucune corrélation entre l'extraversion et les résultats dans le domaine des ventes (Barrick et al., 2001). Le meilleur exemple de la croyance erronée que l'introversion entraverait la réussite professionnelle réside dans l'histoire de la présidence des États-Unis : le président américain considéré comme ayant été le plus grand était introverti. Il se nommait Abraham Lincoln.

Donc, l'introversion ne devrait pas être un signe de faiblesse. Ceux qui ont besoin d'un moment de tranquillité lors d'une réunion agitée, ne sont pas des êtres rejetés par la société, ni incapables de grandes réalisations. Ils savent tout simplement choisir un environnement propice à leur développement. Il est important pour les extravertis de comprendre que tout le monde n'a pas besoin de niveaux élevés de stimulation. Vouloir se détendre n'est pas répréhensible.

John Parrot/Stocktrek Images/Getty Images

chimpanzés, les orangs-outans et même les oiseaux ont des « personnalités » stables (Weiss et al., 2006). Chez la mésange charbonnière (une parente européenne de la mésange américaine), les oiseaux les plus audacieux inspectent plus rapidement les nouveaux objets et explorent les arbres (Groothuis et Carere, 2005 ; Verbeek et al., 1994). Par accouplement sélectif, les chercheurs ont pu reproduire des oiseaux audacieux ou timides. Les années de disette, les oiseaux audacieux ont plus de chance de trouver de la nourriture ; les années d'abondance, les animaux timides prennent moins de risques pour se nourrir.

EXERCICE RÉCAPITULATIF

• Quelles sont les deux dimensions fondamentales que Hans Eysenck et Sybil Eysenck ont proposées pour décrire les diverses personnalités ?

Réponse : l'introversion-extraversion et la stabilité-instabilité émotionnelle.

Évaluation des traits de personnalité

14-15 Que sont les inventaires de personnalité, et quelles sont leurs forces et leurs faiblesses en tant qu'outil d'évaluation des traits de la personnalité ?

Si des traits de personnalité stables et persistants guident nos actions, pouvons-nous imaginer des tests valides et fiables pour les évaluer ? Plusieurs techniques d'évaluation des traits existent ; leurs qualités métrologiques diffèrent. Certaines fournissent souvent une évaluation rapide d'un seul trait de caractère comme l'extraversion, l'anxiété ou l'estime de soi. Les **inventaires de personnalité** – questionnaires plus longs couvrant une vaste gamme de sentiments et de comportements – sont conçus pour évaluer plusieurs traits de la personnalité à la fois.

L'inventaire de personnalité le plus classique est le **Minnesota Multiphasic Personality Inventory (MMPI)**. Bien que le MMPI ait été initialement développé pour identifier les troubles émotionnels, il évalue également les traits de personnalité. L'un de ses créateurs, Starke Hathaway (1960), a comparé ses efforts à ceux d'Alfred Binet. Binet, comme nous l'avons vu au Chapitre 10, a développé le premier test d'intelligence en sélectionnant les items qui identifiaient les enfants qui auraient probablement du mal à progresser normalement dans les écoles françaises. Comme celles de Binet, les questions du MMPI furent aussi choisies **empiriquement.** À partir d'un vaste ensemble de questions, Hathaway et son équipe sélectionnèrent celles qui distinguaient certains groupes de diagnostics particuliers. Puis ils rassemblèrent les questions en dix échelles cliniques, incluant des échelles qui évaluaient les tendances dépressives, la masculinité/féminité et l'introversion/extraversion.

Au départ, Hathaway et ses collaborateurs proposèrent des centaines d'affirmations en vrai/faux (« personne ne semble me comprendre », « je reçois toute la sympathie qui m'est due » ou « j'aime la poésie ») à des groupes de patients psychologiquement perturbés et à des gens « normaux ». Ils conservèrent toute affirmation, aussi stupide fut-elle, à laquelle la réponse du groupe de patients différait de celle des sujets témoins « Rien ne m'intéresse dans le journal à part les bandes dessinées » peut sembler n'avoir aucun sens, mais il s'est avéré que les gens déprimés avaient plus tendance à répondre *vrai*. Dans sa version actuelle, le MMPI-2 comporte des échelles évaluant, par exemple, l'attitude au travail, les problèmes familiaux et la colère.

Contrairement à la subjectivité de la plupart des tests projectifs, les inventaires de personnalité sont des évaluations objectives. (Un programme informatique peut ainsi analyser les résultats et peut aussi fournir les descriptions de gens qui ont répondu de manière identique précédemment.) L'objectivité, cependant, ne garantit pas la validité. Par exemple, les personnes qui passent le MMPI dans le but de trouver un emploi peuvent fournir des réponses socialement souhaitables afin de donner une bonne impression. Mais en faisant cela, ils peuvent avoir un score élevé sur *l'échelle du mensonge* qui évalue les simulateurs (comme lorsque les personnes répondent *faux* à une question toujours vrai comme « je me fâche parfois »). L'objectivité du MMPI a contribué son succès universel et a abouti à sa traduction en plus de 100 langues.

Inventaire de personnalité questionnaire (les réponses sont souvent dichotomiques : *vrai/faux* ou *d'accord/pas d'accord*) dans lequel les sujets répondent à des questions destinées à jauger une vaste gamme de sentiments et de comportements. Utilisé pour évaluer des traits de personnalité prédéterminés.

Minnesota Multiphasic Personality Inventory (MMPI) test de personnalité le plus utilisé en psychologie clinique et sur lequel ont été effectuées le plus grand nombre de recherches. Développé initialement pour identifier les sujets présentant des troubles émotionnels (on considère encore que c'est son usage premier), ce test est maintenant utilisé dans beaucoup d'autres procédures de dépistage.

Test empirique test (comme par exemple le MMPI) développé à partir d'un vaste choix de questions parmi lesquelles sont sélectionnées celles qui permettent de discriminer des groupes pertinents.

Des gens se sont bien amusés en caricaturant le MMPI avec leurs propres faux items tels que : « pleurer me mouille les yeux » ; « les cris frénétiques me rendent nerveux » ; « je reste dans la baignoire jusqu'à ce que je ressemble à un raisin sec » (Frankel et al., 1983).

Les cinq grands facteurs de la personnalité

14-16 Quels sont les traits de caractère qui, semble-t-il, fournissent les informations les plus intéressantes sur les variations de la personnalité ?

De nos jours, les chercheurs qui étudient les traits de la personnalité pensent que les simples facteurs, comme les dimensions envisagées par Eysenck (introversion/extraversion et stabilité/instabilité émotionnelle), sont importants, mais ne nous apprennent pas tout. Un ensemble de facteurs légèrement plus développé (surnommé le « *Big Five* ») est plus approprié (Costa et Mc Crae, 2011). Si un test permet de vous situer sur l'une des cinq dimensions (conscience, amabilité, neroticisme, ouverture d'esprit et extraversion, voir **TABLEAU 14.3**), une grande partie de votre personnalité sera dévoilée. De par le monde (dans 56 pays et en 29 langues selon une étude de Schmitt et al., 2007), les gens décrivent les autres selon des critères compatibles avec ces cinq facteurs. Ces cinq dimensions ne sont peut-être pas immuables. Certains chercheurs pensent qu'il suffit de deux ou trois facteurs comme la conscience, l'amabilité et l'extraversion, pour décrire les dimensions basiques de la personnalité (Block, 2010 ; De Raad et al., 2010 ; Rushton & Irwing, 2011). Mais jusqu'à maintenant, du moins, c'est le nombre de dimensions égal à 5 qui est le plus pertinent (Heine et Buchtel, 2009 ; McCrae, 2009). Le modèle à cinq dimensions, actuel « courant de la psychologie de la personnalité » (Funder, 2001), a fait l'objet des recherches les plus importantes depuis le début des années 1990, et représente à l'heure actuelle la meilleure approximation des dimensions de base de la personnalité en psychologie (modèle surnommé « Big Five »).

Récemment, les recherches sur ce modèle ont été consacrées à diverses questions :

- *Ces traits de personnalité sont-ils stables ?* Une équipe de recherche a analysé 1,25 million de participants âgés de 10 à 65 ans. Ils ont appris que la personnalité continue à se développer et à changer tout au long de la préadolescence et de l'adolescence. À l'âge adulte, nos traits sont devenus relativement stables, bien que le sens des responsabilités, l'amabilité, l'ouverture d'esprit et l'extraversion continuent à s'affirmer à l'âge mûr, et le névrosisme (Ph. Gorwood) – instabilité émotionnelle – diminue (Soto et al., 2011).

- *Quelle est leur héritabilité ?* L'héritabilité (étendue à laquelle il est possible d'attribuer aux gènes les différences individuelles) varie avec la diversité de la population étudiée, mais elle est responsable d'environ 50 % de chacune des dimensions et les influences génétiques sont semblables dans les différents pays (Loehlin et al., 1998 ; Yamagata et al., 2006). Beaucoup de gènes, ayant chacun un léger effet, s'associent pour influencer nos traits de caractères (McCrae et al., 2010).

Hemera Technologies/Getty Images

▼ TABLEAU 14.3

Les cinq grands facteurs de la personnalité : le « Big Five »

Les chercheurs utilisent des questionnaires d'autoévaluation et les descriptions faites par les congénères des sujets étudiés pour quantifier les cinq grands facteurs de la personnalité.

Moyen mnémotechnique : CANOE : Conscience, Amabilité, Névrosisme, Ouverture d'esprit, Extraversion		
Désorganisé, négligeant, impulsif	← **C**onscience →	Organisé, prudent, discipliné
Impitoyable, méfiant, non coopérant	← **A**mabilité →	Doux, confiant, serviable
Calme, tranquille, satisfait de soi	← **N**évrosisme (stabilité/instabilité émotionnelle) →	Anxieux, tendu, s'apitoie sur son sort
Pratique, préfère la routine, conformiste	← **O**uverture d'esprit →	Imaginatif, préférence pour la variété, indépendant
Replié, grave, réservé	← **E**xtraversion →	Sociable, enjoué, chaleureux

Source : Adapté de McCrae & Costa (1986, 2008).

Steve Wisbauer/Getty Images

- *Ces traits ont-ils des localisations cérébrales ?* La taille des différentes structures du cerveau est corrélée à ces cinq dimensions (DeYoung et al., 2010). On remarque, par exemple, chez les sujets dont la note évaluant le sens des responsabilités est élevée, un développement plus important de l'aire frontale impliquée dans la de la planification et le contrôle du comportement. Les connexions cérébrales influencent également l'expression de ces cinq dimensions. (Adelstein et al., 2011). Il a été montré que chez les sujets doués d'une grande ouverture d'esprit les connexions fonctionnelles, mesurées par des techniques extrêmement complexes d'imagerie cérébrale sont importantes dans les aires mises en jeu lors de l'imagination, et de l'agilité du raisonnement.

- *Ces traits ont-ils changé au fil du temps ?* Les évolutions culturelles peuvent influencer l'affirmation de certains traits de la personnalité. Aux États-Unis et aux Pays-Bas, les dimensions « extraversion » et « sens des responsabilités » ont progressé (Mroczek & Spiro, 2003 ; Smits et al., 2011 ; Twenge, 2001).

- *La caractérisation des différents traits de la personnalité peut-elle s'appliquer quel que soit le contexte culturel ?* Dans diverses cultures, les cinq grandes dimensions décrivent assez bien la personnalité (Schmitt et al., 2007 ; Yamagata et al., 2006). « Les dimensions caractérisant la personnalité sont communes à tous les groupes humains », a conclu Robert McCrae et 79 cochercheurs (2005) de leur « Étude 50-culture ».

- *Ce modèle à cinq dimensions permet-il réellement de prédire les comportements ?* Oui. Selon Robert Mc Crae (2011), si les gens se disent extravertis, consciencieux et agréables « ils disent probablement la vérité ». Par exemple les introvertis timides ont plus de chances, que les extravertis, de préférer la communication par courrier électronique qu'en face à face (Hertel et al., 2008). Nos traits apparaissent également dans notre façon de parler. Dans les textes envoyés par voie électronique, l'extraversion prédit l'utilisation des pronoms personnels. Amabilité prédit l'utilisation de mots à connotation émotionnelle positive. Le névrosisme (instabilité émotionnelle) prédit l'utilisation de mots à connotation émotionnelle négative (Holtgraves, 2011).

En étudiant ces questions, la psychologie des traits de personnalité a été consolidée sur ses bases et a renouvelé l'importance de l'évaluation de la personnalité. Les traits de caractère ont de l'importance.

EXERCICE RÉCAPITULATIF

- Quelles sont les *cinq dimensions* fondamentales de la personnalité, et pourquoi sont-elles scientifiquement utiles ?

Réponse : Les cinq grands facteurs de la personnalité sont la conscience, l'amabilité, le névrosisme (stabilité/instabilité émotionnelle), l'ouverture et l'extraversion (CANOE). Ces facteurs peuvent être mesurés objectivement, et les recherches suggèrent que ces facteurs sont relativement stables au cours de la durée de vie et se retrouvent dans toutes les cultures dans lesquelles ils ont été étudiés.

Évaluer les théories de la personnalité

14-17 La recherche conforte-t-elle la constance des traits de la personnalité dans le temps et dans toutes les situations ?

Nos traits de personnalité sont-ils stables et constants ? Ou bien notre comportement dépend-il de l'endroit où nous sommes et avec qui nous sommes ? À certains égards, notre personnalité semble stable. Les enfants gais et affectueux ont tendance à devenir des adultes chaleureux et amicaux. Lors d'une réunion récente du collège, j'ai [DM] été étonné de constater que, cinquante ans plus tard, mes anciens camarades de classe qui étaient joviaux l'étaient toujours, les plus timides le restaient, les gens heureux semblaient toujours l'être. Mais il est également vrai que quelqu'un qui aime plaisanter peut soudainement devenir sérieux et respectueux lors d'un entretien de recrutement. Les traits de personnalité que nous exprimons peuvent changer en fonction des situations.

La confrontation de la personne à une situation donnée Notre comportement découle de la confrontation de nos traits de caractère à des situations données. La question se pose encore : qu'est-ce qui est le plus important ? Quand nous étudions ce *débat personne/situation*, nous cherchons les traits de personnalité authentiques, qui persistent au cours du temps *et* dans toutes les situations. Certaines personnes sont-elles dignes de confiance

« Il existe autant de différence entre nous et nous-mêmes, qu'entre nous et autrui. »

Michel de Montaigne, *Essais,* 1588

Grosso modo, l'étude des influences externes et temporaires sur le comportement est au centre de la psychologie sociale, et celle des influences internes et durables est au centre de la psychologie de la personnalité. En réalité, les comportements sont toujours le produit de l'interaction des individus et des situations.

et consciencieuses et d'autres peu fiables, certaines joyeuses et d'autres austères, certaines ouvertes et amicales, et d'autres timides ? Si nous devons considérer la gentillesse comme un trait de personnalité, les personnes gentilles doivent agir avec gentillesse à différents moments et dans différents endroits. Le font-ils ?

Dans les précédents chapitres, nous avons vu des études qui ont suivi des gens pendant toute la durée de leur vie. Nous avons noté que certains scientifiques (en particulier ceux qui ont étudié les enfants) avaient été impressionnés par les changements de la personnalité ; d'autres ont, quant à eux, été frappés par la stabilité de la personnalité au cours de la vie adulte. Comme l'illustre la **FIGURE 14.4**, des données issues de 152 études menées au long cours ont révélé une corrélation positive entre les scores des traits de la personnalité et les scores obtenus sept ans plus tard. Et plus les personnes vieillissent, plus les traits de leur personnalité se stabilisent. Les centres d'intérêt peuvent changer : un avide collectionneur de poissons tropicaux peut devenir un jardinier passionné. Les carrières peuvent changer : un vendeur accompli peut devenir un assistant social dévoué. Les relations peuvent aussi se modifier : l'un des conjoints, difficile à vivre, peut refaire sa vie avec un autre partenaire. Cependant, la majorité des gens reconnaissent avoir des traits de caractère qui leur sont propres, comme l'ont remarqué Robert McCrae et Paul Costa (1994), « et c'est mieux ainsi. La reconnaissance par l'individu des particularités inévitables et uniques de sa personnalité est… le point culminant de sa quête de la sagesse ».

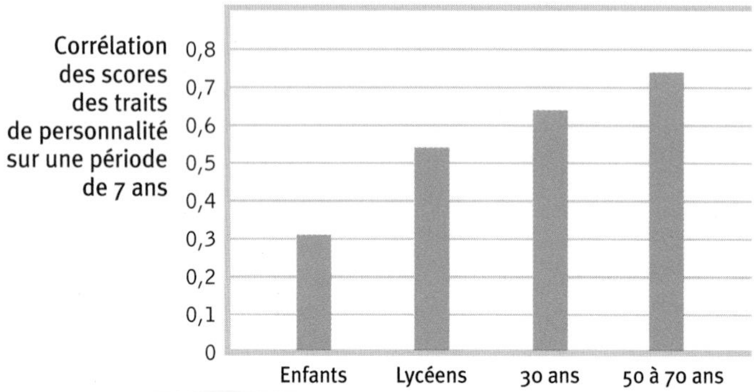

C'est pourquoi la plupart des gens, y compris la plupart des psychologues, assumeraient l'idée de la stabilité des traits de personnalité. De plus, ces traits ont une signification sociale. Ils influencent notre pensée, notre santé et nos résultats professionnels (Deary et Matthews, 1993 ; Hogan, 1998 ; Jackson et al., 2012 ; Sutin et al., 2011). Des études qui ont suivi les personnes tout au long de leur vie ont montré que les traits de personnalité rivalisent avec le statut socio-économique et les capacités cognitives en tant qu'indicateurs de la mortalité, du divorce et de l'accomplissement professionnel (Roberts et al., 2007).

Chacun des traits de personnalité peut être sujet à des variations extrêmes qui conduisent à des comportements inadaptés. L'amabilité, l'aménité adaptée : les deux extrémités opposées à ce point d'équilibre sont l'obséquiosité et l'agressivité cynique. La conscience professionnelle adaptée : les deux extrémités opposées à ce point d'équilibre sont la négligence et la méticulosité confinant à l'obsession (Widiger & Costa, 2012).

Bien que nos *traits* de personnalité puissent être à la fois stables et puissants, la constance de nos *comportements* spécifiques d'une situation à une autre est une autre affaire. Comme l'a signalé Walter Mischel (1968, 2009), les gens n'agissent pas avec une constance prévisible. Les études réalisées par Mischel sur le comportement consciencieux des étudiants ont révélé qu'il n'y avait pratiquement aucune relation entre le fait qu'un étudiant se montre consciencieux en une occasion (comme de se présenter à l'heure en classe) et soit également consciencieux en une autre occasion (disons, rendre ses devoirs à l'heure). Si vous avez remarqué à quel point vous êtes ouvert dans certaines situations et réservé dans d'autres, vous n'êtes peut-être pas surpris non plus (bien que Mischel signale que pour certains traits de votre personnalité vous pouvez estimer, avec raison, que vous êtes plus constant).

Du fait de ce manque de constance dans les comportements, les résultats aux tests de personnalité ne prédisent que médiocrement les comportements. Par exemple, le score des sujets à un test d'extraversion ne prédit pas nettement leur sociabilité effective dans une situation donnée. Si nous nous rappelons, dit Mischel, nous serons plus prudents pour qualifier les individus et les classer en type de personnalité s'avérera caricatural. La science peut, des années à l'avance, nous dire dans quelle phase sera la lune à une date donnée. Un jour à l'avance, les météorologues peuvent souvent prédire le temps qu'il fera. Mais nous sommes beaucoup plus loin d'être en mesure de prédire comment *vous* vous sentirez et agirez demain.

Cependant, le niveau *moyen* d'ouverture d'esprit, de bonheur ou de négligence d'un individu à travers des situations variées est prévisible (Epstein, 1983a, b). Les personnes qui connaissent bien quelqu'un seront par conséquent d'accord au moment de l'évaluation de ses traits de personnalité pour quantifier sa timidité ou son amabilité (Kenrick & Funder, 1988). En collectant des bribes des expériences quotidiennes des gens par des appareils d'enregistrement portés par les participants, Matthias Mehl et ses collaborateurs (2006) ont confirmé que les extravertis parlaient réellement plus. Une relation extraversion-loquacité similaire a également été retrouvée chez les

Le changement et la constance peuvent coexister. Si tous les sujets devenaient un peu moins timides avec l'âge, il y aurait une modification de la personnalité, mais aussi une relative stabilité prévisible.

Corrélation des scores des traits de personnalité sur une période de 7 ans

▼ FIGURE 14.4
Stabilité de la personnalité Avec l'âge, les traits de personnalité deviennent plus stables, comme en témoigne la forte corrélation des notes d'évaluation des traits avec celles obtenues sept ans plus tard. (Données de Roberts & DelVecchio, 2000.)

Il n'y a pas que la personnalité qui se stabilise avec l'âge.

my hair over time

childhood

teens and twenties - experimentation

thirties and up

chasseurs-cueilleurs boliviens (Gurven et al., 2013). (J'ai (DM) maintes fois promis de cesser de bavarder et de plaisanter lorsque je joue tous les midis des parties amicales de basket-ball. Hélas, quelques instants plus tard, le bavard irrépressible réoccupe inévitablement mon corps. J'agis (ND) de même chaque fois que je tente de rester calme dans les taxis. D'une certaine manière, je finis toujours par discuter avec le chauffeur !) Comme nos meilleurs amis peuvent le vérifier, nos traits de personnalité sont génétiquement influencés. Et, d'après une série d'études menées par Samuel Gosling et ses collègues, nos traits de personnalité se cachent même dans :

- *nos préférences musicales*. Votre playlist en dit long sur votre personnalité. Les amateurs de musique classique, de jazz, de blues et de folk ont tendance à être ouverts aux expériences et intelligents. Les extravertis ont tendance à préférer la musique rythmée et énergique. Les amateurs de musique pop et musique religieuse ont tendance à être de bonne humeur, nouant facilement des relations, et consciencieux (Langmeyer et al., 2012 ; Rentfrow & Gosling, 2003, 2006) ;

- *nos chambres et notre bureau*. Notre espace personnel montre notre identité et laisse des traces de notre comportement (dans nos vêtements éparpillés, ou notre bureau bien rangé). Après seulement quelques minutes d'inspection de notre espace de vie ou de travail, ils peuvent permettre à quelqu'un d'estimer avec une précision raisonnable notre conscience, notre ouverture d'esprit aux nouvelles expériences et même notre stabilité émotionnelle (Gosling et al., 2002, 2008) ;

- *espaces en ligne*. Votre page internet personnelle ou votre profil dans les réseaux sociaux portent-ils la marque de votre personnalité ? Ou est-ce l'occasion pour les gens de se présenter de manière fausse ou trompeuse ? C'est plutôt la première proposition qui est vraie (Back et al., 2010 ; Gosling et al., 2007 ; Marcus et al., 2006). Les visiteurs trouvent rapidement d'importants indices sur l'extraversion, la conscience et l'ouverture d'esprit de celui qui l'a écrit. Même de simples photographies des gens, avec leurs vêtements, leurs expressions, leurs postures peuvent nous donner des indices sur leur personnalité (Naumann et al., 2009) ;

- *communication écrite*. Si vous avez déjà senti que vous pouviez détecter la personnalité de quelqu'un d'après ce qu'il écrit, vous avez raison !!! (Si l'on peut comprendre ce qui motive l'autre… alors quelle découverte passionnante !) Notre appréciation de la personnalité des autres, qui se fonderait uniquement sur ce qu'ils écrivent, est corrélée aux scores de personnalité réellement obtenus et mesurant l'extraversion et le névrosisme (Gill et al., 2006 ; Oberlander et Gill, 2006 ; Pennebaker, 2011 ; Yarkoni, 2010). Les extravertis utilisent, par exemple, plus d'adjectifs.

Dans des situations inhabituelles ayant un caractère formel, par exemple lorsque nous sommes invités chez des gens d'une autre culture, nos traits peuvent demeurer cachés car nous suivons scrupuleusement les conventions sociales. Dans des situations familières, informelles, réunis avec des amis par exemple, nous nous sentons moins inhibés, permettant à nos traits de ressortir (Buss, 1989). Dans de telles situations informelles, notre style expressif – notre vivacité, notre façon de parler et notre gestuelle – reste étonnamment constant. Regarder des « fines tranches de vie » au cours desquelles se manifeste le comportement de quelqu'un, en examinant une photo pendant une simple fraction de seconde ou en regardant pendant deux ou trois secondes une vidéo d'un professeur pendant son cours peut nous apprendre beaucoup de choses sur ses grands traits de personnalité (Ambady 2010 ; Rule et al., 2009).

Certaines personnes sont naturellement expressives (et ont donc des talents pour le mime et les charades), mais d'autres le sont moins (et sont donc de meilleurs joueurs de poker). Pour évaluer le contrôle volontaire des gens sur leur expressivité, Bella DePaulo et ses collaborateurs (1992) ont demandé à des sujets *d'agir* de la manière la plus expressive ou la plus inhibée possible pour défendre leurs opinions. Ce qu'ils ont découvert de remarquable, c'est que les gens inexpressifs, même en feignant l'expressivité, restaient moins expressifs que des gens expressifs agissant naturellement. De même, des gens expressifs, même s'ils essayaient de se comporter de façon inhibée, étaient moins inhibés que des personnes inexpressives agissant naturellement. Il est difficile d'être ce que l'on n'est pas, ou de ne pas être ce que l'on est.

Pour résumer, nous pouvons dire qu'à chaque instant, la situation présente influence puissamment le comportement d'une personne. Les psychosociologues ont appris que cela était vrai en particulier lorsqu'une situation « forte » entraîne des exigences claires (Cooper et Withey, 2009). Il est plus facile de prédire le comportement d'un conducteur arrêté à un feu si l'on connaît la couleur de ce feu plutôt que si l'on connaît sa personnalité. Un professeur peut ainsi juger un étudiant comme

« Je pars pour la France… je suis une personne différente en France. »

Une chambre qui en dit long Même sans connaître une personne on peut, en un éclair, saisir quelques aspects de sa personnalité en regardant son site, sa chambre ou son bureau. Alors, comment interprétez-vous cette photo ?

docile (d'après son comportement en classe), mais ses amis peuvent le juger comme assez extravagant (en se fondant sur son comportement dans une soirée). Cependant, en faisant une moyenne des comportements d'un individu dans de nombreuses situations, on s'aperçoit qu'il possède effectivement des traits de personnalité distinctifs. Ces traits de personnalité existent. Nous sommes différents. Et nos différences ont de l'importance.

EXERCICE RÉCAPITULATIF

- En quoi les résultats de passation des tests de personnalité sont-ils capables de prévoir notre comportement ? Expliquez.

Réponse : Nos scores obtenus lors de la passation de tests de personnalité prédisent notre comportement général moyen qui se manifeste dans de nombreuses situations. La valeur prédictive pour une situation donnée est moins bonne.

REVUE GÉNÉRALE Les théories humanistes et les théories des traits de personnalité

OBJECTIFS D'APPRENTISSAGE

EXERCICE RÉCAPITULATIF Prenez un moment pour répondre à chacune de ces questions objectif d'apprentissage (répétées ici au sein de cette section). Puis allez à l'annexe C, révision complète du chapitre, pour vérifier vos réponses. La recherche suggère que d'essayer de répondre à ces questions de votre propre initiative permettra d'améliorer la mémorisation à long terme de ces réponses (McDaniel et al., 2009).

14-10 De quelle manière les psychologues humanistes considèrent-ils la personnalité, et quels objectifs poursuivent-ils en étudiant la personnalité ?

14-11 De quelle manière les psychologues humanistes évaluent-ils le sens du soi de quelqu'un ?

14-12 De quelle manière les théories humanistes ont-elles influencé la psychologie ? À quelles critiques ont-elles fait face ?

14-13 Comment les psychologues utilisent-ils les traits de caractère pour décrire la personnalité ?

14-14 Quels sont certains des malentendus fréquents que l'on rencontre lorsque l'on donne une définition de l'introversion ? Est-ce que l'extraversion mène plus souvent à la réussite que l'introversion ?

14-15 Que sont les inventaires de personnalité, et quelles sont leurs forces et leurs faiblesses en tant qu'outil d'évaluation des traits de la personnalité ?

14-16 Quels sont les traits de caractère qui, semble-t-il, fournissent les informations les plus intéressantes sur les variations de la personnalité ?

14-17 La recherche conforte-t-elle la constance des traits de la personnalité dans le temps et dans toutes les situations ?

TERMES ET CONCEPTS À RETENIR

EXERCICE RÉCAPITULATIF Testez votre connaissance de ces termes en essayant d'écrire leur définition, avant de vous reporter aux pages indiquées en référence pour vérifier votre réponse.

théories humanistes, p. 585

réalisation de soi, p. 585

considération positive inconditionnelle, p. 586

conception de soi, p. 586

trait, p. 588

inventaire de personnalité, p. 591

Minnesota Multiphasic Personality Inventory (MMPI). 591

test empirique, p. 591

Les théories sociocognitives et le soi

Les théories sociocognitives

14-18 De quelle manière les tenants de la théorie sociocognitive considèrent-ils le développement de la personnalité, et comment explorent-ils le comportement ?

La science de la psychologie contemporaine considère que les personnes sont des organismes biopsychosociaux. La **perspective sociocognitive** de la personnalité, proposée par Albert Bandura (1986, 2006, 2008), insiste sur l'importance de l'interaction de nos traits de personnalité et de notre situation. L'inné et l'acquis agissent toujours de concert et il en est de même entre les personnes et leurs situations.

Perspective sociocognitive comportement influencé par l'interaction des traits de personnalité (y compris la pensée) et le contexte social.

Les théoriciens sociocognitivistes pensent que nous apprenons beaucoup de nos comportements soit par le conditionnement, soit en observant les autres et en modelant nos attitudes sur les leurs. (C'est la partie « sociale ».) Ils insistent également sur l'importance des processus mentaux : ce que nous *pensons* des différentes situations influence notre comportement. (C'est la partie « cognitive ».) Donc, au lieu de nous fixer uniquement sur la façon dont notre environnement nous *contrôle* (béhaviorisme), les sociocognitivistes s'attachent à comprendre comment nous *interagissons* avec notre environnement : comment interprétons-nous et répondons-nous aux événements extérieurs ? Comment nos schémas de pensée, nos souvenirs et nos attentes influencent-ils nos types de comportement ?

> **Déterminisme réciproque** influences réciproques du comportement, de la cognition, et de l'environnement.

Influences réciproques

Bandura (1986, 2006) considère l'interaction de la personne et son environnement comme un **déterminisme réciproque**. « Le comportement, les facteurs internes personnels et les influences de l'environnement, dit-il, agissent tous comme des déterminants reliés les uns aux autres » (**FIGURE 14.5**). Nous pouvons voir cette interaction dans les habitudes que les gens développent dans leurs rapports sociaux. Par exemple, l'histoire des relations amoureuses de Romena (comportement passé) influence son attitude en général (facteur interne), et qui change avec la façon dont elle agit maintenant envers Ryan (facteur environnemental).

Considérons trois types d'interactions spécifiques entre les individus et leur environnement :

1. ***Des personnes différentes choisissent des environnements différents.*** L'université où nous allons, les livres que nous lisons, les films que nous voyons, la musique que nous écoutons, les amis que nous fréquentons, tous font partie d'un environnement que nous avons choisi, en partie en fonction de nos dispositions (Funder, 2009 ; Ickes et al., 1997). Nous avons choisi cet environnement et il nous façonne.

2. ***Nos personnalités modèlent la manière dont nous interprétons les événements et dont nous y réagissons.*** Les personnes angoissées ont tendance à s'attendre et à réagir fortement aux événements menaçants (Campbell & Marshall, 2011). Si nous percevons le monde comme une menace, nous le regarderons comme étant effectivement menaçant et nous aurons tendance à adopter une attitude défensive.

3. ***Nos personnalités contribuent à créer des situations auxquelles nous réagissons.*** La façon dont nous voyons et traitons les gens a une influence sur la manière dont ils nous traitent à leur tour. Si nous nous attendons à ce que les autres ne soient pas comme nous, nos tentatives désespérées pour obtenir leur approbation pourrait les amener à nous rejeter. Les personnes déprimées se livrent souvent à cette recherche de ré-assurance excessive, ce qui confirme leur autodépréciation (Coyne, 1976a, b).

En plus de l'interaction des facteurs internes personnels, de l'environnement, et de nos comportements, nous faisons aussi l'expérience de *l'interaction gène-environnement* (Chapitre 4). Nos traits génétiquement modulés évoquent certaines réponses comportementales chez les autres, qui pourraient nous influencer dans un sens ou dans l'autre. Dans une étude classique, les sujets porteurs d'un gène associé à un comportement agressif (1) et qui étaient élevés dans un milieu difficile (2) étaient les plus à risque de manifester un comportement antisocial à l'âge adulte (Caspi et al., 2002).

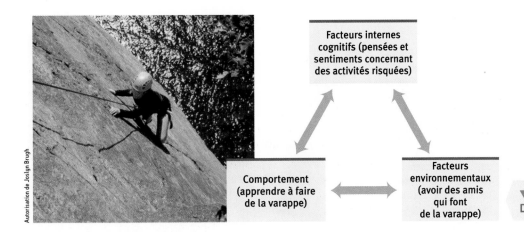

▼ FIGURE 14.5
Déterminisme réciproque

Facteurs internes cognitifs (pensées et sentiments concernant des activités risquées)

Comportement (apprendre à faire de la varappe)

Facteurs environnementaux (avoir des amis qui font de la varappe)

Autorisation de Joslyn Brugh

Influences biologiques :
• tempérament génétiquement déterminé
• réactivité du système nerveux autonome
• activité cérébrale

Influences psychologiques :
• réponses apprises
• processus de pensée inconsciente
• attentes et interprétations

Personnalité

Influences socioculturelles :
• expériences vécues pendant l'enfance
• influence de la situation
• attentes culturelles
• soutien social

▼ FIGURE 14.6
L'approche biopsychosociale appliquée à l'étude de la personnalité Comme avec d'autres phénomènes psychologiques, l'étude de la personnalité sous différents angles est fructueuse.

D'une certaine manière nous sommes à la fois le personnage et l'auteur de notre propre rôle : *le comportement est la résultante de l'interaction des influences externes et internes.* L'eau bouillante permet d'obtenir un œuf dur ou de ramollir une pomme de terre. Un environnement menaçant transformera une personne en héros et une autre en lâche. Le bien-être d'une personne extravertie sera bien meilleur dans une culture extravertie que dans une culture introvertie (Fulmer et al., 2010). À *tout instant,* notre comportement est influencé par notre biologie, nos expériences socioculturelles ainsi que nos facteurs cognitifs et nos dispositions (**FIGURE 14.6**).

EXERCICE RÉCAPITULATIF

• Albert Bandura a proposé l'approche _____ de la personnalité, qui met l'accent sur l'interaction des personnes et de leur environnement. Pour décrire les influences réciproques du comportement, des pensées, et de l'environnement, il a utilisé le terme _____ _____.

Réponses : sociocognitive ; déterminisme réciproque

Évaluer le comportement en situation

Pour prédire un comportement, les psychologues de l'école sociocognitiviste observent souvent les comportements dans des situations réalistes. Il existe un exemple ambitieux d'une telle recherche utilisée durant la Seconde Guerre mondiale par l'armée américaine, pour tester les candidats à des missions d'espionnage. Plutôt que d'utiliser des tests « papier-crayon », les psychologues de l'armée ont soumis les candidats à des situations simulées d'infiltration. Ils ont testé leur capacité à gérer le stress, à résoudre des problèmes, à maintenir une autorité et à résister à des interrogatoires intensifs sans trahir leur « couverture ». Bien que coûteuse et longue, cette évaluation du comportement dans une situation réaliste a aidé à prédire les succès ultérieurs dans des missions d'espionnage réelles (OSS Assessment Staff, 1948). Les études modernes indiquent que les exercices effectués dans les centres d'évaluation révèlent plus certains traits de la personnalité visibles comme la capacité de communication, que d'autres, plus internes, comme l'énergie d'accomplissement (Bowler et Woehr, 2006).

L'évaluation du comportement en situation Les émissions de télévision dites de télé-réalité, comme celle de Donald Trump *The Apprentice,* peuvent donner aux entretiens d'embauche une couleur théâtrale, mais illustrent bien des situations sociales courantes. Voir comment une personne, candidate à un poste, se comporte dans une situation en rapport avec cet emploi, permet de prédire sa réussite.

Jennifer Szymaszek/AP Photo

Les organisations militaires ou scolaires et les 500 entreprises classées par le magazine Fortune ont adopté cette stratégie de centres d'évaluation (Bray et al., 1991, 1997 ; Eurich et al., 2009). La société AT&T a observé ses futurs gestionnaires en train d'exercer un travail de direction simulé. Beaucoup d'établissements d'études supérieures jugent le potentiel d'aptitude pédagogique des membres des facultés en les observant lorsqu'ils enseignent, et évaluent le potentiel des étudiants au cours de leurs stages d'enseignement ou de leur période d'internat. La plupart des villes américaines dont la population dépasse les 50 000 habitants utilisent des centres d'évaluation pour la police et les sapeurs pompiers (Lowry, 1997).

Ces techniques utilisent le principe selon lequel le meilleur moyen de prévoir le comportement futur des gens n'est pas un test de personnalité ou l'intuition d'une personne durant un entretien, mais plutôt *la manière avec laquelle ils ont réagi antérieurement dans une situation similaire* (Lyons et al., 2011 ; Mischel, 1981 ; Schmidt & Hunter, 1998). Aussi longtemps que la situation et la personne restent globalement identiques, le meilleur facteur prédictif des résultats futurs en situation professionnelle se trouve dans les résultats antérieurs obtenus en situation professionnelle ; le meilleur facteur prédictif des notes à venir se trouve dans les notes antérieures ; le meilleur facteur prédictif de l'agressivité future est l'agressivité passée. Si vous ne pouvez pas déterminer le comportement antérieur d'un individu, la meilleure chose à faire est de créer une situation d'évaluation qui reproduit la tâche demandée de façon à ce que vous puissiez voir comment il s'en accommode (Lievens et al., 2009 ; Meriac et al., 2008).

> « Le passé est un prologue. »
>
> William Shakespeare, *La Tempête*, 1611

Évaluer les théories sociocognitives

14-19 Quelles sont les critiques auxquelles les tenants de la théorie sociocognitive ont dû faire face ?

Les théories sociocognitives de la personnalité ont sensibilisé les chercheurs sur la façon dont les situations peuvent affecter – et sont affectées par – les individus. Plus que les autres théories sur la personnalité, elles ont été élaborées à partir des découvertes concernant l'apprentissage et la cognition (voir **TABLEAU 14.4**).

▼ TABLEAU 14.4
Comparaison des grandes théories de la personnalité

Théorie de la personnalité	Fondateur	Hypothèse	Conception de la personnalité	Méthode d'étude de la personnalité
Psychanalytique	Freud	La source des troubles émotionnels se trouve dans un processus dynamique inconscient, tel que les conflits psycho-sexuels non résolus et autres difficultés survenues dans l'enfance, et la fixation à divers stades de développement. Les mécanismes de défense luttent contre l'anxiété qui menace l'intégrité du Moi.	La personnalité se compose de plusieurs instances : le Moi, en prise avec la réalité, le Ça, source des pulsions à rechercher le plaisir, et le Surmoi, ensemble d'idéaux et de normes sociales intériorisés.	Associations libres, tests projectifs, analyse des rêves
Psychodynamique	Adler, Horney, Jung	L'inconscient et le conscient interagissent. Les expériences vécues pendant l'enfance et les mécanismes de défense sont importants.	L'interaction dynamique des motivations et des conflits conscients et inconscients va façonner notre personnalité.	Tests projectifs, séances de thérapie
Humaniste	Rogers, Maslow	Plutôt que de prendre pour modèle les conflits intrapsychiques auxquels sont en proie les personnes malades, il vaut mieux faire référence aux façons dont les gens en bonne santé luttent pour se réaliser eux-mêmes.	Si nos besoins humains fondamentaux sont satisfaits, les gens vont tendre vers la complétude par la réalisation de soi. Dans un climat de considération positive inconditionnelle, il est possible de développer une conscience de soi et une image de soi plus réaliste et positive.	Questionnaires, séances de thérapie
Traits de personnalité	Allport, Eysenck, McCrae, Costa	Nous possédons certaines caractéristiques stables et durables, qui sont génétiquement influencées.	L'étude scientifique des traits a isolé des dimensions importantes de la personnalité. Ces cinq traits sont : la conscience, l'amabilité, le névrosisme, l'ouverture d'esprit et l'extraversion (le « Big Five »).	Inventaires de personnalité
Sociocognitive	Bandura	Nos comportements sont le produit de l'interaction de nos traits et du contexte social.	Le conditionnement et l'apprentissage par observation d'une part et la cognition d'autre part interagissent pour créer des comportements typiques de référence.	La meilleure façon de prévoir notre comportement dans une situation donnée est de prendre en considération le comportement manifesté dans des situations similaires.

Soi dans la psychologie contemporaine, centre de la personnalité qui organise nos pensées, nos sentiments et nos actions.

Effet « spotlight » (ou effet projecteur) surestimer le fait que les autres jugent sans cesse notre apparence, nos réussites et nos maladresses (comme si un projecteur était, en permanence, braqué sur nous).

Les critiques reprochent aux théories sociocognitives de se focaliser tellement sur la situation qu'elles n'évaluent pas les caractéristiques internes propres à l'individu. Où est la personne dans cette vision de la personnalité demandent ses détracteurs et quelle place ont les émotions ? C'est vrai, les situations guident nos comportements. Mais selon les critiques, dans bien des circonstances, nos motivations inconscientes, ou plutôt non conscientes, nos émotions et nos traits les plus marqués s'étalent au grand jour. Les traits de personnalité ont montré qu'ils pouvaient permettre de prédire les comportements au travail, en amour et au jeu. Nos traits de personnalité, qui sont influencés biologiquement, sont réellement importants. Considérez Percy Ray Pridgen et Charles Gill. Ils ont eu à affronter la même situation : ils ont gagné ensemble le gros lot de la loterie, plus de 90 millions de dollars (Harriston, 1993). En prenant connaissance du numéro gagnant, Pridgen commença à trembler de façon incontrôlable et se blottit dans les bras d'un ami derrière la porte de la salle de bain pendant qu'on confirmait le gain, puis se mit à sangloter. Lorsque Gill entendit la nouvelle, il le dit à sa femme puis alla se coucher.

EXERCICE RÉCAPITULATIF

• Quelle est la meilleure façon de prédire le comportement futur d'une personne ?

Réponse : Examiner les comportements passés de la personne qui se sont manifestés dans des situations similaires.

Explorer le soi

14-20 Pourquoi la psychologie a-t-elle entraîné autant de recherches sur le soi ? Quelle est l'importance de l'estime de soi pour la psychologie et pour le bien-être ?

L'intérêt des psychologues pour le sens du soi des individus remonte au moins à William James, qui a consacré plus de 100 pages sur le sujet dans ses « *Principles of Psychology* » de 1890. En 1943, Gordon Allport se lamentait parce que le soi avait été « perdu de vue ». Bien que l'intérêt des psychologues humanistes pour le soi n'ait pas suscité beaucoup de recherches scientifiques, il a aidé à renouveler ce concept et continuer à le faire vivre. Aujourd'hui, plus d'un siècle après James, le soi est l'un des sujets de recherche les plus développés de la psychologie occidentale. Chaque année, une profusion de nouvelles études est publiée concernant l'estime de soi, la conscience de soi, la découverte de soi, les schémas du soi, le contrôle de soi et ainsi de suite. Même les chercheurs en neurosciences ont fait des recherches sur le soi en identifiant une région du lobe frontal qui s'active lorsque les gens répondent à des questions de réflexion sur soi, sur leur caractère ou leurs dispositions (Damasio, 2010 ; Mitchell, 2009 ; Pauly et al., 2013). L'hypothèse sous-tendant cette recherche est que le **soi**, en tant qu'organisateur de nos pensées, de nos sentiments et de nos actions, est le pivot de la personnalité.

« La meilleure façon de connaître des jours meilleurs est de les imaginer. »

Biscuit porte-bonheur chinois

Un exemple de réflexion sur le soi est le concept des « *sois possibles* » développé par Hazel Markus et ses collaborateurs (Cross et Markus, 1991 ; Markus et Nurius, 1986). Les soi possibles comprennent les visions du soi que vous rêvez de devenir comme le soi riche, le soi couronné de succès, le soi aimé et admiré. Mais ils comprennent également ceux que vous avez peur de devenir, le soi au chômage, le soi solitaire, le soi qui a raté ses études. Les soi possibles nous motivent pour définir des objectifs spécifiques qui mobilisent notre énergie de façon efficace et fructueuse (Landau et al., 2014). Les élèves du secondaire doués pour les mathématiques et les sciences, et participant à un programme éducatif spécial, avaient plus de chances devenir des scientifiques s'ils avaient une vision claire de leur réussite dans ce domaine (Buday et al., 2012). Les rêves donnent souvent naissance à la réussite.

Notre perspective centrée sur nous-mêmes peut nous motiver, mais elle nous conduit aussi à présumer trop facilement de la façon dont les autres nous remarquent et nous jugent. Thomas Gilovich (1996) a démontré cet **effet « spotlight »** ou « effet projecteur » en demandant à des étudiants de l'université Cornell de revêtir des T-shirts à l'effigie du chanteur Barry Manilow avant d'entrer dans une salle avec d'autres étudiants. Très soucieux de leur apparence, les étudiants qui portaient les T-shirts pensaient que la moitié de la classe les avait remarqués quand ils étaient entrés. En réalité, seulement 23 %

Timothy Large/
Shutterstock et © Trinity
Mirror/Mirrorpix/Alamy

s'en étaient aperçus. Ce manque d'attention s'applique à nos vêtements démodés notre coiffure peu soignée et aussi à notre degré de nervosité, d'irritation et d'attirance : il y a moins de gens qui nous remarquent que nous ne le pensons (Gilovich et Savitsky, 1999). Les autres s'intéressent moins aussi à nos changements d'apparence et aux fluctuations de notre humeur (Gilovich et al., 2002). Même à la suite d'une maladresse (comme par exemple en déclenchant accidentellement l'alarme d'une bibliothèque ou en se présentant avec les vêtements inadaptés à la circonstance), on détonne moins qu'on ne l'imagine (Savitsky et al., 2001). Pour diminuer l'intensité que la lumière du projecteur porte sur nous, nous pouvons utiliser deux stratégies. La première est simplement de connaître cette notion d'« effet projecteur ». La prestation des personnes qui s'adressent à un public est d'autant meilleure s'ils savent que l'auditoire ne remarquera pas leur émotivité (Savitsky et Gilovich, 2003). La deuxième est de se placer du point de vue de l'auditoire. Lorsque nous imaginons l'empathie dont peuvent faire preuve les membres de l'auditoire, penser que nous serons jugés moins sévèrement que nous le pensons (Epley et al., 2002).

Les bienfaits de l'estime de soi

La manière dont nous nous sentons vis-à-vis de nous-mêmes est également importante. Une haute **estime de soi** – un sentiment de sa propre valeur – procure des avantages. Il en va aussi de l'**auto-efficacité**, ou efficacité personnelle, le sentiment que l'on a de sa capacité à remplir une tâche, de sa compétence. Les gens qui se sentent bien (qui sont fortement d'accord avec les déclarations de questionnaire d'autoaffirmation telle que « Je suis amusant, on apprécie ma compagnie ») souffrent moins d'insomnie. Ils cèdent moins facilement aux pressions pour se conformer. Ils écrivent des messages plus positifs sur Facebook, et ont du succès (Forest & Wood, 2012). Ils sont plus persistants lors de l'accomplissement de tâches difficiles ; ils sont moins timides, moins anxieux, et moins solitaires. En un mot, ils sont tout simplement plus heureux (Greenberg, 2008 ; Orth et al., 2008, 2009). S'ils se sentent mal, ils pensent qu'ils méritent mieux et de ce fait font plus d'effort pour restaurer leur humeur (Wood et al., 2009).

Mais l'estime de soi est-elle un moteur ou une conséquence ? Constitue-t-elle vraiment « une armure qui protège les enfants » des problèmes de la vie (MacKay, 2000) ? Certains psychologues en doutent (Baumeister, 2006 ; Dawes 1994 ; Leary, 1999 ; Seligman, 1994, 2002). L'autoefficacité que les enfants manifestent à l'école ; la confiance qu'ils ont en eux pour bien maîtriser un sujet, est prédictive de la réussite scolaire. Mais l'estime de soi est mois prédictive (Marsh & Craven, 2006 ; Swann et al., 2007 ; Trautwein et al., 2006). Il se peut que l'estime de soi reflète simplement la réalité. Peut-être est-ce un effet secondaire à la situation de faire face à des défis et de surmonter les difficultés ? Peut-être que l'estime de soi est une jauge qui évalue l'état de nos relations. Si c'est le cas, le fait de remonter le niveau cette jauge artificiellement, par des compliments vides de sens n'équivaut-il pas à fausser celle du réservoir à essence d'une voiture à indiquer « réservoir plein » alors qu'il n'y a presque plus de carburant ?

Si le sentiment de satisfaction *suit* le travail bien fait, les compliments donnés en l'absence de résultats, eux, peuvent être nuisibles. Si des élèves en difficulté sont complimentés toutes les semaines de façon imméritée les notes obtenues seront encore *plus basses* que prévu (Forsyth et al., 2007). D'autres recherches ont montré que le fait d'attribuer des récompenses au hasard nuit à la productivité. Martin Seligman a rapporté que « lorsque de bonnes choses arrivent, sans efforts comme des pièces sortant dune machines à sous, le bien être n'en tire pas bénéfice. Le renoncement domine tout. Les gens ont "baissé les bras" et sont devenus passifs ».

Quoi qu'il en soit, les expériences mettent en évidence un des *effets* d'une faible estime de soi. Si, à un moment donné, vous « dégonflez » l'estime de soi des gens (par exemple en leur disant qu'ils ont raté un test d'aptitude ou en dénigrant leur personnalité), ils seront plus enclins à dénigrer d'autres personnes ou à exprimer de forts préjugés ethniques (VanDellen et al., 2011 ; Van Dijk et al., 2011 ; Ybarra, 1999). Si l'image de soi est menacée, les préjugés raciaux inconscients se font plus forts (Allen & Sherman, 2011). Les personnes négatives vis-à-vis d'elles-mêmes ont tendance à être susceptibles et à mal juger l'autre (Baumgardner et al., 1989 ; Pelham, 1993). Au cours d'expériences, des sujets qu'on a amenés à se sentir inquiets sont devenus souvent excessivement critiques, comme pour impressionner les autres par leurs propres talents (Amabile, 1983). Les menaces ressenties envers l'estime de soi conduisent aussi les gens à consulter « leur profil mis en ligne », havres de paix où ils pourront tranquillement restaurer image qu'ils ont d'eux (Toma & Hancock, 2013). De telles découvertes sont en accord avec les hypothèses de la psychologie dite humaniste, selon lesquelles une bonne image de soi est primordiale. Acceptez-vous et vous trouverez qu'il est plus facile d'accepter les autres.

Estime de soi sentiment que l'on a de sa propre valeur qui peut être estimée comme étant forte ou faible.

Autoefficacité sentiment que l'on a de sa propre compétence et de sa propre efficacité.

« Quand les enfants progressent dans la maîtrise de soi les progrès scolaires suivent. Mais lorsque, chez les enfants, l'estime de soi est grandissante, les progrès scolaires ne suivent pas toujours. »

Angela Duckworth, entretien dans *Character* donné en 2009

LOW SELF-ESTEEM

Dénigrez-vous et vous serez enclin à la « floccinaucinihilipilification[1] » des autres. Dit plus simplement, certaines personnes « aiment leurs voisins autant qu'eux-mêmes » ; d'autres « détestent leurs voisins autant qu'eux-mêmes ». Ceux qui se déconsidèrent, seront vraisemblablement déconsidérés par les autres.

Les coûts psychologiques de l'estime de soi

14-21 Dans quelle mesure le fait d'être animé par un optimisme excessif, d'être aveugle face à sa propre incompétence, et le biais d'autocomplaisance peuvent-ils être des manifestations néfastes de l'estime de soi et en quoi l'estime de soi défensive diffère-t-elle de l'estime de soi assurée ?

Excès d'optimisme Si des pensées positives peuvent être bénéfiques dans l'adversité, il est nécessaire de faire également preuve d'un peu de réalisme (Schneider, 2001). Une angoisse réaliste sur de futurs échecs possibles peut nous donner l'énergie nécessaire pour éviter ce terrible sort (Goodhart, 1986 ; Norem, 2001 ; Showers, 1992). Les étudiants qui, anxieux d'échouer à leur prochain examen, se mettent à étudier consciencieusement, obtiennent souvent de meilleurs résultats que ceux qui ont les mêmes aptitudes mais ont trop confiance en eux. Comparativement aux étudiants américains d'origine européenne, les étudiants américains d'origine asiatique ont fait preuve de plus de pessimisme, ce qui pourrait expliquer leur réussite scolaire impressionnante (Chang, 2001). Le succès nécessite assez d'optimisme pour engendrer l'espoir et assez de pessimisme pour éviter la suffisance. Nous souhaitons que nos pilotes de ligne soient conscients des pires difficultés possibles.

Un optimisme excessif peut cependant nous aveugler face aux risques réels. Neil Weinstein (1980, 1982, 1996) a montré comment notre biais naturel à voir les choses positivement pouvait induire « un optimisme irréaliste à propos des événements de vie futurs ». La plupart des étudiants considèrent qu'ils ont moins de risques que la moyenne de leurs camarades d'être en difficulté avec l'alcool, d'abandonner leurs études ou d'avoir une crise cardiaque vers l'âge de 40 ans ou de devoir rembourser d'importants crédits à la consommation aux intérêts élevés (Yang et al., 2006). Quand les sujets se font des illusions à propos de la réussite financière ou de voyage d'aventure, ils se concentrent souvent sur les gratifications qu'ils en attendent et ignorent les risques qu'ils encourent (Kappes & Oettingen, 2012). Ceux qui pensent posséder une bonne capacité à contrôler leurs pulsions comme une envie pressante de fumer auront plus tendance à s'exposer eux-mêmes à la tentation, et à ne pas pouvoir se contrôler (Nordgren et al., 2009). Ceux qui, par optimisme, refusent de voir les effets du tabagisme, s'aventurent dans des relations destinées à les rendre malades et dans de nombreuses situations se croient plus malins que les autres. Ainsi, ils nous rappellent que l'optimisme aveugle peut entraîner la chute.

Les gens présentent aussi un optimisme illusoire quant à leur groupe. Tout au long de la saison de la Ligue Nationale de Football américain, les supporters de chaque équipe supposent à juste titre que les autres équipes ont une chance sur deux de gagner. Mais ils supposent de manière incorrecte, en moyenne (selon les équipes et les semaines), que leur propre équipe a 2 chances sur 3 de gagner (Massez et al., 2011). Ce biais illogique d'optimisme persiste malgré leurs connaissances des performances passées de leur équipe et des incitations rémunérées à être plus précis.

Cependant, notre penchant naturel vers le jugement positif semble disparaître quand nous rassemblons notre courage dans l'attente de retours, par exemple de résultats d'examens (Carroll et al., 2006). Dans une analyse des résultats de 71 études, la plupart des sujets ont modifié leurs attentes et sont devenus plus perplexes avant l'heure de vérité (Sweeny & Krizan, 2013). L'illusion positiviste disparaît également à la suite d'une expérience personnelle traumatisante : après le tremblement de terre catastrophique en Californie, les victimes avaient perdu le sentiment d'être moins exposées aux tremblements de terre que les autres (Helweg-Larsen, 1999).

La cécité vis-à-vis de sa propre incompétence Ironiquement, les personnes qui ont trop confiance en elles sont les plus incompétentes. Selon Justin Kruger et David Dunning (1999), il faut une certaine compétence pour reconnaître la compétence. Ils ont découvert que la

---

1. Pourrions-nous résister à faire cette comparaison ? Mais ne vous inquiétez pas, vous ne serez pas testé sur la « floccinaucinihilipilification », qui est l'acte de l'estimation que quelque chose est inutile (le plus long mot non-technique figurant dans la première édition de l'Oxford English Dictionary).

plupart des étudiants qui ont les résultats les plus faibles aux tests de grammaire et de logique sont ceux qui pensaient être classés parmi les 50 premiers. Si vous ne savez pas ce qu'est une bonne grammaire, il se peut que vous ne soyez pas conscient d'être mauvais en grammaire. Ce phénomène de l'« ignorance de sa propre incompétence » peut être mis en parallèle avec les difficultés qu'ont les malentendants à reconnaître leur propre perte d'audition, comme je peux en témoigner (DM). Nous ne refusons pas de nous rendre à l'évidence, nous n'avons seulement pas conscience de ce que nous n'entendons pas. Si je n'entends pas mon ami m'appeler, celui-ci s'aperçoit de mon inattention. Mais, pour moi, il ne s'est rien passé. J'entends ce que j'entends, ce qui, pour moi, est tout à fait normal.

La difficulté à reconnaître sa propre incompétence explique pourquoi tant d'étudiants qui ont des mauvaises notes à un examen sont surpris. Lorsque vous jouez au Scrabble, vous pouvez vous sentir plutôt intelligent jusqu'à ce que quelqu'un vous montre toutes les possibilités que vous n'aviez pas vues et dont vous n'aviez pas la moindre idée. C'est notre ignorance de ce que nous ne savons pas qui entretient notre confiance en nous et qui nous conduit à faire les mêmes erreurs (Williams et al., 2013).

Dunning remarqua (2006) que pour juger de sa compétence et prédire ses résultats futurs, il est souvent intéressant de faire appel aux estimations d'un tiers. En nous appuyant sur les résultats d'études au cours desquelles les individus et leurs connaissances prédisent leur avenir, nous pouvons risquer quelques conseils : si vous êtes un étudiant en médecine et que vous voulez savoir si vous aurez de bonnes capacités à l'examen d'aptitude chirurgicale, ne vous fiez pas à vous-même mais demandez à votre entourage qu'ils vous donnent franchement leur avis. Si vous êtes un officier de la marine et que vous voulez estimer vos capacités à commander, ne vous fiez pas à vous-même mais demandez aux autres officiers. Et si vous êtes amoureux et que vous voulez savoir si votre histoire d'amour va durer, n'écoutez pas votre cœur, demandez à votre camarade de chambre.

Biais d'autocomplaisance Vous vous imaginez arrivant tout fringant en classe, en espérant ne pas rater les premières minutes du cours. Mais vous arrivez avec cinq minutes de retard, tout essoufflé. Alors que vous prenez votre place, quelles sortes de pensées vous passent-elles par la tête ? Passez-vous par une porte négative, avec des pensées telles que : « Je me déteste » et « Je suis nul » ? Ou passez-vous par une porte positive, en vous disant : « Au moins, j'assiste au cours » et « j'ai vraiment tout fait pour arriver à l'heure » ?

Les psychologues spécialisés dans les études de la personnalité ont constaté que la plupart des gens choisissent la deuxième porte, et donc une image de soi positive. Nous avons une bonne image de nous-mêmes. Nous montrons un **biais d'autocomplaisance**, une promptitude à nous percevoir favorablement (Myers, 2010). Considérez ceci :

Les gens acceptent plus facilement la responsabilité des bonnes actions plutôt que des mauvaises, et des succès plutôt que des échecs. Les athlètes, en privé, attribuent souvent leurs victoires à leurs propres prouesses tandis qu'ils attribuent leurs défaites à des erreurs, à la négligence d'un officiel ou à la performance

> Biais d'autocomplaisance promptitude à une perception de soi favorable.

exceptionnelle de l'équipe adverse. La plupart des étudiants qui obtiennent de mauvaises notes à un examen, critiquent l'examen lui-même, mais ne font pas d'autocritique. Les chauffeurs qui remplissent les formulaires de constat d'accident destiné à leur compagnie d'assurance ont expliqué leurs accidents en des termes grotesques tels que « Un piéton a heurté ma voiture et s'est retrouvé sous le châssis ». La question « Qu'ai-je fait pour mériter cela ? » est celle que nous nous posons habituellement lorsque nous vivons des situations difficiles, et non pas lorsque nous réussissons quelque chose. Bien qu'un biais d'autocomplaisance puisse nous conduire à éviter l'affrontement de vérités qui nous mettent mal à l'aise, il peut aussi nous inciter à aborder les tâches difficiles avec confiance plutôt qu'avec désespoir (Tomaka et al., 1992 ; von Hippel & Trivers, 2011).

La plupart des gens se croient supérieurs à la moyenne. Êtes-vous plus beau ou plus belle que la plupart des personnes auxquelles vous vous comparez ? Par rapport à la plupart des autres personnes, comment êtes-vous belle ? Avez-vous plus d'entregent ? A-t-on envie de devenir votre ami(e), de vous exprimer des sentiments amoureux ? Où vous classez-vous dans une distribution normale allant du 1er au 99e percentile ? La plupart des gens se situent ainsi à droite du 50e percentile. Cet effet de se sentir supérieur à la moyenne apparaît presque pour tout comportement évalué comme étant socialement souhaitable :

- Dans des enquêtes réalisées au niveau national, la plupart des responsables d'entreprise prétendent qu'ils sont respectueux de plus de principes éthiques que la moyenne de leurs homologues. Au cours de plusieurs études, 90 % des cadres commerciaux et plus de 90 % des professeurs d'université ont jugé leurs performances supérieures à celles de la moyenne de leurs confrères.

- En Australie, 86 % des gens estiment que leurs performances professionnelles sont supérieures à la moyenne, alors que 1 % seulement les juge inférieures.

- Dans l'enquête nationale menée par Family and Household, 49 % des hommes disent participer à au moins la moitié de l'éducation des enfants alors que seulement 31 % de leurs femmes ou de leurs partenaires voient les choses sous cet angle (Galinsky et al., 2008).

- L'imagerie cérébrale révèle que plus les gens se jugent comme étant supérieurs à la moyenne, moins la zone cérébrale, le cortex orbito-frontal régulant l'autoévaluation, est activée (Beer & Hughes, 2010). Il semble que le réglage par défaut de notre cerveau nous amène à penser que nous sommes meilleurs que les autres.

PEANUTS

Le phénomène, qui consiste à se surestimer et à sous-estimer les autres (Brown, 2012 ; Epley et Dunning, 2000) est moins net en Asie, où la modestie est appréciée (Falk et al., 2009 ; Heine et Hamamura, 2007). Estimation du biais d'autocomplaisance de par le monde : dans chacun des 53 pays ayant fait l'objet d'une enquête, les personnes exprimaient une estime de soi au-dessus de la moyenne de l'échelle la plus largement employée (Schmitt et Allik, 2005).

Ironiquement, les gens se croient plus à l'abri que les autres du biais d'autosatisfaction (Pronin, 2007). Cela est vrai, la proportion des personnes qui pensent ne pas être supérieures à la moyenne est supérieure à la moyenne. (Ironie psychologique de la statistique ?) Le monde, semble-t-il, est comme l'a décrit Garrison Keillor dans le « Lac Wobegon », un endroit où « toutes les femmes sont fortes, tous les hommes présentent bien et tous les enfants sont supérieurs à la moyenne ».

Le biais d'autocomplaisance ou d'autosatisfaction plane au-dessus de la psychologie vulgarisée. « Nous avons tous un complexe d'infériorité », écrit John Powell (1989, p. 15), « ceux qui semblent ne pas en avoir font tout simplement semblant. » Cependant, une accumulation de preuves balaye tous les doutes (Guenther et Alicke, 2010 ; Myers, 2010) :

« Si vous êtes comme la plupart des gens, alors, comme la plupart des gens, vous ne savez pas que vous êtes comme la plupart d'entre eux. La science nous a rapporté de nombreuses données pour que nous nous fassions une idée de la personne moyenne, et l'une des plus fiables de ces données est que la personne moyenne ne se voit jamais comme telle. »

Daniel Gilbert, *Stumbling on Happiness,* 2006

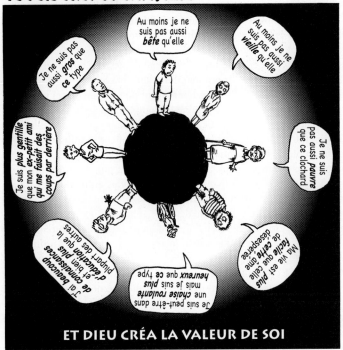

- Nous nous rappelons et justifions nos actions passées en nous en félicitant, et nous manifestons une confiance exagérée en nos croyances et nos jugements. Nous croyons plus rapidement aux descriptions flatteuses de nous-mêmes qu'aux descriptions désagréables et nous sommes impressionnés par des tests psychologiques qui donnent de nous une bonne image.
- Nous surestimons la façon admirable dont nous agirions dans des situations où la plupart des *gens* se comporteraient d'une piètre manière. Nous soutenons notre propre image en surestimant l'aspect banal de nos faiblesses et en sous-estimant l'aspect banal de nos points forts.
- Nous nous voyons nous-mêmes comme apportant, à notre groupe, une meilleure contribution que la moyenne (mais il en est de même pour les autres membres de notre équipe, ce qui explique pourquoi les estimations de l'autocontribution des membres d'un groupe dépassent en général 100 %).
- Nous montrons une fierté de groupe, c'est-à-dire une tendance à percevoir notre groupe d'appartenance (notre école, notre pays et même nos animaux domestiques) comme étant supérieur aux autres.

La fierté authentique qui est enracinée dans la réussite réelle soutient la confiance en soi et les qualités de leader (Tracy et al., 2009 ; Williams et De Steno, 2009). L'autosatisfaction est à la base de conflits qui vont de la critique de son conjoint dans les querelles de ménage, à la promotion arrogante de notre propre supériorité ethnique. Ces tendances à l'autocomplaisance peuvent également expliquer pourquoi, lors d'événements violents, les gens pensent que la responsabilité de leur groupe d'appartenance est plus faible (Bilali et al., 2012). Trouvant que leur estime de soi est menacée, les personnes qui possèdent un ego surdimensionné peuvent réagir violemment. C'est « l'orgueil d'être aryen » qui a alimenté les atrocités nazies. Daniel Kahneman et Jonathan Renshon (2007) remarquent : « Ces biais ont pour effet de rendre les guerres plus faciles à commencer et plus difficiles à finir ».

Nous pouvons voir ces tendances même chez les enfants, chez lesquels la recette des bagarres fréquentes consiste à mélanger une haute estime de soi au rejet social. Les enfants les plus agressifs ont tendance à porter un regard sur eux-mêmes particulièrement élevé et qui est entamé par l'aversion que manifestent envers eux les autres enfants (van Boxtel et al., 2004). Un adolescent ou un adulte réputé pour avoir la « grosse tête » et qui est déstabilisé par une insulte peut être potentiellement dangereux. Brad Bushman et Roy Baumeister (1998) ont expérimenté le « côté sombre d'une estime de soi élevée ». Ils ont demandé à 540 étudiants de premier cycle universitaire de se porter volontaires pour écrire un court essai ; un autre étudiant était chargé d'évaluer ce paragraphe en

« Les portraits que nous faisons de nous-mêmes et auxquels nous croyons réellement quand on nous donne la liberté de les exprimer, sont considérablement plus positifs que la réalité ne pourrait le soutenir. »

Shelley Taylor, *Positive Illusions*, 1989

en faisant son éloge : « Excellente dissertation ! », ou en le critiquant de façon blessante : « C'est la pire dissertation que j'aie jamais lue ! ». Ensuite chacun des auteurs des dissertations devait se soumettre à un jeu afin de tester leur temps de réaction face aux critiques de l'autre étudiant. Après l'annonce des résultats, les étudiants évalués avaient le droit d'agresser leur adversaire en faisant autant de bruit qu'ils le souhaitaient.

Pouvez-vous prévoir les résultats ? Ceux dont l'estime de soi était démesurée ont réagi de façon « exceptionnellement agressive » aux critiques. Ils ont manifesté leur mécontentement avec une intensité sonore trois fois plus élevée que les autres étudiants ayant une estime de soi pondérée. L'« égotisme menacé » prédispose plus à l'agression, semble-t-il, que la faible estime de soi. Cela pose problème lorsque l'« on encourage une personne à être fière d'elle-même quand elle ne le mérite pas », conclut Baumeister (2001). « Les individus qui sont très vaniteux et suffisants peuvent être odieux envers quelqu'un qui blesse leur amour-propre démesuré. »

De 1980 à 2007, les paroles des chansons populaires sont devenues plus centrées sur le soi (DeWall et al., 2011). Une analyse de 766 513 livres américains publiés entre 1960 et 2008 a montré un résultat similaire : une augmentation du nombre de mots exprimant l'égoïsme (Twenge et al., 2013.). Lors d'un important inventaire de l'estime de soi effectué en 2008, pour lequel 40 correspondait à la note maximale de l'estime de soi, 51 % des étudiants avaient un score supérieur ou égal à 35 (Gentile et al., 2010). Une autre étude statistique portant sur plus de 9 millions de lycéens et d'étudiants entrant à l'Université menée entre 1966 et 2009 a également trouvé que ces personnes ont montré un intérêt croissant pour la réussite sociale, les gains financiers, la renommée et le prestige social, alors que le souci des autres s'est montré décroissant (Twenge et al., 2012).

Après avoir suivi l'importance du soi pendant plusieurs décennies, la psychologue Jean Twenge (2006 ; Twenge et Foster, 2010) souligne que la *génération « moi »* comme elle l'appelle, exprime plus de **narcissisme** (en étant le plus souvent d'accord avec des affirmations telles que « si je gouvernais le monde, il serait meilleur » ou « je crois que je suis une personne très spéciale »). Être d'accord avec ces affirmations est corrélé avec le matérialisme, le désir d'être célèbre, des attentes plus importantes, plus de relations virtuelles que d'engagements dans les relations, plus de spéculations et plus de tromperies ; tous ces caractères ont augmenté parallèlement à l'augmentation du narcissisme. *Narcissiques* ils ne sont pas indulgents, jouent des sentiments amoureux comme s'ils sont dans un jeu vidéo, et finalement sont de piètres leaders (Campbell et al., 2002 ; Exline et al., 2004 ; Nevicka et al., 2011). Les acteurs hollywoodiens et les vedettes de la télé-réalité, du moins ceux qui apparaissent sur une chaîne nationale et qui ont accepté de passer un test évaluant le narcissisme de manière anonyme, sont particulièrement narcissiques (Young et Pinsky, 2006). Au niveau de la collectivité, le narcissisme (exemple d'item : « mon groupe est extraordinaire ») prédit une augmentation de la sensibilité à la menace et de l'agressivité par représailles (de Zavala et al., 2009 ; Lyons et al., 2013).

Malgré la mise en évidence des dangers de l'orgueil, beaucoup de personnes rejettent l'idée de biais d'autosatisfaction et insistent sur le fait qu'elle ne tient pas compte des personnes qui se sentent diminuées et indignes d'amour jusqu'au mépris d'elles-mêmes. Si la notion de biais d'autosatisfaction joue un rôle prédominant, pourquoi tant de personnes se déprécient-elles ? Il y a quatre raisons à cela : quelquefois, les remarques d'autodépréciation font partie d'une *stratégie très subtile* par le biais de laquelle on obtient du réconfort. Le fait de dire « personne ne m'aime » peut au moins conduire à la réponse de la part d'autrui : « mais tout le monde n'a pas encore fait votre connaissance » ! Dans d'autres circonstances, par exemple avant un match ou un examen, des commentaires d'autodépréciation *nous préparent à une défaite possible*. L'entraîneur qui met en avant la supériorité de l'adversaire rend une défaite compréhensible et la victoire digne de louange. Exemple d'autodépréciation : « Comment ai-je pu être aussi stupide ! ». Cela nous aide aussi *à tirer des leçons de nos erreurs*. Et finalement l'autodépréciation se rapporte souvent à une *perception d'un moi du passé*. Si on leur demande de se souvenir de leurs comportements vraiment mauvais, les personnes se souviennent de choses s'étant passées il y a bien longtemps ; les bons comportements qui viennent le plus facilement à l'esprit sont issus du passé récent (Escobedo et Adolphs, 2010). Les personnes sont parfois beaucoup plus critiques envers leur moi d'autrefois qu'envers celui du présent, même lorsque celui-ci n'a pas changé (Wilson et Ross, 2001). « À l'âge de 18 ans, j'étais un crétin ; aujourd'hui je suis plus raisonnable. » À leurs yeux, les idiots d'hier sont les champions d'aujourd'hui.

Cela est pourtant vrai : en effet nous nous sentons tous parfois inférieurs, et pour certains d'entre nous cela est même constant, surtout lorsque nous nous comparons à ceux qui se trouvent un échelon ou deux plus élevés sur l'échelle du statut social, de l'apparence physique, des compétences ou des revenus. Par exemple, les lauréats des médailles d'argent aux Jeux

---

« Les assertions enthousiastes du mouvement en faveur de la consolidation de l'estime de soi se situent entre les idées fantaisistes et les foutaises. Les effets de l'estime de soi sont peu importants et pas toujours bénéfiques. »

Roy Baumeister (1996)

« Si vous vous comparez à d'autres, vous pouvez devenir modeste ou vaniteux ; il y a toujours plus grand et plus petit que soi. »

Max Ehrmann, « Desiderata », 1927

Olympiques, qui ont échoué de peu pour obtenir une médaille d'or, montrent une plus grande tristesse sur le podium que les lauréats de la médaille de bronze (Medvec et al., 1995). Plus nous éprouvons des sentiments de cet ordre et plus ils sont profonds, plus nous sommes malheureux, voire déprimés. Cependant, pour la plupart des gens, la pensée est naturellement dotée d'un biais positif.

Tout en reconnaissant le côté sombre du biais d'autosatisfaction et de l'estime de soi, certains chercheurs préfèrent isoler les effets de deux types d'estime de soi – le type défensif et le type assuré (Kernis, 2003 ; Lambird et Mann, 2006 ; Ryan et Deci, 2004). L'*estime de soi défensive* est fragile. Elle lutte pour son maintien, ce qui peut rendre les échecs et les critiques menaçants. Cet égotisme nourrit un sentiment de vulnérabilité et une angoisse menaçante, remarque Jennifer Crocker (2011).

L'*estime de soi assurée* est moins fragile parce qu'elle dépend moins des jugements externes. Être accepté pour ce que nous sommes et non pas pour notre apparence, notre richesse, ou par reconnaissance, soulage la pression de réussite et nous permet de nous projeter au-delà de nous-mêmes. Crocker ajoute qu'en nous perdant dans des relations et des buts plus importants que le soi, nous pouvons atteindre une estime de soi plus assurée et une meilleure qualité de vie.

> **Narcissisme** amour que le sujet porte à un objet très particulier, lui-même, jusqu'à s'y perdre (Brigitte Balbure).

EXERCICE RÉCAPITULATIF

- Quels sont les effets positifs et négatifs d'une haute estime de soi ?

  Réponse : Les gens qui se sentent confiants en leurs capacités sont souvent plus heureux, plus motivés, et sont moins vulnérables à la dépression. Un optimisme inadapté et une très haute estime de soi peuvent nous conduire à ne pas voir notre propre incompétence, au biais de l'autocomplaisance, et au narcissisme.

- La tendance à revendiquer la responsabilité de réussite et à blâmer les circonstances et la malchance dans l'échec est appelée _____ _____.

  Réponse : biais d'autocomplaisance

- L'estime de soi _____ (assurée/défensive) est en corrélation avec le comportement agressif et antisocial. L'estime de soi _____ (assurée/défensive) est plus saine et nous permet de nous projeter au-delà de nous-mêmes et de jouir d'une meilleure qualité de vie.

  Réponses : défensive ; assurée

REVUE GÉNÉRALE Les théories sociocognitives et le soi

OBJECTIFS D'APPRENTISSAGE

EXERCICE RÉCAPITULATIF Prenez un moment pour répondre à chacune de ces questions objectif d'apprentissage (répétées ici au sein de cette section). Puis allez à l'annexe C, révision complète du chapitre, pour vérifier vos réponses. La recherche suggère que d'essayer de répondre à ces questions de votre propre initiative permettra d'améliorer la mémorisation à long terme de ces réponses (McDaniel et al., 2009).

14-18 De quelle manière les tenants de la théorie sociocognitive considèrent-ils le développement de la personnalité, et comment explorent-ils le comportement ?

14-19 Quelles sont les critiques auxquelles les tenants de la théorie sociocognitive ont dû faire face ?

14-20 Pourquoi la psychologie a-t-elle entraîné autant de recherches sur le soi ? Quelle est l'importance de l'estime de soi pour la psychologie et pour le bien-être ?

14-21 Dans quelle mesure le fait d'être animé par un optimisme excessif, d'être aveugle face à sa propre incompétence, et le biais d'autocomplaisance peuvent-ils être des manifestations néfastes de l'estime de soi et en quoi l'estime de soi défensive diffère-t-elle de l'estime de soi assurée ?

TERMES ET CONCEPTS À RETENIR

EXERCICE RÉCAPITULATIF Testez votre connaissance de ces termes en essayant d'écrire leur définition avant de vous reporter aux pages donnant les bonnes réponses.

perspective sociocognitive, p. 596

déterminisme réciproque, p. 597

soi, p. 600

effet spotlight, p. 600

estime de soi, p. 601

autoefficacité, p. 601

biais d'autocomplaisance, p. 603

narcissisme, p. 606

ÉVALUEZ-VOUS LA PERSONNALITÉ

Évaluez-vous à plusieurs reprises tout au long de vos études. Cela permettra non seulement vous aider à comprendre ce que vous savez et que vous ne connaissez pas ; le test lui-même va vous aider à apprendre et à mémoriser les informations de manière plus efficace grâce à l'*effet d'essai.*

Introduction à l'étude de la personnalité et aux théories psychodynamiques

1. Freud croyait que nous pouvions bloquer des pensées douloureuses ou inacceptables, des désirs, des sentiments ou des souvenirs arrivant à la conscience à travers un processus inconscient appelé _____.

2. Selon la conception de la personnalité qu'en avait Freud, le système « exécutif », le _____, cherche à satisfaire les pulsions du _____ de manière plus acceptable.
   a. Ça ; Moi
   b. Moi ; Surmoi
   c. Moi ; Ça
   d. Ça ; Surmoi

3. Freud a proposé que le développement de la « voix de la conscience » est lié au _____, qui intériorise les idéaux et fournit des normes de jugement.

4. Selon le point de vue psychanalytique du développement de la personnalité, nous passons tous à travers une série de stades psycho-sexuels, qui sont les stades : oral, anal, phallique. Les conflits non résolus à l'une de ces étapes peuvent conduire à
   a. des sentiments sexuels dormants.
   b. une fixation à ce stade.
   c. un blocage préconscient des impulsions.
   d. une identité de genre déformée.

5. Freud croyait que les mécanismes de défense sont des tentatives inconscientes pour déformer ou travestir la réalité, dans le but de réduire notre _____.

6. Les tests _____ demandent aux sujets évalués de répondre à un stimulus ambigu, par exemple, en le décrivant ou en racontant une histoire à ce sujet.

7. En général, les néofreudiens tels que Adler et Horney acceptent un grand nombre de vues de Freud, mais insistent davantage que lui sur
   a. le développement de l'individu tout au long de sa vie.
   b. l'inconscient collectif.
   c. le rôle du Ça
   d. les interactions sociales.

8. Les théoriciens et les praticiens de la psychanalyse acceptent toujours les théories freudiennes telles que

   a. l'existence des processus mentaux inconscients.

   b. le complexe d'Œdipe.

   c. la valeur prédictive de la théorie psychodynamique.

   d. le rôle du Surmoi comme la partie structurante de la personnalité.

9. Lequel des éléments suivants ne fait PAS partie de la vision contemporaine de l'inconscient ?

   a. les souvenirs refoulés d'événements anxiogènes

   b. les schémas qui influencent nos perceptions et interprétations

   c. le traitement parallèle qui se produit de façon non consciente

   d. l'activation instantanée des émotions et la mémoire implicite qui permet l'exécution de tâches apprises

Les théories humanistes et les théories des traits de personnalité

10. La pyramide de Maslow, hiérarchie des besoins, propose que nous devons satisfaire les besoins physiologiques fondamentaux et les besoins élémentaires de sécurité avant les besoins psychologiques ultimes, tels que la réalisation de soi. Maslow a élaboré ses conceptions à partir de

    a. la théorie freudienne.

    b. ses expériences avec les patients.

    c. une série d'expériences de laboratoire.

    d. son étude de gens créatifs, en bonne santé

11. Comment Rogers pourrait-il expliquer l'influence de l'environnement sur le développement de la personnalité d'un criminel ?

12. L'attitude d'acceptation préconisée par Rogers dans le cadre d'un environnement favorisant le développement est appelée _____
_____

13. Les théories des _____ de la personnalité se concentrent sur la description des comportements caractéristiques, comme l'aménité ou extraversion.

14. Un célèbre questionnaire inventaire de personnalité est :

    a. l'échelle d'évaluation extraversion-introversion

    b. l'inventaire de personnalité en situation.

    c. le MMPI.

    d. le Rorschach.

15. Lequel des éléments suivants ne figure pas parmi les 5 facteurs fondamentaux de la structure de la personnalité ?

    a. Conscience

    b. Anxiété

    c. Extraversion

    d. Amabilité

16. Nos scores aux tests de personnalité sont à même de prédire

    a. notre comportement, dans une situation donnée.

    b. notre comportement général adapté à de nombreuses situations.

    c. notre comportement se manifestant par un seul trait, comme la conscience.

    d. notre comportement qui dépend de la situation ou du contexte.

Les théories sociocognitives et le soi

17. La conception sociocognitive de la personnalité envisage le façonnement de notre personnalité en tant que processus appelé déterminisme réciproque, où les facteurs personnels, les facteurs environnementaux, et les comportements vont entrer en interaction. Un exemple d'un facteur environnemental est

    a. la présence de livres dans une maison.

    b. une préférence pour les jeux de plein air.

    c. la capacité de lecture acquise après quatre années de scolarisation.

    d. la peur des scènes de violence à la télévision.

18. Les critiques disent que la théorie _____ de la personnalité fait une part trop importante à l'influence du milieu au détriment des traits durables de la personne.

19. Les chercheurs ont constaté que la faible estime de soi a tendance à être liée à des événements de vie. Comment ce lien doit-il être interprété ?

    a. les événements de vie entraînent une faible estime de soi.

    b. la réponse n'est pas claire car il s'agit d'une corrélation qui ne signifie pas obligatoirement un lien de cause à effet.

    c. la faible estime de soi conduit à des difficultés dans la vie quotidienne.

    d. étant donné la présence d'un biais d'autocomplaisance, il faut assumer que des facteurs externes sont la cause d'une faible estime de soi.

20. Un biscuit porte-bonheur conseille : « Aimez-vous et le bonheur viendra. » Est-ce un bon conseil ?

21. La tendance à surestimer l'attention des autres et l'appréciation par ces derniers de notre apparence, de nos succès et échecs est appelée
_____ _____.

Trouvez les réponses à ces questions dans l'annexe D, à la fin du livre.

CHAPITRE 15

LES TROUBLES PSYCHOLOGIQUES

· · · · · · · · · · · ·

Je ressentais le besoin de nettoyer ma chambre de mon appartement d'Indianapolis tous les dimanches et y passais quatre à cinq heures Je prenais tous les livres de la bibliothèque, les époussetais avant de les remettre en place. À l'époque j'aimais le faire. Puis, je n'ai plus voulu le faire mais je ne pouvais pas m'arrêter. Les vêtements rangés dans mon armoire étaient séparés d'une distance exactement égale à l'écartement de deux doigts… J'avais pour rituel de toucher le mur de ma chambre avant de sortir, parce qu'un malheur arriverait si je ne le faisais pas de la bonne façon. J'étais à ce propos inquiet comme un gamin, et pour la première fois, cela m'a fait penser que je pouvais être fou.

Marc, diagnostic de trouble obsessionnel compulsif (de Summers, 1996)

Chaque fois que je suis déprimée, c'est que j'ai perdu la capacité de m'aimer. Je ne peux pas trouver de raisons de m'aimer. Je pense que je suis laide. Je pense que personne ne m'aime… Je deviens grincheuse et colérique. Personne ne veut être en ma compagnie. Je suis isolée. Alors cela confirme ma laideur et que personne ne veut de ma compagnie. Je pense que je suis responsable de tout ce qui va mal.

Greta, diagnostic de dépression (de Thorne, 1993, p. 21)

Des voix m'ont envahi, c'était comme le rugissement de la foule. Je me sentais comme Jésus, j'avais été crucifié. Il faisait sombre. Je me recroquevillais sous la couverture, une sensation de faiblesse m'envahissait, j'étais mis à nu et sans défense dans un monde cruel, je ne pouvais plus comprendre.

Stuart, diagnostic de schizophrénie (de Emmons et al., 1997)

De temps à autre nous ressentons, pensons ou agissons d'une manière qui peut ressembler à un trouble psychologique. Nous nous sentons anxieux, déprimés, repliés, suspicieux mais un peu moins intensément et plus brièvement. Il n'est donc pas étonnant que nous soyons intéressés à comprendre les états mentaux perturbés ; nous nous retrouvons parfois dans les troubles psychologiques que nous étudions. « Étudier ce qui est anormal est la meilleure façon de comprendre ce qui est normal », a déclaré William James (1842-1910).

On peut invoquer une autre raison à cette curiosité. Plusieurs d'entre nous, à un moment donné, ont rencontré des personnes souffrant d'un trouble mental. Par ce que nous avons vécu, ou par ce qu'ont vécu des membres de notre famille ou nos amis, nous pouvons éprouver la stupeur et la douleur provoquées par des symptômes somatiques inexpliqués, des peurs irrationnelles, ou le sentiment que la vie ne vaut pas la peine d'être vécue. Une étude portant sur 26 campus universitaires américains a montré que 32 % des élèves ont déclaré souffrir de quelque chose s'apparentant à un trouble mental (Eisenberg et al., 2011).

Quelque 450 millions de personnes vivent, à travers le monde, avec des troubles mentaux ou des troubles du caractère et du comportement (OMS, 2010). Bien que les prévalences et les symptômes varient selon la culture, aucune société n'est exempte de sujets souffrant de deux troubles mentaux graves, le trouble dépressif majeur et la schizophrénie (Baumeister & Märter, 2007 ; Draguns, 1990a, b, 1997). Ce chapitre examine ces deux troubles, et d'autres. Le chapitre 16 porte sur le *traitement* de ces troubles.

Vue d'ensemble des troubles psychologiques

« Qui, dans l'arc-en-ciel, peut marquer l'endroit où finit le violet et où commence l'orange ? Nous voyons distinctement la différence des couleurs, mais où exactement l'une commence-t-elle à se mêler à l'autre ? Il en va ainsi de la raison et de la folie. »

Herman Melville, *Billy Budd, marin*, 1924

La plupart des gens s'accorderont pour dire qu'une personne trop déprimée pour sortir de son lit pendant des semaines souffre d'un trouble psychologique. Mais qu'en est-il de ceux qui, après avoir perdu un être cher, sont incapables de reprendre leurs activités sociales habituelles ? Où devons-nous tracer la frontière entre la tristesse et la dépression ? Entre la créativité farfelue et une étrange irrationalité ? Entre la normalité et l'anormalité ? Commençons par ces questions :

- Comment devons-nous *définir* les troubles psychologiques ?

- Comment devrions-nous *comprendre* ces troubles ? Quelle part ont les facteurs biologiques sous-jacents dans la genèse de ce trouble ? En quoi les perturbations de l'environnement influencent-elles notre bien-être ? De quelle façon se produisent l'interaction de la nature et la culture (l'inné et l'acquis) ?

- Comment *classer* les troubles psychologiques ? Pouvons-nous le faire d'une façon qui nous permette d'aider les personnes présentant des troubles sans les stigmatiser par *des étiquettes* ?

- Que savons-nous de la *prévalence* des troubles psychologiques ? Combien de personnes souffrent de troubles mentaux ? Qui est vulnérable, et quand ?

Trouble psychologique comportement jugé atypique (déviant), entraînant une souffrance et un dysfonctionnement de la pensée, des sentiments ou des comportements.

Définir les troubles psychologiques

15-1 **Comment devrions-nous tracer la limite entre la normalité, la santé mentale et le trouble mental ?**

Un **trouble psychologique** est un syndrome (ensemble de signes et de symptômes) caractérisé par une « perturbation cliniquement significative de la cognition d'un individu, de sa régulation des émotions, ou de son comportement » (American Psychiatric Association, 2013). La perturbation ou le *dysfonctionnement* de la pensée, les émotions et les comportements qui sont *inadaptés*, vont altérer la vie quotidienne normale. Penser que votre maison doit être soigneusement nettoyée chaque week-end n'est pas pathologique. Mais si les rituels de nettoyage interfèrent avec le travail et les loisirs, comme Marc le fait dans l'ouverture de ce chapitre, ils peuvent être les signes d'un trouble. Et la tristesse de l'humeur occasionnelle qui persiste et devient invalidante peut également être le signe d'un trouble psychologique.

La détresse accompagne souvent les comportements dysfonctionnels. Marc, Greta, et Stuart étaient tous bouleversés par leurs comportements ou des émotions.

Au fil du temps, les définitions de ce qu'est une « perturbation significative » ont varié.

De 1952 au 9 décembre 1973, l'homosexualité était considérée comme un trouble psychologique. Le 10 décembre au soir, elle ne l'était plus. L'American Psychiatric Association a opéré ce changement parce que de plus en plus de membres de cette association ne considéraient plus l'attirance pour des sujets du même sexe comme un problème psychologique. Tel est le pouvoir de déplacer les croyances « sociétales ». (Des recherches ultérieures ont cependant révélé que *les stigmates et le stress* souvent vécus par les personnes gays, lesbiennes ou transsexuelles, augmentaient les risques de survenue de troubles mentaux [Hatzenbuehler et al., 2009 ; Meyer, 2003].) Au vingt et unième siècle, d'autres controverses portant sur des diagnostics nouveaux ou modifiés agitèrent le monde scientifique. On citera le *déficit de l'attention/hyperactivité*. Ces controverses apparaissent dans l'outil le plus récent de classification de ces troubles. (Nous évoquerons cela, plus tard.)

Culture et normalité Les jeunes hommes de la tribu d'Afrique de l'Ouest Wodaabe portent un maquillage recherché et des costumes élaborés pour attirer les femmes. Les jeunes gens américains peuvent acheter des voitures aux couleurs criardes, avec des autoradios hurlant à tue-tête, dans le même but. Chaque culture peut voir les comportements de l'autre comme anormaux.

Carol Beckwith

© Image Source/Corbis

- Un avocat souffre d'un besoin impérieux de se laver les mains 100 fois par jour. Il n'a plus le temps de rencontrer ses clients, et ses collègues se posent des questions sur ses compétences. Son comportement serait probablement considéré comme un trouble, car il est _____ – trouble qui interfère avec sa vie quotidienne.

Réponse : inadapté

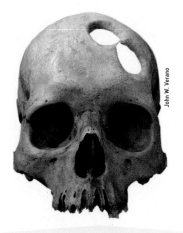

Comprendre les troubles psychologiques

15-2 Comment le modèle médical et l'abord biopsychosocial influencent-ils notre compréhension des troubles psychologiques ?

La façon dont nous considérons un problème influe sur la façon dont nous essayons de le résoudre. Autrefois, les gens considéraient souvent les comportements étranges comme la preuve de l'action de forces occultes : mouvements des étoiles, pouvoirs divins ou mauvais esprits. Si vous aviez-vous vécu au Moyen Âge, vous auriez pu dire « Le diable l'a possédé. » Cette croyance aurait pu vous faire approuver n'importe quel remède pour chasser le démon. Ainsi, les personnes considérées comme « folles » ont parfois été enfermées dan des cages ou soumises à des « thérapies » telles que les mutilations génitales, les coups, l'extraction des dents ou l'ablation de parties de l'intestin, ou encore des transfusions de sang animal (Farina, 1982). Des traitements barbares de la maladie mentale persistent encore aujourd'hui. Dans certains endroits, les gens sont enchaînés à un lit, enfermés dans leur chambre, ou même enfermés dans une pièce avec des hyènes sauvages, croyant que ces animaux vont voir et attaquer les mauvais esprits (Hooper, 2013). Notant le dommage physique et émotionnel de telles contraintes, l'Organisation mondiale de la santé a lancé une « initiative pour un monde sans chaîne » qui vise à transformer les hôpitaux « en des lieux humains, aux restrictions minimales, adaptés au patient » (OMS, 2014).

Thérapies archaïques À travers les âges, les sujets souffrant de troubles psychologiques se sont vus traiter de façon brutale, comme en témoigne la trépanation de ce crâne retrouvé à Stone Age. Les perçages de trous du crâne comme ceux-ci peuvent avoir été une tentative pour libérer les mauvais esprits et guérir les personnes atteintes de troubles mentaux. Ce patient a-t-il survécu à la « cure » ?

Le modèle médical

Les traitements brutaux peuvent nuire à la santé mentale, et en aucun cas être salutaires. Les réformateurs, tels que Philippe Pinel (1745-1826) en France, se sont opposés à de tels traitements brutaux. La folie n'est pas la possession démoniaque, a-t-il insisté, mais une maladie de l'esprit causée par des difficultés et des conditions inhumaines de vie. Guérir la maladie, dit-il, nécessite un « traitement moral », y compris le renforcement du moral des patients en les libérant de leurs chaînes et en leur parlant. Lui et d'autres ont travaillé pour remplacer la brutalité par l'indulgence, l'isolement par l'activité, et la saleté par l'air pur et de soleil.

« Traitement moral » Sous l'influence de Philippe Pinel, les hôpitaux parrainaient des soirées dansantes pour leurs patients comme le « Bal des fous » montré sur cette peinture de George Bellows (*Dance in a Madhouse*).

Modèle médical concept selon lequel les maladies et, dans le cas présent, les troubles psychologiques, ont des causes physiques qui peuvent être *diagnostiquées, traitées* et, dans la plupart des cas, *guéries*, souvent par un traitement dans un *hôpital*.

Épigénétique étude des influences environnementales sur l'expression des gènes qui se produisent sans modification de la séquence l'ADN.

Vers 1800, la découverte des atteintes nerveuses et mentales par la syphilis donna l'élan à de nouvelles réformes. Les hôpitaux ont remplacé les asiles, et le **modèle médical** des maladies mentales était né. Ce modèle se reflète dans les termes que nous utilisons encore aujourd'hui. Nous parlons du mouvement de la *santé* mentale : Une *maladie* mentale (appelée aussi trouble psycho*patholo-gique*) doit être *diagnostiquée* sur la base de ses signes et de ses *symptômes*. Elle doit être *traitée* par une *thérapeutique*, et ce traitement peut comprendre un temps fort qui est l'*hospitalisation* dans un service de psychiatrie.

Le point de vue médical a gagné en crédibilité à la suite de découvertes récentes que des anomalies cérébrales biochimiques et structurales, influencées génétiquement, contribuent à la survenue de nombreux troubles. Mais comme nous le verrons, des facteurs psychologiques tels que les stress persistants ou des traumatismes jouent également un rôle important.

L'approche biopsychosociale

Qualifier les troubles psychologiques de « maladies » fait rechercher une cause biologique et met à distance l'influence de notre histoire personnelle et l'environnement social et culturel. Mais dans l'étude des troubles, comme dans tant d'autres domaines, nous devons nous rappeler que nos comportements, nos pensées, nos sentiments sont le produit de l'interaction de facteurs biologiques, psychologiques et socioculturels. En tant qu'individus, nous différons par la quantité de stress que nous subissons et par la façon dont nous faisons face aux facteurs de stress. Les cultures diffèrent par la considération des origines et la manière d'y faire face.

Des troubles mentaux tels que la dépression et la schizophrénie se produisent partout dans le monde. De l'Asie à l'Afrique en passant par l'Amérique, les symptômes de la schizophrénie englobent souvent une irrationalité et des discours incohérents. D'autres troubles sont plutôt associés à des cultures spécifiques. En Malaisie, le mot *amok* décrit l'explosion soudaine d'un comportement violent (d'où l'expression anglaise « run amok », être en proie à une forte excitation, se déchaîner). L'Amérique latine présente des cas de *susto*, un état caractérisé par une anxiété très importante, une agitation et une crainte de la magie noire. Dans la culture japonaise, les gens peuvent éprouver le *taijin kyofusho*, une phobie sociale de leur apparence, associée à une tendance à rougir et une crainte de regarder l'autre dans les yeux. L'anorexie mentale et la boulimie, sont des troubles alimentaires principalement observés dans les cultures occidentales où l'abondance règne. Ces troubles peuvent avoir en commun une même dynamique sous-jacente (l'anxiété) mais différer par les symptômes (trouble alimentaire ou types de peur) qui se manifestent dans différentes cultures.

Tout comme les McDonald et MTV, les maladies des Nord-Américains, y compris les troubles des conduites alimentaires, se sont répandus à travers le monde (Watters, 2010).

Les troubles sont le reflet de prédispositions génétiques et des états physiologiques, de la dynamique psychologique, et des circonstances socioculturelles. Cette approche biopsychosociale souligne que le corps et l'esprit sont inséparables (**FIGURE 15.1**). Les émotions négatives contribuent à la maladie physique et les anomalies physiques contribuent aux émotions négatives. L'**épigénétique,** qui étudie comment les expériences vécues modèlent la nature, nous aide aussi à la compréhension des troubles (Powledge, 2011). Les gènes et l'environnement ne sont pas toute l'histoire, comme nous l'avons vu dans d'autres chapitres. Il se trouve que notre environnement peut favoriser ou défavoriser l'*expression* d'un gène, et donc affecter le développement de divers troubles psychologiques. Par exemple, même des jumeaux identiques

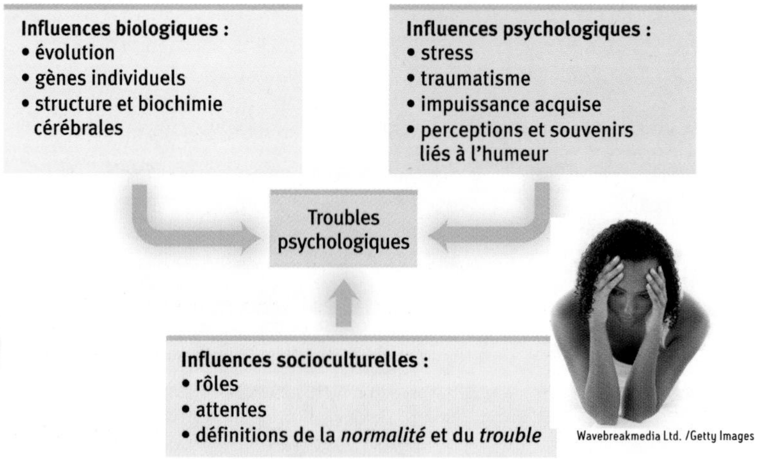

Influences biologiques :
• évolution
• gènes individuels
• structure et biochimie cérébrales

Influences psychologiques :
• stress
• traumatisme
• impuissance acquise
• perceptions et souvenirs liés à l'humeur

Troubles psychologiques

Influences socioculturelles :
• rôles
• attentes
• définitions de la *normalité* et du *trouble*

Wavebreakmedia Ltd. /Getty Images

▼ FIGURE 15.1
L'approche biopsychosociale des troubles psychologiques
Les études de psychologie d'aujourd'hui portent sur les facteurs biologiques, psychologiques, et socioculturels dans l'étiologie des différents troubles mentaux.

(avec des gènes identiques) ne partagent pas les mêmes risques de développer des troubles psychologiques. Ils sont plus susceptibles, mais pas toujours destinés, à développer les mêmes troubles. Leurs facteurs environnementaux variables vont déterminer l'expression ou la répression des gènes coupables.

DSM-5 manuel diagnostique et statistique des troubles mentaux (5ᵉ édition) de l'American Psychiatric Association. Ce système de classification psychiatrique est largement utilisé.

EXERCICE RÉCAPITULATIF

- Les troubles psychologiques sont universels, ou sont-ils spécifiques d'une culture ? Expliquez en donnant des exemples.

Réponse : certains troubles psychologiques sont spécifiques à certaines cultures. Par exemple, l'anorexie mentale survient principalement dans les cultures nord-américaines, et la prévalence du *taijin-kyofusho* est importante au Japon. D'autres troubles, comme la schizophrénie, sont universels et se produisent dans toutes les cultures.

- Qu'est ce que l'approche biopsychosociale, et pourquoi est-elle importante pour notre compréhension des troubles psychologiques ?

Réponse : Les influences biologiques, psychologiques et socioculturelles sont intriquées dans l'étiologie des troubles psychologiques. Cette conception large nous aide à comprendre que notre bien-être est régulé par nos gènes, le fonctionnement de notre cerveau, nos pensées et nos sentiments et par les influences exercées par notre environnement social et culturel.

Classification des troubles et formulation de « cas clinique » pour une personne

15-3 Comment et pourquoi les cliniciens classent-ils les troubles psychologiques, et pourquoi certains psychologues critiquent-ils l'utilisation des appellations diagnostiques ?

En biologie comme dans les autres sciences, la classification met de l'ordre dans les connaissances. La classification d'un animal parmi les mammifères nous renseigne sur un grand nombre d'éléments – cela nous indique qu'il a le sang chaud, possède des poils ou de la fourrure et nourrit ses petits par le lait produit par les glandes mammaires. En psychiatrie et en psychologie également, la classification ordonne et décrit des signes et des symptômes. Classer le trouble psychologique d'un individu dans la catégorie « schizophrénie » suggère qu'il parle de façon incohérente, qu'il souffre d'hallucinations ou qu'il délire (qu'il a des croyances bizarres), qu'il montre peu d'émotion ou des émotions inappropriées et qu'il est socialement à l'écart. Ainsi, le terme « schizophrénie » est un terme court pour décrire un trouble complexe.

Mais la classification diagnostique donne plus qu'une esquisse du trouble affectant les comportements, les pensées ou les sentiments d'une personne. En psychiatrie et en psychologie également, la classification a aussi pour but de

- *prédire* l'évolution de la maladie.
- *suggérer* un traitement approprié.
- *encourager* une recherche rapide de ses causes.

Pour étudier un trouble, nous devons d'abord le nommer et le décrire.

L'outil le plus commun pour décrire les troubles et estimer leur fréquence est le manuel de l'American Psychiatric Association, *Manuel diagnostique et statistique des troubles mentaux*, qui est maintenant présenté dans sa cinquième version (**DSM-5**). Les médecins et les travailleurs en santé mentale utilisent les « critères diagnostiques et le codage des troubles » décrits dans le DSM-5 pour porter un diagnostic médical et orienter le traitement. Par exemple, le trouble dont souffre une personne peut être diagnostiqué et traité en tant qu'« insomnie » si *tous* les critères du **TABLEAU 15.1** sont satisfaits.

« Je suis toujours comme ça, et ma famille me demandait si vous pourriez prescrire un dépresseur léger. »

Un livre de cas cliniques illustrant les différentes catégories diagnostiques accompagnait la précédente édition du DSM, fournissant plusieurs exemples pour ce chapitre.

▼ TABLEAU 15.1
Trouble du sommeil : insomnie

- Insatisfaction quant à la quantité ou à la qualité du sommeil (difficulté d'endormissement, difficulté du maintien du sommeil, ou à retrouver le sommeil après un éveil)
- La perturbation est à l'origine d'une détresse ou d'une altération du fonctionnement quotidien.
- Les difficultés du sommeil sont présentes trois nuits ou plus par semaine.
- Elles sont présentes depuis au moins trois mois.
- Elles surviennent malgré l'adéquation des conditions de sommeil.
- Elles sont indépendantes d'autres troubles du sommeil (tels que la narcolepsie).
- Elles sont indépendantes de l'utilisation de substances.
- Elles sont indépendantes des autres troubles mentaux ou de troubles somatiques.

Dans le DSM-5, certains diagnostics ont changé d'appellation. Les états cliniques anciennement appelés « autisme » et « syndrome d'Asperger » ont maintenant été regroupés sous la dénomination *trouble du spectre de l'autisme*. « Retard mental » est devenu *handicap intellectuel*. De nouvelles catégories, telles que la *thésaurisation pathologique (syllogomanie)* et l'*accès hyperphagique* ont été ajoutées.

Certains des diagnostics nouveaux ou modifiés sont controversés. Le *trouble disruptif avec dysrégulation émotionnelle* est une nouvelle entité clinique du DSM-5. Ce diagnostic est porté chez les enfants « qui présentent des crises de colère sévères récurrentes hors de proportion en intensité et en durée avec la situation ou la provocation ; trois fois ou plus par semaine ; depuis douze mois ou plus ». Ce diagnostic aidera-t-il les parents dont les enfants sont instables, ou conduira-t-il à « transformer des crises de colère en un trouble mental » et à la surmédication, comme l'a dit le président de la révision précédente DSM dans une mise en garde (Frances, 2012) ?

Des études cliniques en pratique psychiatrique *(études de terrain)* ont évalué les accords des cliniciens lors de l'utilisation des nouvelles catégories diagnostiques du DSM-5 (Freedman et al., 2013). Certains diagnostics, comme le *trouble de stress post-traumatique de l'adulte* et le *trouble du spectre de l'autisme infantile* se posent bien, avec une concordance de 70 %. Si un psychiatre ou un psychologue déclare qu'une personne souffre, par exemple, d'un de ces troubles, il y a 70 % de chances qu'un autre spécialiste de la santé mentale établisse le même diagnostic sans qu'il y ait eu concertation. D'autres, comme la *personnalité antisociale* et l'*anxiété généralisée*, ont des critères dont la fidélité interjuges est faible.

Certains critiques reprochent au DSM de proposer un éventail beaucoup trop large de troubles ramenant « quasiment tous les types de comportement dans le cercle de la psychiatrie » (Eysenck et al., 1983). Certains craignent maintenant que l'élargissement nosographique du DSM-5 qualifie de pathologiques des comportements habituels, en transformant les enfants exubérants en enfants avec TDAH, et le chagrin du deuil en un trouble dépressif (Frances, 2013). (Voir réflexion critique sur : TDAH) D'autres répondent que l'hyperactivité et la dépression, bien qu'ayant besoin d'être définies avec soin, sont de véritables troubles, ce qui est également le cas des troubles dépressifs déclenchés par un événement majeur stressant de la vie, comme un décès, lorsque le chagrin qu'il provoque ne disparaît pas (Kendler, 2011 ; Kupfer, 2012).

D'autres critiques soulèvent des questions encore plus fondamentales, c'est-à-dire que ces qualifications sont, au mieux, subjectives et, au pire, un ensemble de jugements de valeur sous couvert de science. Lorsque nous avons qualifié une personne, nous la voyons différemment (Bathje & Pryor, 2011 ; Farina, 1982 ; Sadler et al., 2012). Ces qualifications peuvent changer la réalité en nous poussant à voir des preuves qui vont confirmer notre point de vue. Lorsque les enseignants ont dit que certains élèves étaient « doués », ils ont agi d'une manière qui a suscité les comportements qu'ils attendaient (Snyder, 1984). Quelqu'un que l'on a amené à penser que vous êtes désagréable peut vous traiter froidement, vous incitant à répondre comme l'aurait fait une personne désagréable. Les qualifications peuvent se révéler « auto-réalisatrices ». Elles créent des attentes qui guident la façon dont nous percevons l'autre et interprétons son comportement.

Le biais induit par ces qualifications fut clairement démontré dans une étude désormais classique. David Rosenhan (1973) et sept de ses collaborateurs se présentèrent aux bureaux d'admission d'hôpitaux en se plaignant d'« entendre des voix » qui disaient *vide*, *creux* et *bruits sourds* (ce qui était faux). Hormis ce problème, et tout en donnant de faux noms et de fausses professions, ils répondirent honnêtement à toutes les questions. Tous les huit furent considérés comme malades, et un diagnostic fut porté de façon inadéquate.

Devons-nous être surpris ? Comme le signale un psychiatre, si quelqu'un avale du sang, arrive à un service d'urgences et le recrache, va-t-on blâmer le médecin d'avoir diagnostiqué un ulcère hémorragique ? Sûrement pas. Mais dans l'étude de Rosenhan, c'est ce qui suivit le diagnostic qui fut plus étonnant. Avant qu'ils soient « libérés » (en moyenne dix-neuf jours plus tard), ces 8 « patients » n'éprouvèrent plus aucun symptôme. Malgré cela, après avoir analysé les histoires (presque normales) de leur existence, les cliniciens furent capables de « découvrir » les causes de leurs troubles, par exemple une réaction à des émotions ambivalentes vis-à-vis d'un parent. Même les comportements normaux des « patients », comme le fait de prendre des notes, furent souvent mal interprétés et pris pour des symptômes.

Les qualifications diagnostiques ne sont pas anodines. Dans une autre étude, les sujets regardaient des entretiens enregistrés sur une bande-vidéo. S'il était dit que les personnes interrogées étaient des demandeurs d'emploi, les sujets les percevaient comme des personnes normales (Langer et al., 1974,

Un combat pour la guérison Le Maire de Boston, Martin Walsh a parlé ouvertement de son combat contre sa dépendance à l'alcool. Le récit de sa guérison lui a permis de remporter les élections municipales.

TDAH – Hyperactivité normale ou comportement désorganisé ?

15-4 **Pourquoi le trouble du déficit de l'attention avec hyper-activité est-il un concept clinique controversé ?**

Todd, âgé de 8 ans a toujours été débordant d'énergie. À la maison, il bavarde et passe d'une activité à l'autre, se mettant rarement au calme pour lire un livre ou se concentrer sur un jeu. Il est téméraire quand il joue et réagit de manière excessive lorsque ses camarades le bousculent ou lui prennent un de ses jouets. À l'école, Todd se trémousse, et son professeur exaspéré se plaint qu'il ne l'écoute pas, ne suive pas les instructions, ne reste pas à sa place pendant les cours. Quand Todd atteindra la maturité, son hyperactivité pourra probablement se calmer, mais le trouble de l'attention pourra persister (Kessler et al., 2010).

Si Todd était soumis à une évaluation psychologique, le diagnostic de **trouble du déficit de l'attention/hyperactivité (TDAH)** pourrait être porté. Ce diagnostic est porté chez environ 11 % des jeunes américains âgés de 4 à 17 ans après expression des principaux symptômes cardinaux (inattention extrême, hyper-activité et impulsivité) (Schwarz & Cohen, 2013). Les études montrent également que 2,5 % des adultes manifestent des comportements similaires à ceux du TDAH ; la prévalence de ce trouble diminue avec l'âge (Simon et al., 2009). Les critères diagnostiques plus souples du DSM-5 pour le TDAH pourraient faire craindre une inflation diagnostique et une surconsommation des médicaments du traitement de ce trouble (Frances, 2012).

Pour les chercheurs qui restent sceptiques, la distraction, l'agitation et l'impulsivité seraient liées à une unique variation chromosomique, le chromosome Y (chromosome masculin). Le TDAH est trois fois plus souvent diagnostiqué chez les garçons que chez les filles. Le diagnostic de TDAH est souvent porté chez des enfants qui ont « une douleur persistante dans le cou à l'école », et des médicaments puissants leur sont prescrits (Gray, 2010). Ce diagnostic est moins souvent porté chez des jeunes des minorités comparativement aux jeunes de race blanche, mais cette différence tend à se réduire (Getahun et al., 2013).

Le problème peut résider moins dans l'enfant que dans les conditions environnementales anormales qui obligent les enfants à rester assis pendant de longues heures, situation à laquelle l'évolution ne les a pas préparés. Dans des environnements extérieurs plus naturels, ces enfants peuvent sembler en parfaite santé.

La prescription des médicaments pour traiter le TDAH présumé varie en fonction de l'âge, du sexe, et du pays. Les médicaments sont plus souvent donnés aux adolescents qu'aux jeunes enfants. Les garçons sont près de trois fois plus susceptibles de les recevoir que les filles. Les variations géographiques ont leur importance. Les taux de prescription varient de 1 % dans le Nevada à 9 % en Caroline du Nord, chez les jeunes âgés de 4 à 17 ans (CDC, 2013). Certains élèves recherchent ces médicaments psycho-stimulants et les appellent « pilules stimulantes de bonne qualité ». Ils espèrent augmenter leurs capacités de concentration et leur réussite aux examens, mais cela

n'est pas sans risque notamment développement de la toxicomanie, des troubles dépressifs, ou des troubles bipolaires (Schwarz, 2012).

Tous ne sont pas d'accord pour conclure à l'inflation diagnostique du TDAH. Certains prétendent que les diagnostics plus fréquents aujourd'hui démontrent une sensibilisation accrue à l'identification du trouble. Cette sensibilisation prévaut, en particulier, dans les zones où les taux sont les plus élevés. Ils notent également que les diagnostics peuvent être peu étayés. La définition du TDAH n'est pas aussi clairement définie qu'une fracture osseuse. Néanmoins, la Fédération mondiale pour la santé mentale a déclaré (2005), « il y a un consensus fort de la communauté scientifique internationale pour dire que le TDAH est un véritable trouble neurobiologique dont l'existence ne devrait plus être discutée ». Un consensus a été établi par 75 chercheurs pour conclure que les études d'imagerie cérébrale ont montré qu'une anomalie de l'activité métabolique cérébrale accompagne souvent le TDAH (Barkley et al., 2002).

Que sait-on de l'étiologie du TDAH ? Il n'est pas causé par un excès de sucre ou par un environnement propre aux écoles pauvres. Il existe des preuves suggérant qu'un temps trop long passé à regarder la télévision et à jouer à des jeux vidéo est associé à une réduction de la régulation des capacités cognitives et au TDAH (Bailey et al., 2011 ; Courage & Setliff, 2010 ; Ferguson et al., 2011). Le TDAH coexiste souvent avec un trouble des apprentissages ou un trouble du comportement, comportement oppositionnel avec provocation. Le TDAH est *héritable*, les équipes de recherche ont recherché les gènes responsables et les voies neuronales anormales (Lionel et al., 2014 ; Poelmans et al., 2011 ; Volkow et al., 2009 ; Williams et al., 2010). On peut le traiter avec des médicaments tels que la Ritaline® et l'Adderall®, qui sont des psychostimulants, mais apaisent l'hyperactivité et augmentent les capacités à rester en place pour pouvoir se concentrer sur une tâche et progresser normalement à l'école (Barbaresi et al., 2007). Les thérapies psychologiques, telles que celles qui portent sur l'apprentissage d'un comportement en classe et à la maison, contribuent à réduire le désarroi de l'enfant souffrant de TDAH (Fabiano et al., 2008).

En conclusion : l'inattention extrême, l'hyperactivité et l'impulsivité peuvent mettre en péril les acquis sociaux, universitaires et professionnels. Elles constituent un syndrome qui peut être traité par des médicaments et d'autres modalités thérapeutiques. Mais le débat se poursuit quant à savoir si ce comportement est trop souvent diagnostiqué comme un trouble psychiatrique, et si l'absorption de médicaments stimulants pour le traitement du TDAH a, à long terme, des conséquences fâcheuses.

Déficit de l'attention/hyperactivité (TDAH) trouble psychologique marqué par une extrême inattention et/ou une hyperactivité motrice et une impulsivité.

1980). Si à d'autres sujets, il était dit que les personnes interrogées étaient des patients souffrant d'un trouble psychiatrique ou d'un cancer, alors elles ont été perçues comme étant « différentes de la plupart des gens ». Des thérapeutes qui pensaient que la personne interrogée qu'ils observaient était un patient psychiatrique la considéraient comme « effrayée par ses propres pulsions agressives », « une personne de type passif, dépendante » et ainsi de suite. Une qualification peut, comme le découvrit Rosenhan, aussi avoir « une existence et une influence qui lui sont propres ».

Ces qualifications ont aussi un pouvoir en dehors du laboratoire. Trouver un travail ou une location peut être un véritable défi pour ceux qui viennent de sortir récemment d'un hôpital

« Ma sœur souffre d'un trouble bipolaire et mon neveu de trouble schizo-affectif. Il y a, en fait, beaucoup de dépressions et d'alcoolisme dans ma famille, et traditionnellement nous n'en parlons jamais. Cela a toujours été comme ça. La stigmatisation est toxique. »

Glenn Close, comédienne « Mental Illness: The Stigma of Silence », 2009

psychiatrique. Qualifier une personne comme étant « malade mental » peut la faire considérer comme étant potentiellement violente (voir Réflexion critique sur : Les patients souffrant de troubles psychologiques sont-ils dangereux ?). De telles réactions négatives peuvent disparaître si l'on comprend mieux que de nombreux troubles psychologiques sont dus à des maladies organiques et non à des défaillances du caractère (Salomon, 1996). Des personnalités publiques ont contribué à favoriser cette nouvelle compréhension en parlant ouvertement de leur propre lutte en prise avec la dépression et l'abus de substance. Plus les gens entrent en contact avec des patients souffrant de troubles psychiques, plus leur attitude d'acceptation envers les autres se développe (Kolodziej et Johnson, 1996).

REGARD CRITIQUE SUR

Les personnes souffrant de troubles mentaux sont-elles dangereuses ?

15-5 **Les troubles psychologiques sont-ils prédictifs de comportements violents ?**

Le lundi 16 septembre 2013 commença au Département Navy Yard de Washington, DC, comme un lundi ordinaire, avec ses groupes de gens arrivant tôt sur leur lieu de travail. Puis, un fonctionnaire, Aaron Alexis, a garé sa voiture, est entré dans le bâtiment, et a commencé à tirer sur les gens. Une heure plus tard, 13 personnes étaient mortes, y compris Alexis. Les rapports de police ont confirmé qu'Alexis avait des antécédents de maladie mentale. Avant la fusillade, il avait déclaré qu'il était « soumis depuis trois mois à une agression par des sons basse fréquence. Et pour être parfaitement honnête, c'est ce qui m'a poussé à faire cela ». Ce tir dévastateur aussi monstrueux que celui perpétré dans une école primaire du Connecticut en 2012, comme beaucoup d'autres depuis, a renforcé l'opinion du public selon laquelle les personnes souffrant de troubles psychologiques constituent une menace (Jorm et al., 2012). Après le massacre de 2012, le gouverneur de New York, a déclaré : « Les gens qui ont des problèmes mentaux ne doivent pas posséder d'armes » (Kaplan & Hakim, 2013).

Est-ce que des preuves scientifiques étayent la déclaration du gouverneur ? Si les troubles mentaux augmentent effectivement le risque de violence, alors, interdire aux personnes souffrant de troubles psychologiques le droit de posséder des armes, pourrait réduire les crimes violents. Mais la réalité est à considérer tout autrement. La grande majorité des crimes violents sont commis par des personnes chez qui aucun trouble n'a été diagnostiqué (Fazel & Grann, 2006 ; Walkup & Rubin, 2013).

Les personnes atteintes de troubles sont plus susceptibles d'être *victimes* qu'auteurs de violences (Marley & Bulia, 2001). Comme l'affirme l'US Surgeon General's Office (1999, p. 7) : « Si vous avez un contact fortuit avec une personne présentant des troubles mentaux, il y a peu de risques qu'elle soit violente et tente de vous faire du mal. » Les personnes atteintes de maladie mentale commettent proportionnellement peu de violence par armes à feu. *Pour conclure* : Se borner à interdire aux malades mentaux le port d'armes à feu ne réduira probablement pas le nombre d'actes de violence armée (Friedman, 2012).

Si la maladie mentale n'est pas un bon facteur prédictif d'un comportement violent, alors quel est ce facteur ? Des comportements violents passés, la consommation d'alcool ou de drogue, et la possession d'une arme à feu sont de meilleures conditions prédictives. Les auteurs de ces crimes de masse ont une caractéristique commune : ce sont des jeunes. « Nous pourrions éviter les deux tiers de tous les crimes simplement en plongeant tous les jeunes hommes valides de l'âge de 12 ans à 28 ans dans un sommeil cryogénique », a déclaré un psychologue (Lykken, 1995).

Les troubles mentaux conduisent rarement à la violence, et la prédiction clinique de la violence est peu fidèle. Quels sont chez les personnes souffrant de troubles psychologiques, les facteurs déclenchants d'un comportement violent ? Pour certains, l'abus de substances peut être un de ces facteurs. Pour d'autres, comme le tireur du Navy Yard, ce sont des

Adrees Latif/Reuters/Landov

Comment prévenir les fusillades de masse ? Après les faits divers tragiques de Newtown, Connecticut, au cours desquels 20 jeunes enfants et 6 adultes ont été assassinés, le public s'est posé la question suivante : Est-il possible de faire évaluer, par des professionnels de la santé mentale, les risques de comportements violents et de les signaler à la police ? De telles lois décourageraient-elles les propriétaires d'armes à feu de demander une aide en santé mentale ?

productions délirantes à type d'hallucinations auditives qui poussent le sujet à agir (Douglas et al., 2009 ; Elbogen & Johnson, 2009 ; Fazel et al., 2009, 2010). La responsabilité des actes commis par les personnes souffrant de troubles mentaux reste toujours discutée. John Hinckley coupable d'une tentative d'assassinat sur le Président américain Ronald Reagan, a été admis dans un hôpital et ne fut pas incarcéré. Le public en a été scandalisé. « Hinkley était en état de démence au moment des faits, le public est fou », titra un journal. Il a été outré de nouveau en 2011, lorsque Jared Lee Loughner a tué six personnes et blessé plusieurs autres, y compris le représentant américain Gabrielle Giffords. Une psychose schizophrénique a été diagnostiquée chez Loughner ; il a été par deux fois déclaré inapte à être jugé. Il a ensuite été jugé apte à subir son procès, a plaidé coupable pour 19 accusations d'assassinat et de tentatives d'assassinat, et a été condamné à la prison à vie sans possibilité de libération conditionnelle.

Quelle fut la bonne décision ? Les deux premières, qui ont affirmé que ses capacités de jugement étaient altérées par son état mental ? Ou la dernière, qui a décidé qu'il devrait être tenu responsable des actes qu'il a commis ? À mesure que nous arrivons à mieux comprendre les fondements biologiques et environnementaux des comportements humains, de la générosité au vandalisme, quand devrions-nous, ou non, considérer que les sujets sont responsables de leurs actes ?

Vers de meilleures descriptions des troubles mentaux Les vieilles descriptions stéréotypées des troubles psychologiques disparaissent progressivement des médias. Des films récents donnent des représentations assez réalistes des troubles mentaux. *Iron Man 3* (2013) dépeint un des personnages principaux comme souffrant d'un trouble de stress post-traumatique. *Black Swan* (2010) met en scène le personnage principal qui souffre d'un trouble délirant. *A Single Man* (2009) dépeint un état dépressif.

Paramount Pictures/Photofest

Malgré les risques, les qualifications diagnostiques ont des avantages. Les professionnels de la santé mentale utilisent les diagnostics pour communiquer entre eux à propos des cas qui les préoccupent, comprendre les causes sous-jacentes et évaluer les programmes thérapeutiques efficaces. Les chercheurs utilisent les entités cliniques définies par des critères diagnostiques pour discuter des travaux qui vont explorer les causes et les traitements des maladies. Les clients sont souvent soulagés d'apprendre que la nature de leur souffrance a un nom, et qu'ils ne sont pas seuls à vivre ce cortège de symptômes.

« À quoi cela leur sert d'avoir des noms, demanda le Moucheron, s'ils ne répondent pas à ces noms ? »

« À eux, ça ne leur sert à *rien*, dit Alice ; mais c'est utile, je le suppose, aux gens qui les nomment. »

Lewis Carroll, *De l'autre côté du miroir*, 1871

EXERCICE RÉCAPITULATIF

- Quelle est la valeur, et quels sont les dangers, de la qualification des personnes souffrant de troubles ?

Réponse : Les thérapeutes et autres professionnels de santé utilisent des appellations de catégories diagnostiques pour avoir un langage scientifique commun et parler des mêmes concepts au cours des recherches. Le bénéfice que peuvent en tirer les patients est de comprendre qu'ils ne sont pas les seuls à souffrir de tels syndromes. Les dangers de classer les sujets dans des catégories diagnostiques sont : (1) les sujets peuvent se comporter comme ce qui est décrit dans la catégorie diagnostique (2) ces catégories peuvent faire émettre des hypothèses qui vont modifier notre attitude envers les patients ainsi classés.

Prévalence des troubles psychologiques

15-6 Combien de gens souffrent ou ont souffert d'un trouble psychologique ? La pauvreté est-elle un facteur de risque ?

Qui est le plus vulnérable aux troubles psychologiques ? À quel moment de la vie ? Pour répondre à ces questions, plusieurs pays ont mené de très longs entretiens structurés avec des milliers de leurs citoyens formant un échantillon représentatif de leur population. Après avoir posé des centaines de questions révélatrices de symptômes telles que : « S'est-il jamais trouvé une période de deux semaines ou plus au cours de laquelle vous vous êtes senti comme si vous vouliez mourir ? », les chercheurs ont évalué, pour les différents troubles, leur prévalence actuelle, celle de l'année écoulée et celle sur la vie entière.

Combien de gens souffrent ou ont souffert d'un trouble psychologique ? Beaucoup plus que la plupart d'entre nous le supposent.

- Le NIMH américain (2008, d'après Kessler et al., 2005) estime que 26 % des Américains adultes « souffrent, au cours d'une année quelconque, d'un trouble mental pouvant être diagnostiqué » (**TABLEAU 15.2**).

- Une étude à grande échelle menée par l'OMS (2004a), fondée sur des entretiens de quatre-vingt-dix minutes passés par 60 463 personnes, a estimé le nombre de troubles mentaux au cours de l'année écoulée dans 20 pays. Comme le montre la **FIGURE 15.2**, Shanghai avait le taux le plus faible de troubles mentaux et les États-Unis avaient le plus élevé. De plus, les personnes venant du Mexique, d'Afrique ou d'Asie et immigrant aux États-Unis avaient en moyenne une meilleure santé mentale que leurs compatriotes, nés aux États-Unis, mais avec le même héritage ethnique (Breslau et al., 2007 ;

▼ TABLEAU 15.2

Pourcentage des Américains ayant déclaré avoir souffert de certains troubles psychologiques au cours de l'année écoulée

Trouble psychologique	Pourcentage
Trouble anxiété généralisée	3.1
Trouble anxiété sociale (phobie sociale)	6.8
Phobie spécifique (animal, objet, sang et soins médicaux par exemple)	8.7
Troubles dépressifs ou trouble bipolaire	9.5
Trouble obsessionnel compulsif (TOC)	1.0
Schizophrénie	1.1
Trouble stress post-traumatique (TSPT)	3.5
Trouble déficit de l'attention/ hyperactivité (TDAH)	4.1

Données du National Institute of Mental Health, 2008.

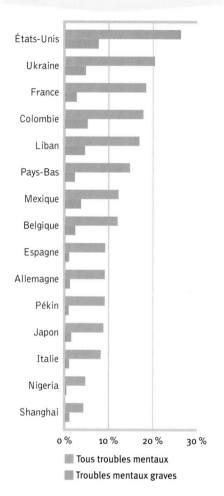

▼ FIGURE 15.2
Troubles mentaux dans différentes zones géographiques. Prévalence au cours de l'année précédente Organisation mondiale de la santé (OMS, 2004a). Entretiens menés dans 20 pays.

■ Tous troubles mentaux
■ Troubles mentaux graves

Maldonado-Molina et al., 2011). Par exemple, comparés aux Mexicains ayant récemment immigré aux États-Unis, les Mexicains nés aux États-Unis ont plus de risques de souffrir de troubles mentaux, un phénomène appelé le *paradoxe de l'immigrant* (Schwartz et al., 2010).

Qu'est-ce qui accroît la vulnérabilité aux troubles mentaux ? Comme l'indique le **TABLEAU 15.3**, il existe, pour les troubles mentaux, un large éventail de facteurs de risque et de facteurs protecteurs. Mais un des facteurs prédictifs des troubles mentaux, la pauvreté, traverse les frontières du genre et des ethnies. L'incidence des troubles psychologiques graves est deux fois plus élevée chez ceux qui vivent au-dessous du seuil de pauvreté (Centers for Disease Control, 1992). Comme beaucoup d'autres corrélations, celle entre pauvreté et troubles psychologiques pose une question cruciale : La pauvreté est-elle la cause de troubles mentaux ? Ou bien les troubles sont-ils à l'origine de la pauvreté ? Ces deux affirmations sont vraies, bien que la réponse varie avec le trouble considéré. La schizophrénie, de façon compréhensible, conduit à la pauvreté. Cependant, le stress et la démoralisation engendrés par la pauvreté peuvent également précipiter l'apparition de troubles psychologiques, en particulier la dépression chez les femmes et l'abus de drogues chez les hommes (Dohrenwend et al., 1992).

▼ TABLEAU 15.3
Survenue des troubles mentaux : facteurs de risques et facteurs de protection

Facteurs de risque	Facteurs de protection
Échec scolaire	Exercice physique
Complications néo- et périnatales	Insertion sociale, facteur favorisant l'autonomie, et la sécurité
Fardeau de la prise en charge de ceux qui souffrent d'une maladie chronique ou d'un trouble neurocognitif	Indépendance économique
Sévices et négligence	Rôle parental
Insomnie chronique	Sentiments de maîtrise et de contrôle des situations
Douleur chronique	Sentiment de sécurité
Désorganisation de la famille ou conflits familiaux	Éducation, alphabétisation
Faible poids de naissance	Attachement et étayages solides précoces
Statut socio-économique défavorisé	Bonnes relations parent-enfant
Maladie somatique	Capacité à résoudre les problèmes
Trouble du métabolisme des neuromédiateurs	Capacité à faire face au stress, à l'adversité, capacité de résilience
Maladie mentale parentale	Estime de soi
Toxicomanie des parents	Bonnes aptitudes psychosociales et professionnelles
Perte affective et deuil	Soutien familial et social.
Faibles aptitudes psychosociales	
Troubles de l'apprentissage de la lecture	
Déficits sensoriels	
Mauvaise insertion sociale	
Événements de vie stressants	
Abus de substances	
Expériences traumatisantes	

Données : Organisation mondiale de la santé (OMS, 2004b, c).

Au cours d'une expérience naturelle sur le lien entre la pauvreté et la maladie, les chercheurs ont recherché le taux de problèmes comportementaux chez les enfants indiens de Caroline du Nord à mesure que le développement économique permettait la réduction spectaculaire du taux de pauvreté de leur communauté. Au début de l'étude, les enfants pauvres avaient des comportements plus atypiques et agressifs. Après quatre ans, les enfants dont les familles avaient un niveau de vie au-dessus du seuil de pauvreté montraient une réduction de 40 % des troubles du comportement. Les enfants des familles pour qui les positions qui se situaient au-dessous ou au-dessus du seuil de pauvreté n'avaient pas varié n'ont pas montré de modification comportementale (Costello et al., 2003).

À quel moment de la vie ces troubles peuvent-ils nous affecter ? En général au début de l'âge adulte. « Plus de 75 % de notre échantillon présentant un trouble psychologique quelconque en ont éprouvé les premiers symptômes vers l'âge de 24 ans », rapportent Lee Robins et Darrel Regier (1991, p. 331). Parmi les premiers à apparaître sont les symptômes de la personnalité antisociale (âge médian = 8 ans) et des phobies (âge médian = 10 ans). Les troubles liés à l'alcool, le trouble obsessionnel compulsif, le trouble bipolaire et la schizophrénie apparaissent à un âge médian proche de 20 ans. Le trouble dépressif caractérisé survient un peu plus tard, en moyenne vers 25 ans.

EXERCICE RÉCAPITULATIF

• Quelle est la relation entre la pauvreté et les troubles psychologiques ?

Réponse : Les situations de stress dues à la pauvreté peuvent faire le lit des troubles mentaux, mais des troubles invalidants peuvent également contribuer à la pauvreté. Ainsi, de la pauvreté et du trouble, comme dans le problème de la poule et de l'œuf, il est difficile de savoir ce qui arrive en premier.

REVUE GÉNÉRALE Vue d'ensemble des troubles psychologiques

OBJECTIFS D'APPRENTISSAGE

EXERCICE RÉCAPITULATIF Prenez un moment pour répondre à chacune de ces questions objectif d'apprentissage (répétées ici au sein de cette section). Puis allez à l'annexe C, révision complète du chapitre, pour vérifier vos réponses. La recherche suggère que d'essayer de répondre à ces questions de votre propre initiative permettra d'améliorer la mémorisation à long terme de ces réponses (McDaniel et al., 2009).

15-1 Comment devrions-nous tracer la limite entre la normalité, la santé mentale et le trouble mental ?

15-2 Comment le modèle médical et l'abord biopsychosocial influencent-ils notre compréhension des troubles psychologiques ?

15-3 Comment et pourquoi les cliniciens classent-ils troubles psychologiques, et pourquoi certains psychologues critiquent-ils l'utilisation des appellations diagnostiques ?

15-4 Pourquoi le trouble du déficit de l'attention avec hyperactivité est-il un concept clinique controversé ?

15-5 Les troubles psychologiques sont-ils prédictifs de comportements violents ?

15-6 Combien de gens souffrent ou ont souffert d'un trouble psychologique ? La pauvreté représente-t-elle un facteur de risque ?

TERMES ET CONCEPTS À RETENIR

EXERCICE RÉCAPITULATIF Testez votre connaissance de ces termes en essayant d'écrire leur définition avant de vous reporter aux pages donnant les bonnes réponses.

trouble psychologique, p. 610

modèle médical, p. 612

épigénétique, p. 612

DSM-5, p. 613

déficit de l'attention/hyperactivité (TDAH), p. 615

Troubles anxieux, trouble obsessionnel compulsif, trouble de stress post-traumatique (TSPT)

L'anxiété fait partie de la vie. En parlant devant une classe, en jetant un regard du haut d'une falaise, en attendant le début d'un match important, chacun d'entre nous peut se sentir anxieux. L'anxiété peut même nous amener à éviter de parler ou regarder quelqu'un dans les yeux, nous appelons ça : « timidité ». Heureusement, pour la majorité d'entre nous, cette sensation de malaise n'est ni intense ni durable. Certains de nous cependant, sont plus susceptibles de remarquer des menaces et de les craindre (Mitte, 2008). Lorsque le système de détection de danger du cerveau devient hyperactif, nous sommes plus à risque de souffrir d'un *trouble anxieux*, ou de deux autres troubles qui impliquent l'anxiété : *trouble obsessionnel compulsif* (TOC) ou *trouble du stress post-traumatique* (TSPT).[1]

---

1. Le TOC et le TSPT étaient auparavant classés parmi les troubles anxieux. Le DSM-5 en fait des catégories indépendantes.

Troubles anxieux

15-7 **En quoi l'anxiété généralisée, le trouble panique, les phobies diffèrent-ils ?**

Les **troubles anxieux** sont caractérisés par une anxiété persistante provoquant un état de détresse, ou des comportements inadaptés pour réduire l'anxiété. Examinons maintenant trois troubles anxieux :

- *Le trouble de l'anxiété généralisée*, lorsqu'une personne est continuellement tendue et mal à l'aise de manière inexplicable.

- *Le trouble panique*, dans lesquelles une personne souffre d'*attaques de panique* ; montée brusque de crainte intense et crainte de l'apparition imprévisible du prochain épisode.

- *Les phobies*, lorsqu'une personne est effrayée de façon intense et irrationnelle par un objet une activité, ou une situation spécifique.

Anxiété généralisée

Depuis deux ans, Tom, un électricien de 27 ans, se plaint d'avoir des étourdissements, des palpitations, des bourdonnements d'oreille et une transpiration excessive des mains. Il se sent énervé et, parfois, il ressent des tremblements. Il parvient assez bien à cacher ses symptômes à sa famille et à ses collègues ; cependant, il se permet peu d'autres contacts sociaux et est parfois obligé de quitter son travail. Son médecin de famille et un neurologue n'ont trouvé aucune cause somatique.

Les sentiments négatifs diffus et incontrôlés de Tom et son agitation font penser à un **trouble de l'anxiété généralisée** qui est marquée par une inquiétude excessive et incontrôlable. Les symptômes de ce trouble sont assez communs, mais leur persistance au-delà de six mois ne l'est pas. Ceux qui en souffrent, sont continuellement angoissés, souvent très nerveux et agités et souffrent d'insomnie. La concentration est difficile, l'attention est portée sur les soucis. Leur tension et leur appréhension peuvent se voir aux sourcils froncés, aux tics des paupières, tremblements, transpiration, ou agitation provenant d'une excitation du système nerveux autonome.

La personne peut ne pas être en mesure d'identifier, et donc soulager ou éviter, la cause de la tension. Pour reprendre l'expression de Sigmund Freud, l'angoisse est *flottante* (non liée à un facteur de stress ou de menace spécifique). L'anxiété généralisée s'accompagne souvent de dépression, mais même si ce n'est pas le cas, elle a tendance à être handicapante (Hunt et al., 2004 ; Moffitt et al., 2007b). De plus, elle peut conduire à des complications somatiques comme une hypertension artérielle.

Les femmes sont deux fois plus susceptibles que les hommes de souffrir d'anxiété généralisée (McLean & Anderson, 2009). Cette différence des manifestations liées au sexe est reflétée dans un sondage Gallup réalisé huit mois après les attentats du 11 Septembre : lorsque aux États-Unis 34 % des femmes et 19 % des hommes ont dit qu'ils étaient moins enclins à monter dans des gratte-ciel ou voyager en avion. Et au début de l'année 2003, plus de femmes (57 %) que d'hommes (36 %) ont dit qu'ils étaient « un peu inquiets de devenir une victime du terrorisme » (Jones, 2003).

Certaines personnes souffrant d'anxiété généralisée ont été maltraitées ou inhibées lorsqu'elles étaient enfants (Moffitt et al., 2007a). À mesure que le temps passe, cependant, les émotions tendent à s'atténuer et vers l'âge de 50 ans, l'anxiété généralisée devient rare (Rubio et López-Ibor, 2007).

Trouble panique

Pour une personne sur 75 atteinte de **trouble panique,** ce trouble peut subitement s'amplifier jusqu'à devenir une terrifiante attaque de panique, un épisode d'une durée de plusieurs minutes qui se manifeste par une peur intense que quelque chose d'horrible va bientôt arriver. Les symptômes physiques, tels que les palpitations, des douleurs thoraciques, l'essoufflement, la suffocation, les tremblements, ou des étourdissements peuvent accompagner la panique. Une femme s'est souvenue d'avoir ressenti une bouffée de chaleur soudaine, et

> « si je ne pouvais pas respirer. Mon cœur s'est emballé et j'ai commencé à transpirer, à trembler, et j'étais sûre de m'évanouir. Mes doigts étaient tout engourdis, je sentais des fourmillements et tout me paraissait irréel. C'était si pénible que j'eus l'impression de mourir, je demandai alors à mon mari de me conduire aux urgences. Le temps d'y arriver (environ dix minutes), le plus gros de la crise était passé, j'étais exténuée. » (Greist et al., 1986.)

Troubles anxieux troubles psychologiques caractérisés par une anxiété persistante, une détresse ou des conduites inadaptées, répétées pour réduire l'anxiété.

Trouble de l'anxiété généralisée trouble anxieux dans lequel une personne est constamment tendue, craintive ; cet état se traduit aussi par des signes et des symptômes neurovégétatifs.

Trouble panique trouble anxieux marqué par des épisodes imprévisibles, durant plusieurs minutes, de peur intense durant lesquels une personne éprouve un sentiment de terreur avec douleur ou gêne thoracique, sensation de « souffle coupé » ou d'autres sensations telles que des paresthésies, des sensations de vertiges. L'attente anxieuse de survenue d'une autre crise est fréquente.

Phobie trouble anxieux marqué par une peur irrationnelle persistante et l'évitement d'un objet particulier, d'une activité ou d'une situation.

Partie de golf et crise panique Le joueur de golf Charlie Beljan a vécu, pendant un tournoi important, ce qu'il a appris être des attaques de panique. Son cœur battait, il était à bout de souffle. Ces symptômes l'ont amené à penser qu'il était victime d'une crise cardiaque. Mais les examens et les explorations cliniques menés à l'hôpital ont révélé que ses symptômes, bien que graves, n'étaient pas dus à une maladie somatique. Il a récupéré, a gagné 846 000 $, et est devenu une source d'inspiration pour les autres joueurs.

Ces tornades d'anxiété frappent soudainement, font des ravages, et disparaissent, mais elles ne sont pas oubliées. Paradoxalement, l'inquiétude de l'anxiété, craindre par exemple une autre crise de panique, ou craindre de transpirer en public à cause de son anxiété, peut amplifier les symptômes d'anxiété (Olatunji et Wolitzky-Taylor, 2009). Après plusieurs attaques de panique, les gens peuvent éviter les situations où les attaques de panique les ont précédemment envahis. Si cette crainte est suffisamment intense, les sujets peuvent la voir se transformer en *agoraphobie*, c'est-à-dire la peur qui nous pousse à éviter des situations dont on peut difficilement s'échapper quand la crise survient. Une telle peur peut entraîner les gens à ne plus sortir de chez eux, à éviter la foule, les bus, voire les ascenseurs.

Charles Darwin a commencé à souffrir de trouble panique à 28 ans, après avoir passé cinq ans à naviguer à travers le monde. À cause de ses attaques de panique, il s'installa à la campagne, évita toute réunion mondaine et voyagea uniquement en compagnie de sa femme. Le fait de vivre relativement isolé lui permit de se consacrer à l'élaboration de sa théorie de l'évolution. « Même la mauvaise santé, se dit-il, m'a mis à l'abri des distractions de la société et de ses divertissements. » (Cité dans Ma, 1997.)

Les risques d'attaques de panique sont au moins deux fois plus élevés chez les fumeurs (Zvolensky et Bernstein, 2005). Ils montrent également des signes d'anxiété plus intenses dans les situations qui provoquent la survenue de ces crises, comme l'hyperventilation importante (Knuts et al., 2010). Comme la nicotine est un stimulant, aller fumer une cigarette n'apaise pas l'angoisse.

Phobies

Nous vivons tous avec quelques craintes. Mais les gens souffrant de **phobies** sont envahis par une peur irrationnelle persistante qui conduit à l'évitement d'un objet, d'une activité ou d'une situation. Des *phobies spécifiques* peuvent concerner des animaux, des insectes, le sang, des espaces clos ou l'altitude (**FIGURE 15.3**, page suivante). Beaucoup de gens évitent les situations déclenchantes, telles que l'altitude qui réveille leur peur, et ainsi ils parviennent à vivre avec leur phobie. D'autres sont incapables de fournir les efforts nécessaires pour éviter la situation redoutée. Marilyn est une jeune femme de 28 ans en bonne santé et très heureuse. Elle a tellement peur des orages qu'elle se sent anxieuse dès qu'un bulletin météorologique en prévoit pour les jours qui suivent. Si son mari est absent et qu'un orage est annoncé, elle reste parfois chez un proche. Pendant un orage, elle s'éloigne de la fenêtre et cache son visage pour ne pas voir les éclairs.

Toutes les phobies n'ont pas d'éléments déclencheurs spécifiques. L'*anxiété sociale* (anciennement appelée « phobie sociale »), est la timidité poussée à l'extrême. Les personnes atteintes de ce trouble ont une peur intense des jugements négatifs que pourraient porter les autres. Ils évitent les situations sociales potentiellement embarrassantes comme élever la voix, prendre ses repas à l'extérieur, ou aller à des fêtes. Dans le cas contraire, ils peuvent transpirer ou être pris de tremblements.

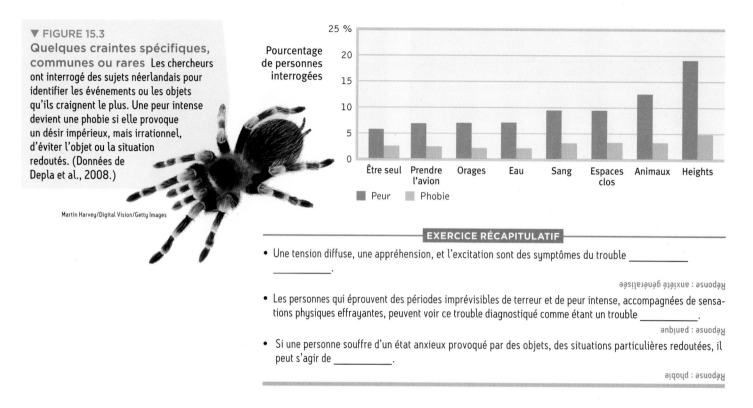

▼ FIGURE 15.3

Quelques craintes spécifiques, communes ou rares Les chercheurs ont interrogé des sujets néerlandais pour identifier les événements ou les objets qu'ils craignent le plus. Une peur intense devient une phobie si elle provoque un désir impérieux, mais irrationnel, d'éviter l'objet ou la situation redoutés. (Données de Depla et al., 2008.)

EXERCICE RÉCAPITULATIF

- Une tension diffuse, une appréhension, et l'excitation sont des symptômes du trouble _____ _____.

  Réponse : anxiété généralisée

- Les personnes qui éprouvent des périodes imprévisibles de terreur et de peur intense, accompagnées de sensations physiques effrayantes, peuvent voir ce trouble diagnostiqué comme étant un trouble _____.

  Réponse : panique

- Si une personne souffre d'un état anxieux provoqué par des objets, des situations particulières redoutées, il peut s'agir de _____.

  Réponse : phobie

Trouble obsessionnel compulsif (TOC)

15-8 Qu'est-ce que le TOC ?

« Faites tourner votre partenaire plusieurs fois, puis faites encore tourner votre partenaire, puis faites-la tourner six fois de plus, et maintenant diriger vous vers la porte pour appuyer sur l'interrupteur. »

Comme dans le cas des troubles anxieux, nous pouvons retrouver certains aspects de nos comportements dans les **troubles obsessionnels compulsifs** (**TOC**). Nous pouvons, par moments, être obsédés par des pensées idiotes ou désagréables qui ne veulent pas nous quitter. Nous pouvons aussi adopter des comportements compulsifs, rigides, par exemple en alignant nos crayons et nos livres « bien comme il faut » avant de nous mettre au travail.

Les pensées obsédantes et les comportements compulsifs franchissent la mince frontière qui sépare la normalité du trouble avéré lorsqu'ils *interfèrent de manière persistante* avec notre façon de vivre ou qu'ils sont la cause d'une souffrance psychologique. Il est normal de vérifier une fois qu'une porte est fermée, mais vérifier dix fois ne l'est assurément pas. Il est normal de se laver les mains ; les laver si souvent que la peau en devient rugueuse ne l'est pas. (Le **TABLEAU 15.4** donne d'autres exemples.) À un moment de leur vie, souvent à la fin de leur adolescence ou avant la trentaine, 1 à 3 %

Trouble obsessionnel compulsif (TOC) trouble caractérisé par des pensées (obsessions) et/ou des comportements (compulsions), intrusifs, indésirables répétitifs.

Trouble de stress post-traumatique (TSPT) trouble caractérisé par des souvenirs obsédants, des cauchemars, un évitement social, une anxiété avec agitation, une abrasion des émotions positives, et/ou une insomnie qui persistent pendant quatre semaines ou plus après une expérience traumatisante.

▼ TABLEAU 15.4

Obsessions et compulsions courantes chez les enfants et adolescents atteints de trouble obsessionnel compulsif

Pensée ou comportement	Pourcentage de personnes présentant le symptôme
Obsessions (*pensées répétitives*)	
Inquiétude au sujet de la saleté, des germes ou des microbes	40
Quelque chose de terrible va arriver (feu, mort, maladie)	24
Symétrie, ordre, exactitude	17
Compulsions (*comportements répétitifs*)	
Lavage des mains, bains, brossage de dents ou soins corporels excessifs	85
Rituels répétés (entrée/sortie par une porte, assis/debout)	51
Vérification des portes, des serrures, des devoirs, des freins, du matériel	46

Source : Rapoport, 1989.

des gens franchissent la frontière qui sépare les préoccupations et la méticulosité normales des troubles invalidants (Kessler et al., 2012). Une analyse des résultats de 14 études portant sur des jumeaux a montré que la composante génétique du TOC est forte (Taylor, 2011). Bien que ces personnes sachent que ces pensées sont irrationnelles, les pensées obsédantes alimentées par l'anxiété et les rituels compulsifs prennent tellement de temps qu'un fonctionnement efficace devient impossible.

Un ancien joueur de basket professionnel, Royce White, qui souffre d'un trouble obsessionnel compulsif s'en est ouvert et a déclaré que sa fortune lui a permis d'acheter une grande maison. Quelle fut pour lui la chose la plus difficile à assumer lors de sa nouvelle vie de propriétaire d'un manoir ? « La chose la plus difficile est de déambuler dans la maison de remarquer la poussière qui s'accumule dans une pièce où je me rends peu souvent. Et puis je dois passer trente minutes à "faire les poussières" » (Wrenn, 2012).

Les TOC sont plus fréquents chez les adolescents et les jeunes adultes que chez les personnes plus âgées (Samuels et Nestadt, 1997). Une étude effectuée sur 144 Suédois sur une période de quarante ans a montré que, pour la plupart, l'obsession et les troubles compulsifs avaient progressivement diminué, mais qu'une personne sur cinq seulement en était totalement libérée (Skoog et Skoog, 1999).

La quête de la perfection Le célèbre joueur de football David Beckham a dévoilé ses tendances obsessionnelles compulsives, qui l'ont conduit à aligner des objets par paires ou à passer des heures à déplacer et à remettre des meubles en place (Adams, 2011).

Le trouble de stress post-traumatique

15-9 Qu'est-ce que le TSPT ?

En tant que soldat pendant la guerre en Irak, Jesse a vu « le meurtre d'enfants, de femmes. C'était simplement horrible pour tous ceux qui l'ont vécu ». Après avoir fait appel à un hélicoptère pour bombarder une maison où il avait vu transporter des caisses de munitions, il entendit les hurlements des enfants restés à l'intérieur. « Je ne savais pas qu'il y avait des enfants là », se souvient-il. De retour au Texas, il souffrait de « flash-back très durs » (Welch, 2005) (scènes rétrospectives, DSM-5 traduction française).

Jesse n'est assurément pas le seul à souffrir de ce trouble. Au cours d'une étude menée sur 103 788 « vétérans » revenus d'Irak et d'Afghanistan, le diagnostic de troubles psychologiques a été établi chez 25 % d'entre eux (Seal et al., 2007). Certains avaient des *lésions cérébrales traumatiques (TBI)*, mais le diagnostic le plus fréquent était le **trouble de stress post-traumatique (TSPT)**. Les symptômes typiques comprennent des souvenirs répétitifs envahissants et des cauchemars, une sensation paralysante de retrait social, un état émotionnel négatif persistant, et des troubles du sommeil (Germain, 2013 ; Hoge et al., 2004, 2006, 2007 ; Kessler. 2000). Bien que ce TSPT ait été diagnostique chez de nombreux « vétérans » blessés au combat, d'autres souffrent aussi de ce trouble. Les survivants d'accidents ou de catastrophes, et chez des victimes de viol ou de violences (y compris selon les estimations chez deux tiers des prostituées) montrent des signes et des symptômes du TSPT (Brewin et al., 1999 ; Farley et al., 1998 ; Taylor et al., 1998).

Les recherches indiquent que plus la détresse émotionnelle de la personne est importante lors du traumatisme, plus le risque qu'il développe des symptômes post-traumatiques est élevé (Ozer et al., 2003). Parmi le personnel militaire américain stationné en Afghanistan, 7,6 % des combattants et 1,4 % des non-combattants ont souffert de TSPT (McNally, 2012). La plupart des New-Yorkais qui ont été témoins ou qui ont été frappés lors des attentats terroristes du 11/9 n'ont pas souffert de TSPT (Neria et al., 2011). Un TSPT survient chez environ 5 à 10 % des personnes qui ont vécu un « événement de vie » blessant (Bonanno et al., 2011). Le diagnostic de TSPT fut porté deux fois plus chez les survivants qui avaient été à l'intérieur du World Trade Center lors de l'attaque comparativement à ceux qui s'étaient trouvés à l'extérieur (Bonanno et al., 2006).

Environ la moitié d'entre nous connaîtra au moins un événement traumatisant dans sa vie. Pourquoi le TPST survient chez certaines après un événement traumatisant et non chez d'autres ? Certaines personnes peuvent avoir des systèmes de régulation des émotions, système limbique, plus sensibles qui fait que les hormones dites « du stress » sont sécrétées en abondance et inondent leurs corps (Kosslyn 2005 ; Ozer & Weiss, 2004). Les patients atteints de TPST possèdent une amygdale, noyau limbique en forme d'amande régulant les réactions de peur, plus petite (Morey et al., 2012). Les gènes et le genre ont aussi leur importance. Les jumeaux monozygotes dont l'un souffre de TSPT dû au combat, comparés aux non-jumeaux, partagent les mêmes déficits des fonctions cognitives qui sont un facteur de risque de survenue de ce

La guerre ne vous quitte plus Le diagnostic de trouble de stress post-traumatique ou de traumatisme cérébral a été porté chez près de 250 000 anciens combattants des guerres d'Irak et d'Afghanistan. Pour traiter le TSPT ou le traumatisme cérébral, de nombreux anciens combattants (« vétérans ») participent à un programme de récupération intensive pendant lequel la respiration profonde et les techniques d'entretien individuel ou de groupe sont pratiquées.

trouble (Gilbertson et al., 2006). Et les risques de survenue de ce trouble après un événement traumatique sont environ deux fois plus élevés pour les femmes que pour les hommes (Olff et al., 2007 ; Ozer & Weiss, 2004).

Cependant, certains psychologues considèrent que l'on surestime le diagnostic de trouble stress post-traumatique, en partie parce que l'on a élargi la définition du terme *traumatisme* (Dobbs, 2009 ; McNally, 2003). Trop souvent, disent certains critiques, il y a une inflation diagnostique de TSPT due à l'inclusion de l'état des mauvais souvenirs et mauvais rêves venant normalement après une mauvaise expérience. Dans de tels cas, les tentatives bien intentionnées de faire revivre le traumatisme peuvent amplifier les réactions émotionnelles et rendre pathologiques des réactions normales au stress (Wakefield et Spitzer, 2002). Par exemple, les survivants peuvent subir un « debriefing », tout de suite après un traumatisme, lors duquel il leur sera demandé de revivre l'expérience et d'exprimer les émotions. Cette tactique a été généralement inefficace, et parfois nuisible (Bonanno et al., 2010).

La plupart des gens, hommes et femmes, affichent une impressionnante *résilience du survivant*, qui est la capacité à récupérer après un stress sévère (Bonanno et al., 2010). Pour en savoir plus sur la résilience humaine et sur la *croissance post-traumatique* après un événement blessant, se reporter au Chapitre 16.

EXERCICE RÉCAPITULATIF

- Les sujets qui traduisent l'anxiété en pensées ou actions répétitives indésirables peuvent souffrir de trouble _____ _____.

Réponse : obsessionnel compulsif

- Les sujets chez qui les symptômes de l'état clinique sont, pendant plusieurs semaines après un événement traumatique : souvenirs et cauchemars, retrait social, anxiété envahissante, paralysie des sentiments, et/ou l'insomnie, peuvent voir le diagnostic suivant être porté : trouble de _____ _____.

Réponse : stress post-traumatique

Comprendre les troubles anxieux, le TOC et le TSPT

15-10 Comment le conditionnement, la cognition et les facteurs biologiques contribuent-ils à l'élaboration des sentiments et des pensées qui marquent les troubles anxieux, le TOC, et le TSPT ?

L'anxiée est à la fois un sentiment et un processus cognitif, une évaluation chargée de doute de notre sécurité ou de notre compétence sociale. D'où de telles sensations et de tels processus cognitifs émanent-ils ? La théorie psychanalytique de Sigmund Freud a proposé que, dès l'enfance, les gens *refoulent* des pulsions intolérables, des idées et des sentiments. Cette submersion mentale, pensait-il, provoquait des défenses qui se manifestaient dans des symptômes étranges, comme le lavage des mains. Peu de psychologues d'aujourd'hui partagent l'interprétation Freudienne de l'anxiété. La plupart pensent que les trois concepts modernes : conditionnement, cognition et facteurs biologiques sont plus utiles.

Conditionnement

La survenue de certains événements perturbants est parfois annoncée. Votre équipe mal entraînée pourrait sortir vaincue d'une grande rencontre. Vous n'êtes pas préparé et vous pouvez échouer à votre questionnaire à choix multiple. Vous êtes en retard et vous pourriez rater l'autobus. Quand un événement négatif a lieu, de manière imprévisible et incontrôlable, l'anxiété, ou d'autres troubles, se développe souvent (Field, 2006 ; Mineka et Oehlberg, 2008). Dans une expérience classique, un bébé appelé « Petit Albert » a appris à craindre les objets à fourrure qui ont été associés à des bruits intenses. Lors d'autres expériences, les chercheurs ont créé des rats anxieux en leur infligeant des chocs électriques imprévisibles (Schwartz, 1984). Comme la victime d'un viol qui décrivait son anxiété en revenant dans son ancien quartier, les rats deviennent craintifs dans l'environnement du laboratoire. Le laboratoire était devenu un stimulus déclenchant la peur.

De telles études contribuent à expliquer pourquoi les personnes anxieuses sont hyper-attentives à toute menace potentielle et pourquoi les gens ayant des troubles paniques associent leur anxiété à certains indices (Bar-Haim et al., 2007 ; Bouton et al., 2001). Dans une étude, 58 % des personnes présentant une anxiété sociale ont vu apparaître ce trouble après un événement traumatisant (Ost et Hugdahl, 1981).

Par le conditionnement, les quelques événements naturellement douloureux et effrayants peuvent se multiplier pour former une longue liste de peurs humaines. Pouvez-vous vous souvenir d'un événement effrayant qui vous a maintenu dans un état de peur pendant un certain temps ? Nous pouvons. Sur le chemin du retour, ma voiture (DM) a été heurtée par une autre voiture qui n'a pas respecté un stop. J'ai ressenti, pendant des mois après cet événement, un profond malaise à l'approche de toute voiture venant d'une rue latérale. De même, je me suis souvenu (ND) avoir vu un film terrifiant sur les araignées, *Arachnophobia*, quand un violent orage gronda, coupa l'électricité et plongea la salle dans le noir total. Pendant des mois, je ressentis une angoisse à la vue des araignées ou des toiles d'araignées inoffensives.

Comment un seul événement douloureux et effrayant conditionnant un sentiment de peur pourrait-il être la cause d'une phobie caractérisée ? La réponse se trouve en partie dans deux processus de conditionnement : la *généralisation du stimulus* et le *renforcement*.

La *généralisation du stimulus* se produit quand une personne vit avec douleur un événement et développe une attente anxieuse de la venue d'événements similaires. Chacun d'entre nous [DM et ND] a généralisé ses craintes : l'un de nous a redouté les voitures débouchant des rues latérales secondaires et l'autre la présence d'araignées. Ces craintes ont fini par disparaître, mais elles peuvent, parfois, persister et s'aggraver. La phobie des orages qu'éprouvait Marilyn s'est peut-être, d'une façon similaire, généralisée après avoir vécu quelque chose de terrifiant ou de douloureux pendant un orage.

Une fois que les craintes et les angoisses se font jour le *renforcement* contribue à leur persistance. Tout ce qui nous aide à éviter ou à échapper à la situation redoutée peut être renforcé car il réduit l'anxiété et nous donne un sentiment de soulagement. Craignant une attaque de panique, nous pouvons décider de ne pas quitter la maison. Renforcés par le sentiment de calme, nous sommes susceptibles de répéter ce comportement inadapté à l'avenir (Antony et al., 1992). Cela se passera de même, avec des comportements compulsifs. Si le fait de vous laver les mains apaise votre anxiété, vous vous laverez probablement les mains à nouveau lorsque l'anxiété vous envahira à nouveau.

Cognition

Le conditionnement influence nos sentiments anxieux, mais il en va de même de la cognition : pensées, souvenirs, interprétations et attentes. En observant les autres, nous pouvons apprendre à craindre ce qu'ils craignent. Presque tous les singes sauvages élevés dans la forêt ont peur des serpents, et pourtant les singes élevés en laboratoire n'en ont pas peur. Il est très probable que la plupart des singes sauvages n'ont jamais été mordus par un serpent. Ont-ils appris cette crainte par l'observation ? Pour le savoir Susan Mineka fit l'expérience avec 6 singes sauvages (ayant tous très peur des serpents) et leur progéniture élevée en laboratoire (dont pratiquement aucun n'avait peur des serpents) (1985, 2002). Après avoir observé plusieurs fois leurs parents ou leurs congénères refusant d'aller chercher leur nourriture en présence d'un serpent, les jeunes singes développèrent également cette peur semblable des serpents. Lorsque le test fut recommencé trois mois plus tard, leur peur acquise était toujours là. Nous, les humains apprenons beaucoup de nos propres peurs en observant les autres (Helsen et al., 2011 ; Olsson et al., 2007).

Hemera Technologies/PhotoObjects.net/360/Getty Images

Nos expériences passées façonnent nos attentes et influencent nos interprétations et réactions. Nous « paniquons » si nous interprétons que le craquement entendu dans notre vieille maison a peut-être été provoqué par l'intrusion d'une personne armée d'un couteau mais pas si nous pensons que c'est simplement le vent. Les personnes présentant un trouble anxieux ont tendance à être *hypervigilantes*. Si leur cœur palpite cela devient le signe prémonitoire d'une crise cardiaque. En voyant s'approcher de leur lit une seule araignée, elles imaginent une invasion probable. Les petits différents quotidiens avec leur partenaire ou leur patron signifient pour elles la rupture possible de leurs relations. L'anxiété est particulièrement fréquente lorsque les gens ne peuvent éliminer ces pensées importunes, s'imaginent perdre le contrôle et se sentent impuissants (Franklin et Foa, 2011).

Aspects biologiques

Il y a cependant, plus de troubles anxieux, de troubles obsessionnels compulsifs et de TSPT que le conditionnement et les processus cognitifs ne le laissent prévoir. Pourquoi certains d'entre nous souffrent-ils de phobies durables ou TSPT après avoir subi des traumatismes ? Pourquoi adoptons-nous ces comportements anxieux si facilement ? Pourquoi certains d'entre nous sont-ils plus vulnérables ? Le point de vue biologique offre un aperçu de cette question.

Genes La génétique est importante. Si l'on associe un événement traumatisant à un tempérament sensible et très tendu, il peut en résulter une nouvelle phobie (Belsky et Pluess, 2009). Certains d'entre nous ont des gènes qui les font ressembler à des orchidées, des êtres fragiles mais capables de beauté si les circonstances sont favorables. D'autres ressemblent plutôt à des pissenlits, des êtres robustes, capables de se développer dans diverses circonstances (Ellis et Boyce, 2008 ; Pluess & Belsky, 2013).

Chez les singes, les peurs se transmettent au sein des familles. Un singe réagit plus fortement au stress si ses proches parents biologiques sont eux-mêmes anxieux (Suomi, 1986). Cela se passe de la même façon avec les êtres humains. Si un jumeau monozygote souffre d'un trouble anxieux, son frère est également vulnérable (Hettema et al., 2001 ; Kendler et al., 2002a, b ; Van Houtem et al., 2013). Même lorsqu'ils sont élevés séparément, les jumeaux monozygotes peuvent développer des phobies similaires (Carey, 1990 ; Eckert et al., 1981). De vraies jumelles de 35 ans ont développé indépendamment une peur telle de l'eau qu'elles ne supportaient pas d'entrer dans la mer au-dessus des genoux.

Une fois la contribution génétique aux troubles de l'anxiété établie, les chercheurs ont recherché les gènes coupables. Une équipe a identifié 17 variations génétiques qui semblent être exprimées en présence de symptômes typiques des troubles de l'anxiété (Hovatta et al., 2005). Une autre équipe a trouvé des gènes associés spécifiquement au TOC (Taylor, 2013).

Les gènes influencent les troubles en régulant le métabolisme des neuromédiateurs. Certaines études ont mis en évidence un gène de l'anxiété qui affecte les taux de *sérotonine* centraux, un neuromédiateur qui influence le sommeil et l'humeur (Canli, 2008 ; Pergamin-Hight et al., 2012). D'autres études impliquent des gènes qui régulent le *glutamate*, neurotransmetteur excitateur (Lafleur et al., 2006 ; Welch et al., 2007). Lorsqu'il y a trop de glutamate, le centre d'alarme du cerveau devient hyperactif.

Parmi les patients souffrant de TSPT, une histoire de maltraitance dans l'enfance laisse à long terme des marques *épigénétiques* augmentant la probabilité qu'une vulnérabilité génétique conduise à l'expression du trouble lié à un traumatisme (Mehta et al., 2013). Un effet épigénétique similaire est retrouvé chez les suicidaires (McGowan et al., 2009).

Le cerveau Nos expériences changent notre cerveau, en ouvrant de nouvelles voies. Certaines expériences liées à l'apprentissage de la peur qui ont un effet traumatisant sur le cerveau peuvent également stabiliser un réseau de la peur dans l'amygdale (Etkin et Wager, 2007 ; Kolassa et Elbert, 2007 ; Herringa et al., 2013). Ces réseaux facilitent chez l'animal les réponses électriques neuronales à un stimulus induisant une réaction de peur (Armony et al., 1998).

Les troubles anxieux diffèrent les uns des autres, mais tous impliquent des événements biologiques. Exemple du TOC : lorsque le cerveau du patient souffrant de ce trouble détecte une anomalie quelconque, il réagit en déclenchant une forme de « hoquet » mental en répétant des pensées ou des actions (Gehring et al., 2000). Les examens d'imagerie cérébrale pratiqués chez des sujets souffrant du Trouble Stress Post-Traumatique (TSPT) présentent une activité supérieure à la normale dans l'amygdale quand ils voient des images traumatisantes (Nutt & Malizia, 2004). Des scanners cérébraux réalisés sur des personnes souffrant d'un TOC ont révélé une activité élevée dans des zones cérébrales spécifiques lors de comportements compulsifs comme le lavage des mains, les vérifications, le rangement ou le collectionnisme (Insel, 2010 ; Mataix-Cols et al., 2004, 2005). Ces zones du cerveau ne sont pas seulement plus actives chez les personnes souffrant de TOC, elles sont également plus étendues (Rotge et al., 2010). Comme le montre la **FIGURE 15.4**, le *cortex cingulaire antérieur*, une zone cérébrale, circonvolution du corps calleux, qui régule nos actions et détecte les erreurs, semble particulièrement hyperactif chez les personnes atteintes de TOC (Maltby et al., 2005). Au moment de décider de se débarrasser des objets personnels, ceux chez qui existe le syndrome de collectionnisme montrent aussi une activité élevée du cortex cingulaire antérieur (Tolin et al., 2012).

Certains médicaments antidépresseurs apaisent l'activité du réseau de la peur et le comportement obsessionnel compulsif qui l'accompagne. Les craintes peuvent être apaisées en administrant des médicaments aux sujets lorsqu'ils se rappellent les expériences traumatisantes, la remémorisation va consolider la trace laissée par les expériences traumatisantes (Kindt et al., 2009 ; Norberg et al., 2008). Bien qu'ils n'oublient pas cette expérience traumatisante, l'émotion qui y est associée est fortement estompée.

La sélection naturelle Nous sommes biologiquement préparés à craindre les dangers auxquels nos ancêtres étaient confrontés. Nos phobies portent sur ces craintes spécifiques : les araignées, les serpents et autres animaux, mais aussi les espaces clos, l'altitude, les tempêtes et l'obscurité. (Ceux qui ne craignaient pas ces menaces occasionnelles avaient moins de chances de survivre et de laisser des descendants.) C'est ainsi que même au Royaume-Uni, qui ne possède qu'une seule espèce de serpent venimeux, les personnes ont peur des serpents. Il est facile d'être

▼ FIGURE 15.4

Un « cerveau obsessionnel compulsif » Les chercheurs en neurosciences Nicholas Maltby, David Tolin, et leurs collègues (2005) ont utilisé la technique de l'IRM fonctionnelle pour comparer les activités cérébrales des sujets souffrant de TOC et de sujets témoins lors d'une épreuve cognitive difficile. Les scans de sujets souffrant de TOC ont montré une activité élevée dans le cortex cingulaire antérieur (partie antérieure de la circonvolution du corps calleux) dans la région frontale du cerveau (indiqué par la zone jaune à l'extrême droite).

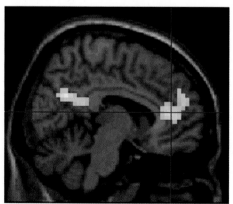

Reproduit de NeuroImage, 24, Maltby, N., Tolin, D. F., Worhunsky, P., O'Keefe, T. M., & Kiehl, K. A, hyperactivité pathologique des circuits fronto-striataux (circuit cortical-sous-cortical) dans le trouble obsessionnel-compulsif mise en évidence par l'IRM fonctionnelle, 495-503, 2005, avec l'autorisation de Elsevier.

Témérité Les données biologiques nous aident à comprendre pourquoi la plupart d'entre nous ont peur de l'altitude, à la différence de Felix Baumgartner, montré ici en 2012, sautant en parachute à 39 000 mètres d'altitude.

conditionné à la peur, mais très difficile de se débarrasser de la crainte de tels stimuli « liés à l'évolution » (Coehlo et Purkis, 2009 ; Davey, 1995 ; Öhman, 2009). Certaines des craintes modernes peuvent avoir une explication évolutionniste. Notre peur de l'avion peut être provoquée par nos prédispositions biologiques à craindre les endroits clos et l'altitude.

Comparez nos peurs facilement conditionnelles à ce que nous *n'apprenons pas* facilement à craindre. Durant la Seconde Guerre mondiale, les raids aériens, par exemple, ont provoqué particulièrement peu de phobies durables. Les combats aériens de la guerre éclair se sont poursuivis mais il n'y eut pas plus de paniques parmi les populations britannique, japonaise et allemande. Au contraire, les populations devenaient de plus en plus indifférentes aux avions qui survolaient des zones loin de leur voisinage (Mineka & Zinbarg, 1996). L'évolution de notre espèce ne nous a pas préparés à craindre les bombes venant du ciel.

Comme nos phobies portent sur les dangers auxquels étaient confrontés nos ancêtres, nos actes compulsifs exacerbent des comportements qui contribuaient à la survie de notre espèce. Se coiffer peut devenir déraisonnable et prendre la forme d'une compulsion à s'arracher les cheveux. Se laver constamment peut se transformer en un rituel obsessionnel consistant à se laver les mains. Surveiller son territoire peut se transformer en un besoin de vérifier à maintes reprises si une porte est bien fermée à clé (Rapoport, 1989).

◼ EXERCICE RÉCAPITULATIF

- Certains chercheurs pensent que les processus cognitifs et le conditionnement sont à l'origine des troubles anxieux, du trouble obsessionnel compulsif, et du TSPT. Quels sont les facteurs *biologiques* qui contribuent aussi à l'éclosion et/ou à la manifestation de ces troubles ?

Réponse : Les facteurs biologiques comprennent les différences héréditaires de tempérament et d'autres variations génétiques ; des peurs apprises qui ont modifié les circuits cérébraux ; des comportements archaïques qu'impliquait la survie chez nos ancêtres.

◼ REVUE GÉNÉRALE Troubles anxieux, trouble obsessionnel compulsif, trouble de stress post-traumatique (TSPT)

OBJECTIFS D'APPRENTISSAGE

◼ EXERCICE RÉCAPITULATIF Prendre un moment pour répondre à chacune de ces questions objectif d'apprentissage (répétées ici au sein de cette section). Puis aller à l'annexe C, révision complète du chapitre, pour vérifier vos réponses. La recherche suggère que d'essayer de répondre à ces questions de votre propre initiative permettra d'améliorer la mémorisation à long terme de ces réponses (McDaniel et al., 2009).

15-7 En quoi l'anxiété généralisée, le trouble panique, les phobies diffèrent-ils ?

15-8 Qu'est ce que le TOC

15-9 Qu'est-ce que le TSPT ?

15-10 Comment le conditionnement, la cognition et les facteurs biologiques contribuent-ils à l'élaboration des sentiments et des pensées qui marquent les troubles anxieux, le TOC, et le TSPT ?

TERMES ET CONCEPTS À RETENIR

◼ EXERCICE RÉCAPITULATIF Testez votre connaissance de ces termes en essayant d'écrire leur définition avant de vous reporter aux pages donnant les bonnes réponses.

troubles anxieux, p. 620

anxiété généralisée, p. 620

trouble panique, p. 620

phobie, p. 621

trouble obsessionnel compulsif (TOC), p. 622

trouble de stress post-traumatique, p. 623

Les troubles dépressifs et les troubles bipolaires de l'humeur

15-11 Quelles sont les caractéristiques différentielles du trouble dépressif majeur, du trouble dépressif persistant, et du trouble bipolaire de l'humeur ?

Brad Wenner/Moment Choisir/Getty Images

La plupart d'entre nous ressentiront, de façon directe ou indirecte, ce qu'est la dépression. Si vous êtes comme nombre d'étudiants, à certains moments de l'année, plutôt pendant les mois sombres de l'hiver que pendant les jours lumineux de l'été, vous allez probablement éprouver quelques-uns des symptômes de la dépression. Vous pourriez vous sentir profondément découragé ou esseulé en pensant à votre avenir, mécontent de votre vie présente. Vous pouvez manquer d'énergie pour accomplir les choses que vous avez à faire ou même pour vous forcer à sortir de votre lit. Vous pouvez être incapable de vous concentrer, de manger ou de dormir normalement, vous pouvez même vous demander si la vie vaut la peine d'être vécue. Peut-être était-il aisé pour vous d'obtenir de bonnes notes et vous pensez, maintenant, qu'une note qui vous déçoit va compromettre vos objectifs. Des difficultés relationnelles, comme la solitude, le sentiment que vous êtes la cible de préjugés ou un échec sentimental, vous ont peut-être plongé dans un profond désespoir. Et peut-être la faible estime que vous avez de vous-même alimente la rumination de vos idées noires et aggrave vos comportements autopunitifs (Sowislo & Orth, 2012). Il est probable que vous imaginiez être le (la) seul(e) à penser cela mais ce n'est pas le cas (Jordan et al., 2011). Au cours d'une étude nationale américaine, 31 % des étudiants ont déclaré qu'une ou plusieurs fois au cours de l'année précédente, ils se sont « sentis si déprimés qu'il était difficile de travailler » (ACHA, 2009). Le malheur atteint bien plus de gens que nous ne le supposons.

La joie, le contentement, la tristesse et le désespoir sont les différents points d'un continuum où chacun de nous peut se trouver à tout moment de sa vie. Se sentir mal en réaction à des événements profondément tristes, c'est être en contact avec la réalité. Dans ces moments-là, les réactions syntones témoignent d'une bonne adaptation. La tristesse est comme le voyant qui s'allume pour indiquer le faible niveau de carburant d'une voiture, un avertissement qui signale qu'il faut s'arrêter et prendre des mesures de protection. Si l'on se place du point de vue de la finalité biologique, le but de la vie n'est pas le bonheur, mais la survie et la reproduction. À cette fin, le fait de tousser ou de vomir, tout comme d'autres manifestations de douleur protègent notre organisme des toxines dangereuses. Ainsi, la dépression est une sorte d'hibernation psychique : elle nous ralentit, désamorce notre agressivité, nous aide à lâcher prise des objectifs inaccessibles et diminue notre prise de risque (Andrews et Thomson, 2009a, b ; Wroch et Miller, 2009). Quand, pour un temps donné, nous ralentissons progressivement le cours de notre vie pour la réévaluer, comme le font les personnes déprimées, nous pouvons réorienter notre énergie vers des voies plus prometteuses (Watkins, 2008). Nous pouvons également prendre de meilleures décisions. Même une légère tristesse peut améliorer le souvenir des gens, les rendre plus perspicaces et les aider à prendre des décisions complexes (Forgas, 2009). Elle peut aussi aider à reconnaître plus facilement les visages (Hills et al., 2011). La souffrance a un sens.

Mais parfois cette réponse, poussée à l'extrême, peut devenir sérieusement inadaptée et signaler un trouble. La différence entre un coup de cafard après une mauvaise nouvelle et un trouble dépressif de l'humeur est la même que la différence entre être à bout de souffle après une course rapide et avoir le souffle court de manière chronique.

Dans cette section, nous considérons trois troubles pour lesquels la dépression de l'humeur entrave effectivement la vie quotidienne :

- Le *trouble dépressif majeur*, ou caractérisé, est un état persistant de désespoir et de ralentissement psychomoteur.

- Le *trouble dépressif persistant* est un état durable au cours duquel les signes et les symptômes dépressifs sont moins nombreux.

- Le *trouble bipolaire* (anciennement appelé *trouble maniaco-dépressif*) est une condition clinique au cours de laquelle alternent les épisodes dépressifs et les épisodes d'excitation psychomotrice et d'élévation de l'humeur.

> « Ma vie soudain s'arrêta. Je pouvais respirer, manger, boire, dormir. Car je ne pouvais pas ne pas manger, ne pas boire, ne pas dormir ; mais la vie ne se manifestait pas en moi. »
>
> Léon Tolstoï, *Ma confession,* 1887

> « Si quelqu'un vous offrait une pilule qui vous rendrait définitivement heureux, alors vous feriez bien de prendre vos jambes à votre cou. L'émotion est une boussole qui oriente vers ce que nous devrions faire ; mais elle indique un Nord perpétuel, une direction finalement sans valeur. »
>
> Daniel Gilbert, « *The Science of Happiness* », 2006

Trouble dépressif majeur, ou trouble dépressif caractérisé

Le diagnostic de **trouble dépressif majeur** est porté quand au moins cinq signes et symptômes de dépression sont présents pendant deux semaines ou plus (**TABLEAU 15.5**). Les symptômes doivent causer une détresse ou une déficience quasi quotidienne et ne pas être attribuables à l'utilisation de substances ou dus à une autre maladie physique ou mentale.

Certains cliniciens suggèrent, pour vous faire une idée de ce qu'est la dépression majeure, d'imaginer la douleur d'un chagrin associée au ralentissement causé par un décalage horaire. Si, comme le remarque le biologiste Robert Sapolsky (2003), l'anxiété liée au stress est un « feu de broussaille menaçant qui crépite, la dépression représente la couverture, lourde et étouffante, que l'on jette par-dessus ».

▼ TABLEAU 15.5
Critères diagnostiques du trouble dépressif majeur

Le DSM-5 indique que le diagnostic de trouble dépressif majeur peut être porté si au moins cinq des symptômes suivants sont présents pendant une durée de deux semaines ; la présence d'une humeur dépressive ou d'une réduction marquée des intérêts est obligatoire (American Psychiatric Association, 2013) (Termes repris de la traduction française mini-DSM-5, J. D. Guelfi et M. A. Crocq).

- Humeur dépressive la plupart du temps
- Diminution marquée des intérêts ou du plaisir pour la plupart des activités, la plupart du temps
- Pertes ou gains de poids significatifs
- Insomnie ou hypersomnie
- Agitation ou ralentissement psychomoteur
- Fatigue ou perte d'énergie
- Sentiment de dévalorisation ou de culpabilité inappropriée
- Diminution de l'aptitude à penser ou à se concentrer, ou indécision
- Pensées de mort récurrentes, idées suicidaires

Les adultes chez qui le diagnostic de trouble dépressif persistant (aussi appelés *dysthymie*) est porté éprouvent une humeur dépressive, associée à des symptômes moins nombreux et ce pendant deux ans ou plus (American Psychiatric Association, 2013). Deux des symptômes suivants doivent être présents :

- Difficulté à la prise de décision et difficulté de concentration.
- Sentiment de désespoir
- Faible estime de soi
- Baisse d'énergie
- Troubles du sommeil
- Troubles de l'alimentation

Trouble bipolaire

Avec ou sans traitement, les épisodes dépressifs majeurs ont une durée finie. Les sujets déprimés retournent de façon temporaire ou permanente à leur mode de comportement antérieur. Cependant, chez certaines personnes, l'état de l'humeur s'inverse et atteint l'autre extrême de l'expression émotionnelle, un état hyperactif avec logorrhée et optimisme extrême, autrement dit, l'**épisode maniaque**. Parfois le début du trouble de l'humeur est un épisode maniaque. Si la dépression revient à vivre au ralenti, la manie est une accélération du temps vécu. L'alternance des épisodes dépressifs et des épisodes maniaques signe le **trouble bipolaire.**

Les changements d'humeur de l'adolescent, qui passe de la fureur à la vitalité débordante, peuvent, s'ils se prolongent, entraîner un diagnostic de trouble bipolaire. Entre 1994 et 2003, le trouble bipolaire a subi une inflation diagnostique. Les enquêtes annuelles menées chez les médecins par le National Center for Health Statistics américain ont mis en évidence une surprenante multiplication par 40 du nombre de diagnostics de trouble bipolaire chez les adolescents de 19 ans ou moins, passant d'une estimation de 20 000 à 800 000 cas (Carey, 2007 ; Flora et Bobby, 2008 ; Moreno et al., 2007). Le diagnostic de trouble bipolaire est susceptible d'être porté deux fois plus

Trouble dépressif majeur trouble au cours duquel une personne ressent pendant au moins deux semaines, cinq symptômes ou plus, dont un au moins doit être, soit (1) une humeur dépressive, soit (2) une perte d'intérêt ou de plaisir.

Épisode maniaque état avec hyperthymie joyeuse inadaptée, accélération du cours de la pensée, troubles du jugement, réduction des besoins de sommeil, hyper-sexualité et conduites pouvant mettre en péril le statut familial, social ou professionnel.

Trouble bipolaire trouble au cours duquel le sujet est en proie à des états dépressifs de l'humeur et des états d'humeur maniaque. (Anciennement appelé *trouble maniaco-dépressif* ou psychose maniaco-dépressive.)

La vie est comme une bête à deux têtes : bipolaire, Abigail Southworth

Trouble bipolaire L'artiste Abigail Southworth a illustré son expérience vécue du trouble bipolaire.

▼ **TABLEAU 15.6**
Pourcentage de sujets ayant répondu *Oui* à la question « Avez-vous pleuré aujourd'hui ? »

	Pourcentage de sujets ayant pleuré	
	Hommes	Femmes
Août	4 %	7 %
Décembre	8 %	21 %

Source : Time/ Sondage CNN 1994

souvent chez les Américains que chez habitants d'autres pays (Merikangas et al., 2011). La nouvelle popularité du diagnostic, établi chez des garçons dans les deux tiers des cas, a été une aubaine pour les laboratoires pharmaceutiques qui commercialisent des médicaments qui sont prescrits pour réduire les fluctuations d'humeur. En en se fondant sur les nouvelles classifications du DSM-5, le nombre de diagnostics de trouble bipolaire porté chez les enfants et adolescents diminuera probablement, parce que chez certaines personnes dont la labilité émotionnelle est importante c'est le diagnostic de *trouble disruptif avec dysrégulation émotionnelle* qui sera porté (Miller, 2010).

Au cours de la phase maniaque, le besoin de sommeil est généralement réduit. Le comportement sexuel est moins inhibé. Leurs émotions positives persistent anormalement (Gruber, 2011 ; Gruber et al., 2013). Le verbe est haut, le discours superficiel et difficile à interrompre. La personne est irritée par les conseils. Cependant, elle a besoin d'être protégée contre la faiblesse de ses propres jugements qui peuvent la conduire à des dépenses imprudentes ou des relations sexuelles non protégées. L'accélération du cours de la pensée semble bénéfique, mais elle augmente également la prise de risque (Chandler & Pronin, 2012 ; Pronin, 2013).

Pour certaines personnes souffrant de troubles dépressifs ou de trouble bipolaire, les symptômes peuvent évoluer selon une *tendance saisonnière*. La dépression de l'humeur peut régulièrement survenir chaque automne ou hiver, et la manie (ou un sursis d'humeur dépressive) peut éclore a avec le printemps. Pour beaucoup d'autres, le moindre ensoleillement de l'hiver signifie simplement une humeur plus maussade. À la question « Avez-vous pleuré aujourd'hui ? » Les Américains ont le plus souvent répondu « oui » en hiver (**TABLEAU 15.6**).

Dans les formes modérées, l'énergie et la fuite des idées de l'épisode maniaque peut alimenter la créativité. George Frideric Haendel (1685-1759), qui a peut-être souffert d'une forme légère de trouble bipolaire, a composé son *Messie*, qui dure près de quatre heures, au cours de trois semaines d'énergie créatrice intense (Keynes, 1980). Robert Schumann a composé 51 œuvres musicales pendant les 2 années où il a souffert d'épisodes maniaques (1840 et 1849) mais aucune durant l'année 1844 pendant laquelle il fut sévèrement déprimé (Slater et Meyer, 1959). Ceux dont le travail relève de la précision et de la logique comme les architectes, les designers, les journalistes souffrent moins souvent de troubles bipolaires que les personnes puisant dans leurs émotions et utilisant une imagerie très explicite (Ludwig, 1995). Les compositeurs, les artistes, les poètes, les romanciers, les gens du spectacle semblent particulièrement sujets à ces troubles (Jamison, 1993, 1995 ; Kaufman et Baer, 2002 ; Ludwig, 1995). En effet, une analyse de plus d'un million de personnes a montré que la seule condition psychiatrique liée aux professions impliquant une production créative était le trouble bipolaire (Kyaga et al., 2013). Comme l'a dit un membre du cabinet du grand leader Winston Churchill, « Il est soit sur la crête de la vague, soit dans le creux » (Ghaemi, 2011).

Ce qui est vrai pour les émotions l'est pour tout le reste : ce qui monte redescend toujours. En peu de temps, une personne ivre d'allégresse retourne à un état normal ou plonge dans la dépression. Bien que le trouble bipolaire soit beaucoup moins fréquent qu'une dépression majeure, il est souvent plus handicapant, entraînant plus du double de jours de travail perdus par an (Kessler et al., 2006). Chez l'adulte, il affecte autant les hommes que les femmes.

Créativité et trouble bipolaire De nombreux créateurs, compositeurs, écrivains et musiciens ont souffert d'un trouble bipolaire.

Russell Brand, acteur

Virginia Woolf, écrivain

Samuel Clemens, humoriste (Mark Twain)

Comprendre les troubles dépressifs et les troubles bipolaires

15-12 Dans quelle mesure les perspectives biologiques et sociocognitives peuvent nous aider à comprendre les troubles dépressifs et les troubles bipolaires ?

Au cours de milliers d'études, les psychologues continuent à accumuler des preuves pour tenter d'expliquer pourquoi surviennent les états dépressifs et les troubles bipolaires de l'humeur et suggérer des moyens plus efficaces de les prévenir ou de les traiter. Nous nous concentrons, ici, principalement sur les troubles dépressifs. Un groupe de recherche a résumé les faits que toute théorie de la dépression doit expliquer, les éléments suivants, à savoir (Lewinsohn et al., 1985, 1998, 2003) :

- *De nombreux changements cognitifs et comportementaux accompagnent la dépression.*
  Les patients enfermés dans leur dépression sont inactifs et démotivés. Ils sont particulièrement sensibles aux événements négatifs (Peckham et al., 2010). Ils se rappellent le plus souvent des informations négatives. Ils s'attendent à des résultats négatifs (mon équipe va perdre, mes notes vont chuter, je vais connaître un échec amoureux). Lorsque l'humeur devient plus syntone, les perturbations cognitives et comportementales qui l'accompagnent disparaissent. Pratiquement dans un cas sur deux, on retrouve dans le tableau clinique des patients déprimés et des symptômes d'autres troubles tels que l'anxiété, ou la consommation de drogue.

- *La dépression est largement répandue.* Dans le monde, plus de 350 millions de personnes souffrent de dépression (OMS, 2012). Bien que les phobies soient plus fréquentes, la dépression est la première des raisons pour laquelle les gens demandent de l'aide auprès des services de santé mentale. À un moment de leur vie, les troubles dépressifs ont tourmenté 12 % des Canadiens adultes et 17 % des Américains adultes (Holden, 2010 ; Patten et al., 2006). De plus, c'est la principale cause de maladie invalidante au monde (Ferrari et al., 2013). La banalité de la dépression suggère que sa cause doit l'être également.

- *Les femmes sont deux fois plus vulnérables que les hommes à la dépression majeure.*
  Lorsque en 2009 une enquête Gallup demanda à plus d'un quart de million d'Américains s'ils avaient déjà souffert de dépression, 13 % des hommes et 22 % des femmes répondirent oui (Pelham, 2009). Lorsque l'institut Gallup demandait aux Américains s'ils avaient éprouvé de la tristesse « au cours d'une grande partie de la journée d'hier », 17 % des hommes et 28 % des femmes ont répondu *Oui* (Mendes & McGeeney, 2012). L'écart de la prévalence des états dépressifs lié au sexe a été retrouvé dans le monde entier (**FIGURE 15.5**). Cela commence dès l'adolescence ; les filles préadolescentes ne sont pas plus sujettes à la dépression que les garçons (Hyde et al., 2008). Avec l'adolescence, les filles pensent souvent à leur corps et s'en inquiètent.

  Les facteurs qui rendent sensibles les femmes à la dépression (prédispositions génétiques, abus sexuels pendant l'enfance, faible estime de soi, problèmes de couple, etc.) entraînent les mêmes risques chez les hommes (Kendler et al., 2006). Cependant, les femmes sont plus sensibles aux troubles impliquant des états internes, tels que la dépression, l'anxiété et l'inhibition du désir sexuel. Les femmes font face à plus de plus de situations qui peuvent augmenter le risque de survenue de dépression, comme l'infériorité du salaire pour un travail égal, devoir assumer de multiples rôles, prendre soin des enfants et des membres de

La vie après la dépression J. K. Rowling, auteur des livres Harry Potter, a déclaré avoir souffert de dépression aiguë avec des idées suicidaires ; une « période sombre », entre l'âge de 25 et 28 ans. Ce fut une « expérience vécue difficile », dit-elle, mais elle fut quand même bénéfique, refondant un socle à partir duquel une reconstruction plus solide fut possible (McLaughlin, 2010).

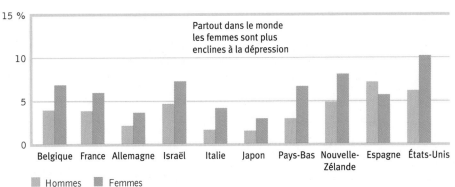

▼ FIGURE 15.5
Prévalence de la dépression majeure en fonction du sexe
Des entretiens menés auprès de 89 037 adultes dans 18 pays (dont 10 sont représentés ici) confirment ce que de nombreuses études, avec de petits effectifs, ont montré : le risque de survenue de dépression majeure chez la femme est multiplié par deux. (Données de Bromet et al., 2011.)

la famille les plus âgés (Freeman & Freeman, 2013). Les troubles qui affectent l'homme ont tendance à être plus exogènes, comme l'alcoolisme, les conduites antisociales ou le manque de contrôle des pulsions. Quand les femmes sont tristes, elles le sont plus profondément que les hommes. Lorsque les hommes deviennent fous, ils deviennent souvent plus fous que les femmes.

- *La plupart des épisodes de dépression majeure s'estompent d'eux-mêmes.* La thérapie apporte souvent une aide et tend à accélérer la survenue de la guérison clinique. Mais même sans l'aide des professionnels de santé, la plupart des gens se remettent d'un état dépressif majeur et l'humeur redevient syntone. Le fléau de la dépression survient et s'en va quelques semaines ou quelques mois plus tard, bien que les symptômes puissent réapparaître chez environ la moitié des personnes (Burcusa et Iacono, 2007 ; Curry et al., 2011 ; Hardeveld et al., 2010). La dépression devient chronique chez 20 % des patients (Klein, 2010). En moyenne, les patients qui souffrent aujourd'hui d'une dépression majeure passeront les trois quarts de la décennie suivante dans un état thymique normal, sans dépression (Furukawa et al., 2009). La rémission a plus de chances d'être persistante si le premier épisode dépressif a été tardif, si les épisodes précédents sont peu nombreux, si la rechute ne survient pas rapidement, et si le patient ne subit pas de stress et bénéficie d'une aide de son entourage (Belsher et Costello, 1988 ; Fergusson et Woodward, 2002 ; Kendler et al., 2001).

- *Des événements stressants liés au travail, à la vie de couple ou aux relations avec ses proches précèdent souvent une dépression.* De la même manière que l'anxiété répond à la menace d'une perte future, la dépression répond souvent à une perte passée et présente. Environ 1 personne sur 4 chez qui le diagnostic de dépression a été porté, a été frappée par une perte importante ou un traumatisme, comme la mort, une rupture conjugale, la perte d'un être cher, une agression physique, ou la perte d'un emploi (Kendler et al., 2008 ; Monroe & Reid 2009 ; Orth et al., 2009 ; Wakefield et al., 2007). Les stress quotidiens mineurs peuvent également laisser des cicatrices émotionnelles. Les personnes qui ont réagi de façon excessive à des stress mineurs, comme celui représenté par un appareil qui s'est cassé, souffraient souvent d'une dépression de l'humeur, dix ans plus tard (Charles et al., 2013). L'acculturation peut également augmenter le risque dépressif, surtout chez les plus jeunes qui n'ont pas encore forgé leur identité (Zhang et al., 2013). Une étude à long terme (Kendler, 1998) a suivi, chez 2 000 personnes, la prévalence de la dépression. Il a été trouvé que 24 % de celles qui avaient été exposées à trois événements existentiels majeurs et stressants risquaient de développer une dépression dans le courant du mois suivant, contre moins de 1 % chez celles qui n'avaient connu aucun événement éprouvant (Kendler, 1998).

- *À chaque nouvelle génération, la dépression apparaît plus tôt (souvent, aujourd'hui, à la fin de l'adolescence) et touche plus de personnes.* Cette tendance s'est vérifiée au Canada, aux États-Unis, au Royaume-Uni, en Allemagne, en France, en Italie, au Liban, en Nouvelle-Zélande, à Taïwan et à Porto Rico (Collishaw et al., 2007 ; Cross-National Collaborative Group, 1992 ; Kessler et al., 2010 ; Twenge et al., 2008). Selon une étude, en Australie, 12 % des adolescents interrogés présentent des symptômes de dépression (Sawyer et al., 2000). La plupart les dissimulent à leurs parents ; près de 90 % des parents ne perçoivent *pas* que leur enfant déprimé souffre de dépression. En Amérique du Nord, la probabilité qu'un jeune adulte ait déjà souffert d'une dépression est trois fois supérieure à celle de ses grands-parents (bien que les grands-parents aient eu plus d'années à risque). Cette augmentation paraît en partie réelle, mais peut aussi refléter la plus grande volonté des jeunes adultes d'aujourd'hui à révéler leur dépression.

« Je vois la dépression comme étant la peste de l'ère moderne. »

Lewis Judd, ancien directeur du National Institute of Mental Health, 2000

Les chercheurs contemporains, armés d'arguments de compréhension de la genèse des états dépressifs, proposent une explication biologique et cognitive souvent associée à une perspective biopsychosociale.

La perspective biologique

Influences génétiques Les troubles dépressifs et les troubles bipolaires sont souvent familiaux. Comme le remarquait un chercheur, les émotions sont les « cartes postales envoyées par nos gènes » (Plotkin, 1994). Le risque d'éclosion d'une dépression majeure ou de trouble bipolaire augmente si vous avez un parent ou un frère qui en souffre (Sullivan et al., 2000). Si un vrai jumeau présente un trouble dépressif majeur, il y a 50 % de risques pour que l'autre jumeau en souffre aussi à un moment donné. Cette influence génétique est encore plus prononcée pour le trouble bipolaire : Si un jumeau monozygote en souffre, il y a 7 chances sur 10 que le diagnostic similaire soit porté chez l'autre jumeau à un certain moment donné, même si les jumeaux ont été élevés séparément (DiLalla et al., 1996). Chez les jumeaux dizygotes, la probabilité est légèrement inférieure à 2 sur 10 (Tsuang et Faraone, 1990). Résumant les études les plus importantes sur les jumeaux (voir **FIGURE 15.6**), une équipe de chercheurs a estimé que l'héritabilité de la dépression majeure (probabilité que les différences individuelles puissent être attribuables aux gènes) était de 37 % (Bienvenu et al., 2011).

Pour identifier les gènes pouvant augmenter le risque de dépression, certains chercheurs ont utilisé la méthode d'analyse de *liaison génique (linkage)*. Tout d'abord, les généticiens recherchent des familles chez lesquelles le trouble apparaît sur plusieurs générations. Ensuite, les chercheurs examinent l'ADN des membres de la famille qui en sont affectés et ceux qui ne le sont pas, et recherchent les différences et les similitudes de caractéristiques qui sont héritées en même temps ; les gènes situés sur des locus seront liés car toujours transmis en même temps Les analyses des liaisons examinent les gènes et leur voisinage sur les chromosomes ; « une recherche de proche en proche est alors nécessaire pour trouver le gène coupable » (Plomin & McGuffin, 2003). Ces études renforcent le point de vue que la dépression est une affection complexe. De nombreux gènes travaillent probablement ensemble pour produire une mosaïque de petits effets qui interagissent avec d'autres facteurs pour augmenter le risque dépressif, par exemple, chez les individus. Des gènes situés sur le chromosome 3 ont été mis en cause dans des études indépendantes britanniques et américaines (Breen et al., 2011 ; Pergadia et al., 2011). Ces études ouvrent la voie à de nouvelles thérapies.

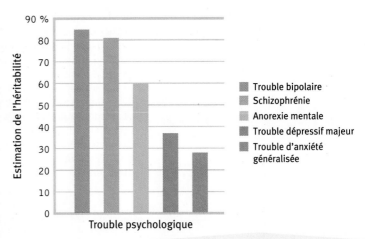

Le cerveau déprimé Des dispositifs de neuro-imagerie fonctionnelle ouvrent une fenêtre sur l'activité du cerveau pendant les états dépressifs et les états maniaques. Une étude a fait subir à 13 nageurs de compétition canadiens l'expérience violente de regarder la cassette vidéo de l'épreuve à l'issue de laquelle ils n'avaient pas été qualifiés pour rejoindre l'équipe olympique, ou avaient perdu les Jeux olympiques (Davis et al., 2008). Les IRM fonctionnelles ont montré que les schémas d'activité cérébrale présentés par les nageurs déçus étaient proches de ceux des patients souffrant d'une dépression de l'humeur.

De nombreuses études ont montré une diminution de l'activité cérébrale lors des états dépressifs où prévaut le ralentissement psychomoteur ; une plus grande activité caractérise les épisodes maniaques (**FIGURE 15.7**). Le lobe frontal gauche, ainsi qu'un centre cérébral de récompense voisin, sont actifs durant les émotions positives, mais bien moins durant les états dépressifs (Davidson et al., 2002 ; Heller et al., 2009 ; Robinson et al., 2012). Les études menées chez les personnes déprimées avec IRM ont également trouvé que les lobes frontaux étaient plus petits que la normale (Coffey et al., 1993 ; Ribeiz et al., 2013 ; Steingard et al., 2002). D'autres études montrent que *l'hippocampe*, le centre de traitement de la mémoire lié au circuit émotionnel cérébral, était vulnérable aux lésions dues aux stress.

Les chercheurs en neurosciences ont également découvert des structures cérébrales altérées chez les personnes chez qui le diagnostic de trouble bipolaire a été porté. Une analyse a découvert une réduction de la substance blanche et un élargissement des ventricules cérébraux où circule le liquide céphalo-rachidien (Arnone et al., 2009).

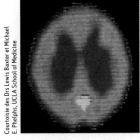 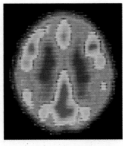 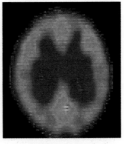

État dépressif (17 mai) **État maniaque** (18 mai) **État dépressif** (27 mai)

Courtoisie des Drs Lewis Baxter et Michael E. Phelphs, UCLA School of Medicine

Les neurotransmetteurs jouent aussi un rôle dans la physiopathologie des troubles dépressifs et des troubles bipolaires. La *noradrénaline*, qui augmente le niveau d'éveil et stimule l'humeur, est surabondante durant la phase maniaque et rare durant la dépression. (Les médicaments qui soulagent les épisodes maniaques réduisent les effets de la noradrénaline.) La plupart des sujets ayant des antécédents de dépression ont aussi des antécédents de tabagisme (Pasco et al., 2008). Une fois que l'envie de fumer est allumée, la dépression rend également plus difficile d'arrêter (Hitsman et al., 2012). Cela peut indiquer qu'ils essayent une sorte d'automédication en inhalant la nicotine, qui peut augmenter temporairement le taux de noradrénaline et améliorer l'humeur (HMHL, 2002).

Les chercheurs explorent également les effets d'un deuxième neuromédiateur, la *sérotonine* (Carver et al., 2008). Selon une étude néo-zélandaise portant sur de jeunes adultes, et qui a fait l'objet d'une forte publicité, la « recette de la dépression nécessite deux ingrédients » : un stress significatif et la variation d'un gène contrôlant l'activité de la sérotonine (Caspi et al., 2003 ; Moffitt et al., 2006). La dépression se produit du fait de l'interaction d'un environnement néfaste et d'une susceptibilité génétique ; un seul de ces facteurs est une condition nécessaire mais non-suffisante. Mais restez à l'écoute : l'histoire de l'interaction entre les gènes et l'environnement n'en est qu'à ses débuts et d'autres chercheurs débattent de la fiabilité de ces résultats (Caspi et al., 2010 ; Culverhouse et al., 2013 ; Karg et al., 2011 ; Munafò et al., 2009 ; Uher & McGuffin, 2010).

Les médicaments qui traitent la dépression ont tendance à augmenter l'apport de noradrénaline et/ou de sérotonine en bloquant soit leur recapture (comme le font le Prozac®, le Zoloft® et le Paxil® avec la sérotonine), soit leur dégradation enzymatique. Un exercice physique régulier, comme le jogging, augmente le taux de sérotonine et réduit la dépression (Airan et al., 2007 ; Ilardi, 2009 ; Jacobs, 1994). Une étude a montré que courir pendant deux heures augmentait l'activité des zones cérébrales associées à l'euphorie (Boecker et al., 2008). Pour fuir une mauvaise humeur, vous pouvez vous servir de vos jambes.

Effets nutritionnels   Ce qui est bon pour le cœur l'est aussi pour le cerveau et l'esprit. Les personnes qui mangent une nourriture méditerranéenne saine pour le cœur (riche en légumes, en poissons et en huile d'olive) présentent comparativement moins de risques de développer des affections cardiaques, un déclin cognitif lié à la vieillesse et une dépression. Ces trois problèmes sont liés à l'inflammation (Dowlati et al., 2010 ; Psaltopoulou et al., 2013 ; Sánchez-Villegas et al., 2009 ; Tangney et al., 2011). Une consommation excessive d'alcool est également corrélée à la dépression, en particulier parce que l'abus d'alcool conduit à la dépression (Fergusson et al., 2009).

La perspective sociocognitive

Les facteurs biologiques ont été mis en évidence dans la physiopathologie des états dépressifs. Les intrications de la nature et de la culture font que nos actions jouent également un rôle. Le régime alimentaire, les médicaments, le stress, et d'autres événements de vie laissent des *marques épigénétiques* qui sont souvent des radicaux organiques. Ces balises moléculaires liées à nos chromosomes peuvent réprimer l'expression de certains gènes. Les études animales suggèrent que les influences épigénétiques peuvent jouer un rôle durable dans la dépression (Nestler, 2011).

Les pensées jouent aussi un rôle important. L'*approche sociocognitive* explore la façon dont ce que supposent les sujets et ce qu'ils espèrent influence ce qu'ils perçoivent. Les gens déprimés voient l'existence à travers les verres sombres de la faible estime de soi (Kuster et al., 2012 ; Sowislo & Orth, 2012). Leurs considérations très négatives à propos d'eux-mêmes, de leur situation et de leur avenir les amènent à amplifier les expériences malheureuses et à minimiser les bonnes (Wenze et al., 2012). Écoutons Norman, un professeur canadien, qui se souvient de sa dépression :

> Je [désespérais] de redevenir humain. Honnêtement, je me considérais comme un sous-homme, plus faible que la plus faible des vermines. De plus, je me déconsidérais et je ne comprenais pas qu'on puisse s'associer avec moi, sans parler de m'aimer… J'étais persuadé d'être un imposteur et un charlatan qui ne méritait pas son doctorat. Je ne méritais pas d'être titulaire, ni d'être professeur… Je ne méritais pas les bourses de recherche qui m'étaient accordées… Je ne comprenais pas comment j'avais pu écrire des livres et des articles de journaux… J'ai dû tromper un grand nombre de gens. (Endler, 1982, p. 45-49)

L'attente du pire à venir, les *sentiments d'autodépréciation* propres aux personnes dépressives et un *style explicatif négatif* entretiennent le cercle vicieux de la dépression.

Les pensées négatives et l'humeur dépressive se renforcent Les croyances défaitistes peuvent provenir d'une *impuissance apprise*, d'un renoncement appris. Les animaux et les humains adoptent et apprennent la résignation passive, désespérée quand ils font face à des événements douloureux incontrôlables. L'impuissance apprise a été retrouvée comme étant est plus fréquente chez les femmes que chez les hommes. Les femmes peuvent répondre plus fortement au stress (Hankin et Abramson, 2001 ; Mazure et al., 2002 ; Nolen-Hoeksema, 2001, 2003). Par exemple, 38 % des femmes et 17 % des hommes qui entrent à l'université américaine se disent « souvent dépassé(e)s par le volume de travail à fournir » (Pryor et al., 2006). (Les hommes déclarent consacrer plus de temps à des « activités faiblement anxiogènes » telles que le sport, la télévision et les réunions amicales, la fête, évitant ainsi des situations dans lesquelles ils pourraient se sentir dépassés.) Cette différence liée au sexe peut expliquer pourquoi, commençant au début de l'adolescence, les femmes ont été deux fois plus vulnérables à la dépression. Susan Nolen-Hoeksema (2003) a évoqué le fait que le risque supérieur de dépression chez les femmes pouvait être lié à leur tendance à la « rumination » et leur réflexion qui peut être *excessive*. La **rumination**, autrement dit la focalisation sur un problème (due à l'activité continue de la région du lobe frontal qui soutient l'attention) peut-être adaptative (Altamirano et al., 2010 ; Andrews et Thomson, 2009a, b). Mais lorsqu'elle est permanente, la rumination centrée sur soi-même peut empêcher de penser aux autres tâches de la vie et engendrer une humeur négative (Kuppens et al., 2010 ; Kuster et al., 2012).

Pourquoi les échecs inévitables de l'existence conduisent-ils certaines personnes (hommes ou femmes) à souffrir de dépression de l'humeur ? La réponse réside, en partie, dans *le style explicatif* des gens, c'est-à-dire qui ou quoi blâmer pour leurs échecs. Pensez à la façon dont vous allez vous sentir si vous ratez un test. Si vous pouvez rendre des facteurs extérieurs responsables de cet échec (« Quel test injuste ! »), alors vous serez susceptibles d'éprouver de la colère. Si vous vous blâmez, vous vous sentirez probablement stupide et déprimé.

Il en est de même pour les gens déprimés qui ont tendance à expliquer les événements pénibles par des termes évoquant la *stabilité* (« c'est parti pour durer toujours »), la *généralisation* (« cela va affecter tout ce que je fais ») et la *culpabilité* (« tout cela est de ma faute ») (**FIGURE 15.8**). Les personnes sujettes à la dépression répondent aux événements blessants de manière particulièrement autocentrée, en se blâmant elles-mêmes (Mor et Winquist, 2002 ; Pyszczynski et al., 1991 ; Wood et al., 1990a, b). Les études d'imagerie fonctionnelle montrent une plus grande activation d'une région corticale frontale chez les personnes déprimées, lorsqu'elles se décrivent (Sarsam et al., 2013). Leur estime de soi est aussi plus « plastique » : les éloges l'augmentent et les menaces l'anéantissent (Butler et al., 1994).

Les généralisations abusives et autoculpabilisantes, créent une humeur dépressive empreinte de désespoir (Abramson et al., 1989 ; Panzarella et al., 2006). Comme le remarque Martin Seligman, la

Susan Nolen-Hoeksema (1959-2013) « Cette épidémie de la méditation morbide est une maladie dont les femmes souffrent beaucoup plus que les hommes. Les femmes peuvent ruminer des pensées portant sur tout et rien, l'apparence, la famille, la carrière, la santé. » *(Women Who Think Too Much: How to Break Free of Overthinking and Reclaim Your Life,* 2003)

Michael Marsland

Ruminations remords compulsifs ; *réflexions excessives* sur les difficultés et leurs causes.

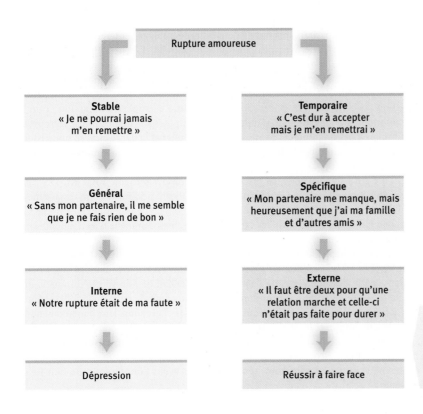

▼ FIGURE 15.8
Style explicatif et dépression
Après une expérience négative, une personne chez qui les épisodes dépressifs sont fréquents peut répondre avec un style explicatif négatif.

« Tu ne devrais jamais te livrer à une introspection sans surveillance. »

« L'homme ne raisonne jamais autant que lorsqu'il souffre, car il est impatient de connaître la cause de ses souffrances. »

Luigi Pirandello,
Six personnages en quête d'auteur, 1922

« Certains provoquent le bonheur partout où ils vont, d'autres à chaque fois qu'ils s'en vont. »

Oscar Wilde, écrivain irlandais (1854-1900)

« recette de la dépression sévère est un pessimisme préexistant rencontrant un échec » (1991, p. 78). Qu'attendriez-vous de la part de nouveaux étudiants qui ne sont pas déprimés, mais qui manifestent tout de même un style explicatif pessimiste ? Lauren Alloy et al. (1999) ont suivi des étudiants pendant deux ans et demi en les évaluant toutes les six semaines. Parmi ceux dont le mode de pensée était pessimiste, 17 % avaient connu un premier épisode de dépression majeure, contre 1 % seulement de ceux qui entraient à l'université avec un mode de pensée optimiste.

Pourquoi la dépression est-elle si fréquente chez les jeunes Occidentaux ? Seligman (1991, 1995) a montré que l'extension de l'individualisme et le déclin des engagements familiaux et religieux ont conduit les jeunes à assumer la responsabilité des échecs ou du rejet. Dans les cultures non occidentales, où les relations étroites et l'entraide constituent la norme, la dépression majeure est moins fréquente et moins liée à l'autoaccusation lors de la constatation d'un échec personnel (Ferrari et al., 2013 ; WHO, 2004a). Au Japon, par exemple, les sujets déprimés ont, au contraire, tendance à reporter le sentiment de honte sur le fait d'abandonner les autres (Draguns, 1990a).

Les critiques de l'approche sociocognitive notent toutefois un problème analogue à celui de l'œuf et de la poule pour savoir ce qui fait le lit de la dépression. Quel est le primum movens ? Le style explicatif pessimiste, ou l'humeur dépressive ? L'autoaccusation, l'autodestruction et les attributions négatives *coïncident* avec l'humeur dépressive et sont des *indicateurs* de la dépression. Mais sont-ils la *cause* de la dépression au même titre que le compteur de vitesse qui, indiquant 90 km/h, est la *cause* de la vitesse de la voiture ? Avant ou après avoir été déprimés, les gens ont des pensées moins négatives. Il est possible que l'humeur dépressive déclenche des pensées négatives. Si vous mettez temporairement des gens dans une mauvaise humeur, ou dans une humeur triste, leurs souvenirs, leurs attentes et leurs jugements vont brusquement devenir plus pessimistes. Les chercheurs spécialistes de la mémoire comprennent cette tendance à se souvenir d'événements dont la charge affective est congruente à la qualité de l'humeur du moment. Ils lui donnent le nom de *mémoire dépendant de l'état*.

Le cercle vicieux de la dépression La dépression est à la fois une cause et un effet des expériences stressantes qui bouleversent le sens de qui nous sommes et pourquoi nous sommes des êtres humains empreints de dignité. Cette perturbation peut à son tour conduire à des idées noires, qui amplifient les sentiments négatifs. Mais ce retrait, cette centration sur nous-mêmes et ces plaintes peuvent à leur tour engendrer le rejet (Furr et Funder, 1998 ; Gotlib et Hammen, 1992). Une étude a mis en place de brèves conversations téléphoniques entre les participants et des personnes qui ont souffert de dépression, et d'autres qui n'ont pas eu à connaître de tels épisodes. Après la conversation, les participants pouvaient accepter ou rejeter l'autre personne. Quel en fut le résultat ? Les personnes qui ont été le plus souvent rejetées furent celles qui étaient plutôt dépressives. Les participants ont également noté qu'ils se sentaient plus déprimés, anxieux, et hostile après avoir parlé avec des personnes déprimées (Coyne, 1976). En fait, les sujets en proie à la dépression courent un risque plus élevé de divorcer, de perdre leur emploi ainsi que de subir d'autres événements de vie stressants. Lassé par la fatigue, l'attitude désespérée et le ralentissement d'un individu déprimé, un conjoint peut menacer de le quitter ou un patron remettre en question ses compétences. (Cela constitue un autre exemple d'interaction entre la génétique et l'environnement : les sujets génétiquement prédisposés à la dépression se retrouvent plus souvent confrontés à des événements dépressogènes.) Le rejet et la dépression se nourrissent l'un de l'autre. Le malheur aime peut-être la compagnie de l'autre, mais la compagnie n'aime guère le malheur de l'autre.

Nous pouvons à présent assembler certaines pièces du puzzle de la dépression (**FIGURE 15.9**) : (1) les événements négatifs stressants interprétés (2) par un style explicatif pessimiste et un ressassement créent (3) un état dépressif, désespéré qui (4) perturbe la façon dont les gens pensent et agissent. Ce phénomène à son tour alimente (1) de nouvelles expériences négatives comme le rejet. La dépression est un serpent qui se mord la queue.

Aucun d'entre nous n'échappe au découragement, à la perte de l'estime de soi et aux pensées négatives liées au rejet et à l'échec. Même de petites pertes peuvent temporairement aigrir notre pensée. Une étude a porté des supporters de l'équipe de basket-ball de l'université d'Indiana qui semblaient considérer l'équipe comme un prolongement d'eux-mêmes (Hirt et al., 1992). Après avoir assisté à la défaite ou la victoire de leur équipe favorite, les chercheurs leur demandaient de prédire les futurs de leur équipe et les leurs. Après une défaite, les gens donnèrent une évaluation plus sombre, non seulement de l'avenir de l'équipe, mais également de leur réussite probable au jeu de fléchettes, à la résolution de mots croisés ou même à l'obtention d'un rendez-vous amoureux. Lorsque les choses ne vont pas comme nous le voulons, nous avons l'impression que rien ne se passera jamais bien.

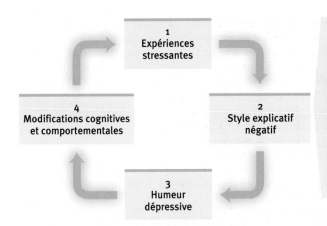

▼ FIGURE 15.9

Le cercle vicieux de la pensée dépressive Les thérapeutes connaissent ce cycle, et leur travail consiste à aider les personnes déprimées à le rompre. Pour chacune des trois propositions inférieures, 2, 3, 4, il y a une possibilité thérapeutique d'y échapper : 2. Inverser la perception négative de soi et l'autoflagellation. 3. Décentrer son attention, regarder vers l'extérieur de soi. 4. Participer à des activités plus agréables et se comporter de manière plus adaptée.

C'est un cycle que nous connaissons tous. L'humeur maussade est auto-entretenue : quand on se sent déprimé, les pensées négatives surgissent et ce sont les mauvaises expériences qui reviennent en mémoire. Lorsqu'il était jeune homme Abraham Lincoln était tellement solitaire et sombre que ses amis craignaient qu'il mit fin à ses jours (Kline, 1974). La poétesse Emily Dickinson avait si peur d'éclater en sanglots en public qu'elle vécut recluse la majeure partie de sa vie d'adulte (Patterson, 1951). Comme ces deux exemples de vie nous le rappellent, les gens peuvent et doivent se battre contre la dépression. La plupart récupèrent leurs capacités à aimer, à travailler et même à réussir au plus haut niveau.

Le suicide et l'automutilation

15-13 Quels sont les facteurs augmentant le risque de suicide, et que savons-nous à propos de l'automutilation non suicidaire ?

Chaque année, plus de 800 000 personnes désespérées à travers le monde choisiront une solution définitive à ce qui aurait été un problème temporaire (OMS, 2014). Pour ceux qui ont souffert de dépression de l'humeur, le risque de suicide est au moins cinq fois plus élevé que celui retrouvé dans la population générale (Bostwick & Pankratz, 2000). Les gens commettent rarement un suicide quand ils se trouvent dans les profondeurs de la dépression, où l'énergie et l'initiative font défaut. Le risque augmente quand les inhibitions commencent à être levées et qu'ils deviennent capables de passer à l'acte.

En comparant les taux de suicide dans des groupes appartenant à des populations différentes, les chercheurs ont constaté des

- **différences nationales :** les suicides en Grande-Bretagne, en Italie, et en Espagne sont un peu supérieurs à la moitié de ceux observés au Canada, en Australie et aux États-Unis. Les taux sont deux fois plus importants en Autriche et en Finlande (OMS, 2011). En Europe, le taux de suicide le plus élevé est retrouvé en Biélorussie ; il est 16 fois supérieur à celui de la Géorgie, pays dont le taux est le plus faible.

- **différences raciales :** aux États-Unis, le taux de suicide chez les Blancs et les Amérindiens est deux fois élevé que celui retrouvé chez les Noirs, les Hispaniques et les Asiatiques (CDC, 2012).

- **différences entre les sexes :** les femmes sont beaucoup plus susceptibles que les hommes de tenter de se suicider (OMS, 2011). Mais les hommes sont deux à quatre fois plus susceptibles (selon les pays) de se suicider. Les hommes utilisent des méthodes plus létales, comme se tirer une balle dans la tête et ce dans 6 cas sur 10 (États-Unis).

- **différences et tendances en fonction de l'âge :** à la fin de l'âge adulte, les taux augmentent, culminant à l'âge mûr et au-delà. Dans la dernière moitié du XXe siècle, le taux global de décès annuels dus au suicide a presque doublé (OMS, 2008).

- **autres différences :** les taux de suicide ont été beaucoup plus élevés chez les riches, les non-religieux, et ceux qui étaient célibataires, veufs ou divorcés (Hoyer & Lund, 1993 ; Okada & Samreth, 2013 ; Stack, 1992 ; Stengel, 1981). Être le témoin de situations somatiques douloureuses et traumatiques peut augmenter le risque de suicide, ce qui pourrait expliquer les taux de suicide élevés des médecins (Bender et al., 2012 ; Cornette et al., 2009). Les jeunes gais

« Mais la vie, fatiguée de tous ces obstacles universels, ne manque jamais du pouvoir de se congédier elle-même. »

William Shakespeare, *Jules César*, 1599

et lesbiennes qui font face à un environnement défavorable, tels que le rejet par leur famille ou leurs amis, sont également vulnérables ; le risque de tentative de suicide est augmenté (Goldfried 2001 ; Haas et al., 2011 ; Hatzenbuehler, 2011). Parmi les personnes souffrant de troubles liés à consommation d'alcool, 3 % meurent par suicide. Ce taux est environ 100 fois supérieur à celui d'une population témoin ne souffrant pas de ces troubles (Murphy & Wetzel, 1990 ; Sher, 2006).

- *différences liées aux jours de la semaine* : les émotions négatives ont tendance à culminer en milieu de semaine ce, qui peut avoir des conséquences tragiques (Watson, 2000). Il est tout à fait surprenant qu'aux États-Unis 25 % des suicides se produisent le mercredi (Kposowa & D'Auria, 2009).

Une contamination sociale pourrait affecter les taux de suicide. L'augmentation des taux de suicides après le suicide d'une personnalité « médiatique » ou la programmation d'émissions de télévision mettant en scène des suicides, est un fait reconnu. Des accidents de la route ou de vols en avion privé peuvent recouvrir un suicide. Une étude menée sur six ans dans les années 1990, a suivi les cas de suicide survenant chez les habitants de la ville Stockholm, soit 1,2 million d'habitants (Hedström et al., 2008). Les hommes faisant face à un suicide d'un membre de leur famille étaient 8 fois plus susceptibles de se suicider que les hommes qui n'avaient pas été exposés à une telle situation. Ce phénomène peut être en partie attribuable à une influence génétique. Mais les prédispositions génétiques ne peuvent pas expliquer pourquoi les hommes exposés au suicide d'un collègue étaient 3,5 fois plus susceptibles de se suicider que les hommes qui n'avaient pas été exposés à une telle situation.

Parce que le suicide est souvent un acte impulsif, des obstacles environnementaux (tels que les barrières de sécurité sur les ponts élevés et l'indisponibilité d'armes à feu) peuvent sauver des vies (Anderson, 2008). Le bon sens peut nous faire dire qu'une personne déterminée pourra facilement trouver une autre façon de passer à l'acte, mais cela peut contribuer à laisser du temps pour que les pulsions autodestructrices puissent s'apaiser.

Le suicide n'est pas nécessairement un acte d'hostilité ou de vengeance. Les gens, surtout les adultes plus âgés, peuvent choisir la mort comme une alternative à la souffrance présente ou future, une façon d'éteindre une douleur insupportable et soulager sa famille de ce qui est perçu comme étant un fardeau. Le suicide s'impose souvent à la conscience des sujets lorsqu'ils se sentent abandonnés et que cet isolement est trop difficile à supporter pour eux, ou quand ils se sentent vaincus et impuissants, piégés par une situation inéluctable (Joiner, 2010 ; Taylor et al., 2011). Ainsi, les taux de suicide augmentent un peu pendant les périodes de récession économique (Luo et al., 2011). L'idéation suicidaire peut également survenir lorsque les gens sont poussés à atteindre des objectifs qui ne sont pas réalistes tels que devenir mince, riche, ou hétérosexuel (Chatard & Selimbegović, 2011).

Les familles et les amis peuvent se souvenir, avec le temps, de ce qu'ils auraient dû considérer comme des signaux d'alarme : demande de conseils, distribution de biens, isolement social, et ruminations morbides. À en juger par les enquêtes menées auprès de 84 850 personnes à travers 17 pays, environ 9 % de ces personnes à un moment donné de leur vie ont sérieusement pensé au suicide. Environ 3 personnes sur 10 qui ont des idées de suicide feront effectivement une tentative de suicide (Nock et al., 2008). Seuls environ 1 sur 25 Américains meurent au cours de cette tentative (AAS, 2009). Parmi ceux qui meurent, un tiers avait déjà tenté de se suicider. La plupart en avaient parlé. Donc, si un ami vous parle de suicide, il est important de l'écouter et de le diriger vers des professionnels de santé. Toute personne qui menace de se suicider adresse un signal de désespoir ou de découragement.

Automutilation non suicidaire Le suicide n'est pas la seule façon d'envoyer un message de détresse. Certaines personnes, en particulier les adolescents et les jeunes adultes, peuvent se livrer à des *automutilations non suicidaires (AMNS)* (**FIGURE 15.10**). Ces sujets se blessent de diverses manières. Ils peuvent se couper ou brûler leur peau, se frapper, insérer des objets sous leurs ongles ou la peau, ou se tatouer (Fikke et al., 2011). Bien que douloureuses, les blessures qu'ils s'infligent ne sont pas mortelles. Les personnes qui se livrent à l'automutilation non suicidaire ont tendance à être moins capables de supporter un état de détresse émotionnelle. Elles sont extrêmement critiques vis-à-vis d'elles-mêmes, font souvent preuve de mauvaises capacités de communication et de résolution des problèmes (Nock, 2010). Pourquoi se blessent-ils ainsi ? Par ces AMNS, ils peuvent

- trouver le soulagement des pensées négatives intenses par la douleur somatique qui va les en distraire.
- attirer l'attention et peut-être obtenir de l'aide.
- apaiser leur sentiment de culpabilité en s'infligeant une punition.

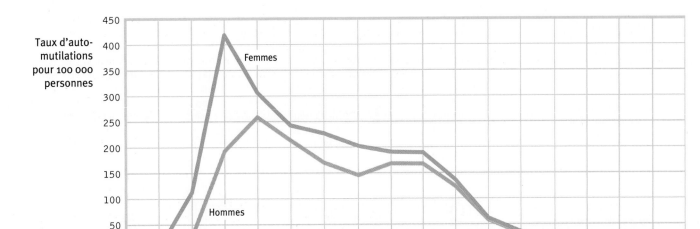

▼ FIGURE 15.10
**Fréquence des taux d'auto-
mutilations non fatales aux États-
Unis** Les taux d'automutilation sont plus élevés
chez les femmes. (Données du CDC, 2009.)

- amener les autres à changer leur comportement négatif (intimidation, critique).

- s'adapter à un groupe de congénères.

Les AMNS peuvent-elles conduire au suicide ? En principe, non. Ceux qui se livrent à l'automutilation non suicidaire miment le suicide, mais ne tentent pas de se suicider (Nock & Kessler, 2006). Ce mime du suicide ou cet équivalent suicidaire que sont les AMNS est une forme désespérée mais non mortelle de la communication de leur sentiment d'être dépassés. Néanmoins, les AMNS sont considérées comme un facteur de risque de survenue de tentatives de suicide (Wilkinson & Goodyer, 2011). Si les sujets ne trouvent pas de soutien, ce comportement non suicidaire peut dégénérer et conduire à une idéation suicidaire et, enfin, à des tentatives de suicide.

« Les gens désirent mourir lorsqu'ils sont frustrés par l'insatisfaction totale des deux besoins fondamentaux : le besoin d'appartenance ou de liaison à l'autre, et la nécessité de se sentir utile ou d'apporter quelque chose à l'autre. »

Thomas Joiner (2006, p. 47)

EXERCICE RÉCAPITULATIF

- Que veut-on dire quand on parle de la dépression comme un trouble atteignant l'ensemble du corps ?

Réponse : On dit que l'étiologie de la dépression est multifactorielle. On citera les facteurs génétiques et les facteurs neurochimiques. Les facteurs sociocognitifs ont aussi leur importance. Il en va ainsi de l'interaction du style explicatif, de l'humeur, de nos réponses à des expériences stressantes, et des changements dans nos modes de pensée et de comportement. Le corps tout entier est impliqué.

REVUE GÉNÉRALE Les troubles dépressifs et les troubles bipolaires de l'humeur

OBJECTIFS D'APPRENTISSAGE

EXERCICE RÉCAPITULATIF Prenez un moment pour répondre à chacune de ces questions objectif d'apprentissage (répétées ici au sein de cette section). Puis allez à l'annexe C, révision complète du chapitre, pour vérifier vos réponses. La recherche suggère que d'essayer de répondre à ces questions de votre propre initiative permettra d'améliorer la mémorisation à long terme de ces réponses (McDaniel et al., 2009).

15-11 Quelles sont les caractéristiques différentielles du trouble dépressif majeur, du trouble dépressif persistant, et du trouble bipolaire de l'humeur ?

15-12 Dans quelle mesure les perspectives biologiques et sociocognitives peuvent nous aider à comprendre les troubles dépressifs et les troubles bipolaires ?

15-13 Quels sont les facteurs qui augmentent le risque de suicide, et que savons-nous à propos de l'automutilation non suicidaire ?

TERMES ET CONCEPTS À RETENIR

EXERCICE RÉCAPITULATIF Testez votre connaissance de ces termes en essayant d'écrire leur définition avant de vous reporter aux pages donnant les bonnes réponses.

trouble dépressif majeur, p. 629

épisode maniaque, p. 629

trouble bipolaire, p. 629

rumination, p. 635

Schizophrénie

Au cours des épisodes les plus graves, les patients souffrant de **schizophrénie** vivent dans un monde qui leur est propre, préoccupés par des idées bizarres et des images qui les hantent. Le terme lui-même signifie « fendre, diviser » *(Schizo)* « esprit » *(Phrenia)*. Ce trouble ne signifie *pas* une division de l'esprit en plusieurs personnalités. Plutôt, l'esprit a subi une rupture du lien à la réalité qui se manifeste par des troubles de la perception, une désorganisation du cours et du contenu de la pensée, du langage, des affects émoussés et inappropriés. La schizophrénie est l'exemple type de la *psychose*, terme générique désignant un trouble dominé par la rupture avec la réalité et des idées délirantes.

Schizophrénie trouble psychologique caractérisé par des productions délirantes, idéation délirante et hallucinations, un discours désorganisé, et/ou appauvri, une expression émotionnelle inappropriée (affects discordants, émoussés).

Idée délirante croyance inébranlable en quelque chose qui est en dehors de la réalité. Le thème peut être la persécution ou la grandeur. Caractéristiques des troubles psychotiques.

Symptômes de la schizophrénie

15-14 **Quels sont les modes de perception, de pensée, de sensation et de comportement qui caractérisent la schizophrénie ?**

La schizophrénie se présente sous des formes cliniques variées. Les patients schizophrènes qui ont des *symptômes dits « positifs »* peuvent souffrir d'hallucinations, sont désorganisés et délirants dans leurs discours, et sont enclins à rire, à pleurer ou à se mettre en colère de manière inappropriée. Les patients schizophrènes qui ont des *symptômes dits « négatifs »* ont des voix monocordes et des visages sans expression, sont muets et rigides dans leurs postures.

« Quand quelqu'un me demande d'expliquer la schizophrénie je lui dis : vous savez ce que vous ressentez parfois quand vous êtes présent dans vos rêves et que certains deviennent des cauchemars ? Ma schizophrénie, c'était comme si je marchais dans un rêve. Mais tout autour de moi, tout est réel. À certains moments, le monde d'aujourd'hui semble tellement ennuyeux que je me demande si je ne voudrais pas revenir en arrière dans le rêve schizophrène, mais alors je me remémore toutes les expériences effrayantes et horribles. »

Stuart Emmons, avec Craig Geiser, J. Kalman Kaplan, et Martin Harrow, *Living With Schizophrenia*, 1997

Troubles de la perception

Les personnes atteintes de schizophrénie ont parfois des *hallucinations* – des « perceptions sans objet à percevoir ». Ils voient, sentent, goûtent, ou perçoivent des sensations dermiques et viscérales qui n'existent pas dans la réalité. Le plus souvent ces hallucinations sont auditives et prennent souvent la forme de voix qui l'insultent ou lui donnent des ordres. Les voix peuvent dire à la personne qu'elle est mauvaise ou qu'il doit se brûler avec un briquet. Imaginez votre propre réaction si un rêve fait irruption dans votre conscience vigile, rendant difficile la séparation entre votre expérience de la réalité et votre imagination. Lorsque l'irréel semble réel, les perceptions qui en résultent sont au mieux bizarres et au pire terrifiantes.

Œuvre d'art d'un patient souffrant de schizophrénie Commentant le type d'œuvres d'art représenté ici (Exposition de Craig Geiser, 2010, Michigan), le poète et critique d'art John Ashbery a écrit : « L'attrait du travail est fort, mais il exprime la terreur des énigmes insolubles qu'il propose. »

© Craig Geiser

2006

Désorganisation de la pensée et du discours

Les hallucinations sont de fausses *perceptions*. Chez les personnes souffrant de schizophrénie, la pensée est désorganisée, fragmentée, et souvent déformée par des fausses *croyances* appelées **idées délirantes**. Ces idées délirantes ont une thématique *paranoïaque* si le thème du délire est la persécution (N.d.T. : dans la psychiatrie classique française le terme « paranoïde » se réfère à la structure du délire schizophrénique, qui est peu « vertébré » à l'inverse du délire des psychoses paranoïaques, rigide, paralogique et « vertébré »).

Maxine, une jeune femme souffrant de schizophrénie, croyait qu'elle était Mary Poppins. Communiquer avec Maxine était difficile parce que le cours de sa pensée n'était pas logique. Sa biographe, Susan Sheehan (1982, p. 25), l'a observée alors qu'elle parlait très fort, mais à personne en particulier, « Ce matin, quand j'étais à Hillside [Hôpital], je tournais un film. J'étais entourée de vedettes de cinéma… Cette chambre est-elle peinte en bleu pour m'énerver ? Ma grand-mère est morte quatre semaines après l'anniversaire de mes 18 ans. »

L'association des idées est perturbée et le discours incompréhensible peut-être une *salade de mots*. Un jeune homme demandait « un peu plus d'allegro dans le traitement » et suggérait que « les mouvements de libération ayant en vue un élargissement de l'horizon » allaient « donc extorquer un peu d'esprit dans leurs conférences ».

Une des causes de la désorganisation de la pensée peut être une rupture de *l'attention sélective*. Nous avons vu que nous possédions normalement une remarquable capacité à consacrer toute notre attention à un groupe de stimuli sensoriels tout en filtrant les autres, moins pertinents. Les schizophrènes ne peuvent pas faire cela. Ainsi des stimuli infimes, sans aucun intérêt, comme les fissures d'une brique ou l'inflexion d'une voix, peuvent détourner leur attention de l'événement plus important ou du discours de celui qui parle. Comme un ancien patient l'a rappelé, « Que m'est-il arrivé… Il y a eu une rupture du filtre et un tohu-bohu de stimuli non pertinents qui me distrayaient des événements qui auraient dû recevoir toute mon attention » (MacDonald, 1960, p. 218). Cette difficulté d'attention sélective est une des innombrables différences cognitives associées à la schizophrénie (Reichenberg et Harvey, 2007).

Affects émoussés, émotions inappropriées

Les émotions exprimées lors de la schizophrénie sont souvent totalement inappropriées, coupées de la réalité (Kring et Caponigro, 2010). Maxine riait en se rappelant de la mort de sa grand-mère. Par moments, elle se mettait en colère sans raison apparente ou pleurait quand les autres riaient. D'autres patients schizophrènes sombrent dans un état d'apparente *indifférence affective*, où les affects sont émoussés. La plupart d'entre eux ont également des difficultés à *percevoir* les émotions faciales et à lire *l'état d'esprit* d'autrui. Leur théorie de l'esprit est perturbée (Green et Horan, 2010 ; Kohler et al., 2010). Ces déficits sont présents au début de la maladie et ont une base génétique (Bora & Pantelis, 2013).

Le comportement moteur peut lui aussi être inapproprié. La personne peut exécuter des actes compulsifs, dénués de sens, comme par exemple se balancer ou se frotter continuellement un bras. D'autres peuvent rester immobiles pendant des heures (un état postural appelé *catatonie*) puis ensuite devenir agités.

Comme vous pouvez l'imaginer, ces perceptions perturbées, cette désorganisation de la pensée et ces émotions inappropriées perturbent profondément les relations sociales, familiales, et professionnelles. Au cours des épisodes les plus graves, les patients souffrant de schizophrénie vivent dans un monde qui leur est propre, préoccupés par des idées bizarres et des images qui les hantent. Les troubles du sommeil et des conduites alimentaires sont fréquents. Les patients peuvent manger la nuit, ce qui peut provoquer une obésité (Palmese et al., 2011). Avec un soutien extérieur et des médicaments, plus de 40 % des patients schizophrènes peuvent mener une vie normale pendant des périodes pouvant dépasser un an (Jobe et Harrow, 2010). Beaucoup d'autres restent socialement isolés et renfermés ou rejetés pendant la majeure partie de leur vie (Hooley, 2010).

Apparition et développement de la schizophrénie

15-15 Quelle est la différence entre la schizophrénie aiguë et la schizophrénie chronique ?

La prévalence de la schizophrénie est comprise entre 0,5 et 1 % selon les pays. L'incidence annuelle est comprise entre 0,01 et 0,07 %. Environ 24 millions de personnes à travers le monde souffrent de ce trouble (Abel et al., 2010 ; OMS, 2011). La schizophrénie frappe typiquement les jeunes gens au moment où ils entrent dans l'âge adulte. Elle ne connaît pas de frontières, elle affecte les hommes et les femmes. Elle est ubiquitaire. La maladie atteint plus sévèrement les hommes, se déclare chez eux un peu plus tôt et un peu plus souvent (Aleman et al., 2003 ; Eranti et al., 2013 ; Picchioni & Murray, 2007). Le risque de survenue d'une schizophrénie est plus élevé chez les sujets qui ont été victimes d'abus dans l'enfance : ce risque est trois fois plus élevé que chez les sujets n'ayant pas eu à souffrir de tels abus (Matheson et al., 2013.). D'autres situations au cours desquelles le sujet a fait face à l'adversité dans l'enfance, comme l'intimidation, augmentent aussi ce risque (Varese et al., 2012).

Lorsque la schizophrénie se développe lentement (**schizophrénie chronique**), on peut douter d'une guérison possible (OMS, 1979). Ce fut le cas de Maxine ; la schizophrénie se développe progressivement, émergeant d'une longue histoire d'inadaptation sociale et de mauvais résultats scolaires (MacCabe et al., 2008). Les personnes souffrant de schizophrénie chronique montrent souvent des symptômes négatifs de repli sur soi persistants et handicapants (Kirkpatrick et al., 2006). Les hommes, chez qui la schizophrénie se manifeste environ quatre ans plus tôt que chez les femmes, ont plus souvent des symptômes négatifs caractéristiques d'une schizophrénie chronique (Räsänen et al., 2000). Dans une étude qui a suivi les personnes atteintes de schizophrénie chronique, pendant plus de trente-quatre ans, les signes et les symptômes se sont aggravés et le fonctionnement psychosocial s'est détérioré (Newman et al., 2012).

Lorsque survient, chez une personne jusqu'ici bien adaptée, un épisode schizophrénique en réaction à un stress particulier de l'existence, cet épisode est appelé **schizophrénie aiguë** ; la guérison est beaucoup plus probable. Cet épisode est constitué le plus souvent de symptômes positifs qui vont être sensibles au traitement médicamenteux (Fenton et McGlashan, 1991, 1994 ; Fowles, 1992).

Comprendre la schizophrénie

La schizophrénie est un trouble psychologique redoutable. C'est aussi le trouble pour lequel la recherche est la plus importante. La plupart des études menées à présent établissent le lien avec des anomalies du parenchyme et des prédispositions génétiques. La schizophrénie est une maladie organique du cerveau, les symptômes s'expriment dans l'esprit.

Schizophrénie chronique (aussi appelée *schizophrénie processuelle*) forme de schizophrénie dans laquelle les symptômes apparaissent généralement à la fin de l'adolescence ou au début de l'âge adulte. Avec l'âge les épisodes psychotiques durent plus longtemps et les périodes de rémission sont plus courtes.

Schizophrénie aiguë (aussi appelée *schizophrénie réactionnelle*) forme de schizophrénie qui peut commencer à tout âge, se produit fréquemment en réponse à un événement émotionnellement traumatique. Les périodes de rémission sont plus longues.

Anomalies cérébrales

15-16 Quelles sont les anomalies cérébrales contemporaines de la schizophrénie ?

Un déséquilibre biochimique cérébral pourrait-il être à l'origine de la schizophrénie ? Les scientifiques savent en effet, depuis longtemps, que des comportements étranges peuvent avoir des causes chimiques étranges. L'expression anglaise « fou comme un chapelier » (*mad as a hatter*) se réfère à la détérioration psychologique des fabricants de chapeaux britanniques dont les cerveaux, comme on le découvrit plus tard, étaient lentement empoisonnés lorsqu'ils humectaient avec leurs lèvres le bord chargé de mercure des chapeaux de feutre (Smith, 1983). La clef du mystère des symptômes de la schizophrénie pourrait-elle être aussi une explication biochimique ? Les scientifiques poursuivent les recherches sur les mécanismes d'action des substances chimiques produisent des hallucinations et autres symptômes.

Hyperactivité dopaminergique   Une réponse possible est apparue lorsque les chercheurs ont examiné, lors d'autopsies, les cerveaux de patients atteints de schizophrénie. Ils ont constaté un excès de récepteurs *dopaminergiques* ; soit six fois le taux des récepteurs D4 (Seeman et al., 1993 ; Wong et al., 1986). Cette hyperactivité dopaminergique peut augmenter une certaine activité cérébrale, créant ainsi les symptômes positifs tels que les hallucinations et les idées délirantes, de persécution par exemple (Grace, 2010). Les médicaments antagonistes des récepteurs de la dopamine réduisent souvent l'intensité de ces symptômes. Les médicaments qui augmentent les concentrations synaptiques de dopamine, comme les amphétamines et la cocaïne, parfois les intensifient (Seeman, 2007 ; Swerdlow & Koob, 1987).

La plupart des personnes atteintes de schizophrénie fument et sont souvent de « gros fumeurs ». La nicotine stimule des récepteurs cholinergiques centraux, il en résulte une augmentation des capacités de concentration (Diaz et al., 2008 ; Javitt & Coyle, 2004).

Anomalie de l'activité cérébrale et anatomie   L'imagerie cérébrale montrent qu'une activité cérébrale anormale accompagne la schizophrénie. Certains sujets, chez qui le diagnostic de schizophrénie a été porté, ont une activité cérébrale particulièrement basse dans les lobes frontaux qui sont des aires corticales impliquées dans le raisonnement, à la planification et à la résolution des problèmes (Morey et al., 2005 ; Pettegrew et al., 1993 ; Resnick, 1992). Une étude d'électroencéphalographie quantitative avec potentiels évoqués par une tâche à accomplir, a montré chez les patients schizophrènes un retard et une réduction de la synchronisation d'ondes de certaines fréquences de l'activité électrique des lobes frontaux (Spencer et al., 2004 ; Symond et al., 2005). Les neurones asynchrones pourraient interrompre le fonctionnement intégré du réseau neuronal, contribuant probablement ainsi aux symptômes de la schizophrénie.

Une étude a obtenu des images par TEP de l'activité cérébrale de sujets en état hallucinatoire (Silbersweig et al., 1995). Lorsque les participants ont entendu une voix ou vu quelque chose, leur cerveau est devenu très actif dans plusieurs régions centrales. L'une était le thalamus, la structure qui filtre les influx sensoriels et somesthésiques avant leur arrivé au cortex. Une autre étude par TEP de personnes atteintes de paranoïa a montré une augmentation de l'activité dans l'amygdale, un centre de traitement de la peur (Epstein et al., 1998).

Des études chez ces patients ont dévoilé un élargissement des ventricules ainsi qu'un rétrécissement et un amincissement proportionnels du parenchyme cérébral (Goldman et al., 2009 ; Wright et al., 2000). Les gens héritent souvent de ces différences cérébrales. Si les examens pratiqués chez l'un des jumeaux identiques souffrant de ce trouble montrent des anomalies cérébrales, la probabilité que ces anomalies soient retrouvées est de 0,5 (van Haren et al., 2012). Des facteurs génétiques et environnementaux influencent le développement cérébral prénatal et au cours de l'adolescence, les anomalies conduisant *plus tard* à la survenue du trouble (Karlsgodt et al., 2010). Plus le rétrécissement était important, plus les troubles de la pensée étaient graves (Collinson et al., 2003 ; Nelson et al., 1998 ; Shenton, 1992).

Deux régions, le cortex et le corps calleux, sont plus petites que la normale (Arnone et al., 2008). Le thalamus en est une troisième, ce qui explique les difficultés des schizophrènes à filtrer les signaux sensoriels et à se concentrer sur ceux qui sont pertinents (Andreasen et al., 1994 ; Ellison-Wright et al., 2008). La conclusion des recherches est que la schizophrénie n'émane pas d'une seule anomalie cérébrale, mais de problèmes survenant dans différentes zones du cerveau, impliquant également leur réseau d'interconnexions (Andreasen, 1997, 2001).

Environnement prénatal et risques de survenue de la maladie

15-17 Quels événements prénatals sont associés à un risque accru de survenue de la schizophrénie ?

Quelles sont les causes des anomalies cérébrales chez les personnes souffrant de schizophrénie ? Une des hypothèses concerne l'existence d'un problème prénatal ou périnatal, survenant au moment de l'accouchement (Fatemi et Folsom, 2009 ; Walker et al., 2010). Il existe des facteurs de risques qui sont : un poids très bas à la naissance, une mère diabétique pendant la grossesse, un père âgé lors de la conception et un manque d'oxygène au cours de l'accouchement (King et al., 2010). La famine pourrait également augmenter les risques. La prévalence de la schizophrénie est deux fois plus élevée chez les sujets conçus pendant la période de famine qui a sévi aux Pays-Bas au plus fort de la Seconde Guerre mondiale. Chez les sujets conçus pendant la famine qui a frappé la Chine orientale de 1959 à 1961, la prévalence de la schizophrénie est aussi deux fois plus élevée, que la prévalence de référence (St. Clair et al., 2005 ; Susser et al., 1996).

Prenons un autre événement coupable possible. Se pourrait-il qu'une infection virale touchant la mère en milieu de grossesse entrave le développement du cerveau du fœtus (Brown & Patterson, 2011) ? Pouvez-vous concevoir une façon de tester cette hypothèse virale ? Les scientifiques se sont posé les questions suivantes :

- *Les gens ont-ils un risque accru de souffrir de schizophrénie si, au cours de la période intermédiaire de leur développement fœtal, leur pays a connu une épidémie de grippe ?* À cette question, plusieurs fois, la réponse a été *oui* (Mednick et al., 1994 ; Murray et al., 1992 ; Wright et al., 1995).

- *Les personnes nées dans des endroits à forte densité de population, où les maladies virales se propagent plus facilement, ont-elles plus de risques de souffrir de schizophrénie ?* La réponse, qui a été confirmée par une étude effectuée sur 1,75 million de Danois, est *oui* (Jablensky, 1999 ; Mortensen, 1999).

- *Ceux qui sont nés durant les mois d'hiver ou du printemps, après l'épidémie de grippe qui sévit en automne et en hiver, présentent-ils un risque accru ?* Bien que l'augmentation du risque soit faible, comprise entre 5 et 8 %, la réponse fut *oui* (Fox, 2010 ; Schwartz, 2011 ; Torrey et al., 1997, 2002).

- *Dans l'hémisphère Sud, où les saisons sont inversées, les mois comportant un excès de naissances de schizophrènes sont-ils également inversés ?* Encore une fois, la réponse est *oui*, quoiqu'un peu plus mitigée. En Australie, le risque est plus élevé chez les personnes nées entre Août et Octobre. Mais il y a une exception : Pour les personnes nées dans l'hémisphère Nord, qui plus tard ont émigré ou déménagé, le risque est plus grand s'ils sont nés entre janvier et mars (McGrath et al., 1995, 1999).

- *Les mères qui déclarent avoir eu la grippe pendant leur grossesse ont-elles plus de risques de porter un enfant chez qui la maladie est susceptible de se développer ?* Si l'on se fonde sur une étude effectuée sur environ 8 000 femmes, la réponse est *oui*. Le risque de schizophrénie, qui est en général de 1 %, monte à 2 %, mais seulement si l'infection survient au cours du deuxième trimestre de la grossesse (Brown et al., 2000). Chez les singes aussi, une infection grippale de la mère pendant la gestation affecte le développement cérébral (Short et al., 2010).

- *Le sang prélevé chez les femmes enceintes dont les enfants développent une schizophrénie révèle-t-il des niveaux d'anticorps plus élevés que la normale, suggérant une infection virale ?* Dans le cas d'une étude comprenant 27 femmes dont les enfants ont développé une schizophrénie plus tard, la réponse a été *oui* (Buka et al., 2001). La réponse a été encore *Oui* lors d'une étude californienne très importante qui a recueilli le sang prélevé chez 20 000 femmes enceintes durant les années 1950 et 1960 (Brown et al., 2004). Une autre étude a trouvé des traces de rétrovirus spécifiques (HERV ou rétrovirus endogènes humains) chez près de la moitié des schizophrènes mais pratiquement jamais chez les personnes en bonne santé (Perron et al., 2008).

Ces preuves convergentes suggèrent que les infections virales du fœtus jouent un rôle contribuant au développement de la schizophrénie. Elles confortent aussi la recommandation du gouvernement américain qui stipule « Le vaccin grippal est nécessaire à la femme enceinte » (CDC, 2014).

Comment expliquer qu'une infection grippale au cours du deuxième trimestre de la grossesse comporte un risque pour le fœtus ? Est-ce le virus lui-même qui est en cause ? Est-ce dû à la réponse immunitaire de la mère ? Les médicaments pris jouent-ils un rôle (Wyatt et al., 2001) ? Cette infection affaiblit-elle les cellules gliales du cerveau, ce qui entraîne une réduction des connexions synaptiques (Moises et al., 2002) ? Aucune réponse claire n'est encore disponible à l'heure actuelle.

Facteurs génétiques

15-18 **Les gènes influencent-ils la schizophrénie ? Quels sont les facteurs présents chez l'enfant qui peuvent être considérés comme des prodromes du développement d'une schizophrénie ?**

Les infections virales pendant la grossesse peuvent augmenter la probabilité que la schizophrénie se développe chez l'enfant. Mais beaucoup de femmes contractent la grippe au cours du deuxième trimestre de leur grossesse, et seulement 2 % d'entre elles ont des enfants qui

▼ FIGURE 15.11

Risque de survenues de schizophrénie Le risque, sur la vie entière, de survenue de schizophrénie varie avec l'histoire familiale de ce trouble. Dans chaque pays, si un des jumeaux est atteint, le risque est de 1/10 pour l'autre jumeau s'il est dizygote, et de 5/10 pour l'autre jumeau s'il est monozygote. (Données de Gottesman, 2001.)

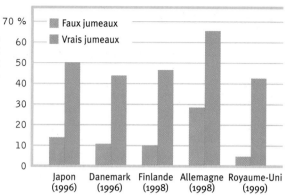

Risque de schizophrénie chez des jumeaux quand l'un des deux est schizophrène

La schizophrénie chez les jumeaux monozygotes Lorsque la condition clinique des jumeaux est différente, l'élargissement des ventricules latéraux n'est retrouvée que chez celui souffrant de schizophrénie (à droite) (Suddath et al., 1990). La différence des conditions cliniques entre les jumeaux implique certains facteurs non génétiques, comme une infection virale.

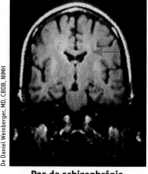

Pas de schizophrénie

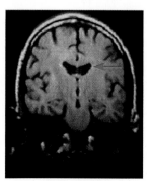

Schizophrénie

souffriront de schizophrénie. Pourquoi ce risque n'est-il présent que chez quelques enfants ? Se peut-il que nous puissions également hériter de prédispositions à cette maladie ? La maladie va se développer aussi chez certaines personnes sans antécédents familiaux de schizophrénie (Xu et al., 2011). Mais les preuves confortent l'hypothèse que certains peuvent hériter d'une prédisposition à la schizophrénie. La probabilité de 1 % pour un individu quelconque de présenter une schizophrénie passe à 10 % chez ceux qui ont un frère ou un parent en souffrant. Si le frère porteur du trouble est un jumeau identique, les risques augmentent encore et sont multipliés par un facteur allant de 5 à 10 (50 à 100 %) (**FIGURE 15.11**). Ces risques restent les mêmes quand les jumeaux sont élevés séparément (Plomin et al., 1997). (Seulement une douzaine de ces cas sont répertoriés.)

Souvenez-vous que les jumeaux identiques partagent plus que leur patrimoine génétique. Ils partagent aussi un environnement prénatal identique. Environ deux tiers d'entre eux partagent le même placenta et sont nourris par le même sang ; l'autre tiers se développe avec deux placentas. Le placenta joue un rôle majeur. Si le cojumeau d'un jumeau identique qui souffre de schizophrénie a eu le même placenta, les risques de développement de la maladie sont de 6/10. Si les jumeaux identiques avaient des placentas séparés (comme le sont les jumeaux fraternels), le risque est réduit à 1/10 (Davis et al., 1995a, b ; Phelps et al., 1997). Les jumeaux partageant le même placenta sont plus sujets aux mêmes virus prénataux. Il est donc possible que le fait d'avoir été exposés aux mêmes germes – en ayant les mêmes gènes – produise ces similarités entre les vrais jumeaux.

Les études sur l'adoption sont utiles pour faire la part des influences génétiques de celle de l'environnement. Les enfants adoptés par une personne chez qui la schizophrénie va éclore, ont peu de risques de contracter ce trouble. À l'inverse, les enfants adoptés présentent un risque élevé si l'un de leurs parents *biologiques* souffre de schizophrénie (Gottesman, 1991).

La recherche porte maintenant sur des gènes spécifiques qui, combinés d'une certaine façon, prédisposent à la génèse d'anomalies cérébrales induisant la schizophrénie (Levinson et al., 2011 ; Mitchell & Porteous, 2011 ; Ripke et al., 2011 ; Vacic et al., 2011). (Ce ne sont pas nos gènes qui contrôlent directement notre comportement, mais notre cerveau.) Certains de ces gènes influencent les effets de la dopamine et d'autres neuromédiateurs centraux. D'autres affectent la biogenèse de la *myéline*, substance lipidique qui recouvre les axones et permet aux influx nerveux de se propager plus rapidement (conduction saltatoire de l'influx).

Même si la contribution génétique est réelle, la formule génétique n'est pas aussi simple que la transmission du caractère de la couleur des yeux. Les études du génome de milliers de sujets atteints ou non de schizophrénie indiquent que ce trouble est influencé par de nombreux gènes et que chacun d'entre eux n'a qu'un très léger effet (International Schizophrenia Consortium, 2009 ; Xu et al., 2012). Comme nous l'avons souvent vu, la nature et la culture (l'inné et l'acquis) interagissent. Les facteurs *épigénétiques* (littéralement « au-dessus de la génétique ») influencent l'expression ou la répression des gènes. Comme l'eau chaude permet l'infusion du thé contenu dans le sachet, les facteurs environnementaux comme des infections virales prénatales, les privations alimentaires et un stress maternel peuvent « activer » les gènes qui prédisposent à la schizophrénie. Les histoires différentes des vrais jumeaux dans l'utérus de leur mère et après l'accouchement expliquent pourquoi un seul des deux peut parfois présenter une expression génique différente (Dempster et al., 2013 ; Walker et al., 2010). Notre hérédité et nos expériences vécues sont intriquées. Aucune main ne peut applaudir seule.

Grâce à l'essor de notre connaissance des influences génétiques et cérébrales sur les maladies comme la schizophrénie, le public attribue de plus en plus les troubles psychiatriques à des facteurs biologiques (Pescosolido et al., 2010). En 2007, un nouveau centre de recherche privé a annoncé son objectif ambitieux : « Pouvoir diagnostiquer dans dix ans sans aucune ambiguïté les patients ayant des troubles psychiatriques en se fondant sur leur séquence ADN » (Holden, 2007). En 2010, la dotation de 120 millions de dollars pour le financement de start-up a promu de nouveaux efforts audacieux pour étudier les aspects neuro-physiopathologies et génétique de la schizophrénie et d'autres troubles psychiatriques (Kaiser, 2010). Les scientifiques seront-ils capables de mettre au point des tests génétiques révélant les individus à risque ? Si oui, dans l'avenir, les futurs parents devront-ils soumettre leur embryon à des tests génétiques (afin d'y apporter des réparations génétiques ou choisir l'avortement) en cas de risque de maladies psychiques ou physiques ? Vont-ils soumettre leur ovule et leur sperme à un examen de dépistage avant de décider de les unir pour produire un embryon ? Ou bien les enfants vont-ils être soumis à un dépistage génétique pour déterminer les risques de maladies et y remédier par un traitement préventif ? Dans ce paradis du XXIᵉ siècle, toutes ces questions attendent des réponses.

Facteurs environnementaux et étiopathogénie de la schizophrénie

Si, par eux-mêmes, les virus prénatals et les prédispositions génétiques ne sont pas les seuls facteurs en cause dans la survenue de la schizophrénie, il en est de même de la famille ou des facteurs sociaux, pris isolément. Comme l'ont dit Susan Nicol et Irving Gottesman, il y a plus de trente ans (1983), il reste vrai qu'« aucun facteur environnemental n'a été découvert qui puisse, invariablement, ou même avec une faible probabilité, provoquer une schizophrénie chez des personnes qui ne sont pas apparentées » à un schizophrène.

Espérant pouvoir identifier les facteurs déclenchant environnementaux, les chercheurs ont comparé les expériences vécues par des enfants à haut risque (par exemple, ceux avec des parents souffrant de schizophrénie) à celles des enfants à faible risque. Dans une étude menée pendant 2,5 ans qui a suivi 163 sujets au début l'âge adulte, adolescents qui avaient deux parents atteints de schizophrénie, il a été montré que 20 % des participants chez qui la maladie schizophrénique s'est déclarée, manifestaient antérieurement à la maladie un retrait social ou tout autre comportement anormal (Johnstone et al., 2005). Les chercheurs (Abel et al., 2010 ; Freedman et al., 1998 ; Schiffman et al., 2001 ; Susser, 1999 ; Welham et al., 2009) ont identifié d'autres facteurs qui pourraient favoriser l'éclosion de la maladie ou en être des facteurs prédictifs :

- Une mère ayant souffert durablement d'une psychose grave ;

- Des complications néonatales impliquant souvent une anoxie et un faible poids de naissance

- Séparation des parents

- Faible durée d'attention et mauvaise coordination musculaire

- Comportements perturbateurs ou retrait social et affectif

- Imprévisibilité émotionnelle

- Relations sociales médiocres avec les pairs et jeu solitaire (« dans son monde »)

- Abus sexuels ou maltraitance dans l'enfance

* * *

Peu d'entre nous peuvent décrire les expériences d'étrangeté de la pensée, des perceptions et des comportements de la schizophrénie. Parfois, nos pensées vagabondent effectivement, mais nous parlons rarement de façon insensée. De temps à autre, nous sommes injustement soupçonneux envers quelqu'un, mais nous ne craignons pas que le monde entier complote contre nous. Nos perceptions sont souvent erronées, mais nous voyons ou entendons rarement des choses qui n'existent pas. Nous avons parfois regretté d'avoir ri de l'infortune de quelqu'un, mais nous sautons rarement de joie en apprenant une mauvaise nouvelle. À certains moments, nous avons simplement envie d'être seuls, mais nous ne vivons pas dans l'isolement social. Cependant, des millions de personnes dans le monde parlent de façon bizarre, ont le champ de la conscience envahi par idées délirantes, entendent des voix et voient des choses qui n'existent pas, pleurent ou rient en des occasions inappropriées et se retirent dans leur monde imaginaire. La quête de la réponse à la cruelle énigme qu'est la schizophrénie continue, plus vigoureusement que jamais.

EXERCICE RÉCAPITULATIF

- Une personne atteinte de schizophrénie qui présente des symptômes _____ (positifs/négatifs) peut avoir un visage sans expression et une voix monocorde. Ces symptômes sont plus fréquents lors d'une schizophrénie _____ (chronique/aiguë) et sont peu susceptibles de répondre au traitement médicamenteux. Ceux dont le tableau clinique comporte des symptômes _____ (positifs/négatifs) manifestent une idéation délirante et le diagnostic porté sera celui de schizophrénie_____ (aiguë/ chronique), qui est beaucoup plus susceptible de répondre au traitement médicamenteux.

Réponses : négatifs ; chronique ; positifs ; aiguë

- Quels sont les facteurs qui contribuent à l'apparition et au développement de la schizophrénie ?

Réponse : Les facteurs biologiques comprennent des anomalies cérébrales fonctionnelles et organiques, l'exposition prénatale à un virus de la mère, et une prédisposition génétique à la maladie. Toutefois, un environnement à haut risque, avec de nombreux facteurs déclenchants, peut augmenter les risques de développement d'une schizophrénie.

REVUE GÉNÉRALE Schizophrénie

OBJECTIFS D'APPRENTISSAGE

EXERCICE RÉCAPITULATIF Prenez un moment pour répondre à chacune de ces questions objectif d'apprentissage (répétées ici au sein de cette section). Puis allez à l'annexe C, révision complète du chapitre, pour vérifier vos réponses. La recherche suggère que d'essayer de répondre à ces questions de votre propre initiative permettra d'améliorer la mémorisation à long terme de ces réponses (McDaniel et al., 2009).

15-14 Quels sont les modes de perception, de pensée, de sensation et de comportement qui caractérisent la schizophrénie ?

15-15 Quelle est la différence entre la schizophrénie aiguë et la schizophrénie chronique ?

15-16 Quelles sont les anomalies cérébrales contemporaines de la schizophrénie ?

15-17 Quels événements prénatals sont associés à un risque accru de survenue de la schizophrénie ?

15-18 Les gènes influencent-ils la schizophrénie ? Quels sont les facteurs présents chez l'enfant qui peuvent être considérés comme des prodromes du développement d'une schizophrénie ?

TERMES ET CONCEPTS À RETENIR

EXERCICE RÉCAPITULATIF Testez votre connaissance de ces termes en essayant d'écrire leur définition avant de vous reporter aux pages donnant les bonnes réponses.

schizophrénie, p. 640

idée délirante, p. 640

schizophrénie chronique, p. 641

schizophrénie aiguë, p. 641

◼ Troubles dissociatifs, troubles de la personnalité et troubles des conduites alimentaires

Les troubles dissociatifs

15-19 Comment définir les troubles dissociatifs, et pourquoi cette entité clinique est-elle controversée ?

Parmi les troubles les plus étonnants se trouvent les **troubles dissociatifs,** qui, somme toute, sont rares Au cours de ce trouble, la conscience d'une personne se *dissocie* (se sépare) des informations autobiographiques, de pensées et de sentiments douloureux. Cela peut conduire à faire des *fugues*, à des pertes soudaines de mémoire ou un changement d'identité souvent en réponse à une situation qui devient trop éprouvante. Ce fut le cas pour un « vétéran » de la guerre Vietnam qui a été hanté par la mort de ses camarades, et qui avait quitté son bureau du World Trade Center, peu avant l'attaque du 11 septembre 2001. Puis, sur le chemin du retour à la maison, il disparut. Six mois plus

Troubles dissociatifs affections, dont l'existence clinique est discutée, au cours desquelles la pensée consciente se dissocie des souvenirs, des pensées et des sentiments anciens.

tard, quand il a été découvert dans un refuge pour sans-abri de Chicago, il n'a manifesté aucun souvenir de son identité ou de sa famille (Stone, 2006).

La dissociation en elle-même n'est pas si rare. Quelques-uns parmi nous peuvent avoir un sentiment d'irréalité ou l'impression d'être séparées de leur propre corps et de se voir comme dans un film. Nous disons parfois « je n'étais pas moi-même à ce moment-là ». Peut-être vous souvenez-vous être partis pour aller quelque part et vous être retrouvé ailleurs sans l'avoir voulu, alors que vos pensées étaient occupées par quelque chose ? Ou peut-être arrivez-vous à jouer un morceau que vous connaissez bien au piano ou à la guitare tout en parlant à quelqu'un. Face à un traumatisme, un tel détachement peut, en fait, protéger un individu en lui évitant d'être submergé par l'émotion.

Trouble dissociatif de l'identité

Une dissociation massive entre le soi et la conscience ordinaire caractérise les sujets présentant un **trouble dissociatif de l'identité**. On dit que ces personnes présentent tour à tour au moins deux personnalités distinctes, chacune ayant sa propre voix et ses manières propres, qui contrôlent leur comportement. Ainsi, la personne peut être très collet monté à un moment et charmeuse et bruyante à un autre. Il est classique que la personnalité originale nie avoir connaissance de l'autre (ou des autres).

Les personnes chez qui est porté le diagnostic de trouble dissociatif de l'identité (anciennement appelé *trouble de personnalité multiple*) sont rarement violentes. Cependant on a observé des cas de dissociation entre une personnalité « bonne » et une autre « mauvaise » (ou agressive) – une version édulcorée du Dr Jekyll et Mr Hyde immortalisée par Robert Louis Stevenson. Un cas inhabituel est celui de Kenneth Bianchi, qui fut accusé du viol et du meurtre de dix femmes californiennes dans l'affaire de l'« étrangleur de Hillside ». Au cours d'une séance d'hypnose avec Bianchi, le psychologue John Watkins (1984) fit « émerger » une personnalité cachée : « J'ai beaucoup parlé avec Ken, mais je pense qu'il existe peut-être une autre partie de Ken qui… se sent peut-être quelque peu différente de la partie avec laquelle j'ai parlé… Voulez-vous parler avec moi, en partie, en disant : "Je suis là" ? » Bianchi répondit « oui » et prétendit être « Steve » (Watkins, 1984).

Parlant sous l'identité de Steve, Bianchi affirma qu'il haïssait Ken parce que Ken était gentil et que lui, Steve, avec l'aide d'un cousin, avait assassiné des femmes. Il affirmait également que Ken ne connaissait pas son existence et qu'il était innocent pour les meurtres. La seconde personnalité de Bianchi était-elle une ruse, une simple façon de rejeter la responsabilité de ses actions ? En effet, Bianchi, qui fut plus tard condamné, était un menteur habile qui avait lu des articles sur la personnalité multiple dans des livres de psychologie.

Comprendre le trouble dissociatif de l'identité

Certains auteurs, sceptiques ont soulevé de sérieuses questions au sujet de la réalité clinique du trouble dissociatif de l'identité. Est-ce un trouble avéré ou ne serait-ce pas plutôt une autre possibilité de notre capacité normale à changer d'identité. Nicholas Spanos (1986, 1994, 1996) demanda à des étudiants de faire comme s'ils étaient accusés de meurtre au cours d'un entretien avec un psychiatre. Lorsqu'on leur administra le même traitement hypnotique que celui qu'avait reçu Bianchi, la plupart exprimèrent spontanément une seconde personnalité. Cette découverte conduisit Spanos à se demander si les troubles dissociatifs n'étaient pas une version plus extrême de notre capacité humaine normale à présenter des soi différents – faire le pitre quand on sort avec ses amis ou être respectueux et posé face à ses grands-parents par exemple. Les cliniciens qui ont découvert des personnalités multiples ne poussent-ils pas simplement les gens ayant une personnalité imaginative à jouer un rôle ? Ces patients, comme les acteurs qui décrivent classiquement se « perdre eux-mêmes » dans leurs rôles, ne peuvent-ils se convaincre eux-mêmes de l'authenticité des rôles qu'ils jouent ? Spanos n'était pas étranger à cette façon de pensée. Dans un domaine de recherche voisin, il avait également soulevé ces questions au sujet de l'état d'hypnose. Étant donné que la plupart des patients ayant une « personnalité multiple » sont faciles à hypnotiser, tout ce qui peut expliquer un état – dissociation ou jeu de rôle – pourrait contribuer à expliquer l'autre.

Les auteurs qui restent sceptiques trouvent néanmoins étrange que ce trouble soit si localisé dans le temps et dans l'espace. En Amérique du Nord, le nombre de cas avec un diagnostic de trouble dissociatif de l'identité était de 2 par décennies entre 1930 et 1960. Dans les années 1980, lorsque le *Manuel diagnostique et statistique des troubles mentaux* (DSM III) qui contenait le premier codage

Personnalités multiples L'histoire de Chris Sizemore, racontée dans le livre et le film, *The three faces of Eve*, avait illustré, déjà, ce qui est maintenant appelé *trouble dissociatif de l'identité*.

Le « Hillside Strangler » Kenneth Bianchi est ici montré lors de son procès.

« Ce que l'on prétend peut devenir la réalité. »

Proverbe chinois

Trouble dissociatif de l'identité trouble dissociatif rare dans lequel une personne présente alternativement deux ou plusieurs personnalités distinctes. Anciennement appelé *trouble de la personnalité multiple*.

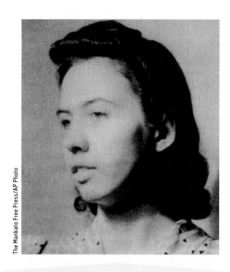

The Mankato Free Press/AP Photo

Dissociation généralisée Shirley Mason était une patiente psychiatrique pour qui le diagnostic de trouble dissociatif de l'identité avait été porté. Sa vie fut l'argument du livre best-seller, *Sybil* (Schreiber, 1973), et de deux films. Certains font valoir que le succès du livre et des films ont alimenté la hausse spectaculaire des diagnostics de trouble dissociatif de l'identité. Ceux qui restent sceptiques s'interrogent toujours pour savoir si ce trouble dissociatif de l'identité était réel (Nathan, 2011).

« C'est bien là de la folie, mais qui ne manque pas de méthode. »

William Shakespeare, *Hamlet*, 1600

The New Yorker Collection, 2001 Leo Cullum from cartoonbank.com. Tous droits réservés.

« Serait-il possible de parler avec la personnalité qui paie les honoraires ? »

formel pour ce trouble fut édité, le nombre de cas a « explosé » : et ce furent plus de 20 000 diagnostics qui furent ainsi portés (McHugh, 1995a). Le nombre moyen de personnalités affichées s'est accru rapidement, passant de 3 à 12 par patient (Goff et Simms, 1993). En dehors de l'Amérique du Nord, la prévalence de ce trouble est bien moins importante. Cependant d'autres cultures, certains sujets sont décrits comme « possédés » par un esprit étranger (Aldridge-Morris, 1989 ; Kluft, 1991). En Grande-Bretagne, certains ont considéré le trouble dissociatif de l'identité comme « une lubie américaine loufoque » (Cohen, 1995). En Inde et au Japon, il est essentiellement inexistant (ou au moins non déclarée).

Les auteurs qui restent sceptiques considèrent que cela ressemble à un phénomène culturel, un trouble créé par les thérapeutes dans un contexte social particulier (Merskey, 1992). Plutôt que d'être provoqués par un traumatisme, les symptômes dissociatifs ont tendance à être présents chez des gens fortement influençables ayant beaucoup d'imagination (Giesbrecht et al., 2008, 2010). Les patients ne commencent pas, dans la thérapie, en disant « Permettez-nous de nous présenter sous nos différents moi ». Les auteurs sceptiques remarquent plutôt que certains thérapeutes partent à la « pêche » aux personnalités multiples : « *Avez-vous parfois ressenti qu'une autre partie de vous faisait des choses que vous ne pouviez pas contrôler ? Cette partie de vous a-t-elle un nom ? Puis-je parler à cette partie de vous qui est en colère ?* » Une fois que les patients ont autorisé le thérapeute à « parler à cette partie d'eux-mêmes qui dit ces choses agressives », ils ont commencé à mettre en scène leur imagination. Le résultat peut-être l'expérience d'un autre moi.

D'autres psychologues (chercheurs ou cliniciens) ne sont pas d'accord, soutenant que le trouble dissociatif de l'identité est une véritable entité nosographique. Leur point de vue est soutenu par les états distincts du corps et du cerveau associés aux différentes personnalités (Putnam, 1991). La latéralité change parfois avec la personnalité (Henninger, 1992). Les changements de l'acuité visuelle et du fonctionnement de la motricité oculaire ont été enregistrés lors de la manifestation des différents états. Ces changements n'ont pas été enregistrés chez les sujets témoins tentant de mimer ce trouble (Miller et al., 1991). Des anomalies cérébrales ont été retrouvées chez les sujets pour qui le trouble dissociatif de l'identité a été diagnostiqué. L'imagerie cérébrale montre une réduction du volume de l'hippocampe (env. 20 %) et de l'amygdale (env. 30 %) chez ces sujets, comparativement à des sujets témoins (Vermetten et al., 2006). L'imagerie cérébrale fonctionnelle a montré chez ces sujets une plus grande activation des zones du cortex préfrontal et pariétal associées à une tâche de mémoire de travail ; elle est diminuée chez les sujets souffrant du TSPT (Elzinga et al., 2007).

Les signes et les symptômes du trouble dissociatif de l'identité sont interprétés comme des moyens de faire face à l'anxiété par les psychodynamiciens et les cognitivistes. Certains théoriciens psychodynamiciens les voient comme des moyens de défenses contre l'anxiété causée par l'irruption de pulsions inacceptables. Dans cette optique, une « seconde personnalité » permettrait de céder aux pulsions interdites. Les théoriciens de l'apprentissage les voient comme des comportements renforcés par la réduction de l'anxiété.

Certains cliniciens voient les troubles dissociatifs comme des troubles du stress post-traumatique – une réponse protectrice et naturelle « aux expériences traumatisantes de l'enfance » (Putnam, 1995 ; Spiegel, 2008). Beaucoup de patients atteints de troubles dissociatifs se souviennent d'avoir subi des actes de maltraitance physique, sexuelle ou émotionnelle pendant l'enfance (Gleaves, 1996 ; Lilienfeld et al., 1999). Une étude menée sur 12 meurtriers atteints d'un trouble dissociatif de l'identité a montré que 11 d'entre eux avaient subi des tortures pendant l'enfance (Lewis et al., 1997). L'un d'eux avait été brûlé par ses parents. Un autre avait participé à des tournages de films pornographiques et gardait des cicatrices car on le forçait à s'asseoir sur une cuisinière. Cependant, certains critiques se demandent si l'imagination très vive ou les suggestions du thérapeute n'ont pas contribué à ces souvenirs (Kihlstrom, 2005).

Ainsi, le débat continue. D'un côté, on trouve ceux qui croient que les personnalités multiples sont un effort désespéré de la personne pour essayer de se détacher de son existence horrible. De l'autre, les sceptiques qui pensent que le trouble dissociatif de l'identité est une condition construite au cours du colloque singulier patient-thérapeute et est un acte fantasque des sujets émotionnellement vulnérables. Si c'est le cas, « cette épidémie finira de la manière dont s'est terminé l'engouement pour les sorcières à Salem », prédit le psychiatre Paul McHugh (1995b). « Le [phénomène de personnalité multiple] sera perçu comme une entité clinique artificielle fabriquée de toutes pièces. »

EXERCICE RÉCAPITULATIF

• Les signes et les symptômes du trouble dissociatif de l'identité sont interprétés comme des moyens de faire face à l'anxiété par les psychodynamiciens et les cognitivistes. En quoi leurs explications diffèrent-elles ?

Réponse : L'explication psychodynamique des symptômes du trouble dissociatif de l'identité est que ces symptômes représentent une défense contre l'anxiété générée par des pulsions inacceptables. La théorie fondée sur l'apprentissage tente d'expliquer ces symptômes comme des comportements qui ont été renforcés par le fait qu'ils avaient déjà été efficaces pour réduire La tension anxieuse.

Les troubles de la personnalité

15-20 Quels sont les trois ensembles qui forment les troubles de la personnalité ? Quels sont les comportements et les activités cérébrales qui caractérisent le trouble de la personnalité antisociale ?

Les types de comportements perturbateurs, inflexibles, et durables dus aux **troubles de la personnalité** interfèrent avec le fonctionnement social. Ces troubles ont tendance à former trois ensembles caractérisés par

- une anxiété, telle qu'une sensibilité angoissante au rejet d'autrui qui prédispose au *trouble de la personnalité évitante*, et entraîne les personnes à se mettre à l'écart.

- des conduites excentriques, comme le détachement dépourvu d'émotion du *trouble de la personnalité schizoïde*.

- des comportements dramatiques ou impulsifs, comme attirer l'attention sur soi dans le *trouble de la personnalité borderline*, l'auto-centration et l'inflation du soi dans le *trouble de la personnalité narcissique*, la dureté et parfois la dangerosité dans le *trouble de la personnalité antisociale*.

Trouble de la personnalité antisociale

Une personne chez qui le diagnostic de **trouble de la personnalité antisociale** est porté est généralement un homme dont l'absence de conscience devient évidente avant l'âge de 15 ans, au moment où il commence à mentir, se battre, voler ou manifester un comportement sexuel sans retenue (Cale et Lilienfeld, 2002). Environ la moitié de ces enfants deviennent des adultes antisociaux, incapables de garder un travail, irresponsables en tant que parent ou mari, ayant une tendance à la violence, voire à la criminalité (Farrington, 1991). (Ces personnes sont parfois appelées *sociopathes* ou *psychopathes*.) Ils peuvent faire preuve d'une *intelligence émotionnelle* – la capacité à comprendre, à gérer et à percevoir les émotions – inférieure à la moyenne (Ermer et al., 2012). Lorsque la personnalité antisociale est combinée avec une grande intelligence et une absence de sens moral, cela peut faire du sujet un escroc charmant et adroit, un soldat, un politicien, un chef d'entreprise téméraire, brutal, impitoyable (Dutton, 2012).

En dépit de leur absence de remords et parfois de leur comportement criminel, la criminalité n'est pas une composante essentielle du comportement antisocial (Skeem et Cooke, 2010). De plus, la plupart des criminels ne correspondent pas à la description de la personnalité antisociale. Pourquoi ? En effet, la plupart des criminels se sentent comme ayant des responsabilités envers leurs amis et les membres de leur famille.

Ceux qui présentent une personnalité antisociale se comportent de manière impulsive, ressentant très peu de chose et ne craignant rien (Fowles et Dindo, 2009). Leur impulsivité peut avoir des conséquences violentes horribles (Camp et al., 2013). Prenons le cas de Henry Lee Lucas. Il a tué sa première victime quand il avait 13 ans. Il n'eut jamais de remords. Il confessa qu'au cours de ses 32 années d'actes criminels, il avait brutalement battu, étouffé, tué d'un coup de feu, poignardé ou mutilé environ 360 femmes, hommes ou enfants. Les 6 dernières années de son règne de terreur, Lucas faisait équipe avec Ottis Elwood Toole, qui avait, dit-on, assassiné environ 50 personnes dont « il ne pensait pas, de toute façon, qu'elles méritaient de vivre » (Darrach et Norris, 1984).

Comprendre le trouble de la personnalité antisociale

La personnalité antisociale est tressée de brins biologiques et de brins psychologiques. Les études de jumeaux ou d'enfants adoptés montrent que les personnes biologiquement apparentées à certains individus ayant des tendances antisociales et dépourvues d'émotions ont un risque plus élevé de manifester un comportement antisocial (Frisell et al., 2012 ; Tuvblad et al., 2011). Il n'y a pas qu'un seul gène dont la présence expliquerait un comportement complexe comme la criminalité. Cependant, les spécialistes de la génétique moléculaire ont identifié certains gènes spécifiques qui sont plus fréquents chez les individus ayant un trouble de la personnalité antisociale (Gunter et al., 2010). La vulnérabilité génétique de ces personnes ayant des tendances antisociales ou dépourvues d'émotion se manifeste par une approche de la vie assez peu craintive. Lorsqu'ils attendent un événement pénible, comme un choc électrique ou un bruit très fort, ils ne montrent qu'une faible activation de leur système nerveux autonome (Hare, 1975 ; van Goozen et al., 2007). Des études à long terme ont montré que les taux circulants de leurs « hormones du stress » étaient inférieurs à la moyenne lorsqu'ils étaient plus jeunes avant même

L'absence de remords Dennis Rader, connu comme le « tueur BTK » dans le Kansas, a été reconnu coupable en 2005 d'avoir tué 10 personnes au cours d'une période de trente ans (BTK : « bind, torture and kill »). Rader a mis à nu son absence de conscience morale qui marque le trouble de la personnalité antisociale.

« Jeudi est exclu. J'ai été tiré au sort pour être juré. »

De nombreux criminels, comme celui-ci, ont conscience de leurs actes et de leurs responsabilités dans d'autres domaines de leur vie, et donc ne présentent pas de trouble de la personnalité antisociale.

Troubles de la personnalité modes de comportement rigides et durables qui perturbent le fonctionnement social.

Trouble de la personnalité antisociale trouble de la personnalité dans lequel une personne (généralement un homme) n'a pas de conscience morale qui lui permettrait de mesurer les conséquences de ses actes répréhensibles, et ce même envers ses amis et les membres de sa famille ; il peut être agressif et impitoyable, ou se révéler être un escroc.

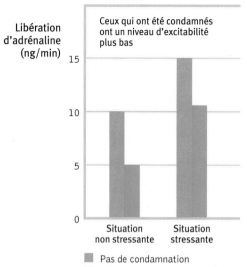

Libération
d'adrénaline
(ng/min)

Ceux qui ont été condamnés
ont un niveau d'excitabilité
plus bas

- Situation non stressante
- Situation stressante

■ Pas de condamnation
■ Condamnation

▼ **FIGURE 15.12**

Niveau d'excitabilité des individus ayant beaucoup de sang-froid et risque criminel Les niveaux d'adrénaline (hormone du stress) ont été mesurés dans deux groupes de garçons suédois âgés de 13 ans. Ceux qui, plus tard, furent accusés d'un délit (entre 18 et 26 ans) montraient, dans les situations stressantes et non stressantes, une réactivité relativement faible. (Données de Magnusson, 1990.)

La pleine lune peut-elle déclencher la folie chez certaines personnes ? James Rotton et I. W. Kelly (1985) ont examiné les données de 37 études ayant tenté de corréler lunaison et criminalité, homicides, appels de détresse, et admissions en hôpital psychiatrique. Leur conclusion : il n'y a pratiquement aucune preuve de « folie lunaire ou coup de lune ». Il en est de même pour les suicides, les agressions, les admissions en service d'urgence, les catastrophes, les accidents de la route : ces événements ne dépendent pas de la lune (Martin et al., 1992 ; Raison et al., 1999).

▼ **FIGURE 15.13**

Esprits meurtriers Les chercheurs ont constaté, chez un meurtrier, une activation réduite dans les lobes frontaux. Cette zone du cerveau (représentée sur la moitié droite de l'encéphale) permet d'inhiber les comportements agressifs (Raine, 1999).

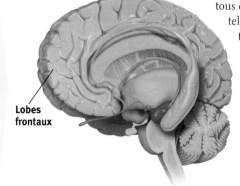

Lobes frontaux

d'avoir commis un crime (**FIGURE 15.12**). Les enfants de 3 ans chez qui les peurs conditionnées se développent très lentement ont plus de risque de commettre un crime lorsqu'ils seront plus âgés (Gao et al., 2010). D'autres études ont révélé que les garçons non encore scolarisés qui, plus tard, deviennent agressifs ou adoptent des comportements antisociaux à l'adolescence avaient généralement été de jeunes enfants impulsifs, peu inhibés, indifférents aux récompenses sociales et peu anxieux (Caspi et al., 1996 ; Tremblay et al., 1994).

Cependant des traits tels que l'intrépidité et la domination peuvent être adaptatifs. En fait, certains chercheurs soutiennent que les psychopathes et les héros sont des rameaux issus de la même branche (Smith et al., 2013). Canalisée dans des directions plus productives, cette absence de crainte peut engendrer l'héroïsme ou le courage d'un aventurier ou d'un athlète de haut niveau (Poulton et Milne, 2002). Une analyse de 42 présidents américains a montré que des caractéristiques telles que l'intrépidité et la domination étaient plus affirmées que celle de la population générale (Lilienfeld et al., 2012). Renforçant la preuve que ces traits peuvent être familiaux, deux des présidents les plus intrépides et les plus dominateurs étaient des cousins éloignés portant le même nom de famille : Roosevelt. (Deux des présidents les moins intrépides et les moins dominateurs étaient père et fils, John Adams et John Quincy Adams.) La même disposition, en l'absence de sentiment de responsabilité sociale, peut faire du sujet un escroc froid ou un tueur (Lykken, 1995).

L'influence génétique, souvent associée à des maltraitances sexuelles durant l'enfance, stabilise les connexions cérébrales (Dodge, 2009). Chez les personnes ayant des tendances à se comporter de manière antisociale ou criminelle, l'amygdale analysée par IRM fonctionnelle possède un volume réduit (Pardini et al., 2013 ; Yang et al., 2010). L'activité des lobes frontaux est réduite : Adrian Raine (1999, 2005) a comparé les images obtenues par TEP des cerveaux de 41 meurtriers avec ceux d'autres individus du même âge et du même sexe (**FIGURE 15.13**). Cette zone du cortex régule la mise en acte des pulsions. Cette réduction de l'activation est réellement visible chez des individus ayant commis un meurtre de façon impulsive. Dans une autre étude, Raine et ses collaborateurs (2000) ont découvert que le volume du cortex des lobes frontaux des criminels récidivistes violents était réduit de 11 %. Cela explique pourquoi les personnes atteintes de trouble de la personnalité antisociale présentent une insuffisance des fonctions cognitives dévolues aux lobes frontaux, telles que la planification, l'organisation et l'inhibition (Morgan et Lilienfeld, 2000). Comparés avec ceux des personnes qui ressentent et prodiguent de l'empathie, leurs cerveaux répondent moins aux modifications faciales affichées par ceux qui sont en détresse. L'intelligence émotionnelle est réduite. (Deeley et al., 2006).

L'absence de crainte, d'origine biologique, autant que les conditions du milieu de vie précoce, permettent de comprendre pourquoi deux sœurs longtemps séparées, Joyce Lott, 27 ans, et Mary Jones, 29 ans, se sont retrouvées dans une prison de Caroline du Sud pour trafic de drogues. Après la parution d'un article sur ce fait-divers, leur demi-frère, Frank Strickland, perdu de vue depuis longtemps, leur téléphona. Il expliqua qu'il se passerait un bon moment avant qu'il puisse venir les voir, car lui aussi était en prison pour vols, trafic de drogue et cambriolages (Shepherd et al., 1990). Les gènes augmentant les risques de développement d'un comportement antisocial augmentent également les risques d'abus de substance, ce qui peut contribuer à expliquer pourquoi ces troubles sont souvent associés (Dick, 2007).

Cependant, la génétique ne peut à elle seule expliquer les crimes antisociaux. Dans une autre étude menée par Raine (1996), les chercheurs ont vérifié le casier judiciaire de près de 400 hommes danois, à l'âge de 20 ans puis de 22 ans. Ils avaient tous été exposés à des facteurs de risque biologiques à la naissance – tels qu'une naissance prématurée – ou qu'ils étaient issus de familles très pauvres et instables. Les chercheurs ont comparé chacun de ces groupes avec un troisième groupe *biosocial* dont les individus étaient *à la fois* porteurs de facteurs de risque biologiques et sociaux. Le risque de commettre des crimes était deux fois plus élevé dans le « groupe biosocial » (**FIGURE 15.14**). Des résultats similaires proviennent d'une étude célèbre au cours de laquelle 1 037 enfants ont été suivis pendant un quart de siècle : l'association de deux facteurs, un gène responsable d'un déséquilibre du métabolisme des neuromédiateurs et des mauvais traitements pendant l'enfance, était prédictive de la survenue de problèmes antisociaux (Caspi et al., 2002). Ni les « mauvais » gènes ni le « mauvais » environnement ne pouvaient être, à eux seuls, à l'origine d'une prédisposition à un comportement antisocial. Les gènes prédisposent plutôt certains enfants à une plus grande sensibilité au mauvais traitement. Au sein du « segment de la population génétiquement vulnérable », les influences de l'environnement sont cruciales et ce, pour le meilleur comme pour le pire (Belsky et al., 2007 ; Moffitt, 2005 ; Pluess & Belsky, 2013).

Pour le comportement antisocial, comme pour d'autres choses, l'inné et l'acquis interagissent. L'approche biopsycosociale permet une compréhension globale. Pour explorer le versant organique du trouble de la personnalité anti-sociale, les chercheurs en neurosciences tentent de mettre en évidence des différences d'activité cérébrale chez les criminels chez qui les signes et les symptômes de ce trouble ont été retrouvés. Si on leur montre des photographies suscitant des émotions, comme un homme tenant un couteau sur la gorge d'une femme, ces criminels porteurs d'un trouble de la personnalité antisociale montre une faible réponse (peu d'augmentation de la fréquence cardiaque et de la transpiration) et moins d'activité dans les zones cérébrales répondant classiquement aux stimuli émotionnels (Harenski et al., 2010 ; Kieh et Buckholtz, 2010). Ils présentent également une hyperactivité du système de récompense dopaminergique qui les prédispose à mettre en acte leurs pulsions à être récompensé malgré les conséquences (Buckholtz et al., 2010). Ces résultats nous rappellent une autre conclusion : tout ce qui est psychologique est biologique.

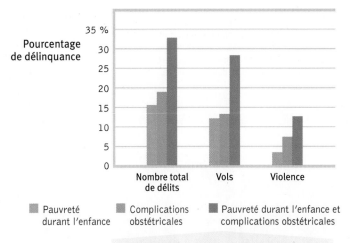

▼ FIGURE 15.14
Racines biopsychosociales de la criminalité Les bébés danois de sexe masculin marqués à la fois par des complications obstétricales et par le stress social associé à la pauvreté, avaient deux fois plus de risques d'être des délinquants vers l'âge de 20 à 22 ans que ceux qui faisaient uniquement partie du groupe marqué par les risques biologiques ou du groupe marqué par le risque social. (D'après les données de Raine et al., 1996.)

EXERCICE RÉCAPITULATIF

- Comment mettre en évidence les facteurs biologiques et psychologiques dans la genèse du trouble de la personnalité antisociale ?

Réponse : Les études d'adoption menées chez les jumeaux montrent que le risque de se comporter de façon psychopathique est accru si ce trait est déjà présent chez des membres de la famille dite biologique. Les facteurs environnementaux défavorables, tels que la pauvreté ou les abus subis dans l'enfance, peuvent favoriser l'expression de traits génétiques tels que l'intrépidité mise au service de comportements dangereux comme l'agressivité et le déni de la responsabilité envers la société.

Les troubles des conduites alimentaires

15-21 Quels sont les trois principaux troubles des conduites alimentaires, et comment les facteurs biologiques, psychologiques et socioculturels contribuent-ils à la vulnérabilité à ces troubles ?

Notre corps est naturellement disposé à maintenir un poids stable, tout en stockant des réserves pour les périodes où la nourriture sera indisponible. Cependant, parfois, les influences psychologiques sont plus fortes que la sagesse biologique. Cela devient douloureusement évident dans trois troubles des conduites alimentaires.

- L'**anorexie mentale** commence classiquement par un régime pour perdre du poids. Les personnes atteintes de ce trouble, en général des adolescents et 9 fois sur 10 des jeunes filles, ont un poids corporel qui chute significative-ment au-dessous du poids normal. Cependant, elles se sentent toujours grosses, craignent de reprendre du poids et restent obsédées par leur régime. Parfois elles s'adonnent à un exercice physique intense. Près de la moitié des personnes atteintes d'anorexie présentent un cycle accès hyperphagique-purge-dépression.

- La **boulimie** peut aussi être déclenchée par un régime, interrompu en se gavant de nourriture interdite. Type accès hyperphagique-purge : la plupart du temps ce sont des adolescentes qui sont concernées. Dès la fin de leur adolescence ou dès le début de leur vingtième anniversaire, elles vont manger par à coups boulimiques, sous le poids des émotions négatives ou de l'influence exercée par des amis ayant aussi des accès hyperphagiques (Cran-dall, 1988 ; Haedt-Matt & Keel, 2011). Au cours de cycles d'épisodes répétés, la boulimie est suivie d'une purge compensatrice (par vomissements ou usage de laxatifs), de périodes de jeûne ou d'exercice

© Nick Holt Photography

Anorexie mentale trouble des conduites alimentaires dans lequel une personne (généralement une adolescente) maintient un régime de restriction des apports énergétiques en dépit d'un poids corporel significativement bas ; cette restriction est parfois accompagnée de pratique excessive d'exercices physiques.

Boulimie trouble des conduites alimentaires caractérisé par des accès récurrents de crises hyper-phagiques (avec généralement des aliments riches en calories) et des comportements compensatoires inappropriés : vomissements, utilisation de laxatifs, de diurétiques ou jeûne (Mini DSM 5, Traduction française).

Une émulation aux conséquences fâcheuses Les jumelles Maria et Katy Campbell souffrent d'anorexie mentale. Comme des enfants, elles se sont lancé un défi pour voir qui serait la plus mince. Maintenant, dit Maria, l'anorexie mentale est « comme un boulet dont je ne peux me défaire » (Foster, 2011).

Accès hyperphagique (binge-eating disorder) épisode important de suralimentaiton, suivi de détresse, de dégoût et de culpabilité sans le comportement compensatoire de purge ou de période de jeûne comme dans la boulimie.

physique intensif (Wonderlich et al., 2007). Préoccupées par la nourriture (avec un besoin maladif d'aliments sucrés et très gras) et craignant de devenir trop grosses, elles passent par des accès de dépression et d'anxiété, plus graves pendant et après les épisodes de boulimie (Hinz et Williamson, 1987 ; Johnson et al., 2002). À la différence de l'anorexie, la boulimie est marquée par des fluctuations de poids autour ou au-dessus du poids normal, ce qui la rend plus facile à cacher.

- Les sujets qui souffrent d'**accès hyperphagiques** sont en proie à des épisodes importants de suralimentation, suivis de sentiment de dégoût et de culpabilité. Mais ils ne se purgent pas, ne jeûnent pas, ou ne se livrent pas à des exercices physiques intenses et peuvent, par conséquent, être en surpoids.

Une étude financée par le National Institute of Mental Heath américain montre qu'à un certain moment de leur vie, 0,6 % des personnes satisfont les critères de l'anorexie, 1 % ceux de la boulimie et 2,8 % ceux des accès hyperphagiques (Hudson et al., 2007). Comment peut-on expliquer ces troubles ?

Comprendre les troubles des conduites alimentaires

Les troubles des conduites alimentaires ne sont *pas* (comme certains ont pu le supposer) révélateurs d'abus sexuels subis pendant l'enfance (Smolak et Murnen, 2002 ; Stice, 2002). Cependant, l'environnement familial peut être, d'une autre façon, un terrain propice au développement des troubles alimentaires.

Altération de la perception du corps dans l'anorexie mentale.

- Les mères qui ont une fille présentant des troubles de l'alimentation se focalisent souvent sur leur propre poids et sur l'apparence et le poids de leur fille (Pike et Rodin, 1991).

- Une incidence de l'obésité supérieure à la normale et une autodépréciation ont tendance à être plus élevées dans les familles de patients boulimiques (Jacobi et al., 2004).

- Les familles des patients anorexiques ont tendance à être protectrices et sensibles à la compétition et à la réussite (Berg et al., 2014 ; Pate et al., 1992 ; Yates, 1989, 1990).

Les personnes souffrant d'anorexie ont souvent aussi une faible considération d'elles-mêmes, sont sujettes à être perfectionnistes, s'inquiètent de ne pas répondre aux attentes des autres et sont très attentives à la façon dont les gens les perçoivent (Brauhardt et al., 2014 ; Pieters et al., 2007 ; Polivy & Herman, 2002 ; Sherry & Hall, 2009). Certains de ces facteurs sont aussi prédictifs de la recherche, par certains adolescents, d'une musculature irréaliste (Ricciardelli et McCabe, 2004).

L'hérédité joue aussi un rôle. Les vrais jumeaux ont plus de risques de présenter le même trouble que les faux jumeaux (Culbert et al., 2009 ; Klump et al., 2009 ; Root et al., 2010). Les scientifiques recherchent les gènes responsables, qui pourraient influencer les taux de sérotonine et d'œstrogène (Klump et Culbert, 2007). Une analyse de 15 études montre que la présence d'un polymorphisme du gène codant pour le transporteur intraneuronal de la sérotonine, augmente de 30 % les risques de l'anorexie ou la boulimie, mais surtout de l'anorexie (Calati et al., 2011) d'une personne.

Mais ces troubles ont également une composante culturelle et sexuelle. L'image idéale du corps varie en fonction de l'époque et des cultures. Dans pratiquement toutes les parties pauvres du globe, y compris en Afrique, où la prospérité est associée aux rondeurs et la maigreur est associée à la pauvreté et aux maladies, on préfère être plus gros (Knickmeyer, 2001 ; Swami et al., 2010). En revanche, dans les cultures occidentales, on ne préfère pas être plus gros et selon une analyse récente de 222 études avec un total de 141 000 personnes, l'augmentation des troubles de l'alimentation durant la dernière moitié du vingtième siècle a coïncidé avec une augmentation spectaculaire du nombre de femmes ayant une mauvaise image de leur corps (Feingold et Mazzella, 1998).

Ceux qui sont les plus vulnérables aux troubles alimentaires sont également ceux (en général des femmes ou des hommes homosexuels) qui idéalisent le plus la minceur et sont le plus insatisfaits de leur corps (Feldman et Meyer, 2010 ; Kane, 2010 ; Stice et al., 2010). Cela doit-il nous surprendre, par conséquent, que lorsque les femmes voient des images réelles et falsifiées de mannequins, et de célébrités ayant une maigreur artificielle, elles se sentent souvent honteuses, déprimées et insatisfaites de leur propre corps – l'attitude même qui prédispose aux troubles alimentaires (Grabe et al., 2008 ; Myers et Crowther, 2009 ; Tiggeman et Miller, 2010) ? Eric Stice et ses collaborateurs (2001) testèrent cette idée en offrant à certaines adolescentes (mais non aux autres) un abonnement de quinze mois à un magazine de mode destiné aux adolescents. Contrairement au témoin qui leur était apparié qui n'avaient par reçu le magazine,

« Pourquoi les femmes ont-elles une si faible estime d'elles-mêmes ? Il existe de nombreuses raisons psychologiques et sociétales complexes, je veux dire par là, la poupée Barbie. »

Dave Barry, 1999

les jeunes filles vulnérables (qui étaient déjà insatisfaites de leur corps, idéalisaient la minceur et manquaient de soutien social) montraient encore plus d'insatisfaction et étaient davantage sujettes à des troubles des conduites alimentaires. Mais même les mannequins ultra-minces ne reflètent pas les mensurations impossibles de la poupée Barbie qui, ajustées à une taille de 1,70 m, sont de 82 cm de tour de poitrine, 41 cm de tour de taille et 73 cm de tour de hanche (Norton et al., 1996).

Il y a cependant plus que l'effet des médias dans l'insatisfaction du corps et l'anorexie (Ferguson et al., 2011). Les influences de l'entourage, telles que les taquineries, aussi sont importantes. L'abondance de biens, un âge du mariage qui est plus tardif, et surtout, la concurrence pour séduire les compagnons célibataires jouent aussi un rôle.

Néanmoins la maladie des troubles des conduites alimentaires d'aujourd'hui réside en partie dans notre culture obsédée par le poids, une culture qui dit de mille et une façons « c'est mauvais d'être gros », qui motive des millions de femmes à être « toujours au régime » et qui encourage les épisodes de boulimie en poussant les femmes à vivre dans un état constant de sous-alimentation. Un ancien mannequin a raconté l'histoire de la façon dont son anorexie a causé chez elle des lésions organiques (Caroll, 2013). Étant affamée par un jeûne de plusieurs jours, elle entra dans le bureau de son agent qui la salua en disant : « Quoi que vous fassiez, continuez à le faire. »

Si l'apprentissage culturel contribue au comportement alimentaire, alors est-ce que les programmes de prévention pourraient augmenter l'acceptation du corps de chacun ? La revue des études de prévention répond *Oui*. Les programmes semblent particulièrement efficaces s'ils sont interactifs et centrés sur les filles de plus de 15 ans (Beintner et al., 2012 ; Stice et al., 2007 ; Vocks et al., 2010).

* * *

Le nombre de personnes, surtout les adolescents et les jeunes adultes, chez qui le diagnostic de troubles psychologiques est porté, va croissant. Bien que conscients de leur douleur, nous pouvons aussi être encouragés par leur réussite. Beaucoup vivent une vie satisfaisante. Ils ont une carrière brillante comme celle de 18 présidents américains, dont Abraham Lincoln qui était périodiquement déprimé, ainsi que l'a montré une analyse psychiatrique de leur biographie (Davidson et al., 2006). La confusion, la peur et la tristesse causées par les troubles psychologiques sont réelles. Mais, comme nous le verrons dans le chapitre sur le traitement, l'espoir, lui aussi, est réel.

Philippe WOJAZER/Reuters/Landov

« Merci, mais nous ne mangeons pas. »

Trop mince ? Beaucoup craignent que la vue de ces mannequins exagérément minces n'entraîne une mode des régimes avec restriction des apports énergétiques.

EXERCICE RÉCAPITULATIF

- Les personnes atteintes de _____ (anorexie/boulimie) continuent à vouloir perdre du poids, même quand elles ont un poids insuffisant. Celles souffrant de _____ (anorexie/boulimie) ont tendance à avoir un poids qui fluctue à l'intérieur ou au-dessus des plages normales.

Réponses : anorexie ; boulimie

Troubles dissociatifs, troubles de la personnalité et troubles des conduites alimentaires

OBJECTIFS D'APPRENTISSAGE

EXERCICE RÉCAPITULATIF Prenez un moment pour répondre à chacune de ces questions objectif d'apprentissage (répétées ici au sein de cette section). Puis allez à l'annexe C, révision complète du chapitre, pour vérifier vos réponses. La recherche suggère que d'essayer de répondre à ces questions de votre propre initiative permettra d'améliorer la mémorisation à long terme de ces réponses (McDaniel et al., 2009).

15-19 Comment définir les troubles dissociatifs, et pourquoi cette entité clinique est-elle controversée ?

15-20 Quels sont les trois ensembles qui forment les troubles de la personnalité ? Quels sont les comportements et les activités cérébrales qui caractérisent le trouble de la personnalité antisociale ?

15-21 Quels sont les trois principaux troubles des conduites alimentaires, et comment les facteurs biologiques, psychologiques et socioculturels contribuent-ils à la vulnérabilité à ces troubles ?

TERMES ET CONCEPTS À RETENIR

EXERCICE RÉCAPITULATIF Testez votre connaissance de ces termes en essayant d'écrire leur définition avant de vous reporter aux pages donnant les bonnes réponses.

troubles dissociatifs, p. 646

trouble dissociatif de l'identité, p. 647

troubles de la personnalité, p. 649

trouble de la personnalité antisociale, p. 649

anorexie mentale, p. 651

boulimie, p. 651

accès hyperphagiques, p. 652

ÉVALUEZ-VOUS LES TROUBLES PSYCHOLOGIQUES

Évaluez-vous à plusieurs reprises tout au long de vos études. Cela permettra non seulement de vous aider à distinguer ce que vous savez de ce que vous ignorez mais aussi à vous faire bénéficier de l'effet test. Autrement dit, le test lui-même va vous aider à apprendre et à mémoriser l'information de manière plus efficace grâce précisément à ce qui est appelé *l'effet test*.

Vue d'ensemble des troubles psychologiques

1. Deux troubles se retrouvent dans le monde entier. L'un est la schizophrénie, et l'autre est _____.

2. Anna est gênée par le fait que garer sa voiture bien parallèlement au trottoir demande plusieurs minutes. Elle sort généralement de la voiture une fois ou deux pour inspecter les distances qui séparent sa voiture du trottoir et des autres voitures. Doit-elle craindre d'avoir un trouble psychologique ?

3. Qu'est-ce que le *susto,* et est-ce un trouble psychologique lié à une culture ou est-ce un trouble universellement répandu ?

4. Un thérapeute dit que les troubles psychologiques sont des maladies comme les autres et que les personnes qui en sont atteintes devraient être traitées comme des patients dans un hôpital. Ce thérapeute croit au modèle _____.

5. Beaucoup de psychologues rejettent l'idée de considérer ces troubles comme des maladies et affirment que d'autres facteurs peuvent être impliqués comme par exemple les mauvaises habitudes de la personne et de faibles compétences sociales. Ce point de vue représente l'approche _____.

   a. médicale

   b. des esprits diaboliques

   c. biopsychosociale

   d. des catégories diagnostiques

6. Pourquoi le DSM, et le DSM-5 en particulier, sont-ils des classifications controversées ?

7. Un des facteurs prédictifs des troubles psychiatriques traverse les frontières ethniques et celle du sexe est _____.

8. Les symptômes de _____ apparaissent autour de l'âge de 10 ans ; _____ a/ont tendance à apparaître plus tard, vers 25 ans.

   a. schizophrénie ; trouble bipolaire

   b. trouble bipolaire ; schizophrénie

   c. trouble dépressif majeur ; phobies

   d. phobies ; trouble dépressif majeur

Troubles anxieux, trouble obsessionnel compulsif, et trouble de stress post-traumatique (TSPT)

9. L'anxiété qui prend la forme d'une peur irrationnelle et inadaptée d'un objet spécifique, d'une activité ou d'une situation est appelée _____.

10. Un épisode de peur intense, accompagné de tremblements, d'étourdissements, de douleurs dans à la poitrine, ou de sensations d'étouffement est appelé

    a. phobie spécifique.

    b. compulsion

    c. attaque de panique.

    d. peur obsessionnelle.

11. Marina est devenue totalement absorbée par la nécessité de nettoyer toute la maison et a refusé de participer à d'autres activités. Sa famille a consulté un thérapeute, qui a diagnostiqué un trouble _____.

12. La perspective cognitive stipule que les phobies sont

    a. le résultat de la constitution génétique individuelle.

    b. un moyen de réprimer des impulsions inacceptables.

    c. des peurs conditionnées.

    d. le symptôme d'un abus subi dans l'enfance.

 ## Les troubles dépressifs et les troubles bipolaires de l'humeur

13. La différence de la vulnérabilité à la dépression liée au sexe montre que le risque de dépression est près du double chez _____ que chez _____.

14. La prévalence des troubles bipolaires a augmenté considérablement au xxie siècle, en particulier chez

    a. les femmes d'âge moyen.

    b. les hommes d'âge moyen.

    c. femmes âgées de 19 ans et moins.

    d. hommes âgés de 19 ans et moins.

15. Le traitement de la dépression inclut souvent des médicaments qui augmentent l'apport des neurotransmetteurs _____ et _____.

16. Les psychologues qui mettent l'accent sur l'importance des perceptions négatives, les croyances et les pensées appartiennent à l'école _____ – _____.

Schizophrénie

17. Victor s'est exclamé : « La météo a été si schizophrène ces jours-ci : il fait chaud un jour et il gèle le lendemain ». Est-ce une comparaison correcte ? Pourquoi ? Justifiez votre réponse.

18. Une personne dont le tableau clinique comprend des symptômes positifs de la schizophrénie est plus susceptible de montrer

    a. une posture catatonique.

    b. des productions délirantes.

    c. un retrait.

    d. une affectivité émoussée.

19. Les personnes atteintes de schizophrénie peuvent entendre des voix les exhortant à l'autodestruction, c'est là un exemple de _____.

20. Lors d'un épisode schizophrénique, les chances de rémission ou de guérison sont les meilleures quand

    a. le début est brutal, et est en réaction au stress.

    b. le début survient dans l'enfance et l'état du sujet s'affaiblit progressivement.

    c. aucune cause environnementale ne peut être identifiée.

    d. une anomalie cérébrale est mise en évidence.

Troubles dissociatifs, troubles de la personnalité et troubles des conduites alimentaires

21. Le trouble dissociatif de l'identité est une entité clinique controversée parce que

    a. la dissociation est en fait assez rare.

    b. ce trouble a été signalé fréquemment dans les années 1920, mais il l'est rarement aujourd'hui.

    c. il n'est presque jamais signalé hors Amérique du Nord.

    d. ses symptômes sont presque identiques à ceux du trouble obsessionnel compulsif.

22. Un trouble de la personnalité, tel que la personnalité antisociale, est caractérisé par

    a. la dépression.

    b. des hallucinations.

    c. des modes de comportement rigides et durables qui perturbent le fonctionnement social.

    d. un niveau élevé d'excitation du système nerveux autonome.

23. Les examens par tomographie d'émission de positrons (TEP) du cerveau des meurtriers ont révélé

    a. une activation des lobes frontaux plus élevée que la normale.

    b. une activation des lobes frontaux inférieure à la normale.

    c. un excès de parenchyme dans le lobe frontal.

    d. une absence de différences dans les structures ou les activités cérébrales.

24. Lequel des énoncés suivants est vrai quand on décrit la boulimie ?

    a. Les personnes atteintes de boulimie continuent à vouloir perdre du poids, même quand elles ont un poids insuffisant.

    b. La boulimie est marquée par des fluctuations de poids à l'intérieur des limites de la normale ou dans une zone supérieure à ces limites.

    c. les patients atteints de boulimie sont souvent issus de familles de la classe moyenne qui sont protectrices, dans la compétition et sont attachées à la réussite.

    d. Si l'un des jumeaux souffre de boulimie, les risques de survenue du trouble chez l'autre jumeau sont plus grands s'ils sont dizygotes plutôt que monozygotes.

Trouvez les réponses à ces questions dans l'annexe D, à la fin du livre.

Introduction aux thérapies psychologiques et au traitement

Évaluation des psychothérapies

Traitements biomédicaux et prévention des troubles psychologiques

CHAPITRE 16

TRAITEMENTS

. . . .

Kay Redfield Jamison, une psychologue clinicienne récompensée et une experte mondiale des extrêmes émotionnels du trouble bipolaire, connaît son sujet directement : « Aussi loin que je remonte dans mes souvenirs », se rappelle-t-elle dans *An Unquiet mind*, « j'ai toujours été au service de mes humeurs, ce qui était à la fois terrible et merveilleux. Enfant très émotive, jeune fille d'humeur changeante, ayant connu ma première dépression en tant qu'adolescente, puis sans arrêt entraînée dans des cycles de maladie maniaco-dépressive lorsque j'entamais ma vie professionnelle, je devins, par nécessité mais aussi par penchant intellectuel, une étudiante de l'humeur » (1995, p. 4-5). Sa vie fut parsemée de moments d'intense sensibilité et d'énergie passionnée, mais comme son père, elle fut également empoisonnée de périodes de dépenses irréfléchies, de conversations effrénées et d'insomnies, alternant tel un balancier avec des sautes d'humeur l'entraînant dans « les endroits les plus sombres de l'esprit ».

« En pleine confusion » elle prit une saine décision qui allait l'aider profondément. Risquant la honte professionnelle, elle pris rendez-vous chez un thérapeute, un psychiatre à qui elle rendra visite chaque semaine pendant plusieurs années.

> Il m'empêcha de mourir plus d'un millier de fois. Il me vit dans ma folie, mon désespoir, mes relations amoureuses magnifiques et terribles, mes désillusions et mes triomphes, mes rechutes, ma tentative de suicide presque réussie, lors de la mort d'un homme que j'aimais profondément et lors des énormes plaisirs ou contrariétés de ma vie professionnelle... Il était très dur mais très gentil et bien qu'il comprit bien plus que tout autre à quel point je ressentais ce que je perdais en énergie, en vivacité et en originalité en prenant des médicaments, il ne fut jamais tenté de perdre de vue la perspective globale de ma maladie et d'oublier combien elle pouvait être coûteuse, faire des ravages et représenter une menace pour ma vie... Bien que j'étais venue le voir pour qu'il traite ma maladie, il m'apprit que le cerveau était totalement redevable à l'esprit et que l'esprit était totalement redevable au cerveau (pp. 87-88).

Pour Jamison, « la psychothérapie permet de guérir. Elle donne un sens à la confusion, réfrène les pensées et les sentiments terrifiants, redonne un certain contrôle, de l'espoir et toutes sortes de possibilités ».

Nous allons commencer par explorer et évaluer les *psychothérapies*, pour ensuite aborder les *thérapies biomédicales*.

Dorothea Dix « … J'attire votre attention sur la condition, au sein du Commonwealth, des malades mentaux, qui sont enfermés dans des cages. »

Introduction aux thérapies psychologiques et au traitement

LA LONGUE HISTOIRE DES DIFFÉRENTES TENTATIVES pour traiter les troubles psychologiques a été parsemée d'une variété déconcertante de méthodes brutales ou douces. Des individus bien intentionnés ont trépané des crânes pour extraire « la pierre de folie », ont pratiqué des saignées, ont attachés les patients ou « tenté d'exorciser le diable qui les habitait ». Mais ils ont également donné des bains chauds et pratiqué des massages et placé les gens dans des environnements sereins ensoleillés. Ils ont administré des médicaments. Et ont parlé avec leurs patients des expériences qu'ils avaient eues dans leur enfance, de leurs sentiments actuels, de leurs pensées et de leurs comportements inadaptés.

Traiter les troubles psychologiques

16-1 En quoi la *psychothérapie* et les *thérapies biomédicales* diffèrent-elles ?

Des précurseurs comme Philippe Pinel (1745-1826) et Dorothea Dix (1802-1887) poussèrent à utiliser des traitements plus doux et plus humains et se prononcèrent pour la construction d'hôpitaux psychiatriques. Depuis le milieu des années 1950, l'apparition de médicaments efficaces et le développement de programmes de traitements dans la communauté ont contribué à vider massivement les hôpitaux psychiatriques.

Les thérapies occidentales modernes peuvent être classées en deux catégories principales :

- En **psychothérapie**, un thérapeute qualifié utilise des techniques psychologiques pour aider quelqu'un qui cherche à surmonter ses difficultés ou à atteindre son épanouissement avec sentiment de complétude. Le thérapeute peut chercher à découvrir le sens caché des débuts de la vie relationnelle d'un patient, à encourager le patient à adopter de nouvelles façons de penser, ou à remplacer les anciens par de nouveaux comportements.

- La **thérapie biomédicale** propose des traitements médicamenteux et d'autres traitements biologiques, physiques voire neurochirurgicaux. Par exemple, une personne souffrant de dépression sévère, comme nous le verrons, peut être traitée par des médicaments antidépresseurs, par électrochocs (Électro-convulsivothérapie ECT, encore appelée sismothérapie), ou par stimulation cérébrale profonde (neurochirurgie).

Certains psychologues estiment que la psychothérapie est un traitement biologique, car changer la façon dont nous pensons ou dont nous nous comportons peut entraîner des modifications cérébrales (Kandel, 2013). Une psychothérapie efficace entraîne ces modifications.

La formation et la compétence du praticien ainsi que la maladie elle-même, influencent le choix du traitement. La Psychothérapie et les thérapeutiques médicamenteuses sont souvent associées. Kay Redfield Jamison recevait une psychothérapie lors de ses consultations chez son psychiatre et prenait des médicaments pour contrôler ses fluctuations brutales de l'humeur.

Intéressons-nous tout d'abord aux psychothérapies fondées sur les discours et l'entretien avec le patient. Le fondement théorique de chacune de ces psychothérapies est donné par les différents courants de la psychologie : théorie psychodynamique, humaniste, comportementale et cognitive. La plupart de ces techniques peuvent être utilisées en face-à-face ou en groupe. Certains thérapeutes associent ces techniques. Comme Jamison, beaucoup de patients peuvent également recevoir une psychothérapie associée à un traitement pharmacologique. La moitié des psychothérapeutes se décrivent comme ayant une **approche éclectique,** et mélangent différents traitements.

Psychanalyse et thérapies psychodynamiques

16-2 Quels sont les objectifs et les méthodes de la psychanalyse et comment ont-ils été adaptés à la thérapie psychodynamique ?

La première thérapie psychologique majeure fut la **psychanalyse** de Sigmund Freud. Bien que peu de cliniciens exercent aujourd'hui comme Freud le faisait, son travail mérite discussion. Il a contribué à jeter les bases du traitement des troubles psychologiques, en partie en influençant les thérapeutes modernes se fondant sur une conception *psychodynamique*.

L'histoire du traitement de la maladie mentale Au XVIIIᵉ siècle, ces visiteurs des asiles psychiatriques regardent les malades mentaux comme les animaux d'un zoo. Peinture de William Hogarth (1697-1764), inspirée par une de ses visites à l'hôpital londonien St. Mary of Bethléem (communément appelé Bedlam).

Buts

Freud croyait que dans la thérapie, les sujets pouvaient vivre plus sereinement, être moins anxieux en faisant appel à l'énergie qu'ils avaient déjà utilisée dans les conflits Ça-Moi-Surmoi (Chapitre 14). Freud supposait que nous ne nous connaissions pas totalement nous-mêmes. Et qu'il existait des choses effrayantes que nous ne semblions pas vouloir connaître (que nous désavouons ou que nous renions). Jonathan Shedler (2009) remarque que « nous pouvons ressentir à la fois de la haine et de l'amour envers la même personne » et « que nous pouvons désirer quelque chose et la craindre ». La psychanalyse était la méthode de Freud pour aider les gens à faire face à un tel nœud de contradictions.

La thérapie freudienne avait pour but de ramener à la conscience de ses patients les sentiments refoulés ou reniés. En les aidant à récupérer leurs pensées et leurs sentiments et à leur faire prendre conscience de l'origine de leur trouble, il cherchait à les aider à réduire leurs conflits internes qui empêchaient leur développement naturel.

Techniques

La psychanalyse est une reconstruction historique. La théorie psychanalytique insiste sur le pouvoir des expériences vécues dans l'enfance pour modeler l'adulte. Ainsi, elle a pour objectif de déterrer le passé dans l'espoir de dévoiler le présent. Après avoir essayé l'hypnose, Freud l'écarta comme non fiable, et s'orienta vers l'*association libre*.

Imaginez-vous à la place d'un patient utilisant la technique de l'association libre. D'abord, vous commencez par vous détendre, peut-être en vous étendant sur un divan. Comme le psychanalyste se trouve hors de votre champ de vision, vous dites à voix haute tout ce qui vous vient à l'esprit. À un moment donné, vous allez relater un souvenir d'enfance. À un autre, vous décrivez un rêve ou une expérience récente. Cela semble facile, mais très vite, vous allez vous rendre compte que vous modifiez souvent vos pensées lorsque vous parlez. Vous faites une pause pendant une seconde avant de formuler par la parole une pensée embarrassante. Vous omettez ce qui semble trivial, hors de propos, ou honteux. Parfois, vous allez vous sentir la tête vide ou vous sentir incapable de vous souvenir de détails importants. Vous pouvez alors faire une plaisanterie ou changer de sujet afin d'aborder quelque chose de moins dangereux.

Pour le psychanalyste, ces blocages mentaux sont des **résistances.** Elles révèlent que l'anxiété se cache et que vous vous défendez contre un « matériel » sensible. L'analyste va noter vos résistances puis les interprétera, vous donnant des aperçus (prise de conscience) de leur signification. Cette **interprétation** – par exemple, pourquoi vous ne voulez pas parler de votre mère – peut, si elle est fournie au bon moment, mettre la lumière sur les souhaits, les sentiments ou les conflits sous-jacents que vous voulez éviter. L'analyste peut aussi vous expliquer comment cette résistance s'emboîte avec les autres morceaux de votre puzzle psychologique, y compris ceux fondés sur l'analyse du contenu de vos rêves.

Au cours de plusieurs séances de ce genre, votre mode de relation avec autrui va apparaître avec les interactions que vous allez avoir avec votre thérapeute. Vous allez probablement ressentir des sentiments très forts, négatifs ou positifs, envers votre analyste. Il pourra vous suggérer que vous êtes en train de faire le **transfert** sur lui-même des sentiments que vous avez autrefois éprouvés envers des membres de votre famille ou envers quelqu'un d'important dans votre vie. En exposant ces sentiments comme la dépendance ou un mélange d'amour et de colère, vous pouvez avoir un aperçu de vos relations actuelles.

Relativement peu de thérapeutes nord-américains proposent maintenant une psychanalyse traditionnelle. La majeure partie de la théorie sur laquelle elle repose n'est pas corroborée par les recherches scientifiques (Chapitre 14). Les interprétations de l'analyste ne peuvent être prouvées ou réfutées. La psychanalyse est une méthode très longue et coûteuse (parfois plusieurs années de plusieurs séances hebdomadaires). Certains de ces problèmes ont été pris en compte par les conceptions psychodynamiques modernes qui viennent de la psychanalyse freudienne.

EXERCICE RÉCAPITULATIF

- En psychanalyse, lorsque les patients éprouvent des sentiments forts pour leur thérapeute, on parle de _____. Les patients sont censés démontrer un état d'anxiété quand survient un barrage à l'évocation de souvenirs douloureux sensibles, on parle alors de _____. Le thérapeute va tenter de provoquer une introspection de l'anxiété sous-jacente en proposant une _____ des blocages mentaux.

Réponses : transfert ; résistance ; interprétation

Psychothérapie traitement s'appuyant sur des techniques psychologiques : elle consiste en des interactions entre un thérapeute formé et une personne cherchant à surmonter ses difficultés psychologiques ou à atteindre un épanouissement personnel.

Traitements biomédicaux prescription de médicaments ou procédures médicales qui agissent directement sur la physiologie du patient.

Approche éclectique approche psychothérapeutique qui associe plusieurs techniques issues de différentes écoles.

Psychanalyse technique thérapeutique de Sigmund Freud. Freud croyait que les associations libres faites par le patient, les résistances, les rêves, le transfert – et les interprétations du thérapeute des sentiments refoulés ainsi libérés – permettraient au patient d'atteindre la connaissance de soi.

Résistance en psychanalyse, le fait d'empêcher un matériel psychique porteur d'angoisse d'atteindre la conscience.

Interprétation en psychanalyse, travail de l'analyste sur la signification des rêves, des résistances, et d'autres comportements ainsi que des événements importants afin de promouvoir la capacité à la connaissance de soi, l'insight.

Transfert en psychanalyse, transfert dans la relation du patient à l'analyste des émotions liées à d'autres relations, et des conflits intra-psychiques (comme l'amour ou la haine pour un parent).

« Je n'ai pas vu mon analyste pendant deux cents ans. C'était un freudien strict. Si je m'étais rendu aux séances pendant tout ce temps, je serais probablement presque guéri maintenant. »

Woody Allen, lors de son réveil d'une cryogénisation dans le film *Woody et les robots*

> **Thérapie psychodynamique** traitement découlant de la tradition psychanalytique ; considère les individus comme répondant à des forces inconscientes et aux expériences de l'enfance, et cherche à améliorer la connaissance de soi.

La thérapie psychodynamique

Bien qu'influencés par les idées de Freud, les **thérapeutes psychodynamiciens** parlent peu du Ça, du Moi et du Surmoi. Au contraire, ils essaient d'aider les gens à comprendre leurs symptômes actuels. Ils se concentrent sur des thèmes ayant trait à des relations importantes, y compris les expériences vécues dans l'enfance et les relations avec le thérapeute. Plutôt qu'allongé sur un divan, ne voyant pas le thérapeute, les entretiens se déroulent en face à face. Ces séances ont lieu une ou deux fois par semaine (plutôt que plusieurs fois par semaine), et souvent pour seulement quelques semaines ou quelques mois.

Au cours de ces séances, les patients explorent les pensées et les sentiments contre lesquels ils se défendent et tentent de les comprendre. David Shapiro, psychothérapeute (1999, p. 8), illustre cette thérapie avec le cas d'un jeune homme qui avait dit à une femme qu'il l'aimait alors qu'il savait que ce n'était pas vrai. Les autres attendaient qu'ils le disent alors il l'avait fait, expliqua-t-il. Maintenant qu'il était marié, sa femme souhaiterait qu'il lui dise qu'il l'aime, mais, il pense qu'il ne peut pas le faire. « Je ne sais pas pourquoi, mais je ne peux pas. »

> *Le thérapeute :* Vous voulez dire que si vous le pouviez, vous aimeriez le dire ?
>
> *Patient :* Eh bien, je ne sais pas… Peut-être que je ne peux pas le dire parce que je ne suis pas sûr que c'est vrai. Peut-être que je ne l'aime pas.

Les autres échanges révélèrent qu'il ne pouvait exprimer son amour véritable parce qu'il aurait l'impression d'être « trop faible » et « trop romantique » et de ce fait absolument pas viril. Il est « en conflit avec lui-même et n'a pas notion de la nature de ce conflit ». Avec ce type de patients, remarque Shapiro, qui sont des étrangers pour eux-mêmes, les thérapeutes psychodynamiciens « se doivent de les présenter à eux-mêmes. Nous pouvons leur faire prendre conscience de leurs propres désirs et de leurs propres sentiments ainsi que de leurs réactions vis-à-vis de ces désirs et de ces sentiments ».

Ces thérapeutes peuvent aussi aider les patients à se rendre compte que leurs difficultés relationnelles passées peuvent être à l'origine de leurs difficultés présentes. Jonathan Shedler (2010a) se souvient de Jeffrey, un de ses patients qui se plaignait de difficultés à s'entendre avec ses collègues et sa femme qui lui reprochaient d'être trop critique. Jeffrey « commença alors à me parler comme si j'étais un adversaire imprévisible et en colère ». Shedler saisit cette occasion pour aider Jeffrey à reconnaître son mode relationnel qui avait comme origine les crises et les humiliations qu'il avait connues lorsqu'il vivait avec son père alcoolique. Il devait alors travailler en ce sens pour lâcher prise et ne plus répondre aux autres selon ce mode défensif.

La *psychothérapie interpersonnelle* constitue une alternative plus brève (12 à 16 séances) à la thérapie psychodynamique et s'est avérée efficace chez les patients déprimés (Cuijpers, 2011 ; Markowitz & Weissman, 2012). Bien qu'elle consiste à aider les patients à prendre conscience de l'origine de leurs problèmes, son but est de soulager les symptômes dans le moment présent. Plutôt que de se concentrer sur les souffrances du passé, dans le but de les interpréter et leur donner une signification, le thérapeute fait appel aux relations du présent afin d'aider le patient à améliorer ses habiletés sociales.

Thérapie face-à-face Séance de thérapie, où le divan a disparu. Mais peut-être pas l'influence de la théorie psychanalytique, en particulier si le thérapeute cherche des informations sur l'enfance du patient et l'aide à récupérer des sentiments inconscients.

Tetra Images/Getty Images

Les objectifs de la psychothérapie interpersonnelle peuvent être illustrés par le cas d'Anna, une femme d'affaires mariée et âgée de 34 ans. Cinq mois après avoir obtenu une promotion, comportant des responsabilités accrues et des journées de travail plus longues, des tensions s'établirent entre Anna et son mari au sujet de leur projet d'avoir un deuxième enfant. Elle commença à se sentir déprimée, à avoir des insomnies, à manifester de l'irritabilité et à prendre du poids. Un thérapeute utilisant l'approche psychodynamique pourrait aider Anna à prendre conscience de ses colères impulsives et de ses défenses contre la colère. Un praticien de l'école de la thérapie interpersonnelle fera de même, mais encouragera aussi Anna à réfléchir sur les questions les plus immédiates telles que l'équilibre entre la maison et le travail, les moyens de mettre fin aux disputes avec son mari et d'exprimer ses émotions de manière plus efficace (Markowitz et al., 1998).

Thérapies humanistes

16-3 Quels sont les thèmes fondamentaux de la thérapie humaniste ? Quels sont les objectifs et les techniques spécifiques de la thérapie centrée sur la personne de Carl Rogers ?

Le point de vue *humaniste* (Chapitre 14) souligne la capacité, inhérente à chaque personne, à s'accomplir. Comme les thérapies psychodynamiques, les thérapies humanistes cherchent à réduire les conflits internes qui empêchent le développement naturel en fournissant aux patients une nouvelle prise de conscience d'eux-mêmes. En fait, les thérapies psychodynamiques et humanistes sont souvent appelées des **thérapies de l'insight** (capacité à la connaissance de soi). Mais les thérapeutes humanistes sont bien différents des psychanalystes.

- *Les thérapeutes humanistes cherchent à favoriser l'accomplissement des patients en les aidant à se développer en ayant conscience d'eux-mêmes et en s'acceptant eux-mêmes.*

- *Ce traitement ne se focalise pas sur la guérison de la maladie mais sur la promotion de ce développement personnel en tant que but.* Ainsi ceux qui suivent ce traitement deviennent des « clients » ou simplement des « personnes » et non plus des « patients » (un changement d'appellation suivi par de nombreux thérapeutes).

- *La voie vers la croissance passe par une prise immédiate de responsabilité de ses sentiments et de ses actes,* plutôt que la recherche de déterminants cachés.

- *Les pensées conscientes sont plus importantes que les pensées inconscientes.*

- *Le présent et l'avenir sont plus importants que le passé.* L'objectif est d'explorer les sentiments au fur et à mesure qu'ils se manifestent, au lieu de rechercher une prise de conscience des origines des sentiments pendant l'enfance.

Carl Rogers (1902-1987) a développé la technique humaniste la plus utilisée qu'il a appelée la **thérapie centrée sur la personne** qui met l'accent sur la perception consciente qu'a la personne d'elle-même. Au cours de cette *thérapie non directive,* le thérapeute écoute sans juger ni interpréter et s'interdit de diriger son client vers certaines prises de conscience.

Croyant que la plupart des gens possèdent déjà les ressources leur permettant de se développer, Rogers (1961, 1980) encourageait les thérapeutes à la *sincérité, à la tolérance* et à *l'empathie.* Lorsque les thérapeutes laissent tomber leur façade et expriment de façon sincère leurs véritables sentiments, lorsqu'ils permettent à leurs patients de se sentir acceptés de façon inconditionnelle et lorsqu'ils ressentent et reflètent avec empathie les sentiments de leurs patients, ceux-ci peuvent approfondir leur compréhension et leur acceptation de soi (Hill et Nakayama, 2000). Rogers (1980, p. 10) expliquait :

> Écouter n'est pas sans conséquences. Lorsque j'écoute de manière authentique une personne et les signifiants qui sont importants pour elle à ce moment, n'écoutant pas seulement ses mots, mais elle-même, et lorsque je lui fais savoir que j'ai entendu le sens très personnel qu'elle leur donne, beaucoup de choses peuvent arriver. Il y a d'abord un regard de gratitude. Elle se sent libérée. Elle veut m'en dire plus au sujet de son monde. Elle se lève avec une nouvelle sensation de liberté. Elle devient plus ouverte au processus de changement.
>
> J'ai souvent remarqué que plus j'entends profondément le sens de ce que dit la personne, plus cela se produit. Presque toujours, lorsqu'une personne comprend qu'elle a été profondément entendue, ses yeux se mouillent. Je pense qu'en un certain sens, elle pleure de joie. C'est comme si elle disait : « Merci mon Dieu, quelqu'un m'a entendu. Quelqu'un sait ce que c'est qu'être moi. »

Le terme d'« écoute » se réfère à la technique d'**écoute active** de Rogers, c'est-à-dire faire écho, reformuler et chercher à clarifier ce qu'exprime la personne (verbalement ou non) et reconnaître les sentiments exprimés. L'écoute active fait maintenant partie des habitudes du conseil thérapeutique dans de nombreuses écoles, universités ou cliniques. Le conseiller écoute attentivement et n'interrompt que pour reformuler et confirmer les sentiments du client, pour accepter ce qu'il est en train d'exprimer ou pour clarifier un point. Le bref extrait suivant entre Rogers et un de ses clients (un homme) illustre la façon dont il cherche à lui fournir un miroir psychologique pouvant l'aider à se voir lui-même plus clairement.

> *Rogers :* Vous ressentez cela en ce moment, hum ? Que vous n'êtes pas bon pour vous-même, bon pour personne. Que vous n'avez rien apporté de bon à personne. Autrement dit que vous ne valez rien, hein ? Ce sont vraiment des sentiments moches. Vous vous ressentez comme étant bon à rien, hum ?

Thérapies de l'insight variété de traitements qui visent à améliorer le fonctionnement psychologique en augmentant la capacité à sa propre connaissance et celle des motifs et des défenses sous-jacents.

Thérapie centrée sur le client thérapie humaniste, développée par Carl Rogers, dans laquelle le thérapeute utilise des techniques telles que l'écoute active et crée un environnement authentique accueillant et empathique pour faciliter l'épanouissement de ses clients. (Aussi appelé *thérapie centrée sur la personne.*)

Écoute active écoute empathique dans lequel l'auditeur se fait l'écho, réaffirme et clarifie la situation du patient. Une caractéristique de la thérapie centrée sur le client selon C. Rogers.

« Nous avons deux oreilles et une bouche afin que nous puissions écouter plus et parler moins. »

Zeno, 335-263 AV. J.-C., *Diogenes Laertius*

> **Considération positive inconditionnelle**
> attitude d'acceptation du client hors de tout jugement. Ainsi Carl Rogers croyait aider les clients à développer la conscience de soi et l'acceptation de soi.

Client : Ouais. C'est exactement ce que m'a dit, l'autre jour, ce type avec qui je suis descendu en ville *(murmura-t-il d'une voix découragée).*

Rogers : Le type avec qui vous êtes descendu en ville vous a réellement dit cela, que vous n'étiez bon à rien ? Est-ce bien ce que vous êtes en train de dire ? Est-ce que j'ai bien compris ?

Client : Mmh.

Rogers : J'ai l'impression que la signification de tout cela, si j'ai bien compris, c'est qu'il y a quelqu'un qui vous a fait une remarque sur ce qu'il pensait de vous ? Pourquoi vous a-t-il dit qu'il pensait que vous n'étiez bon à rien ? Et cela vous a littéralement coupé les pattes. *(Le client se met à pleurer calmement.)* Cela vous met les larmes aux yeux. *(Silence de 20 secondes)*

Client : *(Plutôt d'un air de défi.)* Je m'en fiche.

Rogers : Vous vous dites que cela vous est égal, mais d'une certaine façon, je pense qu'une part de vous s'en préoccupe car elle pleure à ce propos.

(Meador et Rogers, 1984, p. 167)

Mais un thérapeute peut-il être un miroir parfait sans choisir ni interpréter ce qu'il reflète ? Rogers concédait que personne ne pouvait être *totalement* non directif. Cependant, il pensait que la contribution la plus importante du thérapeute était d'accepter et de comprendre son client. Dans un environnement accueillant et dépourvu de jugement qui fournit une **considération positive inconditionnelle**, les gens peuvent accepter même leurs pires caractéristiques et se sentir appréciés dans leur globalité.

Si vous souhaitez développer une meilleure écoute dans votre cercle de relations, trois suggestions peuvent vous aider :

1. *Paraphrasez.* Plutôt que de dire « je sais ce que vous ressentez », vérifiez votre compréhension en résumant les mots de la personne qui vous parle en utilisant vos propres mots.

2. *Demandez un éclaircissement.* Lui dire « Donnez-moi un exemple de cela ? » peut encourager la personne à en dire plus.

3. *Reflétez vos sentiments.* « Comme c'est frustrant… » peut refléter ce que vous ressentez de l'intensité du discours tenu par l'interlocuteur ainsi que de son langage corporel.

Écoute active Carl Rogers (à droite) faisant preuve d'empathie au cours de cette séance de thérapie de groupe.

Michael Rougier/The LIFE Picture Collection/Getty Images

Thérapies comportementales

16-4 Quelle est la différence entre l'hypothèse de base de la thérapie comportementale et celles des thérapies psychodynamiques et humanistes ? Quelles sont les techniques utilisées par la thérapie d'exposition et le conditionnement aversif ?

Les thérapies de l'insight supposent que de nombreux problèmes psychologiques diminuent à mesure que la conscience de soi augmente. Les thérapeutes psychodynamiciens s'attendent à ce que les problèmes s'aplanissent au fur et à mesure que les gens découvrent leurs conflits inconscients non résolus. Les thérapeutes humanistes s'attendent à ce que les problèmes diminuent lorsque les gens entrent en contact avec leurs sentiments. Les partisans des **thérapies comportementales**, cependant, doutent du pouvoir de guérison de la prise de conscience. (Vous pouvez, par exemple, devenir conscient de la raison de votre grande anxiété au cours des examens et rester malgré tout anxieux.) Ils supposent que les comportements problématiques *sont* le problème et que l'application des principes d'apprentissage peut les éliminer. Plutôt que de fouiller en profondeur sous la surface en recherchant des causes internes, les thérapeutes comportementalistes considèrent les symptômes d'une mauvaise adaptation, comme les phobies ou les troubles sexuels, comme des comportements acquis qui peuvent être remplacés par des comportements constructifs.

Techniques de conditionnement classique

Une catégorie de thérapies comportementales dérive des principes développés dans les expériences de conditionnement de Pavlov menées au début du XXᵉ siècle (Chapitre 7). Comme l'ont montré Pavlov et ses collaborateurs, nous apprenons des comportements et des émotions divers via un conditionnement classique. Les symptômes inadaptés sont-ils alors des exemples de réponses conditionnées ? Si tel est le cas, le reconditionnement peut-il être une solution ? Le théoricien de l'apprentissage, O. H. Mowrer le pensait et développa une thérapie par conditionnement efficace pour des sujets souffrant d'énurésie chronique. L'enfant dort sur un drap sensible aux liquides relié à une alarme. L'humidité du drap déclenche l'alarme, et réveille l'enfant. Après un nombre de répétitions suffisant, l'association du relâchement urinaire et du réveil stoppe l'énurésie. Dans trois cas sur quatre, le traitement est efficace et améliore l'image que l'enfant a de lui-même (Christophersen et Edwards, 1992 ; Houts et al., 1994).

Prenons un autre exemple : si une phobie des ascenseurs est une réponse apprise au stimulus de se trouver dans un espace clos, ne pourrait-on pas désapprendre cette association en subissant un autre conditionnement pour remplacer la réponse de crainte ? Le **déconditionnement** consiste à associer le stimulus déclenchant (dans ce cas l'espace clos de l'ascenseur) à une nouvelle réponse (la relaxation) incompatible avec la peur. La *thérapie d'exposition* et le *conditionnement aversif* sont deux techniques de déconditionnement de ce type qui remplacent les réponses non désirées.

EXERCICE RÉCAPITULATIF

- Que pourrait dire un thérapeute psychodynamicien à propos de la thérapie de l'énurésie proposée par Mowrer ? Comment un thérapeute comportementaliste pourrait-il lui répondre ?

Réponse : Un thérapeute psychodynamicien pourrait être plus intéressé à aider l'enfant à apprendre à déceler les conflits sous-jacents qui sont la cause de l'énurésie. Un thérapeute comportementaliste serait plus susceptible de convenir avec Mowrer que le symptôme d'énurésie en tant que tel, est le problème et que le déconditionnement pour éteindre le comportement indésirable apporterait en effet un soulagement de l'état anxieux.

Thérapies d'exposition Imaginez cette scène rapportée en 1924 par Mary Cover Jones, une psychologue comportementaliste : le petit Peter, âgé de 3 ans, est terrorisé par les lapins et autres objets en peluche. Jones voulait remplacer la peur des lapins de Peter par une réponse conditionnée incompatible avec cette crainte. Sa stratégie fut d'associer le lapin évoquant la peur à une réponse agréable et apaisante associée à la nourriture.

Au moment où Peter commençait à manger son goûter, Jones introduisait un lapin en cage de l'autre côté de la grande pièce. Peter le remarquait à peine alors qu'il avalait goulûment son lait et ses biscuits. Les jours suivants, elle rapprocha de plus en plus le lapin. En deux mois, Peter tolérait le lapin sur ses genoux et le caressait même en mangeant. De plus, sa peur des peluches disparut également, ayant été *contrée* ou remplacée par un état de détente qui ne pouvait pas coexister avec la peur (Fisher, 1984 ; Jones, 1924).

Malheureusement pour ceux que ces procédures de déconditionnement auraient pu aider, l'histoire de Jones concernant Peter et son lapin n'est pas immédiatement devenue partie intégrante du savoir de la

Kim Reinick/Shutterstock
Creativ Studio Heinemann/Getty Images

> **Thérapie comportementale** thérapie qui applique les principes de l'apprentissage en vue de supprimer les comportements inadaptés indésirables.
>
> **Déconditionnement** procédure de thérapie de comportement qui utilise le conditionnement classique pour évoquer de nouvelles réponses à des stimuli qui déclenchent les comportements indésirables ; comprend les *thérapie d'exposition* et le *conditionnement aversif*.

Thérapies d'exposition techniques comportementales, telles que la *désensibilisation systématique* et la *thérapie par réalité virtuelle*, qui traitent les états anxieux en exposant les gens (en imagination ou en situations réelles) aux choses qu'ils craignent et évitent.

Désensibilisation systématique type de thérapie d'exposition qui associe un état de relaxation agréable à l'augmentation progressive de la présentation des stimuli provoquant le trouble anxieux. Communément utilisée pour traiter les phobies.

Thérapie par réalité virtuelle traitement de l'anxiété qui expose progressivement les gens à des situations simulées par des procédés électroniques reproduisant les situations redoutées de leurs plus grandes craintes, comme le vol en avion, les araignées, ou parler en public.

psychologie. Ce n'est que plus de trente ans plus tard que le psychiatre Joseph Wolpe (1958 ; Wolpe et Plaud, 1997) améliora la technique de Jones pour mettre au point ce qui est devenu la méthode la plus utilisée de la thérapie comportementale : la **thérapie d'exposition**. Ces thérapies confrontent le patient à ce qu'il a l'habitude d'éviter ou aux situations auxquelles il échappe habituellement (des comportements qui sont renforcés par la baisse de l'anxiété). Les thérapies d'exposition leur demandent de faire face à leurs peurs et de ce fait à surmonter leur peur de la réponse de peur elle-même. Tout comme on peut s'habituer au bruit d'un train qui passe à proximité de notre nouvel appartement, on peut, à force de répéter l'exposition, répondre de manière moins anxieuse aux choses qui jadis nous ont pétrifiés (Barrera et al., 2013 ; Foa et al., 2013).

L'une des techniques d'exposition très utilisée est la **désensibilisation systématique.** Wolpe partit du principe, comme Jones, que vous ne pouvez pas être en même temps anxieux et détendu. De sorte que si vous pouvez vous détendre à plusieurs reprises face à un stimulus provoquant l'anxiété, vous pouvez progressivement éliminer votre anxiété. L'astuce, c'est de procéder progressivement. Imaginez que vous soyez inquiet de parler en public. Un comportementaliste va d'abord vous demander votre aide pour bâtir une hiérarchie des situations génératrices d'anxiété lorsque vous êtes amené à prendre la parole. Votre hiérarchie d'anxiété peut aller d'une situation provoquant une peur modérée – par exemple le fait de parler devant un petit groupe d'amis – jusqu'à des situations provoquant une peur panique – comme le fait d'avoir à s'adresser à un vaste public.

Au moyen d'une *relaxation progressive*, le thérapeute va alors vous entraîner à vous détendre, un groupe de muscles après l'autre, jusqu'à ce que vous arriviez à un état de somnolence, une relaxation complète et confortable. Alors, le thérapeute vous demande d'imaginer, en gardant vos yeux fermés, une situation suscitant une anxiété modérée : vous prenez un café avec un groupe d'amis et vous vous demandez si vous allez prendre la parole. Si le fait d'imaginer la scène provoque chez vous le moindre sentiment d'anxiété, vous signalez votre tension en levant le doigt et le thérapeute vous indique de couper l'image mentale et de revenir à une relaxation profonde. La scène imaginée est associée à la relaxation de façon répétée, jusqu'à ce que vous ne ressentiez plus aucune trace d'angoisse.

Le thérapeute remonte dans votre échelle d'anxiété en utilisant l'état de relaxation pour vous désensibiliser à chaque situation imaginée. Après plusieurs séances, vous passez aux situations réelles et vous pratiquez les comportements que vous aviez seulement imaginés, en commençant par des tâches relativement faciles et en progressant vers d'autres plus anxiogènes. Vaincre votre anxiété dans une situation réelle, et pas seulement dans votre imagination, renforce votre confiance en vous (Foa et Kozak, 1986 ; Williams, 1987). Vous pourriez même devenir, finalement, un orateur tout à fait à l'aise. Souvent, les gens ne craignent pas seulement une situation, comme parler en public, mais également par leur propre incapacité à faire face à cette peur. À mesure que la peur disparaît, la crainte de la survenue de cette réaction de peur s'évanouit aussi.

Lorsque la situation qui génère l'anxiété est trop difficile, onéreuse ou embarrassante à recréer, la **thérapie par réalité virtuelle** peut être un compromis efficace. Avec le port d'un casque de vision permettant de projeter un monde virtuel en trois dimensions, vous voyez défiler une série de scènes très semblables à la vie réelle qui seront adaptées à vos peurs spécifiques

« La seule chose dont nous devons avoir peur est la peur elle-même. »

Franklin D. Roosevelt, président des États-Unis, discours d'Investiture, 1933

Jack Kearse/EmoryUniversity

William Britten/E+/Getty Images

Thérapie par réalité virtuelle La technologie de la réalité virtuelle expose, dans une salle, les gens à des simulations vives des stimuli redoutés, comme marcher sur un pont suspendu et oscillant.

et réajustées lorsque vous tournez la tête. Des expériences menées par plusieurs équipes de chercheurs ont permis de soigner différentes personnes atteintes de peurs diverses, telles que celles de l'avion, de l'altitude, de certaines espèces animales et de parler en public (Parson et Rizzo, 2008). Par exemple, des patients qui ont peur de l'avion sont amenés à regarder à travers le hublot virtuel lors d'un vol simulé, sentant les vibrations et entendant les moteurs vrombir à mesure que l'avion roule sur la piste puis décolle. Selon plusieurs études comparant un groupe témoin à un groupe recevant une thérapie par réalité virtuelle, les personnes traitées ont éprouvé une meilleure atténuation de leur peur dans la vie réelle (Gonçalves et al., 2012 ; Opriş et al., 2012).

Conditionnement aversif Au cours de la désensibilisation systématique, l'objectif est de substituer une réponse positive (détente) à une réponse négative (crainte) face à un stimulus *inoffensif*. Dans **le conditionnement aversif**, l'objectif est de substituer une réponse négative (aversion) à une réponse positive vis-à-vis d'un stimulus *dangereux* (comme l'alcool). Le conditionnement aversif est donc l'inverse de la désensibilisation systématique : il cherche à conditionner une aversion à quelque chose que le patient *doit* éviter.

Le protocole est simple : il associe le comportement non désiré à des sensations déplaisantes. Pour traiter une personne qui se ronge les ongles, on peut les vernir avec un produit dont le goût est répugnant (Baskind, 1997). Lors du traitement d'un alcoolique, le thérapeute propose des boissons tentantes contenant une substance produisant des nausées violentes. En reliant la consommation d'alcool à des nausées violentes (rappelez-vous les expériences gustatives aversives chez les rats et les coyotes, au Chapitre 7), le thérapeute cherche à transformer la réaction positive de la personne vis-à-vis de l'alcool en une réponse négative (**FIGURE 16.1**).

Le conditionnement aversif est-il efficace ? À court terme, peut-être. Arthur Wiens et Carol Menustik (1983) ont étudié 685 patients alcooliques, ayant achevé des traitements de sevrage par des thérapies aversives en milieu hospitalier. Un an plus tard, après avoir suivi plusieurs traitements associant alcool-malaise, 63 % des patients observaient toujours l'abstinence avec succès. Toutefois, au terme de 3 années, 33 % seulement demeuraient encore des alcooliques abstinents.

Le problème est que la connaissance influence le conditionnement. Cela a été observé dans le domaine de la thérapie et dans le domaine de la recherche. Les gens savent qu'en dehors du bureau des thérapeutes, ils peuvent boire sans craindre la nausée. La possibilité qu'a la personne de distinguer les situations de conditionnement aversif de toutes les autres situations peut limiter l'efficacité du traitement. Il est donc souvent utilisé avec un autre traitement.

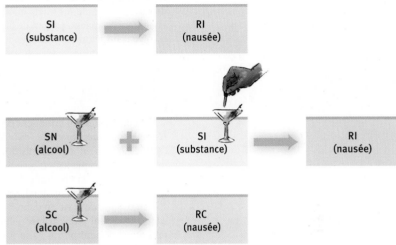

▼ FIGURE 16.1
Traitement aversif de l'alcoolisme
Après avoir absorbé à plusieurs reprises une boisson alcoolisée mélangée avec un médicament qui produit des nausées sévères, certaines personnes ayant des antécédents de trouble lié à la consommation d'alcool développent au moins une aversion conditionnée temporaire à l'alcool. (Rappelez-vous : SI, stimulus inconditionnel, RI réponse inconditionnelle, SN stimulus neutre, SC stimulus conditionnel, et RC réponse conditionnée.)

Conditionnement opérant

16-5 Quel est le concept de base des traitements utilisant les principes du conditionnement opérant, et que pensent les critiques et les partisans de ces traitements ?

Le travail de B. F. Skinner et d'autres nous enseigne un principe de base du conditionnement opérant : les comportements volontaires sont fortement influencés par leurs conséquences. Sachant cela, certains thérapeutes du comportement pratiquent la *modification du comportement*. Ils renforcent les comportements souhaités, et ils refusent de renforcer les comportements indésirables, ou les sanctionnent. L'utilisation du conditionnement opérant pour résoudre des problèmes spécifiques de comportement a soulevé un espoir dans certains cas considérés comme désespérés. On a appris à des enfants présentant un retard mental à prendre soin d'eux-mêmes. Des enfants autistes socialement repliés ont appris à communiquer. Des patients souffrant de schizophrénie ont été amenés à se comporter de façon plus rationnelle dans les services hospitaliers. Dans de tels cas, les thérapeutes utilisent le renforcement positif pour modeler progressivement le comportement, en récompensant les approximations de plus en plus proches du comportement désiré.

Dans les cas extrêmes, le traitement doit être intensif. Au cours d'une étude portant sur 19 enfants autistes âgés de 3 ans repliés sur eux-mêmes et ne pouvant communiquer, il a fallu un programme mené sur deux ans, à raison de quarante heures par semaine, au cours duquel leurs parents ont essayé de modeler leur comportement (Lovaas, 1987). L'association du renforcement

Conditionnement aversif type de déconditionnement qui associe un état désagréable (tel que les nausées) à un comportement indésirable (comme boire de l'alcool).

Économie de jetons une procédure de conditionnement opérant dans laquelle les sujets traités gagnent un jeton chaque fois que se manifeste le comportement souhaité ; ils peuvent ensuite échanger leurs jetons pour divers privilèges ou des friandises.

positif des comportements désirés et de l'ignorance ou de la punition des comportements agressifs ou automutilateurs a fait des merveilles pour certains d'entre eux. Une fois au CP, 9 enfants sur 19 avaient une conduite normale en classe et montraient une intelligence normale. Parmi un groupe de 40 enfants semblables qui n'avaient pas subi ce traitement (qui implique des efforts soutenus), 1 seul a présenté une amélioration comparable. (Les études ultérieures ont approfondi le sens de l'aspect efficace du renforcement positif.)

Les récompenses utilisées pour modifier le comportement varient. Avec certaines personnes, le pouvoir renforçateur de l'attention et de l'éloge suffit. D'autres ont besoin de récompenses plus concrètes, comme la nourriture. Dans les institutions, les thérapeutes peuvent créer une **économie de jetons**. Lorsque les sujets manifestent un comportement approprié, qu'ils se lèvent, se lavent, s'habillent, mangent, parlent de façon cohérente, rangent leur chambre ou jouent sereinement, ils reçoivent un jeton en plastique en guise de renforcement positif. Plus tard, ils peuvent échanger les jetons accumulés contre diverses récompenses – des bonbons, le droit de regarder la télévision, une visite en ville ou une meilleure chambre. L'économie de jetons a été appliquée avec succès dans diverses conditions (à la maison, en classe, dans des hôpitaux, en maisons de redressement) et avec diverses populations (enfants perturbés, patients schizophrènes ou présentant d'autres troubles mentaux).

Les personnes qui critiquent ces modifications du comportement expriment deux inquiétudes. L'une est purement pratique : *combien de temps ces comportements vont-ils persister ?* Les sujets sont-ils devenus tellement dépendants des récompenses extrinsèques que les comportements appropriés disparaissent lorsque les renforcements s'arrêtent ? Les partisans de la modification comportementale pensent que les comportements persistent si le thérapeute sèvre le patient de la récompense par jetons en l'amenant à rechercher d'autres récompenses, par exemple une approbation sociale, plus caractéristique de la vie en dehors de l'institution. Ils mettent aussi en avant que les comportements adaptés peuvent être par eux-mêmes intrinsèquement gratifiants. Par exemple, si une personne renfermée devient plus à l'aise sur le plan social, les satisfactions intrinsèques qu'elle tire de ses interactions sociales vont aider au maintien de son comportement.

Le second problème est éthique : *un homme a-t-il le droit de contrôler le comportement d'autrui ?* Ceux qui mettent en place des économies de jetons privent en fait les gens de quelque chose qu'ils désirent, puis décident des comportements qu'ils veulent renforcer. D'après les critiques, ce processus de modification du comportement, pris dans son ensemble, a une tonalité totalitaire. Les partisans répliquent que certains patients sollicitent ce traitement. De plus, ce contrôle existe déjà ; les récompenses et les punitions entretiennent déjà des schémas destructeurs de comportements. Pourquoi alors ne pas renforcer des comportements adaptatifs à la place ? Ils affirment que le traitement par des récompenses positives est plus humain que d'être enfermé dans une institution ou puni, et que le droit à un traitement efficace et à une vie meilleure justifie une privation temporaire.

─────────── **EXERCICE RÉCAPITULATIF** ───────────

- Quelles sont les *thérapies fondées sur l'insight* et en quoi diffèrent-elles des thérapies comportementales ?

Réponse : *les thérapies de l'insight* – thérapies psychodynamiques et humanistes – cherchent à soulager la souffrance du patient en lui fournissant une compréhension de l'origine de ses difficultés. Les thérapies comportementales supposent que les comportements inadaptés *sont* la source des difficultés du sujet et qu'il faut les traiter directement, en accordant moins d'attention à leur origine.

- Certains comportements inadaptés ont été appris ? Donc, quel espoir peut naître de cet état de fait ?

Réponse : Si un comportement peut être appris, il peut être *désappris*, et remplacé par d'autres réponses comportementales plus adaptées.

- Les thérapies d'exposition et de conditionnement aversif sont des applications du conditionnement _____. L'apprentissage avec économie de jetons est une application du conditionnement _____.

Réponses : classique ; opérant

Thérapies cognitives

16-6 **Quels sont les objectifs et les techniques de la thérapie cognitive et de la thérapie cognitivo-comportementale ?**

Nous avons vu comment les comportementalistes traitaient les peurs spécifiques et les problèmes de comportement. Mais comment font-ils face aux troubles dépressifs ? Ou face à l'anxiété généralisée, qui à la différence de certaines phobies, n'est pas déclenchée par un stimulus aversif ? Les thérapeutes comportementalistes qui traitent ces troubles psychologiques moins clairement définis ont trouvé de l'aide dans la *révolution cognitive*, qui a profondément fait évoluer d'autres domaines de la psychologie durant ces 50 dernières années.

La thérapie cognitive des troubles des conduites alimentaires par la tenue d'un journal les thérapeutes cognitivistes guident les patients vers de nouvelles façons d'expliquer leurs bonnes et mauvaises expériences. En faisant le relevé des événements positifs et de leur cause, cette femme peut devenir plus consciente de la maîtrise d'elle-même et plus optimiste.

Les **thérapies cognitives** sous-tendent que nos pensées colorent nos sentiments (**FIGURE 16.2**). Entre un événement, facteur déclenchant, et la réponse comportementale, se trouve notre esprit, avec ses fonctions cognitives. L'autodépréciation et la généralisation abusive des explications des événements désagréables sont des éléments constitutifs du cercle vicieux de la dépression. La personne déprimée interprète une suggestion comme une critique, un désaccord comme un rejet, un compliment comme une flatterie et l'amitié comme de la pitié. La rumination de telles pensées entretient la dévalorisation de soi. Si ces modes de pensée dépressogènes peuvent être appris, ils peuvent certainement être remplacés. Les thérapeutes cognitivistes tentent donc d'apprendre aux gens de nouveaux modes de pensée plus constructifs. Si une personne est malheureuse, ils peuvent l'aider à modifier sa vision des choses.

> « La vie ne consiste pas essentiellement en une succession de faits et d'événements. Ce qui fait la vie c'est la tempête que les pensées produisent dans notre esprit. »
>
> Mark Twain (1835-1910)

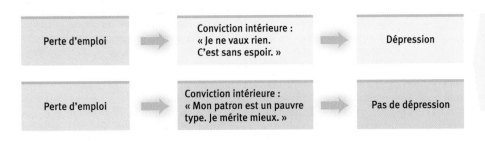

▼ FIGURE 16.2
Une perspective cognitive des troubles psychologiques Les réactions émotionnelles de la personne face à un événement ne sont pas directement produites par ce dernier, mais par les pensées surgissant en réponse à l'événement.

Thérapie de la dépression de Beck

Le thérapeute cognitiviste Aaron Beck pensait que le fait de changer le mode de pensée des sujets pouvait changer leur mode de fonctionnement. Quand Beck analysa le contenu des rêves des patients déprimés il y trouva des thèmes négatifs récurrents de perte, de rejet et d'abandon, et qui persistait aussi dans leurs pensées éveillées. Cette négativité s'étendait même au cours de la thérapie, au fur et à mesure que les patients se souvenaient et répétaient leurs faiblesses ainsi que leurs pires pulsions (Kelly, 2000). Dans leur mode de traitement cognitif, Beck et ses collaborateurs (1979) cherchèrent donc à changer les croyances *catastrophiques* de leurs patients vis-à-vis d'eux-mêmes, de leur situation et de leur avenir. En les questionnant doucement afin de les aider à découvrir le caractère irraisonné de leurs pensées, ils persuadèrent les patients déprimés de retirer les lunettes noires à travers lesquelles ils voyaient l'existence (Beck et al., 1979, p. 145-146).

Le client : Je suis d'accord avec la description que vous faites de moi, mais je pense que je ne suis pas d'accord pour dire que c'est mon mode de pensée qui me déprime.

Beck : Comment le comprenez-vous ?

Le client : Je suis déprimé lorsque les choses vont mal. Comme lorsque je rate un examen.

Beck : Comment le fait de rater un examen peut-il vous déprimer ?

Le client : Eh bien, si je le rate, je n'entrerai pas à la faculté de droit.

Thérapie cognitive thérapie qui enseigne aux gens à se considérer soi-même, le monde, et son avenir de façon plus adaptée ; elle se fonde sur l'hypothèse que les pensées interviennent entre les événements et nos réactions émotionnelles.

Beck : Donc, le fait de rater un examen a pour vous une importante signification. Mais si le fait de rater un examen pouvait conduire les gens à une dépression cliniquement caractérisée, ne vous attendriez-vous pas à ce que chaque personne qui rate un examen souffre d'une dépression ?… Est-ce que chaque personne qui rate un examen est assez déprimée pour nécessiter un traitement ?

Le client : Non, mais cela dépend de l'importance que la personne accorde à l'examen.

Beck : Exact, mais qui décide de cette importance ?

Client : Moi.

Beck : Ce que nous devons donc examiner, c'est votre façon d'envisager l'examen (ou plutôt la façon dont vous pensez à son propos) et comment cela affecte vos chances d'entrer à la faculté de droit. Êtes-vous d'accord ?

Client : Je le suis.

Beck : Êtes-vous d'accord avec le fait que la façon dont vous interprétez les résultats de l'examen va vous affecter ? Vous allez peut-être vous sentir déprimé, avoir des insomnies, ne pas avoir très faim et vous allez peut-être vous demander si vous ne devriez pas laisser tomber.

Le client : J'ai effectivement pensé que je n'y arriverai pas. Oui, je suis d'accord.

Beck : Maintenant, que signifie l'échec ?

Le client : *(les larmes aux yeux)* Que je ne pourrai pas aller à la faculté de droit.

Beck : Et qu'est-ce que cela signifie pour vous ?

Le client : Que je ne suis pas assez bon.

Beck : Rien d'autre ?

Le client : Que je ne pourrai jamais être heureux.

Beck : Et comment vous sentez-vous face à ces pensées ?

Le client : Très malheureux.

Beck : C'est donc la signification de l'échec à l'examen qui vous rend malheureux. En fait, croire que vous ne pourrez jamais être heureux est un facteur puissant qui contribue à vous rendre malheureux. Vous vous enfermez vous-même dans un piège ; par définition, l'impossibilité d'entrer à la fac de droit signifie « je ne pourrai jamais être heureux ».

Nous pensons généralement avec des mots. De ce fait, obtenir des gens qu'ils changent ce qu'ils se disent à eux-mêmes est un moyen efficace de changer leurs pensées. Peut-être pouvez-vous vous identifier à ces étudiants anxieux qui, avant un examen, se rendent la tâche plus difficile avec des pensées d'autodévalorisation : « Cet examen va probablement être impossible. Tous ces étudiants autour de moi semblent si sûrs d'eux et détendus. J'aimerais être mieux préparé. Quoi qu'il en soit, je suis tellement nerveux que je vais tout oublier. » Pour changer de telles dispositions négatives, Donald Meichenbaum (1977, 1985) a proposé sa méthode d'« *entraînement par inoculation du stress* » *(EIS)* : apprendre aux sujets à restructurer leur mode de pensée dans des situations stressantes. Parfois, il peut simplement suffire de se dire à soi-même des choses plus positives : « Du calme. L'examen est peut-être difficile, mais il le sera également pour tous les autres. J'ai travaillé plus dur que la plupart des gens. D'ailleurs, je n'ai pas besoin d'avoir une note excellente pour être admis. » Après avoir été formés à combattre leurs pensées négatives, les sujets vulnérables à la dépression, enfants, adolescents et étudiants résistent mieux aux situations déclenchantes. Ainsi, la prévalence des états dépressifs chez ces sujets va diminuer (Reivich et al., 2013 ; Seligman et al.,

PEANUTS

▼ TABLEAU 16.1
Présentation de quelques techniques de thérapie cognitive

Objectif de la technique	Technique	Directives des thérapeutes
Révéler les croyances	Poser des questions sur vos interprétations	Explorer vos croyances, mettre en évidence des hypothèses erronées telles que « je dois être aimé de tout le monde ».
	Classer les pensées et les émotions	Améliorer votre façon d'envisager les situations en ordonnant vos pensées et vos émotions en allant de la moins pénible à la plus pénible.
Tester les croyances	Examinez les conséquences	Explorer les situations difficiles, évaluer les conséquences possibles et mettre en question les raisonnements fallacieux.
	Dédramatiser les pensées	Travailler sur les conséquences les plus fâcheuses de la situation à laquelle vous faites face (ce n'est souvent pas aussi grave que vous l'imaginez). Puis déterminer comment vous allez affronter la situation réelle.
Changer les croyances	Assumer les bonnes responsabilités, les responsabilités réelles	Remettre en question la dévalorisation de soi et les pensées négatives, en notant ce dont vous pourriez être vraiment responsable, et ce dont vous ne l'êtes pas.
	Résister à la prise de positions extrêmes	Développer de nouvelles façons de penser et de ressentir pour remplacer les habitudes inadaptées. Par exemple, substituer la pensée « J'ai totalement échoué » par « J'ai obtenu une mauvaise note à cette épreuve mais, je peux changer ma façon d'étudier pour réussir la prochaine fois. »

2009). Le contenu des pensées *joue* un rôle primordial. Le **TABLEAU 16.1** fournit des exemples de techniques fréquemment utilisées au cours des thérapies cognitives.

Le discours intérieur positif ne bénéficie pas qu'aux seules personnes vulnérables à la dépression. Nous nous parlons tous à nous-mêmes (« Où ai-je laissé les clés ? » « J'aurais aimé ne pas avoir dit ça »). Les conclusions d'une trentaine d'études menées dans le domaine de la psychologie du sport montrent que la méthode de l'autopersuasion améliore l'apprentissage des compétences athlétiques (Hatzigeorgiadas et al., 2011). Par exemple on va demander à des joueurs de basket débutant de toujours penser à « se placer », à de jeunes nageurs à « allonger leur mouvement », aux jeunes joueurs de tennis à ne pas quitter la balle des yeux.

Thérapie cognitivo-comportementale

La **thérapie cognitivo-comportementale (TCC)**, psychothérapie largement répandue, a pour objectif non seulement de modifier la manière dont les gens pensent (thérapie cognitive) mais aussi de changer la manière dont ils agissent (thérapie comportementale). Elle cherche à faire prendre conscience aux patients de leur mode de pensée irrationnel et négatif, les amène à le remplacer par de nouvelles façons de penser et à *s'entraîner* à avoir cette approche plus positive dans la vie de tous les jours. Elle commence typiquement par un changement comportemental, suivi de séances permettant un changement cognitif ; le traitement se termine en se concentrant sur le maintien de ces deux changements et sur la prévention des rechutes.

L'anxiété, les états dépressifs et les troubles bipolaires de l'humeur ont en commun un dysfonctionnement de la régulation des émotions (Aldao et Nolen-Hoeksema, 2010). Un programme de TCC efficace de ces troubles émotionnels entraîne les personnes à remplacer leurs pensées d'attente d'une catastrophe par des attentes plus réalistes et, comme exercice, à les amener à adopter des comportements qui vont contrecarrer leurs difficultés (Kazantzis et al., 2010a, b ; Moses et Barlow, 2006). Une personne pourrait par exemple tenir un journal des situations quotidiennes associées à ses émotions positives et négatives et s'engager plus particulièrement dans les activités qui l'amènent à se sentir bien. Ou ceux qui ont peur des situations sociales pourraient s'entraîner à approcher d'autres personnes.

La TCC peut également être appliquée au traitement des troubles obsessionnels compulsifs. Au cours d'une étude, des patients ont appris à prévenir les comportements compulsifs en « renommant » leurs pensées obsédantes (Schwartz et al., 1996). Lorsqu'ils ressentaient le besoin compulsif de se relaver les mains, par exemple, ils s'adressaient à eux-mêmes en disant « je suis en train d'avoir une envie compulsive » et l'attribuaient à l'activité anormale de leur cerveau, révélée dans les tomographies par émission de positons (TEP) qu'ils avaient effectuées auparavant. Plutôt que de céder à leur compulsion, ils se livraient pendant un quart d'heure à une autre activité agréable, telle que la pratique d'un instrument de musique, une promenade à pied ou du jardinage. Cela leur permettait de mobiliser le cerveau en détournant l'attention et en activant

« Le problème avec la plupart des thérapies, c'est que cela aide à vous sentir mieux. Mais vous n'allez pas mieux. Vous devez sans cesse et toujours renforcer l'acquis par l'action, pour éviter son extinction. »

Thérapeute Albert Ellis (1913-2007)

Thérapie cognitivo-comportementale (TCC) thérapie intégrative populaire associant la thérapie cognitive (changer la perception pessimiste de soi-même) à la thérapie comportementale (changer de comportement).

d'autres aires corticales. Ces séances de thérapie hebdomadaires se poursuivaient durant deux à trois mois, et les patients se devaient de mettre en pratique chez eux le même processus (renommer et recentrer leur attention). Au terme de ce travail de recherche, on a pu constater chez les patients une diminution de la plupart de leurs symptômes, avec une normalisation de l'activité cérébrale révélée par les images de TEP. Beaucoup d'autres études confirment l'efficacité de la TCC dans le traitement de l'anxiété, le traitement de la dépression, de l'anorexie ou de la boulimie (Covin et al., 2008 ; Zalta, 2011).

Des études ont également montré que ces aptitudes cognitivo-comportementales pouvaient être très bien enseignées via internet et que le traitement pouvait être mené via ce média (Andersson et al., 2012 ; Stross, 2011). Pour conduire un traitement psychologique plus accessible et plus abordable, certains experts en santé mentale préconisent les entretiens téléphoniques, l'entraînement aux habiletés sociales par internet, la formation de groupe d'entraide, des manuels, et même des « applications » sur téléphone portable (Kazdin & Blase, 2011a, b ; Merry et al., 2012 ; Teachman, 2014). Le contact avec le thérapeute peut faire défaut dans la thérapie par Skype, mais ce moyen signifie que « le thérapeute peut vous voir », partout et à n'importe quel moment ».

EXERCICE RÉCAPITULATIF

- En quoi les thérapies humanistes et cognitives diffèrent-elles ?

Réponse : en reflétant les sentiments des clients dans un cadre non directif, les *thérapies humanistes* tentent de favoriser l'épanouissement en aidant les clients à se connaître et à s'accepter. En alertant les clients sur les schémas de pensée autodestructrice, les *thérapies cognitives* vont emmener les clients vers des schémas d'appréhension d'eux-mêmes et du monde plus adaptés.

- Une thérapie cognitive des états dépressifs a été développée par _____ _____.

Réponse : Aaron Beck

- Qu'est ce que la thérapie cognitivo-comportementale, et quelles en sont les meilleures indications ?

Réponse : cette thérapie intégrative aide les gens à chasser les idées de dévalorisation de soi et le comportement qui les accompagne. Elle s'est montrée efficace chez les patients souffrant de troubles anxieux, de troubles obsessionnels compulsifs, de roubles dépressifs, de troubles bipolaires et de troubles des conduites alimentaires.

Thérapies de groupe et thérapies familiales

16-7 **Quels sont les objectifs et les avantages des thérapies de groupe et des thérapies familiales ?**

Thérapie de groupe

Sauf en ce qui concerne la psychanalyse traditionnelle, la plupart des thérapies peuvent également être réalisées en petits groupes. La **thérapie de groupe** ne procure pas à chaque patient le même niveau d'implication de la part du thérapeute. Cependant, elle présente certains avantages :

- *Elle épargne du temps au thérapeute et de l'argent aux clients* et elle n'est souvent pas moins efficace qu'une thérapie individuelle (Fuhriman et Burlingame, 1994).
- *Elle offre un cadre expérimental pour explorer les comportements sociaux et développer les aptitudes sociales.* Les thérapeutes préconisent souvent la thérapie de groupe aux personnes fréquemment en conflit ou dont le comportement met les autres en souffrance. Pendant quatre-vingt-dix minutes par semaine, le thérapeute guide les interactions entre un groupe de personnes lorsqu'elles font part de leurs problèmes et tentent d'adopter de nouveaux comportements.
- *Elle permet aux gens de s'apercevoir que d'autres personnes éprouvent les mêmes souffrances.* Cela peut être un soulagement de découvrir que vous n'êtes pas seul et d'apprendre que les autres, en dépit de leur calme apparent, partagent vos difficultés et vos comportements pénibles.
- *Elle fournit des retours sur les résultats des personnes ayant essayé certaines nouvelles façons de se comporter.* Il peut être également rassurant d'entendre que vous-même paraissez calme et posé, même si vous vous sentez anxieux et que vous en êtes conscient.

Thérapie familiale

Un type particulier d'interaction de groupe, la **thérapie familiale,** considère qu'aucune personne n'est isolée. Nous vivons et grandissons en relation avec d'autres, et particulièrement avec les membres de notre famille. Nous luttons pour nous différencier de notre famille, mais nous avons également besoin de ce lien émotionnel. Certains de nos comportements conflictuels naissent de la tension entre ces deux tendances, qui crée souvent un stress familial.

Thérapie de groupe thérapie menée en groupe plutôt qu'individuellement ; les bienfaits thérapeutiques viennent des interactions se produisant dans le groupe.

Thérapie familiale thérapie qui porte sur la famille en tant que système. Les pensées et les comportements indésirables d'un individu sont influencés par ou dirigés vers d'autres membres de la famille.

À la différence de la plupart des psychothérapies, qui se concentrent sur ce qui se passe dans l'économie psychique du sujet, les thérapeutes familiaux travaillent avec les membres de la famille pour améliorer les relations et mobiliser les ressources familiales. Ils voient la famille comme un système dans lequel chaque action d'une personne déclenche des réactions de la part des autres et ils aident les membres de la famille à découvrir leur rôle au sein du système social qu'est la famille. La rébellion d'un enfant, par exemple, affecte et est affectée par d'autres tensions familiales. Les thérapeutes tentent également – avec un certain

La thérapie familiale Ce type de thérapie agit souvent comme une stratégie de prévention en santé mentale et peut inclure la thérapie de couple, comme montré ici à une réunion pour les familles des militaires. Le thérapeute aide les membres de la famille à comprendre comment leurs modes de relation à l'autre créent des difficultés. Le traitement ne porte pas sur les changements des individus, mais sur le changement et l'évolution de leurs relations et de leurs interactions.

succès, comme le suggèrent les recherches – d'ouvrir de nouvelles voies de communication au sein de la famille et d'aider les membres à trouver de nouveaux moyens pour prévenir ou résoudre les conflits (Hazelrigg et al., 1987 ; Shadish et al., 1993).

Groupes d'entraide

Un grand nombre de personnes participent à des programmes d'entraide et de soutien (Yalom, 1985). Une analyse (Davison et al., 2000) effectuée sur des groupes de soutien sur internet et sur plus de 14 000 groupes d'entraide rapporte que la plupart d'entre eux se concentrent sur des maladies où les patients sont stigmatisés ou celles dont il est difficile de parler. Les patients atteints du SIDA sont 250 fois plus susceptibles de faire partie d'un groupe de soutien que ne le sont les patients souffrant d'hypertension. Ceux qui luttent contre l'anorexie et l'alcoolisme rejoignent souvent des groupes ; ce qui n'est pas le cas de ceux qui ont des migraines ou des ulcères. Les personnes atteintes de surdité ont des organisations nationales et des groupes locaux ; les personnes atteintes de cécité font généralement face à leur trouble sans bénéficier d'un tel soutien.

L'ancêtre des groupes de soutien personnel, les Alcooliques Anonymes (AA), compte 115 000 sections dans le monde entier avec plus de 2,1 millions de membres. Sa célèbre stratégie en 12 étapes, adoptée par de nombreux autres groupes d'entraide, demande à ses membres d'admettre leur impuissance, de chercher de l'aide auprès d'une puissance supérieure ou de quelqu'un d'autre et (la douzième étape) de délivrer le message à d'autres qui en ont besoin. Lors d'une enquête menée sur une période de huit ans, dont le coût a été estimé à 27 millions de dollars, « les personnes adhérant à l'AA ont réussi à réduire considérablement leur consommation d'alcool, tout comme ceux ayant suivi des thérapies cognitivo-comportementales, ou des thérapies crées par d'autres écoles » (Project Match, 1997). D'autres études ont de même montré que le programme en 12 étapes comme celui proposé par l'AA avait aidé à réduire les troubles dus à la consommation à l'alcool dans des mesures comparables à celles des autres traitements (Ferri et al., 2006 ; Moos et Moos, 2005). Les sujets dont l'histoire du parcours vers l'abstinence totale prend la tonalité d'une rédemption, sont capables de vivre plus longtemps cette abstinence (Dunlop & Tracy, 2013). Plus le patient participe aux réunions, plus son abstinence vis-à-vis de l'alcool est importante (Moos et Moos, 2006). Une étude portant sur 2 300 anciens alcooliques ayant suivi un traitement a montré qu'une forte implication dans les AA était suivie d'une diminution des difficultés avec l'alcool (McKellar et al., 2003).

À une époque où l'individualisme sévit et où de plus en plus de gens vivent seuls ou se sentent isolés, la popularité des groupes de soutien (pour les personnes veuves, divorcées, les personnes souffrant d'un trouble de dépendance ou qui cherchent simplement de l'amitié et un moyen d'évoluer) semble refléter un désir d'appartenance à une communauté et d'avoir des relations avec les autres. Plus de 100 millions d'Américains appartiennent à des petits groupes religieux, à des groupes d'entraide ou ayant un intérêt commun ; ces groupes se réunissent régulièrement et 9 sur 10 déclarent que leurs membres s'accordent un « soutien émotionnel mutuel » (Gallup, 1994).

Avec plus de 2 millions de membres à travers le monde, l'association des Alcooliques Anonymes (AA) est connue comme étant « la plus grande organisation sur Terre à laquelle personne ne voudrait appartenir » (Finlay, 2000).

* * *

Pour avoir un résumé des principales formes de psychothérapie dont nous avons parlé, reportez-vous au **TABLEAU 16.2** (page suivante).

▼ TABLEAU 16.2
Comparaison des principales psychothérapies modernes

Thérapie	Problème présumé	Objectif	Technique
Psychodynamique	Conflits inconscients liés aux expériences vécues dans l'enfance	Réduire l'anxiété par la capacité à la connaissance de soi, l'« insight ».	Interpréter les souvenirs et les sentiments des patients.
Centrée sur le client	Obstacles à la compréhension de soi et à l'acceptation de soi	Promouvoir l'épanouissement de soi par la considération positive inconditionnellle, l'authenticité, l'acceptation et l'empathie.	Écouter activement et refléter les sentiments des clients.
Comportementale	Comportements dysfonctionnels	Apprendre des comportements adaptés ; éteindre les comportements inadaptés.	Utiliser le conditionnement classique (via l'exposition ou la thérapie par déconditionnement aversif) ou le conditionnement opérant (comme dans les économies de jetons).
Cognitive	Pensées négatives, idées de dévalorisation de soi	Promouvoir une pensée et un discours intérieur plus sains.	Entraîner les sujets à s'opposer aux pensées négatives et aux attributs négatifs.
Cognitivo-comportementale	Pensées et comportements autopunitifs	Promouvoir une pensée saine et des comportements adaptés.	Former les sujets à contrer les pensées et les comportements autopunitifs et à agir selon leur nouvelle façon de penser.
De groupe et familiale	Relations stressantes	Améliorer la qualité des relations.	Développer une compréhension du système familial ou d'autres systèmes sociaux, explorer les différents rôles, et améliorer la communication à l'intérieur du groupe et de la famille.

REVUE GÉNÉRALE Introduction aux thérapies psychologiques et traitement

OBJECTIFS D'APPRENTISSAGE

EXERCICE RÉCAPITULATIF Prenez un moment pour répondre à chacune de ces questions objectif d'apprentissage (répétées ici au sein de cette section). Puis allez à l'annexe C, révision complète du chapitre, pour vérifier vos réponses. La recherche suggère que d'essayer de répondre à ces questions de votre propre initiative permettra d'améliorer la mémorisation à long terme de ces réponses (McDaniel et al., 2009).

16-1 En quoi la *psychothérapie* et les *thérapies biomédicales* diffèrent-elles ?

16-2 Quels sont les objectifs et les méthodes de la psychanalyse et comment ont-ils été adaptés à la thérapie psychodynamique ?

16-3 Quels sont les thèmes fondamentaux de la thérapie humaniste ? Quels sont les objectifs et les techniques spécifiques de la thérapie centrée sur la personne de Carl Rogers ?

16-4 Quelle est la différence entre l'hypothèse de base de la thérapie comportementale et celle des thérapies psychodynamiques et humanistes ? Quelles sont les techniques utilisées par la thérapie d'exposition et le conditionnement aversif ?

16-5 Quel est le concept de base des traitements utilisant les principes du conditionnement opérant, et que pensent les critiques et les partisans de ces traitements ?

16-6 Quels sont les objectifs et les techniques de la thérapie cognitive et de la thérapie cognitivo-comportementale ?

16-7 Quels sont les objectifs et les avantages des thérapies de groupe et des thérapies familiales ?

TERMES ET CONCEPTS À RETENIR

EXERCICE RÉCAPITULATIF Testez votre connaissance de ces termes en essayant d'écrire leur définition, avant de vous reporter aux pages indiquées en référence pour vérifier votre réponse.

psychothérapie, p. 658

thérapie biomédicale, p. 658

approche éclectique, p. 658

psychanalyse, p. 658

résistance, p. 659

interprétation, p. 659

transfert, p. 659

thérapie psychodynamique, p. 660

thérapies de l'insight, p. 661

thérapie centrée sur le client, p. 661

écoute active, p. 661

considération positive inconditionnellle, p. 662

thérapie comportementale, p. 663

déconditionnement, p. 663

thérapies d'exposition, p. 664

désensibilisation systématique, p. 664

thérapie par réalité virtuelle, p. 664

conditionnement aversif, p. 665

économie de jetons, p. 666

thérapie cognitive, p. 667

thérapie cognitivo-comportementale (TCC), p. 669

thérapie de groupe, p. 670

thérapie familiale, p. 670

Évaluation des psychothérapies

LES SPÉCIALISTES DU COURRIER DES LECTEURS conseillent souvent à leurs correspondants perturbés de rechercher l'aide d'un professionnel. « Cherchez des conseils » ou « Demandez à votre compagnon de trouver un thérapeute ».

De nombreux Américains partagent cette confiance dans l'efficacité de la psychothérapie. Avant 1950, les psychiatres étaient les premiers à dispenser des soins de santé mentale. Aujourd'hui, la poussée de la demande de psychothérapies occupe tout le temps et l'attention des psychologues, des travailleurs sociaux ou des conseillers religieux, scolaires, matrimoniaux ou spécialistes des abus, et des infirmiers psychiatriques. Avec une telle dépense de temps et d'argent, d'effort et d'espoir, il est important de se demander : est-il justifié que des millions de personnes dans le monde placent tant d'espoir dans la psychothérapie ?

La psychothérapie est-elle efficace ?

16-8 La psychothérapie donne-t-elle des résultats satisfaisants ? Comment pouvons-nous le savoir ?

Bien que la question soit simple à poser, il n'est pas facile d'y répondre. La mesure de l'efficacité d'une thérapie n'est pas aussi facile que celle de la température du corps pour voir si votre fièvre a baissé. Alors, comment pouvons-nous évaluer l'efficacité de la psychothérapie ? Par la façon dont nous ressentons nos progrès ? Par l'opinion de nos thérapeutes sur ces progrès ? Par l'avis de notre famille et de nos amis ? Par la manière dont notre comportement a changé ?

Point de vue des clients

Si les témoignages des patients étaient les seuls critères de référence, nous pourrions affirmer haut et fort l'efficacité de la psychothérapie. Lorsque 2 900 lecteurs du *Consumer Reports* (1995 ; Kotkin et al., 1996 ; Seligman, 1995) ont exprimé leur avis concernant leur expérience avec les professionnels de la santé mentale, 89 % se sont montrés au moins « assez satisfaits ». Neuf sur dix ayant commencé une thérapie en se sentant *moyennement bien* ou *très mal* ont déclaré se sentir depuis *très bien, bien* ou *moyennement bien*. Nous les croyons sur parole : ils sont les mieux placés pour nous le dire.

Nous ne devons pas mésestimer ces témoignages. Mais il existe plusieurs raisons pour lesquelles les témoignages des patients ne suffisent pas à persuader les détracteurs de la psychothérapie :

- *Les gens commencent souvent une thérapie lors d'une crise.* Lorsque, avec le flux et le reflux des événements, la crise se termine, les gens peuvent attribuer l'amélioration à la thérapie. Les personnes déprimées vont mieux, peu importe le mode de prise en charge.

- *Les clients croient que le traitement sera efficace.* L'*effet placebo* a un pouvoir de guérison qui réside dans les espoirs qu'il suscite.

- *Les patients veulent croire que le traitement méritait un effort.* Admettre d'investir du temps et de l'argent dans un processus inefficace, cela revient à admettre de faire réparer une automobile à maintes reprises par un mécanicien qui est incapable de la régler. Le besoin de se justifier est une raison majeure de l'explication témoignages élogieux de l'efficacité des thérapies.

- *Généralement, les patients apprécient leur thérapeute et le trouvent gentil.* Même si leurs problèmes subsistent, disent les détracteurs, « les patients essayent à tout prix de trouver quelque chose de positif à dire. Le thérapeute a été très compréhensif, le patient a acquis une nouvelle façon de voir les choses, il a appris à mieux communiquer, son esprit a été soulagé, tous les arguments sont bons pour ne pas avoir à dire que le traitement a été un échec » (Zilbergeld, 1983, p. 117).

Comme l'ont montré les chapitres précédents, nous sommes enclins à avoir des souvenirs sélectifs et biaisés et à prononcer des jugements qui confirment nos opinions. Considérez les témoignages rassemblés au cours d'une expérience massive avec plus de 500 garçons du Massachusetts âgés de 5 à 13 ans, dont beaucoup semblaient devoir sombrer dans la délinquance. Par tirage au sort, la moitié de ces garçons fut incluse dans un programme de traitement de cinq ans. Des conseillers leur rendirent visite deux fois par mois. Ils participèrent à des programmes communautaires et, selon le besoin, ils reçurent un soutien scolaire, des soins médicaux et une assistance familiale. Environ trente ans après la fin de ce programme, Joan McCord (1978, 1979) localisa 485 de ces participants, leur envoya des questionnaires et analysa les dossiers publics des tribunaux, des hôpitaux psychiatriques et d'autres sources. Le traitement avait-il été efficace ?

Traumatisme Ces femmes ont pleuré la perte tragique de leurs proches et de leurs maisons lors du séisme survenu en Chine en 2010. Ceux qui souffrent de tels traumatismes peuvent bénéficier de conseils, bien que beaucoup de gens puisent des ressources en eux-mêmes ou sont soutenus par les membres de leur famille ou par leurs amis. « La vie elle-même reste un thérapeute très efficace », a noté le thérapeute psychodynamicien Karen Horney (*Our Inner Conflicts,* 1945).

Les témoignages fleurirent. Certains déclarèrent que, sans leur conseiller : « je serais probablement en prison », « ma vie aurait pris une autre direction », ou « je pense que j'aurais fini ma vie dans la criminalité ». Les rapports juridiques offraient un soutien apparent à ces témoignages. Même parmi les « garçons difficiles » du programme, 66 % n'avaient pas été condamnés pour délit au cours de l'adolescence.

Mais rappelez-vous que l'arme la plus puissante de la psychologie pour distinguer la réalité de ce que l'on souhaite, c'est le *groupe témoin*. Pour chacun des garçons qui recevait un conseil psychologique, il y avait un garçon similaire dans le groupe témoin qui n'en recevait pas. Chez les garçons non traités, 70 % n'avaient jamais été condamnés durant leur adolescence. Pour plusieurs autres évaluations telles que les condamnations pour un deuxième délit, les tendances alcooliques, le taux de mortalité et la satisfaction au travail, les hommes non traités montraient légèrement *moins* de problèmes. Les témoignages chaleureux des gens traités se sont avérés trompeurs de manière non intentionnelle.

Point de vue des cliniciens

Le point de vue des cliniciens nous donne-t-il d'autres raisons de nous réjouir ? Les études de cas décrivant le succès d'un traitement abondent. Le problème est que les clients justifient le fait de commencer une psychothérapie en soulignant leurs malheurs et justifient leur départ en proclamant leur bien-être. Chaque thérapeute garde les remerciements de ses clients au moment où ils disent au revoir ou lorsque, plus tard, ils expriment leur gratitude. Mais ils ont peu connaissance des clients qui n'ont eu qu'un soulagement temporaire et qui ont recherché un autre thérapeute du fait d'une récidive. Une même personne souffrant de crises d'angoisse répétées, de dépression ou de difficultés conjugales peut représenter l'histoire d'un « succès » dans les dossiers de plusieurs thérapeutes.

Comme les gens débutent une thérapie quand ils se sentent très malheureux et l'interrompent souvent quand ils vont « un peu mieux », la plupart des thérapeutes et des patients témoignent du succès de la thérapie, quel que soit le traitement.

Recherche sur les résultats

Comment, alors, pouvons-nous mesurer objectivement l'efficacité d'une psychothérapie si ni le client ni le clinicien ne peuvent nous le dire ? Comment pouvons-nous déterminer quels types de personnes peuvent être le mieux aidés ? Quelles difficultés peuvent être le mieux dénouées ? Et par quel type de psychothérapie ?

En quête de réponses, les psychologues se sont tournés vers des études contrôlées. Au XIXᵉ siècle, de telles recherches ont transformé la médecine. Les médecins sceptiques quant à de nombreux traitements à la mode (saignées, purges, éléments minéraux métalliques et infusions de plantes) ont commencé à se rendre compte que de nombreux patients allaient mieux spontanément, sans ces traitements et que d'autres mouraient malgré ces traitements. Pour sortir les faits des superstitions, il était nécessaire de suivre de près les malades avec ou sans traitement particulier. Les patients atteints de fièvre typhoïde, par exemple, allaient souvent mieux après un traitement tel que la saignée. Cela avait convaincu la plupart des médecins de l'efficacité du traitement, jusqu'à ce qu'un groupe témoin ne soit traité que par le repos au lit et que les médecins observent qu'après cinq semaines de fièvre, il y avait une amélioration dans 70 % des cas. Les médecins apprirent donc, une fois le choc passé, que la saignée n'avait pas d'intérêt (Thomas, 1992).

Dans le domaine de la psychologie, le premier défi concernant l'efficacité de la psychothérapie fut posé par le psychologue britannique Hans Eysenck (1952). Lançant un débat intelligent, il résuma des études montrant qu'après avoir bénéficié d'une psychothérapie, deux tiers des patients présentant des troubles non psychotiques montraient une nette amélioration. Jusqu'à ce jour, personne n'a contesté cette estimation optimiste.

Pourquoi, dans ce cas, sommes-nous toujours en train de débattre de l'efficacité de la psychothérapie ? Parce qu'Eysenck décrivit également une même amélioration chez les personnes *non traitées*, comme celles qui figuraient sur la liste d'attente. Avec ou sans psychothérapie, dit-il, environ deux tiers des personnes montraient une amélioration notable. Le temps est un puissant guérisseur.

Les recherches ultérieures ont mis en évidence des imperfections dans les analyses d'Eysenck : ses échantillons étaient faibles (seules 24 études des résultats de la psychothérapie en 1952). Aujourd'hui, il y a des centaines d'études disponibles. Les meilleures sont les *essais cliniques randomisés* au cours desquels les chercheurs répartissent au hasard les sujets sur une liste

Méta-analyse procédure pour combiner statistiquement les résultats de nombreuses études de recherche différentes. Vise à augmenter l'efficacité statistique par augmentation du nombre de sujets.

d'attente pour un traitement ou l'absence de traitement. Ensuite, les chercheurs évaluent le cas de chacun au moyen de tests et des commentaires de personnes qui ignorent s'il y a eu, ou non, traitement. Les résultats de ce type d'études sont ensuite analysés grâce à une technique appelée **méta-analyse,** une procédure statistique qui combine les résultats de nombreuses études distinctes. Pour rester simple, les méta-analyses nous donnent le résultat final d'un grand nombre d'études, en mélangeant les effectifs comme s'il s'agissait d'une seule étude avec un grand nombre de sujets.

Les psychothérapeutes ont bien accueilli la première méta-analyse d'environ 475 études de résultats de psychothérapies (Smith et al., 1980). Elle a montré que les clients suivant une thérapie terminaient en moyenne dans un meilleur état que 80 % des individus non traités se trouvant sur les listes d'attente (**FIGURE 16.3**). Cette affirmation est modeste car, par définition, environ 50 % des sujets non traités se portent également mieux que la moyenne des sujets non traités. Cependant, Mary Lee Smith et son équipe concluent que « la psychothérapie profite aux personnes de tous âges de façon aussi fiable que l'école les éduque, que la médecine les soigne ou que le commerce fait des bénéfices » (p. 183).

Des dizaines d'autres résumés ont maintenant examiné l'efficacité de la psychothérapie. Leur verdict reprend les résultats des premières études de résultats : *l'état de ceux qui ne suivent pas de thérapie s'améliore souvent, cependant, ceux qui suivent une thérapie ont de plus fortes chances de s'améliorer plus rapidement et le risque de rechute est moindre*. En outre, entre les séances de traitement des états dépressifs et anxieux, de nombreuses personnes ressentent une diminution de l'intensité des signes et des symptômes. Ces « gains soudains » sont de bon augure pour l'amélioration à long terme (Aderka et al., 2012).

La psychothérapie est-elle également rentable ? Là encore la réponse est *oui*. Des études ont montré que, lorsque les personnes suivent un traitement psychologique, leur recherche pour d'autres traitements médicaux chute de 16 %, d'après un résumé de 91 études (Chiles et al., 1999). Étant donné le coût annuel incroyable des troubles psychologiques et de l'abus de substances – incluant les crimes, les accidents, la perte d'un emploi et la thérapie, il s'agit d'un bon investissement, un peu comme l'argent investi dans les domaines de la prévention prénatale et de la puériculture. Tous deux *réduisent* les coûts à long terme. Améliorer le bien-être psychologique des employés, par exemple, peut réduire les coûts médicaux, améliorer la productivité et diminuer l'absentéisme.

Notez, cependant, que l'affirmation que la psychothérapie *en moyenne* est quelque peu efficace, ne se rapporte à aucune thérapie en particulier. Ce qui reviendrait à rassurer un malade ayant un cancer du poumon en lui disant que le traitement médical des problèmes de santé est « en moyenne » efficace. Ce que les gens veulent connaître, c'est l'efficacité d'un traitement *particulier* concernant leurs problèmes spécifiques.

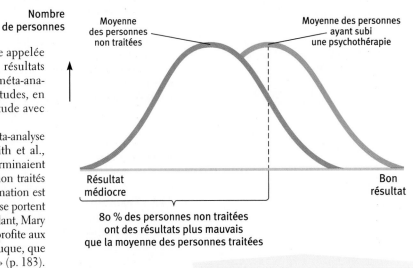

80 % des personnes non traitées ont des résultats plus mauvais que la moyenne des personnes traitées

▼ FIGURE 16.3
Traitement *versus* absence de traitement Ces deux courbes de distribution normales venant des résultats de 475 études montrent l'amélioration de la condition des personnes non traitées comparée à celle de patients ayant suivi une psychothérapie. Le résultat obtenu chez un patient typique moyen est supérieur à celui obtenu chez 80 % des personnes non traitées. (Données de Smith et al., 1980.)

EXERCICE RÉCAPITULATIF

• Dans quelle mesure l'influence de l'*effet placebo* se fait-elle sentir dans la façon dont les cliniciens et les clients jugent l'efficacité des psychothérapies ?

Réponse : L'*effet placebo* est la *croyance* dans le pouvoir de guérison d'un traitement. Les patients et les thérapeutes qui espèrent qu'un traitement sera efficace peuvent croire en son activité.

Quelles sont les psychothérapies les plus efficaces ?

16-9 Certaines psychothérapies sont-elles plus efficaces que d'autres sur des troubles spécifiques ?

Que peut-on dire aux gens qui envisagent une thérapie, et à ceux qui paient pour faire une thérapie et qui souhaitent savoir *quelle* psychothérapie sera la plus efficace dans leur cas ? Les résumés statistiques et les enquêtes ne présentent pas un type de traitement comme généralement supérieur (Smith et al., 1977, 1980). Le *Consumer Reports* conclut que les clients semblent aussi satisfaits : qu'ils aient été traités par un psychiatre, un psychologue ou un assistant social ; qu'ils aient suivi un traitement de groupe ou individuel ; que leur thérapeute ait une expérience et une formation étendues ou relativement limitées (Seligman, 1995). D'autres études confirment ces affirmations (Barth et al., 2013). Il y a peu de lien, voir aucun, entre l'expérience du clinicien, ses études, sa supervision, son statut et les résultats obtenus par les patients (Luborsky et al., 2002 ; Wampold, 2007).

« Quelles que soient les différences existant entre l'efficacité des traitements, elles semblent être, dans les meilleurs des cas, extrêmement faibles. »

Bruce Wampold et al. (1997)

Pratique fondée sur des preuves prise de décision clinique fondée sur les résultats des recherches disponibles les mieux conduites grâce à la compétence clinique des chercheurs et aux critères de définition des patients soignés dans le cadre de ces recherches.

« À chaque mal, son remède. »

Proverbe anglais

Dans ce cas, le dodo *d'Alice au pays des merveilles* avait-il raison : « Tout le monde a gagné et tous doivent avoir des prix » ? Pas tout à fait. Certaines formes de thérapies sont parfaites pour des problèmes particuliers bien que très souvent on ait affaire à une intrication des troubles (*comorbidité*). Les thérapies fondées sur le conditionnement comportemental, par exemple, ont obtenu des résultats particulièrement satisfaisants dans le soin des troubles spécifiques du comportement tels que l'énurésie, les phobies, les compulsions, les difficultés conjugales et les dysfonctionnements sexuels (Baker et al., 2008 ; Hunsley et DiGiulio, 2002 ; Shadish et Baldwin, 2005). Les thérapies psychodynamiques sont des thérapies adjuvantes des troubles tels que la dépression et l'anxiété (Driessen et al., 2010 ; Leichsenring et Rabung, 2008 ; Shedler, 2010b). Un conseil thérapeutique, centré sur la personne apporte souvent une aide au traitement des états dépressifs d'intensité légère à modérée (Cuijpers et al., 2013). Et de nouvelles études confirment l'efficacité des thérapies cognitive et cognitivo-comportementale (certains parlant même de supériorité) dans la prise en charge de l'anxiété, des troubles de stress post-traumatiques et de la dépression (Baker et al., 2008 ; De Los Reyes et Kazdin, 2009 ; Stewart et Chambliss, 2009 ; Tolin, 2010).

De plus, la thérapie est d'autant plus efficace que le trouble est bien identifié (Singer, 1981 ; Westen et Morrison, 2001). Ceux qui souffrent de phobies, de trouble panique, qui manquent d'assurance ou qui sont frustrés par leur activité sexuelle peu satisfaisante peuvent espérer une amélioration. Chez ceux qui souffrent d'états dépressifs ou anxieux plus envahissants, les résultats sont positifs à court terme mais les rechutent sont fréquentes. Plus le problème est spécifique, plus l'espoir est grand.

Mais d'autres thérapies ont peu de résultats et aussi peu de support scientifique, voire aucun (Arkowitz et Lilienfeld, 2006). Il serait donc sage pour nous tous d'éviter les thérapies énergétiques qui proposent de manipuler des champs énergétiques invisibles ; les thérapies par récupération de souvenirs qui ont pour objectif de déterrer les « souvenirs refoulés » des abus sexuels subis pendant l'enfance (Chapitre 8) et la « rebirth » thérapie qui demande aux personnes de revivre le traumatisme supposé de leur naissance.

Comme certains autres traitements médicaux, il est également possible que les psychothérapies ne soient pas efficaces et qu'en plus elles fassent du mal au patient en aggravant leur état ou en les empêchant d'aller mieux (Barlow, 2010 ; Castonguay et al., 2010 ; Dimidjian et Hollon, 2010). Le National Science and Technology Council cite comme exemple d'un programme ayant des intentions tout à fait louables le programme « Scared Straight » qui cherche à dissuader les enfants et les adolescents de devenir des criminels mais s'est révélé inefficace et parfois même néfaste.

Mais cette question – quelle thérapie est efficace et laquelle ne l'est pas ? – réside au cœur d'une importante controverse que certains appellent la guerre civile de la psychologie. Dans quelle mesure la science doit-elle guider, d'une part, la pratique clinique et, d'autre part, la volonté des soignants et des assureurs qui paient la psychothérapie ?

D'un côté, il y a les psychologues spécialisés dans la recherche qui utilisent les méthodes scientifiques pour étendre la liste des thérapies bien définies et validées pour diverses pathologies. Ils décrient les cliniciens qui « donnent plus de poids à leurs expériences personnelles » (Baker et al., 2008). De l'autre côté, se trouvent les thérapeutes non scientifiques qui pensent que leur pratique est plus un art qu'une science, et considèrent que les individus sont trop complexes et la thérapie trop intuitive pour la décrire dans un ouvrage ou la tester dans des expériences. Entre ces deux extrêmes se trouvent les praticiens scientifiques qui cherchent à s'appuyer sur des preuves et à rendre responsables les professionnels de la santé mentale de l'efficacité du traitement.

Pour encourager la **pratique fondée sur les preuves** en psychologie, l'American Psychological Association ainsi que d'autres (2006 ; Lilienfeld et al., 2013) ont demandé aux cliniciens d'intégrer les meilleures recherches disponibles aux expertises cliniques et aux préférences et caractéristiques du patient. Les thérapies disponibles « doivent être rigoureusement évaluées » puis appliquées par des cliniciens conscients de leurs aptitudes et de la situation particulière de chaque patient (**FIGURE 16.4**). De plus en plus, les assureurs et les services de santé mentale soutenus par le gouvernement exigent une pratique fondée sur les preuves.

▼ FIGURE 16.4

Pratique fondée sur des preuves La prise de décision clinique idéale peut être imagée par un trépied : résultats de la recherche, expérience clinique, connaissance du patient.

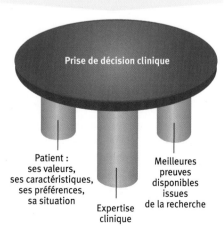

Prise de décision clinique

Patient : ses valeurs, ses caractéristiques, ses préférences, sa situation

Expertise clinique

Meilleures preuves disponibles issues de la recherche

━━━━━━━━━ **EXERCICE RÉCAPITULATIF** ━━━━━━━━━

• La thérapie est d'autant plus susceptible d'être utile pour les personnes que les difficultés _____ (sont/ne sont pas) bien identifiées.

Réponse : sont

Évaluation des médecines parallèles ou alternatives

16-10 Comment les médecines parallèles ont-elles été soumises à l'examen minutieux de la science ?

La tendance d'un état mental troublé à « revenir » à un état adapté, associée à l'effet placebo, crée un terrain fertile pour les pseudo-thérapies. Soutenues par des anecdotes, relayées par les médias et louées par internet, les médecines parallèles peuvent se propager comme une traînée de poudre. Une enquête nationale a révélé que 57 % des personnes ayant déjà eu des crises d'angoisse et 54 % ayant un passé dépressif ont eu recours aux médecines parallèles telles que la phytothérapie, les massages et la guérison spirituelle (Kessler et al., 2001).

Si on ne tient pas compte des témoignages, sur quelles preuves les médecines parallèles se fondent-elles ? C'est une question difficile parce qu'il n'y a pas de preuves pour ou contre la plupart d'entre elles, bien que leurs défenseurs pensent souvent que les expériences personnelles sont des preuves suffisantes. Certaines, cependant, ont fait l'objet d'études contrôlées. Considérons deux d'entre elles. Pendant que nous le ferons, souvenez-vous que la séparation de ce qui est sensé de ce qui ne l'est pas demande d'adopter une attitude scientifique ; être sceptique sans être cynique, être ouvert aux surprises sans être crédule.

La technique de l'EMDR : désensibilisation et retraitement par les mouvements oculaires

L'EMDR (*eye movement desensitization and reprocessing*, ou désensibilisation et retraitement par les mouvements oculaires) est appréciée par des milliers de gens, mais elle est aussi rejetée par des milliers d'autres qui la considèrent comme étant truquée, « un parfait exemple illustrant la différence entre un traitement scientifique et un traitement pseudo-scientifique », suggèrent James Herbert et sept autres scientifiques (2000). Alors qu'elle se promenait dans un parc, Francine Shapiro (1989, 2007, 2012) développa l'EMDR en observant que ses pensées anxieuses disparaissaient quand ses yeux se mettaient spontanément en mouvement. De retour dans son service, elle demanda aux patients d'imaginer des scènes traumatisantes, pendant qu'elle déclenchait un mouvement oculaire en faisant onduler son doigt devant les yeux du patient, ce qui était supposé lui permettre de débloquer et de retraiter les souvenirs traumatisants anciennement gelés. Actuellement des dizaines de milliers de professionnels de la santé mentale, issus de plus de 75 pays, ont suivi une formation (EMDR, 2011). Depuis la thérapie du *magnétisme animal* (hypnose) du charismatique Franz Anton Mesmer (il y a plus de deux cents ans), qui avait aussi été inspirée par une expérience en extérieur, aucun traitement n'avait suscité un engouement aussi rapide.

Cette thérapie est-elle efficace ? Elle le fut pour 84 % des victimes de traumatisme unique ayant participé à quatre études, rapporte Shapiro (1999, 2002). De plus, cette thérapie ne nécessite pas plus de trois séances de quatre-vingt-dix minutes. Le comité d'études constitué par la Society of Clinical Psychology, chargé de statuer sur les traitements aux fondements empiriques, reconnaît que le traitement est « probablement efficace » dans le cas du syndrome de stress post-traumatique non militaire (Chambless et al., 1997 ; voir aussi Bisson et Andrew, 2007 ; Rodenburg et al., 2009 ; Seidler et Wagner, 2006).

Pourquoi, se demandent les sceptiques, le fait de bouger les yeux rapidement en se remémorant des souvenirs traumatisants peut-il être thérapeutique ? Certains pensent que les mouvements oculaires servent à détendre ou à distraire le patient, permettant ainsi l'extinction des émotions liées aux souvenirs (Gunter et Bodner, 2008). D'autres pensent que les mouvements oculaires par eux-mêmes ne sont *pas* l'élément thérapeutique. Dans des essais au cours desquels les personnes imaginaient des scènes traumatiques et tapaient avec un doigt ou avaient le regard fixe alors que le thérapeute bougeait les doigts – les résultats furent les mêmes (Devilly, 2003). L'EMDR c'est mieux que rien, disent ceux qui sont sceptiques (Lilienfeld & Arkowitz, 2007). Mais ils soupçonnent que la combinaison de l'exposition répétée aux souvenirs du traumatisme et leur consolidation dans un contexte rassurant a peut-être un effet thérapeutique placebo. Richard McNally (1999) déclare que si le pseudo-traitement de Mesmer avait été comparé à une absence totale de prise en charge, il se serait avéré « probablement efficace » (grâce au pouvoir curatif de la pensée positive).

« Des études indiquent que l'EMDR est tout aussi efficace avec les yeux immobiles. Si cette conclusion est juste, ce qui est utile dans le traitement (de désensibilisation comportementale principalement) n'a rien de nouveau, et ce qui est nouveau est superflu. »

Harvard Mental Health Letter, 2002

Luminothérapie Traitement de la dépression saisonnière par exposition matinale quotidienne à une source lumineuse de 10 000 lux (reproduction de la luminosité naturelle). Ces lampes sont disponibles dans le commerce. (N.d.T. : le traitement doit être conduit sous surveillance médicale)

La luminothérapie

Avez-vous tendance à trop dormir, à prendre du poids ou à être léthargique pendant les sombres matinées hivernales ? Ralentir sa manière de vivre et conserver son énergie durant les jours d'hiver représentait certainement un avantage pour la survie de nos ancêtres éloignés. Pour certaines personnes, cependant, surtout les femmes et celles qui vivent loin de l'Équateur, l'humeur maussade accompagnant l'hiver constitue une forme d'état dépressif majeur appelée dépression saisonnière. Pour lutter contre ce trouble, les chercheurs du National Institute of Mental Health ont eu au début des années 1980 une idée : exposer les personnes qui en sont atteintes à une certaine dose quotidienne de lumière intense. Bien sûr, les participants ont dit qu'ils se sentaient mieux.

Était-ce une idée lumineuse ou un autre exemple idiot de l'effet placebo ? La recherche a éclairé de ses lumières, cette méthode. L'une d'elles consistait à exposer des patients atteints de dépression saisonnière à une lumière intense pendant quatre-vingt-dix minutes et d'autres à un traitement placebo : un générateur d'ions négatifs dont l'équipe médicale vantait les mérites de manière aussi enthousiaste (mais qui, à l'insu du patient, était éteint). Après quatre semaines de traitement, 61 % des patients exposés à la lumière matinale voyaient une très nette amélioration contre 50 % de ceux exposés au crépuscule et 32 % de ceux ayant reçu le traitement placebo (Eastman et al., 1998). D'autres études ont montré que trente minutes d'exposition à une lumière blanche fluorescente de 10 000 lux soulageaient plus de la moitié des gens exposés à la lumière matinale (Flory et al., 2010 ; Terman et al., 1998, 2001). Vingt études contrôlées avec attention nous amènent à la conclusion suivante (Golden et al., 2005 ; Wirz-Justice, 2009) : la lumière vive matinale *réduit* effectivement les symptômes dépressifs chez un grand nombre de patients souffrant de ce type de trouble de l'humeur. De plus, elle est aussi efficace que de prendre des médicaments antidépresseurs ou de suivre une thérapie cognitivo-comportementale (Lam et al., 2006 ; Rohan et al., 2007). Les effets sont visibles chez le rat : ce traitement entraîne une activité du noyau supra-chiasmatique de l'hypothalamus, qui participe à la régulation du cycle circadien et stimule les glandes surrénales (Ishida et al., 2005).

EXERCICE RÉCAPITULATIF

• Qu'est ce qu'une décision clinique fondée sur des preuves ?

Réponse : en utilisant cette approche, les thérapeutes prennent des décisions sur le traitement fondé sur des données de recherche, l'expertise clinique, et la connaissance du client.

• Laquelle des thérapies alternatives suivantes a tenu sa promesse d'être un traitement efficace ?

   a. luminothérapie   c. thérapies par les souvenirs retrouvés

   b. thérapies par « rebirthing »   d. thérapies énergétiques

Réponse : a

En quoi les psychothérapies peuvent-elles être une aide ?

16-11 Quels sont les trois éléments communs à toutes les formes de psychothérapies ?

Pourquoi des études ont trouvé peu de corrélations entre les formations et les expériences des thérapeutes et les résultats obtenus chez leurs clients ? Pour trouver des réponses, les chercheurs cliniciens ont étudié les composantes communes aux diverses thérapies (Frank, 1982 ; Goldfried & Padawer, 1982 ; Strupp, 1986 ; Wampold, 2001, 2007). Leur conclusion : elles proposent toutes trois composantes :

- *Un espoir pour les personnes démoralisées.* Généralement, les personnes qui recherchent une thérapie se sentent anxieuses, déprimées, dépourvues d'estime d'elles-mêmes et sont incapables de renverser la situation. Ce qu'offre toute thérapie, c'est l'espoir qu'avec l'implication du patient, les choses peuvent et vont aller mieux. Indépendamment de toute technique thérapeutique particulière, cette conviction peut fonctionner comme un placebo, améliorer le moral de l'individu, développer de nouveaux sentiments d'efficacité et atténuer les symptômes (Prioleau et al., 1983).

- *Une nouvelle perspective, l'adoption de nouveaux comportements.* Chaque thérapie offre aux sujets une explication plausible de leurs symptômes et une autre façon de se voir ou de répondre au monde qui les entoure. Armés de ces perspectives nouvelles auxquelles ils peuvent croire, ils peuvent aborder la vie avec une attitude nouvelle, être ouverts pour modifier leur comportement et leur vision d'eux-mêmes.

- *Une relation empathique, confiante et chaleureuse.* Dire que les résultats des thérapies ne sont pas liés à la formation et à l'expérience ne veut pas dire que tous les *thérapeutes* ont la même efficacité. Indépendamment de la technique thérapeutique qu'ils utilisent, les thérapeutes efficaces sont des personnes empathiques qui cherchent à comprendre l'expérience de l'autre ; qui communiquent leur attention et leur intérêt pour le client et qui gagnent la confiance du client et son respect parce qu'ils les écoutent respectueusement, les conseillent et les rassurent et les guident. Marvin Goldfried et ses associés (1998) ont analysé des séances de thérapies menées par 36 thérapeutes de renom enregistrées sur des cassettes et ont démontré qu'ils avaient les qualités décrites plus haut. Certains ont adopté une approche cognitivo-comportementale. D'autres ont utilisé les principes psychodynamiques. Quelle que soit l'approche thérapeutique, ce que l'on a pu constater de plus frappant était le degré de *similitude* entre les thérapeutes. Lors des moments déterminants, les thérapeutes empathiques des deux approches ont aidé leurs patients à s'autoévaluer et à relier un aspect de leur vie à un autre, et à avoir une vision plus approfondie de leur interaction avec les autres.

Steve Szydlowski/KRT/Newscom

La qualité des liens émotionnels qui se tissent entre le thérapeute et le client – l'**alliance thérapeutique** – explique la différence entre les thérapeutes et la qualité des résultats obtenus (Klein et al., 2003 ; Wampold, 2001). Une étude sur le traitement de la dépression menée au niveau national par l'Institute of Mental Health américain a confirmé que les thérapeutes les plus efficaces étaient ceux qui étaient perçus comme les plus empathiques et les plus chaleureux et qui établissaient les liens thérapeutiques les plus resserrés (Blatt et al., 1996). L'idée que toutes les thérapies offrent un espoir par l'intermédiaire d'une nouvelle perspective proposée par une personne chaleureuse est également ce qui permet aux « para-professionnels » (des personnes ayant suivi une brève formation) d'aider si efficacement autant de personnes atteintes de troubles (Christensen et Jacobson, 1994).

Ces trois éléments communs font également partie de ce qu'offre à leurs membres le nombre de plus en plus important de groupes d'entraide ou de soutien. Et ils font partie de ce que les guérisseurs traditionnels offraient (Jackson, 1992). Partout dans le monde, ceux qui guérissent, c'est-à-dire ces personnes particulières à qui les autres déclarent leurs souffrances, qu'ils soient psychiatres, sorciers ou chamans, les ont écoutées afin de les comprendre et de leur montrer de l'empathie, de les rassurer, de les conseiller, de les consoler, d'interpréter ou d'expliquer (Torrey, 1986). Ces qualités peuvent expliquer pourquoi les personnes qui se sentent soutenues par des relations étroites, qui jouissent de la compagnie et de l'affection de personnes chaleureuses et attentives, ont une probabilité plus faible d'avoir besoin ou de rechercher une thérapie (Frank, 1982 ; O'Connor et Brown, 1984).

* * *

En résumé, les personnes qui cherchent de l'aide vont en général mieux se porter. Celles qui n'entreprennent pas de psychothérapie également, et c'est un hommage à notre ingéniosité humaine et à notre capacité à prendre soin les uns des autres. Quoi qu'il en soit, bien qu'il semble que l'orientation thérapeutique et l'expérience du thérapeute n'aient pas d'importance, ceux qui suivent une psychothérapie quelconque iront généralement mieux que ceux qui n'en suivront pas. Les gens qui souffrent de troubles cliniquement bien définis sont souvent ceux pour qui l'amélioration est la plus nette.

EXERCICE RÉCAPITULATIF

- Ceux qui suivent une psychothérapie sont _____ (plus/moins) susceptibles de montrer une amélioration que ceux qui n'en suivent pas.

Réponse : plus

Psychothérapie : culture et valeurs

`16-12` **De quelle manière la culture et les valeurs peuvent-elles influencer la relation entre le thérapeute et son patient ?**

Toutes les thérapies offrent un espoir, et pratiquement tous les thérapeutes tentent d'accroître la sensibilité, l'ouverture, la responsabilité personnelle et la sensation d'être utile chez leurs patients (Jensen et Bergin, 1988). Mais les thérapeutes sont différents les uns des autres et différents de leurs patients (Delaney et al., 2007 ; Kelly, 1990).

Ces différences peuvent devenir importantes lorsqu'un thérapeute appartenant à une certaine culture rencontre un patient d'une autre culture. En Amérique du Nord, en Europe et en Australie, par exemple, la plupart des thérapeutes reflètent l'individualisme de leur culture en donnant la priorité aux désirs personnels et à l'identité, ce qui est particulièrement vrai pour les thérapeutes de sexe masculin. Les patients qui ont immigré de contrées asiatiques, où les gens sont plus attentifs aux attentes des autres, peuvent donc rencontrer des difficultés lors de thérapies nécessitant qu'ils pensent uniquement à leur bien-être. De telles différences permettent d'expliquer les préventions de certaines minorités à utiliser les services de santé mentale et leur tendance à abandonner prématurément leur psychothérapie (Chen et al., 2009 ; Sue, 2006). Au cours d'une expérience, les patients américains d'origine asiatique associés à des conseillers qui partageaient leurs valeurs culturelles (et non pas associés improprement à ceux qui ne la partageaient pas) percevaient plus d'empathie de la part de leur conseiller et ressentaient une alliance plus forte avec lui (Kim et al., 2005). Tenant compte du fait que les thérapeutes et les patients peuvent différer par leurs valeurs, leurs modes de communication et leur langage, de nombreux programmes de formation pour thérapeutes habilités par l'American Psychological Association proposent maintenant des formations concernant la sensibilité culturelle et recrutent des membres de groupes culturels sous-représentés.

Un autre domaine de conflit potentiel concernant les valeurs est la religion. Les personnes très pratiquantes peuvent préférer des thérapeutes également pratiquants (Masters, 2010 ; Smith et al., 2007 ; Wade et al., 2006). Ils peuvent avoir des difficultés à établir un lien émotionnel avec un thérapeute ne partageant pas leurs valeurs. Comme les patients ont tendance à adopter les valeurs de leur thérapeute (Worthington et al., 1996), certains psychologues pensent que les thérapeutes devraient afficher plus ouvertement leurs convictions. Les programmes modernes de formation professionnelle cherchent aussi à former des thérapeutes venant d'horizons divers qui peuvent s'adapter avec intelligence à la sensibilité culturelle des divers clients.

Trouver un professionnel de la santé mentale

`16-13` **À quoi doit s'intéresser une personne lorsqu'elle recherche un psychothérapeute ?**

La vie est, pour tout le monde, faite de sérénité et de stress, de bénédiction et le deuil, de bonne et de mauvaise humeur. Donc, quand devrions-nous demander l'aide d'un professionnel de la santé mentale ? L'American Psychological Association propose ces signaux d'alerte :

- Des sentiments de désespoir
- La dépression profonde et durable
- Les comportements autodestructeurs, comme l'abus de substance
- Les raptus anxieux
- Les variations brutales de l'humeur
- L'idéation suicidaire
- Les rituels compulsifs, comme le lavage répété des mains
- Les difficultés sexuelles
- Entendre des voix ou sentir, voir des choses qui n'existent pas.

Peut-être voudrez-vous consulter deux ou trois thérapeutes avant de faire votre choix. Les centres de santé universitaires sont généralement de bons points de départ, et peuvent offrir des services gratuits. Vous pouvez décrire votre problème et connaître l'approche thérapeutique des praticiens. Vous pouvez poser des questions sur les valeurs, les titres de compétence du thérapeute (**TABLEAU 16.3**), ainsi que sur les honoraires. Et vous pouvez évaluer ce que vous ressentez face à chacun d'eux. Le lien émotionnel qui s'établit entre le thérapeute et son patient, que l'on nomme l'alliance thérapeutique, est peut-être le facteur le plus important de l'efficacité du traitement.

▼ **TABLEAU 16.3**
Les thérapeutes et leur formation*

Type	Description de la thérapie
Psychologues cliniciens	La plupart sont des psychologues titulaires d'un doctorat en sciences (impliquant des travaux recherche) ou d'un doctorat d'exercice ou Psy.D. (pratique de la thérapie) complété par un stage supervisé et, souvent, par une formation postdoctorale. Environ la moitié d'entre eux travaillent dans des organismes et institutions, et l'autre moitié ont une pratique privée.
Psychiatres	Les psychiatres sont des médecins qui se spécialisent dans le traitement des troubles mentaux. Tous les psychiatres n'ont pas reçu une formation approfondie en psychothérapie, mais ils peuvent prescrire des médicaments. (N.d.T. : aux États-Unis.) Ainsi, ils sont donc amenés à soigner les malades dont les états sont les plus graves. Beaucoup ont leur propre cabinet privé.
Travailleurs sociaux en psychiatrie ou en pratique clinique	Diplôme de master en sciences sociales et stage post-universitaire. Ce stage prépare certains travailleurs sociaux à la pratique de la psychothérapie, principalement pour les personnes ayant des difficultés familiales ou des habiletés sociales déficientes. Environ la moitié d'entre eux ont obtenu la qualification de travailleur social et « clinique » décernée par The National Association of Social Workers.
Conseillers	Les conseillers conjugaux et familiaux se spécialisent dans l'abord des difficultés surgissant au sein du couple ou de la famille. Les conseillers pastoraux donnent des conseils à d'innombrables personnes. Certains conseillers prennent en charge les toxicomanes, les auteurs de violences faites aux épouses, aux enfants et leurs victimes. Être titulaire d'un master peut être obligatoire.

* N.d.T. : aux États-Unis.

REVUE GÉNÉRALE Évaluation des psychothérapies

OBJECTIFS D'APPRENTISSAGE

EXERCICE RÉCAPITULATIF Prenez un moment pour répondre à chacune de ces questions objectif d'apprentissage (répétées ici au sein de cette section). Puis allez à l'annexe C, révision complète du chapitre, pour vérifier vos réponses. La recherche suggère que d'essayer de répondre à ces questions de votre propre initiative permettra d'améliorer la mémorisation à long terme de ces réponses (McDaniel et al., 2009).

16-8 La psychothérapie est-elle efficace ? Comment pouvons-nous le savoir ?

16-9 Certaines psychothérapies sont-elles plus efficaces que d'autres sur des troubles spécifiques ?

16-10 Comment les médecines parallèles ont-elles été soumises à l'examen minutieux de la science ?

16-11 Quels sont les trois éléments communs à toutes les formes de psychothérapies ?

16-12 De quelle manière la culture et les valeurs peuvent-elles influencer la relation entre le thérapeute et son patient ?

16-13 À quoi doit s'intéresser une personne lorsqu'elle recherche un psychothérapeute ?

TERMES ET CONCEPTS À RETENIR

EXERCICE RÉCAPITULATIF Testez votre connaissance de ces termes en essayant d'écrire leur définition, avant de vous reporter aux pages indiquées en référence pour vérifier votre réponse.

méta-analyse, p. 675

pratique fondée sur des preuves, p. 676

alliance thérapeutique, p. 679

Traitements biomédicaux et prévention des troubles psychologiques

La PSYCHOTHÉRAPIE EST UNE FAÇON DE traiter les troubles psychologiques. L'autre est le *traitement biomédical*, qui consiste à modifier physiquement le fonctionnement du cerveau en changeant sa biochimie à l'aide de médicaments, ou en modifiant ses circuits par l'électroconvulsivo-thérapie (ECT), des flux magnétiques ou la psychochirurgie. Les traitements biomédicaux les plus utilisés, et de loin, sont aujourd'hui les traitements pharmacologiques. Les médecins généralistes, prescrivent la plupart, des médicaments pour le traitement de l'anxiété et de la dépression. Les psychiatres et dans certains États des États-Unis les psychologues assurent le relais.

« Notre psychopharmacologue est un génie. »

Traitements pharmacologiques

16-14 **Quels sont les traitements pharmacologiques ? Comment les études en double aveugle peuvent-elles aider les chercheurs à évaluer l'efficacité d'un médicament ?**

Les découvertes effectuées depuis 1950 en **psychopharmacologie** (l'étude de l'effet des substances sur l'esprit et le comportement) ont révolutionné le traitement des personnes gravement perturbées, libérant des centaines de milliers d'entre eux de l'enfermement dans des hôpitaux psychiatriques. Grâce aux traitements pharmacologiques – et aux efforts pour minimiser les hospitalisations – la population hospitalisée dans des hôpitaux psychiatriques représente une fraction de ce qu'elle était il y a cinquante ans. Cependant, pour ceux qui sont toujours incapables de se prendre en charge, la sortie de l'hôpital a plutôt signifié se retrouver sans abri et non pas une libération.

Avec pratiquement tout nouveau traitement, y compris un traitement pharmacologique, on observe une vague d'enthousiasme initial au moment où de nombreuses personnes vont apparemment mieux. Mais cet enthousiasme retombe souvent après que les chercheurs enlèvent la proportion (1) de récupération normale chez les personnes non traitées et (2) les guérisons dues à l'effet placebo, qui proviennent de l'attente positive des patients et de l'équipe médicale. Même la simple exposition à la publicité faite pour vendre la prétendue efficacité d'un médicament peut augmenter son effet (Kamenica et al., 2013). De sorte que, pour évaluer l'efficacité d'un nouveau traitement, les chercheurs donnent le médicament à la moitié des patients et à l'autre moitié un placebo ayant la même apparence. Comme ni l'équipe médicale ni les patients ne savent qui prend quoi, cette méthode est dite en *double aveugle*, ou *à double insu*. La bonne nouvelle est que, dans les études en double aveugle, certaines substances se sont avérées utiles.

Médicaments neuroleptiques (antipsychotiques)

La révolution dans le traitement pharmacologique des troubles psychologiques a débuté par la découverte accidentelle que certaines substances utilisées à d'autres fins médicales calmaient aussi les patients atteints de *psychoses* (troubles au cours desquels des hallucinations ou des idées délirantes indiquent une certaine perte de contact avec la réalité). Ces neuroleptiques dits **médicaments antipsychotiques,** de première génération, telle que la chlorpromazine (vendue sous le nom de Largactil®), atténuent leur réponse aux stimuli qui ne sont pas pertinents. Ils apportent surtout une aide aux personnes souffrant de schizophrénie qui éprouvent des symptômes positifs : des hallucinations auditives des idées délirantes dont la thématique varie (Lehman et al., 1998 ; Lenzenweger et al., 1989).

Les substances à effet neuroleptique sont des antagonistes de récepteurs de la dopamine. Ils entrent en compétition avec la dopamine pour occuper son site d'action et empêcher son effet. Cette découverte renforce l'hypothèse d'une hyper-dopaminergie dans la genèse des troubles schizophréniques.

Les neuroleptiques ont également d'importants effets secondaires. Certains peuvent produire une apathie, des tremblements et des contractures semblables à celles observées dans la maladie de Parkinson (Kaplan et Saddock, 1989). L'utilisation à long terme de ces médicaments peut également entraîner une *dyskinésie tardive*, s'accompagnant de mouvements involontaires des muscles faciaux (engendrant des grimaces), de la langue et des membres. Bien qu'ils ne soient pas plus efficaces dans le contrôle des symptômes de la schizophrénie, beaucoup de neuroleptiques de la nouvelle génération comme la rispéridone (Risperdal®) et l'olanzapine (Zyprexa®) présentent moins d'effets indésirables. Ces médicaments peuvent cependant augmenter les risques d'obésité et de diabète (Buchanan et al., 2010 ; Tiihonen et al., 2009).

Les neuroleptiques, associés à des programmes d'entraînement aux habiletés sociales et de soutien familial, ont apporté de nouveaux espoirs à de nombreux patients souffrant de schizophrénie (Guo, 2010). Des centaines de milliers de patients schizophrènes qui séjournaient dans les hôpitaux psychiatriques ont retrouvé leur travail et une vie quasi normale (Leucht et al., 2003).

Peut-être pouvez vous deviner un effet secondaire occasionnel de la L-dopa, médicament, précurseur de la dopamine, du traitent des patients souffrant de la Maladie de Parkinson : hallucinations.

Psychopharmacologie étude des effets des médicaments sur le cours et le contenu de la pensée, et sur le comportement.

Antipsychotiques médicaments utilisés pour traiter la schizophrénie et d'autres formes sévères de troubles du contenu de la pensée.

Anxiolytiques médicaments utilisés pour réduire la tension anxieuse et l'agitation.

Médicaments anxiolytiques

De même que l'alcool, les **anxiolytiques**, comme le Xanax® ou le Valium®, dépriment l'activité du système nerveux central (ils ne doivent donc pas être associés à l'alcool). Les anxiolytiques sont souvent utilisés en association avec une psychothérapie. Un médicament tranquillisant, l'antibiotique D-cycloserine, facilite l'extinction de craintes apprises en combinaison avec des traitements comportementaux. Des expériences indiquent que ce médicament augmente les avantages de la thérapie d'exposition et permet de soulager les symptômes de l'état de stress post-traumatique et des troubles obsessionnels compulsifs (Davis, 2005 ; Kushner et al., 2007).

Les critiques parfois adressées aux thérapies comportementales, selon lesquelles elles réduisent les symptômes sans résoudre les problèmes sous-jacents, sont également faites aux traitements pharmacologiques. Cependant, à la différence des thérapies comportementales, ces substances peuvent être utilisées en traitement continu. « Avaler un Xanax® » dès le premier signe de tension intérieure peut créer une réponse apprise En effet, le soulagement immédiat renforce la tendance des gens à prendre ces médicaments quand ils sont angoissés (Xanax® : alprazolam). Les anxiolytiques peuvent également produire un état de dépendance. Lorsque les « gros utilisateurs » cessent de les prendre, ils peuvent éprouver une angoisse accrue, des insomnies ou d'autres symptômes de sevrage.

Au cours des années 1990, le taux de traitement ambulatoire des patients atteints de troubles anxieux a presque doublé. La proportion de patients recevant des médicaments pendant ces années-là est passée de 52 à 70 % (Olfson et al., 2004). Et les antidépresseurs sont devenus le nouveau traitement standard des troubles de l'anxiété.

> **Antidépresseurs** médicaments utilisés pour traiter les états dépressifs, certains troubles anxieux, le trouble obsessionnel compulsif et le trouble de stress post-traumatique. (Plusieurs antidépresseurs largement utilisés sont des *inhibiteurs sélectifs de la recapture de la sérotonine-ISRS.*)

Médicaments antidépresseurs

Les **antidépresseurs** ont été appelés ainsi du fait de leur capacité à faire sortir les personnes de leur état de dépression et cela a été leur principale utilisation jusque récemment. Cette dénomination est quelque peu inadaptée, car ces médicaments sont de plus en plus utilisés avec succès pour traiter également les troubles anxieux comme les troubles obsessionnels compulsifs et les états de stress post-traumatique (Wetherell et al., 2013). Beaucoup de ces médicaments agissent en augmentant la disponibilité synaptique des neuromédiateurs comme la noradrénaline, la sérotonine, qui stimulent la vigilance et l'humeur et semblent faire défaut quand une personne éprouve des sentiments de dépression ou d'anxiété. Les médicaments les plus couramment prescrits dans ce groupe, comprenant la Fluoxétine la Paroxétine, la Sertraline, et le Citalopram, agissent en premier lieu en inhibant la recapture présynaptique de la sérotonine (**FIGURE 16.5**). Compte tenu de leur utilisation dans le traitement des troubles autres que la dépression comme les crises d'angoisse type attaque de panique ; ces médicaments sont le plus souvent appelés *inhibiteurs sélectifs de la recapture de la sérotonine* (ISRS) (plutôt que antidépresseurs) (Kramer, 2011). D'autres antidépresseurs agissent en bloquant la recapture ou la dégradation à la fois de la noradrénaline et de la sérotonine. Bien qu'efficaces, ces médicaments à double action ont des effets secondaires plus importants, comme une sécheresse de la bouche, un gain de poids, une hypertension ou une diction hésitante (Anderson, 2000 ; Mulrow, 1999). L'administration de ces médicaments sous forme de patch, évitant ainsi leur passage par les intestins et le foie, permet de réduire les effets secondaires (Bodkin et Amsterdam, 2002).

© John Greim/Age fotostock

▼ FIGURE 16.5
Effet biologique des antidépresseurs On voit ici l'action du Prozac©, qui bloque partiellement la recapture de la sérotonine.

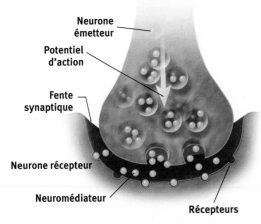

Le message est envoyé à travers la fente synaptique

Neurone émetteur
Potentiel d'action
Fente synaptique
Neurone récepteur
Neuromédiateur
Récepteurs

(a)

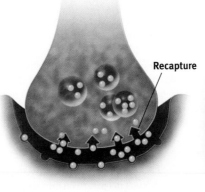

Le message est reçu ; les neuromédiateurs en excès sont recapturés par le neurone émetteur

Recapture

(b)

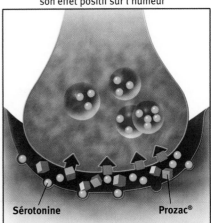

Le Prozac® bloque partiellement la recapture normale de la sérotonine ; la sérotonine en excès dans la synapse augmente son effet positif sur l'humeur

Sérotonine **Prozac®**

(c)

Attention : le patient dépressif qui commence à prendre un antidépresseur ne va pas se réveiller le lendemain en chantant : « Quelle belle journée ! » Bien que l'influence des antidépresseurs sur la transmission nerveuse intervienne en quelques heures, leur effet thérapeutique requiert souvent un délai de quatre semaines pour s'installer (et peut impliquer comme effet secondaire, une baisse du désir sexuel). Une explication possible de ce délai est que l'augmentation de la sérotonine semble favoriser la *neurogenèse* (naissance de nouvelles cellules cérébrales) et la génèse de nouvelles synapses, inversant peut-être ainsi le processus de perte des neurones dû au stress (Launay et al., 2011) Les chercheurs étudient également la possibilité d'un effet antidépresseur rapide. La kétamine, bloque les récepteurs du glutamate, neurotransmetteur, et provoque un bourgeonnement synaptique, mais avec des effets secondaires possibles tels que des hallucinations (Grimm & Scheidegger, 2013 ; Naughton et al., 2014).

Les médicaments antidépresseurs ne sont pas le seul moyen de stimuler le tonus mental. La gymnastique dite « aérobic », qui calme les personnes anxieuses et fournit de l'énergie aux personnes déprimées, fait autant de bien chez certaines personnes atteintes de dépression légère à modérée, et possède des effets secondaires positifs. En aidant le patient à inverser son mode de pensée négatif habituel, la thérapie cognitive peut accentuer le soulagement de la dépression apporté par les médicaments et réduire le risque de rechute après le traitement (Hollon et al., 2002 ; Keller et al., 2000 ; Vittengl et al., 2007). Mieux encore, certaines études suggèrent d'attaquer la dépression (et l'anxiété) de façon ascendante et descendante (Cuijpers et al., 2010 ; Walkup et al., 2008) : utiliser les médicaments antidépresseurs (en inhibant la recapture ou la dégradation des neuromédiateurs dans le système limbique) en conjonction avec la thérapie cognitivo-comportementale (qui fait appel aux fonctions supérieures du lobe frontal).

Tout le monde s'accorde pour dire qu'après un mois de traitement par les médicaments antidépresseurs, le patient dépressif se sent mieux. Mais après avoir considéré l'amélioration naturelle et l'effet placebo, quelle est l'importance de l'effet de ces médicaments ? Elle n'est pas énorme, selon Irving Kirsch et son équipe (1998, 2002, 2010, 2014). Leur analyse des essais thérapeutiques effectués en double aveugle indique que l'effet placebo correspond à environ 75 % de l'efficacité du produit actif. Au cours d'une analyse ultérieure incluant des essais cliniques non publiés, les effets des antidépresseurs étaient là encore modestes (Kirsch et al., 2008). L'effet placebo était moins important chez ceux souffrant de dépression sévère, rendant l'action bénéfique de ce médicament un peu plus importante chez eux. Kirsch en conclut (BBC, 2008) qu'« étant donné ces résultats, il semble y avoir peu de raisons de prescrire des antidépresseurs aux patients déprimés à part chez ceux qui le sont sévèrement, à moins que les autres traitements n'aient échoué ». Une nouvelle analyse confirme que les avantages des antidépresseurs par rapport aux placebos sont « minimes voire inexistants, en moyenne, chez les patients dont les signes et les symptômes sont d'intensité légère à modérée ». Pour ces gens-là, l'aérobic ou la psychothérapie est souvent efficace. Mais chez les personnes souffrant de dépression « très sévère », l'avantage des médicaments devient « substantiel » (Fournier et al., 2010).

« Si cela ne vous est d'aucune aide, ne vous inquiétez pas, c'est un placebo. »

« Il n'y a pas d'idéation tordue sans que la molécule à l'origine de cette idéation ne soit tordue. Toute maladie mentale a pour substrat un trouble neurochimique. »

Attribuée au psychologue
et neuro-physiologiste Ralph Gerard

Médicaments régulateurs de l'humeur

En plus des neuroleptiques, des anxiolytiques et des antidépresseurs, les psychiatres ont dans leur arsenal des *médicaments régulateurs de l'humeur*. Pour ceux qui ont des fluctuations de l'humeur caractéristiques des troubles bipolaire, les sels de *lithium* peuvent être un stabilisateur efficace de l'humeur. Un médecin australien, John Cade, découvrit cette propriété dans les années 1940 en administrant du carbonate de lithium à un patient dont l'état maniaque était sévère. Cade observa qu'en moins d'une semaine, le patient devint parfaitement équilibré (Snyder, 1986). Après avoir souffert de changements d'humeur pendant des années, environ 7 personnes sur 10 souffrant de troubles bipolaires trouvent l'apaisement en prenant une dose journalière de ce sel peu onéreux qui les aide à prévenir les épisodes maniaques ou les apaise et, à un moindre degré, soulage les symptômes de la dépression (Solomon et al., 1995). Kay Redfield Jamison (1995, p. 88-89) décrit l'effet :

> Le lithium empêche la survenue de mon humeur désastreuse, diminue mes dépressions, éclaircit ma pensée en dissipant le brouillard qui l'habite ou en maîtrisant sa fuite désordonnée, m'apaise, évite de ruiner ma carrière et ma vie familiale et sociale, me permet de quitter l'hôpital et rend la psychothérapie possible.

« Tout d'abord, je pense que vous devriez savoir que les chiffres de ventes du dernier trimestre interfèrent avec mes médicaments régulateurs de l'humeur. »

Les sels de lithium réduisent le risque de suicide des patients souffrant de trouble bipolaire et les ramènent à environ un sixième du risque présent chez les sujets non-traités par les sels de ce métal (Oquendo et al., 2011). Le taux de lithium présent naturellement dans l'eau potable a également été corrélé à une diminution du taux de suicide (dans 18 villes japonaises) et à une baisse du taux de criminalité (dans 27 comtés du Texas) (Ohgami et al., 2009 ; Schrauzer et Shrestha, 1990, 2010 ; Terao et al., 2010). Cependant, on n'a pas encore entièrement compris le mécanisme d'action de l'ion lithium. Il en est de même du valproate de sodium – acide valproïque dépakote® –, un médicament utilisé à l'origine pour traiter l'épilepsie et qui s'est récemment avéré efficace dans le contrôle des épisodes maniaques.

> **Électroconvulsivothérapie (ECT)**
> traitement des dépressions sévères par passage d'un courant électrique à travers la boîte crânienne d'un patient anesthésié, afin de provoquer une crise d'épilepsie durant trente secondes environ.

EXERCICE RÉCAPITULATIF

- Quelle est la méthode que les chercheurs utilisent pour évaluer l'efficacité de certains traitements médicamenteux ?

Réponse : Les chercheurs répartissent les sujets en groupes qui, soit reçoivent le traitement efficace, soit ne reçoivent pas de traitement efficace pour juger de l'amélioration de la condition clinique réellement apportée par le traitement. Les études contrôlées, menées en double aveugle, sont les plus efficaces. Si, ni le thérapeute, ni le patient ne savent qui a reçu le traitement médicamenteux, alors toute différence apparaissant entre le groupe de patients traités et le groupe témoin reflétera l'effet du médicament.

- Les médicaments le plus souvent administrés pour traiter la dépression sont appelés _____. La schizophrénie est souvent traitée avec des médicaments _____

Réponses : antidépresseurs ; antipsychotiques

Stimulation cérébrale

16-15 Comment peut-on utiliser l'électroconvulsivothérapie et la psychochirurgie pour traiter certains troubles mentaux caractérisés ?

Électroconvulsivothérapie

Une manipulation cérébrale plus controversée a lieu lors du traitement par électrochocs ou **électroconvulsivothérapie (ECT)**. Lorsque ce traitement fut utilisé pour la première fois, en 1938, le patient, complètement éveillé, était attaché sur une table et secoué par une décharge d'environ 100 volts au niveau du cerveau, produisant des convulsions douloureuses et une brève perte de conscience. L'ECT a donc acquis l'image d'une technique barbare qui persiste encore de nos jours. L'ECT d'aujourd'hui est beaucoup moins violente. Le sujet subit une anesthésie générale et reçoit un myorelaxant pour éviter les blessures dues aux convulsions avant qu'un psychiatre applique un choc électrique au niveau du cerveau pendant trente à soixante secondes. Une crise d'épilepsie survenant pendant ce temps et suivie par électro-encéphalographie est garante de l'efficacité (**FIGURE 16.6**). Au bout de trente minutes, le patient se réveille et ne garde aucun souvenir du traitement ou des heures qui le précèdent. Après trois séances hebdomadaires pendant deux à quatre semaines, au moins 80 % des sujets soumis à une électronarcose montrent une amélioration marquée sans dommage cérébral perceptible, à part une légère perte de mémoire pendant la période du traitement. Étude après étude, il est confirmé que l'ECT est un traitement efficace des dépressions sévères chez les patients qui n'ont pas répondu aux traitements pharmacologiques (Bailine et al., 2010 ; Fink, 2009 ; Lima et al., 2013). La conclusion du *Journal of the American Medical Association* notait que « les résultats des traitements des dépressions sévères par ECT sont parmi les plus efficaces de toute la médecine » (Glass, 2001).

Comment l'ECT peut-elle soulager les dépressions sévères ? Après plus de soixante-dix ans, personne ne le sait exactement. Un bénéficiaire de ce traitement a comparé l'ECT au vaccin contre la variole, qui sauvait des vies avant même que l'on ne connaisse son mode de fonctionnement. D'autres considèrent que « l'ECT réinitialise leur ordinateur cérébral ». Mais qu'est-ce qui fait que l'électronarcose est thérapeutique ? Il est possible que les convulsions provoquées par le choc mettent au repos les centres neuronaux dont l'hyperactivité est la cause de la dépression. Certains travaux de recherche extrêmement complexes confirment que l'ECT fonctionne en affaiblissant les connexions « trop importantes » dans un dans le lobe frontal gauche (Perrin et al., 2012).

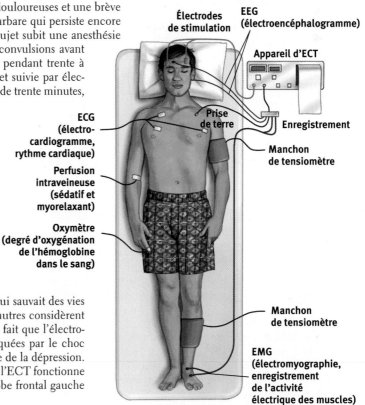

▼ **FIGURE 16.6**
Électroconvulsivothérapie Bien que controversée, l'ECT est un traitement souvent efficace pour la résolution des états dépressifs résistant aux traitements médicamenteux. (Le terme « électroconvulsion » n'est plus adapté car le médicament myorelaxant donné lors de l'anesthésie prévient les convulsions musculaires.)

Électrodes de stimulation

EEG (électroencéphalogramme)

Appareil d'ECT

ECG (électrocardiogramme, rythme cardiaque)

Prise de terre

Enregistrement

Manchon de tensiomètre

Perfusion intraveineuse (sédatif et myorelaxant)

Oxymètre (degré d'oxygénation de l'hémoglobine dans le sang)

Manchon de tensiomètre

EMG (électromyographie, enregistrement de l'activité électrique des muscles)

L'usage médical de l'électricité est une pratique ancienne. Des médecins ont traité l'empereur romain Claude (10 av. J.-C.-54 apr. J.-C.) en utilisant les décharges provoquées par l'organe électrique du poisson torpille de Méditerranée.

« J'étais incapable, comme toujours… de ne pas éprouver de crainte même quand je me sentais bien, parce que je savais que les pensées négatives reviendraient. L'ECT a balayé tout ça. Elle m'a donné un sentiment de contrôle de moi-même et d'espoir. »

Kitty Dukakis (2006)

Une méta-analyse de 17 essais cliniques a révélé qu'une autre intervention par stimulation somatique soulage la dépression : la thérapie par les massages (Hou et al., 2010).

L'ECT est maintenant administrée par des impulsions plus brèves, parfois uniquement sur le côté droit du cerveau de manière à moins perturber la mémoire (HMLH, 2007). Cependant, quelle que soit la qualité des résultats obtenus, l'idée de provoquer des convulsions chez les patients par un choc électrique heurte encore beaucoup de gens qui considèrent l'ECT comme un acte barbare, et ce d'autant plus que nous ignorons pourquoi elle est efficace. De plus, chez quatre patients déprimés sur dix traités par ECT, la rechute survient dans les six mois qui suivent (Kellner et al., 2006). Malgré tout, le traitement par électrochoc est, dans l'esprit de nombreux psychiatres et de patients, un moindre mal comparé à l'angoisse et à la souffrance de la dépression sévère ou aux risques de suicide. Norman Endler, un psychologue spécialiste de la recherche (1982), constate après que l'ECT a soulagé sa dépression : « Un miracle s'est produit en deux semaines. »

Thérapies alternatives par neuro-stimulation

Deux autres techniques, la stimulation magnétique transcrânienne et la stimulation cérébrale profonde, sont mises en œuvre pour traiter les patients déprimés.

Stimulation magnétique L'humeur dépressive semble s'améliorer lorsque des impulsions répétitives sont envoyées sur le crâne du patient par le biais d'une bobine d'induction d'un champ magnétique (**FIGURE 16.7**). Cette technique, appelée **stimulation magnétique transcrânienne répétée (SMTr)**, est une intervention indolore, réalisée sur un patient complètement éveillé, pendant plusieurs semaines. Contrairement à l'ECT, la SMTr ne provoque pas de convulsions, ni de troubles mnésiques, ni d'autres effets secondaires.

Sept études initiales ont montré que la SMTr était un « traitement prometteur », donnant des résultats comparables à ceux obtenus avec les médicaments antidépresseurs (Berlim et al., 2013). Le mécanisme d'action n'est pas totalement élucidé. Une explication possible de cet effet serait que des stimulations donnent de l'énergie au lobe frontal gauche (Helmuth, 2001). Lors de stimulations répétées, les cellules nerveuses peuvent former de nouveaux circuits qui fonctionnent par le biais d'un processus de potentialisation à long terme (LTP).

Stimulation profonde du cerveau D'autres patients, dont la dépression avait résisté aux médicaments qui inondent le corps et à l'ECT qui secoue au moins la moitié du cerveau, ont tiré bénéfice d'un traitement expérimental concentré sur le centre cérébral de la dépression. Des chercheurs en neurosciences comme Helen Mayberg et ses collaborateurs

---

Stimulation magnétique transcrânienne répétée (SMTr) stimulation consistant à diriger de façon indolore un champ magnétique, à travers le crâne, vers une région de l'encéphale.

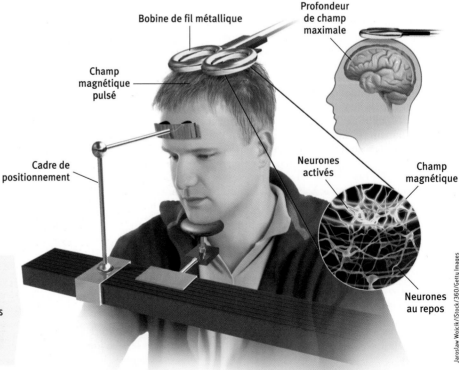

Bobine de fil métallique

Profondeur de champ maximale

Champ magnétique pulsé

Cadre de positionnement

Neurones activés

Champ magnétique

Neurones au repos

▼ FIGURE 16.7
Des aimants pour l'esprit La stimulation magnétique transcrânienne répétée (SMTr) consiste à diriger de façon indolore un champ magnétique, à travers le crâne, vers une région de l'encéphale. Les impulsions peuvent être utilisées pour modifier l'activité dans différentes zones corticales.

Jaroslaw Wojcik/iStock/360/Getty Images

(2005, 2006, 2007, 2009) se sont concentrés sur une région du cortex qui relie les lobes frontaux au système limbique. Ils ont découvert que cette région, qui est hyperactive dans le cerveau d'une personne déprimée ou temporairement triste, se calme lorsqu'elle est traitée par l'ECT ou les antidépresseurs. Pour exciter expérimentalement les neurones qui inhibent cette activité nourrie par les émotions négatives, Mayberg a fait appel à la technologie de stimulation cérébrale profonde parfois utilisée pour traiter les tremblements parkinsoniens. Depuis 2003, elle et d'autres ont traité plus de 100 patients déprimés par la stimulation cérébrale profonde de ce « centre de la tristesse ». Chez environ un tiers des patients la réponse à ce traitement a été qualifiée d'« extrêmement bonne » et pour un autre tiers de « modeste » (Underwood, 2013). Certains se sont sentis brusquement plus conscients, se sont mis à parler plus et se sont plus engagés dans la conversation ; d'autres ne se sont que légèrement améliorés, voire pas du tout. Les recherches ultérieures devront explorer si Mayberg a découvert un commutateur pouvant éteindre la dépression. D'autres recherches sont en cours sur les rapports concernant le fait que la stimulation cérébrale profonde pouvait soulager les personnes ayant un trouble obsessionnel compulsif et des addictions aux drogues et à l'alcool (Corse et al., 2013 ; Luigjes et al., 2012 ; Rabins et al., 2009).

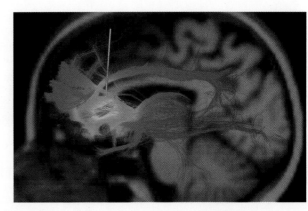

Helen Mayberg, MD Psychiatric Neuroimaging and Therapeutics, The Mayberg Lab at EmoryUniversity, Atlanta, GA / V. J. Wedeen et L. L. Wald/Athinoula A. Martinos Center for Biomedical Imaging et le projet Connectome humain, Boston, MA

Un commutateur des états dépressifs ? En comparant les cerveaux de patients avec et sans dépression, le chercheur Helen Mayberg a identifié une zone du cerveau (en rouge) qui apparaît actif chez les gens qui sont déprimés ou tristes, et dont l'activité peut être calmée par la stimulation cérébrale profonde.

EXERCICE RÉCAPITULATIF

- La dépression sévère qui n'a pas été traitée avec succès par diverses mesures peut être traitée par _____ _____, ce qui peut provoquer des crises convulsives et des pertes de mémoire. Des techniques de stimulations plus modérées conçues pour aider à soulager la dépression incluent la stimulation magnétique _____ _____, et la stimulation _____ _____.

Réponses : Électroconvulsivothérape, stimulation magnétique transcrânienne répétée ; stimulation cérébrale profonde

---

Psychochirurgie

La **psychochirurgie**, qui procède à l'ablation ou à la destruction de tissus cérébraux pour modifier le comportement, est l'intervention biomédicale la plus drastique et la moins utilisée, car ses effets sont irréversibles. Dans les années 1930, le médecin portugais Egas Moniz, inventeur de l'artériographie cérébrale, développa ce qui est devenu l'opération psychochirurgicale la plus connue, la **lobotomie** (N.d.T. : ou plutôt la leucotomie). Moniz observa que la section des fibres blanches reliant les lobes frontaux aux centres contrôlant l'émotion dans le cerveau profond calmait les patients violents ou aux émotions incontrôlables. Tombée en d'autres mains elle devint une procédure plutôt grossière, facile et peu onéreuse, ne durant qu'une dizaine de minutes. Après avoir plongé le patient dans le coma, le neurochirurgien introduit une sorte de pic à glace dans son cerveau en passant par les orbites, puis il le fait tourner pour détruire les connexions allant aux lobes frontaux. Entre 1936 et 1954, des dizaines de milliers de personnes sévèrement perturbées furent « lobotomisées » (Valenstein, 1986).

Bien que l'intention fût simplement de déconnecter les émotions de la pensée, l'effet était souvent plus drastique. La lobotomie diminuait généralement la tension ou la souffrance des patients mais avait également pour conséquence de rendre de manière permanente la personnalité des sujets léthargique, immature et sans plus aucune créativité. Au cours des années 1950, après la lobotomisation de quelque 35 000 personnes rien qu'aux États-Unis, les calmants firent leur apparition et la psychochirurgie fut largement abandonnée. [W.C. Fields a dit : « I'd rather have a bottle in front of me than a frontal lobotomy. » (N.d.T. : jeu de mots intraduisible en français).]

Psychochirurgie chirurgie qui enlève ou détruit des tissus cérébraux dans l'espoir de modifier le comportement.

Lobotomie acte psychochirurgical autrefois utilisé pour calmer les patients incontrôlables ou violents. L'acte consistait en la section des fibres blanches reliant le cortex préfrontal à des structures sous-corticales, comme le thalamus par exemple.

New York Times Co./Getty Images

Lobotomie : un échec célèbre Cette photo montre Rosemary Kennedy, au centre, âgée de 22 ans en 1940 avec son frère John (futur président des États-Unis) et sa sœur Jean. Un an plus tard, son père, sur avis médical, a approuvé une lobotomie qui promettait de contrôler ses sautes d'humeur violentes. Cette intervention la laissa confinée à l'hôpital avec une mentalité infantile jusqu'à sa mort en 2005 à l'âge de 86 ans.

Aujourd'hui, les lobotomies font partie de l'histoire. Toutefois des opérations neurochirurgicales à l'échelle microscopique, bien plus précises, sont parfois effectuées dans des cas extrêmes. Par exemple, si un patient souffre de crises d'épilepsie incontrôlables, le chirurgien peut désactiver le groupe de nerfs spécifiques qui provoquent ou transmettent les convulsions. On fait parfois appel à la précision des neurochirurgies guidées par IRM afin de procéder à la section des circuits cérébraux impliqués dans des cas graves de trouble obsessionnel compulsif (Carey, 2009, 2011 ; Sachdev et Sachdev, 1997). Cependant, comme ces opérations sont irréversibles, elles restent controversées et les neurochirurgiens ne les pratiquent qu'en dernier recours.

Modification thérapeutique du mode de vie

16-16 Comment les personnes atteintes de dépression peuvent-elles être soulagées de leurs maux en adoptant un mode de vie plus sain et en prenant soin de leur corps ? En quoi cela reflète-t-il le fait que nous sommes des êtres biopsychosociaux ?

L'efficacité des traitements biomédicaux nous rappelle une leçon fondamentale : nous trouvons pratique de parler d'influences psychologiques ou biologiques séparées, mais tout ce qui est psychologique est aussi biologique (**FIGURE 16.8**). Chaque pensée et chaque sentiment dépendent du fonctionnement du cerveau. Chaque idée créatrice, chaque moment de joie ou de colère, chaque période de dépression sont issus de l'activité électrochimique du cerveau vivant. L'influence agit dans les deux sens : lorsque la thérapie parvient à soulager un trouble obsessionnel compulsif, les images de TEP révèlent également un cerveau plus serein (Schwartz et al., 1996).

Les troubles anxieux, le trouble obsessionnel-compulsif, le trouble de stress post-traumatique, le trouble dépressif majeur, le trouble bipolaire et la schizophrénie sont tous des événements biologiques. Comme nous l'avons vu encore et toujours, *un être humain est un système biopsychosocial intégré*. Pendant des années, nous avons confié notre corps aux médecins et notre esprit aux psychiatres et aux psychologues. Cette séparation nette n'est plus valable. Le stress affecte la biochimie et la santé de notre corps. Ainsi, notre mode de vie, notre activité, la nutrition, les relations, les loisirs, la détente, l'engagement religieux ou spirituel, affectent notre santé mentale (Walsh, 2011).

Stephen Ilardi et ses collègues (2009) appliquent cette leçon dans leurs séminaires d'enseignement pour promouvoir la *modification thérapeutique du mode de vie*. Ils constatent que le cerveau et le corps ont été conçus pour avoir une activité physique et un engagement social. Nos ancêtres chassaient, vivaient et bâtissaient en groupe. En fait, ceux dont le mode de vie comporte une activité physique fatigante, de très forts liens communautaires, une exposition au soleil et beaucoup de sommeil souffrent très rarement de dépression (pensez aux tribus de Papouasie-Nouvelle-Guinée qui partent chercher leur nourriture ou aux communautés fermières des Amish en Amérique du Nord). Que ce soit pour les enfants ou pour les adultes, la pratique d'activités à l'extérieur dans un environnement naturel (une promenade en forêt pas exemple) réduit le stress et favorise la bonne santé (MacKerron & Mourato, 2013 ; NEEF, 2011 ; Phillips, 2011). « Dit plus simplement : les hommes n'ont jamais été conçus pour le mode de vie américain du XXIe siècle sédentaire, désengagé, socialement isolé, mal nourri et privé de sommeil. »

L'équipe de Ilardi a été également impressionnée par les recherches montrant que la pratique régulière de l'aérobic rivalisait avec le pouvoir de guérison des antidépresseurs et qu'une bonne nuit de sommeil améliorait l'humeur et donnait de l'énergie. Ils ont donc invité des petits groupes de personnes déprimées à suivre un programme d'entraînement de douze semaines ayant les objectifs suivants :

- *Exercice d'aérobic*, trente minutes par jour au moins trois fois par semaine (augmente la forme physique et la vitalité, stimule les endorphines).

▼ **FIGURE 16.8**
L'interaction entre l'esprit et le corps Les thérapies biomédicales supposent que l'esprit et le corps ne font qu'un : modifiez l'un et vous modifiez l'autre.

« **Bain forestier** » Dans plusieurs petites études, des chercheurs japonais ont découvert que des promenades dans les bois sont bénéfiques pour réduire les taux circulants des hormones du stress et faire baisser la pression artérielle (Phillips, 2011).

© Randy Faris/Corbis

Nicole Hill/Rubberball/Getty Images

- *Un temps de sommeil adapté* avec comme objectif sept à huit heures par nuit (augmente l'énergie et la vigilance, active l'immunité).
- *Exposition à la lumière*, au moins trente minutes chaque matin devant une lampe (éveil comportemental, sécrétions d'hormones).
- *Lien social*, avec moins de temps seul et au moins deux engagements sociaux significatifs hebdomadaire (satisfaire le besoin humain d'appartenir).
- *« Anti-rumination »*, en identifiant et en redirigeant les pensées négatives (amélioration de la pensée positive).
- *Compléments nutritionnels*, y compris tous les jours un complément à base d'huile de poisson contenant des acides gras oméga 3 (pour un fonctionnement cérébral sain).

Dans une étude menée chez 74 personnes, 77 % de ceux qui ont suivi le programme jusqu'à son terme ont été soulagés de leurs symptômes dépressifs comparés aux 19 % des sujets du groupe témoin qui avaient été traités de façon habituelle. De futures recherches vont tenter de répliquer ces résultats intéressants venant de modifications du mode de vie et aussi d'identifier quelles sont les composantes de ce traitement qui produisent les effets thérapeutiques, soit en s'additionnant, soit en se combinant d'une certaine façon. Il semble qu'il existe peu de raisons de douter de la vérité de cet adage latin *Mens sana in corpore sano* ou « un esprit sain dans un corps sain ».

Le **TABLEAU 16.4** résume certains aspects des traitements biomédicaux dont nous venons de parler.

▼ TABLEAU 16.4
Les traitements biomédicaux

Traitements	Dysfonctionnement présumé	Objectif du traitement	Technique thérapeutique
Traitements pharmacologiques	Troubles de la régulation des neuromédiateurs	Réduction de l'intensité des signes et des symptômes	Modifications biochimiques cérébrales
Stimulation cérébrale	Dépression sévère résistante aux traitements médicamenteux	Résolution de l'état dépressif pour lequel la thérapie médicamenteuse a été inefficace.	Stimulation du cerveau par électrochocs, impulsions magnétiques ou stimulation cérébrale profonde
Psychochirurgie	Dysfonctionnement cérébral	Soulager des troubles réfractaires et d'intensité sévère.	Ablation ou destruction de certaines zones du parenchyme cérébral
Modification thérapeutique du mode de vie	Stress et mauvaise hygiène de vie	Restaurer un état physiologique plus sain	Changer de mode de vie par la pratique d'exercice physique, rétablir une hygiène du sommeil, etc.

EXERCICE RÉCAPITULATIF

- Donnez quelques exemples de changements de style de vie qui pourraient améliorer notre santé mentale.

Réponse : pratiquer des exercices physiques régulièrement, dormir suffisamment, s'exposer plus souvent à la lumière (sortir et/ou utiliser une lampe spéciale), entretenir des relations, rediriger la pensée négative, et avoir une alimentation riche en acides gras oméga-3.

Prévenir les troubles psychologiques et accroître la résilience

16-17 Quelle est la justification des programmes de prévention en santé mentale, et pourquoi est-il important de développer la résilience ?

Les psychothérapies et les traitements biomédicaux ont tendance à localiser la cause des troubles psychologiques chez la personne. Nous considérons que l'individu qui agit cruellement doit être cruel et que celui qui agit comme un « fou » doit être « malade ». Nous accrochons des étiquettes à ces personnes et les distinguons ainsi du monde ordinaire. Il s'ensuit que nous essayons de traiter les personnes « anormales » en leur donnant un aperçu de leurs problèmes, en changeant leur façon de penser ou en les contrôlant avec des médicaments.

Il existe une autre façon de voir les choses : nous pouvons interpréter de nombreux troubles psychologiques comme des réponses compréhensibles à une société stressante et perturbante.

Selon cette optique, ce n'est pas simplement la personne qui a besoin d'un traitement, mais également le contexte social dans lequel elle évolue. Il est plus efficace de drainer les marécages que d'écraser les moustiques. Il est préférable de prévenir un problème en modifiant une situation pathogène et en développant les aptitudes des gens à y faire face plutôt que d'attendre le problème et le traiter.

Prévention en matière de santé mentale

Une histoire concernant le sauvetage d'une personne tombée dans un torrent illustre ce point de vue. Ayant réussi à administrer les premiers soins à la première victime, le sauveteur repère une autre personne en train de se débattre et lui porte secours à son tour. Après une demi-douzaine d'autres sauvetages, le sauveteur se retourne et se met à courir vers l'amont tandis que la rivière charrie une autre personne en train de se débattre dans l'eau. « N'allez-vous pas essayer de la sauver ? » demande un spectateur. « Ben non, répond le sauveteur. Je vais aller voir en amont ce qui pousse tous ces gens à l'eau. »

> « Mieux vaut prévenir que guérir. »
>
> Sagesse populaire péruvienne

La prévention en santé mentale est un travail qui se fait en amont. Elle cherche à prévenir les accidents psychologiques en identifiant et en éliminant les conditions qui les provoquent. George Albee (1986 ainsi que Yoshikawa et al., 2012) considère qu'il existe de nombreux éléments attestant que la pauvreté, un travail inintéressant, la critique constante, le chômage, le racisme et la discrimination sexuelle minorent la notion qu'ont les personnes de leur compétence, de leur estime d'eux-mêmes et de leur sentiment de contrôle personnel. De telles conditions stressantes augmentent les risques de survenue d'états dépressifs, de troubles liés à consommation d'alcool et de suicide.

Albee prétend que ceux qui se soucient de prévenir les accidents psychologiques doivent donc soutenir les programmes qui soulagent ces situations démoralisantes. Nous avons éradiqué la variole en vaccinant les individus non touchés, et non en traitant les malades. Nous avons vaincu la fièvre jaune en détruisant les moustiques. La prévention des problèmes psychologiques signifie l'autonomisation de ceux qui ont adopté un comportement de résignation et le changement des environnements qui entretiennent la solitude. Cela signifie le renouvellement des liens familiaux fragiles et le renforcement des compétences des parents et des enseignants à nourrir le besoin de réalisation des enfants et le concept de soi qui en résulte. En effet, « chaque élément destiné à améliorer la condition humaine et à donner à l'existence sens et plénitude peut être considéré comme un élément de la prévention primaire des perturbations mentales et émotionnelles » (Kessler et Albee, 1975, p. 557). La prévention peut parfois être doublement bénéfique. Les personnes ayant une volonté de donner un sens à leur vie sont plus engagées dans les actions de solidarité sociale (Stillman et al., 2011). Si nous pouvons renforcer chez l'autre le sentiment de vivre une vie ayant du sens, nous pouvons aussi les aider lutter contre la solitude par les liens sociaux intéressants qu'ils vont ainsi nouer.

> « Les troubles mentaux viennent des troubles somatiques, de même que les troubles somatiques proviennent des troubles mentaux. »
>
> *Le Mahabharata*, 200 AV. J.-C.

Les *psychologues travaillant dans les communautés* font partie des travailleurs sociaux engagés dans ces actions de prévention. Conscients des interactions des sujets et de leur environnement, ils se concentrent sur la création de lieux de vie favorables à la santé mentale. Grâce à leurs recherches et à l'action sociale, les psychologues exerçant dans la communauté visent à rendre les gens responsables, à améliorer leurs compétences, leur santé et leur bien-être.

Renforcer la résilience

Nous avons vu que les changements du style de vie pouvaient aider les gens à faire régresser certains symptômes de leurs troubles psychologiques. Ces changements peuvent-ils aussi prévenir l'apparition de certains de ces troubles en façonnant une **résilience** individuelle, une capacité à faire face au stress et à récupérer après un malheur ? Face à un traumatisme imprévu, la plupart des adultes font preuve de résilience. Cela s'est avéré chez les habitants de New York juste après les attaques terroristes du 11 Septembre, en particulier chez ceux qui entretenaient des relations étroites avec les autres en leur fournissant un soutien et qui n'avaient pas eu déjà à vivre un autre événement blessant (Bonanno et al., 2007). Plus de 9 New-Yorkais sur 10 *n'ont pas* présenté de réaction de dysfonctionnement lié au stress du 11 Septembre, bien qu'ils aient été sidérés et accablés de chagrin. Au mois de janvier, les symptômes du stress qui s'étaient manifestés chez certains avaient, pour la plupart, disparu (Person et al., 2006). Même la plupart des anciens combattants stressés, des rebelles politiques qui ont survécu à la torture, et la plupart des personnes atteintes de lésions de la moelle épinière ne présentent pas, par la suite, de trouble de stress post-traumatique (Bonanno et al., 2012 ; Mineka & Zinbarg, 1996).

Résilience force interne personnelle qui aide la plupart des gens à faire face au stress et à se remettre de l'adversité et même d'un traumatisme.

Faire face à des défis peut entraîner une **croissance post-traumatique.** Beaucoup de survivants du cancer ont rapporté une plus grande appréciation de la vie, des relations plus significatives, ont augmenté leur force personnelle, ont changé les priorités, et ont une vie spirituelle plus riche (Tedeschi & Calhoun, 2004). Les Américains qui ont essayé de donner un sens aux attaques terroristes du 9/11 ont connu moins de détresse (Park et al., 2012). Même de vos pires expériences, il peut venir quelque chose de bon. Ainsi, par des efforts de prévention et un mode de vie plus sain, un moins grand nombre d'entre nous plongera dans le torrent déchaîné des troubles psychologiques.

> **Croissance post-traumatique** changements psychologiques positifs faisant suite aux expériences vécues de situations extrêmement difficiles et aux crises de la vie. « Une personne ayant subi un traumatisme ou des événements blessants peut, par des remaniements cognitifs, apprendre de nouvelles stratégies d'adaptation ou acquérir un nouveau point de vue en faisant face à un problème » (ministère de la Justice du Canada).

EXERCICE RÉCAPITULATIF

• Quelle est la différence entre la prévention appliquée à la santé mentale et la thérapie psychologique ou biomédicale ?

Réponse : Les thérapies psychologiques et biomédicales tentent de soulager les patients de la souffrance provoquée par les troubles psychologiques. La prévention en santé mentale tente de prévenir la souffrance en identifiant et en éliminant les conditions qui causent ces troubles.

* * *

Si vous venez de finir de lire ce livre, vous avez terminé votre cours d'introduction à la psychologie. Ce voyage dans l'univers de la psychologie en tant que science nous a appris beaucoup de choses, et peut-être à vous aussi, sur différents thèmes : notre humeur et nos souvenirs, comment nous parvenons à notre inconscient, comment nous nous épanouissons et nous luttons, comment nous percevons le monde physique et social qui nous entoure, et comment nous sommes façonnés en retour par notre biologie et notre culture. Nous espérons qu'en vous guidant tout au long de ce voyage, nous avons pu vous faire partager notre fascination pour cette science, avoir développé votre compréhension et votre compassion et avoir aiguisé votre sens de la réflexion critique. Nous espérons aussi que vous avez apprécié ce voyage.

Nous vous souhaitons la plus grande réussite dans vos entreprises,

David G. Myers
www.davidmyers.org

Nathan DeWall
www.NathanDeWall.com

REVUE GÉNÉRALE Traitements biomédicaux et prévention des troubles psychologiques

OBJECTIFS D'APPRENTISSAGE

EXERCICE RÉCAPITULATIF Prenez un moment pour répondre à chacune de ces questions objectif d'apprentissage (répétées ici au sein de cette section). Puis allez à l'annexe C, révision complète du chapitre, pour vérifier vos réponses. La recherche suggère que d'essayer de répondre à ces questions de votre propre initiative permettra d'améliorer la mémorisation à long terme de ces réponses (McDaniel et al., 2009).

16-14 Quels sont les traitements pharmacologiques ? Comment les études en double aveugle peuvent-elles aider les chercheurs à évaluer l'efficacité d'un médicament ?

16-15 Comment peut-on utiliser l'électroconvulsivothérapie et la psychochirurgie pour traiter certains troubles mentaux caractérisés ?

16-16 Comment les personnes atteintes de dépression peuvent-elles être soulagées de leurs maux en adoptant un mode de vie plus sain et en prenant soin de leur corps ? En quoi cela reflète-t-il le fait que nous sommes des êtres biopsychosociaux ?

16-17 Quelle est la justification des programmes de prévention en santé mentale, et pourquoi est-il important de développer la résilience ?

TERMES ET CONCEPTS À RETENIR

EXERCICE RÉCAPITULATIF Testez votre connaissance de ces termes en essayant d'écrire leur définition avant de vous reporter aux pages donnant les bonnes réponses.

psychopharmacologie, p. 682

médicaments antipsychotiques, p. 682

médicaments anxiolytiques, p. 682

médicaments antidépresseurs, p. 683

électro-convulsivo-thérapie (ECT), p. 685

stimulation magnétique transcrânienne répétée (SMTr), p. 686

psychochirurgie, p. 687

leucotomie (lobotomie), p. 687

résilience, p. 690

croissance post-traumatique, p. 691

ÉVALUEZ-VOUS THÉRAPIE

Évaluez-vous à plusieurs reprises tout au long de vos études. Cela permettra non seulement de vous aider à distinguer ce que vous savez de ce que vous ignorez mais aussi à vous faire bénéficier de l'effet test. Autrement dit, le test lui-même va vous aider à apprendre et à mémoriser l'information de manière plus efficace grâce précisément à ce qui est appelé *l'effet test*.

Introduction aux thérapies psychologiques et aux traitements

1. Un thérapeute qui aide les patients à rechercher les racines inconscientes de leurs difficultés et propose des interprétations de leurs comportements, de leurs sentiments et de leurs rêves, pratique :
   a. La psychanalyse
   b. Les thérapies humanistes
   c. La thérapie centrée sur le client
   d. La thérapie comportementale.

2. Les thérapies _____ sont conçues pour aider les gens à découvrir les pensées et les sentiments qui guident leur motivation et leur comportement.

3. Comparés aux psychanalystes, les thérapeutes humanistes sont plus susceptibles de mettre l'accent sur
   a. les sentiments cachés ou refoulés.
   b. les expériences vécues dans l'enfance.
   c. Les troubles psychologiques.
   d. l'accomplissement de soi et l'épanouissement.

4. Un thérapeute qui reprend et clarifie les déclarations du client pratique _____ _____ .

5. Le but de la thérapie comportementale est
   a. identifier et traiter les causes sous-jacentes du problème.
   b. améliorer l'apprentissage et l'« insight » (capacité à la connaissance de soi)
   c. éliminer le comportement indésirable.
   d. améliorer la communication et la capacité à établir des relations.

6. Les thérapies comportementales utilisent souvent des techniques _____ telles que la désensibilisation systématique et le conditionnement aversif pour encourager les clients à produire de nouvelles réponses à des stimuli connus.

7. La technique de _____ _____ enseigne aux gens à se détendre en faisant face, de façon progressive, à plusieurs stimuli anxiogènes.

8. Après un accident de voiture presque fatal, Rico a développé une telle peur intense de la conduite sur autoroute qu'il prend d'autres itinéraires, plus longs, pour se rendre chaque jour à son travail. Quelle est la thérapie psychologique qui pourrait le mieux aider Rico à surmonter sa phobie, et pourquoi ?

9. Dans un centre de traitement, les personnes qui vont se comporter de la façon souhaitée vont recevoir, en récompense, des pièces de monnaie qu'elles pourront échanger. Ceci est un exemple de _____ _____ .

10. La thérapie cognitive a été particulièrement efficace dans le traitement
    a. de l'onychophagie.
    b. des phobies.
    c. des troubles liés à la consommation d'alcool.
    d. des états dépressifs.

11. La thérapie _____ _____ aide les sujets à modifier leur façon de penser produisant une dévalorisation de soi, et d'agir en modifiant leur comportement quotidien.

12. Dans la thérapie familiale, le thérapeute suppose que

 a. un seul membre de la famille a besoin de changer.

 b. les actions de chaque personne déclenchent des réactions des autres membres de la famille.

 c. les familles dysfonctionnelles doivent améliorer leurs interactions ou abandonner leurs enfants.

 d. les propositions a ; b ; c ; sont vraies.

Évaluation des psychothérapies

13. La conception optimiste de l'efficacité de la psychothérapie vient

 a. des résultats de la recherche.

 b. des essais cliniques randomisés.

 c. des rapports faits par les cliniciens et leurs clients.

 d. d'une étude du traitement de la dépression, faite par les autorités sanitaires.

14. Des études montrent que la thérapie _____ est le traitement le plus efficace pour la plupart des troubles psychologiques.

 a. comportementale

 b. humaniste

 c. psychodynamique

 d. quelle qu'elle soit

15. Quelles sont les trois composantes de la pratique fondée sur des preuves ?

16. Quelle est la part du biais induit par l'effet placebo chez les patients dans l'efficacité des médicaments ?

Traitements biomédicaux et prévention des troubles psychologiques

17. Certains médicaments antipsychotiques, indiqués dans le traitement des patients souffrant de schizophrénie, peuvent avoir des effets secondaires désagréables, notamment

 a. hyperactivité.

 b. convulsions et perte de mémoire momentanée.

 c. ralentissement moteur, tremblements, rigidité

 d. idées délirantes de persécution (paranoïa)

18. Les médicaments comme le Xanax® et le Témesta® (Ativan®), qui dépriment l'activité du système nerveux central, peuvent entraîner une dépendance lorsqu'ils sont utilisés de façon continue. Ces médicaments sont appelés médicaments _____.

19. Un simple sel d'un métal qui est souvent bénéfique aux patients souffrant des fluctuations thymiques du trouble bipolaire est le _____.

20. Lorsque les thérapies médicamenteuses n'ont pas été efficaces, l'électoconvulsivothérapie (ECT) peut être essentiellement utilisée comme traitement des personnes souffrant de

 a. trouble obsessionnel compulsif sévère.

 b. dépression sévère.

 c. schizophrénie

 d. troubles anxieux

21. Une approche qui vise à identifier et atténuer les conditions du risque de survenue de troubles mentaux est appelée

 a. la stimulation cérébrale profonde.

 b. la volonté de réguler les oscillations de l'humeur

 c. la guérison spontanée.

 d. la prévention en santé mentale.

Trouvez les réponses à ces questions dans l'annexe D, à la fin du livre.

La psychologie dans le monde du travail

A-1 Qu'est-ce que le *flux*, et quelles sont les trois branches de la psychologie industrielle et organisationnelle ?

Pour la plupart d'entre nous, le travail constitue l'activité journalière la plus importante. La vie c'est le travail. Le travail aide à satisfaire plusieurs niveaux de besoins identifiés dans la hiérarchie des besoins d'Abraham Maslow (1970). Le travail nous soutient. Le travail nous relie au monde et aux autres. Le travail nous définit. Quand on rencontre quelqu'un pour la première fois et que l'on veut savoir « qui il est », on lui demande souvent : « Que faites-vous dans la vie ? »

Les individus, en fonction des différentes professions exercées, ont des attitudes diverses face à leur travail. Certaines personnes considèrent leur *travail* comme un boulot, une obligation pour gagner de l'argent, n'apportant aucune satisfaction. D'autres considèrent que le but de leur travail est de faire *carrière*, autrement dit, savoir saisir les occasions pour atteindre des positions toujours supérieures. Les autres, ceux qui ont répondu à l'appel d'une *vocation*, y voient une activité à la fois socialement utile et intéressante, et éprouvent une plus grande satisfaction dans leur travail et dans leur vie (Dik & Duffy, 2012 ; Wrzesniewski et al., 1997, 2001).

Cette conclusion n'aurait pas étonné Mihaly Csikszentmihalyi (1990, 1999). Il a observé que la qualité de vie des gens augmente quand ils sont délibérément engagés. Entre l'angoisse d'être surmené et stressé et l'apathie due à une inactivité et l'ennui, se situe une zone intermédiaire dans laquelle les gens sont dans un état de **flux**. Vous rappelez-vous avoir été dans un état de flux, complètement déconnecté du monde pendant que vous jouiez à un jeu vidéo ? Si c'est le cas, peut-être éprouverez-vous de la sympathie pour ces deux pilotes de la Northwest Airline qui en 2009 étaient si concentrés sur leur ordinateur portable qu'ils n'ont pas entendu les messages de la tour de contrôle. Les pilotes ont volé sur une distance de 150 miles au-delà de leur destination, Minneapolis et, ont perdu leur emploi.

Csikszentmihalyi formula le concept de flux après avoir étudié des artistes qui passaient des heures à peindre ou à sculpter avec une concentration intense. Immergés dans un projet, ils travaillaient comme si rien d'autre ne comptait et oubliaient leur travail dès qu'ils l'avaient terminé. Les artistes semblaient plus guidés par la valeur intrinsèque de la récompense obtenue en créant une œuvre que par une récompense extérieure leur procurant argent, gloire, promotion.

Les observations faites plus tard par Csikszentmihalyi sur des personnes de professions et de pays variés, de tous les âges, a confirmé un principe primordial : il est grisant de se fondre dans une activité qui engage pleinement nos compétences. Il est très stimulant d'être dans un état de flux en exerçant une activité impliquant pleinement nos aptitudes. Ne rien faire peut paraître un grand bonheur, mais un travail motivant enrichit la vie. Les personnes occupées sont plus heureuses (Hsee et al., 2010 ; Robinson

Gene Weingarten, écrivain et humoriste, a remarqué que parfois il savait « à quel moment il fallait sortir de l'autoroute ». Voici un échantillon de quelques emplois pittoresques répertoriés par le ministère du travail américain, *Dictionary of Occupational Titles* : échassier, coffreur de béton, crieur, boutefeu, débardeur, exterminateur, hôte de restaurant, lapidaire, mesureur de billes, opérateur de débardeur, ouvrier au broyeur, pulvérisateur, rectifieur en série, tireur de joints.

Avez-vous déjà remarqué que le temps passe très vite lorsque vous êtes absorbé par une tâche ? Et lorsque vous observez une horloge, le temps ne semble-t-il pas s'écouler plus lentement ? Des chercheurs français ont confirmé que plus nous portons notre attention sur la durée d'un événement, plus cette durée semble longue (Couli et al., 2004).

> **Flux** état de conscience traduisant une implication et une concentration totale sur une tâche. Au cours de cet état les personnes perdent conscience d'elles-mêmes et perdent la notion du temps qui passe.

La vie morcelée Les jeux en ligne et les relations sociales sont des sources de distraction, au flot ininterrompu. Il faut une certaine énergie pour résister à la vérification des appels manqués et des messages reçus sur nos téléphones ; il faut du temps pour à nouveau nous concentrer après chaque interruption du cours de nos activités par des appels. Ces interruptions régulières perturbent l'exécution de nos tâches ; il est donc bon de prévoir des temps de pause pour vérifier nos appareils portables.

La main-d'œuvre moderne L'équipe de rédaction qui prend en charge la création de ce livre et du contenu de son enseignement travaille à l'université ou exerce un « télé-travail ». Dans le sens des aiguilles d'une montre en partant du haut à gauche nous voyons Nancy Fleming dans le Massachusetts, Kevin Feyen à New York, Betty Probert et Don Probert en Floride, Christine Brune en Alaska, Trish Morgan à Alberta, Tracey Kuehn à New York et Kathryn Brownson dans le Michigan.

Psychologie industrielle et organisationnelle application des concepts et des méthodes utilisés en psychologie pour optimiser le comportement humain sur le lieu de travail.

Psychologie du personnel domaine de la psychologie industrielle et organisationnelle. En font partie la sélection et le recrutement du personnel, le placement, la formation, l'évaluation et le développement des compétences.

Psychologie organisationnelle domaine de la psychologie industrielle et organisationnelle où sont étudiées les influences de l'organisation du travail sur la satisfaction de l'employé et sa productivité et où les modalités de l'organisation du travail sont repensées.

Psychologie des facteurs humains domaine de la psychologie industrielle et organisationnelle qui étudie les interactions homme-machine, la sécurité et la facilité d'exécution des commandes matérielles.

et Martin, 2008). Une équipe de chercheurs a interrompu des participants dans un quart de million d'occasions (en utilisant une application de « Smartphone ») et a trouvé que leur pensée flottait 47 % du temps. Ils étaient en moyenne plus heureux lorsque leur esprit *était* occupé (Killingsworth et Gilbert, 2010).

Dans beaucoup de pays, le travail a changé : de la ferme à l'usine, au *travail* intellectuel. De plus en plus de travaux sont sous-traités à des employés temporaires, des consultants et à des conseillers qui communiquent par courrier électronique et qui ne sont pas regroupés dans un siège mais se trouvent dans des lieux divers éloignés les uns des autres. À mesure que le travail a changé, nos attitudes envers notre travail ont-elles également changé ? Notre satisfaction au travail a-t-elle augmenté ou diminué ? Le *contrat psychologique* – le sens subjectif des obligations mutuelles entre employé et employeur – est-il plus digne de confiance et plus sûr ou le deviendra-t-il de moins en moins ? Ces questions comptent parmi celles qui fascinent les psychologues qui étudient les comportements liés au travail.

La **psychologie industrielle et organisationnelle** (I/O) applique les principes de la psychologie sur les lieux du travail (**TABLEAU A.1**). Nous allons considérer ici trois branches de la psychologie du travail :

- La **psychologie du personnel** applique les méthodes et les principes de la psychologie pour sélectionner et évaluer des employés. Les spécialistes de la psychologie du personnel associent les gens à certains types de travail en identifiant et en plaçant les candidats qui sont les mieux adaptés.

- La **psychologie organisationnelle** s'intéresse à la manière dont l'environnement de travail et le mode de gestion de l'entreprise influencent la motivation, la satisfaction et la productivité des employés. Les spécialistes de la psychologie organisationnelle modifient les postes et le mode de gestion de l'entreprise pour améliorer le moral et la productivité des employés ;

- La **psychologie des facteurs humains**, ou l'ergonomie, explore comment les machines et l'environnement peuvent être conçus de manière optimale pour s'adapter aux capacités humaines. Les spécialistes de l'ergonomie étudient les perceptions naturelles des gens et leurs inclinaisons pour créer des machines ou des environnements de travail agréables à utiliser.

▼ TABLEAU A.1
La psychologie I/O dans le monde du travail

Dans les milieux scientifiques, chez les consultants ou chez les professionnels du management, on trouve des psychologues dans des domaines variés :

La psychologie du personnel	Psychologie organisationnelle
Sélectionner et placer des employés	**Développer les organisations**
• Développer et valider des outils d'évaluation pour la sélection, le placement et la promotion des travailleurs	• Analyser les structures organisationnelles
• Analyser le contenu d'un emploi	• Optimiser la satisfaction et la productivité des employés
• Optimiser le placement des employés	• Faciliter les modifications d'ordre organisationnel.
Former et contribuer au développement des employés	**Améliorer la qualité de vie au travail**
• Identifier les besoins	• Augmenter la productivité individuelle
• Concevoir des programmes de formation	• Identifier les éléments de satisfaction
• Évaluer les programmes de formation	• Réorganiser certains emplois
Évaluer les performances	**La psychologie des facteurs humains (ergonomie)**
• Développer des critères	• Concevoir des environnements de travail optimisés
• Mesurer les performances individuelles	• Optimiser l'interaction entre l'homme et la machine
• Mesurer les performances organisationnelles	• Développer des technologies

Source : Adapté de la Société de psychologie industrielle et organisationnelle (www.siop.org).

EXERCICE RÉCAPITULATIF

• Qu'apporte le fait de se trouver dans un état de flux dans son exercice professionnel ?

Réponse : Nous devenons plus susceptibles de considérer notre travail comme satisfaisant et socialement utile.

La psychologie du personnel

A-2 Comment les psychologues du personnel aident-ils les entreprises à sélectionner les employés, à les placer et à évaluer leurs performances ?

Des psychologues peuvent aider les entreprises aux diverses étapes de la sélection et de l'évaluation des employés. Ils peuvent aider à identifier les aptitudes requises pour un emploi donné, à mettre au point des méthodes de sélection, à recruter et à évaluer les postulants, à intégrer et à entraîner de nouveaux employés et à juger leurs performances.

Mettre en harmonie les aspirations des individus et leur travail

« Donc, qu'est-ce qui vous intéresse ? » Nous pouvons poser à nouveau la question. Lorsque les conseillers du corps professoral ou les conseillers d'orientation professionnelle veulent approfondir la question, ils peuvent ainsi la formuler : « Qu'est-ce que vous aimez faire ? Quelles sont les activités durant lesquelles le temps semble s'écouler rapidement et celles pour lesquelles le temps semble stagner ? » En explorant ce que quelqu'un aime faire, nous cherchons à discerner parmi les activités scolaires et professionnelles celles qui pourraient correspondre aux intérêts de l'élève. De nombreuses tâches sont pénibles ou fastidieuses et ne sont remplies que pour subvenir aux besoins. Mais le meilleur travail est celui pour lequel vous êtes payé pour faire ce que vous aimez : que ce métier soit manuel, intellectuel, artistique, qu'il s'exerce dans le domaine social, qu'il implique des responsabilités, ou qu'il requiert la connaissance des bases de données. Faites ce que vous aimez et alors vous allez adorer ce que vous faites.

La science de l'orientation professionnelle a pour but en premier lieu, d'évaluer les capacités des différentes valeurs des personnes, d'évaluer les personnalités, et, particulièrement les centres d'intérêt qui sont remarquablement stables (Dik & Rottinghaus, 2013). (Votre travail peut changer, mais vos centres d'intérêt d'aujourd'hui seront probablement les mêmes dans dix ans.) Son deuxième but est de s'assurer que les personnes font bien un travail pour lequel elles ont de l'intérêt, si les intérêts de l'entreprise et de la personne sont en adéquation et il y a une bonne adaptation de la personne avec *son cadre de travail.* Une étude a évalué les centres d'intérêt de 400 000 lycéens et a suivi ces sujets au fil du temps. La conclusion à retenir : « Les centres d'Intérêts ont une valeur prédictive remarquable de la réussite scolaire et de la réussite professionnelle, au-delà des capacités cognitive et de la structure de la personnalité » (Rounds & Su, 2014). La puissance de l'adéquation des centres d'intérêt du sujet à sa profession est un bon facteur prédictif des revenus. Cette adéquation « a largement dépassé ce que pouvaient prédire les capacités et la personnalité du sujet ». Soixante autres études confirment ce qui a été montré pour les élèves aussi bien que pour les salariés : les centres d'intérêts sont des facteurs prédictifs prédisant l'assiduité et la réussite scolaire et professionnelle (Nye et al., 2012).

Exploiter les dons

Quand la psychologue Mary Tenopyr (1997) devint directice des ressources humaines d'AT&T, elle dut résoudre un problème : le taux d'échec des représentants du service clientèle était assez élevé. Après avoir conclu que beaucoup de personnes ne répondaient pas aux exigences de leur nouveau travail, Tenopyr mit au point un nouvel instrument de sélection :

1. Elle demanda aux nouveaux postulants de répondre à diverses questions (mais n'utilisa pas les réponses immédiatement).

2. Puis, elle suivit de près ces personnes pour évaluer celles qui réussissaient le mieux dans cet emploi.

3. Elle a identifié les questions posées lors des passations des tests qui étaient les plus prédictives de la réussite professionnelle.

Les résultats concluants de son travail donnèrent lieu à un nouveau test utilisé par AT&T pour identifier les postulants susceptibles de devenir des représentants dont la carrière sera une réussite. Les techniques de sélection du personnel de ce type permettent d'associer les qualités d'une personne à un emploi qui leur permet, ainsi qu'à l'entreprise, de s'épanouir. Si l'on associe les capacités des employés aux tâches des entreprises, il en résulte souvent prospérité et profit.

On appelle capacité toute qualité durable pouvant être utilisée dans un but productif. Êtes-vous curieux de nature ? Persuasif ? Charmant ? Persistez-vous quand vous entreprenez quelque chose ? Aimez-vous la compétition ? Analysez-vous les situations ? Êtes-vous doué de capacités d'empathie ? Êtes-vous organisé ? Êtes-vous capable d'exprimer clairement votre pensée ? Faites-vous attention à votre présentation ? Aimez-vous la mécanique ? Toutes ces caractéristiques, à condition qu'elles soient associées à un travail adéquat, peuvent devenir des atouts (Buckingham, 2007).

Alvin Langdon Coburn/George Eastman House/Getty Images

Des dons artistiques À 21 ans, Henri Matisse, alors employé comme clerc de notaire, était maladif et souvent déprimé. Quand, un jour, sa mère lui donna une boîte de peinture pour lui remonter le moral, il fut envahi par une énergie qui chassa sa morosité. Il consacra ses journées à peindre et à dessiner puis suivit l'école des Beaux-Arts et devint l'un des plus grands peintres au monde. Pour Matisse, être artiste était comme « s'asseoir dans un fauteuil confortable ». C'est souvent ce que l'on ressent quand on a la possibilité d'exercer ses dons.

Marcus Buckingham et Donald Clifton (2001), des chercheurs de chez Gallup, déclarent que la première étape pour qu'une entreprise devienne plus forte c'est d'instituer un *système de sélection fondé sur les atouts des employés*. Ainsi, si vous étiez dirigeant d'entreprise, vous identifieriez tout d'abord un groupe d'employés qui sont efficaces dans chaque domaine – ceux que vous souhaitez le plus engager – et vous compareriez leurs talents à ceux des personnes du groupe les moins efficaces dans les mêmes domaines. En identifiant ces groupes, vous pourriez essayer de mesurer leurs performances aussi objectivement que possible. Dans une étude Gallup effectuée sur plus de 5 000 représentants du service clientèle de diverses sociétés de télécommunication, les personnes ayant été jugées le plus favorablement par leur patron avaient le sens de l'« harmonie » et des « responsabilités », alors que celles ayant été jugées les plus efficaces par les clients avaient plus d'énergie, une grande assurance et une grande envie d'apprendre.

Un exemple : si vous devez recruter de nouveaux employés pour développer vos logiciels et que vous découvrez que vos employés qui développent le mieux vos produits ont l'esprit analytique, sont disciplinés et ont une grande soif d'apprendre, vous focaliserez vos offres d'emploi sur ces talents que vous avez identifiés bien plus que sur l'expérience : « Envisagez-vous la résolution de problèmes de façon logique et systématique *[analytique]* ? Êtes-vous perfectionniste et faites-vous votre possible pour achever vos projets à temps *[discipliné]* ? Souhaitez-vous apprendre à utiliser C++, Java et PHP *[soif d'apprendre]* ? Si vous pensez pouvoir répondre *oui* à ces questions, alors appelez… »

Identifier les atouts de chacun et à les associer à des emplois adéquats constitue un premier pas vers l'efficacité dans le travail. Pour évaluer les points forts, les capacités, des candidats et choisir celui qui est le mieux adapté à la tâche, les responsables du personnel utilisent divers outils (Sackett & Lievens 2008) : tests d'aptitude, tests de personnalité, et observations comportementales. Les épreuves se déroulent dans des « centres d'évaluation » où les candidats sont observés alors qu'ils remplissent des tâches mimant celles de l'emploi recherché.

Découvrir vos capacités, vos points forts

Vous pouvez utiliser certaines des techniques que les psychologues des ressources humaines ont mises au point pour identifier vos propres forces et identifier les types de travaux qui vont vous satisfaire et vous permettre de vous épanouir. Buckingham et Clifton (2001) ont suggéré de vous poser les questions suivantes :

- Quelles activités me donnent du plaisir ? (Remettre de l'ordre dans une situation chaotique ? Jouer l'hôte ? Aider les autres ? Combattre un mode de pensée qui manque de rigueur ?)

- Quelles sont les activités pour lesquelles je me demande : « Quand pourrai-je faire cela à nouveau ? » (plutôt que « Quand aurai-je fini ? ») ?

- Quels sont les défis qui m'émerveillent (et quels sont ceux que je déteste) ?

- Quelles sont les tâches que j'apprends facilement (et celles que j'ai du mal à apprendre) ?

Certains individus ressentent le flux – ils utilisent leurs aptitudes et ne voient pas le temps passer – quand ils enseignent, font du commerce, écrivent, ou encore quand ils nettoient, consolent, créent ou réparent quelque chose. Si vous prenez plaisir à faire une activité, si vous la faites aisément, si vous êtes impatient à l'idée de la pratiquer, il faut approfondir un peu et essayer de voir si elle peut constituer un atout pour votre travail. Pour une évaluation gratuite de vos capacités (inscription requise), visitez le site www.authentichappiness.sas.upenn.edu et sélectionnez le « bref Forces test ».

Le ministère du travail américain offre également un questionnaire professionnel intéressant : Occupational Information Network (O*NET). En visitant le site www.mynextmove.org/explore/ip vous aurez besoin d'environ dix minutes pour répondre à 60 questions portant sur ce que vous aimez et ce que vous redoutez, allant de la construction d'éléments de cuisine à jouer d'un instrument de musique. Vous recevrez alors une évaluation sur la façon dont vos réponses reflètent le mieux six types de centres d'intérêt. Évaluation due à John L. Hollande (1996), psychologue : *Domaine concret* (travailleurs manuels) *Domaine de recherche* (travailleurs intellectuels), *Domaine artistique* (créateurs), *Domaine social* (assistants sociaux, enseignants), *Domaine de l'entreprise* (dirigeants, décideurs), et *Domaine événementiel* (organisateurs). Enfin, en fonction du temps que vous êtes disposé à consacrer à une formation, vous vous verrez proposer des professions sélectionnées à partir d'une base de données nationale contenant plus de 900 professions, et qui sont en harmonie avec vos centres d'intérêt. Un service en ligne plus complet (et payant) (appelé VIP) évalue les capacités, les intérêts et la personnalité ; il propose des emplois ; et met en relation les candidats et les offres d'emploi : www.jobzology.com.

Les personnes satisfaites et qui réussissent consacrent beaucoup moins de temps à combler leurs lacunes qu'à améliorer encore leurs points forts. Ceux qui réussissent le mieux sont « rarement des personnes polyvalentes », ont dit Buckingham et Clifton (p. 26). Au lieu de cela, ils ont encore amélioré leurs compétences. Étant donné la persistance de nos traits de caractères et de nos tempéraments, nous devrions nous concentrer non pas sur nos faiblesses mais plutôt sur l'identification de nos talents et la façon de les utiliser. Il peut y avoir des limites aux bénéfices tirés de la formation de l'affirmation de soi si vous êtes extrêmement timide. L'entraînement à la prise de parole en public a aussi ses limites si vous avez tendance à être tendu et si vous avez une voix qui porte peu. De même pour les cours de dessin, si votre talent artistique se limite à dessiner des ronds et des carrés.

L'identification de vos capacités peut vous aider à reconnaître les activités pour lesquelles l'apprentissage sera rapide et qui vous passionneront. La connaissance de vos capacités vous permettra de vous perfectionner.

Les entretiens peuvent-ils prédire les performances ?

Les intervieweurs ont tendance à être confiants en leur aptitude à prédire des performances professionnelles à long terme à partir d'un premier entretien non structuré. Cela est choquant quand les erreurs de jugement entachent les prévisions de réussite scolaire ou professionnelle. Selon un rapport portant sur quatre-vingt-cinq ans de travail de recherche sur la sélection du personnel, les spécialistes en psychologie industrielle et organisationnelle Frank Schmidt et John Hunter (1998 ; Schmidt, 2002) ont établi qu'à l'exception des postes exigeant peu de qualification, les tests d'aptitudes mentales générales prédisent le mieux la performance au travail. Les évaluations subjectives globales issues d'entretiens informels sont meilleures que des analyses graphologiques (qui sont inutiles). Mais un entretien informel apporte moins d'informations qu'un test d'aptitude, un échantillon de travail, un test sur la connaissance de l'emploi et que les performances fondées sur les emplois antérieurs. S'il y a un conflit entre l'impression que l'on a d'une personne et ses résultats aux tests, ses attestations de travail et ses performances passées, il faut se méfier de nos impressions (Highhouse, 2008).

> « Les entretiens sont un indicateur épouvantable des performances. »
>
> Laszlo Bock, vice-président de Google, Ressources humaines, 2007

Les leurres des entretiens non structurés

Ainsi, un *entretien non structuré* traditionnel dévoile un aspect de la personnalité de quelqu'un : l'expressivité, la chaleur et l'aptitude verbale par exemple. Mais les entretiens non structurés donnent à ceux qui les passent un pouvoir considérable pour contrôler l'impression qu'ils font dans la situation de l'interview (Barrick et al., 2009). Alors pourquoi nombre d'intervieweurs ont une telle foi dans leur capacité à discerner, pour un emploi donné, l'aptitude d'interviewer ? Voici un commentaire que l'on entend parfois dans la bouche des consultants utilisant la psychologie du travail : « J'ai une excellente capacité à faire passer les entretiens et je n'ai pas besoin de toutes les références exigées par quelqu'un n'ayant pas mes aptitudes. » Cette tendance à surestimer leur capacité à prédire ce que vont devenir les sujets interrogés s'appelle *l'illusion de l'intervieweur* (Dana et al., 2013 ; Nisbett, 1987). Quatre effets intéressants peuvent contribuer à l'écart qui sépare l'intuition de l'intervieweur de la réalité :

- *Les intervieweurs supposent que les gens sont ce qu'ils semblent être dans les conditions de l'entretien.* Ces entretiens non structurés peuvent ainsi créer une fausse impression du comportement de la personne envers les autres dans une situation différente. Les psychologues spécialistes dans l'étude de la personnalité expliquent que nous ne tenons pas compte de l'énorme influence des circonstances variées et présupposons à tort que ce que nous voyons est ce que nous aurons. Cependant, la recherche couvrant de nombreux domaines depuis la tendance au bavardage jusqu'au degré d'application et de soin révèle en effet que la façon dont on se comporte reflète pas seulement nos traits de caractère constants, mais aussi des détails liés à une situation particulière (par exemple, l'envie d'impressionner lors de l'entretien).

- *Les idées préconçues de l'intervieweur et son humeur peuvent modifier sa manière de percevoir les réponses de celui qui passe l'entretien* (Cable et Gilovich, 1998 ; Macan et Dipboye, 1994). Si nous apprécions une personne qui nous ressemble, nous interprétons son assurance comme

étant de la « confiance » plutôt que de l'« arrogance ». Quand on leur dit que certains postulants ont déjà été filtrés, les intervieweurs ont plus tendance à les juger favorablement.

- *Les intervieweurs évaluent le sujet en fonction de l'entretien l'ayant précédé et de celui l'ayant
suivi* (Simonsohn & Gino, 2013). Si vous passez un entretien pour travailler dans le commerce
ou pour entrer à l'école de médecine, faites le vœu que les entretiens avec les autres candidats
se soient mal passés.

- *Les intervieweurs suivent plus souvent ceux qui ont réussi leur carrière et qu'ils ont engagés plutôt
que ceux qui ont réussi et qu'ils avaient rejetés.* Ce manque de suivi les empêche d'avoir un
contrôle réaliste de leur aptitude à engager le personnel.

- *Les entretiens dévoilent les bonnes intentions de la personne interviewée, qui sont moins révélatrices que les comportements quotidiens* (Ouellette et Wood, 1998). Les intentions ont leur
importance. Les personnes peuvent changer. Mais ce qui définit le mieux ce que sera une
personne c'est ce qu'elle a été. Comparés aux étudiants qui entrent à l'université et évitent de
travailler, ceux qui s'engagent dans un travail ont plus de chances, dix ans plus tard, d'être des
employés impliqués dans la marche de leur entreprise (Salmela-Aro et al., 2009). La réussite
scolaire prédit les performances au travail en partie parce que les gens qui sont allés tous les
jours à l'école et ont fait leur travail auront également tendance à aller tous les jours à leur
travail et à faire leur tâche (Ng et Feldman, 2009). Où que l'on aille, on emporte sa personnalité aux talons de ses souliers.

Dans l'espoir d'améliorer le pouvoir prédictif des entretiens ainsi que la sélection, les spécialistes
de la psychologie du personnel ont demandé à des gens de participer à des simulations de situations
de travail, ont cherché des informations sur les performances passées, ont rassemblé des évaluations
provenant de multiples entretiens, ont fait passer des tests et ont développé des entretiens spécifiques
à certains emplois.

Entretiens structurés

Contrairement à une simple conversation destinée à se faire une opinion sur une personne,
l'**entretien structuré** apporte une méthode disciplinée pour obtenir des informations. Un spécialiste en psychologie du personnel peut analyser un emploi, préparer des questions types et entraîner
les intervieweurs. Ils poseront les mêmes questions dans le même ordre à tous les postulants pour
ensuite les évaluer à l'aide d'une échelle construite dans ce but.

Dans un entretien non structuré, quelqu'un peut vous demander : « Êtes-vous organisé ? », « Vous
entendez-vous bien avec les autres ? », « Comment gérez-vous votre stress ? » Un postulant adroit
sait comment obtenir de bons résultats : « Bien que parfois je ne me ménage pas, je gère mon stress
en établissant des priorités et en déléguant, de même qu'en m'assurant de toujours avoir du temps
pour faire de l'exercice et pour bien dormir. »

Au contraire, l'entretien structuré met le doigt sur les atouts (l'attitude, le comportement, le savoir
et les aptitudes) permettant de distinguer les personnes ayant de grandes capacités dans un type de
travail particulier. Le procédé consiste ensuite à tracer les grandes lignes des situations spécifiques
du travail et à demander aux candidats d'expliquer sa manière d'appréhender ces situations, puis
également comment il a géré des situations similaires dans son ancien travail. « Parlez-moi d'une
situation où vous avez dû faire face à deux demandes contradictoires, sans avoir le temps de résoudre
cette contradiction. Comment avez-vous géré la situation ? »

Pour réduire la déformation de la mémoire et les biais, les intervieweurs prennent des notes et
font des évaluations à mesure que se déroule l'entretien et évitent de poser des questions inutiles.
L'entretien structuré peut donc paraître plus froid, mais on peut l'expliquer au postulant : « Cette
conversation ne reflète pas les rapports que l'on peut avoir avec les autres dans cette société. »

La revue de 150 autres résultats a révélé que les entretiens structurés avaient une valeur
prédictive deux fois plus importante que les entretiens non structurés réalisés en situation non
simulée (Schmidt et Hunter, 1998 ; Wiesner et Cronshaw, 1988). Les entretiens structurés
réduisent aussi les biais, par exemple vis-à-vis des postulants obèses (Kutcher et Bragger, 2004).
Grâce en partie à sa plus grande fiabilité et en partie au fait qu'il est centré sur l'analyse du
travail, le pouvoir prédictif d'un entretien structuré est à peu près identique à celui du jugement
moyen reposant sur trois ou quatre entretiens non structurés (Huffcutt et al., 2001 ; Schmidt
et Zimmerman, 2004).

Malcolm Gladwell (2000, p. 86) remarque que si nous laissons nos intuitions biaiser le recrutement, alors « tout ce que nous aurons réussi à faire c'est remplacer l'ancien système, où l'on employait
son neveu, avec le nouveau système, où l'on emploie la personne qui nous fait la meilleure impression

> « Entre l'idée et la réalité, entre le
> mouvement et l'acte... tombe l'obscurité. »
>
> T. S. Eliot, *Les homes creux (The Hollow Men),* 1925

Entretiens structurés processus d'entretien au cours desquels les mêmes questions se rapportant à l'emploi, sont posées à tous les candidats. Chacun d'eux est ensuite évalué à partir d'une
échelle validée.

après une poignée de main. Le progrès social, si nous n'y prenons garde, peut tout simplement être le moyen par lequel nous remplaçons ce qui est manifestement arbitraire par ce qui l'est moins ouvertement ».

En résumé, les spécialistes en psychologie du personnel s'occupent des organisations en analysant les emplois, en recrutant des postulants adéquats, en sélectionnant et en plaçant les employés. Ils évaluent également la performance des employés (**FIGURE A.1**), thème abordé maintenant.

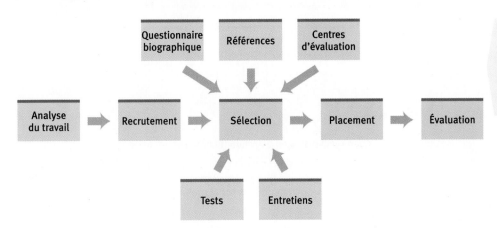

▼ FIGURE A.1
Les tâches des psychologues des ressources humaines Les conseils prodigués vont de la définition du poste à pourvoir jusqu'à l'évaluation des performances des employés.

Évaluer les performances

L'évaluation des performances est très utile à la psychologie organisationnelle : elle permet de savoir qui retenir, comment récompenser et rémunérer justement les employés, et comment renforcer leurs talents, parfois par des promotions et parfois par des changements de poste. L'évaluation des performances est également utile sur le plan individuel : elle permet au travailleur d'affirmer ses points forts et de le motiver à entreprendre des projets de perfectionnement nécessaires.

Les méthodes d'évaluation des performances incluent :

- *des listes de contrôle* sur lesquelles les superviseurs vérifient simplement les comportements décrivant l'employé (« répond toujours aux besoins du client », « prend des pauses longues ») ;

- *des échelles d'évaluation graphiques* sur lesquelles le superviseur vérifie, par exemple sur une échelle de 1 à 5, le nombre de fois où il a pu compter sur l'employé, où il est productif et ainsi de suite ;

- *des échelles d'évaluation comportementales* sur lesquelles le superviseur vérifie les comportements qui décrivent le mieux la performance d'un employé. S'il juge la capacité d'un employé à « suivre des procédures », le superviseur peut le placer quelque part entre « prend souvent des raccourcis » et « suit toujours des procédures établies » (Levy, 2003).

Dans certaines sociétés, les évaluations des performances n'émanent pas seulement des superviseurs, mais aussi de tous les niveaux organisationnels. Si vous rejoignez une société qui pratique le *rétrocontrôle omnidirectionnel* (**FIGURE A.2**), vous devrez vous autoévaluer, évaluer vos collègues et votre directeur, et vous serez évalué par votre directeur, vos collègues et vos clients (Green, 2002). Il en résulte une communication plus ouverte et des évaluations plus complètes.

L'évaluation des performances, comme tous les autres jugements d'ordre social, n'échappe pas aux biais (Murphy et Cleveland, 1995). *L'effet de halo* peut survenir quand l'évaluation générale d'un employé, ou d'un trait de sa personnalité tel que son attitude amicale, biaise l'évaluation de son comportement spécifique lié à son travail, comme sa fiabilité par exemple. Les *erreurs dues à une trop grande indulgence* ou, au contraire, à une *trop grande sévérité* reflètent les tendances des personnes qui évaluent à être trop gentilles ou trop dures par rapport à quelqu'un. Des *erreurs dues à l'effet de récence* se produisent lorsque les évaluateurs mettent exclusivement l'accent sur des comportements récents dont on se rappelle facilement. En encourageant l'utilisation de plusieurs évaluateurs et en développant des mesures de performance objectives et pertinentes pour le travail, les spécialistes en psychologie du personnel s'efforcent de soutenir les entreprises tout en essayant de faire comprendre aux employés que l'évaluation des performances est un processus juste.

▼ FIGURE A.2
Rétrocontrôle omnidirectionnel
Les connaissances, les compétences et les comportements sont évalués par nous-mêmes et par différentes personnes et organismes. Par exemple, les professeurs peuvent être évalués par le directeur de leur département, par leurs étudiants et par leurs collègues. Après avoir reçu toutes les évaluations les professeurs discutent des résultats globaux de l'évaluation avec leur directeur de département.

EXERCICE RÉCAPITULATIF

- Un directeur des ressources humaines vous dit « je ne vais pas vous ennuyer à vous faire passer des tests et à examiner vos références. Pour moi, rien ne vaut l'entretien ». Quelles sont les questions soulevées par cette affirmation ?

Réponse : (1) Les intervieweurs supposent que les gens sont ce qu'ils semblent être dans les conditions de l'entretien. (2) Les idées préconçues et la qualité de l'humeur de ceux qui mènent les entretiens vont moduler l'interprétation qu'ils font des réponses du candidat. (3) Les intervieweurs portent un jugement sur une personne, qui est dépendant des autres personnes vues récemment en entretien. (4) Les intervieweurs suivent plus souvent ceux qu'ils ont choisis et qui ont réussi leur carrière plutôt que ceux qu'ils avaient écartés et qu'ils ont perdu de vue. (5) Les entretiens ont tendance à mettre en valeur les bonnes intentions des candidats, lors d'un recrutement, mais ne révèlent pas les comportements vrais des dits candidats.

La psychologie organisationnelle

A-3 **Quel est le rôle des spécialistes en psychologie organisationnelle ?**

L'évaluation du travail et l'adéquation des capacités et de la fonction ont leur importance mais il en est de même de la motivation générale. Les psychologues spécialistes des organisations humaines participent aux mesures mises en œuvre pour motiver et mobiliser les employés.

Satisfaction et engagement

Comme le travail représente une partie importante de la vie, la satisfaction des employés est une priorité pour les spécialistes en psychologie du travail. La satisfaction au travail va de pair avec la satisfaction dans la vie (Bowling et al., 2010). De plus, comme les psychologues de santé publique le disent, une diminution du stress au travail améliore la santé.

   La satisfaction des employés contribue également au succès d'une entreprise. Les humeurs positives dans le cadre du travail contribuent à la créativité, à la persévérance et à la solidarité (Ford et al., 2011 ; Shockley et al., 2012). Mais les employés heureux et impliqués sont-ils moins souvent absents ? Sont-ils moins enclins à démissionner ? Ont-ils moins tendance à voler ? Sont-ils plus ponctuels ? Sont-ils plus productifs ? Constater de façon évidente les bienfaits de la satisfaction constitue, selon certains, le Graal de la psychologie industrielle et organisationnelle. La synthèse

> « Le seul endroit où le succès précède le travail, c'est dans le dictionnaire. »
>
> Vince Lombardi, ancien entraîneur de l'équipe de football des Green Bay Packers

Bien faire tout en faisant du bien : « La Grande expérience »
À la fin des années 1700, les quelque 1 000 travailleurs des filatures de coton de New Lanark en Écosse – dont beaucoup étaient des enfants issus des orphelinats de Glasgow – travaillaient 13 heures par jour et vivaient dans des conditions misérables. L'éducation et l'hygiène étaient négligées, le vol et l'alcoolisme étaient courants et la plupart des familles vivaient dans une seule pièce. Au cours d'une visite à Glasgow, Robert Owen, jeune gérant idéaliste de filatures de coton issu du Pays-de-Galles, rencontra par hasard la fille du propriétaire de cette filature de coton et en tomba amoureux. Après leur mariage, Owen acheta la filature avec plusieurs associés et, le 1er janvier 1800, en devint le directeur. Sans attendre, il commença ce qu'il dit être « la plus impor-

Courtoisie de New Lanark Trust

tante expérience pour le bonheur de la race humaine ayant jamais été mise en place avant ce jour sur Terre » (Owen, 1814). Il observa que l'exploitation des enfants et des adultes produisait des travailleurs malheureux et inefficaces. Pensant que de meilleures conditions de travail et de vie pouvaient être économiquement rentables, il mit en place de nombreuses innovations : une garderie pour les enfants de moins de 6 ans, un programme d'éducation des enfants plus âgés (par l'encouragement plutôt que la punition corporelle), le dimanche de congé, des soins, le paiement des

congés maladie, le paiement des jours chômés lorsque la filature ne pouvait pas fonctionner et un magasin d'entreprise vendant les marchandises à prix réduit.

Owen innova également avec la mise en place d'un programme d'objectifs et d'évaluation des travailleurs incluant le rapport détaillé de la productivité journalière et des coûts. À chaque poste de travail d'un employé, une carte colorée (sur quatre) indiquait la performance de cette personne obtenue la veille. Owen pouvait se promener dans la filature et voir d'un coup d'œil les performances de chacun. « Il n'y avait, disait-il, pas de coups, pas d'injures... je regardais simplement la personne puis la couleur... je pouvais savoir tout de suite par leur expression [quelle couleur] était représentée ». La réussite commerciale qui suivit fut essentielle pour le soutien de ce qui devint le mouvement vers les réformes humanitaires.

Vers 1816, ayant encore des dizaines d'années de rentabilité à venir, Owen crut qu'il avait démontré « qu'il était possible de former des sociétés de manière à ce qu'il n'y ait pas de criminalité, pas de pauvreté, que les conditions de santé y soient nettement meilleures, qu'il n'y ait peu ou pas de misère et cent fois plus de bonheur et d'intelligence ». Bien que sa vision utopique ne se soit pas accomplie, la grande expérience d'Owen mit en place les fondements des pratiques de l'emploi acceptées de nos jours dans beaucoup de pays du monde.

Un employé impliqué Mohamed Mamow, à gauche, a été rejoint par son employeur lorsqu'il fit son serment d'Allégeance pour devenir citoyen américain. Mamow et sa femme se sont rencontrés dans un camp de réfugiés somaliens et sont maintenant parents de cinq enfants. Il entretient sa famille en travaillant comme opérateur sur machine. Conscient de ses responsabilités : « Je ne veux pas perdre mon emploi. Je suis responsable de mes enfants et de ma famille », il arrive à son poste de travail avec une avance d'une demi-heure, et vérifie chaque détail de son poste. « Mamow est un employé extrêmement travailleur », a dit son employeur, et « il nous rappelle que nous sommes tous vraiment bénis » (Roelofs, 2010).

statistique des recherches antérieures a trouvé une corrélation positive modérée entre la satisfaction professionnelle de l'individu et sa performance (Judge et al., 2001 ; Ng et al., 2009 ; Parker et al., 2003). Au cours d'une analyse récente portant sur 4 500 employés travaillant dans 42 entreprises de confection britanniques, les travailleurs les plus productifs avaient tendance à être ceux ayant un environnement de travail satisfaisant (Patterson et al., 2004). Les employés heureux sont généralement de bons employés. Mais la satisfaction *produit-elle* de meilleures performances professionnelles ? Le débat continue.

Néanmoins, certaines entreprises ont le chic pour cultiver l'engagement et la productivité de leurs employés. Aux États-Unis, les « 100 meilleures entreprises où il fait bon travailler » présentées par le magazine *Fortune* ont également réalisé un retour sur investissement nettement plus élevé que la moyenne (Fulmer et al., 2003). D'autres résultats positifs proviennent de la plus grosse étude industrielle et organisationnelle effectuée jusqu'ici : une analyse des données Gallup issues de plus de 198 000 employés (**TABLEAU A.2**) dans presque 8 000 domaines d'activités différents de 36 grandes compagnies (incluant 1 100 banques, 1 200 magasins, et 4 200 équipes ou départements).

▼ TABLEAU A.2
Enquête Gallup sur le lieu de travail

Satisfaction générale – en utilisant une échelle de 5 points, où 5 signifie très satisfaisant et 1 très décevant, indiquez à quel point vous êtes satisfait de travailler chez (nom de votre entreprise)

_____.

Sur une échelle allant de 1 à 5, où 1 représente un profond désaccord et 5 signifie que vous approuvez fortement, donnez votre avis sur les propositions suivantes :

1. Je sais ce que l'on attend de moi dans mon travail

2. Je dispose du matériel et de l'équipement dont j'ai besoin pour bien faire mon travail

3. Au travail, j'ai l'opportunité de faire ce que je fais le mieux au quotidien

4. Durant les 7 derniers jours, j'ai eu des marques de reconnaissance pour mon travail et j'ai été félicité

5. Mon directeur, ou alors une autre personne, semble s'intéresser à moi en tant qu'individu

6. Il y a quelqu'un sur mon lieu de travail qui encourage mon ascension

7. Au travail, mon opinion semble avoir de l'importance

8. La mission/les buts de mon entreprise me donnent l'impression que mon travail est important

9. Mes associés (mes collègues) s'engagent à faire un travail de qualité

10. J'ai un de mes meilleurs amis au travail

11. Durant ces six derniers mois, une personne à mon travail m'a parlé de mes progrès

12. Durant l'année qui vient de s'écouler, j'ai eu l'opportunité dans mon travail d'apprendre et d'évoluer

Note : les droits exclusifs de cette enquête reviennent à la Gallup Organization. Elle ne doit en aucun cas être reproduite sans l'accord écrit de la Gallup Organization. Reproduit avec autorisation.

▼ TABLEAU A.3
Trois types d'employés

Ceux qui sont impliqués : travaillent avec passion et un sentiment profond d'attachement à leur compagnie ou leur entreprise.

Ceux qui ne sont pas impliqués : passent leur temps au travail, mais y investissent peu de passion ou d'énergie.

Ceux qui sont activement désengagés : travailleurs mécontents dénigrant tout ce que leurs collègues accomplissent.

Source : Adapté de Gallup via Crabtree 2005.

James Harter, Frank Schmidt, et Theodore Hayes (2002) ont étudié les corrélations entre plusieurs critères de succès sur le plan organisationnel et *l'engagement des employés* : le degré d'implication, d'enthousiasme et d'identification des travailleurs avec leur entreprise (**TABLEAU A.3**). Ils ont montré que, comparés aux employés non engagés qui ne font pas plus que leurs heures de travail, les employés impliqués savent ce que l'on attend d'eux, ont ce dont ils ont besoin pour faire leur travail, se sentent comblés dans leur travail, ont souvent l'opportunité de faire ce qu'ils font le mieux, ont le sentiment de faire partie de quelque chose d'important et ont l'occasion d'apprendre et d'évoluer. Ils ont également trouvé que les secteurs d'activité où les employés s'investissent ont davantage de clients fidèles, moins de renouvellement de personnel, une productivité plus importante, et font plus de profits.

Mais quelles sont les causes qui expliquent cette corrélation entre la réussite au travail et la morale et l'engagement des employés ? La réussite favorise-t-elle la morale ? Ou une haute moralité favorise-t-elle le succès ? Selon une étude longitudinale menée sur 142 000 employés, les auteurs de cette recherche ont trouvé qu'avec le temps, l'attitude des employés pouvait prédire la réussite future de l'entreprise (plus que le contraire) (Harter et al., 2010). Une autre analyse a comparé des entreprises dont le niveau moyen d'engagement de leurs employés était situé dans le quart supérieur avec d'autres entreprises dont l'engagement moyen se situait en dessous de la moyenne. Sur une période de trois ans, les gains des entreprises ayant les travailleurs les plus engagés ont augmenté 2,6 fois plus vite (Ott, 2007).

Bien diriger

A-4 Quelles sont les techniques de management efficaces ?

Le rêve de tous les patrons est de diriger d'une manière qui augmente à la fois la satisfaction, l'implication et la productivité des employés et le succès de leur entreprise. Les dirigeants efficaces exploitent les talents des employés, fixent des buts et choisissent un style de leadership approprié.

Exploiter les talents en rapport avec le travail

Marcus Buckingham (2001) observe que « le plus grand défi des dirigeants d'entreprise au cours des 20 prochaines années sera de développer efficacement les atouts humains ». Ce défi a une « portée psychologique. Il s'agit d'essayer de rendre les individus plus productifs, plus concentrés et plus épanouis qu'ils ne l'étaient auparavant ». La première étape, que lui et d'autres ont soutenue, est de choisir les bonnes personnes, puis mettre en exergue les talents naturels des employés, mettre en accord les emplois et les talents, afin de développer ces talents en véritables compétences (**FIGURE A.3**). Prenez l'exemple du corps professoral d'un lycée ou d'une université. Les professeurs doivent-ils dispenser un enseignement de même densité, avoir le même nombre d'étudiants, être membres du même nombre de commissions et avoir la même quantité de travaux de recherche ? Ou le travail demandé devrait-il être adapté au talent unique de chaque individu ?

Étant donné que notre tempérament et nos traits forment notre personnalité, les managers seraient mieux inspirés de passer plus de temps à détecter et à développer les qualités des individus et moins de temps à essayer d'inculquer des compétences inadaptées (Tucker, 2002). Les managers qui font preuve d'excellence

- commencent par aider les gens à identifier et à évaluer leurs talents ;
- associent les tâches à effectuer aux talents de chacun et donnent aux gens la liberté de faire ce qu'ils connaissent le mieux ;

▼ FIGURE A.3
Sur la bonne voie The Gallup Organization propose ce schéma organisationnel pour la réussite de l'entreprise. (Adapté de Fleming, 2001.)

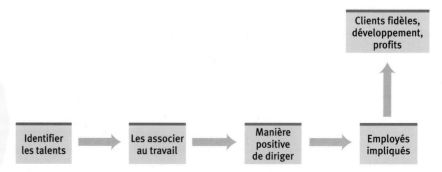

- veulent savoir ce que les gens ressentent au sujet de leur travail ;
- renforcent les comportements positifs par le biais de la reconnaissance et de la récompense.

Plutôt que de se focaliser sur les faiblesses des employés et de les faire participer à des séminaires d'entraînement pour y remédier, les managers efficaces concentrent le temps de la formation à éduquer leurs employés au repérage de leurs points forts et à leur utilisation pour évoluer (donc éviter de promouvoir des gens à des postes inadaptés à leurs compétences). Dans des enquêtes Gallup, 77 % des travailleurs engagés et seulement 23 % des non engagés reconnaissent que « [leur] superviseur se concentre sur [leurs] atouts ou [leurs] caractéristiques positives » (Krueger et Killham, 2005).

Récompenser les employés impliqués et productifs dans chaque rôle organisationnel s'appuie sur un principe de base du *conditionnement opérant* : pour enseigner un comportement, repérer une personne qui fait bien quelque chose et renforcer ce comportement. Cela peut paraître simpliste, mais de nombreux patrons se comportent comme des parents qui, quand leur enfant rentre à la maison avec d'excellentes notes et une moins bonne note en biologie, se focalisent sur la mauvaise note et oublient les bonnes. La Gallup Organization (2004) rapporte que « l'année dernière, 65 % des Américains n'ont reçu AUCUN compliment ni aucune reconnaissance sur leur lieu de travail ».

En résumé : Dans le monde du travail ceux qui sont de bons managers sont ceux qui œuvrent pour le bien-être de leurs employés. En prenant soin de leurs employés, en les impliquant dans la marche de l'entreprise, en mettant en valeur leurs qualités, les dirigeants d'entreprise et les managers auront à leur côté des collaborateurs plus heureux, plus créatifs, plus productifs, avec un taux de renouvellement et d'absentéisme réduits (Amabile & Kramer, 2011 ; De Neve et al., 2013). Les employés démissionnent moins souvent en raison de l'entreprise qu'en raison d'un mauvais management (Busteed, 2012). On peut dire que les mêmes principes régissent les rapports des élèves à leur école et conditionnent le sentiment de satisfaction, l'assiduité et la réussite future (Larkin et al., 2013 ; Ray & Kafka, 2014). Les élèves qui se sentent soutenus et entourés de leurs amis et de leurs professeurs, et impliqués dans la vie du campus persévèrent dans leurs études et réussissent leur vie personnelle et professionnelle.

La puissance de l'entraînement positif L'entraîneur de football Pete Carroll, qui a amené l'Université de Californie du Sud à deux championnats nationaux et les Seahawks de Seattle à un championnat du Super Bowl, allie l'enthousiasme positif aux séances d'entraînement ludiques avec « un engagement, dans un environnement stimulant, qui permet aux joueurs d'être eux-mêmes tout en étant responsables face à l'équipe » (Trotter, 2014). « Cela montre que la pensée positive peut vous faire gagner », note Richard Sherman, célèbre défenseur de l'équipe Seahawks.

Dispositions particulières, objectifs ambitieux

Les objectifs spécifiques et ambitieux motivent la réussite, en particulier lorsqu'ils sont associés à des comptes rendus (Johnson et al., 2006 ; Latham et Locke, 2007). Des objectifs spécifiques et mesurables comme « finissez de rassembler des informations pour l'examen d'histoire de vendredi » servent à diriger l'attention, à promouvoir l'effort, motiver la ténacité et à stimuler des stratégies créatives.

Lorsque les gens établissent ensemble des objectifs avec des *sous-objectifs* et *un objectif de réalisation* – des plans d'action spécifiques pour définir quand, où et comment ils s'y prendront pour atteindre leurs buts – ils se concentrent davantage sur leur travail, et les objectifs sont souvent réalisés à temps (Burgess et al., 2004 ; Fishbach et al., 2006 ; Koestner et al., 2002). Lorsque les sujets traversent des moments difficiles, l'humeur et la motivation sont mieux préservées lorsqu'ils se concentrent sur les objectifs présents (étudier régulièrement) plutôt que sur des objectifs futurs (comme l'examen de fin d'année). Un article publié par Houser-Marko et Sheldon, en 2008 montre qu'un objectif ambitieux, fixé d'emblée, a des effets néfastes sur l'humeur des participants alors que ces effets ne sont pas présents pour des objectifs moins ambitieux qui vont jalonner le chemin menant au but final.

Ainsi, avant chaque nouvelle édition de ce livre, mon éditeur, mes collaborateurs et moi-même *établissons des objectifs* : nous fixons des dates pour achever et mettre au point le premier jet de chaque chapitre. Si nous nous concentrons sur l'atteinte de chacun de ces objectifs définis à court terme, la récompense (finir le livre à temps) viendra d'elle-même. Ainsi pour susciter une productivité élevée, les dirigeants efficaces travaillent avec les gens concernés pour définir des buts explicites, des sous-objectifs et des objectifs de réalisation puis donnent des informations sur la progression du projet.

Le choix d'un style de leadership approprié

Le style de leadership peut varier, allant de la décision autoritaire à la décision démocratiquement élaborée en donnant la capacité aux employés de s'impliquer dans la définition des objectifs à atteindre et de la stratégie à mettre en place. Le style qui fonctionne le mieux dépend de la situation et du dirigeant. Le meilleur style de leadership pour mener un débat n'est peut-être pas le meilleur

Leadership fonctionnel leadership fondé sur des normes établies, sur l'organisation du travail, sur la concentration vers l'objectif à atteindre.

Leadership social leadership s'appuyant sur le groupe, encourageant la cohésion des équipes, le travail d'équipe, la médiation des conflits, et le soutien des individus.

« Les bons leaders ne demandent pas plus qu'il est possible de donner, mais ils demandent et obtiennent souvent plus de résultats que leurs subordonnés pensaient pouvoir fournir. »

John W. Gardner, *Excellence,* 1984

pour mener des troupes au combat (Fiedler, 1981). De plus, chaque dirigeant a son propre style. Certains excellent dans **le leadership fonctionnel**, définissant les règles, organisant le travail et portant toute leur attention sur les buts à atteindre. Étant concentrés sur l'atteinte d'un objectif, les leaders fonctionnels ont des qualités pour diriger une équipe concentrée sur sa mission. Ils ont généralement un style directif qui peut parfaitement fonctionner s'ils sont suffisamment brillants pour donner des ordres intelligents (Fiedler, 1987).

D'autres responsables excellent dans le **leadership social**, expliquant les décisions, apaisant les conflits et constituant des équipes très performantes. Ce sont souvent des femmes qui exercent ce type de management (Evans & Dion, 1991 ; Pfaff et al., 2013). Les leaders sociaux ont souvent un comportement démocratique : ils délèguent leur autorité et acceptent volontiers la participation des membres de l'équipe. De nombreuses expériences montrent que le leadership social et le travail fait pour la cohésion des équipes augmentent le moral et la productivité (Brasseur et al., 2011, 2013). Les subordonnés se sentent en général plus heureux et plus motivés et ont de meilleurs résultats lorsqu'ils peuvent participer à la prise de décision (Cawley et al., 1998 ; Pereira et Osburn, 2007). De plus, lorsque les membres d'une équipe sont solidaires et égaux dans la participation à la prise de décision, la résolution des difficultés bénéficie d'une plus grande « intelligence collective » (Woolley et al., 2010).

Comme le type de leadership efficace varie avec la situation et la personne, la *théorie du « grand patron »* autrefois populaire – selon laquelle les grands dirigeants ont tous des traits communs – est passée de mode (Vroom et Jago, 2007 ; Wielkiewicz et Stelzner, 2005). Le même entraîneur peut sembler excellent ou mauvais selon les points forts de l'équipe et les compétitions. Mais la personnalité d'un dirigeant a de l'importance (Zaccaro, 2007). Les leaders efficaces ont tendance à être ni trop autoritaires (empêchant toute relation sociale) ni pas assez (limitant le leadership fonctionnel) (Ames, 2008). Les directeurs d'équipes de recherche, d'atelier de production et les dirigeants des grandes entreprises sont doués de *charisme* qui associe des qualités de définition de *vision* des objectifs, une *communication claire*, et d'*optimisme* qui inspire le respect et l'adhésion (House & Singh, 1987 ; Shamir et al., 1993).

Selon une étude menée dans 50 entreprises hollandaises, les entreprises ayant le meilleur moral étaient celles menées par des dirigeants qui inspiraient le plus leurs collègues à « transcender leur intérêt personnel au profit de celui du groupe » (de Hoogh et al., 2004). Ce type de leadership – le *leadership transformationnel* – encourage d'autres personnes à s'identifier au groupe et à s'engager dans la mission de ce dernier Les leaders transformationnels, dont beaucoup sont naturellement extravertis, expriment clairement des exigences élevées, inspirent les autres à partager leur vision et prêtent attention aux autres (Bono et Judge, 2004). Le plus souvent les travailleurs seront plus impliqués, plus confiants et plus efficaces (Turner et al., 2002). Les femmes ont tendance à présenter plus que les hommes des qualités de leadership transformationnel. Alice Eagly (2007, 2013) pense que cela permet d'expliquer pourquoi les entreprises ayant une direction générale dont la composition comporte des femmes ont récemment eu tendance à avoir de meilleurs résultats financiers, toutes choses égales par ailleurs.

Les résultats d'études effectuées en Inde, à Taïwan et en Iran, montrent que les responsables efficaces, que ce soient des directeurs de mines de charbon, des directeurs de banques ou des membres du gouvernement, exercent souvent *à la fois* un leadership social et un leadership fonctionnel (Smith & Tayeb, 1989). Ayant la réussite présente à l'esprit, ils surveillent la façon dont le travail est effectué et sont néanmoins attentifs aux besoins de leurs subordonnés. La satisfaction des employés et leur loyauté envers leur employeur sont plus grandes quand les entreprises attachent de l'importance à la vie de famille et offrent une souplesse des horaires de travail (Butts et al., 2013 ; Roehling et al., 2001).

Un environnement de travail qui satisfait les besoins d'appartenance donne également de l'énergie aux employés. Les employés qui vivent de très bonnes relations entre collègues s'engagent également dans leur travail plus vigoureusement (Carmeli et al., 2009). Des chercheurs de chez Gallup ont demandé à plus de 15 millions d'employés de par le monde s'ils avaient un de « leurs meilleurs amis au travail ». Selon Tom Rath et James Harter (2010), les 30 % qui répondent oui ont « *sept fois* plus de chance d'être engagés dans leur travail » que ceux qui répondent non. Comme nous l'avons déjà noté, les employés très positivement impliqués sont à la base des organisations prospères.

La participation accrue des employés dans la prise de décision fait partie d'un style de management qui à partir de la Suède et du Japon s'est propagé à travers le monde (Naylor, 1990 ; Sundstrom et al., 1990). Bien que les managers aient une tendance à accorder plus de mérite au travail qu'ils ont directement supervisé, les études révèlent l'existence d'un *effet d'expression* de l'opinion : si on permet aux personnes d'exprimer leur avis lors d'une réunion de prise de décision, celles-ci réagiront de façon plus positive à la décision (van den Bos et Spruijt, 2002). Ils se sentiront également dotés de plus grandes responsabilités et seront probablement de ce fait plus créatifs (Hennessey et Amabile, 2010 ; Huang et al., 2010).

Les entreprises possédées par les employés représentent le mode de participation suprême des employés. Il existe une de ces entreprises dans ma ville, la Fleetwood Group qui fabrique du matériel éducatif et des souris électroniques sans fil. Lorsque son fondateur donna 45 % de parts de son entreprise à ses employés, qui rachetèrent ultérieurement d'autres parts familiales, Fleetwood devint l'une des premières entreprises américaines à mettre en place un plan d'actionnariat des salariés (ESOP). Aujourd'hui chaque employé possède des parts de l'entreprise et, en tant que groupe, les employés possèdent 100 % des parts. Plus l'employé travaille depuis longtemps dans l'entreprise, plus il possède de parts, mais personne ne possède plus de 5 % des parts. Comme tous les présidents de corporations, Doug Ruch travaille pour ses actionnaires qui, se trouvent être ses employés.

En tant qu'entreprise qui a adhéré à un « leadership au service du bien commun » et au « respect et au soin dû à chaque salarié copropriétaire de l'entreprise », Fleetwood est libre de placer les hommes au-dessus du profit. Ainsi lorsque récemment, du fait de la crise, les commandes ont stagné, les employés-propriétaires ont décidé que la sécurité d'un emploi signifiait plus pour eux que le profit. De ce fait, l'entreprise a payé ses employés (qui autrement auraient été au chômage) pour qu'ils participent à des travaux d'intérêt général, par exemple répondre au téléphone dans des associations à but non lucratif ou construire des maisons pour Habitat for Humanity.

Les employés de Fleetwood « agissent comme s'ils étaient propriétaires » remarque Ruch. Il affirme que le fait que les employés soient propriétaires attire des personnes talentueuses qui restent dans l'entreprise, « conduit au dévouement » et donne à Fleetwood « un avantage compétitif durable ». Avec une croissance des titres en moyenne de 17 % par an, Fleetwood a reçu en 2006 le titre « National ESOP of the year ».

* * *

Nous avons vu *la psychologie du personnel* (la branche de la psychologie industrielle et organisationnelle s'intéressant au choix, au placement, à l'évaluation et l'évolution des travailleurs). Et nous avons vu *la psychologie des organisations* (la branche de la psychologie industrielle et organisationnelle qui se concentre sur la satisfaction et la productivité des travailleurs et sur les changements des organisations). Tournons-nous pour finir vers *la psychologie des facteurs humains* qui explore les rapports homme/machine.

EXERCICE RÉCAPITULATIF

• Quelles sont les caractéristiques importantes qui définissent *les leaders transformationnels ?*

Réponse : *les managers doués de leadership transformationnel* sont capables de faire partager leur vision des situations et d'inspirer un sentiment d'appartenance au groupe qui fait qu'ils vont s'impliquer dans la conduite de la mission qui leur est confiée. Ils ont tendance à être naturellement extravertis et fixer des normes exigeantes.

Le facteur humain

A-5 Comment travaillent les spécialistes en psychologie ergonomique pour créer des machines et des conditions de travail agréables ?

Les concepteurs négligent parfois le facteur humain. Le psychologue Donald Norman, déplore la complexité liée à l'assemblage de son nouvel équipement télévisuel de haute définition avec tous ses éléments et les sept télécommandes ; comment faire de tout cela un ensemble home cinéma facile d'utilisation ? « J'ai été vice-président du département des technologies avancées chez Apple. Je peux programmer des dizaines d'ordinateurs dans des dizaines de langages. Je comprends ce qu'est la télévision, vraiment… Mais peu importe, là, ça me dépasse. »

Si seulement les ingénieurs pouvaient travailler pour tester de façon systématique, chez les utilisateurs, les appareils et leur mode d'emploi, la vie serait bien plus simple. Les *spécialistes en psychologie ergonomique* travaillent avec des concepteurs et des ingénieurs pour mettre au point des instruments, des machines et des cadres de travail qui sont adaptés à notre perception et à notre motricité. Les magnétoscopes ATM sont d'un point de vue interne plus complexes que les télécommandes, mais grâce aux psychologues ergonomes qui ont travaillé avec des ingénieurs, ces magnétoscopes ATM sont plus simples à utiliser. Les magnétoscopes numériques ont résolu les problèmes d'enregistrement des programmes télévisés en mettant au point un système d'enregistrement très simple (on sélectionne le programme dans le menu et on appuie sur la touche « enregistrer ce programme »). Apple a également fabriqué des appareils faciles à utiliser comme l'iPad® et l'iPhone®.

Norman (2001) possède un site web (jdn.org) consacré aux produits dont la conception est bien adaptée aux besoins des gens (voir **FIGURE A.4**). Les psychologues ergonomes donnent aussi des conseils pour définir un environnement de travail facilitant les tâches. Les chercheurs ont trouvé que la disposition idéale d'une cuisine consistait à ranger les objets près de l'endroit où ils doivent être et de façon à être visibles. La cuisine doit comporter des zones de travail permettant d'effectuer les tâches dans l'ordre, par exemple en disposant dans un triangle, le réfrigérateur, la cuisinière et l'évier. Ils ont créé des plans de travail de manière que les mains soient à hauteur des coudes (ou légèrement en dessous) (Boehm-Davis, 2005).

La compréhension du facteur humain peut éviter des accidents. En étudiant les facteurs humains dans les accidents de la route, les psychologues cherchent des moyens de réduire les distractions, la fatigue ou l'inattention qui contribuent au 1,3 million de morts annuels (Lee, 2008). Les deux tiers des accidents d'avion de ligne sont provoqués par des erreurs humaines (Nickerson, 1998). Après le début des vols commerciaux du Boeing 727, à la fin des années 1960, ces appareils furent impliqués dans plusieurs accidents d'atterrissage, dus à des erreurs de pilotage. Le psychologue Conrad Kraft (1978) remarqua des circonstances communes à ces accidents : tous avaient eu lieu de nuit et étaient dus à un atterrissage avant le début de la piste, après avoir traversé une zone d'eau sombre ou de terrain non éclairé. Kraft a estimé qu'en altitude, les lumières de la ville au-delà de la piste projetteraient une image rétinienne plus grande, faisant apparaître le sol comme étant plus loin. En recréant ces conditions dans un simulateur de vol, Kraft découvrit que les pilotes se trompaient, pensant qu'ils volaient plus haut qu'ils ne l'étaient en réalité (**FIGURE A.5**).

▼ **FIGURE A.4**
Concevoir des produits adaptés
Donald Norman, psychologue de l'ergonomie, propose, parmi tant d'autres, ces exemples de produits conçus pour en faciliter l'utilisation.

La chaise de voyage pour enfants « Ride On Carry » conçue par une maman hôtesse de l'air permet de transformer une petite valise en poussette.

Le verre mesureur Oxo® permet à l'utilisateur de lire les volumes par dessus.

Aidées par les découvertes de Kraft, les compagnies aériennes demandèrent au copilote de surveiller l'altimètre et d'annoncer l'altitude durant la descente, faisant ainsi diminuer le nombre des accidents.

Par la suite, les psychologues de Boeing ont étudié d'autres facteurs humains (Murray, 1998) : comment les compagnies aériennes peuvent-elles offrir un meilleur entraînement au personnel et gérer les problèmes mécaniques pour réduire les incidents de maintenance responsables d'environ 50 % des retards de vol et de 15 % des accidents ? Quels sont les éclairages et les types de caractères qui rendraient les données plus faciles à lire sur l'écran du tableau de bord d'un avion ? Les messages d'alerte devraient-ils être formulés davantage comme des ordres (« Remontez ») plutôt que de signaler l'existence d'un problème (« Sol à proximité ») ?

Pour finir, considérons les technologies de *sonorisation assistée* que l'on trouve dans un grand nombre d'auditoriums, de théâtres et des lieux de culte. L'une de ces technologies, très courante aux États-Unis, nécessite un casque relié à un récepteur pouvant être glissé dans une poche qui détecte les ondes infrarouges ou la modulation de fréquence émanant du système audio de la pièce. Les personnes bien pensantes qui ont conçu cet appareil, ainsi que celles qui l'ont acheté et installé, ont bien compris que cette technologie permet à l'utilisateur d'avoir directement le son dans ses oreilles. Mais, hélas, peu de personnes malentendantes veulent se donner la peine de demander où se trouve ce casque voyant, de l'emprunter, de le porter puis de le ramener. La plupart de ces appareils restent donc dans les placards. En revanche, en Grande-Bretagne, dans les pays scandinaves et en Australie, des *boucles de transmission* par induction magnétique (voir hearingloop.org) ont été installées dans les salles, permettant ainsi aux malentendants de capter les sons de façon personnalisée et directement via leurs propres prothèses auditives. À partir du moment où l'on est convenablement appareillé, il suffit d'actionner discrètement un interrupteur placé sur les prothèses auditives pour les transformer en un système d'enceintes à l'intérieur des oreilles. Quand on leur propose un système personnalisé, pratique et discret, beaucoup de gens choisissent le système de « sonorisation assistée ».

Les concepts qui permettent des interactions simples, sécurisées et efficaces entre les gens et la technologie semblent souvent évidents après coup. Pourquoi donc sont-ils si rares ? Ceux qui développent les nouvelles technologies supposent parfois à tort que les autres partagent leur expérience, que ce qui est clair pour eux l'est aussi pour les autres (Camerer et al., 1989 ; Nickerson, 1999). Lorsqu'une personne se sert de ses doigts pour marteler une chanson connue sur une table (essayez donc avec un ami), ils s'attendent souvent à ce que celui qui l'écoute la reconnaisse. Mais pour celui qui l'écoute, c'est une tâche quasi impossible (Newton, 1991). Lorsque vous savez quelque chose, il est difficile de se représenter mentalement ce que c'est de ne pas savoir, un processus qu'on appelle *le syndrome du savoir*.

Point à retenir : Pour les utilisateurs d'appareils, il est indéniable qu'ils sont plus confortables à utiliser lorsque les concepteurs et les ingénieurs les ont mis au point en se référant aux comportements et aux habiletés humains, étant conscients des connaissances qui sont à la portée de tous et non des leurs, et quand ils les ont soumis à des tests avant leur commercialisation.

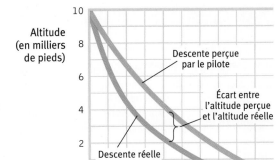

▼ FIGURE A.5
Le facteur humain dans les accidents
Manquant d'indices permettant d'évaluer les distances, de nuit, lors de l'approche de la piste d'atterrissage, les pilotes avaient tendance à voler trop bas lors de simulations d'atterrissage nocturne. (Données de Kraft, 1978.)

EXERCICE RÉCAPITULATIF

- Quels sont les trois principaux domaines de la psychologie industrielle et organisationnelle ?

Réponse : les facteurs personnels, humains, et organisationnels

---

Le facteur humain dans les atterrissages en toute sécurité La conception d'un cockpit perfectionné et les procédures d'urgence répétées lors d'entraînements ont aidé le pilote Chelsey Sullenberger, surnommé « Sully ». Il était diplômé de l'US Air Force Academy, et a étudié la psychologie de l'ergonomie. En janvier 2009, les décisions prises instantanément de façon réflexe par Sullenberger lui ont permis de guider en toute sécurité son avion endommagé pour le faire amerrir sur l'Hudson River à New York, où les 155 passagers et membres d'équipage ont été évacués.

OBJECTIFS D'APPRENTISSAGE

EXERCICE RÉCAPITULATIF Prenez un moment pour répondre à chacune de ces questions de l'objectif d'apprentissage (répétées ici dans cette section). Puis allez à l'annexe C pour vérifier vos réponses. La recherche suggère que d'essayer de répondre à ces questions de votre propre initiative permettra d'améliorer la mémorisation à long terme de ces réponses (McDaniel et al., 2009).

A-1 Qu'est-ce que le *flux*, et quelles sont les trois branches de la psychologie industrielle et organisationnelle ?

A-2 Comment les psychologues du personnel aident-ils les entreprises à sélectionner les employés, les placer et évaluer leurs performances ?

A-3 Quel est le rôle des spécialistes en psychologie organisationnelle ?

A-4 Quelles sont les techniques de management efficaces ?

A-5 Comment travaillent les spécialistes en psychologie ergonomique pour créer des machines et des conditions de travail agréables ?

TERMES ET CONCEPTS À RETENIR

EXERCICE RÉCAPITULATIF Testez votre connaissance de ces termes en essayant d'écrire leur définition.

flux, p. A-1

psychologie industrielle et organisationnelle (I/O), p. A-2

psychologie du personnel, p. A-2

psychologie organisationnelle, p. A-2

psychologie des facteurs humains, p. A-2

entretiens structurés, p. A-6

leadership fonctionnel, p. A-12

leadership social, p. A-12

ÉVALUEZ-VOUS — LA PSYCHOLOGIE DANS LE MONDE DU TRAVAIL

Évaluez-vous à plusieurs reprises tout au long de vos études. Cela permettra non seulement de vous aider à distinguer ce que vous savez de ce que vous ignorez mais aussi à vous faire bénéficier de l'effet test. Autrement dit, le test lui-même va vous aider à apprendre et à mémoriser l'information de manière plus efficace grâce précisément à ce qui est appelé *l'effet test*.

1. Les personnes qui voient en leur travail un état les absorbant totalement font souvent l'expérience de _____, un état de conscience traduisant une implication et une concentration totale au cours duquel les gens perdent la notion d'eux-mêmes et du temps.

   a. stress

   b. apathie

   c. flux

   d. facilitation

2. Les psychologues _____ étudient le recrutement, la sélection, le placement, la formation, l'évaluation et le perfectionnement des employés ; les psychologues _____ _____ étudient les rapports homme-machine, et l'optimisation des dispositifs et des environnements de travail.

La psychologie du personnel

3. Une psychologue du personnel a rédigé un ensemble de questions à poser à tous les candidats à un nouveau poste. Elle a ensuite formé les employés qui recevront les candidats à ne poser que ces questions, à prendre des notes, et à évaluer leurs réponses. Cette technique est connue et a pour nom :

   a. entretien structuré.

   b. entretien informel.

   c. liste de contrôle de l'évaluation du rendement des tâches.

   d. échelle d'évaluation comportementale.

4. Dans votre travail, vous évaluez votre propre performance, votre supérieur, et vos collègues. Votre supérieur, vos collègues et vos clients évaluent également votre performance. Votre organisation utilise une forme d'évaluation de la performance appelée

   a. procédure de flux

   b. rétroaction graphique.

   c. entretiens structurés.

   d. Rétrocontrôle omnidirectionnel.

La psychologie organisationnelle

5. Quel type d'objectifs vous aideront le mieux à rester concentré et motivé pour accomplir, dans cette classe, le meilleur travail possible ?

6. Les résultats des recherches montrent que les femmes sont plus à même que les hommes d'avoir le leadership _____.

7. Les « managers » efficaces font souvent preuve

   a. d'un leadership fonctionnel, seulement.

   b. d'un leadership social, seulement.

   c. à la fois d'un leadership fonctionnel et d'un leadership social, en fonction de la situation et de la personne.

   d. d'un leadership fonctionnel pour bâtir des équipes et d'un leadership social pour l'établissement de normes.

Le facteur humain

8. Pour réduire la frustration des utilisateurs et pour éviter les accidents, les psychologues maîtrisent les facteurs humains pour tenter d'éviter la « malédiction de la connaissance », qui à tendance à faire que :

   a. des connaissances de l'utilisateur insuffisantes sont dangereuses pour lui-même

   b. des utilisateurs remplacent les machines et ont recours à des manœuvres routinières

   c. les ingénieurs et les concepteurs supposent que les utilisateurs sont peu intelligents et ont besoin d'instructions exagérément détaillées.

   d. les ingénieurs et les concepteurs supposent que l'autre possède les mêmes connaissances qu'eux.

Trouvez les réponses à ces questions dans l'annexe D.

Domaines de la psychologie

Jennifer Zwolinski
Université de San Diego

Que pouvez-vous faire avec un diplôme de psychologie ? Beaucoup de choses !

En tant qu'étudiant en psychologie, vous obtiendrez votre diplôme avec un état d'esprit scientifique et une connaissance des principes de base du comportement humain (mécanismes biologiques, développement, cognition, troubles psychologiques, interaction sociale). Ce bagage vous préparera à réussir dans plusieurs domaines, incluant les affaires, les professions dédiées au service des autres, les services de santé, le marketing, les métiers juridiques, commerciaux et l'enseignement. Vous pourrez même continuer, dans ces universités, à suivre un troisième cycle de formation spécialisée afin de devenir un psychologue professionnel. Cette annexe décrit les différents domaines de spécialisation en psychologie[1]. J'ai également fourni des informations mises à jour sur les CARRIÈRES EN PSYCHOLOGIE sur le site www.macmillanhighered.com/launchpad/myers11einmodules, où vous pourrez en savoir plus sur les diverses options pouvant se présenter à ceux qui possèdent une licence, un master ou un doctorat en psychologie.

Si vous êtes comme la plupart des étudiants en psychologie, il se peut que vous n'ayez pas conscience de la grande diversité des spécialités et types d'emplois accessibles aux psychologues (Terre et Stoddart, 2000). À ce jour, l'American Psychological Association (APA) compte 56 divisions (**TABLEAU B.1**, page suivante). Utilisez les médias sociaux pour en savoir plus sur les divisions en visitant le site www.tinyurl.com/APA-SocialMedia.

Les paragraphes suivants décrivent quelques carrières dans les principaux domaines spécialisés qui, pour la plupart, nécessitent un diplôme supérieur en psychologie.

Conseil cognitif Les psychologues cognitifs peuvent conseiller les entreprises sur la façon de fonctionner plus efficacement par la compréhension des facteurs humains.

Karen Moskowitz/The Image Bank/Getty Images

Les psychologues cliniciens contribuent à la santé mentale des individus, des groupes et des organisations. Certains psychologues cliniciens se spécialisent dans l'étude et le traitement de troubles psychologiques spécifiques. D'autres traitent une large gamme de troubles, allant des difficultés d'adaptation aux psychopathologies graves. Les psychologues cliniciens peuvent s'orienter vers la recherche, l'enseignement, les évaluations et la consultation. Certains organisent des séminaires ou font des conférences sur des sujets relatifs à la psychologie pour d'autres professionnels ou pour le grand public. Les psychologues cliniciens travaillent dans diverses structures, comme des cabinets privés, des services de psychiatrie, des écoles, des universités, des industries, des organismes légaux, des organismes médicaux, des centres de conseil, des agences gouvernementales et des services de l'armée.

Pour devenir psychologue clinicien, vous devrez acquérir un doctorat en psychologie clinique. L'APA établit les normes des programmes des diplômes en psychologie clinique, offrant des accréditations (reconnaissance officielle) à ceux qui satisfont ces standards. Dans tous les États-Unis, les psychologues cliniciens doivent obtenir une licence pour pouvoir pratiquer des psychothérapies ou faire passer des tests.

Les psychologues cognitivistes étudient les processus de la pensée et se concentrent sur des sujets comme la perception, le langage, l'attention, la résolution de problèmes, la mémoire, le jugement et la prise de décision, l'oubli et l'intelligence. Récemment, leurs

---

1. Bien que ce texte couvre le monde de la psychologie et concerne les étudiants de nombreux pays, il faut le remettre dans le contexte américain. Les descriptions des différents champs de la psychologie sont, cependant, applicables à de nombreux autres pays.

▼ TABLEAU B.1
Les divisions de l'APA classées par numéro et par nom

1. Société de psychologie générale	29. Psychothérapie
2. Société de l'enseignement de la psychologie	30. Société de psychologie par l'hypnose
3. Psychologie expérimentale	31. Affaires des associations psychologiques d'État, de province et territoriales
4. Il n'y a pas de division 4	32. Société de la psychologie humaniste
5. Évaluation, mesure et statistiques	33. Retards mentaux et incapacités liées au développement
6. Neuroscience comportementale et psychologie comparative	34. Psychologie des populations, de la conservation et de l'environnement
7. Psychologie du développement	35. Société de psychologie des femmes
8. Société de la personnalité et de la psychologie sociale	36. Psychologie de la religion et de la spiritualité
9. Société de l'étude psychologique des thèmes sociaux	37. Société pour l'enfant et les services aux familles
10. Société pour la psychologie de l'esthétique, de la créativité et des arts	38. Psychologie de la santé
11. Il n'y a pas de division 11	39. Psychanalyse
12. Société de psychologie clinique	40. Neuropsychologie clinique
13. Société de psychologie consultative	41. Société américaine de psychologie légale
14. Société de psychologie industrielle et organisationnelle (psychologie du travail)	42. Psychologues en exercice libéral
15. Psychologie éducative	43. Société de psychologie de la famille
16. Psychologie scolaire	44. Société d'étude psychologique des problèmes des lesbiennes, homosexuels, bisexuels et personnes transgéniques
17. Société de psychologie du conseil	45. Société de l'étude psychologique des problèmes des minorités ethniques
18. Psychologues du service public	46. Psychologie des médias
19. Société de psychologie militaire	47. Psychologie du sport et de l'exercice
20. Développement de l'adulte et troisième âge	48. Société de l'étude de la paix, du conflit et de la violence : division de la psychologie de la paix
21. Psychologie expérimentale appliquée et technique	49. Psychologie de groupe et psychothérapie de groupe
22. Psychologie de réinsertion	50. Société de la psychologie des addictions
23. Société de psychologie de la consommation	51. Société d'étude psychologique de l'homme et de la masculinité
24. Société de psychologie théorique et philosophique	52. Psychologie internationale
25. Analyse comportementale	53. Société de psychologie clinique de l'enfant et de l'adolescent
26. Société de l'histoire de la psychologie	54. Société de psychologie pédiatrique
27. Société de recherche communautaire et de l'action : branche de la psychologie communautaire	55. Société américaine pour l'avancée de la pharmacothérapie
28. Psychopharmacologie et abus de substances	56. Psychologie des traumatismes

Source : American Psychological Association. Pour une histoire chronologique des 56 divisions et savoir pourquoi les sections 4 et 11 sont vacantes, on pourra se reporter à l'annexe VIII du site www.tinyurl.com/APA-DivisionHistory.

recherches se sont intéressées à des domaines comme la conception de modèles informatisés des processus de la pensée et l'identification des corrélations biologiques de la cognition. En tant que psychologue cognitiviste, vous pourrez travailler comme professeur, consultant en industrie, spécialiste des facteurs humains en entreprise ou dans une institution éducative.

Les psychologues communautaires dépassent les individus ou leur famille et se concentrent sur la résolution des questions générales de santé mentale au sein des communautés. Selon eux, le comportement humain est grandement influencé par les interactions entre l'individu et son environnement physique, social, politique et économique. Ils se focalisent sur la prévention et les interventions en cas de crise en s'intéressant particulièrement aux problèmes des groupes sous-utilisés et des minorités ethniques. Partageant la même idée sur l'importance de la prévention, certains psychologues communautaires collaborent avec des professionnels dans d'autres domaines comme la santé publique. En tant que psychologue communautaire, vous travaillerez dans les départements psychiatriques, de correction et de bien-être aussi bien au niveau fédéral, d'un État ou local. Vous pourrez mener des recherches ou aider à évaluer les résultats des recherches dans les services de santé, être un consultant indépendant, travailler pour des agences privées ou gouvernementales ou enseigner comme membre d'une université ou d'un établissement d'enseignement supérieur et y donner des consultations.

Les soins communautaires Cette psychologue (à gauche) a aidé les résidents à surmonter le choc émotionnel et le désarroi qui ont suivi le tremblement de terre qui, en 2010, a dévasté Haïti.

Les psychologues-conseils aident les gens à s'adapter aux transitions de la vie ou à modifier leur style de vie. Ce domaine ressemble beaucoup à celui de la psychologie clinique excepté qu'en général, les psychologues-conseils aident les gens ayant des problèmes d'adaptation et non pas des psychopathologies graves. Comme les psychologues cliniciens, les psychologues-conseils pratiquent des psychothérapies et fournissent des évaluations individuelles ou de groupe. En tant que psychologue-conseil, vous insisterez sur les points forts de vos clients, et les aiderez à faire face lors d'une période de transition en utilisant leurs propres capacités, leurs centres d'intérêt et leurs aptitudes. Vous pourrez exercer dans des universités en tant que membre ou administrateur, dans un centre de conseil universitaire, dans un centre de santé mentale communautaire, dans une entreprise ou dans un cabinet privé. Comme les psychologues cliniciens, si vous prévoyez de travailler dans un cabinet privé vous devrez obtenir une licence pour offrir au public vos services de conseiller.

Les psychologues du développement mènent des recherches sur les modifications comportementales relatives à l'âge et appliquent leurs connaissances scientifiques à l'éducation, aux soins aux enfants, à la politique et à d'autres domaines qui leur sont liés. En tant que psychologue du développement, vous étudierez les modifications se produisant dans un grand nombre de domaines du développement, par exemple leurs aspects biologique, social, psychologique et cognitif. La psychologie du développement apporte ses informations à de nombreux domaines appliqués comme la psychologie de l'éducation, la psychologie scolaire, la psychopathologie de l'enfant et la gérontologie. Les psychologues du développement informent également la politique publique dans des domaines tels que les réformes de l'éducation et de soins aux enfants, la santé des mères et de leurs enfants, les liens d'attachement et l'adoption. Vous vous spécialiserez probablement dans une tranche d'âge spécifique de la vie par exemple le nourrisson, l'enfant, l'adolescent, l'adulte d'âge mûr ou les personnes âgées. Vous travaillerez dans un établissement éducatif, une crèche, une maison de retraite ou participerez à des programmes pour les jeunes.

Les psychologues de l'éducation étudient les processus psychologiques impliqués dans l'apprentissage. Ils étudient la relation entre l'apprentissage et notre environnement social et physique et développent des stratégies pour améliorer ces processus d'apprentissage. En tant que psychologue de l'éducation, vous pourrez travailler dans le département de psychologie d'une université ou dans un établissement de psychologie de l'éducation. Vous pourrez mener des recherches fondamentales sur des sujets liés à l'apprentissage ou développer des méthodes novatrices d'enseignement pour améliorer les processus d'apprentissage. Vous pourrez concevoir des tests efficaces permettant la mesure des aptitudes et de l'accomplissement. Vous pourrez être employé par une école, une agence gouvernementale ou dans une entreprise, où vous serez chargé de concevoir et de mettre en application des programmes de formation efficaces pour les employés.

Les chercheurs en psychologie expérimentale forment un groupe varié de scientifiques qui étudient divers processus comportementaux fondamentaux par des recherches menées sur l'homme et/ou sur d'autres animaux. Les principaux domaines d'étude de la recherche expérimentale incluent les comparaisons des méthodes scientifiques, la motivation, l'apprentissage, la pensée, l'attention, la mémoire, la perception et le langage. La plupart des chercheurs en psychologie s'identifient à un domaine particulier comme la psychologie cognitive, selon leur intérêt et leur domaine d'étude. Il est également important de remarquer que les méthodes expérimentales pour mener les études de recherche ne sont pas limitées au domaine de la psychologie expérimentale car beaucoup d'autres domaines reposent sur la méthodologie expérimentale pour mener leurs études. En tant que chercheur en psychologie, vous travaillerez certainement dans une université, donnerez des cours et dirigerez les recherches des étudiants, menant en plus vos propres recherches en utilisant la méthodologie expérimentale. Vous pourrez également être employé par un laboratoire de recherche, des zoos, des entreprises, des filiales industrielles ou des agences gouvernementales.

Le psychologue légal applique les principes de la psychologie aux domaines légaux. Il mène des recherches sur les liens entre la loi et la psychologie, aide à créer des politiques publiques liées à la santé mentale, soutient les agences de renforcement de la loi dans leurs recherches criminelles ou prête assistance dans les consultations légales impliquant des recherches sur le choix des jurys et les délibérations. Ces psychologues légistes fournissent également des traitements et des estimations pour aider la communauté juridique. Bien que la plupart des psychologues légistes soient aussi cliniciens, ils peuvent avoir des spécialités dans d'autres domaines de la psychologie comme la psychologie sociale ou cognitive. Certains ont fait des études de droit. En tant que psychologue légiste, vous pourrez travailler dans un département de psychologie d'une université, dans une université de droit, au sein d'une organisation de recherche, dans une agence de santé mentale communautaire, dans une agence de renforcement de la loi, dans un tribunal ou dans des maisons de correction ou des prisons.

Les psychologues de la santé sont des chercheurs et des praticiens soucieux de la contribution de la psychologie à l'amélioration de la santé et à la prévention des maladies. Faisant de la psychologie appliquée ou clinique, ils peuvent aider les individus à mener une vie plus saine en concevant des programmes destinés à arrêter de fumer, perdre du poids, améliorer le sommeil, gérer la douleur, traiter les problèmes psychologiques associés aux maladies chroniques ou au stade terminal ou éviter la dissémination des maladies sexuellement transmissibles, en menant ces programmes et en les évaluant. En tant que chercheurs et cliniciens, ils identifient les conditions et les pratiques associées à la santé et aux maladies pour pouvoir ensuite intervenir efficacement. Dans le service public, les psychologues de la santé étudient et travaillent pour améliorer la politique gouvernementale et les systèmes de soins. En tant que psychologue de la santé vous pourrez travailler dans un hôpital, une école de médecine, un centre de réinsertion, une agence de santé publique, un établissement d'enseignement supérieur ou une université ou, si vous êtes aussi psychologue clinicien, dans un cabinet privé.

Les psychologues industriels/organisationnels (psychologues du travail) étudient les relations entre les personnes et leur environnement de travail. Ils peuvent développer de nouvelles manières d'augmenter la productivité, d'améliorer le choix du personnel ou de favoriser la satisfaction au travail dans les entreprises. Ils s'intéressent aux structures et aux modifications de l'organisation du travail, au comportement du consommateur et au choix du personnel ainsi qu'à sa formation. En tant que psychologue du travail, vous pourrez mener des formations sur les lieux de travail ou fournir une analyse de l'organisation du travail et développer celle-ci. Vous pourrez trouver un travail dans une entreprise, dans l'industrie, au gouvernement, ou dans un établissement d'enseignement supérieur ou une université. Ou vous pourrez être employé comme consultant ou travailler pour une entreprise de conseil en management.

Les neuropsychologues étudient les relations entre les processus neurologiques (structure et fonction du cerveau) et le comportement. En tant que neuropsychologue, vous pourrez évaluer, diagnostiquer ou traiter les troubles liés au système nerveux central, comme la maladie d'Alzheimer ou les accidents vasculaires cérébraux. Vous pourrez également examiner les individus pour rechercher des lésions dues aux traumatismes crâniens, des difficultés d'apprentissage et des handicaps développementaux comme l'autisme et d'autres troubles psychiatriques dont le TDAH. Si vous êtes *neuropsychologue clinicien* vous pourrez travailler dans une unité de neurologie, de neurochirurgie ou de psychiatrie d'un hôpital. Les neuropsychologues travaillent également dans les universités où ils enseignent et mènent des recherches.

Les psychologues psychométriciens et spécialisés en évaluation quantitative étudient les méthodes et les techniques utilisées pour acquérir les connaissances psychologiques. Un psychométricien peut mettre à jour les tests neurocognitifs ou de personnalité préexistants ou concevoir de nouveaux tests devant être utilisés en clinique ou dans les écoles, ainsi

© ZUMA Press, Inc./Alamy

Police scientifique et technique Les psychologues judiciaires peuvent être appelés à aider les agents de police enquêtant sur une scène de crime, comme on le voit ici après une fusillade en Floride. La plupart des travaux de médecine légale, cependant, se font au sein d'un laboratoire de police scientifique.

Psychopédagogie Les psychologues scolaires, qui ont leur diplôme de maîtrise en psychologie, peuvent travailler avec des élèves individuellement ou en groupes ou bien avoir un rôle de conseiller auprès des chefs d'établissement.

Cures de cricket les psychologues du sport travaillent souvent directement avec les athlètes pour les aider à améliorer leurs performances. On voit ici le psychologue de l'équipe, en consultation avec Brendon McCullum, un athlète aux multiples victoires, jouant dans l'équipe de Nouvelle-Zélande.

que dans les entreprises et l'industrie. Ces psychologues font également passer ces tests, mesurent les résultats et les interprètent. Les psychologues spécialisés dans les analyses quantitatives collaborent avec les chercheurs pour concevoir, analyser et interpréter les résultats des programmes de recherche. En tant que psychologue psychométricien ou spécialisé dans les analyses quantitatives, vous devrez être bien formé sur les méthodes de recherche, les statistiques et la technologie informatique. Vous aurez des chances d'être employé par une université ou un établissement d'enseignement supérieur, une entreprise spécialisée dans les tests, un laboratoire de recherche privé ou une agence gouvernementale.

Les psychologues spécialisés dans la réinsertion sociale sont des chercheurs et des praticiens qui travaillent avec des personnes ayant perdu un fonctionnement optimal après un accident, une maladie ou un autre événement. En tant que psychologue, vous travaillerez probablement dans une institution médicale de réinsertion ou un hôpital. Vous pourrez également travailler dans une école de médecine ou une université, une agence de réinsertion professionnelle d'État ou fédérale, ou dans un cabinet privé au service de personnes ayant des handicaps physiques.

Les psychologues scolaires évaluent les enfants dans le cadre de l'éducation et interviennent auprès d'eux en cas de besoin. Ils diagnostiquent et traitent les problèmes cognitifs, sociaux et émotionnels qui peuvent influencer de manière négative l'apprentissage des enfants ou leur fonctionnement général à l'école. En tant que psychologue scolaire, vous collaborerez avec des enseignants, des parents et des administrations, et proposerez des recommandations pour améliorer l'apprentissage des étudiants. Vous travaillerez au sein d'une université, d'une agence gouvernementale fédérale ou d'État, dans un centre médico-psycho-pédagogique ou dans un laboratoire de recherche comportemental.

Les psychosociologues sociaux s'intéressent aux rapports interpersonnels au sein des sociétés, au sein de groupes, ou aux interactions des différents groupes sociaux formant la société. Ils étudient comment nos croyances, nos sentiments et nos comportements sont affectés par, ou influencent, d'autres personnes. Ils étudient par exemple les attitudes, l'agressivité, les préjugés, l'attraction interpersonnelle, le comportement de groupe et le leadership. En tant que psychologue social, vous travaillerez probablement en tant que membre d'un établissement d'enseignement supérieur ou d'une université. Vous pourrez aussi donner des conseils en organisation, effectuer des recherches dans le commerce ou dans d'autres champs de la psychologie appliquée, y compris les neurosciences sociales. Certains psychosociologues sociaux travaillent dans des hôpitaux, des agences fédérales ou des entreprises pour y effectuer de la recherche appliquée.

Les psychologues du sport étudient les facteurs psychologiques qui influencent ou sont influencés par notre participation à des activités sportives ou à d'autres activités physiques. Les activités professionnelles des psychologues du sport comprennent la formation des entraîneurs et la préparation des athlètes ainsi que de la recherche et de l'enseignement. Les psychologues du sport qui ont également un diplôme clinique ou de conseil peuvent appliquer ces compétences en travaillant avec des individus ayant des troubles psychologiques comme l'anxiété et l'abus de drogues qui pourraient interférer avec leurs performances optimales. Si vous ne travaillez pas dans le cadre de l'enseignement ou de la recherche, vous travaillerez certainement comme membre d'une équipe ou d'une entreprise, ou dans un cabinet privé.

* * *

Donc, la prochaine fois que quelqu'un vous demandera quel exercice professionnel est attaché à votre diplôme de psychologue, dites-lui que de nombreuses options s'offrent à vous. Vous pourrez utiliser les compétences et les connaissances que vous aurez acquises pour obtenir un travail et réussir dans de nombreux domaines, ou vous pourrez poursuivre vos études dans des universités de troisième cycle et obtenir des opportunités de carrière dans d'autres professions associées. Dans tous les cas, ce que vous aurez appris sur le comportement et les processus mentaux aura sûrement enrichi votre vie (Hammer, 2003).

Révision des chapitres

PROLOGUE

HISTOIRE DE LA PSYCHOLOGIE

Qu'est-ce que la psychologie ?

P-1 Quelles sont les étapes importantes qui ont marqué les débuts de l'essor de la psychologie ?

Wilhelm Wundt a créé le premier laboratoire de psychologie en 1879, en Allemagne. Les deux premières écoles avaient pour théorie le *structuralisme* et le *fonctionnalisme*.

P-2 Comment la psychologie a-t-elle continué à se développer à partir des années 1920 jusqu'à aujourd'hui ?

Les premiers chercheurs ont défini la *psychologie* comme « la science de la vie mentale ». Dans les années 1920, sous l'influence de John B. Watson et des psychologues *comportementalistes*, ou *béhavioristes*, l'objet de l'étude s'est déplacé et la psychologie est devenue « l'étude scientifique du comportement observable ». Dans les années 1960, les *psychologues humanistes* et les *psychologues cognitivistes* ont ravivé l'intérêt porté à l'étude des processus mentaux. La psychologie est désormais définie comme la science du comportement et des processus mentaux.

P-3 Comment notre compréhension de la biologie et des expériences vécues, de la culture et du sexe, et de l'épanouissement humain a-t-elle donné forme à la psychologie contemporaine ?

Notre compréhension grandissante des interactions des facteurs biologiques et des expériences vécues a nourri le débat le plus durable de la psychologie. La *question des rapports de la nature et de la culture* porte sur les contributions relatives de la génétique et de l'expérience, et leur interaction dans des situations données. Les conceptions de Charles Darwin pour qui la *sélection naturelle* façonne les comportements ainsi que les organismes ont donné naissance à la *psychologie évolutionniste* qui a pour objet l'étude de nos similitudes, fruit de la biologie et de l'évolution, et *la génétique du comportement* qui a pour objet d'étude le pouvoir relatif et les limites des influences génétiques et environnementales sur le comportement.

Les études transculturelles et les études portant sur les différences liées au sexe ont multiplié les hypothèses de la psychologie, tout en confortant les similitudes appartenant au fond commun de l'humanité. Les attitudes et les comportements varient quelque peu selon les *cultures* ou le sexe. Toutefois, du fait de notre parenté en tant qu'êtres humains, les processus qui les sous-tendent et les principes sont plus similaires que différents.

L'orientation traditionnelle de la psychologie se fait vers la compréhension et le traitement des troubles psychologiques au sens large. La *psychologie positive* a élargi le champ d'étude en portant ses recherches sur l'épanouissement des possibilités humaines et sur les tentatives de découvrir et de promouvoir les traits de personnalité qui vont apporter aux sujets un bien-être psychosocial.

P-4 Quels sont les différents niveaux d'analyse des méthodes de la psychologie et de ses domaines annexes ?

L'*approche biopsychosociale* prend en compte des données venant de trois *niveaux d'analyse* différents mais complémentaires : la biologie, la psychologie et la sociologie. Cette approche offre une compréhension plus complète des phénomènes que ne pourraient généralement le faire les approches actuelles et univoques de la psychologie (neurosciences, psychologie évolutionniste, génétique du comportement, psychologie psychodynamique, comportementale, cognitive, sociale et culturelle).

P-5 Quels sont les principaux champs d'étude de la psychologie ?

En psychologie scientifique, la *recherche fondamentale* a pour objet l'approfondissement des connaissances fondamentales (biologie, développement, cognition, psychologie différentielle, psychosociologie) ; la *recherche appliquée* a pour objet la résolution de questions posées par la vie quotidienne (psychologie industrielle et organisationnelle en particulier).

Ceux qui font de la psychologie leur profession peuvent apporter un soutien aux personnes en tant que *psychologues conseils*, les aider à résoudre des difficultés existentielles ou à atteindre un plus grand bien-être, ou en tant que *psychologues cliniciens*, étudier et évaluer les personnes souffrant de troubles psychologiques et les traiter par la psychothérapie. (Les *psychiatres* aussi étudient, évaluent et traitent les personnes qui présentent des troubles, mais en tant que médecins, ils peuvent prescrire des médicaments et conduire une psychothérapie adjuvante). L'activité des *psychologues communautaires*, au-delà des individus ou des familles, porte sur la résolution des questions générales de santé mentale au sein de diverses communautés (écoles, etc.)

P-6 Comment les principes de la psychologie peuvent-ils vous aider à apprendre et à mémoriser ?

L'effet de retest a montré que l'apprentissage et la mémoire sont améliorés par le rappel actif de l'information plutôt que par la simple relecture des connaissances apprises précédemment. La méthode d'étude *PIL2R* – visualiser le Plan, s'Interroger, Lire, Rappeler, Revoir – applique les principes dérivés de ces recherches sur la mémoire. Quatre astuces supplémentaires sont (1) répartir son temps de travail ; (2) apprendre à penser de manière critique ; (3) traiter activement l'information reçue en classe et (4) réviser.

CHAPITRE 1

Penser de manière critique grâce à la psychologie scientifique

Le besoin d'une psychologie scientifique

1-1 Comment notre pensée quotidienne nous amène-t-elle souvent à une conclusion erronée ?

Notre façon de penser ordinaire peut être mise en péril par trois défauts : le biais rétrospectif ou biais de l'après-coup, l'excès de confiance, et une tendance à percevoir un système organisé dans des événements qui surviennent de façon aléatoire. Le *biais de l'après-coup* (appelé aussi phénomène du « je l'ai toujours su ») est notre tendance à croire, après avoir appris un résultat, que nous l'avions déjà prédit. La confiance trop élevée en notre jugement vient en partie du fait de notre propension (biais) à ne rechercher que les informations qui le confirment. Cette tendance, associée à notre désir de percevoir un ordre dans des événements aléatoires, nous amène à surestimer notre *intuition*. Bien que limitée par les questions vérifiables qu'elle peut poser, l'approche scientifique nous aide à restreindre nos défauts ainsi que les biais de notre seule intuition.

1-2 Comment les trois principales composantes de l'attitude scientifique sont-elles liées à la pensée critique ?

L'attitude scientifique nous amène à être curieux, sceptique et humble lorsque nous examinons des idées qui se contredisent ou nos propres observations. Cette attitude est introduite dans la vie de tous les jours sous la forme de la *réflexion critique* qui met à l'épreuve les idées, examine les propositions, débusque les valeurs cachées, jauge les preuves et soupèse les résultats.

Stratégies de recherche : comment les psychologues posent-ils des questions et y répondent-ils ?

1-3 De quelle manière les théories font-elles avancer la psychologie scientifique ?

Les *théories* psychologiques sont des explications qui appliquent un ensemble de principes pour organiser les observations et engendrer des *hypothèses*. Ces dernières sont des prédictions qui peuvent être utilisées pour vérifier la théorie ou suggérer des applications pratiques. En testant leurs hypothèses, les chercheurs peuvent confirmer, rejeter ou réviser leurs théories. Pour permettre à d'autres chercheurs de *répliquer* leurs études, les chercheurs font des rapports précis des *définitions opératoires* des procédures et des concepts utilisés. Si les autres chercheurs obtiennent les mêmes résultats, nous pouvons avoir une plus grande confiance dans les conclusions obtenues.

1-4 Comment les psychologues utilisent-ils les études de cas, l'observation naturaliste et les enquêtes pour observer et décrire un comportement ? Pourquoi l'échantillonnage aléatoire est-il si important ?

Les méthodes descriptives qui comprennent les *études de cas*, les *observations naturalistes* et les *enquêtes nous* montrent ce qui peut se produire et peuvent donner des idées d'études ultérieures. La meilleure façon de généraliser à une *population* est d'utiliser un échantillon représentatif ; lorsque *l'échantillonnage est aléatoire*, chaque personne de la population globale étudiée a la même chance de participer à l'étude. Les méthodes descriptives ne peuvent pas nous montrer les causes et les effets parce que les chercheurs ne peuvent pas contrôler les variables.

1-5 Qu'exprimons-nous quand nous disons que deux choses sont corrélées, et quelles corrélations sont positives et négatives ?

Quand nous disons que deux choses sont corrélées, nous disons qu'elles varient ensemble. Lors d'une *corrélation* positive, les deux facteurs croissent ou décroissent ensemble. Lors d'une corrélation négative, un des facteurs croît à mesure que l'autre décroît. La force de la corrélation entre deux variables est exprimée par la valeur du *coefficient de corrélation*. Le coefficient de corrélation qui est compris entre +1,00 (corrélation positive parfaite) et –1,00 (corrélation négative parfaite) en passant par zéro (aucune corrélation) peut décrire l'importance et la direction d'une relation entre deux variables. La relation peut être représentée par un *nuage de points* dans lequel chaque point représente la valeur des deux variables (repère orthonormé par exemple avec valeur de l'abscisse et de l'ordonnée).

1-6 Qu'est-ce que la régression vers la moyenne ?

La *régression vers la moyenne* est la tendance pour les valeurs extrêmes ou inhabituelles à retrouver une valeur proche de la moyenne, avec le temps. Cela est dû à la variabilité intra-individuelle du paramètre mesuré au cours du temps.

1-7 Pourquoi les corrélations permettent-elles de faire des prédictions mais ne fournissent-elles pas d'explication de cause à effet ?

Les corrélations ont une valeur prédictive parce qu'elles montrent l'évolution concomitante de deux variables, dans un sens positif ou négatif. La corrélation indique la possibilité d'une relation de cause à effet mais ne prouve pas la direction de l'influence ni l'existence éventuelle d'un troisième facteur sous-jacent pouvant expliquer la corrélation.

1-8 Quelles sont les caractéristiques de l'expérimentation qui permettent d'isoler la cause et l'effet ?

Pour découvrir les relations de cause à effet, les psychologues mènent des *expérimentations* en manipulant un ou plusieurs facteurs à étudier et en contrôlant les autres facteurs. La *répartition au hasard* minimise *les variables confondantes*, ou différences préexistantes entre les *groupes expérimentaux* (exposés au traitement) et *le groupe contrôle* (recevant un placebo ou une version différente du traitement). La *variable indépendante* est le facteur que l'expérimentateur manipule pour étudier son effet ; la *variable dépendante* est le facteur mesuré par expérimentateur pour mettre en évidence les effets de la variable indépendante. Les études peuvent utiliser *une procédure en double aveugle* pour éviter *l'effet placebo*.

1-9 Les expériences de laboratoire peuvent-elles nous éclairer sur la vie quotidienne ?

Les chercheurs testent les principes généraux théoriques en créant intentionnellement au laboratoire un environnement artificiel sous contrôle. Ces principes généraux permettent d'expliquer de nombreux comportements quotidiens.

1-10 Pourquoi les psychologues étudient-ils les animaux ? Quelles sont les directives éthiques qui protègent les hommes ou les animaux participant à ces recherches ? Dans quelle mesure les valeurs humaines influencent-elles la psychologie ?

Certains psychologues étudient principalement le comportement animal. D'autres étudient les animaux afin de mieux comprendre les processus physiologiques et psychologiques qu'ils partagent avec l'homme. Les agences gouvernementales ont établi des normes pour les soins et l'hébergement des animaux. Les associations professionnelles et les fondations ont également établi des directives pour protéger le bien-être des animaux. Le code éthique de l'APA établit les normes pour garantir le bien-être des participants humains, en particulier en obtenant leur *consentement éclairé* et en leur donnant un *debriefing* ultérieur de l'expérimentation.

   Les propres valeurs de chaque psychologue l'influencent dans le choix de ses sujets de recherche, ses théories et ses observations, sa dénomination des comportements et ses conseils professionnels. Les applications des principes de la psychologie ont surtout été mises au service de l'humanité.

Le raisonnement statistique dans la vie quotidienne

1-11 **Comment pouvons-nous décrire les données à l'aide des trois mesures de la tendance centrale, et quelle est l'utilité relative des deux mesures de variation de cette tendance ?**

La mesure de la tendance centrale est un résultat unique qui représente un ensemble de résultats. Trois de ces mesures, mesures descriptives de la distribution statistique, sont la *médiane* (résultat central d'un groupe de données, valeur au centre des classes), le *mode* (résultat le plus souvent observé) et la *moyenne* (moyenne arithmétique).

Les mesures de la variation nous indiquent l'importance de la diversité entre les données. Deux de ces mesures sont *l'étendue* qui décrit l'intervalle entre le résultat le plus faible et le résultat le plus élevé et l'écart type qui nous permet d'établir l'importance de la *variation* des résultats par rapport à la moyenne. Les résultats ont tendance à former une courbe en *cloche*, dite *normale*.

1-12 **Comment peut-on savoir si une différence observée peut être généralisée à d'autres populations ?**

Pour pouvoir généraliser à d'autres populations une différence observée en toute confiance, nous devons être certain que l'échantillon étudié est représentatif de la population étudiée, que les observations présentent peu de variation en moyenne, que l'échantillon est composé d'un nombre suffisant de cas et que la différence observée est *statistiquement significative*.

CHAPITRE 2

LA BIOLOGIE DE L'ESPRIT

Les systèmes nerveux et endocrinien

2-1 **Pourquoi les psychologues s'intéressent-ils à la biologie humaine ?**

Les psychologues qui s'intéressent à la *perspective biologique* étudient les liens entre la biologie et le comportement. En tant que systèmes biopsychosociaux, des facteurs biologiques, psychologiques et socioculturels interagissent pour influencer notre comportement.

2-2 **Qu'est-ce qu'un neurone et comment transmet-il l'information ?**

Les *neurones* sont les composants élémentaires de notre système nerveux, le système d'information électrochimique le plus rapide de notre corps. Un neurone envoie des signaux par le biais de son axone et les reçoit par l'intermédiaire de ses *dendrites* ramifiées. Certains axones sont encastrés dans une *gaine de myéline* qui permet d'accélérer la transmission des signaux. Les *cellules gliales* soutiennent, nourrissent et protègent les neurones. Elles forment la gaine de myéline. Elles jouent également un rôle dans l'apprentissage et la pensée.

Si la somme des signaux reçus par un neurone dépasse un *seuil* minimal, le neurone se déclenche et transmet un influx électrique (le *potentiel d'action*) qui se propage le long de son axone via un processus électrochimique. La réponse d'un neurone suit la règle du *tout ou rien*.

2-3 **Comment les cellules nerveuses communiquent-elles entre elles ?**

Lorsque les potentiels d'action atteignent l'extrémité de l'axone (terminaison axonale), ils stimulent la libération de *neuromédiateurs*. Ces messagers chimiques, qui transportent le message issu du neurone émetteur, traversent la *synapse* et se fixent sur les récepteurs situés sur le neurone récepteur. Normalement, le neurone émetteur *réabsorbe* ensuite le surplus de molécules de neuromédiateurs se trouvant dans la fente synaptique, un processus appelé recapture. Si les signaux qui arrivent sont suffisamment forts, le neurone récepteur génère son propre potentiel d'action et transmet le message à d'autres cellules.

2-4 **Comment les neuromédiateurs influencent-ils le comportement ? De quelle manière les médicaments et d'autres substances peuvent-ils affecter la neurotransmission ?**

Les neuromédiateurs suivent des voies opérationnelles au niveau du cerveau et peuvent influencer des comportements ou des émotions spécifiques. L'acétylcholine (ACh) agit sur les contractions musculaires, l'apprentissage et la mémoire. Les *endorphines* sont des molécules oipiergiques naturelles libérés en réponse à une douleur ou un exercice.

Les médicaments, ainsi que d'autres substances chimiques, affectent la biochimie cérébrale au niveau des synapses. Les *agonistes* entrent en compétition avec le neuromédiateur naturel pour se fixer sur un récepteur et miment son action (agoniste direct) Les agonistes indirects vont agir de différentes façons, en augmentant sa libération. Les *antagonistes* bloquent l'action d'un neuromédiateur en entrant en compétition avec lui pour se fixer sur le récepteur.

2-5 Quelles sont les fonctions des principales divisions du système nerveux ? Quels sont les trois principaux types de neurones ?

Le *système nerveux central (SNC)*, composé du cerveau et de la moelle épinière, est le responsable de la prise de décision du *système nerveux*. Le *système nerveux périphérique (SNP)*, qui relie le SNC au reste du corps par l'intermédiaire de *nerfs*, collecte les informations et transmet les décisions du SNC au reste du corps. Le système nerveux périphérique se subdivise en deux grands systèmes. Le *système nerveux somatique* permet le contrôle volontaire des muscles squelettiques. Le *système nerveux autonome* contrôle le fonctionnement involontaire (autonome) des muscles et des glandes par le biais de ses branches *sympathiques* et *parasympathiques*. Il assure l'autonomie de fonctionnement de l'organisme lors de la modification des conditions extérieures.

Les neurones se regroupent en réseaux de travail. Il existe trois types de neurones : (1) Les *neurones sensitifs* transportent les informations provenant des récepteurs sensoriels jusqu'au cerveau et à la moelle épinière. (2) Les *neurones moteurs* transportent les informations issues du cerveau et de la moelle épinière jusqu'aux muscles et aux glandes. (3) Les *interneurones* forment les communications internes du cerveau et de la moelle épinière et relient les neurones sensitifs et moteurs.

2-6 De quelle manière le système endocrinien transmet-il l'information ? Comment interagit-il avec le système nerveux ?

Le *système endocrinien* forme un ensemble de glandes sécrétant des *hormones* dans la circulation sanguine qui voyagent dans l'organisme pour agir sur d'autres tissus, y compris le cerveau. L'*hypophyse* est la glande maîtresse du système endocrinien. Elle influence la libération d'hormones par d'autres glandes, comme les *glandes surrénales*. Par un système de rétrocontrôle complexe, l'hypothalamus, situé dans le cerveau, influence l'hypophyse, qui influence d'autres glandes libérant des hormones, et ces dernières, à leur tour, influencent le cerveau.

Outils de découverte et structures cérébrales les plus anciennes

2-7 Comment les chercheurs en neurosciences peuvent-ils étudier les connexions entre notre cerveau d'une part et le comportement et l'esprit d'autre part ?

Les observations cliniques et les interventions *lésant* des parties du cerveau ont révélé les effets généraux de lésions cérébrales. Les stimulations électriques, chimiques ou magnétiques peuvent également révéler certains aspects du traitement de l'information au niveau cérébral. L'*IRM* nous montre l'anatomie du cerveau. L'*EEG*, la *TEP* et l'*IRM fonctionnelle (IRMf)* révèlent le fonctionnement cérébral.

2-8 Quelles sont les structures formant le tronc cérébral et quelles sont les fonctions du tronc cérébral, du thalamus et du cervelet ?

Le *tronc cérébral* est la partie la plus ancienne du cerveau. Il est responsable des fonctions automatiques de survie. Il est composé du *bulbe rachidien* (qui contrôle le rythme cardiaque et la respiration), du pont de Varole (qui facilite la coordination des mouvements) et de la *formation réticulée* (qui influe sur l'éveil).

Reposant au-dessus du tronc cérébral, le *thalamus* est le relais sensoriel du cerveau. Le *cervelet*, fixé à l'arrière du tronc cérébral, coordonne les mouvements musculaires et l'équilibre et joue un rôle dans le traitement des informations sensorielles.

2-9 Quelles sont les structures et les fonctions du système limbique ?

Le *système limbique* est lié aux émotions, à la mémoire et aux motivations. Les structures limbiques comprennent l'*hippocampe* qui traite les souvenirs conscients, l'*amygdale*, impliquée dans les réponses d'agressivité et de crainte, et l'*hypothalamus*, qui joue un rôle dans diverses fonctions d'entretien de l'organisme, les récompenses liées au plaisir et le contrôle du système hormonal. L'hypothalamus contrôle l'hypophyse (la glande endocrine maîtresse) en la stimulant pour qu'elle déclenche la libération d'hormones.

Le cortex cérébral et notre cerveau divisé en deux hémisphères

2-10 Quelles sont les fonctions desservies par les diverses régions du cortex cérébral ?

Dans chaque hémisphère, le *cortex cérébral* comporte quatre lobes, *frontal*, *pariétal*, *occipital* et *temporal*. Chaque lobe a diverses fonctions et agit en partenariat avec d'autres aires du cortex.

Le *cortex moteur* situé à l'arrière des lobes frontaux contrôle les mouvements volontaires. *Cortex somesthésique* : zone située en avant des lobes pariétaux, qui enregistre et traite les sensations de toucher et de mouvement éprouvées par l'organisme. Les parties du corps qui nécessitent un contrôle précis (au niveau du cortex moteur) ou qui sont particulièrement sensibles (au niveau du cortex somesthésique) sont celles qui occupent le plus grand espace.

La plus grande partie du cortex – la plus grande partie de chaque lobe – est composée *d'aires associatives* non spécialisées, qui intègrent les informations impliquées dans l'apprentissage, la mémoire, la pensée et d'autres fonctions d'un niveau supérieur. Nos expériences mentales sont issues de l'activité coordonnée du cerveau.

2-11 Jusqu'à quel point un cerveau lésé peut-il se réorganiser de lui-même ? Que signifie le terme de neurogenèse ?

Si un hémisphère est endommagé dès le plus jeune âge, l'autre recueillera un grand nombre de ses fonctions en se réorganisant ou en établissant de nouvelles voies. La *plasticité* diminue par la suite. Le cerveau peut parfois se réparer en formant de nouveaux neurones, un processus appelé *neurogenèse*.

2-12 Que nous révèlent les cerveaux dédoublés sur les fonctions de nos deux hémisphères cérébraux ?

Les recherches sur les *cerveaux dédoublés* (expériences faites sur des personnes ayant subi une section du *corps calleux*) ont confirmé que, chez la plupart d'entre nous, l'hémisphère gauche est le plus verbal et que l'hémisphère droit excelle dans la perception visuelle et la reconnaissance des émotions. Des études menées sur des personnes en bonne santé ayant un cerveau intact ont confirmé que chaque hémisphère contribuait de manière spécifique au fonctionnement intégré du cerveau.

2-13 Que nous apprend la recherche sur le fait d'être gaucher ? Est-il avantageux d'être droitier ?

Quelque 10 % d'entre nous (un peu plus chez les hommes, un peu moins chez les femmes) sont gauchers. Le fait d'être gaucher semble être lié à des facteurs génétiques ou prénataux. Chez la plupart des gauchers le langage procède de l'hémisphère gauche, comme chez les droitiers. Chez certains gauchers, il procède de l'hémisphère droit ou des deux. Les gauchers sont plus susceptibles de rencontrer des difficultés d'apprentissage de la lecture, de souffrir d'allergies ou de migraines, mais parfois aussi de mieux réussir scolairement. Le fait d'être gaucher est également plus fréquent chez les musiciens, les mathématiciens, les architectes, les artistes et les joueurs professionnels de baseball et de cricket. Les avantages et les inconvénients d'être gaucher semblent s'équilibrer.

CHAPITRE 3

La conscience et les deux voies de l'esprit

Les états du cerveau et la conscience

3-1 Quelle est la place de la conscience dans la psychologie actuelle ?

Depuis 1960, sous l'influence de la psychologie cognitiviste et des *neurosciences cognitives*, la *conscience* (notre perception de nous-même et de notre environnement) a repris sa place en tant que domaine important de la recherche. Après avoir initialement prétendu que la conscience était leur domaine de recherche au XIXᵉ siècle, les psychologues l'ont abandonnée pendant la première moitié du XXᵉ siècle préférant se tourner vers l'étude des comportements observables parce qu'ils pensaient qu'il était trop difficile d'étudier scientifiquement la conscience.

3-2 Qu'est-ce que le traitement dualiste de l'information révélé par les neurosciences cognitives actuelles ?

Les scientifiques ont étudié les mécanismes du cerveau sous-jacents à la conscience et à la cognition et ont découvert que l'esprit humain traitait l'information en empruntant deux voies séparées, l'une opérant à un niveau conscient et explicite, et l'autre à un niveau inconscient et implicite ; autrement dit, un processus séquentiel conscient et un processus non-conscient évoluant parallèlement au premier. Ces *processus dualistes* affectent nos perceptions, notre mémoire, nos attitudes et d'autres domaines de la cognition.

3-3 Comment l'attention sélective dirige-t-elle nos perceptions ?

Nous prêtons *attention sélectivement* et traitons une partie très limitée des informations qui nous proviennent, bloquant la plupart des autres et faisant passer notre attention d'une chose à l'autre. *Le traitement parallèle* porte sur des tâches routinières tandis que le traitement séquentiel est mieux adapté à la résolution des nouveaux problèmes qui nécessite notre attention. Lorsque nous nous concentrons *intentionnellement* sur une tâche, nous présentons souvent une *cécité d'inattention* aux autres événements et changements qui nous entourent.

Sommeil et rêves

3-4 Qu'est-ce que le sommeil ?

Le sommeil est la dissolution périodique naturelle de la conscience, distincte de celle due au coma, à l'anesthésie générale ou à l'hibernation. (Adapté de Dement, 1999.)

3-5 De quelle manière notre rythme biologique influence-t-il notre mode de fonctionnement quotidien ?

Notre corps possède une horloge biologique interne grossièrement synchronisée sur le rythme de vingt-quatre heures d'une journée. Ce *rythme circadien* apparaît dans nos variations quotidiennes de température corporelle, notre éveil, notre sommeil et notre excitation. L'âge et l'expérience peuvent modifier ce rythme réinitialisant notre horloge biologique.

3-6 Quel est le cycle biologique de notre sommeil et de nos rêves ?

Chez les jeunes adultes, le cycle du sommeil est composé de quatre stades et dure environ quatre-vingt-dix minutes. (Le cycle du sommeil se répète plus fréquemment pour les personnes âgées.) Laissant les *ondes alpha* du stade d'éveil relaxé, nous descendons vers le stade 1 du sommeil non REM (NREM-1) caractérisé par des *ondes cérébrales irrégulières*, en ayant souvent des hallucinations telles que la sensation de tomber ou de flotter. Le stade 2 du sommeil (NREM-2) dans lequel nous passons le plus de temps, dure environ vingt minutes avec ses fuseaux caractéristiques de sommeil. Puis nous entrons dans le stade 3 du sommeil (NREM-3), durant environ trente minutes et composé *d'ondes delta* lentes et larges. Environ une heure après nous être endormis, nous commençons les périodes de sommeil *REM* (mouvements oculaires rapides), au cours duquel se produisent la plupart des *rêves*. Pendant ce stade (appelé aussi sommeil paradoxal), nous sommes intérieurement éveillés, mais extérieurement paralysés. Au cours du sommeil d'une nuit normale, les périodes de sommeil NREM-3 se raccourcissent progressivement tandis que s'allongent les stades de sommeil REM et NREM-2.

3-7 De quelle manière la biologie et l'environnement peuvent-ils interagir avec nos habitudes de sommeil ?

Notre biologie, c'est-à-dire notre rythme circadien, notre âge et la production de mélatonine par notre organisme (influencée par le *noyau suprachiasmatique* de notre cerveau), interagit avec nos attentes culturelles et notre comportement individuel pour déterminer notre mode de sommeil et de veille.

3-8 Quelles sont les fonctions du sommeil ?

Le sommeil pourrait avoir joué un rôle protecteur au cours de l'évolution de l'homme en le maintenant en vie pendant les périodes potentiellement dangereuses. Le sommeil permet au cerveau de guérir en lui laissant le temps de restaurer et de réparer les neurones endommagés. Au cours des stades REM et NREM-2 du sommeil, nous renforçons nos connexions neuronales qui fabriquent nos souvenirs à long terme. Le sommeil favorise la résolution créative des problèmes. Enfin, pendant le sommeil profond, l'hypophyse sécrète une hormone nécessaire à la croissance staturo-pondérale.

3-9 **De quelle manière le manque de sommeil nous affecte-t-il et quels sont les principaux troubles du sommeil ?**

La privation de sommeil engendre de la fatigue et de l'irritabilité. Elle diminue les capacités de concentration, la productivité ainsi que la consolidation mnésique. Elle peut également conduire à une dépression, contribuer à l'obésité, engendrer des douleurs articulaires et une diminution du système immunitaire ainsi qu'un ralentissement des performances (qui rend plus vulnérable aux accidents).

Les troubles du sommeil incluent *l'insomnie* (incapacité récurrente à dormir), la *narcolepsie* (endormissement ou chute dans un sommeil REM, survenant brutalement de manière incontrôlable), les *apnées du sommeil* (arrêts de la respiration pendant le sommeil, touchant en particulier les hommes atteints d'obésité), les *terreurs nocturnes* (haut niveau d'activation et aspect de terreur, un trouble lié au sommeil NREM-3 observé principalement chez l'enfant), le somnambulisme (trouble du sommeil NREM-3 également observé principalement chez l'enfant) et la somniloquie.

3-10 **À quoi rêvons-nous ?**

Nous *rêvons* généralement d'événements ordinaires et de nos expériences quotidiennes, et la plupart des rêves mettent en jeu une certaine anxiété ou la malchance. Moins de 10 % des rêves, chez les hommes (et encore moins chez la femme) ont une connotation sexuelle. La plupart des rêves se produisent pendant le sommeil paradoxal.

3-11 **Quelles sont les fonctions des rêves proposées par les théoriciens ?**

Il existe cinq conceptions majeures sur les raisons de nos rêves. (1) La théorie de l'accomplissement des désirs de Freud : les rêves constituent une soupape de sécurité avec *un contenu manifeste* (ou fil de l'histoire) représentant une version censurée du *contenu latent* (signification sous-jacente qui satisfait nos souhaits inconscients). (2) La théorie du traitement de l'information : les rêves nous aident à trier nos expériences quotidiennes et à les fixer dans notre mémoire. (3) Fonction physiologique : la stimulation cérébrale régulière développe et conserve les voies nerveuses cérébrales. (4) L'activation neuronale : notre cerveau essaye de tisser une histoire pour donner un sens à la statique nerveuse. (5) Le développement cognitif : les rêves reflètent le niveau de développement du rêveur.

La plupart des théoriciens du sommeil sont d'accord sur le fait que le sommeil REM et ses rêves ont une fonction importante, ce que montre le *rebond de REM* qui se produit après la privation de REM chez l'homme comme chez d'autres espèces animales.

Drogues et conscience

3-12 **Quelles sont les consommations pathologiques de substances psychoactives ? Quelle est la place des entités suivantes dans ces consommations : addiction, tolérance, sevrage ?**

Les sujets qui, souffrent d'un *trouble lié à la consommation de substances psychoactives* peuvent montrer une perte de maîtrise de soi, une rupture des liens sociaux, peuvent adopter des comportements à risque, et souffrir de troubles somatiques liés à la tolérance et au sevrage. Les *substances psychoactives* modifient la perception et l'humeur. Ils peuvent produire une *tolérance* – nécessitant des doses plus élevées pour obtenir l'effet désiré –, et un malaise important accompagnant les tentatives de *sevrage*. L'utilisation continue peut entraîner la *dépendance*, qui est l'envie compulsive de drogues ou certains comportements (comme le jeu) en dépit des conséquences néfastes connues.

3-13 **Comment le concept de la dépendance a-t-il changé ?**

Les psychologues se demandent si le concept n'a pas trop élargi la définition de l'addiction, et si les dépendances sont vraiment aussi irrésistibles qu'on le croit généralement. Les addictions peuvent être très invalidantes et certaines personnes dépendantes peuvent bénéficier de programmes thérapeutiques ou du soutien de groupes de patients. Mais considérer l'addiction comme une maladie de la perte du contrôle de la consommation peut saper la confiance en soi et la volonté de changer. Le concept d'addiction en tant que maladie nécessitant un traitement a été étendu à nombre de comportements excessifs, autoentretenus, mais la qualification d'un comportement ne l'explique pas. Le concept de la dépendance continue à évoluer : Le manuel diagnostique et statistique des troubles mentaux comprend des troubles addictifs sans drogue comme le jeu d'argent pathologique. Une recherche porte sur la qualification clinique du jeu pathologique sur internet.

3-14 **Qu'est-ce qu'un dépresseur central et quels sont ses effets ?**

Les *dépresseurs centraux* ou psycholeptiques comme l'*alcool*, les *barbituriques* et les *opiacés* réduisent l'activité nerveuse et ralentissent les fonctions organiques. L'alcool est un désinhibiteur. Il augmente la probabilité que nous commettions des actes impulsifs, qu'ils soient agressifs ou serviables. Il réduit le jugement, le contrôle de soi et la conscience de soi, et interrompt les processus mnésiques en supprimant le sommeil REM. Les attentes des consommateurs influencent fortement les effets comportementaux de l'alcool.

3-15 Qu'est-ce qu'un psychostimulant et quels sont ses effets ?

Les *stimulants* – *caféine, nicotine, cocaïne* et les *amphétamines*, comme la *méthamphétamine* et l'*ecstasy* – excitent l'activité nerveuse et accélèrent les fonctions organiques, déclenchant une bouffée d'énergie et des modifications de l'humeur. Ils entraînent tous une addiction importante. Les effets de la nicotine font qu'il est difficile d'arrêter de fumer. Néanmoins, le pourcentage d'Américains qui fument a diminué de façon spectaculaire. La cocaïne donne au consommateur une bouffée d'euphorie, suivie au bout d'une heure d'une « descente » vertigineuse. Elle risque d'engendrer des troubles cardiovasculaires et un état de paranoïa. La consommation de méthamphétamine peut réduire de manière irréversible la production de dopamine. L'ecstasy (MDMA) qui est à la fois stimulante et modérément hallucinogène, entraîne une euphorie et un sentiment d'intimité. Sa consommation répétée peut provoquer une dépression du système immunitaire, une altération durable de la mémoire et de l'humeur. Associée à l'activité physique, elle peut entraîner une déshydratation conduisant à un coup de chaleur.

3-16 Qu'est-ce qu'un hallucinogène ? Quels sont ses effets ?

Les *hallucinogènes*, comme le *LSD* et le cannabis, modifient les perceptions et provoquent des hallucinations, images sensorielles en l'absence de stimulation sensorielle. L'humeur du consommateur et ses attentes influencent les effets du LSD, mais ceux-ci sont fréquemment composés d'hallucinations et d'émotions qui vont de l'euphorie à la panique. La principale substance active du cannabis est le *THC*, tétra-hydro-cannabinol qui peut déclencher un sentiment de désinhibition, un état d'euphorie, un sentiment de relaxation, un soulagement de la douleur et une sensibilité intense aux stimuli sensoriels. Il peut également augmenter le sentiment d'anxiété ou de dépression, bloquer la coordination motrice et ralentir le temps de réaction, interrompre le processus de formation mnésique et – comme il est inhalé sous forme de fumée – entraîner des lésions pulmonaires.

3-17 Pourquoi certaines personnes deviennent-elles des consommateurs réguliers de substances psychoactives ?

Certaines personnes sont biologiquement plus enclines à devenir dépendantes de substances comme l'alcool. Les facteurs psychologiques (comme le stress, la dépression et le désespoir) et sociaux (comme la pression de l'entourage) s'associent pour conduire nombre d'entre nous à essayer les substances psychoactives et parfois à en devenir dépendants. La consommation de substances psychoactives varie selon les groupes ethniques et culturels. Chacune de ces influences – biologique, psychologique et socioculturelle – offre une voie possible pour la prévention de la consommation de drogue et la mise au point de programmes thérapeutiques.

CHAPITRE 4
L'INNÉ, L'ACQUIS ET LA DIVERSITÉ HUMAINE
Génétique du comportement : prédire les différences entre les individus

4-1 Que sont les *chromosomes*, l'*ADN*, les *gènes*, et le *génome humain ?* Comment les généticiens spécialistes du comportement expliquent-ils nos différences individuelles ?

Les *gènes* sont les unités biochimiques de l'hérédité qui composent les *chromosomes*, des brins d'*ADN* enroulés sur eux-mêmes. Lorsqu'ils sont « activés » (s'expriment), les gènes codent pour la synthèse des protéines qui forment les constituants de base de notre organisme. La plupart des caractères humains sont influencés par de nombreux gènes œuvrant ensemble. Le *génome humain* est le profil génétique commun qui distingue les humains des autres espèces, consistant à un niveau individuel de tout le matériel génétique dans les chromosomes d'un organisme. La *génétique du comportement* est l'étude du pouvoir et des limites relatifs de la génétique, et des influences *environnementales* sur le comportement.

4-2 Comment les études de jumeaux et d'adoption nous aident-elles à comprendre les effets et les interactions de la nature et de la culture ?

Les études des *jumeaux identiques* (monozygotes) comparés aux *jumeaux fraternels* (dizygotes), des jumeaux séparés, et des parents biologiques comparés aux parents adoptifs permettent aux chercheurs de distinguer l'influence de l'hérédité de celle de l'environnement. Les études portant sur les jumeaux identiques mais séparés, ayant donc un patrimoine génétique identique, permettent d'évaluer les effets des conditions différentes des milieux d'accueil. Les études au sein des familles adoptantes permettent aux chercheurs d'étudier les effets de différences génétiques au sein d'un même environnement de vie. Les différences de caractères héritables entre les individus, comme la taille ou le poids n'expliquent pas nécessairement les différences intergroupes liées au sexe ou à l'ethnie. Un même environnement familial a peu d'effets visibles sur la personnalité des enfants.

4-3 Qu'est ce que les psychologues ont appris sur le tempérament ?

La stabilité de *tempérament*, caractéristique émotionnelle de la réactivité et de l'intensité d'une personne, dès les premières semaines de la vie suggère une prédisposition génétique. L'effet génétique apparaît dans les différences physiologiques tels que la fréquence cardiaque et la réactivité du système nerveux.

4-4 Qu'est-ce que *l'héritabilité* et de quelle manière est-elle liée aux individus et aux groupes ?

L'*héritabilité* décrit l'étendue des variations entre individus d'un groupe qu'il est possible d'attribuer aux gènes. Les différences de caractères héritables entre les individus, comme la taille ou l'intelligence, n'expliquent pas les différences de groupe. Si les gènes expliquent en grande partie pourquoi certains sont plus grands que d'autres, ils n'expliquent pas pourquoi les gens d'aujourd'hui sont plus grands que ceux qui vivaient il y a cent ans.

4-5 Comment la recherche en génétique moléculaire fait-elle évoluer notre compréhension des effets de la nature et la culture ?

La recherche en *génétique moléculaire* sur la structure et la fonction des gènes apporte une nouvelle compréhension de la façon dont les équipes de gènes influencent de nombreux traits humains. Un des objectifs de *la génétique du comportement moléculaire*, est d'étudier la façon dont la structure et la fonction des gènes interagissent avec notre environnement pour influencer le comportement, et de trouver quelques-uns des nombreux gènes qui orchestrent ensemble les traits complexes (tels que le poids corporel, l'orientation sexuelle, et l'impulsivité). Les environnements peuvent déclencher ou bloquer l'expression génétique. Le domaine de *l'épigénétique* étudie les influences sur l'expression génique qui se produisent sans aucune modification de l'ADN.

4-6 Quels sont les avantages et les risques du dépistage génétique prénatal ?

Les tests génétiques peuvent maintenant révéler les populations à risque pour des dizaines de maladies ; la recherche se poursuit pour découvrir les marqueurs des maladies génétiques. Mais le dépistage prénatal pose des problèmes d'éthique. Par exemple, les tests pour connaître le sexe de l'enfant ont entraîné des avortements « sélectifs », qui dans certains pays ont conduit à des millions de naissances de garçons. Et le dépistage futur de la vulnérabilité aux troubles psychologiques pourrait priver le monde de grands talents. (Handel, van Gogh, Churchill, Lincoln, Tolstoï, et Dickinson étaient toutes les personnes en difficulté, par exemple.)

Psychologie évolutionniste : comprendre la nature humaine

4-7 Comment les psychologues évolutionnistes se servent-ils de la sélection naturelle pour expliquer les tendances comportementales ?

Les *psychologues évolutionnistes* essayent de comprendre comment *la sélection naturelle* a façonné nos caractères et nos tendances comportementales. En effet les variations génétiques qui ont le plus de chances d'être transmises aux générations futures sont celles qui augmentent les chances de survivre et de se reproduire. Certaines de ces variations proviennent de *mutations* (erreurs aléatoires de la réplication génique), d'autres de nouvelles combinaisons géniques au moment de la conception. Les hommes partagent un héritage génétique et sont prédisposés à se conduire selon les principes qui ont permis à leurs ancêtres de survivre et se reproduire. Depuis longtemps, la théorie de l'évolution de Charles Darwin est un principe d'organisation en biologie. Il prévoit la demande d'aujourd'hui des principes évolutionnistes en psychologie.

4-8 De quelle manière un psychologue évolutionniste peut-il expliquer les différences de sexualité masculine et féminine et les préférences reproductrices ?

Les hommes approuvent plus volontiers les rapports sexuels occasionnels alors que les femmes ont tendance à voir dans l'acte sexuel un aspect relationnel. Les psychologues évolutionnistes interprètent le fait que l'homme soit attiré par de nombreuses femmes fécondes et en bonne santé, par l'augmentation de ses chances de transmettre largement ses gènes. En revanche, comme les femmes doivent attendre le temps de la grossesse puis nourrir leur enfant, elles augmentent leurs propres chances de survie et celles de leurs enfants en recherchant un partenaire ayant des ressources économiques et le potentiel pour s'investir à long terme dans leur progéniture commune.

4-9 Quelles sont les principales critiques faites à la psychologie évolutionniste ? Quelles sont les réponses des psychologues évolutionnistes ?

Les critiques disent en substance que les psychologues évolutionnistes raisonnent à rebours en partant d'une constatation et en en proposant une explication. Ils estiment aussi également que les psychologues évolutionnistes tentent d'expliquer le comportement présent en se fondant sur base des décisions nos lointains ancêtres ont fait des milliers d'années, notant qu'une meilleure explication, plus immédiate viendrait de l'analyse des *scénarios sociaux*. Et les critiques de s'étonner : cette explication pourrait-elle exempter les sujets d'assumer la responsabilité de leur comportement sexuel ? Les psychologues évolutionnistes répondent que le fait de comprendre nos prédispositions peut nous aider à les surmonter. Ils reconnaissent l'importance des influences sociales et culturelles, mais ils invoquent la valeur prédictive des constatations faites lors de l'étude de l'évolution.

Culture, genre et autres influences environnementales

4-10 De quelle manière nos premières expériences modifient-elles notre cerveau ?

Nos prédispositions génétiques et l'environnement qui nous entoure *interagissent*. L'environnement peut déclencher une activité génique et des traits de caractère influencés génétiquement peuvent entraîner des réponses des autres individus.

Pendant son développement, le cerveau d'un enfant forme des connexions de plus en plus nombreuses et complexes. Les expériences entraînent ensuite un processus de dégénérescence (« pruning ») au cours duquel les connexions non utilisées s'affaiblissent et celles qui le sont fortement se renforcent. Le début de l'enfance est une période importante pour façonner le cerveau mais celui-ci se modifie tout au long de notre vie en réponse à nos apprentissages.

4-11 De quelle manière les parents et l'entourage peuvent-ils façonner le développement des enfants ?

Les parents influencent leurs enfants quant à leurs manières et leurs croyances politiques ou religieuses mais pas dans d'autres domaines, comme la personnalité. À mesure que les enfants tentent de s'adapter aux camarades qui les entourent, ils adoptent leur culture, leur style, leur accent, leurs attitudes, leur langage « branché ». En choisissant le voisinage de leurs enfants et leurs écoles, les parents peuvent exercer une certaine influence sur la culture du groupe de pairs.

4-12 De quelle manière la culture affecte-t-elle notre comportement ?

La *culture* est un ensemble durable de comportements, idées, attitudes, valeurs et traditions persistants, partagés par un groupe de personnes et transmis de génération en génération. Les *normes* culturelles sont des règles connues qui informent les membres d'une culture sur les comportements acceptés et attendus. Selon le lieu et l'époque, les cultures diffèrent.

4-13 En quoi les valeurs et les aspirations des cultures fondées sur la collectivité et fondées sur l'individu sont-elles différentes ?

Au sein d'une culture, le degré d'individualisme ou de collectivisme varie d'un individu à l'autre. Les cultures fondées sur *l'individualisme* autonome, comme la plupart de celles observées aux États-Unis, au Canada et en Europe occidentale, valorisent l'indépendance et l'épanouissement personnel. Elles définissent l'identité en termes d'estime de soi, d'objectifs et de réussites personnels ainsi que de droits et de libertés personnels. Les cultures fondées sur la *collectivité*, comme celles de nombreux pays asiatiques et africains, valorisent l'interdépendance, les traditions et l'harmonie. Elles définissent l'identité en termes d'objectifs et d'obligations de groupe ainsi que d'appartenance à un seul groupe.

4-14 Qu'est ce qui différencie la signification du mot *genre* de celle du mot sexe ?

Genre : en psychologie, caractéristiques (qu'elles soient biologiques ou influencées socialement) par lesquelles un individu se définit comme étant un homme ou une femme. *Sexe* : en psychologie, caractéristiques biologiques par lesquelles un individu se définit comme étant un homme ou une femme. Notre genre est le produit de l'interrelation de nos dispositions biologiques, nos expériences acquises au cours du développement et notre situation actuelle (Eagly & Wood, 2013).

4-15 **En quoi les hommes et les femmes ont-ils tendance à être semblables ? À être différents ?**

Quel que soit notre sexe nous sommes plus semblables que différents du fait de notre composition génétique semblable : nous voyons, entendons, apprenons et nous souvenons de la même façon. Les hommes et les femmes diffèrent par leur quantité de graisse corporelle, leur musculature, leur taille, l'âge d'apparition de la puberté et leur espérance de vie. Ils diffèrent également du fait de leur vulnérabilité vis-à-vis de certains troubles. Les hommes admettent plus les comportements *agressifs* que les femmes, et ils sont plus susceptibles d'avoir un comportement physiquement agressif. Le comportement agressif manifesté par les femmes est de type *agressivité relationnelle*. Dans la plupart des sociétés, les hommes ont plus de pouvoir social, et leur style de leadership a tendance à être directif, tandis que celui des femmes est plus démocratique. Les femmes sont plus attentives aux liens sociaux, et elles ont plus « tendance à se lier d'amitié ».

4-16 **Comment les hormones sexuelles influencent-elles le développement sexuel prénatal et celui de l'adolescent, et qu'est ce qu'un trouble du développement sexuel ?**

Les deux chromosomes sexuels et les hormones sexuelles influencent le développement. Le sexe biologique est déterminé par la contribution du père à la vingt-troisième paire de chromosomes. La mère apporte toujours un *chromosome X*. Le *chromosome Y* déclenche la libération d'une plus grande quantité de *testostérone* et le développement des organes génitaux masculins. Les caractères sexuels *primaires* et *secondaires* se développent pendant *l'adolescence*. Les gènes liés au sexe et la physiologie sexuelle impliquent des différences comportementales et cognitives entre les hommes et les femmes. *Trouble du développement sexuel* : maladie congénitale due à un nombre aberrant de chromosomes sexuels ayant des répercussions anatomiques.

4-17 **Comment les rôles sexués et l'identité sexuée diffèrent-ils ?**

Les *rôles sexués*, comportements des hommes et des femmes attendus par une culture, varient selon le lieu et l'époque. Selon la *théorie de l'apprentissage social*, nous apprenons notre *identité sexuelle* (notre sens d'être un homme ou une femme, ou une association des deux) comme nous apprenons autre chose, par le renforcement, la punition et l'observation. Les critiques répliquent que la cognition joue également un rôle car se conformer à un modèle ou recevoir des récompenses ne peut expliquer l'*identification sexuée*. Certains enfants vont organiser leur vie dans « les mondes de garçon » ou dans « les mondes de filles » ; d'autres vont préférer l'*androgynie*. L'identité ou l'expression sexuelle des *individus transgenre* diffère de leur sexe de naissance. Leur orientation sexuelle peut être : hétérosexuelle, homosexuelle, bisexuelle, ou « asexuelle ».

4-18 **Qu'est-ce que l'approche biopsychosociale du développement ?**

Le développement individuel résulte de l'interaction entre des influences biologiques, psychologiques et socioculturelles. Les influences biologiques comportent notre génome humain commun, nos variations individuelles, notre environnement prénatal ainsi que nos gènes, nos hormones et notre physiologie liés à notre sexe. Les influences psychologiques incluent les interactions entre nos gènes et l'environnement, les effets de nos premières expériences sur notre réseau nerveux, les réponses déclenchées par nos caractères propres comme notre genre et notre tempérament ainsi que nos croyances, nos sentiments et nos attentes personnelles. Les influences socioculturelles comprennent les influences des parents ou de leur entourage, les traditions et les valeurs culturelles ainsi que les normes culturelles sexuelles.

CHAPITRE 5

LE DÉVELOPPEMENT DE L'INDIVIDU TOUT AU LONG DE SA VIE

Le développement en question, développement prénatal et nouveau-né

5-1 **Quelles sont les trois questions qui intéressent les psychologues du développement ?**

Les *psychologues du développement* étudient les changements physiques, mentaux et sociaux tout au long de la vie. Ils se concentrent sur trois questions : l'inné et l'acquis (nature et culture) c'est-à-dire l'interaction entre notre héritage génétique et nos expériences ; la continuité et les stades (savoir si le développement est graduel et continu ou s'il existe une série de changements relativement brutaux) ; et la stabilité ou le changement (savoir si nos traits de caractère perdurent ou changent avec l'âge).

5-2 Comment se déroule le développement prénatal et quelle manière les agents tératogènes peuvent-ils affecter ce développement ?

Le cycle de la vie commence au moment de la conception, lorsqu'un spermatozoïde s'unit avec un ovule pour former un *zygote*. Les cellules internes du zygote forment l'*embryon* et les cellules externes forment le placenta. Au cours des six semaines suivantes, ses organes commencent à se former, et à fonctionner après neuf semaines. Le *fœtus* a une forme humaine reconnaissable.

Les *tératogènes* sont des agents potentiellement dangereux qui peuvent traverser la barrière placentaire et nuire à l'embryon ou au fœtus qui se développe, comme on l'observe lors du *syndrome d'alcoolisme fœtal*.

5-3 Quelles sont les capacités du nouveau-né et comment les chercheurs explorent-ils les capacités mentales des nourrissons ?

Les nouveau-nés naissent avec un équipement sensoriel et des réflexes qui les aident à survivre et à développer des interactions sociales avec les adultes. Par exemple, ils apprennent rapidement à reconnaître l'odeur et la voix de leur mère. Pour explorer les capacités des enfants, les chercheurs utilisent des techniques qui testent l'*habituation*, comme les tests de préférence de la nouveauté.

La petite enfance et l'enfance

5-4 Durant la petite enfance et l'enfance, comment le cerveau et les aptitudes motrices se développent-ils ?

Les cellules nerveuses du cerveau sont sculptées par l'hérédité et l'expérience. Pendant son développement, le cerveau d'un enfant forme des connexions de plus en plus nombreuses et complexes. Les expériences entraînent ensuite un processus de dégénérescence (« pruning ») au cours duquel les connexions non utilisées s'affaiblissent et celles qui le sont fortement se renforcent. Ce processus continue jusqu'à la puberté. Le début de l'enfance est une période importante pour façonner le cerveau mais celui-ci se modifie tout au long de notre vie en réponse à nos apprentissages. Nos capacités motrices complexes (s'asseoir, se lever et marcher) se développent, durant l'enfance, selon une séquence prévisible dont l'apparition est fonction de la *maturation* et de la culture individuelle. Nous n'avons pas de souvenirs conscients d'événements survenus avant l'âge de 3 ans et demi. Cette amnésie infantile se produit en partie parce que des zones importantes du cerveau ne sont pas arrivées à maturité.

5-5 Selon les conceptions de Piaget, de Vygotsky et des chercheurs actuels, de quelle manière l'esprit d'un enfant se développe-t-il ?

Avec sa théorie du développement *cognitif*, Jean Piaget proposait que les enfants construisent activement leur compréhension du monde et la modifient par l'*assimilation* et l'*accommodation*. Ils forment des *schèmes* qui leur permettent d'organiser leurs expériences. Progressant du simple *stade sensori-moteur* des deux premières années, au cours duquel ils développent le sens de la *permanence de l'objet*, les enfants passent dans un stade de pensée plus complexe. Au cours du *stade préopératoire* (environ 2 ans à environ 6 ou 7 ans), les enfants développent une *théorie de l'esprit*. Dans le stade préopératoire, les enfants sont *égocentriques* et incapables d'effectuer des opérations logiques simples. Vers 7 ans, ils entrent dans *le stade des opérations concrètes* où ils deviennent capables d'appréhender le principe de *conservation de la matière*. Vers l'âge de 12 ans, ils entrent dans le *stade des opérations formelles* et peuvent raisonner systématiquement.

Les recherches ont conforté la séquence proposée par Piaget pour le développement de la cognition humaine, mais elles ont aussi montré que les enfants étaient capables de plus de choses que ne le pensait Piaget et que leur développement est un processus plus continu.

Les études de Lev Vygotsky sur le développement des enfants se sont concentrées sur le mode de développement de l'esprit de l'enfant qui interagit avec l'environnement social. Selon sa vision, les parents et ceux qui s'occupent des enfants fournissent un échafaudage provisoire permettant à l'enfant de s'élever vers des niveaux d'apprentissage supérieurs.

5-6 Qu'est-ce que le trouble du spectre de l'autisme ?

Le *trouble du spectre autistique* (TSA) est marqué par d'importants déficits de la communication et des comportements répétitifs. De nos jours, la prévalence du diagnostic du TSA est de 1/68 chez les enfants américains âgés de 8 ans ; cette prévalence varie selon le lieu. L'augmentation du nombre de diagnostics d'autisme a été compensée par une baisse du nombre d'enfants ayant une intelligence faible ou souffrant de troubles des apprentissages. Ainsi la classification des troubles mentaux de l'enfant et de l'adolescent s'en trouve remaniée.

5-7 Comment les liens parents-enfants se forment-ils ?

Vers l'âge de 8 mois, peu après le développement de la permanence de l'objet, les enfants présentent une *peur de l'étranger* lorsqu'ils sont séparés de la personne qui s'en occupe. Les enfants forment des *attachements* pas simplement parce que leurs parents répondent à leurs besoins biologiques mais, ce qui est plus important, parce qu'ils offrent un sentiment de confort, qu'ils sont familiers et attentifs. De nombreux oiseaux ainsi que d'autres animaux présentent des processus d'attachement plus rigides, que l'on appelle *empreinte*, et qui se produit au cours d'une *période critique*.

5-8 Comment les psychologues ont-ils étudié les différents modes d'attachement et qu'ont-ils appris ?

L'attachement a été étudié dans des conditions expérimentales appelées « situations étranges », qui montrent que certains enfants ont un mode d'attachement assuré et d'autres un mode d'attachement non assuré. Les différents modes d'attachement des enfants reflètent leur tempérament individuel et les réponses de leurs parents ou des personnes qui s'en occupent. Les relations à l'âge adulte semblent refléter les modes d'attachement de la première enfance confortant l'idée d'Erik Erikson que la *confiance de base* se forme durant la petite enfance par notre expérience avec les personnes attentives qui s'occupent de nous.

5-9 Comment la négligence parentale ou les mauvais traitements affectent-ils les modes d'attachement de l'enfant ?

Les enfants sont très résilients. Mais ceux qui sont transférés d'un endroit à un autre, sévèrement négligés par leurs parents ou qui n'ont pu d'une manière ou d'une autre former des attachements à un âge précoce peuvent présenter des risques de troubles de l'attachement.

5-10 Comment se développe le concept de l'image de soi chez l'enfant ?

L'apparition du *concept de l'image de soi*, le sens de l'identité et de la valeur personnelle, est progressive. Vers 15 à 18 mois, l'enfant reconnaît sa propre image dans un miroir. Lorsqu'il entre à l'école, il peut décrire beaucoup de ses traits personnels et, vers l'âge de 8 à 10 ans, son image de lui-même est stable.

5-11 Quels sont les trois modes d'éducation parentale et comment peut-on relier les traits de caractère des enfants à ces modes ?

Les différents modes d'éducation parentale, autoritaire, permissif ou directif, reflètent divers degrés de contrôle. Les enfants ayant une haute estime d'eux-mêmes ont tendance à avoir des parents directifs et à avoir confiance en eux et être socialement compétents, mais la direction du lien de cause à effet dans cette relation n'est pas claire. Les modes d'éducation des enfants reflètent, à la fois les valeurs individuelles et culturelles.

L'adolescence

5-12 Comment définit-on *l'adolescence* ? Quels sont les changements physiques qui marquent cette période ?

L'adolescence est la période de transition entre l'enfance et l'âge adulte, et s'étend de la *puberté* à l'indépendance sociale. Les garçons semblent tirer profit d'une maturation précoce et les filles d'une maturation plus tardive. Les lobes frontaux connaissent une maturation pendant l'adolescence jusque vers 20 ans, permettant une amélioration du jugement, du contrôle des impulsions et de la planification à long terme.

5-13 De quelle manière Piaget, Kohlberg et les chercheurs qui leur ont succédé, ont-ils décrit le développement cognitif et moral de l'adolescent ?

Selon Piaget, les adolescents développent une capacité pour les opérations formelles, et ce développement est à la base du jugement moral. Lawrence Kohlberg a proposé une théorie par stades du raisonnement moral, allant du sens moral préconventionnel, fondé sur notre propre intérêt, au sens moral conventionnel, fondé sur la fidélité à la loi et aux règles sociales. Pour certaines personnes, le sens moral postconventionnel se fonde sur les principes éthiques universels. D'autres chercheurs pensent que la moralité réside dans l'intuition morale ainsi que dans les actions morales et les pensées.

Selon certaines critiques, le stade postconventionnel de Kohlberg représente la moralité telle qu'elle est conçue par les sujets de sexe masculin, de culture individualiste, appartenant à la classe moyenne.

5-14 Quels sont les tâches sociales et les défis de l'adolescence ?

Selon Erikson, chaque stade de la vie possède sa propre tâche psychologique et la principale tâche de l'adolescence est de solidifier son sens du moi, son *identité*. Cela signifie souvent « essayer » plusieurs rôles différents. L'*identité sociale* est la partie du concept du soi qui provient des membres du groupe d'un individu.

5-15 Comment les adolescents sont-ils influencés par leurs parents ou leurs relations ?

Pendant l'adolescence, l'influence des parents diminue et l'influence des pairs augmente, en partie à cause de l'effet de sélection ; tendance à choisir de se lier à des sujets semblables. Ainsi, les adolescents adoptent la mode vestimentaire de leurs amis, ainsi que leur façon d'agir et de communiquer. Les parents ont plus d'influence sur la religion, la politique et le choix des écoles et de la carrière.

5-16 Qu'est-ce que l'émergence de l'âge adulte ?

La transition entre l'adolescence et l'âge adulte prend maintenant plus de temps. L'*émergence de l'âge adulte* est la période qui s'étend de 18 ans à 25 ans environ, lorsque beaucoup de jeunes ne sont pas encore totalement indépendants. Mais les spécialistes notent que ce stade s'observe surtout actuellement dans les cultures occidentales.

L'âge adulte

5-17 Quels sont les changements physiques qui se produisent au milieu et à la fin de l'âge adulte ?

La force musculaire, le temps de réaction, les aptitudes sensorielles et le débit cardiaque commencent à décliner avant le début de la trentaine et ce déclin se poursuit chez les adultes d'âge mûr (entre 40 et 65 ans) et les personnes âgées (au-delà de 65 ans). Vers l'âge de 50 ans, la *ménopause* termine la période de fertilité de la femme. Les hommes ne subissent pas de chute similaire de leurs niveaux d'hormones ni de leur fertilité. Chez les personnes âgées, le système immunitaire s'affaiblit, augmentant leur sensibilité aux maladies potentiellement mortelles. L'extrémité des chromosomes (ou télomères) s'use, réduisant les chances d'une réplication génétique normale. Mais pour certains, grâce à des gènes qui soutiennent la longévité, peu de stress et de bonnes habitudes alimentaires, il est possible de rester en bonne santé très longtemps.

5-18 Comment la mémoire évolue-t-elle avec l'âge ?

À mesure que les années passent, le rappel des souvenirs commence à décliner, en particulier celui des informations ayant peu d'importance, mais la mémoire de reconnaissance reste forte. Les adultes âgés se fient le plus souvent à des agendas et à des indices mnésiques pour se souvenir des tâches habituelles ou planifiées. Les chercheurs spécialisés dans le développement étudient les changements liés à l'âge (comme la mémoire) grâce à des *études transversales* (comparant des personnes d'âge différent) et *longitudinales* (en testant à nouveau les mêmes personnes à des âges différents). Le « déclin terminal » décrit le déclin cognitif se produisant au cours des dernières années de la vie.

5-19 Comment les troubles neurocognitifs et la maladie d'Alzheimer affectent-ils les capacités cognitives ?

Les *troubles neurocognitifs* (TNC) sont des troubles acquis marqués par des déficits cognitifs ; souvent liés à des lésions cérébrales, la maladie d'Alzheimer, ou la toxicomanie. Ces dommages aux cellules du cerveau se traduisent par l'érosion des capacités mentales qui ne sont pas typiques d'un vieillissement normal. La *maladie d'Alzheimer* un trouble neurocognitif marqué par une amnésie, une aphasie, une apraxie et une agnosie. Les lésions neuronales typiques sont les neurofibrilles et les plaques séniles. À l'origine la maladie découverte par Aloïs Alzheimer débutait à l'âge de 55 ans environ. Comme les lésions cérébrales observées sont identiques à celles qui étaient observées dans les démences séniles, on regroupe les démences d'Alzheimer vraies et les démences séniles type Alzheimer sous le vocable de maladie d'Alzheimer.

5-20 Quels thèmes et influences marquent notre voyage social du début de l'âge adulte à notre mort ?

Les adultes n'évoluent pas selon une séquence ordonnée de stades sociaux liée à l'âge. Des événements fortuits peuvent déterminer les choix de notre vie. *L'horloge sociale* : préférence culturelle pour la chronologie de certains événements de vie comme le mariage, avoir des enfants, être à la retraite. Les thèmes dominants de l'âge adulte sont l'amour et le travail, avec ce qu'Erikson appelle l'intimité et l'engendrement.

5-21 Comment évolue notre bien-être au cours de la vie ?

La confiance en soi a tendance à se renforcer tout au long de la vie. Des enquêtes montrent que la satisfaction de la vie n'est pas liée à l'âge. Les émotions positives augmentent après l'âge mûr alors que les émotions négatives diminuent.

5-22 Quelles sont les réactions provoquées par la mort d'un être cher ?

Les individus ne passent pas par des stades prévisibles pour leur deuil comme on pouvait le supposer auparavant. Le fait d'exprimer fortement ses émotions n'élimine pas le deuil et le fait d'aider par une thérapie les personnes endeuillées n'est pas significativement plus efficace que de faire son deuil sans la moindre aide. Selon Erikson, la tâche psychosociale de la personne âgée est de développer un sentiment d'intégrité (et non pas de désespoir).

CHAPITRE 6

LA SENSATION ET LA PERCEPTION

Principes fondamentaux de la sensation et de la perception

6-1 Qu'est-ce que la *sensation* et la perception *?* Que signifient les termes de *traitement ascendant* et de *traitement descendant ?*

La *sensation* est le processus par lequel nos récepteurs sensoriels et notre système nerveux reçoivent et représentent les énergies du stimulus provenant de notre environnement. La *perception* est le processus qui nous permet d'organiser et d'interpréter cette information et de reconnaître les événements ayant un sens. La sensation et la perception forment en réalité des parties d'un processus continu. Le *traitement de bas en haut* est l'analyse sensorielle qui commence lors de l'entrée du stimulus, au niveau des récepteurs sensoriels, et amène l'information jusqu'au cerveau. Le *traitement descendant* est l'analyse de l'information guidée par des processus mentaux de haut niveau, par exemple lorsque nous construisons nos perceptions en reformulant les informations au travers de nos expériences et de nos attentes.

6-2 Quelles sont les trois étapes fondamentales du traitement de l'information par nos organes des sens ?

Chaque sens (1) reçoit une stimulation sensorielle (souvent grâce à des cellules réceptrices spécialisées) ; (2) la transforme (transduction) en un message nerveux ; et (3) envoie ces messages nerveux au cerveau. La *transduction* est le processus qui transforme une forme d'énergie en une autre. Les chercheurs en *psychophysique* étudient les relations entre les caractères physiques des stimuli et l'expérience psychologique que nous en avons.

6-3 En quoi les *seuils absolus* et les *seuils différentiels* diffèrent-ils et quel effet, le cas échéant, un stimulus dont l'intensité est en dessous du seuil absolu peut-il avoir sur nous ?

Quel que soit le stimulus, le *seuil absolu* représente la stimulation minimale nécessaire à le détecter consciemment dans 50 % des cas. La *théorie de détection du signal* prédit de quelle manière et à quel moment nous détectons un léger stimulus au milieu d'un bruit de fond. Les seuils absolus varient selon les individus, en fonction de l'intensité du signal, de son expérience, de ses attentes, de sa motivation et de son état d'alerte. Le *seuil différentiel* (appelé aussi *différence tout juste détectable*) est la *différence* que nous discernons entre deux stimuli dans 50 % des cas. La *loi de Weber* établit que pour pouvoir percevoir une différence entre deux stimuli, il faut qu'ils diffèrent d'un pourcentage minimal constant (et non pas d'une quantité constante).

L'*amorçage* (activation souvent non consciente de certaines associations qui peuvent prédisposer à leur perception, leur mémorisation ou le renvoi d'une réponse) montre que nous traitons certains stimuli dont l'intensité est inférieure au seuil nécessaire pour arriver à la conscience.

6-4 Est-ce que la sensation subliminale permet la persuasion subliminale ?

Stimuli *subliminaux* : stimuli trop faibles pour être détectés 50 % du temps. Alors que la sensation subliminale est un fait, elle est trop éphémère pour permettre une exploitation de l'information subliminale ainsi portée : l'effet n'est ni puissant, ni durable.

6-5 Quelle est la fonction de l'adaptation sensorielle ?

L'*adaptation sensorielle* (diminution de notre sensibilité aux odeurs, aux sons et aux contacts qui restent constants ou auxquels nous sommes habitués) nous permet de concentrer notre attention sur les modifications instructives de notre environnement.

6-6 De quelle manière nos attentes, le contexte, nos émotions et notre motivation influencent-ils nos perceptions ?

Le *cadre perceptif* est une prédisposition mentale qui fonctionne comme une lentille au travers de laquelle nous percevons le monde. Nos concepts appris (schèmes) laissent une empreinte qui permet d'organiser et d'interpréter des stimuli ambigus d'une certaine manière. Le contexte physique et émotionnel, ainsi que nos motivations nous aident à créer des attentes qui colorent nos interprétations des événements et des comportements.

Vision : traitement sensoriel et perceptif

6-7 Quelles sont les caractéristiques de l'énergie de la lumière visible que nous percevons ? Quelles sont les structures de l'œil qui captent cette énergie ?

La lumière que nous percevons est seulement une fine bande de tout le spectre de l'énergie électromagnétique. La partie visible par l'homme est les longueurs d'onde qui vont du bleu-violet au rouge. Après être entrés dans l'œil et avoir été concentrés par une *lentille* (cristallin), les grains d'énergie lumineuse frappent la surface interne de l'œil, la *rétine*. La *teinte* de la lumière que nous percevons dépend de sa *longueur d'onde* et sa brillance dépend de son *intensité*.

6-8 Comment les bâtonnets et les cônes vont-ils traiter l'information, et quel chemin emprunte l'information qui se déplace de l'œil au cerveau ?

La lumière entrant dans l'œil déclenche une réaction chimique dans les *bâtonnets* sensibles à l'intensité et les *cônes* sensibles à la couleur. Ils sont situés dans la rétine. Leur stimulation convertit l'énergie lumineuse en influx nerveux. Après avoir été traités par les cellules bipolaires et ganglionnaires, les influx se propagent le long du *nerf optique* jusqu'au thalamus et au cortex visuel.

6-9 Comment percevons-nous la couleur dans le monde qui nous entoure ?

Selon la *théorie trichromatique (trois couleurs) de Young-Helmholtz*, la rétine contient trois types de récepteurs des couleurs. Des recherches récentes ont trouvé trois types de cônes, chacun plus sensible à la longueur d'onde d'une des trois couleurs primaires de la lumière (le rouge, le vert ou le bleu).

Selon *la théorie des couleurs complémentaires* de Hering (théorie du processus antagoniste), il existe trois traitements complémentaires des couleurs (rouge versus vert, bleu versus jaune, et noir versus blanc). Les recherches ont confirmé que, sur la route qui les mène au cerveau, les neurones de la rétine et du thalamus codent les informations liées à la couleur provenant des cônes par couples de couleurs opposées.

Ces deux théories ainsi que les études qui les confirment montrent que le traitement de la couleur s'effectue en deux étapes.

6-10 Où sont situés les détecteurs des caractéristiques, et que font-ils ?

Détecteurs de fonction : cellules nerveuses corticales qui répondent aux stimuli représentés par les caractéristiques spécifiques à une scène, à des contours particuliers, des lignes, des angles et des mouvements. Des « super » cellules situées dans d'autres aires corticales importantes répondent aux données plus complexes.

6-11 Comment le cerveau met-il en œuvre le traitement parallèle pour construire des perceptions visuelles ?

Le *traitement parallèle* au niveau du cerveau gère de nombreux aspects de la vision simultanément (couleur, mouvement, profondeur et forme). D'autres équipes de neurones intègrent les résultats en les comparant avec les informations stockées et en permettant les perceptions.

6-12 De quelle manière les psychologues gestaltistes comprennent-ils l'organisation de la perception ? Comment les principes de la relation figure/fond et du regroupement contribuent-ils à notre perception ?

Les psychologues gestaltistes recherchent les règles qui permettent au cerveau d'organiser des fragments de données sensorielles en *Gestalt* (mot allemand voulant dire « tout ») ou en formes ayant une signification.

En attirant l'attention sur le fait que le « tout » est bien plus que la somme de ses parties, ces chercheurs ont montré que nous filtrons constamment les informations sensorielles pour construire nos perceptions.

Pour reconnaître un objet, nous devons d'abord le percevoir (ou le voir comme une *figure*) et le distinguer de ce qui l'entoure (le *fond*). Nous apportons de l'ordre et des formes aux stimuli en les organisant en *groupes* ayant une signification à l'aide des règles de proximité, de continuité, et de fermeture.

6-13 **Comment utilisons-nous nos indices monoculaires et binoculaires pour percevoir, d'une part, le monde en trois dimensions et, d'autre part, ses mouvements ?**

La *perception de la profondeur* est notre capacité à voir des objets en trois dimensions et d'estimer la distance. Les expériences, entre autres, de la *falaise visuelle* ont montré que beaucoup d'espèces perçoivent le monde en trois dimensions dès la naissance ou peu de temps après. Les *indices binoculaires*, comme la *disparité rétinienne*, sont des indices de profondeur qui relaient l'information issue des deux yeux. Les *indices monoculaires* (comme la taille relative, l'interposition, la hauteur relative, les mouvements relatifs, la perspective linéaire et l'ombre et la lumière) nous permettent de juger de la profondeur en utilisant des informations transmises par un seul œil.

À mesure que les objets se déplacent, nous postulons comme hypothèse de base que les objets qui rétrécissent s'éloignent et que ceux qui deviennent plus grands se rapprochent. Une succession rapide d'images sur la rétine peut créer une illusion de mouvement, comme lors du mouvement stroboscopique, ou du *phénomène phi*.

6-14 **De quelle manière la constance perceptive peut-elle nous aider à organiser nos sensations en des perceptions ayant une signification ?**

La *constance perceptive* nous permet de reconnaître un objet de manière stable quels que soient les changements de l'image qu'il projette sur nos rétines. La *constance des couleurs* nous permet de percevoir la couleur d'un objet comme constante même lorsque son éclairage ou les longueurs d'ondes changent. La constance de luminosité (ou de brillance) est notre capacité à percevoir un objet avec une luminosité constante même lorsque son éclairage (c'est-à-dire la lumière qui arrive sur lui) change. Notre cerveau construit notre expérience de la couleur ou de la luminosité d'un objet en le comparant avec les autres objets qui l'entourent.

La constance de la forme est notre capacité à percevoir des objets familiers (une porte ouverte par exemple) comme ne changeant pas de forme. La constance de la taille est la perception que les objets ne changent pas de taille malgré le changement de leur image rétinienne. En sachant que la taille d'un objet nous donne des indices sur sa distance et en sachant que sa distance nous donne des indices sur sa taille, nous faisons parfois des erreurs d'interprétation des indices monoculaires et aboutissons à de mauvaises conclusions comme lors de l'illusion lunaire.

6-15 **Que révèlent les recherches sur la privation sensorielle, le recouvrement de la vue et l'adaptation perceptive sur les effets de l'expérience sur la perception ?**

L'expérience guide notre interprétation perceptive. Les adultes aveugles de naissance qui ont retrouvé la vision après une opération n'ont pas l'expérience leur permettant de reconnaître les formes, les contours et les visages complets.

Les expériences de restrictions sensorielles indiquent qu'il existe une période critique pour certains aspects du développement sensoriel et de la perception. Sans une stimulation précoce, l'organisation neuronale du cerveau ne se développe pas normalement.

Les individus à qui l'on donne des lunettes qui décalent légèrement le monde vers la droite ou vers la gauche ou même qui le renversent totalement font preuve d'une *adaptation perceptive*. Ils sont désorientés au départ mais arrivent à s'adapter à ce nouveau contexte.

Les autres organes des sens

6-16 **Quelles sont les caractéristiques des ondes venant de la propagation de proche en proche d'une pression exercée sur l'air ? Qu'est-ce que le son qui est perçu ?**

Les ondes sonores sont des bandes d'air comprimé et dilaté. Nos oreilles détectent ces changements de pression de l'air et les transforment en influx nerveux que le cerveau décode comme un son. Les ondes sonores varient en *fréquence* que nous percevons comme des différences de hauteur et en amplitude, que nous percevons en différences *d'intensité*.

6-17 **Comment l'oreille transforme-t-elle l'énergie acoustique en messages nerveux ?**

L'oreille externe est la portion visible de l'oreille. *L'oreille moyenne* est la chambre située entre le tympan et la *cochlée*. *L'oreille interne* est formée de la cochlée, des canaux semi-circulaires et des sacs vestibulaires. Grâce à une chaîne mécanique d'événements, les ondes sonores voyageant à travers le conduit auditif provoquent de minuscules vibrations du tympan. Les os situés dans l'oreille moyenne amplifient ces vibrations et les relaient jusqu'à la cochlée remplie de liquide. Le plissement de la membrane basilaire, lié aux changements de pression du liquide intracochléaire, provoque des mouvements des minuscules cellules ciliées, qui déclenchent l'envoi des messages nerveux (via le thalamus) vers le cortex auditif situé dans le cerveau.

La *surdité neurosensorielle* (ou de perception) résulte d'une lésion des cellules ciliées de la cochlée ou des nerfs qui y sont associés. La *surdité de transmission* (ou de conduction) résulte de lésions des systèmes mécaniques qui transmettent les ondes sonores à la cochlée. Les *implants cochléaires* peuvent restaurer l'audition chez certaines personnes.

6-18 Comment détecter l'intensité sonore, discriminer les tonalités et localiser les sons ?

L'intensité sonore n'est liée à l'intensité de la réponse des cellules ciliées. Ainsi, votre cerveau interprète le volume sonore par le nombre de cellules ciliées qui auront été excitées.

La *théorie de l'emplacement* rend compte de l'audition des sons très aigus et la *théorie des fréquences* rend compte de l'audition des sons très graves. (L'association des deux théories peut expliquer que nous entendions les sons intermédiaires.) Selon la théorie de l'emplacement, notre cerveau interprète une hauteur particulière en décodant l'endroit où l'onde sonore a stimulé la membrane basilaire de la cochlée. Selon la *théorie des fréquences*, le cerveau déchiffre la fréquence des influx nerveux qui voyagent le long du nerf auditif jusqu'au cerveau.

Les ondes sonores atteignent une oreille plus rapidement et plus intensément que l'autre. Le cerveau analyse les minuscules différences entre les sons reçus par les deux oreilles et calcule l'origine du son, pour le localiser.

6-19 Comment percevons-nous le toucher ?

Notre sens du toucher est en fait composé de plusieurs sens (la pression, la chaleur, le froid et la douleur) qui s'associent pour produire d'autres sensations comme celle de « brûlure ».

6-20 Quelles sont les influences biologiques, psychologiques et socioculturelles qui affectent notre perception de la douleur ? Dans quelle mesure les substances placebo, l'hypnose, la distraction sont-elles des adjuvants du contrôle de la douleur ?

La douleur reflète une sensation ascendante (une entrée via les *nocicepteurs*, les détecteurs sensoriels qui détectent les températures, les pressions ou les produits chimiques nocifs) et un traitement de haut en bas (comme l'expérience, l'attention et la culture). L'une des théories de la douleur est qu'il existe un « *portillon* » dans la moelle épinière qui s'ouvre pour permettre aux signaux douloureux de voyager via les petites fibres nerveuses jusqu'au cerveau ou se ferme pour empêcher leur passage. La perspective biopsychosociale considère que l'expérience de la douleur d'un individu est la somme des influences biologiques, psychologiques et socioculturelles. Par exemple, notre expérience de la douleur est influencée par l'activité des fibres de gros et de petits calibres de la moelle épinière (influence biologique), l'attention portée à la sensation douloureuse (influence psychologique), et le mode de manifestation de la douleur lié à la culture (influence sociale et culturelle).

Les traitements visant à contrôler la douleur associent souvent des éléments physiques et psycholo-giques, Les placebos peuvent avoir un effet en réduisant l'activité centrale liée à l'attention portée à la sensation douloureuse et la réponse comportementale subséquente. La distraction éloigne l'attention de la stimulation douloureuse. L'*hypnose* qui favorise notre réponse à des suggestions peut aussi être un adjuvant de l'analgésie. La *suggestion post-hypnotique* est utilisée par certains cliniciens pour contrôler les symptômes indésirables.

6-21 En quoi le goût et l'odorat sont-ils similaires et en quoi sont-ils différents ?

Le goût et l'odorat sont des sens chimiques. Le goût est composé de cinq sensations basiques – sucré, acide, salé, amer et umami – et d'arômes, qui interagissent avec les informations issues des récepteurs du goût situés sur les papilles gustatives.

Il n'existe pas de sensation basique de l'odorat. Nous sentons quelque chose lorsque des molécules d'une substance, transportées par l'air, atteignent un petit groupe d'environ 20 millions de cellules réceptrices situées au sommet de chaque cavité nasale. Les molécules odorantes déclenchent des associations de récepteurs, en des ensembles que le cortex olfactif interprète. Les cellules réceptrices envoient des messages au bulbe olfactif situé dans le cerveau, puis au lobe temporal et à certaines parties du système limbique.

6-22 Comment sentons-nous la position de notre corps et nos mouvements ?

Par la *kinesthésie* nous sentons la position et le mouvement des parties de notre corps. Nous surveillons la position de notre tête et, partant, de celle de notre corps et nous maintenons notre équilibre grâce notre *sens vestibulaire* (ou *de l'équilibre*).

6-23 Comment *l'interaction sensorielle* influence-t-elle nos perceptions, et qu'est-ce que la *cognition incarnée* ?

Nos sens peuvent s'influencer les uns les autres. Cette *interaction sensorielle* se produit, par exemple, lorsque l'odeur d'un aliment préféré amplifie son goût. La *cognition incarnée* est l'influence de la somesthésie, de la motricité et d'autres états sur notre préférence cognitive et notre jugement.

6-24 Quelles sont les affirmations de la PES ? Quelles sont les conclusions de la plupart des chercheurs en psychologie après avoir testé ces revendications ?

La *parapsychologie* est l'étude des phénomènes paranormaux, dont la *perception extrasensorielle* (PES) et la psychokinèse. Les trois formes de PES les plus faciles à tester sont la télépathie (communication d'esprit à esprit), la voyance (perception d'événements se produisant à distance) et la prémonition (perception des événements futurs).

Les sceptiques affirment que (1) croire en la PSE revient à croire que le cerveau est capable de perception sans stimulus sensoriel entrant, et (2) les chercheurs ont été incapables de reproduire les phénomènes de PSE dans des conditions contrôlées.

CHAPITRE 7
L'APPRENTISSAGE

Concepts fondamentaux de l'apprentissage et du conditionnement classique

7-1 Qu'est-ce que *l'apprentissage* et que sont les formes fondamentales de l'apprentissage ?

L'apprentissage est le processus qui permet d'acquérir de nouvelles informations ou de nouveaux comportements d'une manière relativement permanente. Par *l'apprentissage par association*, nous apprenons que certains événements se produisent simultanément. Par le conditionnement classique, nous apprenons à associer deux ou plusieurs stimuli (un *stimulus* étant un événement ou une situation qui déclenche une réponse). Nous associons des stimuli que nous ne contrôlons pas, et nous y répondons automatiquement. Il s'agit là du *comportement répondant*. Dans le conditionnement opérant, nous apprenons à associer une réponse (notre comportement) et ses conséquences. Ces associations produisent des *comportements opérants*. Par *l'apprentissage cognitif*, nous acquérons des informations mentales qui guident notre comportement. Par exemple, avec l'apprentissage par observation, nous apprenons de nouveaux comportements en observant des événements ou en regardant autrui.

7-2 Qu'est-ce que la conception comportementaliste de l'apprentissage ?

Le travail de Pavlov sur le conditionnement classique a posé les fondements du *béhaviorisme* (comportementalisme), l'idée que la psychologie doit être une science objective qui étudie les comportements sans se référer aux processus mentaux. Les béhavioristes (ou comportementalistes) pensaient que les lois fondamentales de l'apprentissage étaient les mêmes pour toutes les espèces, y compris l'homme.

7-3 Qui était Pavlov, et quelles sont les composantes fondamentales du conditionnement classique ?

Ivan Pavlov, physiologiste russe, créa de nouvelles expériences sur l'apprentissage. Ses recherches, menées au début du XXᵉ siècle, au cours des trois dernières décennies de sa vie ont démontré que le conditionnement classique est une forme de base de l'apprentissage.

Le *conditionnement classique* est un type d'apprentissage au cours duquel un organisme en vient à associer des stimuli. Lors du conditionnement classique, un SN est un stimulus qui n'engendre aucune réponse avant le conditionnement. La *RI* représente un événement qui se produit naturellement (comme la salivation) en réponse à un certain stimulus. Le *SI* est quelque chose qui déclenche naturellement et automatiquement (sans aucun apprentissage) une réponse non apprise, tout comme la nourriture placée dans la bouche déclenche la salivation. Le *SC* est un stimulus, au départ neutre (comme un son), qui après avoir été associé à un SI (comme la salivation) en vient à déclencher une RC. La *RC* est la réponse apprise (comme la salivation) vis-à-vis du stimulus auparavant neutre et qui est devenu un stimulus conditionnel.

7-4 **Lors du conditionnement classique, quels sont les processus d'acquisition, d'extinction, de récupération spontanée, de généralisation et de discrimination ?**

Lors du conditionnement classique, *l'acquisition* consiste à associer un SN avec un SI de telle sorte que ce SN commence à déclencher la RC. L'acquisition se produit plus rapidement lorsque le SN est présenté juste avant (dans l'idéal environ une demi-seconde avant) le SI, préparant l'organisme à l'événement futur. Ce résultat conforte l'idée que le conditionnement classique représente une adaptation biologique. Par un conditionnement d'ordre supérieur, un nouveau SN peut devenir un nouveau SC.

L'*extinction* représente une réponse qui diminue lorsque le SC ne signale plus un SI imminent. La *récupération spontanée* est l'apparition d'une réponse préalablement disparue, après une période de repos. La *généralisation* est la tendance à répondre à des stimuli similaires au SC. La *discrimination* est la capacité apprise à distinguer un SC d'autres stimuli insignifiants.

7-5 **Pourquoi le travail de Pavlov est-il si important ?**

Nous avons appris grâce à Pavlov qu'il est possible d'étudier objectivement les phénomènes physiologiques significatifs et que le conditionnement classique est une des formes fondamentales d'apprentissage qui s'applique chez toutes les espèces.

7-6 **Quelles sont les applications des travaux de Pavlov qui ont été mises à profit dans le domaine de la santé humaine et du bien-être ? Comment Watson a-t-il appliqué les principes de Pavlov à ses travaux sur les peurs apprises ?**

Les techniques du conditionnement classique sont utilisées pour améliorer la santé de l'homme et son bien-être dans de nombreux domaines, y compris dans les thérapies comportementales adaptées à certains troubles psychologiques. Le système immunitaire de l'organisme semble également répondre au conditionnement classique.

Le travail de Pavlov a fourni une base à l'idée de John Watson selon laquelle le comportement et les émotions de l'homme, bien qu'influencés biologiquement, étaient principalement un faisceau de réponses conditionnées. Watson a appliqué des principes de conditionnement classique dans ses études menées avec le petit Albert, pour démontrer comment les craintes spécifiques pouvaient être conditionnées.

Conditionnement opérant

7-7 **Qu'est-ce que le conditionnement opérant ?**

Lors du *conditionnement opérant*, les comportements suivis d'un renforcement augmentent ; ceux suivis d'une punition diminuent souvent.

7-8 **Qui était Skinner, et comment le comportement opérant est-il renforcé et modelé ?**

B. F. Skinner était major d'une université anglaise et aspirait à devenir écrivain quand, il fit un troisième cycle à la faculté de psychologie. Il devint l'une des figures les plus influentes et les plus controversées du béhaviorisme moderne.

Utilisant la *loi de l'effet* d'Edward Thorndike, Skinner et d'autres chercheurs ont trouvé que le comportement de rats et de pigeons placés dans une *boîte de Skinner* (ou cage à conditionnement opérant) pouvait être *modelé* par le renforcement des approximations successives qui les rapprochent du comportement désiré.

7-9 **Quelle est la différence entre le renforcement positif et le renforcement négatif, et quels sont les types fondamentaux de renforcements ?**

Le *renforcement* représente toute conséquence qui renforce un comportement. Le *renforcement positif* ajoute un stimulus souhaitable pour augmenter la fréquence d'un comportement. Le *renforcement négatif* supprime un stimulus aversif pour augmenter la fréquence d'un comportement.

Le *renforcement primaire* (comme recevoir de la nourriture lorsque l'on a faim ou ne plus avoir de nausées à la fin d'une maladie) entraîne une satisfaction innée, aucun apprentissage n'est nécessaire.

Le renforcement conditionnel (ou secondaire) *(comme de l'argent)* entraîne une satisfaction parce qu'on a appris à l'associer à une récompense plus basique (comme la nourriture ou les médicaments que nous pouvons acheter grâce à lui). Le renforcement immédiat (comme les friandises achetées) offre une récompense immédiate ; le renforcement différé (comme le salaire à la fin du mois) nécessite qu'on ait la capacité à retarder la récompense.

7-10 De quelle manière les différents programmes de renforcement affectent-ils notre comportement ?

Un *programme de renforcement* définit à quelle fréquence la réponse sera renforcée. Au cours des *programmes de renforcement* continu (renforcement de la réponse désirée à chaque fois qu'elle se produit), l'apprentissage est rapide tout comme l'extinction dès que la récompense cesse. Lors de *renforcement partiel (intermittent)*, qui consiste à renforcer la réponse de temps en temps, l'apprentissage initial est plus lent, mais le comportement est bien plus résistant à l'extinction. Dans les *programmes à proportion fixe, la* récompense est présentée après un certain nombre de réponses ; les *programmes à proportion variable offrent la récompense* après un nombre de réponses imprévisible. Les *programmes à intervalles fixes* offrent la récompense après une période de temps établie alors que les *programmes à intervalles variables* l'offrent après une période imprévisible.

7-11 En quoi la punition diffère-t-elle du renforcement négatif et de quelle manière affecte-t-elle le comportement ?

La punition cherche à diminuer la fréquence d'un comportement (la désobéissance d'un enfant) par l'administration d'une conséquence indésirable (une fessée) ou le retrait de quelque chose de désirable (comme le jouet favori). Le renforcement négatif (prendre une aspirine) élimine un stimulus désagréable (un mal de tête). Cette conséquence souhaitable (ne plus avoir mal) augmente la probabilité que ce comportement (prendre de l'aspirine pour arrêter la douleur) se répète.

Les effets indésirables de la punition peuvent être la suppression du comportement non souhaité et non pas sa modification, l'enseignement de l'agressivité, l'apparition d'un sentiment de crainte et l'encouragement de la discrimination (de telle sorte que le comportement non souhaité n'apparaît qu'en l'absence de la personne qui punit). Ils peuvent aussi entraîner une dépression et un sentiment d'impuissance.

7-12 Pourquoi les idées de Skinner provoquent-elles des controverses, et comment appliquer les principes du conditionnement opérant à l'école, dans le sport, au travail et à la maison ?

Les critiques des principes de Skinner pensaient que cette approche déshumanisait les gens en négligeant leur liberté individuelle et en cherchant à contrôler leurs actions. Skinner répondait que nos actions sont déjà contrôlées par des conséquences externes et que le contrôle du comportement par le renforcement est plus humain que l'utilisation de punitions.

À l'école, les professeurs peuvent utiliser les techniques du modelage pour guider le comportement des étudiants ainsi que des programmes informatiques interactifs ou des sites Internet pour fournir des corrections immédiates aux étudiants. En ce qui concerne le sport, les entraîneurs peuvent augmenter les aptitudes et la confiance en eux des joueurs en récompensant les petites améliorations. Au travail, les dirigeants peuvent améliorer la productivité et le moral en récompensant des comportements bien définis pouvant être atteints. À la maison, les parents peuvent récompenser les comportements qu'ils considèrent souhaitables, mais pas ceux qui ne le sont pas. Individuellement, nous pouvons modeler nos propres comportements en établissant des objectifs, en surveillant la fréquence du comportement désiré, en renforçant les comportements désirés et en réduisant les récompenses à mesure que ce comportement devient une habitude.

7-13 En quoi le conditionnement opérant diffère-t-il du conditionnement classique ?

Lors du conditionnement opérant, l'organisme apprend à associer son propre comportement et les événements qui en résultent ; cette forme de conditionnement implique un comportement opérant (comportement qui agit sur l'environnement produisant des conséquences de type récompense ou punition). Lors du conditionnement classique, l'organisme forme des associations entre des stimuli (événements qu'il ne contrôle pas) ; cette forme de conditionnement implique un comportement de réponse (réponses automatiques vis-à-vis de certains stimuli).

Biologie, cognition et apprentissage

7-14 Comment les contraintes biologiques affectent-elles le conditionnement classique répondant et le conditionnement opérant ?

Nous savons que le conditionnement classique a comme contrainte nos prédispositions biologiques ce qui explique que l'apprentissage de certaines associations est plus facile que celui de certaines autres.

L'apprentissage est adaptatif : chaque espèce apprend les comportements qui favorisent sa survie. Les contraintes biologiques introduisent également des limites sur le conditionnement opérant. Les entraînements qui essayent de dépasser les contraintes biologiques ont de grandes chances de ne pas perdurer car les animaux reviennent aux comportements auxquels ils sont prédisposés.

7-15 **Comment les processus cognitifs affectent-ils le conditionnement classique et le conditionnement opérant ?**

Lors du conditionnement classique les animaux peuvent apprendre à quel moment ils peuvent s'attendre au SI et être conscients du lien entre les stimuli et les réponses. Lors du conditionnement opérant, les recherches sur la *carte cognitive* et l'*apprentissage latent* ont mis en évidence l'importance des processus cognitifs dans l'apprentissage. D'autres recherches ont montré que l'administration de récompenses excessives (conduisant à une *motivation extrinsèque*) pouvait ébranler la *motivation intrinsèque*.

7-16 **En quoi l'apprentissage par observation diffère-t-il de l'apprentissage par association ? Quel est le rôle des neurones miroirs dans l'apprentissage par observation ?**

Lors de l'*apprentissage par observation*, nous observons et nous imitons les autres pour apprendre à anticiper les conséquences d'un comportement parce que nous subissons un renforcement ou une punition par procuration. Dans l'apprentissage associatif, nous apprenons seulement les associations se produisant entre les différents événements.

Nos lobes frontaux présentent la capacité de refléter l'activité du cerveau d'autrui. Certains psychologues pensent que des *neurones miroirs* permettent ce processus. Ces régions cérébrales s'activent lorsque nous effectuons certaines actions (comme répondre à la douleur ou bouger notre bouche pour former des mots) ou lorsque nous observons quelqu'un d'autre effectuer ces actions.

7-17 **Quel est l'impact du mimétisme prosocial et du mimétisme antisocial ?**

Les enfants ont tendance à imiter ce que fait et ce que dit un modèle, que le comportement *imité* soit *prosocial* (positif, constructif et aidant) ou antisocial. Si les actions du modèle et ses mots ne sont pas en corrélation, les enfants peuvent imiter l'hypocrisie qu'ils observent.

CHAPITRE 8
MÉMOIRE
Étude et encodage de la mémoire

8-1 **Qu'est ce que la mémoire, et comment peut-on l'évaluer ?**

La *mémoire* est la persistance de l'apprentissage au cours du temps par le stockage de l'information et son rappel. Il est possible de mettre en évidence la mémoire par le *rappel* de l'information, sa *reconnaissance* ou son *réapprentissage* ultérieur plus aisé.

8-2 **Comment les psychologues décrivent-ils le système mnésique humain ?**

Les psychologues utilisent des modèles mnésiques pour réfléchir et communiquer sur la mémoire. Les modèles de traitement de l'information comprennent trois processus, l'*encodage*, le *stockage* et le *rappel*. Notre cerveau habile, effectue plusieurs tâches à la fois (dont certaines inconsciemment) par le biais d'un *traitement parallèle*. Le modèle de traitement de l'information des connexionnistes est un modèle impliquant plusieurs voies ; il considère que la mémoire est le produit de réseaux nerveux interconnectés. Les trois stades de traitement du modèle d'Atkinson-Shiffrin sont la *mémoire sensorielle*, la *mémoire à court terme* et la *mémoire à long terme*. Ce modèle a été remis à jour pour y inclure deux concepts importants : (1) la *mémoire de travail* pour insister sur le processus actif qui se produit au cours du second stade mnésique ; et (2) le traitement automatique pour expliquer le traitement de certaines informations sans que nous en ayons conscience.

8-3 **Comment peut-on différencier la mémoire explicite de la mémoire implicite ?**

Les informations sont traitées selon un processus conscient et un processus non-conscient par le cerveau. La *mémoire explicite* (déclarative) – mémoire consciente des faits et des expériences – est exprimée par un *traitement avec effort, traitement actif* qui exige une mobilisation consciente de l'attention. La *mémoire implicite* (non déclarative) est celle de nos apprentissages, de nos aptitudes et des associations conditionnelles classiques. Elle est exprimée par la motricité involontaire et *semi-volontaire*.

8-4 **Quelle information encodons-nous automatiquement ?**

En plus de nos aptitudes et des associations conditionnées classiquement, nous traitons automatiquement les informations secondaires concernant l'espace, le temps et la fréquence.

8-5 **Comment fonctionne la mémoire sensorielle ?**

La mémoire sensorielle apporte un certain nombre d'informations à la mémoire de travail pour qu'elles y soient traitées activement. La *mémoire iconographique* est un souvenir sensoriel très bref (quelques dixièmes de seconde) d'un stimulus visuel ; la *mémoire échoïque* est un souvenir sensoriel de trois à quatre secondes d'un stimulus auditif.

8-6 **Quelles sont les capacités respectives de la mémoire à court terme et de la mémoire de travail ?**

La capacité de la mémoire à court terme est d'environ sept informations plus ou moins deux. Toutefois ces informations disparaissent rapidement de la mémoire si elles ne sont pas répétées. La capacité de la mémoire de travail varie, selon l'âge, le niveau d'intelligence ou d'autres facteurs.

8-7 **Quelles sont les stratégies de traitement contrôlé qui peuvent nous aider à nous souvenir de nouvelles informations ?**

Les stratégies de traitement contrôlé comprennent le regroupement, les *moyens mnémotechniques*, la hiérarchisation et la répartition de l'apprentissage dans le temps. L'*effet retest* est l'observation que le rappel conscient de l'information, et non pas sa simple relecture, améliore la mémoire.

8-8 **Quels sont les différents niveaux de traitement et comment affectent-ils l'encodage ?**

La profondeur du traitement affecte sa rétention à long terme. Lors du *traitement superficiel*, nous encodons les mots selon leur structure ou leur aspect. Notre rétention est meilleure lorsque nous effectuons un *traitement en profondeur* en encodant les mots selon leur signification. Nous nous souvenons également mieux des informations qui ont une signification pour nous, c'est l'effet d'autoréférence.

Stockage et récupération des souvenirs

8-9 **Quelles sont les capacités de la mémoire à long terme ? Notre mémoire à long terme provient-t-elle d'un stockage des souvenirs dans des emplacements spécifiques ?**

Notre capacité de stockage permanent de l'information dans la mémoire à long terme est, pratiquement illimitée. Les souvenirs ne sont pas stockés tels quels dans un seul endroit du cerveau. De nombreuses parties du cerveau interagissent lorsque nous encodons, stockons ou rappelons nos souvenirs.

8-10 **Quel est le rôle joué par les lobes frontaux et l'hippocampe dans le processus de la mémoire ?**

Les lobes frontaux et *l'hippocampe* font partie du réseau cérébral engagé dans la formation de la mémoire explicite. De nombreuses régions cérébrales envoient des informations aux lobes frontaux pour qu'elles soient traitées. L'hippocampe, aidé des aires corticales qui l'entourent, enregistre et maintient temporairement les éléments des souvenirs explicites avant de les envoyer vers d'autres régions cérébrales pour qu'ils soient stockés à long terme. Le stockage nerveux des souvenirs, à long terme est appelé *consolidation de la mémoire*.

8-11 **Quel est le rôle joué par le cervelet et les noyaux gris centraux dans le traitement de la mémoire ?**

Le cervelet et les ganglions de la base font partie du réseau cérébral dédié à la formation de la mémoire implicite. Le cervelet est important pour stocker les souvenirs classiquement conditionnés. Les ganglions de la base sont impliqués dans les mouvements moteurs et aident à former la mémoire procédurale importante pour les aptitudes. Beaucoup de réactions et d'aptitudes apprises pendant nos trois premières années se poursuivent tout au long de notre vie d'adulte mais nous ne pouvons pas consciemment nous souvenir d'avoir appris ces associations et ces aptitudes. Les psychologues parlent d'amnésie infantile.

8-12 **Comment les émotions affectent-elles notre traitement mnésique ?**

L'activation émotionnelle provoque une libération d'hormones du stress qui conduisent à une activité dans les régions cérébrales formant les souvenirs. Des événements particulièrement stressants peuvent déclencher des *souvenirs flash* extrêmement clairs.

8-13 Comment les modifications synaptiques peuvent-elles affecter le traitement de la mémoire ?

La *potentialisation à long terme (LTP)* semble être la base neuronale de l'apprentissage. Lors de LTP les neurones libèrent ou ressentent la présence des neuromédiateurs de manière plus efficace, et il se forme plus d'interconnexions entre les neurones.

8-14 De quelle façon les indices externes, les émotions internes ou l'ordre d'apparition peuvent-ils influencer le rappel des souvenirs ?

Des indices externes activent des associations qui nous aident à récupérer nos souvenirs ; ce processus peut se produire sans que nous en ayons conscience, comme lors d'*amorçage*. Le *principe de spécificité de l'encodage* est l'idée que les indices et les contextes spécifiques à une mémoire particulière, à des souvenirs particuliers, seront les plus efficaces pour nous aider à les rappeler. Le fait de retourner physiquement ou émotionnellement (*congruence à l'humeur*) dans le même contexte où nous avons formé un souvenir peut nous aider à le récupérer. L'*effet de position sériel* est notre tendance à nous remémorer plus facilement les premiers éléments (que nous avons passé plus de temps à répéter) et les derniers éléments (qui se trouvent encore dans notre mémoire de travail) d'une longue liste.

Oubli, construction de la mémoire et amélioration de la mémoire

8-15 Pourquoi oublions-nous ?

L'*amnésie antérograde* est l'incapacité à former de nouveaux souvenirs. L'*amnésie rétrograde* est l'incapacité à récupérer les anciens souvenirs. L'oubli, chez les personnes normales, peut se produire soit parce que nous n'avons jamais encodé l'information (échec de l'encodage), soit parce que les traces mnésiques physiques ont décliné (déclin du stockage), soit parce que nous ne pouvons récupérer ce que nous avons encodé et stocké (échec du rappel ou de la récupération). Les problèmes de rappel peuvent provenir d'une interférence *proactive*, lorsque ce que nous avons appris par le passé *interfère* avec notre capacité à nous souvenir de quelque chose que nous avons appris récemment, ou d'une interférence *rétroactive*, lorsque quelque chose que nous avons appris récemment *interfère* avec ce que nous avons appris dans le passé. Certains pensent qu'il existe un oubli motivé mais les chercheurs ont trouvé peu de preuves de l'existence d'un *refoulement*.

8-16 Comment la désinformation, l'imagination et l'amnésie de la source peuvent-elles influencer notre construction mnésique ? Comment pouvons-nous décider si un souvenir est vrai ou faux ?

Dans les expériences qui mettent en évidence *l'effet de désinformation*, les participants ont formé de faux souvenirs en incorporant des détails trompeurs après avoir reçu de fausses informations suite à un événement ou après avoir imaginé plusieurs fois et répété quelque chose qui ne s'était jamais produit. Lorsque nous assemblons à nouveau nos souvenirs au moment de leur rappel, nous pouvons les attribuer à une mauvaise source (*amnésie de la source*). L'amnésie de la source peut expliquer la sensation de *déjà-vu*. Les faux souvenirs ressemblent aux vrais et peuvent être persistants mais ils sont en général limités à l'essentiel de l'événement.

8-17 Dans quelle mesure peut-on se fier aux descriptions faites par des enfants, témoins oculaires d'un événement ?

Les enfants sont sensibles à l'effet de désinformation mais s'ils sont interrogés avec des termes neutres qu'ils comprennent ils peuvent se souvenir avec précision des événements et des personnes qui y sont impliquées.

8-18 Pourquoi les rapports sur les souvenirs refoulés et récupérés sont-ils l'objet de débats passionnés ?

La controverse entre les chercheurs spécialistes de la mémoire et certains thérapeutes bien pensants est liée au fait de savoir si la plupart des souvenirs des abus sexuels sur les jeunes enfants sont refoulés et peuvent être rappelés au moyen de questions orientées et/ou d'hypnose au cours d'une thérapie. Les psychologues conviennent maintenant (1) que les abus sexuels existent ; (2) que l'injustice existe ; (3) que l'oubli existe aussi ; (4) qu'il est courant que des souvenirs soient recouvrés ; (5) que les souvenirs d'événements vécus avant l'âge de 3 ans ne sont pas fiables ; (6) que les « souvenirs récupérés » sous hypnose ou sous l'influence d'une narco-analyse sont particulièrement peu fiables ; et (7) que les souvenirs, réels ou faux, peuvent être émotionnellement bouleversants.

8-19 Comment pouvez-vous utiliser les résultats des recherches sur la mémoire pour améliorer votre connaissance de ce cours-ci, et des autres ?

Les recherches sur la mémoire suggèrent des stratégies concrètes pour améliorer la mémoire. Cela comprend : la répétition des apprentissages ; donner une signification personnelle aux éléments à apprendre ; activer les indices de rappel ; utiliser des moyens mnémotechniques ; réduire au minimum les interférences ; dormir suffisamment ; faire des autoévaluations pour être certain que l'on peut récupérer les informations et les reconnaître.

CHAPITRE 9

PENSÉE ET LANGAGE

La pensée

9-1 Qu'est-ce que la cognition ? À quoi servent les concepts ?

La *cognition* est un terme qui recouvre toutes les activités mentales associées à la pensée, à la connaissance, à l'intelligence, à la mémoire et à la communication. Nous utilisons des *concepts*, groupement mental d'objets, d'événements, d'idées ou de personnes similaires, pour simplifier et ordonner le monde qui nous entoure. Nous formons la majorité des concepts autour de *prototypes* ou meilleurs exemples d'une catégorie.

9-2 Quelles stratégies cognitives nous aident à résoudre les problèmes et quels obstacles nous en empêchent ?

Un *algorithme* est un ensemble de règles ou de procédures méthodiques et logiques (par exemple, la description étape par étape de l'évacuation d'un immeuble en cas d'incendie) qui garantit la solution à un problème. Une *heuristique* est une stratégie de pensée plus simple (par exemple courir vers la sortie si vous sentez une forte odeur de fumée) qui est généralement plus rapide qu'un algorithme, mais conduit plus souvent à des solutions erronées. Le *flash d'inspiration* n'est pas une solution fondée sur une stratégie mais plutôt une intuition soudaine qui permet de résoudre le problème.

Les obstacles à la réussite sont le *biais de confirmation* qui nous prédispose à vérifier nos hypothèses plutôt qu'à les mettre au défi, et la fixation, par exemple le *cadre mental*, qui peut nous empêcher d'envisager une autre perspective conduisant à la solution.

9-3 Qu'est-ce que l'intuition et comment l'heuristique de disponibilité, l'excès de confiance, la persévération des préjugés et l'effet de présentation influencent-ils nos décisions et notre jugement ?

L'*intuition* est un sentiment ou une pensée automatique, immédiat et sans effort, que nous utilisons à la place du raisonnement systématique. Les heuristiques permettent des jugements instantanés. L'*heuristique de la disponibilité* nous conduit à juger de la probabilité des choses en se fondant sur leur facilité à nous revenir à l'esprit, ce qui nous conduit souvent à craindre les mauvaises choses. L'*excès de confiance* peut nous amener à surestimer la véracité d'une croyance. Lorsqu'une croyance que nous avons formée et expliquée est discréditée, la *persévération des préjugés* peut nous amener à nous y accrocher quand même. Le meilleur remède à cette persévération des préjugés est de considérer comment nous aurions pu expliquer la position opposée. La *présentation* est la manière de mettre en mots une question ou une affirmation. De subtiles différences dans le choix des mots peuvent modifier de manière spectaculaire nos réponses.

9-4 Quels sont les facteurs qui contribuent à notre peur d'événements dont la survenue est improbable ?

Nous avons tendance à avoir peur de : ce que notre histoire ancestrale nous a préparés à craindre (donc, des serpents au lieu des cigarettes) ; de ce que nous ne pouvons pas contrôler (voler au lieu de conduire) ; de ce qui est dans l'instant (lors d'un vol en avion, du décollage et de l'atterrissage plutôt que des innombrables dangers auxquels nous faisons face quand nous conduisons) ; de ce qui surgit le plus facilement à notre conscience (images saisissantes de catastrophes aériennes plutôt qu'images d'innombrables trajets en voiture, faits en toute sécurité).

9-5 Comment les penseurs intelligents mettent-ils l'intuition à profit ?

Les experts dans un domaine sont de plus en plus aptes à juger plus rapidement et astucieusement. Les penseurs intelligents accueillent favorablement leurs intuitions (qui sont généralement adaptatives), mais lorsqu'ils doivent prendre des décisions complexes, ils recueillent le maximum d'informations possible et laissent le temps à leur esprit à deux voies de traiter toutes les informations dont ils disposent.

9-6 Qu'est-ce que la créativité et qu'est-ce qui l'encourage ?

La *créativité* est la capacité à produire de nouvelles idées intéressantes aux différentes. Elle est assez corrélée aux différentes aptitudes, toutefois, plus qu'aux aptitudes scolaires. Les tests d'aptitude exigent une *pensée convergente*, mais la créativité nécessite une *pensée divergente*. Robert Sternberg a proposé que la créativité présentait cinq composants : la compétence, la capacité d'imagination, une personnalité aventureuse, une motivation intrinsèque et un environnement créatif qui éveille, soutient et affine les idées créatives.

9-7 Que savons-nous de la pensée des autres animaux ?

Les chercheurs ont tiré des conclusions sur la conscience et l'intelligence des autres espèces en se basant sur leur comportement. En se fondant sur les résultats de différentes études, on a prouvé que d'autres espèces animales pouvaient utiliser des concepts, des nombres et des outils et qu'elles pouvaient transmettre leurs connaissances d'une génération à l'autre (transmission culturelle). Et, à l'instar des humains, les autres espèces font preuve de perspicacité, de conscience de soi, d'altruisme, de coopérativité, et de chagrin.

Le langage et la pensée

9-8 Quelles sont les unités structurales d'un langage ?

Les *phonèmes* sont les unités de base des sons dans un *langage*. Les *morphèmes* sont les unités élémentaires ayant une signification. La *grammaire* est le système de règles qui nous permet de communiquer avec les autres. Elle comprend la sémantique (règles qui permettent de trouver une signification) et la syntaxe (règles qui permettent d'ordonner les mots en phrases).

9-9 Quelles sont les étapes du développement du langage, et comment se fait l'acquisition d'une langue ?

La chronologie du développement du langage varie d'un enfant à l'autre mais tous les enfants suivent la même séquence. Le langage réceptif (capacité à comprendre ce que l'on vous dit ou ce que l'on dit de vous) se développe avant le langage productif (capacité à produire des mots). Vers 4 mois, les enfants *babillent*, émettant des sons retrouvés dans toutes les langues du monde. Vers 10 mois, leur babillage contient seulement les sons retrouvés dans la langue qui leur est familière. Vers 1 an, les bébés commencent à parler à l'aide d'un mot. Ce *stade du mot-phrase* évolue en *stade à deux mots (télégraphique)* juste avant leur deuxième anniversaire. Peu après, les enfants commencent à parler à l'aide de phrases complètes.

Selon le linguiste Noam Chomsky toutes les langues humaines ont en commun une grammaire universelle, ou unités de construction fondamentales du langage, et tous les hommes naissent prédisposés à apprendre une langue. Nous acquérons un langage spécifique par l'apprentissage à mesure que notre biologie et nos expériences interagissent. L'enfance est une période critique pour l'apprentissage de la langue parlée et/ou du langage des signes. Cela est important à prendre en compte lorsqu'on est parent d'un enfant atteint de surdité qui pourrait maîtriser la communication orale s'il était muni d'un implant cochléaire posé durant cette période critique. Les partisans de la culture des sourds s'opposent à ce type d'implants en se fondant sur le fait que la surdité est une différence, pas un handicap.

9-10 Quelles sont les zones corticales impliquées dans le traitement du langage et de la parole ?

L'*aphasie* est une déficience du langage, généralement causée par des dommages de l'hémisphère gauche. Les deux régions cérébrales importantes pour le traitement du langage et de la parole sont l'*aire de Broca*, une région du lobe frontal qui contrôle l'expression du langage, et l'*aire de Wernicke*, région située dans le lobe temporal gauche, qui contrôle la réception du langage. Le traitement du langage est également réparti dans d'autres aires cérébrales, où différents réseaux neuronaux spécifiques effectuent des sous-tâches linguistiques spécialisées.

9-11 Que savons-nous sur la capacité des autres animaux à acquérir et à utiliser un langage ?

Plusieurs espèces de chimpanzés et de singes bonobos ont : (1) appris à communiquer avec les hommes par des signes ou en poussant des boutons reliés à un ordinateur, (2) développé un lexique contenant presque 400 mots, (3) communiqué en plaçant ces mots ensemble, (4) appris leurs compétences aux plus jeunes et (5) démontré la compréhension de certaines notions de syntaxe. Mais seuls les hommes peuvent communiquer en formant des phrases complexes. Néanmoins, les capacités impressionnantes de certains animaux à penser et à communiquer ont amené les hommes à considérer ce que cela peut signifier du point de vue des droits moraux des autres espèces.

9-12 Quelle est la relation existante entre la pensée et le langage, et quelle est la valeur de la pensée imagée ?

Bien que l'hypothèse de la *relativité linguistique* de Whorf suggère que le langage détermine la pensée, il est plus juste de dire que le langage influence la pensée. Des langues différentes incarnent différentes façons de penser et l'immersion dans une éducation bilingue peut améliorer notre pensée. Nous pensons souvent en images lorsque nous utilisons notre mémoire implicite (procédurale, non déclarative), notre système mnésique inconscient, pour effectuer des tâches motrices ou cognitives et des associations conditionnées de manière classique. La pensée en images peut réellement augmenter nos capacités lorsque nous pratiquons mentalement les événements à venir.

CHAPITRE 10

L'INTELLIGENCE

Qu'est-ce que l'intelligence ?

10-1 Comment les psychologues définissent-ils *l'intelligence*, et quels sont les arguments qui permettent de définir le *facteur g* ?

L'intelligence est une qualité mentale consistant en la capacité d'apprendre à partir des expériences, de résoudre des problèmes et d'utiliser ses connaissances pour s'adapter à de nouvelles situations. Charles Spearman a proposé l'existence d'un *facteur d'intelligence générale (g)* qui sous-tend toutes les autres aptitudes mentales spécifiques. Il a participé au développement de l'analyse factorielle, une procédure statistique qui révèle des groupes d'aptitudes mentales variant toujours ensemble. L. L. Thurstone n'était pas d'accord avec lui et identifia sept groupes différents d'aptitudes mentales. Cependant, il persiste une tendance que des scores élevés dans un de ces groupes prédisent également des scores élevés dans d'autres groupes. Des études indiquent que le score g semble mieux prédire notre intelligence dans une situation nouvelle et n'est pas fortement corrélé aux aptitudes dans les situations familières dues à notre évolution.

10-2 En quoi les théories de Gardner et de Sternberg sur les intelligences multiples diffèrent-elles et quelles sont les critiques auxquelles ils ont dû faire face ?

Le *syndrome du savant* semble conforter l'idée d'Howard Gardner selon laquelle nous avons de multiples intelligences. Il proposa huit intelligences indépendantes : linguistique, logique et mathématique, musicale, spatiale, corporelle-kinesthésique, intrapersonnelle, interpersonnelle et naturaliste. (Il a également proposé une neuvième capacité possible, qui serait l'intelligence existentielle ; l'aptitude à réfléchir à des questions profondes portant sur la vie). La théorie de Robert Sternberg propose trois domaines d'intelligence qui prédisent les aptitudes dans le monde réel : analytique (résolution scolaire de problèmes), créative et pratique.

Ceux qui avaient une attitude critique ont admis que la recherche a confirmé l'existence d'un facteur d'intelligence générale. Mais les gens qui réussissent bien ont également tendance à être consciencieux, à avoir un sens bien ancré des réalités, et être extrêmement volontaires.

10-3 Quels sont les quatre composants de l'intelligence émotionnelle ?

L'intelligence émotionnelle qui est un des aspects de l'intelligence sociale, est la capacité de percevoir les émotions, de les comprendre, de les gérer et de les utiliser. Ceux qui possèdent la plus grande intelligence émotionnelle atteignent une réussite personnelle et professionnelle plus grande. Cependant, les opposants posent la question de savoir si nous ne poussons pas trop loin le concept d'intelligence lorsque nous l'appliquons aux émotions.

Évaluation de l'intelligence

10-4 Quelles sont les différences entre les tests d'aptitude et les tests de connaissance ?

Un *test d'intelligence* est une méthode évaluant les capacités mentales d'un individu et les compare à celles d'autres personnes au moyen d'un score numérique. Les *tests d'aptitude* mesurent les capacités d'apprentissage tandis que les *tests d'évaluation* mesurent les acquis.

10-5 Quand et pourquoi les tests d'intelligence ont-ils été créés, et en quoi les tests actuels diffèrent-ils des premiers tests ?

À la fin du XIXe siècle, Francis Galton qui croyait que le génie était héréditaire a essayé, sans y parvenir, de construire un test d'intelligence simple. Alfred Binet qui penchait pour une explication environnementale des différences d'intelligence, a amorcé le mouvement moderne du test de l'intelligence en développant des questions qui aidaient à prévoir les progrès futurs des enfants dans le système scolaire parisien, dans la France de 1904. Au cours du début du vingtième siècle, Lewis Terman de l'université de Stanford a revu le travail de Binet de manière à l'utiliser aux États-Unis. Terman pensait que l'intelligence était héréditaire et croyait que son test de *Stanford-Binet* pourrait aider les gens à se guider vers les opportunités adaptées. À partir des résultats de ces tests, William Stern a forgé le concept du *QI* (quotient intellectuel). Au cours de cette période, les tests d'intelligence furent, malheureusement, parfois utilisés pour « établir » l'hypothèse de scientifiques concernant l'infériorité innée de certains groupes ethniques et des populations d'immigrants.

À l'heure actuelle, les tests d'intelligence les plus largement utilisés sont le *Wechsler Adult Intelligence Scale (WAIS)* et les tests de Wechsler pour enfants (WISCH). Ces tests se distinguent de leurs prédécesseurs par l'attribution d'une note globale d'évaluation et par des notes d'évaluation des capacités verbales et de différentes autres capacités.

10-6 Qu'est-ce qu'une courbe normale, que veut dire qu'un test a été étalonné, qu'il est fidèle, qu'il est valide ?

La distribution des résultats de ces tests suit souvent une *courbe* dite *normale* (appelée également courbe en cloche) centrée sur un résultat moyen, avec de moins en moins de résultats aux deux extrêmes.

La *standardisation* établit une base permettant des comparaisons sensées en faisant passer ce test à un échantillon représentatif de personnes qui seront ultérieurement testées. La *fiabilité* correspond à l'étendue pour laquelle un test fournit des résultats constants (sur deux moitiés du même test ou lors d'une répétition du même test). La *validité* est la qualité d'un test liée à sa capacité de donner des résultats cohérents avec ce qu'il doit prédire ou mesurer. La *validité de contenu* est la capacité du test à évaluer efficacement le comportement d'intérêt (comme l'examen du permis de conduire évalue les capacités de conduire une automobile). Le test a une *validité prédictive* s'il est capable d'évaluer quel sera le comportement futur du sujet évalué. (Les tests d'aptitude ont une validité prédictive s'ils peuvent prédire quels seront les domaines dans lesquels un élève réussira, par exemple. La validité prédictive est assez élevée en début de scolarité)

La dynamique de l'intelligence

10-7 Quelle est la stabilité des résultats des tests d'intelligence tout au long de la vie, et comment le vieillissement affecte-t-il l'intelligence cristallisée et l'intelligence fluide ?

Les études transversales (comparant des personnes de différents groupes d'âge) et les études longitudinales (testant à nouveau les mêmes personnes [ou le même groupe] au cours de plusieurs années) ont montré que *l'intelligence fluide* déclinait chez les personnes âgées en particulier à cause du ralentissement du traitement neuronal. Cependant, *l'intelligence cristallisée* a tendance à augmenter.

La stabilité des tests d'intelligence augmente avec l'âge. Vers l'âge de 4 ans, les résultats fluctuent quelque peu, mais commencent à prédire les résultats obtenus à l'adolescence et à l'âge adulte. Au début de l'adolescence les scores deviennent très stables et prédictifs.

10-8 Quelles sont les caractéristiques des personnes se trouvant aux deux extrêmes de l'évaluation de l'intelligence (élevée et faible) ?

Les personnes souffrant d'un retard mental important obtiennent les notes les plus faibles lors de la passation des tests. Un résultat aux tests d'intelligence de 70 ou en dessous correspond à l'un des critères de diagnostic d'un *retard mental* (ou handicap intellectuel). Les autres critères sont des aptitudes limitées sur le plan conceptuel, social et pratique. C'est le cas du *syndrome de Down* qui est un trouble du développement provoqué par l'existence d'un chromosome 21 surnuméraire (trisomie 21).

Les personnes dont les notes obtenues lors de la passation des tests sont particulièrement élevées, ont tendance à être en bonne santé, bien adaptées et en général s'avèrent être des étudiants brillants. Les écoles dépistent parfois ces enfants pour les séparer des autres ayant un résultat plus faible. Ces programmes peuvent devenir des prophéties qui s'accomplissent d'elles-mêmes, les enfants étant incités à devenir ce que les autres attendent d'eux (en étant tirés vers le haut ou vers le bas).

Les influences de la génétique et de l'environnement sur l'intelligence

10-9 Quelle est la preuve d'une influence de l'hérédité sur l'intelligence ? Qu'est-ce que l'héritabilité ?

Les études de jumeaux, de membres de la famille et d'enfants adoptés confortent l'idée qu'il existe une contribution génétique significative aux résultats des tests d'intelligence. L'intelligence semble être gouvernée par de nombreux gènes et les chercheurs cherchent actuellement les gènes qui peuvent exercer une influence. *L'héritabilité* est la proportion de variation entre les individus qu'il est possible d'attribuer aux gènes.

10-10 **Que révèlent les preuves de l'influence de l'environnement sur l'intelligence ?**

Les études de jumeaux, de membres de la famille et d'enfants adoptés ont également fourni des preuves de l'influence de l'environnement sur l'intelligence. Les résultats aux tests d'intelligence obtenus par des vrais jumeaux élevés séparément sont légèrement moins semblables (mais toutefois encore très corrélés) que ceux des vrais jumeaux élevés ensemble. Des études portant sur des enfants élevés dans des environnements extrêmement pauvres avec un minimum d'interactions sociales indiquent que les expériences de la vie peuvent influencer significativement les performances aux tests d'intelligence. Il n'existe aucune preuve confortant l'idée que des enfants normaux et en bonne santé puissent être modelés en de véritables génies simplement en leur permettant de grandir dans des environnements exceptionnellement riches.

10-11 **Quelles sont les différences de résultats aux tests d'aptitudes mentales entre les hommes et les femmes ? Pourquoi existent-elles ?**

Les hommes et les femmes ont en moyenne une intelligence générale identique. Les différences portent sur certains domaines de compétence. Les filles sont meilleures en orthographe, ont une meilleure élocution, réussissent mieux à localiser les objets, décèlent plus facilement les émotions et sont plus sensibles au toucher, au goût et aux couleurs. Les garçons ont une meilleure aptitude spatiale que les filles et sont meilleurs dans la résolution des problèmes mathématiques de géométrie dans l'espace. Les différences sont ténues pour le calcul et les mathématiques en général. Il y a également plus de garçons que de filles aux deux extrémités (élevée et faible) de la courbe des aptitudes mentales. Des explications évolutives et culturelles ont été proposées pour expliquer ces différences liées au sexe.

10-12 **Quelles sont les différences de résultats aux tests d'aptitudes mentales entre les groupes ethniques ou raciaux ? Pourquoi existent-elles ?**

Les scores moyens aux tests d'intelligence ne sont pas les mêmes pour tous les groupes ethniques. Cette preuve suggère que les différences environnementales sont fortement responsables de ces différences de groupes.

10-13 **Les tests d'intelligence sont-ils inappropriés et biaisés ?**

Les tests d'aptitude ont pour objectif de prédire les performances de la personne testée dans une situation donnée. De ce fait, ils sont nécessairement « biaisés » dans le sens où ils sont sensibles aux différences de performances liées à l'expérience culturelle. Pour les psychologues « inappropriés car biaisés » signifie que les prédictions du test sont moins précises pour un groupe que pour un autre. En ce sens, la plupart des spécialistes ne considèrent pas que les principaux tests d'aptitude soient biaisés. La *menace du stéréotype*, une préoccupation fondée sur l'autosuggestion selon laquelle on est jugé d'après un stéréotype négatif, affecte les performances à tous les types de tests.

CHAPITRE 11
CE QUI MOTIVE NOS CONDUITES : LA FAIM, LA SEXUALITÉ, L'AMITIÉ ET L'ACCOMPLISSEMENT DE SOI
Les concepts fondamentaux de la motivation

11-1 **Comment les psychologues définissent-ils la *motivation* ? Selon quelles perspectives considèrent-ils les comportements motivés ?**

La *motivation* est le besoin ou le désir qui anime et dirige un comportement. Les *instincts*, dans la perspective évolutionniste, explorent les influences génétiques sur les comportements complexes. La *théorie du contrôle des pulsions* explore comment les besoins physiologiques suscitent des états de tension (pulsions) qui nous entraînent à satisfaire ces besoins. Les *incitations stimulantes* venant de l'environnement peuvent renforcer certaines conduites. L'objectif du contrôle des pulsions est de maintenir un état interne stable ou *homéostasie*. La théorie de l'activation propose que certains comportements, comme ceux suscités par la curiosité, ne réduisent pas les besoins physiologiques mais sont engendrés par la recherche d'un niveau optimal d'excitation. La *loi de Yerkes-Dodson* stipule qu'il existe une relation entre le niveau d'éveil et les performances cognitives, dans certaines limites. La performance diminue si le niveau d'éveil est trop important. Les résultats de l'exécution d'une tâche sont meilleurs quand nous sommes modérément vigilants lorsque la tâche est difficile et si nous sommes très stimulés lorsque la tâche est simple ou bien apprise. La *hiérarchie des besoins* d'Abraham Maslow propose une pyramide des besoins de l'homme, partant des besoins fondamentaux, comme la faim et la soif, jusqu'à ceux situés aux niveaux supérieurs comme l'accomplissement et le dépassement de soi.

La faim

11-2 Quels sont les facteurs physiologiques qui produisent la sensation de faim ?

Les tiraillements internes de la faim correspondent à des contractions de l'estomac, mais la faim a aussi d'autres causes. Des régions du cerveau, dont certaines se trouvent dans l'hypothalamus, régulent la biochimie sanguine (y compris le niveau de la *glycémie*) et surveillent les informations entrantes sur l'état du corps. Les hormones de l'appétit comprennent l'insuline (qui contrôle la glycémie), la ghréline (sécrétée par l'estomac vide), l'orexine (sécrétée par l'hypothalamus), la leptine (sécrétée par les cellules adipeuses) et la PYY (sécrétée par le tube digestif). Le *métabolisme de base* correspond à la dépense énergétique de l'organisme à l'état de repos. Le corps pourrait avoir un *point de référence* (une tendance biologiquement fixée à maintenir un poids optimal) ou un point de réglage moins rigide (influencé aussi par l'environnement).

11-3 Quels sont les facteurs culturels ou écologiques influençant la faim ?

La faim reflète notre mémoire du dernier repas et nos attentes sur le moment du prochain. Les hommes en tant qu'espèce préfèrent certains goûts (comme le sucré et le salé), mais nos préférences individuelles sont également influencées par le conditionnement, la culture et la situation. Certaines de nos préférences gustatives, par exemple éviter des aliments nouveaux ou ceux qui nous ont rendus malades, ont une valeur de survie.

11-4 Quels sont les facteurs qui prédisposent certaines personnes à devenir obèses et à le rester ?

Les gènes et l'environnement interagissent pour entraîner l'obésité. L'obésité est corrélée à la dépression, surtout chez les femmes. Les études menées chez les jumeaux et les études d'adoption montrent que le poids corporel est également génétiquement influencé. Les influences environnementales comprennent l'absence d'exercice associée à l'abondance d'aliments très caloriques et l'influence sociale.

Ceux qui souhaitent perdre du poids sont invités à totalement modifier leur style de vie : dormir suffisamment ; stimuler la dépense énergétique par l'exercice ; limiter la variété des aliments et minimiser l'exposition aux signaux alimentaires alléchants ; manger des aliments sains et réduire la taille des portions ; ne pas « sauter de repas » ; ne pas céder à la gloutonnerie ; surveiller ce que l'on mange, lors des réceptions et des repas de fête ; pardonner les écarts de régime ; faire partie d'un groupe de soutien.

La motivation sexuelle

11-5 Comment les hormones influencent-elles la motivation sexuelle humaine ?

Mise à part une minorité de sujets se considérant comme « *asexuels* », les rencontres et l'accouplement sont, depuis la puberté, une priorité pour la plupart d'entre nous. Les *œstrogènes* (hormone féminine) et la *testostérone* (hormone masculine) influencent le comportement sexuel humain moins directement que celui des autres animaux. La sexualité de la femme répond plus à la concentration en testostérone qu'au taux d'œstrogènes. Des fluctuations rapides du taux de testostérone sont normales chez l'homme, en partie en réponse à la stimulation.

11-6 Quelles sont les étapes qui marquent le cycle de la réponse sexuelle chez l'homme et en quoi les paraphilies diffèrent-elles des troubles des fonctions sexuelles ?

William Masters et Virginia Johnson ont décrit quatre stades dans le *cycle de la réponse sexuelle* chez l'homme : la phase d'excitation, la phase de plateau, l'orgasme (qui semble impliquer des sensations et une activité cérébrale semblables chez l'homme et la femme) et la phase de résolution. Au cours de la phase de résolution, les hommes connaissent une *période réfractaire* caractérisée par l'impossibilité de survenue d'une nouvelle excitation et d'un nouvel orgasme.

Les *dysfonctionnements sexuels* sont des troubles qui perturbent de façon régulière l'excitation ou les relations sexuelles. Ils comprennent les *troubles de l'érection*, et, chez la femme l'*impossibilité d'atteinte de l'orgasme*. Ils peuvent être efficacement traités par une psychothérapie axée sur le comportement ou par la prise de médicaments. Les *paraphilies* sont des conditions qui peuvent être classées comme des troubles psychologiques, dans lequel l'excitation sexuelle est associée à des objets non-humains, la souffrance ou celle d'autrui, et/ou des personnes non consentantes.

11-7 Comment les MST peuvent-elles être évitées ?

Les pratiques sexuelles protégées aident à prévenir les infections sexuellement transmissibles (IST). Les préservatifs sont particulièrement efficaces dans la prévention de la transmission du VIH, le virus qui cause le *SIDA*. Une vaccination administrée avant tout contact sexuel peut éviter la plupart des infections par le papillomavirus.

11-8 Comment les stimuli externes et les fantasmes contribuent-ils à l'excitation sexuelle ?

Des stimuli externes peuvent déclencher l'excitation sexuelle chez les hommes et les femmes. Dans des situations expérimentales, les représentations de la coercition sexuelle ont favorisé l'acceptation d'une situation de viol. Les hommes répondent plus spécifiquement aux images sexuelles impliquant le sexe qu'ils préfèrent. Les éléments sexuellement explicites peuvent inciter certaines personnes à percevoir, leur partenaire comme moins attirant et à dévaloriser leur relation. Les stimuli imaginaires (fantasmes ou rêves) influencent aussi l'excitation sexuelle.

11-9 Quels sont les facteurs influençant les comportements sexuels et l'utilisation des contraceptifs chez les adolescents ?

L'activité sexuelle des adolescents varie d'une culture à l'autre et d'une époque à l'autre. Plusieurs facteurs contribuent à la grossesse des adolescentes comme une communication minimale à propos de la contraception avec les parents, les partenaires ou les pairs, la culpabilité vis-à-vis du sexe, la consommation d'alcool et les normes véhiculées par les médias concernant les rapports sexuels non protégés et la sexualité impulsive. Les facteurs prédictifs de l'abstinence sexuelle chez les adolescents englobent une forte intelligence, les croyances religieuses, la présence du père et la participation à des activités communautaires.

11-10 Que nous ont appris les recherches menées sur l'orientation sexuelle ?

L'orientation sexuelle est l'attraction sexuelle durable par les sujets du même sexe (orientation homosexuelle), du sexe opposé (orientation hétérosexuelle), ou par les deux sexes (orientation bisexuelle). Environ 3 ou 4 % des hommes et 2 % des femmes en Europe et aux États-Unis sont identifiés comme exclusivement homosexuels, et 3,4 % des Américains se décrivent comme lesbien, gay, bisexuel ou transgenre. Il n'existe pas de preuves que des influences environnementales déterminent l'orientation sexuelle. Les influences biologiques peuvent inclure la présence de ces mêmes comportements homosexuels chez de nombreuses espèces animales. Des différences anatomiques cérébrales sont retrouvées entre homosexuels et hétérosexuels. On retrouve dans certaines familles un plus grand taux d'homosexualité, et, chez les jumeaux monozygotes, si l'un des deux est homosexuel. L'exposition à certaines hormones pendant des périodes critiques du développement prénatal et enfin un effet de l'ordre de naissance au sein de la fratrie peuvent aussi être des causes de cette orientation sexuelle.

11-11 La recherche scientifique sur la motivation sexuelle est-elle dépourvue de tout jugement de valeur ?

Les recherches scientifiques sur la motivation sexuelle ne cherchent pas à définir notre signification personnelle du sexe dans notre vie, mais les recherches sur la sexualité et l'éducation sexuelle ne sont pas dénuées de jugements de valeur.

Appartenance et accomplissement

11-12 Quelle est la preuve de notre besoin humain d'appartenance ?

Notre *besoin d'être affiliés*, de nous sentir reliés et identifiés aux autres, a favorisé les chances de survie de nos ancêtres, ce qui peut expliquer pourquoi les hommes vivent en groupe quelle que soit la société. Les gens souffrent lorsqu'ils se sentent socialement exclus et ils peuvent s'engager dans des comportements d'échec (avec des performances en dessous de leurs capacités) ou antisociaux. Se sentir aimé active les régions du cerveau qui forment le système de récompense et de ressenti du bien-être. *L'ostracisme* est l'exclusion délibérée d'individus ou de groupes. L'isolement social peut nous mettre en danger physiquement et mentalement.

11-13 Comment les réseaux sociaux nous influencent-ils ?

Nous sommes connectés aux autres par les réseaux sociaux qui renforcent nos relations avec les personnes que nous connaissons déjà. Lorsqu'ils participent à ces réseaux sociaux, les gens ont tendance à se confier davantage. Les sujets qui ont des notes élevées lors de la passation des échelles évaluant le *narcissisme* sont particulièrement actifs sur les sites des réseaux sociaux. Le développement de stratégies pour se contrôler et s'autodiscipliner lors de l'utilisation de ces réseaux peut aider les gens à maintenir un équilibre salutaire entre la connexion sociale et les performances à l'école ou au travail.

11-14 Comment définir la motivation de l'accomplissement de soi ?

La *motivation de l'accomplissement* est le désir d'accomplir quelque chose d'important, de maîtriser des aptitudes et des idées, d'atteindre rapidement des exigences élevées. La réussite est plus étroitement liée à la *combativité* (dévouement passionné à un objectif, fixé à long terme) qu'aux aptitudes vraies.

CHAPITRE 12
ÉMOTIONS, STRESS ET SANTÉ

Introduction à l'étude des émotions

12-1 De quelle manière l'activation, les comportements expressifs et la cognition interagissent-ils dans l'expression des émotions ?

Les *émotions* sont des réponses psychologiques de l'ensemble de l'organisme qui impliquent une interrelation entre l'activation physiologique, les comportements expressifs et l'expérience consciente.

Les théories de l'émotion s'intéressent en général à deux questions majeures : (1) l'activation physiologique se produit-elle avant ou après les sentiments émotionnels, et (2) quelles sont les interactions entre les sentiments et la cognition ? La *théorie de James-Lange* maintient que nos sentiments émotionnels suivent la réponse de notre organisme aux stimuli induisant les émotions. La *théorie de Cannon-Bard* propose que notre réponse physiologique au stimulus provoquant nos émotions et le ressenti de ces émotions sont simultanés (l'un n'est pas la cause de l'autre).

12-2 Pour ressentir des émotions devons-nous les interpréter consciemment et les identifier ?

La *théorie bifactorielle* de Schachter-Singer considère que les émotions sont formées de deux éléments, une activation physique et une identification cognitive, et que les étiquettes cognitives que nous mettons sur nos états d'activation sont un élément essentiel de l'émotion. Lazarus reconnaît que beaucoup d'émotions importantes se développent à partir de nos interprétations ou de nos inférences. Cependant, Zajonc et LeDoux pensent que certaines réponses émotionnelles simples se produisent instantanément, non seulement en dehors de notre conscience mais avant même que se produise le moindre traitement cognitif. L'interrelation entre les émotions et la cognition illustre là encore les deux voies de notre esprit.

12-3 Quel est le lien entre l'activation émotionnelle et le système nerveux autonome ? Comment l'activation peut-elle affecter les performances ?

La composante de l'émotion liée à l'éveil est contrôlée par les branches sympathiques (activation) et parasympathique (apaisement) du système nerveux autonome. En cas de crise, la réaction de lutte ou de fuite mobilise automatiquement les ressources de votre corps pour l'action.

L'activation peut affecter les performances de différentes façons, selon la tâche demandée. Les résultats de l'exécution d'une tâche sont meilleurs quand nous sommes modérément vigilants lorsque la tâche est difficile et si nous sommes très stimulés lorsque la tâche est simple ou bien apprise.

12-4 Les différentes émotions activent-elles différentes réponses physiologiques et différentes voies cérébrales ?

Les émotions peuvent entraîner une même activation, mais il existe certaines réponses physiologiques subtiles comme les mouvements des muscles du visage qui les distinguent. Des différences plus significatives ont été trouvées dans l'activité de certaines voies cérébrales et de certaines aires corticales.

12-5 Quelle est l'efficacité de l'enregistrement des modifications somatiques par des appareils polygraphiques pour l'aide à la détection des mensonges ?

Les *polygraphes* mesurent divers indicateurs physiologiques des émotions mais ne sont pas suffisamment précis pour justifier leur utilisation généralisée au travail et par les fonctionnaires chargés de l'application des lois. L'utilisation des tests de connaissance du coupable et de nouvelles formes de technologie pourrait indiquer bien mieux l'existence d'un mensonge.

Expression des émotions

12-6 Comment pouvons-nous communiquer de façon non verbale ?

La majeure partie de notre communication s'effectue par le langage silencieux de notre corps, l'expression de notre visage et la tonalité de notre voix. Même des films très courts (de quelques secondes) montrant un comportement peuvent révéler les sentiments.

12-7 La capacité à communiquer de façon non verbale est-elle liée au sexe ?

Les femmes ont tendance à être plus performantes pour lire les indices émotionnels des gens. Leurs visages expriment aussi plus d'émotion.

12-8 Les gestes et les expressions faciales signifient-ils la même chose dans toutes les cultures ?

La signification de certains gestes varie selon la culture mais les expressions faciales comme le bonheur ou la tristesse sont communes partout dans le monde. Les cultures diffèrent par l'importance des émotions qu'elles expriment.

12-9 Nos expressions faciales influencent-elles ce que nous ressentons ?

Les recherches sur *l'effet de la rétroaction faciale* nous montrent que les expressions faciales peuvent déclencher des sentiments émotionnels et signaler à notre corps comment répondre de façon adaptée. Nous imitons également les expressions des autres ce qui nous aide à ressentir de l'empathie. *L'effet de rétroaction comportementale* est la tendance du comportement à influencer nos propres pensées, nos propres sentiments nos propres actions et celles des autres.

Ressentir l'émotion

12-10 Quelles sont les émotions de base, et quelles sont les deux dimensions qui permettent de les différencier ?

Les 10 émotions fondamentales selon Carroll Izard sont la joie, l'intérêt-excitation, la surprise, la tristesse, la colère, le dégoût, le dédain, la peur, la honte et la culpabilité.

Deux dimensions permettent de différencier les émotions : la valeur agréable (ou positive) ou désagréable (ou négative) et la vigilance faible ou élevée.

12-11 Quelles sont les causes et les conséquences de la colère ?

La colère est le plus souvent évoquée par des méfaits qui sont interprétés comme volontaires, injustifiés et évitables. Mais les petites frustrations et ennuis que nous ne pouvons éviter peuvent aussi déclencher de la colère. L'hostilité chronique est l'une des émotions négatives que l'on retrouve parmi les facteurs de risque de certaines maladies du cœur. La *catharsis* émotionnelle peut nous apaiser temporairement, mais ne diminue pas notre sentiment permanent de colère. Exprimer la colère peut l'accroître. L'affirmation contrôlée de ses sentiments peut permettre de résoudre des conflits et le pardon peut nous débarrasser des sentiments de colère.

12-12 Quel est le *phénomène du « qui se sent bien, agit bien »* et quel est l'objet de la recherche de la psychologie positive ?

Une humeur de bonne qualité et syntone jette une lumière favorable sur les autres et le monde. Le *bien-être subjectif* est le sentiment d'être heureux ou d'être satisfait de sa vie. Les gens heureux ont tendance à être en bonne santé, plein d'énergie, et satisfaits de leur vie. Ils sont également plus disposés à aider les autres (le *phénomène du « qui se sent bien, agit bien »*).

Les *psychologues de l'école de la psychologie positive* utilisent des méthodes scientifiques pour étudier l'épanouissement humain, y incluant des thèmes tels que les émotions positives, l'amélioration de la santé, les neurosciences positives, et l'éducation positive. Les trois piliers de la psychologie positive sont le bien-être ; le caractère positif ; des groupes positifs, des communautés et des cultures encourageant l'épanouissement de soi.

12-13 Comment le temps, le bien-être, les capacités d'adaptation, et la comparaison à l'autre modifient-ils notre niveau de bonheur ?

Les humeurs déclenchées par les mauvais ou les bons événements de la vie persistent rarement plus d'une journée. Même les événements significativement positifs, comme une richesse soudaine, entraînent rarement une augmentation durable du bonheur. Le bonheur est relatif à notre propre expérience (*phénomène du niveau d'adaptation*) et à la réussite des autres (principe de la *privation relative*).

12-14 Quels sont certains des facteurs prédictifs du bonheur ?

Certaines personnes, en raison de leurs prédispositions génétiques et de leur histoire, sont plus heureuses que les autres. Les cultures, qui sont différentes en fonction des caractères qu'elles valorisent et des comportements qu'elles attendent et récompensent, peuvent également influencer le niveau personnel de bonheur. Les chercheurs ont constaté que les gens heureux ont tendance à avoir une haute estime de soi (dans les pays de culture individualiste) ; être optimistes, se livrant facilement, et agréables ; avoir des relations amicales durables ou être heureux dans leur vie de couple ; avoir un travail et des loisirs qui engagent où ils s'épanouissent ; avoir la foi et une pratique religieuse (cela est retrouvé dans les différentes religions) ; avoir un sommeil réparateur et pratiquer un exercice physique.

Stress et maladie

12-15 Quels sont les événements qui provoquent les réponses de stress et comment répondons-nous et nous adaptons-nous au stress ?

Le *stress* est le processus par lequel nous évaluons et répondons aux événements stressants (catastrophes naturelles, changements significatifs de la vie, et soucis quotidiens) qui nous mettent au défi ou nous menacent. Walter Cannon considérait le stress comme un système de « combat ou de fuite ». Hans Selye propose un *syndrome d'adaptation général (SAG)* composé de trois phases (alarme-résistance-épuisement). Pour faire face au stress, les femmes ont tendance à avoir une réponse de type *tendre la main et se lier d'amitié* ; les hommes peuvent se retirer socialement, se tourner vers l'alcool ou devenir agressifs.

12-16 Comment le stress nous rend-il plus vulnérables aux maladies ?

La *psychologie de la santé* est une sous-discipline de la psychologie qui fournit la contribution de la psychologie à la médecine comportementale. Les *psycho-neuro-immunologistes* étudient les interactions entre l'esprit et le corps y compris les maladies physiques liées au stress, comme l'hypertension et certains maux de tête. Le stress dévie l'énergie du système immunitaire en inhibant les activités de ses lymphocytes B et T, des macrophages et des cellules NK. Bien que le stress ne provoque pas de maladies comme le sida et le cancer, en modifiant notre fonctionnement immunitaire, il peut nous rendre plus vulnérables à ces maladies et influencer leur évolution.

12-17 Pourquoi certains d'entre nous sont-ils plus sujets que d'autres aux maladies coronariennes ?

Les *maladies coronariennes*, première cause de mortalité aux États-Unis, ont été liées à une personnalité de *type* A très réactive et sujette à la colère. Comparées aux personnes de *type B*, personnalité plus détendue et plus tolérante, les personnes de type A ont des taux circulants d'« hormones de stress », plus élevés. Un stress chronique contribue également à une inflammation persistante qui augmente les risques d'obstruction artérielle et de dépression.

Santé et stratégie d'adaptation

12-18 Quelles sont les deux attitudes qui permettent de soulager le stress ?

Nous pratiquons le *coping centré sur le problème* pour modifier le facteur de stress ou la manière dont nous interagissons avec lui. Nous pratiquons le *coping centré sur les émotions* pour éviter ou ignorer le facteur de stress, et veiller aux besoins émotionnels liés aux réactions dues au stress.

12-19 En quoi le sentiment de perte de contrôle affecte-t-il la santé ?

La perception d'une perte de contrôle provoque une bouffée d'hormones qui peut augmenter les risques que la personne développe des maladies. Être incapable d'éviter des événements aversifs répétées peut conduire à l'*impuissance apprise*. Les personnes qui perçoivent un *locus de contrôle interne* réalisent plus de choses, jouissent d'une meilleure santé et sont plus heureuses que celles qui perçoivent un *locus de contrôle externe*.

12-20 Comment la maîtrise de soi peut-elle être épuisée, et pourquoi est-il important de la reconstruire ?

Exercer sa volonté épuise temporairement l'énergie mentale nécessaire pour être *maître de soi* lors d'autres tâches. La maîtrise de soi requiert attention et énergie, mais prédit une bonne adaptation, de meilleurs résultats scolaires et une meilleure réussite sociale.

12-21 Comment l'analyse optimiste des situations influence-t-elle la santé et la longévité ?

Les études menées sur les personnes optimistes montrent que, comparées aux personnes pessimistes, leur système immunitaire les protège mieux, leur tension artérielle ne semble pas augmenter aussi brutalement en réponse à un stress, leur récupération après un pontage coronarien est plus rapide et leur espérance de vie est plus longue.

12-22 En quoi le soutien social est-il un facteur de bonne santé ?

Le soutien social favorise la santé en nous calmant, en réduisant notre tension sanguine et nos hormones de stress et en favorisant un fonctionnement immunitaire plus fort.

12-23 Quelle est l'efficacité des exercices d'aérobic sur la gestion du stress et l'amélioration du bien-être ?

L'*aérobic* est une activité soutenue qui consomme de l'oxygène ce qui augmente la forme cardiaque et pulmonaire. Il augmente l'éveil, conduit à une relaxation musculaire et un sommeil plus profond, déclenche la production de neuromédiateurs et améliore l'image de soi. Il peut soulager la dépression et, chez les personnes plus âgées, il est associé à un meilleur fonctionnement cognitif et un allongement de l'espérance de vie.

12-24 **De quelle manière la méditation et la relaxation peuvent-elles influencer les états de stress et la santé ?**

La relaxation et la méditation réduisent le stress en relâchant les muscles, abaissant la tension sanguine, améliorant le fonctionnement du système immunitaire et en réduisant l'anxiété et la dépression. La thérapie par les massages détend aussi les muscles et réduit la dépression.

12-25 **Qu'est ce que le « facteur religieux », et quelles sont les explications possibles du lien existant entre la foi et l'état de santé ?**

L'observation que les personnes pratiquantes ont tendance à vivre plus longtemps que celles qui ne pratiquent pas de religion constitue ce qu'on appelle le facteur religieux. Parmi les explications possibles, différentes variables pourraient intervenir comme l'adoption de comportements plus sains, le soutien social ou les émotions positives souvent observées chez les personnes qui suivent régulièrement les offices religieux.

CHAPITRE 13
PSYCHOLOGIE SOCIALE

Pensée sociale

13-1 **Quel est le champ d'étude des psychosociologues ? De quelle manière avons-nous tendance à expliquer le comportement d'autrui et le nôtre ?**

Les *psychosociologues* étudient à l'aide de méthodes scientifiques comment les gens pensent, s'influencent et entrent en relation les uns avec les autres. Ils étudient les influences sociales permettant d'expliquer pourquoi une personne peut agir différemment selon la situation. Lorsque nous expliquons le comportement des autres nous pouvons commettre l'*erreur fondamentale d'attribution* en sous-estimant l'influence de la situation et en surestimant les effets de la personnalité dus à ses traits stables et durables. Cet état de fait est particulièrement vrai dans le monde occidental ayant une culture individualiste. Lorsque nous expliquons notre propre comportement, nous l'attribuons plus facilement à l'influence de la situation.

13-2 **Comment les attitudes et les actions agissent-elles de concert ?**

Les *attitudes* sont des sentiments souvent influencés par nos croyances, qui nous prédisposent à répondre d'une certaine façon. La *voie périphérique de la persuasion* utilise des indices secondaires (comme l'approbation par quelqu'un de célèbre) pour essayer d'obtenir des changements d'attitude rapides relativement dénués de réflexion. La *voie centrale de la persuasion* offre des preuves et des arguments permettant de déclencher des réponses empreintes de réflexions. Lorsque d'autres influences sont minimales, les attitudes qui sont stables, spécifiques et dont nous nous souvenons facilement peuvent affecter nos actions.

Nos actions peuvent également modifier nos attitudes comme lors du *phénomène du « doigt dans l'engrenage »* (obéir à une demande importante après avoir accepté une demande plus petite) et *du jeu de rôle* (jouer un rôle social en suivant les directives du comportement attendu). Lorsque nos attitudes ne concordent pas avec nos actions, la *théorie de la discordance cognitive* propose que nous réduisions la tension occasionnée en modifiant nos attitudes afin qu'elles correspondent à nos actes.

Influence sociale

13-3 **Qu'est-ce que l'imitation automatique, et que nous apprennent les expériences sur le conformisme concernant le pouvoir des influences sociales ?**

L'imitation automatique (effet caméléon) est notre tendance à imiter inconsciemment l'expression, la posture ainsi que le ton de la voix des autres. Il s'agit d'une forme de *conformisme*.

Solomon Asch et d'autres auteurs ont montré que nous sommes plus enclins à adapter notre comportement et notre façon de penser à ceux du groupe si : (a) nous nous sentons inférieurs, (b) le groupe comporte au moins trois personnes, (c) tous les autres membres du groupe sont d'accord, (d) nous admirons le statut du groupe et nous sommes séduits par lui, (e) nous n'avons pas fait de choix antérieur sur une autre réponse, (f) nous savons que nous sommes observés et (g) notre culture encourage le respect des conventions sociales. Nous pouvons nous conformer soit pour obtenir l'approbation sociale (*influence sociale normative*), soit parce que nous acceptons l'information que les autres nous fournissent (*influence sociale informationnelle*).

13-4 Que nous ont enseigné les expériences d'obéissance de Milgram concernant le pouvoir des influences sociales ?

Les expériences de Stanley Milgram, au cours desquelles les personnes obéissaient aux ordres même lorsqu'elles pensaient qu'elles faisaient du mal à une autre personne, mettent en évidence que de fortes influences sociales pouvaient amener des gens ordinaires à se conformer aux mensonges ou à devenir cruels. Les individus avaient plus de chances d'obéir lorsque (a) celui qui donnait les ordres était près d'eux et perçu comme une figure d'autorité légitime, (b) la personne donnant les ordres était soutenue par une institution prestigieuse, (c) la victime était dépersonnalisée ou placée à distance et (d) aucune autre personne ne représentait un modèle de défi en désobéissant.

13-5 De quelle manière notre comportement est-il affecté par la présence des autres ?

Les expériences de *facilitation sociale* révèlent que la simple présence d'observateurs peut entraîner l'excitation des individus, augmentant leurs performances pour les tâches faciles ou bien apprises, mais les diminuant si les tâches sont difficiles. Lors de *paresse sociale*, les individus qui participent à un projet de groupe se sentent moins responsables et se reposent sur les efforts des autres. Lorsque la présence des autres nous excite et nous rend anonyme, nous pouvons ressentir une *désindividualisation* (devenir moins conscient de soi-même et moins inhibé).

13-6 Qu'est-ce que la *polarisation de groupe* et la *pensée de groupe*, et quel est notre pouvoir en tant qu'individu ?

Les discussions entre les membres d'un groupe ayant les mêmes idées produisent souvent une *polarisation de groupe*, c'est-à-dire un renforcement des croyances et des attitudes prédominantes du groupe. La communication par internet accentue cet effet pour le meilleur comme pour le pire. La *pensée de groupe* est engendrée par le désir d'être en harmonie avec les décisions prises par un groupe, en n'évaluant pas les autres alternatives plus réalistes.

Le pouvoir de l'individu et celui de la situation interagissent. Une petite minorité qui exprime fermement son opinion peut finir par influencer la majorité.

Relations antisociales

13-7 Qu'est-ce qu'un *préjugé* ? Quelles sont ses origines sociales et émotionnelles ?

Un *préjugé* est une attitude injustifiable, généralement négative envers un groupe ou ses membres. Il se compose d'un mélange de croyances (souvent des *stéréotypes*), d'émotions et de prédispositions à agir (*discrimination*). En Amérique du Nord, les préjugés manifestes ont diminué avec le temps mais les préjugés subtils (représentés par des attitudes automatiques et irréfléchies) continuent.

Les origines sociales des préjugés sont liées aux inégalités et aux divisions sociales. Les personnes jouissant d'un statut social élevé justifient souvent leur position privilégiée par *le phénomène du monde équitable*. Les gens ont tendance à favoriser leur *propre groupe* lorsqu'ils se répartissent en « nous » (le *groupe d'appartenance*) et « eux » (le *groupe de non-appartenance*).

Les préjugés peuvent également représenter un outil pour protéger notre bien-être émotionnel comme lorsque nous concentrons notre colère en rendant un *bouc émissaire* responsable des événements.

13-8 Quelles sont les origines cognitives des préjugés ?

Les origines cognitives des préjugés se développent à partir de notre tendance habituelle à traiter l'information : nous formons des catégories, nous nous souvenons des cas marquants et nous pensons que le monde est équitable. Nous considérons que la façon dont nous et notre culture faisons les choses est la bonne façon.

13-9 Quelle est la différence entre la définition de *l'agressivité* qu'en donne la psychologie et celle que l'on admet dans la vie de tous les jours ? Quels sont les facteurs biologiques qui nous amènent à nous faire du mal mutuellement ?

En psychologie la signification du mot *agressivité* est : tout acte destiné à nuire à quelqu'un physiquement ou émotionnellement. Notre biologie influence le seuil de déclenchement de nos comportements agressifs à trois niveaux : génétique (caractères héréditaires), nerveux (activité dans les régions cérébrales importantes) et biochimique (présence d'alcool ou excès de testostérone dans le sang). L'agressivité est un comportement complexe qui résulte d'une interaction entre la biologie et les expériences vécues.

13-10 Quels sont les facteurs psychologiques et socioculturels qui peuvent déclencher l'agressivité ?

Plusieurs facteurs, comme la frustration (*principe de frustration/agressivité*), le renforcement des comportements agressifs et l'observation d'un modèle tenant un rôle agressif, et faisant preuve de peu de maîtrise de soi, peuvent tous contribuer à l'agressivité. Les représentations de la violence dans les *médias* fournissent des scénarios sociaux que les enfants apprennent à suivre. L'observation de violences sexuelles contribue à une augmentation de l'agressivité envers les femmes. Jouer à des jeux vidéo violents augmente les pensées, les comportements et les émotions agressives.

Relations prosociales

13-11 Pourquoi devenons-nous l'ami ou tombons-nous amoureux de certaines personnes mais pas d'autres ?

La proximité, voisinage géographique, favorise l'attirance en partie parce que la *simple exposition* à un nouveau stimulus augmente son appréciation. L'attirance physique augmente également les opportunités sociales et influence la façon dont nous sommes perçus. À mesure que la relation se transforme en amitié, les similitudes d'attitudes et d'intérêts augmentent fortement l'appréciation mutuelle. Nous apprécions également ceux qui nous apprécient.

13-12 De quelle manière l'amour romantique évolue-t-il avec le temps ?

Les relations amoureuses intimes commencent par *l'amour passionnel* qui est un état d'excitation intense. Avec le temps, l'affection profonde de la *complicité amoureuse* peut se développer en particulier lorsqu'il existe une relation *équitable* et des confidences amenant *l'intimité*.

13-13 À quel moment sommes-nous les plus ou les moins enclins à venir en aide à autrui ?

L'altruisme est l'attention désintéressée portée au bien-être d'autrui. Nous sommes plus susceptibles d'aider lorsque (a) nous remarquons un incident, (b) nous l'interprétons comme une urgence, et (c) nous assumons la responsabilité de porter secours. D'autres facteurs comme notre humeur ou notre ressemblance avec la victime affectent également notre volonté d'aider. Nous sommes moins enclins à venir en aide en présence d'autres personnes (*effet témoin*).

13-14 Comment la théorie de l'échange social et les normes sociales expliquent-elles notre comportement d'assistance ?

La *théorie de l'échange social* affirme que nous aidons les autres parce que cela sert notre propre intérêt ; selon ce concept, l'objectif de notre comportement social est d'augmenter au maximum les bénéfices personnels tout en minimisant les coûts. D'autres pensent que l'aide provient de la socialisation, qui nous apprend des directives concernant les comportements attendus dans certaines situations sociales, par exemple la *norme de réciprocité* et la *norme des responsabilités sociales*.

13-15 Comment les pièges sociaux et les perceptions en miroir alimentent-ils les conflits sociaux ?

Un *conflit* est une situation au cours de laquelle les individus perçoivent que leurs actions, leurs objectifs ou leurs idées sont incompatibles. Dans les *pièges sociaux*, les personnes engagées dans le conflit poursuivent leur propre intérêt, ce qui nuit au bien-être collectif. Les personnes ou les cultures en conflit ont tendance à se forger des *perceptions en miroir*, percevant l'ennemi comme quelqu'un indigne de confiance et mal intentionné et se percevant elles-mêmes comme des victimes éthiques et pacifistes. Les perceptions peuvent devenir *des prophéties qui s'accomplissent*.

13-16 De quelle manière pouvons-nous transformer les sentiments de préjugés, d'agressivité et de conflits en des attitudes qui favorisent la paix ?

La paix peut survenir lorsque les individus ou les groupes travaillent en *coopération* pour atteindre un *but supérieur*. Selon les recherches, quatre processus permettent de promouvoir la paix : le contact, la coopération, la communication et la conciliation.

CHAPITRE 14

LA PERSONNALITÉ

Introduction à l'étude de la personnalité et aux théories psychodynamiques

14-1 Quelles sont les théories historiquement importantes et les théories actuelles qui contribuent à la compréhension de la personnalité ?

La *personnalité* d'un individu correspond à son mode caractéristique de penser, de ressentir et d'agir. Les *théories psychodynamiques* de la personnalité considèrent que le comportement représente une interaction dynamique entre l'esprit conscient et l'esprit inconscient. Ces théories sont issues à l'origine de la *théorie psychanalytique* de Freud. L'approche « humaniste » met l'accent sur nos capacités internes de développement et d'accomplissement de soi. Les théories des traits de personnalité examinent par exemple l'ensemble des comportements caractéristiques (traits). Les théories sociocognitives explorent l'interaction des traits de la personnalité, le mode d'élaboration de la pensée et du contexte social.

`14-2` Comment les traitements de Freud utilisés pour soigner les troubles psychologiques l'ont-ils amené à concevoir l'inconscient ?

En traitant des patients dont les troubles n'avaient aucune explication physique claire, Freud en arriva à la conclusion que ces problèmes reflétaient des pensées et des sentiments inacceptables, cachés dans l'esprit *inconscient*. Pour explorer cette partie cachée de l'esprit de ses patients, Freud utilisait les *associations libres* et l'analyse des rêves.

`14-3` Comment Freud considérait-il la personnalité ?

Il considérait que la personnalité résultait des conflits issus de l'interaction entre les trois systèmes de l'esprit : le *Ça* (pulsions psychiques recherchant le plaisir), le *Moi* (directeur exécutif orienté vers la réalité) et le *Surmoi* (ensemble d'idéaux internalisés ou conscience).

`14-4` Quels sont les stades du développement proposés par Freud ?

Il pensait que les enfants se développaient en passant par cinq *stades psychosexuels* (oral, anal, phallique, période de latence et génital). Les conflits non résolus à un de ces stades pouvaient laisser les pulsions de recherche du plaisir d'une personne *fixées* à ce stade.

`14-5` De quelle manière, selon Freud, les gens se défendent-ils contre l'anxiété ?

Pour Freud, les tensions entre les demandes du Ça et du Surmoi provoquent de l'anxiété. Le Moi y fait face en utilisant des *mécanismes de défense* inconscients, en particulier le *refoulement*, qu'il considère comme le mécanisme à la base de tous les autres et qui permet l'apparition de ces derniers.

`14-6` Quelles sont les idées de Freud acceptées ou rejetées par ses disciples ?

Les néofreudiens, premiers à succéder à Freud, ont accepté beaucoup de ses idées. Mais ils donnaient plus d'importance à l'esprit conscient et aux motivations sociales stressantes qu'à l'agressivité et au sexe. La plupart des psychologues psychodynamiciens contemporains, qu'ils soient théoriciens ou thérapeutes, rejettent l'importance que Freud accordait aux motivations sexuelles. Ils insistent sur la conception qu'une grande partie de notre vie mentale est inconsciente, ce qui est soutenu par les résultats de nombreuses recherches modernes, et pensent que les expériences de notre enfance influencent notre personnalité adulte et notre mode d'attachement. Beaucoup croient aussi que l'évolution de notre espèce a créé des prédispositions universelles.

`14-7` Que représentent les tests projectifs, comment sont-ils utilisés et quelles sont les critiques dont ils sont l'objet ?

Les *tests projectifs* cherchent à évaluer la personnalité en présentant aux sujets des stimuli ambigus pouvant donner naissance à plusieurs interprétations possibles. L'analyse des réponses des sujets révèle leurs motivations inconscientes. Un de ces tests, le *test de Rorschach*, possède des qualités de fidélité et de validité qui sont faibles, exception faite de l'hostilité et de l'anxiété.

`14-8` Comment les psychologues actuels considèrent-ils la psychanalyse freudienne ?

Ils reconnaissent que Freud a attiré l'attention de la psychologie sur l'importance de l'inconscient, sur notre lutte pour faire face à la sexualité, sur le conflit entre les pulsions biologiques et les contraintes sociales, sur certaines formes de mécanismes de défense (effet de faux consensus/projection ; formation réactionnelle) et sur les mécanismes de défense inconscients de *gestion de la terreur*. Mais son concept de refoulement ainsi que sa conception de l'inconscient en tant qu'ensemble de pensées, de souhaits, de sentiments ou de souvenirs refoulés et non acceptés, ne peuvent résister à l'étude scientifique. Freud a apporté des explications faites après-coup qui sont difficiles à tester scientifiquement. Les recherches ne confortent pas de nombreuses idées spécifiques de Freud comme le fait qu'il considère que le développement est fixé au cours de l'enfance (nous savons maintenant qu'il se poursuit tout au long de la vie).

14-9 Comment la recherche contemporaine a-t-elle développé notre compréhension de l'inconscient ?

La recherche actuelle confirme que nous n'avons pas accès à tout ce qui entre dans notre esprit mais la conception actuelle de l'inconscient recouvre le traitement séparé et parallèle de l'information qui se fait sans implication de la conscience vigile. Ce traitement inclut des schémas cognitifs qui contrôlent nos perceptions ; amorçage ; mémoires implicites de compétences acquises ; émotions facilement évoquées. Ce traitement inclut aussi les stéréotypes qui modulent notre traitement de l'information venant de caractères exprimés par l'autre.

Les théories humanistes et les théories des traits de personnalité

14-10 De quelle manière les psychologues humanistes considèrent-ils la personnalité, et quels objectifs poursuivent-ils en étudiant la personnalité ?

La conception de la personnalité des psychologues *humanistes* se concentre sur le potentiel de développement des personnes en bonne santé et sur la lutte des gens pour se réaliser et se déterminer. Abraham Maslow pensait que les motivations humaines forment une hiérarchie des besoins ; si leurs besoins fondamentaux étaient comblés, les individus pouvaient se tourner vers leur *développement personnel* et leur transcendance de soi. Carl Rogers pensait que les ingrédients d'un environnement favorisant la croissance étaient l'authenticité, l'acceptation (y compris une *considération positive inconditionnelle*) et l'empathie. Le *concept de soi* était une caractéristique au centre de la personnalité pour Maslow et pour Rogers.

14-11 De quelle manière les psychologues humanistes évaluent-ils le sens du soi de quelqu'un ?

Certains ont rejeté toute évaluation standardisée et se sont basés sur des entretiens et des conversations. Rogers utilisait parfois des questionnaires sur lesquels les gens devaient décrire leur moi idéal et leur moi réel et sur lequel il se basait ultérieurement pour juger du progrès du traitement.

14-12 De quelle manière les théories humanistes ont-elles influencé la psychologie ? À quelles critiques ont-elles fait face ?

La psychologie humaniste a aidé à renouveler l'intérêt de la psychologie pour le concept du soi. Néanmoins, pour les critiques de la psychologie humaniste, ce concept est vague et subjectif, ses valeurs centrées sur le soi et ses hypothèses naïvement optimistes.

14-13 Comment les psychologues utilisent-ils les traits de caractère pour décrire la personnalité ?

Les théoriciens spécialistes des *traits de la personnalité* voient la personnalité comme un type de comportement stable et persistant. Ils décrivent nos différences plutôt que d'essayer de les expliquer. Par l'analyse factorielle, ils ont identifié des groupes de tendances comportementales qui se produisent ensemble. Les prédispositions génétiques influencent de nombreux traits de la personnalité.

14-14 Quels sont certains des malentendus fréquents que l'on rencontre lorsque l'on donne une définition de l'introversion ? Est-ce que l'extraversion mène plus souvent à la réussite que l'introversion ?

L'introversion est souvent confondue avec la timidité. Les sujets introvertis souvent ne cherchent qu'à susciter que des stimuli de faible intensité envoyés par l'environnement, autrement dit qu'à ne susciter chez l'autre que des réactions faibles. L'introversion est aussi parfois considérée comme un obstacle à la réussite, mais en fait, les sujets introvertis réussissent souvent très bien. Et ce, même dans le domaine des ventes, grâce à des traits tels que leur capacité d'écoute supérieure.

14-15 Que sont les inventaires de personnalité, et quelles sont leurs forces et leurs faiblesses en tant qu'outil d'évaluation des traits de la personnalité ?

Les *inventaires de personnalité* (comme le *MMPI*) sont des questionnaires dans lesquels les personnes répondent à des items destinés à jauger une large gamme de sentiments et de comportements. Les items du test sont choisis *empiriquement* et les résultats mesurés objectivement. Mais les personnes peuvent truquer leurs réponses pour créer une bonne impression et la facilité à faire passer ces tests de manière informatisée peut conduire à leur mauvaise utilisation.

14-16 Quels sont les traits de caractère qui, semble-t-il, fournissent les informations les plus intéressantes sur les variations de la personnalité ?

Les cinq facteurs de la personnalité (Big Five) que sont la conscience, l'amabilité, le neuroticisme, l'ouverture d'esprit et l'extraversion (CANOE), offrent actuellement l'image la plus claire de la personnalité. Ces facteurs sont assez stables et semblent exister dans toutes les cultures.

14-17 La recherche conforte-t-elle l'hypothèse de la constance des traits de personnalité dans le temps et dans toutes les situations ?

Les traits généraux des gens persistent avec le temps et sont prévisibles pour de nombreuses situations différentes. Mais les traits de caractère ne peuvent pas prédire un comportement qui se manifestera dans une situation particulière.

Les théories sociocognitives et le soi

14-18 De quelle manière les tenants de la théorie sociocognitive considèrent-ils le développement de la personnalité, et comment explorent-ils le comportement ?

Albert Bandura a le premier proposé cette *théorie sociocognitive*, qui met en évidence l'interaction de nos traits de personnalité et des situations dans lesquelles nous nous trouvons. Les chercheurs sociocognitivistes appliquent les principes de l'apprentissage, de la cognition et du comportement social à l'étude de la personnalité. Le *déterminisme réciproque* est un terme qui décrit les interactions et l'influence mutuelle du comportement, des facteurs personnels internes et des facteurs environnementaux.

14-19 Quelles sont les critiques auxquelles les tenants de la théorie sociocognitive ont dû faire face ?

Les théoriciens de l'école sociocognitiviste s'appuient sur les concepts bien établis de l'apprentissage et de la cognition. Ils ont tendance à croire que le meilleur moyen de prévoir le comportement d'une personne dans une situation donnée est d'observer le comportement de cette personne dans une situation similaire. Ils ont été critiqués pour avoir sous-estimé l'importance des motifs inconscients, des émotions et du versant biologique des traits de personnalité.

14-20 Pourquoi la psychologie a-t-elle entraîné autant de recherches sur le soi ? Quelle est l'importance de l'estime de soi pour la psychologie et pour le bien-être ?

Le *soi* est le centre de la personnalité qui organise nos pensées, nos sentiments et nos actions. Le fait de considérer les « Soi » possibles nous aide à trouver la motivation pour nous développer positivement, mais une centration sur soi trop importante, peut entraîner un *effet projecteur* ou *effet « spotlight »*. L'*estime de soi* est l'image que nous nous faisons de nous-même et que nous évaluons au regard d'un « idéal du moi » ; l'*autoefficacité* est le sentiment que nous avons de nos aptitudes au regard d'une tâche demandée. Une haute estime de soi est corrélée à une moindre difficulté à se conformer à une norme, à la capacité de persévérer lors de tâches complexes. Elle contribue à se sentir heureux de vivre. Mais le sens de la corrélation n'est pas clairement établi. Les psychologues mettent en garde contre le renforcement artificiel des sentiments d'estime de soi de l'enfant. Il est préférable de récompenser leurs réalisations, ce qui conduit à des sentiments de compétence.

14-21 Dans quelle mesure le fait d'être animé par un optimisme excessif, d'être aveugle face à sa propre incompétence, et le biais d'autocomplaisance peuvent être des manifestations néfastes de l'estime de soi et en quoi l'estime de soi défensive diffère-t-elle de l'estime de soi assurée ?

L'optimisme excessif peut conduire à la complaisance et nous empêcher de voir les risques réels, tandis que la cécité envers notre propre incompétence peut nous amener à faire les mêmes erreurs à plusieurs reprises. Le *biais d'autosatisfaction*, d'autocomplaisance, est notre tendance à nous percevoir favorablement comme lorsque nous nous considérons mieux que la moyenne ou lorsque nous acceptons de mériter notre réussite sans nous blâmer de nos échecs. Le *narcissisme* est l'amour que le sujet porte à un objet très particulier, lui-même, jusqu'à s'y perdre. L'estime de soi défensive est fragile. Elle se focalise sur son propre maintien et considère l'échec et les critiques comme une menace. L'estime de soi assurée permet de nous accepter pour ce que nous sommes.

CHAPITRE 15
LES TROUBLES PSYCHOLOGIQUES
Vue d'ensemble des troubles psychologiques

15-1 Comment devrions-nous tracer la limite entre la normalité, la santé mentale et le trouble mental ?

Selon les psychologues et les psychiatres, les *troubles psychologiques* sont marqués par une perturbation cliniquement significative de la cognition, de la régulation des émotions, ou du comportement d'un individu.

15-2 **Comment le modèle médical et l'abord biopsychosocial influencent-ils notre compréhension des troubles psychologiques ?**

Selon le *modèle médical*, les troubles psychologiques sont des maladies mentales ayant des causes physiques qui peuvent être diagnostiquées et guéries par un traitement, mené parfois dans un hôpital. La perspective biopsychosociale suppose que trois groupes d'influences ; biologiques (évolution, génétique, structure cérébrales, neurochimie), psychologiques (stress, traumatisme, impuissance acquise, perceptions liées à l'humeur et souvenirs) et cadre socioculturel (rôles, attentes, définitions de « normalité » et « maladie »), interagissent pour engendrer les différents troubles psychologiques. *L'épigénétique* apporte une aide à la compréhension de l'étiologie des troubles mentaux.

15-3 **Comment et pourquoi les cliniciens classent-ils les troubles psychologiques, et pourquoi certains psychologues critiquent l'utilisation des appellations diagnostiques ?**

La cinquième édition révisée du DSM de l'American Psychiatric Association (*Diagnostic and Statistical Manual of Mental Disorder*) propose des catégories diagnostiques, fondées sur des critères, et des descriptions qui aident les professionnels de la santé mentale en leur fournissant un langage commun et en leur permettant de partager des concepts pour communiquer entre eux et effectuer des recherches. La plupart des assurances maladies américaines demandent un diagnostic selon le CIM/DSM-IV avant de rembourser le traitement.

Certains pensent que les éditions du DSM sont devenues trop détaillées et trop larges. D'autres considèrent que les catégories diagnostiques du DSM sont des entités cliniques arbitraires pouvant conduire à des idées préconçues qui risquent de biaiser nos perceptions des comportements passés et présent.

15-4 **Pourquoi le trouble du déficit de l'attention avec hyperactivité est-il un concept clinique controversé ?**

Le diagnostic de trouble du déficit de l'attention avec hyperactivité (TDAH) peut être établi chez un enfant qui vers l'âge de 7 ans présente une *inattention extrême, une hyperactivité et une impulsivité*. Il peut être traité par des médicaments ou une autre thérapie. Ce diagnostic est moins souvent porté chez les adultes. La controverse réside dans le fait de savoir si le nombre croissant de diagnostics de TDAH reflète une prise de conscience de cette maladie, ou pourrait être occasionné par un surdiagnostic. On ne connaît pas encore les effets à long terme des stimulants utilisés pour traiter le TDAH.

15-5 **Les troubles psychologiques sont-ils prédictifs de comportements violents ?**

Les troubles mentaux peuvent entraîner la manifestation de comportements violents. Quand ces manifestations se font jour, alors se posent des questions à la fois éthiques et morales sur la manière dont la société se doit de traiter les personnes atteintes de troubles ayant entraîné des actes de violence. La plupart des personnes malades ne sont pas violentes et risquent plus d'être des victimes que des instigateurs.

15-6 **Combien de gens souffrent ou ont souffert d'un trouble psychologique ? La pauvreté représente-t-elle un facteur de risque ?**

Le taux des troubles psychologiques varie selon l'endroit et le moment où les études ont été réalisées. Lors d'une enquête effectuée dans de nombreux pays, la prévalence de ces troubles, tous confondus, allait de 5 % (Shanghai) à plus de 25 % (États-Unis). La pauvreté est un facteur de risque : les conditions associées à la pauvreté ou l'expérience de la pauvreté contribuent au développement des troubles psychologiques. Toutefois certains troubles, comme la schizophrénie, peuvent conduire les sujets qui en souffrent à la pauvreté.

Troubles anxieux, trouble obsessionnel compulsif (TOC), trouble de stress post-traumatique (TSPT)

15-7 **En quoi l'anxiété généralisée, le trouble panique, les phobies diffèrent-ils ?**

Le sentiment d'anxiété ou le comportement anxieux ne sont classés en tant que *troubles anxieux* que lorsqu'ils engendrent de la souffrance, sont durables ou se caractérisent par des comportements inadaptés visant à réduire l'anxiété. Les personnes ayant un *trouble de l'anxiété généralisée* se sentent constamment tendues, de manière incontrôlable, et craintives sans aucune raison apparente. Au cours du *trouble panique*, plus extrême, l'anxiété s'accentue jusqu'à engendrer des épisodes de frayeur intense. Les personnes atteintes de *phobies* connaissent des peurs irrationnelles vis-à-vis d'objets ou de situations spécifiques. Deux autres troubles (TOC et de TSPT) comportent un syndrome anxieux mais ne sont pas classés dans les troubles anxieux.

15-8 Qu'est-ce que le TOC ?

Des pensées (obsessions) et/ou des actions (compulsions) persistantes et répétitives caractérisent les *troubles obsessionnels compulsifs*.

15-9 Qu'est-ce que le TSPT ?

Les personnes atteintes de *trouble de stress post-traumatique (TSPT)* souffrent de symptômes survenant après un événement traumatisant et durant plus de quatre semaines. Ils sont hantés par leurs souvenirs, font des cauchemars, présentent des troubles du sommeil, souffrent d'anxiété fébrile et se retirent socialement.

15-10 Comment le conditionnement, la cognition et les facteurs biologiques contribuent-ils à l'élaboration des sentiments et des pensées qui marquent les troubles anxieux, le TOC, et le TSPT ?

La perspective de l'apprentissage considère que les troubles anxieux sont le résultat d'un conditionnement de la peur, de la généralisation du stimulus, du renforcement du comportement angoissant et de l'apprentissage par observation des peurs ou de la cognition des autres (interprétations, croyances irrationnelles et hypervigilance). La perspective biologique prend en compte (1) le rôle, dans la sélection naturelle et l'évolution, de la peur des animaux, des objets ou des situations pouvant représenter une menace vitale, (2) les prédispositions génétiques pour une forte réactivité émotionnelle et la production d'une grande quantité de neuromédiateurs, et (3) les réponses anormales des circuits cérébraux de la peur.

Les troubles dépressifs et les troubles bipolaires de l'humeur

15-11 Quelles sont les caractéristiques différentielles du trouble dépressif majeur, du trouble dépressif persistant, et du trouble bipolaire de l'humeur ?

Une personne souffre de *trouble dépressif majeur* si au moins cinq symptômes sont présents pendant une durée de deux semaines ; la présence (1) d'une l'humeur dépressive ou (2) d'une réduction marquée des intérêts ou du plaisir. Le *trouble dépressif persistant* (dysthymie) est caractérisé par une humeur dépressive quasiment présente toute la journée, plus d'un jour sur deux, pendant au moins deux ans avec présence de deux symptômes. Les personnes atteintes d'une maladie plus rare, le *trouble bipolaire*, souffrent non seulement de dépression mais aussi d'épisodes *maniaques*, qui sont des comportements hyperactifs, impulsifs et largement optimistes.

15-12 Dans quelle mesure les perspectives biologiques et sociocognitives peuvent nous aider à comprendre les troubles dépressifs et les troubles bipolaires ?

La perspective biologique des troubles dépressifs et des troubles bipolaires de l'humeur se concentre sur les prédispositions génétiques et les anomalies de la structure et de la fonction cérébrale (y compris celles observées dans les systèmes de neuromédiateurs). La perspective sociocognitive considère la dépression comme un cercle vicieux formé d'expériences stressantes (interprétées par des croyances, des attributions et des souvenirs négatifs) conduisant à une humeur et à des actions négatives qui alimentent de nouvelles expériences stressantes.

15-13 Quels sont les facteurs qui augmentent le risque de suicide, et que savons-nous à propos de l'automutilation non suicidaire ?

Le taux de suicides diffère selon le pays, l'ethnie, le sexe, le groupe d'âge, le revenu, l'implication religieuse, le statut matrimonial et (pour les jeunes gays et lesbiennes, par exemple) la structure du soutien social. Les personnes dépressives ont plus de risques de se suicider que les autres mais la suggestion sociale, l'état de santé ainsi que les frustrations économiques et sociales sont également des facteurs qui y contribuent. Les barrières environnementales (comme celles qui empêchent de sauter) sont efficaces pour prévenir les suicides. Les allusions verbales, se débarrasser de ses possessions, le repli sur soi-même, être préoccupé par la mort et discuter de son propre suicide sont tous des signes prémonitoires du suicide.

Les automutilations non suicidaires ne conduisent généralement pas au suicide mais peuvent entraîner l'escalade jusqu'aux pensées suicidaires et le passage à l'acte si elles ne sont pas traitées. Les personnes qui s'automutilent ne supportent pas bien le stress et ont tendance à s'autocritiquer, étant peu aptes à la communication et à la résolution de problèmes.

Schizophrénie

15-14 **Quels sont les modes de perception, de pensée, de sensation et de comportement qui caractérisent la schizophrénie ?**

Les symptômes de la *schizophrénie* comprennent une perturbation des perceptions une pensée et un discours désorganisés ou appauvris, des affects discordants et émoussés. *Les idées délirantes* sont de fausses croyances ; les hallucinations sont des expériences sensorielles surgissant sans aucune stimulation sensorielle (« perceptions sans objet à percevoir »). Les symptômes de la schizophrénie peuvent être positifs (présence d'un comportement inapproprié) ou négatifs (absence des comportements appropriés).

15-15 **Quelle est la différence entre la schizophrénie aiguë et la schizophrénie chronique ?**

La schizophrénie apparaît généralement à la fin de l'adolescence, touche très légèrement plus d'hommes que de femmes et semble survenir dans toutes les cultures. Lors de schizophrénie *chronique* ou processuelle les troubles se développent lentement et la guérison est peu probable. Lors de schizophrénie *aiguë* (ou réactionnelle), l'apparition est brutale en réaction à un stress et les chances de guérison sont meilleures.

15-16 **Quelles sont les anomalies cérébrales contemporaines de la schizophrénie ?**

Les personnes atteintes de schizophrénie ont plus de récepteurs de la dopamine, ce qui peut amplifier les signaux cérébraux et engendrer les symptômes positifs de la schizophrénie comme les hallucinations ou la paranoïa. Des anomalies cérébrales sont associées à la schizophrénie comme une augmentation de la taille des cavités cérébrales remplies de liquide et un rétrécissement proportionnel du cortex. L'imagerie cérébrale révèle une activité anormale au niveau des lobes frontaux, du thalamus et de l'amygdale. Des dysfonctionnements de multiples régions cérébrales et de leurs interconnexions interagissent apparemment pour produire les symptômes de la schizophrénie.

15-17 **Quels événements prénatals sont associés à un risque accru de survenue de la schizophrénie ?**

Il existe probablement d'autres facteurs pouvant contribuer à la schizophrénie comme une infection virale ou des conditions de famine pendant la grossesse de la mère, un faible poids à la naissance ou une privation d'oxygène lors de l'accouchement, ainsi qu'une mère diabétique ou un père âgé au moment de la conception.

15-18 **Les gènes influencent-ils la schizophrénie ? Quels sont les facteurs présents chez l'enfant qui peuvent être considérés comme des prodromes du développement d'une schizophrénie ?**

Les études menées chez les jumeaux et les études d'adoption mettent en évidence une composante génétique dans l'étiologie polyfactorielle de la schizophrénie. Cette composante génétique repose probablement sur l'interaction de multiples gènes. Il n'y a pas de cause environnementale nécessaire et suffisante pour que les troubles schizophréniques surviennent. Mais des événements et des causes environnementales (tels que les virus ou le stress maternel prénatal) peuvent favoriser l'expression des gènes impliqués chez les personnes prédisposées.

Il existe quelques signes précoces annonciateurs du développement ultérieur d'une schizophrénie comme des facteurs biologiques (une mère dont la schizophrénie sévère a duré longtemps ; la privation d'oxygène et un faible poids à la naissance ; une séparation d'avec les parents, une faible capacité attentionnelle et une mauvaise coordination musculaire) et des facteurs psychologiques (comportement replié ou violent ; caractère émotionnel imprévisible ; peu de relation avec les pairs ou jeux solitaires).

Troubles dissociatifs, troubles de la personnalité et troubles des conduites alimentaires

15-19 **Comment définir les troubles dissociatifs, et pourquoi cette entité clinique est-elle controversée ?**

Les *troubles dissociatifs* sont des affections au cours desquelles la pensée consciente semble s'être séparée des souvenirs, des pensées et des sentiments anciens. Les auteurs qui restent sceptiques remarquent que les *troubles dissociatifs de l'identité*, appelés anciennement trouble de la personnalité multiple, ont augmenté de manière spectaculaire à la fin du XIXe siècle, qu'ils sont rarement observés hors des États-Unis et qu'ils peuvent refléter un rôle joué par des personnes qui sont vulnérables aux suggestions des thérapeutes. D'autres considèrent cette maladie comme la manifestation d'un sentiment d'anxiété ou comme une réponse apprise lorsque ces comportements sont renforcés par une diminution du sentiment d'anxiété.

15-20 Quels sont les trois ensembles qui forment les troubles de la personnalité ? Quels sont les comportements et les activités cérébrales qui caractérisent le trouble de la personnalité antisociale ?

Les *troubles de la personnalité* sont des modes de comportement rigides et durables qui perturbent le fonctionnement social. Ils forment trois ensembles caractérisés par : (1) l'anxiété ; (2) les comportements excentriques ou singuliers ; et (3) les comportements dramatiques ou impulsifs.

Le *trouble de la personnalité antisociale* se caractérise par une absence de conscience et parfois par des comportements agressifs et dépourvus de crainte. Les prédispositions génétiques peuvent interagir avec l'environnement pour entraîner l'altération de l'activité cérébrale associée à ce trouble.

15-21 Quels sont les trois principaux troubles des conduites alimentaires, et comment les facteurs biologiques, psychologiques et socioculturels contribuent-ils à la vulnérabilité à ces troubles ?

Les facteurs psychologiques peuvent submerger la tendance de l'organisme à maintenir un poids normal, l'homéostasie du poids corporel. C'est ce qui se passe chez les personnes souffrant de troubles des conduites alimentaires, qui sont le plus généralement des femmes ou des hommes homosexuels. Malgré qu'elles aient un poids significativement inférieur à la normale, les personnes atteintes d'*anorexie mentale* (en général des adolescentes) poursuivent leur régime et leur activité physique excessive parce qu'elles se considèrent toujours comme étant trop grosses. Celles atteintes de *boulimie* (en général des adolescentes ou des femmes d'une vingtaine d'années) se gavent en cachette puis se purgent, jeûnent ou font de l'exercice soutenu. Celles atteintes d'*hyperphagie boulimique* se gavent mais ne se purgent pas, ne jeûnent pas ou ne font pas d'exercice soutenu. La pression culturelle, une mauvaise estime de soi et des émotions négatives semblent interagir avec les expériences stressantes de la vie pour produire ces troubles de l'alimentation.

CHAPITRE 16
TRAITEMENTS
Introduction aux thérapies psychologiques et au traitement

16-1 En quoi la *psychothérapie* et les *thérapies biomédicales* diffèrent-elles ?

La *psychothérapie* est un traitement s'appuyant sur des techniques psychologiques : elle consiste en des interactions entre un thérapeute formé et une personne cherchant à surmonter ses difficultés psychologiques ou à atteindre un épanouissement personnel. Les principales psychothérapies dérivent des perspectives psychodynamiques, humanistes, comportementales et cognitives de la psychologie. Les *traitements biomédicaux* traitent les troubles psychologiques par des médicaments ou des procédures qui agissent directement sur la physiologie du patient. *L'approche éclectique* associe plusieurs techniques issues de diverses formes thérapeutiques.

16-2 Quels sont les objectifs et les méthodes de la psychanalyse et comment ont-ils été adaptés à la thérapie psychodynamique ?

Par la *psychanalyse*, Sigmund Freud tentait d'aider les individus à se connaître eux-mêmes, et cherchait à les soulager de leurs troubles en leur faisant prendre conscience de leurs sentiments et de leurs pensées chargées d'anxiété. Ses techniques reposaient sur les associations libres et *l'interprétation* des *résistances* et des *transferts* sur le thérapeute. La *thérapie psychodynamique* a été influencée par la psychanalyse traditionnelle, mais en diffère à bien des égards comme la non-adhésion au concept de moi, de ça et de surmoi. Cette thérapie est, de nos jours, moins longue et moins onéreuse. Elle cherche plutôt à soulager les patients de leurs symptômes qui les handicapent. Les thérapeutes psychodynamiciens aident les patients à comprendre comment les relations passées créent des situations qui vont être « rejouées » au présent. La thérapie interpersonnelle est une forme brève de 12 à 16 séances de thérapie psychodynamique qui s'est montrée efficace dans le traitement de la dépression.

16-3 Quels sont les thèmes fondamentaux de la thérapie humaniste ? Quels sont les objectifs et les techniques spécifiques de la thérapie centrée sur la personne de Carl Rogers ?

Les thérapeutes humanistes et les psychanalystes pratiquent les *thérapies de l'insight* en tentant d'améliorer le fonctionnement de leur patient en les aidant à prendre conscience de leurs motivations et de leurs moyens de défense. L'objectif de la thérapie humaniste est d'aider le patient, ou le client, à se développer en prenant conscience de lui-même et en s'acceptant ; de favoriser le développement personnel plutôt que de guérir la maladie ; d'aider le patient à prendre la responsabilité de sa propre croissance ; de se focaliser sur les pensées conscientes plutôt que sur les motivations inconscientes et de considérer que le présent et l'avenir sont plus importants que le passé.

La *thérapie centrée sur la personne* de Carl Rogers propose que les principales contributions du thérapeute sont d'agir comme un miroir psychologique par son *écoute active* et de fournir un environnement favorable au développement par une *considération positive inconditionnelle* caractérisée par sa sincérité, son acceptation et de l'empathie.

16-4 **Quelle est la différence entre l'hypothèse de base de la thérapie comportementale et celles des thérapies psychodynamiques et humanistes ? Quelles sont les techniques utilisées par la thérapie d'exposition et le conditionnement aversif ?**

Les *thérapies comportementales* ne sont pas des thérapies de l'insight. Leur objectif est d'appliquer les principes d'apprentissage pour modifier les troubles comportementaux.

Les techniques de conditionnement classique comme les *thérapies d'exposition* (par exemple la *désensibilisation systématique* ou la *thérapie par réalité virtuelle*) ainsi que le *conditionnement aversif* cherchent à modifier les comportements par le *déconditionnement* en entraînant de nouvelles réponses vis-à-vis des anciens stimuli qui déclenchaient les comportements indésirables.

16-5 **Quel est le concept de base des traitements utilisant les principes du conditionnement opérant, et que pensent les critiques et les partisans de ces traitements ?**

Le présupposé théorique du conditionnement opérant est que les comportements volontaires sont fortement influencés par leurs conséquences. Les psychothérapies fondées sur les principes du conditionnement opérant utilisent des techniques de modification du comportement pour changer les comportements indésirables en renforçant positivement les comportements désirés et en ignorant ou en punissant les comportements non souhaités.

Les critiques considèrent que (1) les techniques utilisant *l'économie de jetons* peuvent engendrer des modifications comportementales qui risquent de disparaître lorsque les récompenses sont stoppées et (2) que le fait de décider quels comportements doivent être modifiés pose des problèmes d'éthique et a une connotation totalitaire. Les partisans répliquent qu'un traitement accompagné de récompenses positives est plus humain que de punir les gens ou de les interner à cause de leurs comportements indésirables.

16-6 **Quels sont les objectifs et les techniques de la thérapie cognitive et de la thérapie cognitivo-comportementale ?**

Les *thérapies cognitives*, comme la thérapie cognitive de la dépression d'Aaron Beck, supposent que nos pensées influencent nos sentiments et que le rôle du thérapeute est de modifier les pensées d'autodépréciation en entraînant les personnes à regarder en elles-mêmes d'une nouvelle manière plus positive. La *thérapie cognitivo-comportementale (TCC)*, largement utilisée, a fait l'objet de nombreuses recherches. Elle associe les thérapies cognitives aux thérapies comportementales en aidant les patients à pratiquer régulièrement de nouvelles manières de penser et de parler dans leur vie quotidienne.

16-7 **Quels sont les objectifs et les avantages des thérapies de groupe et des thérapies familiales ?**

Les *thérapies de groupe* peuvent aider plus de personnes et sont moins onéreuses que les thérapies individuelles. Il peut être bénéfique pour le patient d'explorer ses sentiments et de développer ses aptitudes sociales dans un contexte de groupe, de savoir que d'autres ont des problèmes similaires, d'avoir connaissance des retours des nouvelles façons de se comporter. La *thérapie familiale* considère la famille comme un système interactif et essaye d'aider ses membres à découvrir leurs rôles et à communiquer de manière plus ouverte et directe.

Évaluation des psychothérapies

16-8 **La psychothérapie donne-t-elle des résultats satisfaisants ? Comment pouvons-nous le savoir ?**

Les témoignages positifs des clients et des thérapeutes ne permettent pas de prouver que ces psychothérapies sont réellement efficaces. De plus l'effet placebo rend difficile le jugement de la part réelle du traitement dans l'amélioration qui a été observée.

Les chercheurs ont utilisé des *méta-analyses* pour associer statistiquement les résultats de centaines d'études de psychothérapie randomisées et ils ont trouvé que les patients ne recevant pas de traitement s'amélioraient certes souvent mais que ceux qui suivaient une psychothérapie avaient plus de chances de présenter une amélioration plus rapide et moins de risques de rechutes.

16-9 **Certaines psychothérapies sont-elles plus efficaces que d'autres sur des troubles spécifiques ?**

Aucun type de psychothérapie n'est généralement supérieur à tous les autres. La thérapie est plus efficace pour ceux qui ont des problèmes bien spécifiques et clairs. Certaines psychothérapies, comme le conditionnement comportemental utilisé pour traiter les phobies et les compulsions, sont plus efficaces sur certains troubles spécifiques. Les thérapies psychodynamiques se sont montrées efficaces pour traiter les dépressions et l'anxiété. Les thérapies cognitives et cognitivo-comportementales permettent aux patients de gérer leur anxiété, le trouble stress post-traumatique ou leur état dépressif. La *pratique fondée sur les preuves* intègre les meilleures recherches disponibles à l'expertise du clinicien et aux caractéristiques, aux préférences et aux circonstances du patient.

16-10 **Comment les médecines parallèles ont-elles été soumises à l'examen minutieux de la science ?**

Les états anormaux ont tendance à évoluer et à revenir naturellement la normale, et l'effet placebo peut créer l'impression que le traitement a été efficace. Ces deux tendances compliquent l'évaluation des thérapies alternatives (thérapies ne faisant pas partie de la médecine scientifique classique et qui prétendent guérir certaines maladies). Désensibilisation des mouvements oculaires et retraitement (EMDR) ont montré une certaine efficacité, non pas par le mouvement des yeux, mais plutôt par sa nature de thérapie d'exposition. La luminothérapie semble soulager les symptômes dépressifs des sujets souffrant d'une forme saisonnière de dépression saisonnière en activant une région sous corticale qui influence l'éveil et la sécrétion d'hormones.

16-11 **Quels sont les trois éléments communs à toutes les formes de psychothérapies ?**

Toutes les psychothérapies amènent de nouveaux espoirs pour les personnes démoralisées, une nouvelle perspective et (si le thérapeute est efficace) une relation empathique, emplie de confiance et chaleureuse. Le lien émotionnel de confiance et de compréhension entre le thérapeute et son patient, que l'on nomme *l'alliance thérapeutique*, est un élément important de l'efficacité du traitement.

16-12 **De quelle manière la culture et les valeurs peuvent-elles influencer la relation entre le thérapeute et son patient ?**

Les thérapeutes ont différentes valeurs qui influencent leurs objectifs thérapeutiques et leur vision des progrès. Ces différences peuvent engendrer des problèmes lorsque les thérapeutes travaillent avec des patients ayant différents points de vue culturels ou religieux.

16-13 **À quoi doit s'intéresser une personne lorsqu'elle recherche un psychothérapeute ?**

Une personne souhaitant suivre une psychothérapie peut vouloir s'informer sur l'approche thérapeutique choisie par le thérapeute, sur ses valeurs, ses croyances et ses honoraires. Il est important que celui qui recherche une psychothérapie se sente à l'aise avec son thérapeute et puisse établir des liens avec lui.

Traitements biomédicaux et prévention des troubles psychologiques

16-14 **Quels sont les traitements pharmacologiques ? Comment les études en double aveugle peuvent-elles aider les chercheurs à évaluer l'efficacité d'un médicament ?**

La *psychopharmacologie* qui étudie les effets des médicaments sur l'esprit et le comportement a permis que les traitements pharmacologiques soient les thérapies biomédicales les plus employées. Les *neuroleptiques*, utilisés pour traiter la schizophrénie, bloquent l'activité de la dopamine. Certains peuvent avoir de graves effets secondaires, y compris une dyskinésie tardive (avec des mouvements involontaires des muscles faciaux, de la langue et des membres) ou une augmentation du risque d'obésité et de diabète. Les *anxiolytiques*, qui diminuent l'activité du système nerveux central, sont utilisés dans le traitement des troubles anxieux, du trouble obsessionnel-complusif et du trouble stress post-traumatique. Ces médicaments peuvent être physiquement et psychologiquement sources de dépendance. Les *antidépresseurs*, qui augmentent la disponibilité de la sérotonine et de la noradrénaline, sont utilisés lors de dépression avec une efficacité modérément supérieure à celle des placebos. Les antidépresseurs de la famille des inhibiteurs sélectifs de la recapture de la sérotonine (ISRS) sont maintenant également utilisés pour traiter d'autres troubles comme les accidents vasculaires cérébraux ou les troubles de l'anxiété. Les sels de lithium et le Dépakote® sont des stabilisateurs de l'humeur prescrits pour les patients souffrant d'un trouble bipolaire. Les études peuvent utiliser une procédure en double aveugle pour éviter l'effet placebo et le biais du chercheur.

16-15 **Comment peut-on utiliser l'électroconvulsivothérapie et la psychochirurgie pour traiter certains troubles mentaux caractérisés ?**

L'électroconvulsivothérapie (ECT) est un traitement efficace de dernier recours des personnes sévèrement déprimées qui n'ont pas répondu aux autres traitements. Elle consiste à envoyer un bref courant électrique dans le cerveau d'un patient anesthésié. De nouvelles alternatives thérapeutiques de la dépression incluent la *stimulation magnétique transcrânienne répétée (SMTr)* et la stimulation profonde du cerveau qui, d'après les expériences cliniques préliminaires, calme une région cérébrale hyperactive liée aux émotions négatives.

La *psychochirurgie* enlève ou détruit des tissus cérébraux dans l'espoir de modifier le comportement. Les traitements radicaux de psychochirurgie comme la *lobotomie* étaient auparavant populaires mais les neurochirurgiens effectuent maintenant rarement des interventions chirurgicales sur le cerveau pour modifier le comportement ou l'humeur. La chirurgie cérébrale est un traitement de dernier recours parce que ses effets sont irréversibles.

16-16 **Comment les personnes atteintes de dépression peuvent-elles être soulagées de leurs maux en adoptant un mode de vie plus sain et en prenant soin de leur corps ? En quoi cela reflète-t-il le fait que nous sommes des êtres biopsychosociaux ?**

Les personnes déprimées qui suivent un programme comportant de l'aérobic, suffisamment de sommeil, une exposition à la lumière, un engagement social, une baisse des pensées négatives et une meilleure alimentation obtiennent souvent un certain soulagement. Dans notre système intégré biopsychosocial, le stress affecte notre biochimie organique et notre santé ; les déséquilibres biochimiques peuvent engendrer une dépression ; et le soutien social ainsi que d'autres modifications du style de vie peuvent conduire au soulagement des symptômes.

16-17 **Quelle est la justification des programmes de prévention en santé mentale, et pourquoi est-il important de développer la résilience ?**

Les programmes de prévention de la santé mentale sont basés sur l'idée que de nombreux troubles psychologiques pourraient être évités en changeant les environnements qui oppressent et détruisent l'estime de soi en des environnements plus bienveillants et attentionnés qui favorisent le développement individuel, la confiance en soi et la *résilience*. Faire face à des défis peut entraîner une *croissance post-traumatique*. Les psychologues communautaires sont souvent actifs dans des programmes de prévention en santé mentale.

ANNEXE A

LA PSYCHOLOGIE DANS LE MONDE DU TRAVAIL

A-1 **Qu'est-ce que le *flux*, et quelles sont les trois branches de la psychologie industrielle et organisationnelle ?**

Le *flux* est un état de conscience traduisant une implication et une concentration totale au cours duquel les gens perdent conscience d'eux-mêmes et du temps. Il résulte de l'engagement total des aptitudes d'une personne. La *psychologie industrielle et organisationnelle* comporte trois branches qui sont la *psychologie du personnel*, la *psychologie organisationnelle* et la *psychologie ergonomique*.

A-2 **Comment les psychologues du personnel aident-ils les entreprises à sélectionner les employés, à les placer et à évaluer leurs performances ?**

Les psychologues du personnel travaillent avec les entreprises pour mettre au point des méthodes de sélection des nouveaux employés, de recrutement et d'évaluation des postulants, de conception et d'évaluation de programmes de formation, d'identification des atouts des employés, d'analyse de la teneur d'un travail, et d'évaluation des performances individuelles et de l'entreprise. Les entretiens non structurés et subjectifs ont tendance à encourager l'illusion de l'intervieweur. Les *entretiens structurés* identifient les atouts importants pour le travail et sont plus prédictifs des performances. Les listes de contrôle, les échelles graphiques et les échelles comportementales représentent des méthodes intéressantes d'évaluation des performances.

A-3 **Quel est le rôle des spécialistes en psychologie organisationnelle ?**

Les spécialistes en psychologie organisationnelle examinent les influences sur la satisfaction de l'employé et sa productivité et facilitent les modifications d'ordre organisationnel. La satisfaction et l'engagement des employés ont tendance à être corrélés avec la réussite de l'entreprise.

A-4 **Quelles sont les techniques d'un management efficace ?**

Les dirigeants efficaces exploitent les points forts importants pour le travail, mettent en place des objectifs stimulants spécifiques et choisissent un type de leadership adapté. Le style de leadership peut être orienté sur l'objectif (*leadership fonctionnel*) ou sur le groupe (*leadership social*) ou représenter une association des deux.

A-5 **Comment travaillent les spécialistes en psychologie ergonomique pour créer des machines et des conditions de travail agréables ?**

Les psychologues spécialistes en ergonomie contribuent à notre sécurité et améliorent les conceptions des objets en encourageant les développeurs et les concepteurs à envisager les capacités perceptuelles de l'homme, à éviter le syndrome du savoir et à tester les objets sur les utilisateurs pour mettre à jour les problèmes liés à la perception.

Réponses aux questions *Évaluez-Vous*

PROLOGUE

Histoire de la psychologie

Qu'est-ce que la psychologie ?

1. Wilhelm Wundt

2. a

3. a

4. b

5. L'environnement (culture) a une influence sur nous, mais cette influence est limitée par notre biologie (nature). L'hérédité et l'environnement interagissent. Les personnes prédisposées à être très grandes (la nature), par exemple, sont peu disposées à devenir gymnastes olympiques, quel que soit l'entraînement auquel elles vont se soumettre (culture).

6. d

7. psychiatre

8. c

CHAPITRE 1

Penser de manière critique grâce à la psychologie scientifique

Le besoin d'une psychologie scientifique

1. Biais de l'après-coup

2. d

3. Penser avec discernement, ou avoir une réflexion critique, c'est examiner les prémisses de la réflexion, ses sources, débusquer les valeurs cachées, jauger les preuves et soupeser les conclusions. Pour évaluer une affirmation faite par les médias, il faut rechercher des indices de preuves empiriques, venant de préférence de plusieurs études. Posez-vous les questions suivantes lorsque vous analysez cette situation : Ces affirmations reposent-elles sur des conclusions scientifiques ? Plusieurs études ont-elles été capables de répliquer les résultats et ainsi les confirmer ? Des experts sont-ils cités en référence ? Si oui, quel est leur bagage universitaire et professionnel ? Sont-ils affiliés à une université, un collège ou une institution reconnue ? Ont-ils mené des recherches ou publié des articles scientifiques ?

Stratégies de recherche : comment les psychologues posent-ils des questions et y répondent-ils ?

4. Une hypothèse

5. c

6. représentatif

7. négative

8. nuage de points

9. a

10. Régression vers la moyenne : tendance pour les valeurs extrêmes ou inhabituelles à retrouver une valeur proche de la moyenne, avec le temps. Cela est dû à la variabilité intra-individuelle du paramètre mesuré au cours du temps. Sans le savoir, nous pouvons décider à tort que le retour à la normale était la conséquence de notre propre comportement.

11. a

12. (a) *La consommation d'alcool est associée à la violence. (Une interprétation : la boisson déclenche ou exacerbe un comportement agressif.)* La colère déclenche peut-être l'absorption de boissons alcoolisées, ou peut-être que ce sont les mêmes gènes ou les mêmes façons d'avoir été élevés qui prédisposent à la manifestation de comportements agressifs ou à l'appétence pour l'alcool. (Les chercheurs ont montré que la consommation d'alcool, en effet, ne déclenche pas de comportement agressif.)

(b) *Les personnes instruites vivent plus longtemps, en moyenne, que les personnes moins instruites. (Une interprétation possible : l'éducation prolonge la vie et améliore la santé.)* On peut dire aussi que les personnes les plus riches peuvent accéder à un meilleur enseignement et à de meilleurs soins de santé. (La recherche appuie cette conclusion.)

(c) *Les adolescents pratiquant des sports d'équipe sont moins prompts à consommer des drogues, à fumer, avoir des relations sexuelles, porter des armes, à avoir une alimentation déséquilibrée que ceux qui ne pratiquent pas ces sports. (Une interprétation possible : Les sports d'équipe encouragent une vie saine.)* Un troisième facteur expliquerait cette corrélation : les adolescents qui consomment des drogues, qui fument, qui ont des rapports sexuels précoces, qui portent des armes, et qui ne font pas attention à leur alimentation, sont peut-être plus « solitaires » et ne prennent pas de plaisir à pratiquer un sport d'équipe.

(d) *Les adolescents qui voient fréquemment des scènes de films dans lesquelles les acteurs fument sont plus susceptibles de fumer. (Une interprétation : le comportement des stars de cinéma influence les adolescents impressionnables.)* Peut-être que les adolescents qui fument et qui vont souvent au cinéma sont moins suivis par leurs parents et ont plus d'argent de poche que les autres adolescents.

13. les expériences

14. placebo

15. c

16. variable indépendante

17. b

18. d

Le raisonnement statistique dans la vie quotidienne

19.b

20.d

21.courbe normale

22.a

CHAPITRE 2

LA BIOLOGIE DE L'ESPRIT
Les systèmes nerveux et endocrinien

1. un axone

2. c

3. a

4. neuromédiateurs et neurotransmetteurs

5. b

6. c

7. autonome

8. central

9. a

10.glandes surrénales

Outils de découverte et structures cérébrales les plus anciennes

11.b

12.d

13.c

14.cervelet

15.b

16.l'amygdale

17.b

18.hypothalamus

Le cortex cérébral et nos deux hémisphères

19.d

20.Le cortex visuel est un réseau de neurones sensoriels connectés via des interneurones à d'autres réseaux de neurones, y compris les réseaux auditifs. Cela vous permet d'intégrer des informations visuelles et auditives et de remercier un ami que vous reconnaissez quand il vous accueille lors d'une réception.

21.c

22.frontaux

23.Vous pourrez entendre des sons, mais sans les aires associatives du lobe temporal vous seriez incapable de donner un sens à ce que vous entendez.

24.aires associatives

25.c

26.ON ; HER

27.a

28.b

CHAPITRE 3

LA CONSCIENCE ET LES DEUX VOIES DE L'ESPRIT
Les états du cerveau et la conscience

1. cécité d'inattention

2. inconscient ; conscient

3. inattentionnelle

Le sommeil et les rêves

4. rythme circadien

5. b

6. Stade 3 du sommeil non REM

7. Il augmente dans la durée.

8. c

9. Au cours de la narcolepsie, la personne s'endort périodiquement directement en sommeil paradoxal, sans aucun signe prémonitoire ; une personne souffrant du syndrome des apnées du sommeil se réveille à plusieurs reprises au cours de la nuit.

10.d

11.Selon la théorie d'activation neurale, les rêves représentent une tentative du cerveau pour donner un sens à toute l'activité nerveuse survenant de façon aléatoire.

12.L'explication du traitement de l'information fait lors de l'activité onirique propose que l'activité cérébrale pendant le sommeil paradoxal nous permet de passer en revue et de trier *les informations pertinentes diurnes*.

13.rebond de sommeil REM

Substances psychoactives (SPA) et conscience

14.tolérance

15.a

16.L'alcool est désinhibiteur – il nous rend plus susceptibles de faire ce que nous aurions voulu faire à l'état normal, que cela implique d'être attentifs à l'autre ou d'être agressifs.

17.d

18.LSD

19.a

20.b

CHAPITRE 4

L'INNÉ, L'ACQUIS ET LA DIVERSITÉ HUMAINE

La génétique du comportement : prédire les différences entre les individus

1. chromosomes
2. gène
3. b
4. c
5. Identiques, monozygotes
6. b
7. tempérament
8. Héritabilité
9. l'environnement

La psychologie évolutionniste : comprendre la nature humaine

10. différences ; caractères communs
11. c

Culture, genre et autres influences environnementales

12. b
13. genre
14. c
15. Y
16. d
17. 11 ; 12
18. trouble du développement sexuel
19. b
20. identité de genre

CHAPITRE 5

LE DÉVELOPPEMENT DE L'INDIVIDU TOUT AU LONG DE SA VIE

Développement prénatal et nouveau-né

1. continuité/stades
2. b
3. c
4. tératogènes

Petite enfance et enfance

5. a
6. frontaux

7. b
8. Nous perdons la mémoire consciente des expériences que nous avons vécues avant l'âge de 3 ans et demi, en partie parce que les régions majeures du cerveau ne sont pas encore matures.
9. Les enfants au stade *sensori-moteur* selon Piaget ont tendance à se concentrer uniquement sur leurs propres perceptions du monde et peuvent, par exemple, ne pas être conscients que les objets continuent d'exister lorsqu'ils ne sont plus atteints par le regard. Un enfant étant au *stade préopératoire* est toujours égocentrique et incapable d'apprécier la simple logique, telle que la réversibilité des opérations. Un préadolescent se trouvant au *stade des opérations concrètes* commence à penser logiquement à propos d'événements concrets, mais ne peut raisonner sur des concepts abstraits.
10. a
11. peur de l'étranger
12. Avant ces études, de nombreux psychologues pensaient que les enfants restaient attachés à ceux qui les avaient nourris.

Adolescence

13. b
14. des opérations formelles
15. b
16. l'émergence de l'âge adulte

Âge adulte

17. a
18. Les études transversales comparent les gens d'âges différents. Les études longitudinales étudient et évaluent, régulièrement, les mêmes personnes sur une longue période de temps.
19. engendrement
20. c

CHAPITRE 6

LA SENSATION ET LA PERCEPTION

Principes fondamentaux de la sensation et de la perception

1. b
2. perception
3. d
4. différence perceptible
5. b
6. d
7. a

La vision : traitement sensoriel et perceptif

8. longueur d'onde
9. a

10.c

11.c

12.d

13.Votre cerveau construit la perception de la couleur en deux étapes. Dans la première étape, le citron reflète l'énergie lumineuse sur votre rétine, où elle est transformée en messages nerveux. Trois ensembles de cônes, sensibles chacun à une lumière de longueur d'onde différente (rouge, bleu et vert) vont traiter l'information. Dans le cas présent des cônes sensibles au rouge et au vert sont stimulés en même temps. Dans la deuxième étape, les cellules du processus antagonistes sensibles aux couleurs opposées appariées (rouge/vert, jaune/bleu et noir/blanc) évaluent les messages nerveux afférents à travers le nerf optique qui iront ensuite vers le thalamus et le cortex visuel. Lorsque les cellules du processus antagoniste sensibles au jaune sont stimulées, vous identifiez le citron comme jaune.

14.détecteurs des caractéristiques

15.traitement parallèle

16.d

17.a

18.b

19.c

20.monoculaire

21.b

22.b

23.adaptation perceptive

Les autres organes des sens

24.cochlée

25.*L'oreille externe* recueille les ondes sonores, qui sont traduites en ondes mécaniques par l'*oreille moyenne* et transformées en mouvements ondulatoires d'un fluide dans l'*oreille interne*. Le *nerf auditif* traduit alors l'énergie mécanique en ondes électriques et les envoie vers le cerveau, qui perçoit et interprète le son.

26.de l'emplacement ; des fréquences

27.c

28.Notre expérience de la douleur est influencée par des facteurs biologiques (tels que les récepteurs sensoriels qui détectent la pression), les facteurs psychologiques (comme l'attention), et les facteurs socioculturels (tels que les normes sociales de tolérance et d'expression de la douleur).

29.Nous possédons des récepteurs spécialisés pour détecter les goûts : sucré, salé, acide, amer, et umami. Les goûts agréables ont attiré nos ancêtres vers les aliments riches en énergie et en protéines qui leur ont permis de survivre. Les goûts désagréables les ont détournés des nouveaux aliments qui pouvaient être toxiques, augmentant leurs chances de survie.

30.La kinesthésie ; sens vestibulaire

31.Votre centre vestibulaire régule l'équilibre et le positionnement du corps grâce à des récepteurs kinesthésiques activés par les mouvements des fluides de votre oreille interne. Si vos jambes hésitent et si le monde semble basculer, c'est que les récepteurs sont toujours activés par les effets du roulis ressentis lors de votre voyage. Dès que vous serez sur la terre ferme, votre sens vestibulaire détectera cette nouvelle position, et votre équilibre sera restauré.

32.d

33.d

CHAPITRE 7

L'APPRENTISSAGE

Concepts fondamentaux de l'apprentissage et du conditionnement classique

1. information ; comportements

2. c

3. conditionnel

4. discrimination

5. b

6. Une image à connotation sexuelle est un SI qui déclenche une RI d'intérêt porté à l'image ou état d'excitation. Dans les supports publicitaires d'un produit comportant une image à caractère sexuel, le produit est un SN. Au fil du temps le produit peut devenir un SC qui déclenche la RC d'intérêt porté à l'image ou état d'excitation.

Conditionnement opérant

7. Skinner

8. façonnage ou modelage du comportement

9. b

10.Votre attention pourrait être renforcée si votre professeur éliminait quelque chose que vous détestez. Par exemple, votre professeur pourrait vous proposer de réduire la longueur d'un texte qui vous est destiné et ainsi remplacer le temps consacré à la lecture, par une autre activité. Dans les deux cas, il aurait supprimé un stimulus aversif afin de renforcer négativement votre attention.

11.partiel

12.a

13.intervalle variable

14.c

Biologie, cognition et apprentissage

15.goût-aversion

16.Tous ces exemples sont en accord avec le principe de Darwin selon lequel la sélection naturelle favorise les caractéristiques utiles à la survie.

17.b

18.un apprentissage latent

19.apprentissage par observation

20.du fait d'autrui ; du fait d'autrui

21.a

22.miroirs

23.c

CHAPITRE 8

LA MÉMOIRE

Étude et encodage de la mémoire

1. rappel

2. codage ; stockage ; récupération

3. a

4. iconique ; échoïque

5. sept

6. moyens mnémotechniques

Stockage et récupération des souvenirs

7. a

8. implicite

9. c

10.indices de récupération

11.Les souvenirs sont stockés dans un ensemble comprenant de nombreuses associations, dont l'une est l'humeur. Lorsque vous vous rappelez les moments heureux de votre passé, vous activez délibérément ces liens portant une charge affective positive. Vous pouvez alors revivre ces souvenirs congruents à une humeur heureuse qui rappelleront d'autres moments heureux. Votre humeur du moment s'en ressentira et jettera sur vous et votre monde une humeur favorable.

12.a

Oubli, construction de la mémoire, et l'amélioration de la mémoire

13.d

14.d

15.rétroactive

16.refoulement

17.b

18.L'hippocampe d'Eliza n'a pas subi une maturation complète. Le langage n'est pas encore acquis ; elle n'aurait donc pas pu encoder des souvenirs d'une réception donnée lors d'un mariage, quand elle avait 2 ans et les restituer par la mémoire explicite. Il est plus probable qu'Eliza ait connu cet événement par ouï-dire, en l'entendant raconter plusieurs fois et qu'elle en ait construit ainsi un souvenir semblant réel.

19.amnésie de la source

20.impression de déjà-vu

21.b

22.b

CHAPITRE 9

PENSÉE ET LANGAGE

La pensée

1. concept

2. l'algorithme

3. Oscar devra se prémunir contre le *biais de confirmation* (tendance à chercher de l'information qui soutient nos idées préconçues et à ignorer ou à fausser des preuves contradictoires). Même si Oscar rencontre de nouvelles informations qui réfutent ses croyances, *la persévération des préjugés* peut le conduire à se cramponner à ses idées. Il faudra plus de preuves convaincantes pour modifier son opinion qu'il n'en a fallu pour la créer.

4. c

5. disponibilité

6. l'effet de présentation

7. b

Le langage et la pensée

8. c

9. phonèmes ; morphèmes ; grammaire

10.langage télégraphique

11.grammaire universelle

12.a

CHAPITRE 10

L'INTELLIGENCE

Qu'est-ce que l'intelligence ?

1. facteur (g) d'intelligence générale

2. c

3. académique ; pratique ; créative

4. d

Évaluer l'intelligence

5. d

6. c

7. fidélité

La dynamique de l'intelligence

8. Le travail des écrivains repose davantage sur *l'intelligence cristallisée*, ensemble des connaissances et des aptitudes verbales accumulées, qui augmente avec l'âge. Pour une recherche scientifique féconde, les chercheurs ont besoin de mettre en œuvre leur *intelligence fluide*, permettant un raisonnement abstrait et rapide. Cette forme d'intelligence a tendance à diminuer avec l'âge.

9. c

Les influences de la génétique et de l'environnement sur l'intelligence

10.a

11.c

12.c

13.La menace du stéréotype

CE QUI MOTIVE NOS CONDUITES : LA FAIM, LA SEXUALITÉ, L'AMITIÉ ET L'ACCOMPLISSEMENT DE SOI

Les concepts fondamentaux de la motivation

1. b

2. a

3. une incitation

4. de l'éveil

5. b

6. a

La faim

7. La pyramide de Maslow conforte cette affirmation ; certains besoins priment sur d'autres. Ce n'est que lorsque les besoins physiologiques sont satisfaits que nous sommes amenés à nous préoccuper de notre besoin de sécurité, puis à répondre aux besoins propres à l'homme, besoin d'appartenance et besoin de donner et de recevoir de l'amour (comme le besoin d'être embrassé).

8. homéostasie

9. c

10.glucose ; basse

11.métabolisme basal

12.d

13.Le programme de Sanjay sera difficile à respecter. Après avoir pris du poids, la dépense énergétique pour maintenir la masse grasse acquise est moindre que celle qui a été nécessaire pour l'acquérir. Sanjay pourrait avoir plus tard du mal à la réduire, quand son métabolisme sera ralenti et dépensera moins d'énergie pour maintenir le poids corporel acquis.

La motivation sexuelle

14.b

15. b

16.Les dysfonctionnements sexuels sont des difficultés que les hommes et les femmes peuvent éprouver et qui sont peut-être liés à la stimulation et à la fonction sexuelle. Les paraphilies sont des conditions qui peuvent être classées comme des troubles psychologiques, dans lesquels l'excitation sexuelle est associée à des objets non-humains, la souffrance ou celle d'autrui, et/ou des personnes non consentantes.

17.réduit ; ne protège pas

18.c

19.Les chercheurs n'ont trouvé aucune preuve en faveur du rôle des facteurs environnementaux sur le développement de notre orientation sexuelle, que ce soient : les relations parentales, les expériences vécues dans l'enfance, les relations avec autrui, ou les expériences des rencontres amoureuses.

Appartenance et accomplissement

20.c

21.Sachez maîtriser le temps passé sur internet et les sentiments évoqués à cette occasion. Ne rejoignez pas vos « amis » qui vous font perdre du temps. Éteignez ou éloignez tous les appareils que vous serez tentés d'utiliser. Passez peu de temps sur les réseaux sociaux, et éloignez-vous régulièrement de ce monde électronique.

CHAPITRE 12

ÉMOTIONS, STRESS ET SANTÉ

Introduction à l'étude des émotions

1. James-Lange

2. b

3. c

4. Un polygraphe mesure et enregistre les modifications physiologiques, telles que la fréquence cardiaque et la transpiration, qui sont associées aux émotions. Son utilisation comme détecteur de mensonge est controversée parce que la mesure ne peut pas faire la distinction entre les émotions évoquant des modifications physiologiques semblables (telles que l'anxiété et la culpabilité).

Expression des émotions

5. rétroaction faciale

Ressentir l'émotion

6. d

7. positive

8. b

9. de privation relative

Stress et maladie

10.résistance ; épuisement

11.tendre la main ; venir en aide

12.b

13.d

14.c

15.Les individus de type A éprouvent souvent des émotions dites négatives (colère, dépression), au cours desquelles l'activité du système nerveux sympathique réduit le débit sanguin viscéral ou splanchnique et donc réduit le débit sanguin hépatique. Les lipides de cholestérol circulant peuvent créer des plaques athéromateuses près du cœur et d'autres organes, ce qui augmente le risque de maladie cardiaque et d'autres affections. Ainsi, les individus de type A en se mettant en colère portent un préjudice à leur santé.

16.négatifs

Santé et stratégie d'adaptation

17. l'émotion
18. b
19. interne
20. d
21. aérobic
22. c

CHAPITRE 13
PSYCHOLOGIE SOCIALE
Pensée sociale

1. a
2. périphérique
3. doigt dans l'engrenage
4. La théorie de la dissonance cognitive soutient cette affirmation. Si Jamal agit en confiance, son comportement va contredire son autodépréciation, créant un état de dissonance cognitive. Pour réduire l'état de tension intérieure, Jamal pourra mettre en accord son attitude et son action en se considérant comme plus extraverti et plus confiant.

Influence sociale

5. c
6. a
7. La présence d'un large public génère l'excitation et renforce la réponse la plus probable du Dr Huang : une prestation plus brillante dans un domaine où il est compétent (enseignement de l'histoire de la musique) et une prestation médiocre dans un domaine où il éprouve des difficultés (méthodes statistiques).
8. désindividualisation
9. polarisation du groupe

Relations antisociales

10. stéréotypes
11. Cette réaction pourrait se produire car nous avons tendance à trop généraliser à partir de cas particuliers et de souvenirs d'événements récents.
12. très
13. d
14. c
15. c
16. c

Relations prosociales

17. simple exposition
18. complice ; passionnel
19. d
20. c

21. miroir
22. prépondérants

CHAPITRE 14
LA PERSONNALITÉ
Introduction à l'étude de la personnalité et aux théories psychodynamiques

1. refoulement
2. c
3. Surmoi
4. b
5. anxiété
6. projectifs
7. d
8. a
9. a

Les théories humanistes et les théories des traits de personnalité

10. d
11. Rogers pourrait affirmer que le criminel a été élevé dans un environnement dépourvu de sentiments vrais, d'acceptation de soi (regard positif inconditionnel), et d'empathie, qui a inhibé la maturation psychologique et a conduit à une image de soi négative.
12. regard positif inconditionnel
13. traits
14. c
15. b
16. b

Les théories sociocognitives et le soi

17. a
18. sociocognitive
19. b
20. Oui, si cette estime de soi est du type *estime de soi assurée*. L'estime de soi assurée favorise le dépassement de soi et une meilleure qualité de vie. Une estime de soi excessive peut favoriser une estime de soi artificiellement élevée ou défensive, qui peut être fâcheuse si elle suscite, chez l'autre, colère ou comportement agressif.
21. effet projecteur

CHAPITRE 15
LES TROUBLES PSYCHOLOGIQUES
Vue d'ensemble des troubles psychologiques

1. la dépression

2. Non. Le comportement d'Anna est inhabituel, il peut provoquer chez elle un sentiment de malaise, et peut lui faire perdre quelques minutes à l'occasion, mais il ne semble pas perturber de manière significative son fonctionnement global. Comme la plupart d'entre nous, Anna manifeste certains comportements inhabituels qui ne sont pas invalidants ou inadaptés, et, par conséquent, qui ne sont pas la traduction d'un trouble psychologique.

3. Le *Susto* est un état caractérisé par une anxiété très importante, une agitation et une crainte de la magie noire. Il est propre à la culture latino-américaine.

4. médical

5. c

6. Les critiques ont exprimé leurs préoccupations causées par les effets négatifs que pourraient avoir les définitions des catégories diagnostiques du DSM. Des critiquent récentes font état de leur crainte de voir surgir une inflation diagnostique causée par les critères du DSM, et une qualification de comportement normal en comportement pathologique.

7. la pauvreté

8. d

Troubles anxieux, trouble obsessionnel compulsif, et trouble de stress post traumatique

9. phobie

10. c

11. obsessionnel compulsif

12. c

Les troubles dépressifs et les troubles bipolaires de l'humeur

13. les femmes ; les hommes

14. d

15. noradrénaline ; sérotonine

16. sociocognitive

Schizophrénie

17. Non. La schizophrénie implique une altération des perceptions des émotions et des affects et une rupture avec le monde réel. Ce trouble ne concerne pas les fluctuations rapides de l'humeur ou celles de l'identité, comme le suggère cette comparaison.

18. b

19. hallucination

20. a

Troubles dissociatifs, troubles de la personnalité et troubles des conduites alimentaires

21. c

22. c

23. b

24. b

CHAPITRE 16

TRAITEMENTS

Introduction aux thérapies psychologiques et au traitement

1. a

2. introspectives

3. d

4. l'écoute active

5. c

6. de déconditionnement

7. désensibilisation systématique

8. Les thérapies comportementales sont souvent le meilleur choix pour le traitement des phobies. En considérant la peur de l'autoroute, que manifeste Rico, comme étant une réponse comportementale apprise, un thérapeute béhavioriste pourrait apprendre à Rico à substituer à sa réponse anxieuse à la conduite sur autoroute, une réponse apprise pendant des séances de relaxation.

9. économie de jetons

10. d

11. cognitivo-comportementale

12. b

Évaluation des psychothérapies

13. c

14. d

15. Preuves cliniques issues de la recherche, expérience clinique, et connaissance du patient

16. L'effet placebo est la croyance dans le pouvoir de guérison d'un traitement. Lorsque les patients espèrent qu'un traitement sera efficace, ils peuvent croire qu'il l'a été.

Traitement biomédicaux et prévention des troubles psychologiques

17. c

18. anxiolytiques

19. sel de lithium

20. b

21. d

ANNEXE A

LA PSYCHOLOGIE DANS LE MONDE DU TRAVAIL

1. c

2. du personnel ; des facteurs humains

3. a

4. d

5. Se concentrer sur des objectifs spécifiques définis à court terme, tels que le maintien d'un programme d'études régulier, sera plus utile que de se concentrer sur des objectifs généraux définis à plus long terme, comme celui d'obtenir un bon classement.

6. transformationnel

7. c

8. d

Glossaire

Accès hyperphagique (binge-eating disorder) épisode important de suralimentaiton, suivi de détresse, de dégoût et de culpabilité sans le comportement compensatoire de purge ou de période de jeûne comme dans la boulimie. (p. 652)

Accommodation adaptation de nos connaissances actuelles (schémas) pour incorporer de nouvelles informations. (p. 187)

Accommodation processus par lequel le cristallin se déforme pour condenser l'image d'objets proches ou lointains sur la rétine. (p. 241)

Acquisition dans le conditionnement classique, étape initiale, au cours de laquelle on relie un stimulus neutre et un stimulus inconditionnel de sorte que le stimulus neutre commence à déclencher la réponse conditionnée. Dans le conditionnement opérant, période de consolidation d'une réponse renforcée. (p. 284)

Adaptation perceptive capacité de la vision à s'adapter à un champ visuel artificiellement déplacé ou même inversé. (p. 255)

Adaptation sensorielle diminution de la sensibilité consécutive à une stimulation constante. (p. 234)

ADN (acide désoxyribonucléique) molécule complexe contenant l'information génétique et qui est le principal constituant des chromosomes. (p. 134)

Adolescence période de transition entre l'enfance et l'âge adulte, s'étendant de la puberté à l'indépendance sociale. (p. 203)

Aérobic exercice soutenu qui augmente la capacité d'adaptation du cœur et des poumons à l'effort. Il peut également soulager la dépression et l'anxiété. (p. 507)

Âge mental une mesure du degré de développement intellectuel faite au moyen du test d'intelligence conçu par Binet ; l'âge chronologique correspond le plus souvent à un niveau de performance donné atteint par la moyenne des enfants d'un âge donné. Ainsi, un enfant, quel que soit son âge, qui obtient des résultats aux tests égaux à la moyenne des résultats obtenus par une population d'enfants âgés de 8 ans se voit attribuer un âge mental de 8 ans. (p. 393)

Agent tératogène (littéralement « engendrant des monstres ») substance chimique ou virus qui peut atteindre l'embryon ou le fœtus au cours du développement prénatal et causer des dommages dans le développement des membres et des organes. (p. 182)

Agoniste substance entrant en compétition avec le neuromédiateur naturel pour se fixer sur le récepteur et exercer le même effet. (p. 59)

Agressivité tout comportement physique ou verbal destiné à nuire à quelqu'un physiquement ou émotionnellement. (p. 163, 544)

Agressivité relationnelle acte d'agression (physique ou verbal) destiné à nuire aux relations d'une personne ou à son statut social. (p. 163)

Aires associatives aires du cortex cérébral qui ne sont pas impliquées dans des fonctions motrices ou somesthésiques primaires ; elles sont plutôt impliquées dans des fonctions mentales supérieures telles que l'apprentissage, la mémoire, la pensée et la parole. (p. 79)

Aire de Broca contrôle de l'expression du langage. Zone corticale se situant dans le lobe frontal de l'hémisphère gauche le plus souvent, qui dirige les mouvements des muscles de la parole. (p. 376)

Aire de Wernicke contrôle de la réception du langage. Zone corticale impliquée dans la compréhension et l'expression du langage ; habituellement située dans le lobe temporal gauche. (p. 376)

Algorithme règle logique méthodique ou procédure qui garantit la résolution d'un problème particulier. (N.d.T. : du nom du mathématicien arabe Al Khawarizmi) L'algorithme s'oppose à la méthode plus rapide mais plus entachée d'erreurs qu'est l'*heuristique*. (p. 357)

Alliance thérapeutique lien de confiance et de compréhension mutuelle entre un thérapeute et son patient, qui travaillent ensemble de façon constructive pour surmonter le problème du patient. (p. 679)

Altruisme attention désintéressée portée au bien-être d'autrui. (p. 558)

Amnésie antérograde incapacité à former de nouveaux souvenirs. (p. 339)

Amnésie rétrograde incapacité à rappeler les informations issues de son passé. (p. 339)

Amnésie de la source attribution d'un événement que nous avons vécu, lu, imaginé ou entendu à une mauvaise source. (Également appelée *source d'attribution erronée.*) L'amnésie de la source, associée à l'effet de désinformation, est au cœur de nombreux faux souvenirs. (p. 346)

Amorçage activation souvent non consciente d'associations particulières qui se font dans la mémoire. (p. 231, 335)

Amour passionnel état d'exaltation provoqué par les sentiments d'amour fusionnel, généralement présent au début de chaque histoire d'amour. (p. 557)

Amphétamines substances consommées pour rester éveillé, perdre du poids, améliorer l'humeur ou augmenter les performances sportives. (p. 120)

Amygdale deux groupes neuronaux limbiques de la taille d'une amande contribuant à la régulation des émotions. (p. 71)

Androgynie état associant des caractéristiques psychologiques masculines et féminines. (p. 169)

Anorexie mentale trouble des conduites alimentaires dans lequel une personne (généralement une adolescente) maintient un régime de restriction des apports énergétiques en dépit d'un poids corporel significativement bas ; cette restriction est parfois accompagnée de pratique excessive d'exercices physiques. (p. 651)

Antagoniste substance entrant en compétition avec le neuromédiateur naturel pour se fixer sur le récepteur et inhiber son effet. (p. 59)

Antidépresseurs médicaments utilisés pour traiter les états dépressifs, certains troubles anxieux, le trouble obsessionnel compulsif et le trouble de stress post-traumatique. (Plusieurs antidépresseurs largement utilisés sont des *inhibiteurs sélectifs de la recapture de la sérotonine-ISRS.*) (p. 683)

Antipsychotiques médicaments utilisés pour traiter la schizophrénie et d'autres formes sévères de troubles du contenu de la pensée. (p. 682)

Anxiolytiques médicaments utilisés pour réduire la tension anxieuse et l'agitation. (p. 682)

Aphasie trouble du langage, impossibilité de traduire une idée par des mots. Elle est généralement causée par des lésions de l'hémisphère gauche, soit de l'aire de Broca (altération de l'expression motrice du langage) ou de l'aire de Wernicke (altération de la compréhension). (p. 376)

Apnée du sommeil trouble du sommeil caractérisé par des arrêts temporaires de la respiration pendant le sommeil et par des réveils momentanés répétés. (p. 111)

Apprentissage processus qui permet d'acquérir de nouvelles informations ou de nouveaux comportements d'une manière relativement permanente. (p. 280)

Apprentissage cognitif acquisition de processus mentaux, que ce soit par l'observation des événements, du comportement et des actions de l'autre, ou par le langage. (p. 282)

Apprentissage par association apprendre que certains événements se produisent simultanément. Les événements peuvent être deux stimuli (comme dans le conditionnement classique) ou une réponse et ses conséquences (comme dans le conditionnement opérant). (p. 280)

Apprentissage latent apprentissage qui se fait mais ne devient apparent que lorsqu'une incitation permet de le mettre en évidence. (p. 305)

Apprentissage par observation apprendre en observant les autres. (p. 306)

Approche biopsychosociale approche intégrée qui incorpore des niveaux biologiques, psychologiques et sociaux-culturels de l'analyse. (p. 9)

Approche éclectique approche psychothérapeutique qui associe plusieurs techniques issues de différentes écoles. (p. 659)

Assimilation interprétation de nos nouvelles expériences en fonction de nos schémas mentaux existants. (p. 187)

Association libre en psychanalyse, une méthode d'exploration de l'inconscient dans laquelle la personne se détend et dit tout ce qui lui vient à l'esprit, sans se soucier du caractère embarrassant ou insignifiant de ses pensées. (p. 573)

Attachement lien affectif avec une autre personne ; se manifeste chez les jeunes enfants par leur recherche de proximité de la personne qui prodigue les soins et la détresse provoquée par la séparation d'avec elle. (p. 195)

Attention sélective focalisation de la conscience vigile sur un stimulus particulier. (p. 96)

Attitude sentiment, souvent influencé par nos croyances, qui prédispose nos réactions vis-à-vis des objets, des personnes ou des événements. (p. 520)

Audition sens représenté par son organe qu'est l'oreille. (p. 256)

Autoefficacité sentiment que l'on a de sa propre compétence et de sa propre efficacité. (p. 599)

Axone extension d'un neurone qui transmet le message par ses ramifications terminales à d'autres neurones, à des muscles ou à des glandes. (p. 53)

Barbituriques les barbituriques, ou tranquillisants, ralentissent l'activité du système nerveux et réduisent l'anxiété mais altèrent la mémoire et le jugement. (p. 120)

Bâtonnets cellules réceptrices rétiniennes qui détectent le noir, le blanc, et le gris ; nécessaires pour la vision périphérique et la vision nocturne, quand les cônes ne répondent pas. (p. 241)

Béhaviorisme (ou comportementalisme) courant selon lequel (1) la psychologie doit être une science objective qui (2) étudie le comportement sans référence aux processus et aux états mentaux. La plupart des psychologues sont aujourd'hui d'accord avec la première partie (1) de la définition, mais pas avec la seconde (2). (p. 5, 282)

Besoin d'appartenance au groupe nécessité d'établir des relations et de se sentir intégré dans un groupe. (p. 448)

Biais de l'après-coup notre tendance à croire, après avoir pris connaissance d'un résultat, que nous l'avions déjà prédit. (Également connu sous le nom phénomène du : « *J'ai toujours su que cela se passerait ainsi* ».) (p. 20)

Biais d'autocomplaisance promptitude à une perception de soi favorable. (p. 601)

Biais de confirmation tendance à chercher de l'information qui soutient nos idées préconçues et à ignorer ou à fausser des preuves contradictoires. (p. 357)

Biais de groupe tendance à favoriser les membres de notre propre groupe. (p. 543)

Bien-être subjectif sentiment de complétude et de bonheur procuré par une vie satisfaisante. Utilisé avec les mesures de bien-être objectif, critères physiques et économiques pour évaluer la qualité de vie des personnes. (p. 479)

Boulimie trouble des conduites alimentaires caractérisé par des accès récurrents de crises hyperphagiques (avec généralement des aliments riches en calories) et des comportements compensatoires inappropriés :

vomissements, utilisation de laxatifs, de diurétiques ou jeûne (Mini DSM 5, Traduction française). (p. 651)

Bulbe rachidien base du tronc cérébral ; contrôle des fréquences cardiaques et respiratoires. (p. 69)

Ça selon Freud, réservoir d'énergie psychique inconsciente qui lutte pour satisfaire les pulsions primaires sexuelles et agressives. Le Ça opère selon le *principe de plaisir* en exigeant une gratification immédiate. (p. 573)

Cadre mental tendance à aborder un problème d'une manière particulière, souvent d'une manière qui a été couronnée de succès dans le passé. (p. 358)

Cadre perceptif prédisposition mentale de percevoir une chose et non une autre. (p. 234)

Cage ou boîte à conditionnement opérant utilisée pour la recherche sur le conditionnement opérant ; boîte (aussi connue sous le nom de *boîte de Skinner*) contenant un levier ou un bouton qu'un animal peut manipuler pour obtenir un renforcement – eau ou nourriture – et un appareil pour enregistrer le nombre de fois où l'animal appuie sur le levier ou picore le bouton. (p. 290)

Caractères sexuels primaires organes (ovaires, testicules et organes génitaux externes) qui rendent possible la reproduction sexuée. (p. 165)

Caractères sexuels secondaires caractères sexuels non impliqués dans la reproduction, tels que les seins, la forme de la taille et des hanches, le timbre masculin de la voix, et la pilosité. (p. 165)

Carte cognitive représentation mentale de la configuration de son propre environnement. Par exemple, à la suite de l'exploration d'un labyrinthe, les rats agissent comme s'ils en avaient acquis une carte cognitive. (p. 305)

Catharsis libération émotionnelle. En psychologie, l'hypothèse de la catharsis soutient que « libérer » l'énergie exprimée dans l'agressivité (en action ou en imagination) apaise les pulsions agressives. (p. 477)

Cécité au changement incapacité à remarquer un changement relativement peu important dans notre environnement. (p. 99)

Cécité d'inattention défaut de perception visuelle d'objets visibles lorsque notre attention est concentrée sur un objet ou une tâche. (p. 96)

Cellules gliales (névroglie) cellules du système nerveux qui soutiennent, nourrissent et protègent les neurones ; elles peuvent aussi jouer un rôle dans l'élaboration de la pensée, l'apprentissage, la réflexion et la mémoire. (p. 54)

Cerveau dédoublé affection due à une intervention chirurgicale qui isole les deux hémisphères en sectionnant les fibres (principalement celles du corps calleux) les reliant. (p. 82)

Cervelet « petit cerveau » à l'arrière du tronc cérébral ; ses fonctions comprennent le traitement des entrées sensorielles, la coordination et l'amplitude des mouvements, l'équilibre. Il favorise l'apprentissage et la mémoire (p. 71)

Chromosomes structures filamenteuses formées de molécules d'ADN et qui contiennent les gènes. (p. 134)

Chromosome X chromosome sexuel présent aussi bien chez l'homme que chez la femme. Les femmes ont deux chromosomes X ; les hommes en ont un seul. L'apport d'un chromosome X par chacun des parents donne naissance à une fille. (p. 165)

Chromosome Y chromosome sexuel présent uniquement chez les hommes ; l'apport d'un chromosome X provenant de la mère donne naissance à un garçon. (p. 165)

Cocaïne alcaloïde extrait de la plante Coca aux propriétés psychostimulantes et addictives puissantes ; stimule temporairement la vigilance et provoque un état d'euphorie. (p. 122)

Cochlée tube enroulé osseux, rempli de liquide, dans l'oreille interne ; les ondes sonores qui se propagent à travers les fluides créent des impulsions qui vont générer des influx dans le nerf cochléaire. (p. 257)

Coefficient de corrélation indice statistique de la relation entre deux choses (varie entre −1 et +1). (p. 31)

Cognition terme qui recouvre toutes les activités mentales associées à la pensée, à la connaissance, à l'intelligence, à la mémoire et à la communication. (p. 186, 357)

Cognition incarnée influence de la somesthésie, de la motricité et d'autres états sur notre préférence cognitive et notre jugement. (p. 271)

Cohorte groupe de personnes partageant une caractéristique commune, suivie pendant une durée suffisamment longue pour examiner l'évolution de cette caractéristique. (p. 401)

Collectivisme donner la priorité aux objectifs d'un groupe (souvent le groupe familial au sens large ou l'équipe de travail) et définir son identité en conséquence. (p. 157)

Complexe d'Œdipe selon Freud, désirs sexuels d'un garçon portant sur sa mère et sentiments de jalousie et de haine pour le père considéré comme un rival. (p. 574)

Complicité amoureuse attachement affectueux profond que nous ressentons pour ceux avec qui nous partageons notre vie. (p. 557)

Comportement opérant comportement qui agit sur l'environnement, entraîne des conséquences. (p. 280)

Comportement prosocial comportement utile, constructif, positif. Le contraire du comportement antisocial. (p. 310)

Comportement répondant comportement qui se produit en réponse automatique à un stimulus. (p. 280)

Concept association mentale d'objets, d'événements, d'idées ou de personnes similaires. (p. 357)

Conception du soi ensemble de nos pensées et des sentiments que l'on a sur nous-mêmes, en réponse à la question : « Qui suis-je ? » (p. 201, 584)

Conditionnement aversif type de déconditionnement qui associe un état désagréable (tel que les nausées) à un comportement indésirable (comme boire de l'alcool). (p. 665)

Conditionnement classique type d'apprentissage dans lequel un organisme en vient à associer deux ou plusieurs stimuli et à anticiper les événements. (p. 282)

Conditionnement opérant type d'apprentissage dans lequel le comportement s'accroît s'il est suivi par un renforcement ou s'atténue s'il est suivi par une punition. (p. 290)

Conditionnement d'ordre supérieur une procédure dans laquelle le stimulus conditionnel dans une expérience de conditionnement est apparié à un nouveau stimulus neutre. Ce dernier devient ainsi un second stimulus conditionnel souvent plus faible. Par exemple, un animal qui a appris qu'un son prédit un apport de nourriture pourrait alors apprendre qu'un signal lumineux prédit la survenue d'un signal sonore, et va commencer à répondre au stimulus lumineux seul. (Aussi appelé *conditionnement de second ordre*.) (p. 284)

Cônes cellules réceptrices rétiniennes concentrées près du centre de la rétine, fonctionnant à la lumière du jour ou dans des conditions de bon éclairage. Les cônes détectent la précision des détails et permettent la perception des couleurs. (p. 241)

Confiance aveugle tendance à surestimer la précision de nos connaissances et de notre jugement. (p. 361)

Confiance fondamentale selon Erik Erikson, sentiment que le monde est prévisible et digne de confiance ; ce sentiment de sécurité intérieure se formerait au cours de la petite enfance par des expériences appropriées acquises auprès des personnes qui prodiguent les soins adaptés. (p. 199)

Confidence intime action de révéler des aspects intimes de soi aux autres. (p. 557)

Conflit situation au cours de laquelle les individus perçoivent que leurs actions, leurs objectifs ou leurs idées sont incompatibles. (p. 562)

Conformité adapter son comportement ou sa façon de penser pour les faire coïncider avec les normes du groupe. (p. 526)

Conscience perception que nous avons de nous-mêmes et de notre environnement. (p. 92)

Consentement éclairé principe éthique qui consiste à donner aux participants potentiels suffisamment d'informations sur une étude afin de leur permettre de choisir librement d'y participer. (p. 41)

Conservation de la matière principe, que Piaget considère comme faisant partie du raisonnement opérationnel concret, selon lequel les propriétés telles que la masse, le volume et le nombre restent les mêmes malgré les changements de forme. (p. 188)

Considération positive inconditionnelle selon Rogers, attitude d'acceptation totale envers une autre personne. (p. 584, 662)

Consolidation de la mémoire stockage cérébral de la mémoire à long terme. (p. 330)

Consolidation de novo processus dans lequel les souvenirs stockés précédemment sont potentiellement modifiés avant d'être stockés à nouveau. (p. 342)

Constance des couleurs percevoir les objets familiers comme ayant une couleur uniforme, même si l'éclairage change et modifie les longueurs d'onde de la lumière réfléchie par les objets. (p. 251)

Constance perceptive percevoir les objets comme étant immuables dans leur couleur, leur brillance, leur forme et leur taille alors même que l'éclairage et les images rétiniennes changent. (p. 251)

Contenu latent selon Freud, consiste en des pulsions et des désirs inconscients qui pourraient être dangereux s'ils étaient exprimés directement. Il donne la signification du rêve. (p. 113)

Contenu manifeste selon Freud, le contenu manifeste du rêve (le scénario visible de l'histoire dont on se souvient) est une version symbolique censurée du contenu latent. (p. 113)

Coping (« faire face à ») atténuer le stress en utilisant des stratégies émotionnelles, cognitives, ou comportementales. (p. 500)

Coping centré sur le problème tente de réduire directement l'état de stress en modifiant le facteur déclenchant ou la manière dont nous agissons face à ce facteur. (p. 500)

Coping centré sur les émotions tente de réduire l'état de stress en évitant ou en ignorant le facteur déclenchant et en économisant les réactions émotionnelles liées au stress. (p. 500)

Corps calleux large bande de substance blanche formée de fibres reliant les deux hémisphères et permettant leur coopération. (p. 82)

Corrélation mesure du degré de variation commune à deux facteurs et, par conséquent, de la façon dont chaque facteur prédit l'autre. (p. 31)

Cortex cérébral tissu complexe fait de six couches de cellules neurales interconnectées couvrant les hémisphères cérébraux ; ultime centre de contrôle et de traitement de l'information du corps. (p. 74)

Cortex moteur zone située à l'arrière des lobes frontaux, contrôle les mouvements volontaires. (p. 75)

Cortex somesthésique zone située en avant des lobes pariétaux, qui enregistre et traite les sensations de toucher et de mouvement éprouvées par l'organisme. (p. 79)

Courbe normale courbe en forme de cloche qui décrit la distribution de nombreuses caractéristiques physiques et psychologiques. La plupart des sujets obtiennent des notes proches de la moyenne et plus nous nous éloignons en allant vers les extrêmes, plus le nombre de sujets ayant obtenu ces notes extrêmes est faible. (p. 45, 396)

Cran en psychologie décrit la passion et la persévérance dans la poursuite des objectifs à long terme. (p. 455)

Créativité capacité à produire des idées nouvelles, inventives et précieuses. (p. 365)

Cristallin structure transparente derrière la pupille qui change de forme pour focaliser les images sur la rétine. (p. 241)

Croissance post-traumatique changements psychologiques positifs faisant suite aux expériences vécues de situations extrêmement difficiles et aux crises de la vie. « Une personne ayant subi un traumatisme ou des événements blessants peut, par des remaniements cognitifs, apprendre de nouvelles stratégies d'adaptation ou acquérir un nouveau point de vue en faisant face à un problème » (ministère de la Justice du Canada). (p. 691)

Culture comportements, idées, attitudes, valeurs et traditions persistants, partagés par un groupe de personnes et transmis de génération en génération. (p. 7, 155)

Cycle de réponse sexuelle les quatre étapes de la réponse sexuelle décrites par Masters et Johnson : l'excitation, le plateau, l'orgasme et la résolution. (p. 435)

Déconditionnement procédure de thérapie de comportement qui utilise le conditionnement classique pour évoquer de nouvelles réponses à des stimuli qui déclenchent les comportements indésirables ; comprend les *thérapie d'exposition* et le *conditionnement aversif*. (p. 663)

Déficience intellectuelle capacité mentale limitée caractérisée par une note obtenue aux tests d'intelligence égale ou inférieure à 70 ou moins, et des difficultés d'adaptation aux exigences de la vie. (Anciennement dénommée *retard mental, débilité mentale* ; *oligophrénie*) (p. 403)

Déficit de l'attention/hyperactivité (TDAH) trouble psychologique marqué par une extrême inattention et/ou une hyperactivité motrice et une impulsivité. (p. 615)

Définition opérationnelle description minutieuse des procédures (des opérations) utilisées pour une recherche. Par exemple, *l'intelligence humaine* peut être définie de manière opérationnelle comme étant ce que mesure une batterie de tests. (p. 26)

Déjà-vu sentiment mystérieux qui nous fait dire : « J'ai déjà vécu cela. » Des stimuli dérivant de la situation présente peuvent déclencher de façon non consciente la récupération d'une expérience vécue. (p. 346)

Dendrites ramifications, arborisations, extensions d'un neurone, qui reçoivent des messages et conduisent les impulsions vers le corps cellulaire. (p. 53)

Dépendance besoin irrésistible de consommer une substance, ou de se comporter en dépit de la connaissance des conséquences néfastes. (p. 119)

Dépresseurs centraux substances psycholeptiques comme l'alcool, les barbituriques et les opiacés qui réduisent l'activité nerveuse et ralentissent les fonctions organiques. (p. 119)

Désensibilisation systématique type de thérapie d'exposition qui associe un état de relaxation agréable à l'augmentation progressive de la présentation des stimuli provoquant le trouble anxieux. Communément utilisée pour traiter les phobies. (p. 664)

Désindividualisation perte de la conscience de soi et de son libre arbitre. Cette désindividualisation se produit souvent lorsque la participation au groupe est stimulante et permet de rester anonyme. (p. 532)

Détecteurs de caractéristiques cellules nerveuses cérébrales qui répondent aux stimuli que constituent les caractéristiques spécifiques telles que la forme, l'angle, ou le mouvement. (p. 244)

Déterminisme linguistique hypothèse de Whorf stipulant que le langage détermine notre façon de penser. (p. 379)

Déterminisme réciproque influences réciproques du comportement, de la cognition, et de l'environnement. (p. 595)

Discrimination comportement injustifiable généralement négatif envers un groupe ou ses membres. (p. 538)

Discrimination dans le conditionnement classique, capacité apprise à distinguer un stimulus conditionnel des stimuli voisins qui ne signalent pas un stimulus inconditionnel. (p. 287)

Disparité rétinienne vision binoculaire pour percevoir la profondeur : en comparant les deux images formées un peu différemment sur la rétine des deux yeux, le cerveau calcule la distance. Plus la disparité (différence) entre les deux images est grande, plus l'objet est proche. (p. 249)

Dissociation hypnotique état dans lequel des pensées et des comportements évoluent en dehors de la perception consciente. (p. 265)

DSM-5 manuel diagnostique et statistique des troubles mentaux (5e édition) de l'American Psychiatric Association. Ce système de classification psychiatrique est largement utilisé. (p. 613)

Dysfonctionnements sexuels troubles qui perturbent de façon régulière l'excitation ou les relations sexuelles. (p. 435)

Écart type mesure calculée de l'importance de la variation des résultats par rapport à la moyenne. (p. 45)

Échantillon aléatoire échantillon qui représente une population, parce que chaque membre a une chance égale d'y être nclus. (p. 31)

Échelle d'intelligence de Wechsler pour adultes [Wechsler Adult Intelligence Scale (WAIS)] WAIS et ses versions pour les enfants sont les tests d'intelligence les plus largement utilisés ; ces tests comprennent des épreuves verbales et des épreuves de performance, non verbales. (p. 395)

Économie de jetons procédure de conditionnement opérant dans laquelle les sujets traités gagnent un jeton chaque fois que se manifeste le comportement souhaité ; ils peuvent ensuite échanger leurs jetons pour divers privilèges ou des friandises. (p. 666)

Écoute active écoute empathique dans lequel l'auditeur se fait l'écho, réaffirme et clarifie la situation du patient. Une caractéristique de la thérapie centrée sur le client selon C. Rogers. (p. 661)

Ecstasy (MDMA) psychostimulant de synthèse très puissant aux faibles propriétés hallucinogènes. Produit une euphorie intense et un sentiment d'empathie universelle. Mais l'utilisation répétée peut détruire les neurones sérotoninergiques, altérer la mémoire, et provoquer une dépression chronique de l'humeur. (p. 125)

Effet de désinformation effet de corruption du souvenir d'un événement par des informations trompeuses. (p. 344)

Effet d'espacement tendance à l'obtention de meilleurs résultats de rétention mnésique à long terme par l'étude, l'apprentissage et la pratique régulièrement exercés au fil du temps, plutôt que par l'exercice intensif sur une courte durée. (p. 325)

Effet placebo [Latin pour « Je plairai »] effets expérimentaux causés par les seules attentes ; tout effet sur le comportement provoqué par l'administration d'une forme pharmaceutique sans principe actif, dont le bénéficiaire pense que cette forme est active. (p. 36)

Effet de position sérielle notre tendance à nous souvenir surtout des derniers (*effet de récence*) et des premiers (*effet de primauté*) éléments d'une liste. (p. 336)

Effet de présentation façon dont la réponse est influencée par les différentes présentations d'une même question ; influence de la présentation d'une question sur les jugements et les réponses données. (p. 363)

Effet re-test amélioration de la mémoire après un rappel de l'information et non pas une simple relecture. Appelé parfois également *apprentissage amélioré par les tests*. (p. 13, 327)

Effet de rétroaction comportementale tendance du comportement à influencer nos propres pensées, nos propres sentiments, nos propres actions et celles des autres. (p. 474)

Effet de rétroaction de l'expression faciale tendance qu'ont les muscles du visage selon leur état de contraction à déclencher des sentiments correspondants tels que la peur, la colère, ou le bonheur. (p. 474)

Effet de simple exposition exposition répétée à de nouveaux stimuli qui augmente l'attrait qu'ils exercent. (p. 551)

Effet « spotlight » (ou effet projecteur) surestimer le fait que les autres jugent sans cesse notre apparence, nos réussites et nos maladresses (comme si un projecteur était, en permanence, braqué sur nous). (p. 598)

Effet témoin tendance pour tout témoin d'un incident donné à être moins susceptible de fournir de l'aide si d'autres témoins sont présents. (p. 560)

Effet trans-ethnique tendance à se souvenir des visages des personnes du même groupe ethnique qu'on ne le ferait pour des visages de personnes appartenant à un autre groupe. L'effet trans-ethnique est aussi appelé parfois *biais inter-ethnique*. (p. 544)

Égocentrisme dans la théorie de Piaget, la difficulté qu'à l'enfant au stade préopératoire à adopter un autre point de vue. (p. 188)

Électroconvulsivothérapie (ECT) traitement des dépressions sévères par passage d'un courant électrique à travers la boîte crânienne d'un patient anesthésié, afin de provoquer une crise d'épilepsie durant trente secondes environ. (p. 685)

Électroencéphalogramme (EEG) enregistrement amplifié des ondes d'activité électrique qui se propagent à la surface du cerveau. Ces ondes sont mesurées en plaçant des électrodes sur le scalp. (p. 67)

Embryon organisme humain se développant, à partir du stade zygote, pendant deux mois. (p. 180)

Émotion réponse de l'ensemble de l'organisme qui implique 1) une activation physiologique, 2) les comportements expressifs et 3) l'expérience consciente. (p. 461)

Empreinte processus par lequel certains animaux forment de forts attachements en début de vie. (p. 196)

Encodage traitement de l'information permettant de l'introduire dans le système mnésique, par exemple en extrayant sa signification. (p. 320)

Endorphines abréviation de morphine endogène, c'est-à-dire produite à l'intérieur, neuromédiateur de l'analgésie et de contrôle du plaisir. (p. 58)

Enquête technique descriptive d'autoévaluation des attitudes ou des comportements d'un groupe particulier, généralement en en interrogeant un représentant, *échantillon aléatoire* du groupe. (p. 30)

Entretiens structurés processus d'entretien au cours desquels les mêmes questions se rapportant à l'emploi, sont posées à tous les candidats. Chacun d'eux est ensuite évalué à partir d'une échelle validée. (p. A-6)

Environnement toute influence non génétique, allant de la nutrition prénatale aux personnes et aux choses qui nous entourent. (p. 134)

Épigénétique étude des influences environnementales sur l'expression des gènes qui se produisent sans modification de la séquence l'ADN. (p. 143, 612)

Épisode maniaque état avec hyperthymie joyeuse inadaptée, accélération du cours de la pensée, troubles du jugement, réduction des besoins de sommeil, hyper-sexualité et conduites pouvant mettre en péril le statut familial, social ou professionnel. (p. 629)

Équité condition, au cours d'une relation, dans laquelle les gens reçoivent en proportion de ce qu'ils donnent. (p. 557)

Erreur fondamentale d'attribution tendance qu'ont les observateurs, lors de l'analyse du comportement, à sous-estimer la part des circonstances et à surestimer la part de la personnalité du sujet. (p. 518)

Estime de soi sentiment que l'on a de sa propre valeur qui peut être estimée comme étant forte ou faible. (p. 599)

Étendue différence entre la valeur la plus basse et la valeur la plus élevée d'une distribution. (p. 45)

Étude de cas technique d'observation par laquelle on étudie de façon approfondie une personne dans l'espoir de mettre à jour des principes universels. (p. 28)

Étude longitudinale étude dans laquelle les mêmes sujets sont étudiés et évalués sur une longue période. (p. 218)

Étude transversale étude dans laquelle des sujets d'âges différents sont comparés les uns aux autres. (p. 218)

Expérience méthode de recherche dans laquelle un enquêteur manipule un ou plusieurs facteurs (variables indépendantes) pour observer l'effet sur certains comportements ou processus mentaux (variable dépendante). Par *répartition aléatoire* des participants dans les groupes expérimentaux étudiés, l'expérimentateur a pour objectif de maîtriser d'autres facteurs pertinents. (p. 35)

Expérience de mort imminente état de conscience altérée rapporté par des sujets qui ont frôlé la mort (comme pendant un arrêt cardiaque de courte durée), état souvent semblable à des hallucinations induites par substances psychoactives. (p. 125)

Exposé et discussion des résultats et des conclusions de l'étude, ainsi que de ses failles aux participants. (p. 41)

Extinction diminution d'une réponse conditionnée ; se produit dans le conditionnement classique quand un stimulus inconditionnel (SI) ne suit pas un stimulus conditionnel (SC) ; se produit dans le conditionnement opérant lorsqu'une réponse n'est plus renforcée. (p. 284)

Facilitation sociale amélioration des résultats lors de tâches simples ou bien maîtrisées en présence des autres. (p. 532)

Falaise visuelle montage de laboratoire pour évaluer la perception de la profondeur chez les nourrissons et les jeunes animaux. (p. 248)

Faux jumeaux (jumeaux dizygotes) jumeaux qui se développent à partir d'œufs fertilisés séparés. Ils ne sont pas plus proches génétiquement que des frères et sœurs, mais bénéficient du même environnement prénatal. (p. 137)

Fiabilité mesure de la probabilité qu'un test donne des résultats constants, comme cela peut être évalué par l'homogénéité des résultats aux deux moitiés du test, ou lors d'un deuxième passage du test. (p. 397)

Figure-fond organisation du champ visuel en objets (les *figures*) qui se distinguent de ce qui les entoure (le *fond*). (p. 248)

Fixation selon Freud, maintien de la production d'énergie psychique de la recherche du plaisir à un stade psychosexuel précoce, où les conflits n'étaient pas encore résolus. (p. 575)

Flash d'inspiration (insight) prise de conscience soudaine de la solution d'un problème ; contraste avec les solutions fondées sur les stratégies. (p. 357)

Flux état de conscience traduisant une implication et une concentration totale sur une tâche. Au cours de cet état les personnes perdent conscience d'elles-mêmes et perdent la notion du temps qui passe. (p. A-1)

Fœtus organisme humain se développant à partir de la neuvième semaine suivant la conception, jusqu'à la naissance. (p. 180)

Fonctionnalisme une des toutes premières écoles de pensée promue par James qui était influencé par Darwin ; exploration de l'élaboration et du fonctionnement des processus mentaux et des comportements – comment ils permettent à l'organisme de s'adapter, de survivre et de prospérer. (p. 3)

Formation réticulée ensemble de neurones traversant le tronc cérébral, formant un réseau et régulant la vigilance et le tonus de posture. (p. 71)

Fovéa point focal central dans la rétine, autour duquel se regroupent les cônes de l'œil. (p. 243)

Fréquence nombre de longueurs d'ondes complètes qui passent par un point en un temps donné (par seconde par exemple). (p. 256)

Gaine de myéline couche de cellules gliales riches en lipides enveloppant les axones de certains neurones ; ces segments de myéline séparés par les nœuds de Ranvier le long de l'axone, permettent une grande vitesse de transmission de l'influx, sautant d'un nœud non isolé à l'autre. (p. 53)

Gène unité biochimique de l'hérédité, constituant les chromosomes ; segment d'ADN qui permet la synthèse d'une protéine. (p. 134)

Généralisation tendance des stimuli semblables au stimulus conditionnel à déclencher des réponses similaires, une fois la réponse conditionnée acquise. (p. 286)

Génétique du comportement étude du pouvoir et des limites relatifs de la génétique, et des influences environnementales sur le comportement. (p. 7, 134)

Génétique moléculaire partie de la biologie qui étudie la structure moléculaire et la fonction des gènes. (p. 143)

Génétique moléculaire du comportement étude de la façon dont la structure et la fonction des gènes interagissent avec notre environnement pour déterminer le comportement. (p. 143)

Génome ensemble des instructions qui permettent de construire un organisme, représentées par l'ensemble du matériel génétique contenu dans ses chromosomes. (p. 135)

Genre en psychologie, caractéristiques influencées socialement par lesquelles un individu se définit comme étant un *homme* ou une *femme*. (p. 161)

Gestalt un ensemble ressenti comme un tout organisé. Les psychologues de l'école de la Gestalt insistent sur notre tendance à intégrer des éléments d'information en un tout indissociable ayant une signification. (p. 246)

Glande surrénale glande endocrine paire située au-dessus du rein qui sécrète l'adrénaline qui aide l'organisme à faire face au stress (médullo-surrénale). (p. 64)

Glucose sucre circulant dans le sang, principale source d'énergie cellulaire. Lorsque sa concentration dans le sang est faible, nous avons une sensation de faim (Hypoglycémie). (p. 426)

Grammaire système de règles qui nous permet de communiquer avec les autres. Dans une langue donnée, la *sémantique* est l'ensemble des règles permettant de déduire un sens à partir de sons, et la *syntaxe* est l'ensemble des règles permettant de combiner les mots en phrases grammaticalement sensées. (p. 370)

GRIT Graduated and Reciprocated Initiatives in Tension-Reduction : stratégie visant à réduire les tensions internationales. (p. 567)

Groupe d'appartenance « nous » ; les personnes avec qui nous partageons une identité commune. (p. 543)

Groupe contrôle ou groupe témoin dans une expérience, le groupe *non* exposé au traitement, à l'intervention ; sert de groupe de comparaison pour évaluer l'effet du traitement. (p. 35)

Groupe expérimental dans une expérience, le groupe exposé au traitement, c'est-à-dire à une version des expressions de la variable indépendante. (p. 35)

Groupe de non-appartenance « eux » ; ceux perçus comme différents ou comme étant en dehors de notre groupe. (p. 543)

Habituation diminuer l'intensité d'une réponse à un stimulus par la répétition de ce dernier. À mesure que les nourrissons sont exposés à la répétition d'un stimulus, ils s'y habituent puis rapidement, l'intérêt diminue et ils détournent le regard. (p. 183)

Hallucinations expériences sensorielles fausses, perceptions sans objet à percevoir. (p. 103)

Hallucinogènes substances psychédéliques (qui rendent l'âme visible) qui, comme le LSD, provoquent de fausses perceptions et évoquent des images sensorielles en l'absence de stimuli extérieurs réels. (p. 125)

Héritabilité proportion de variation entre individus qu'il est possible d'attribuer aux gènes. L'héritabilité d'un caractère peut varier en fonction de l'étendue des populations et des environnements étudiés. (p. 140, 406)

Heuristique stratégie de pensée simple qui nous permet souvent de porter des jugements et de résoudre les problèmes de manière efficace ; généralement plus rapide mais aussi plus entachée d'erreurs que les *algorithmes*. (p. 357)

Heuristique de disponibilité estimation de la probabilité de survenue d'événements en fonction de leur souvenir immédiatement disponible ; s'ils viennent facilement à l'esprit (peut-être en raison de leur vivacité), nous présumons leur banalité. (p. 359)

Hiérarchie des besoins pyramide de Maslow des besoins humains, ayant pour base les besoins physiologiques qui doivent d'abord être satisfaits. En allant vers le sommet, elle suit la satisfaction des besoins de sécurité puis la satisfaction des besoins psychologiques. (p. 422)

Hippocampe centre neural localisé dans le système limbique, qui participe au traitement des souvenirs explicites en vue de leur stockage. (p. 71, 329)

Homéostasie principe fondamental de la physiologie ; maintien de la constance de la composition et des caractéristiques du milieu intérieur ; régulation de la composition biochimique de l'organisme comme la glycémie autour d'une valeur donnée. (p. 421)

Horloge sociale préférence culturelle pour la chronologie de certains événements de vie comme le mariage, avoir des enfants, être à la retraite. (p. 220)

Hormones messagers chimiques essentiellement fabriqués par les glandes endocrines et qui sont transportés dans le sang et agissent, à distance, sur d'autres tissus. (p. 63)

Hypnose interaction sociale au cours de laquelle une personne (le praticien) suggère à une autre (le patient) que certaines perceptions, sentiments, pensées ou comportements se produiront spontanément. (p. 265)

Hypophyse ou glande pituitaire glande la plus influente du système endocrinien. Sous l'influence de l'hypothalamus, l'hypophyse régule la croissance et commande d'autres glandes endocrines. (p. 64)

Hypothalamus structure située au-dessous *(hypo)* du thalamus ; il régule plusieurs activités d'entretien de l'organisme (manger, boire, température du corps), régule le système endocrinien par le contrôle de l'hypophyse. Il contribue aussi à la modulation des émotions et du système de récompense. (p. 71)

Hypothèse prédiction, souvent inférée par une théorie, qui doit être testée. (p. 26)

Idée délirante croyance inébranlable en quelque chose qui est en dehors de la réalité. Le thème peut être la persécution ou la grandeur. Caractéristiques des troubles psychotiques. (p. 640)

Identification processus par lequel, selon Freud, les enfants intègrent les valeurs de leurs parents dans leur Surmoi en développement. (p. 575)

Identification sexuée acquisition d'un rôle masculin ou féminin traditionnel. (p. 168)

Identité conscience de soi-même ; selon E. Erikson, les adolescents s'efforcent de préciser le sentiment d'image de soi en s'essayant à différents rôles puis en les intégrant pour construire leur identité. (p. 208)

Identité de genre notre sentiment d'être un homme, une femme, ou une combinaison des deux. (p. 168)

Identité sociale un des aspects de notre concept de soi ; une partie de la réponse à la question « Qui suis-je ? » qui est donnée par nos appartenances aux groupes. (p. 208)

Imagerie par résonance magnétique (IRM) technique utilisant des champs magnétiques et des ondes radio pour produire des images des tissus mous générées par ordinateur ; cette technique permet de voir l'anatomie du cerveau. (p. 67)

Implant cochléaire appareil permettant de transformer les sons en signaux électriques et ainsi stimuler le nerf auditif par le biais d'électrodes implantées dans la cochlée. (p. 259)

Impuissance, résignation apprise comportement de désespoir ou de résignation passive appris par un animal ou un humain lorsqu'il est incapable d'éviter des événements aversifs répétés. (p. 500)

Incitation stimulus environnemental positif ou négatif qui motive le comportement. (p. 421)

Inconscient selon Freud, un réservoir de pensées, de désirs, de sentiments et de souvenirs souvent inacceptables. Selon les psychologues contemporains, il s'agit d'un traitement de l'information dont nous ne sommes pas conscients. (p. 573)

Inconscient collectif concept créé par Carl Jung, qui exprime l'héritage culturel fait de l'ensemble des souvenirs attachés à l'histoire de notre espèce. (p. 577)

Indices binoculaires indications de profondeur, comme la disparité rétinienne, qui dépendent de la vision simultanée par les deux yeux. (p. 248)

Indices monoculaires indices de profondeur de champ, comme l'interposition et la perspective perçues par un seul œil à la fois. (p. 251)

Individualisme donner la priorité à ses propres objectifs plutôt qu'à ceux du groupe et définir son identité par ses qualités personnelles plutôt que par des identifications au groupe. (p. 157)

Influence sociale informationnelle influence résultant de la volonté d'une personne d'accepter les opinions d'autrui. (p. 526)

Influence sociale normative influence résultant de la volonté d'une personne d'obtenir l'approbation ou d'éviter la désapprobation. (p. 526)

Insomnie problèmes récurrents à s'endormir ou à rester endormi. (p. 111)

Instinct comportement complexe qui est rigidement structuré au sein d'une espèce et qui n'est pas appris. (p. 420)

Intelligence qualité mentale consistant en la capacité d'apprendre à partir des expériences, de résoudre des problèmes et d'utiliser ses connaissances pour s'adapter à de nouvelles situations. (p. 387)

Intelligence cristallisée ensemble des connaissances et des aptitudes verbales que nous accumulons ; a tendance à augmenter avec l'âge. (p. 401)

Intelligence émotionnelle capacité de percevoir les émotions, de les comprendre, de les maîtriser et de les utiliser. (p. 390)

Intelligence fluide capacité à raisonner rapidement et de façon abstraite ; tend à diminuer avec l'âge. (p. 401)

Intelligence générale (g) facteur de l'intelligence générale qui, selon Spearman et d'autres auteurs, est le soubassement de nos aptitudes mentales spécifiques, et est donc mesuré lors de chaque tâche d'un test d'intelligence. (p. 387)

Intensité quantité d'énergie dans une onde lumineuse ou une onde sonore, qui influence ce que nous percevons en tant que luminosité ou volume sonore. L'intensité est déterminée par l'amplitude de l'onde. (p. 239)

Interaction dépendance de l'effet d'un facteur (tel que l'environnement) de la variation d'un autre facteur (tel que l'hérédité). (p. 151)

Interaction sensorielle principe selon lequel un sens peut en influencer un autre, comme lorsque l'odeur de la nourriture influence son goût. (p. 271)

Interférence proactive effet perturbateur d'un apprentissage antérieur sur le rappel d'informations nouvelles. (p. 341)

Interférence rétroactive effet perturbateur d'un apprentissage nouveau sur le rappel d'informations anciennes. (p. 341)

Interneurones neurones du système nerveux central qui, en première approche, modulent la transmission des influx des neurones sensoriels et sensitifs aux neurones moteurs. (p. 60)

Interprétation en psychanalyse, travail de l'analyste sur la signification des rêves, des résistances, et d'autres comportements ainsi que des événements importants afin de promouvoir la capacité à la connaissance de soi, l'insight. (p. 659)

Intimité selon la théorie d'Erikson, capacité de développer des liens étroits et affectifs avec quelqu'un. Il s'agit d'une tâche du développement primaire qui survient au début de l'âge adulte. (p. 210)

Intuition sentiment ou pensée automatique, immédiate et sans effort, différente du raisonnement explicite conscient. (p. 20, 359)

Inventaire de personnalité questionnaire (les réponses sont souvent dichotomiques : *vrai/faux* ou *d'accord/pas d'accord*) dans lequel les sujets répondent à des questions destinées à jauger une vaste gamme de sentiments et de comportements. Utilisé pour évaluer des traits de personnalité prédéterminés. (p. 589)

Iris anneau de tissu musculaire lisse qui forme la partie colorée de l'œil autour de la pupille et contrôle la taille de l'ouverture de la pupille. (p. 240)

IRM fonctionnelle (IRMf) technique qui met en évidence le flux sanguin et, de ce fait, l'activité cérébrale en comparant différentes images successives. L'IRMf montre le fonctionnement du cerveau ainsi que la structure. (p. 68)

Kinesthésie système pour détecter la position et le mouvement des différentes parties du corps. (p. 269)

Langage mots parlés, écrits ou mimés et façons dont nous les combinons pour transmettre une signification. (p. 370)

Langage télégraphique stade de développement du langage au cours duquel un enfant parle comme on rédigeait autrefois un télégramme, « aller voiture », en utilisant principalement les noms et les verbes. (p. 372)

Leadership fonctionnel leadership fondé sur des normes établies, sur l'organisation du travail, sur la concentration vers l'objectif à atteindre. (p. A-12)

Leadership social leadership s'appuyant sur le groupe, encourageant la cohésion des équipes, le travail d'équipe, la médiation des conflits, et le soutien des individus. (p. A-12)

Lésion destruction d'un tissu. Une lésion cérébrale est une destruction naturelle ou expérimentale de tissu cérébral. (p. 67)

Lieu de contrôle externe perception que le hasard ou des forces extérieures qui échappent à notre contrôle personnel déterminent notre destin. (p. 503)

Lieu de contrôle interne perception que nous contrôlons notre propre destin. (p. 503)

Lobes frontaux partie du cortex cérébral se trouvant juste derrière le front ; impliqué dans les mouvements, la parole, le jugement et la planification de l'action. (p. 75)

Lobes occipitaux partie du cortex cérébral se trouvant à l'arrière de la tête ; comprend des zones qui reçoivent des informations venant des champs visuels. (p. 75)

Lobes pariétaux partie du cortex cérébral se trouvant au sommet de la tête et vers l'arrière ; reçoit les informations somesthésiques du toucher et de la position du corps. (p. 75)

Lobes temporaux partie du cortex cérébral se trouvant à peu près au-dessus des oreilles ; comprend les aires auditives, chaque information reçue provient principalement de l'oreille opposée. (p. 75)

Lobotomie acte psychochirurgical autrefois utilisé pour calmer les patients incontrôlables ou violents. L'acte consistait en la section des fibres blanches reliant le cortex préfrontal à des structures sous-corticales, comme le thalamus par exemple. (p. 687)

Loi de l'effet principe formulé par Thorndike selon lequel on a plutôt tendance à reproduire les comportements suivis de conséquences favorables que les comportements suivis de conséquences défavorables. (p. 290)

Loi de Weber principe selon lequel deux stimuli sont perçus comme différents si cette différence est un pourcentage minimal constant (plutôt qu'une quantité constante). (p. 232)

Loi Yerkes-Dodson principe selon lequel le rendement augmente avec la stimulation de l'activation jusqu'à un point donné, au-delà duquel il diminue. (p. 422)

Longueur d'ondes distance entre les deux pics de deux oscillations d'une onde lumineuse ou sonore ; longueur d'un cycle vibratoire. Les longueurs d'ondes électromagnétiques varient depuis les signaux à très courte longueur d'ondes des rayons cosmiques jusqu'aux très longues ondes de la transmission radio. (p. 239)

LSD drogue hallucinogène puissante ; également connu sous le nom d'acide *(Diéthylamide de l'acide lysergique)*. (p. 125)

Maîtrise de soi capacité de contrôler ses pulsions, de différer une conduite, et de retarder la gratification à court terme pour un réel bénéfice qui viendra plus tard. (p. 503)

Maladie d'Alzheimer trouble neurocognitif marqué par des plaques neurales, apparaissant généralement après 80 ans et entraînant une perte progressive de la mémoire et des autres capacités cognitives. (p. 218)

Maladie coronarienne obstruction des vaisseaux qui irriguent le muscle cardiaque ; principale cause de décès dans de nombreux pays développés. (p. 496)

Maturation processus de croissance biologique qui permet l'apparition programmée des changements dans le comportement, et qui est relativement peu influencé par l'expérience. (p. 184)

Mécanismes de défense dans la théorie psychanalytique, « méthodes » de protection de l'intégrité du Moi pour réduire l'anxiété qui la menace, en déformant inconsciemment la réalité. (p. 575)

Médiane note se trouvant au centre d'une distribution ; la moitié des notes seront au-dessous de la médiane et l'autre moitié au-dessus. (p. 43)

Mémoire persistance de l'apprentissage au cours du temps par le biais du stockage et du rappel de l'information. (p. 318)

Mémoire congruente à l'humeur tendance à se rappeler d'expériences congruentes à sa bonne ou sa mauvaise humeur actuelle. (p. 336)

Mémoire à court terme mémoire activée qui retient brièvement quelques éléments, par exemple les 10 chiffres d'un numéro de téléphone pendant qu'on le compose, avant que l'information ne soit stockée ou perdue. (p. 320)

Mémoire échoïque mémoire sensorielle momentanée de stimuli auditifs ; même si l'attention ne se porte pas sur eux, les sons et les mots peuvent encore être rappelés dans les trois ou quatre secondes. (p. 323)

Mémoire explicite mémoire de faits et d'expériences que l'on peut décrire consciemment, que l'on peut « déclarer ». (Aussi appelée *mémoire déclarative.*) (p. 321)

Mémoire iconique mémoire sensorielle momentanée de stimuli visuels ; une mémoire photographique ou picturale ne durant pas plus de quelques dixièmes de seconde. (p. 323)

Mémoire implicite rétention des compétences acquises ou d'associations conditionnées classiquement, indépendantes de leur rappel conscient. (Aussi appelée *mémoire non déclarative.*) (p. 321)

Mémoire à long terme capacité relativement permanente et illimitée de stockage dans le système mnésique. Comprend les connaissances, les aptitudes et les expériences. (p. 320)

Mémoire sensorielle enregistrement initial, très bref, des informations sensorielles dans le système mnésique. (p. 320)

Mémoire de travail nouvelle conception de la mémoire à court terme qui se focalise sur le traitement actif et conscient des informations entrantes, auditives et visuelles/spatiales, ainsi que sur les informations rappelées au niveau de la mémoire à long terme. (p. 321)

Menace du stéréotype préoccupation fondée sur l'autosuggestion selon laquelle on est jugé d'après un stéréotype négatif. (p. 415)

Ménarche première période menstruelle. (p. 167)

Ménopause moment de la cessation naturelle de la menstruation ; cessation de l'activité ovarienne avec modifications somatiques et psychiques. (p. 214)

Méta-analyse procédure pour combiner statistiquement les résultats de nombreuses études de recherche différentes. Vise à augmenter l'efficacité statistique par augmentation du nombre de sujets. (p. 674)

Métabolisme de base correspond à la dépense énergétique de l'organisme à l'état de repos. (p. 426)

Méthamphétamine substance de la famille des amphétamines aux propriétés psychostimulantes et addictives puissantes ; au cours du temps, épuise les réserves en dopamine des vésicules neuronales. (p. 122)

Mimétisme comportemental processus d'observation et d'imitation d'un comportement spécifique. (p. 306)

Minnesota Multiphasic Personality Inventory (MMPI) test de personnalité le plus utilisé en psychologie clinique et sur lequel ont été effectuées le plus grand nombre de recherches. Développé initialement pour identifier les sujets présentant des troubles émotionnels (on considère encore que c'est son usage premier), ce test est maintenant utilisé dans beaucoup d'autres procédures de dépistage. (p. 589)

Mode valeur la plus fréquemment observée, le(s) résultat(s) le(s) plus fréquent(s). (p. 43)

Modelage procédé du conditionnement opérant au cours duquel des renforcements guident le comportement vers une approximation de plus en plus proche du but désiré. (p. 290)

Modèle médical concept selon lequel les maladies et, dans le cas présent, les troubles psychologiques, ont des causes physiques qui peuvent être *diagnostiquées*, *traitées* et, dans la plupart des cas, *guéries*, souvent par un traitement dans un *hôpital*. (p. 612)

Moi agent conscient qui gouverne les rapports de la personne au monde (D. Widlöcher) et concilie les pulsions du Ça et les exigences du Surmoi pour affronter la réalité. Le Moi fonctionne sur le *principe de réalité*, pour satisfaire les désirs du Ça d'une manière réaliste et qui procurera du plaisir plutôt que de la douleur. (p. 574)

Morphème dans une langue, la plus petite unité porteuse de sens ; peut-être un mot ou une partie d'un mot (comme un préfixe). (p. 370)

Motivation besoin ou désir qui anime et dirige un comportement. (p. 420)

Motivation de l'accomplissement désir d'accomplir quelque chose d'important, de maîtriser des aptitudes et des idées, d'atteindre rapidement des exigences élevées. (p. 455)

Motivation extrinsèque désir de se comporter de façon efficace afin d'être récompensé ou d'éviter une punition redoutée. (p. 305)

Motivation intrinsèque désir de se comporter de façon efficace pour son propre bien. (p. 305)

Moyen mnémotechnique aide-mémoire, se dit en particulier des techniques qui utilisent des images vives et des stratégies d'organisation des informations. (p. 325)

Moyenne moyenne arithmétique d'une distribution est la somme de tous les résultats divisée par le nombre de résultats. (p. 43)

Mutation erreur aléatoire dans la réplication génétique qui conduit à une modification. (p. 144)

Narcissisme estime de soi exacerbée. (p. 453, 605)

Narcolepsie trouble du sommeil caractérisé par des accès de sommeil incoercibles. Le patient peut s'endormir directement en sommeil paradoxal, et souvent à des moments inopportuns. (p. 111)

Nerfs « câbles » neuronaux contenant de multiples axones connectant le système nerveux central aux muscles, aux glandes et aux organes des sens. (p. 60)

Nerf optique nerf transportant l'influx nerveux de l'œil au cerveau. (p. 241)

Neurogenèse formation de nouveaux neurones. (p. 82)

Neurone cellule nerveuse ; l'unité fonctionnelle du système nerveux. (p. 53)

Neurones miroirs neurones du lobe frontal qui, comme le croient certains scientifiques, sont excités lors de l'exécution de certaines actions ou lors de l'observation de cette action exécutée par l'autre. Le cerveau est le miroir des actions de l'autre et nous rend capable d'imitation et d'empathie. (p. 307)

Neurones moteurs (efférents) neurones transportant l'information issue de l'encéphale et de la moelle épinière vers les muscles et les glandes. (p. 60)

Neurones sensitifs (afférents) neurones transportant l'information en provenance des récepteurs sensitifs ou sensoriels vers l'encéphale et la moelle épinière. (p. 60)

Neurosciences cognitives étude interdisciplinaire de l'activité du cerveau liée à la cognition (comprenant la perception, la pensée, la mémoire et le langage). (p. 5, 93)

Neurotransmetteurs messagers chimiques qui traversent les fentes synaptiques. Lorsqu'ils sont libérés par un neurone présynaptique, les neuromédiateurs se déplacent à travers la synapse et se lient aux sites récepteurs de la membrane du neurone post-synaptique. De ce fait l'activité de ce neurone sera modifiée ; il sera excité ou inhibé. (p. 56)

Nicotine alcaloïde du tabac psychostimulant avec un pouvoir addictif important. (p. 120)

Niveaux d'analyse différents points de vue complémentaires, biologiques ou psychologiques à socio-culturel, pour analyser un phénomène donné. (p. 9)

Nocicepteurs récepteurs sensoriels qui permettent la perception de la douleur en réponse à des stimuli potentiellement nuisibles. (p. 262)

Norme règle convenue concernant les comportements attendus et acceptés. Les normes prescrivent les comportements « adéquats ». (p. 156)

Norme de réciprocité espoir que les personnes vont aider celles qui les ont aidées. (p. 560)

Norme de responsabilité sociale espoir que les gens vont aider ceux qui en ont besoin. (p. 560)

Noyau suprachiasmatique (NSC) structure paire de l'hypothalamus qui contrôle le rythme circadien et qui comporte plusieurs milliers de somas de neurones. En réponse à la lumière, le NSC stimule la glande pinéale, ou épiphyse, pour réguler la production de mélatonine, modifiant ainsi notre ressenti de l'envie de dormir. (p. 104)

Nuage de points graphique constitué d'un ensemble de points qui représentent chacun la valeur de deux variables, puisque l'on est dans un repère orthonormé ou cartésien. Une valeur est en ordonnée, une valeur est en abscisse. La pente du nuage de points est une indication du sens de la relation des deux variables. Le taux de dispersion indique la force de la corrélation (une dispersion faible indique une corrélation élevée). (p. 31)

Objectifs supérieurs objectifs communs qui permettent de surmonter les divergences et exigent une coopération. (p. 565)

Observation naturaliste technique descriptive de l'observation et de l'enregistrement du comportement manifesté dans des situations qui se produisent naturellement sans modifications expérimentales. (p. 28)

Œstrogènes hormones sexuelles, telles que l'estradiol, sécrétées en plus grande quantité par les femmes, contribuant à la formation des caractères sexuels féminins. Chez les mammifères femelles, non humains, les oestrogènes atteignent une concentration maximale pendant l'ovulation et stimulent la réceptivité sexuelle. (p. 433)

Ondes alpha ondes cérébrales relativement lentes, d'un état éveillé avec relaxation. (p. 103)

Ondes delta grandes ondes cérébrales lentes, associées à un sommeil profond. (p. 103)

Opiacés opium et ses dérivés, morphine et héroïne. Ont un effet dépresseur sur le fonctionnement nerveux. L'opium est le latex sécrété par les fruits, capsules, du pavot *Papaver somniferum*. Il est riche en alcaloïdes comme la morphine, la codéine. (p. 120)

Oreille interne partie la plus interne de l'oreille, formée de la cochlée, des canaux semi-circulaires et des sacs vestibulaires. (p. 257)

Oreille moyenne chambre entre la membrane du tympan et la cochlée ; elle contient trois petits os (marteau, enclume, étrier) qui concentrent les vibrations de la membrane du tympan sur la fenêtre ovale de la cochlée. (p. 257)

Orientation sexuelle attirance sexuelle durable pour les sujets du même sexe (orientation homosexuelle), du sexe opposé (orientation hétérosexuelle), ou pour les deux sexes (orientation bisexuelle). (p. 440)

Ostracisme exclusion sociale délibérée des individus ou des groupes. (p. 450)

Paraphilie excitation sexuelle provoquée par des fantasmes, des comportements particuliers, des objets indispensables à la satisfaction sexuelle, ou provoquée par sa propre souffrance ou celle des autres et/ou d'autres personnes non consentantes. (p. 436)

Parapsychologie étude des phénomènes paranormaux, comprenant la PES et la psychokinèse. (p. 272)

Paresse sociale tendance qu'ont les sujets au sein d'un groupe à fournir un effort moindre quand la somme totale des efforts permet d'atteindre un but commun, que lorsqu'ils sont individuellement responsables de l'effort à fournir. (p. 532)

Pensée convergente mode de pensée qui consiste à réduire le nombre de solutions afin d'en déterminer la meilleure pour résoudre un problème donné. (p. 367)

Pensée critique pensée qui s'élabore en n'acceptant pas aveuglément les arguments et les conclusions. Ou plutôt c'est une pensée qui s'élabore en examinant les propositions, débusquant les valeurs cachées, jaugeant les preuves et soupesant les conclusions. (p. 24)

Pensée divergente mode de pensée qui consiste à multiplier pour un problème donné le nombre de solutions possibles ; pensée créative empruntant différentes directions. (p. 367)

Pensée de groupe mode de pensée engendrée par le désir d'être en harmonie avec les décisions prises par le groupe, en n'évaluant pas les autres alternatives plus réalistes. (p. 535)

Perception processus qui nous permet d'organiser et d'interpréter cette information et de reconnaître les événements ayant un sens. (p. 230)

Perception extrasensorielle (PES) affirmation controversée selon laquelle la perception peut se produire sans qu'il y ait d'entrée sensorielle. Elle comprend la télépathie, la voyance et la prémonition (précognition). (p. 272)

Perception en miroir point de vue mutuel de personnes souvent en conflit, chacun se considérant comme étant juste et bon et considérant l'autre comme étant faux et mauvais. (p. 563)

Période critique période optimale située peu après la naissance et durant laquelle l'exposition d'un organisme à certaines expériences ou à certains stimuli déclenche un développement adéquat. (p. 196)

Période réfractaire période de repos après l'orgasme, au cours de laquelle un homme ne peut pas atteindre un autre orgasme. (p. 435)

Période réfractaire période d'inactivité, après la mise à feu, pendant laquelle le neurone n'est plus excitable. (p. 55)

Permanence de l'objet perception que les choses continuent d'exister même si on ne les voit pas. (p. 188)

Persévérance des préjugés rester cramponné à ses conceptions initiales malgré la démonstration rationnelle de leur discrédit. (p. 361)

Personnalité mode caractéristique de penser, de ressentir et d'agir d'un individu. (p. 572)

Personne « asexuelle » personne n'ayant aucune attirance sexuelle pour les autres. (p. 433)

Perspective sociocognitive comportement influencé par l'interaction des traits de personnalité (y compris la pensée) et le contexte social. (p. 594)

Perte auditive neurosensorielle forme la plus courante de perte auditive, aussi appelée *surdité de perception* ; causée par une lésion des cellules réceptrices de la cochlée ou du nerf auditif. (p. 257)

Peur de l'étranger la peur ou l'angoisse de l'étranger commence à se manifester chez les bébés, à partir de l'âge de 8 mois environ. (p. 195)

Phase adulte émergente période qui s'étale de l'âge de 18 ans à l'âge de 25 ans environ, dans les cultures occidentales, quand les sujets sont sortis de l'adolescence et n'ont pas encore réussi à acquérir leur pleine indépendance pour vivre leur vie d'adulte. (p. 212)

Phénomène du « doigt dans l'engrenage » tendance à obéir à des ordres de plus en plus exigeants après avoir obéi au premier, qui était le moins exigeant. (p. 521)

Phénomène du monde équitable tendance à croire que le monde est juste et que les gens obtiennent ce qu'ils méritent et méritent ce qu'ils obtiennent. (p. 541)

Phénomène du niveau de l'adaptation tendance à former un jugement (à propos de sons, de lumières, ou de revenus) par rapport à un niveau neutre défini à partir de notre expérience antérieure. (p. 483)

Phénomène phi illusion du mouvement créée quand, pour deux ou plusieurs sources lumineuses adjacentes, l'extinction de l'une est suivie de l'allumage de l'autre. (p. 251)

Phénomène du « qui se sent bien, agit bien » les individus ont tendance à être serviables s'ils sont de bonne humeur. (p. 479)

Phobie trouble anxieux marqué par une peur irrationnelle persistante et l'évitement d'un objet particulier, d'une activité ou d'une situation. (p. 620)

Phonème dans une langue, la plus petite unité portant un son distinctif. (p. 370)

Piège social situation dans laquelle les parties en conflit, défendant leur propre intérêt plutôt que celui du groupe, sont dépendantes de comportements destructeurs. (p. 562)

PIL2R méthode d'étude comprenant cinq étapes : visualiser le Plan, s'Interroger, Lire, Répéter et Revoir. (p. 14)

Plasticité capacité du cerveau à se modifier, en particulier chez l'enfant, en se réorganisant après une lésion ou en développant de nouvelles voies fondées sur l'expérience. (p. 80)

Point aveugle point où le nerf optique quitte l'œil. Il est aveugle car il n'y a aucune cellule réceptrice à cet endroit. (p. 241)

Point de référence poids corporel de référence « pondérostat ». Quand votre poids corporel est inférieur à ce poids, la faim augmente et le métabolisme diminue. (p. 426)

Polarisation de groupe affirmation des opinions dominantes d'un groupe par la discussion au sein du groupe. (p. 535)

Polygraphe machine couramment utilisée dans le but de détecter les mensonges et qui mesure plusieurs réponses physiologiques accompagnant l'émotion (comme la transpiration et les changements cardiovasculaires et respiratoires). (p. 467)

Population tous les sujets d'un groupe que l'on veut étudier, à partir duquel on peut constituer des échantillons. (*Remarque :* Sauf pour les études nationales, cela ne s'applique *pas* à toute la population d'un pays.) (p. 31)

Potentialisation à long terme (PLT) augmentation du potentiel d'excitabilité d'une cellule nerveuse, après une stimulation brève et rapide. Considérée comme la base neuronale de l'apprentissage et de la mémoire. (p. 333)

Potentiel d'action manifestation de l'excitation du neurone, résultat de la stimulation ; onde électrique de dépolarisation qui se déplace le long d'un axone. (p. 54)

Pratique fondée sur des preuves prise de décision clinique fondée sur les résultats des recherches disponibles les mieux conduites grâce à la compétence clinique des chercheurs et aux critères de définition des patients soignés dans le cadre de ces recherches. (p. 676)

Préjugé attitude injustifiable généralement négative envers un groupe ou ses membres. Les préjugés sont généralement des croyances stéréotypées, simplistes, des sentiments négatifs, et poussent à la discrimination. (p. 537)

Principe de frustration-agressivité principe selon lequel la frustration-privation de satisfaction vécue comme un refus opposé par autrui (D. Anzieu) crée la colère, qui peut générer l'agressivité. (p. 547)

Principe de spécificité de l'encodage idée que les indices et les contextes spécifiques à une mémoire particulière, à des souvenirs particuliers, seront les plus efficaces pour nous aider à les rappeler. (p. 335)

Privation relative sentiment d'être plus mal loti que ceux à qui l'on se compare. (p. 484)

Problématique nature/culture (inné/acquis) ancienne controverse, qui persiste encore, concernant la contribution relative des gènes et de l'expérience dans le développement des traits psychologiques et des comportements. La science considère actuellement que les caractères et les comportements proviennent des interactions entre la nature et la culture (l'inné et l'acquis). (p. 6)

Procédure en double aveugle procédure expérimentale dans laquelle ni les sujets traités, ni les personnes chargées de donner les médicaments ne savaient ce qui était administré, entre le traitement efficace ou le placebo. Couramment utilisé dans les études d'évaluation des médicaments. (p. 36)

Programme à intervalle fixe dans le conditionnement opérant, un programme de renforcement qui renforce une réponse seulement après une période de temps spécifiée. (p. 295)

Programme à intervalle variable dans le conditionnement opérant, un programme de renforcement qui renforce une réponse à intervalles de temps imprévisibles. (p. 295)

Programme à proportion fixe ou constante dans le conditionnement opérant, un programme de renforcement qui renforce une réponse uniquement après un nombre déterminé de réponses. (p. 295)

Programme à proportion variable dans le conditionnement opérant, un programme de renforcement qui renforce une réponse après un nombre imprévisible de réponses. (p. 295)

Programme de renforcement schéma qui définit à quelle fréquence la réponse sera renforcée. (p. 293)

Programme de renforcement continu renforcement de la réponse souhaitée à chaque fois qu'elle se produit. (p. 293)

Programme de renforcement partiel (intermittent) renforcement de la réponse, seulement une partie du temps ; les résultats dans l'acquisition d'une réponse sont plus lents à venir mais présentent une plus grande résistance à l'extinction, comparativement à ceux obtenus par le renforcement continu. (p. 293)

Prophétie qui s'accomplit croyance qui fait que les comportements se modifient et mènent à la situation prévue. (p. 563)

Prototype image mentale, ou meilleur exemple d'une catégorie. Associer de nouveaux éléments à un prototype offre une méthode rapide et facile pour classer les éléments dans des catégories (comme lorsque l'on rapporte les animaux à plumes au prototype oiseau, tel un rouge-gorge). (p. 357)

Psychanalyse technique thérapeutique de Sigmund Freud. Freud croyait que les associations libres faites par le patient, les résistances, les rêves, le transfert – et les interprétations du thérapeute des sentiments refoulés ainsi libérés – permettraient au patient d'atteindre la connaissance de soi. (p. 659)

Psychanalyse théorie de Freud d'étude de la personnalité par l'investigation spécifique des formations de pensées inconscientes (A. Braconnier) ; techniques utilisées dans le traitement des troubles psychologiques en cherchant à exposer et interpréter les conflits intrapsychiques. (p. 572)

Psychiatrie branche de la médecine qui étudie les sujets qui souffrent de troubles psychologiques ; elle est pratiquée par des médecins ; ils prodiguent des thérapies médicamenteuses ou physiques (ECT, SMTr) et des thérapies psychologiques. (p. 12)

Psychochirurgie chirurgie qui enlève ou détruit des tissus cérébraux dans l'espoir de modifier le comportement. (p. 687)

Psychologie science du comportement et des processus mentaux. (p. 5)

Psychologie clinique branche de la psychologie qui étudie, évalue et traite ceux qui souffrent de troubles psychologiques. (p. 12)

Psychologie communautaire branche de la psychologie qui étudie la manière dont les hommes interagissent avec leur environnement et comment les institutions sociales peuvent affecter les individus et les groupes. (p. 12)

Psychologie évolutionniste étude de l'évolution du comportement et de l'esprit, qui utilise les principes de la sélection naturelle. (p. 7, 144)

Psychologie des facteurs humains domaine de la psychologie industrielle et organisationnelle qui étudie les interactions homme-machine, la sécurité et la facilité d'exécution des commandes matérielles. (p. A-2)

Psychologie humaniste conception de la psychologie qui a marqué son histoire. Elle s'attache à la mise en valeur des capacités potentielles du sujet. (p. 5)

Psychologie industrielle et organisationnelle application des concepts et des méthodes utilisés en psychologie pour optimiser le comportement humain sur le lieu de travail. (p. A-2)

Psychologie organisationnelle domaine de la psychologie industrielle et organisationnelle où sont étudiées les influences de l'organisation du travail sur la satisfaction de l'employé et sa productivité et où les modalités de l'organisation du travail sont repensées. (p. A-2)

Psychologie de l'orientation branche de la psychologie qui aide les personnes ayant des problèmes, à vivre (souvent liées à l'école, au travail ou le mariage) et dans la réalisation de plus de bien-être. (p. 12)

Psychologie du personnel domaine de la psychologie industrielle et organisationnelle. En font partie, la sélection et le recrutement du personnel, le placement, la formation, l'évaluation et le développement des compétences. (p. A-2)

Psychologie positive étude scientifique de l'épanouissement humain, ayant pour objectif la découverte et le renforcement des forces et des qualités des individus et des communautés pour les aider à prospérer. (p. 9, 479)

Psychologie de la santé discipline qui apporte une contribution psychologique à la médecine comportementale. (p. 492)

Psychologie sociale étude scientifique du mode de pensée des individus, la façon dont ils s'influencent et dont ils entrent en relation. (p. 518)

Psychologues du développement étudient les changements physiques, mentaux et sociaux tout au long de la vie. (p. 178)

Psycho-neuro-immunologie étude de la manière dont les processus psychologiques, nerveux et endocriniens affectent le système immunitaire et l'état de santé qui en découle. (p. 492)

Psychopharmacologie étude des effets des médicaments sur le cours et le contenu de la pensée, et sur le comportement. (p. 682)

Psychophysique étude des relations entre les caractéristiques physiques des stimuli, tels que leur intensité, et notre expérience psychologique d'entre eux. (p. 230)

Psychostimulants cette catégorie de substances comporte la caféine, la nicotine, les amphétamines, la cocaïne, l'ecstasy et enfin la méthamphétamine (surnommée speed). (p. 120)

Psychothérapie traitement s'appuyant sur des techniques psychologiques : elle consiste en des interactions entre un thérapeute formé et une personne cherchant à surmonter ses difficultés psychologiques ou à atteindre un épanouissement personnel. (p. 659)

Puberté période de la maturation sexuelle, au cours de laquelle une personne devient capable de se reproduire. (p. 165, 204)

Punition événement qui a tendance à *diminuer* le comportement qui la suit. (p. 295)

Pupille orifice de l'iris au centre de l'œil à travers lequel la lumière entre pour impressionner la rétine. (p. 240)

Quotient intellectuel (QI) défini à l'origine comme le rapport de l'âge mental *(am)* à l'âge chronologique *(ac)* multiplié par 100 (ainsi, QI = *am/ac* × 100). Dans les tests d'intelligence contemporains, la performance moyenne pour un âge donné se voit attribuer la valeur 100. (p. 394)

Rappel processus permettant de récupérer une information dans le système de stockage mnésique. (p. 320)

Réalisation de soi selon Maslow, un des besoins psychologiques ultimes qui s'impose une fois les besoins physiques et psychologiques fondamentaux satisfaits, et l'estime de soi ancrée ; motivation pour être totalement soi-même. (p. 583)

Réapprentissage mesure de la mémoire qui détermine le temps épargné lorsqu'on apprend une information pour la seconde fois. (p. 319)

Rebond en REM tendance de la quantité de sommeil paradoxal à augmenter, à la suite de sa privation (créé par des réveils répétés pendant le sommeil paradoxal). (p. 116)

Recapture réabsorption des neuromédiateurs excédentaires par le neurone sécréteur présynaptique (p. 56)

Recherche appliquée étude scientifique qui vise à résoudre des problèmes pratiques. (p. 12)

Recherche fondamentale science pure qui vise à accroître la base de connaissances scientifiques. (p. 11)

Reconnaissance mesure de la mémoire dans laquelle la personne a seulement besoin d'identifier des éléments déjà appris, comme dans un questionnaire à choix multiple. (p. 319)

Récupération spontanée réapparition après une période de repos de la RC qui s'était éteinte. (p. 284)

Réflexe réponse simple et automatique, à un stimulus sensoriel, par exemple le réflexe rotulien. (p. 63)

Refoulement dans la théorie psychanalytique, mécanisme de défense de base qui bannit de la conscience des pensées, des sentiments et des souvenirs anxiogènes. (p. 342, 575)

Régression vers la moyenne tendance pour les notes ou les événements extrêmes ou inhabituels à revenir (régresser) vers des valeurs ou des fréquences moyennes. (p. 33)

Regroupement (ou tronçonnage, « chunking ») organiser des éléments en unités, familières, plus facilement gérables (tronçons). Ce procédé est souvent automatique. (p. 248, 325)

Renforçateur conditionnel stimulus qui gagne son pouvoir renforçant grâce à son association avec un renforçateur primaire ; également connu en tant que *renforçateur secondaire*. (p. 292)

Renforçateur primaire stimulus de renforcement inné, tels que celui qui répond à un besoin biologique. (p. 292)

Renforcement dans le conditionnement opérant, tout événement qui *accroît* le comportement qui le suit. (p. 290)

Renforcement négatif renforcement d'un comportement par l'arrêt ou la diminution de stimuli négatifs, comme un choc électrique. Un renforçateur négatif est un stimulus qui, lorsqu'il est *éliminé* après la réponse, renforce cette dernière. (*Remarque :* le renforcement négatif n'est pas une punition.) (p. 292)

Renforcement positif renforcement des comportements par la présentation de stimuli positifs. Tout stimulus qui, lorsqu'il est *présenté* après une réponse, renforce cette dernière est un renforçateur positif. (p. 292)

Répartition aléatoire distribution des participants dans les groupes expérimentaux et témoin par tirage au sort, minimisant ainsi les différences préexistantes dans les différents groupes. (p. 35)

Réplication répétition des principes de base d'une étude, généralement avec des sujets différents dans des conditions différentes, pour voir si les résultats initiaux peuvent être appliqués à d'autres sujets, ou dans d'autres circonstances. (p. 26)

Réponse conditionnée (RC) dans le conditionnement classique, réponse apprise à un stimulus conditionnel (SC), qui auparavant était neutre. (p. 284)

Réponse inconditionnelle (RI) dans le conditionnement classique, c'est la réponse non apprise, spontanée, au stimulus inconditionnel (SI), comme la salivation lorsque l'on place de la nourriture dans la bouche. (p. 282)

Réponse en tout ou rien excitation du neurone, réponse pleine à un stimulus dont l'intensité est supérieure au seuil, et qui n'est pas graduelle ; l'intensité est unique quelle que soit la valeur de l'intensité du stimulus. (p. 55)

Résilience force interne personnelle qui aide la plupart des gens à faire face au stress et à se remettre de l'adversité et même d'un traumatisme. (p. 690)

Résistance en psychanalyse, le fait d'empêcher un matériel psychique porteur d'angoisse d'atteindre la conscience. (p. 659)

Rétine surface interne de l'œil, sensible à la lumière contenant les cellules réceptrices, bâtonnets et cônes, ainsi que des couches de neurones qui commencent le traitement de l'information visuelle. (p. 241)

Rêver séquence d'images, d'émotions et de pensées qui traversent l'esprit d'un sujet qui dort. Les rêves sont caractérisés par leur contenu hallucinatoire, les discordances et les incongruités, et par l'adhésion du rêveur à son contenu délirant et les difficultés ultérieures à s'en souvenir. (p. 113)

Rôle ensemble d'attentes (normes) attachées à une position qui définissent la manière dont les sujets qui occupent cette position doivent se comporter. (p. 167, 523)

Rôle sexué ensemble de comportements attendus de la part des hommes et des femmes. (p. 167)

Ruminations remords compulsifs ; *réflexions excessives* sur les difficultés et leurs causes. (p. 635)

Rythme circadien horloge biologique ; rythmes corporels normaux (par exemple, de la température et de l'état de veille) qui se produisent sur un cycle de vingt-quatre heures. (p. 100)

Scénario social guide modelé sur la culture qui permet de savoir comment agir dans diverses situations. (p. 150, 548)

Schéma concept ou cadre qui organise et interprète les informations. (p. 187)

Schizophrénie trouble psychologique caractérisé par des productions délirantes, idéation délirante et hallucinations, un discours désorganisé, et/ou appauvri, une expression émotionnelle inappropriée (affects discordants, émoussés). (p. 640)

Schizophrénie aiguë (aussi appelée *schizophrénie réactionnelle*) forme de schizophrénie qui peut commencer à tout âge, se produit fréquemment en réponse à un événement émotionnellement traumatique. Les périodes de rémission sont plus longues. (p. 641)

Schizophrénie chronique (aussi appelée *schizophrénie processuelle*) forme de schizophrénie dans laquelle les symptômes apparaissent généralement à la fin de l'adolescence ou au début de l'âge adulte. Avec l'âge les épisodes psychotiques durent plus longtemps et les périodes de rémission sont plus courtes. (p. 641)

Sélection naturelle principe selon lequel les caractères héréditaires qui contribuent à la reproduction et à la survie ont plus de chances d'être transmis aux générations à venir. (p. 6, 144)

Sensation processus par lequel nos récepteurs sensoriels et notre système nerveux reçoivent et représentent les énergies du stimulus provenant de notre environnement. (p. 230)

Sens vestibulaire sens du mouvement du corps et de la position, y compris le sens de l'équilibre. (p. 269)

Seuil niveau de stimulation minimale nécessaire pour déclencher l'excitation du neurone. (p. 55)

Seuil absolu intensité minimale nécessaire pour que des stimuli de nature différente soient détectés dans 50 % des cas. (p. 231)

Seuil différentiel différence minimale qu'une personne peut détecter entre deux stimuli quelconques dans 50 % des cas. Nous percevons ce seuil différentiel en tant que *différence tout juste détectable*. (p. 232)

Sexe en psychologie, caractéristiques biologiques par lesquelles un individu se définit comme étant un *homme* ou une *femme*. (p. 161)

SIDA (syndrome d'immunodéficience acquise) infection sexuellement transmissible mortelle causée par le *virus de l'immunodéficience humaine* (VIH). Le SIDA épuise le système immunitaire, laissant la personne vulnérable aux infections. (p. 436)

Significativité statistique estimation statistique de la probabilité qu'un résultat soit seulement dû au hasard. (p. 47)

Soi dans la psychologie contemporaine, centre de la personnalité qui organise nos pensées, nos sentiments et nos actions. (p. 598)

Sommeil dissolution périodique naturelle de la conscience, distincte de celle due au coma, à l'anesthésie générale ou à l'hibernation. (Adapté de Dement, 1999.) (p. 100)

Sommeil REM sommeil avec mouvements oculaires rapides ; stade de sommeil récurrent au cours duquel surviennent les rêves. Aussi connu sous le nom de *sommeil paradoxal*, parce que les muscles sont détendus (sauf secousses mineures), alors que d'autres systèmes physiques sont actifs. (p. 101)

Souvenir flash souvenir précis d'un moment ou d'un événement ayant une charge émotionnelle significative. (p. 331)

Spermarche première éjaculation. (p. 167)

Stade du babillage à partir de 4 mois environ, stade de développement du langage au cours duquel l'enfant articule spontanément différents sons qui, au début, ne reflètent pas la langue maternelle. (p. 372)

Stade du mot-phrase stade du développement du langage apparaissant à l'âge de 1 à 2 ans environ, au cours duquel un enfant parle en prononçant principalement des mots simples. (p. 372)

Stade des opérations concrètes dans la théorie de Piaget, stade de développement cognitif (d'environ 7 à 11 ans) au cours duquel les enfants sont capables d'élaborer des raisonnements logiques portant sur des événements concrets. (p. 191)

Stade des opérations formelles dans la théorie de Piaget, stade de développement cognitif (débutant normalement vers l'âge de 12 ans) au cours duquel les enfants commencent à élaborer une pensée portant sur des concepts abstraits. (p. 191)

Stade des phrases à deux mots débutant à l'âge de 2 ans environ, stade de développement du langage au cours duquel un enfant parle surtout par phrases construites avec deux mots. (p. 372)

Stade préopératoire dans la théorie de Piaget, c'est la période au cours de laquelle un enfant apprend à utiliser la langue, mais ne comprend pas encore les opérations mentales de logique concrète (d'environ 2 à environ 6 ou 7 ans). (p. 188)

Stade sensori-moteur ou de l'intelligence sensori-motrice dans la théorie de Piaget, l'étape (de la naissance à près de 2 ans) au cours de laquelle les nourrissons vont apprendre à connaître le monde par les perceptions sensorielles et les activités motrices selon des schèmes d'organisation de l'action, de reproduction de cette action quand les conditions sont analogues. (p. 188)

Stades psychosexuels stades de développement de l'enfance (oral, anal, phallique, de latence, génital) au cours desquels, selon Freud, l'énergie psychique pulsionnelle du Ça pour rechercher le plaisir porte sur des zones érogènes distinctes. (p. 574)

Standardisation définir les scores significatifs en comparaison avec les performances d'un groupe testé préalablement. (p. 396)

Stanford-Binet version américaine du test d'intelligence original de Binet, faite par Terman à l'Université de Stanford, très largement utilisée. (p. 394)

Stéréotype croyance généralisée (parfois vraie, mais souvent trop générale) concernant un groupe de personnes. (p. 538)

Stimulation magnétique trans-crânienne répétée (SMTr) stimulation consistant à diriger de façon indolore un champ magnétique, à travers le crâne, vers une région de l'encéphale. (p. 686)

Stimulus événement ou situation qui déclenche une réponse. (p. 280)

Stimulus conditionnel (SC) dans le conditionnement classique, un stimulus au départ neutre qui, après association avec un stimulus inconditionnel (SI), en vient à déclencher une réponse conditionnée. (p. 284)

Stimulus inconditionnel (SI) dans le conditionnement classique, stimulus qui déclenche une réponse de façon non conditionnée – naturelle et automatique. (p. 282)

Stimulus neutre (SN) dans le conditionnement classique, stimulus qui ne déclenche aucune réponse, avant l'instauration du conditionnement. (p. 282)

Stockage maintien de l'information encodée au fil du temps. (p. 320)

Stress processus par lequel nous percevons et répondons à certains événements, appelés les *facteurs de stress*, et que nous interprétons comme une menace ou une mise à l'épreuve. (p. 489)

Structuralisme école de pensée promue par Wundt et Titchener ; met en oeuvre l'introspection pour révéler la structure de l'esprit humain. (p. 3)

Subliminal sous le seuil absolu de la conscience. (p. 231)

Substances psychoactives substances modifiant la perception et l'humeur. (p. 117)

Suggestion post-hypnotique ordre donné, au cours d'une séance d'hypnose, exécuté alors que le sujet n'est plus hypnotisé ; utilisé par certains cliniciens pour aider à contrôler les symptômes et les comportements indésirables. (p. 265)

Surdité de conduction forme plus rare de perte auditive qui est provoquée par des lésions au niveau du système mécanique qui conduit les ondes sonores jusqu'à la cochlée. (p. 257)

Surmoi partie de la personnalité qui, selon Freud, représente les idéaux intériorisés et fournit des normes pour le jugement (la conscience) et pour les aspirations futures. (p. 574)

Synapse jonction de l'extrémité axonale d'un neurone et du soma ou des dendrites d'un autre neurone. Le petit espace formant la jonction neuro-neuronique est appelé *fente synaptique* ou *synapse*. (p. 56)

Syndrome d'alcoolisation fœtale (SAF) anomalies physiques et cognitives apparaissant chez les enfants et causées par la consommation excessive d'alcool par la mère durant la grossesse. Dans les cas graves, les signes comprennent une petite tête disproportionnée et des anomalies morphologiques. (p. 182)

Syndrome de Down condition clinique comportant des troubles somatiques et une déficience intellectuelle modérée à sévère, causée par un chromosome 21 surnuméraire (trisomie 21). (p. 403)

Syndrome général d'adaptation (GAS) concept de Hans Selye décrivant la réponse adaptative de l'organisme au stress en trois phases : alarme, résistance, épuisement. (p. 491)

Syndrome du savant état d'une personne aux capacités mentales limitées mai qui possède, par ailleurs, une aptitude spécifique exceptionnelle – par exemple dans le domaine du calcul ou du dessin. (p. 387)

Syndrome de sevrage inconfort et détresse qui suivent l'arrêt brutal de la consommation d'une drogue ou la cessation brutale d'une addiction comportementale. (p. 119)

Système endocrinien système de communication chimique « lente » de l'organisme ; ensemble de glandes qui sécrètent des hormones dans la circulation sanguine. (p. 63)

Système limbique système neuronal comprenant *l'hippocampe, l'amygdale, et l'hypothalamus*, situé au-dessous des hémisphères cérébraux ; associé à la régulation des émotions et à l'adaptation comportementale. (p. 71)

Système nerveux réseau de communication de l'organisme, électro-chimique et rapide, composé de toutes les cellules nerveuses du système nerveux central et périphérique. (p. 60)

Système nerveux autonome (SNA) partie du système nerveux périphérique contrôlant les glandes et les muscles des organes internes, des viscères (tels que le cœur, le système digestif, respiratoire). Sa partie sympathique stimule, sa partie parasympathique apaise et entretien l'organisme. (p. 60)

Système nerveux central (SNC) moelle épinière et encéphale (tronc cérébral, cervelet, cerveau). Il contient les centres de régulation de la vie de relation. (p. 60)

Système nerveux parasympathique partie du système nerveux autonome impliquée dans l'entretien de l'organisme. Fonction trophotrope (p. 61)

Système nerveux périphérique (SNP) neurones sensitifs et moteurs reliant le système nerveux central (SNC) au reste de l'organisme. (p. 60)

Système nerveux somatique division du système nerveux périphérique qui contrôle les muscles squelettiques. Aussi appelé le *système nerveux squelettique*. (p. 60)

Système nerveux sympathique partie du système nerveux autonome impliquée dans l'éveil de l'organisme, mobilisant son énergie dans les situations stressantes. Fonction ergotrope (p. 61)

Taille relative si nous admettons que deux objets ont une taille semblable, la plupart d'entre nous perçoivent celui qui projette l'image la plus petite sur la rétine comme étant le plus éloigné. (p. 248)

Teinte dimension d'une couleur déterminée par la longueur d'onde de la lumière émise ; ce que nous nommons *bleu*, *vert*, et ainsi de suite. (p. 239)

Tempérament manière d'être du sujet exprimée par ses réactions émotionnelles et leur intensité. (p. 140)

Tendre la main et se lier d'amitié en situation de stress, les gens (surtout les femmes) apportent souvent un soutien à d'autres (tendre la main) et nouent des liens d'amitié en cherchant aussi le soutien d'autrui. (p. 492)

Terreurs nocturnes trouble du sommeil caractérisé par une forte excitation et une impression d'être terrifié ; contrairement aux cauchemars, les terreurs nocturnes surviennent pendant le sommeil NREM-3 ou stade 3 du sommeil lent profond, dans les deux ou trois heures suivant l'endormissement. Le sujet s'en souvient rarement. (p. 111)

Test d'Aperception Thématique (TAT) test projectif dans lequel les gens expriment leurs sentiments et leurs intérêts en construisant une histoire à partir de scènes, au contenu ambigu, qui leur sont présentées. (p. 578)

Test d'aptitude test conçu pour prédire les résultats qu'obtiendra un sujet, dans un domaine donné ; l'*aptitude* est la capacité d'apprendre. (p. 392)

Test de connaissance test conçu pour évaluer ce qu'une personne a appris. (p. 392)

Test empirique test (comme par exemple le MMPI) développé à partir d'un vaste choix de questions parmi lesquelles sont sélectionnées celles qui permettent de discriminer des groupes pertinents. (p. 589)

Test d'intelligence méthode permettant d'évaluer les aptitudes mentales d'un individu et de les comparer à celles d'autres personnes au moyen d'une valeur quantitative, numérique (N.d.T. : psychologie différentielle). (p. 392)

Test projectif test de personnalité, comme le Rorschach, qui fournit des stimuli ambigus, conçus pour déclencher la projection de la dynamique de la personnalité sur la situation évoquée par le test. (p. 578)

Test de Rorschach test projectif le plus largement utilisé, composé d'un ensemble de 10 taches d'encre. Il a été conçu par Hermann Rorschach ; il cherche à identifier les sentiments des gens en analysant leurs interprétations des taches. (p. 578)

Testostérone la plus importante des hormones sexuelles masculines. Elle est présente à la fois chez les hommes et les femmes, mais la testostérone, plus abondante chez les hommes, stimule le développement des organes sexuels masculins chez le fœtus et le développement des caractères sexuels secondaires masculins lors de la puberté. (p. 165, 433)

Thalamus organe pair, centre de traitement des influx somesthésiques, situé au sommet du tronc cérébral ; lié aux aires somesthésiques du cortex. Il renvoie aussi des réponses au cervelet et au bulbe rachidien. (p. 71)

THC tétra-hydro-cannabinol ; principe actif majeur du cannabis ; déclenche une variété d'effets ; léger pouvoir hallucinogène. (p. 125)

Théorie une explication qui utilise un ensemble de principes pour organiser les observations et prédire des comportements ou des événements. (p. 26)

Théorie de l'apprentissage social théorie selon laquelle nous apprenons les comportements sociaux en observant, en imitant et en étant récompensés ou punis. (p. 168)

Théorie de l'attribution théorie par laquelle nous nous expliquons le comportement de quelqu'un par les circonstances qui l'impliquent ou par la personnalité du sujet. (p. 518)

Théorie du bouc émissaire théorie selon laquelle avoir quelqu'un à blâmer constitue un exutoire pour les préjugés. (p. 543)

Théorie de Cannon-Bard théorie selon laquelle un stimulus suscitant une émotion déclenche simultanément (1) les réponses physiologiques et (2) l'expérience subjective de l'émotion. (p. 461)

Théorie du contrôle des pulsions théorie selon laquelle un besoin physiologique crée un état de tension et d'excitation (une pulsion) qui motive un organisme à satisfaire ce besoin. (p. 421)

Théorie du contrôle du « portillon » (*gate control*) théorie qui suggère que la moelle épinière contient une « porte » neurologique qui interdit ou permet aux signaux douloureux de remonter jusqu'au cerveau. La « porte » est ouverte par l'activité des signaux douloureux remontant par les fibres nerveuses de petit diamètre et fermée par l'activité des fibres de grand diamètre ou par des informations en provenance du cerveau. (p. 262)

Théorie de détection du signal théorie qui prédit de quelle manière et à quel moment nous détectons un léger *stimulus* (signal) au milieu d'un *bruit de fond*. On suppose qu'il n'y a pas de seuil absolu unique et que la détection dépend en partie de l'expérience, des attentes, de la motivation et de la vigilance d'une personne. (p. 231)

Théorie des deux facteurs théorie de Schachter-Singer disant que pour éprouver l'émotion, celle-ci doit être (1) physiquement activée et (2) interprétée par les processus cognitifs. (p. 461)

Théorie de la dissonance cognitive théorie selon laquelle nous agissons pour réduire l'inconfort (dissonance) que nous ressentons lorsque deux de nos pensées (cognitions) sont contradictoires. Par exemple, quand nous devenons conscients que nos attitudes et nos actions sont en contradiction, nous pouvons réduire la dissonance qui en résulte en modifiant nos attitudes. (p. 523)

Théorie de l'échange social théorie selon laquelle notre comportement social est un processus d'échange, dont l'objectif est d'accroître les avantages et de réduire les inconvénients. (p. 560)

Théorie de l'emplacement théorie qui stipule que l'audition des différentes tonalités des ondes sonores déclenche une activité à des endroits différents le long de la membrane basilaire de la cochlée. (p. 259)

Théorie de l'esprit capacité spécifiquement humaine à connaître ses propres états mentaux et à attribuer à ses congénères des états mentaux (croyances sentiments, pensées, désirs) afin de prévoir leur comportement. (p. 191)

Théorie des fréquences dans l'audition, théorie selon laquelle la fréquence des influx nerveux propagés par le nerf auditif correspond à la fréquence sonore, nous permettant ainsi de détecter la tonalité du son. (Aussi appelé *la théorie temporelle*.) (p. 260)

Théorie de la gestion de la peur théorie de l'angoisse de la mort ; explore les réponses émotionnelles et comportementales des gens pour des rappels de leur mort imminente. (p. 581)

Théories humanistes conception de la personnalité qui met l'accent sur les possibilités et les ressources des personnes en bonne santé pour aboutir leur épanouissement. (p. 583)

Théorie de James et Lange théorie selon laquelle notre expérience des émotions correspond à la conscience de nos réponses physiologiques aux stimuli des émotions. (p. 461)

Théorie du processus antagoniste ou des couleurs complémentaires au niveau de la rétine, trois groupes de couleurs complémentaires, rouge et vert, bleu et jaune, noir et blanc, permettent la vision des couleurs. Par exemple, certaines cellules sont stimulées par le vert et inhibées par le rouge ; d'autres sont stimulées par le rouge et inhibées par vert. (p. 244)

Théories psychodynamiques conceptions de la personnalité mettant en avant l'importance des expériences vécues dans l'enfance et le rôle des pulsions primaires constituant l'inconscient. (p. 572)

Théorie trichromatique (trois couleurs) de Young-Helmholtz théorie selon laquelle la rétine contient des récepteurs distincts pour trois couleurs, les uns surtout sensibles au rouge, d'autres au vert et d'autres encore au bleu, et dont la stimulation combinée peut aboutir à la perception de n'importe quelle couleur. (p. 243)

Thérapie centrée sur le client thérapie humaniste, développée par Carl Rogers, dans laquelle le thérapeute utilise des techniques telles que l'écoute active et crée un environnement authentique accueillant et empathique pour faciliter l'épanouissement de ses clients. (Aussi appelé *thérapie centrée sur la personne*.) (p. 661)

Thérapie cognitive thérapie qui enseigne aux gens à se considérer soi-même, le monde, et son avenir de façon plus adaptée ; elle se fonde sur l'hypothèse que les pensées interviennent entre les événements et nos réactions émotionnelles. (p. 667)

Thérapie cognitivo-comportementale (TCC) thérapie intégrative populaire associant la thérapie cognitive (changer la perception pessimiste de soi-même) à la thérapie comportementale (changer de comportement). (p. 669)

Thérapie comportementale thérapie qui applique les principes de l'apprentissage en vue de supprimer les comportements inadaptés indésirables. (p. 663)

Thérapies d'exposition techniques comportementales, telles que la *désensibilisation systématique* et la *thérapie par réalité virtuelle*, qui traitent les états anxieux en exposant les gens (en imagination ou en situations réelles) aux choses qu'ils craignent et évitent. (p. 664)

Thérapie familiale thérapie qui porte sur la famille en tant que système. Les pensées et les comportements indésirables d'un individu sont influencés par ou dirigés vers d'autres membres de la famille. (p. 670)

Thérapie de groupe thérapie menée en groupe plutôt qu'individuellement ; les bienfaits thérapeutiques viennent des interactions se produisant dans le groupe. (p. 670)

Thérapies de l'insight variété de traitements qui visent à améliorer le fonctionnement psychologique en augmentant la capacité à sa propre connaissance et celle des motifs et des défenses sous-jacents. (p. 661)

Thérapie psychodynamique traitement découlant de la tradition psychanalytique ; considère les individus comme répondant à des forces inconscientes et aux expériences de l'enfance, et cherche à améliorer la connaissance de soi. (p. 660)

Thérapie par réalité virtuelle traitement de l'anxiété qui expose progressivement les gens à des situations simulées par des procédés électroniques reproduisant les situations redoutées de leurs plus grandes craintes, comme le vol en avion, les araignées, ou parler en public. (p. 664)

Tolérance l'effet diminue avec l'utilisation régulière de la même dose d'une drogue, et conduit le consommateur à absorber des doses de plus en plus grandes afin d'obtenir l'effet attendu. (p. 119)

Tomographie par émission de positons (TEP ou PET scan) mise en évidence visuelle de l'activité du cerveau, qui suit le devenir d'une forme radioactive du glucose au moment où le cerveau accomplit une tâche donnée. (p. 67)

Tonalité caractère de hauteur d'un son, grave ou aigu, dépendant de la fréquence de l'onde sonore. (p. 256)

Trait modèle caractéristique du comportement ou disposition à ressentir et à agir ; évalué par des auto-questionnaires et les descriptions effectuées par l'entourage. (p. 586)

Traitement ascendant analyse qui commence par la stimulation des récepteurs sensoriels, se poursuit par la conduction des stimuli, pour se terminer par l'intégration corticale. (p. 230)

Traitement automatique encodage se faisant de façon non consciente de renseignements accessoires, tels que l'espace, le temps et la fréquence, et aussi de matériel cognitif bien appris, comme le sens des mots. (p. 321)

Traitements biomédicaux prescription de médicaments ou procédures médicales qui agissent directement sur la physiologie du patient. (p. 659)

Traitement descendant analyse de l'information guidée par des processus mentaux de haut niveau, par exemple lorsque nous construisons nos perceptions en reformulant les informations au travers de nos expériences et de nos attentes. (p. 230)

Traitement dualiste principe selon lequel l'information est souvent traitée simultanément de façon consciente et non consciente. (p. 94)

Traitement avec effort encodage qui nécessite une attention et un effort de la conscience vigile. (p. 321)

Traitement parallèle traitement simultané de plusieurs aspects d'un problème ; mode de traitement de l'information propre au cerveau qui l'applique à de nombreuses fonctions, notamment la vision. (p. 95, 246, 320)

Traitement en profondeur encodage sémantique basé sur la signification des mots ; a tendance à fournir la meilleure rétention. (p. 327)

Traitement superficiel encodage à un niveau de base fondé sur la structure ou l'apparence de mots. (p. 327)

Transduction conversion d'une forme d'énergie en une autre. Dans le cas de la sensation, c'est la transformation des visions, des odeurs et des goûts en énergie électrique, sous forme d'influx nerveux captés et interprétés par le cerveau. (p. 230)

Transfert en psychanalyse, transfert dans la relation du patient à l'analyste des émotions liées à d'autres relations, et des conflits intra-psychiques (comme l'amour ou la haine pour un parent). (p. 659)

Transgenre terme générique décrivant les personnes dont l'identité de genre ou son expression diffère de celle associée au sexe de naissance. (p. 169)

Tronc cérébral partie de l'encéphale qui, dans l'évolution, est la plus ancienne. Il débute là où la moelle épinière se renfle et entre dans le crâne ; le tronc cérébral est responsable des fonctions automatiques de survie. (p. 69)

Trouble de l'anxiété généralisée trouble anxieux dans lequel une personne est constamment tendue, craintive ; cet état se traduit aussi par des signes et des symptômes neurovégétatifs. (p. 620)

Troubles anxieux troubles psychologiques caractérisés par une anxiété persistante, une détresse ou des conduites inadaptées, répétées pour réduire l'anxiété. (p. 620)

Trouble bipolaire trouble au cours duquel le sujet est en proie à des états dépressifs de l'humeur et des états d'humeur maniaque. (Anciennement appelé *trouble maniaco-dépressif* ou psychose maniaco-dépressive.) (p. 629)

Trouble dépressif majeur trouble au cours duquel une personne ressent pendant au moins deux semaines, cinq symptômes ou plus, dont un au moins doit être, soit (1) une humeur dépressive, soit (2) une perte d'intérêt ou de plaisir. (p. 629)

Trouble du développement sexuel maladie congénitale due à un nombre aberrant de chromosomes sexuels ayant des répercussions anatomiques. (p. 167)

Troubles dissociatifs affections, dont l'existence clinique est discutée, au cours desquelles la pensée consciente se dissocie des souvenirs, des pensées et des sentiments anciens. (p. 646)

Trouble dissociatif de l'identité trouble dissociatif rare dans lequel une personne présente alternativement deux ou plusieurs personnalités distinctes. Anciennement appelé *trouble de la personnalité multiple*. (p. 647)

Trouble de l'érection incapacité de développer ou de maintenir une érection en raison de l'afflux sanguin insuffisant vers les corps caverneux du pénis. (p. 435)

Trouble lié à la consommation d'alcool (*alcoolisme*) consommation d'alcool marquée par l'induction d'une tolérance, un syndrome de sevrage en cas d'arrêt brutal, et des complications en cas de la poursuite de cette consommation. (p. 120)

Troubles liés à l'utilisation d'une substance la consommation et la recherche effrénée de la drogue sont permanentes en dépit des altérations significatives du fonctionnement du sujet et des effets somatiques néfastes. (p. 117)

Troubles neurocognitifs (TNC) troubles acquis marqués par des déficits cognitifs ; souvent liés à des lésions cérébrales, la maladie d'Alzheimer-, ou la toxicomanie. Chez les personnes âgées, les troubles neurocognitifs étaient auparavant appelés *démence sénile*. (p. 218)

Trouble obsessionnel compulsif (TOC) trouble caractérisé par des pensées (obsessions) et/ou des comportements (compulsions), intrusifs, indésirables répétitifs. (p. 622)

Trouble de l'orgasme chez la femme sentiment de détresse lié à la rareté ou à l'absence d'orgasme. (p. 435)

Trouble panique trouble anxieux marqué par des épisodes imprévisibles, durant plusieurs minutes, de peur intense durant lesquels une personne éprouve un sentiment de terreur avec douleur ou gêne thoracique, sensation de « souffle coupé » ou d'autres sensations telles que des paresthésies, des sensations de vertiges. L'attente anxieuse de survenue d'une autre crise est fréquente. (p. 620)

Troubles de la personnalité modes de comportement rigides et durables qui perturbent le fonctionnement social. (p. 649)

Trouble de la personnalité antisociale trouble de la personnalité dans lequel une personne (généralement un homme) n'a pas de conscience morale qui lui permettrait de mesurer les conséquences de ses actes répréhensibles, et ce même envers ses amis et les membres de sa famille ; il peut être agressif et impitoyable, ou se révéler être un escroc. (p. 649)

Trouble psychologique comportement jugé atypique (déviant), entraînant une souffrance et un dysfonctionnement de la pensée, des sentiments ou des comportements. (p. 610)

Trouble du spectre de l'autisme (TSA) trouble qui apparaît dans l'enfance et est marqué par d'importants déficits de la communication et des interactions sociales, et par des intérêts strictement limités et des comportements répétitifs. (p. 192)

Trouble de stress post-traumatique (TSPT) trouble caractérisé par des souvenirs obsédants, des cauchemars, un évitement social, une anxiété avec agitation, une abrasion des émotions positives, et/ou une insomnie qui persistent pendant quatre semaines ou plus après une expérience traumatisante. (p. 622)

Type A concept créé par Friedman et Rosenman pour désigner les personnalités aimant la compétition, se conduisant durement envers les autres, impatientes, agressives verbalement, et coléreuses. (p. 496)

Type B concept créé par Friedman et Rosenman pour désigner les personnalités paisibles et sereines. (p. 496)

Validité qualité d'un test liée à sa capacité de donner des résultats cohérents avec ce qu'il doit prédire ou mesurer. (Voir aussi *validité de contenu* et *validité prédictive*.) (p. 397)

Validité du contenu succès avec lequel un test donne bien un résultat cohérent avec le comportement qu'il doit mesurer. (p. 397)

Validité prédictive succès avec lequel un test prédit le comportement qu'il est censé prédire ; il est évalué en calculant la corrélation entre les résultats au test et le comportement utilisé comme critère (également appelé validité de critère). (p. 397)

Variable confondante dans une expérience, un facteur autre que la variable indépendante qui pourrait influencer la variable dépendante, le résultat. (p. 37)

Variable dépendante dans une expérience, les résultats que l'on mesure ; la variable dont la valeur peut se modifier lorsque la variable indépendante est manipulée. (p. 37)

Variable indépendante dans une expérience, le facteur que l'on peut faire varier ; la variable dont l'effet est à l'étude. (p. 37)

Versant biologique établit des liens entre les manifestations physiologiques et le comportement. Du côté du versant biologique se trouvent la psychologie se fondant sur les neurosciences, la génétique du comportement et la psychologie évolutionniste. Les chercheurs en ces domaines pourraient s'appeler *chercheurs en neurosciences, chercheurs en sciences du comportement, éthologistes, neuropsychologues, généticiens du comportement, psycho-physiologistes,* ou « *bio-psychologues.* » (p. 53)

Vision aveugle condition dans laquelle une personne peut répondre à un stimulus visuel sans l'éprouver consciemment. (p. 94)

Voie centrale de la persuasion voie empruntée lorsque des personnes intéressées se concentrent sur les arguments et y répondent par des pensées favorables. (p. 520)

Voie périphérique de la persuasion persuasion influencée par des stimuli accessoires, tels que l'attrait exercé par celui qui parle. (p. 520)

Vrais jumeaux (jumeaux monozygotes) jumeaux qui se développent à partir d'un zygote unique (ovule fertilisé) qui se divise en deux, créant deux organismes génétiquement identiques. (p. 135)

Zygote ovule fécondé ; il entre dans une période de division cellulaire rapide qui durera deux semaines, stade précédant le stade embryonnaire. (p. 180)

Références

AAMC. (2012). *Diversity in Medical Education: Facts & Figures 2012.* Association of American Medical Colleges, www.aamc.org/publications. (p. 171)

AAS. (2009, April 25). *USA suicide: 2006 final data.* Prepared for the American Association of Suicidology by J. L. McIntosh (www.suicidology.org). (p. 638)

Abbey, A. (1987). Misperceptions of friendly behavior as sexual interest: A survey of naturally occurring incidents. *Psychology of Women Quarterly, 11,* 173–194. (p. 148)

Abel, E. L., & Kruger, M. L. (2010). Smile intensity in photographs predicts longevity. *Psychological Science, 21,* 542–544. (p. 498)

Abel, K. M., Drake, R., & Goldstein, J. M. (2010). Sex differences in schizophrenia. *International Review of Psychiatry, 22,* 417–428. (pp. 641, 645)

Abel, K. M., Wicks, S., Susser, E. S., Dalman, C., Pedersen, M. G., Mortensen, P. B., & Webb, R. T. (2010). Birth weight, schizophrenia, and adult mental disorder: Is risk confined to the smallest babies? *Archives of General Psychiatry, 67,* 923–930. (p. 478)

Abrams, D. B., & Wilson, G. T. (1983). Alcohol, sexual arousal, and self-control. *Journal of Personality and Social Psychology, 45,* 188–198. (p. 120)

Abrams, L. (2008). Tip-of-the-tongue states yield language insights. *American Scientist, 96,* 234–239. (p. 341)

Abrams, M. (2002, June). Sight unseen—Restoring a blind man's vision is now a real possibility through stem-cell surgery. But even perfect eyes cannot see unless the brain has been taught to use them. *Discover, 23,* 54–60. (p. 254)

Abramson, L. Y., Metalsky, G. I., & Alloy, L. B. (1989). Hopelessness depression: A theory-based subtype. *Psychological Review, 96,* 358–372. (pp. 501, 635)

Abramson, L. Y., Seligman, M. E. P., & Teasdale, J. D. (1978). Learned helplessness in humans: Critique and reformulation. *Journal of Abnormal Psychology, 87,* 49–74. (p. 501)

Acevedo, B. P., & Aron, A. (2009). Does a long-term relationship kill romantic love? *Review of General Psychology, 13,* 59–65. (p. 557)

ACHA. (2009). *American College Health Association-National College Health Assessment II: Reference group executive summary Fall 2008.* Baltimore: American College Health Association. (p. 628)

Ackerman, D. (2004). *An alchemy of mind: The marvel and mystery of the brain.* New York: Scribner. (p. 56)

ACMD. (2009). *MDMA ('ecstasy'): A review of its harms and classification under the misuse of drugs act 1971.* London: Home Office; Advisory Council on the Misuse of Drugs. (pp. 123, 124)

Adams, H. E., Wright, L. W., Jr., & Lohr, B. A. (1996). Is homophobia associated with homosexual arousal? *Journal of Abnormal Psychology, 105,* 440–446. (p. 581)

Adams, S. (2011, February 6). OCD: David Beckham has it—as do over a million other Britons. *The Telegraph* (www.telegraph.co.uk). (pp. 297, 623)

Adelmann, P. K., Antonucci, T. C., Crohan, S. F., & Coleman, L. M. (1989). Empty nest, cohort, and employment in the well-being of midlife women. *Sex Roles, 20,* 173–189. (p. 222)

Adelstein, J. S., Shehzad, Z., Mennes, M., DeYoung, C. G., Zuo, X.-N., Kelly, C., . . . Milham, M. P. (2011). Personality is reflected in the brain's intrinsic functional architecture. *PLoS ONE, 6,* e27633. (p. 591)

Ader, R., & Cohen, N. (1985). CNS-immune system interactions: Conditioning phenomena. *Behavioral and Brain Sciences, 8,* 379–394. (p. 288)

Aderka, I. M., Nickerson, A., Bøe, H. J., & Hofmann, S. G. (2012). Sudden gains during psychological treatments of anxiety and depression: A meta-analysis. *Journal of Consulting and Clinical Psychology, 80,* 93–101. (p. 675)

Adler, J. (2012, May). Erasing painful memories. *Scientific American,* pp. 56–61. (p. 333)

Adolph, K. E., Cole, W. G., Komati, M., Garciaguirre, J. S., Badaly, D., Lingeman, J. M., Chan, G. L. Y., & Sotsky, R. B. (2012). How do you learn to walk? Thousands of steps and dozens of falls per day. *Psychological Science, 23,* 1387–1394. (p. 185)

Adolph, K. E., Kretch, K. S., & LoBue, V. (2014). Fear of heights in infants? *Current Directions in Psychological Science, 23,* 60–66. (pp. 185, 249)

Affleck, G., Tennen, H., Urrows, S., & Higgins, P. (1994). Person and contextual features of daily stress reactivity: Individual differences in relations of undesirable daily events with mood disturbance and chronic pain intensity. *Journal of Personality and Social Psychology, 66,* 329–340. (p. 481)

Agrawal, Y., Platz, E. A., & Niparko, J. K. (2008). Prevalence of hearing loss and differences by demographic characteristics among US adults: Data from the *National Health and Nutrition Examination Survey, 1999–2004. Archives of Internal Medicine, 168,* 1522–1530. (p. 375)

Agrigoroaei, S., & Lachman, M. E. (2011). Cognitive functioning in midlife and old age: Combined effects of psychosocial and behavioral factors. *The Journals of Gerontology. Series B: Psychological Sciences and Social Sciences, 66* (Suppl 1), 1130–1140. (p. 219)

Agrillo, C. (2011). Near-death experience: Out-of-body and out-of-brain? *Review of General Psychology, 15,* 1–10. (p. 124)

Ai, A. L., Park, C. L., Huang, B., Rodgers, W., & Tice, T. N. (2007). Psychosocial mediation of religious coping styles: A study of short-term psychological distress following cardiac surgery. *Personality and Social Psychology Bulletin, 33,* 867–882. (p. 513)

Aiello, J. R., Thompson, D. D., & Brodzinsky, D. M. (1983). How funny is crowding anyway? Effects of room size, group size, and the introduction of humor. *Basic and Applied Social Psychology, 4,* 193–207. (p. 532)

Aimone, J. B., Jessberger, S., & Gage, F. H. (2010, last modified February 5). Adult neurogenesis. *Scholarpedia* (www.scholarpedia.org). (p. 82)

Ainsworth, M. D. S. (1973). The development of infant-mother attachment. In B. Caldwell & H. Ricciuti (Eds.), *Review of child development research* (Vol. 3). Chicago: University of Chicago Press. (p. 197)

Ainsworth, M. D. S. (1979). Infant-mother attachment. *American Psychologist, 34,* 932–937. (p. 197)

Ainsworth, M. D. S. (1989). Attachments beyond infancy. *American Psychologist, 44,* 709–716. (p. 197)

Airan, R. D., Meltzer, L. A., Roy, M., Gong, Y., Chen, H., & Deisseroth, K. (2007). High-speed imaging reveals neurophysiological links to behavior in an animal model of depression. *Science, 317,* 819–823. (p. 634)

Akers, K. G., et al. (2014). Hippocampal neurogenesis regulates forgetting during adulthood and infancy. *Science, 344,* 598–602. (p. 330)

Aknin, L. B., Barrington-Leigh, C., Dunn, E. W., Helliwell, J. F., Burns, J., Biswas-Diener, R., . . . Norton, M. I. (2013). Prosocial spending and well-being: Cross-cultural evidence for a psychological universal. *Journal of Personality and Social Psychology, 104,* 635–652. (pp. 479, 560)

Alanko, K., Santtila, P., Harlaar, N., Witting, K., Varjonen, M., Jern, P., . . . Sandnabba, N. K. (2010). Common genetic effects of gender atypical behavior in childhood and sexual orientation in adulthood: A study of Finnish twins. *Archives of Sexual Behavior, 39,* 81–92. (p. 443)

Albee, G. W. (1986). Toward a just society: Lessons from observations on the primary prevention of psychopathology. *American Psychologist, 41,* 891–898. (p. 690)

Albert, B., Brown, S., & Flanigan, C. M. (Eds.). (2003). *14 and younger: The sexual behavior of young adolescents.* Washington, DC: National Campaign to Prevent Teen Pregnancy. (p. 155)

Alcock, J. E. (2011, March/April). Back from the future: Parapsychology and the Bem affair. *Skeptical Inquirer,* pp. 31–39. (p. 274)

Aldao, A., & Nolen-Hoeksema, S. (2010). Emotion-regulation strategies across psychopathology: A meta-analytic review. *Clinical Psychology Review, 30,* 217–237. (p. 669)

Aldrich, M. S. (1989). Automobile accidents in patients with sleep disorders. *Sleep, 12,* 487–494. (p. 110)

Aldridge-Morris, R. (1989). *Multiple personality: An exercise in deception.* Hillsdale, NJ: Erlbaum. (p. 648)

Aleman, A., Kahn, R. S., & Selten, J-P. (2003). Sex differences in the risk of schizophrenia: Evidence from meta-analysis. *Archives of General Psychiatry, 60,* 565–571. (p. 641)

Alexander, L., & Tredoux, C. (2010). The spaces between us: A spatial analysis of informal segregation. *Journal of Social Issues, 66,* 367–386. (p. 565)

Allard, F., & Burnett, N. (1985). Skill in sport. *Canadian Journal of Psychology, 39,* 294–312. (p. 324)

Allen, J., Weinrich, M., Hoppitt, W., & Rendell, L. (2013). Network-based diffusion analysis reveals cultural transmission of lobtail feeding in humpback whales. *Science, 340,* 485–488. (pp. 307, 309)

Allen, J. R., & Setlow, V. P. (1991). Heterosexual transmission of HIV: A view of the future. *Journal of the American Medical Association, 266,* 1695–1696. (p. 436)

Allen, M. S., & Jones, M. V. (2014). The "home advantage" in athletic competitions. *Current Directions in Psychological Science, 23*, 48–53. (p. 532)

Allen, M. W., Gupta, R., & Monnier, A. (2008). The interactive effect of cultural symbols and human values on taste evaluation. *Journal of Consumer Research, 35*, 294–308. (p. 266)

Allen, T., & Sherman, J. (2011). Ego threat and intergroup bias: A test of motivated-activation versus self-regulatory accounts. *Psychological Science, 22*, 331–333. (p. 599)

Allesøe, K., Hundrup, V. A., Thomsen, J. F., & Osler, M. (2010). Psychosocial work environment and risk of ischaemic heart disease in women: The Danish Nurse Cohort Study. *Occupational and Environmental Medicine, 67*, 318–322. (p. 498)

Alloy, L. B., Abramson, L. Y., Whitehouse, W. G., Hogan, M. E., Tashman, N. A., Steinberg, D. L., Rose, D. T., & Donovan, P. (1999). Depressogenic cognitive styles: Predictive validity, information processing and personality characteristics, and developmental origins. *Behaviour Research and Therapy, 37*, 503–531. (p. 636)

Allport, G. W. (1954). *The nature of prejudice.* New York: Addison-Wesley. (pp. 28, 540)

Allport, G. W., & Odbert, H. S. (1936). Trait-names: A psycho-lexical study. *Psychological Monographs, 47*(1). (p. 587)

Ally, B. A., Hussey, E. P., & Donahue, M. J. (2013). A case of hyperthymesia: Rethinking the role of the amygdala in autobiographical memory. *Neurocase, 19*, 166–181. (p. 338)

Almås, I., Cappelen, A. W., Sørensen, E. Ø., & Tungodden, B. (2010). Fairness and the development of inequality acceptance. *Science, 328*, 1176–1178. (p. 206)

Al Ramiah, A., & Hewstone, M. (2013). Intergroup contact as a tool for reducing, resolving, and preventing intergroup conflict: Evidence, limitations, and potential. *American Psychologist, 68*, 527–542. (p. 564)

Alsharif, A. (2011, September 25). Saudi king gives women right to vote. *Reuters.* (p. 168)

Altamirano, L. J., Miyake, A., & Whitmer, A. J. (2010). When mental inflexibility facilitates executive control: Beneficial side effects of ruminative tendencies on goal maintenance. *Psychological Science, 21*, 1377–1382. (p. 635)

Altman, L. K. (2004, November 24). Female cases of HIV found rising worldwide. *New York Times* (www.nytimes.com). (p. 495)

Alvarez, L., & Schwartz, J. (2014, May 30). On death row with low I.Q., and new hope for a reprieve. *New York Times* (www.nytimes.com). (p. 404)

Alving, C. R. (2011, March 2). "I was swimming in a pool of liposomes." Podcast, *Science* (www.membercentral.aas.org). (p. 106)

Alwin, D. F. (1990). Historical changes in parental orientations to children. In N. Mandell (Ed.), *Sociological studies of child development* (Vol. 3). Greenwich, CT: JAI Press. (p. 160)

Amabile, T. M. (1983). *The social psychology of creativity.* New York: Springer-Verlag. (p. 599)

Amabile, T. M., & Hennessey, B. A. (1992). The motivation for creativity in children. In A. K. Boggiano & T. S. Pittman (Eds.), *Achievement and motivation: A social-developmental perspective.* New York: Cambridge University Press. (p. 366)

Amabile, T. M., &. Kramer, S. J. (2011). *The progress principle: Using small wins to ignite joy, engagement, and creativity at work.* Cambridge, MA: Harvard Business Review Press. (p. A-11)

Ambady, N. (2010). The perils of pondering: Intuition and thin slice judgments. *Psychological Inquiry, 21*, 271–278. (p. 593)

Ambady, N., Hallahan, M., & Rosenthal, R. (1995). On judging and being judged accurately in zero-acquaintance situations. *Journal of Personality and Social Psychology, 69*, 518–529. (p. 469)

Ambrose, C. T. (2010). The widening gyrus. *American Scientist, 98*, 270–274. (p. 153)

Amedi, A., Merabet, L. B., Bermpohl, F., & Pascual-Leone, A. (2005). The occipital cortex in the blind: Lessons about plasticity and vision. *Current Directions in Psychological Science, 14*, 306–311. (p. 81)

Amedi, A., Raz, N., Pianka, P., Malach, R., & Zohary, E. (2003). Early visual cortex activation correlates with superior verbal memory performance in the blind. *Nature Neuroscience, 6*, 758–766. (p. 375)

Amen, D. G., Stubblefield, M., Carmichael, B., & Thisted, R. (1996). Brain SPECT findings and aggressiveness. *Annals of Clinical Psychiatry, 8*, 129–137. (p. 546)

American Academy of Pediatrics. (2009). Policy statement—media violence. *Pediatrics, 124*, 1495–1503. (p. 313)

American Academy of Pediatrics. (2013). Promoting the well-being of children whose parents are gay or lesbian. www.Pediatrics.aapublications.org. (p. 198)

American Enterprise. (1992, January/February). Women, men, marriages & ministers. p. 106. (p. 159)

American Psychiatric Association. (2013). *Diagnostic and statistical manual of mental disorders* (Fifth ed.). Arlington, VA: American Psychiatric Publishing. (pp. 117, 118, 436, 610, 629)

American Psychological Association. (2006). Evidence-based practice in psychology (from APA Presidential Task Force on Evidence-Based Practice). *American Psychologist, 61*, 271–285. (p. 676)

American Sociological Association. (2013, February 28). Brief of *Amicus Curiae* American Sociaological Association in support of respondent Kristin M. Perry and Respondent Edith Schlain Windsor. Supreme Court of the United States, Nos. 12–144, 12–307. (p. 198)

Ames, D. R. (2008). In search of the right touch: Interpersonal assertiveness in organizational life. *Current Directions in Psychological Science, 17*, 381–385. (p. A-12)

Ammori, B. (2013, January 4). Viewpoint: Benefits of bariatric surgery. *GP* (www.gponline.com). (p. 426)

Andersen, R. A. (2005, October). Dialogue: A locksmith for the mind. *Discover* (www.discovermagazine.com). (p. 77)

Andersen, R. A., Burdick, J. W., Musallam, S., Pesaran, B., & Cham, J. G. (2004). Cognitive neural prosthetics. *Trends in Cognitive Sciences, 8*, 486–493. (p. 77)

Andersen, R. A., Hwang, E. J., & Mulliken, G. H. (2010). Cognitive neural prosthetics. *Annual Review of Psychology, 61*, 169–190. (pp. 77, 78)

Andersen, S. M. (1998). *Service learning: A national strategy for youth development.* A position paper issued by the Task Force on Education Policy. Washington, DC: Institute for Communitarian Policy Studies, George Washington University. (p. 208)

Andersen, S. M., & Saribay, S. A. (2005). The relational self and transference: Evoking motives, self-regulation, and emotions through activation of mental representations of significant others. In M. W. Baldwin (Ed.), *Interpersonal cognition.* New York: Guilford. (p. 334)

Anderson, B. L. (2002). Biobehavioral outcomes following psychological interventions for cancer patients. *Journal of Consulting and Clinical Psychology, 70*, 590–610. (p. 496)

Anderson, C. A. (2004). An update on the effects of playing violent video games. *Journal of Adolescence, 27*, 113–122. (p. 549)

Anderson, C. A. (2013). Guns, games, and mass shootings in the U.S. *The Bulletin of the International Society for Research on Aggression, 35*, 14–19. (p. 549)

Anderson, C. A., Anderson, K. B., Dorr, N., DeNeve, K. M., & Flanagan, M. (2000). Temperature and aggression. In M. P. Zanna (Ed.), *Advances in Experimental Social Psychology.* San Diego: Academic Press. (p. 547)

Anderson, C. A., Brion, S., Moore, D. A., & Kennedy, J. A. (2012). A status-enhancement account of overconfidence. *Journal of Personality and Social Psychology, 103*, 718–735. (p. 361)

Anderson, C. A., Bushman, B. J., & Groom, R. W. (1997). Hot years and serious and deadly assault: Empirical tests of the heat hypothesis. *Journal of Personality and Social Psychology, 73*, 1213–1223. (p. 547)

Anderson, C. A., & Delisi, M. (2011). Implications of global climate change for violence in developed and developing countries. In J. Forgas, A. Kruglanski., & K. Williams (eds.), *The psychology of social conflict and aggression.* New York: Psychology Press. (p. 547)

Anderson, C. A., & Dill, K. E. (2000). Video games and aggressive thoughts, feelings, and behavior in the laboratory and in life. *Journal of Personality and Social Psychology, 78*, 772–790. (p. 549)

Anderson, C. A., Lindsay, J. J., & Bushman, B. J. (1999). Research in the psychological laboratory: Truth or triviality? *Current Directions in Psychological Science, 8*, 3–9. (p. 39)

Anderson, C. A., Shibuya, A., Ihori, N., Swing, E. L., Bushman, B. J., Sakamoto, A., Rothstein, H. R., & Saleem, M. (2010). Violent video game effects on aggression, empathy, and prosocial behavior in Eastern and Western countries: A meta-analytic review. *Psychological Bulletin, 136*, 151–173. (pp. 369, 549)

Anderson, C. A., & Warburton, W. A. (2012). The impact of violent video games: An overview. In W. Warburton & D. Braunstein (Eds.), *Growing up fast and furious.* Annandale, NSW, Australia: The Federation Press. (pp. 118, 549)

Anderson, I. M. (2000). Selective serotonin reuptake inhibitors versus tricyclic antidepressants: A meta-analysis of efficacy and tolerability. *Journal of Affective Disorders, 58*, 19–36. (p. 683)

Anderson, J. R., Myowa-Yamakoshi, M., & Matsuzawa, T. (2004). Contagious yawning in chimpanzees. *Biology Letters, 271*, S468–S470. (p. 524)

Anderson, R. C., Pichert, J. W., Goetz, E. T., Schallert, D. L., Stevens, K. V., & Trollip, S. R. (1976). Instantiation of general terms. *Journal of Verbal Learning and Verbal Behavior, 15*, 667–679. (p. 341)

Anderson, S. (2008, July 6). The urge to end it. *New York Times* (www.nytimes.com). (p. 638)

Anderson, S. E., Dallal, G. E., & Must, A. (2003). Relative weight and race influence average age at menarche: Results from two nationally representative surveys of U.S. girls studied 25 years apart. *Pediatrics, 111,* 844–850. (p. 166)

Anderson, S. R. (2004). *Doctor Dolittle's delusion: Animals and the uniqueness of human language.* New Haven: Yale University Press. (p. 378)

Andersson, P. L., Juth, N., Petersén, Å., Graff, C., & Edberg, A-K. (2012). Ethical aspects of undergoing a predictive genetic testing for Huntington's disease. *Nursing Ethics, 20,* 189–199. (pp. 143, 670)

Andreasen, N. C. (1997). Linking mind and brain in the study of mental illnesses: A project for a scientific psychopathology. *Science, 275,* 1586–1593. (p. 642)

Andreasen, N. C. (2001). *Brave new brain: Conquering mental illness in the era of the genome.* New York: Oxford University Press. (p. 642)

Andreasen, N. C., Arndt, S., Swayze, V., II, Cizadlo, T., & Flaum, M. (1994). Thalamic abnormalities in schizophrenia visualized through magnetic resonance image averaging. *Science, 266,* 294–298. (p. 642)

Andrews, P. W., & Thomson, J. A., Jr. (2009a). The bright side of being blue: Depression as an adaptation for analyzing complex problems. *Psychological Review, 116,* 620–654. (pp. 628, 635)

Andrews, P. W., & Thomson, Jr., J. A. (2009b, January/February). Depression's evolutionary roots. *Scientific American Mind,* pp. 57–61. (pp. 628, 635)

Angelsen, N. K., Vik, T., Jacobsen, G., & Bakketeig, L. S. (2001). Breast feeding and cognitive development at age 1 and 5 years. *Archives of Disease in Childhood, 85,* 183–188. (p. 35)

Anglemyer, A., Horvath, T., & Rutherford, G. (2014). The accessibility of firearms and risk for suicide and homicide victimization among household members. *Annals of Internal Medicine, 160,* 101–112. (p. 545)

Angoff, W. H. (1988, Winter). A philosophical discussion: The issues of test and item bias. *ETS Developments,* pp. 10–11. (p. 402)

Anguera, J. A., Boccanfuso, J., Rintoul, J. L., Al-Hashimi, O., Faraji, F., Janowich, J., . . . Gazzaley, A. (2013). Video game training enhances cognitive control in older adults. *Nature, 501,* 97–101 (p. 218)

Annan, K. A. (2001). *We can love what we are, without hating who—and what—we are not.* Nobel Peace Prize lecture. (p. 565)

Annese, J., Schenker-Ahmed, N. M., Bartsch, H., Maechler, P., Sheh, C., Thomas, N., Kayano, J., . . . Corkin, S. (2014). Postmortem examination of patient H. M.'s brain based on histological sectioning and digital 3D reconstruction. *Nature Communications, 5,* Article Number 3122. (p. 339)

Antonaccio, O., Botchkovar, E. V., & Tittle, C. R. (2011). Attracted to crime: Exploration of criminal motivation among respondents in three European cities. *Criminal Justice and Behavior, 38,* 1200–1221. (p. 162)

Antoni, M. H., & Lutgendorf, S. (2007). Psychosocial factors and disease progression in cancer. *Current Directions in Psychological Science, 16,* 42–46. (p. 496)

Antony, M. M., Brown, T. A., & Barlow, D. H. (1992). Current perspectives on panic and panic disorder. *Current Directions in Psychological Science, 1,* 79–82. (p. 625)

Antrobus, J. (1991). Dreaming: Cognitive processes during cortical activation and high afferent thresholds. *Psychological Review, 98,* 96–121. (p. 114)

Anzures, G., Quinn, P. C., Pascalis, O., Slater, A. M., Tanaka, J. W., & Lee, K. (2013). Developmental origins of the other-race effect. *Current Directions in Psychological Science, 22,* 173–178. (p. 544)

AP. (1999, April 26). Airline passengers mistakenly told plane would crash. *Grand Rapids Press,* p. A3. (p. 491)

AP. (2007). AP-Ipsos poll of 1,013 U.S. adults taken October 16–18, 2007 and distributed via Associated Press. (p. 272)

AP. (2009, May). mtvU/Associated Press survey by Edison Research. Surveys.ap.org. (p. 488)

AP. (2009, May 9). AP-mtvU poll: Financial worries, stress and depression on college campus. www.hosted.ap.org. (p. 107)

APA. (2002). *Ethical principles of psychologists and code of conduct.* Washington, DC: American Psychological Association. (p. 40)

APA. (2007). *Report of the task force on the sexualization of girls.* Washington, DC: American Psychological Association. (p. 439)

APA. (2009). *Report of the American Psychological Association Task Force on Appropriate Therapeutic Responses to Sexual Orientation.* Washington, DC: American Psychological Association (www.apa.org). (p. 167)

APA. (2010, accessed July 31). *Answers to your questions about transgender individuals and gender identity.* Washington, DC: American Psychological Association. (pp. 169, 170)

APA. (2010, November 9). *Stress in America findings.* Washington, DC: American Psychological Association. (p. 490)

Apostolova, L. G., Dutton, R. A., Dinov, I. D., Hayashi, K. M., Toga, A. W., Cummings, J. L., & Thompson, P. M. (2006). Conversion of mild cognitive impairment to Alzheimer disease predicted by hippocampal atrophy maps. *Archives of Neurology, 63,* 693–699. (p. 219)

Archer, J. (2000). Sex differences in aggression between heterosexual partners: A meta-analytic review. *Psychological Bulletin, 126,* 651–680. (p. 162)

Archer, J. (2004). Sex differences in aggression in real-world settings: A meta-analytic review. Review of *General Psychology, 8,* 291–322. (p. 162)

Archer, J. (2007). A cross-cultural perspective on physical aggression between partners. *Issues in Forensic Psychology,* No. 6, 125–131. (p. 162)

Archer, J. (2009). Does sexual selection explain human sex differences in aggression? *Behavioral and Brain Sciences, 32,* 249–311. (p. 162)

Arendt, H. (1963). *Eichmann in Jerusalem: A report on the banality of evil.* New York: Viking Press. (p. 208)

Ariely, D. (2009). *Predictably irrational: The hidden forces that shape our decisions.* New York: HarperCollins. (p. 335)

Ariely, D. (2010). *Predictably irrational: The hidden forces that shape our decisions.* (revised and expanded ed.) New York: Harper Perennial. (p. 580)

Aries, E. (1987). Gender and communication. In P. Shaver & C. Henrick (Eds.), *Review of Personality and Social Psychology, 7,* 149–176. (p. 163)

Arkowitz, H., & Lilienfeld, S. O. (2006, April/May). Psychotherapy on trial. *Scientific American: Mind,* pp. 42–49. (p. 676)

Armony, J. L., Quirk, G. J., & LeDoux, J. E. (1998). Differential effects of amygdala lesions on early and late plastic components of auditory cortex spike trains during fear conditioning. *Journal of Neuroscience, 18,* 2592–2601. (p. 626)

Arneson, J. J., Sackett, P. R., & Beatty, A. S. (2011). Ability-performance relationships in education and employment settings: Critical tests of the more-is-better and the good-enough hypotheses. *Psychological Science, 22,* 1336–1342. (p. 365)

Arnett, J. J. (1999). Adolescent storm and stress, reconsidered. *American Psychologist, 54,* 317–326. (p. 204)

Arnett, J. J. (2006). Emerging adulthood: Understanding the new way of coming of age. In J. J. Arnett & J. L. Tanner (Eds.), *Emerging adults in America: Coming of age in the 21st century.* Washington, DC: American Psychological Association. (p. 212)

Arnett, J. J. (2007). Socialization in emerging adulthood: From the family to the wider world, from socialization to self-socialization. In J. E. Grusec & P. D. Hastings (Eds.), *Handbook of socialization: Theory and research.* New York: Guilford Press. (p. 212)

Arnone, D., Cavanagh, J., Gerber, D., Lawrie, S. M., Ebmeier, K. P., & McIntosh, A. M. (2009). Magnetic resonance imaging studies in bipolar disorder and schizophrenia: Meta-analysis. *British Journal of Psychiatry, 195,* 194–201. (p. 633)

Arnone, D., McIntosh, A. M., Tan, G. M. Y., & Ebmeier, K. P. (2008). Meta-analysis of magnetic resonance imaging studies of the corpus callosum in schizophrenia. *Schizophrenia Research, 101,* 124–132. (p. 642)

Aron, A. P., Melinat, E., Aron, E. N., Vallone, R. D., & Bator, R. J. (1997). The experimental generation of interpersonal closeness: A procedure and some preliminary findings. *Personality and Social Psychology Bulletin, 23,* 363–377. (p. 557)

Aronson, E. (2001, April 13). Newsworthy violence. E-mail to SPSP discussion list, drawing from *Nobody Left to Hate.* New York: Freeman. (p. 211)

Artiga, A. I., Viana, J. B., Maldonado, C. R., Chandler-Laney, P. C., Oswald, K. D., & Boggiano, M. M. (2007). Body composition and endocrine status of long-term stress-induced binge-eating rats. *Physiology and Behavior, 91,* 424–431. (p. 428)

Arzi, A., Shedlesky, L., Ben-Shaul, M., Nasser, K., Oksenberg, A., Hairston I. S., & Sobel, N. (2012). Humans can learn new information during sleep. *Nature Neuroscience, 15,* 1460–1465. (p. 113)

Asch, S. E. (1955). Opinions and social pressure. *Scientific American, 193,* 31–35. (p. 526)

Asendorpf, J. B., Conner, M., De Fruyt, F., De Houwer, J., Denissen, J. J. A., Fiedler, K., . . . Wicherts, J. M. (2013). Recommendations for increasing replicability in psychology. *European Journal of Personality, 27,* 108–119. (p. 27)

Asendorpf, J. B., Penke, L., & Back, M. D. (2011). From dating to mating and relating: Predictors of initial and long-term outcomes of speed-dating in a community sample. *European Journal of Personality, 25,* 16–30. (p. 149)

Aserinsky, E. (1988, January 17). Personal communication. (p. 101)

Askay, S. W., & Patterson, D. R. (2007). Hypnotic analgesia. *Expert Review of Neurotherapeutics, 7,* 1675–1683. (p. 265)

Aslin, R. N., & Newport, E. L. (2012). Statistical learning: From acquiring specific items to forming general rules. *Current Directions in Psychological Science 21*, 170–176. (p. 373)

Aspinwall, L. G., Brown, T. R., & Tabery, J. (2012). The double-edged sword: Does biomechanism increase or decrease judges' sentencing of psychopaths? *Science, 337*, 846–849. (p. 519)

Aspinwall, L. G., & Tedeschi, R. G. (2010). The value of positive psychology for health psychology: Progress and pitfalls in examining the relation of positive phenomena to health. *Annals of Behavioral Medicine, 39*, 4–15. (p. 504)

ASPS. (2010). *2010 report of the 2009 statistics: National Clearinghouse of Plastic Surgery Statistics.* American Society of Plastic Surgeons (www.plasticsurgery.org). (p. 554)

Aspy, C. B., Vesely, S. K., Oman, R. F., Rodine, S., Marshall, L., & McLeroy, K. (2007). Parental communication and youth sexual behaviour. *Journal of Adolescence, 30*, 449–466. (p. 438)

Assanand, S., Pinel, J. P. J., & Lehman, D. R. (1998). Personal theories of hunger and eating. *Journal of Applied Social Psychology, 28*, 998–1015. (p. 427)

Astin, A. W., Astin, H. S., & Lindholm, J. A. (2004). *Spirituality in higher education: A national study of college students' search for meaning and purpose.* Los Angeles: Higher Education Research Institute, UCLA. (p. 210)

Atkinson, R. C., & Shiffrin, R. M. (1968). Human memory: A control system and its control processes. In K. Spence (Ed.), *The psychology of learning and motivation* (Vol. 2). New York: Academic Press. (p. 320)

Austin, E. J., Deary, I. J., Whiteman, M. C., Fowkes, F. G. R., Pedersen, N. L., Rabbitt, P., Bent, N., & McInnes, L. (2002). Relationships between ability and personality: Does intelligence contribute positively to personal and social adjustment? *Personality and Individual Differences, 32*, 1391–1411. (p. 404)

Australian Unity. (2008). *What makes us happy? The Australian Unity Wellbeing Index.* South Melbourne: Australian Unity. (p. 482)

Auyeung, B., Baron-Cohen, S., Ashwin, E., Knickmeyer, R., Taylor, K., Hackett, G., & Hines, M. (2009). Fetal testosterone predicts sexually differentiated childhood behavior in girls and in boys. *Psychological Science, 20*, 144–148. (p. 193)

Averill, J. R. (1983). Studies on anger and aggression: Implications for theories of emotion. *American Psychologist, 38*, 1145–1160. (pp. 477, 478)

Averill, J. R. (1993). William James's other theory of emotion. In M. E. Donnelly (Ed.), *Reinterpreting the legacy of William James.* Washington, DC: American Psychological Association. (p. 461)

Aviezer, H., Hassin, R. R., Ryan, J., Grady, C., Susskind, J., Anderson, A., Moscovitch, M., & Bentin, S. (2008). Angry, disgusted, or afraid? Studies on the malleability of emotion perception. *Psychological Science, 19*, 724–732. (p. 473)

Ayan, S. (2009, April/May). Laughing matters. *Scientific American Mind*, pp. 24–31. (p. 506)

Aydin, N., Fischer, P., & Frey, D. (2010). Turning to God in the face of estracism: Effects of social exclusion on religiousness. *Personality and Social Psychology Bulletin, 36*, 742–753. (p. 451)

Azar, B. (1998, June). Why can't this man feel whether or not he's standing up? *APA Monitor* (www.apa.org/monitor/jun98/touch.html). (p. 269)

Azevedo, F. A., Carvalho, L. R., Grinberg, L. T., Farfel, J. M., Ferretti, R. E., Leite, R. E., . . . Herculano-Houzel, S. (2009). Equal numbers of neuronal and nonneuronal cells make the human brain an isometrically scaled-up primate brain. *Journal of Comparative Neurology, 513*, 532–541. (p. 62)

Baas, M., De Dreu, C. K. W., & Nijstad, B. A. (2008). A meta-analysis of 25 years of mood-creativity research: hedonic tone, activation, or regulatory focus? *Psychological Bulletin, 134*, 779–806. (p. 479)

Babad, E., Bernieri, F., & Rosenthal, R. (1991). Students as judges of teachers' verbal and nonverbal behavior. *American Educational Research Journal, 28*, 211–234. (p. 469)

Babyak, M., Blumenthal, J. A., Herman, S., Khatri, P., Doraiswamy, M., Moore, K., . . . Krishnan, K. R. (2000). Exercise treatment for major depression: Maintenance of therapeutic benefit at ten months. *Psychosomatic Medicine, 62*, 633–638. (p. 508)

Bachman, J., O'Malley, P. M., Schulenberg, J. E., Johnston, L. D., Freedman-Doan, P., & Messersmith, E. E. (2007). *The education-drug use connection: How successes and failures in school relate to adolescent smoking, drinking, drug use, and delinquency.* Mahwah, NJ: Earlbaum. (p. 129)

Back, M. D., Stopfer, J. M., Vazire, S., Gaddis, S., Schmukle, S. C., Egloff, B., & Gosling, S. D. (2010). Facebook profiles reflect actual personality not self-idealization. *Psychological Science, 21*, 372–374. (pp. 453, 593)

Backman, L., & Dixon, R. A. (1992). Psychological compensation: A theoretical framework. *Psychological Bulletin, 112*, 259–283. (p. 375)

Backman, L., & MacDonald, S. W. S. (2006). Death and cognition: Synthesis and outlook. *European Psychologist, 11*, 224–235. (p. 218)

Baddeley, A. D. (1982). *Your memory: A user's guide.* New York: Macmillan. (p. 319)

Baddeley, A. D. (1998). The central executive: A concept and some misconceptions. *Journal of the International Neuropsychological Society, 4*, 523–526. (p. 321)

Baddeley, A. D. (2001). Is working memory still working? *American Psychologist, 56*, 849–864. (p. 320)

Baddeley, A. D. (2002, June). Is working memory still working? *European Psychologist, 7*, 85–97. (pp. 320, 321)

Baddeley, A. D., Thomson, N., & Buchanan, M. (1975). Word length and the structure of short-term memory. *Journal of Verbal Learning and Verbal Behavior, 14*, 575–589. (p. 323)

Baddeley, J. L., & Singer J. A. (2009). A social interactional model of bereavement narrative disclosure. *Review of General Psychology, 13*, 202–218. (p. 225)

Bagemihl, B. (1999). *Biological exuberance: Animal homosexuality and natural diversity.* New York: St. Martins. (p. 443)

Baglioni, C., Battagliese, G., Feige, B., Spiegelhalder, K., Nissen, C., Voderholzer, U., Lombardo, C., & Riemann, D. (2011). Insomnia as a predictor of depression: A meta-analytic evaluation of longitudinal epidemiological studies. *Journal of Affective Disorders, 135*, 10–19. (p. 110)

Bahrick, H. P. (1984). Semantic memory content in permastore: 50 years of memory for Spanish learned in school. *Journal of Experimental Psychology: General, 111*, 1–29. (pp. 340, 341)

Bahrick, H. P., Bahrick, L. E., Bahrick, A. S., & Bahrick, P. E. (1993). Maintenance of foreign language vocabulary and the spacing effect. *Psychological Science, 4*, 316–321. (p. 326)

Bahrick, H. P., Bahrick, P. O., & Wittlinger, R. P. (1975). Fifty years of memory for names and faces: A cross-sectional approach. *Journal of Experimental Psychology: General, 104*, 54–75. (p. 319)

Bailenson, J. N., Iyengar, S., & Yee, N. (2005). *Facial identity capture and presidential candidate preference.* Paper presented at the Annual Conference of the International Communication Association. (p. 552)

Bailey, J. M., Gaulin, S., Agyei, Y., & Gladue, B. A. (1994). Effects of gender and sexual orientation on evolutionary relevant aspects of human mating psychology. *Journal of Personality and Social Psychology, 66*, 1081–1093. (p. 147)

Bailey, J. M., Kirk, K. M., Zhu, G., Dunne, M. P., & Martin, N. G. (2000). Do individual differences in sociosexuality represent genetic or environmentally contingent strategies? Evidence from the Australian twin registry. *Journal of Personality and Social Psychology, 78*, 537–545. (p. 148)

Bailey, K., West, R., & Anderson, C. A. (2011). The influence of video games on social, cognitive, and affective information processing. In J. Decety & J. Cacioppo (eds.), *Handbook of social neuroscience.* New York: Oxford. (p. 615)

Bailey, R. E., & Gillaspy, J. A., Jr. (2005). Operant psychology goes to the fair: Marian and Keller Breland in the popular press, 1947–1966. *The Behavior Analyst, 28*, 143–159. (p. 279)

Bailine, S., Fink, M., Knapp, R., Petrides, G., Husain, M. M., Rasmussen, K., . . . Kellner, C. H. (2010). Electroconvulsive therapy is equally effective in unipolar and bipolar depression. *Acta Psychiatrica Scandinavica, 121*, 431–436. (p. 685)

Baillargeon, R. (1995). A model of physical reasoning in infancy. In C. Rovee-Collier & L. P. Lipsitt (Eds.), *Advances in infancy research* (Vol. 9). Stamford, CT: Ablex. (p. 188)

Baillargeon, R. (2008). Innate ideas revisited: For a principle of persistence in infants' physical reasoning. *Perspectives in Psychological Science, 3*, 2–13. (p. 188)

Bak, T. H., Nissan, J. J., Allerhand, M. M., & Deary, I. J. (2014, June). Does bilingualism influence cognitive aging? *Annals of Neurology, 75*, 959–963. (p. 381)

Baker, D. H., & Cass, J. R. (2013). A dissociation of performance and awareness during binocular rivalry. *Psychological Science, 24*, 2563–2568. (p. 94)

Baker, M. & Maner, J. (2009). Male risk-taking as a context-sensitive signaling device. *Journal of Experimental Social Psychology, 45*, 1136–1139. (p. 149)

Baker, T. B., McFall, R. M., & Shoham, V. (2008). Current status and future prospects of clinical psychology: Toward a scientifically principles approach to mental and behavioral health care. *Psychological Science in the Public Interest, 9*, 67–103. (p. 676)

Baker, T. B., Piper, M. E., McCarthy, D. E., Majeskie, M. R., & Fiore, M. C. (2004). Addiction motivation reformulated: An affective processing model of negative reinforcement. *Psychological Review, 111*, 33–51. (p. 292)

Bakermans-Kranenburg, M. J., van IJzendoorn, M. H., & Juffer, F. (2003). Less is more: Meta-analyses of sensitivity and attachment interventions in early childhood. *Psychological Bulletin, 129*, 195–215. (p. 198)

Balcetis, E., & Dunning, D. (2010). Wishful seeing: More desire objects are seen as closer. *Psychological Science, 21*, 147–152. (p. 238)

Balsam, K. F., Beauchaine, T. P., Rothblum, E. S., & Solomon, S. E. (2008). Three-year follow-up of same-sex couples who had civil unions in Vermont, same-sex couples not in civil unions, and heterosexual married couples. *Developmental Psychology, 44*, 102–116. (p. 220)

Balter, M. (2010). Animal communication helps reveal roots of language. *Science, 328*, 969–970. (p. 377)

Balter, M. (2014). Science misused to justify Ugandan antigay law. *Science, 343*, 956. (p. 446)

Baltes, P. B. (1993). The aging mind: Potential and limits. *The Gerontologist, 33*, 580–594. (p. 400)

Baltes, P. B. (1994). *Life-span developmental psychology: On the overall landscape of human development.* Invited address, American Psychological Association convention. (p. 400)

Baltes, P. B., & Baltes, M. M. (1999, September-October). Harvesting the fruits of age: Growing older, growing wise. *Science and the Spirit*, pp. 11–14. (p. 400)

Bambico, F. R., Nguyen N-T., Katz, N., & Gobbi, G. (2010). Chronic exposure to cannabinoids during adolescence but not during adulthood impairs emotional behaviour and monoaminergic neurotransmission. *Neurobiology of Disease, 37*, 641–655. (p. 125)

Banaji, M. R., & Greenwald, A. G. (2013). *Blindspot: Hidden biases of good people.* New York: Delacorte Press. (p. 539)

Bancroft, J., Loftus, J., & Long, J. S. (2003). Distress about sex: A national survey of women in heterosexual relationships. *Archives of Sexual Behavior, 32*, 193–208. (p. 435)

Bandura, A. (1982). The psychology of chance encounters and life paths. *American Psychologist, 37*, 747–755. (p. 220)

Bandura, A. (1986). *Social foundations of thought and action: A social-cognitive theory.* Englewood Cliffs, NJ: Prentice-Hall. (pp. 594, 595)

Bandura, A. (2005). The evolution of social cognitive theory. In K. G. Smith & M. A. Hitt (Eds.), *Great minds in management: The process of theory development.* Oxford: Oxford University Press. (pp. 220, 306)

Bandura, A. (2006). Toward a psychology of human agency. *Perspectives on Psychological Science, 1*, 164–180. (pp. 594, 595)

Bandura, A. (2008). An agentic perspective on positive psychology. In S. J. Lopez (Ed.), *The science of human flourishing.* Westport, CT: Praeger. (p. 594)

Bandura, A., Ross, D., & Ross, S. A. (1961). Transmission of aggression through imitation of aggressive models. *Journal of Abnormal and Social Psychology, 63*, 575–582. (p. 306)

Banville, J. (2012, April). APA weighs in on the constitutionality of life without parole for juvenile offenders. *Monitor on Psychology*, p. 12. (p. 205)

Bao, A-M., & Swaab, D. F. (2011). Sexual differentiation of the human brain: Relation to gender identity, sexual orientation and neuropsychiatric disorders. *Frontiers in Neuroendocrinology, 32*, 214–226. (p. 443)

Barash, D. P. (2006, July 14). I am, therefore I think. *Chronicle of Higher Education*, pp. B9, B10. (p. 92)

Barash, D. P. (2012). *Homo mysterius: Evolutionary puzzles of human nature.* New York: Oxford University Press. (p. 150)

Barbaresi. W. J., Katusic, S. Kl., Colligan, R. C., Weaver, A. L., & Jacobsen, S. J. (2007). Modifiers of long-term school outcomes for children with attention-deficit/hyperactivity disorder: Does treatment with stimulant medication make a difference? Results from a population-based study. *Journal of Developmental and Behavioral Pediatrics, 28*, 274–287. (p. 615)

Bargh, J. A., & Chartrand, T. L. (1999). The unbearable automaticity of being. *American Psychologist, 54*, 462–479. (pp. 94, 580)

Bargh, J. A., & McKenna, K. Y. A. (2004). The Internet and social life. *Annual Review of Psychology, 55*, 573–590. (p. 552)

Bargh, J. A., McKenna, K. Y. A., & Fitzsimons, G. M. (2002). Can you see the real me? Activation and expression of the "true self" on the Internet. *Journal of Social Issues, 58*, 33–48. (p. 552)

Bargh, J. A., & Morsella, E. (2008). The unconscious mind. *Perspectives on Psychological Science, 3*, 73–79. (p. 581)

Bar-Haim, Y., Lamy, D., Pergamin, L., Bakermans-Kranenburg, M. J., & van IJzendoorn, M. H. (2007). Threat-related attentional bias in anxious and nonanxious individuals: A meta-analytic study. *Psychological Bulletin, 133*, 1–24. (p. 624)

Barinaga, M. B. (1992a). The brain remaps its own contours. *Science, 258*, 216–218. (p. 81)

Barinaga, M. B. (1997). How exercise works its magic. *Science, 276*, 1325. (p. 507)

Barinaga, M. B. (1999). Salmon follow watery odors home. *Science, 286*, 705–706. (p. 268)

Barkley, R. A., et al. (2002). International consensus statement (January 2002). *Clinical Child and Family Psychology Review, 5*(2), 89–111. (p. 615)

Barkley-Levenson, E., & Galván, A. (2014). Neural representation of expected value in the adolescent brain. *PNAS, 111*, 1646–1651. (p. 205)

Barlow, D. H. (2010). Negative effects from psychological treatments: A perspective. *American Psychologist, 65*, 13–20. (p. 676)

Barlow, F. K., Paolini, S., Pedersen, A., Hornsey, M. J., Radke, H. R. M., Harwood, J., Rubin, M., & Sibley, C. G. (2012). The contact caveat: Negative contact predicts increased prejudice more than positive contact predicts reduced prejudice. *Personality and Social Psychology Bulletin, 38*, 1629–1643. (p. 564)

Barlow, M., Woodman, T., & Hardy, L. (2013). Great expectations: Different high-risk activities satisfy different motives. *Journal of Personality and Social Psychology, 105*, 458–475. (p. 422)

Barnier, A. J., & McConkey, K. M. (2004). Defining and identifying the highly hypnotizable person. In M. Heap, R. J. Brown, & D. A. Oakley (Eds.), *High hypnotisability: Theoretical, experimental and clinical issues.* London: Brunner-Routledge. (p. 265)

Baron-Cohen, S. (2008). Autism, hypersystemizing, and truth. *Quarterly Journal of Experimental Psychology, 61*, 64–75. (p. 193)

Baron-Cohen, S. (2009). Autism: The empathizing-systemizing (E-S) theory. *The Year in Cognitive Neuroscience, 1156*, 68–80. (p. 193)

Baron-Cohen, S. (2012, November). Autism and the technical mind. *Scientific American*, pp. 72–75. (p. 193)

Baron-Cohen, S., Golan, O., Chapman, E., & Granader, Y. (2007). Transported to a world of emotion. *The Psychologist, 20*, 76–77. (p. 194)

Baron-Cohen, S., Leslie, A. M., & Frith, U. (1985). Does the autistic child have a "theory of mind"? *Cognition, 21*, 37–46. (p. 190)

Barrera, T. L., Mott, J. M., Hofstein, R. F., & Teng, E. J. (2013). A meta-analytic review of exposure in group cognitive behavioral therapy for posttraumatic stress disorder. *Clinical Psychology Review, 33*, 24–32. (p. 664)

Barrett, D. (2011, November/December). Answers in your dreams. *Scientific American Mind*, pp. 27–35. (p. 106)

Barrett, L. F. (2006). Are emotions natural kinds? *Perspectives on Psychological Science, 1*, 28–58. (p. 461, 466)

Barrett, L. F. (2012). Emotions are real. *Emotion, 12*, 413–429. (p. 459)

Barrett, L. F. (2013). Quoted by Fischer, S. About face: Emotional and facial expressions may not be directly related. *Boston Magazine*. (p. 459)

Barrett, L. F., & Bliss-Moreau, E. (2009). She's emotional. He's having a bad day: Attributional explanations for emotion stereotypes. *Emotion, 9*, 649–658. (p. 471)

Barrett, L. F., Lane, R. D., Sechrest, L., & Schwartz, G. E. (2000). Sex differences in emotional awareness. *Personality and Social Psychology Bulletin, 26*, 1027–1035. (p. 470)

Barrick, M. R., Mount, M. K., & Judge, T. A. (2001). Personality and performance at the beginning of the new millennium: What do we know and where do we go next? *International Journal of Selection and Assessment, 9*, 9–30. (p. 588)

Barrick, M. R., Shaffer, J. A., & DeGrassi, S. W. (2009). What you see may not be what you get: Relationships among self-presentation tactics and ratings of interview and job performance. *Journal of Applied Psychology, 94*, 1304–1411. (p. A-5)

Barrouillet, P., Portrat, S., & Camos, V. (2011). On the law relating processing to storage in working memory. *Psychological Review, 118*, 175–192. (p. 320)

Barry, D. (1995, September 17). Teen smokers, too, get cool, toxic, waste-blackened lungs. *Asbury Park Press*, p. D3. (p. 122)

Barry, D. (2002, April 26). *The Dave Barry 2002 Calendar.* Kansas City: Andrews McMeel. (p. 40)

Bartels, M., & Boomsma, D. I. (2009). Born to be happy? The etiology of subjective well-being. *Behavior Genetics, 39*, 605–615. (p. 485)

Barth, J., Munder, T., Gerger, H., Nuesch, E., Trelle, S., Znoj, H., Ju, P., & Cuijpers, P. (2013). Comparative efficacy of seven psychotherapeutic interventions for patients with depression: A network meta-analysis. *PLOS Medicine, 10*, 001454. (p. 675)

Bashore, T. R., Ridderinkhof, K. R., & van der Molen, M. W. (1997). The decline of cognitive processing speed in old age. *Current Directions in Psychological Science, 6*, 163–169. (p. 216)

Baskind, D. E. (1997, December 14). Personal communication, from Delta College. (p. 665)

Bat-Chava, Y. (1993). Antecedents of self-esteem in deaf people: A meta-analytic review. *Rehabilitation Psychology*, 38(4), 221–234. (p. 375)

Bat-Chava, Y. (1994). Group identification and self-esteem of deaf adults. *Personality and Social Psychology Bulletin*, 20, 494–502. (p. 375)

Bates, L. A., & Byrne, R. W. (2010, September/October). Imitation: What animal imitation tells us about animal cognition. *Wiley Interdisciplinary Reviews: Cognitive Science*, 1, 685–695. (p. 308)

Bathje, G. J., & Pryor, J. B. (2011). The relationships of public and self-stigma to seeking mental health services. *Journal of Mental Health Counseling*, 33, 161–177. (p. 614)

Bauer, M., Cassar, A., Chytilová, J., & Henrich, J. (2014). War's enduring effects on the development of egalitarian motivations and in-group biases. *Psychological Science*, 25, 47–57. (p. 565)

Bauer, P. J. (2002). Long-term recall memory: Behavioral and neurodevelopmental changes in the first 2 years of life. *Current Directions in Psychology*, 11, 137–141. (p. 186)

Bauer, P. J. (2007). Recall in infancy: A neurodevelopmental account. *Current Directions in Psychological Science*, 16, 142–146. (p. 186)

Bauer, P. J., Burch, M. M., Scholin, S. E., & Güler, O. E. (2007). Using cue words to investigate the distribution of autobiographical memories in childhood. *Psychological Science*, 18, 910–916. (p. 330)

Bauer, P. J., & Larkina, M. (Published online, 2013, Nov. 18). The onset of childhood amnesia in childhood: A prospective investigation of the course and determinants of forgetting of early-life events. *Memory*. (p. 186)

Baum, A., & Posluszny, D. M. (1999). Health psychology: Mapping biobehavioral contributions to health and illness. *Annual Review of Psychology*, 50, 137–163. (p. 495)

Baumann, J., & DeSteno, D. (2010). Emotion guided threat detection: Expecting guns where there are none. *Journal of Personality and Social Psychology*, 99, 595–610. (p. 237)

Baumeister, H., & Härter, M. (2007). Prevalence of mental disorders based on general population surveys. *Social Psychiatry and Psychiatric Epidemiology*, 42, 537–546. (p. 609)

Baumeister, R. F. (1996). Should schools try to boost self-esteem? Beware the dark side. *American Educator*, 20, 43. (p. 604)

Baumeister, R. F. (2000). Gender differences in erotic plasticity: The female sex drive as socially flexible and responsive. *Psychological Bulletin*, 126, 347–374. (p. 441)

Baumeister, R. F. (2001, April). Violent pride: Do people turn violent because of self-hate, or self-love? *Scientific American*, pp. 96–101. (p. 604)

Baumeister, R. F. (2005). *The cultural animal: Human nature, meaning, and social life.* New York: Oxford University Press. (p. 155)

Baumeister, R. F. (2006, August/September). Violent pride. *Scientific American Mind*, pp. 54–59. (p. 599)

Baumeister, R. F. (2010). *Is there anything good about men?: How cultures flourish by exploiting men.* New York: Oxford. (p. 163)

Baumeister, R. F., & Bratslavsky, E. (1999). Passion, intimacy, and time: Passionate love as a function of change in intimacy. *Personality and Social Psychology Review*, 3, 49–67. (p. 557)

Baumeister, R. F., Catanese, K. R., & Vohs, K. D. (2001). Is there a gender difference in strength of sex drive? Theoretical views, conceptual distinctions, and a review of relevant evidence. *Personality and Social Psychology Review*, 5, 242–273. (p. 147)

Baumeister, R. F., Dale, K., & Sommer, K. L. (1998). Freudian defense mechanisms and empirical findings in modern personality and social psychology: Reaction formation, projection, displacement, undoing, isolation, sublimation, and denial. *Journal of Personality*, 66, 1081–1125. (p. 581)

Baumeister, R. F., & Leary, M. R. (1995). The need to belong: Desire for interpersonal attachments as a fundamental human motivation. *Psychological Bulletin*, 117, 497–529. (p. 448)

Baumeister, R. F., & Tice, D. M. (1986). How adolescence became the struggle for self: A historical transformation of psychological development. In J. Suls & A. G. Greenwald (Eds.), *Psychological perspectives on the self* (Vol. 3). Hillsdale, NJ: Erlbaum. (p. 212)

Baumeister, R. F., & Tierney, J. (2012). *Willpower: Rediscovering the greatest human strength.* New York: Penguin Books. (p. 503)

Baumeister, R. F., Twenge, J. M., & Nuss, C. K. (2002). Effects of social exclusion on cognitive processes: Anticipated aloneness reduces intelligent thought. *Journal of Personality and Social Psychology*, 83, 817–827. (p. 451)

Baumgardner, A. H., Kaufman, C. M., & Levy, P. E. (1989). Regulating affect interpersonally: When low esteem leads to greater enhancement. *Journal of Personality and Social Psychology*, 56, 907–921. (p. 599)

Baumrind, D. (1996). The discipline controversy revisited. *Family Relations*, 45, 405–414. (p. 202)

Baumrind, D. (2013). Is a pejorative view of power assertion in the socialization process justified? *Review of General Psychology*, 17, 420–427. (p. 202)

Baumrind, D., Larzelere, R. E., & Cowan, P. A. (2002). Ordinary physical punishment: Is it harmful? Comment on Gershoff (2002). *Psychological Bulletin*, 128, 602–611. (p. 296)

Bavelier, D., Dye, M. W. G., & Hauser, P. C. (2006). Do deaf individuals see better? *Trends in Cognitive Sciences*, 10, 512–518. (p. 375)

Bavelier, D., Newport, E. L., & Supalla, T. (2003). Children need natural languages, signed or spoken. *Cerebrum*, 5(1), 19–32. (p. 373)

Bavelier, D., Tomann, A., Hutton, C., Mitchell, T., Corina, D., Liu, G., & Neville, H. (2000). Visual attention to the periphery is enhanced in congenitally deaf individuals. *Journal of Neuroscience*, 20, 1–6. (p. 81)

BBC. (2008, February 26). Anti-depressants 'of little use.' *BBC News* (www.news.bbc.co.uk). (p. 684)

Beall, A. T., & Tracy, J. L. (2013, September). Women are more likely to wear red or pink at peak fertility. *Psychological Science*, 24, 1837–1841. (p. 303)

Beaman, A. L., & Klentz, B. (1983). The supposed physical attractiveness bias against supporters of the women's movement: A meta-analysis. *Personality and Social Psychology Bulletin*, 9, 544–550. (p. 555)

Bearzi, M., & Stanford, C. (2010). A bigger, better brain. *American Scientist*, 98, 402–409. (p. 368)

Beauchamp, G. K. (1987). The human preference for excess salt. *American Scientist*, 75, 27–33. (p. 428)

Beauvois, J-L., Courbet, D., & Oberlé, D. (2012). The prescriptive power of the television host: A transposition of Milgram's obedience paradigm to the context of TV game show. *European Review of Applied Psychology/Revue Européenne De Psychologie Appliquée*, 62, 111–119. (p. 528)

Beaver, K. M., & Barnes, J. C. (2012). Genetic and nonshared environmental factors affect the likelihood of being charged with driving under the influence (DUI) and driving while intoxicated (DWI). *Addictive Behaviors*, 37, 1377–1381. (p. 136)

Beck, A. T., Rush, A. J., Shaw, B. F., & Emery, G. (1979). *Cognitive therapy of depression.* New York: Guilford Press. (p. 667)

Beck, D. M. (2010). The appeal of the brain in the popular press. *Perspectives on Psychological Science*, 5, 762–766. (p. 81)

Becker, D. V., Kenrick, D. T., Neuberg, S. L., Blackwell, K. C., & Smith, D. M. (2007). The confounded nature of angry men and happy women. *Journal of Personality and Social Psychology*, 92, 179–190. (p. 470)

Becklen, R., & Cervone, D. (1983). Selective looking and the noticing of unexpected events. *Memory and Cognition*, 11, 601–608. (p. 97)

Beckman, M. (2004). Crime, culpability, and the adolescent brain. *Science*, 305, 596–599. (p. 205)

Beeman, M. J., & Chiarello, C. (1998). Complementary right- and left-hemisphere language comprehension. *Current Directions in Psychological Science*, 7, 2–8. (p. 85)

Beer, J. S., & Hughes, B. L. (2010). Neural systems of social comparison and the "above-average" effect. *NeuroImage*, 49, 2671–2679. (p. 602)

Bègue, L., Bushman, B. J., Giancola, P. R., Subra, B., & Rosset, E. (2010). "There is no such thing as an accident," especially when people are drunk. *Personality and Social Psychology Bulletin*, 36, 1301–1304. (p. 546)

Bègue, L., Subra, B., Arvers, P., Muller, D., Bricout, V., & Zorman, M. (2009). A message in a bottle: Extrapharmacological effects of alcohol on aggression. *Journal of Experimental Social Psychology*, 45, 137–142. (p. 546)

Beilin, H. (1992). Piaget's enduring contribution to developmental psychology. *Developmental Psychology*, 28, 191–204. (p. 192)

Beintner, I., Jacobi, C., & Taylor, C. B. (2012). Effects of an Internet-based prevention programme for eating disorders in the USA and Germany: A meta-analytic review. *European Eating Disorders Review*, 20, 1–8. (p. 653)

Bell, A. P., Weinberg, M. S., & Hammersmith, S. K. (1981). *Sexual preference: Its development in men and women.* Bloomington: Indiana University Press. (p. 442)

Belluck, P. (2010, February 16). Wanted: Volunteers, all pregnant. *New York Times* (www.nytimes.com). (p. 193)

Belluck, P. (2012, July 16). Footprints to cognitive decline and Alzheimer's are seen in gait. *New York Times* (www.nytimes.com). (p. 219)

Belluck, P. (2013, February 5). People with mental illness more likely to be smokers, study finds. *New York Times* (www.nytimes.com). (p. 34)

Belot, M., & Francesconi, M. (2006, November). *Can anyone be 'the one'? Evidence on mate selection from speed dating.* London: Centre for Economic Policy Research (www.cepr.org). (p. 553)

Belsher, G., & Costello, C. G. (1988). Relapse after recovery from unipolar depression: A critical review. *Psychological Bulletin, 104,* 84–96. (p. 632)

Belsky, J., & Pluess, M. (2009). Beyond diathesis stress: Differential susceptibility to environmental influences. *Psychological Bulletin, 135,* 885–908. (p. 626)

Belsky, J., Bakermans-Kranenburg, M. J., & van IJzendoorn, M. H. (2007). For better *and* for worse: Differential susceptibility to environmental influences. *Current Directions in Psychological Science, 16,* 300–304. (p. 651)

Bem, D. J. (1984). Quoted in *The Skeptical Inquirer, 8,* 194. (p. 273)

Bem, D. J. (2011). Feeling the future: Experimental evidence for anomalous retroactive influences on cognition and affect. *Journal of Personality and Social Psychology, 100,* 407–425. (p. 273)

Bem, S. L. (1987). Masculinity and femininity exist only in the mind of the perceiver. In J. M. Reinisch, L. A. Rosenblum, & S. A. Sanders (Eds.), *Masculinity/femininity: Basic perspectives.* New York: Oxford University Press. (p. 169)

Bem, S. L. (1993). *The lenses of gender.* New Haven, CT: Yale University Press. (p. 169)

Benartzi, S., & Thaler, R. H. (2013). Behavioral economics and the retirement savings crisis. *Science, 339,* 1152–1153. (p. 363)

Bender, T. W., Anestis, M. D., Anestis, J. C., Gordon, K. H., & Joiner, T. E. (2012). Affective and behavioral paths toward the acquired capacity for suicide. *Journal of Social and Clinical Psychology, 31,* 81–100. (p. 637)

Benedict, C., Brooks, S. J., O'Daly, O. G., Almen, M. S., Morell, A., Aberg, K., . . . Schiöth, H. B. (2012). Acute sleep deprivation enhances the brain's response to hedonic food stimuli: An fMRI study. *Journal of Clinical Endocrinology and Metabolism, 97,* 2011–2759. (p. 108)

Benenson, J. F., Markovits, H., Fitzgerald, C., Geoffroy, D., Flemming, J., Kahlenberg, S. M., & Wrangham, R. W. (2009). Males' greater tolerance of same-sex peers. *Psychological Science, 20,* 184–190. (p. 164)

Benjamin, L. T., Jr., & Simpson, J. A. (2009). The power of the situation: The impact of Milgram's obedience studies on personality and social psychology. *American Psychologist, 64,* 12–19. (p. 528)

Benjamins, M. R., Ellison, C. G., & Rogers, R. G. (2010). Religious involvement and mortality risk among pre-retirement aged U.S. adults. In C. E. Ellison & R. A. Hummer (Eds.), *Religion, families, and health: Population-based research in the United States.* New Brunswick, NJ: Rutgers University Press. (p. 512)

Bennett, W. I. (1995). Beyond overeating. *New England Journal of Medicine, 332,* 673–674. (p. 432)

Ben-Shakhar, G., & Elaad, E. (2003). The validity of psychophysiological detection of information with the guilt knowledge test: A meta-analytic review. *Journal of Applied Psychology, 88,* 131–151. (p. 467)

Benson, P. L. (1992, Spring). Patterns of religious development in adolescence and adulthood. *PiRI Newsletter,* pp. 2–9. (p. 164)

Berg, J. M., Wall, M., Larson, N., Eisenberg, M. E., Loth, K. A., & Neumark-Sztainer, D. (2014). The unique and additive associations of family functioning and parenting practices with disordered eating behaviors in diverse adolescents. *Journal of Behavioral Medicine, 37,* 205–217. (p. 652)

Bergelson, E., & Swingley, D. (2012). At 6–9 months, human infants know the meanings of many common nouns. *PNAS Proceedings of the National Academy of Sciences of the United States of America, 109,* 3253–3258. (p. 372)

Bergelson, E., & Swingley, D. (2013). The acquisition of abstract words by young infants. *Cognition, 127,* 391–397. (p. 372)

Bergen, B. K. (2014). Universal grammar. Response to 2014 Edge question: What scientific idea is ready for retirement? www.edge.org. (p. 373)

Berger, J., Meredith, M., & Wheeler, S. C. (2008). Does where you vote affect how you vote? The impact of environmental cues on voting behavior. *Proceedings of the National Academy of Sciences, 105*(26), 8846–8849. (p. 280)

Berghuis, P., et al. (2007). Hardwiring the brain: Endocannabinoids shape neuronal connectivity. *Science, 316,* 1212–1216. (p. 125)

Berk, L. E. (1994, November). Why children talk to themselves. *Scientific American,* pp. 78–83. (p. 191)

Berk, L. S., Felten, D. L., Tan, S. A., Bittman, B. B., & Westengard, J. (2001). Modulation of neuroimmune parameters during the eustress of humor-associated mirthful laughter. *Alternative Therapies, 7,* 62–76. (p. 506)

Berkman, E. T., Kahn, L. E., & Merchant, J. S. (2014). Training-induced changes in inhibitory control network activity. *Journal of Neuroscience, 34,* 149–157. (p. 218)

Berkowitz, L. (1983). Aversively stimulated aggression: Some parallels and differences in research with animals and humans. *American Psychologist, 38,* 1135–1144. (p. 547)

Berkowitz, L. (1989). Frustration-aggression hypothesis: Examination and reformulation. *Psychological Bulletin, 106,* 59–73. (p. 547)

Berkowitz, L. (1990). On the formation and regulation of anger and aggression: A cognitive-neoassociationistic analysis. *American Psychologist, 45,* 494–503. (p. 477)

Berlim, M. T., Van den Eynde, F., & Daskalakis, Z. J. (2013). A systematic review and meta-analysis on the efficacy and acceptability of bilateral repetitive transcranial magnetic stimulation (rTMS) for treating major depression. *Psychological Medicine, 43,* 2245–2254. (p. 686)

Berman, M., Gladue, B., & Taylor, S. (1993). The effects of hormones, Type A behavior pattern, and provocation on aggression in men. *Motivation and Emotion, 17,* 125–138. (p. 546)

Berman, M. G., Jonides, J., & Kaplan, S. (2008). The cognitive benefits of interacting with nature. *Psychological Science, 19,* 1207–1212. (p. 454)

Bernal, S., Dehaene-Lambertz, G. Millotte, S. & Christophe, A. (2010). Two-year-olds compute syntactic structure on-line. *Developmental Science, 13,* 69–76. (p. 372)

Berndt, T. J. (1992). Friendship and friends' influence in adolescence. *Current Directions in Psychological Science, 1,* 156–159. (p. 164)

Bernieri, F., Davis, J., Rosenthal, R., & Knee, C. (1994). Interactional synchrony and rapport: Measuring synchrony in displays devoid of sound and facial affect. *Personality and Social Psychology Bulletin, 20,* 303–311. (p. 309)

Bernstein, D. M., & Loftus, E. F. (2009). How to tell if a particular memory is true or false. *Perspectives on Psychological Science, 4,* 370–374. (p. 343)

Bernstein, D. M., & Loftus, E. F. (2009). The consequences of false memories for food preferences and choices. *Perspectives on Psychological Science, 4,* 135–139. (p. 344)

Bernstein, M. J., Young, S. G., & Claypool, H. M. (2010). Is Obama's win a gain for Blacks? Changes in implicit racial prejudice following the 2008 election. *Social Psychology, 41,* 147–151. (p. 539)

Berntson, G. G., Norman, G. J., Bechara, A., Bruss, J., Tranel, D., & Cacioppo, J. T. (2011). The insula and evaluative processes. *Psychological Science, 22,* 80–86. (p. 71)

Berridge, K. C., & Winkielman, P. (2003). What is an unconscious emotion? (The case of unconscious "liking"). *Cognition and Emotion, 17,* 181–211. (p. 462)

Berry, C. M., & Sackett, P. R. (2009). Individual differences in course choice result in underestimation of the validity of college admissions systems. *Psychological Science, 20,* 822–830. (p. 398)

Berscheid, E. (1981). An overview of the psychological effects of physical attractiveness and some comments upon the psychological effects of knowledge of the effects of physical attractiveness. In G. W. Lucker, K. Ribbens, & J. A. McNamara (Eds.), *Psychological aspects of facial form* (Craniofacial growth series). Ann Arbor: Center for Human Growth and Development, University of Michigan. (p. 554)

Berscheid, E. (1985). Interpersonal attraction. In G. Lindzey & E. Aronson (Eds.), *The handbook of social psychology.* New York: Random House. (p. 448)

Berscheid, E. (2010). Love in the fourth dimension. *Annual Review of Psychology, 61,* 1–25. (p. 557)

Berscheid, E., Gangestad, S. W., & Kulakowski, D. (1984). Emotion in close relationships: Implications for relationship counseling. In S. D. Brown & R. W. Lent (Eds.), *Handbook of counseling psychology.* New York: Wiley. (p. 557)

Berti, A., Cottini, G., Gandola, M., Pia, L., Smania, N., Stracciari, A., . . . Paulesu, E. (2005). Shared cortical anatomy for motor awareness and motor control. *Science, 309,* 488–491. (p. 85)

Bértolo, H. (2005). Visual imagery without visual perception? *Psicológica, 26*(1), 173–188. (p. 112)

Bhargava, S., Kassam, K. S., & Loewenstein, G. (2014). A reassessment of the defense of parenthood. *Psychological Science, 25,* 299–302. (p. 34)

Bhatt, R. S., Wasserman, E. A., Reynolds, W. F., Jr., & Knauss, K. S. (1988). Conceptual behavior in pigeons: Categorization of both familiar and novel examples from four classes of natural and artificial stimuli. *Journal of Experimental Psychology: Animal Behavior Processes, 14,* 219–234. (p. 291)

Bialystok, E., Craik, F. I. M., & Luk, G. (2012). Bilingualism: Consequences for mind and brain. *Trends in Cognitive Sciences, 16,* 240–250. (p. 381)

Bianchi, S. M., Milkie, M. A., Sayer, L. C., & Robinson, J. P. (2000). Is anyone doing the housework? Trends in the gender division of household labor. *Social Forces, 79,* 191–228. (p. 171)

Bianchi, S. M., Robinson, J. P., & Milkie, M. A. (2006). *Changing rhythms of American family life.* New York: Russell Sage. (p. 171)

Bienvenu, O. J., Davydow, D. S., & Kendler, K. S. (2011). Psychiatric 'diseases' versus behavioral disorders and degree of genetic influence. *Psychological Medicine, 41*, 33–40. (p. 633)

Bilali, R., Tropp, L. R., & Dasgupta, N. (2012). Attributions of responsibility and perceived harm in the aftermath of mass violence. *Peace and Conflict: Journal of Peace Psychology, 18*, 21–39. (p. 603)

Bilefsky, D. (2009, March 11). Europeans debate castration of sex offenders. *New York Times* (www.nytimes.com). (p. 434)

Billock, V. A., & Tsou, B. H. (2012). Elementary visual hallucinations and their relationships to neural pattern-forming mechanisms. *Psychological Bulletin, 138*, 744–774. (p. 124)

Bird, C. D., & Emery, N. J. (2009). Rooks use stones to raise the water level to reach a floating worm. *Current Biology, 19*, 1410–1414. (p. 368)

Birnbaum, G. E., Reis, H. T., Mikulincer, M., Gillath, O., & Orpaz, A. (2006). When sex is more than just sex: Attachment orientations, sexual experience, and relationship quality. *Journal of Personality and Social Psychology, 91*, 929–943. (p. 199)

Birnbaum, S. G., Yuan, P. X., Wang, M., Vijayraghavan, S., Bloom, A. K., Davis, D. J., . . . Arnsten, A. F. T. (2004). Protein kinase C overactivity impairs prefrontal cortical regulation of working memory. *Science, 306*, 882–884. (p. 331)

Biro, D., Humle, T., Koops, K., Sousa, C., Hayashi, M., & Matsuzawa, T. (2010). Chimpanzee mothers at Bossou, Guinea carry the mummified remains of their dead infants. *Current Biology, 20*, R351–R352. (p. 369)

Biro, F. M., et al. (2010). Pubertal assessment method and baseline characteristics in a mixed longitudinal study of girls. *Pediatrics, 126*, e583–e590. (pp. 166, 204)

Biro, F. M., Greenspan, L. C., & Galvez, M. P. (2012). Puberty in girls of the 21st century. *Journal of Pediatric and Adolescent Gynecology, 25*, 289–294. (pp. 166, 204)

Bishop, D. I., Weisgram, E. S., Holleque, K. M., Lund, K. E., & Wheeler, J. R. (2005). Identity development and alcohol consumption: Current and retrospective self-reports by college students. *Journal of Adolescence, 28*, 523–533. (pp. 128, 210)

Bishop, D. V. M. (2013). Cerebral asymmetry and language development: Cause, correlate, or consequence? *Science, 340*, No. 6138. (p. 86)

Bishop, G. D. (1991). Understanding the understanding of illness: Lay disease representations. In J. A. Skelton & R. T. Croyle (Eds.), *Mental representation in health and illness.* New York: Springer-Verlag. (p. 356)

Bisson, J., & Andrew, M. (2007). Psychological treatment of post-traumatic stress disorder (PTSD). *Cochrane Database of Systematic Reviews 2007*, Issue 3. Art. No. CD003388. (p. 677)

Bjork, E. L., & Bjork, R. (2011). Making things hard on yourself, but in a good way: Creating desirable difficulties to enhance learning. In M. A. Gernsbacher, M. A. Pew, L. M. Hough, & J. R. Pomerantz (eds.), *Psychology and the real world.* New York: Worth Publishers. (p. 15)

Bjork, R. (2011, January 20). Quoted by P. Belluck, To really learn, quit studying and take a test. *New York Times* (www.nytimes.com). (p. 326)

Bjorklund, D. F., & Green, B. L. (1992). The adaptive nature of cognitive immaturity. *American Psychologist, 47*, 46–54. (p. 192)

Blackhart, G. C., Nelson, B. C., Knowles, M. L., & Baumeister, R. F. (2009). Rejection elicits emotional reactions but neither causes immediate distress nor lowers self-esteem: A meta-analytic review of 192 studies on social exclusion. *Personality and Social Psychology Bulletin, 13*, 269–309. (p. 450)

Blake, W. (2013, March). Voices from solitary: A sentence worse than death. Essay published at *Solitary Watch, News from a Nation in Lockdown.* www.solitarywatch.com. (p. 450)

Blakemore, S-J. (2008). Development of the social brain during adolescence. *Quarterly Journal of Experimental Psychology, 61*, 40–49. (p. 204)

Blakemore, S-J., Wolpert, D. M., & Frith, C. D. (1998). Central cancellation of self-produced tickle sensation. *Nature Neuroscience, 1*, 635–640. (p. 261)

Blakeslee, S. (2006, January 10). Cells that read minds. *New York Times* (www.nytimes.com). (p. 307)

Blanchard, R. (2004). Quantitative and theoretical analyses of the relation between older brothers and homosexuality in men. *Journal of Theoretical Biology, 230*, 173–187. (p. 444)

Blanchard, R. (2008a). Review and theory of handedness, birth order, and homosexuality in men. *Laterality, 13*, 51–70. (pp. 444, 445)

Blanchard, R. (2008b). Sex ratio of older siblings in heterosexual and homosexual, right-handed and non-right-handed men. *Archives of Sexual Behavior, 37*, 977–981. (p. 444)

Blanchard, R. (2014, July). Detecting and correcting for family size differences in the study of sexual orientation and fraternal birth order. *Archives of Sexual Behavior, 43*, 845–852. (p. 444)

Blanchard, R., Kuban, M. E., Blak, T., Klassen, P. E., Dickey, R., & Cantor, J. M. (2012). Sexual attraction to others: A comparison of two models of alloerotic responding in men. *Archives of Sexual Behavior, 41*, 13–29. (p. 441)

Blanchard, R., Lykins, A. D., Wherrett, D., Kuban, M. E., Cantor, J. M., Blak, T., Dickey, R., & Klassen, P. E. (2009). Pedophilia, hebephilia, and the DSM-V. *Archives of Sexual Behavior, 38*, 335–350. (p. 441)

Blanchard-Fields, F. (2007). Everyday problem solving and emotion: An adult developmental perspective. *Current Directions in Psychological Science, 16*, 26–31. (p. 401)

Blankenburg, F., Taskin, B., Ruben, J., Moosmann, M., Ritter, P., Curio, G., & Villringer, A. (2003). Imperceptive stimuli and sensory processing impediment. *Science, 299*, 1864. (p. 232)

Blascovich, J. & Mendes, W. B. (2010). Social psychophysiology and embodiment. In S. T. Fiske, D. T. Gilbert, & G. Lindzey (Eds.), *The handbook of social psychology, 5th Edition* (pp. 194–227). New York: John Wiley & Sons Inc. (p. 489)

Blass, T. (1996). Stanley Milgram: A life of inventiveness and controversy. In G. A. Kimble, C. A. Boneau, & M. Wertheimer (Eds.), *Portraits of pioneers in psychology* (Vol. II). Washington, DC and Mahwah, NJ: American Psychological Association and Lawrence Erlbaum Publishers. (p. 529)

Blass, T. (1999). The Milgram paradigm after 35 years: Some things we now know about obedience to authority. *Journal of Applied Social Psychology, 29*, 955–978. (p. 528)

Blatt, S. J., Sanislow, C. A., III, Zuroff, D. C., & Pilkonis, P. (1996). Characteristics of effective therapists: Further analyses of data from the National Institute of Mental Health Treatment of Depression Collaborative Research Program. *Journal of Consulting and Clinical Psychology, 64*, 1276–1284. (p. 679)

BLF. (2012). *The impact of cannabis on your lungs.* London: British Lung Foundation (www.blf.org.uk). (p. 125)

Block, J. (2010). The five-factor framing of personality and beyond: Some ruminations. *Psychological Inquiry, 21*, 2–25. (p. 590)

Bloom, B. C. (Ed.). (1985). *Developing talent in young people.* New York: Ballantine. (p. 455)

Bloom, P. (2000). *How children learn the meanings of words.* Cambridge, MA: MIT Press. (p. 371)

BLS. (2011, June 22). *American time use survey summary.* Bureau of Labor Statistics (www.bls.gov). (pp. 157, 486)

Blum, D. (2011). *Love at Goon Park: Harry Harlow and the science of affection.* New York: Perseus. (p. 197)

Blum, K., Cull, J. G., Braverman, E. R., & Comings, D. E. (1996). Reward deficiency syndrome. *American Scientist, 84*, 132–145. (p. 73)

Boag, S. (2006). Freudian repression, the common view, and pathological science. *Review of General Psychology, 10*, 74–86. (p. 580)

Boahen, K. (2005, May). Neuromorphic microchips. *Scientific American*, pp. 56–63. (p. 259)

Bocklandt, S., Horvath, S., Vilain, E., & Hamer, D. H. (2006). Extreme skewing of X chromosome inactivation in mothers of homosexual men. *Human Genetics, 118*, 691–694. (p. 444)

Bockting, W. O. (2014). Transgender identity development. In W. O. Bockting (Ed.), *APA handbook of sexuality and psychology* (Vol. 1, pp. 739–758). Washington, D.C.: American Psychological Association. (p. 169)

Bodenhausen, G. V., Sheppard, L. A., & Kramer, G. P. (1994). Negative affect and social judgment: The differential impact of anger and sadness. *European Journal of Social Psychology, 24*, 45–62. (p. 567)

Bodkin, J. A., & Amsterdam, J. D. (2002). Transdermal selegiline in major depression: A double-blind, placebo-controlled, parallel-group study in outpatients. *American Journal of Psychiatry, 159*, 1869–1875. (p. 683)

Boecker, H., Sprenger, T., Spilker, M. E., et al. (2008). The runner's high: opioidergic mechanisms in the human brain. *Cerebral Cortex, 18*, 2523–2531. (p. 634)

Boehm, J. K., & Kubzansky, L. D. (2012). The heart's content: The association between positive psychological well-being and cardiovascular health. *Psychological Bulletin, 138*, 655–691. (p. 504)

Boehm-Davis, D. A. (2005). Improving product safety and effectiveness in the home. In R. S. Nickerson (Ed.), *Reviews of human factors and ergonomics* (Vol.1, pp. 219–253). Santa Monica, CA: Human Factors and Ergonomics Society. (p. A-14)

Boesch-Achermann, H., & Boesch, C. (1993). Tool use in wild chimpanzees: New light from dark forests. *Current Directions in Psychological Science, 2*, 18–21. (p. 368)

Bogaert, A. F. (2003). Number of older brothers and sexual orientation: New texts and the attraction/behavior distinction in two national probability samples. *Journal of Personality and Social Psychology, 84,* 644–652. (p. 444)

Bogaert, A. F. (2004). Asexuality: Prevalence and associated factors in a national probability sample. *Journal of Sex Research, 41,* 279–287. (p. 440)

Bogaert, A. F. (2006b). Biological versus nonbiological older brothers and men's sexual orientation. *Proceedings of the National Academy of Sciences, 103,* 10771–10774. (pp. 440, 445)

Bogaert, A. F. (2010). Physical development and sexual orientation in men and women: An analysis of NATSAL-2000. *Archives of Sexual Behavior, 39,* 110–116. (p. 445)

Bogaert, A. F. (2012). *Understanding asexuality.* Lanham, MD: Rowman & Littlefield. (p. 440)

Bogaert, A. F., Friesen, C., & Klentrou, P. (2002). Age of puberty and sexual orientation in a national probability sample. *Archives of Sexual Behavior, 31,* 73–81. (p. 442)

Boggiano, A. K., Harackiewicz, J. M., Bessette, M. M., & Main, D. S. (1985). Increasing children's interest through performance-contingent reward. *Social Cognition, 3,* 400–411. (p. 305)

Bohman, M., & Sigvardsson, S. (1990). Outcome in adoption: Lessons from longitudinal studies. In D. Brodzinsky & M. Schechter (Eds.), *The psychology of adoption.* New York: Oxford University Press. (p. 139)

Bolger, N., DeLongis, A., Kessler, R. C., & Schilling, E. A. (1989). Effects of daily stress on negative mood. *Journal of Personality and Social Psychology, 57,* 808–818. (p. 481)

Boly, M., Garrido, M. I., Gosseries, O., Bruno, M-A., Boveroux, P., Schnakers, C., . . . Friston, K. (2011). Preserved feed-forward but impaired top-down processes in the vegetative state. *Science, 332,* 858–862. (p. 93)

Bonanno, G. A. (2004). Loss, trauma, and human resilience: Have we underestimated the human capacity to thrive after extremely aversive events? *American Psychologist, 59,* 20–28. (p. 225)

Bonanno, G. A., Brewin, C. R., Kaniasty, K., & La Greca, A. M. (2010). Weighing the costs of disaster: Consequences, risks, and resilience in individuals, families, and communities. *Psychological Science in the Public Interest, 11,* 1–49. (p. 624)

Bonanno, G. A., Galea, S., Bucciarelli, A., & Vlahov, D. (2006). Psychological resilience after disaster. *Psychological Science, 17,* 181–186. (p. 623)

Bonanno, G. A., Galea, S., Bucciarelli, A., & Vlahov, D. (2007). What predicts psychological resilience after disaster? The role of demographics, resources, and life stress. *Journal of Consulting and Clinical Psychology, 75*(5), 671–682. (p. 690)

Bonanno, G. A., & Kaltman, S. (1999). Toward an integrative perspective on bereavement. *Psychological Bulletin, 125,* 760–777. (p. 225)

Bonanno, G. A., Kennedy, P., Galatzer-Levy, I. R., Lude, P., & Elfström, M. L. (2012). Trajectories of resilience, depression, and anxiety following spinal cord injury. *Rehabilitation Psychology, 57,* 236–247. (p. 690)

Bonanno, G. A., Westphal, M., & Mancini, A. D. (2011). Resilience to loss and potential trauma. *Annual Review of Clinical Psychology, 11,* 511–535. (p. 623)

Bond, C. F., Jr., & DePaulo, B. M. (2006). Accuracy of deception judgments. *Personality and Social Psychology Review, 10,* 214–234. (p. 469)

Bond, C. F., Jr., & DePaulo, B. M. (2008). Individual differences in detecting deception: Accuracy and bias. *Psychological Bulletin, 134,* 477–492. (p. 469)

Bond, M. H., Lun, V. M-C., Chan, J., Chan, W. W-Y., & Wong, D. (2012). Enacting modesty in Chinese culture: The joint contribution of personal characteristics and contextual features. *Asian Journal of Social Psychology, 15,* 14–25. (p. 157)

Bond, R., & Smith, P. B. (1996). Culture and conformity: A meta-analysis of studies using Asch's (1952b, 1956) line judgment task. *Psychological Bulletin, 119,* 111–137. (p. 527)

Bond, R. M., Fariss, C. J., Jones, J. J., Kramer, A. D. I., Marlow, C., Settle, J. E., & Fowler, J. H. (2012). A 61-million-person experiment in social influence and political mobilization. *Nature, 489,* 295–298. (p. 525)

Bonetti, L., Campbell, M. A., & Gilmore, L. (2010). The relationship of loneliness and social anxiety with children's and adolescents' online communication. *Cyberpsychology, Behavior, and Social Networking, 13,* 279–285. (p. 452)

Bonezzi, A., Brendl, C. M., & DeAngelis, M. (2011). Stuck in the middle: The psychophysics of goal pursuit. *Psychological Science, 22,* 607–612. (p. 455)

Bonneville-Roussy, A., Rentfrow, P.J., Xu, K.M. & Potter, J. (2013). Music through the ages: Trends in musical attitudes and preferences from adolescence through middle adulthood. *Journal of Personality and Social Psychology, 105,* 703–717. (p. 205)

Bono, J. E., & Judge, T. A. (2004). Personality and transformational and transactional leadership: A meta-analysis. *Journal of Applied Psychology, 89,* 901–910. (p. A-12)

Bookheimer, S. H., Strojwas, M. H., Cohen, M. S., Saunders, A. M., Pericak-Vance, M. A., Mazziotta, J. C., & Small, G. W. (2000). Patterns of brain activation in people at risk for Alzheimer's disease. *New England Journal of Medicine, 343,* 450–456. (p. 219)

Booth, F. W., & Neufer, P. D. (2005). Exercise controls gene expression. *American Scientist, 93,* 28–35. (p. 508)

Bor, D. (2010, July/August). The mechanics of mind reading. *Scientific American,* pp. 52–57. (p. 93)

Bora, E., & Pantelis, C. (2013). Theory of mind impairments in first-episode psychosis, individuals at ultra-high risk for psychosis, and in first-degree relatives of schizophrenia: Systematic review and meta-analysis. *Schizophrenia Research, 144,* 31–36. (p. 641)

Boring, E. G. (1930). A new ambiguous figure. *American Journal of Psychology, 42,* 444–445. (p. 235)

Bornstein, M. H., Cote, L. R., Maital, S., Painter, K., Park, S-Y., Pascual, L., . . . Vyt, A. (2004). Cross-linguistic analysis of vocabulary in young children: Spanish, Dutch, French, Hebrew, Italian, Korean, and American English. *Child Development, 75,* 1115–1139. (p. 373)

Bornstein, M. H., Tal, J., Rahn, C., Galperin, C. Z., Pecheux, M-G., Lamour, M., . . . Tamis-LeMonda, C. S. (1992a). Functional analysis of the contents of maternal speech to infants of 5 and 13 months in four cultures: Argentina, France, Japan, and the United States. *Developmental Psychology, 28,* 593–603. (p. 161)

Bornstein, M. H., Tamis-LeMonda, C. S., Tal, J., Ludemann, P., Toda, S., Rahn, C. W., . . . Vardi, D. (1992b). Maternal responsiveness to infants in three societies: The United States, France, and Japan. *Child Development, 63,* 808–821. (p. 161)

Bornstein, R. F. (1989). Exposure and affect: Overview and meta-analysis of research, 1968–1987. *Psychological Bulletin, 106,* 265–289. (pp. 196, 551)

Bornstein, R. F. (1999). Source amnesia, misattribution, and the power of unconscious perceptions and memories. *Psychoanalytic Psychology, 16,* 155–178. (p. 551)

Bornstein, R. F., Galley, D. J., Leone, D. R., & Kale, A. R. (1991). The temporal stability of ratings of parents: Test-retest reliability and influence of parental contact. *Journal of Social Behavior and Personality, 6,* 641–649. (p. 336)

Boroditsky, L. (2009, June 12). How does our language shape the way we think? www.edge.org. (pp. 370, 380, 381)

Boroditsky, L. (2011, February). How language shapes thought. *Scientific American,* pp. 63–65. (p. 380)

Boron, J. B., Willis, S. L., & Schaie, K. W. (2007). Cognitive training gain as a predictor of mental status. *Journal of Gerontology: Series B: Psychological Sciences and Social Sciences, 62B*(1), 45–52. (p. 218)

Bosma, H., Marmot, M. G., Hemingway, H., Nicolson, A. C., Brunner, E., & Stansfeld, S. A. (1997). Low job control and risk of coronary heart disease in Whitehall II (prospective cohort) study. *British Medical Journal, 314,* 558–565. (p. 501)

Bosma, H., Peter, R., Siegrist, J., & Marmot, M. (1998). Two alternative job stress models and the risk of coronary heart disease. *American Journal of Public Health, 88,* 68–74. (p. 501)

Bossong, M. G., Jansma, J. M., van Hellm H. H., Jagerm G., Oudman, E., Saliasi, E., Kahn, R. S., & Ramsey, N. F. (2012). Effects of Δ9-tetrahydrocannabinol in human working memory function. *Biological Psychiatry, 71,* 693–699. (p. 125)

Bostwick, J. M., & Pankratz, V. S. (2000). Affective disorders and suicide risk: A re-examination. *American Journal of Psychiatry, 157,* 1925–1932. (p. 637)

Bosworth, R. G., & Dobkins, K. R. (1999). Left-hemisphere dominance for motion processing in deaf signers. *Psychological Science, 10,* 256–262. (p. 81)

Bothwell, R. K., Brigham, J. C., & Malpass, R. S. (1989). Cross-racial identification. *Personality and Social Psychology Bulletin, 15,* 19–25. (p. 543)

Bouchard, T. J., Jr. (2009). Genetic influences on human intelligence (Spearman's g): How much? *Annals of Human Biology, 36,* 527–544. (p. 137)

Boucher, J., Mayes, A., & Bigham, S. (2012). Memory in autistic spectrum disorder. *Psychological Bulletin, 138,* 458–496. (p. 193)

Bouton, M. E., Mineka, S., & Barlow, D. H. (2001). A modern learning theory perspective on the etiology of panic disorder. *Psychological Review, 108,* 4–32. (p. 624)

Bowden, E. M., & Beeman, M. J. (1998). Getting the right idea: Semantic activation in the right hemisphere may help solve insight problems. *Psychological Science, 9,* 435–440. (p. 85)

Bowen, L. (2012, November). Certain video games may lead teens to drive recklessly. *Monitor on Psychology,* p. 15. (p. 34)

Bowen, N. K., Wegmann, K. M., & Webber, K. C. (2013). Enhancing a brief writing intervention to combat stereotype threat among middle-school students. *Journal of Educational Psychology, 105,* 427–435. (p. 415)

Bowen, S., Witkiewitz, K., Dillworth, T. M., Chawla, N., Simpson, T. L., Ostafin, B. D., . . . Marlatt, G. A. (2006). Mindfulness meditation and substance use in an incarcerated population. *Psychology of Addictive Behaviors, 20,* 343–347. (p. 510)

Bower, B. (2009, February 14). The dating go round. *Science News,* pp. 22–25. (p. 552)

Bower, G. H. (1986). Prime time in cognitive psychology. In P. Eelen (Ed.), *Cognitive research and behavior therapy: Beyond the conditioning paradigm.* Amsterdam: North Holland Publishers. (p. 335)

Bower, G. H., Clark, M. C., Lesgold, A. M., & Winzenz, D. (1969). Hierarchical retrieval schemes in recall of categorized word lists. *Journal of Verbal Learning and Verbal Behavior, 8,* 323–343. (p. 325)

Bower, G. H., & Morrow, D. G. (1990). Mental models in narrative comprehension. *Science, 247,* 44–48. (p. 327)

Bower, J. M., & Parsons, L. M. (2003, August). Rethinking the "lesser brain." *Scientific American,* pp. 50–57. (p. 70)

Bowers, J. S. (2009). On the biological plausibility of grandmother cells: implications for neural network theories in psychology and neuroscience. *Psychological Review, 116,* 220–251. (p. 246)

Bowers, J. S., Mattys, S. L., & Gage, S. H. (2009). Preserved implicit knowledge of a forgotten childhood language. *Psychological Science, 20,* 1064–1069. (p. 186)

Bowler, M. C., & Woehr, D. J. (2006). A meta-analytic evaluation of the impact of dimension and exercise factors on assessment center ratings. *Journal of Applied Psychology, 91,* 1114–1124. (p. 596)

Bowling, N. A., Eschleman, K. J., & Wang, Q. (2010). A meta-analytic examination of the relationship between job satisfaction and subjective well-being. *Journal of Occupational and Organizational Psychology, 83,* 915–934. (p. A-8)

Boxer, P., Huesmann, L. R., Bushman, B. J., O'Brien, M., & Moceri, D. (2009). The role of violent media preference in cumulative developmental risk for violence and general aggression. *Journal of Youth and Adolescence, 38,* 417–428. (p. 312)

Boyatzis, C. J. (2012). Development of spirituality in children and adolescents. In L. Miller (Ed.), *Oxford handbook of the psychology of religion and spirituality.* New York: Oxford University Press. (p. 206)

Boyatzis, C. J., Matillo, G. M., & Nesbitt, K. M. (1995). Effects of the "Mighty Morphin Power Rangers" on children's aggression with peers. *Child Study Journal, 25,* 45–55. (p. 312)

Boyce, C. J., Brown, G. D. A., & Moore, S. C. (2010). Money and happiness: Rank of income, not income, affects life satisfaction. *Psychological Science, 21,* 471–475. (p. 484)

Boyce, C. J., & Wood, A. M. (2011). Personality prior to disability determines adaptation: Agreeable individuals recover lost life satisfaction faster and more completely. *Psychological Science, 22,* 1397–1402. (p. 481)

Boynton, R. M. (1979). *Human color vision.* New York: Holt, Rinehart & Winston. (p. 243)

Braden, J. P. (1994). *Deafness, deprivation, and IQ.* New York: Plenum. (p. 411)

Bradley, D. R., Dumais, S. T., & Petry, H. M. (1976). Reply to Cavonius. *Nature, 261,* 78. (p. 247)

Bradley, R. B., et al. (2008). Influence of child abuse on adult depression: Moderation by the corticotropin-releasing hormone receptor gene. *Archives of General Psychiatry, 65,* 190–200. (p. 201)

Bradshaw, C., Sawyer, A., & O'Brennan, L. (2009). A social disorganization perspective on bullying-related attitudes and behaviors: The influence of school context. *American Journal of Community Psychology, 43,* 204–220. (p. 12)

Braiker, B. (2005, October 18). A quiet revolt against the rules on SIDS. *New York Times* (www.nytimes.com). (p. 185)

Brainerd, C. J. (1996). Piaget: A centennial celebration. *Psychological Science, 7,* 191–195. (p. 186)

Brakefield, T. A., Mednick, S. C., Wilson, H. W., De Neve, J., Christakis, N. A., & Fowler, J. H. (2014). Same-sex sexual attraction does not spread in adolescent social networks. *Archives of Sexual Behavior, 43,* 335–344. (p. 442)

Brandon, S., Boakes, J., Glaser, & Green, R. (1998). Recovered memories of childhood sexual abuse: Implications for clinical practice. *British Journal of Psychiatry, 172,* 294–307. (p. 349)

Brang, D., Edwards, L., Ramachandran, V. S., & Coulson, S. (2008). Is the sky 2? Contextual priming in grapheme-color synaesthesia. *Psychological Science, 19,* 421–428. (p. 271)

Brannon, L. A., & Brock, T. C. (1993). Comment on report of HIV infection in rural Florida: Failure of instructions to correct for gross underestimation of phantom sex partners in perception of AIDS risk. *New England Journal of Medicine, 328,* 1351–1352. (p. 436)

Bransford, J. D., & Johnson, M. K. (1972). Contextual prerequisites for understanding: Some investigations of comprehension and recall. *Journal of Verbal Learning and Verbal Behavior, 11,* 717–726. (p. 327)

Brasel, S. A., & Gips, J. (2011). Media multitasking behavior: Concurrent television and computer usage. *Cyberpsychology, Behavior, and Social Networking, 14,* 527–534. (p. 96)

Brauhardt, A., Rudolph, A., & Hilbert, A. (2014). Implicit cognitive processes in binge-eating disorder and obesity. *Journal of Behavioral Therapy and Experimental Psychiatry, 45*(2), 285–290. (p. 652)

Braun, S. (1996). New experiments underscore warnings on maternal drinking. *Science, 273,* 738–739. (p. 182)

Braun, S. (2001, Spring). Seeking insight by prescription. *Cerebrum,* pp. 10–21. (p. 124)

Braunstein, G. D., Sundwall, D. A., Katz, M., Shifren, J. L., Buster, J. E., Simon, J. A., . . . Watts, N. B. (2005). Safety and efficacy of a testosterone patch for the treatment of hypoactive sexual desire disorder in surgically menopausal women: A randomized, placebo-controlled trial. *Archives of Internal Medicine, 165,* 1582–1589. (p. 434)

Bray, D. W., & Byham, W. C. (1991, Winter). Assessment centers and their derivatives. *Journal of Continuing Higher Education,* pp. 8–11. (p. 597)

Bray, D. W., & Byham, W. C., interviewed by Mayes, B. T. (1997). Insights into the history and future of assessment centers: An interview with Dr. Douglas W. Bray and Dr. William Byham. *Journal of Social Behavior and Personality, 12,* 3–12. (p. 597)

Brayne, C., Spiegelhalter, D. J., Dufouil, C., Chi, L-Y., Dening, T. R., Paykel, E. S., . . . Huppert, F.A. (1999). Estimating the true extent of cognitive decline in the old old. *Journal of the American Geriatrics Society, 47,* 1283–1288. (p. 400)

Breedlove, S. M. (1997). Sex on the brain. *Nature, 389,* 801. (p. 443)

Breen, G., et al. (2011, May). A genome-wide significant linkage for severe depression on chromosome 3: The depression network study. *American Journal of Psychiatry, 167,* 949–957. (p. 633)

Brehm, S., & Brehm, J. W. (1981). *Psychological reactance: A theory of freedom and control.* New York: Academic Press. (p. 536)

Breslau, J., Aguilar-Gaxiola, S., Borges, G., Kendler, K. S., Su, M., & Kessler, R. C. (2007). Risk for psychiatric disorder among immigrants and their US-born descendants. *Journal of Nervous and Mental Disease, 195,* 189–195. (pp. 617, 618)

Breslin, C. W. & Safer, M. A. (2011). Effects of event valence on long-term memory for two baseball championship games. *Psychological Science, 22,* 1408–1412. (p. 332)

Brethel-Haurwitz, K. M., & Marsh, A. A. (2014, March). Geographical differences in subjective well-being predict extraordinary altruism. *Psychological Science, 25,* 762–771. (p. 479)

Brewer, C. L. (1990). Personal correspondence. (p. 142)

Brewer, C. L. (1996). Personal communication. (p. 9)

Brewer, J. A., Malik, S., Babuscio, T. A., Nich, C., Johnson, H. E., Deleone, C. M., . . . Rounsaville, B. J. (2011). Mindfulness training for smoking cessation: Results from a randomized controlled trial. *Drug and Alcohol Dependence, 119,* 72–80. (p. 510)

Brewer, M. B., & Chen, Y-R. (2007). Where (who) are collectives in collectivism? Toward conceptual clarification of individualism and collectivism. *Psychological Review, 114,* 133–151. (p. 157)

Brewer, W. F. (1977). Memory for the pragmatic implications of sentences. *Memory & Cognition, 5,* 673–678. (p. 327)

Brewin, C. R., Andrews, B., Rose, S., & Kirk, M. (1999). Acute stress disorder and posttraumatic stress disorder in victims of violent crime. *American Journal of Psychiatry, 156,* 360–366. (p. 623)

Brewin, C. R., Kleiner, J. S., Vasterling J. J., & Field, A. P. (2007). Memory for emotionally neutral information in posttraumatic stress disorder: A meta-analytic investigation. *Journal of Abnormal Psychology, 116,* 448–463. (p. 331)

Briers, B., Pandelaere, M., Dewitte, S., & Warlop, L. (2006). Hungry for money: The desire for caloric resources increases the desire for financial resources and vice versa. *Psychological Science, 17,* 939–943. (p. 293)

Briscoe, D. (1997, February 16). Women lawmakers still not in charge. *Grand Rapids Press,* p. A23. (p. 168)

Brislin, R. W. (1988). Increasing awareness of class, ethnicity, culture, and race by expanding on students' own experiences. In I. Cohen (Ed.), *The G. Stanley Hall Lecture Series.* Washington, DC: American Psychological Association. (p. 155)

Broadbent, E., Kakokehr, A., Booth, R. J., Thomas, J., Windsor, J. A., Buchanan, C. M., . . . Hill, A. G. (2012). A brief relaxation intervention reduces stress and improves surgical wound healing response: A randomized trial. *Brain, Behavior, and Immunity, 26,* 212–217. (p. 510)

Brody, J. E. (2002, November 26). When the eyelids snap shut at 65 miles an hour. *New York Times* (www.nytimes.com). (p. 108)

Brody, J. E. (2003, September). Addiction: A brain ailment, not a moral lapse. *New York Times* (www.nytimes.com). (p. 117)

Brody, S., & Tillmann, H. C. (2006). The post-orgasmic prolactin increase following intercourse is greater than following masturbation and suggests greater satiety. *Biological Psychology, 71*, 312–315. (p. 447)

Broks, P. (2007, April). The mystery of consciousness. *Prospect* (www.prospect-magazine.co.uk). (p. 186)

Bromet, E., Andrade, L. H., Hwang, I., Sampson, N. A., Alonso, J., de Girolamo, G., . . . Kessler, R. C. (2011). Cross-national epidemiology of DSM-IV major depressive episode. *BMC Medicine, 9*, 90. (p. 631)

Brookmeyer, R., Evans, D. A., Hebert, L., Langa, K. M., Heeringa, S. G., Plassman, B. L., & Kukull, W. A. (2011). National estimates of the prevalence of Alzheimer's disease in the United States. *Alzheimer's & Dementia, 7*, 61–73. (p. 219)

Brooks, R. (2012). "Asia's missing women" as a problem in applied evolutionary psychology? *Evolutionary Psychology, 12*, 910–925. (p. 540)

Brown, A. S. (2003). A review of the déjà vu experience. *Psychological Bulletin, 129*, 394–413. (p. 346)

Brown, A. S. (2004a). *The déjà vu experience.* East Sussex, England: Psychology Press. (p. 346)

Brown, A. S. (2004b). Getting to grips with déjà vu. *The Psychologist, 17*, 694–696. (p. 346)

Brown, A. S., Begg, M. D., Gravenstein, S., Schaefer, C. A., Wyatt, R. J., Bresnahan, M., Babulas, V. P., & Susser, E. S. (2004). Serologic evidence of prenatal influenza in the etiology of schizophrenia. *Archives of General Psychiatry, 61*, 774–780. (p. 643)

Brown, A. S., & Marsh, E. (2009). Creating illusions of past encounter through brief exposure. *Psychological Science, 20*, 534–538. (p. 346)

Brown, A. S., & Patterson, P. H. (2011). Maternal infection and schizophrenia: Implications for prevention. *Schizophrenia Bulletin, 37*, 284–290. (p. 643)

Brown, A. S., Schaefer, C. A., Wyatt, R. J., Goetz, R., Begg, M. D., Gorman, J. M., & Susser, E. S. (2000). Maternal exposure to respiratory infections and adult schizophrenia spectrum disorders: A prospective birth cohort study. *Schizophrenia Bulletin, 26*, 287–295. (p. 643)

Brown, E. L., & Deffenbacher, K. (1979). *Perception and the senses.* New York: Oxford University Press. (p. 260)

Brown, J. A. (1958). Some tests of the decay theory of immediate memory. *Quarterly Journal of Experimental Psychology, 10*, 12–21. (p. 323)

Brown, J. D. (2012). Understanding the better than average effect: Motives (still) matter. *Personality and Social Psychology Bulletin, 38*, 209–219. (p. 602)

Brown, J. D., Steele, J. R., & Walsh-Childers, K. (2002). *Sexual teens, sexual media: Investigating media's influence on adolescent sexuality.* Mahwah, NJ: Erlbaum. (p. 439)

Brown, J. L., & Pollitt, E. (1996, February). Malnutrition, poverty and intellectual development. *Scientific American*, pp. 38–43. (p. 408)

Brown, K. W., Goodman, R. J., & Inzlicht, M. (2013). Dispositional mindfulness and the attenuation of neural responses to emotional stimuli. *Social Cognitive and Affective Neuroscience, 8*, 93–99. (p. 511)

Brown, R. (1986). Linguistic relativity. In S. H. Hulse & B. F. Green, Jr. (Eds.), *One hundred years of psychological research in America.* Baltimore: Johns Hopkins University Press. (p. 380)

Brown, R. P., Osterman, L. L., & Barnes, C. D. (2009). School violence and the culture of honor. *Psychological Science, 20*, 1400–1405. (p. 548)

Brown, S. L., Brown, R. M., House, J. S., & Smith, D. M. (2008). Coping with spousal loss: Potential buffering effects of self-reported helping behavior. *Personality and Social Psychology Bulletin, 34*, 849–861. (p. 225)

Browning, C. (1992). *Ordinary men: Reserve police battalion 101 and the final solution in Poland.* New York: HarperCollins. (p. 530)

Bruce-Keller, A. J., Keller, J. N., & Morrison, C. D. (2009). Obesity and vulnerability of the CNS. *Biochemica et Biophysica Acta, 1792*, 395–400. (p. 430)

Bruck, M., & Ceci, S. J. (1999). The suggestibility of children's memory. *Annual Review of Psychology, 50*, 419–439. (p. 347)

Bruck, M., & Ceci, S. J. (2004). Forensic developmental psychology: Unveiling four common misconceptions. *Current Directions in Psychological Science, 15*, 229–232. (p. 347)

Bruer, J. T. (1999). *The myth of the first three years: A new understanding of early brain development and lifelong learning.* New York: Free Press. (p. 409)

Brunner, M., Gogol, K. M., Sonnleitner, P., Keller, U., Krauss, S., & Preckel, F. (2013). Gender differences in the mean level, variability, and profile shape of student achievement: Results from 41 countries. *Intelligence, 41*, 378–395. (p. 410)

Bruno, M-A., Bernheim, J. L., Ledoux, D., Pellas, F., Demertzi, A., & Laureys, S. (2011). A survey on self-assessed well-being in a cohort of chronic locked-in syndrome patients: Happy majority, miserable minority. *BMJ Open.* bmjopen.bmj.com/content/early/2011/02/16/bmjopen-2010-000039.short?rss=1.1. (p. 481)

Bruno, M-A., Pellas, F., & Laureys, S. (2008). Quality of life in locked-in syndrome survivors. In J. L. Vincent (ed.), *2008 yearbook of intensive care and emergency medicine.* New York: Springer. (p. 481)

Bryant, A. N., & Astin, H. A. (2008). The correlates of spiritual struggle during the college years. *Journal of Higher Education, 79*, 1–27. (p. 210)

Bryant, R. A. (2001). Posttraumatic stress disorder and traumatic brain injury: Can they co-exist? *Clinical Psychology Review, 21*, 931–948. (p. 349)

Buchanan, R. W., et al. (2010). The 2009 schizophrenia PORT psychopharmacological treatment recommendations and summary statements. *Schizophrenia Bulletin, 36*, 71–93. (p. 682)

Buchanan, T. W. (2007). Retrieval of emotional memories. *Psychological Bulletin, 133*, 761–779. (p 331)

Buck, L. B., & Axel, R. (1991). A novel multigene family may encode odorant receptors: A molecular basis for odor recognition. *Cell, 65*, 175–187. (p. 267)

Buckholtz, J. W., et al. (2010). Mesolimbic dopamine reward system hypersensitivity in individuals with psychopathic traits. *Nature Neuroscience, 13*, 419–421. (p. 651)

Buckingham, M. (2001, August). Quoted by P. LaBarre, "Marcus Buckingham thinks your boss has an attitude problem." *The Magazine* (fastcompany.com/online/49/buckingham.html). (p. A-10)

Buckingham, M. (2007). *Go put your strengths to work: 6 powerful steps to achieve outstanding performance.* New York: Free Press. (p. A-3)

Buckingham, M., & Clifton, D. O. (2001). *Now, discover your strengths.* New York: Free Press. (p. A-4)

Buckley, C. (2007, January 3). Man is rescued by stranger on subway tracks. *New York Times* (www.nytimes.com). (p. 561)

Buday, S. K., Stake, J. E., & Peterson, Z. D. (2012). Gender and the choice of a science career: The impact of social support and possible selves. *Sex Roles, 66*, 197–209. (p. 598)

Buehler, R., Griffin, D., & Ross, M. (1994). Exploring the "planning fallacy": Why people underestimate their task completion times. *Journal of Personality and Social Psychology, 67*, 366–381. (p. 361)

Buehler, R., Griffin, D., & Ross, M. (2002). Inside the planning fallacy: The causes and consequences of optimistic time predictions. In T. Gilovich, D. Griffin, & D. Kahneman (Eds.), *Heuristics and biases: The psychology of intuitive judgment.* Cambridge: Cambridge University Press. (p. 361)

Buffardi, L. E., & Campbell, W. K. (2008). Narcissism and social networking web sites. *Personality and Social Psychology Bulletin, 34*, 1303–1314. (p. 453)

Bugelski, B. R., Kidd, E., & Segmen, J. (1968). Image as a mediator in one-trial paired-associate learning. *Journal of Experimental Psychology, 76*, 69–73. (p. 325)

Bugental, D. B. (1986). Unmasking the "polite smile": Situational and personal determinants of managed affect in adult-child interaction. *Personality and Social Psychology Bulletin, 12*, 7–16. (p. 469)

Buhle, J. T., Stevens, B. L., Friedman, J. J., & Wager, T. D. (2012). Distraction and placebo: Two separate routes to pain control. *Psychological Science, 23*, 246–253. (p. 264)

Buka, S. L., Tsuang, M. T., Torrey, E. F., Klebanoff, M. A., Wagner, R. L., & Yolken, R. H. (2001). Maternal infections and subsequent psychosis among offspring. *Archives of General Psychiatry, 58*, 1032–1037. (p. 643)

Bunde, J., & Suls, J. (2006). A quantitative analysis of the relationship between the Cook-Medley Hostility Scale and traditional coronary artery disease risk factors. *Health Psychology, 25*, 493–500. (p. 497)

Buquet, R. (1988). Le reve et les deficients visuels [Dreams and the visually impaired]. *Psychanalyse-a-l'Universite, 13*, 319–327. (p. 112)

Burger, J. M. (2009). Replicating Milgram: Would people still obey today? *American Psychologist, 64*, 1–11. (p. 528)

Burgess, M., Enzle, M. E., & Schmaltz, R. (2004). Defeating the potentially deleterious effects of externally imposed deadlines: Practitioners' rules-of-thumb. *Personality and Social Psychology Bulletin, 30*, 868–877. (p. A-11)

Buri, J. R., Louiselle, P. A., Misukanis, T. M., & Mueller, R. A. (1988). Effects of parental authoritarianism and authoritativeness on self-esteem. *Personality and Social Psychology Bulletin, 14*, 271–282. (p. 202)

Burish, T. G., & Carey, M. P. (1986). Conditioned aversive responses in cancer chemotherapy patients: Theoretical and developmental analysis. *Journal of Counseling and Clinical Psychology, 54*, 593–600. (p. 303)

Burk, W. J., Denissen, J., Van Doorn, M. D., Branje, S. J. T., & Laursen, B. (2009). The vicissitudes of conflict measurement: Stability and reliability in the frequency of disagreements. *European Psychologist, 14*, 153–159. (p. 210)

Burke, B. L., Martens, A., & Faucher, E. H. (2010). Two decades of terror management theory: A meta-analysis of mortality salience research. *Personality and Social Psychology Review, 14*, 155–195. (p. 581)

Burke, D. M., & Shafto, M. A. (2004). Aging and language production. *Current Directions in Psychological Science, 13*, 21–24. (p. 218)

Burke, M., Adamic, L. A., & Marciniak, K. (2013). *Families on Facebook.* Association for the Advancement of Artificial Intelligence: Seventh International AAAI Conference on Weblogs and Social Media (www.facebook.com/publications). (p. 211)

Burns, B. C. (2004). The effects of speed on skilled chess performance. *Psychological Science, 15*, 442–447. (p. 364)

Burns, J. M., & Swerdlow, R. H. (2003). Right orbitofrontal tumor with pedophilia symptom and constructional apraxia sign. *Archives of Neurology, 60*, 437–440. (p. 51)

Burris, C. T., & Branscombe, N. R. (2005). Distorted distance estimation induced by a self-relevant national boundary. *Journal of Experimental Social Psychology, 41*, 305–312. (p. 381)

Burton, C. M., & King, L. A. (2008). Effects of (very) brief writing on health: The two-minute miracle. *British Journal of Health Psychology, 13*, 9–14. (p. 507)

Busby, D. M., Carroll, J. S., & Willoughby, B. J. (2010). Compatibility or restraint? The effects of sexual timing on marriage relationships. *Journal of Family Psychology, 24*, 766–774. (p. 447)

Bushdid, C., Magnasco, M. O., Vosshall, L. B., & Keller, A. (2014). Humans can discriminate more than 1 trillion olfactory stimuli. *Science, 343*, 1370–1372. (p. 267)

Bushman, B. J. (1993). Human aggression while under the influence of alcohol and other drugs: An integrative research review. *Current Directions in Psychological Science, 2*, 148–152. (p. 546)

Bushman, B. J. (2002). Does venting anger feed or extinguish the flame? Catharsis, rumination, distraction, anger, and aggressive responding. *Personality and Social Psychology Bulletin, 28*, 724–731. (p. 478)

Bushman, B. J., & Anderson, C. A. (2009). Comfortably numb: Desensitizing effects of violent media on helping others. *Psychological Science, 20*, 273–277. (p. 312)

Bushman, B. J., & Baumeister, R. F. (1998). Threatened egotism, narcissism, self-esteem, and direct and displaced aggression: Does self-love or self-hate lead to violence? *Journal of Personality and Social Psychology, 75*, 219–229. (p. 603)

Bushman, B. J., Baumeister, R. F., Thomaes, S., Ryu, E., Begeer, S., & West, S. G. (2009). Looking again, and harder, for a link between low self-esteem and aggression. *Journal of Personality, 77*, 427–446. (p. 603)

Bushman, B. J., & Huesmann, L. R. (2010). Aggression. In S. T. Fiske, D. T. Gilbert, & G. Lindzey (Eds.), *Handbook of social psychology* (5th ed., Ch. 23, pp. 833–863). New York: John Wiley & Sons. (p. 162)

Bushman, B. J., Moeller, S. J., & Crocker, J. (2011). Sweets, sex, or self-esteem? Comparing the value of self-esteem boosts with other pleasant rewards. *Journal of Personality, 79*, 993–1012. (p. 585)

Bushman, B. J., Ridge, R. D., Das, E., Key, C. W., & Busath, G. L. (2007). When God sanctions killing: Effects of scriptural violence on aggression. *Psychological Science, 18*, 204–207. (p. 162)

Busnel, M. C., Granier-Deferre, C., & Lecanuet, J. P. (1992, October). Fetal audition. *New York Academy of Sciences, 662*, 118–134. (p. 182)

Buss, A. H. (1989). Personality as traits. *American Psychologist, 44*, 1378–1388. (p. 593)

Buss, D. M. (1991). Evolutionary personality psychology. *Annual Review of Psychology, 42*, 459–491. (p. 142)

Buss, D. M. (1994). The strategies of human mating: People worldwide are attracted to the same qualities in the opposite sex. *American Scientist, 82*, 238–249. (p. 149)

Buss, D. M. (1995). Evolutionary psychology: A new paradigm for psychological science. *Psychological Inquiry, 6*, 1–30. (p. 148)

Buss, D. M. (2008). Female sexual psychology. World Question Center 2008 (edge.org). (p. 437)

Busteed, B. (2012, August 27). College grads need to interview the job. *Huffington Post* (www.huffingtonpost.com). (p. A-11)

Buster, J. E., Kingsberg, S. A., Aguirre, O., Brown, C., Breaux, J. G., Buch, A., . . . Casson, P. (2005). Testosterone patch for low sexual desire in surgically menopausal women: A randomized trial. *Obstetrics and Gynecology, 105*(5), 944–952. (p. 434)

Butler, A. C., Hokanson, J. E., & Flynn, H. A. (1994). A comparison of self-esteem lability and low trait self-esteem as vulnerability factors for depression. *Journal of Personality and Social Psychology, 66*, 166–177. (p. 635)

Butler, A., Oruc, I., Fox, C. J., & Barton, J. J. S. (2008). Factors contributing to the adaptation aftereffects of facial expression. *Brain Research, 1191*, 116–126. (pp. 234, 235)

Butler, R. A. (1954, February). Curiosity in monkeys. *Scientific American*, pp. 70–75. (p. 421)

Butterworth, G. (1992). Origins of self-perception in infancy. *Psychological Inquiry, 3*, 103–111. (p. 201)

Butts, M. M., Casper, W. J., & Yang, T. S. (2013). How important are work-family support policies? A meta-analytic investigation of their effects on employee outcomes. *Journal of Applied Psychology, 98*, 1–25. (p. A-13)

Buxton, O. M., Cain, S. W., O'Connor, S. P., Porter, J. H., Duffy, J. F., Wang, W., Czeisler, C. A., & Shea, S. A. (2012). Adverse metabolic consequences in humans of prolonged sleep restriction combined with circadian disruption. *Science Translational Medicine, 4*, 129ra143. (p. 108)

Byers-Heinlein, K., Burns, T. C., & Werker, J. F. (2010). The roots of bilingualism in newborns. *Psychological Science, 21*, 343–348. (p. 182)

Byrne, D. (1971). *The attraction paradigm.* New York: Academic Press. (p. 556)

Byrne, D. (1982). Predicting human sexual behavior. In A. G. Kraut (Ed.), *The G. Stanley Hall Lecture Series* (Vol. 2). Washington, DC: American Psychological Association. (p. 285)

Byrne, D. (1982). Predicting human sexual behavior. In A. G. Kraut (Ed.), *The G. Stanley Hall Lecture Series* (Vol. 2). Washington, DC: American Psychological Association. (p. 434)

Byrne, R. W. (1991, May/June). Brute intellect. *The Sciences*, pp. 42–47. (p. 377)

Byrne, R. W., Bates, L. A., & Moss, C. J. (2009). Elephant cognition in primate perspective. *Comparative Cognition & Behavior Reviews, 4*, 1–15. (p. 369)

Byrne, R. W., Hobaiter, C., & Klailova, M. (2011). Local traditions in gorilla manual skill: Evidence for observational learning of behavioral organization. *Animal Cognition, 1–11.* (p. 307)

Byron, K., & Khazanchi, S. (2011). A meta-analytic investigation of the relationship of state and trait anxiety to performance on figural and verbal creative tasks. *Personality and Social Psychology Bulletin, 37*, 269–283. (p. 366)

Cable, D. M., & Gilovich, T. (1998). Looked over or overlooked? Prescreening decisions and post-interview evaluations. *Journal of Personality and Social Psychology, 83*, 501–508. (p. A-5)

Cacioppo, J. T. (2007). Better interdisciplinary research through psychological science. *APS Observer, 20*, 3, 48–49. (p. 11)

Cacioppo, J. T., Cacioppo, S., Gonzaga, G. C., Ogburn, E. L., & VanderWeele, T. J. (2013). Marital satisfaction and break-ups differ across on-line and off-line meeting venues. *PNAS Proceedings of the National Academy of Sciences of the United States of America, 110*, 10135–10140. (p. 552)

Cacioppo, J. T., Fowler, J. H., & Christakis, N. A. (2009). Alone in the crowd: The structure and spread of loneliness in a large social network. *Journal of Personality and Social Psychology, 97*, 977–991. (p. 450)

Cacioppo, J. T., & Hawkley, L. C. (2009). Perceived social isolation and cognition. *Trends in Cognitive Sciences, 13*, 447–454. (p. 450)

Cacioppo, S., Bianchi-Demicheli, F., Frum, C., Pfaus, J. G., & Lewis, J.W. (2012). The common neural bases between sexual desire and love: A multilevel kernel density fMRI analysis. *Journal of Sexual Medicine, 12*,1048–1054. (p. 447)

Caddick, A., & Porter, L. E. (2012). Exploring a model of professionalism in multiple perpetrator violent crime in the UK. *Criminological & Criminal Justice: An International Journal, 12*, 61–82. (p. 162)

Cahill, L. (2005, May). His brain, her brain. *Scientific American*, pp. 40–47. (p. 165)

Cain, S. (2012). *Quiet: The power of introverts in a world that can't stop talking.* New York: Crown. (p. 588)

Calati, R., De Ronchi, D., Bellini, M., & Serretti, A. (2011). The 5-HTTLPR polymorphism and eating disorders: A meta-analysis. *International Journal of Eating Disorders, 44*, 191–199. (p. 652)

Caldwell, J. A. (2012). Crew schedules, sleep deprivation, and aviation performance. *Current Directions in Psychological Science, 21*, 85–89. (p. 108)

Cale, E. M., & Lilienfeld, S. O. (2002). Sex differences in psychopathy and antisocial personality disorder: A review and integration. *Clinical Psychology Review, 22*, 1179–1207. (p. 649)

Callaghan, T., Rochat, P., Lillard, A., Claux, M. L., Odden, H., Itakura, S., Tapanya, S., & Singh, S. (2005). Synchrony in the onset of mental-state reasoning. *Psychological Science, 16*, 378–384. (p. 190)

Callan, M. J., Shead, N. W., & Olson, J. M. (2011). Personal relative deprivation, delay discounting, and gambling. *Journal of Personality and Social Psychology, 101*, 955–973. (p. 208)

Calvin, C. M., Deary, I. J., Fenton, C., Roberts, B. A., Der, G., Leckenby, N., & Batty, G. D. (2011). Intelligence in youth and all-cause-mortality: Systematic review with meta-analysis. *International Journal of Epidemiology, 40*, 626–644. (p. 402)

Calvin, C. M., Deary, I. J., Webbink, D., Smith, P., Fernandes, C., Lee, S. H., Luciano, M., & Visscher, P. M. (2012). Multivariate genetic analyses of cognition and academic achievement from two population samples of 174,000 and 166,000 school children. *Behavior Genetics, 42*, 699–710. (p. 406)

Calvo-Merino, B., Glaser, D. E., Grèzes, J., Passingham, R. E., & Haggard, P. (2004). Action observation and acquired motor skills: An fMRI study with expert dancers. *Cerebral Cortex, 15*, 1243–1249. (p. 382)

Camerer, C. F., Loewenstein, G., & Weber, M. (1989). The curse of knowledge in economic settings: An experimental analysis. *Journal of Political Economy, 97*, 1232–1254. (p. A-15)

Cameron, L., & Rutland, A. (2006). Extended contact through story reading in school: Reducing children's prejudice toward the disabled. *Journal of Social Issues, 62*, 469–488. (p. 564)

Camp, J. P., Skeem, J. L., Barchard, K., Lilienfeld, S. O., & Poythress, N. G. (2013). Psychopathic predators? Getting specific about the relation between psychopathy and violence. *Journal of Consulting and Clinical Psychology, 81*, 467–480. (p. 649)

Campbell, A. (2010). Oxytocin and human social behavior. *Personality and Social Psychology Review, 14*, 281–205. (p. 492)

Campbell, D. T. (1975). On the conflicts between biological and social evolution and between psychology and moral tradition. *American Psychologist, 30*, 1103–1126. (p. 483)

Campbell, D. T., & Specht, J. C. (1985). Altruism: Biology, culture, and religion. *Journal of Social and Clinical Psychology, 3*(1), 33–42. (p. 585)

Campbell, L., & Marshall, T. (2011). Anxious attachment and relationship processes: An interactionist perspective. *Journal of Personality, 79*, 1219–1249. (p. 595)

Campbell, M. W., & de Waal, F. B. M. (2011). Ingroup-outgroup bias in contagious yawning by chimpanzees supports link to empathy. *PLoS One, 6*, e18283. (p. 542)

Campbell, S. (1986). *The Loch Ness Monster: The evidence.* Willingborough, Northamptonshire, U.K.: Acquarian Press. (p. 236)

Campbell, W. K., Foster, C. A., & Finkel, E. J. (2002). Does self-love lead to love for others?: A story of narcissistic game-playing. *Journal of Personality and Social Psychology, 83*, 340–354. (p. 604)

Camper, J. (1990, February 7). Drop pompom squad, U. of I. rape study says. *Chicago Tribune*, p. 1. (p. 119)

Camperio-Ciani, A., Corna, F., & Capiluppi, C. (2004). Evidence for maternally inherited factors favouring male homosexuality and promoting female fecundity. *Proceedings of the Royal Society of London B, 271*, 2217–2221. (p. 444)

Camperio-Ciani, A., Lemmola, F., & Blecher, S. R. (2009). Genetic factors increase fecundity in female maternal relatives of bisexual men as in homosexuals. *Journal of Sexual Medicine, 6*, 449–455. (p. 444)

Camperio-Ciani, A., & Pellizzari, E. (2012). Fecundity of paternal and maternal non-parental female relatives of homosexual and heterosexual men. *PLoS One, 7*, e51088. (p. 444)

Campitelli, G., & Gobet, F. (2011). Deliberate practice: Necessary but not sufficient. *Current Directions in Psychological Science, 20*, 280–285. (p. 390)

Campos, J. J., Bertenthal, B. I., & Kermoian, R. (1992). Early experience and emotional development: The emergence of wariness and heights. *Psychological Science, 3*, 61–64. (p. 249)

Canli, T. (2008, February/March). The character code. *Scientific American Mind*, pp. 53–57. (p. 626)

Canli, T., Desmond, J. E., Zhao, Z., & Gabrieli, J. D. E. (2002). Sex differences in the neural basis of emotional memories. *Proceedings of the National Academy of Sciences, 99*, 10789–10794. (p. 471)

Cannon, W. B. (1929). *Bodily changes in pain, hunger, fear, and rage.* New York: Branford. (pp. 425, 491)

Cannon, W. B., & Washburn, A. L. (1912). An explanation of hunger. *American Journal of Physiology, 29*, 441–454. (p. 425)

Cantor, N., & Kihlstrom, J. F. (1987). *Personality and social intelligence.* Englewood Cliffs, NJ: Prentice-Hall. (p. 390)

Cantril, H., & Bumstead, C. H. (1960). *Reflections on the human venture.* New York: New York University Press. (p. 536)

Caplan, N., Choy, M. H., & Whitmore, J. K. (1992, February). Indochinese refugee families and academic achievement. *Scientific American*, pp. 36–42. (p. 154)

Caprariello, P. A., & Reis, H. T. (2013). To do, to have, or to share? Valuing experiences over material possessions depends on the involvement of others. *Journal of Personality and Social Psychology, 104*, 199–215. (p. 486)

Carducci, B. J., Cosby, P. C., & Ward, D. D. (1978). Sexual arousal and interpersonal evaluations. *Journal of Experimental Social Psychology, 14*, 449–457. (p. 556)

Carey, B. (2007, September 4). Bipolar illness soars as a diagnosis for the young. *New York Times* (www.nytimes.com). (p. 629)

Carey, B. (2009, November 27). Surgery for mental ills offers both hope and risk. *New York Times* (www.nytimes.com). (p. 688)

Carey, B. (2010). Seeking emotional clues without facial cues. *New York Times* (www.nytimes.com). (p. 475)

Carey, B. (2011, February 14). Wariness on surgery of the mind. *New York Times* (www.nytimes.com). (p. 688)

Carey, G. (1990). Genes, fears, phobias, and phobic disorders. *Journal of Counseling and Development, 68*, 628–632. (p. 626)

Carli, L. L., & Leonard, J. B. (1989). The effect of hindsight on victim derogation. *Journal of Social and Clinical Psychology, 8*, 331–343. (p. 544)

Carlson, M., Charlin, V., & Miller, N. (1988). Positive mood and helping behavior: A test of six hypotheses. *Journal of Personality and Social Psychology, 55*, 211–229. (p. 560)

Carmeli, A., Ben-Hador, B., Waldman, D. A., & Rupp, D. E. (2009). How leaders cultivate social capital and nurture employee vigor: Implications for job performance. *Journal of Applied Psychology, 94*, 1553–1561. (p. A-13)

Carnahan, T., & McFarland, S. (2007). Revisiting the Stanford Prison Experiment: Could participant self-selection have led to the cruelty? *Personality and Social Psychology Bulletin, 33*, 603–614. (p. 523)

Carnegie Council on Adolescent Development. (1989, June). *Turning points: Preparing American youth for the 21st century.* (The report of the Task Force on Education of Young Adolescents.) New York: Carnegie Corporation. (p. 405)

Caroll, H. (2013, October). Teen fashion model Georgina got so thin her organs were failing. But fashion designers still queued up to book her. Now she's telling her story to shame the whole industry. *The Daily Mail.* www.dailymail.co.uk. (p. 653)

Carpenter, C. J. (2012). Narcissism on Facebook: Self-promotional and anti-social behavior. *Personality and Individual Differences, 52*, 482–486. (p. 453)

Carpusor, A., & Loges, W. E. (2006). Rental discrimination and ethnicity in names. *Journal of Applied Social Psychology, 36*, 934–952. (p. 37)

Carré, J. M., McCormick, C. M., & Mondloch, C. J. (2009). Facial structure is a reliable cue of aggressive behavior. *Psychological Science, 20*, 1194–1198. (p. 546)

Carroll, D., Davey Smith, G., & Bennett, P. (1994, March). Health and socio-economic status. *The Psychologist*, pp. 122–125. (p. 501)

Carroll, J. M., & Russell, J. A. (1996). Do facial expressions signal specific emotions? Judging emotion from the face in context. *Journal of Personality and Social Psychology, 70*, 205–218. (p. 473)

Carroll, P., Sweeny, K., & Shepperd, J. A. (2006). Forsaking optimism. *Review of General Psychology, 10*, 56–73. (p. 600)

Carskadon, M. (2002). *Adolescent sleep patterns: Biological, social, and psychological influences.* New York: Cambridge University Press. (p. 108)

Carstensen, L. L., & Mikels, J. A. (2005). At the intersection of emotion and cognition: Aging and the positivity effect. *Current Directions in Psychological Science, 14*, 117–121. (p. 401)

Carstensen, L. L., Turan, B., Scheibe, S., Ram, N, Ersner-Hershfield, H, Samanez-Larkin, G. R., Brooks, K. P., & Nesselroade, J. R. (2011). Emotional experience improves with age: Evidence based on over 10 years of experience sampling. *Psychology and Aging, 26*, 21–33. (p. 223)

Carter, R. (1998). *Mapping the mind.* Berkeley: University of California Press. (p. 57)

Carter, R. M., Bowling, D. L., Reeck, C., & Huettel, S. A. (2012). A distinct role of the temporal-parietal junction in predicting socially guided decisions. *Science, 337*, 109–111. (p. 95)

Carter, T. J., & Gilovich, T. (2010). The relative relativity of material and experiential purchases. *Journal of Personality and Social Psychology, 98*, 146–159. (p. 486)

Caruso, E. M., Vohs, K. D., Baxter, B., & Waytz, A. (2013). Mere exposure to money increases endorsement of free-market systems and social inequality. *Journal of Experimental Psychology: General, 142*, 301–306. (p. 335)

Carver, C. S., Johnson, S. L., & Joormann, J. (2008). Serotonergic function, two-mode models of self-regulation, and vulnerability to depression: What depression has in common with impulsive aggression. *Psychological Bulletin, 134*, 912–943. (p. 634)

Carver, C. S., Scheier, M. F., & Segerstrom, S. C. (2010). Optimism. *Clinical Psychology Review, 30,* 879–889. (p. 504)

CASA. (2003). *The formative years: Pathways to substance abuse among girls and young women ages 8–22.* New York: National Center on Addiction and Substance Use, Columbia University. (pp. 120, 128)

Casey, B. J., & Caudle, K. (2013). The teenage brain: Self-control. *Current Directions in Psychological Science, 22,* 82–87. (p. 205)

Casey, B. J., Getz, S., & Galvan, A. (2008). The adolescent brain. *Developmental Review, 28,* 62–77. (p. 205)

Casey, B. J., Somerville, L. H., Gotlib, I. H., Ayduk, O., Franklin, N. T., Askren, M. K., . . . Shoda, Y. (2011). Behavioral and neural correlates of delay of gratification 40 years later. *Proceedings of the National Academy of Sciences, 108,* 14998–15003. (p. 208)

Cash, T., & Janda, L. H. (1984, December). The eye of the beholder. *Psychology Today,* pp. 46–52. (p. 554)

Caspi, A. (2000). The child is father of the man: Personality continuities from childhood to adulthood. *Journal of Personality and Social Psychology, 78,* 158–172. (p. 140)

Caspi, A., Hariri, A. R., Holmes, A., Uher, R., & Moffitt, T. E. (2010). Genetic sensitivity to the environment: The case of the serotonin transporter gene and its implications for studying complex diseases and traits. *American Journal of Psychiatry, 167,* 509–527. (p. 634)

Caspi, A., Harrington, H., Milne, B., Amell, J. W., Theodore, R. F., & Moffitt, T. E. (2003). Children's behavioral styles at age 3 are linked to their adult personality traits at age 26. *Journal of Personality, 71,* 496–513. (p. 634)

Caspi, A., McClay, J., Moffitt, T., Mill, J., Martin, J., Craig, I. W., Taylor, A., & Poulton, R. (2002). Role of genotype in the cycle of violence in maltreated children. *Science, 297,* 851–854. (pp. 595, 651)

Caspi, A., Moffitt, T. E., Newman, D. L., & Silva, P. A. (1996). Behavioral observations at age 3 years predict adult psychiatric disorders: Longitudinal evidence from a birth cohort. *Archives of General Psychiatry, 53,* 1033–1039. (p. 650)

Cassidy, J., & Shaver, P. R. (1999). *Handbook of attachment.* New York: Guilford. (p. 196)

Castonguay, L. G., Boswell, J. F., Constantino, M. J., Goldfried, M. R., & Hill, C. E. (2010). Training implications of harmful effects of psychological treatments. *American Psychologist, 65,* 34–49. (p. 676)

Cattell, R. B. (1963). Theory of fluid and crystallized intelligence: A critical experiment. *Journal of Educational Psychology, 54,* 1–22. (p. 401)

Cavalli-Sforza, L., Menozzi, P., & Piazza, A. (1994). *The history and geography of human genes.* Princeton, NJ: Princeton University Press. (p. 412)

Cavigelli, S. A., & McClintock, M. K. (2003). Fear of novelty in infant rats predicts adult corticosterone dynamics and an early death. *Proceedings of the National Academy of Sciences, 100,* 16131–16136. (p. 492)

Cawley, B. D., Keeping, L. M., & Levy, P. E. (1998). Participation in the performance appraisal process and employee reactions: A meta-analytic review of field investigations. *Journal of Applied Psychology, 83,* 615–633. (p. A-12)

CDC. (1992). Serious mental illness and disability in the adult household population: United States, 1989. *Advance Data No. 218 from Vital and Health Statistics,* National Center for Health Statistics. (p. 618)

CDC. (2009). *Self-harm, all injury causes, nonfatal injuries and rates per 100,000.* National Center for Injury Prevention and Control. http://webappa.cdc.gov/cgi-bin/broker.exe. (p. 639)

CDC. (2011, accessed April 20). *Who's at risk? Tobacco use—smoking.* Centers for Disease Control and Prevention (cdc.gov/vitalsigns/TobaccoUse/Smoking/Risk.html). (p. 130)

CDC. (2011, February). *HIV surveillance report, 2009,* vol. 21. Centers for Disease Control and Prevention (www.cdc.gov/hiv/topics/surveillance/basic.htm#hivaidsage). (p. 436)

CDC. (2011, October). Teenagers in the United States: Sexual activity, contraceptive use, and childbearing, 2006–2010 National Survey of Family Growth. *Vital and Health Statistics,* Series 23, Number 31, Table 1, p. 14. (p. 438)

CDC. (2012, April). Birth rates for U.S. teenagers reach historic lows for all age and ethnic groups. NCHS Data Brief, Number 89. Centers for Disease Control and Prevention (www.cdc.gov). (p. 438)

CDC. (2012, May 11). Suicide rates among persons ages 10 years and older, by race/ethnicity and sex, United States, 2005–2009. National Suicide Statistics at a Glance, Centers for Disease Control and Prevention (www.cdc.gov). (p. 637)

CDC. (2012). Obesity trends among U.S. adults between 1985 and 2010. Centers for Disease Control and Prevention: www.cdc.gov/obesity/downloads/obesity_trends_2010.ppt. (p. 430)

CDC. (2013, accessed June 8). Heart disease facts. Centers for Disease Control and Prevention (cdc.gov/heartdisease/facts.htm). (p. 496)

CDC. (2013, accessed November 9). Tobacco-related mortality. Centers for Disease Control and Prevention (www.cdc.gov.). (p. 121)

CDC. (2013). ADHD, data and statistics. U.S. Centers for Disease Control and Prevention (www.cdc.gov/NCBBDDD/adhd/data.html). (p. 615)

CDC. (2014). Pregnant women need a flu shot. U.S. Centers for Disease Control and Prevention. (www.cdc.gov/flu/pdf/freeresources/pregnant/flushot_pregnant_factsheet.pdf) (p. 643)

CDC. (2014, March 28). Prevalence of autism spectrum disorder among children aged 8 years—Autism and developmental disabilities monitoring network, 11 sites. United States, 2010. *Morbidity and Mortality Weekly Report (MMWR), 63*(SS02), 1–21. (p. 193)

Ceci, S. J. (1993). *Cognitive and social factors in children's testimony.* Master lecture presented at the Annual Convention of the American Psychological Association. (pp. 347, 348)

Ceci, S. J., & Bruck, M. (1993). Child witnesses: Translating research into policy. *Social Policy Report* (Society for Research in Child Development), 7(3), 1–30. (p. 347)

Ceci, S. J., & Bruck, M. (1995). *Jeopardy in the courtroom: A scientific analysis of children's testimony.* Washington, DC: American Psychological Association. (p. 347)

Ceci, S. J., Huffman, M. L. C., Smith, E., & Loftus, E. F. (1994). Repeatedly thinking about a non-event: Source misattributions among preschoolers. *Consciousness and Cognition, 3,* 388–407. (p. 347)

Ceci, S. J., & Kanaya, T. (2010). "Apples and oranges are both round": Furthering the discussion on the Flynn effect. *Journal of Psychoeducational Assessment, 28,* 441–447. (p. 396)

Ceci, S. J., & Williams, W. M. (1997). Schooling, intelligence, and income. *American Psychologist, 52,* 1051–1058. (p. 409)

Ceci, S. J., & Williams, W. M. (2009). *The mathematics of sex: How biology and society conspire to limit talented women and girls.* New York: Oxford University Press. (p. 409)

Ceci, S. J., & Williams, W. M. (2010). Sex differences in math-intensive fields. *Current Directions in Psychological Science, 19,* 275–279. (p. 410)

Ceci, S. J., & Williams, W. M. (2011). Understanding current causes of women's underrepresentation in science. *Proceedings of the National Academy of Sciences, 108.* 3157–3162. (p. 410)

Centerwall, B. S. (1989). Exposure to television as a risk factor for violence. *American Journal of Epidemiology, 129,* 643–652. (p. 312)

Cepeda, N. J., Pashler, H., Vul, E., Wixted, J. T., & Rohrer, D. (2006). Distributed practice in verbal recall tasks: A review and quantitative synthesis. *Psychological Bulletin, 132,* 354–380. (p. 325)

Cepeda, N. J., Vul, E., Rohrer, D., Wixed, J. T., & Pashler, H. (2008). Spacing effects in learning: A temporal ridgeline of optimal retention. *Psychological Science, 19,* 1095–1102. (p. 325)

Cerella, J. (1985). Information processing rates in the elderly. *Psychological Bulletin, 98,* 67–83. (p. 216)

Cerny, J. A., & Janssen, E. (2011). Patterns of sexual arousal in homosexual, bisexual, and heterosexual men. *Archives of Sexual Behavior, 40,* 687–697. (p. 440)

CFI. (2003, July). *International developments. Report.* Amherst, NY: Center for Inquiry International. (p. 274)

Chabris, C. F., & Simons, D. (2010). *The invisible gorilla: And other ways our intuitions deceive us.* New York: Crown. (p. 98)

Chabris, C. F., et al. (2012). Most reported genetic associations with general intelligence are probably false positives. *Psychological Science, 23,* 1314–1323. (p. 406)

Chambers, E. S., Bridge, M. W., & Jones, D. A. (2009). Carbohydrate sensing in the human mouth: Effects on exercise performance and brain activity. *Journal of Physiology, 587,* 1779–1794. (p. 503)

Chambless, D. L., Baker, M. J., Baucom, D. H., Beutler, L. E., Calhoun, K. S., Crits-Christoph, P., . . . Woody, S. R. (1997). Update on empirically validated therapies, II. *The Clinical Psychologist, 51*(1), 3–16. (p. 677)

Chamove, A. S. (1980). Nongenetic induction of acquired levels of aggression. *Journal of Abnormal Psychology, 89,* 469–488. (p. 311)

Champagne, F. A. (2010). Early adversity and developmental outcomes: Interaction between genetics, epigenetics, and social experiences across the life span. *Perspectives on Psychological Science, 5,* 564–574. (p. 142)

Champagne, F. A., Francis, D. D., Mar, A, & Meaney, M. J. (2003). Naturally-occurring variations in maternal care in the rat as a mediating influence for the effects of environment on the development of individual differences in stress reactivity. *Physiology & Behavior, 79,* 359–371. (p. 143)

Champagne, F. A., & Mashoodh, R. (2009). Genes in context: Gene-environment interplay and the origins of individual differences in behavior. *Current Directions in Psychological Science, 18*, 127–131. (p. 143)

Chance News. (1997, 25 November). More on the frequency of letters in texts. Dart. Chance@Dartmouth.edu. (p. 31)

Chandler, J. J., & Pronin, E. (2012). Fast thought speed induces risk taking. *Psychological Science, 23*, 370–374. (p. 630)

Chandler, J., & Schwarz, N. (2009). How extending your middle finger affects your perception of others: learned movements influence concept accessibility. *Journal of Experimental Social Psychology, 45*, 123–128. (p. 475)

Chandra, A., Mosher, W. D., & Copen, C. (2011, March). Sexual behavior, sexual attraction, and sexual identity in the United States: Data from the 2006–2008 National Survey of Family Growth. *National Health Statistics Reports*, Number 36 (Centers for Disease Control and Prevention). (p. 440)

Chang, E. C. (2001). Cultural influences on optimism and pessimism: Differences in Western and Eastern construals of the self. In E. C. Chang (Ed.), *Optimism and pessimism.* Washington, DC: APA Books. (p. 600)

Chang, P. P., Ford, D. E., Meoni, L. A., Wang, N-Y., & Klag, M. J. (2002). Anger in young men and subsequent premature cardiovascular disease: The precursors study. *Archives of Internal Medicine, 162*, 901–906. (p. 497)

Chang, Y-T., Chen, Y-C., Hayter, M., & Lin, M-L. (2009). Menstrual and menarche experience among pubescent female students in Taiwan: Implications for health education and promotion service. *Journal of Clinical Nursing, 18*, 2040–2048. (p. 167)

Chaplin, T. M., & Aldao, A. (2013). Gender differences in emotion expression in children: A meta-analytic review. *Psychological Bulletin, 139*, 735–765. (p. 470)

Chaplin, W. F., Phillips, J. B., Brown, J. D., Clanton, N. R., & Stein, J. L. (2000). Handshaking, gender, personality, and first impressions. *Journal of Personality and Social Psychology, 79*, 110–117. (p. 468)

Charles, S. T., Piazza, J. R., Mogle, J., Sliwinski, M. J., & Almeida, D. M. (2013). The wear and tear of daily stressors on mental health. *Psychological Science, 24*, 733–741. (p. 632)

Charness, N., & Boot, W. R. (2009). Aging and information technology use. *Current Directions in Psychological Science, 18*, 253–258. (p. 401)

Charpak, G., & Broch, H. (2004). *Debunked! ESP, telekinesis, and other pseudoscience.* Baltimore, MD: Johns Hopkins University Press. (p. 273)

Chartrand, T. L., & Bargh, J. A. (1999). The chameleon effect: The perception-behavior link and social interaction. *Journal of Personality and Social Psychology, 76*, 893–910. (p. 525)

Chassy, P., & Gobet, F. (2011). A hypothesis about the biological basis of expert intuition. *Review of General Psychology, 15*, 198–212. (p. 364)

Chatard, A., & Selimbegović, L. (2011). When self-destructive thoughts flash through the mind: Failure to meet standards affects the accessibility of suicide-related thoughts. *Journal of Personality and Social Psychology, 100*, 587–605. (p. 638)

Chater, N., Reali, F., & Christiansen, M. H. (2009). Restrictions on biological adaptation in language evolution. *PNAS, 106*, 1015–1020. (p. 373)

Cheek, J. M., & Melchior, L. A. (1990). Shyness, self-esteem, and self-consciousness. In H. Leitenberg (Ed.), *Handbook of social and evaluation anxiety.* New York: Plenum. (p. 158)

Chein, J., Albert, D., O'Brien, L., Uckert, K., & Steinberg, L. (2011). Peers increase adolescent risk taking by enhancing activity in the brain's reward circuitry. *Developmental Science, 14*, F1–F10. (p. 155)

Chein, J. M., & Schneider, W. (2012). The brain's learning and control architecture. *Current Directions in Psychological Science, 21*, 78–84. (p. 79)

Cheit, R. E. (1998). Consider this, skeptics of recovered memory. *Ethics & Behavior, 8*, 141–160. (p. 580)

Chen, A. W., Kazanjian, A., & Wong, H. (2009). Why do Chinese Canadians not consult mental health services: Health status, language or culture? *Transcultural Psychiatry, 46*, 623–640. (p. 680)

Chen, E. (2004). Why socioeconomic status affects the health of children: A psychosocial perspective. *Current Directions in Psychological Science, 13*, 112–115. (p. 501)

Chen, G., Wu, Z., Guo, Z., & Gearing, M. (2014). Tonic inhibition in dentate gyrus impairs long-term potentiation and memory in an Alzheimer's disease model. *Nature Communications, 5*, 4159. (p. 219)

Chen, H. (2012). *Dark web: Exploring and data mining the dark side of the web.* New York; Springer. (p. 535)

Chen, S. H., Kennedy, M., & Zhou, Q. (2012). Parents' expression and discussion of emotion in the multilingual family: Does language matter? *Perspectives on Psychological Science, 7*, 365–383. (p. 380)

Chen, S-Y., & Fu, Y-C. (2008). Internet use and academic achievement: Gender differences in early adolescence. *Adolescence, 44*, 797–812. (p. 453)

Chen, S. X., & Bond, M. H. (2010). Two languages, two personalities? Examining language effects on the expression of personality in a bilingual context. *Personality and Social Psychology Bulletin, 36*, 1514–1528. (p. 380)

Cheon, B. K., Im, D.-M., Harada, T., Kim, J.-S., Mathur, V. A., Scimeca, J. M., . . . Chiao, J. Y. (2013). Cultural modulation of the neural correlates of emotional pain perception: The role of other-focusedness. *Neuropsychologia, 51*, 1177–1186. (p. 160)

Cherkas, L. F., Hunkin, J. L., Kato, B. S., Richards, J. B., Gardner, J. P., Surdulescu, G. L., . . . Aviv, A. (2008). The association between physical activity in leisure time and leukocyte telomere length. *Archives of Internal Medicine, 168*, 154–158. (p. 216)

Cherniss, C. (2010). Emotional intelligence: Toward clarification of a concept. *Industrial and Organizational Psychology, 3*, 110–126. (p. 391)

Chess, S., & Thomas, A. (1987). *Know your child: An authoritative guide for today's parents.* New York: Basic Books. (pp. 140, 197)

Cheung, B. Y., Chudek, M., & Heine, S. J. (2011). Evidence for a sensitive period for acculturation: Younger immigrants report acculturating at a faster rate. *Psychological Science, 22*, 147–152. (p. 374)

Chi, R. P., & Snyder, A. W. (2011). Facilitate insight by non-invasive brain stimulation. *PLoS One, 6*, e16655. (p. 357)

Chiao, J. Y., Cheon, B. K., Pornpattananangkul, N., Mrazek, A. J., & Blizinsky, K. D. (2013). Cultural neuroscience: Progress and promise. *Psychological Inquiry, 24*, 1–19. (p. 159)

Chida, Y., & Hamer, M. (2008). Chronic psychosocial factors and acute physiological responses to laboratory-induced stress in healthy populations: A quantitative review of 30 years of investigations. *Psychological Bulletin, 134*, 829–885. (p. 497)

Chida, Y., Hamer, M., Wardle, J., & Steptoe, A. (2008). Do stress-related psychosocial factors contribute to cancer incidence and survival? *Nature Reviews: Clinical Oncology, 5*, 466–475. (p. 496)

Chida, Y., & Steptoe, A. (2009). The association of anger and hostility with future coronary heart disease: A meta-analytic review of prospective evidence. *Journal of the American College of Cardiology, 17*, 936–946. (p. 497)

Chida, Y., Steptoe, A., & Powell, L. H. (2009). Religiosity/spirituality and mortality. *Psychotherapy and Psychosomatics, 78*, 81–90. (p. 513)

Chida, Y., & Vedhara, K. (2009). Adverse psychosocial factors predict poorer prognosis in HIV disease: A meta-analytic review of prospective investigations. *Brain, Behavior, and Immunity, 23*, 434–445. (p. 495)

Chiles, J. A., Lambert, M. J., & Hatch, A. L. (1999). The impact of psychological interventions on medical cost offset: A meta-analytic review. *Clinical Psychology: Science and Practice, 6*, 204–220. (p. 675)

Chisolm, T. H., Johnson, C. E., Danhauer, J. L., Portz, L. J. P., Abrams, H. B., Lesner, S., McCarthy, P. A., & Newman, C. W. (2007). A systematic review of health-related quality of life and hearing aids: Final report of the American Academy of Audiology Task Force on the Health-Related Quality of Life Benefits of Amplification in Adults. *Journal of the American Academy of Audiology, 18*, 151–183. (p. 375)

Chivers, M. L. (2005). A brief review and discussion of sex differences in the specificity of sexual arousal. *Sexual and Relationship Therapy, 20*, 377–390. (p. 441)

Chivers, M. L., Seto, M. C., & Blanchard, R. (2007). Gender and sexual orientation differences in sexual response to sexual activities versus gender of actors in sexual films. *Journal of Personality and Social Psychology, 93*, 1108–1121. (p. 441)

Chivers, M. L., Seto, M. C., Lalumière, M. L., Laan, E., & Grimbos, T. (2010). Agreement of self-reported and genital measures of sexual arousal in men and women: A meta-analysis. *Archives of Sexual Behavior, 39*, 5–56. (p. 437)

Choi, C. Q. (2008, March). Do you need only half your brain? *Scientific American*, p. 104. (p. 81)

Chomsky, N. (1972). *Language and mind.* New York: Harcourt Brace. (p. 377)

Chopik, W. J., Edelstein, R. S., & Fraley, R. C. (2013). From the cradle to the grave: Age differences in attachment from early adulthood to old age. *Journal of Personality, 81*, 171–183. (p. 223)

Christakis, D. A., Garrison, M. M., Herrenkohl, T., Haggerty, K., Rivara, K. P., Zhou, C., & Liekweg, K. (2013). Modifying media content for preschool children: A randomized control trial. *Pediatrics, 131*, 431–438. (p. 312)

Christakis, N. A., & Fowler, J. H. (2007). The spread of obesity in a large social network over 32 years. *New England Journal of Medicine, 357*, 370–379. (p. 431)

Christakis, N. A., & Fowler, J. H. (2008, May). The collective dynamics of smoking in a large social network. *New England Journal of Medicine, 358*(21), 2249–2258. (p. 129)

Christakis, N. A., & Fowler, J. H. (2009). *Connected: The surprising power of social networks and how they shape our lives*. New York: Little, Brown. (pp. 507, 525)

Christensen, A., & Jacobson, N. S. (1994). Who (or what) can do psychotherapy: The status and challenge of nonprofessional therapies. *Psychological Science, 5*, 8–14. (p. 679)

Christophersen, E. R., & Edwards, K. J. (1992). Treatment of elimination disorders: State of the art 1991. *Applied & Preventive Psychology, 1*, 15–22. (p. 663)

Chua, A. (2011). *Battle hymn of the tiger mother*. New York: Bloomsbury Publishing. (p. 154)

Chua, H. F., Boland, J. E., & Nisbett, R. E. (2005). Cultural variation in eye movements during scene perception. *Proceedings of the National Academy of Sciences, 102*, 12629–12633. (p. 518)

Chugani, H. T., & Phelps, M. E. (1986). Maturational changes in cerebral function in infants determined by 18FDG positron emission tomography. *Science, 231*, 840–843. (p. 185)

Chung, J. M., Robins, R. W., Trzesniewski, K. H., Noftle, E. E., Roberts, B. W., & Widaman, K. F. (2014). Continuity and change in self-esteem during emerging adulthood. *Journal of Personality and Social Psychology, 106*, 469–483. (p. 210)

Church, T. S., Thomas, D. M., Tudor-Locke, C., Katzmarzyk, P. T., Earnest, C. P., Rodarte, R. Q., . . . Bouchard, C. (2011). Trends over 5 decades in U.S. occupation-related physical activity and their associations with obesity. *PLoS ONE, 6*(5), e19657. (p. 431)

Churchland, P.S. (2013). *Touching a nerve: The self as brain*. New York: Norton. (p. 124)

CIA. (2014, accessed April 23). Sex ratio. *The world fact book* (www.cia.gov). (p. 540)

Cialdini, R. B. (1993). *Influence: Science and practice* (3rd ed.). New York: HarperCollins. (p. 521)

Cialdini, R. B., & Richardson, K. D. (1980). Two indirect tactics of image management: Basking and blasting. *Journal of Personality and Social Psychology, 39*, 406–415. (p. 543)

Ciarrochi, J., Forgas, J. P., & Mayer, J. D. (2006). *Emotional intelligence in everyday life* (2nd ed.). New York: Psychology Press. (p. 391)

Cin, S. D., Gibson, B., Zanna, M. P., Shumate, R., & Fong, G. T. (2007). Smoking in movies, implicit associations of smoking with the self, and intentions to smoke. *Psychological Science, 18*, 559–563. (p. 128)

Cincotta, A. L., Gehrman, P., Gooneratne, N. S., & Baime, M. J. (2011). The effects of a mindfulness-based stress reduction programme on pre-sleep cognitive arousal and insomnia symptoms: A pilot study. *Stress and Health, 27*, e299–e305. (p. 510)

Clack, B., Dixon, J., & Tredoux, C. (2005). Eating together apart: Patterns of segregation in a multi-ethnic cafeteria. *Journal of Community and Applied Social Psychology, 15*, 1–16. (p. 565)

Claidière, N., & Whiten, A. (2012). Integrating the study of conformity and culture in humans and nonhuman animals. *Psychological Bulletin, 138*, 126–145. (pp. 368, 527)

Clancy, S. A. (2005). *Abducted: How people come to believe they were kidnapped by aliens*. Cambridge, MA: Harvard University Press. (p. 102)

Clancy, S. A. (2010). *The trauma myth: The truth about the sexual abuse of children—and its aftermath*. New York: Basic Books. (p. 200)

Clancy, S. A., Schacter, D. L., McNally, R. J., & Pitman, R. K. (2000). False recognition in women reporting recovered memories of sexual abuse. *Psychological Science, 11*, 26–31. (p. 349)

Clark, A., Seidler, A., & Miller, M. (2001). Inverse association between sense of humor and coronary heart disease. *International Journal of Cardiology, 80*, 87–88. (p. 506)

Clark, C. J., Luguri, J. B., Ditto, P. H., Knobe, J., Shariff, A. F., & Baumeister, R. F. (2014). Free to punish: A motivated account of free will belief. *Journal of Personality and Social Psychology, 106*, 501–513. (p. 503)

Clark, K. B., & Clark, M. P. (1947). Racial identification and preference in Negro children. In T. M. Newcomb & E. L. Hartley (Eds.), *Readings in social psychology*. New York: Holt. (p. 41)

Clark, R. D., III, & Hatfield, E. (1989). Gender differences in willingness to engage in casual sex. *Journal of Psychology and Human Sexuality, 2*, 39–55. (p. 149)

Cleary, A. M. (2008). Recognition memory, familiarity, and déjà vu experiences. *Current Directions in Psychological Science, 17*, 353–357. (p. 346)

Clifton, J., & Morales, L. (2011, February 2). Egyptians', Tunisians' well-being plummets despite GDP gains. *Gallup* (www.gallup.com). (p. 486)

Coan, J. A., Schaefer, H. S., & Davidson, R. J. (2006). Lending a hand: Social regulation of the neural response to threat. *Psychological Science, 17*, 1032–1039. (p. 506)

Coelho, C. M., & Purkis, H. (2009). The origins of specific phobias: Influential theories and current perspectives. *Review of General Psychology, 13*, 335–348. (p. 627)

Coffey, C. E., Wilkinson, W. E., Weiner, R. D., Parashos, I. A., Djang, W. T., Webb, M. C., Figiel, G. S., & Spritzer, C. E. (1993). Quantitative cerebral anatomy in depression: A controlled magnetic resonance imaging study. *Archives of General Psychiatry, 50*, 7–16. (p. 633)

Coffman, K. B., Coffman, L. C., & Ericson, K. M. M. (2013, October). *The size of the LGBT population and the magnitude of anti-gay sentiment are substantially underestimated*. NBER Working Paper No. 19508, National Bureau of Economic Research. (p. 440)

Cohen, A. B. (2009). Many forms of culture. *American Psychologist, 64*, 194–204. (pp. 155, 158)

Cohen, D. (1995, June 17). Now we are one, or two, or three. *New Scientist*, pp. 14–15. (p. 648)

Cohen, F., & Solomon, S. (2011). The politics of mortal terror. *Current Directions in Psychological Science, 20*, 316–320. (p. 581)

Cohen, G. L. (2013, June). Quoted by E. Yong, Armor against prejudice. *Scientific American*, pp. 76–80. (p. 415)

Cohen, G. L., Garcia, J., Apfel, N., & Master, A. (2006). Reducing the racial achievement gap: A social-psychological intervention. *Science, 313*, 1307–1310. (p. 415)

Cohen, G. L., Garcia, J., Purdie-Vaughns, V., Apfel, N., Brzustoski, P. (2009). Recursive processes in self-affirmation: Intervening to close the minority achievement gap. *Science, 324*, 400–403. (p. 415)

Cohen, K. M. (2002). Relationships among childhood sex-atypical behavior, spatial ability, handedness, and sexual orientation in men. *Archives of Sexual Behavior, 31*, 129–143. (p. 446)

Cohen, P. (2007, November 15). Freud is widely taught at universities, except in the psychology department. *New York Times* (www.nytimes.com). (p. 572)

Cohen, P. (2010, June 11). Long road to adulthood is growing even longer. *New York Times* (www.nytimes.com). (p. 212)

Cohen, S. (2004). Social relationships and health. *American Psychologist, 59*, 676–684. (p. 506)

Cohen, S., Doyle, W. J., Alper, C. M., Janicki-Deverts, D., & Turner, R. B. (2009). Sleep habits and susceptibility to the common cold. *Archives of Internal Medicine, 169*, 62–67. (p. 108)

Cohen, S., Doyle, W. J., Skoner, D. P., Rabin, B. S., & Gwaltney, J. M., Jr. (1997). Social ties and susceptibility to the common cold. *Journal of the American Medical Association, 277*, 1940–1944. (pp. 502, 506)

Cohen, S., Doyle, W. J., Turner, R., Alper, C. M., & Skoner, D. P. (2003). Sociability and susceptibility to the common cold. *Psychological Science, 14*, 389–395. (p. 494)

Cohen, S., Kaplan, J. R., Cunnick, J. E., Manuck, S. B., & Rabin, B. S. (1992). Chronic social stress, affiliation, and cellular immune response in nonhuman primates. *Psychological Science, 3*, 301–304. (p. 494)

Cohen, S., & Pressman, S. D. (2006). Positive affect and health. *Current Directions in Psychological Science, 15*, 122–125. (p. 494)

Cohen, S., Tyrrell, D. A. J., & Smith, A. P. (1991). Psychological stress and susceptibility to the common cold. *New England Journal of Medicine, 325*, 606–612. (p. 494)

Cohn, Y. (2013, February 13). Love and marriage. Pew Research. www.pewsocialtrends.org. (p. 221)

Colapinto, J. (2000). *As nature made him: The boy who was raised as a girl*. New York: HarperCollins. (p. 167)

Colarelli, S. M., Spranger, J. L., & Hechanova, M. R. (2006). Women, power, and sex composition in small groups: An evolutionary perspective. *Journal of Organizational Behavior, 27*, 163–184. (p. 163)

Cole, K. C. (1998). *The universe and the teacup: The mathematics of truth and beauty*. New York: Harcourt Brace. (p. 121)

Cole, S. W., Arevalo, J. M. G., Takahashi, R., Sloan, E. K., Lutgendorf, S. K., Sood, A. K., Sheridan, J. F., & Seeman, T. E. (2010). Computational identification of gene-social envnironment interaction at the human IL6 locus. *PNAS, 107*, 5681–5686. (p. 499)

Colen C. G., & Ramey, D. M. (2014). Is breast truly best? Estimating the effects of breastfeeding on long-term child health and well-being in the United States using sibling comparisons. *Social Science & Medicine, 109*, 55–65. (p. 35)

Coley, R. L., Medeiros, B. L., & Schindler, H. (2008). Using sibling differences to estimate effects of parenting on adolescent sexual risk behaviors. *Journal of Adolescent Health, 43*, 133–140. (p. 439)

Collier, K. L., Bos, H. M. W., & Sandfort, T. G. M. (2012). Intergroup contact, attitudes toward homosexuality, and the role of acceptance of gender non-conformity in young adolescents. *Journal of Adolescence, 35*, 899–907. (p. 564)

Collinger, J. L., Wodlinger, B., Downey, J. E., Wang, W., Tyler-Kabara, E. C., Weber, D. J., . . . Schwartz, A. B. (2013). High-performance neuroprosthetic control by an individual with tetraplegia. *The Lancet, 381,* 557–564. (p. 77)

Collins, F. (2006). *The language of God.* New York: Free Press. (p. 172)

Collins, G. (2009, March 9). The rant list. *New York Times* (nytimes.com). (p. 40)

Collins, N. L., & Miller, L. C. (1994). Self-disclosure and liking: A meta-analytic review. *Psychological Bulletin, 116,* 457–475. (p. 557)

Collins, R. L., Elliott, M. N., Berry, S. H., Danouse, D. E., Kunkel, D., Hunter, S. B., & Miu, A. (2004). Watching sex on television predicts adolescent initiation of sexual behavior. *Pediatrics, 114,* 280–289. (p. 33)

Collins, W. A., Welsh, D. P., & Furman, W. (2009). Adolescent romantic relationships. *Annual Review of Psychology, 60,* 631–652. (p. 210)

Collinson, S. L., MacKay, C. E., James, A. C., Quested, D. J., Phillips, T., Roberts, N., & Crow, T. J. (2003). Brain volume, asymmetry and intellectual impairment in relation to sex in early-onset schizophrenia. *British Journal of Psychiatry, 183,* 114–120. (p. 642)

Collishaw, S., Pickles, A., Natarajan, L., & Maughan, B. (2007, June). *20-year trends in depression and anxiety in England.* Paper presented at the Thirteenth Scientific Meeting on The Brain and the Developing Child, London. (p. 632)

Colombo, J. (1982). The critical period concept: Research, methodology, and theoretical issues. *Psychological Bulletin, 91,* 260–275. (p. 196)

Comfort, A. (1992). *The new joy of sex.* New York: Pocket. (p. 214)

Commission on Children at Risk. (2003). *Hardwired to connect: The new scientific case for authoritative communities.* New York: Institute for American Values. (p. 202)

Confer, J. C., Easton, J. A., Fleischman, D. S., Goetz, C. D., Lewis, D. M. G., Perilloux, C., & Buss, D. M. (2010). Evolutionary psychology: Controversies, questions, prospects, and limitations. *American Psychologist, 65,* 110–126. (p. 150)

Conley, C. S., & Rudolph, K. D. (2009). The emerging sex difference in adolescent depression: Interacting contributions of puberty and peer stress. *Development and Psychopathology, 21,* 593–620. (p. 204)

Conley, K. M. & Lehman, B. J. (2012). Test anxiety and cardiovascular responses to daily academic stressors. *Stress and Health, 28,* 41–50. (p. 497)

Conley, T. D. (2011). Perceived proposer personality characteristics and gender differences in acceptance of casual sex offers. *Journal of Personality and Social Psychology, 100,* 300–329. (p. 150)

Conn, V. S. (2010). Depressive symptom outcomes of physical activity interventions: Meta-analysis findings. *Annals of Behavioral Medicine, 39,* 128–138. (p. 508)

Connor, C. E. (2010). A new viewpoint on faces. *Science, 330,* 764–765. (p. 245)

Connor-Smith, J. K., & Flachsbart, C. (2007). Relations between personality and coping: A meta-analysis. *Journal of Personality and Social Psychology, 93,* 1080–1107. (p. 501)

Consumer Reports. (1995, November). Does therapy help? pp. 734–739. (p. 673)

Conway, A. R. A., Skitka, L. J., Hemmerich, J. A., & Kershaw, T. C. (2009). Flashbulb memory for 11 September 2001. *Applied Cognitive Psychology, 23,* 605–623. (p. 332)

Conway, M. A., Wang, Q., Hanyu, K., & Haque, S. (2005). A cross-cultural investigation of autobiographical memory. On the universality and cultural variation of the reminiscence bump. *Journal of Cross-Cultural Psychology, 36,* 739–749. (p. 217)

Cooke, L. J., Wardle, J., & Gibson, E. L. (2003). Relationship between parental report of food neophobia and everyday food consumption in 2–6-year-old children. *Appetite, 41,* 205–206. (p. 266)

Cooper, K. J. (1999, May 1). This time, copycat wave is broader. *Washington Post* (www.washingtonpost.com). (p. 525)

Cooper, M. (2010, October 18). From Obama, the tax cut nobody heard of. *New York Times* (www.nytimes.com). (p. 542)

Cooper, W. H., & Withey, M. J. (2009). The strong situation hypothesis. *Personality and Social Psychology Review, 13,* 62–72. (p. 593)

Coopersmith, S. (1967). *The antecedents of self-esteem.* San Francisco: Freeman. (p. 202)

Copeland, W., Shanahan, L., Miller, S., Costello, E. J., Angold, A., & Maughan, B. (2010). Outcomes of early pubertal timing in young women: A prospective population-based study. *American Journal of Psychiatry, 167,* 1218–1225. (p. 204)

Corballis, M. C. (1989). Laterality and human evolution. *Psychological Review, 96,* 492–505. (p. 86)

Corballis, M. C. (2002). *From hand to mouth: The origins of language.* Princeton, NJ: Princeton University Press. (p. 378)

Corballis, M. C. (2003). From mouth to hand: Gesture, speech, and the evolution of right-handedness. *Behavioral and Brain Sciences, 26,* 199–260. (p. 378)

Corcoran, D. W. J. (1964). The relation between introversion and salivation. *The American Journal of Psychology, 77,* 298–300. (p. 588)

Coren, S. (1996). *Sleep thieves: An eye-opening exploration into the science and mysteries of sleep.* New York: Free Press. (pp. 107, 109)

Corey, D. P., et al. (2004). TRPA1 is a candidate for the mechanosensitive transduction channel of vertebrate hair cells. *Nature, 432,* 723–730. (p. 257)

Corina, D. P. (1998). The processing of sign language: Evidence from aphasia. In B. Stemmer & H. A. Whittaker (Eds.), *Handbook of neurolinguistics.* San Diego: Academic Press. (p. 85)

Corina, D. P., Vaid, J., & Bellugi, U. (1992). The linguistic basis of left hemisphere specialization. *Science, 255,* 1258–1260. (p. 85)

Corkin, S. (2013). *Permanent present tense: The unforgettable life of the amnesic patient.* New York: Basic Books. (p. 338)

Corkin, S., quoted by R. Adelson (2005, September). Lessons from H. M. *Monitor on Psychology,* p. 59. (p. 338)

Corneille, O., Huart, J., Becquart, E., & Brédart, S. (2004). When memory shifts toward more typical category exemplars: Accentuation effects in the recollection of ethnically ambiguous faces. *Journal of Personality and Social Psychology, 86,* 236–250. (p. 356)

Cornette, M. M., deRoom-Cassini, T. A., Fosco, G. M., Holloway, R. L., Clark, D. C., & Joiner, T. E. (2009). Application of an interpersonal-psychological model of suicidal behavior to physicians and medical trainees. *Archives of Suicide Research, 13,* 1–14. (p. 637)

Cornier, M-A. (2011). Is your brain to blame for weight regain? *Physiology & Behavior, 104,* 608–612. (p. 430)

Cornil, Y., & Chandon, P. (2013). From fan to fat? vicarious losing increases unhealthy eating, but self-affirmation is an effective remedy. *Psychological Science, 24,* 1936–1946. (p. 428)

Correll, J., Park, B., Judd, C. M., & Wittenbrink, B. (2002). The police officer's dilemma: Using ethnicity to disambiguate potentially threatening individuals. *Journal of Personality and Social Psychology, 83,* 1314–1329. (p. 539)

Correll, J., Park, B., Judd, C. M., Wittenbrink, B., Sadler, M. S., & Keesee, T. (2007). Across the thin blue line: Police officers and racial bias in the decision to shoot. *Journal of Personality and Social Psychology, 92,* 1006–1023. (p. 539)

Corse, A. K., Chou, T., Arulpragasm, A. R., Kaur, N., Deckersbach, T., & Cusin, C. (2013). Deep brain stimulation for obsessive-compulsive disorder. *Psychiatric Annals, 43,* 351–357. (p. 687)

Costa, P. T., Jr., & McCrae, R. R. (2011). The five-factor model, five factor theory, and interpersonal psychology. In L. M. Horowitz & S. Strack (Eds.), *Handbook of interpersonal psychology: Theory, research, assessment, and therapeutic interventions* (pp. 91–104). Hoboken, NJ: John Wiley & Sons. (p. 590)

Costa, P. T., Jr., Terracciano, A., & McCrae, R. R. (2001). Gender differences in personality traits across cultures: Robust and surprising findings. *Journal of Personality and Social Psychology, 81,* 322–331. (p. 470)

Costa, P. T., Jr., Zonderman, A. B., McCrae, R. R., Cornoni-Huntley, J., Locke, B. Z., & Barbano, H. E. (1987). Longitudinal analyses of psychological well-being in a national sample: Stability of mean levels. *Journal of Gerontology, 42,* 50–55. (p. 224)

Costello, E. J., Compton, S. N., Keeler, G., & Angold, A. (2003). Relationships between poverty and psychopathology: A natural experiment. *Journal of the American Medical Association, 290,* 2023–2029. (pp. 33, 618)

Coughlin, J. F., Mohyde, M., D'Ambrosio, L. A., & Gilbert, J. (2004). *Who drives older driver decisions?* Cambridge, MA: MIT Age Lab. (p. 216)

Couli, J. T., Vidal, F., Nazarian, B., & Macar, F. (2004). Functional anatomy of the attentional modulation of time estimation. *Science, 303,* 1506–1508. (p. A-1)

Courage, M. L., & Howe, M. L. (2002). From infant to child: The dynamics of cognitive change in the second year of life. *Psychological Bulletin, 128,* 250–277. (p. 201)

Courage, M. L., & Setliff, A. E. (2010). When babies watch television: Attention-getting, attention-holding, and the implications for learning from video material. *Developmental Review, 30,* 220–238. (p. 615)

Courtney, J. G., Longnecker, M. P., Theorell, T., & de Verdier, M. G. (1993). Stressful life events and the risk of colorectal cancer. *Epidemiology, 4,* 407–414. (p. 496)

Covin, R., Ouimet, A. J., Seeds, P. M., & Dozois, D. J. A. (2008). A meta-analysis of CBT for pathological worry among clients with GAD. *Journal of Anxiety Disorders, 22,* 108–116. (p. 670)

Cowan, N. (1988). Evolving conceptions of memory storage, selective attention, and their mutual constraints within the human information-processing system. *Psychological Bulletin, 104,* 163–191. (p. 323)

Cowan, N. (2008). What are the differences between long-term, short-term, and working memory? *Progress in Brain Research, 169,* 323–338. (p. 324)

Cowan, N. (2010). The magical mystery four: How is working memory capacity limited, and why? *Current Directions in Psychological Science, 19,* 51–57. (p. 321)

Cowart, B. J. (1981). Development of taste perception in humans: Sensitivity and preference throughout the life span. *Psychological Bulletin, 90,* 43–73. (p. 266)

Cowart, B. J. (2005). Taste, our body's gustatory gatekeeper. *Cerebrum, 7*(2), 7–22. (p. 266)

Cox, C. R., & Arndt, J. (2012). How sweet it is to be loved by you: The role of perceived regard in the terror management of close relationships. *Journal of Personality and Social Psychology, 102,* 616–632. (pp. 581, 582)

Cox, J. J., et al. (2006). An SCN9A channelopathy causes congenital inability to experience pain. *Nature, 444,* 894–898. (p. 264)

Coyne, J. C. (1976a). Toward an interactional description of depression. *Psychiatry, 39,* 28–40. (p. 595)

Coyne, J. C. (1976b). Depression and the response of others. *Journal of Abnormal Psychology, 85,* 186–193. (pp. 595, 636)

Coyne, J. C., Ranchor, A. V., & Palmer, S. C. (2010). Meta-analysis of stress-related factors in cancer. *Nature Reviews: Clinical Oncology, 7,* doi:10.1038/ncponc1134-c1. (p. 496)

Coyne, J. C., Stefanek, M., & Palmer, S. C. (2007). Psychotherapy and survival in cancer: The conflict between hope and evidence. *Psychological Bulletin, 133,* 367–394. (p. 496)

Coyne, J. C., & Tennen, H. (2010). Positive psychology in cancer care: Bad science, exaggerated claims, and unproven medicine. *Annals of Behavioral Medicine, 39,* 16–26. (p. 496)

Coyne, J. C., Thombs, B. C., Stefanek, M., & Palmer, S. C. (2009). Time to let go of the illusion that psychotherapy extends the survival of cancer patients: Reply to Kraemer, Kuchler, and Spiegel (2009). *Psychological Bulletin, 135,* 179–182. (p. 496)

CPp. (2008). Myers-Briggs Type Indicator® assessment (MBTI®). CPP, Inc. (www.cpp.com). (p. 586)

Crabbe, J. C. (2002). Genetic contributions to addiction. *Annual Review of Psychology, 53,* 435–462. (p. 127)

Crabtree, S. (2005, January 13). Engagement keeps the doctor away. *Gallup Management Journal* (gmj.gallup.com). (p. A-10)

Crabtree, S. (2011, December 12). U.S. seniors maintain happiness highs with less social time. www.gallup.com. (p. 224)

Craik, F. I. M., & Tulving, E. (1975). Depth of processing and the retention of words in episodic memory. *Journal of Experimental Psychology: General, 104,* 268–294. (p. 326)

Crandall, C. S. (1988). Social contagion of binge eating. *Journal of Personality and Social Psychology, 55,* 588–598. (p. 651)

Crary, D. (2009, May 9). 5 years on, gay marriage debate fades in Mass. AP article in *The Guardian* (guardian.co.uk). (p. 148)

Crawford, M., Chaffin, R., & Fitton, L. (1995). Cognition in social context. Learning and Individual Differences, Special Issue: Psychological and psychobiological perspectives on sex differences in cognition: 1. *Theory and Research, 7,* 341–362. (p. 411)

Credé, M., & Kuncel, N. R. (2008). Study habits, skills, and attitudes: The third pillar supporting collegiate academic performance. *Perspectives on Psychological Science, 3,* 425–453. (p. 409)

Cresswell, J. D., Bursley, J. K., & Satpute, A. B. (2013). Neural reactivation links unconscious thought to decision making performance. *Social Cognitive and Affective Neuroscience, 8,* 863–869. (p. 365)

Creswell, J. D., Way, B. M., Eisenberger, N. I., & Lieberman, M. D. (2007). Neural correlates of dispositional mindfulness during affect labeling. *Psychosomatic Medicine, 69,* 560–565. (p. 511)

Crews, F. T., He, J., & Hodge, C. (2007). Adolescent cortical development: A critical period of vulnerability for addiction. *Pharmacology, Biochemistry and Behavior, 86,* 189–199. (pp. 120, 205)

Crews, F. T., Mdzinarishvili, A., Kim, D., He, J., & Nixon, K. (2006). Neurogenesis in adolescent brain is potently inhibited by ethanol. *Neuroscience, 137,* 437–445. (p. 120)

Crocker, J. (2011). Presidential Address: Self-image and compassionate goals and construction of the social self: Implications for social and personality psychology. *Personality and Social Psychology Review, 15,* 394–407. (p. 605)

Crocker, J., Thompson, L. L., McGraw, K. M., & Ingerman, C. (1987). Downward comparison, prejudice, and evaluation of others: Effects of self-esteem and threat. *Journal of Personality and Social Psychology, 52,* 907–916. (p. 543)

Croft, R. J., Klugman, A., Baldeweg, T., & Gruzelier, J. H. (2001). Electrophysiological evidence of serotonergic impairment in long-term MDMA ("Ecstasy") users. *American Journal of Psychiatry, 158,* 1687–1692. (p. 124)

Crombie, A. C. (1964, May). Early concepts of the senses and the mind. *Scientific American,* pp. 108–116. (p. 240)

Crook, T. H., & West, R. L. (1990). Name recall performance across the adult lifespan. *British Journal of Psychology, 81,* 335–340. (p. 217)

Cross, S., & Markus, H. (1991). Possible selves across the life span. *Human Development, 34,* 230–255. (p. 598)

Cross-National Collaborative Group. (1992). The changing rate of major depression. *Journal of the American Medical Association, 268,* 3098–3105. (p. 632)

Crowell, J. A., & Waters, E. (1994). Bowlby's theory grown up: The role of attachment in adult love relationships. *Psychological Inquiry, 5,* 1–22. (p. 196)

Croy, I., Bojanowski, V., & Hummel, T. (2013). Men without a sense of smell exhibit a strongly reduced number of sexual relationships, women exhibit reduced partnership security: A reanalysis of previously published data. *Biological Psychology, 92,* 292–294. (p. 266)

Croy, I., Negoias, S., Novakova, L., Landis, B. N., & Hummel, T. (2012). Learning about the functions of the olfactory system from people without a sense of smell. *PLoS ONE 7*(3): e33365. doi:10.1371/journal.pone.0033365. (p. 266)

Csikszentmihalyi, M. (1990). *Flow: The psychology of optimal experience.* New York: Harper & Row. (p. A-1)

Csikszentmihalyi, M. (1999). If we are so rich, why aren't we happy? *American Psychologist, 54,* 821–827. (p. A-1)

Csikszentmihalyi, M., & Hunter, J. (2003). Happiness in everyday life: The uses of experience sampling. *Journal of Happiness Studies, 4,* 185–199. (p. 210)

Csikszentmihalyi, M., & Larson, R. (1984). *Being adolescent: Conflict and growth in the teenage years.* New York: Basic Books. (p. 224)

Cuijpers, P., Driessen, E., Hollon, S. D., van Oppen, P., Barth, J., & Andersson, G. (2012). The efficacy of non-directive supportive therapy for adult depression: A meta-analysis. *Clinical Psychology Review, 32,* 280–291. (p. 676)

Cuijpers, P., Geraedts, A. S. van Oppen, P., Andersson, G., Markowitz, J. C., & van Straten, A. (2011). Interpersonal psychotherapy for depression: A meta-analysis. *American Journal of Psychiatry, 168,* 581–592. (p. 660)

Cuijpers, P., van Straten, A., Schuurmans, J., van Oppen, P., Hollon, S. D., & Andersson, G. (2010). Psychotherapy for chronic major depression and dysthymia: A meta-analysis. *Clinical Psychology Review, 30,* 51–62. (p. 684)

Culbert, K. M., Burt, S. A., McGue, M., Iacono, W. G., & Klump, K. L. (2009). Puberty and the genetic diathesis of disordered eating attitudes and behaviors. *Journal of Abnormal Psychology, 118,* 788–796. (p. 652)

Cullum, J., & Harton, H. C. (2007). Cultural evolution: Interpersonal influence, issue importance, and the development of shared attitudes in college residence halls. *Personality and Social Psychology Bulletin, 33,* 1327–1339. (p. 527)

Culverhouse, R. C., Bowes, L., Breslau, N., Nurnberger, J. I., Jr., Burmeister, M., Fergusson, D. M., . . Bierut, L. J. (2013). Protocol for a collaborative meta-analysis of 5-HTTLPR, stress, and depression. *BMC Psychiatry, 13,* 304. (p. 634)

Cummings, R. A. (2006, April 4). *Australian Unity Wellbeing Index: Survey 14.1.* Melbourne: Australian Centre on Quality of Life, Deakin University. (p. 482)

Cunningham, M. R., et al. (2005). "Their ideas of beauty are, on the whole, the same as ours": Consistency and variability in the cross-cultural perception of female physical attractiveness. *Journal of Personality and Social Psychology, 68,* 261–279. (p. 554)

Cunningham, W. A., Johnson, M. K., Raye, C. L., Gatenby, J. C., Gore, J. C., & Banaji, M. R. (2004). Separable neural components in the processing of Black and White faces. *Psychological Science, 15,* 806–813. (p. 540)

Currie, T. E., & Little, A. C. (2009). The relative importance of the face and body in judgments of human physical attractiveness. *Evolution and Human Behavior, 30,* 409–416. (p. 554)

Curtis, R. C., & Miller, K. (1986). Believing another likes or dislikes you: Behaviors making the beliefs come true. *Journal of Personality and Social Psychology, 51,* 284–290. (p. 556)

Custers, R., & Aarts, H. (2010). The unconscious will: How the pursuit of goals operates outside of conscious awareness. *Science, 329,* 47–50. (p. 364)

Cyders, M. A., & Smith, G. T. (2008). Emotion-based dispositions to rash action: Positive and negative urgency. *Psychological Bulletin, 134,* 807–828. (p. 459)

Czeisler, C. A., Allan, J. S., Strogatz, S. H., Ronda, J. M., Sanchez, R., Rios, . . . Kronauer, R. E. (1986). Bright light resets the human circadian pacemaker independent of the timing of the sleep-wake cycle. *Science, 233*, 667–671. (p. 105)

Czeisler, C. A., Duffy, J. F., Shanahan, T. L., Brown, E. N., Mitchell, J. F., Rimmer, . . . Kronauer, R. E. (1999). Stability, precision, and near-24-hour period of the human circadian pacemaker. *Science, 284*, 2177–2181. (p. 104)

Czeisler, C. A., Kronauer, R. E., Allan, J. S., & Duffy, J. F. (1989). Bright light induction of strong (type O) resetting of the human circadian pacemaker. *Science, 244*, 1328–1333. (p. 105)

Dabbs, J. M., Jr., Bernieri, F. J., Strong, R. K., Campo, R., & Milun, R. (2001b). Going on stage: Testosterone in greetings and meetings. *Journal of Research in Personality, 35*, 27–40. (p. 546)

Dabbs, J. M., Jr., & Morris, R. (1990). Testosterone, social class, and antisocial behavior in a sample of 4,462 men. *Psychological Science, 1*, 209–211. (p. 546)

Daley, J. (2011, July/August). What you don't know can kill you. *Discover* (www.discovermagazine.com). (p. 363)

Dalton, P., & Fraenkel, N. (2012). Gorillas we have missed: Sustained inattentional deafness for dynamic events. *Cognition, 124*, 364–367. (p. 98)

Damasio, A. R. (2010). *Self comes to mind: Constructing the conscious brain.* New York: Pantheon. (p. 598)

Damon, W., & Hart, D. (1982). The development of self-understanding from infancy through adolescence. *Child Development, 53*, 841–864. (p. 201)

Damon, W., & Hart, D. (1988). *Self-understanding in childhood and adolescence.* Cambridge: Cambridge University Press. (p. 201)

Damon, W., & Hart, D. (1992). Self-understanding and its role in social and moral development. In M. H. Bornstein & M. E. Lamb (Eds.), *Developmental psychology: An advanced textbook* (3rd ed.). Hillsdale, NJ: Lawrence Erlbaum. (p. 201)

Damon, W., Menon, J., & Bronk, K. (2003). The development of purpose during adolescence. *Applied Developmental Science, 7*, 119–128. (p. 210)

Dana, J., Dawes, R., & Peterson, N. (2013). Belief in the unstructured interview: The persistence of an illusion. *Judgment and Decision Making, 8*, 512–520. (p. A-5)

Danelli, L., Cossu, G., Berlingeri, M., Bottini, G., Sberna, M., & Paulesu, E. (2013). Is a lone right hemisphere enough? Neurolinguistic architecture in a case with a very early left hemispherectomy. *Neurocase, 19*, 209–231. (p. 81)

Danner, D. D., Snowdon, D. A., & Friesen, W. V. (2001). Positive emotions in early life and longevity: Findings from the Nun Study. *Journal of Personality and Social Psychology, 80*, 804–813. (p. 505)

Danso, H., & Esses, V. (2001). Black experimenters and the intellectual test performance of white participants: The tables are turned. *Journal of Experimental Social Psychology, 37*, 158–165. (p. 414)

Danziger, S., & Ward, R. (2010). Language changes implicit associations between ethnic groups and evaluation in bilinguals. *Psychological Science, 21*, 799–800. (p. 380)

Dapretto, M., Davies, M. S., Pfeifer, J. H., Scott, A. A., Sigman, M., Bookheimer, S. Y., & Iacoboni, M. (2006). Understanding emotions in others: Mirror neuron dysfunction in children with autism spectrum disorders. *Nature Neuroscience, 9*, 28–30. (p. 194)

Darley, J. M. (2009). Morality in the law: The psychological foundations of citizens' desires to punish transgressions. *Annual Review of Law and Social Science, 5*, 1–23. (p. 207)

Darley, J. M., & Alter, A. (2012). Behavioral issues of punishment and deterrence. In E. Shafir (Ed.), *The behavioral foundations of policy.* Princeton, NJ: Princeton University Press and the Russell Sage Foundation. (p. 295)

Darley, J. M., & Latané, B. (1968a). Bystander intervention in emergencies: Diffusion of responsibility. *Journal of Personality and Social Psychology, 8*, 377–383. (pp. 559, 560)

Darley, J. M., & Latané, B. (1968b, December). When will people help in a crisis? *Psychology Today*, pp. 54–57, 70–71. (p. 559)

Darrach, B., & Norris, J. (1984, August). An American tragedy. *Life*, pp. 58–74. (p. 649)

Darwin, C. (1859). *On the origin of species by means of natural selection.* London: John Murray. (p. 146)

Darwin, C. (1872). *The expression of the emotions in man and animals.* London: John Murray. (pp. 264, 474)

Daum, I., & Schugens, M. M. (1996). On the cerebellum and classical conditioning. *Psychological Science, 5*, 58–61. (p. 330)

Davey, G., & Rato, R. (2012). Subjective well-being in China: A review. *Journal of Happiness Studies, 13*, 333–346. (pp. 482, 484)

Davey, G. C. L. (1992). Classical conditioning and the acquisition of human fears and phobias: A review and synthesis of the literature. *Advances in Behavior Research and Therapy, 14*, 29–66. (p. 303)

Davey, G. C. L. (1995). Preparedness and phobias: Specific evolved associations or a generalized expectancy bias? *Behavioral and Brain Sciences, 18*, 289–297. (p. 627)

Davidoff, J. (2004). Coloured thinking. *The Psychologist, 17*, 570–572. (p. 380)

Davidson, J. R. T., Connor, K. M., & Swartz, M. (2006). Mental illness in U.S. presidents between 1776 and 1974: A review of biographical sources. *Journal of Nervous and Mental Disease, 194*, 47–51. (p. 653)

Davidson, R. J. (2000). Affective style, psychopathology, and resilience: Brain mechanisms and plasticity. *American Psychologist, 55*, 1196–1209. (pp. 467, 546)

Davidson, R. J. (2003). Affective neuroscience and psychophysiology: Toward a synthesis. *Psychophysiology, 40*, 655–665. (p. 467)

Davidson, R. J., Kabat-Zinn, J., Schumacher, J., Rosenkranz, M., Muller, D., Santorelli, S. F., . . . Sheridan, J. F. (2003). Alterations in brain and immune function produced by mindfulness meditation. *Psychosomatic Medicine, 65*, 564–570. (p. 511)

Davidson, R. J., Pizzagalli, D., Nitschke, J. B., & Putnam, K. (2002). Depression: Perspectives from affective neuroscience. *Annual Review of Psychology, 53*, 545–574. (p. 633)

Davies, G., et al. (2011). Genome-wide association studies establish that human intelligence is highly heritable and polygenic. *Molecular Psychiatry, 16*, 996–1005. (p. 406)

Davies, P. (2007). *Cosmic jackpot: Why our universe is just right for life.* Boston: Houghton Mifflin. (p. 173)

Davis, B. E., Moon, R. Y., Sachs, H. C., & Ottolini, M. C. (1998). Effects of sleep position on infant motor development. *Pediatrics, 102*, 1135–1140. (p. 185)

Davis, H., IV, Liotti, M., Ngan, E. T., Woodward, T. S., Van Sellenberg, J. X., . . . Mayberg, H. S. (2008). FMRI BOLD signal changes in elite swimmers while viewing videos of personal failures. *Brain Imaging and Behavior, 2*, 94–104. (p. 633)

Davis, J. O., & Phelps, J. A. (1995a). Twins with schizophrenia: Genes or germs? *Schizophrenia Bulletin, 21*, 13–18. (p. 644)

Davis, J. O., Phelps, J. A., & Bracha, H. S. (1995b). Prenatal development of monozygotic twins and concordance for schizophrenia. *Schizophrenia Bulletin, 21*, 357–366. (pp. 136, 644)

Davis, J. P., Lander, K., & Jansari, A. (2013). I never forget a face. *The Psychologist, 26*, 726–729. (p. 318)

Davis, K., Christodoulou, J., Seider, S., & Gardner, H. (2011). The theory of multiple intelligences. In R. J. Sternberg & S. B. Kaufman (Eds.), *Cambridge Handbook of Intelligence.* Cambridge, UK; New York: Cambridge University Press. (p. 387)

Davis, M. (2005). Searching for a drug to extinguish fear. *Cerebrum, 7*(3), 47–58. (p. 683)

Davison, K. P., Pennebaker, J. W., & Dickerson, S. S. (2000). Who talks? The social psychology of illness support groups. *American Psychologist, 55*, 205–217. (p. 671)

Dawes, R. M. (1980). Social dilemmas. *Annual Review of Psychology, 31*, 169–193. (p. 563)

Dawes, R. M. (1994). *House of cards: Psychology and psychotherapy built on myth.* New York: Free Press. (p. 599)

Dawkins, L., Shahzad, F-Z., Ahmed, S. S., & Edmonds, C. J. (2011). Expectation of having consumed caffeine can improve performance and moods. *Appetite, 57*, 597–600. (p. 36)

Dawkins, R. (1998). *Unweaving the rainbow.* Boston: Houghton Mifflin. (p. 172)

Dawkins, R. (2007, July 1). Inferior design. *New York Times* (www.nytimes.com). (p. 144)

Deal, G. (2011, January 14). Chinese parenting: Thanks, I'll pass. *Wall Street Journal.* Available from http://blogs.wsj.com. (p. 154)

Dean, G. (2012, November/December). Phrenology and the grand delusion of experience. *Skeptical Inquirer*, pp. 31–38. (p. 52)

Deary, I. J. (2008). Why do intelligent people live longer? *Nature, 456*, 175–176. (p. 403)

Deary, I. J., Batty, G. D., & Gale, C. R. (2008). Bright children become enlightened adults. *Psychological Science, 19*, 1–6. (p. 402)

Deary, I. J., Johnson, W., & Houlihan, L. M. (2009). Genetic foundations of human intelligence. *Human Genetics, 126*, 215–232. (pp. 406, 407)

Deary, I. J., & Matthews, G. (1993). Personality traits are alive and well. *The Psychologist: Bulletin of the British Psychological Society, 6*, 299–311. (p. 592)

Deary, I. J., Pattie, A., & Starr, J. M. (2013). The stability of intelligence from age 11 to age 90 years: The Lothian birth cohort of 1921. *Psychological Science, 24*, 2361–2368. (p. 402)

Deary, I. J., Strand, S., Smith, P., & Fernandes, C. (2007). Intelligence and educational achievement. *Intelligence, 35*, 13–21. (p. 398)

Deary, I. J., Thorpe, G., Wilson, V., Starr, J. M., & Whalley, L. J. (2003). Population sex differences in IQ at age 11: The Scottish mental survey 1932. *Intelligence, 31*, 533–541. (p. 410)

Deary, I. J., Weiss, A., & Batty, G. D. (2010) Intelligence and personality as predictors of illness and death: How researchers in differential psychology and chronic disease epidemiology are collaborating to understand and address health inequalities. *Psychological Science in the Public Interest, 11*, 53–79. (p. 402)

Deary, I. J., Whalley, L. J., & Starr, J. M. (2009). *A lifetime of intelligence: Follow-up studies of the Scottish Mental Surveys of 1932 and 1947.* Washington, DC: American Psychological Association. (pp. 398, 402)

Deary, I. J., Whiteman, M. C., Starr, J. M., Whalley, L. J., & Fox, H. C. (2004). The impact of childhood intelligence on later life: Following up the Scottish mental surveys of 1932 and 1947. *Journal of Personality and Social Psychology, 86*, 130–147. (p. 402)

Deary, I. J., et al. (2012). Genetic contributions to stability and change in intelligence from childhood to old age. *Nature, 481*, 212–215. (p. 407)

de Boysson-Bardies, B., Halle, P., Sagart, L., & Durand, C. (1989). A cross linguistic investigation of vowel formats in babbling. *Journal of Child Language, 16*, 1–17. (p. 372)

DeBruine, L. M. (2002). Facial resemblance enhances trust. *Proceedings of the Royal Society of London, 269*, 1307–1312. (p. 552)

DeBruine, L. M. (2004). Facial resemblance increases the attractiveness of same-sex faces more than other-sex faces. *Proceedings of the Royal Society of London B, 271*, 2085–2090. (p. 552)

DeCasper, A. J., Lecanuet, J-P., Busnel, M-C., et al. (1994). Fetal reactions to recurrent maternal speech. *Infant Behavior and Development, 17*, 159–164. (p. 182)

DeCasper, A. J., & Prescott, P. A. (1984). Human newborns' perception of male voices: Preference, discrimination and reinforcing value. *Developmental Psychobiology, 17*, 481–491. (p. 182)

DeCasper, A. J., & Spence, M. J. (1986). Prenatal maternal speech influences newborns' perception of speech sounds. *Infant Behavior and Development, 9*, 133–150. (p. 182)

Deci, E. L., Koestner, R., & Ryan, R. M. (1999, November). A meta-analytic review of experiments examining the effects of extrinsic rewards on intrinsic motivation. *Psychological Bulletin, 125*(6), 627–668. (p. 305)

Deci, E. L., & Ryan, R. M. (1985). *Intrinsic motivation and self-determination in human behavior.* New York: Plenum Press. (p. 305)

Deci, E. L., & Ryan, R. M. (Eds.). (2002). *Handbook of self-determination research.* Rochester, NY: University of Rochester Press. (p. 449)

Deci, E. L., & Ryan, R. M. (2009). Self-determination theory: A consideration of human motivational universals. In P. J. Corr & G. Matthews (eds.), *The Cambridge Handbook of Personality Psychology.* New York: Cambridge University Press. (pp. 305, 449)

de Courten-Myers, G. M. (2005, February 4). Personal correspondence (estimating total brain neurons, extrapolating from her carefully estimated 20 to 23 billion cortical neurons). (pp. 62, 75)

de Dios, M. A., Herman, D. S., Britton, W. B., Hagerty, C. E., Anderson, B. J., & Stein, M. D. (2012). Motivational and mindfulness intervention for young adult female marijuana users. *Journal of Substance Abuse Treatment, 42*, 56–64. (p. 511)

De Dreu, C. K. W., Greer, L. L., Handgraaf, M. J. J., Shalvi, S., Van Kleef, G. A., Baas, M., . . . Feith, S. W. W. (2010). The neuropeptide oxytocin regulated parochial altruism in intergroup conflict among humans. *Science, 328*, 1409–1411. (p. 64)

De Dreu, C. K. W., Nijstad, B. A., Baas, M., Wolsink, I., & Roskes, M. (2012). Working memory benefits creative insight, musical improvisation, and original ideation through maintained task-focused attention. *Personality and Social Psychology Bulletin, 38*, 656–669. (p. 324)

Deeley, Q., Daly, E., Surguladze, S., Tunstall, N., Mezey, G., Beer, D., . . . Murphy, D. G. (2006). Facial emotion processing in criminal psychopathy. *British Journal of Psychiatry, 189*, 533–539. (p. 650)

DeFina, L. F., Willis, B. L., Radford, N. B., Gao, A., Leonard, D., Haskell, W. L., Weiner, M. F., & Berry, J. D. (2013). The association between midlife cardiorespiratory fitness levels and later-life dementia. *Annals of Internal Medicine, 158*, 162–168. (p. 216)

De Gee, J., Knapen, T., & Donner, T. H. (2014). Decision-related pupil dilation reflects upcoming choice and individual bias. *PNAS, 111*, E618–E625. (p. 240)

De Gelder, B. (2010, May). Uncanny sight in the blind. *Scientific American*, pp. 61–65. (p. 94)

de Gonzales, A. B., et al. (2010). Body-mass index and mortality among 1.46 million white adults. *New England Journal of Medicine, 363*, 2211–2219. (p. 430)

Dehaene, S. (2009, November 24). Signatures of consciousness. *Edge is Paris.* www.Edge.org. (p. 232)

Dehaene, S. (2014). *Consciousness and the brain: Deciphering how the brain codes our thoughts.* New York: Viking. (pp. 186, 232)

Dehne, K. L., & Riedner, G. (2005). *Sexually transmitted infections among adolescents: The need for adequate health services.* Geneva: World Health Organization. (p. 436)

de Hoogh, A. H. B., den Hartog, D. N., Koopman, P. L., Thierry, H., van den Berg, P. T., van der Weide, J. G., & Wilderom, C. P. M. (2004). Charismatic leadership, environmental dynamism, and performance. *European Journal of Work and Organisational Psychology, 13*, 447–471. (p. A-12)

De Koninck, J. (2000). Waking experiences and dreaming. In M. Kryger, T. Roth, & W. Dement (Eds.), *Principles and practice of sleep medicine* (3rd ed.). Philadelphia: Saunders. (p. 112)

De la Herrán-Arita, A. K., Kornum, B. R., Mahlios, J., Jiang, W., Lin, L., Hou, T., . . . Mignot, E. (2013). CD4+ T cell autoimmunity to hypocretin/orexin and cross-reactivity to a 2009 H1N1 influenza A epitope in narcolepsy. *Science Translational Medicine, 5*(216): 216ra176. (p. 110)

DeLamater, J. (2012). Sexual expression in later life: A review and synthesis. *Journal of Sex Research, 49*, 125–141. (p. 214)

DeLamater, J. D., & Sill, M. (2005). Sexual desire in later life. *Journal of Sex Research, 42*, 138–149. (p. 214)

de Lange, M., Debets, L., Ruitenberg, K., & Holland, R. (2012). Making less of a mess: Scent exposure as a tool for behavioral change. *Social Influence, 7*, 90–97. (p. 268)

Delaney, H. D., Miller, W. R., & Bisonó, A. M. (2007). Religiosity and spirituality among psychologists: A survey of clinician members of the American Psychological Association. *Professional Psychology: Research and Practice, 38*, 538–546. (p. 680)

Delaunay-El Allam, M., Soussignan, R., Patris, B., Marlier, L., & Schaal, B. (2010). Long-lasting memory for an odor acquired at the mother's breast. *Developmental Science, 13*, 849–863. (p. 183)

Delgado, J. M. R. (1969). *Physical control of the mind: Toward a psychocivilized society.* New York: Harper & Row. (p. 76)

DeLoache, J. S. (1987). Rapid change in the symbolic functioning of very young children. *Science, 238*, 1556–1557. (p. 189)

DeLoache, J. S., Chiong, C., Sherman, K., Islam, N., Vanderborght, M., Troseth, G. L., Strouse, G. A., & O'Doherty, K. (2010). Do babies learn from baby media? *Psychological Science, 21*, 1570–1574. (p. 409)

DeLoache, J. S., Uttal, D. H., & Rosengren, K. S. (2004). Scale errors offer evidence for a perception-action dissociation early in life. *Science, 304*, 1027–1029. (p. 187)

De Los Reyes, A., & Kazdin, A. E. (2009). Identifying evidence-based interventions for children and adolescents using the range of possible changes model: A meta-analytic illustration. *Behavior Modification, 33*, 583–617. (p. 676)

DelPriore, D. J., & Hill, S. E. (2013). The effects of paternal disengagement on women's sexual decision making: An experimental approach. *Journal of Personality and Social Psychology, 105*, 234–246. (p. 166)

Dement, W. C. (1978). *Some must watch while some must sleep.* New York: Norton. (pp. 101, 110)

Dement, W. C. (1999). *The promise of sleep.* New York: Delacorte Press. (pp. 100, 102, 104, 107, 108, 110, 111, C-7)

Dement, W. C., & Wolpert, E. A. (1958). The relation of eye movements, body mobility, and external stimuli to dream content. *Journal of Experimental Psychology, 55*, 543–553. (p. 113)

De Meyer, G., et al. (2010). Diagnosis-independent Alzheimer disease biomarker signature in cognitively normal elderly people. *Archives of Neurology, 67*, 949–956. (p. 219)

Demicheli, V., Rivetti, A., Debalini, M. G., & Di Pietrantonj, C. (2012, February 15). Vaccines for measles, mumps and rubella in children. *Cochrane Database of Systematic Reviews*, Issue 2, CD004407. (p. 193)

Deming, D. (2009). Early childhood intervention and life-cycle skill development: Evidence from Head Start. *American Economic Journal: Applied Economics, 1*(3), 111–134. (p. 409)

Demir, E., & Dickson, B. J. (2005). Fruitless splicing specifies male courtship behavior in Drosophila. *Cell, 121*, 785–794. (p. 443)

Dempster, E., Viana, J., Pidsley, R., & Mill, J. (2013). Epigenetic studies of schizophrenia: Progress, predicaments, and promises for the future. *Schizophrenia Bulletin, 39*, 11–16. (p. 645)

DeNeve, J., Christakis, N. A., Fowler, J. H., & Frey, B. S. (2012). Genes, economics, and happiness. *Journal of Neuroscience, Psychology, and Economics, 5,* 193–211. (p. 485)

De Neve, J-E., Diener, E., Tay, L., & Xuereb, C. (2013). The objective benefits of subjective well-being. In J. F. Helliwell, R. Layard, & J. Sachs (Eds.), *World happiness report 2013.* Volume 2. (pp. 54–79). New York: UN Sustainable Network Development Solutions Network. (pp. 479, A-11)

De Neve, K. M., & Cooper, H. (1998). The happy personality: A meta-analysis of 137 personality traits and subjective well-being. *Psychological Bulletin, 124,* 197–229. (p. 485)

Dennett, D. C. (1991). *Consciousness explained.* Boston: Little, Brown. (p. 304)

Dennett, D. C. (1996, September 9). Quoted by Ian Parker, Richard Dawkins' evolution. *The New Yorker,* pp. 41–45. (p. 6)

Denollet, J. (2005). DS14: Standard assessment of negative affectivity, social inhibition, and Type D personality. *Psychosomatic Medicine, 67,* 89–97. (p. 498)

Denollet, J., Sys, S. U., Stroobant, N., Rombouts, H. Gillebert, T. C., & Brutsaert, D. L. (1996). Personality as independent predictor of long-term mortality in patients with coronary heart disease. *Lancet, 347,* 417–421. (p. 498)

Denson, T. F. (2011). A social neuroscience perspective on the neurobiological bases of aggression. In P. R. Shaver, & M. Mikulincer (Eds.), *Human aggression and violence: Causes, manifestations, and consequences.* Washington, DC: U. S. American Psychological Association. (p. 545)

Denson, T. F., Capper, M. M., Oaten, M., Friese, M., & Schofield, T. P. (2011). Self-control training decreases aggression in response to provocation in aggressive individuals. *Journal of Research in Personality, 45,* 252–256. (pp. 477, 504)

Denton, K., & Krebs, D. (1990). From the scene to the crime: The effect of alcohol and social context on moral judgment. *Journal of Personality and Social Psychology, 59,* 242–248. (p. 119)

DePaulo, B. M., Blank, A. L., Swaim, G. W., & Hairfield, J. G. (1992). Expressiveness and expressive control. *Personality and Social Psychology Bulletin, 18,* 276–285. (p. 593)

Depla, M. F. I. A., ten Have, M. L., van Balkom, A. J. L. M., & de Graaf, R. (2008). Specific fears and phobias in the general population: Results from the Netherlands Mental Health Survey and Incidence Study (NEMESIS). *Social Psychiatry and Psychiatric Epidemiology, 43,* 200–208. (p. 622)

De Raad, B., Barelds, D. P. H., Levert, E., Ostendorf, F., Mlac̆ic̆, B., Di Blas, L., . . . Katigbak, M. S. (2010). Only three factors of personality description are fully replicable across languages: A comparison of 14 trait taxonomies. *Journal of Personality and Social Psychology, 98,* 160–173. (p. 590)

Dermer, M., Cohen, S. J., Jacobsen, E., & Anderson, E. A. (1979). Evaluative judgments of aspects of life as a function of vicarious exposure to hedonic extremes. *Journal of Personality and Social Psychology, 37,* 247–260. (p. 484)

Dermer, M., & Pyszczynski, T. A. (1978). Effects of erotica upon men's loving and liking responses for women they love. *Journal of Personality and Social Psychology, 36,* 1302–1309. (p. 556)

Derringer, J., Krueger, R. F., Dick, D. M., Saccone, S., Grucza, R. A., Agrawal, A., . . . Bierut, L. J. (2010). Predicting sensation seeking from dopamine genes: A candidate system approach. *Psychological Science, 21,* 1282–1290. (p. 142)

Desmurget, M., Reilly, K. T., Richard, N., Szathmari, A., Mottolese, C., & Sirigu, A. (2009). Movement intention after parietal cortex stimulation in humans. *Science, 324,* 811–813. (p. 80)

DeStefano, F., Price, C. S., & Weintraub, E. S. (2013). Increasing exposure to antibody-stimulating proteins and polysaccharides in vaccines is not associated with risk of autism. *The Journal of Pediatrics, 163,* 561–567. (p. 193)

DeSteno, D., Dasgupta, N., Bartlett, M. Y., & Cajdric, A. (2004). Prejudice from thin air: The effect of emotion on automatic intergroup attitudes. *Psychological Science, 15,* 319–324. (p. 478)

DeSteno, D., Petty, R. E., Wegener, D. T., & Rucker, D. D. (2000). Beyond valence in the perception of likelihood: The role of emotion specificity. *Journal of Personality and Social Psychology, 78,* 397–416. (p. 336)

Dettman, S. J., Pinder, D., Briggs, R. J. S., Dowell, R. C., & Leigh, J. R. (2007). Communication development in children who receive the cochlear implant younger than 12 months: Risk versus benefits. *Ear and Hearing, 28*(2), Supplement 11S–18S. (p. 259)

Deutsch, J. A. (1972, July). Brain reward: ESP and ecstasy. *Psychology Today,* 46–48. (p. 73)

DeValois, R. L., & DeValois, K. K. (1975). Neural coding of color. In E. C. Carterette & M. P. Friedman (Eds.), *Handbook of perception: Vol. V. Seeing.* New York: Academic Press. (p. 244)

Devilly, G. J. (2003). Eye movement desensitization and reprocessing: A chronology of its development and scientific standing. *Scientific Review of Mental Health Practice, 1,* 113–118. (p. 677)

Devine, P. G. (1995). Prejudice and outgroup perception. In A. Tesser (Ed.), *Advanced social psychology.* New York: McGraw-Hill. (p. 552)

Devries, K. M., et al. (2013). The global prevalence of intimate partner violence against women. *Science, 340,* 1527. (p. 540)

Dew, M. A., Hoch, C. C., Buysse, D. J., Monk, T. H., Begley, A. E., Houck, P. R., . . . Reynolds, C. F., III (2003). Healthy older adults' sleep predicts all-cause mortality at 4 to 19 years of follow-up. *Psychosomatic Medicine, 65,* 63–73. (p. 108)

de Waal, F. (2005, September 23). We're all Machiavellians. *Chronicle of Higher Education.* (p. 29)

de Waal, F. B. M. (2009, October). The empathy instinct. *Discover,* pp. 54–57. (pp. 475, 525)

de Waal, F. B. M. (2011). Back cover quote for D. Blum, *Love at Goon Park: Harry Harlow and the science of affection.* New York: Basic Books. (p. 197)

de Waal, F. B. M., & Johanowicz, D. L. (1993). Modification of reconciliation behavior through social experience: An experiment with two macaque species. *Child Development, 64,* 897–908. (p. 307)

DeWall, C. N., & Bushman, B. J. (2009). Hot under the collar in a lukewarm environment: Words associated with hot temperature increase aggressive thoughts and hostile perceptions. *Journal of Experimental Social Psychology, 45,* 1045–1047. (p. 547)

DeWall, C. N., Lambert, N. M., Slotter, E. B., Pond, R. S., Jr., Deckman, T., Finkel, E. J., Luchies, L. B., & Fincham, F. D. (2011). So far away from one's partner, yet so close to romantic alternatives: Avoidant attachment, interest in alternatives, and infidelity. *Journal of Personality and Social Psychology, 101,* 1302–1316. (p. 199)

DeWall, C. N., MacDonald, G., Webster, G. D., Masten, C. L., Baumeister, R. F., Powell, C., . . . Eisenberger, N. I. (2010). Acetaminophen reduces social pain: Behavioral and neural evidence. *Psychological Science, 21,* 931–937. (p. 450)

DeWall, C. N., Pond, R. S., Jr., Campbell, W. K., & Twenge, J. M. (2011). Tuning in to psychological change: Linguistic markers of psychological traits and emotions over time in popular U.S. song lyrics. *Psychology of Aesthetics, Creativity, and the Arts, 5,* 200–207. (p. 604)

Dewar, M., Alber, J., Butler, C., Cowan, N., & Sala, S. D. (2012). Brief wakeful resting boosts new memories over the long term. *Psychological Science, 23,* 955–960. (p. 351)

de Wit, L., Luppino, F., van Straten, A., Penninx, B., Zitman, F., & Cuijpers, P. (2010). Depression and obesity: A meta-analysis of community-based studies. *Psychiatry Research, 178,* 230–235. (p. 429)

De Wolff, M. S., & van IJzendoorn, M. H. (1997). Sensitivity and attachment: A meta-analysis on parental antecedents of infant attachment. *Child Development, 68,* 571–591. (p. 197)

DeYoung, C. G., Hirsch, J. B., Shane, M. S., Papademetris, X., Rajeevan, N., & Gray, J. R. (2010). Testing predictions from personality neuroscience: Brain structure and the Big Five. *Psychological Science, 21,* 820–828. (p. 591)

de Zavala, A. G., Cichocka, A., Eidelson, R., & Jawawickreme, N. (2009). Collective narcissism and its social consequences. *Journal of Personality and Social Psychology, 97,* 1074–1096. (p. 604)

Diaconis, P. (2002, August 11). Quoted by L. Belkin, The odds of that. *New York Times* (www.nytimes.com). (p. 23)

Diaconis, P., & Mosteller, F. (1989). Methods for studying coincidences. *Journal of the American Statistical Association, 84,* 853–861. (p. 22)

Diamond, J. (2001, February). A tale of two reputations: Why we revere Darwin and give Freud a hard time. *Natural History,* pp. 20–24. (p. 146)

Diamond, L. (2008). *Sexual fluidity: Understanding women's love and desire.* Cambridge, MA: Harvard University Press. (p. 441)

Diamond, R. (1993). Genetics and male sexual orientation (letter). *Science, 261,* 1258. (p. 446)

Dias-Ferreira, E., Sousa, J. C., Melo, I., Morgado, P., Mesquita, A. R., Cerqueira, J. J., Costa, R. M., & Sousa, N. (2009). Chronic stress causes frontostriatal reorganization and affects decision-making. *Science, 325,* 621–625. (p. 492)

Diaz, F. J., Velásquex, D. M., Susce, M. T., & de Leon, J. (2008). The association between schizophrenia and smoking: Unexplained by either the illness or the prodromal period. *Schizophrenia Research, 104,* 214–219. (p. 642)

Dick, D. M. (2007). Identification of genes influencing a spectrum of externalizing psychopathology. *Current Directions in Psychological Science, 16,* 331–335. (p. 650)

Dickens, W. T., & Flynn, J. R. (2006). Black Americans reduce the racial IQ gap: Evidence from standardization samples. *Psychological Science, 17,* 913–920. (p. 411)

Dickerson, S. S., Gable, S. L., Irwin, M. R., Aziz, N., & Kemeny, M. E. (2009). Social-evaluative threat and proinflammatory cytokine regulation: An experimental laboratory investigation. *Psychological Science, 20,* 1237–1243. (p. 499)

Dickerson, S. S., & Kemeny, M. E. (2004). Acute stressors and cortisol responses: A theoretical integration and synthesis of laboratory research. *Psychological Bulletin, 130,* 355–391. (p. 501)

Dickson, B. J. (2005, June 3). Quoted in E. Rosenthal, For fruit flies, gene shift tilts sex orientation. *New York Times* (www.nytimes.com). (p. 444)

Dickson, N., van Roode, T., Cameron, C., & Paul, C. (2013). Stability and change in same-sex attraction, experience, and identity by sex and age in a New Zealand birth cohort. *Archives of Sexual Behavior, 42,* 753–763. (p. 441)

Diekelmann, S., & Born, J. (2010). The memory function of sleep. *Nature Neuroscience, 11,* 114–126. (pp. 106, 114, 342)

Diener, E. (2006). Guidelines of national indicators of subjective well-being and ill-being. *Journal of Happiness Studies, 7,* 397–404. (p. 485)

Diener, E. (2013). The remarkable changes in the science of well-being. *Perspectives on Psychological Science, 8,* 663–666. (pp. 485, 486)

Diener, E. (2014). *Happiness and Well-Being:* (Keynote address). Preconference symposium at the Society for Personality and Social Psychology convention, Austin, Texas. (p. 485)

Diener, E., & Biswas-Diener, R. (2002). Will money increase subjective well-being? A literature review and guide to needed research. *Social Indicators Research, 57,* 119–169. (p. 482)

Diener, E., & Biswas-Diener, R. (2009). *Rethinking happiness: The science of psychological wealth.* Malden, MA: Wiley Blackwell. (pp. 482, 485)

Diener, E., & Chan, M. (2011). Happy people live longer: Subjective well-being contributes to health and longevity. *Applied Psychology: Health and Well-Being, 3,* 1–43. (p. 498)

Diener, E., Emmons, R. A., & Sandvik, E. (1986). *The dual nature of happiness: Independence of positive and negative moods.* Unpublished manuscript, University of Illinois. (p. 224)

Diener, E., Ng, W., Harter, J., & Arora, R. (2009). *Wealth and happiness across the world: Material prosperity predicts life evaluation, while psychosocial prosperity predicts positive feeling.* Unpublished manuscript, University of Illinois and the Gallup Organization. (p. 482)

Diener, E., Nickerson, C., Lucas, R. E., & Sandvik, E. (2002). Dispositional affect and job outcomes. *Social Indicators Research, 59,* 229–259. (p. 479)

Diener, E., & Oishi, S. (2000). Money and happiness: Income and subjective well-being across nations. In E. Diener & E. M. Suh (Eds.), *Subjective well-being across cultures.* Cambridge, MA: MIT Press. (p. 483)

Diener, E., Oishi, S., & Lucas, R. E. (2003). Personality, culture, and subjective well-being: Emotional and cognitive evaluations of life. *Annual Review of Psychology, 54,* 403–425. (p. 485)

Diener, E., Oishi, S., & Park, J. Y. (2014). An incomplete list of eminent psychologists of the modern era. *Archives of Scientific Psychology, 21,* 20–31. (p. 306)

Diener, E., & Seligman, M. E. P. (2002). Very happy people. *Psychological Science, 13,* 81–84. (p. 448)

Diener, E., Tay, L., & Myers, D. G. (2011). The religion paradox: If religion makes people happy, why are so many dropping out? *Journal of Personality and Social Psychology, 101*(6), 1278–1290. (pp. 30, 485)

Diener, E., Wolsic, B., & Fujita, F. (1995). Physical attractiveness and subjective well-being. *Journal of Personality and Social Psychology, 69,* 120–129. (p. 554)

DiFranza, J. R. (2008, May). Hooked from the first cigarette. *Scientific American,* pp. 82–87. (p. 121)

Dijksterhuis, A., & Aarts, H. (2003). On wildebeests and humans: The preferential detection of negative stimuli. *Psychological Science, 14,* 14–18. (p. 468)

Dik, B. J., & Duffy, R. D. (2012). *Make your job a calling: How the psychology of vocation can change your life at work.* Conshohocken, PA: Templeton Press. (p. A-1)

Dik, B. J., & Rottinghaus, P. J. (2013). Assessments of interests. In K. F. Geisinger et al. (Eds.). *APA handbook of testing and assessment in psychology, vol. 2.* Washington, DC: APA. (p. A-3)

DiLalla, D. L., Carey, G., Gottesman, I. I., & Bouchard, T. J., Jr. (1996). Heritability of MMPI personality indicators of psychopathology in twins reared apart. *Journal of Abnormal Psychology, 105,* 491–499. (p. 633)

Dimberg, U., Thunberg, M., & Elmehed, K. (2000). Unconscious facial reactions to emotional facial expressions. *Psychological Science, 11,* 86–89. (pp. 463, 475)

Dimidjian, S., & Hollon, S. D. (2010). How would we know if psychotherapy were harmful? *American Psychologist, 65,* 21–33. (p. 676)

Dindia, K., & Allen, M. (1992). Sex differences in self-disclosure: A meta-analysis. *Psychological Bulletin, 112,* 106–124. (p. 164)

Dinges, N. G., & Hull, P. (1992). Personality, culture, and international studies. In D. Lieberman (Ed.), *Revealing the world: An interdisciplinary reader for international studies.* Dubuque, IA: Kendall-Hunt. (p. 380)

Dingfelder, S. F. (2010, November). A second chance for the Mexican wolf. *Monitor on Psychology,* pp. 20–21. (p. 302)

Dion, K. K., & Dion, K. L. (1993). Individualistic and collectivistic perspectives on gender and the cultural context of love and intimacy. *Journal of Social Issues, 49,* 53–69. (p. 159)

Dirix, C. E. H., Nijhuis, J. G., Jongsma, H. W., & Hornstra, G. (2009). Aspects of fetal learning and memory. *Child Development, 80,* 1251–1258. (p. 182)

DiSalvo, D. (2010, January/February). Are social networks messing with your head? *Scientific American Mind,* pp. 48–55. (p. 452)

DiSantis, K. I., Birch, L. L., Davey, A., Serrano, E. L., Zhang, J., Bruton, Y., & Fisher, J. O. (2013). Plate size and children's appetite: Effects of larger dishware on self-served portions and intake. *Pediatrics, 131,* e1451-e1458. (p. 429)

Discover (1996, May). A fistful of risks. Pp. 82–83. (p. 121)

Di Tella, R., & MacCulloch, R. (2010). Happiness adaptation to income beyond "basic needs." In E. Diener, J. Helliwell, & D. Kahneman (eds.), *International Differences in Well-Being,* pp. 217–247. New York: Oxford University Press. (pp. 482, 483)

Ditre, J. W., Brandon, T. H., Zale, E. L., & Meagher, M. M. (2011). Pain, nicotine, and smoking: Research findings and mechanistic considerations. *Psychological Bulletin, 137,* 1065–1093. (p. 122)

Dixon, J., Durrheim, K., & Tredoux, C. (2007). Intergroup contact and attitudes toward the principle and practice of racial equality. *Psychological Science, 18,* 867–872. (p. 564)

Dobbs, D. (2009, April). The post-traumatic stress trap. *Scientific American,* pp. 64–69. (p. 624)

Dobel, C., Diesendruck, G., & Bölte, J. (2007). How writing system and age influence spatial representations of actions: A developments, cross-linguistic study. *Psychological Science, 18,* 487–491. (p. 380)

Dodge, K. A. (2009). Mechanisms of gene-environment interaction effects in the development of conduct disorder. *Perspectives on Psychological Science, 4,* 408–414. (p. 650)

Doherty, E. W., & Doherty, W. J. (1998). Smoke gets in your eyes: Cigarette smoking and divorce in a national sample of American adults. *Families, Systems, and Health, 16,* 393–400. (p. 122)

Dohrenwend, B. P., Levav, I., Shrout, P. E., Schwartz, S., Naveh, G., Link, B. G., Skodol, A. E., & Stueve, A. (1992). Socioeconomic status and psychiatric disorders: The causation-selection issue. *Science, 255,* 946–952. (p. 618)

Dohrenwend, B. P., Pearlin, L., Clayton, P., Hamburg, B., Dohrenwend, B. P., Riley, M., & Rose, R. (1982). Report on stress and life events. In G. R. Elliott & C. Eisdorfer (Eds.), *Stress and human health: Analysis and implications of research* (A study by the Institute of Medicine/National Academy of Sciences). New York: Springer. (p. 490)

Doidge, N. (2007). *The brain that changes itself.* New York: Viking. (p. 81)

Dolezal, H. (1982). *Living in a world transformed.* New York: Academic Press. (p. 255)

Dolinoy, D. C., Huang, D., Jirtle, R. L. (2007). Maternal nutrient supplementation counteracts bisphenol A-induced DNA hypomethylation in early development. *Proceedings of the National Academic of Sciences, 104,* 13056–13061. (p. 143)

Domhoff, G. W. (1996). *Finding meaning in dreams: A quantitative approach.* New York: Plenum. (p. 112)

Domhoff, G. W. (2003). *The scientific study of dreams: Neural networks, cognitive development, and content analysis.* Washington, DC: APA Books. (pp. 113, 114)

Domhoff, G. W. (2007). Realistic simulations and bizarreness in dream content: Past findings and suggestions for future research. In D. Barrett & P. McNamara (Eds.), *The new science of dreaming: Content, recall, and personality characteristics.* Westport, CT: Praeger. (p. 112)

Domhoff, G. W. (2010). *The case for a cognitive theory of dreams.* Unpublished manuscript: University of California at Santa Cruz (dreamresearch.net/Library/domhoff2010.html). (p. 114)

Domhoff, G. W. (2011). The neural substrate for dreaming: Is it a subsystem of the default network? *Consciousness and Cognition, 20*(4), 1163–1174. (p. 114)

Domhoff, G. W. (2014, January 5). Personal communication. (p. 115)

Domjan, M. (1992). Adult learning and mate choice: Possibilities and experimental evidence. *American Zoologist, 32,* 48–61. (p. 284)

Domjan, M. (1994). Formulation of a behavior system for sexual conditioning. *Psychonomic Bulletin & Review, 1*, 421–428. (p. 284)

Domjan, M. (2005). Pavlovian conditioning: A functional perspective. *Annual Review of Psychology, 56*, 179–206. (pp. 284, 302)

Domjan, M., Cusato, B., & Krause, M. (2004). Learning with arbitrary versus ecological conditioned stimuli: Evidence from sexual conditioning. *Psychonomic Bulletin & Review, 11*, 232–246. (p. 302)

Donlea, J. M., Ramanan, N., & Shaw, P. J. (2009). Use-dependent plasticity in clock neurons regulates sleep need in *Drosophila*. *Science, 324*, 105–108. (p. 104)

Donnerstein, E. (1998). *Why do we have those new ratings on television?* Invited address to the National Institute on the Teaching of Psychology. (pp. 311, 312)

Donnerstein, E. (2011). The media and aggression: From TV to the Internet. In J. Forgas, A. Kruglanski, & K. Williams (eds.), *The psychology of social conflict and aggression*. New York: Psychology Press. (pp. 311, 312)

Donnerstein, E., Linz, D., & Penrod, S. (1987). *The question of pornography*. New York: Free Press. (p. 313)

Donvan, J., & Zucker, C. (2010, October). Autism's first child. *The Atlantic* (www. theatlantic.com). (p. 193)

Dorner, G. (1976). *Hormones and brain differentiation*. Amsterdam: Elsevier Scientific. (p. 444)

Dorner, G. (1988). Neuroendocrine response to estrogen and brain differentiation in heterosexuals, homosexuals, and transsexuals. *Archives of Sexual Behavior, 17*, 57–75. (p. 444)

Doss, B. D., Rhoades, G. K., Stanley, S. M., & Markman, H. J. (2009). The effect of the transition to parenthood on relationship quality: An 8-year prospective study. *Journal of Personality and Social Psychology, 96*, 601–619. (p. 222)

Dotan-Eliaz, O., Sommer, K. L., & Rubin, S. (2009). Multilingual groups: Effects of linguistic ostracism on felt rejection and anger, coworker attraction, perceived team potency, and creative performance. *Basic and Applied Social Psychology, 31*, 363–375. (p. 450)

Doty, R. L. (2001). Olfaction. *Annual Review of Psychology, 52*, 423–452. (p. 267)

Douglas, K. S., Guy, L. S., & Hart, S. D. (2009). Psychosis as a risk factor for violence to others: A meta-analysis. *Psychological Bulletin, 135*, 679–706. (p. 616)

Douthat, R. (2010, November 28). The partisan mind. *New York Times* (www.nytimes.com). (p. 542)

Dovidio, J. F., & Gaertner, S. L. (1999). Reducing prejudice: Combating intergroup biases. *Current Directions in Psychological Science, 8*, 101–105. (p. 565)

Dovidio, J. F., ten Vergert, M., Stewart, T. L., Gaertner, S. L., Johnson, J. D., Esses, V. M., Riek, B. M., & Pearson, A. R. (2004). Perspective and prejudice: Antecedents and mediating mechanisms. *Personality and Social Psychology Bulletin, 30*, 1537–1549. (p. 566)

Dowlati, Y., Herrmann, N., Swardfager, W., Liu, H., Sham, L., Reim, E. K., & Lanctôt, K. (2010). A meta-analysis of cytokines in major depression. *Biological Psychiatry, 67*, 466–457. (p. 634)

Downing, P. E., Jiang, Y., & Shuman, M. (2001). A cortical area selective for visual processing of the human body. *Science, 293*, 2470–2473. (p. 245)

Downs, E., & Smith, S. L. (2010). Keepin abreast of hypersexuality: A video game character content analysis. *Sex Roles, 62*, 721–733. (p. 439)

Doyle, R. (2005, March). Gay and lesbian census. *Scientific American*, p. 28. (p. 147)

Draguns, J. G. (1990a). Normal and abnormal behavior in cross-cultural perspective: Specifying the nature of their relationship. *Nebraska Symposium on Motivation 1989, 37*, 235–277. (pp. 609, 636)

Draguns, J. G. (1990b). Applications of cross-cultural psychology in the field of mental health. In R. W. Brislin (Ed.), *Applied cross-cultural psychology*. Newbury Park, CA: Sage. (p. 609)

Draguns, J. G. (1997). Abnormal behavior patterns across cultures: Implications for counseling and psychotherapy. *International Journal of Intercultural Relations, 21*, 213–248. (p. 609)

Drake, R. A., & Myers, L. R. (2006). Visual attention, emotion, and action tendency: Feeling active or passive. *Cognition and Emotion, 20*, 608–622. (p. 467)

Dreger, A. (2011, February 28). Do gay men have more sexual interest in children than straight men do? www.psychologytoday.com/blog/fetishes-i-dont-get/201102/do-gay-men-have-more-sexual-interest-in-children-straight-men-do. (p. 441)

Drew, T., Võ, M, L.-H., & Wolfe, J. M. (2013). Sustained inattentional blindness in expert observers. *Psychological Science, 24*, 1848–1853. (p. 98)

Driessen, E., Cuijpers, P., de Maat, S. C. M., Abbas, A. A., de Jonghe, F., & Dekker, J. J. M. (2010). The efficacy of short-term psychodynamic psychotherapy for depression: A meta-analysis. *Clinical Psychology Review, 30*, 25–36. (p. 676)

Druckman, D., & Bjork, R. A. (1991). *In the mind's eye: Enhancing human performance*. Washington, DC: National Academy Press. (p. 586)

Drummond, S. (2010). *Relationship between changes in sleep and memory in older adults*. Presentation at AAAS 2010 Annual Meeting, University of California, San Diego, CA. (p. 106)

Duckworth, A. L., Quinn, P. D., & Seligman, M. E. P. (2009). Positive predictors of teacher effectiveness. *Journal of Positive Psychology, 4*, 540–547. (p. 455)

Duckworth, A. L., Quinn, P. D., Lynam, D. R., Loeber, R., & Stouthamer-Loeber, M. (2011). Role of test motivation in intelligence testing. *PNAS, 108*, 7716–7720. (p. 409)

Duckworth, A. L., & Seligman, M. E. P. (2005). Discipline outdoes talent: Self-discipline predicts academic performance in adolescents. *Psychological Science, 12*, 939–944. (pp. 455, 503)

Duckworth, A. L., & Seligman, M. E. P. (2006). Self-discipline gives girls the edge: Gender in self-discipline, grades, and achievement tests. *Journal of Educational Psychology, 98*, 198–208. (p. 455)

Duckworth, A. L., Tsukayama, E., & Kirby, T.A. (2013). Is it really self-control? Examining the predictive power of the delay of gratification task. *Personality and Social Psychology Bulletin, 39*, 843–855. (p. 208)

Duclos, S. E., Laird, J. D., Sexter, M., Stern, L., & Van Lighten, O. (1989). Emotion-specific effects of facial expressions and postures on emotional experience. *Journal of Personality and Social Psychology, 57*, 100–108. (p. 474)

Dugan, A. (2014, March 17). Americans most likely to say global warming is exaggerated. www.gallup.com. (p. 520)

Dugatkin, L. A. (2002, Winter). Watching culture shape even guppy love. *Cerebrum*, pp. 51–66. (p. 307)

Duggan, J. P., & Booth, D. A. (1986). Obesity, overeating, and rapid gastric emptying in rats with ventromedial hypothalamic lesions. *Science, 231*, 609–611. (p. 426)

Dukakis, K. (2006). *Shock: The healing power of electroconvulsive therapy*. New York: Avery Press. (p. 686)

Dumont, K. A., Widom, C. S., & Czaja, S. J. (2007). Predictors of resilience in abused and neglected children grown-up: The role of individual and neighborhood characteristics. *Child Abuse & Neglect, 31*, 255–274. (p. 200)

Dunbar, R. I. M., Baron, R., Frangou, A., Pearce, E., van Leeuwin, E. J. C., Stow, J., . . . van Vugt, M. (2011). Social laughter is correlated with an elevated pain threshold. *Proceedings of the Royal Society B, 279*, 1161–1167. (p. 506)

Dunham, Y., Chen, E. E., & Banaji, M. R. (2013). Two signatures of implicit intergroup attitudes: Developmental invariance and early enculturation. *Psychological Science, 24*, 860–868. (p. 540)

Dunlop, W. L., & Tracy, J. L. (2013). Sobering stories: Narratives of self-redemption predict behavioral change and improved health among recovering alcoholics. *Journal of Personality and Social Psychology, 104*, 576–590. (p. 671)

Dunn, E. W., Aknin, L. B., & Norton, M. I. (2008). Spending money on others promotes happiness. *Science, 319*, 1687–1688. (p. 560)

Dunn, E., & Norton, M. (2013). *Happy money: The science of smarter spending*. New York: Simon & Schuster. (p. 560)

Dunn, M., & Searle, R. (2010). Effect of manipulated prestige-car ownership on both sex attractiveness ratings. *British Journal of Psychology, 101*, 69–80. (p. 149)

Dunning, D. (2006). Strangers to ourselves? *The Psychologist, 19*, 600–603. (p. 601)

Dunson, D. B., Colombo, B., & Baird, D. D. (2002). Changes with age in the level and duration of fertility in the menstrual cycle. *Human Reproduction, 17*, 1399–1403. (p. 214)

Durrheim, K., & Dixon, J. (2010). Racial contact and change in South Africa. *Journal of Social Issues, 66*, 273–288. (p. 564)

Dutton, D. G., & Aron, A. P. (1974). Some evidence for heightened sexual attraction under conditions of high anxiety. *Journal of Personality and Social Psychology, 30*, 510–517. (p. 556)

Dutton, D. G., & Aron, A. P. (1989). Romantic attraction and generalized liking for others who are sources of conflict-based arousal. *Canadian Journal of Behavioural Sciences, 21*, 246–257. (p. 556)

Dutton, K. (2012). *The wisdom of psychopaths: What saints, spies, and serial killers can teach us about success*. New York: Scientific American/Farrar, Straus and Giroux. (p. 649)

Dweck, C. S. (2006). *Mindset: The new psychology of success*. New York: Random House. (p. 409)

Dweck, C. S. (2012a). Implicit theories. In P. A. M. Van Lange, A. Kruglanski, & E. T. Higgins (Eds.), Handbook of theories of social psychology (Vol. 2, pp. 43–61). Thousand Oaks, CA: Sage. (p. 409)

Dweck, C. S. (2012b). Mindsets and human nature: Promoting change in the Middle East, the schoolyard, the racial divide, and willpower. *American Psychologist, 67*, 614–622. (p. 409)

Dye, M. W. G., Green, C. S., & Bavelier, D. (2009). Increasing speed of processing with action video games. *Current Directions in Psychological Science, 18*, 321–326. (p. 549)

Dyrdal, G. M., & Lucas, R. E. (2011). *Reaction and adaptation to the birth of a child: A couple level analysis.* Unpublished manuscript, Michigan State University. (p. 219)

Eagan, K., Lozano, J. B., Hurtado, S., & Case, M. H. (2013). *The American freshman: National norms Fall 2013.* Los Angeles: Higher Education Research Institute, UCLA (www.heri.ucla.ed). (p. 410)

Eagleman, D. (2011, September). Secret life of the mind. *Discover*, pp. 50–53. (p. 94)

Eagly, A. H. (1994). *Are people prejudiced against women?* Donald Campbell Award invited address, American Psychological Association convention. (p. 540)

Eagly, A. H. (2007). Female leadership advantage and disadvantage: Resolving the contradictions. *Psychology of Women Quarterly, 31*, 1–12. (p. A-12)

Eagly, A. H. (2009). The his and hers of prosocial behavior: An examination of the social psychology of gender. *American Psychologist, 64*, 644–658. (p. 163)

Eagly, A. H. (2013, March 20). Hybrid style works, and women are best at it. *New York Times* (www.nytimes.com). (p. A-12)

Eagly, A. H., Ashmore, R. D., Makhijani, M. G., & Kennedy, L. C. (1991). What is beautiful is good, but . . .: A meta-analytic review of research on the physical attractiveness stereotype. *Psychological Bulletin, 110*, 109–128. (p. 553)

Eagly, A. H., & Carli, L. (2007). *Through the labyrinth: The truth about how women become leaders.* Cambridge, MA: Harvard University Press. (p. 163)

Eagly, A. H., & Wood, W. (2013). The nature-nurture debates: 25 years of challenges in understanding the psychology of gender. *Perspectives on Psychological Science, 8*, 340–357. (p. 161)

Easterlin, R. A., Morgan, R., Switek, M., & Wang, F. (2012). China's life satisfaction, 1990–2010. *PNAS, 109*, 9670–9671. (pp. 482, 484)

Eastman, C. L., Boulos, Z., Terman, M., Campbell, S. S., Dijk, D-J., & Lewy, A. J. (1995). Light treatment for sleep disorders: Consensus report. VI. Shift work. *Journal of Biological Rhythms, 10*, 157–164. (p. 105)

Eastman, C. L., Young, M. A., Fogg, L. F., Liu, L., & Meaden, P. M. (1998). Bright light treatment of winter depression: A placebo-controlled trial. *Archives of General Psychiatry, 55*, 883–889. (p. 678)

Eastwick, P. W., & Finkel, E. J. (2008a). Speed-dating as a methodological innovation. *The Psychologist, 21*, 402–403. (p. 553)

Eastwick, P. W., & Finkel, E. J. (2008b). Sex differences in mate preferences revisited: Do people know what they initially desire in a romantic partner? *Journal of Personality and Social Psychology, 94*, 245–264. (p. 553)

Eastwick, P. W., Luchies, L. B., Finkel, E. J., & Hunt, L. L. (2014a). The predictive validity of ideal partner preferences: A review and meta-analysis. *Psychological Bulletin, 140*, 623–665. (p. 553)

Eastwick, P. W., Luchies, L. B., Finkel, E. J., & Hunt, L. L. (2014b). The many voices of Darwin's descendants: Reply to Schmitt (2014). *Psychological Bulletin, 140*, 673–681. (p. 553)

Ebbesen, E. B., Duncan, B., & Konecni, V. J. (1975). Effects of content of verbal aggression on future verbal aggression: A field experiment. *Journal of Experimental Social Psychology, 11*, 192–204. (p. 477)

Ebbinghaus, H. (1885/1964). *Memory: A contribution to experimental psychology* (H. A. Ruger & C. E. Bussenius, Trans.). New York: Dover. (pp. 325, 340)

Eberhardt, J. L. (2005). Imaging race. *American Psychologist, 60*, 181–190. (p. 540)

Eccles, J. S., Jacobs, J. E., & Harold, R. D. (1990). Gender role stereotypes, expectancy effects, and parents' socialization of gender differences. *Journal of Social Issues, 46*, 183–201. (p. 411)

Eckensberger, L. H. (1994). Moral development and its measurement across cultures. In W. J. Lonner & R. Malpass (Eds.), *Psychology and culture.* Boston: Allyn & Bacon. (p. 206)

Ecker, C. et al. (2012). Brain anatomy and its relationship to behavior in adults with autism spectrum disorder: A multicenter magnetic resonance imaging study. *Archives of General Psychiatry, 69*, 195–209. (p. 194)

Eckert, E. D., Heston, L. L., & Bouchard, T. J., Jr. (1981). MZ twins reared apart: Preliminary findings of psychiatric disturbances and traits. In L. Gedda, P. Paris, & W. D. Nance (Eds.), *Twin research: Vol. 3. Pt. B. Intelligence, personality, and development.* New York: Alan Liss. (p. 626)

Eckholm, E. (2010, September 21). Woman on death row runs out of appeals. *New York Times* (www.nytimes.com). (p. 404)

Ecklund-Flores, L. (1992). *The infant as a model for the teaching of introductory psychology.* Paper presented at the American Psychological Association annual convention. (p. 182)

Economist. (2001, December 20). An anthropology of happiness. *The Economist* (www.economist.com/world/asia). (p. 449)

Edwards, A. C., & Kendler, K. S. (2012). A twin study of depression and nicotine dependence: Shared liability or causal relationship? *Journal of Affective Disorders, 142*, 90–97. (p. 122)

Edwards, R. R., Campbell, C., Jamison, R. N., & Wiech, K. (2009). The neurobiological underpinnings of coping with pain. *Current Directions in Psychological Science, 18*, 237–241. (p. 264)

Egan, P. J., & Mullin, M. (2012). Turning personal experience into political attitudes: The effects of local weather on Americans' perceptions about global warming. *Journal of Politics, 74*, 796–809. (p. 360)

Eibl-Eibesfeldt, I. (1971). *Love and hate: The natural history of behavior patterns.* New York: Holt, Rinehart & Winston. (p. 472)

Eich, E. (1990). Learning during sleep. In R. B. Bootzin, J. F. Kihlstrom, & D. L. Schacter (Eds.), *Sleep and cognition.* Washington, DC: American Psychological Association. (p. 113)

Ein-Dor, T., Mikulincer, M., Doron, G., & Shaver, P. R. (2010). The attachment paradox: How can so many of us (the insecure ones) have no adaptive advantages? *Perspectives on Psychological Science, 5*, 123–141. (p. 199)

Ein-Dor, T., & Perry, A. (2012). Scared saviors: Evidence that people high in attachment anxiety are more effective in alerting others to threat. *European Journal of Social Psychology, 42*, 667–671. (p. 199)

Ein-Dor, T., & Perry, A. (2013, April). Full house of fears: Evidence that people high in attachment anxiety are more accurate in detecting deceit. *Journal of Personality, 82*, 83–92. (p. 199)

Einstein, G. O., & McDaniel, M. A. (1990). Normal aging and prospective memory. *Journal of Experimental Psychology: Learning, Memory, and Cognition, 16*, 717–726. (p. 217)

Einstein, G. O., McDaniel, M. A., Richardson, S. L., Guynn, M. J., & Cunfer, A. R. (1995). Aging and prospective memory: Examining the influences of self-initiated retrieval processes. *Journal of Experimental Psychology: Learning, Memory, and Cognition, 21*, 996–1007. (p. 217)

Einstein, G. O., McDaniel, M. A., Smith, R. E., & Shaw, P. (1998). Habitual prospective memory and aging: Remembering intentions and forgetting actions. *Psychological Science, 9*, 284–288. (p. 217)

Eippert, F., Finsterbush, J., Bingel, U., & Bùchel, C. (2009). Direct evidence for spinal cord involvement in placebo analgesia. *Science, 326*, 404. (p. 264)

Eisenberg, D., Hunt, Speer, & Zivin, K. (2011). Mental health service utilization among college students in the United States. *The Journal of Nervous and Mental Disease, 199*, 301–308. (p. 609)

Eisenberg, N., & Lennon, R. (1983). Sex differences in empathy and related capacities. *Psychological Bulletin, 94*, 100–131. (p. 471)

Eisenberger, N. I. (2012). Broken hearts and broken bones: A neural perspective on the similarities between social and physical pain. *Current Directions in Psychological Science, 21*, 42–47. (p. 450)

Eisenberger, N. I., Master, S. L., Inagaki, T. K., Taylor, S.E., Shirinyan, D., Lieberman, M. D., & Naliboff, B. D. (2011). Attachment figures activate a safety signal-related neural region and reduce pain experience. *Proceedings of the National Academy of Sciences, 108*, 11721–11726. (p. 449)

Eisenberger, R., & Aselage, J. (2009). Incremental effects of reward on experienced performance pressure: Positive outcomes for intrinsic interest and creativity. *Journal of Organizational Behavior, 30*, 95–117. (p. 305)

Ekman, P. (1994). Strong evidence for universals in facial expressions: A reply to Russell's mistaken critique. *Psychological Bulletin, 115*, 268–287. (p. 472)

Ekman, P., & Friesen, W. V. (1975). *Unmasking the face.* Englewood Cliffs, NJ: Prentice-Hall. (p. 472)

Ekman, P., Friesen, W. V., O'Sullivan, M., Chan, A., Diacoyanni-Tarlatzis, I., Heider, K., . . . Tzavaras, A. (1987). Universals and cultural differences in the judgments of facial expressions of emotion. *Journal of Personality and Social Psychology, 53*, 712–717. (p. 472)

Elbert, T., Pantev, C., Wienbruch, C., Rockstroh, B., & Taub, E. (1995). Increased cortical representation of the fingers of the left hand in string players. *Science, 270*, 305–307. (p. 152)

Elbogen, E. B., & Johnson, S. C. (2009). The intricate link between violence and mental disorder: Results from the National Epidemiologic Survey on Alcohol and Related Conditions. *Archives of General Psychiatry, 66,* 152–161. (p. 616)

Elfenbein, H. A., & Ambady, N. (2002). On the universality and cultural specificity of emotion recognition: A meta-analysis. *Psychological Bulletin, 128,* 203–235. (p. 472)

Elfenbein, H. A., & Ambady, N. (2003a). When familiarity breeds accuracy: Cultural exposure and facial emotion recognition. *Journal of Personality and Social Psychology, 85,* 276–290. (p. 472)

Elfenbein, H. A., & Ambady, N. (2003b). Universals and cultural differences in recognizing emotions. *Current Directions in Psychological Science, 12,* 159–164. (p. 472)

Elkind, D. (1970). The origins of religion in the child. *Review of Religious Research, 12,* 35–42. (p. 206)

Elkind, D. (1978). *The child's reality: Three developmental themes.* Hillsdale, NJ: Erlbaum. (p. 205)

Elkins, G., Johnson, A., & Fisher, W. (2012). Cognitive hypnotherapy for pain management. *American Journal of Clinical Hypnosis, 54,* 294–310. (p. 265)

Ellenbogen, J. M., Hu, P. T., Payne, J. D., Titone, D., & Walker, M. P. (2007). Human relational memory requires time and sleep. *Proceedings of the National Academy of Sciences, 104,* 7723–7728. (p. 106)

Elliot, A. J., Greitemeyer, T., & Pazda, A.D. (2013). Women's use of red clothing as a sexual signal in intersexual interaction. *Journal of Experimental Social Psychology, 49,* 599–602. (p. 303)

Elliot, A. J., Kayser, D. N., Greitemeyer, T., Lichtenfeld, S., Gramzow, R. H., Maier, M. A., & Liu, H. (2010). Red, rank, and romance in women viewing men. *Journal of Experimental Psychology: General, 139,* 399–417. (p. 303)

Elliot, A. J., & Niesta, D. (2008). Romantic red: Red enhances men's attraction to women. *Journal of Personality and Social Psychology, 95,* 1150–1164. (p. 302)

Elliot, A. J., Tracy, J. L., Pazda, A. D., & Beall, A. T. (2013). Red enhances women's attractiveness to men: First evidence suggesting universality. *Journal of Experimental Social Psychology, 49,* 165–168. (p. 302)

Ellis, A., & Becker, I. M. (1982). *A guide to personal happiness.* North Hollywood, CA: Wilshire Book Co. (p. 288)

Ellis, B. J., Bates, J. E., Dodge, K. A., Fergusson, D. M., John, H. L., Pettit, G. S., & Woodward, L. (2003). Does father absence place daughters at special risk for early sexual activity and teenage pregnancy? *Child Development, 74,* 801–821. (p. 439)

Ellis, B. J., & Boyce, W. T. (2008). Biological sensitivity to context. *Current Directions in Psychological Science, 17,* 183–187. (p. 626)

Ellis, B. J., Schlomer, G. L., Tilley, E. H., & Butler, E. A. (2012). Impact of fathers on risky sexual behavior in daughters: A genetically and environmentally controlled sibling study. *Development and Psychopathology, 24,* 317–332. (p. 204)

Ellis, L., & Ames, M. A. (1987). Neurohormonal functioning and sexual orientation: A theory of homosexuality-heterosexuality. *Psychological Bulletin, 101,* 233–258. (p. 444)

Ellison-Wright, I., Glahn, D. C., Laird, A. R., Thelen, S. M., & Bullmore, E. (2008). The anatomy of first-episode and chronic schizophrenia: An anatomical likelihood estimation meta-analysis. *American Journal of Psychiatry, 165,* 1015–1023. (p. 642)

Else-Quest, N. M., Hyde, J. S., & Linn, M. C. (2010). Cross-national patterns of gender differences in mathematics: A meta-analysis. *Psychological Bulletin, 136,* 103–127. (p. 410)

Elzinga, B. M., Ardon, A. M., Heijnis, M. K., De Ruiter, M. B., Van Dyck, R., & Veltman, D. J. (2007). Neural correlates of enhanced working-memory performance in dissociative disorder: A functional MRI study. *Psychological Medicine, 37,* 235–245. (p. 648)

EMDR. (2011, February 18). E-mail correspondence from Robbie Dunton, EMDR Institute (www.emdr.org). (p. 677)

Emerging Trends. (1997, September). *Teens turn more to parents than friends on whether to attend church.* Princeton, NJ: Princeton Religion Research Center. (p. 211)

Emmons, R. A. (2007). *Thanks! How the new science of gratitude can make you happier.* Boston: Houghton Mifflin. (p. 487)

Emmons, S., Geisler, C., Kaplan, K. J., & Harrow, M. (1997). *Living with schizophrenia.* Muncie, IN: Taylor and Francis (Accelerated Development). (pp. 609, 640)

Empson, J. A. C., & Clarke, P. R. F. (1970). Rapid eye movements and remembering. *Nature, 227,* 287–288. (p. 113)

Endler, N. S. (1982). *Holiday of darkness: A psychologist's personal journey out of his depression.* New York: Wiley. (pp. 634, 686)

Engelstätter, B. A., Cunningham, S., & Ward, M. R. (2011). *Understanding the effects of violent video games on violent crime.* ZEW Discussion Paper No. 11–042. (p. 549)

Engemann, K. M., & Owyang, M. T. (2005, April). So much for that merit raise: The link between wages and appearance. *Regional Economist* (www.stlouisfed.org). (p. 554)

Engen, T. (1987). Remembering odors and their names. *American Scientist, 75,* 497–503. (p. 268)

Engle, R. W. (2002). Working memory capacity as executive attention. *Current Directions in Psychological Science, 11,* 19–23. (p. 320)

Entringer, S., Buss, C., Andersen, J., Chicz-DeMet, A., & Wadhwa, P. D. (2011). Ecological momentary assessment of maternal cortisol profiles over a multiple-day period predicts the length of human gestation. *Psychosomatic Medicine, 73,* 469–474. (p. 489)

Epel, E. S. (2009). Telomeres in a life-span perspective: A new "psychobiomarker"? *Current Directions in Psychological Science, 18,* 6–9. (p. 215)

Epel, E. S., Blackburn, E. H., Lin, J., Dhabhar, F. S., Adler, N. E., Morrow, J. D., & Cawthon, R. M. (2004). Accelerated telomere shortening in response to life stress. *Proceedings of the National Academy of Sciences, 101,* 17312–17315. (p. 492)

Epley, N., & Dunning, D. (2000). Feeling "holier than thou": Are self-serving assessments produced by errors in self- or social prediction? *Journal of Personality and Social Psychology, 79,* 861–875. (p. 602)

Epley, N., Keysar, B., Van Boven, L., & Gilovich, T. (2004). Perspective taking as egocentric anchoring and adjustment. *Journal of Personality and Social Psychology, 87,* 327–339. (p. 190)

Epley, N., Savitsky, K., & Gilovich, T. (2002). Empathy neglect: Reconciling the spotlight effect and the correspondence bias. *Journal of Personality and Social Psychology, 83,* 300–312. (p. 599)

Epstein, J., Stern, E., & Silbersweig, D. (1998). Mesolimbic activity associated with psychosis in schizophrenia: Symptom-specific PET studies. In J. F. McGinty (Ed.), *Advancing from the ventral striatum to the extended amygdala: Implications for neuropsychiatry and drug use: In honor of Lennart Heimer. Annals of the New York Academy of Sciences, 877,* 562–574. (p. 642)

Epstein, R. (2012, October). Brutal truths about the aging brain. *Discover,* pp. 48–50, 70. (p. 216)

Epstein, S. (1983a). Aggregation and beyond: Some basic issues on the prediction of behavior. *Journal of Personality, 51,* 360–392. (p. 592)

Epstein, S. (1983b). The stability of behavior across time and situations. In R. Zucker, J. Aronoff, & A. I. Rabin (Eds.), *Personality and the prediction of behavior.* San Diego: Academic Press. (p. 592)

Eranti, S. V., MacCabe, J. H., Bundy, H., & Murray, R. M. (2013). Gender difference in age at onset of schizophrenia: A meta-analysis. *Psychological Medicine, 43,* 155–167. (p. 641)

Erdberg, P. (1990). Rorschach assessment. In G. Goldstein & M. Hersen (Eds.), *Handbook of psychological assessment* (2nd ed.). New York: Pergamon. (p. 578)

Erdelyi, M. H. (1985). *Psychoanalysis: Freud's cognitive psychology.* New York: Freeman. (p. 580)

Erdelyi, M. H. (1988). Repression, reconstruction, and defense: History and integration of the psychoanalytic and experimental frameworks. In J. Singer (Ed.), *Repression: Defense mechanism and cognitive style.* Chicago: University of Chicago Press. (p. 580)

Erdelyi, M. H. (2006). The unified theory of repression. *Behavioral and Brain Sciences, 29,* 499–551. (p. 580)

Erel, O., & Burman, B. (1995). Interrelatedness of marital relations and parent-child relations: A meta-analytic review. *Psychological Bulletin, 118,* 108–132. (p. 222)

Erickson, K. I. (2009). Aerobic fitness is associated with hippocampal volume in elderly humans. *Hippocampus, 19,* 1030–1039. (p. 216)

Erickson, K. I., Banducci, S. E., Weinstein, A. M., MacDonald, Angus W., I., II, Ferrell, R. E., . . . Manuck, S. B. (2013). The brain-derived neurotrophic factor Val66met polymorphism moderates an effect of physical activity on working memory performance. *Psychological Science, 24,* 1770–1779. (p. 216)

Erickson, M. F., & Aird, E. G. (2005). *The motherhood study: Fresh insights on mothers' attitudes and concerns.* New York: The Motherhood Project, Institute for American Values. (p. 222)

Ericsson, K. A. (2001). Attaining excellence through deliberate practice: Insights from the study of expert performance. In M. Ferrari (Ed.), *The pursuit of excellence in education.* Hillsdale, NJ: Erlbaum. (p. 455)

Ericsson, K. A. (2002). Attaining excellence through deliberate practice: Insights from the study of expert performance. In C. Desforges & R. Fox (Eds.), *Teaching and learning: The essential readings.* Malden, MA: Blackwell Publishers. (p. 390)

Ericsson, K. A. (2006). The influence of experience and deliberate practice on the development of superior expert performance. In K. A. Ericsson, N. Charness, P. J. Feltovich, & R. R. Hoffman (Eds.), *The Cambridge handbook of expertise and expert performance.* Cambridge: Cambridge University Press. (p. 455)

Ericsson, K. A. (2007). Deliberate practice and the modifiability of body and mind: Toward a science of the structure and acquisition of expert and elite performance. *International Journal of Sport Psychology, 38*, 4–34. (pp. 390, 409, 455)

Ericsson, K. A., Krampe, R. T., & Tesch-Römer, C. (1993). The role of deliberate practice in the acquisition of expert performance. *Psychological Review, 100*, 363–406. (p. 106)

Ericsson, K. A., Roring, R. W., & Nandagopal, K. (2007). Giftedness and evidence for reproducibly superior performance: An account based on the expert performance framework. *High Ability Studies, 18*, 3–56. (p. 390)

Erikson, E. H. (1963). *Childhood and society.* New York: Norton. (pp. 208, 209)

Erikson, E. H. (1983, June). A conversation with Erikson (by E. Hall). *Psychology Today*, pp. 22–30. (p. 199)

Ermer, E., Kahn, R. E., Salovey, P., & Kiehl, K. A. (2012). Emotional intelligence in incarcerated men with psychopathic traits. *Journal of Personality and Social Psychology, 103*, 194–204. (p. 649)

Erol, R. Y., & Orth, U. (2011). Self-esteem development from age 14 to 30 years: A longitudinal study. *Journal of Personality and Social Psychology, 101*, 607–619. (p. 210)

Ert, E., Yechiam, E., & Arshavsky, O. (2013). Smokers' decision making: More than mere risk taking. PLOS ONE, 8(7), e68064. (p. 208)

Ertmer, D. J., Young, N. M., & Nathani, S. (2007). Profiles of focal development in young cochlear implant recipients. *Journal of Speech, Language, and Hearing Research, 50*, 393–407. (p. 373)

Escasa, M. J., Casey, J. F., & Gray, P. B. (2011). Salivary testosterone levels in men at a U.S. sex club. *Archives of Sexual Behavior, 40*, 921–926. (p. 434)

Escobar-Chaves, S. L., Tortolero, S. R., Markham, C. M., Low, B. J., Eitel, P., & Thickstun, P. (2005). Impact of the media on adolescent sexual attitudes and behaviors. *Pediatrics, 116*, 303–326. (p. 439)

Escobedo, J. R., & Adolphs, R. (2010). Becoming a better person: Temporal remoteness biases autobiographical memories for moral events. *Emotion, 10*, 511–518. (p. 604)

Eskine, K. J., Kacinik, N. A., & Prinz, J. J. (2011). A bad taste in the mouth: Gustatory disgust influences moral judgment. *Psychological Science, 22*, 295–299. (p. 206)

ESPAD. (2003). *Summary of the 2003 findings.* European School Survey Project on Alcohol and Other Drugs. (www.espad.org). (p. 129)

Esposito, G., Yoshida, S., Ohnishi, R., et al. (2013). Infant calming responses during maternal carrying in humans and mice. *Current Biology, 23*, 739–745. (p. 448)

Esser, J. K., & Lindoerfer, J. S. (1989). Groupthink and the space shuttle *Challenger* accident: Toward a quantitative case analysis. *Journal of Behavioral Decision Making, 2*, 167–177. (p. 535)

Esterson, A. (2001). The mythologizing of psychoanalytic history: Deception and self-deception in Freud's accounts of the seduction theory episode. *History of Psychiatry, 12*, 329–352. (p. 579)

Etkin, A., & Wager, T. D. (2007). Functional neuroimaging of anxiety: A meta-analysis of emotional processing in PTSD, social anxiety disorder, and specific phobia. *American Journal of Psychiatry, 164*, 1476–1488. (p. 626)

Eurich, T. L., Krause, D. E., Cigularov, K., & Thornton, G. C., III. (2009). Assessment centers: Current practices in the United States. *Journal of Business Psychology, 24*, 387–407. (p. 597)

Euston, D. R., Tatsuno, M., & McNaughton, B. L. (2007). Fast-forward playback of recent memory sequences in prefrontal cortex during sleep. *Science, 318*, 1147–1150. (p. 330)

Evans, C. R., & Dion, K. L. (1991). Group cohesion and performance: A meta-analysis. *Small Group Research, 22*, 175–186. (p. A-12)

Evans, G. W., Palsane, M. N., & Carrere, S. (1987). Type A behavior and occupational stress: A cross-cultural study of blue-collar workers. *Journal of Personality and Social Psychology, 52*, 1002–1007. (p. 497)

Evans, J. St. B. T. & Stanovich, K. E. (2013). Dual-process theories of higher cognition: Advancing the debate. *Perspectives on Psychological Science, 8*, 223–241. (p. 94)

Evans, N., & Levinson, S. C. (2009). The myth of language universals: Language diversity and its importance for cognitive science. *Behavioral and Brain Sciences, 32*, 429–492. (p. 373)

Evers, A., et al. (2012). Testing practices in the 21st century: Developments and European psychologists' opinions. *European Psychologist, 17*, 300–319. (p. 395)

Everson, S. A., Goldberg, D. E., Kaplan, G. A., Cohen, R. D., Pukkala, E., Tuomilehto, J., & Salonen, J. T. (1996). Hopelessness and risk of mortality and incidence of myocardial infarction and cancer. *Psychosomatic Medicine, 58*, 113–121. (p. 505)

Exline, J. J., Baumeister, R. F., Bushman, B. J., Campbell, W. K., & Finkel, E. J. (2004). Too proud to let go: Narcissistic entitlement as a barrier to forgiveness. *Journal of Personality and Social Psychology, 87*, 894–912. (p. 604)

Exner, J. E. (2003). *The Rorschach: A comprehensive system* (4th ed.). Hoboken, NJ: Wiley. (p. 578)

Eysenck, H. J. (1952). The effects of psychotherapy: An evaluation. *Journal of Consulting Psychology, 16*, 319–324. (p. 674)

Eysenck, H. J. (1990, April 30). An improvement on personality inventory. *Current Contents: Social and Behavioral Sciences, 22*(18), 20. (p. 587)

Eysenck, H. J. (1992). Four ways five factors are *not* basic. *Personality and Individual Differences, 13*, 667–673. (p. 587)

Eysenck, H. J., & Grossarth-Maticek, R. (1991). Creative novation behaviour therapy as a prophylactic treatment for cancer and coronary heart disease: Part II—Effects of treatment. *Behaviour Research and Therapy, 29*, 17–31. (p. 510)

Eysenck, H. J., Wakefield, J. A., Jr., & Friedman, A. F. (1983). Diagnosis and clinical assessment: The DSM-III. *Annual Review of Psychology, 34*, 167–193. (p. 614)

Eysenck, S. B. G., & Eysenck, H. J. (1963). The validity of questionnaire and rating assessments of extraversion and neuroticism, and their factorial stability. *British Journal of Psychology, 54*, 51–62. (p. 587)

Fabiano, G. A., Pelham, W. E., Jr., Coles, E. K., Gnagy, E. M., Chronis-Tuscano, A., & O'Connor, B. C. (2008). A meta-analysis of behavioral treatments for attention-deficit/hyperactivity disorder. *Clinical Psychology Review, 29*, 129–140. (p. 615)

Fabiansson, E. C., Denson, T. F., Moulds, M. L., Grisham, J. R., & Schira, M. M. (2012). Don't look back in anger: Neural correlates of reappraisal, analytical rumination, and angry rumination during a recall of an anger-inducing autobiographical memory. *NeuroImage, 59*, 2974–2981. (p. 478)

Fagan, J. F. (2011). Intelligence in infancy. In R. J. Sternberg & S. B. Kaufman (Eds.), *The Cambridge handbook of intelligence.* New York: Cambridge University Press. (p. 401)

Fagan, J. F., & Holland, C. R. (2007). Equal opportunity and racial differences in IQ. *Intelligence, 30*, 361–387. (p. 412)

Fagan, J. F., & Holland, C. R. (2007). Racial equality in intelligence: Predictions from a theory of intelligence as processing. *Intelligence, 35*, 319–334. (p. 413)

Fagan, J. F., & Holland, C. R. (2009). Culture-fair prediction of academic achievement. *Intelligence, 37*, 62–67. (p. 413)

Fairfield, H. (2012, February 4). Girls lead in science exam, but NOT in the United States. *New York Times* (www.nytimes.com). (p. 411)

Falk, C. F., Heine, S. J., Yuki, M., & Takemura, K. (2009). Why do Westerners self-enhance more than East Asians? *European Journal of Personality, 23*, 183–203. (p. 602)

Falk, R., Falk, R., & Ayton, P. (2009). Subjective patterns of randomness and choice: Some consequences of collective responses. *Journal of Experimental Psychology: Human Perception and Performance, 35*, 203–224. (p. 22)

Fanti, K. A., Vanman, E., Henrich, C. C., & Avraamides, M. N. (2009). Desensitization to media violence over a short period of time. *Aggressive Behavior, 35*, 179–187. (p. 312)

Farah, M. J., Rabinowitz, C., Quinn, G. E., & Liu, G. T. (2000). Early commitment of neural substrates for face recognition. *Cognitive Neuropsychology, 17*, 117–124. (p. 81)

Farb, N. A. S., Anderson, A. K., Mayberg, H., Bean, J., McKeon, D., & Segal, Z. V. (2010). Minding one's emotions: Mindfulness training alters the neural expression of sadness. *Emotion, 10*, 25–33. (p. 511)

Farina, A. (1982). The stigma of mental disorders. In A. G. Miller (Ed.), *In the eye of the beholder.* New York: Praeger. (pp. 611, 614)

Farley, M., Baral, I., Kiremire, M., & Sezgin, U. (1998). Prostitution in five countries: Violence and post-traumatic stress disorder. *Feminism and Psychology, 8*, 405–426. (p. 623)

Farrington, D. P. (1991). Antisocial personality from childhood to adulthood. *The Psychologist: Bulletin of the British Psychological Society, 4*, 389–394. (p. 649)

Fatemi, S. H., & Folsom, T. D. (2009). The neurodevelopmental hypothesis of schizophrenia, revisited. *Schizophrenia Bulletin, 35*, 528–548. (p. 642)

Fazel, S., Langstrom, N., Hjern, A., Grann, M., & Lichtenstein, P. (2009). Schizophrenia, substance abuse, and violent crime. *JAMA, 301*, 2016–2023. (p. 616)

Fazel, S., Lichtenstein, P., Grann, M., Goodwin, G. M., & Långström, N. (2010). Bipolar disorder and violent crime: New evidence from population-based longitudinal studies and systematic review. *Archives of General Psychiatry, 67*, 931–938. (p. 616)

Feder, H. H. (1984). Hormones and sexual behavior. *Annual Review of Psychology*, 35, 165–200. (p. 433)

Feeney, D. M. (1987). Human rights and animal welfare. *American Psychologist*, 42, 593–599. (p. 40)

Feeney, J. A., & Noller, P. (1990). Attachment style as a predictor of adult romantic relationships. *Journal of Personality and Social Psychology*, 58, 281–291. (p. 199)

Feigenson, L., Carey, S., & Spelke, E. (2002). Infants' discrimination of number vs. continuous extent. *Cognitive Psychology*, 44, 33–66. (p. 188)

Feinberg, M., Willer, R., Antonenko, O., & John, O. P. (2012). Liberating reason from the passions: Overriding intuitionist moral judgments through emotion reappraisal. *Psychological Science*, 23, 788–795. (p. 207)

Feinberg, M., Willer, R., & Schultz, M. (2014). Gossip and ostracism promote cooperation in groups. *Psychological Science*, 25, 656–664. (p. 448)

Feingold, A. (1992). Good-looking people are not what we think. *Psychological Bulletin*, 111, 304–341. (p. 553)

Feingold, A., & Mazzella, R. (1998). Gender differences in body image are increasing. *Psychological Science*, 9, 190–195. (p. 652)

Feinstein, J. S., Buzza, C., Hurlemann, R., Follmer, R. L., Dahdaleh, N. S., Coryell, W. H., . . . Wemmie, J. A. (2013). Fear and panic in humans with bilateral amygdala damage. *Nature Neuroscience*, 16, 270–272. (p. 71)

Feinstein, J. S., Duff, M. C., & Tranel, D. (2010, April 27). Sustained experiences of emotion after loss of memory in patients with amnesia. *Proceedings of the National Academy of Sciences*, 107, 7674–7679. (pp. 64, 331)

Feldman, M. B., & Meyer, I. H. (2010). Comorbidity and age of onset of eating disorders in gay men, lesbians, and bisexuals. *Psychiatry research*, 180, 126–131. (p. 652)

Feldman, R., Rosenthal, Z., & Eidelman, A. I. (2014). Maternal-preterm skin-to-skin contact enhances child physiologic organization and cognitive control across the first 10 years of life. *Biological Psychiatry*, 75, 56–64. (p. 153)

Fellinger, J., Holzinger, D., Gerich, J., & Goldberg, D. (2007). Mental distress and quality of life in the hard of hearing. *Acta Psychiatrica Scandinavica*, 115, 243–245. (p. 375)

Feng, J., Spence, I., & Pratt, J. (2007). Playing an action video game reduces gender differences in spatial cognition. *Psychological Science*, 18, 850–855. (p. 410)

Fenn, K. M., & Hambrick, D. Z. (2012). Individual differences in working memory capacity predict sleep-dependent memory consolidation. *Journal of Experimental Psychology: General*, 141(3), 404–410. (p. 324)

Fenn, K. M., Shintel, H., Atkins, A. S., Skipper, J. I., Bond, V. C., & Nusbaum, H. C. (2011). When less is heard than meets the ear: Change deafness in a telephone conversation. *Quarterly Journal of Experimental Psychology*, 64, 1442–1456. (p. 99)

Fenton, W. S., & McGlashan, T. H. (1991). Natural history of schizophrenia subtypes: II. Positive and negative symptoms and long-term course. *Archives of General Psychiatry*, 48, 978–986. (p. 641)

Fenton, W. S., & McGlashan, T. H. (1994). Antecedents, symptom progression, and long-term outcome of the deficit syndrome in schizophrenia. *American Journal of Psychiatry*, 151, 351–356. (p. 641)

Ferguson, C. (2009, June 14). Not every child is secretly a genius. *The Chronicle Review* (http://chronicle.com/article/Not-Every-Child-Is-Secretly/48001). (p. 389)

Ferguson, C. J. (2009). Media violence effects: Confirmed truth or just another X-file? *Journal of Forensic Psychology Practice*, 9, 103–126. (p. 312)

Ferguson, C. J. (2010). A meta-analysis of normal and disordered personality across the life span. *Journal of Personality and Social Psychology*, 98, 659–667. (p. 179)

Ferguson, C. J. (2013). Spanking, corporal punishment and negative long-term outcomes: A meta-analytic review of longitudinal studies. *Clinical Psychology Review*, 33, 196–208. (p. 296)

Ferguson, C. J. (2013). Violent video games and the Supreme Court: Lessons for the scientific community in the wake of Brown v. Entertainment Merchants Association. *American Psychologist*, 68, 57–74. (p. 549)

Ferguson, C. J. (2014). Is video game violence bad? *Psychologist*, 27, 324–327. (p. 549)

Ferguson, C. J., San Miguel, C., Garza, A., & Jerabeck, J. M. (2011). A longitudinal test of video game violence influences on dating and aggression: A 3-year longitudinal study of adolescents. *Journal of Psychiatric Research*, 46, 141–146. (pp. 118, 615)

Ferguson, C. J., Winegard, B., & Winegard, B. M. (2011). Who is the fairest one of all? How evolution guides peer and media influences on female body dissatisfaction. *Review of General Psychology*, 15, 11–28. (p. 653)

Ferguson, E. D. (1989). Adler's motivational theory: An historical perspective on belonging and the fundamental human striving. *Individual Psychology*, 45, 354–361. (p. 448)

Ferguson, E. D. (2001). Adler and Dreikurs: Cognitive-social dynamic innovators. *Journal of Individual Psychology*, 57, 324–341. (p. 448)

Ferguson, E. D. (2003). Social processes, personal goals, and their intertwining: Their importance in Adlerian theory and practice. *Journal of Individual Psychology*, 59, 136–144. (p. 576)

Ferguson, E. D. (2010). Editor's notes: Adler's innovative contributions regarding the need to belong. *Journal of Individual Psychology*, 66(1), 1–7. (p. 448)

Ferguson, M. J., & Zayas, V. (2009). Automatic evaluation. *Current Directions in Psychological Science*, 18, 362–366. (p. 232)

Fergusson, D. M., Boden, J. M., & Horwood, L. J. (2009). Tests of causal links between alcohol abuse or dependence and major depression. *Archives of General Psychiatry*, 66, 260–266. (p. 634)

Fergusson, D. M., & Woodward, L. G. (2002). Mental health, educational, and social role outcomes of adolescents with depression. *Archives of General Psychiatry*, 59, 225–231. (p. 632)

Fernandez-Dols, J-M., & Ruiz-Belda, M-A. (1995). Are smiles a sign of happiness? Gold medal winners at the Olympic Games. *Journal of Personality and Social Psychology*, 69, 1113–1119. (p. 473)

Fernbach, P. M., Rogers, T., Fox, C. R., & Sloman, S. A. (2013). Political extremism is supported by an illusion of understanding. *Psychological Science*, 24, 939–946. (p. 361)

Fernyhough, C. (2008). Getting Vygotskian about theory of mind: Mediation, dialogue, and the development of social understanding. *Developmental Review*, 28, 225–262. (p. 191)

Ferrari, A. J., Charlson, F. J., Norman, R. E., Patten, S. B., Freedman, G., Murray, C. J. L., Vos, T., & Whiteford, H. A. (2013). Burden of depressive disorders by country, sex, age, and year: Findings from the Global Burden of Disease Study 2010. *PLOS Medicine*, 10, e1001547. (pp. 631, 636)

Ferri, M., Amato, L., & Davoli, M. (2006). Alcoholics Anonymous and other 12-step programmes for alcohol dependence. *Cochrane Database of Systematic Reviews*, Issue 3. Art. No. CD005032. (p. 671)

Ferriman, K., Lubinski, D., & Benbow, C. P. (2009). Work preferences, life values, and personal views of top math/science graduate students and the profoundly gifted: Developmental changes and gender differences during emerging adulthood and parenthood. *Journal of Personality and Social Psychology*, 97, 517–522. (p. 164)

Ferris, C. F. (1996, March). The rage of innocents. *The Sciences*, pp. 22–26. (p. 200)

Festinger, L. (1957). *A theory of cognitive dissonance*. Stanford: Stanford University Press. (p. 523)

Feynman, R. (1997). Quoted by E. Hutchings (Ed.), *"Surely you're joking, Mr. Feynman."* New York: Norton. (p. 20)

Fiedler, F. E. (1981). Leadership effectiveness. *American Behavioral Scientist*, 24, 619–632. (p. A-11)

Fiedler, F. E. (1987, September). When to lead, when to stand back. *Psychology Today*, pp. 26–27. (p. A-12)

Fiedler, K., Nickel, S., Muehlfriedel, T., & Unkelbach, C. (2001). Is mood congruency an effect of genuine memory or response bias? *Journal of Experimental Social Psychology*, 37, 201–214. (p. 336)

Field, A. P. (2006). I don't like it because it eats sprouts: Conditioning preferences in children. *Behaviour Research and Therapy*, 44, 439–455. (p. 304)

Field, A. P. (2006). Is conditioning a useful framework for understanding the development and treatment of phobias? *Clinical Psychology Review*, 26, 857–875. (p. 624)

Field, T., Diego, M., & Hernandez-Reif, M. (2007). Massage therapy research. *Developmental Review*, 27, 75–89. (p. 153)

Field, T., Hernandez-Reif, M., Feijo, L., & Freedman, J. (2006). Prenatal, perinatal and neonatal stimulation: A survey of neonatal nurseries. *Infant Behavior & Development*, 29, 24–31. (p. 261)

Fielder, R. L., Walsh, J. L., Carey, K. B., & Carey, M. P. (2013). Predictors of sexual hookups: A theory-based, prospective study of first-year college women. *Archives of Sexual Behavior*, 42, 1425–1441. (p. 439)

Fields, R. D. (2004, April). The other half of the brain. *Scientific American*, pp. 54–61. (p. 54)

Fields, R. D. (2005, February). Making memories stick. *Scientific American*, pp. 75–81. (p. 333)

Fields, R. D. (2008, March). White matter. *Scientific American*, pp. 54–61. (p. 53)

Fields, R. D. (2011, May/June). The hidden brain. *Scientific American*, pp. 53–59. (p. 54)

Fields, R. D. (2013). Neuroscience: Map the other brain. *Nature*, 501, 25–27. (p. 54)

Fikke, L. T., Melinder, A., & Landrø, N. I. (2011). Executive functions are impaired in adolescents engaging in non-suicidal self-injury. *Psychological Medicine, 41,* 601–610. (p. 638)

Fincham, F. D., & Bradbury, T. N. (1993). Marital satisfaction, depression, and attributions: A longitudinal analysis. *Journal of Personality and Social Psychology, 64,* 442–452. (p. 519)

Finchilescu, G., & Tredoux, C. (Eds.). (2010). Intergroup relations in post apartheid South Africa: Change, and obstacles to change. *Journal of Social Issues, 66,* 223–236. (p. 564)

Finer, L. B. & Philbin, J. M. (2014). Trends in ages at key reproductive transitions in the United States, 1951–2010. *Women's Health Issues, 24,* e271–279. (p. 212)

Fingelkurts, A. A., & Fingelkurts, A. A. (2009). Is our brain hardwired to produce God, or is our brain hardwired to perceive God? A systematic review on the role of the brain in mediating religious experience. *Cognitive Processes, 10,* 293–326. (pp. 68, 81)

Fingerman, K. L., & Charles, S. T. (2010). It takes two to tango: Why older people have the best relationships. *Current Directions in Psychological Science, 19,* 172–176. (p. 223)

Fink, G. R., Markowitsch, H. J., Reinkemeier, M., Bruckbauer, T., Kessler, J., & Heiss, W-D. (1996). Cerebral representation of one's own past: Neural networks involved in autobiographical memory. *Journal of Neuroscience, 16,* 4275–4282. (p. 329)

Fink, M. (2009). *Electroconvulsive therapy: A guide for professionals and their patients.* New York: Oxford University Press. (p. 685)

Finkel, E. J., DeWall, C. N., Slotter, E. B., McNulty, J. K., Pond, R. S., Jr., & Atkins, D. C. (2012). Using I³ theory to clarify when dispositional aggressiveness predicts intimate partner violence perpetration. *Journal of Personality and Social Psychology, 102,* 533–549. (p. 503)

Finkel, E. J., & Eastwick, P. W. (2008). Speed-dating. *Current Directions in Psychological Science, 17,* 193–197. (p. 553)

Finkel, E. J., & Eastwick, P. W. (2009). Arbitrary social norms influence sex differences in romantic selectivity. *Psychological Science 20,* 1290–1295. (p. 553)

Finlay, S. W. (2000). Influence of Carl Jung and William James on the origin of alcoholics anonymous. *Review of General Psychology, 4,* 3–12. (p. 671)

Fiore, M. C., et al. (2008). *Treating tobacco use and dependence: 2008 update. Clinical practice guideline.* Rockville, MD: U.S. Department of Health and Human Services, Public Health Service. (p. 122)

Fischer, P., & Greitemeyer, T. (2006). Music and aggression: The impact of sexual-aggressive song lyrics on aggression-related thoughts, emotions, and behavior toward the same and the opposite sex. *Personality and Social Psychology Bulletin, 32,* 1165–1176. (p. 548)

Fischer, P., Greitemeyer, T., Kastenmúller, A., Vogrincic, C., & Sauer, A. (2011). The effects of risk-glorifying media exposure on risk-positive cognitions, emotions, and behaviors: A meta-analytic review. *Psychological Bulletin, 137,* 367–390. (pp. 312, 548)

Fischer, R., & Boer, D. (2011). What is more important for national well-being: Money or autonomy? A meta-analysis of well-being, burnout, and anxiety across 63 societies. *Journal of Personality and Social Psychology, 101,* 164–184. (p. 482)

Fischhoff, B. (1982). Debiasing. In D. Kahneman, P. Slovic, & A. Tversky (Eds.), *Judgment under uncertainty: Heuristics and biases.* New York: Cambridge University Press. (p. 361)

Fischhoff, B., Slovic, P., & Lichtenstein, S. (1977). Knowing with certainty: The appropriateness of extreme confidence. *Journal of Experimental Psychology: Human Perception and Performance, 3,* 552–564. (p. 361)

Fishbach, A., Dhar, R., & Zhang, Y. (2006). Subgoals as substitutes or complements: The role of goal accessibility. *Journal of Personality and Social Psychology, 91,* 232–242. (p. A-11)

Fisher, G., & Rangel, A. (2014). Symmetry in cold-to-hot and hot-to-cold valuation gaps. *Psychological Science, 25,* 120–127. (p. 425)

Fisher, H. E. (1993, March/April). After all, maybe it's biology. *Psychology Today,* pp. 40–45. (p. 220)

Fisher, H. T. (1984). Little Albert and Little Peter. *Bulletin of the British Psychological Society, 37,* 269. (p. 663)

Flack, W. F. (2006). Peripheral feedback effects of facial expressions, bodily postures, and vocal expressions on emotional feelings. *Cognition and Emotion, 20,* 177–195. (pp. 474, 477)

Flaherty, D. K. (2011). The vaccine-autism connection: A public health crisis caused by unethical medical practices and fraudulent science. *Annals of Pharmacotherapy, 45,* 1302–1304. (p. 193)

Flegal, K. M., Carroll, M. D., Kit, B. K., Ogden, C. L. (2012). Prevalence of obesity and trends in the distribution of body mass index among U.S. adults, 1999–2010. *JAMA, 307,* 491–497. (p. 430)

Flegal, K. M., Carroll, M. D., Ogden, C. L., & Curtin, L. R. (2010). Prevalence and trends in obesity among US adults, 1999–2008. *JAMA, 303,* 235–241. (p. 430)

Flegal, K. M., Kits, B. K., Orpana, H., & Graubard, B. I. (2013). Association of all-cause mortality with overweight and obesity using standard Body Mass Index categories: A systematic review and meta-analysis. *JAMA, 309,* 71–82. (p. 430)

Fleming, I., Baum, A., & Weiss, L. (1987). Social density and perceived control as mediator of crowding stress in high-density residential neighborhoods. *Journal of Personality and Social Psychology, 52,* 899–906. (p. 502)

Fleming, J. H. (2001, Winter/Spring). Introduction to the special issue on linkage analysis. *The Gallup Research Journal,* pp. i-vi. (p. A-10)

Fleming, J. H., & Scott, B. A. (1991). The costs of confession: The Persian Gulf War POW tapes in historical and theoretical perspective. *Contemporary Social Psychology, 15,* 127–138. (p. 472)

Fletcher, G. J. O., Fitness, J., & Blampied, N. M. (1990). The link between attributions and happiness in close relationships: The roles of depression and explanatory style. *Journal of Social and Clinical Psychology, 9,* 243–255. (p. 519)

Fletcher, S. (2013, August). Machine learning. *Scientific American,* pp. 62–68. (p. 298)

Flora, S. R. (2004). *The power of reinforcement.* Albany, NY: SUNY Press. (p. 297)

Flora, S. R., & Bobby, S. E. (2008, September/October). The bipolar bamboozle. *Skeptical Inquirer,* pp. 41–45. (p. 629)

Flory, R., Ametepe, J., & Bowers, B. (2010). A randomized, place-controlled trial of bright light and high-density negative air ions for treatment of Season Affective Disorder. *Psychiatry Research, 177,* 101–108. (p. 678)

Floud, R., Fogel, R. W., Harris, B., & Hong, S. C. (2011). *The changing body: Health, nutrition, and human development in the western world since 1700.* New York: Cambridge University Press. (p. 141)

Flouri, E., & Buchanan, A. (2004). Early father's and mother's involvement and child's later educational outcomes. *British Journal of Educational Psychology, 74,* 141–153. (p. 198)

Flynn, J. R. (1987). Massive IQ gains in 14 nations: What IQ tests really measure. *Psychological Bulletin, 101,* 171–191. (p. 396)

Flynn, J. R. (2009). Requiem for nutrition as the cause of IQ gains: Raven's gains in Britain 1938–2008. *Economics and Human Biology, 7,* 18–27. (p. 396)

Flynn, J. R. (2012). *Are we getting smarter? Rising IQ in the twenty-first century.* Cambridge: Cambridge University Press. (pp. 396, 397)

Flynn, J. R. (2014, May 16, 17, and 22). Personal correspondence from University of Otago, New Zealand. (p. 397)

Foa, E. B., Gillihan, S. J., & Bryant, R. A. (2013). Challenges and successes in dissemination of evidence-based treatments for posttraumatic stress: Lessons learned from prolonged exposure therapy for PTSD. *Psychological Science in the Public Interest, 14,* 65–111. (p. 664)

Foa, E. B., & Kozak, M. J. (1986). Emotional processing of fear: Exposure to corrective information. *Psychological Bulletin, 99,* 20–35. (p. 664)

Fodor, J. D. (1999). Let your brain alone. *London Review of Books, 21* (www.lrb.co.uk). (p. 66)

Ford, E. S. (2002). Does exercise reduce inflammation? Physical activity and B-reactive protein among U.S. adults. *Epidemiology, 13,* 561–569. (p. 507)

Ford, M. T., Cerasoli, C. P., Higgins, J. A., & Deccesare, A. L. (2011). Relationships between psychological, physical, and behavioural health and work performance: A review and meta-analysis. *Work & Stress, 25,* 185–204. (p. A-8)

Foree, D. D., & LoLordo, V. M. (1973). Attention in the pigeon: Differential effects of food-getting versus shock-avoidance procedures. *Journal of Comparative and Physiological Psychology, 85,* 551–558. (p. 303)

Forest, A. & Wood, J. (2012). When social networking is not working: Individuals with low self-esteem recognize but do not reap the benefits of self-disclosure on Facebook. *Psychological Science, 23,* 295–302. (p. 599)

Forgas, J. P. (2008b). Affect and cognition. *Perspectives on Psychological Science, 3,* 94–101. (p. 479)

Forgas, J. P. (2009, November/December). Think negative! *Australian Science,* pp. 14–17. (p. 628)

Forgas, J. P., Bower, G. H., & Krantz, S. E. (1984). The influence of mood on perceptions of social interactions. *Journal of Experimental Social Psychology, 20,* 497–513. (p. 336)

Forhan, S. E., Gottlieb, S. L., Sternberg, M. R., Xu, F., Datta, D., Berman, S., & Markowitz, L. (2008). *Prevalence of sexually transmitted infections and bacterial vaginosis among female adolescents in the United States: Data from the National Health and Nutrition Examination Survey (NHANES) 2003–2004.* Paper presented to the 2008 National STD Prevention Conference, Chicago, Illinois. (p. 436)

Forman, D. R., Aksan, N., & Kochanska, G. (2004). Toddlers' responsive imitation predicts preschool-age conscience. *Psychological Science, 15*, 699–704. (p. 310)

Forsyth, D. R., Lawrence, N. K., Burnette, J. L., & Baumeister, R. F. (2007). Attempting to improve academic performance of struggling college students by bolstering their self-esteem: An intervention that backfired. *Journal of Social and Clinical Psychology, 26*, 447–459. (p. 599)

Foss, D. J., & Hakes, D. T. (1978). *Psycholinguistics: An introduction to the psychology of language.* Englewood Cliffs, NJ: Prentice-Hall. (p. 579)

Foster, J. (2011). *Our deadly anorexic pact.* Retrieved May 5, 2014 from http://www.dailymail.co.uk/femail/article-2004003/Anorexia-pact-Identical-twins-compete-disturbing-way.html. (p. 651)

Foulkes, D. (1999). *Children's dreaming and the development of consciousness.* Cambridge, MA: Harvard University Press. (p. 114)

Fournier, J. C., DeRubeis, R. J., Hollon, S. D., Dimidjian, S., Amsterdam, J. D., Shelton, R. C., & Fawcett, J. (2010). Antidepressant drug effects and depression severity: A patient-level meta-analysis. *Journal of the American Medical Association, 303*, 47–53. (p. 684)

Fouts, R. S. (1992). Transmission of a human gestural language in a chimpanzee mother-infant relationship. *Friends of Washoe, 12/13*, pp. 2–8. (p. 378)

Fouts, R. S. (1997). *Next of kin: What chimpanzees have taught me about who we are.* New York: Morrow. (p. 378)

Fowles, D. C. (1992). Schizophrenia: Diathesis-stress revisited. *Annual Review of Psychology, 43*, 303–336. (p. 641)

Fowles, D. C., & Dindo, L. (2009). Temperament and psychopathy: A dual-pathway model. *Current Directions in Psychological Science, 18*, 179–183. (p. 649)

Fox, D. (2010, June). The insanity virus. *Discover*, pp. 58–64. (p. 643)

Fox, J. L. (1984). The brain's dynamic way of keeping in touch. *Science, 225*, 820–821. (p. 82)

Fox, K. C. R., Nijeboer, S., Solomonova, E., Domhoff, G. W., & Christoff, K. (2013). Dreaming as mind wandering: Evidence from functional neuroimaging and first-person content reports. *Frontiers in Human Neuroscience, 7*, doi:http://dx.doi.org/10.3389/fnhum.2013.00412. (p. 115)

Fox, M. L., Dwyer, D. J., & Ganster, D. C. (1993). Effects of stressful job demands and control on physiological and attitudinal outcomes in a hospital setting. *Academy of Management Journal, 36*, 289–318. (p. 502)

Fozard, J. L., & Popkin, S. J. (1978). Optimizing adult development: Ends and means of an applied psychology of aging. *American Psychologist, 33*, 975–989. (p. 215)

Fracassini, C. (2000, August 27). Holidaymakers led by the nose in sales quest. *Scotland on Sunday.* (p. 268)

Fraley, R. C., Roisman, G. I., Booth-LaForce, C., Owen, M. T., & Holland, A. S. (2013, May). Interpersonal and genetic origins of adult attachment styles: A longitudinal study from infancy to early adulthood. *Journal of Personality and Social Psychology, 104*, 817–838. (p. 199)

Fraley, R. C., & Tancredy, C. M. (2012). Twin and sibling attachment in a nationally representative sample. *Personality and Social Psychology Bulletin, 38*, 308–316. (p. 140)

Fraley, R. C., Vicary, A. M., Brumbaugh, C. C., & Roisman, G. I. (2011). Patterns of stability in adult attachment: An empirical test of two models of continuity and change. *Journal of Personality and Social Psychology, 101*, 974–992. (p. 199)

Frances, A. J. (2012, December 2). DSM-5 is guide, not Bible—Ignore its ten worst changes. www.psychologytoday.com/blog/dsm5-in-distress/201212/dsm-5-is-guide-not-bible-ignore-its-ten-worst-changes. (p. 614)

Frances, A. J. (2013). *Saving normal: An insider's revolt against out-of-control psychiatric diagnosis, DSM-5, big pharma, and the medicalization of ordinary life.* New York: HarperCollins. (pp. 614, 615)

Frank, J. D. (1982). Therapeutic components shared by all psychotherapies. In J. H. Harvey & M. M. Parks (Eds.), *The Master Lecture Series: Vol. 1. Psychotherapy research and behavior change.* Washington, DC: American Psychological Association. (pp. 678, 679)

Frankel, A., Strange, D. R., & Schoonover, R. (1983). CRAP: Consumer rated assessment procedure. In G. H. Scherr & R. Liebmann-Smith (Eds.), *The best of The Journal of Irreproducible Results.* New York: Workman Publishing. (p. 589)

Frankenburg, W., Dodds, J., Archer, P., Shapiro, H., & Bresnick, B. (1992). The Denver II: A major revision and restandardization of the Denver Developmental Screening Test. *Pediatrics, 89*, 91–97. (p. 185)

Franklin, M., & Foa, E. B. (2011). Treatment of obsessive-compulsive disorder. *Annual Review of Clinical Psychology, 7*, 229–243. (p. 625)

Franz, E. A., Waldie, K. E., & Smith, M. J. (2000). The effect of callosotomy on novel versus familiar bimanual actions: A neural dissociation between controlled and automatic processes? *Psychological Science, 11*, 82–85. (p. 84)

Frassanito, P., & Pettorini, B. (2008). Pink and blue: The color of gender. *Child's Nervous System, 24*, 881–882. (p. 161)

Frasure-Smith, N., & Lesperance, F. (2005). Depression and coronary heart disease: Complex synergism of mind, body, and environment. *Current Directions in Psychological Science, 14*, 39–43. (p. 498)

Frattaroli, J. (2006). Experimental disclosure and its moderators: A meta-analysis. *Psychological Bulletin, 132*, 823–865. (p. 506)

Fredrickson, B. L. (2013). Updated thinking on positivity ratios. *American Psychologist, 68*, 814–822. (p. 479)

Fredrickson, B. L., Grewen, K. M., Coffey, K. A., Algoe, S. B., Firestine, A. M., Arevalo, J. M. G., Ma, J., & Cole, S. W. (2013). A functional genomic perspective on human well-being. *PNAS, 110*, 13684–13689. (p. 485)

Freedman, D. H. (2011, February). How to fix the obesity crisis. *Scientific American*, pp. 40–47. (p. 432)

Freedman, D. J., Riesenhuber, M., Poggio, T., & Miller, E. K. (2001). Categorical representation of visual stimuli in the primate prefrontal cortex. *Science, 291*, 312–316. (p. 367)

Freedman, J. L. (1988). Television violence and aggression: What the evidence shows. In S. Oskamp (Ed.), *Television as a social issue.* Newbury Park, CA: Sage. (p. 312)

Freedman, J. L., & Fraser, S. C. (1966). Compliance without pressure: The foot-in-the-door technique. *Journal of Personality and Social Psychology, 4*, 195–202. (pp. 521, 522)

Freedman, J. L., & Perlick, D. (1979). Crowding, contagion, and laughter. *Journal of Experimental Social Psychology, 15*, 295–303. (p. 532)

Freedman, L. R., Rock, D., Roberts, S. A., Cornblatt, B. A., & Erlenmeyer-Kimling, L. (1998). The New York high-risk project: Attention, anhedonia and social outcome. *Schizophrenia Research, 30*, 1–9. (p. 645)

Freedman, R., et al. (2013). The initial field trials of DSM-5: New blooms and old thorns. *American Journal of Psychiatry, 170*, 1–5. (p. 614)

Freeman, D., & Freeman, J. (2013). *The stressed sex: Uncovering the truth about men, women, and mental health.* Oxford, UK: Oxford University Press. (p. 632)

Freeman, E. C., & Twenge, J. M. (2010, January). *Using MySpace increases the endorsement of narcissistic personality traits.* Poster presented at the annual conference of the Society for Personality and Social Psychology, Las Vegas, NV. (p. 453)

Freeman, W. J. (1991, February). The physiology of perception. *Scientific American*, pp. 78–85. (p. 256)

Frenda, S. J., Knowles, E. D., Saletan, W., & Loftus, E. F. (2013). False memories of fabricated political events. *Journal of Experimental Social Psychology, 49*, 280–286. (p. 345)

Freud, S. (1931; reprinted 1961). Female sexuality. In J. Strachey (Trans.), *The standard edition of the complete psychological works of Sigmund Freud.* London: Hogarth Press. (p. 572)

Freud, S. (1935; reprinted 1960). *A general introduction to psychoanalysis.* New York: Washington Square Press. (p. 220)

Frey, M. C., & Detterman, D. K. (2004). Scholastic assessment or g? The relationship between the Scholastic Assessment Test and general cognitive ability. *Psychological Science, 15*, 373–378. (p. 392)

Freyd, J. J., DePrince, A. P., & Gleaves, D. H. (2007). The state of betrayal trauma theory: Reply to McNally—Conceptual issues and future directions. *Memory, 15*, 295–311. (p. 348)

Fried, I., Mukramel, R., & Kreiman, G. (2011). Internally generated preactivation of single neurons in human medial frontal cortex predicts volition. *Neuron, 69*, 548–562. (p. 95)

Friedman, H. S., & Martin, L. R. (2012). *The longevity project.* New York: Penguin (Plume). (p. 404)

Friedman, M., & Ulmer, D. (1984). *Treating Type A behavior—and your heart.* New York: Knopf. (pp. 497, 510)

Friedman, R., & James, J. W. (2008). The myth of the sages of dying, death and grief. *Skeptic, 14*(2), 37–41. (p. 225)

Friedman, R. A. (2012, December 17). In gun debate, a misguided focus on mental illness. *New York Times* (www.nytimes.com). (p. 616)

Frijda, N. H. (1988). The laws of emotion. *American Psychologist, 43*, 349–358. (p. 483)

Frisch, M., & Zdravkovic, S. (2010). Body size at birth and same-sex marriage in young adulthood. *Archives of Sexual Behavior, 39*, 117–123. (p. 445)

Frisell, T., Pawitan, Y., Långström, N., & Lichtenstein, P. (2012). Heritability, assortative mating and gender differences in violent crime: Results from a total population sample using twin, adoption, and sibling models. *Behavior Genetics, 42*, 3–18. (pp. 162, 649)

Frith, U., & Frith, C. (2001). The biological basis of social interaction. *Current Directions in Psychological Science, 10*, 151–155. (p. 193)

Fritz, T., Jentschke, S., Gosselin, N., Sammler, D., Peretz, I., Turner, R., Friederici, A., & Koelsch, S. (2009). Universal recognition of three basic emotions in music. *Current Biology, 19*, 573–576. (p. 472)

Fromkin, V., & Rodman, R. (1983). *An introduction to language* (3rd ed.). New York: Holt, Rinehart & Winston. (p. 372)

Frühauf, S., Gerger, H., Schmidt, H. M., Munder, T., & Barth, J. (2013). Efficacy of psychological interventions for sexual dysfunction: A systematic review and meta-analysis. *Archives of Sexual Behavior, 42*, 915–933. (p. 436)

Fry, A. F., & Hale, S. (1996). Processing speed, working memory, and fluid intelligence: Evidence for a developmental cascade. *Psychological Science, 7*, 237–241. (p. 216)

Fry, D. P. (2012). Life without war. *Science, 336*, 879–884. (p. 566)

Fry, R., & Cohn, D. (2010, January 19). *Women, men and the new economics of marriage.* Pew Research Center (pewresearch.org). (p. 168)

Fu, A., & Markus, H. R. (2014). My mother and me: Why tiger mothers motivate Asian Americans but not European Americans. *Personality and Social Psychology Bulletin, 40*, 739–749. (p. 154)

Fuhriman, A., & Burlingame, G. M. (1994). Group psychotherapy: Research and practice. In A. Fuhriman & G. M. Burlingame (Eds.), *Handbook of group psychotherapy.* New York: Wiley. (p. 670)

Fujiki, N., Yoshida, Y., Ripley, B., Mignot, E., & Nishino, S. (2003). Effects of IV and ICV hypocretin-1 (Orexin A) in hypocretin receptor-2 gene mutated narcoleptic dogs and IV hypocretin-1 replacement therapy in a hypocretin-ligand-deficient narcoleptic dog. *Sleep, 26*, 953–959. (p. 111)

Fuller, M. J., & Downs, A. C. (1990). *Spermarche is a salient biological marker in men's development.* Poster presented at the American Psychological Society convention. (p. 167)

Fulmer, C. A., Gelfand, M. J., Kruglanski, A. W., Kim-Prieto, C., Diener, E., Pierro, A., & Higgins, E. T. (2010). On "feeling right" in cultural contexts: How person-culture match affects self-esteem and subjective well-being. *Psychological Science, 21*, 1563–1569. (pp. 485, 596)

Fulmer, I. S., Gerhart, B., & Scott, K. S. (2003). Are the 100 best better? An empirical investigation of the relationship between being a "great place to work" and firm performance. *Personnel Psychology, 56*, 965–993. (p. A-9)

Funder, D. C. (2001). Personality. *Annual Review of Psychology, 52*, 197–221. (p. 590)

Funder, D. C. (2009). Persons, behaviors and situations: An agenda for personality psychology in the postwar era. *Journal of Research in Personality, 43*, 155–162. (p. 595)

Furlow, F. B., & Thornhill, R. (1996, January/February). The orgasm wars. *Psychology Today*, pp. 42–46. (p. 435)

Furnham, A. (1982). Explanations for unemployment in Britain. *European Journal of Social Psychology, 12*, 335–352. (p. 519)

Furnham, A., & Baguma, P. (1994). Cross-cultural differences in the evaluation of male and female body shapes. *International Journal of Eating Disorders, 15*, 81–89. (p. 430)

Furnham, A., & Wu, J. (2008). Gender differences in estimates of one's own and parental intelligence in China. *Individual Differences Research, 6*, 1–12. (p. 540)

Furr, R. M., & Funder, D. C. (1998). A multimodal analysis of personal negativity. *Journal of Personality and Social Psychology, 74*, 1580–1591. (p. 636)

Furukawa, T. A., Yoshimura, R., Harai, H., Imaizumi, T., Takeuchi, H., Kitamua, T., & Takahashi, K. (2009). How many well vs. unwell days can you expect over 10 years, once you become depressed? *Acta Psychiatrica Scandinavica, 119*, 290–297. (p. 632)

Gable, S. L., Gonzaga, G. C., & Strachman, A. (2006). Will you be there for me when things go right? Supportive responses to positive event disclosures. *Journal of Personality and Social Psychology, 91*, 904–917. (p. 222)

Gabrieli, J. D. E., Desmond, J. E., Demb, J. E., Wagner, A. D., Stone, M. V., Vaidya, C. J., & Glover, G. H. (1996). Functional magnetic resonance imaging of semantic memory processes in the frontal lobes. *Psychological Science, 7*, 278–283. (p. 329)

Gaertner, L., Iuzzini, J., & O'Mara, E. M. (2008). When rejection by one fosters aggression against many: Multiple-victim aggression as a consequence of social rejection and perceived groupness. *Journal of Experimental Social Psychology, 44*, 958–970. (p. 451)

Gaillard, R., Dehaene, S., Adam, C., Clémenceau, S., Hasboun, D., Baulac, M., Cohen, L., & Naccache, L. (2009). Converging intracranial markers of conscious access. *PLoS Biology, 7*(e): e1000061. (p. 93)

Gaillot, M. T., & Baumeister, R. F. (2007). Self-regulation and sexual restraint: Dispositionally and temporarily poor self-regulatory abilities contribute to failures at restraining sexual behavior. *Personality and Social Psychology Bulletin, 33*, 173–186. (p. 503)

Gaissmaier, W., & Gigerenzer, G. (2012). 9/11, Act II: A fine-grained analysis of regional variations in traffic fatalities in the aftermath of the terrorist attacks. *Psychological Science, 23*, 1449–1454. (p. 362)

Gaither, S. E., & Sommers, S. R. (2013). Living with an other-race roommate shapes whites' behavior in subsequent diverse settings. *Journal of Experimental Social Psychology, 49*, 272–276. (p. 564)

Galak, J., Leboeuf, R. A., Nelson, L. D., & Simmons, J. P. (2012). Correcting the past: Failures to replicate psi. *Journal of Personality and Social Psychology, 103*, 933–948. (p. 274)

Galambos, N. L. (1992). Parent-adolescent relations. *Current Directions in Psychological Science, 1*, 146–149. (p. 210)

Galanter, E. (1962). Contemporary psychophysics. In R. Brown, E. Galanter, E. H. Hess, & G. Mandler (Eds.), *New directions in psychology.* New York: Holt Rinehart & Winston. (p. 231)

Galati, D., Scherer, K. R., & Ricci-Bitti, P. E. (1997). Voluntary facial expression of emotion: Comparing congenitally blind with normally sighted encoders. *Journal of Personality and Social Psychology, 73*, 1363–1379. (p. 472)

Galdi, S., Arcuri, L., & Gawronski, B. (2008). Automatic mental associations predict future choices of undecided decision-makers. *Science, 321*, 1100–1102. (p. 364)

Gale, C. R., Batty, G. D., & Deary, I. J. (2008). Locus of control at age 10 years and health outcomes and behaviors at age 30 years: The 1970 British Cohort Study. *Psychosomatic Medicine, 70*, 397–403. (p. 503)

Gale, C. R., Booth, T., Mõttus, R., Kuh, D., & Deary, I. J. (2013). Neuroticism and extraversion in youth predict mental well-being and life satisfaction 40 years later. *Journal of Research in Personality, 47*, 687–697. (p. 179)

Galinsky, A. M., & Sonenstein, F. L. (2013). Relationship commitment, perceived equity, and sexual enjoyment among young adults in the United States. *Archives of Sexual Behavior, 42*, 93–104. (p. 447)

Galinsky, E., Aumann, K., & Bond, J. T. (2008). *Times are changing: Gender and generation at work and at home.* Work and Families Institute (www.familiesandwork.org). (p. 602)

Gallace, A. (2012). Living with touch. *Psychologist, 25*, 896–899. (p. 98)

Gallace, A., & Spence, C. (2011). To what extent do Gestalt grouping principles influence tactile perception? *Psychological Bulletin, 137*, 538–561. (p. 248)

Gallese, V., Gernsbacher, M. A., Heyes, C., Hickok, G., & Iacoboni, M. (2011). Mirror neuron forum. *Perspectives on Psychological Science, 6*, 369–407. (pp. 194, 307, 309)

Gallo, W. T., Teng, H. M., Falba, T. A., Kasl, S. V., Krumholz, H. M., & Bradley, E. H. (2006). The impact of late career job loss on myocardial infarction and stroke: A 10-year follow up using the health and retirement survey. *Occupational and Environmental Medicine, 63*, 683–687. (p. 498)

Gallup Brain. (2008, accessed February 20). Woman for president: Question qn2f, March, 2007 wave. Brain.Gallup.com. (p. 540)

Gallup Organization. (2004, August 16). 65% of Americans receive NO praise or recognition in the workplace. Personal communication. (p. A-11)

Gallup, G. G., Jr. (1970). Chimpanzees: Self-recognition. *Science, 167*, 86–87. (p. 201)

Gallup, G. G., Jr., & Frederick, D. A. (2010). The science of sex appeal: An evolutionary perspective. *Review of General Psychology, 14*, 240–250. (p. 554)

Gallup, G. G., Jr., & Suarez, S. D. (1986). Self-awareness and the emergence of mind in humans and other primates. In J. Suls & A. G. Greenwald (Eds.), *Psychological perspectives on the self* (Vol. 3.). Hillsdale, NJ: Erlbaum. (p. 201)

Gallup, G. H. (1972). *The Gallup poll: Public opinion 1935–1971* (Vol. 3). New York: Random House. (p. 564)

Gallup, G. H., Jr. (1994, October). Millions finding care and support in small groups. *Emerging Trends*, pp. 2–5. (p. 671)

Gangestad, S. W., & Simpson, J. A. (2000). The evolution of human mating: Trade-offs and strategic pluralism. *Behavioral and Brain Sciences, 23*, 573–587. (p. 149)

Gangestad, S. W., Thornhill, R., & Garver-Apgar, C. E. (2010). Men's facial masculinity predicts changes in their female partners' sexual interests across the ovulatory cycle, whereas men's intelligence does not. *Evolution and Human Behavior, 31*, 412–424. (p. 554)

Gangwisch, J. E., Babiss, L. A., Malaspina, D., Turner, J. B., Zammit, G. K., & Posner, K. (2010). Earlier parental set bedtimes as a protective factor against depression and suicidal ideation. *Sleep, 33*, 97–106. (p. 107)

Gao, Y., Raine, A., Venables, P. H., Dawson, M. E., & Mednick, S. A. (2010). Association of poor child fear conditioning and adult crime. *American Journal of Psychiatry, 167,* 56–60. (p. 650)

Garcia, J., & Gustavson, A. R. (1997, January). Carl R. Gustavson (1946–1996): Pioneering wildlife psychologist. *APS Observer,* pp. 34–35. (p. 302)

Garcia, J., & Koelling, R. A. (1966). Relation of cue to consequence in avoidance learning. *Psychonomic Science, 4,* 123–124. (p. 301)

Garcia, J. R., Massey, S. G., Merriwether, A. M., & Seibold-Simpson, S. M. (2013). *Orgasm experience among emerging adult men and women: Relationship context and attitudes toward uncommitted sex.* Poster presentation at the Association for Psychological Science convention, Washington, D.C. (p. 447)

Garcia, J. R., Reiber, C., Massey, S. G., & Merriwether, A. M. (2012). Sexual hookup culture: A review. *Review of General Psychology, 16,* 161–176. (pp. 119, 447)

Garcia, J. R., Reiber, C., Massey, S. G., & Merriwether, A. M. (2013, February). Sexual hook-up culture. *Monitor on Psychology,* pp. 60–66. (p. 439)

Gardner, H. (1983). *Frames of mind: The theory of multiple intelligences.* New York: Basic Books. (p. 387)

Gardner, H. (1998, March 19). An intelligent way to progress. *The Independent* (London), p. E4. (p. 387)

Gardner, H. (1998, November 5). Do parents count? *New York Review of Books* (www.nybooks.com). (p. 155)

Gardner, H. (1999, February). Who owns intelligence? *Atlantic Monthly,* pp. 67–76. (p. 392)

Gardner, H. (1999). *Multiple views of multiple intelligence.* New York: Basic Books. (pp. 387, 391)

Gardner, H. (2006). *The development and education of the mind: The selected works of Howard Gardner.* New York: Routledge/Taylor & Francis. (p. 387)

Gardner, H. (2011). *The theory of multiple intelligences: As psychology, as education, as social science.* Address on the receipt of an honorary degree from José Cela University in Madrid and the Prince of Asturias Prize for Social Science. (p. 387)

Gardner, J., & Oswald, A. J. (2007). Money and mental well-being: A longitudinal study of medium–sized lottery wins. *Journal of Health Economics, 6,* 49–60. (p. 483)

Gardner, J. W. (1984). *Excellence: Can we be equal and excellent too?* New York: Norton. (p. A-12)

Gardner, M. (2006, January/February). The memory wars, part one. *Skeptical Inquirer, 30,* 28–31. (p. 348)

Gardner, R. A., & Gardner, B. I. (1969). Teaching sign language to a chimpanzee. *Science, 165,* 664–672. (p. 377)

Garfield, C. (1986). *Peak Performers: The new heroes of American Business.* New York: Morrow. (p. 382)

Garon, N., Bryson, S. E., & Smith, I. M. (2008). Executive function in preschoolers: A review using an integrative framework. *Psychological Bulletin, 134,* 31–60. (p. 184)

Garry, M., Loftus, E. F., & Brown, S. W. (1994). Memory: A river runs through it. *Consciousness and Cognition, 3,* 438–451. (p. 580)

Garry, M., Manning, C. G., Loftus, E. F., & Sherman, S. J. (1996). Imagination inflation: Imagining a childhood event inflates confidence that it occurred. *Psychonomic Bulletin & Review, 3,* 208–214. (p. 344)

Gartrell, N., & Bos, H. (2010). U.S. national longitudinal lesbian family study: Psychological adjustment of 17-year-old adolescents. *Pediatrics, 126,* 28–36. (p. 442)

Gatchel, R. J., Peng, Y. B., Peters, M. L., Fuchs, P. N., & Turk, D. C. (2007). The biopsychosocial approach to chronic pain: Scientific advances and future directions. *Psychological Bulletin, 133,* 581–624. (p. 262)

Gates, G. J., & Newport, F. (2012, October 18). Special report: 3.4% of U.S. adults identify as LGBT. www.gallup.com. (p. 440)

Gates, W. (1998, July 20). Charity begins when I'm ready (interview). *Fortune* (www.pathfinder.com/fortune/1998/980720/bil7.html). (p. 388)

Gawande, A. (1998, September 21). The pain perplex. *The New Yorker,* pp. 86–94. (p. 263)

Gawin, F. H. (1991). Cocaine addiction: Psychology and neurophysiology. *Science, 251,* 1580–1586. (p. 123)

Gawronski, B., & Quinn, K. (2013). Guilty by mere similarity: Assimilative effects of facial resemblance on automatic evaluation. *Journal of Experimental Social Psychology, 49,* 120–125. (p. 286)

Gazzaniga, M. S. (1967, August). The split brain in man. *Scientific American,* pp. 24–29. (p. 83)

Gazzaniga, M. S. (1983). Right hemisphere language following brain bisection: A 20–year perspective. *American Psychologist, 38,* 525–537. (p. 84)

Gazzaniga, M. S. (1988). Organization of the human brain. *Science, 245,* 947–952. (p. 84)

Gazzaniga, M. S. (2011, April). Neuroscience in the courtroom. *Scientific American,* pp. 54–59. (p. 467)

Gazzola, V., Spezio, M. L., Etzel, J.A., Catelli, F., Adolphs, R., & Keysers, C. (2012). Primary somatosensory cortex discriminates affective significance in social touch. *PNAS, 109,* E1657–E1666. (p. 261)

Ge, X., & Natsuaki, M. N. (2009). In search of explanations for early pubertal timing effects on developmental psychopathology. *Current Directions in Psychological Science, 18,* 327–441. (p. 204)

Geary, D. C. (1995). Sexual selection and sex differences in spatial cognition. *Learning and Individual Differences, 7,* 289–301. (p. 410)

Geary, D. C. (1996). Sexual selection and sex differences in mathematical abilities. *Behavioral and Brain Sciences, 19,* 229–247. (p. 410)

Geary, D. C. (2010). *Male, female: The evolution of human sex differences* (second edition). Washington, DC: American Psychological Association. (p. 165)

Geary, D. C., Salthouse, T. A., Chen, G-P., & Fan, L. (1996). Are East Asian versus American differences in arithmetical ability a recent phenomenon? *Developmental Psychology, 32,* 254–262. (p. 412)

Geen, R. G., & Quanty, M. B. (1977). The catharsis of aggression: An evaluation of a hypothesis. In L. Berkowitz (Ed.), *Advances in experimental social psychology* (Vol. 10). New York: Academic Press. (p. 477)

Geen, R. G., & Thomas, S. L. (1986). The immediate effects of media violence on behavior. *Journal of Social Issues, 42*(3), 7–28. (p. 312)

Geers, A. E., & Nicholas, J. G. (2013). Enduring advantages of early cochlear implantation for spoken language development. *Journal of Speech, Language, and Hearing Research, 56,* 643–653. (p. 375)

Gehring, W. J., Wimke, J., & Nisenson, L. G. (2000). Action monitoring dysfunction in obsessive-compulsive disorder. *Psychological Science, 11*(1), 1–6. (p. 626)

Geier, A. B., Rozin, P., & Doros, G. (2006). Unit bias: A new heuristic that helps explain the effects of portion size on food intake. *Psychological Science, 17,* 521–525. (p. 429)

Gellis, L. A., Arigo, D., & Elliott, J. C. (2013). Cognitive refocusing treatment for insomnia: A randomized controlled trial in university students. *Behavior Therapy, 44,* 100–110. (p. 110)

Gelman, D. (1989, May 15). Voyages to the unknown. *Newsweek,* pp. 66–69. (p. 473)

Genesee, F., & Gándara, P. (1999). Bilingual education programs: A cross-national perspective. *Journal of Social Issues, 55,* 665–685, (p. 381)

Gentile, B., Twenge, J. M., & Campbell, W. K. (2010). Birth cohort differences in self-esteem, 1988–2008: A cross-temporal meta-analysis. *Review of General Psychology, 14,* 261–268. (p. 604)

Gentile, D. (2009). Pathological video-game use among youth ages 8 to 18: A national study. *Psychological Science, 20,* 594–602. (pp. 118, 549)

Gentile, D. A., & Bushman, B. J. (2012). Reassessing media violence effects using a risk and resilience approach to understanding aggression. *Psychology of Popular Media Culture, 1,* 138–151. (p. 313)

Gentile, D. A., Coyne, S., & Walsh, D. A. (2011). Media violence, physical aggression and relational aggression in school age children: A short-term longitudinal study. *Aggressive Behavior, 37,* 193–206. (p. 313)

Geraerts, E., Bernstein, D. M., Merckelbach, H., Linders, C., Raymaekers, L., & Loftus, E. F. (2008). Lasting false beliefs and their behavioral consequences. *Psychological Science, 19,* 749–753. (p. 344)

Geraerts, E., Schooler, J. W., Merckelbach, H., Jelicic, M., Hauer, B. J. A., & Ambadar, Z. (2007). The reality of recovered memories: Corroborating continuous and discontinuous memories of childhood sexual abuse. *Psychological Science, 18,* 564–568. (p. 348)

Germain, A. (2013). Sleep disturbances as the hallmark of PTSD: Where are we now? *Archives of Journal of Psychiatry, 170,* 372–382. (p. 623)

Gernsbacher, M. A., Dawson, M., & Goldsmith, H. H. (2005). Three reasons not to believe in an autism epidemic. *Current Directions in Psychological Science, 14,* 55–58. (p. 193)

Gerrard, M., & Luus, C. A. E. (1995). Judgments of vulnerability to pregnancy: The role of risk factors and individual differences. *Personality and Social Psychology Bulletin, 21,* 160–171. (p. 439)

Gershoff, E. T. (2002). Parental corporal punishment and associated child behaviors and experiences: A meta-analytic and theoretical review. *Psychological Bulletin, 128,* 539–579. (p. 296)

Gershoff, E. T., Grogan-Kaylor, A., Lansford, J. E., Chang, L., Zelli, A., Deater-Deckard, K., & Dodge, K. A. (2010). Parent discipline practices in an international sample: Associations with child behaviors and moderation by perceived normativeness. *Child Development, 81,* 487–502. (p. 296)

Gerstorf, D., Ram, N., Röcke, C., Lindenberger, U., & Smith, J. (2008). Decline in life satisfaction in old age: Longitudinal evidence for links to distance-to-death. *Psychology and Aging, 23,* 154–168. (p. 223)

Geschwind, N. (1979, September). Specializations of the human brain. *Scientific American, 241,* 180–199. (p. 376)

Geschwind, N., & Behan, P. O. (1984). Laterality, hormones, and immunity. In N. Geschwind & A. M. Galaburda (Eds.), *Cerebral dominance: The biological foundations.* Cambridge, MA: Harvard University Press. (p. 86)

Getahun, D., Jacobsen, S. J., Fassett, M. J., Chen, W., Demissie, K., & Rhoads, G. G. (2013). Recent trends in childhood attention-deficit/hyperactivity disorder. *Journal of the American Medical Association Pediatrics, 167,* 282–288. (p. 615)

Gettler, L. T., McDade, T. W., Agustin, S. S., Feranil, A. B., & Kuzawa, C. W. (2013). Do testosterone declines during the transition to marriage and fatherhood relate to men's sexual behavior? Evidence from the Philippines. *Hormones and Behavior, 64,* 755–763. (p. 434)

Ghaemi, N. (2011). *A first-rate madness: Uncovering the links between leadership and mental illness.* New York: Penguin. (p. 630)

Giampietro, M., & Cavallera, G. M. (2007). Morning and evening types and creative thinking. *Personality and Individual Differences, 42,* 453–463. (p. 101)

Giancola, P. R., & Corman, M. D. (2007). Alcohol and aggression: A test of the attention-allocation model. *Psychological Science, 18,* 649–655. (p. 546)

Giancola, P. R., Josephs, R. A., Parrott, D. J., & Duke, A. A. (2010). Alcohol myopia revisited: Clarifying aggression and other acts of disinhibition through a distorted lens. *Perspectives on Psychological Science, 5,* 265–278. (p. 120)

Gibbons, F. X. (1986). Social comparison and depression: Company's effect on misery. *Journal of Personality and Social Psychology, 51,* 140–148. (p. 484)

Gibbs, W. W. (1996, June). Mind readings. *Scientific American,* pp. 34–36. (p. 76)

Gibson, E. J., & Walk, R. D. (1960, April). The "visual cliff." *Scientific American,* pp. 64–71. (p. 249)

Gibson, J. L., & Claassen, C. (2010). Racial reconciliation in South Africa: Interracial contact. *Journal of Social Issues, 66,* 255–272. (p. 564)

Gick, B., & Derrick, D. (2009). Aero-tactile integration in speech perception. *Nature, 462,* 502–504. (p. 270)

Giesbrecht, T., Lynn, S. J., Lilienfeld, S. O., & Merckelbach, H. (2008). Cognitive processes in dissociation: An analysis of core theoretical assumptions. *Psychological Bulletin, 134,* 617–647. (p. 648)

Giesbrecht, T., Lynn, S. J., Lilienfeld, S. O., & Merckelbach, H. (2010). Cognitive processes, trauma, and dissociation—Misconceptions and misrepresentations: Reply to Bremmer (2010). *Psychological Bulletin, 136,* 7–11. (p. 648)

Gigantesco, A., Stazi, M. A., Alessandri, G., Medda, E., Tarolla, E., & Fagnani, C. (2011). Psychological well-being (PWB): A natural life outlook? An Italian twin study on heritability on PWB in young adults. *Psychological Medicine, 41,* 2637–2649. (p. 485)

Gigerenzer, G. (2004). Dread risk, September 11, and fatal traffic accidents. *Psychological Science, 15,* 286–287. (p. 362)

Gigerenzer, G. (2006). Out of the frying pan into the fire: Behavioral reactions to terrorist attacks. *Risk Analysis, 26,* 347–351. (p. 362)

Gigerenzer, G. (2010). *Rationality for mortals: How people cope with uncertainty.* New York: Oxford University Press. (p. 43)

Gigerenzer, G., Gaissmaier, W., Kurz-Milcke, E., Schwartz, L. M., & Woloshin, S. (2008). Helping doctors and patients make sense of health statistics. *Psychological Science in the Public Interest, 8,* 53–96. (p. 43)

Gigerenzer, G., Gaissmaier, W., Kurz-Milcke, E., Schwartz, L. M., & Woloshin, S. (2009, April/May). Knowing your chances. *Scientific American Mind,* pp. 44–51. (p. 43)

Gigerenzer, G., & Sturm, T. (2012). How (far) can rationality be naturalized? *Synthese, 187,* 243–268. (p. 359)

Gilbert, D. T. (2006). *Stumbling on happiness.* New York: Knopf. (pp. 222, 370, 461, 602)

Gilbert, D. T., Pelham, B. W., & Krull, D. S. (2003). The psychology of good ideas. *Psychological Inquiry, 14,* 258–260. (p. 21)

Gilbert, D. T., Pinel, E. C., Wilson, T. D., Blumberg, S. J., & Wheatley, T. P. (1998). Immune neglect: A source of durability bias in affective forecasting. *Journal of Personality and Social Psychology, 75,* 617–638. (p. 481)

Gilbertson, M. W., Paulus, L. A., Williston, S. K., Gurvits, T. V., Lasko, N. B., Pitman, R. K., & Orr, S. P. (2006). Neurocognitive function in monozygotic twins discordant for combat exposure: Relationship to posttraumatic stress disorder. *Journal of Abnormal Psychology, 115,* 484–495. (p. 624)

Giles, D. E., Dahl, R. E., & Coble, P. A. (1994). Childbearing, developmental, and familial aspects of sleep. In J. M. Oldham & M. B. Riba (Eds.), *Review of psychiatry* (Vol. 13). Washington, DC: American Psychiatric Press. (p. 111)

Gilestro, G. F., Tononi, G., & Cirelli, C. (2009). Widespread changes in synaptic markers as a function of sleep and wakefulness in *Drosophila. Science, 324,* 109–112. (p. 105)

Gill, A. J., Oberlander, J., & Austin, E. (2006). Rating e-mail personality at zero acquaintance. *Personality and Individual Differences, 40,* 497–507. (p. 593)

Gillen-O'Neel, C., Huynh, V. W., & Fuligni, A. J. (2013). To study or to sleep? The academic costs of extra studying at the expense of sleep. *Child Development, 84,* 133–142. (p. 114)

Gillison, M. L., Broutian, T., Pickard, R. K. L., Tong, Z-Y., Xiao, W., Kahle, L., Graubard, B. I., & Chaturvedi, A. K. (2012). Prevalence of oral HPV infection in the United States, 2009–2010. *JAMA, 307,* 693–703. (p. 437)

Gilovich, T. D. (1996). *The spotlight effect: Exaggerated impressions of the self as a social stimulus.* Unpublished manuscript, Cornell University. (p. 598)

Gilovich, T. D., Kruger, J., & Medvec, V. H. (2002). The spotlight effect revisited: Overestimating the manifest variability of our actions and appearance. *Journal of Experimental Social Psychology, 38,* 93–99. (p. 599)

Gilovich, T. D., & Medvec, V. H. (1995). The experience of regret: What, when, and why. *Psychological Review, 102,* 379–395. (p. 223)

Gilovich, T. D., & Savitsky, K. (1999). The spotlight effect and the illusion of transparency: Egocentric assessments of how we are seen by others. *Current Directions in Psychological Science, 8,* 165–168. (p. 599)

Giltay, E. J., Geleijnse, J. M., Zitman, F. G., Buijsse, B., & Kromhout, D. (2007). Lifestyle and dietary correlates of dispositional optimism in men: The Zutphen Elderly Study. *Journal of Psychosomatic Research, 63,* 483–490. (p. 504)

Giltay, E. J., Geleijnse, J. M., Zitman, F. G., Hoekstra, T., & Schouten, E. G. (2004). Dispositional optimism and all-cause and cardiovascular mortality in a prospective cohort of elderly Dutch men and women. *Archives of General Psychiatry, 61,* 1126–1135. (p. 504)

Gingerich, O. (1999, February 6). Is there a role for natural theology today? *The Real Issue* (www.origins.org/real/n9501/natural.html). (p. 173)

Gingerich, O. (2006). *God's universe.* Cambridge, MA: Belknap Press of Harvard University Press. (p. 1)

Giuliano, T. A., Barnes, L. C., Fiala, S. E., & Davis D. M. (1998). *An empirical investigation of male answer syndrome.* Paper presented at the Southwestern Psychological Association convention. (p. 163)

Gladue, B. A. (1990). Hormones and neuroendocrine factors in atypical human sexual behavior. In J. R. Feierman (Ed.), *Pedophilia: Biosocial dimensions.* New York: Springer-Verlag. (p. 444)

Gladue, B. A. (1994). The biopsychology of sexual orientation. *Current Directions in Psychological Science, 3,* 150–154. (p. 446)

Gladwell, M. (2000, May 9). The new-boy network: What do job interviews really tell us? *New Yorker,* pp. 68–86. (p. A-6)

Gladwell, M. (2005). *Blink: The power of thinking without thinking.* New York: Little, Brown. (p. 556)

Glasman, L. R., & Albarracin, D. (2006). Forming attitudes that predict future behavior: A meta-analysis of the attitude-behavior relation. *Psychological Bulletin, 132,* 778–822. (p. 520)

Glass, R. I. (2004). Perceived threats and real killers. *Science, 304,* 927. (p. 363)

Glass, R. M. (2001). Electroconvulsive therapy: Time to bring it out of the shadows. *Journal of the American Medical Association, 285,* 1346–1348. (p. 685)

Gleaves, D. H. (1996). The sociocognitive model of dissociative identity disorder: A reexamination of the evidence. *Psychological Bulletin, 120,* 42–59. (p. 648)

Glenn, A. L., Raine, A., Yaralian, P.S., & Yang, Y. (2010). Increased volume of the striatum in psychopathic individuals. *Biological Psychiatry, 67,* 52–58. (p. 651)

Glick, P., et al. (2004). Bad but bold: Ambivalent attitudes toward men predict gender inequality in 16 nations. *Journal of Personality and Social Psychology, 86,* 713–728. (p. 540)

GLSEN. (2012). The 2011 National School Climate Survey. New York: Gay, Lesbian & Straight Education Network (www.glsen.org). (p. 540)

Gluszek, A., & Dovidio, J. F. (2010). The way *they* speak: A social psychological perspective on the stigma of nonnative accents in communication. *Personality and Social Psychology Review, 14,* 214–237. (p. 542)

Glynn, L. M., & Sandman, C. A. (2011). Prenatal origins of neurological development: A critical period for fetus *and* mothers. *Current Directions in Psychological Science, 20*, 384–389. (p. 182)

Godden, D. R., & Baddeley, A. D. (1975). Context-dependent memory in two natural environments: On land and underwater. *British Journal of Psychology, 66*, 325–331. (p. 335)

Goff, D. C., & Simms, C. A. (1993). Has multiple personality disorder remained consistent over time? *Journal of Nervous and Mental Disease, 181*, 595–600. (p. 648)

Golan, O., Ashwin, E., Granader, Y., McClintock, S., Day, K., Leggett, V., & Baron-Cohen, S. (2010). Enhancing emotion recognition in children with autism spectrum conditions: An intervention using animated vehicles with real emotional faces. *Journal of Autism Development and Disorders, 40*, 269–279. (p. 194)

Gold, M., & Yanof, D. S. (1985). Mothers, daughters, and girlfriends. *Journal of Personality and Social Psychology, 49*, 654–659. (p. 211)

Goldberg, J. (2007, accessed May 31). *Quivering bundles that let us hear.* Howard Hughes Medical Institute (www.hhmi.org/senses/c120.html). (p. 257)

Golden, R. N., Gaynes, B. N., Ekstrom, R. D., Hamer, R. M., Jacobsen, F. M., Suppes, T., Wisner, K. L., & Nemeroff, C. B. (2005). The efficacy of light therapy in the treatment of mood disorders: A review and meta-analysis of the evidence. *American Journal of Psychiatry, 162*, 656–662. (p. 678)

Golder, S. A., & Macy, M. W. (2011). Diurnal and seasonal mood vary with work, sleep, and day-length across diverse cultures. *Science, 333*, 1878–1881. (pp. 29, 480)

Goldfine, A. M., Bardin, J. C., Noirhomme, Q., Fine, J. J., Schiff, N. D., & Victor, J. D. (2013). Reanalysis of "Bedside detection of awareness in the vegetative state: A cohort study." *The Lancet, 381*, 289–291. (p. 93)

Goldfried, M. R. (2001). Integrating gay, lesbian, and bisexual issues into mainstream psychology. *American Psychologist, 56*, 977–988. (p. 638)

Goldfried, M. R., & Padawer, W. (1982). Current status and future directions in psychotherapy. In M. R. Goldfried (Ed.), *Converging themes in psychotherapy: Trends in psychodynamic, humanistic, and behavioral practice.* New York: Springer. (p. 678)

Goldfried, M. R., Raue, P. J., & Castonguay, L. G. (1998). The therapeutic focus in significant sessions of master therapists: A comparison of cognitive-behavioral and psychodynamic-interpersonal interventions. *Journal of Consulting and Clinical Psychology, 66*, 803–810. (p. 679)

Goldin-Meadow, S., & Beilock, S. L. (2010). Action's influence on thought: The case of gesture. *Perspectives on Psychological Science, 5*, 664–674. (p. 475)

Goldinger, S. D., & Papesh, M. H. (2012). Pupil dilation reflects the creation and retrieval of memories. *Current Directions in Psychological Science, 21*, 90–95. (p. 240)

Goldman, A. L., Pezawas, L., Mattay, V. S., Fischl, B., Verchinski, B. A., Chen, Q., Weinberger, D. R., & Meyer-Lindenberg, A. (2009). Widespread reductions of cortical thickness in schizophrenia and spectrum disorders and evidence of heritability. *Archives of General Psychiatry, 66*, 467–477. (p. 642)

Goldstein, A. P., Glick, B., & Gibbs, J. C. (1998). *Aggression replacement training: A comprehensive intervention for aggressive youth* (rev. ed.). Champaign, IL: Research Press. (p. 547)

Goldstein, I. (2000, August). Male sexual circuitry. *Scientific American*, pp. 70–75. (p. 63)

Goldstein, I., Lue, T. F., Padma-Nathan, H., Rosen, R. C., Steers, W. D., & Wicker, P. A. (1998). Oral sildenafil in the treatment of erectile dysfunction. *New England Journal of Medicine, 338*, 1397–1404. (p. 37)

Goleman, D. (1980, February). 1,528 little geniuses and how they grew. *Psychology Today*, pp. 28–53. (p. 454)

Goleman, D. (2006). *Social intelligence.* New York: Bantam Books. (p. 390)

Golkar, A., Selbing, I., Flygare, O., Öhman, A., & Olsson, A. (2013). Other people as means to a safe end: Vicarious extinction blocks the return of learned fear. *Psychological Science, 24*, 2182–2190. (p. 306)

Gollwitzer, P. M., & Oettingen, G. (2012). Goal pursuit. In P. M. Gollwitzer & G. Oettingen (Eds.), *The Oxford handbook of human motivation*, pp. 208–231. New York: Oxford University Press. (p. 299)

Gonçalves, R., Pedrozo, A. L., Coutinho, E. S. F., Figueira, I., & Ventura, P. (2012). Efficacy of virtual reality exposure therapy in the treatment of PTSD: A systematic review. *PLoS ONE, 7*(12), dx.doi.org/10.1371/journal.pone.0048469. (p. 665)

Gonsalkorale, K., & Williams, K. D. (2006). The KKK would not let me play: Ostracism even by a despised outgroup hurts. *European Journal of Social Psychology, 36*, 1–11. (p. 450)

Gonsalves, B., Reber, P. J., Gitelman, D. R., Parrish, T. B., Mesulam, M.-M., & Paller, K. A. (2004). Neural evidence that vivid imagining can lead to false remembering. *Psychological Science, 15*, 655–659. (p. 345)

Goodall, J. (1986). *The chimpanzees of Gombe: Patterns of behavior.* Cambridge, MA: Harvard University Press. (p. 542)

Goodall, J. (1998). Learning from the chimpanzees: A message humans can understand. *Science, 282*, 2184–2185. (p. 29)

Goode, E. (1999, April 13). If things taste bad, 'phantoms' may be at work. *New York Times* (www.nytimes.com). (p. 262)

Goodhart, D. E. (1986). The effects of positive and negative thinking on performance in an achievement situation. *Journal of Personality and Social Psychology, 51*, 117–124. (p. 600)

Goodman, G. S. (2006). Children's eyewitness memory: A modern history and contemporary commentary. *Journal of Social Issues, 62*, 811–832. (p. 349)

Goodman, G. S., Ghetti, S., Quas, J. A., Edelstein, R. S., Alexander, K. W., Redlich, A. D., Cordon, I. M., & Jones, D. P. H. (2003). A prospective study of memory for child sexual abuse: New findings relevant to the repressed-memory controversy. *Psychological Science, 14*, 113–118. (p. 349)

Goodwin, P. Y., Mosher, W. D., & Chandra, A. (2010). Marriage and cohabitation in the United States: A statistical portrait based on Cycle 6 (2002) of the National Survey of Family Growth. National Center for Health Statistics. *Vital Health Statistics, 23*(28). (p. 221)

Gopnik, A. (2012). Scientific thinking in young children: Theoretical advances, empirical research, and policy implications. *Science, 337*, 1623–1627. (p. 188)

Gopnik, A., & Meltzoff, A. N. (1986). Relations between semantic and cognitive development in the one-word stage: The specificity hypothesis. *Child Development, 57*, 1040–1053. (p. 381)

Goranson, R. E. (1978). *The hindsight effect in problem solving.* Unpublished manuscript, cited by G. Wood (1984), Research methodology: A decision-making perspective. In A. M. Rogers & C. J. Scheirer (Eds.), *The G. Stanley Hall Lecture Series* (Vol. 4). Washington, DC. (p. 21)

Gorchoff, S. M., John, O. P., & Helson, R. (2008). Contextualizing change in marital satisfaction during middle age. *Psychological Science, 19*, 1194–1200. (p. 222)

Gordon, A. M., & Chen, S. (2010). When you accept me for me: The relational benefits of intrinsic affirmations from one's relationship partner. *Personality and Social Psychology Bulletin, 36*, 1439–1453. (p. 585)

Gordon, A. M., & Chen, S. (2014). The role of sleep in interpersonal conflict: Do sleepless nights mean worse fights? *Social Psychological and Personality Science, 5*, 168–175. (p. 107)

Gordon, I., Vander Wyk, B. C., Bennett, R. H., Cordeaux, C., Lucas, M. V., Eilbott, J. A., . . . Pelphrey, K. A. (2013). Oxytocin enhances brain function in children with autism. *PNAS, 110*, 20953–20958. (p. 194)

Gordon, P. (2004). Numerical cognition without words: Evidence from Amazonia. *Science, 306*, 496–499. (p. 380)

Gore, J., & Sadler-Smith, E. (2011). Unpacking intuition: A process and outcome framework. *Review of General Psychology, 15*, 304–316. (p. 364)

Gore-Felton, C., Koopman, C., Thoresen, C., Arnow, B., Bridges, E., & Spiegel, D. (2000). Psychologists' beliefs and clinical characteristics: Judging the veracity of childhood sexual abuse memories. *Professional Psychology: Research and Practice, 31*, 372–377. (p. 349)

Gorlick, A. (2010, January 13). Stanford scientists link brain development to chances of recovering vision after blindness. *Stanford Report* (news.stanford.edu). (p. 254)

Gorman, J. (2014, January 6). The brain, in exquisite detail. *New York Times* (www.nytimes.com). (p. 68)

Gorrese, A., & Ruggieri, R. (2012). Peer attachment: A meta-analytic review of gender and age differences and associations with parent attachment. *Journal of Youth and Adolescence, 41*, 650–672. (p. 199)

Gosling, S. D. (2008). *Snoop: what your stuff says about you.* New York: Basic Books. (p. 593)

Gosling, S. D., Gladdis, S., & Vazire, S. (2007). *Personality impressions based on Facebook profiles.* Paper presented to the Society for Personality and Social Psychology meeting. (p. 593)

Gosling, S. D., Ko, S. J., Mannarelli, T., & Morris, M. E. (2002). A room with a cue: Personality judgments based on offices and bedrooms. *Journal of Personality and Social Psychology, 82*, 379–398. (p. 593)

Gosling, S. D., Kwan, V. S. Y., & John, O. P. (2003). A dog's got personality: A cross-species comparative approach to personality judgments in dogs and humans. *Journal of Personality and Social Psychology, 85*, 1161–1169. (p. 588)

Gotlib, I. H., & Hammen, C. L. (1992). *Psychological aspects of depression: Toward a cognitive-interpersonal integration.* New York: Wiley. (p. 636)

Gottesman, I. I. (2001). Psychopathology through a life span—genetic prism. *American Psychologist, 56,* 867–881. (p. 644)

Gottfredson, L. S. (2002a). Where and why g matters: Not a mystery. *Human Performance, 15,* 25–46. (p. 389)

Gottfredson, L. S. (2002b). g: Highly general and highly practical. In R. J. Sternberg & E. L. Grigorenko (Eds.), *The general factor of intelligence: How general is it?* Mahwah, NJ: Erlbaum. (p. 389)

Gottfredson, L. S. (2003a). Dissecting practical intelligence theory: Its claims and evidence. *Intelligence, 31,* 343–397. (p. 389)

Gottfredson, L. S. (2003b). On Sternberg's "Reply to Gottfredson." *Intelligence, 31,* 415–424. (p. 389)

Gottfried, J. A., O'Doherty, J., & Dolan, R. J. (2003). Encoding predictive reward value in human amygdala and orbitofrontal cortex. *Science, 301,* 1104–1108. (p. 283)

Gottman, J. (2007). *Why marriages succeed or fail—2007 publication.* London: Bloomsbury. (p. 558)

Gottman, J., with Silver, N. (1994). *Why marriages succeed or fail.* New York: Simon & Schuster. (p. 222)

Gougoux, F., Zatorre, R., Lassonde, M., Voss, P., & Lepore, F. (2005). A functional neuroimaging study of sound localization: Visual cortex activity predicts performance in early-blind individuals. *PloS Biology, 3*(2), e27. (p. 375)

Gould, E. (2007). How widespread is adult neurogenesis in mammals? *Nature Neuroscience, 8,* 481–488. (p. 82)

Gould, S. J. (1981). *The mismeasure of man.* New York: Norton. (p. 394)

Gow, A. J., Bastin, M. E., Maniega, S. M., Hernández, M. C. V., Morris, Z., Murray, C., . . . Wardlaw, J. M. (2012). Neuroprotective lifestyles and the aging brain: Activity, atrophy, and white matter integrity. *Neurology, 79,* 1802–1808. (p. 216)

Goyal, M., Singh, S., Sibinga, E. S., et al. (2014). Meditation programs for psychological stress and well-being: A systematic review and meta-analysis. *JAMA Internal Medicine, 174,* 357–368. (p. 510)

Grabe, S., Ward, L. M., & Hyde, J. S. (2008). The role of the media in body image concerns among women: A meta-analysis of experimental and correlational studies. *Psychological Bulletin, 134,* 460–476. (p. 652)

Grace, A. A. (2010). Ventral hippocampus, interneurons, and schizophrenia: A new understanding of the pathophysiology of schizophrenia and its implications for treatment and prevention. *Current Directions in Psychological Science, 19,* 232–237. (p. 642)

Grady, C. L., McIntosh, A. R., Horwitz, B., Maisog, J. M., Ungeleider, L. G., Mentis, M. J., . . . Haxby, J. V. (1995). Age-related reductions in human recognition memory due to impaired encoding. *Science, 269,* 218–221. (p. 339)

Graham, A. M., Fisher, P. A., & Pfeifer, J. H. (2013). What sleeping babies hear: a functional MRI study of interparental conflict and infants' emotion processing. *Psychological Science, 24,* 782–789. (p. 200)

Graham, C. (2011). Does more money make you happier? Why so much debate? *Applied Research in Quality Life, 6,* 219–239. (p. 484)

Graham, J., Nosek, B. A., & Haidt, J. (2012, December 12). The moral stereotypes of liberals and conservatives: Exaggeration of differences across the political spectrum. *PLoS ONE 7*(12), e50092. (p. 538)

Grande, G., Romppel, M., & Barth, J. (2012). Association between type D personality and prognosis in patients with cardiovascular diseases: A systematic review and meta-analysis. *Annals of Behavioral Medicine, 43,* 299–310. (p. 498)

Granic, I., Lobel, A., & Engels, R. C. M. E. (2014). The benefits of playing video games. *American Psychologist, 69,* 66–78. (p. 549)

Granqvist, P., Mikulincer, M., & Shaver, P. R. (2010). Religion as attachment: Normative processes and individual differences. *Personality and Social Psychology Review, 14,* 49–59. (p. 195)

Grant, A. M., Gino, F., & Hofmann, D. A. (2011). Reversing the extraverted leadership advantage: The role of employee proactivity. *Academy of Management Journal, 54,* 528–550. (p. 588)

Grant, N., Wardle, J., & Steptoe, A. (2009). The relationship between life satisfaction and health behavior: A cross-cultural analysis of young adults. *International Journal of Behavioral Medicine, 16,* 259–268. (p. 508)

Gray, P. (2010, July 7). ADHD and school: The problem of assessing normalcy in an abnormal environment. *Psychology Today Blog* (www.psychologytoday.com). (p. 615)

Gray, P. B., Yang, C-F. J., & Pope, Jr., H. G. (2006). Fathers have lower salivary testosterone levels than unmarried men and married non-fathers in Beijing, China. *Proceedings of the Royal Society, 273,* 333–339. (p. 434)

Graybiel, A. M., & Smith, K. S. (2014, June). Good habits, bad habits. *Scientific American,* pp. 39–43. (p. 280)

Gray-Little, B., & Burks, N. (1983). Power and satisfaction in marriage: A review and critique. *Psychological Bulletin, 93,* 513–538. (p. 557)

Green, B. (2002). Listening to leaders: Feedback on 360-degree feedback one year later. *Organizational Development Journal, 20,* 8–16. (p. A-7)

Green, C. S., Pouget, A., & Bavelier, D. (2010). Improved probabilistic inference, as a general learning mechanism with action video games. *Current Biology, 20,* 1573–1579. (p. 549)

Green, J. D., Sedikides, C., & Gregg, A. P. (2008). Forgotten but not gone: The recall and recognition of self-threatening memories. *Journal of Experimental Social Psychology, 44,* 547–561. (p. 580)

Green, J. T., & Woodruff-Pak, D. S. (2000). Eyeblink classical conditioning: Hippocampal formation is for neutral stimulus associations as cerebellum is for association-response. *Psychological Bulletin, 126,* 138–158. (p. 330)

Green, M. F., & Horan, W. P. (2010). Social cognition in schizophrenia. *Current Directions in Psychological Science, 19,* 243–248. (p. 641)

Greenberg, J. (2008). Understanding the vital human quest for self-esteem. *Perspectives on Psychological Science, 3,* 48–55. (p. 599)

Greenberg, J., Solomon, S., & Pyszczynski, T. (1997). Terror management theory of self-esteem and cultural worldviews: Empirical assessments and conceptual refinements. *Advances in Social Psychology, 29,* 61–142. (p. 581)

Greene, J. (2010). Remarks to An Edge conference: The new science of morality. www.edge.org. (p. 207)

Greene, J., Sommerville, R. B., Nystrom, L. E., Darley, J. M., & Cohen, J. D. (2001). An fMRI investigation of emotional engagement in moral judgment. *Science, 293,* 2105. (p. 207)

Greenwald, A. G. (1992). *Subliminal semantic activation and subliminal snake oil.* Paper presented to the American Psychological Association Convention, Washington, DC. (p. 233)

Greenwald, A. G., Oakes, M. A., & Hoffman, H. (2003). Targets of discrimination: Effects of race on responses to weapons holders. *Journal of Experimental Social Psychology, 39,* 399. (p. 539)

Greenwald, A. G., & Pettigrew, T. F. (2014, March). With malice toward none and charity for some: Ingroup favoritism enables discrimination. *American Psychologist, 69,* 645–655. (p. 542)

Greenwald, A. G., Spangenberg, E. R., Pratkanis, A. R., & Eskenazi, J. (1991). Double-blind tests of subliminal self-help audiotapes. *Psychological Science, 2,* 119–122. (p. 233)

Greenwald, G. (2012, March 19). Discussing the motives of the Afghan shooter. *Salon* (www.salon.com). (p. 563)

Greer, S. G., Goldstein, A. N., & Walker, M. P. (2013). The impact of sleep deprivation on food desire in the human brain. *Nature Communications 4,* 2259, DOI: 10.1038/ncomms3259. (p. 108)

Gregory, A. M., Rijksdijk, F. V., Lau, J. Y., Dahl, R. E., & Eley, T. C. (2009). The direction of longitudinal associations between sleep problems and depression symptoms: A study of twins aged 8 and 10 years. *Sleep, 32,* 189–199. (p. 107)

Gregory, R. L. (1978). *Eye and brain: The psychology of seeing* (3rd ed.). New York: McGraw-Hill. (pp. 153, 254)

Gregory, R. L., & Gombrich, E. H. (Eds.). (1973). *Illusion in nature and art.* New York: Charles Scribner's Sons. (p. 237)

Greif, E. B., & Ulman, K. J. (1982). The psychological impact of menarche on early adolescent females: A review of the literature. *Child Development, 53,* 1413–1430. (p. 167)

Greist, J. H., Jefferson, J. W., & Marks, I. M. (1986). *Anxiety and its treatment: Help is available.* Washington, DC: American Psychiatric Press. (p. 620)

Greitemeyer, T., & Osswald, S. (2010). Effects of prosocial video games on prosocial behavior. *Journal of Personality and Social Psychology, 98,* 211–221. (p. 549)

Greitemeyer, T., & Osswald, S. (2011). Playing prosocial video games increases the accessibility of prosocial thoughts. *The Journal of Social Psychology, 151,* 121–128. (p. 549)

Greyson, B. (2010). Implications of near-death experiences for a postmaterialist psychology. *Review of Religion and Spirituality, 2,* 37–45. (p. 124)

Grèzes, J., & Decety, J. (2001). Function anatomy of execution, mental simulation, observation, and verb generation of actions: A meta-analysis. *Human Brain Mapping, 12,* 1–19. (p. 382)

Griffiths, M. (2001). Sex on the Internet: Observations and implications for Internet sex addiction. *Journal of Sex Research, 38,* 333–342. (p. 118)

Griggs, R. (2014). Coverage of the Stanford Prison Experiment in introductory psychology textbooks. *Teaching of Psychology, 41,* 195–203. (p. 522)

Grilo, C. M., & Pogue-Geile, M. F. (1991). The nature of environmental influences on weight and obesity: A behavior genetic analysis. *Psychological Bulletin, 110,* 520–537. (p. 431)

Grimm, S., & Scheidegger, M. (2013, May/June). A trip out of depression. *Scientific American Mind,* pp. 67–71. (p. 684)

Grinker, R. R. (2007). *Unstrange minds: Remapping the world of autism.* New York: Basic Books. (p. 193)

Griskevicius, V., Tybur, J. M., Gangestad, S. W., Perea, E. F., Shapiro, J. R., & Kenrick, D. T. (2009). Aggress to impress: Hostility as an evolved context-dependent strategy. *Journal of Personality and Social Psychology, 96,* 980–994. (p. 149)

Grobstein, C. (1979, June). External human fertilization. *Scientific American,* pp. 57–67. (p. 181)

Grogan-Kaylor, A. (2004). The effect of corporal punishment on antisocial behavior in children. *Social Work Research, 28,* 153–162. (p. 296)

Groothuis, T. G. G., & Carere, C. (2005). Avian personalities: Characterization and epigenesis. *Neuroscience and Biobehavioral Reviews, 29,* 137–150. (p. 589)

Gross, A. E., & Crofton, C. (1977). What is good is beautiful. *Sociometry, 40,* 85–90. (p. 555)

Grossberg, S. (1995). The attentive brain. *American Scientist, 83,* 438–449. (p. 237)

Grossmann, I., Karasawa, M., Izumi, S., Na, J., Varnum, M. E. W., Kitayama, S., & Nisbett, R. E. (2012). Aging and wisdom: Culture matters. *Psychological Science, 23,* 1059–1066. (p. 401)

Grossmann, I., Na, J., Varnum, M. E. W., Park, D. C., Kitayama, S., & Nisbett, R. E. (2010). Reasoning about social conflicts improves into old age. *PNAS, 107,* 7246–7250. (p. 401)

Groves, C. L., Prot, S., & Anderson, C. A. (in press). Violent media effects: Theory and evidence. In H. Friedman (Ed.) *Encyclopedia of Mental Health 2nd Edition.* San Diego, CA: Elsevier. (p. 312)

Gruber, J. (2011). Can feeling too good be bad? Positive emotion persistence (PEP) in bipolar disorder. *Current Directions in Psychological Science, 20,* 217–221. (p. 630)

Gruber, J., Gilbert, K. E., Youngstrom, E., Kogos Youngstrom, J., Feeny, N. C., Findling, R. L. (2013). Reward dysregulation and mood symptoms in an adolescent outpatient sample. *Journal of Abnormal Child Psychology, 41,* 1053–1065. (p. 630)

Gruder, C. L. (1977). Choice of comparison persons in evaluating oneself. In J. M. Suls & R. L. Miller (Eds.), *Social comparison processes.* New York: Hemisphere. (p. 484)

Guéguen, N. (2011). Effects of solicitor sex and attractiveness on receptivity to sexual offers: A field study. *Archives of Sexual Behavior, 40,* 915–919. (p. 150)

Guéguen, N., & Jacob, C. (2013). Color and cyber-attractiveness: Red enhances men's attraction to women's Internet personal ads. *Color Research and Application, 38,* 309–312. (p. 302)

Guéguen, N., & Jacob, C. (2014). Clothing color and tipping: Gentlemen patrons give more tips to waitresses with red clothes. *Journal of Hospitality and Tourism Research, 38,* 275–280. (p. 302)

Guenther, C. L., & Alicke, M. D. (2010). Deconstructing the better-than-average effect. *Journal of Personality and Social Psychology, 99,* 755–770. (p. 602)

Guerin, B. (1986). Mere presence effects in humans: A review. *Journal of Personality and Social Psychology, 22,* 38–77. (p. 532)

Guerin, B. (2003). Language use as social strategy: A review and an analytic framework for the social sciences. *Review of General Psychology, 7,* 251–298. (p. 370)

Guiso, L., Monte, F., Sapienza, P., & Zingales, L. (2008). Culture, gender, and math. *Science, 320,* 1164–1165. (p. 411)

Gunderson, E. A., Gripshover, S. J., Romero, C., Dweck, C. S., Goldin-Meadow, S., & Levine, S. C. (2013). Parent praise to 1- to 3-year-olds predicts children's motivational frameworks 5 years later. *Child Development, 84,* 1526–1541. (p. 409)

Gunstad, J., Strain, G., Devlin, M. J., Wing, R., Cohen, R. A., Paul, R. H., Crosby, R. D., & Mitchell, J. E. (2011). Improved memory function 12 weeks after bariatric surgery. *Surgery for Obesity and Related Diseases, 7,* 465–472. (p. 430)

Gunter, R. W., & Bodner, G. E. (2008). How eye movements affect unpleasant memories: Support for a working-memory account. *Behaviour Research and Therapy, 46,* 913–931. (p. 677)

Gunter, T. D., Vaughn, M. G., & Philibert, R. A. (2010). Behavioral genetics in antisocial spectrum disorders and psychopathy: A review of the recent literature. *Behavioral Sciences and the Law, 28,* 148–173. (p. 649)

Guo, X., et al. (2010). Effect of antipsychotic medication alone vs combined with psychosocial intervention on outcomes of early-stage schizophrenia. *Archives of General Psychiatry, 67,* 895–904. (p. 682)

Gurven, M., von Rueden, C., Massenkoff, M., Kaplan, H., & Vie, M. L. (2013). How universal is the big five? Testing the five-factor model of personality variation among forager-farmers in the Bolivian Amazon. *Journal of Personality and Social Psychology, 104,* 354–370. (p. 593)

Gustavson, C. R., Garcia, J., Hankins, W. G., & Rusiniak, K. W. (1974). Coyote predation control by aversive conditioning. *Science, 184,* 581–583. (p. 302)

Gustavson, C. R., Kelly, D. J., & Sweeney, M. (1976). Prey-lithium aversions I: Coyotes and wolves. *Behavioral Biology, 17,* 61–72. (p. 302)

Guttmacher Institute. (1994). *Sex and America's teenagers.* New York: Alan Guttmacher Institute. (pp. 212, 436)

H., Sally. (1979, August). Videotape recording number T–3, Fortunoff Video Archive of Holocaust Testimonies. New Haven, CT: Yale University Library. (p. 580)

Haas, A. P., et al. (2011). Suicide and suicide risk in lesbian, gay, bisexual, and transgender populations: Review and recommendations. *Journal of Homosexuality, 58,* 10–51. (p. 638)

Haase, C. M., Tomasik, M. J. H., & Silbereisen, R. K. (2008). Premature behavioral autonomy: Correlates in late adolescence and young adulthood. *European Psychologist, 13,* 255–266. (p. 202)

Haber, R. N. (1970, May). How we remember what we see. *Scientific American,* pp. 104–112. (p. 318)

Haddock, G., & Zanna, M. P. (1994). Preferring "housewives" to "feminists." *Psychology of Women Quarterly, 18,* 25–52. (p. 540)

Hadjistavropoulos, T., Craig, K. D., Duck, S. Cano, A., Goubert, L., Jackson, P. L., . . . Fitzgerald, T. D. (2011). A biopsychosocial formulation of pain communication. *Psychological Bulletin, 137,* 910–939. (p. 263)

Haedt-Matt, A. A., & Keel, P. K. (2011). Revisiting the affect regulation model of binge eating: A meta-analysis of studies using ecological momentary assessment. *Psychological Bulletin, 137,* 660–681. (p. 651)

Hafenbrack, A. C., Kinias, Z., & Barsade, S. G. (2014). Debiasing the mind through meditation: Mindfulness and the sunk-cost bias. *Psychological Science, 25,* 369–376. (p. 511)

Hagerty, M. R. (2000). Social comparisons of income in one's community: Evidence from national surveys of income and happiness. *Journal of Personality and Social Psychology, 78,* 764–771. (p. 484)

Hagger, M. S., & Chatzisarantis, N. L. D. (2013). The sweet taste of success: The presence of glucose in the oral cavity moderates the depletion of self-control resources. *Personality and Social Psychology Bulletin, 39,* 28–42. (p. 504)

Hagger, M. S., Wood, C., Stiff, C., & Chatzisarantis, N. L. D. (2010). Ego depletion and the strength model of self-control: A meta-analysis. *Psychological Bulletin, 136,* 495–525. (p. 503)

Haidt, J. (2000). The positive emotion of elevation. *Prevention and Treatment, 3,* article 3 (journals.apa.org/prevention/volume3). (p. 207)

Haidt, J. (2002). The moral emotions. In R. J. Davidson, K. Scherer, & H. H. Goldsmith (Eds.), *Handbook of affective sciences.* New York: Oxford University Press. (p. 206)

Haidt, J. (2012). *The righteous mind: Why good people are divided by politics and religion.* New York: Pantheon. (p. 206)

Hajhosseini, B., Stewart, B., Tan, J. C., Busque, S., & Melcher, M. L. (2013). Evaluating deceased donor registries: Identifying predictive factors of donor designation. *American Surgeon, 79,* 235–241. (p. 363)

Hakuta, K., Bialystok, E., & Wiley, E. (2003). Critical evidence: A test of the critical-period hypothesis for second-language acquisition. *Psychological Science, 14,* 31–38. (p. 374)

Halberstadt, J., Sherman, S. J., & Sherman, J. W. (2011). Why Barack Obama is black. *Psychological Science, 22,* 29–33. (p. 543)

Halberstadt, J. B., Niedenthal, P. M., & Kushner, J. (1995). Resolution of lexical ambiguity by emotional state. *Psychological Science, 6,* 278–281. (p. 237)

Haldeman, D. C. (1994). The practice and ethics of sexual orientation conversion therapy. *Journal of Consulting and Clinical Psychology, 62,* 221–227. (p. 441)

Haldeman, D. C. (2002). Gay rights, patient rights: The implications of sexual orientation conversion therapy. *Professional Psychology: Research and Practice, 33,* 260–264. (p. 441)

Hall, C. S., Dornhoff, W., Blick, K. A., & Weesner, K. E. (1982). The dreams of college men and women in 1950 and 1980: A comparison of dream contents and sex differences. *Sleep, 5,* 188–194. (p. 112)

Hall, C. S., & Lindzey, G. (1978). *Theories of personality* (2nd ed.). New York: Wiley. (p. 580)

Hall, G. (1997). Context aversion, Pavlovian conditioning, and the psychological side effects of chemotherapy. *European Psychologist, 2,* 118–124. (p. 303)

Hall, G. S. (1904). *Adolescence: Its psychology and its relations to physiology, anthropology, sex, crime, religion and education* (Vol. I). New York: Appleton-Century-Crofts. (p. 204)

Hall, J. A. (1984). *Nonverbal sex differences: Communication accuracy and expressive style.* Baltimore: Johns Hopkins University Press. (p. 470)

Hall, J. A. (1987). On explaining gender differences: The case of nonverbal communication. In P. Shaver & C. Hendrick (Eds.), *Review of Personality and Social Psychology, 7,* 177–200. (p. 470)

Hall, J. A. Y., & Kimura, D. (1994). Dermatoglyphic assymetry and sexual orientation in men. *Behavioral Neuroscience, 108,* 1203–1206. (p. 445)

Hall, J. G. (2003). Twinning. *Lancet, 362,* 735–743. (p. 136)

Hall, S. S. (2004, May). The good egg. *Discover,* pp. 30–39. (p. 181)

Hallal, P. C., Andersen, L. B., Bull, F. C., Guthold, R., Haskell, W., & Ekelund, U. (2012). Global physical activity levels: Surveillance progress, pitfalls, and prospects. *The Lancet, 380,* 247–257. (p. 431)

Haller, R., Rummel, C., Henneberg, S., Pollmer, U., & Köster, E. P. (1999). The influence of early experience with vanillin on food preference later in life. *Chemical Senses, 24,* 465–467. (p. 266)

Halpern, D. F. (2000). *Sex-related ability differences: Changing perspectives, changing minds.* Mahwah, NJ: Erlbaum. (p. 439)

Halpern, D. F., Benbow, C. P., Geary, D. C., Gur, R. C., Hyde, J. S., & Gernsbacher, M. A. (2007). The science of sex differences in science and mathematics. *Psychological Science in the Public Interest, 8,* 1–51. (p. 410)

Halsey, A., III. (2010, January 26). U.S. bans truckers, bus drivers from texting while driving. *Washington Post* (www.washingtonpost.com). (p. 96)

Hambrick, D. Z., Altmann, E. M., Oswald, F. L., Meinz, E. J., Gobet, F., & Campitelli, G. (2014a). Accounting for expert performance: The devil is in the details. *Intelligence, 45,* 112–114. (p. 455)

Hambrick, D. Z., & Meinz, E. J. (2011). Limits on the predictive power of domain-specific experience and knowledge in skilled performance. *Current Directions in Psychological Science, 20,* 275–279. (pp. 365, 455)

Hambrick, D. Z., Oswald, F. L., Altmann, E. M., Meinz, E. J., Gobet, F., & Campitelli, G. (2014b). Deliberate practice: Is that all it takes to become an expert? *Intelligence, 45,* 34–45. (p. 455)

Hamilton, R. H. (2000, November). *Increased prevalence of absolute pitch in blind musicians* (Abstract 739.13). Society for Neuroscience meeting, New Orleans. (p. 375)

Hamlin, J. K., Wynn, K., Bloom, P., & Mahajan, N. (2011). How infants and toddlers reach to antisocial others. *Proceedings of the National Academy of Sciences, 108,* 19931–19936. (p. 156)

Hammack, P. L., (2005). The life course development of human sexual orientation: An integrative paradigm. *Human Development, 48,* 267–290. (p. 442)

Hammer, E. (2003). How lucky you are to be a psychology major. *Eye on Psi Chi,* 4–5. (p. B-5)

Hammersmith, S. K. (1982, August). *Sexual preference: An empirical study from the Alfred C. Kinsey Institute for Sex Research.* Paper presented at the meeting of the American Psychological Association, Washington, DC. (p. 442)

Hammond, D. C. (2008). Hypnosis as sole anesthesia for major surgeries: Historical and contemporary perspectives. *American Journal of Clinical Hypnosis, 51,* 101–121. (p. 265)

Hampshire, A., Highfield, R. R., Parkin, B. L., & Owen, A. M. (2012). Fractionating human intelligence. *Neuron, 76,* 1225–1237. (p. 386)

Hampson, R. (2000, April 10). In the end, people just need more room. *USA Today,* p. 19A. (pp. 431, 432)

Han, S. (2008, January). Bloom and grow: My view of psychological research in China. *Observer,* pp. 21–22. (p. 6)

Hancock, K. J., & Rhodes, G. (2008). Contact, configural coding and the other-race effect in face recognition. *British Journal of Psychology, 99,* 45–56. (p. 544)

Hankin, B. L., & Abramson, L. Y. (2001). Development of gender differences in depression: An elaborated cognitive vulnerability-transactional stress theory. *Psychological Bulletin, 127,* 773–796. (p. 635)

Hansen, C. H., & Hansen, R. D. (1988). Finding the face-in-the-crowd: An anger superiority effect. *Journal of Personality and Social Psychology, 54,* 917–924. (p. 468)

Harackiewicz, J. M., Canning, E. A., Tibbetts, Y., Giffen, C. J., Blair, S. S., Rouse, D. I., & Hyde, J. S. (2014). Closing the social class achievement gap for first-generation students in undergraduate biology. *Journal of Educational Psychology, 106,* 375–389. (p. 415)

Harbaugh, W. T., Mayr, U., & Burghart, D. R. (2007). Neural responses to taxation and voluntary giving reveal motives for charitable donations. *Science, 316,* 1622–1625. (p. 560)

Harber, K. D. (1998), Feedback to minorities: Evidence of a positive bias. *Journal of Personality and Social Psychology, 74,* 622–628. (p. 539)

Harden, K. P. (2012). True love waits? A sibling-comparison study of age at first sexual intercourse and romantic relationships in young adulthood. *Psychological Science, 23,* 1324–1336. (p. 439)

Harden, K. P. (2014). Genetic influences on adolescent sexual behavior: Why genes matter for environmentally oriented researchers. *Psychological Bulletin, 140,* 434–465. (p. 438)

Hardeveld, H. S., De Graaf, R., Nolen, W. A., & Beckman, A. T. F. (2010). Prevalence and predictors of recurrence of major depressive disorder in the adult population. *Acta Psychiatrica Scandinavia, 122,* 184–191. (p. 632)

Hardisty, D. J., Johnson, E. J., & Weber, E. U. (2010). A dirty word or a dirty world? Attribute framing, political affiliation, and query theory. *Psychological Science, 21,* 86–92. (p. 364)

Hardt, O., Einarsson, E. O., & Nader, K. (2010). A bridge over troubled water: Reconsolidation as a link between cognitive and neuroscientific memory research traditions. *Annual Review of Psychology, 61,* 141–167. (p. 343)

Hare, R. D. (1975). Psychophysiological studies of psychopathy. In D. C. Fowles (Ed.), *Clinical applications of psychophysiology.* New York: Columbia University Press. (p. 649)

Harenski, C. L., Harenski, K. A., Shane, M. W., & Kiehl, K. A. (2010). Aberrant neural processing of moral violations in criminal psychopaths. *Journal of Abnormal Psychology, 119,* 863–874. (p. 651)

Harkins, S. G., & Szymanski, K. (1989). Social loafing and group evaluation. *Journal of Personality and Social Psychology, 56,* 934–941. (p. 533)

Harlow, H. F., Harlow, M. K., & Suomi, S. J. (1971). From thought to therapy: Lessons from a primate laboratory. *American Scientist, 59,* 538–549. (p. 195)

Harmon-Jones, E., Abramson, L. Y., Sigelman, J., Bohlig, A., Hogan, M. E., & Harmon-Jones, C. (2002). Proneness to hypomania/mania symptoms or depression symptoms and asymmetrical frontal cortical responses to an anger-evoking event. *Journal of Personality and Social Psychology, 82,* 610–618. (p. 467)

Harper, C., & McLanahan, S. (2004). Father absence and youth incarceration. *Journal of Research on Adolescence, 14,* 369–397. (p. 548)

Harper's. (2009, November). Harper's index. *Harper's,* p. 13. (p. 554)

Harris, B. (1979). Whatever happened to Little Albert? *American Psychologist, 34,* 151–160. (p. 288)

Harris, J. R. (1998). *The nurture assumption.* New York: Free Press. (pp. 154, 197)

Harris, J. R. (2000). Beyond the nurture assumption: Testing hypotheses about the child's environment. In J. G. Borkowski & S. L. Ramey (Eds.), *Parenting and the child's world: Influences on academic, intellectual, and social-emotional development.* Washington, DC: APA Books. (p. 154)

Harris, J. R. (2006). *No two are alike: Human nature and human individuality.* New York: Norton. (p. 137)

Harris, J. R. (2007, August 8). Do pals matter more than parents? *The Times* (www.timesonline.co.uk). (p. 154)

Harris, R. J. (1994). The impact of sexually explicit media. In J. Brant & D. Zillmann (Eds.), *Media effects: Advances in theory and research.* Hillsdale, NJ: Erlbaum. (p. 548)

Harrison, T. L., Shipstead, Z., Hicks, K. L., Hambrick, D. Z., Redick, T. S., & Engle, R. W. (2013). Working memory training may increase working memory capacity but not fluid intelligence. *Psychological Science, 24,* 2409–2419. (p. 218)

Harriston, K. A. (1993, December 24). 1 shakes, 1 snoozes: Both win $45 million. *Washington Post* release (in *Tacoma News Tribune,* pp. A1, A2). (p. 598)

Harter, J. K., Schmidt, F. L., Asplund, J. W., Killham, E. A., & Agrawal, S. (2010). Causal impact of employee work perceptions on the bottom line of organizations. *Perspectives on Psychological Science, 5,* 378–389. (p. A-10)

Harter, J. K., Schmidt, F. L., & Hayes, T. L. (2002). Business-unit-level relationship between employee satisfaction, employee engagement, and business outcomes: A meta-analysis. *Journal of Applied Psychology, 87,* 268–279. (pp. A-9, A-10)

Hartmann, E. (1981, April). The strangest sleep disorder. *Psychology Today,* pp. 14, 16, 18. (p. 111)

Hartwig, M., & Bond, C. F., Jr. (2011). Why do lie-catchers fail? A lens model meta-analysis of human lie judgments. *Psychological Bulletin, 137,* 643–659. (p. 469)

Harvard Mental Health Letter. (2002, February). EMDR (Eye movement and reprocessing). *Harvard Mental Health Letter, 18,* 4–5. (p. 677)

Harvey, A. G., & Tang, N. K. Y. (2012). (Mis)perception of sleep in insomnia: A puzzle and a resolution. *Psychological Bulletin, 138,* 77–101. (p. 110)

Haselton, M. G., & Gildersleeve, K. (2011). Can men detect ovulation? *Current Directions in Psychological Science, 20,* 87–92. (p. 434)

Haslam, S. A., & Reicher, S. D. (2007). Beyond the banality of evil: Three dynamics of an interactionist social psychology of tyranny. *Personality and Social Psychology Bulletin, 33,* 615–622. (p. 523)

Haslam, S. A., & Reicher, S. D. (2012). Contesting the "nature" of conformity: What Milgram and Zimbardo's studies really show. *PLOS Biology, 10*(11), e1001426. (p. 523)

Hassan, B., & Rahman, Q. (2007). Selective sexual orientation-related differences in object location memory. *Behavioral Neuroscience, 121,* 625–633. (p. 446)

Hassin, R. R. (2013). Yes it can: On the functional abilities of the human unconscious. *Perspectives on Psychological Science, 8,* 195–207. (pp. 365, 549)

Hatfield, E. (1988). Passionate and companionate love. In R. J. Sternberg & M. L. Barnes (Eds.), *The psychology of love.* New Haven, CT: Yale University Press. (pp. 556, 557)

Hatfield, E., & Sprecher, S. (1986). *Mirror, mirror . . . The importance of looks in everyday life.* Albany: State University of New York Press. (p. 553)

Hathaway, S. R. (1960). *An MMPI Handbook* (Vol. 1, Foreword). Minneapolis: University of Minnesota Press (rev. ed. (p. 1972). (p. 589)

Hatzenbuehler, M. L. (2011). The social environment and suicide attempts in lesbian, gay, and bisexual youth. *Pediatrics, 127,* 896–903. (p. 638)

Hatzenbuehler, M. L. (2014). Structural stigma and the health of lesbian, gay, and bisexual populations. *Current Directions in Psychological Science, 23,* 127–132. (p. 540)

Hatzenbuehler, M. L., Nolen-Hoeksema, S., & Dovidio, J. (2009). How does stigma "get under the skin?" The mediating role of emotion regulation. *Psychological Science, 20,* 1282–1289. (p. 610)

Hatzigeorgiadis, A., Zourbanos, N., Galanis, E., & Theodorakis, Y. (2011). Self-talk and sports performance: A meta-analysis. *Perspectives on Psychological Science, 6,* 348–356. (p. 669)

Hauser, M. D., Chomsky, N., & Fitch, W. T. (2002). The faculty of language: What is it, who has it, and how did it evolve? *Science, 298,* 1569–1579. (p. 371)

Havas, D. A., Glenberg, A. M., Gutowski, K. A., Lucarelli, M. J., & Davidson, R. J. (2010). Cosmetic use of Botulinum Toxin-A affects processing of emotional language. *Psychological Science, 21,* 895–900. (p. 474)

Havas, D. A., Glenberg, A. M., & Rink, M. (2007). Emotion simulation during language comprehension. *Psychonomic Bulletin & Review, 14,* 436–441. (p. 474)

Haworth, C. M. A., et al. (2009). A twin study of the genetics of high cognitive ability selected from 11,000 twin pairs in sex studies from four countries. *Behavior Genetics, 39,* 359–370. (p. 406)

Haworth, C. M. A., et al. (2010). The heritability of general cognitive ability increases linearly from childhood to young adulthood. *Molecular Psychiatry, 15,* 1112–1120. (pp. 141, 407)

Haxby, J. V. (2001, July 7). Quoted by B. Bower, Faces of perception. *Science News,* pp. 10–12. See also J. V. Haxby, M. I. Gobbini, M. L. Furey, A. Ishai, J. L. Schouten & P. Pietrini, Distributed and overlapping representations of faces and objects in ventral temporal cortex. *Science, 293,* 2425–2430. (p. 245)

Hayasaki, E. (2014, July). Want to know when you'll die? Big data could tell you. *Newsweek.* www.newsweek.com. (p. 582)

Haynes, J-D., & Rees, G. (2005). Predicting the orientation of invisible stimuli from activity in human primary visual cortex. *Nature Neuroscience, 8,* 686–691. (p. 232)

Haynes, J-D., & Rees, G. (2006). Decoding mental states from brain activity in humans. *Nature Reviews Neuroscience, 7,* 523–534. (p. 232)

Hazan, C., & Shaver, P. R. (1994). Attachment as an organizational framework for research on close relationships. *Psychological Inquiry, 5,* 1–22., 201)

Hazelrigg, M. D., Cooper, H. M., & Borduin, C. M. (1987). Evaluating the effectiveness of family therapies: An integrative review and analysis. *Psychological Bulletin, 101,* 428–442. (p. 671)

He, Y., Jones, C. R., Fujiki, N., Xu, Y., Guo, B., Holder, J. L., Jr., . . . Fu, Y-H. (2009). The transcriptional repressor DEC2 regulates sleep length in mammals. *Science, 325,* 866–870. (p. 104)

Head Start. (2013, accessed December 20). About. Office of Head Start, An Office of the Administration for Families and Children (www.acf.hhs.gov/programs/ohs/about). (p. 409)

Headey, B., Muffels, R., & Wagner, G. G. (2010). Long-running German panel survey shows that personal and economic choices, not just genes, matter for happiness. *PNAS, 107,* 17922–17926. (p. 485)

Health Canada (2012). Major findings from the Canadian Alcohol and Drug Use Monitoring Survey (CADUMS) 2011. Health Canada (www.hc-sc.gc.ca/hc-ps/drugs-drogues/stat/index-eng.php). (p. 126)

Heavey, C. L., & Hurlburt, R. T. (2008). The phenomena of inner experience. *Consciousness and Cognition, 17,* 798–810. (pp. 30, 379)

Hedström, P., Liu, K-Y., & Nordvik, M. K. (2008). Interaction domains and suicides: A population-based panel study of suicides in the Stockholm metropolitan area, 1991–1999. *Social Forces, 2,* 713–740. (p. 638)

Hehman, E., Leitner, J. B., Deegan, M. P., & Gaertner, S. L. (2013). Facial structure is indicative of explicit support for prejudicial beliefs. *Psychological Science, 24,* 289–296. (p. 546)

Heider, F. (1958). *The psychology of interpersonal relations.* New York: Wiley. (p. 518)

Heil, K. M., & Schaaf, C. P. (2013). The genetics of autism spectrum disorders—A guide for clinicians. *Current Psychiatry Reports, 15*(1), 334. (p. 194)

Heiman, J. R. (1975, April). The physiology of erotica: Women's sexual arousal. *Psychology Today,* pp. 90–94. (p. 437)

Heine, S. J., & Buchtel, E. E. (2009). Personality: The universal and the culturally specific. *Annual Review of Psychology, 60,* 369–394. (pp. 159, 590)

Heine, S. J., & Hamamura, T. (2007). In search of East Asian self-enhancement. *Personality and Social Psychology Review, 11,* 4–27. (p. 602)

Heine, S. J., & Ruby, M. B. (2010). Cultural psychology. *Wiley Interdisciplinary Reviews: Cognitive Science, 1,* 254–266. (p. 518)

Hejmadi, A., Davidson, R. J., & Rozin, P. (2000). Exploring Hindu Indian emotion expressions: Evidence for accurate recognition by Americans and Indians. *Psychological Science, 11,* 183–187. (p. 468)

Helfand, D. (2011, January 7). An assault on rationality. *New York Times* (www.nytimes.com). (p. 274)

Helleberg, M., Afzal, S., Kronborg, G., Larsen, C. S., Pedersen, G., Pedersen, C., . . . Obel, N. (2013). Mortality attributable to smoking among HIV-1-infected individuals: A nationwide, population-based cohort study. *Clinical Infectious Diseases, 56,* 727–734. (p. 121)

Heller, A. S., Johnstone, T., Schackman, A. J., Light, S. N., Peterson, M. J., Kolden, G. G., Kalin, N. H., & Davidson, R. J. (2009). Reduced capacity to sustain positive emotion in major depression reflects diminished maintenance of fronto-striatal brain activation. *PNAS, 106,* 22445–22450. (p. 633)

Heller, W. (1990, May/June). Of one mind: Second thoughts about the brain's dual nature. *The Sciences,* pp. 38–44. (p. 85)

Helliwell, J., Layard, R., & Sachs, J. (Eds.) (2013). *World happiness report.* New York: The Earth Institute, Columbia University. (pp. 484, 485)

Helmreich, W. B. (1992). *Against all odds: Holocaust survivors and the successful lives they made in America.* New York: Simon & Schuster. (pp. 200, 580)

Helmreich, W. B. (1994). Personal correspondence. Department of Sociology, City University of New York. (p. 580)

Helms, J. E., Jernigan, M., & Mascher, J. (2005). The meaning of race in psychology and how to change it: A methodological perspective. *American Psychologist, 60,* 27–36. (p. 412)

Helmuth, L. (2001). Boosting brain activity from the outside in. *Science, 292,* 1284–1286. (p. 686)

Helsen, K., Goubert, L., Peters, M. L., & Vlaeyen, J. W. S. (2011). Observational learning and pain-related fear: An experimental study with colored cold pressor tasks. *The Journal of Pain, 12,* 1230–1239. (p. 625)

Helweg-Larsen, M. (1999). (The lack of) optimistic biases in response to the 1994 Northridge earthquake: The role of personal experience. *Basic and Applied Social Psychology, 21,* 119–129. (p. 600)

Hembree, R. (1988). Correlates, causes, effects, and treatment of test anxiety. *Review of Educational Research, 58,* 47–77. (p. 422)

Hemenover, S. H. (2003). The good, the bad, and the healthy: Impacts of emotional disclosure of trauma on resilient self-concept and psychological distress. *Personality and Social Psychology Bulletin, 29,* 1236–1244. (p. 507)

Henderlong, J., & Lepper, M. R. (2002). The effects of praise on children's intrinsic motivation: A review and synthesis. *Psychological Bulletin, 128,* 774–795. (p. 305)

Henderson, J. M. (2007). Regarding scenes. *Current Directions in Psychological Science, 16,* 219–222. (p. 234)

Henig, R. M. (2010, August 18). What is it about 20-somethings? *New York Times* (www.nytimes.com). (p. 212)

Henkel, L. A., Franklin, N., & Johnson, M. K. (2000, March). Cross-modal source monitoring confusions between perceived and imagined events. *Journal of Experimental Psychology: Learning, Memory, & Cognition, 26,* 321–335. (p. 346)

Henley, N. M. (1989). Molehill or mountain? What we know and don't know about sex bias in language. In M. Crawford & M. Gentry (Eds.), *Gender and thought: Psychological perspectives.* New York: Springer-Verlag. (p. 381)

Hennenlotter, A., Dresel, C., Castrop, F., Ceballos Baumann, A., Wohschlager, A., & Haslinger, B. (2008). The link between facial feedback and neural activity within central circuitries of emotion: New insights from Botulinum Toxin-induced denervation of frown muscles. *Cerebral Cortex, 19,* 537–542. (p. 474)

Hennessey, B. A., & Amabile, T. M. (2010). Creativity. *Annual Review of Psychology, 61,* 569–598. (pp. 365, A-13)

Henninger, P. (1992). Conditional handedness: Handedness changes in multiple personality disordered subject reflect shift in hemispheric dominance. *Consciousness and Cognition, 1,* 265–287. (p. 648)

Henrich, J., Heine, S. J., & Norenzayan, A. (2010). The weirdest people in the world? *Behavioral and Brain Sciences, 33,* 61–135. (p. 7)

Henry, J. D., MacLeod, M. S., Phillips, L. H., & Crawford, J. R. (2004). A meta-analytic review of prospective memory and aging. *Psychology and Aging, 19,* 27–39. (p. 217)

Hepler, J., & Albarracin, D. (2013). Complete unconscious control: using (in)action primes to demonstrate completely unconscious activation of inhibitory control mechanisms. *Cognition, 128,* 271–279. (p. 231)

Hepper, P. (2005). Unravelling our beginnings. *The Psychologist, 18,* 474–477. (p. 182)

Hepper, P. G., Shahidullah, S., & White, R. (1990). Origins of fetal handedness. *Nature, 347,* 431. (p. 86)

Hepper, P. G., Wells, D. L., & Lynch, C. (2004). Prenatal thumb sucking is related to postnatal handedness. *Neuropsychologia, 43,* 313–315. (p. 86)

Herbenick, D., Reece, M., Schick, V., & Sanders, S. A. (2014). Erect penile length and circumference dimensions of 1,661 sexually active men in the United States. *Journal of Sexual Medicine, 11,* 93–101. (p. 435)

Herbenick, D., Reece, M., Schick, V., Sanders, S. A., Dodge, B., & Fortenberry, J. D. (2010). Sexual behaviors, relationships, and perceived health among adult women in the United States: Results from a national probability sample. *Journal of Sexual Medicine, 7* (suppl 5), 277–290. (p. 214)

Herbenick, D., Reece, M., Schick, V., Sanders, S. A., Dodge, B., & Fortenberry, J. D. (2010a). Sexual behavior in the United States: Results from a national probability sample of men and women ages 14–94. *Journal of Sexual Medicine, 7*(suppl. 5): 255–265. (p. 440)

Herbert, J. D., Lilienfeld, S. O., Lohr, J. M., Montgomery, R. W., O'Donohue, W. T., Rosen, G. M., & Tolin, D. F. (2000). Science and pseudoscience in the development of eye movement desensitization and reprocessing: Implications for clinical psychology. *Clinical Psychology Review, 20,* 945–971. (p. 677)

Herek, G. (2014, accessed January 27). Facts about homosexuality and child molestation. www.psychology.ucdavis.edu/rainbow/html/facts_molestation.html. (p. 441)

Herman-Giddens, M. E. (2013). The enigmatic pursuit of puberty in girls. *Pediatrics, 132,* 1125–1126. (p. 204)

Herman-Giddens, M. E., Steffes, J., Harris, D., Slora, E., Hussey, M., Dowshen, S. A., et al. (2012). Secondary sexual characteristics in boys: Data from the pediatric research in office settings network. *Pediatrics, 130*(5), 1058–1068. (pp. 165, 166)

Herman-Giddens, M. E., Wang, L., & Koch, G. (2001). Secondary sexual characteristics in boys: Estimates from the National Health and Nutrition Examination Survey III, 1988–1994. *Archives of Pediatrics and Adolescent Medicine, 155,* 1022–1028. (p. 166)

Herman, C. P., & Polivy, J. (1980). Restrained eating. In A. J. Stunkard (Ed.), *Obesity.* Philadelphia: Saunders. (p. 432)

Herman, C. P., Roth, D. A., & Polivy, J. (2003). Effects of the presence of others on food intake: A normative interpretation. *Psychological Bulletin, 129,* 873–886. (p. 429)

Hernandez, A. E., & Li, P. (2007). Age of acquisition: Its neural and computational mechanisms. *Psychological Bulletin, 133,* 638–650. (p. 374)

Herrero, N., Gadea, M., Rodríguez-Alarcón, G., Espert, R., & Salvador, A. (2010). What happens when we get angry? Hormonal, cardiovascular and asymmetrical brain responses. *Hormones and Behavior, 57,* 276–283. (p. 477)

Herring, D. R., White, K. R., Jabeen, L. N., Hinojos, M., & Terrazas, G. (2013). On the automatic activation of attitudes: A quarter century of evaluative priming research. *Psychological Bulletin, 132,* 1062–1089. (pp. 231, 335)

Herringa, R. J., Phillips, M. L., Fournier, J. C., Kronhaus, D. M., & Germain, A. (2013). Childhood and adult trauma both correlate with dorsal anterior cingulate activation to threat in combat veterans. *Psychological Medicine, 43,* 1533–1542. (p. 626)

Herrmann, E., Call, J., Hernández-Lloreda, M. V., Hare, B., & Tomasello, M. (2007). Humans have evolved specialized skills of social cognition: The cultural intelligence hypothesis. *Science, 317,* 1360–1365. (p. 308)

Herrmann, E., Hernández-Lloreda, V., Call, J., Hare, B., & Tomasello, M. (2010). The structure of individual differences in the cognitive abilities of children and chimpanzees. *Psychological Science, 21,* 102–110. (p. 379)

Herrnstein, R. J., & Loveland, D. H. (1964). Complex visual concept in the pigeon. *Science, 146,* 549–551. (p. 291)

Hershenson, M. (1989). *The moon illusion.* Hillsdale, NJ: Erlbaum. (p. 253)

Hertel, G., Schroer, J., Batinic, B., & Naumann, S. (2008). Do shy people prefer to send e-mail: Personality effects on communication media preferences in threatening and nonthreatening situations. *Social Psychology, 39,* 231–243. (p. 591)

Hertenstein, M. (2009). *The tell: The little cues that reveal big truths about who we are.* New York: Basic Books. (p. 498)

Hertenstein, M. J., Hansel, C., Butts, S., Hile, S. (2009). Smile intensity in photographs predicts divorce later in life. *Motivation & Emotion, 33,* 99–105. (p. 179)

Hertenstein, M. J., Keltner, D., App, B. Bulleit, B., & Jaskolka, A. (2006). Touch communicates distinct emotions. *Emotion, 6,* 528–533. (p. 261)

Hertenstein, M. J., Verkamp, J. M., Kerestes, A. M., & Holmes, R. M. (2006). The communicative functions of touch in humans, nonhumans primates, and rats: A review and synthesis of the empirical research. *Genetic, Social, and General Psychology Monographs, 132,* 5–94. (p. 196)

Herz, R. S. (2001). Ah sweet skunk! Why we like or dislike what we smell. *Cerebrum, 3*(4), 31–47. (p. 268)

Herz, R. (2007). *The scent of desire: Discovering our enigmatic sense of smell.* New York: Morrow/HarperCollins. (p. 268)

Herz, R. (2012, January 28). You eat that? *Wall Street Journal* (www.online.wsj.com). (p. 428)

Herz, R. S., Beland, S. L., & Hellerstein, M. (2004). Changing odor hedonic perception through emotional associations in humans. *International Journal of Comparative Psychology, 17,* 315–339. (p. 268)

Hess, E. H. (1956, July). Space perception in the chick. *Scientific American,* pp. 71–80. (p. 254)

Hess, U., & Thibault, P. (2009). Darwin and emotion expression. *American Psychologist, 64,* 120–128. (p. 473)

Hetherington, M. M., Anderson, A. S., Norton, G. N. M., & Newson, L. (2006). Situational effects on meal intake: A comparison of eating alone and eating with others. *Physiology and Behavior, 88,* 498–505. (p. 429)

Hettema, J. M., Neale, M. C., & Kendler, K. S. (2001). A review and meta-analysis of the genetic epidemiology of anxiety disorders. *American Journal of Psychiatry, 158,* 1568–1578. (p. 626)

Hewitt, J. K. (2012). Editorial policy on candidate gene association and candidate gene-by-environment interaction studies of complex traits. *Behavior Genetics, 42,* 1–2. (p. 143)

Hickok, G. (2014). *The myth of mirror neurons: The real neuroscience of communication and cognition.* New York: Norton. (p. 307)

Hickok, G., Bellugi, U., & Klima, E. S. (2001, June). Sign language in the brain. *Scientific American,* pp. 58–65. (p. 85)

Highhouse, S. (2008). Stubborn reliance on intuition and subjectivity in employee selection. *Industrial and Organizational Psychology: Perspectives on Science and Practice, 1,* 333–342. (p. A-5)

Hilgard, E. R. (1986). *Divided consciousness: Multiple controls in human thought and action.* New York: Wiley. (p. 265)

Hilgard, E. R. (1992). Dissociation and theories of hypnosis. In E. Fromm & M. R. Nash (Eds.), *Contemporary hypnosis research.* New York: Guilford. (p. 265)

Hill, C. E., & Nakayama, E. Y. (2000). Client-centered therapy: Where has it been and where is it going? A comment on Hathaway. *Journal of Clinical Psychology, 56,* 961–875. (p. 661)

Hills, P. J., Werno, M. A., & Lewis, M. B. (2011). Sad people are more accurate at face recognition than happy people. *Consciousness and Cognition, 20,* 1502–1517. (p. 628

Himmelbach, M., Boehme, R., & Karnath, H-O. (2012). 20 years later: A second look on DF's motor behaviour. *Neuropsychologia, 50,* 139–144. (p. 94)

Hines, M. (2004). *Brain gender.* New York: Oxford University Press. (p. 165)

Hingson, R. W., Heeren, T., & Winter, M. R. (2006). Age at drinking onset and alcohol dependence. *Archives of Pediatrics & Adolescent Medicine, 160,* 739–746. (p. 129)

Hintzman, D. L. (1978). *The psychology of learning and memory.* San Francisco: Freeman. (p. 324)

Hinz, L. D., & Williamson, D. A. (1987). Bulimia and depression: A review of the affective variant hypothesis. *Psychological Bulletin, 102,* 150–158. (p. 652)

Hirsh, J. B., Galinsky, A. D., & Zhong, C-B. (2011). Drunk, powerful, and in the dark: How general processes of disinhibition produce both prosocial and antisocial behavior. *Perspectives on Psychological Science, 6,* 415–427. (p. 119)

Hirst, W., et al. (2009). Long-term memory for the terrorist attack of September 11: flashbulb memories, event memories, and the factors that influence their retention. *Journal of Experimental Psychology: General, 138,* 161–176. (p. 332)

Hirt, E. R., Zillmann, D., Erickson, G. A., & Kennedy, C. (1992). Costs and benefits of allegiance: Changes in fans' self-ascribed competencies after team victory versus defeat. *Journal of Personality and Social Psychology, 63,* 724–738. (p. 636)

Hitsman, B., Papandonatos, G. D., McChargue, D. E., DeMott, A., Herrera, M. J., Spring, B., Borrelli, B., & Niaura, R. (2012). Past major depression and smoking cessation outcome: A systematic review and meta-analysis update. *Addiction, 108,* 294–306. (p. 634)

Hjelmborg, J. v. B., Fagnani, C., Silventoinen, K., McGue, M., Korkeila, M., Christensen, K., Rissanen, A., & Kaprio, J. (2008). Genetic influences on growth traits of BMI: A longitudinal study of adult twins. *Obesity, 16,* 847–852. (p. 431)

HMHL. (2002, January). Disaster and trauma. *Harvard Mental Health Letter,* pp. 1–5. (p. 489)

HMHL. (2002, August). Smoking and depression. *Harvard Mental Health Letter,* pp. 6–7. (p. 634)

HMHL. (2007, February). Electroconvulsive therapy. *Harvard Mental Health Letter,* Harvard Medical School, pp. 1–4. (p. 686)

Hobson, J. A. (1995, September). Quoted by C. H. Colt, The power of dreams. *Life,* pp. 36–49. (p. 113)

Hobson, J. A. (2003). *Dreaming: An introduction to the science of sleep.* New York: Oxford. (p. 114)

Hobson, J. A. (2004). *13 dreams Freud never had: The new mind science.* New York: Pi Press. (p. 114)

Hobson, J. A. (2009). REM sleep and dreaming: Towards a theory of protoconsciousness. *Nature Reviews, 10,* 803–814. (p. 114)

Hochberg, L. R., Bacher, D., Jarosiewicz, B., Masse, N. Y., Simeral, J. D., Vogel, J., . . . Donoghue, J. P. (2012). Reach and grasp by people with tetraplegia using a neutrally controlled robotic arm. *Nature, 485,* 375–375. (p. 77)

Hochberg, L. R., Serruya, M. D., Friehs, G. M., Mukand, J. A., Saleh, M., Caplan, A. H., . . . Donoghue, J. P. (2006). Neuronal ensemble control of prosthetic devices by a human with tetraplegia. *Nature, 442,* 164–171. (p. 77)

Hodgins, S., Larm, P., Ellenbogen, M., Vitaro, F., & Tremblay, R. E. (2013). Teachers' ratings of childhood behaviours predict adolescent and adult crime among 3016 males and females. *The Canadian Journal of Psychiatry/La Revue Canadienne De Psychiatrie, 58,* 143–150. (p. 179)

Hodgkinson, V. A., & Weitzman, M. S. (1992). *Giving and volunteering in the United States.* Washington, DC: Independent Sector. (p. 561)

Hoebel, B. G., & Teitelbaum, P. (1966). Effects of forcefeeding and starvation on food intake and body weight in a rat with ventromedial hypothalamic lesions. *Journal of Comparative and Physiological Psychology, 61,* 189–193. (p. 426)

Hoeft, F., Watson, C. L., Kesler, S. R., Bettinger, K. E., & Reiss, A. I.. (2008). Gender differences in the mesocorticolimbic system during computer game-play. *Journal of Psychiatric Research, 42,* 253–258. (p. 118)

Hoffman, B. M., Babyak, M. A., Craighead, W. E., Sherwood, A., Doraiswamy, P. M., Coons, M. J., & Blumenthal, J. A. (2011). Exercise and pharmacotherapy in patients with major depression: One-year follow-up of the SMILE study. *Psychosomatic Medicine, 73,* 127–133. (p. 509)

Hoffman, D. D. (1998). *Visual intelligence: How we create what we see.* New York: Norton. (p. 246)

Hoffman, H. (2012). Considering the role of conditioning in sexual orientation. *Archives of Sexual Behavior, 41,* 63–71. (p. 285)

Hoffman, H. G. (2004, August). Virtual-reality therapy. *Scientific American,* pp. 58–65. (p. 264)

Hofmann, S. G., Sawyer, A. T., Witt, A. A., & Oh, D. (2010). The effect of mindfulness-based therapy on anxiety and depression: A meta-analytic review. *Journal of Consulting and Clinical Psychology, 78,* 169–183. (p. 510)

Hofmann, W., De Houwer, J., Perugini, M., Baeyens, F., & Crombez, G. (2010). Evaluative conditioning in humans: A meta-analysis. *Psychological Bulletin, 136,* 390–421. (p. 304)

Hofmann, W., Vohs, K. D. & Baumeister, R. F. (2012). What people desire, feel conflicted about, and try to resist in everyday life. *Psychological Science, 23,* 582–588. (p. 503)

Hofstadter, D. (2011, January 7). A cutoff for craziness. *New York Times* (www.nytimes.com). (p. 273)

Hogan, R. (1998). Reinventing personality. *Journal of Social and Clinical Psychology, 17,* 1–10. (p. 592)

Hoge, C. W., & Castro, C. A. (2006). Post-traumatic stress disorder in UK and U.S. forces deployed to Iraq. *Lancet, 368,* 837. (p. 623)

Hoge, C. W., Castro, C. A., Messer, S. C., McGurk, D., Cotting, D. I., & Koffman, R. L. (2004). Combat duty in Iraq and Afghanistan, mental health problems, and barriers to care. *New England Journal of Medicine, 351,* 13–22. (p. 623)

Hoge, C. W., Terhakopian, A., Castro, C. A., Messer, S. C., & Engel, C. C. (2007). Association of posttraumatic stress disorder with somatic symptoms, health care visits, and absenteeism among Iraq War veterans. *American Journal of Psychiatry, 164,* 150–153. (p. 623)

Hogg, M. A. (1996). Intragroup processes, group structure and social identity. In W. P. Robinson (Ed.), *Social groups and identities: Developing the legacy of Henri Tajfel.* Oxford: Butterworth Heinemann. (p. 540)

Hogg, M. A. (2006). Social identity theory. In P. J. Burke (Ed.), *Contemporary social psychological theories.* Stanford, CA: Stanford University Press. (p. 542)

Hohmann, G. W. (1966). Some effects of spinal cord lesions on experienced emotional feelings. *Psychophysiology, 3,* 143–156. (p. 461)

Hokanson, J. E., & Edelman, R. (1966). Effects of three social responses on vascular processes. *Journal of Personality and Social Psychology, 3,* 442–447. (p. 477)

Holahan, C. K., & Sears, R. R. (1995). *The gifted group in later maturity.* Stanford, CA: Stanford University Press. (p. 404)

Holden, C. (2007). Mental illness: The next frontier. *Science, 317,* 23. (p. 645)

Holden, C. (2008). Parsing the genetics of behavior. *Science, 322,* 892–895. (p. 142)

Holden, C. (2010). Experts map the terrain of mood disorders. *Science, 327,* p. 1068. (p. 631)

Holden, G. W., & Miller, P. C. (1999). Enduring and different: A meta-analysis of the similarity in parents' child rearing. *Psychological Bulletin, 125,* 223–254. (p. 202)

Holland, J. L. (1996). Exploring careers with a typology: What we have learned and some new directions. *American Psychologist, 51,* 397–406. (p. A-4)

Holliday, R. E., & Albon, A. J. (2004). Minimizing misinformation effects in young children with cognitive interview mnemonics. *Applied Cognitive Psychology, 18,* 263–281. (p. 349)

Hollis, K. L. (1997). Contemporary research on Pavlovian conditioning: A "new" functional analysis. *American Psychologist, 52,* 956–965. (p. 285)

Hollon, S. D., Thase, M. E., & Markowitz, J. C. (2002). Treatment and prevention of depression. *Psychological Science in the Public Interest, 3,* 39–77. (p. 684)

Holstege, G., Georgiadis, J. R., Paans, A. M. J., Meiners, L. C., van der Graaf, F. H. C. E., & Reinders, A. A. T. S. (2003a). Brain activation during male ejaculation. *Journal of Neuroscience, 23,* 9185–9193. (p. 435)

Holstege, G., Reinders, A. A. T., Paans, A. M. J., Meiners, L. C., Pruim, J., & Georgiadis, J. R. (2003b). *Brain activation during female sexual orgasm.* Program No. 727.7. Washington, DC: Society for Neuroscience. (p. 435)

Holt, L. (2002, August). Reported in "Sounds of speech," p. 26, and in personal correspondence, July 18, 2002. (p. 370)

Holt-Lunstad, J., Smith, T. B., & Layton, J. B. (2010). Social relationships and mortality risk: A meta-analytic review. *PLoS Medicine, 7* (www.plosmedicine.org: e1000316). (pp. 450, 505)

Holtgraves, T. (2011). Text messaging, personality, and the social context. *Journal of Research in Personality, 45,* 92–99. (p. 591)

Homer, B. D., Solomon, T. M., Moeller, R. W., Mascia, A., DeRaleau, L., & Halkitis, P. N. (2008). Methamphetamine abuse and impairment of social functioning: A review of the underlying neurophysiological causes and behavioral implications. *Psychological Bulletin, 134,* 301–310. (p. 123)

Hooley, J. M. (2010). Social factors in schizophrenia. *Current Directions in Psychological Science, 19,* 238–242. (p. 641)

Hooper, J., & Teresi, D. (1986). *The three-pound universe.* New York: Macmillan. (p. 73)

Hooper, R. (2013, October). Where hyenas are used to treat mental illness. *BBC News Magazine.* www.bbc.com/news/magazine. (p. 611)

Hopkins, E. D., & Cantalupo, C. (2008). Theoretical speculations on the evolutionary origins of hemispheric specialization. *Current Directions in Psychological Science, 17,* 233–237. (p. 86)

Hopkins, W. D. (2013). Neuroanatomical asymmetries and handedness in chimpanzees (*Pan troglodytes*): a case for continuity in the evolution of hemispheric specialization. *Annals of the New York Academy of Sciences, 1288,* 17–35. (p. 86)

Hopper, L. M., Lambeth, S. P., Schapiro, S. J., & Whiten, A. (2008). Observational learning in chimpanzees and children studied through 'ghost' conditions. *Proceedings of the Royal Society, 275,* 835–840. (p. 307)

Hopwood, C. J., Donnellan, M. B., Blonigen, D. M., Krueger, R. F., McGue, M., Iacono, W. G., & Burt, S. A. (2011). Genetic and environmental influences on personality trait stability and growth during the transition to adulthood: A three-wave longitudinal study. *Journal of Personality and Social Psychology, 100,* 545–556. (p. 179)

Hor, H., & Tafti, M. (2009). How much sleep do we need? *Science, 325,* 825–826. (p. 104)

Horgan, J. (1995, November). Get smart, take a test. *Scientific American,* pp. 12, 14. (p. 397)

Horn, J. L. (1982). The aging of human abilities. In J. Wolman (Ed.), *Handbook of developmental psychology.* Englewood Cliffs, NJ: Prentice-Hall. (p. 401)

Horne, J. (2011). The end of sleep: 'Sleep debt' versus biological adaptation of human sleep to waking needs. *Biological Psychology, 87,* 1–14. (p. 104)

Horner, V., Whiten, A., Flynn, E., & de Waal, F. B. M. (2006). Faithful replication of foraging techniques along cultural transmission chains by chimpanzees and children. *Proceedings of the National Academy of Sciences, 103,* 13878–13883. (p. 369)

Horowitz, S. S. (2012). The science and art of listening. *New York Times* (www.nytimes.com). (p. 256)

Horwood, L. J., & Fergusson, D. M. (1998). Breastfeeding and later cognitive and academic outcomes. *Pediatrics, 101*(1). (p. 33)

Hostetter, A. B. (2011). When do gestures communicate? A meta-analysis. *Psychological Bulletin, 137,* 297–315. (p. 378)

Hostinar, C. E., Sullivan, R., & Gunnar, M. R. (2014). Psychobiological mechanisms underlying the social buffering of the hypothalamic-pituitary-adrenocortical axis: A review of animal models and human studies across development. *Psychological Bulletin, 140,* 256–282. (p. 506)

Hou, W-H., Chiang, P-T, Hsu, T-Y, Chiu, S-Y, & Yen, Y-C. (2010). Treatment effects of massage therapy in depressed people: A meta-analysis. *Journal of Clinical Psychiatry, 71,* 894–901. (pp. 511, 686)

House, R. J., & Singh, J. V. (1987). Organizational behavior: Some new directions for I/O psychology. *Annual Review of Psychology, 38,* 669–718. (p. A-12)

Houser-Marko, L., & Sheldon, K. M. (2008). Eyes on the prize or nose to the grindstone? The effects of level of goal evaluation on mood and motivation. *Personality and Social Psychology Bulletin, 34,* 1556–1569. (p. A-11)

Houts, A. C., Berman, J. S., & Abramson, H. (1994). Effectiveness of psychological and pharmacological treatments for nocturnal enuresis. *Journal of Consulting and Clinical Psychology, 62,* 737–745. (p. 663)

Houts, R. M., Caspi, A., Pianta, R. C., Arseneault, L., & Moffitt, T. E. (2010). The challenging pupil in the classroom: The effect of the child on the teacher. *Psychological Science, 21,* 1802–1810. (p. 179)

Hovatta, I., Tennant, R. S., Helton, R., Marr, R. A., Singer, O., Redwine, J. M., . . . Barlow, C. (2005). Glyoxalase 1 and glutathione reductase 1 regulate anxiety in mice. *Nature, 438,* 662–666. (p. 626)

Howe, M. L. (1997). Children's memory for traumatic experiences. *Learning and Individual Differences, 9,* 153–174. (p. 349)

Howell, A. J. (2009). Flourishing: Achievement-related correlates of students' well-being. *Journal of Positive Psychology, 4,* 1–13. (p. 409)

Howell, E. C., Etchells, P. J., & Penton-Voak, I. S. (2012). The sexual overperception bias is associated with sociosexuality. *Personality and Individual Differences, 53,* 1012–1016. (pp. 148, 425)

Howell, R. T., & Howell, C. J. (2008). The relation of economic status to subjective well-being in developing countries: A meta-analysis. *Psychological Bulletin, 134,* 536–560. (p. 482)

Hoyer, G., & Lund, E. (1993). Suicide among women related to number of children in marriage. *Archives of General Psychiatry, 50,* 134–137. (p. 637)

Hsee, C. K., Yang, A. X., & Wang, L. (2010). Idleness aversion and the need for justifiable busyness. *Psychological Science, 21,* 926–930. (p. A-1)

Hsiang, S. M., Burke, M., & Miguel, E. (2013). Quantifying the influence of climate on human conflict. *Science, 341,* 1212. (p. 547)

Huang, C. (2010). Mean-level change in self-esteem from childhood through adulthood meta-analysis of longitudinal studies. *Review of General Psychology, 14,* 251–260. (p. 223)

Huang, J., Chaloupka, F. J., & Fong, G. T. (2013). Cigarette graphic warning labels and smoking prevalence in Canada: A critical examination and reformulation of the FDA regulatory impact analysis. *Tobacco Control,* published online. (p. 360)

Huang, X., Iun, J., Liu, A., & Gong, Y. (2010). Does participative leadership enhance work performance by inducing empowerment or trust? The differential effects on managerial and non-managerial subordinates. *Journal of Organizational Behavior, 31,* 122–143. (p. 489)

Huart, J., Corneille, O., & Becquart, E. (2005). Face-based categorization, context-based categorization, and distortions in the recollection of gender ambiguous faces. *Journal of Experimental Social Psychology, 41,* 598–608. (p. 356)

Hubbard, E. M., Arman, A. C., Ramachandran, V. S., & Boynton, G. M. (2005). Individual differences among grapheme-color synesthetes: Brain-behavior correlations. *Neuron, 45,* 975–985. (p. 271)

Hubel, D. H. (1979, September). The brain. *Scientific American,* pp. 45–53. (p. 234)

Hubel, D. H., & Wiesel, T. N. (1979, September). Brian mechanisms of vision. *Scientific American,* pp. 150–162. (p. 244)

Hublin, C., Kaprio, J., Partinen, M., Heikkila, K., & Koskenvuo, M. (1997). Prevalence and genetics of sleepwalking—A population-based twin study. *Neurology, 48,* 177–181. (p. 111)

Hublin, C., Kaprio, J., Partinen, M., & Koskenvuo, M. (1998). Sleeptalking in twins: Epidemiology and psychiatric comorbidity. *Behavior Genetics, 28,* 289–298. (p. 111)

Hucker, S. J., & Bain, J. (1990). Androgenic hormones and sexual assault. In W. Marshall, R. Law, & H. Barbaree (Eds.), *The handbook on sexual assault.* New York: Plenum. (p. 434)

Hudson, J. I., Hiripi, E., Pope, H. G., & Kessler, R. C. (2007). The prevalence and correlates of eating disorders in the National Comorbidity Survey Replication. *Biological Psychiatry, 61,* 348–358. (p. 652)

Huey, E. D., Krueger, F., & Grafman, J. (2006). Representations in the human prefrontal cortex. *Current Directions in Psychological Science, 15,* 167–171. (p. 80)

Huffcutt, A. I., Conway, J. M., Roth, P. L., & Stone, N. J. (2001). Identification and meta-analytic assessment of psychological constructs measured in employment interviews. *Journal of Applied Psychology, 86,* 897–913. (p. A-6)

Hugenberg, K., & Bodenhausen, G. V. (2003). Facing prejudice: Implicit prejudice and the perception of facial threat. *Psychological Science, 14,* 640–643. (p. 539)

Hugenberg, K., Young, S. G., Bernstein, M. J., & Sacco, D. F. (2010). The categorization-individuation model: An integrative account of the other-race recognition deficit. *Psychological Review, 117,* 1168–1187. (p. 544)

Hughes, J. R. (2010). Craving among long-abstinent smokers: An Internet survey. *Nicotine & Tobacco Research, 12,* 459–462. (p. 122)

Hughes, M. L., Geraci, L., & De Forrest, R. L. (2013). Aging 5 years in 5 minutes: The effect of taking a memory test on older adults' subjective age. *Psychological Science, 24,* 2481–2488. (p. 216)

Hugick, L. (1989, July). Women play the leading role in keeping modern families close. *Gallup Report, No. 286,* p. 27–34. (p. 164)

Huizink, A. C., & Mulder, E. J. (2006). Maternal smoking, drinking or cannabis use during pregnancy and neurobehavioral and cognitive functioning in human offspring. *Neuroscience and Biobehavioral Reviews, 30,* 24–41. (p. 125)

Hulbert, A. (2005, November 20). The prodigy puzzle. *New York Times Magazine* (www.nytimes.com). (p. 404)

Hull, H. R., Morrow, M. L., Dinger, M. K., Han, J. L., & Fields, D. A. (2007, November 20). Characterization of body weight and composition changes during the sophomore year of college. *BMC Women's Health, 7,* 21 (biomedcentral.com). (p. 108)

Hull, J. M. (1990). *Touching the rock: An experience of blindness.* New York: Vintage Books. (pp. 334, 554)

Hull, S. J., Hennessy, M., Bleakley, A., Fishbein, M., & Jordan, A. (2011). Identifying the causal pathways from religiosity to delayed adolescent sexual behavior. *Journal of Sex Research, 48,* 543–553. (p. 439)

Hülsheger, U. R., Anderson, N., & Salgado, J. F. (2009). Team-level predictors of innovation at work: A comprehensive meta-analysis spanning three decades of research. *Journal of Applied Psychology, 94,* 1128–1145. (p. 366)

Human Connectome Project (2013, accessed July 11). The human connectome project. www.humanconnectome.org. (p. 68)

Hummer, R. A., Rogers, R. G., Nam, C. B., & Ellison, C. G. (1999). Religious involvement and U.S. adult mortality. *Demography, 36,* 273–285. (p. 512)

Humphrey, S. E., Nahrgang, J. D., & Morgeson, F. P. (2007). Integrating motivational, social, and contextual work design features: A meta-analytic summary and theoretical extension of the work design literature. *Journal of Applied Psychology, 92,* 1332–1356. (p. 502)

Humphreys, L. G., & Davey, T. C. (1988). Continuity in intellectual growth from 12 months to 9 years. *Intelligence, 12,* 183–197. (p. 401)

Hunsberger, J. G., Newton, S. S., Bennett, A. H., Duman, C. H., Russell, D. S., Salton, S. R., & Duman, R. S. (2007). Antidepressant actions of the exercise-regulated gene VGF. *Nature Medicine, 13,* 1476–1482. (p. 509)

Hunsley, J., & Bailey, J. M. (2001). Whither the Roschach? An analysis of the evidence. *Psychological Assessment*, 13, 472–486. (p. 579)

Hunsley, J., & Di Giulio, G. (2002). Dodo bird, phoenix, or urban legend? The question of psychotherapy equivalence. *Scientific Review of Mental Health Practice*, 1, 11–22. (p. 676)

Hunt, C., Slade, T., & Andrews, G. (2004). Generalized anxiety disorder and major depressive disorder comorbidity in the National Survey of Mental Health and Well-Being. *Depression and Anxiety*, 20, 23–31. (p. 620)

Hunt, E., & Carlson, J. (2007). Considerations relating to the study of group differences in intelligence. *Perspectives on Psychological Science*, 2, 194–213. (p. 413)

Hunt, J. M. (1982). Toward equalizing the developmental opportunities of infants and preschool children. *Journal of Social Issues*, 38(4), 163–191. (p. 408)

Hunt, M. (1990). The compassionate beast: What science is discovering about the humane side of humankind. New York: William Morrow. (p. 13)

Hunt, M. (1993). *The story of psychology*. New York: Doubleday. (pp. 2, 6, 52, 208, 288, 404)

Hunt, M. (2007). *The story of psychology*. New York: Anchor. (p. 575)

Hunter, S., & Sundel, M. (Eds.). (1989). *Midlife myths: Issues, findings, and practice implications*. Newbury Park, CA: Sage. (p. 220)

Hurd, Y. L., Michaelides, M., Miller, M. L., & Jutras-Aswad, D. (2013). Trajectory of adolescent cannabis use on addiction vulnerability. *Neuropharmacology*, 76, 416–424. (p. 125)

Hurlburt, R. T., Heavey, C. L., & Kelsey, J. M. (2013). Toward a phenomenology of inner speaking. *Consciousness and Cognition: An International Journal*, 22, 1477–1494. (p. 379)

Hurst, M. (2008, April 22). Who gets any sleep these days? Sleep patterns of Canadians. *Canadian Social Trends*. Statistics Canada Catalogue No. 11–008. (p. 104)

Hutchinson, R. (2006). *Calum's road*. Edinburgh: Burlinn Limited. (p. 455)

Hvistendahl, M. (2011). China's population growing slowly, changing fast. *Science*, 332, 650–651. (p. 540)

Hyde, J. S. (2005). The gender similarities hypothesis. *American Psychologist*, 60, 581–592. (pp. 147, 162)

Hyde, J. S., & Mertz, J. E. (2009). Gender, culture, and mathematics performance. *Proceedings of the National Academy of Sciences*, 106, 8801–8807. (p. 410)

Hyde, J. S., Mezulis, A. H., & Abramson, L. Y. (2008). The ABCs of depression: Integrating affective, biological, and cognitive models to explain the emergence of the gender difference in depression. *Psychological Review*, 115, 291–313. (p. 631)

Hyman, R. (2010). Meta-analysis that conceals more than it reveals: Comment on Storm et al. (2010). *Psychological Bulletin*, 136, 486–490. (p. 273)

Hymowitz, K., Carroll, J. S., Wilcox, W. B., & Kaye, K. (2013). *Knot yet: The benefits and costs of delayed marriage in America*. Charlottesville, VA: National Marriage Project (University of Virginia). (p. 198)

Iacoboni, M. (2008). *Mirroring people: The new science of how we connect with others*. New York: Farrar, Straus & Giroux. (pp. 307, 309)

Iacoboni, M. (2009). Imitation, empathy, and mirror neurons. *Annual Review of psychology*, 60, 653–670. (pp. 307. 309)

IAP. (2006, June 21). IAP statement on the teaching of evolution. *The Interacademy Panel on International Issues* (www.interacademies.net/iap). (p. 172)

Ibbotson, P. (2012). A new kind of language. *Psychologist*, 25, 122–125. (p. 373)

Ickes, W., Snyder, M., & Garcia, S. (1997). Personality influences on the choice of situations. In R. Hogan, J. Johnson, & S. Briggs (Eds.). *Handbook of personality psychology*. San Diego, CA: Academic Press. (p. 595)

Idson, L. C., & Mischel, W. (2001). The personality of familiar and significant people: The lay perceiver as a social-cognitive theorist. *Journal of Personality and Social Psychology*, 80, 585–596. (p. 519)

IJzerman, H., & Semin, G. R. (2009). The thermometer of social relations: Mapping social proximity on temperature. *Psychological Science*, 20, 1214–1220. (p. 270)

Ikonomidou, C., Bittigau, P., Ishimaru, M. J., Wozniak, D. F., Koch, C., Genz, K., . . . Olney, J. W. (2000). Ethanol-induced apoptotic neurodegeneration and fetal alcohol syndrome. *Science*, 287, 1056–1060. (p. 182)

Ilardi, S. S. (2009). *The depression cure: The six-step program to beat depression without drugs*. Cambridge, MA: De Capo Lifelong Books. (pp. 634, 688)

Inagaki, T., & Eisenberg, N. (2014). Shared neural mechanisms underlying social warmth and physical warmth. *Psychological Science*, 24, 2272–2280. (p. 448)

Inbar, Y., Cone, J., & Gilovich, T. (2010). People's intuitions about intuitive insight and intuitive choice. *Journal of Personality and Social Psychology*, 99, 232–247. (p. 364)

Inbar, Y., Pizarro, D., & Bloom, P. (2011). *Disgusting smells cause decreased liking of gay men*. Unpublished manuscript, Tillburg University. (p. 268)

Independent Sector. (2002). *Faith and philanthropy: The connection between charitable giving behavior and giving to religion*. Washington, DC: Author. (p. 561)

Ingalhalikar, M., Smith, A., Parker, D., Satterthwaite, T. D., Elliott, M. A., Ruparel, K., . . . Verma, R. (2013). Sex differences in the structural connectome of the human brain. *Proceedings of the National Academy of Sciences*. (p. 163)

Ingham, A. G., Levinger, G., Graves, J., & Peckham, V. (1974). The Ringelmann effect: Studies of group size and group performance. *Journal of Experimental Social Psychology*, 10, 371–384. (p. 533)

Inglehart, R. (1990). *Culture shift in advanced industrial society*. Princeton, NJ: Princeton University Press. (p. 449)

Inglehart, R. (2008). Cultural change and democracy in Latin America. In F. Hagopian (Ed.), *Contemporary Catholicism, religious pluralism and democracy in Latin America*. South Bend, IN: Notre Dame University Press, 67–95. (p. 482)

Inglehart, R., Foa, R., Peterson, C., & Welzel, C. (2008). Development, freedom, and rising happiness: A global perspective (1981–2007). *Perspectives on Psychological Science*, 3, 264–285. (p. 502)

Inman, M. L., & Baron, R. S. (1996). Influence of prototypes on perceptions of prejudice. *Journal of Personality and Social Psychology*, 70, 727–739. (p. 356)

Insel, T. R. (2010, April). Faulty circuits. *Scientific American*, pp. 44–51. (p. 626)

Intergovernmental Panel on Climate Change (2014). *Climate change 2014: Mitigation of climate change*. Geneva: www.ipcc.ch. (p. 520)

International Schizophrenia Consortium. (2009). Common polygenic variation contributes to risk of schizophrenia and bipolar disorder. *Nature*, 460, 748–752. (p. 644)

International Society for Research on Aggression (ISRA). (2012). Report of the media violence commission. *Aggressive Behavior*, 38, 335–341. (p. 313)

Inzlicht, M., & Ben-Zeev, T. (2000). A threatening intellectual environment: Why females are susceptible to experiencing problem-solving deficits in the presence of males. *Psychological Science*, 11, 365–371. (p. 414)

Inzlicht, M., & Kang, S. K. (2010). Stereotype threat spillover: How coping with threats to social identity affects aggression, eating, decision making, and attention. *Journal of Personality and Social Psychology*, 99, 467–481. (p. 414)

Inzlicht, M., McGregor, I., Hirsh, J. C., & Nash, K. (2009). Neural markers of religious conviction. *Psychological Science*, 20, 385–392. (p. 68)

IPPA. (2009, January 22). Membership letter. International Positive Psychology Association. (p. 480)

IPPA. (2010, August). International conference on positive psychology and education in China, by S. Choong. *The IPPA Newsletter*, International Positive Psychology Association. (p. 480)

Ipsos. (2010a, June 29). Online Canadians report a large 35% decline in the amount of email received. www.ipsos-na.com. (p. 452)

Ipsos. (2010b, April 8). One in five (20%) global citizens believe that alien beings have come down to earth and walk amongst us in our communities disguised as humans. www.ipsos-na.com. (p. 30)

IPU. (2014, January 1). Women in national parliaments: Situation as of 31 November 2011. International Parliamentary Union (www.ipu.org). (p. 163)

Ireland, M. E., & Pennebaker, J. W. (2010). Language style matching in writing: Synchrony in essays, correspondence, and poetry. *Journal of Personality and Social Psychology*, 99, 549–571. (pp. 309, 525)

Ironson, G., Solomon, G. F., Balbin, E. G., O'Cleirigh, C., George, A., Kumar, M., Larson, D., & Woods, T. E. (2002). The Ironson-Woods spiritual/religiousness index is associated with long survival, health behaviors, less distress, and low cortisol in people with HIV/AIDS. *Annals of Behavioral Medicine*, 24, 34–48. (p. 513)

Irwin, M. R., Cole, J. C., & Nicassio, P. M. (2006). Comparative meta-analysis of behavioral interventions for insomnia and their efficacy in middle-aged adults and in older adults 55+ years of age. *Health Psychology*, 25, 3–14. (p. 110)

Isaacowitz, D. M. (2012). Mood regulation in real time: Age differences in the role of looking. *Current Directions in Psychological Science*, 21, 237–242. (p. 223)

Isaacson, W. (2009, Spring). *Einstein's final quest*. In Character. http://incharacter.org/features/einsteins-final-quest. (p. 415)

Ishida, A., Mutoh, T., Ueyama, T., Brando, H., Masubuchi, S., Nakahara, D., Tsujimoto, G., & Okamura, H. (2005). Light activates the adrenal gland: Timing of gene expression and glucocorticoid release. *Cell Metabolism*, 2, 297–307. (p. 678)

Islam, S. S., & Johnson, C. (2003). Correlates of smoking behavior among Muslim Arab-American adolescents. *Ethnicity & Health*, 8, 319–337. (p. 512)

Iso, H., Simoda, S., & Matsuyama, T. (2007). Environmental change during post-natal development alters behaviour. *Behavioural Brain Research, 179*, 90–98. (p. 82)

Ito, T. A., Miller, N., & Pollock, V. E. (1996). Alcohol and aggression: A meta-analysis on the moderating effects of inhibitory cues, triggering events, and self-focused attention. *Psychological Bulletin, 120*, 60–82. (p. 546)

ITU. (2013) ITC facts and statistics 2014. www.itu.int/en/ITU-D/Statistics. (p. 452)

Ives-Deliperi, V. L., Solms, M., & Meintjes, E. M. (2011). The neural substrates of mindfulness: An fMRI investigation. *Social Neuroscience, 6*, 231–242. (p. 511)

Iyengar, S. S., & Lepper, M. R. (2000). When choice is demotivating: Can one desire too much of a good thing? *Journal of Personality and Social Psychology, 79*, 995–1006. (p. 502)

Iyengar, S., & Westwood, S. J. (2014). Fear and loathing across party lines: New evidence on group polarization. *American Journal of Political Science*. (p. 535)

Izard, C. E. (1977). *Human emotions.* New York: Plenum Press. (pp. 472, 476)

Izard, C. E. (1994). Innate and universal facial expressions: Evidence from developmental and cross-cultural research. *Psychological Bulletin, 114*, 288–299. (p. 472)

Jablensky, A. (1999). Schizophrenia: Epidemiology. *Current Opinion in Psychiatry, 12*, 19–28. (p. 643)

Jacewicz, E., Fox, R. A., & O'Neil, C. (2009). Articulation rate across dialect, age, and gender. *Language Variation and Change, 21*, 233–256. (p. 216)

Jack, R. E., Garrod, O. G. B., Yu, H., Caldara, & Schyns, P. G. (2012). Facial expressions of emotion are not culturally universal. *Proceedings of the National Academy of Sciences, 109*, 7241–7244. (p. 472)

Jackson, G. (2009). Sexual response in cardiovascular disease. *Journal of Sex Research, 46*, 233–236. (p. 435)

Jackson, J. J., Thoemmes, F., Jonkmann, K., Lüdtke, O., & Trautwien, U. (2012). Military training and personality trait development: Does the military make the man, or does the man make the military? *Psychological Science, 23*, 270–277. (pp. 522, 592)

Jackson, J. M., & Williams, K. D. (1988). *Social loafing: A review and theoretical analysis.* Unpublished manuscript, Fordham University. (p. 533)

Jackson, S. W. (1992). The listening healer in the history of psychological healing. *American Journal Psychiatry, 149*, 1623–1632. (p. 679)

Jacobi, C., Hayward, C., deZwaan, M., Kraemer, H. C., & Agras, W. S. (2004). Coming to terms with risk factors for eating disorders: Application of risk terminology and suggestions for a general taxonomy. *Psychological Bulletin, 130*, 19–65. (p. 652)

Jacobs, B. L. (1994). Serotonin, motor activity, and depression-related disorders. *American Scientist, 82*, 456–463. (pp. 509, 634)

Jacobson, P. J. W., Prawitz, A. D., & Lukaszuk, J. M. (2007). Long-haul truck drivers want healthful meal options at truck-stop restaurants. *Journal of the American Dietetic Association, 107*, 2125–2129. (p. 431)

Jacoby, L. L., Bishara, A. J., Hessels, S., & Toth, J. P. (2005). Aging, subjective experience, and cognitive control: Dramatic false remembering by older adults. *Journal of Experimental Psychology: General, 154*, 131–148. (p. 349)

Jacoby, L. L., & Rhodes, M. G. (2006). False remembering in the aged. *Current Directions in Psychological Science, 15*, 49–53. (p. 349)

Jacques, C., & Rossion, B. (2006). The speed of individual face categorization. *Psychological Science, 17*, 485–492. (p. 229)

Jacques-Tiura, A. J., Abbey, A., Parkhill, M. R., & Zawacki, T. (2007). Why do some men misperceive women's sexual intentions more frequently than others do? An application of the confluence model. *Personality and Social Psychology Bulletin, 33*, 1467–1480. (p. 519)

Jager, J., & Davis-Kean, P. (2011). Same-sex sexuality and adolescent psychological well-being: The influence of sexual orientation, early reports of same-sex attraction, and gender. *Self and Identity, 10*, 417–444. (p. 441)

James, K. (1986). Priming and social categorizational factors: Impact on awareness of emergency situations. *Personality and Social Psychology Bulletin, 12*, 462–467. (p. 334)

James, W. (1890). *The principles of psychology* (Vol. 2). New York: Holt. (pp. 3, 14, 63, 261, 338, 351, 451, 460, 474, 523)

Jameson, D. (1985). Opponent-colors theory in light of physiological findings. In D. Ottoson & S. Zeki (Eds.), *Central and peripheral mechanisms of color vision.* New York: Macmillan. (p. 251)

Jamieson, J. P. (2010). The home field advantage in athletics: A meta-analysis. *Journal of Applied Social Psychology, 40*, 1819–1848. (p. 532)

Jamison, K. R. (1993). *Touched with fire: Manic-depressive illness and the artistic temperament.* New York: Free Press. (p. 630)

Jamison, K. R. (1995). *An unquiet mind.* New York: Knopf. (pp. 630, 657, 684)

Janis, I. L. (1982). *Groupthink: Psychological studies of policy decisions and fiascoes.* Boston: Houghton Mifflin. (p. 535)

Janis, I. L. (1986). Problems of international crisis management in the nuclear age. *Journal of Social Issues, 42*(2), 201–220. (p. 359)

Janoff-Bulman, R., Timko, C., & Carli, L. L. (1985). Cognitive biases in blaming the victim. *Journal of Experimental Social Psychology, 21*, 161–177. (p. 544)

Janssen, S. M. J., Rubin, D. C., & Conway, M. A. (2012). The reminiscence bump in the temporal distribution of the best football players of all time: Pelé, Cruijff or Maradona? *The Quarterly Journal of Experimental Psychology, 65*, 165–178. (p. 217)

Jaremka, L. M., Gabriel, S., & Carvallo, M. (2011). What makes us feel the best also makes us feel the worst: The emotional impact of independent and interdependent experiences. *Self and Identity, 10*, 44–63. (p. 449)

Jarrett, B., Bloch, G. J., Bennett, D., Bleazard, B., & Hedges, D. (2010). The influence of body mass index, age and gender on current illness: A cross-sectional study. *International Journal of Obesity, 34*, 429–436. (p. 430)

Jaschik, S. (2013, January 14). Study finds that increased parental support for college results in lower grades. *Inside Higher Education* (www.insidehighered.com). (p. 34)

Javitt, D. C., & Coyle, J. T. (2004, January). Decoding schizophrenia. *Scientific American*, pp. 48–55. (p. 642)

Jedrychowski, W., Perera, F., Jankowski, J., Butscher, M., Mroz, E., Flak, E., . . . Sowa, A. (2012). Effect of exclusive breastfeeding on the development of children's cognitive function in the Krakow prospective birth cohort study. *European Journal of Pediatrics, 171*, 151–158. (p. 35)

Jenkins, J. G., & Dallenbach, K. M. (1924). Obliviscence during sleep and waking. *American Journal of Psychology, 35*, 605–612. (p. 342)

Jenkins, J. M., & Astington, J. W. (1996). Cognitive factors and family structure associated with theory of mind development in young children. *Developmental Psychology, 32*, 70–78. (p. 190)

Jensen, A. R. (1980). *Bias in mental testing.* New York: Free Press. (p. 397)

Jensen, A. R. (1983, August). *The nature of the Black-White difference on various psychometric tests: Spearman's hypothesis.* Paper presented at the meeting of the American Psychological Association, Anaheim, CA. (p. 413)

Jensen, A. R. (1998). *The g factor: The science of mental ability.* Westport, CT: Praeger/Greenwood. (p. 413)

Jensen, J. P., & Bergin, A. E. (1988). Mental health values of professional therapists: A national interdisciplinary survey. *Professional Psychology: Research and Practice, 19*, 290–297. (p. 680)

Jensen, M. P. (2008). The neurophysiology of pain perception and hypnotic analgesia: Implications for clinical practice. *American Journal of Clinical Hypnosis, 51*, 123–147. (p. 265)

Jeon, S. T., Maurer, D., & Lewis, T. L. (2012). The effect of video game training on the vision of adults with bilateral deprivation Amblyopia. *Seeing and Perceiving, 25*, 493–520. (p. 254)

Jepson, C., Krantz, D. H., & Nisbett, R. E. (1983). Inductive reasoning: Competence or skill. *The Behavioral and Brain Sciences, 3*, 494–501. (p. 47)

Jessberger, S., Aimone, J. B., & Gage, F. H. (2008). *Neurogenesis. In learning and memory: A comprehensive reference.* Oxford: Elsevier. (p. 82)

Jiang, Y., Costello, P., Fang, F., Huang, M., & He, S. (2006). A gender- and sexual orientation-dependent spatial attentional effect of invisible things. *Proceedings of the National Academy of Sciences, 103*, 17048–17052. (pp. 231, 232)

Job, V., Dweck, C. S., & Walton, G. M. (2010). Ego depletion–Is it all in your head?: Implicit theories about willpower affect self-regulation. *Psychological Science, 21*. Published online at http://pss.sagepub.com/content/early/2010/09/28/0956797610384745. (p. 503)

Jobe, T. H., & Harrow, M. (2010). Schizophrenia course, long-term outcome, recovery, and prognosis. *Current Directions in Psychological Science, 19*, 220–225. (p. 641)

Johansson, P., Hall, L., Sikström, S., & Olsson, A. (2005). Failure to detect mismatches between intention and outcome in a simple decision task. *Science, 310*, 116–119. (pp. 98, 99)

Johansson, P., Hall, L., Tärning, B., Sikström, S., & Chater, N. (2014). Choice blindness and preference change: You will like this paper better if you (believe you) chose to read it! *Journal of Behavioral Decision Making, 27*, 281–289. (p. 98)

Johnson, D. L., Wiebe, J. S., Gold, S. M., Andreasen, N. C., Hichwa, R. D., Watkins, G. L., & Ponto, L. L. B. (1999). Cerebral blood flow and personality: A positron emission tomography study. *American Journal of Psychiatry, 156*, 252–257. (p. 587)

Johnson, D. F. (1997). Margaret Floy Washburn. *Psychology of Women Newsletter*, pp. 17, 22. (p. 4)

Johnson, E. J., & Goldstein, D. (2003). Do defaults save lives? *Science, 302,* 1338–1339. (p. 363)

Johnson, J. A. (2007, June 26). Not so situational. Commentary on the SPSP listserv (spsp-discuss@stolaf.edu). (p. 523)

Johnson, J. G., Cohen, P., Kotler, L., Kasen, S., & Brook, J. S. (2002). Psychiatric disorders associated with risk for the development of eating disorders during adolescence and early adulthood. *Journal of Consulting and Clinical Psychology, 70,* 1119–1128. (p. 652)

Johnson, J. S., & Newport, E. L. (1991). Critical period affects on universal properties of language: The status of subjacency in the acquisition of a second language. *Cognition, 39,* 215–258. (p. 374)

Johnson, K. (2008, January 29). For many of USA's inmates, crime runs in the family. *USA Today,* pp. 1A, 2A. (p. 162)

Johnson, M. H. (1992). Imprinting and the development of face recognition: From chick to man. *Current Directions in Psychological Science, 1,* 52–55. (p. 196)

Johnson, M. H., & Morton, J. (1991). *Biology and cognitive development: The case of face recognition.* Oxford: Blackwell Publishing. (p. 183)

Johnson, R. E., Chang, C-H., & Lord, R. G. (2006). Moving from cognition to behavior: What the research says. *Psychological Bulletin, 132,* 381–415. (p. A-11)

Johnson, S. C., et al. (2006). Activation of brain regions vulnerable to Alzheimer's disease: The effect of mild cognitive impairment. *Neurobiology of Aging, 27,* 1604–1612. (p. 219)

Johnson, W. (2010). Understanding the genetics of intelligence: Can height help? Can corn oil? *Current Directions in Psychological Science, 19,* 177–182. (p. 406)

Johnson, W., Carothers, A., & Deary, I. J. (2008). Sex differences in variability in general intelligence: A new look at the old question. *Perspectives on Psychological Science, 3,* 518–531. (p. 389)

Johnson, W., Corley, J., Starr, J. M., & Deary, I. J. (2011). Psychological and physical health at age 70 in the Lothian birth cohort 1936: Links with early life IQ, SES, and current cognitive function and neighborhood environment. *Health Psychology, 30,* 1–11. (p. 402)

Johnson, W., Gow, A. J., Corley, J., Starr, J. M., & Deary, I. J. (2010). Location in cognitive and residential space at age 70 reflects a lifelong trait over parental and environmental circumstances: The Lothian Birth Cohort 1936. *Intelligence, 38,* 403–411. (p. 402)

Johnson, W., Turkheimer, E., Gottesman, I. I., & Bouchard, Jr., T. J. (2009). Beyond heritability: Twin studies in behavioral research. *Current Directions in Psychological Science, 18,* 217–220. (pp. 136, 141, 406)

Johnston, L. D., O'Malley, P. M., Bachman, J. G., & Schulenberg, J. E. (2007). *Monitoring the Future national results on adolescent drug use: Overview of key findings, 2006.* Bethesda, MD: National Institute on Drug Abuse. (p. 129)

Johnston, L. D., O'Malley, P. M., Bachman, J. G., & Schulenberg, J. E. (2013, December 18). National press release, "Teen smoking continues to decline in 2013." University of Michigan News Service, Ann Arbor, 27 pp. (pp. 126, 127)

Johnston, L. D., O'Malley, P. M., Bachman, J. G., & Schulenberg, J. E. (2013). *Monitoring the future: National results on drug use: 2012 overview, key findings on adolescent drug use.* Ann Arbor: Institute for Social Research, The University of Michigan. (p. 123)

Johnstone, E. C., Ebmeier, K. P., Miller, P., Owens, D. G. C., & Lawrie, S. M. (2005). Predicting schizophrenia: Findings from the Edinburgh High-Risk Study. *British Journal of Psychiatry, 186,* 18–25. (p. 645)

Joiner, T. E., Jr. (2006). *Why people die by suicide.* Cambridge, MA: Harvard University Press. (p. 639)

Joiner, T. E., Jr. (2010). *Myths about suicide.* Cambridge, MA: Harvard University Press. (p. 638)

Jokela, M., Elovainio, M., Archana, S-M., & Kivimäki, M. (2009). IQ, socioeconomic status, and early death: The US National Longitudinal Survey of Youth. *Psychosomatic Medicine, 71,* 322–328. (p. 501)

Jolly, A. (2007). The social origin of mind. *Science, 317,* 1326. (p. 369)

Jonas, E., & Fischer, P. (2006). Terror management and religion: Evidence that intrinsic religiousness mitigates worldview defense following mortality salience. *Journal of Personality and Social Psychology, 91,* 553–567. (p. 581)

Jones, A. C., & Gosling, S. D. (2005). Temperament and personality in dogs (*Canis familiaris*): A review and evaluation of past research. *Applied Animal Behaviour Science, 95,* 1–53. (p. 588)

Jones, B., Reedy, E. J., & Weinberg, B. A. (2014, January). *Age and scientific genius.* NBER Working Paper Series (www.nber.org/papers/w19866). (p. 401)

Jones, E. (1957). *Sigmund Freud: Life and Work,* vol. 3, pt. 1., ch. 4. New York: Basic Books Publishing. (p. 576)

Jones, J. M. (2003, February 12). Fear of terrorism increases amidst latest warning. *Gallup News Service* (www.gallup.com/releases/pr030212.asp). (p. 620)

Jones, J. M. (2012, June 21). Atheists, Muslims see most bias as presidential candidates. Gallup Poll (www.gallup.com). (p. 540)

Jones, J. M. (2012, December 6). Most in U.S. say gay/lesbian bias is a serious problem. Gallup Poll (www.gallup.com). (p. 540)

Jones, J. M. (2013, December 19). In U.S., 40% get less than recommended amount of sleep. www.gallup.com. (p. 107)

Jones, J. T., Pelham, B. W., Carvallo, M., & Mirenberg, M. C. (2004). How do I love thee? Let me count the Js: Implicit egotism and interpersonal attraction. *Journal of Personality and Social Psychology, 87,* 665–683. (p. 551)

Jones, M. C. (1924). A laboratory study of fear: The case of Peter. *Journal of Genetic Psychology, 31,* 308–315. (p. 663)

Jones, M. V., Paull, G. C., & Erskine, J. (2002). The impact of a team's aggressive reputation on the decisions of association football referees. *Journal of Sports Sciences, 20,* 991–1000. (p. 238)

Jones, R. P., Cox, D., & Navarro-Rivera, J. (2014). *A shifting landscape: A decade of change in American attitudes about same-sex marriage and LGBT issues.* Washington, D.C.: Public Religion Research Institute. (p. 440)

Jones, S. S. (2007). Imitation in infancy: The development of mimicry. *Psychological Science, 18,* 593–599. (p. 308)

Jones, W., & Klin, A. (2013). Attention to eyes is present but in decline in 2–6-month-old infants later diagnosed with autism. *Nature, 504,* 427–431. (p. 193)

Jones, W. H., Carpenter, B. N., & Quintana, D. (1985). Personality and interpersonal predictors of loneliness in two cultures. *Journal of Personality and Social Psychology, 48,* 1503–1511. (p. 7)

Jonides, J., Jaeggi, S. M., Buschkuehl, M., & Shah, P. (2012, September/October). Building better brains. *Scientific American Mind,* pp. 59–63. (p. 218)

Jordan, A. H., Monin, B., Dweck, C. S., Lovett, B. J., John, O. P., & Gross, J. J. (2011). Misery has more company than people think: Underestimating the prevalence of others' negative emotions. *Personality and Social Psychology Bulletin, 37,* 120–135. (p. 628)

Jorm, A. F., Reavley, N. J., & Ross, A. M. (2012). Belief in the dangerousness of people with mental disorders: A review. *Australian and New Zealand Journal of Psychiatry, 46,* 1029–1045. (p. 616)

Jose, A., O'Leary, D., & Moyer, A. (2010). Does premarital cohabitation predict subsequent marital stability and marital quality? A meta-analysis. *Journal of Marriage and Family, 72,* 105–116. (p. 221)

Joseph, J. (2001). Separated twins and the genetics of personality differences: A critique. *American Journal of Psychology, 114,* 1–30. (p. 138)

Jost, J. T., Kay, A. C., & Thorisdottir, H. (Eds.). (2009). *Social and psychological bases of ideology and system justification.* New York: Oxford University Press. (p. 545)

Jovanovic, T., Blanding, N. Q., Norrholm, S. D., Duncan, E., Bradley, B., & Ressler, K. J. (2009). Childhood abuse is associated with increased startle reactivity in adulthood. *Depression and Anxiety, 26,* 1018–1026. (p. 200)

Judge, T. A., Thoresen, C. J., Bono, J. E., & Patton, G. K. (2001). The job satisfaction/job performance relationship: A qualitative and quantitative review. *Psychological Bulletin, 127,* 376–407. (p. A-9)

Jung, R. E., & Haier, R. J. (2013). Creativity and intelligence: Brain networks that link and differentiate the expression of genius. In O. Vartanian, A. S. Bristol, & J. C. Kaufman (Eds.), *Neuroscience of Creativity.* Cambridge, MA: MIT Press. (p. 366)

Jung-Beeman, M., Bowden, E. M., Haberman, J., Frymiare, J. L., Arambel-Liu, S., Greenblatt, R., Reber, P. J., & Kounios, J. (2004). Neural activity when people solve verbal problems with insight. *PloS Biology 2*(4), e111. (p. 358)

Just, M. A., Keller, T. A., & Cynkar, J. (2008). A decrease in brain activation associated with driving when listening to someone speak. *Brain Research, 1205,* 70–80. (p. 96)

Just, M. A., Keller, T. A., Malave, V. L., Kana, R. K., & Varma, S. (2012). Autism as a neural systems disorder: A theory of frontal-posterior underconnectivity. *Neuroscience and Biobehavioral Reviews, 36,* 1292–1313. (p. 194)

Kabat-Zinn, J. (2001). Mindfulness-based interventions in context: Past, present, and future. *Clinical Psychology: Science and Practice, 10,* 144–156. (p. 510)

Kagan, J. (1976). Emergent themes in human development. *American Scientist, 64,* 186–196. (p. 199)

Kagan, J. (1984). *The nature of the child.* New York: Basic Books. (p. 195)

Kagan, J. (1995). On attachment. *Harvard Review of Psychiatry, 3,* 104–106. (p. 197)

Kagan, J. (1998). *Three seductive ideas.* Cambridge, MA: Harvard University Press. (pp. 87, 180)

Kagan, J., Lapidus, D. R., & Moore, M. (December, 1978). Infant antecedents of cognitive functioning: A longitudinal study. *Child Development, 49*(4), 1005–1023. (p. 180)

Kagan, J., & Snidman, N. (2004). *The long shadow of temperament.* Cambridge, MA: Belknap Press. (p. 140)

Kahneman, D. (1985, June). Quoted by K. McKean, Decisions, decisions. *Discover,* pp. 22–31. (p. 34)

Kahneman, D. (1999). Assessments of objective happiness: A bottom-up approach. In D. Kahneman, E. Diener, & N. Schwartz (Eds.), *Understanding well-being: Scientific perspectives on enjoyment and suffering.* New York: Russell Sage Foundation. (p., 263)

Kahneman, D. (2005, January 13). What were they thinking? Q&A with Daniel Kahneman. *Gallup Management Journal* (gmj.gallup.com). (pp. 359, 483)

Kahneman, D. (2005, February 10). Are you happy now? *Gallup Management Journal* interview (www.gmj.gallup.com). (p. 481)

Kahneman, D. (2011). *Thinking, fast and slow.* New York: Farrar, Straus, and Giroux. (pp. 94, 361)

Kahneman, D., Fredrickson, B. L., Schreiber, C. A., & Redelmeier, D. A. (1993). When more pain is preferred to less: Adding a better end. *Psychological Science, 4,* 401–405. (p. 263)

Kahneman, D., Krueger, A. B., Schkade, D. A., Schwarz, N., & Stone, A. A. (2004). A survey method for characterizing daily life experience: The day reconstruction method. *Science, 306,* 1776–1780. (pp. 10, 480)

Kahneman, D., & Renshon, J. (2007, January/February). Why hawks win. *Foreign Policy* (www.foreignpolicy.com). (p. 603)

Kail, R. (1991). Developmental change in speed of processing during childhood and adolescence. *Psychological Bulletin, 109,* 490–501. (p. 216)

Kail, R., & Hall, L. K. (2001). Distinguishing short-term memory from working memory. *Memory & Cognition, 29,* 1–9. (p. 321)

Kaiser. (2010, January). *Generation M²: Media in the lives of 8- to 18-year-olds* (by V. J. Rideout, U. G. Foeher, & D. F. Roberts). Menlo Park, CA: Henry J. Kaiser Family Foundation. (pp. 33, 453, 645)

Kamarck, T., & Jennings, J. R. (1991). Biobehavioral factors in sudden cardiac death. *Psychological Bulletin, 109,* 42–75. (p. 497)

Kamatali, J-M. (2014, April 4). Following orders in Rwanda. *New York Times* (www.nytimes.com). (p. 529)

Kamel, N. S., & Gammack, J. K. (2006). Insomnia in the elderly: Cause, approach, and treatment. *American Journal of Medicine, 119,* 463–469. (p. 103)

Kamenica, E., Naclerio, R., & Malani, A. (2013). Advertisements impact the physiological efficacy of a branded drug. *PNAS, 110,* 12931–12935. (p. 682)

Kamil, A. C., & Cheng, K. (2001). Way-finding and landmarks: The multiple-bearings hypothesis. *Journal of Experimental Biology, 204,* 103–113. (p. 329)

Kaminski, J., Cali, J., & Fischer, J. (2004). Word learning in a domestic dog: Evidence for "fast mapping." *Science, 304,* 1682–1683. (p. 378)

Kanazawa, S. (2004). General intelligence as a domain-specific adaptation. *Psychological Review, 111,* 512–523. (p. 386)

Kanazawa, S. (2010). Evolutionary psychology and intelligence research. *American Psychologist, 65,* 279–289. (p. 386)

Kandel, D. B., & Raveis, V. H. (1989). Cessation of illicit drug use in young adulthood. *Archives of General Psychiatry, 46,* 109–116. (p. 129)

Kandel, E. (2012, March 5). Interview by Claudia Dreifus: A quest to understand how memory works. *New York Times* (www.nytimes.com). (p. 580)

Kandel, E. (2013, September 6). The new science of mind. *New York Times* (www.nytimes.com). (p. 658)

Kandel, E. R. (2012, March 5). Interview by Claudia Dreifus: A quest to understand how memory works. *New York Times* (www.nytimes.com). (p. 332)

Kandel, E. R., & Schwartz, J. H. (1982). Molecular biology of learning: Modulation of transmitter release. *Science, 218,* 433–443. (p. 332)

Kandler, C. (2011). The genetic links between the big five personality traits and general interest domains. *Personality and Social Psychology Bulletin, 37,* 1633–1643. (p. 136)

Kandler, C., Bleidorn, W., Riemann, R., Angleitner, A., & Spinath, F. M. (2012). Life events as environmental states and genetic traits and the role of personality: A longitudinal twin study. *Behavior Genetics, 42,* 57–72. (p. 152)

Kandler, C., Bleidorn, W., Riemann, R., Spinath, F. M., Thiel, W., & Angleitner, A. (2010). Sources of cumulative continuity in personality: A longitudinal multiple-rater twin study. *Journal of Personality and Social Psychology, 98,* 995–1008. (p. 179)

Kandler, C., Riemann, R., & Angleitner, A. (2013). Patterns and sources of continuity and change of energetic and temporal aspects of temperament in adulthood: A longitudinal twin study of self- and peer reports. *Developmental Psychology, 49,* 1739–1753. (p. 140)

Kane, G. D. (2010). Revisiting gay men's body image issues: Exposing the fault lines. *Review of General Psychology, 14,* 311–317. (p. 652)

Kane, J. M., & Mertz, J. E. (2012). Debunking myths about gender and mathematics performance. *Notices of the American Mathematical Society, 59,* 10–21. (p. 411)

Kane, M. J., Brown, L. H., McVay, J. C., Silvia, P. J., Myin-Germeys, I., & Kwapil, T. R. (2007). For whom the mind wanders, and when: An experience-sampling study of working memory and executive control in daily life. *Psychological Science, 18,* 614–621. (p. 324)

Kaplan, H. I., & Saddock, B. J. (Eds.). (1989). *Comprehensive textbook of psychiatry,* V. Baltimore, MD: Williams and Wilkins. (p. 682)

Kaplan, T., & Hakim, D. (2013, January 14). New York has gun deal, with focus on mental ills. *New York Times* (www.nytimes.com). (p. 616)

Kapogiannis, D., Barbey, A. K., Sue, M., Zamboni, G., Krueger, F., & Grafman, J. (2009). Cognitive and neural foundations of religious belief. *PNAS, 106,* 4876–4881. (p. 68)

Kappes, H. B., & Oettingen, G. (2012). Wishful information preference: Positive fantasies mimic the effects of intentions. *Personality and Social Psychology Bulletin, 38,* 870–881. (p. 600)

Kaprio, J., Koskenvuo, M., & Rita, H. (1987). Mortality after bereavement: A prospective study of 95,647 widowed persons. *American Journal of Public Health, 77,* 283–287. (p. 490)

Kaptchuk, T. J., Stason, W. B., Davis, R. B., Legedza, A. R. T., Schnyer, R. N., Kerr, C. E., . . . Goldman, R. H. (2006). Sham device v inert pill: Randomised controlled trial of two placebo treatments. *British Medical Journal, 332,* 391–397. (p. 264)

Karacan, I., Aslan, C., & Hirshkowitz, M. (1983). Erectile mechanisms in man. *Science, 220,* 1080–1082. (p. 103)

Karacan, I., Goodenough, D. R., Shapiro, A., & Starker, S. (1966). Erection cycle during sleep in relation to dream anxiety. *Archives of General Psychiatry, 15,* 183–189. (p. 103)

Karau, S. J., & Williams, K. D. (1993). Social loafing: A meta-analytic review and theoretical integration. *Journal of Personality and Social Psychology, 65,* 681–706. (p. 533)

Karg, K., Burmeister, M., Shedden, K., & Sen, S. (2011). The serotonin transporter promoters variant (5-HTTLPR), stress, and depression meta-analysis revised: Evidence of genetic moderation. *Archives of General Psychiatry, 68,* 444–454. (p. 634)

Kark, J. D., Shemi, G., Friedlander, Y., Martin, O., Manor, O., & Blondheim, S. H. (1996). Does religious observance promote health? Mortality in secular vs. religious kibbutzim in Israel. *American Journal of Public Health, 86,* 341–346. (p. 512)

Karlsgodt, K. H., Sun, D., & Cannon, T. D. (2010). Structural and functional brain abnormalities in schizophrenia. *Current Directions in Psychological Science, 19,* 226–231. (p. 642)

Karni, A., Meyer, G., Rey-Hipolito, C., Jezzard, P., Adams, M. M., Turner, R., & Ungerleider, L. G. (1998). The acquisition of skilled motor performance: Fast and slow experience-driven changes in primary motor cortex. *Proceedings of the National Academy of Sciences, 95,* 861–868. (p. 153)

Karni, A., & Sagi, D. (1994). Dependence on REM sleep for overnight improvement of perceptual skills. *Science, 265,* 679–682. (p. 113)

Karns, C. M., Dow, M. W., & Neville, H. J. (2012). Altered cross-modal processing in the primary auditory cortex of congenitally deaf adults: A visual-somatosensory fMRI study with a double-flash illusion. *The Journal of Neuroscience, 32,* 9626–9638. (p. 375)

Karpicke, J. D. (2012). Retrieval-based learning: Active retrieval promotes meaningful learning. *Current Directions in Psychological Science, 21,* 157–163. (pp. 14, 326)

Karpicke, J. D., & Roediger, H. L., III. (2008). The critical importance of retrieval for learning. *Science, 319,* 966–968. (p. 13)

Karremans, J. C., Frankenhis, W. E., & Arons, S. (2010). Blind men prefer a low waist-to-hip ratio. *Evolution and Human Behavior, 31,* 182–186. (pp. 149, 554)

Karremans, J. C., Stroebe, W., & Claus, J. (2006). Beyond Vicary's fantasies: The impact of subliminal priming and brand choice. *Journal of Experimental Social Psychology, 42,* 792–798. (p. 233)

Kasen, S., Chen, H., Sneed, J., Crawford, T., & Cohen, P. (2006). Social role and birth cohort influences on gender-linked personality traits in women: A 20-year longitudinal analysis. *Journal of Personality and Social Psychology, 91,* 944–958. (p. 164)

Kashdan, T., DeWall, C. N., Schurtz, D., et al. (2014). More than words: Contemplating death enhances positive emotional word use. *Personality and Individual Differences, 71,* 171–175. (p. 582)

Kashubeck-West, S., & Meyer, J. (2008). The well-being of women who are late deafened. *Journal of Counseling Psychology, 55,* 463–472. (p. 375)

Kasser, T. (2002). *The high price of materialism.* Cambridge, MA: MIT Press. (p. 482)

Kasser, T. (2011). Cultural values and the well-being of future generations: A cross-national study. *Journal of Cross-Cultural Psychology, 42, 42,* 206–215. (p. 482)

Katz-Wise, S. L., & Hyde, J. S. (2012). Victimization experiences of lesbian, gay, and bisexual individuals: A meta-analysis. *Journal of Sex Research, 49,* 142–167. (p. 540)

Katz-Wise, S. L., Priess, H. A., & Hyde, J. S. (2010). Gender-role attitudes and behavior across the transition to parenthood. *Developmental Psychology, 46,* 18–28. (p. 164)

Kaufman, A. S., Dillon, T., & Kirsch, J. W. (2013). "A beautiful theory, killed by a nasty, ugly little fact." *PsycCRITIQUES, 58*(19) dx.doi.org/10.1037/a0032830. (p. 397)

Kaufman, G., & Libby, L. K. (2012). Changing beliefs and behavior through experience-taking. *Journal of Personality and Social Psychology, 103,* 1–19. (p. 310)

Kaufman, J., & Zigler, E. (1987). Do abused children become abusive parents? *American Journal of Orthopsychiatry, 57,* 186–192. (p. 200)

Kaufman, J. C., & Baer, J. (2002). I bask in dreams of suicide: Mental illness, poetry, and women. *Review of General Psychology, 6,* 271–286. (p. 630)

Kaufman, L., & Kaufman, J. H. (2000). Explaining the moon illusion. *Proceedings of the National Academy of Sciences, 97,* 500–505. (p. 253)

Kawachi, I., Kennedy, B. P., & Wilkinson, R. G. (1999). Crime: Social disorganization and relative deprivation. *Social Science and Medicine, 48,* 719–731. (p. 484)

Kawakami, K., Dunn, E., Karmali, F., & Dovidio, J. F. (2009). Mispredicting affective and behavioral responses to racism. *Science, 323,* 276–278. (p. 538)

Kay, A. C., Baucher, D., Peach, J. M., Laurin, K., Friesen, J., Zanna, M. P., & Spencer, S. J. (2009). Inequality, discrimination, and the power of the status quo: Direct evidence for a motivation to see the way things are as the way they should be. *Journal of Personality and social Psychology, 97,* 421–434. (p. 545)

Kayser, C. (2007, April/May). Listening with your eyes. *Scientific American Mind,* pp. 24–29. (p. 270)

Kazantzis, N., & Dattilio, F. M. (2010b). Definitions of homework, types of homework and ratings of the importance of homework among psychologists with cognitive behavior therapy and psychoanalytic theoretical orientations. *Journal of Clinical Psychology, 66,* 758–773. (p. 669)

Kazantzis, N., Whittington, C., & Dattilio, F. M. (2010a). Meta-analysis of homework effects in cognitive and behavioral therapy: A replication and extension. *Clinical Psychology: Science and Practice, 17,* 144–156. (p. 669)

Kazdin, A. E., & Benjet, C. (2003). Spanking children: Evidence and issues. *Current Directions in Psychological Science, 12,* 99–103. (p. 296)

Kazdin, A. E., & Blase, S. L. (2011a). Rebooting psychotherapy research and practice to reduce the burden of mental illness. *Perspectives on Psychological Science, 6,* 21–37. (p. 670)

Kazdin, A. E., & Blase, S. L. (2011b). Interventions and models of their delivery to reduce the burden of mental illness: Reply to commentaries. *Perspectives on Psychological Science, 6,* 507–510. (p. 670)

Kearney, M. S., & Levine, P. B. (2014). *Media influences on social outcomes: The impact of MTV's 16 and Pregnant on teen childbearing.* The National Bureau of Economic Research: NBER Working Paper No. 19795. (p. 439)

Kearns, M. C., Ressler, K. J., Zatzick, D., & Rothbaum, B. O. (2012). Early interventions for PTSD: A review. *Depression and Anxiety, 29,* 833–842. (p. 333)

Keesey, R. E., & Corbett, S. W. (1983). Metabolic defense of the body weight setpoint. In A. J. Stunkard & E. Stellar (Eds.), *Eating and its disorders.* New York: Raven Press. (p. 427)

Keith, S. W., et al. (2006). Putative contributors to the secular increase in obesity: Exploring the roads less traveled. *International Journal of Obesity, 30,* 1585–1594. (p. 431)

Kell, H. J., Lubinski, D., & Benbow, C. P. (2013). Who rises to the top? Early indicators. *Psychological Science, 24,* 648–659. (p. 404)

Keller, J. (2007, March 9). As football players get bigger, more of them risk a dangerous sleep disorder. *Chronicle of Higher Education,* pp. A43–A44. (p. 111)

Keller, M. B., McCullough, J. P., Klein, D. N., Arnow, B., Dunner, D. L., Gelenberg, A. J., . . . Zajecka J. (2000), A comparison of nefazodone, the cognitive behavioral-analysis system of psychotherapy, and their combination for the treatment of chronic depression. *New England Journal of Medicine, 342,* 1462–1470. (p. 684)

Kellerman, J., Lewis, J., & Laird, J. D. (1989). Looking and loving: The effects of mutual gaze on feelings of romantic love. *Journal of Research in Personality, 23,* 145–161. (p. 468)

Kelling, S. T., & Halpern, B. P. (1983). Taste flashes: Reaction times, intensity, and quality. *Science, 219,* 412–414. (p., 266)

Kellner, C. H., et al. (2006). Continuation electroconvulsive therapy vs. pharmacotherapy for relapse prevention in major depression: A multisite study from the Consortium for Research in Electroconvulsive Therapy (CORE). *Archives of General Psychiatry, 63,* 1337–1344. (p. 686)

Kelly, A. E. (2000). Helping construct desirable identities: A self-presentational view of psychotherapy. *Psychological Bulletin, 126,* 475–494. (p. 667)

Kelly, S. D., Özyürek, A., & Maris, E. (2010). Two sides of the same coin: Speech and gesture mutually interact to enhance comprehension. *Psychological Science, 21,* 260–267. (p. 378)

Kelly, T. A. (1990). The role of values in psychotherapy: A critical review of process and outcome effects. *Clinical Psychology Review, 10,* 171–186. (p. 680)

Kempe, R. S., & Kempe, C. C. (1978). *Child abuse.* Cambridge, MA: Harvard University Press. (p. 200)

Kempermann, G. (2013). What the bomb said about the brain. *Science, 340,* 1180–1181. (p. 82)

Kendall-Tackett, K. A., Williams, L. M., & Finkelhor, D. (1993). Impact of sexual abuse on children: A review and synthesis of recent empirical studies. *Psychological Bulletin, 113,* 164–180. (p. 348)

Kendler, K. S. (1996). Parenting: A genetic-epidemiologic perspective. *The American Journal of Psychiatry, 153,* 11–20. (p. 202)

Kendler, K. S. (1998, January). Major depression and the environment: A psychiatric genetic perspective. *Pharmacopsychiatry, 31*(1), 5–9. (p. 632)

Kendler, K. S. (2011). A statement from Kenneth S. Kendler, M.D., on the proposal to eliminate the grief exclusion criterion from major depression. www.dsm5.org. (p. 614)

Kendler, K. S., Gardner, C. O., & Prescott, C. A. (2006). Toward a comprehensive developmental model for major depression in men. *American Journal of Psychiatry, 163,* 115–124. (p. 631)

Kendler, K. S., Jacobson, K. C., Myers, J., & Prescott, C. A. (2002a). Sex differences in genetic and environmental risk factors for irrational fears and phobias. *Psychological Medicine, 32,* 209–217. (p. 626)

Kendler, K. S., Myers, J., & Prescott, C. A. (2002b). The etiology of phobias: An evaluation of the stress-diathesis model. *Archives of General Psychiatry, 59,* 242–248. (p. 626)

Kendler, K. S., Myers, J., & Zisook, S. (2008). Does bereavement-related major depression differ from major depression associated with other stressful life events? *American Journal of Psychiatry, 165,* 1449–1455. (p. 632)

Kendler, K. S., Neale, M. C., Kessler, R. C., Heath, A. C., & Eaves, L. J. (1994). Parent treatment and the equal environment assumption in twin studies of psychiatric illness. *Psychological Medicine, 24,* 579–590. (p. 136)

Kendler, K. S., Neale, M. C., Thornton, L. M., Aggen, S. H., Gilman, S. E., & Kessler, R. C. (2002). Cannabis use in the last year in a U.S. national sample of twin and sibling pairs. *Psychological Medicine, 32,* 551–554. (p. 127)

Kendler, K. S., Sundquist, K., Ohlsson, H., Palmer, K., Maes, H., Winkleby, M. A., & Sundquist, J. (2012). Genetic and familiar environmental influences on the risk for drug abuse: A Swedish adoption study. *Archives of General Psychiatry, 69,* 690–697. (p. 127)

Kendler, K. S., Thornton, L. M., & Gardner, C. O. (2001). Genetic risk, number of previous depressive episodes, and stressful life events in predicting onset of major depression. *American Journal of Psychiatry, 158,* 582–586. (p. 632)

Kendrick, K. M., & Feng, J. (2011). Neural encoding principles in face perception revealed using non-primate models. In G. Rhodes, A. Calder, M. Johnson, & J. V. Haxby (Eds.), *The Oxford Handbook of Face Perception.* Oxford: Oxford University Press. (p. 318)

Kennedy, S., & Over, R. (1990). Psychophysiological assessment of male sexual arousal following spinal cord injury. *Archives of Sexual Behavior, 19,* 15–27. (p. 63)

Kenrick, D. T., & Funder, D. C. (1988). Profiting from controversy: Lessons from the person-situation debate. *American Psychologist, 43,* 23–34. (p. 592)

Kenrick, D. T., Griskevicious, V., Neuberg, S. L., & Schaller, M. (2010). Renovating the pyramid of needs: Contemporary extensions build upon ancient foundations. *Perspectives on Psychological Science, 5,* 292–314. (p. 423)

Kenrick, D. T., & Gutierres, S. E. (1980). Contrast effects and judgments of physical attractiveness: When beauty becomes a social problem. *Journal of Personality and Social Psychology, 38,* 131–140. (p. 438)

Kenrick, D. T., Gutierres, S. E., & Goldberg, L. L. (1989). Influence of popular erotica on judgments of strangers and mates. *Journal of Experimental Social Psychology, 25,* 159–167. (p. 438)

Kenrick, D. T., Nieuweboer, S., & Buunk, A. P. (2009). Universal mechanisms and cultural diversity: Replacing the blank slate with a coloring book. In M. Schaller, A. Norenzayan, S. Heine, A. Norenzayan, T. Yamagishi, & T. Kameda (eds.), *Evolution, culture, and the human mind.* Mahwah, NJ: Lawrence Erlbaum. (pp. 149, 152)

Kensinger, E. A. (2007). Negative emotion enhances memory accuracy: Behavioral and neuroimaging evidence. *Current Directions in Psychological Science, 16*, 213–218. (p. 331)

Keough, K. A., Zimbardo, P. G., & Boyd, J. N. (1999). Who's smoking, drinking, and using drugs? Time perspective as a predictor of substance use. *Basic and Applied Social Psychology, 2*, 149–164. (p. 574)

Kernis, M. H. (2003). Toward a conceptualization of optimal self-esteem. *Psychological Inquiry, 14*, 1–26. (p. 605)

Kerr, N. L., & Bruun, S. E. (1983). Dispensability of member effort and group motivation losses: Free-rider effects. *Journal of Personality and Social Psychology, 44*, 78–94. (p. 533)

Kessler, M., & Albee, G. (1975). Primary prevention. *Annual Review of Psychology, 26*, 557–591. (p. 690)

Kessler, R. C. (2000). Posttraumatic stress disorder: The burden to the individual and to society. *Journal of Clinical Psychiatry, 61*(suppl. 5), 4–12. (p. 623)

Kessler, R. C., et al. (2010). Structure and diagnosis of adult attention-deficit/hyperactivity disorder: Analysis of expanded symptom criteria from the adult ADHD Clinical Diagnostic Scale. *Archives of General Psychiatry, 67*, 1168–1178. (p. 615)

Kessler, R. C., et al. (2010). Age differences in the prevalence and co-morbidity of DSM-IV major depressive episodes: Results from the WHO World Mental Health Survey Initiative. *Depression and Anxiety, 27*, 351–364. (pp. 356, 632)

Kessler, R. C., Akiskal, H. S., Ames, M., Birnbaum, H., Greenberg, P., Hirschfeld, R. M. A., . . . Wang, P. S. (2006). Prevalence and effects of mood disorders on work performance in a nationally representative sample of U.S. workers. *American Journal of Psychiatry, 163*, 1561–1568. (p. 630)

Kessler, R. C., Berglund, P., Demler, O., Jin, R., Merikangos, K. R., & Walters, E. E. (2005). Lifetime prevalence and age-of-onset distributions of DSM-IV disorders in the National Comorbidity Survey Replication. *Archives of General Psychiatry, 62*, 593–602. (p. 617)

Kessler, R. C., Foster, C., Joseph, J., Ostrow, D., Wortman, C., Phair, J., & Chmiel, J. (1991). Stressful life events and symptom onset in HIV infection. *American Journal of Psychiatry, 148*, 733–738. (p. 496)

Kessler, R. C., Petukhova, M., Sampson, N. A., Zaslavsky, A. M., & Wittchen, H-A. (2012). Twelve-month and lifetime morbid risk of anxiety and mood disorders in the United States. *International Journal of Methods in Psychiatric Research, 21*, 169–184. (p. 623)

Kessler, R. C., Soukup, J., Davis, R. B., Foster, D. F., Wilkey, S. A., Van Rompay, M. I., & Eisenberg, D. M. (2001). The use of complementary and alternative therapies to treat anxiety and depression in the United States. *American Journal of Psychiatry, 158*, 289–294. (p. 677)

Keynes, M. (1980, December 20/27). Handel's illnesses. *Lancet*, pp. 1354–1355. (p. 630)

Keys, A., Brozek, J., Henschel, A., Mickelsen, O., & Taylor, H. L. (1950). *The biology of human starvation.* Minneapolis: University of Minnesota Press. (p. 424)

Kiecolt-Glaser, J. K. (2009). Psychoneuroimmunology: Psychology's gateway to the biomedical future. *Perspectives on Psychological Science, 4*, 367–369. (p. 492)

Kiecolt-Glaser, J. K., Loving, T. J., Stowell, J. R., Malarkey, W. B., Lemeshow, S., Dickinson, S. L., & Glaser, R. (2005). Hostile marital interactions, proinflammatory cytokine production, and wound healing. *Archives of General Psychiatry, 62*, 1377–1384. (p. 494)

Kiecolt-Glaser, J. K., Page, G. G., Marucha, P. T., MacCallum, R. C., & Glaser, R. (1998). Psychological influences on surgical recovery: Perspectives from psychoneuroimmunology. *American Psychologist, 53*, 1209–1218. (p. 494)

Kiehl, K. A., & Buckholtz, J. W. (2010, September/October). Inside the mind of a psychopath. *Scientific American Mind*, pp. 22–29. (p. 651)

Kihlstrom, J. F. (2005). Dissociative disorders. *Annual Review of Clinical Psychology, 1*, 227–253. (p. 648)

Kihlstrom, J. F. (2006). Repression: A unified theory of a will-o'-the-wisp. *Behavioral and Brain Sciences, 29*, 523. (p. 580)

Kille, D. R., Forest, A. L., & Wood, J. V. (2013). Tall, dark, and stable: Embodiment motivates mate selection preferences. *Psychological Science, 24*, 112–114. (p. 270)

Killingsworth, M. A., & Gilbert, D. T. (2010). A wandering mind is an unhappy mind. *Science, 330*, 932. (p. 453, A-2)

Kilpatrick, L. A., Suyenobu, B. Y., Smith, S. R., Bueller, J. A., Goodman, T., Creswell, J. D., . . . Naliboff, B. D. (2011). Impact of mindfulness-based stress reduction training on intrinsic brain activity. *Neuroimage, 56*, 290–298. (p. 511)

Kilpeläinen, T. O., et al. (2012). Physical activity attenuates the influence of *FTO* variants on obesity risk: A meta-analysis of 218,166 adults and 19,268 children. *Plos Medicine.* http://www.plosmedicine.org/article/info%3Adoi%2F10.1371%2Fjournal.pmed.1001116. (p. 508)

Kim, B. S. K., Ng, G. F., & Ahn, A. J. (2005). Effects of client expectation for counseling success, client-counselor worldview match, and client adherence to Asian and European American cultural values on counseling process with Asian Americans. *Journal of Counseling Psychology, 52*, 67–76. (p. 680)

Kim, G., & Tong, A. (2010, February 23). Airline passengers have grown, seats haven't. *Sacramento Bee* (reprinted by *Grand Rapids Press*, pp. B1, B3). (p. 431)

Kim, H., & Markus, H. R. (1999). Deviance or uniqueness, harmony or conformity? A cultural analysis. *Journal of Personality and Social Psychology, 77*, 785–800. (p. 158)

Kim, J. L., & Ward, L. M. (2012). Striving for pleasure without fear: Short-term effects of reading a women's magazine on women's sexual attitudes. *Psychology of Women Quarterly, 36*, 326–336. (p. 439)

Kim, S. H., Hwang, J. H., Park, H. S., & Kim, S. E. (2008). Resting brain metabolic correlates of neuroticism and extraversion in young men. *NeuroReport, 19*, 883–886. (p. 587)

Kim, S. H., Vincent, L. C., & Goncalo, J. A. (2013). Outside advantage: Can social rejection fuel creative thought? *Journal of Experimental Psychology: General, 142*, 605–611. (p. 367)

Kim, Y. S., Leventhal, B. L., Koh, Y., Fombonne, E., Laska, E., Lim, E., . . . Grinker, R. R. (2011). Prevalence of autism spectrum disorders in a total population sample. *The American Journal of Psychiatry, 168*, 904–912. (p. 193)

Kim-Yeary, K. H., Ounpraseuth, S., Moore, P., Bursac, Z., & Greene, P. (2012). Religion, social capital, and health. *Review of Religious Research, 54*, 331–347. (p. 513)

Kimata, H. (2001). Effect of humor on allergen-induced wheal reactions. *Journal of the American Medical Association, 285*, 737. (p. 506)

Kimble, G. A. (1981). *Biological and cognitive constraints on learning.* Washington, DC: American Psychological Association. (p. 301)

Kindt, M., Soeter, M., & Vervliet, B. (2009). Beyond extinction: Erasing human fear responses and preventing the return of fear. *Nature Neuroscience, 12*, 256–258. (p. 626)

King, S., St-Hilaire, A., & Heidkamp, D. (2010). Prenatal factors in schizophrenia. *Current Directions in Psychological Science, 19*, 209–213. (p. 643)

Kinnier, R. T., & Metha, A. T. (1989). Regrets and priorities at three stages of life. *Counseling and Values, 33*, 182–193. (p. 223)

Kinzler, K. D., Shutts, K., Dejesus, J., & Spelke, E. S. (2009). Accent trumps race in guiding children's social preferences. *Social Cognition, 27*, 623–634. (p. 542)

Kirby, D. (2002). Effective approaches to reducing adolescent unprotected sex, pregnancy, and childbearing. *Journal of Sex Research, 39*, 51–57. (p. 439)

Kirkpatrick, B., Fenton, W. S., Carpenter, W. T., Jr., & Marder, S. R. (2006). The NIMH-MATRICS consensus statement on negative symptoms. *Schizophrenia Bulletin, 32*, 214–219. (p. 641)

Kirkpatrick, L. (1999). Attachment and religious representations and behavior. In J. Cassidy & P. R. Shaver (Eds.), *Handbook of attachment.* New York: Guilford. (p. 195)

Kirsch, I. (2010). *The emperor's new drugs: Exploding the antidepressant myth.* New York: Basic Books. (pp. 36, 684)

Kirsch, I., Deacon, B. J., Huedo-Medina, T. B., Scoboria, A., Moore, T. J., & Johnson, B. T. (2008) Initial severity and antidepressant benefits: A meta-analysis of data submitted to the Food and Drug Administration. *Public Library of Science Medicine, 5*, e45. (p. 684)

Kirsch, I., Kong, J., Sadler, P., Spaeth, R., Cook, A., Kaptchuk, T. J., & Gollub, R. (2014). Expectancy and conditioning in placebo analgesia: Separate or connected processes? *Psychology of Consciousness; Theory, Research, and Practice, 1*, 51–59. (p. 684)

Kirsch, I., Moore, T. J., Scoboria, A., & Nicholls, S. S. (2002, July 15). New study finds little difference between effects of antidepressants and placebo. *Prevention and Treatment* (journals.apa.org/prevention). (p. 684)

Kirsch, I., & Sapirstein, G. (1998). Listening to Prozac but hearing placebo: A meta-analysis of antidepressant medication. *Prevention and Treatment, 1*, posted June 26 at (journals.apa.org/prevention/volume1). (p. 684)

Kisley, M. A., Wood, S., & Burrows, C. L. (2007). Looking at the sunny side of life: Age-related change in an event-related potential measure of the negativity bias. *Psychological Science, 18*, 838–843. (p. 224)

Kisor, H. (1990). *What's that pig outdoors.* New York: Hill and Wang. (p. 375)

Kitayama, S., Chua, H. F., Tompson, S., & Han, S. (2013). Neural mechanisms of dissonance: An fMRI investigation of choice justification. *NeuroImage, 69*, 206–212. (p. 523)

Kitayama, S., Conway, III, L. G., Pietromonaci, P. R., Park, H., & Plaut, V. C. (2010). Ethos of independence across regions in the United States: The production-adoption model of cultural change. *American Psychologist, 65*, 559–574. (pp. 157, 159)

Kitayama, S., Ishii, K., Imada, T., Takemura, K., & Ramaswamy, J. (2006). Voluntary settlement and the spirit of independence: Evidence from Japan's "northern frontier." *Journal of Personality and Social Psychology, 91,* 369–384. (p. 158)

Kitayama, S., Park, H., Sevincer, A. T., Karasawa, M., & Uskul, A. K. (2009). A cultural task analysis of implicit independence: Comparing North America, Western Europe, and East Asia. *Journal of Personality and Social Psychology, 97,* 236–255. (pp. 159, 518)

Kivimaki, M., Leino-Arjas, P., Luukkonen, R., Rihimaki, H., & Kirjonen, J. (2002). Work stress and risk of cardiovascular mortality: Prospective cohort study of industrial employees. *British Medical Journal, 325,* 857. (p. 501)

Klahr, A. M., & Burt, S. A. (2014). Elucidating the etiology of individual differences in parenting: A meta-analysis of behavioral genetic research. *Psychological Bulletin, 140,* 544–586. (p. 202)

Klauer, S. G., Feng, G., Simons-Morton, B. G., Ouimet, M. C., Lee, S. E., & Dingus, T. A. (2014). Distracted driving and risk of road crashes among novice and experienced drivers. *New England Journal of Medicine, 370,* 54–59. (p. 97)

Klayman, J., & Ha, Y-W. (1987). Confirmation, disconfirmation, and information in hypothesis testing. *Psychological Review, 94,* 211–228. (p. 357)

Klein, D. N. (2010). Chronic depression: Diagnosis and classification. *Current Directions in Psychological Science, 19,* 96–100. (p. 632)

Klein, D. N., et al. (2003). Therapeutic alliance in depression treatment: Controlling for prior change and patient characteristics. *Journal of Consulting and Clinical Psychology, 71,* 997–1006. (p. 679)

Kleinke, C. L. (1986). Gaze and eye contact: A research review. *Psychological Bulletin, 1000,* 78–100. (p. 468)

Kleinmuntz, B., & Szucko, J. J. (1984). A field study of the fallibility of polygraph lie detection. *Nature, 308,* 449–450. (p. 466)

Kleitman, N. (1960, November). Patterns of dreaming. *Scientific American,* pp. 82–88. (p. 101)

Klemm, W. R. (1990). Historical and introductory perspectives on brainstem-mediated behaviors. In W. R. Klemm & R. P. Vertes (Eds.), *Brainstem mechanisms of behavior.* New York: Wiley. (p. 69)

Klimstra, T. A., Hale, III, W. W., Raaijmakers, Q. A. W., Branje, S. J. T., & Meeus, W. H. J. (2009). Maturation of personality in adolescence. *Journal of Personality and Social Psychology, 96,* 898–912. (p. 210)

Kline, N. S. (1974). *From sad to glad.* New York: Ballantine Books. (p. 637)

Klinke, R., Kral, A., Heid, S., Tillein, J., & Hartmann, R. (1999). Recruitment of the auditory cortex in congenitally deaf cats by long-term cochlear electrostimulation. *Science, 285,* 1729–1733. (p. 259)

Kluft, R. P. (1991). Multiple personality disorder. In A. Tasman & S. M. Goldfinger (Eds.), *Review of Psychiatry* (Vol. 10). Washington, DC: American Psychiatric Press. (p. 648)

Klump, K. L., & Culbert, K. M. (2007). Molecular genetic studies of eating disorders: Current status and future directions. *Current Directions in Psychological Science, 16,* 37–41. (p. 652)

Klump, K. L., Suisman, J. L., Burt, S. A., McGue, M., & Iacono, W. G. (2009). Genetic and environmental influences on disordered eating: An adoption study. *Journal of Abnormal Psychology, 118,* 797–805. (p. 652)

Knapp, S., & VandeCreek, L. (2000, August). Recovered memories of childhood abuse: Is there an underlying professional consensus? *Professional Psychology: Research and Practice, 31,* 365–371. (p. 349)

Knickmeyer, E. (2001, August 7). In Africa, big is definitely better. *Seattle Times,* p. A7. (p. 652)

Knight, R. T. (2007). Neural networks debunk phrenology. *Science, 316,* 1578–1579. (p. 81)

Knight, W. (2004, August 2). Animated face helps deaf with phone chat. NewScientist.com. (p. 270)

Knoblich, G., & Oellinger, M. (2006, October/November). The Eureka moment. *Scientific American Mind,* pp. 38–43. (p. 357)

Knuts, I. J. E., Cosci, F., Esquivel, G., Goossens, L., van Duinen, M., Bareman, M., . . . & Schruers, K. R. J. (2010). Cigarette smoking and 35% CO_2 induced panic in panic disorder patients. *Journal of Affective Disorders, 124,* 215–218. (p. 621)

Ko, C-K., Yen, J-Y., Chen, C-C., Chen, S-H., & Yen, C-F. (2005). Proposed diagnostic criteria of Internet addiction for adolescents. *Journal of Nervous and Mental Disease, 193,* 728–733. (p. 118)

Koch, C., & Greenfield, S. (2007, October). How does consciousness happen? *Scientific American,* pp. 76–83. (p. 93)

Koenen, K. C., Moffitt, T. E., Roberts, A. L., Martin, L. T., Kubzansky, L., Harrington, H., Poulton, R., & Caspi, A. (2009). Childhood IQ and adult mental disorders: A test of the cognitive reserve hypothesis. *American Journal of Psychiatry, 166,* 50–57. (p. 404)

Koenig, H. G., King, D. E., & Carson, V. B. (2011). *Handbook of religion and health.* New York: Oxford University Press. (p. 511)

Koenig, H. G., & Larson, D. B. (1998). Use of hospital services, religious attendance, and religious affiliation. *Southern Medical Journal, 91,* 925–932. (p. 513)

Koenig, L. B., McGue, M., Krueger, R. F., & Bouchard, T. J., Jr. (2005). Genetic and environmental influences on religiousness: Findings for retrospective and current religiousness ratings. *Journal of Personality, 73,* 471–488. (p. 139)

Koenig, L. B., & Vaillant, G. E. (2009). A prospective study of church attendance and health over the lifespan. *Health Psychology, 28,* 117–124. (p. 512)

Koenigs, M., Young, L., Adolphs, R., Tranel, D., Cushman, F., Hauser, M., & Damasio, A. (2007). Damage to the prefrontal cortex increases utilitarian moral judgements. *Nature, 446,* 908–911. (p. 80)

Koestner, R., Lekes, N., Powers, T. A., & Chicoine, E. (2002). Attaining personal goals: Self-concordance plus implementation intentions equals success. *Journal of Personality and Social Psychology, 83,* 231–244. (p. A-11)

Kohlberg, L. (1981). *The philosophy of moral development: Essays on moral development* (Vol. I). San Francisco: Harper & Row. (p. 206)

Kohlberg, L. (1984). *The psychology of moral development: Essays on moral development* (Vol. II). San Francisco: Harper & Row. (p. 206)

Kohler, C. G., Walker, J. B., Martin, E. A., Healey, K. M., & Moberg, P. J. (2010). Facial emotion perception in schizophrenia: A meta-analytic review. *Schizophrenia Bulletin, 36,* 1009–1019. (p. 641)

Kohler, I. (1962, May). Experiments with goggles. *Scientific American,* pp. 62–72. (p. 255)

Köhler, W. (1925; reprinted 1957). *The mentality of apes.* London: Pelican. (p. 368)

Kolassa, I-T., & Elbert, T. (2007). Structural and functional neuroplasticity in relation to traumatic stress. *Current Directions in Psychological Science, 16,* 321–325. (p. 626)

Kolata, G. (1987). Metabolic catch-22 of exercise regimens. *Science, 236,* 146–147. (p. 432)

Kolb, B. (1989). Brain development, plasticity, and behavior. *American Psychologist, 44,* 1203–1212. (p. 81)

Kolb, B., & Whishaw, I. Q. (1998). Brain plasticity and behavior. *Annual Review of Psychology, 49,* 43–64. (p. 152)

Kolb, B., & Whishaw, I. Q. (2006). *An introduction to brain and behavior,* 2nd edition. New York: Worth Publishers. (p. 366)

Kolker, K. (2002, December 8). Video violence disturbs some: Others scoff at influence. *Grand Rapids Press,* pp. A1, A12. (p. 549)

Kolodziej, M. E., & Johnson, B. T. (1996). Interpersonal contact and acceptance of persons with psychiatric disorders: A research synthesis. *Journal of Consulting and Clinical Psychology, 64,* 1387–1396. (p. 616)

Koltko-Rivera, M. E. (2006). Rediscovering the later version of Maslow's hierarchy of needs: Self-transcendence and opportunities for theory, research, and unification. *Review of General Psychology, 10,* 302–317. (p. 423)

Komisaruk, B. R., & Whipple, B. (2011). Non-genital orgasms. *Sexual and Relationship Therapy, 26,* 356–372. (p. 438)

Konkle, T., Brady, T. F., Alvarez, G. A., & Oliva, A. (2010). Conceptual distinctiveness supports detailed visual long-term memory for real-world objects. *Journal of Experimental Psychology: General, 139,* 558–578. (p. 318)

Kontula, O., & Haavio-Mannila, E. (2009). The impact of aging on human sexual activity and sexual desire. *Journal of Sex Research, 46,* 46–56. (p. 214)

Koole, S. L., Greenberg, J., & Pyszczynski, T. (2006). Introducing science to the psychology of the soul. *Current Directions in Psychological Science, 15,* 212–216. (p. 581)

Kornell, N., & Bjork, R. A. (2008). Learning concepts and categories: Is spacing the "enemy of induction?" *Psychological Science, 19,* 585–592. (p. 15)

Kosfeld, M., Heinrichs, M., Zak, P. J., Fischbacher, U., & Fehr, E. (2005). Oxytocin increases trust in humans. *Nature, 435,* 673–676. (p. 64)

Kosslyn, S. M. (2005). Reflective thinking and mental imagery: A perspective on the development of posttraumatic stress disorder. *Development and Psychopathology, 17,* 851–863. (p. 623)

Kosslyn, S. M., & Koenig, O. (1992). *Wet mind: The new cognitive neuroscience.* New York: Free Press. (p. 62)

Kotchick, B. A., Shaffer, A., & Forehand, R. (2001). Adolescent sexual risk behavior: A multi-system perspective. *Clinical Psychology Review, 21,* 493–519. (p. 439)

Koten, J. W., Jr., Wood, G., Hagoort, P., Goebel, R., Propping, P., Willmes, K., & Boomsma, D. I. (2009). Genetic contribution to variation in cognitive function: An fMRI study in twins. *Science, 323*, 1737–1740. (p. 406)

Kotkin, M., Daviet, C., & Gurin, J. (1996). The *Consumer Reports* mental health survey. *American Psychologist, 51*, 1080–1082. (p. 673)

Koudenburg, N., Postmes, T. & Gordijn, E. (2011). If they were to vote, they would vote for us. *Psychological Science, 22*, 1506–1510. (p. 602)

Kouider, S., Stahlhut, C., Gelskov, S. V., Barbosa, L. S., Dutat, M., de Gardelle, V., . . . Dehaene-Lambertz, G. (2013). A neural marker of perceptual consciousness in infants. *Science, 340*, 376–380. (p. 186)

Kounios, J., & Beeman, M. (2009). The *Aha!* moment: The cognitive neuroscience of insight. *Current Directions in Psychological Science, 18*, 210–215. (p. 357)

Kovács, Á. M., Téglás, E., & Endress, A. D. (2010). The social sense: Susceptibility to others' beliefs in human infants and adults. *Science, 330*, 1830–1834. (p. 190)

Kposowa, A. J., & D'Auria, S. (2009). Association of temporal factors and suicides in the United States, 2000–2004. *Social Psychiatry and Psychiatric Epidemiology, 45*, 433–445. (p. 638)

Kraft, C. (1978). A psychophysical approach to air safety: Simulator studies of visual illusions in night approaches. In H. L. Pick, H. W. Leibowitz, J. E. Singer, A. Steinschneider, & H. W. Stevenson (Eds.), *Psychology: From research to practice*. New York: Plenum Press. (pp. A-14, A-15)

Kraft, R. N. (2002). *Memory perceived: Recalling the Holocaust*. Westport, CT: Praeger. (p. 349)

Kraft, T., & Pressman, S. (2012). Grin and bear it: The influence of the manipulated facial expression on the stress response. *Psychological Science, 23*, 137–1378. (p. 474)

Kramer, A. D. I. (2012). The spread of emotion via Facebook. *Proceedings of the SIGCHI Conference on Human Factors in Computing Systems*. ACM (Association for Computing Machinery), New York, 767–770. (p. 475)

Kramer, A. D. I., & Chung, C. K. (2011). Dimensions of self-expression in Facebook status updates. *Proceedings of the Fifth International AAAI Conference on Weblogs and Social Media* (www.aaai.org). (p. 538)

Kramer, M. S., et al. (2008). Breastfeeding and child cognitive development: New evidence from a large randomized trial. *Archives of General Psychiatry, 65*, 578–584. (p. 36)

Kramer, P. D. (2011, July 9). In defense of antidepressants. *New York Times* (www.nytimes.com). (p. 683)

Kranz, F., & Ishai, A. (2006). Face perception is modulated by sexual preference. *Current Biology, 16*, 63–68. (p. 443)

Kraul, C. (2010, October 12). Chief engineer knew it would take a miracle. *Los Angeles Times* (www.latimes.com). (p. 272)

Kraus, N., Malmfors, T., & Slovic, P. (1992). Intuitive toxicology: Expert and lay judgments of chemical risks. *Risk Analysis, 12*, 215–232. (p. 363)

Kraut, R., Patterson, M., Lundmark, V., Kiesler, S., Mukopadhyay, T., & Scherlis, W. (1998). Internet paradox: A social technology that reduces social involvement and psychological well being? *American Psychologist, 53*, 1017–1031. (p. 452)

KRC Research & Consulting. (2001, August 7). Memory isn't quite what it used to be (survey for General Nutrition Centers). *USA Today*, p. D1. (p. 217)

Kring, A. M., & Caponigro, J. M. (2010). Emotion in schizophrenia: Where feeling meets thinking. *Current Directions in Psychological Science, 19*, 255–259. (p. 641)

Kring, A. M., & Gordon, A. H. (1998). Sex differences in emotion: Expression, experience, and physiology. *Journal of Personality and Social Psychology, 74*, 686–703. (p. 471)

Kringelbach, M. L., & Berridge, K. C. (2012, August). The joyful mind. *Scientific American*, pp. 40–45. (p. 73)

Kristeller, J. L., Baer, R. A., & Quillian-Wolever, R. (2006). Mindfulness-based approaches to eating disorders. In R. A. Baer (Ed.), *Mindfulness-based treatment approaches: A clinician's guide to evidence base and applications*. San Diego, CA: Academic Press. (p. 511)

Kristensen, P., & Bjerkedal, T. (2007). Explaining the relation between birth order and intelligence. *Science, 316*, 1717. (p. 47)

Kristof, N. D. (2004, July 21). Saying no to killers. *New York Times* (www.nytimes.com). (p. 558)

Kristof, N. D. (2010, September 18). Message to Muslims: I'm sorry. *New York Times* (www.nytimes.com). (p. 539)

Kroes, M. C. W., Tendolkar, I., van Wingen, G. A., van Waarde, J. A., Strange, B. A., & Fernández, G. (2014). An electroconvulsive therapy procedure impairs reconsolidation of episodic memories in humans. *Nature Neuroscience, 17*, 204–206. (p. 344)

Kroll, J. F., & Bialystok, E. (2013). Understanding the consequences of bilingualism for language processing and cognition. *Journal of Cognitive Psychology, 25*, 497–514. (p. 381)

Kroll, J. F., Bobb, S. C., & Hoshino, N. (2014). Two languages in mind: Bilingualism as a tool to investigate language, cognition, and the brain. *Current Directions in Psychological Science, 23*, 159–163. (p. 381)

Kross, E., & Ayduk, O. (2011). Making meaning out of negative experiences by self-distancing. *Current Directions in Psychological Science, 20*, 187–191. (p. 478)

Kross, E., Berman, M. G., Mischel, W., Smith, E. E., & Wager, T. D. (2011). Social rejection shares somatosensory representations with physical pain. *PNAS, 108*, 6270–6275. (p. 450)

Krueger, J., & Killham, E. (2005, December 8). At work, feeling good matters. *Gallup Management Journal* (www.gmj.gallup.com). (p. A-11)

Krueger, J., & Killham, E. (2006, March 9). Why Dilbert is right. Uncomfortable work environments make for disgruntled employees—just like the cartoon says. *Gallup Management Journal* (www.gmj.gallup.com). (p. 502)

Kruger, J., & Dunning, D. (1999). Unskilled and unaware of it: How difficulties in recognizing one's own incompetence lead to inflated self-assessments. *Journal of Personality and Social Psychology, 77*, 1121–1134. (p. 600)

Kruger, J., Epley, N., Parker, J., & Ng, Z-W. (2005). Egocentrism over e-mail: Can we communicate as well as we think? *Journal of Personality and Social Psychology, 89*, 925–936. (pp. 190, 470)

Krumhansl, C. L. (2010). Plink: "Thin slices" of music. *Music Perception, 27*, 337–354. (p. 318)

Krupa, D. J., Thompson, J. K., & Thompson, R. F. (1993). Localization of a memory trace in the mammalian brain. *Science, 260*, 989–991. (p. 330)

Krützen, M., Mann, J., Heithaus, M. R., Connor, R. C., Bejder, L., & Sherwin, W. B. (2005). Cultural transmission of tool use in bottlenose dolphins. *Proceedings of the National Academy of Sciences, 102*, 8939–8943. (p. 368)

Kubo, K., Okanoya, K., & Kawai, N. (2012). Apology isn't good enough: An apology suppresses an approach motivation but not the physiological and psychological anger. *PLOS One, 7*, e33006. (p. 477)

Kubzansky, L. D., Koenen, K. C., Jones, C., & Eaton, W. W. (2009). A prospective study of posttraumatic stress disorder symptoms and coronary heart disease in women. *Health Psychology, 28*, 125–130. (p. 498)

Kubzansky, L. D., Sparrow, D., Vokanas, P., & Kawachi, I. (2001). Is the glass half empty or half full? A prospective study of optimism and coronary heart disease in the normative aging study. *Psychosomatic Medicine, 63*, 910–916. (p. 498)

Kuhl, P. K., & Meltzoff, A. N. (1982). The bimodal perception of speech in infancy. *Science, 218*, 1138–1141. (p. 371)

Kuhn, D. (2006). Do cognitive changes accompany developments in the adolescent brain? *Perspectives on Psychological Science, 1*, 59–67. (p. 205)

Kuhnle, C., Hofer, M., & Kilian, B. (2012). Self-control as predictor of school grades, life balance, and flow in adolescents. *British Journal of Educational Psychology, 82*, 533–548. (p. 503)

Kumar, A. & Gilovich, T. (2013). *Talking about what you did and what you have: The differential story utility of experiential and material purchases*. Manuscript submitted for publication, Cornell University. (p. 486)

Kuncel, N. R., & Hezlett, S. A. (2007). Standardized tests predict graduate students' success. *Science, 315*, 1080–1081. (p. 398)

Kuncel, N. R., & Hezlett, S. A. (2010). Fact and fiction in cognitive ability testing for admissions and hiring decisions. *Current Directions in Psychological Science, 19*, 339–345. (p. 389)

Kunkel, D. (2001, February 4). *Sex on TV*. Menlo Park, CA: Henry J. Kaiser Family Foundation (www.kff.org). (p. 439)

Kuntsche, E., Knibbe, R., Gmel, G., & Engels, R. (2005). Why do young people drink? A review of drinking motives. *Clinical Psychology Review, 25*, 841–861. (p. 128)

Kupfer, D. J. (2012, June 1). Dr Kupfer defends DSM-5. www.medscape.com/viewarticle/764735. (p. 614)

Kuppens, P., Allen, N. B., & Sheeber, L. B. (2010). Emotional inertia and psychological maladjustment. *Psychological Science, 21*, 984–991. (p. 635)

Kupper, N., & Denollet, J. (2007). Type D personality as a prognostic factor in heart disease: Assessment and mediating mechanisms. *Journal of Personality Assessment, 89*, 265–276. (p. 497)

Kurdziel, L., Duclos, K., & Spencer, R. M. C. (2013). Sleep spindles in midday naps enhance learning in preschool children. *PNAS, 110*, 17267–17272. (p. 106)

Kushner, M. G., Kim, S. W., Conahue, C., Thuras, P., Adson, D., Kotlyar, M., . . . & Foa, E. B. (2007). D-cycloserine augmented exposure therapy for obsessive-compulsive disorder. *Biological Psychiatry, 62*, 835–838. (p. 683)

Kuster, F., Orth, U., & Meier, L. L. (2012). Rumination mediates the prospective effect of low self-esteem on depression: A five-wave longitudinal study. *Personality and Social Psychology Bulletin, 38*, 747–759. (pp. 634, 635)

Kutas, M. (1990). Event-related brain potential (ERP) studies of cognition during sleep: Is it more than a dream? In R. R. Bootzin, J. F. Kihlstrom, & D. Schacter (Eds.), *Sleep and cognition*. Washington, DC: American Psychological Association. (p. 100)

Kutcher, E. J., & Bragger, J. D. (2004). Selection interviews of overweight job applicants: Can structure reduce the bias? *Journal of Applied Social Psychology, 34*, 1993–2022. (p. A-6)

Kuttler, A. F., La Greca, A. M., & Prinstein, M. J. (1999). Friendship qualities and social-emotional functioning of adolescents with close, cross-sex friendships. *Journal of Research on Adolescence, 9*, 339–366. (p. 164)

Kvavilashvili, L., Mirani, J., Schlagman, S., Foley, K. & Kornbrot, D. E. (2009). Consistency of flashbulb memories of September 11 over long delays: Implications for consolidation and wrong time slice hypotheses. *Journal of Memory and Language, 61*, 556–572. (p. 332)

Kwon, P. (2013). Resilience in lesbian, gay, and bisexual individuals. *Personality and Social Psychology Review, 17*, 371–383. (p. 441)

Kyaga, S., Landén, M., Boman, M., Hultman, C. M., Långström, N., Lichtenstein, P. (2013). Mental illness, suicide, and creativity: 40-year prospective total population study. *Journal of Psychiatric Research, 47*, 83–90. (p. 630)

Laceulle, O. M., Ormel, J., Aggen, S. H., Neale, N. C., & Kendler, K. S. (2011), Genetic and environmental influences on the longitudinal structure of neuroticism: A trait-state approach. *Psychological Science, 24*, 1780–1790. (p. 136)

Lacey, H. P., Smith, D. M., & Ubel, P. A. (2006). Hope I die before I get old: Mispredicting happiness across the lifespan. *Journal of Happiness Studies, 7*, 167–182. (p. 223)

Lacey, M. (2010, December 11). He found bag of cash, but did the unexpected. *New York Times* (www.nytimes.com). (p. 561)

Lachman, M. E. (2004). Development in midlife. *Annual Review of Psychology, 55*, 305–331. (p. 220)

Ladd, G. T. (1887). *Elements of physiological psychology*. New York: Scribner's. (p. 92)

Laeng, B., & Sulutvedt, U. (2014). The eye pupil adjusts to imaginary light. *Psychological Science, 25*, 188–197. (p. 240)

Lafleur, D. L., Pittenger, C., Kelmendi, B., Gardner, T., Wasylink, S., Malison, R. T., . . . Coric, V. (2006). N-acetylcysteine augmentation in serotonin reuptake inhibitor refractory obsessive-compulsive disorder. *Psychopharmacology, 184*, 254–256. (p. 626)

Laird, J. D. (1974). Self-attribution of emotion: The effects of expressive behavior on the quality of emotional experience. *Journal of Personality and Social Psychology, 29*, 475–486. (p. 474)

Laird, J. D. (1984). The real role of facial response in the experience of emotion: A reply to Tourangeau and Ellsworth, and others. *Journal of Personality and Social Psychology, 47*, 909–917. (p. 474)

Laird, J. D., Cuniff, M., Sheehan, K., Shulman, D., & Strum, G. (1989). Emotion specific effects of facial expressions on memory for life events. *Journal of Social Behavior and Personality, 4*, 87–98. (p. 474)

Lally, P., Van Jaarsveld, C. H. M., Potts, H. W. W., & Wardle, J. (2010). How are habits formed: Modelling habit formation in the real world. *European Journal of Social Psychology, 40*, 998–1009. (p. 280)

Lam, C. B., & McBride-Chang, C. A. (2007). Resilience in young adulthood: The moderating influences of gender-related personality traits and coping flexibility. *Sex Roles, 56*, 159–172. (p. 169)

Lam, R. W., Levitt, A. J., Levitan, R. D., Enns, M. W., Morehouse, R., Michalak, E. E., & Tam, E. M. (2006). The Can-SAD study: A randomized controlled trial of the effectiveness of light therapy and fluoxetine in patients with winter seasonal affective disorder. *American Journal of Psychiatry, 163*, 805–812. (p. 678)

Lambert, J-C., et al. (2013). Meta-analysis of 74,046 individuals identifies 11 new susceptibility loci for Alzheimer's disease. *Nature Genetics, 45*, 1452–1458. (p. 219)

Lambert, N. M., DeWall, C. N., Bushman, B. J., Tillman, T. F., Fincham, F. D., Pond, Jr., R. S., & Gwinn, A. M. (2011). *Lashing out in lust: Effect of pornography on nonsexual, physical aggression against relationship partners*. Paper presentation at the Society for Personality and Social Psychology convention. (p. 549)

Lambert, W. E. (1992). Challenging established views on social issues: The power and limitations of research. *American Psychologist, 47*, 533–542. (p. 381)

Lambert, W. E., Genesee, F., Holobow, N., & Chartrand, L. (1993). Bilingual education for majority English-speaking children. *European Journal of Psychology of Education, 8*, 3–22. (p. 381)

Lambird, K. H., & Mann, T. (2006). When do ego threats lead to self-regulation failure? Negative consequences of defensive high self-esteem. *Personality and Social Psychology Bulletin, 32*, 1177–1187. (p. 605)

Landau, E., Verjee, Z., & Mortensen, A. (2014, February 24). Uganda president: Homosexuals are 'disgusting.' CNN (www.cnn.com). (p. 446)

Landau, M. J., Oyserman, D., Keefer, L. A., & Smith, G. C. (2014). The college journey and academic engagement: How metaphor use enhances identity-based motivation. *Journal of Personality and Social Psychology, 106*, 679–698. (p. 598)

Landauer, T. (2001, September). Quoted by R. Herbert, You must remember this. *APS Observer*, p. 11. (p. 350)

Landberg, J., & Norström, T. (2011). Alcohol and homicide in Russia and the United States: A comparative analysis. *Journal of Studies on Alcohol and Drugs, 72*, 723–730. (p. 546)

Landry, M. J. (2002). MDMA: A review of epidemiologic data. *Journal of Psychoactive Drugs, 34*, 163–169. (p. 124)

Lange, N., & McDougle, C. J. (2013, October). Help for the child with autism. *Scientific American*, pp. 72–77. (p. 194)

Langer, E. J. (1983). *The psychology of control*. Beverly Hills, CA: Sage. (p. 502)

Langer, E. J., & Abelson, R. P. (1974). A patient by any other name . . .: Clinician group differences in labeling bias. *Journal of Consulting and Clinical Psychology, 42*, 4–9. (p. 614)

Langer, E. J., & Imber, L. (1980). The role of mindlessness in the perception of deviance. *Journal of Personality and Social Psychology, 39*, 360–367. (p. 614)

Langleben, D. D., Dattilio, F. M., & Gutheil, T. G. (2006). True lies: Delusions and lie-detection technology. *Journal of Psychiatry and Law, 34*, 351–370. (p. 467)

Langleben, D. D., Schroeder, L., Maldjian, J. A., Gur, R. C., McDonald, S., Ragland, J. D., O'Brien, C. P., & Childress, A. R. (2002). Brain activity during simulated deception: An event-related functional magnetic resonance study. *NeuroImage, 15*, 727–732. (p. 467)

Langlois, J. H., Kalakanis, L., Rubenstein, A. J., Larson, A., Hallam, M., & Smoot, M. (2000). Maxims or myths of beauty? A meta-analytic and theoretical review. *Psychological Bulletin, 126*, 390–423. (p. 554)

Langlois, J. H., & Roggman, L. A. (1990). Attractive faces are only average. *Psychological Science, 1*, 115–121. (p. 555)

Langlois, J. H., Roggman, L. A., Casey, R. J., Ritter, J. M., Rieser-Danner, L. A., & Jenkins, V. Y. (1987). Infant preferences for attractive faces: Rudiments of a stereotype? *Developmental Psychology, 23*, 363–369. (p. 554)

Langmeyer, A., Guglhör-Rudan, A., & Tarnai, C. (2012). What do music preferences reveal about personality? A cross-cultural replication using self-ratings and ratings of music samples. *Journal of Individual Differences, 33*, 119–130. (p. 593)

Långström, N. H., Rahman, Q., Carlström, E., & Lichtenstein, P. (2010). Genetic and environmental effects on same-sex sexual behavior: A population study of twins in Sweden. *Archives of Sexual Behavior, 39*, 75–80. (p. 443)

Långström, N. H., Rahman, Q., Carlström, E., & Lichtenstein, P. (2008). Genetic and environmental effects on same-sex sexual behavior: A population study of twins in Sweden. *Archives of Sexual Behavior*. (p. 443)

Lankford, A. (2009). Promoting aggression and violence at Abu Ghraib: The U.S. military's transformation of ordinary people into torturers. *Aggression and Violent Behavior, 14*, 388–395. (p. 531)

Larkin, J. E., Brasel, A. M., & Pines, H. A. (2013). Cross-disciplinary applications of I/O psychology concepts: Predicting student retention and employee turnover. *Review of General Psychology, 17*, 82–92. (p. A-11)

Larkin, K., Resko, J. A., Stormshak, F., Stellflug, J. N., & Roselli, C. E. (2002). Neuroanatomical correlates of sex and sexual partner preference in sheep. Paper presented at Society for Neuroscience convention. (p. 443)

Larrick, R. P., Timmerman, T. A., & Carton, A. M., & Abrevaya, J. (2011). Temper, temperature, and temptation: Heat-related retaliation in baseball. *Psychological Science, 22*, 423–428. (p. 547)

Larsen, R. J., & Diener, E. (1987). Affect intensity as an individual difference characteristic: A review. *Journal of Research in Personality, 21*, 1–39. (pp. 140, 463)

Larson, R. W., & Verma, S. (1999). How children and adolescents spend time across the world: Work, play, and developmental opportunities. *Psychological Bulletin, 125*, 701–736. (p. 412)

Larzelere, R. E. (2000). Child outcomes of non-abusive and customary physical punishment by parents: An updated literature review. *Clinical Child and Family Psychology Review, 3*, 199–221. (p. 296)

Larzelere, R. E., & Kuhn, B. R. (2005). Comparing child outcomes of physical punishment and alternative disciplinary tactics: A meta-analysis. *Clinical Child and Family Psychology Review, 8*, 1–37. (p. 296)

Larzelere, R. E., Kuhn, B. R., & Johnson, B. (2004). The intervention selection bias: An underrecognized confound in intervention research. *Psychological Bulletin, 130*, 289–303. (p. 296)

Lashley, K. S. (1950). In search of the engram. In *Symposium of the Society for Experimental Biology* (Vol. 4). New York: Cambridge University Press. (p. 329)

Lassiter, G. D., & Irvine, A. A. (1986). Video-taped confessions: The impact of camera point of view on judgments of coercion. *Journal of Personality and Social Psychology, 16*, 268–276. (p. 519)

Lassiter, G. D., Lindberg, M. JH., Gonzáles-Vallego, C., Bellezza, F. S., & Phillips, N. D. (2009). The deliberation-without-attention effect: Evidence for an artifactual interpretation. *Psychological Science, 20*, 671–675. (p. 365)

Latané, B. (1981). The psychology of social impact. *American Psychologist, 36*, 343–356. (p. 533)

Latané, B., & Dabbs, J. M., Jr. (1975). Sex, group size and helping in three cities. *Sociometry, 38*, 180–194. (p. 560)

Latané, B., & Nida, S. (1981). Ten years of research on group size and helping. *Psychological Bulletin, 89*, 308–324. (p. 533)

Latham, G. P., & Locke, E. A. (2007). New developments in and directions for goal-setting research. *European Psychologist, 12*, 290–300. (p. A-11)

Laudenslager, M. L., & Reite, M. L. (1984). Losses and separations: Immunological consequences and health implications. *Review of Personality and Social Psychology, 5*, 285–312. (p. 501)

Laumann, E. O., Gagnon, J. H., Michael, R. T., & Michaels, S. (1994). *The social organization of sexuality: Sexual practices in the United States.* Chicago: University of Chicago Press. (p. 148)

Launay, J. M., Mouillet-Richard, S., Baudry, A., Pietri, M., & Kellermann, O. (2011). Raphe-mediated signals control the hippocampal response to SRI antidepressants via miR-16. *Translational Psychiatry, 1*(11), e56. (p. 684)

Laws, K. R., & Kokkalis, J. (2007). Ecstasy (MDMA) and memory function: A meta-analytic update. *Human Psychopharmacology: Clinical and Experimental, 22*, 381–388. (p. 124)

Layous, K., & Lyubomirsky, S. (2014). The how, who, what, when, and why of happiness: Mechanisms underlying the success of positive activity interventions. In J. Gruber & J. T. Moskowitz (Eds.), *Positive emotions: Integrating the light and dark sides.* New York: Oxford University Press. (p. 486)

Lazaruk, W. (2007). Linguistic, academic, and cognitive benefits of French immersion. *Canadian Modern Language Review, 63*, 605–628. (p. 381)

Lazarus, R. S. (1990). Theory-based stress measurement. *Psychological Inquiry, 1*, 3–13. (p. 490)

Lazarus, R. S. (1991). Progress on a cognitive-motivational-relational theory of emotion. *American Psychologist, 46*, 352–367. (p. 463)

Lazarus, R. S. (1998). *Fifty years of the research and theory of R. S. Lazarus: An analysis of historical and perennial issues.* Mahwah, NJ: Erlbaum. (pp. 488, 463)

Lazer, D., et al. (2009). Computational social science. *Science, 323*, 721–723. (p. 535)

Lea, S. E. G. (2000). Towards an ethical use of animals. *The Psychologist, 13*, 556–557. (p. 40)

Leaper, C., & Ayres, M. M. (2007). A meta-analytic review of gender variations in adults' language use: Talkativeness, affiliative speech, and assertive speech. *Personality and Social Psychology Review, 11*, 328–363. (p. 163)

Leary, M. R. (1999). The social and psychological importance of self-esteem. In R. M. Kowalski & M. R. Leary (Eds.), *The social psychology of emotional and behavioral problems.* Washington, DC: APA Books. (p. 599)

Leary, M. R. (2012). Sociometer theory. In L. Van Lange, A. W. Kruglanski, & E. T. Higgins (Eds.), Handbook of theories of social psychology (Vol. 2, pp. 141-159). Los Angeles: Sage Publications. (p. 449)

Leask, S. J., & Beaton, A. A. (2007). Handedness in Great Britain. *Laterality, 12*, 559–572. (p. 86)

LeDoux, J. (1996). The emotional brain: The mysterious underpinnings of emotional life. New York: Simon & Schuster. (p. 330)

LeDoux, J. (2009, July/August). Quoted by K. McGowan, Out of the past. *Discover*, pp. 28–37. (p. 343)

LeDoux, J. E. (2002). *The synaptic self.* London: Macmillan. (pp. 153, 462)

LeDoux, J. E., & Armony, J. (1999). Can neurobiology tell us anything about human feelings? In D. Kahneman, E. Diener, & N. Schwartz (Eds.), *Well-being: The foundations of hedonic psychology.* New York: Sage. (p. 463)

Lee, C. S., Therriault, D. J., & Linderholm, T. (2012). On the cognitive benefits of cultural experience: Exploring the relationship between studying abroad and creative thinking. *Applied Cognitive Psychology, 26*, 768–778. (p. 367)

Lee, J. D. (2008). Fifty years of driving safety research. *Human Factors, 50*, 521–528. (p. A-14)

Lee, J. D. (2009). Can technology get your eyes back on the road? *Science, 324*, 344–346. (p. 97)

Lee, L., Frederick, S., & Ariely, D. (2006). Try it, you'll like it: The influence of expectation, consumption, and revelation on preferences for beer. *Psychological Science, 17*, 1054–1058. (p. 236)

Lee, P. S. N., Leung, L., Lo, V., Xiong, C., & Wu, T. (2011). Internet communication versus face-to-face interaction in quality of life. *Social Indicators Research, 100*, 375–389. (p. 453)

Lee, S. W. S., & Schwarz, N. (2012). Bidirectionality, mediation, and moderation of metaphorical effects: The embodiment of social suspicious and fishy smells. *Journal of Personality and Social Psychology, 103*, 737–749. (p. 268)

Lee, S. W. S., Schwarz, N., Taubman, D., & Hou, M. (2010). Sneezing in times of a flu pandemic: Public sneezing increases perception of unrelated risks and shifts preferences for federal spending. *Psychological Science, 21*, 375–377. (p. 360)

Lefcourt, H. M. (1982). *Locus of control: Current trends in theory and research.* Hillsdale, NJ: Erlbaum. (p. 503)

Lehman, A. F., Steinwachs, D. M., Dixon, L. B., Goldman, H. H., Osher, F., Postrado, L., . . . Zito, J. (1998). Translating research into practice: The schizophrenic patient outcomes research team (PORT) treatment recommendations. *Schizophrenia Bulletin, 24*, 1–10. (p. 682)

Lehman, D. R., Wortman, C. B., & Williams, A. F. (1987). Long-term effects of losing a spouse or child in a motor vehicle crash. *Journal of Personality and Social Psychology, 52*, 218–231. (p. 225)

Leichsenring, F., & Rabung, S. (2008). Effectiveness of long-term psychodynamic psychotherapy: A meta-analysis. *JAMA, 300*, 1551–1565. (p. 676)

Leitenberg, H., & Henning, K. (1995). Sexual fantasy. *Psychological Bulletin, 117*, 469–496. (pp. 434, 438)

Lemonick, M. D. (2002, June 3). Lean and hungrier. *Time*, p. 54. (p. 426)

L'Engle, M. (1972). *A Circle of Quiet.* New York: HarperCollins. (p. 415)

L'Engle, M. (1973). *A Wind in the Door*, 87. New York: Farrar, Straus and Giroux. (p. 20)

Lenhart, A. (2012, March 19). Teens, smartphones & texting. Pew Internet & American Life Project (www.pewinternet.org). (pp. 163, 452)

Lennox, B. R., Bert, S., Park, G., Jones, P. B., & Morris, P. G. (1999). Spatial and temporal mapping of neural activity associated with auditory hallucinations. *Lancet, 353*, 644. (p. 78)

Lenton, A. P., & Francesconi, M. (2010). How humans cognitively manage an abundance of mate options. *Psychological Science, 21*, 528–533. (p. 553)

Lenzenweger, M. F., Dworkin, R. H., & Wethington, E. (1989). Models of positive and negative symptoms in schizophrenia: An empirical evaluation of latent structures. *Journal of Abnormal Psychology, 98*, 62–70. (p. 682)

Leonhard, C., & Randler, C. (2009). In sync with the family: Children and partners influence the sleep-wake circadian rhythm and social habits of women. *Chronobiology International, 26*, 510–525. (p. 101)

LePort, A. K. R., Mattfeld, A. T., Dickinson-Anson, H., Fallon, J. H., Stark, C. E. L., Kruggel, F., Cahill, L., & McGaugh, J. L. (2012). Behavioral and neuroanatomical investigation of highly superior autobiographical memory (HSAM). *Neurobiology of Learning and Memory, 98*, 78–92. (p. 338)

Leslie, M. (2011). Are telomere tests ready for prime time? *Science, 322*, 414–415. (p. 216)

Lessard, N., Pare, M., Lepore, F., & Lassonde, M. (1998). Early-blind human subjects localize sound sources better than sighted subjects. *Nature*, 395, 278–280. (p. 375)

Leucht, S., Barnes, T. R. E., Kissling, W., Engel, R. R., Correll, C., & Kane, J. M. (2003). Relapse prevention in schizophrenia with new-generation antipsychotics: A systematic review and exploratory meta-analysis of randomized, controlled trials. *American Journal of Psychiatry*, 160, 1209–1222. (p. 682)

Leuthardt, E. C., Schalk, G., Roland, J., Rouse, A., & Moran, D.W. (2009). Evolution of brain-computer interfaces: Going beyond classic motor physiology. *Neurosurgical Focus*, 27, p. E4. (p. 77)

LeVay, S. (1991). A difference in hypothalamic structure between heterosexual and homosexual men. *Science*, 253, 1034–1037. (p. 443)

LeVay, S. (1994, March). Quoted in D. Nimmons, Sex and the brain. *Discover*, p. 64–71. (p. 443)

LeVay, S. (2011). *Gay, straight, and the reason why: The science of sexual orientation.* New York: Oxford University Press. (pp. 444, 445)

Levin, R., & Nielsen, T. A. (2007). Disturbed dreaming, posttraumatic stress disorder, and affect distress: A review and neurocognitive model. *Psychological Bulletin*, 133, 482–528. (p. 112)

Levin, R., & Nielsen, T. A. (2009). Nightmares, bad dreams, and emotion dysregulation. *Current Directions in Psychological Science*, 18, 84–87. (p. 112)

Levine, D. (2012, November 27). Treating sleep improves psychiatric symptoms. *Scientific American* (www.sciam.com). (p. 111)

Levine, J. A., Lanningham-Foster, L. M., McCrady, S. K., Krizan, A. C., Olson, L. R., Kane, P. H., Jensen, M. D., & Clark, M. M. (2005). Interindividual variation in posture allocation: Possible role in human obesity. *Science*, 307, 584–586. (p. 430)

Levine, R., Sato, S., Hashimoto, T., & Verma, J. (1995). Love and marriage in eleven cultures. *Journal of Cross-Cultural Psychology*, 26, 554–571. (p. 557)

Levine, R. V., & Norenzayan, A. (1999). The pace of life in 31 countries. *Journal of Cross-Cultural Psychology*, 30, 178–205. (pp. 30, 156)

Levinson, D. F., et al. (2011). Copy number variants in schizophrenia: Confirmation of five previous findings and new evidence for 3q29 microdeletions and VIPR2 duplications. *American Journal of Psychiatry*, 168, 302–316. (p. 644)

Levy, B., & Langer, E. (1992). *Avoidance of the memory loss stereotype: Enhanced memory among the elderly deaf.* Paper presented at American Psychological Association convention, Washington, DC. (p. 375)

Levy, P. E. (2003). *Industrial/organizational psychology: Understanding the workplace.* Boston: Houghton Mifflin. (p. A-7)

Lewald, J. (2007). More accurate sound localisation induced by short-term light deprivation. *Neuropsychologia*, 45, 1215–1222. (p. 375)

Lewandowski, G. W., Jr., Aron, A., & Gee, J. (2007). Personality goes a long way: The malleability of opposite-sex physical attractiveness. *Personality Relationships*, 14, 571–585. (p. 555)

Lewicki, P. (1985). Nonconscious biasing effects of single instances on subsequent judgments. *Journal of Personality and Social Psychology*, 48, 563–574. (p. 334)

Lewinsohn, P. M., Hoberman, H., Teri, L., & Hautziner, M. (1985). An integrative theory of depression. In S. Reiss & R. Bootzin (Eds.), *Theoretical issues in behavior therapy.* Orlando, FL: Academic Press. (p. 631)

Lewinsohn, P. M., Petit, J., Joiner, T. E., Jr., & Seeley, J. R. (2003). The symptomatic expression of major depressive disorder in adolescents and young adults. *Journal of Abnormal Psychology*, 112, 244–252. (p. 631)

Lewinsohn, P. M., Rohde, P., & Seeley, J. R. (1998). Major depressive disorder in older adolescents: Prevalence, risk factors, and clinical implications. *Clinical Psychology Review*, 18, 765–794. (p. 631)

Lewinsohn, P. M., & Rosenbaum, M. (1987). Recall of parental behavior by acute depressives, remitted depressives, and nondepressives. *Journal of Personality and Social Psychology*, 52, 611–619. (p. 336)

Lewis, C. S. (1960). *Mere Christianity.* New York: Macmillan. (p. 4)

Lewis, C. S. (1967). *Christian reflections.* Grand Rapids, MI: Eerdmans. (p. 339)

Lewis, D. O., Pincus, J. H., Bard, B., Richardson, E., Prichep, L. S., Feldman, M., & Yeager, C. (1988). Neuropsychiatric, psychoeducational, and family characteristics of 14 juveniles condemned to death in the United States. *American Journal of Psychiatry*, 145, 584–589. (p. 200)

Lewis, D. O., Yeager, C. A., Swica, Y., Pincus, J. H., & Lewis, M. (1997). Objective documentation of child abuse and dissociation in 12 murderers with dissociative identity disorder. *American Journal of Psychiatry*, 154, 1703–1710. (p. 648)

Lewis, M. (1992). Commentary. *Human Development*, 35, 44–51. (p. 336)

Lewontin, R. (1976). Race and intelligence. In N. J. Block & G. Dworkin (Eds.), *The IQ controversy: Critical readings.* New York: Pantheon. (p. 412)

Lewontin, R. (1982). *Human diversity.* New York: Scientific American Library. (p. 146)

Li, C-M., Zhang, X., Hoffman, H. J., Cotch, M. F., Themann, C. L., & Wilson, M. R. (2014). Hearing impairment associated with depression in U.S. adults, National health and Nutrition Examination Survey 2005–2010. *JAMA Otolaryngology—Head & Neck Surgery*, 140, 293–302. (p. 219)

Li, J. C., Dunning, D., & Malpass, R. L. (1996). *Cross-racial identification among European-Americans basketball fandom and the contact hypothesis.* Unpublished manuscript, Cornell University. (p. 544)

Li, J., Laursen, T. M., Precht, D. H., Olsen, J., & Mortensen, P. B. (2005). Hospitalization for mental illness among parents after the death of a child. *New England Journal of Medicine*, 352, 1190–1196. (p. 225)

Li, N., & DiCarlo, J. J. (2008). Unsupervised natural experience rapidly alters invariant object representation in visual cortex. *Science*, 321, 1502–1506. (p. 252)

Li, T., & Chan, D. K-S. (2012). How anxious and avoidant attachment affect romantic relationship quality differently: A meta-analytic review. *European Journal of Social Psychology*, 42, 406–419. (p. 199)

Li, Y., Johnson, E. J., & Zaval, L. (2011). Local warming: Daily temperature change influences belief in global warming. *Psychological Science*, 22, 454–459. (p. 360)

Li, Z. H., Jiang, D., Pepler, D., & Craig, W. (2010). Adolescent romantic relationships in China and Canada: A cross-national comparison. *Internal Journal of Behavioral Development*, 34, 113–120. (p. 210)

Liang, K. Y., Mintun, M. A., Fagan, A. M., Goate, A.M., Bugg, J.M., Holtzman, D. M., Morris, J. C., & Head, D. (2010). Exercise and Alzheimer's disease biomarkers in cognitively normal older adults. *Annals of Neurology*, 68, 311–318. (p. 216)

Liberman, P., & Pizarro, D. (2010, October 23). All politics is olfactory. *New York Times* (www.nytimes.com). (p. 269)

Libertus, M. E., & Brannon, E. M. (2009). Behavioral and neural basis of number sense in infancy. *Current Directions in Psychological Science*, 18, 346–351. (p. 188)

Libet, B. (1985). Unconscious cerebral initiative and the role of conscious will in voluntary action. *Behavioral and Brain Sciences*, 12, 181–187. (p. 95)

Libet, B. (2004). *Mind time: The temporal factor in consciousness.* Cambridge, MA: Harvard University Press. (p. 95)

Licata, A., Taylor, S., Berman, M., & Cranston, J. (1993). Effects of cocaine on human aggression. *Pharmacology Biochemistry and Behavior*, 45, 549–552. (p. 123)

Lichtenstein, E., Zhu, S-H., & Tedeschi, G. J. (2010). Smoking cessation quitlines: An underrecognized intervention success story. *American Psychologist*, 65, 252–261. (p. 122)

Lichtenstein, P., Calstróm, E., Råstam, M., Gillberg, C., & Anckarsäter, H. (2010). The genetics of autim spectrum disorders and related neuropsychiatric disorders in childhood. *American Journal of Psychiatry*, 167, 1357–1363. (p. 193)

Lick, D. J., Durso, L. E., & Johnson, K. L. (2013). Minority stress and physical health among sexual minorities. *Perspectives on Psychological Science*, 8, 521–548. (p. 490)

Liddle, J. R., Shackelford, T. K., & Weekes-Shackelford, V. W. (2012). Why can't we all just get along?: Evolutionary perspectives on violence, homicide, and war. *Review of General Psychology*, 16, 24-36. (p. 162)

Lieberman, M. D., Eisenberger, N. L., Crockett, M. J., Tom, S. M., Pfeifer, J. H., & Way, B. M. (2007). Putting feelings into words: Affect labeling disrupts amygdala activity in response to affective stimuli. *Psychological Science*, 18, 421–428. (p. 506)

Lieberman, P. (2013). Synapses, language, and being human. *Science*, 342, 944–945. (p. 379)

Lievens, F., Dilchert, S., & Ones, D. S. (2009). The importance of exercise and dimension factors in assessment centers: Simultaneous examinations of construct-related and criterion-related validity. *Human Performance*, 22, 375–390. (p. 597)

Lilienfeld, S. O. (2009, Winter). Tips for spotting psychological pseudoscience: A student-friendly guide. *Eye of Psi Chi*, pp. 23–26. (p. 273)

Lilienfeld, S. O., & Arkowitz, H. (2007, December, 2006/January, 2007). Taking a closer look: Can moving your eyes back and forth help to ease anxiety? *Scientific American Mind*, pp. 80–81. (p. 677)

Lilienfeld, S. O., & Byron, R. (2013). Your brain on trial. *Scientific American Mind*, pp. 44–53. (p. 347)

Lilienfeld, S. O., Lynn, S. J., Kirsch, I., Chaves, J. F., Sarbin, T. R., Ganaway, G. K., & Powell, R. A. (1999). Dissociative identity disorder and the sociocognitive model: Recalling the lessons of the past. *Psychological Bulletin*, 125, 507–523. (p. 648)

Lilienfeld, S. O., Ritschel, L. A., Lynn, S. J., Cautin, R. L., & Latzman, R. D. (2013). Why many clinical psychologists are resistant to evidence-based practice: Root causes and constructive remedies. *Clinical Psychology Review, 33,* 883–900. (p. 676)

Lilienfeld, S. O., Waldman, I. D., Landfield, K., Watts, A. L., Rubenzer, S., & Fashingbauer, T. R. (2012). Fearless dominance and the U.S. presidency: Implications of psychopathic personality traits for successful and unsuccessful political leadership. *Journal of Personality and Social Psychology, 103,* 489–505. (p. 650)

Lilienfeld, S. O., Wood, J. M., & Garb, H. N. (2001, May). What's wrong with this picture? *Scientific American,* pp. 81–87. (p. 579)

Lim, J., & Dinges, D. F. (2010). A meta-analysis of the impact of short-term sleep deprivation on cognitive variables. *Psychological Bulletin, 136,* 375–389. (p. 108)

Lima, N., Nascimento, V., Peixoto, J. A. C., Moreira, M. M., Neto, M. L. R., Almeida, J. C., . . . Reis, A. O. A. (2013). Electroconvulsive therapy use in adolescents: A systematic review. *Annals of General Psychiatry, 12,* p. 17. doi: 10.1186/1744-859X-12-17. (p. 685)

Lin, F. R., Ferrucci, L., Metter, E. J., An, Y., Zonderman, A. B., & Resnick, S. M. (2011b). Hearing loss and cognition in the Baltimore longitudinal study of aging. *Neuropsychology, 25,* 763–770. (p. 219)

Lin, F. R., Metter, E. J., O'Brien, R. J., Resnick, S. M., Zonderman, A. B., & Ferrucci, L. (2011a). Hearing loss and incident dementia. *Archives of Neurology, 68,* 214–220. (p. 219)

Lin, F. R., Yaffe, K., Xia, J., Xue, Q-L., Harris, T. B., Purchase-Helzner, E., . . . Simonsick, E. M. (2013). Hearing loss and cognitive decline in older adults. *JAMA, 173,* 293–299. (p. 219)

Lindberg, S. M., Hyde, J. S., Linn, M. C., & Petersen, J. L. (2010). New trends in gender and mathematics performance: A meta-analysis. *Psychological Bulletin, 136,* 1125–1135. (p. 410)

Linder, D. (1982). Social trap analogs: The tragedy of the commons in the laboratory. In V. J. Derlega & J. Grzelak (Eds.), *Cooperative and helping behavior: Theories and research.* New York: Academic Press. (p. 563)

Lindner, I., Echterhoff, G., Davidson, P. S. R., & Brand, M. (2010). Observation inflation: Your actions become mine. *Psychological Science, 21,* 1291–1299. (p. 309)

Lindskold, S. (1978). Trust development, the GRIT proposal, and the effects of conciliatory acts on conflict and cooperation. *Psychological Bulletin, 85,* 772–793. (p. 567)

Lindskold, S., & Han, G. (1988). GRIT as a foundation for integrative bargaining. *Personality and Social Psychology Bulletin, 14,* 335–345. (p. 567)

Lindson, N., Aveyard, P., & Hughes, J. R. (2010). Reduction versus abrupt cessation in smokers who want to quit (review). *Cochrane Collaboration* (Cochrane Library, Issue 3; www.thecochranelibrary.com). (p. 122)

Linville, P. W., Fischer, G. W., & Fischhoff, B. (1992). AIDS risk perceptions and decision biases. In J. B. Pryor & G. D. Reeder (Eds.), *The social psychology of HIV infection.* Hillsdale, NJ: Erlbaum. (p. 362)

Lionel, A. C., Tammimies, K., Vaags, A. K., Rosenfeld, J. A., Ahn, J. W., Merico, D., . . . Scherer, S. W. (2014). Disruption of the ASTN2/TRIM32 locus at 9q33.1 is a risk factor in males for autism spectrum disorders, ADHD and other neurodevelopmental phenotypes. *Human Molecular Genetics, 23,* 2752–2768. (p. 615)

Lippa, R. A. (2005). *Gender, nature, and nurture* (2nd ed.). Mahwah, NJ: Erlbaum. (p. 163)

Lippa, R. A. (2006). Is high sex drive associated with increased sexual attraction to both sexes? It depends on whether you are male or female. *Psychological Science, 17,* 46–52. (pp. 163, 441)

Lippa, R. A. (2007a). The relation between sex drive and sexual attraction to men and women: A cross-national study of heterosexual, bisexual, and homosexual men and women. *Archives of Sexual Behavior, 36,* 209–222. (pp. 441, 447, 553)

Lippa, R. A. (2007b). The preferred traits of mates in a cross-national study of heterosexual and homosexual men and women: An examination of biological and cultural influences. *Archives of Sexual Behavior, 36,* 193–208. (p. 447)

Lippa, R. A. (2008) Sex differences and sexual orientation differences in personality: Findings from the BBC Internet survey. *Archives of Sexual Behavior, Special Issue: Biological research on sex-dimorphic behavior and sexual orientation, 37*(1), 173–187. (pp. 147, 163, 447)

Lippa, R. A. (2009). Sex differences in sex drive, sociosexuality, and height across 53 nations: Testing evolutionary and social structural theories. *Archives of Sexual Behavior, 38,* 631–651. (p. 147)

Lippa, R. A. (2013). Men and women with bisexual identities show bisexual patterns of sexual attraction to male and female "swimsuit models". *Archives of Sexual Behavior, 42,* 187–196. (p. 440)

Lippa, R. A., Patterson, T. M., & Marelich, W. D. (2010). Looking at and longing for male and female "swimsuit models": Men are much more category-specific than women. *Social Psychological and Personality Science, 1,* 238–245. (p. 441)

Lipsey, M. W., & Wilson, D. B. (1993). The efficacy of psychological, educational, and behavioral treatment: Confirmation from meta-analyses. *American Psychologist, 48,* 1181–1209. (p. 405)

Lipsitt, L. P. (2003). Crib death: A biobehavioral phenomenon? *Current Directions in Psychological Science, 12,* 164–170. (p. 185)

Liu, Y., Balaraman, Y., Wang, G., Nephew, K. P., & Zhou, F. C. (2009). Alcohol exposure alters DNA methylation profiles in mouse embryos at early neurulation. *Epigentics, 4,* 500–511. (p. 182)

Livingston, G., & Parker, K. (2011). A tale of two fathers: More are active, but more are absent. Pew Research Center (www.pewresearch.org). (p. 198)

Livingstone, M., & Hubel, D. (1988). Segregation of form, color, movement, and depth: Anatomy, physiology, and perception. *Science, 240,* 740–749. (p. 246)

Loehlin, J. C. (2012). The differential heritability of personality item clusters. *Behavior Genetics, 42,* 500–507. (p. 136)

Loehlin, J. C., Horn, J. M., & Ernst, J. L. (2007). Genetic and environmental influences on adult life outcomes: Evidence from the Texas adoption project. *Behavior Genetics, 37,* 463–476. (p. 139)

Loehlin, J. C., McCrae, R. R., & Costa, P. T., Jr. (1998). Heritabilities of common and measure-specific components of the Big Five personality factors. *Journal of Research in Personality, 32,* 431–453. (p. 590)

Loehlin, J. C., & Nichols, R. C. (1976). *Heredity, environment, and personality.* Austin: University of Texas Press. (p. 136)

Loftus, E. F. (2001, November). Imagining the past. *The Psychologist, 14,* 584–587. (p. 345)

Loftus, E. F. (2011, May/June). We live in perilous times for science. *Skeptical Inquirer,* p. 13. (p. 348)

Loftus, E. F. (2012, July). *Manufacturing memories.* Invited address to the International Congress of Psychology, Cape Town. (p. 343)

Loftus, E. F., & Ketcham, K. (1994). *The myth of repressed memory.* New York: St. Martin's Press. (p. 329)

Loftus, E. F., Levidow, B., & Duensing, S. (1992). Who remembers best? Individual differences in memory for events that occurred in a science museum. *Applied Cognitive Psychology, 6,* 93–107. (p. 344)

Loftus, E. F., & Loftus, G. R. (1980). On the permanence of stored information in the human brain. *American Psychologist, 35,* 409–420. (p. 329)

Loftus, E. F., & Palmer, J. C. (October, 1974). Reconstruction of automobile destruction: An example of the interaction between language and memory. *Journal of Verbal Learning & Verbal Behavior, 13*(5), 585–589. (p. 344)

Logan, T. K., Walker, R., Cole, J., & Leukefeld, C. (2002). Victimization and substance abuse among women: Contributing factors, interventions, and implications. *Review of General Psychology, 6,* 325–397. (p. 128)

Logue, A. W. (1998a). Laboratory research on self-control: Applications to administration. *Review of General Psychology, 2,* 221–238. (p. 293)

Logue, A. W. (1998b). Self-control. In W. T. O'Donohue (Ed.), *Learning and behavior therapy.* Boston, MA: Allyn & Bacon. (p. 293)

Lomber, S. G., Meredith, M. A., & Krai, A. (2010). Cross-modal plasticity in specific auditory cortices underlies visual compensations in the deaf. *Nature Neuroscience, 13,* 1421–1427. (p. 375)

London, P. (1970). The rescuers: Motivational hypotheses about Christians who saved Jews from the Nazis. In J. Macaulay & L. Berkowitz (Eds.), *Altruism and helping behavior.* New York: Academic Press. (p. 310)

Lonergan, M. H., Olivera-Figueroa, L., Pitman, R. K., & Brunet, A. (2013). Propranolol's effects on the consolidation and reconsolidation of long-term emotional memory in healthy participants: A meta-analysis. *Journal of Psychiatry & Neuroscience, 38,* 222–231. (p. 344)

Lopes, P. N., Brackett, M. A., Nezlek, J. B., Schutz, A., Sellin, II, & Salovey, P. (2004). Emotional intelligence and social interaction. *Personality and Social Psychology Bulletin, 30,* 1018–1034. (p. 391)

Lopez, D. J. (2002, January/February). Snaring the fowler: Mark Twain debunks phrenology. *Skeptical Inquirer* (www.csicop.org). (p. 52)

Lord, C. G., Lepper, M. R., & Preston, E. (1984). Considering the opposite: A corrective strategy for social judgment. *Journal of Personality and Social Psychology, 47,* 1231–1247. (p. 361)

Lord, C. G., Ross, L., & Lepper, M. (1979). Biased assimilation and attitude polarization: The effects of prior theories on subsequently considered evidence. *Journal of Personality and Social Psychology, 37,* 2098–2109. (p. 361)

Lorenz, K. (1937). The companion in the bird's world. *Auk, 54,* 245–273. (p. 196)

Louie, K., & Wilson, M. A. (2001). Temporally structured replay of awake hippocampal ensemble activity during rapid eye movement sleep. *Neuron, 29,* 145–156. (p. 113)

Lourenco, O., & Machado, A. (1996). In defense of Piaget's theory: A reply to 10 common criticisms. *Psychological Review, 103,* 143–164. (p. 192)

Lovaas, O. I. (1987). Behavioral treatment and normal educational and intellectual functioning in young autistic children. *Journal of Consulting and Clinical Psychology, 55,* 3–9. (p. 666)

Low, P., et al. (2012). *The Cambridge Declaration on Consciousness.* Publicly proclaimed in Cambridge, UK, on July 7, 2012, at the Francis Crick Memorial Conference on Consciousness in Human and non-Human Animals (www.fcmconference.org/img/CambridgeDeclarationOnConsciousness.pdf). (p. 367)

Lowry, P. E. (1997). The assessment center process: New directions. *Journal of Social Behavior and Personality, 12,* 53–62. (p. 597)

Lu, Z-L., Williamson, S. J., & Kaufman, L. (1992). Behavioral lifetime of human auditory sensory memory predicted by physiological measures. *Science, 258,* 1668–1670. (p. 323)

Lubinski, D. (2009a). Cognitive epidemiology: With emphasis on untangling cognitive ability and socioeconomic status. *Intelligence, 37,* 625–633. (p. 404)

Luborsky, L., Rosenthal, R., Diguer, L., Andrusyna, T. P., Berman, J. S., Levitt, J. T., Seligman, D. A., & Krause, E. D. (2002). The dodo bird verdict is alive and well—mostly. *Clinical Psychology: Science and Practice, 9,* 2–34. (p. 675)

Lucas, A., Morley, R., Cole, T. J., Lister, G., & Leeson-Payne, C. (1992). Breast milk and subsequent intelligence quotient in children born preterm. *Lancet, 339,* 261–264. (p. 36)

Lucas, R. E. (2008). Personality and subjective well-being. In M. Eid & R. Larsen (Eds.), *The science of subjective well-being.* New York: Guilford. (p. 485)

Lucas, R. E., Clark, A. E., Georgellis, Y., & Diener, E. (2004). Unemployment alters the set point for life satisfaction. *Psychological Science, 15,* 8–13. (p. 485)

Lucas, R. E., & Donnellan, M. B. (2007). How stable is happiness? Using the STARTS model to estimate the stability of life satisfaction. *Journal of Research in Personality, 41,* 1091–1098. (p. 485)

Lucas, R. E., & Donnellan, M. B. (2009). Age differences in personality: Evidence from a nationally representative Australian sample. *Developmental Psychology, 45,* 1353–1363. (p. 180)

Lucas, R. E., & Donnellan, M. B. (2011). Personality development across the life span: Longitudinal analyses with a national sample from Germany. *Journal of Personality and Social Psychology, 101,* 847–861. (p. 180)

Lucas, R. E., & Schimmack, U. (2009). Income and well-being: How big is the gap between the rich and the poor? *Journal of Research in Personality, 43,* 75–78. (p. 482)

Lucero, S. M., Kusner, K. G., & Speace, E. A. (2008, May 24). *Religousness and adolescent sexual behavior: A meta-analytic review.* Paper presented at Association for Psychological Science Convention. (p. 439)

Luciano, M., Gow, A. J., Harris, S. E., Hayward, C., Allerhand, M., Starr, J. M., Visscher, P. M., & Deary, I. J. (2009). Cognitive ability at age 11 and 70 years, information processing speed, and *APOE* variation: The Lothian birth cohort 1936 study. *Psychology and Aging, 24,* 129–138. (p. 219)

Ludwig, A. M. (1995). *The price of greatness: Resolving the creativity and madness controversy.* New York: Guilford Press. (p. 630)

Ludwig, D. S., & Friedman, M. I. (2014). Increasing adiposity: Consequence or cause of overeating? *JAMA, 311,* 2167–2168. (p. 427)

Luhmann, M., Hofmann, W., Eid, M., & Lucas, R. E. (2012). Subjective well-being and adaptation to life events: A meta-analysis. *Journal of Personality and Social Psychology, 102,* 592–615. (p. 481)

Lui, M., & Rosenfeld, J. P. (2009). The application of subliminal priming in lie detection: Scenario for identification of members of a terrorist ring. *Psycholphysiology, 46,* 889–903. (p. 467)

Luigjes, J., van den Brin, W., Feenstra, M., van den Munckhof, P., Schuurman, P. R., Schippers, R., . . . Denys, D. (2012). Deep brain stimulation in addiction: A review of potential brain targets. *Molecular Psychiatry, 17,* 572–583. (p. 687)

Lumeng, J. C., Forrest, P., Appugliese, D. P., Kaciroti, N., Corwyn, R. F., & Bradley, R. H. (2010). Weight status as a predictor of being bullied in third through sixth grades. *Pediatrics, 125,* e1301–7. (p. 429)

Lund, T. J., & Dearing, E. (2012). Is growing up affluent risky for adolescents or is the problem growing up in an affluent neighborhood? *Journal of Research on Adolescence, 23,* 274–282. (p. 200)

Luo, F., Florence, C. S., Quispe-Agnoli, M., Ouyang, L., & Crosby, A. E. (2011). Impact of business cycles on US suicide rates, 1928–2007. *American Journal of Public Health, 101,* 1139–1146. (p. 638)

Luppino, F. S., de Wit, L. M., Bouvy, P. F., Stijnen, T., Cuijpers, P., Penninx, W. J. H., & Zitman, F. G. (2010). Overweight, obesity, and depression. *Archives of General Psychiatry, 67,* 220–229. (p. 429)

Luria, A. M. (1968). In L. Solotaroff (Trans.), *The mind of a mnemonist.* New York: Basic Books. (p. 318)

Lustig, C., & Buckner, R. L. (2004). Preserved neural correlates of priming in old age and dementia. *Neuron, 42,* 865–875. (p. 339)

Lutfey, K. E., Link, C. L., Rosen, R. C., Wiegel, M., & McKinlay, J. B. (2009). Prevalence and correlates of sexual activity and function in women: Results from the Boston Area Community Health (BACH) survey. *Archives of Sexual Behavior, 38,* 514–527. (p. 435)

Lutgendorf, S. K., Russell, D., Ullrich, P., Harris, T. B., & Wallace, R. (2004). Religious participation, interleukin-6, and mortality in older adults. *Health Psychology, 23,* 465–475. (p. 513)

Luthar, S. S., Barkin, S. H., & Crossman, E. J. (2013). "I can, therefore I must": Fragility in the upper-middle classes. *Development and Psychopathology, 25,* 1529–1549. (p. 200)

Lyall, S. (2005, November 29). What's the buzz? Rowdy teenagers don't want to hear it. *New York Times* (www.nytimes.com). (p. 215)

Lykken, D. T. (1991). *Science, lies, and controversy: An epitaph for the polygraph.* Invited address upon receipt of the Senior Career Award for Distinguished Contribution to Psychology in the Public Interest, American Psychological Association convention. (p. 466)

Lykken, D. T. (1995). *The antisocial personalities.* Hillsdale, NJ: Erlbaum. (pp. 546, 616, 650)

Lykken, D. T. (1999). *Happiness: The Nature and Nurture of Joy and Contentment.* New York: Golden Books. (p. 400)

Lykken, D. T. (2001). Happiness—stuck with what you've got? *The Psychologist, 14,* 470–473. (p. 139)

Lykken, D. T. (2006). The mechanism of emergenesis. *Genes, Brain & Behavior, 5,* 306–310. (p. 406)

Lykken, D. T., & Tellegen, A. (1996). Happiness is a stochastic phenomenon. *Psychological Science, 7,* 186–189. (p. 485)

Lynch, G. (2002). Memory enhancement: The search for mechanism-based drugs. *Nature Neuroscience, 5* (suppl.), 1035–1038. (p. 332)

Lynch, G., & Staubli, U. (1991). Possible contributions of long-term potentiation to the encoding and organization of memory. *Brain Research Reviews, 16,* 204–206. (p. 332)

Lynch, G., Palmer, L. C., & Gall, C. M. (2011). The likelihood of cognitive enhancement. *Pharmacology, Biochemistry and Behavior, 99,* 116–129. (p. 333)

Lynn, M. (1988). The effects of alcohol consumption on restaurant tipping. *Personality and Social Psychology Bulletin, 14,* 87–91. (p. 119)

Lynn, R. (2009). What has caused the Flynn effect? Secular increases in the development quotients of infants. *Intelligence, 37,* 16–24. (p. 396)

Lynn, R., & Harvey, J. (2008). The decline of the world's intelligence. *Intelligence, 36,* 112–120. (p. 397)

Lynn, S. J., Rhue, J. W., & Weekes, J. R. (1990). Hypnotic involuntariness: A social cognitive analysis. *Psychological Review, 97,* 169–184. (p. 265)

Lynne, S. D., Graber, J. A., Nichols, T. R., Brooks-Gunn, J., & Botvin, G. J. (2007). Links between pubertal timing, peer influences, and externalizing behaviors among urban students followed through middle school. *Journal of Adolescent Health, 40,* 181. e7–181.e13. (p. 204)

Lyons, B. D., Hoffman, B. J., Michel, J. W., & Williams, K. J. (2011). On the predictive efficiency of past performance and physical ability: The case of the National Football League. *Human Performance, 24,* 158–172. (p. 597)

Lyons, D. E., Young, A. G., Keil, F. C. (2007). The hidden structure of overimitation. *PNAS, 104,* 19751–10756. (p. 308)

Lyons, L. (2004, February 3). Growing up lonely: Examining teen alienation. *Gallup Poll Tuesday Briefing* (www.gallup.com). (p. 209)

Lyons, L. (2005, January 4). Teens stay true to parents' political perspectives. *Gallup Poll News Service* (www.gallup.com). (p. 211)

Lyons, P., Coursey, L. & Kenworthy, J. (2013). National identity and group narcissism as predictors of intergroup attitudes toward undocumented Latino immigrants in the United States. *Hispanic Journal of Behavioral Sciences, 35,* 323–335. (p. 604)

Lyons, P. A., Kenworthy, J. B., & Popan, J. R. (2010). Ingroup identification and group-level narcissism as predictors of U.S. citizens' attitudes and behavior toward Arab immigrants. *Personality and Social Psychology Bulletin, 36,* 1267–1280. (p. 539)

Lyubomirsky, S. (2001). Why are some people happier than others? The role of cognitive and motivational processes in well-being. *American Psychologist, 56,* 239–249. (p. 484)

Lyubomirsky, S. (2008). *The how of happiness: A scientific approach to getting the life you want.* New York: Penguin Press. (p. 488)

Lyubomirsky, S., Sousa, L., & Dickerhoof, R. (2006). The costs and benefits of writing, talking, and thinking about life's triumphs and defeats. *Journal of Personality and Social Psychology, 90(4),* 690–708. (p. 507)

Ma, D. S., Correll, J., Wittenbrink, B., Bar-Anan, Y., Sriram, N., & Nosek, B. A. (2013). When fatigue turns deadly: The association between fatigue and racial bias in the decision to shoot. *Basic and Applied Social Psychology, 35,* 515–524. (p. 539)

Ma, L. (1997, September). On the origin of Darwin's ills. *Discover,* p. 27. (p. 621)

Maas, J. B. (1999). *Power sleep. The revolutionary program that prepares your mind and body for peak performance.* New York: HarperCollins. (p. 108)

Maas, J. B., & Robbins, R. S. (2010). *Sleep for success: Everything you must know about sleep but are too tired to ask.* Bloomington, IN: Author House. (pp. 106, 108)

Maass, A., D'Ettole, C., & Cadinu, M. (2008). Checkmate? The role of gender stereotypes in the ultimate intellectual sport. *European Journal of Social Psychology, 38,* 231–245. (p. 414)

Maass, A., Karasawa, M., Politi, F., & Suga, S. (2006). Do verbs and adjectives play different roles in different cultures? A cross-linguistic analysis of person representation. *Journal of Personality and Social Psychology, 90,* 734–750. (p. 159)

Maass, A., & Russo, A. (2003). Directional bias in the mental representation of spatial events: Nature or culture? *Psychological Science, 14,* 296–301. (p. 380)

Macaluso, E., Frith, C. D., & Driver, J. (2000). Modulation of human visual cortex by crossmodal spatial attention. *Science, 289,* 1206–1208. (p. 270)

Macan, T. H., & Dipboye, R. L. (1994). The effects of the application on processing of information from the employment interview. *Journal of Applied Social Psychology, 24,* 1291. (p. A-5)

MacCabe, J. H., Lambe, M. P., Cnattingius, S., Torrång, A., Björk, C., Sham, P. C., . . . Hultman, C. M. (2008). Scholastic achievement at age 16 and risk of schizophrenia and other psychoses: A national cohort study. *Psychological Medicine, 38,* 1133–1140. (p. 641)

Maccoby, E. (1980). *Social development: Psychological growth and the parent-child relationship.* New York: Harcourt Brace Jovanovich. (p. 201)

Maccoby, E. E. (1990). Gender and relationships: A developmental account. *American Psychologist, 45,* 513–520. (p. 163)

Maccoby, E. E. (1998). *The paradox of gender.* Cambridge, MA: Harvard University Press. (p. 164)

Maccoby, E. E. (2002). Gender and group process: A developmental perspective. *Current Directions in Psychological Science, 11,* 54–58. (p. 534)

MacDonald, G., & Leary, M. R. (2005). Why does social exclusion hurt? The relationship between social and physical pain. *Psychological Bulletin, 131,* 202–223. (p. 450)

MacDonald, N. (1960). Living with schizophrenia. *Canadian Medical Association Journal, 82,* 218–221. (p. 640)

MacDonald, T. K., & Hynie, M. (2008). Ambivalence and unprotected sex: Failure to predict sexual activity and decreased condom use. *Journal of Applied Social Psychology, 38,* 1092–1107. (p. 439)

MacDonald, T. K., Zanna, M. P., & Fong, G. T. (1995). Decision making in altered states: Effects of alcohol on attitudes toward drinking and driving. *Journal of Personality and Social Psychology, 68,* 973–985. (p. 119)

MacFarlane, A. (1978, February). What a baby knows. *Human Nature,* pp. 74–81. (p. 183)

Macfarlane, J. W. (1964). Perspectives on personality consistency and change from the guidance study. *Vita Humana, 7,* 115–126. (p. 204)

Mack, A., & Rock, I. (2000). *Inattentional blindness.* Cambridge, MA: MIT Press. (p. 97)

MacKay, D. M. (1978). Selves and brains. *Neuroscience, 3,* 599–606. (p. 87)

MacKenzie, M. J., Nicklas, E., Waldfogel, J., & Brooks-Gunn, J. (2013). Spanking and child development across the first decade of life. *Pediatrics, 132(5),* e1118–25. (p. 296)

MacKerron, G., & Mourato, S. (2013). Happiness is greater in natural environments. *Global Environmental Change, 23,* 992–1000. (p. 688)

Macmillan, M., & Lena, M. L. (2010). Rehabilitating Phineas Gage. *Neuropsychological Rehabilitation, 17,* 1–18. (p. 80)

Macnamara, B. N., Hambrick, D. Z., & Oswald, F. L. (2014). Deliberate practice and performance in music, games, sports, education, and professions: A meta-analysis. *Psychological Science, 25,* 1608–1618. (p. 455)

MacNeilage, P. F., & Davis, B. L. (2000). On the origin of internal structure of word forms. *Science, 288,* 527–531. (p. 372)

MacNeilage, P. F., Rogers, L. J., & Vallortigara, G. (2009, July). Origins of the left and right brain. *Scientific American,* pp. 60–67. (p. 86)

Maddi, S. R., Harvey, R. H., Khoshaba, D. M., Fazel, M., & Resurreccion, N. (2009). Hardiness training facilitates performance in college. *Journal of Positive Psychology, 4,* 566–577. (p. 455)

Maddieson, I. (1984). *Patterns of sounds.* Cambridge: Cambridge University Press. (p. 370)

Maeda, Y., & Yoon, S. Y. (2013). A meta-analysis on gender differences in mental rotation ability measured by the Purdue spatial visualization tests: Visualization of rotations (PSVT:R). *Educational Psychology Review, 25,* 69–94. (p. 410)

Maes, H. H. M., Neale, M. C., & Eaves, L. J. (1997). Genetic and environmental factors in relative body weight and human adiposity. *Behavior Genetics, 27,* 325–351. (p. 431)

Maestripieri, D. (2003). Similarities in affiliation and aggression between cross-fostered rhesus macaque females and their biological mothers. *Developmental Psychobiology, 43,* 321–327. (p. 138)

Maestripieri, D. (2005). Early experience affects the intergenerational transmission of infant abuse in rhesus monkeys. *Proceedings of the National Academy of Sciences, 102,* 9726–9729. (p. 200)

Magnussen, S., Andersson, J., Cornoldi, C., De Beni, R., Endestad, T., Goodman, G. S., . . . Zimmer, H. (2006). What people believe about memory. *Memory, 4,* 595–613. (p. 343)

Magnusson, D. (1990). Personality research—challenges for the future. *European Journal of Personality, 4,* 1–17. (p. 650)

Maguire, E. A., Gadian, D. G., Johnsrude, I. S., Good, C. D., Ashburner, J., Frackowiak, R. S. J., & Frith, C. D. (2000). Navigation-related structural change in the hippocampi of taxi drivers. *PNAS Proceedings of the National Academy of Sciences, 97,* 4398–4403. (p. 153)

Maguire, E. A., Spiers, H. J., Good, C. D., Hartley, T., Frackowiak, R. S. J., & Burgess, N. (2003b). Navigation expertise and the human hippocampus: A structural brain imaging analysis. *Hippocampus, 13,* 250–259. (p. 329)

Maguire, E. A., Valentine, E. R., Wilding, J. M., & Kapur, N. (2003a). Routes to remembering: The brains behind superior memory. *Nature Neuroscience, 6,* 90–95. (p. 325)

Mah, C. D., Mah, K. E., Kezirian, E. J., & Dement, W. C. (2011). The effects of sleep extension on the athletic performance of collegiate basketball players. *Sleep, 34,* 943–950. (p. 106)

Mahowald, M. W., & Ettinger, M. G. (1990). Things that go bump in the night: The parasomnias revisited. *Journal of Clinical Neurophysiology, 7,* 119–143. (p. 111)

Maier, S. F., Watkins, L. R., & Fleshner, M. (1994). Psychoneuroimmunology: The interface between behavior, brain, and immunity. *American Psychologist, 49,* 1004–1017. (p. 494)

Maiti, S., Kumar, K. H. B. G., Castellini, C. A., O'Reilly, R., & Singh, S. M. (2011). Ontonogenetic de novo copy number variations (CNVs) as a source of genetic individuality: Studies on two families with MZD twins for schizophrenia. *PLOS One, 6,* e17125. (p. 136)

Major, B., Carrington, P. I., & Carnevale, P. J. D. (1984). Physical attractiveness and self-esteem: Attribution for praise from an other-sex evaluator. *Personality and Social Psychology Bulletin, 10,* 43–50. (p. 554)

Major, B., Schmidlin, A. M., & Williams, L. (1990). Gender patterns in social touch: The impact of setting and age. *Journal of Personality and Social Psychology, 58,* 634–643. (p. 163)

Makel, M. C., Plucker, J. A., & Hegarty, B. (2012). Replications in psychology research: How often do they really occur? *Perspectives on Psychological Science, 7,* 537–542. (p. 27)

Malamuth, N. M., & Check, J. V. P. (1981). The effects of media exposure on acceptance of violence against women: A field experiment. *Journal of Research in Personality, 15,* 436–446. (p. 438)

Maldonado-Molina, M. M., Reingle, J. M., Jennings, W. G., & Prado, G. (2011). Drinking and driving among immigrant and US-born Hispanic young adults: Results from a longitudinal and nationally representative study. *Addictive Behavior, 36,* 381–388. (p. 618)

Malkiel, B. G. (2012). *A random walk down Wall Street: The time-tested strategy for successful investing* (Tenth Edition). New York: Norton. (p. 361)

Malle, B. F. (2006). The actor-observer asymmetry in attribution: A (surprising) meta-analysis. *Psychological Bulletin, 132,* 895–919. (p. 519)

Malle, B. F., Knobe, J. M., & Nelson, S. E. (2007). Actor-observe asymmetries in explanations of behavior: New answers to an old question. *Journal of Personality and Social Psychology, 93,* 491–514. (p. 519)

Malmquist, C. P. (1986). Children who witness parental murder: Post-traumatic aspects. *Journal of the American Academy of Child Psychiatry, 25,* 320–325. (p. 580)

Maltby, N., Tolin, D. F., Worhunsky, P., O'Keefe, T. M., & Kiehl, K. A. (2005). Dysfunctional action monitoring hyperactivates frontal-striatal circuits in obsessive-compulsive disorder: An event-related fMRI study. *NeuroImage, 24,* 495–503. (p. 626)

Mampe, B., Friederici, A. D., Christophe, A., & Wermke, K. (2009). Newborns' cry melody is shaped by their native language. *Current Biology, 19,* 1–4. (p. 182)

Maner, J. K., DeWall, C. N, Baumeister, R. F., & Schaller, M. (2007). Does social exclusion motivate interpersonal reconnection? Resolving the "porcupine problem." *Journal of Personality and Social Psychology, 92,* 42–55. (p. 451)

Maner, J. K., Kenrick, D. T., Neuberg, S. L., Becker, D. V., Robertson, T., Hofer, B., . . . Schaller, M. (2005). Functional projection: How fundamental social motives can bias interpersonal perception. *Journal of Personality and Social Psychology, 88,* 63–78. (p. 581)

Mani, A., Mullainathan, S., Shafir, E., & Zhao, J. (2013). Poverty impedes cognitive function. *Science, 341,* 976–980. (p. 408)

Manning, W., & Cohen, J. A. (2012). Premarital cohabitation and marital dissolution: An examination of recent marriages. *Journal of Marriage and Family 74,* 377–387. (p. 221)

Manson, J. E. (2002). Walking compared with vigorous exercise for the prevention of cardiovascular events in women. *New England Journal of Medicine, 347,* 716–725. (p. 507)

Maquet, P. (2001). The role of sleep in learning and memory. *Science, 294,* 1048–1052. (p. 113)

Maquet, P., Peters, J-M., Aerts, J., Delfiore, G., Degueldre, C., Luxen, A., & Franck, G. (1996). Functional neuroanatomy of human rapid-eye-movement sleep and dreaming. *Nature, 383,* 163–166. (p. 114)

Mar, R. A., & Oatley, K. (2008). The function of fiction is the abstraction and simulation of social experience. *Perspectives on Psychological Science, 3,* 173–192. (p. 310)

Mar, R. A., Oatley, K., & Peterson, J. B. (2009). Exploring the link between reading fiction and empathy: Ruling out individual differences and examining outcomes. *Communications: The European Journal of Communication, 34,* 407–428. (p. 471)

Marcus, B., Machilek, F., & Schütz, A. (2006). Personality in cyberspace: Personal web sites as media for personality expressions and impressions. *Journal of Personality and Social Psychology, 90,* 1014–1031. (p. 593)

Marcus, G. F., Vijayan, S., Rao, S. B., & Vishton, P. M. (1999). Rule learning by seven-month-old infants. *Science, 283,* 77–80. (p. 373)

Margolis, M. L. (2000). Brahms' lullaby revisited: Did the composer have obstructive sleep apnea? *Chest, 118,* 210–213. (p. 111)

Marinak, B. A., & Gambrell, L. B. (2008). Intrinsic motivation and rewards: What sustains young children's engagement with text? *Literacy Research and Instruction, 47,* 9–26. (p. 305)

Markovizky, G., & Samid, Y. (2008). The process of immigrant adjustment: The role of time in determining psychological adjustment. *Journal of Cross-Cultural Psychology, 39,* 782–798. (p. 490)

Markowitsch, H. J. (1995). Which brain regions are critically involved in the retrieval of old episodic memory? *Brain Research Reviews, 21,* 117–127. (p. 329)

Markowitz, J. C., Svartberg, M., & Swartz, H. A. (1998). Is IPT time-limited psychodynamic psychotherapy? *Journal of Psychotherapy Practice and Research, 7,* 185–195. (p. 660)

Markowitz, J. C., & Weissman, M. M. (2012). Interpersonal psychotherapy: Past, present and future. *Clinical Psychology and Psychiatry, 19,* 99–105. (p. 660)

Markus, G. B. (1986). Stability and change in political attitudes: Observe, recall, and "explain." *Political Behavior, 8,* 21–44. (p. 347)

Markus, H. R., & Kitayama, S. (1991). Culture and the self: Implications for cognition, emotion, and motivation. *Psychological Review, 98,* 224–253. (pp. 380, 477)

Markus, H. R., & Nurius, P. (1986). Possible selves. *American Psychologist, 41,* 954–969. (p. 598)

Markus, H. R., Uchida, Y., Omoregie, H., Townsend, S. S. M., & Kitayama, S. (2006). Going for the gold: Models of agency in Japanese and American contexts. *Psychological Science, 17,* 103–112. (p. 159)

Marley, J., & Bulia, S. (2001). Crimes against people with mental illness: Types, perpetrators and influencing factors. *Social Work, 46,* 115–124. (p. 616)

Marmot, M. G., Bosma, H., Hemingway, H., Brunner, E., & Stansfeld, S. (1997). Contribution to job control and other risk factors to social variations in coronary heart disease incidents. *Lancet, 350,* 235–239. (p. 501)

Marsh, A. A., Elfenbein, H. A., & Ambady, N. (2003). Nonverbal "accents": Cultural differences in facial expressions of emotion. *Psychological Science, 14,* 373–376. (p. 472)

Marsh, H. W., & Craven, R. G. (2006). Reciprocal effects of self-concept and performance from a multidimensional perspective: Beyond seductive pleasure and unidimensional perspectives. *Perspectives on Psychological Science, 1,* 133–163. (p. 599)

Marsh, H. W., & Parker, J. W. (1984). Determinants of student self-concept: Is it better to be a relatively large fish in a small pond even if you don't learn to swim as well? *Journal of Personality and Social Psychology, 47,* 213–231. (p. 484)

Marshall, M. J. (2002). *Why spanking doesn't work.* Springville, UT: Bonneville Books. (p. 296)

Marshall, R. D., Bryant, R. A., Amsel, L., Suh, E. J., Cook, J. M., & Neria, Y. (2007). The psychology of ongoing threat: Relative risk appraisal, the September 11 attacks, and terrorism-related fears. *American Psychologist, 62,* 304–316. (p. 360)

Marteau, T. M. (1989). Framing of information: Its influences upon decisions of doctors and patients. *British Journal of Social Psychology, 28,* 89–94. (p. 362)

Marteau, T. M., Hollands, G. J., & Fletcher, P. C. (2012). Changing human behavior to prevent disease: The importance of targeting automatic processes. *Science, 337,* 1492–1495. (p. 429)

Marti, M. W., Robier, D. M., & Baron, R. S. (2000). Right before our eyes: The failure to recognize non-prototypical forms of prejudice. *Group Processes and Intergroup Relations, 3,* 403–418. 409–416. (p. 356)

Martin, C. K., Anton, S. D., Walden, H., Arnett, C., Greenway, F. L., & Williamson, D. A. (2007). Slower eating rate reduces the food intake of men, but not women: Implications for behavioural weight control. *Behaviour Research and Therapy, 45,* 2349–2359. (p. 432)

Martin, C. L., & Ruble, D. (2004). Children's search for gender cues. *Current Directions in Psychological Science, 13,* 67–70. (p. 169)

Martin, C. L., Ruble, D. N., & Szkrybalo, J. (2002). Cognitive theories of early gender development. *Psychological Bulletin, 128,* 903–933. (p. 169)

Martin, R. J., White, B. D., & Hulsey, M. G. (1991). The regulation of body weight. *American Scientist, 79,* 528–541. (p. 427)

Martin, S. J., Kelly, I. W., & Saklofske, D. H. (1992). Suicide and lunar cycles: A critical review over 28 years. *Psychological Reports, 71,* 787–795. (p. 650)

Martins, Y., Preti, G., Crabtree, C. R., & Wysocki, C. J. (2005). Preference for human body odors is influenced by gender and sexual orientation. *Psychological Science, 16,* 694–701. (p. 443)

Marx, D. M., Ko, S. J., & Friedman, R. A. (2009). The "Obama effect": How a salient role model reduces race-based performance differences. *Journal of Experimental Social Psychology, 45,* 953–956. (p. 414)

Masicampo, E. J., & Baumeister, R. F. (2008). Toward a physiology of dual-process reasoning and judgment: Lemonade, willpower, and the expensive rule-based analysis. *Psychological Science, 19,* 255–260. (p. 504)

Maslow, A. H. (1970). *Motivation and personality* (2nd ed.). New York: Harper & Row. (pp. 422, 583, A-1)

Maslow, A. H. (1971). *The farther reaches of human nature.* New York: Viking Press. (p. 422)

Mason, A. E., Sbarra, D. A., & Mehl, M. R. (2010). Thin-slicing divorce: Thirty seconds of information predict changes in psychological adjustment over 90 days. *Psychological Science, 21,* 1420–1422. (p. 470)

Mason, C., & Kandel, E. R. (1991). Central visual pathways. In E. R. Kandel, J. H. Schwartz, & T. M. Jessell (Eds.), *Principles of neural science* (3rd ed.). New York: Elsevier. (p. 60)

Mason, H. (2003, March 25). Wake up, sleepy teen. *Gallup Poll Tuesday Briefing* (www.gallup.com). (p. 108)

Mason, H. (2003, September 2). Americans, Britons at odds on animal testing. *Gallup Poll News Service* (http: //www.gallup.com). (p. 40)

Mason, H. (2005, January 25). Who dreams, perchance to sleep? *Gallup Poll News Service* (www.gallup.com). (pp. 107, 108)

Mason, M. F., Norton, M. I., Van Horn, J. D., Wegner, D. M., Grafton, S. T., & Macrae, C. N. (2007). Wandering minds: The default network and stimulus-independent thought. *Science, 315*, 393–395. (p. 581)

Mason, R. A., & Just, M. A. (2004). How the brain processes causal inferences in text. *Psychological Science, 15*, 1–7. (p. 85)

Masse, L. C., & Tremblay, R. E. (1997). Behavior of boys in kindergarten and the onset of substance use during adolescence. *Archives of General Psychiatry, 54*, 62–68. (p. 127)

Massey, C., Simmons, J. P., & Armor, D. A. (2011). Hope over experience: Desirability and the persistence of optimism. *Psychological Science, 22*, 274–281. (p. 600)

Massimini, M., Ferrarelli, F., Huber, R., Esser, S. K., Singh, H., & Tononi, G. (2005). Breakdown of cortical effective connectivity during sleep. *Science, 309*, 2228–2232. (p. 101)

Mast, M. S., & Hall, J. A. (2006). Women's advantage at remembering others' appearance: A systematic look at the why and when of a gender difference. *Personality and Social Psychology Bulletin, 32*, 353–364. (p. 554)

Masten, A. S. (2001). Ordinary magic: Resilience processes in development. *American Psychologist, 56*, 227–238. (p. 200)

Masters, K. S. (2010). The role of religion in therapy: Time for psychologists to have a little faith? *Cognitive and Behavioral Practice, 17*, 393–400. (p. 680)

Masters, K. S., & Hooker, S. A. (2013). Religiousness/spirituality, cardiovascular disease, and cancer: Cultural integration for health research and intervention. *Journal of Consulting and Clinical Psychology, 81*, 206–216. (p. 512)

Masters, W. H., & Johnson, V. E. (1966). *Human sexual response*. Boston: Little, Brown. (p. 435)

Mastroianni, G. R. (2002). Milgram and the Holocaust: A reexamination. *Journal of Theoretical and Philosophical Psychology, 22*, 158–173. (p. 530)

Mastroianni, G. R., & Reed, G. (2006). Apples, barrels, and Abu Ghraib. *Sociological Focus, 39*, 239–250. (p. 523)

Masuda, T., Ellsworth, P. C., Mesquita, B., Leu, J., Tanida, S., & Van de Veerdonk, E. (2008). Placing the face in context: Cultural differences in the perception of facial emotion. *Journal of Personality and Social Psychology, 94*, 365–381. (p. 474)

Mata, A., Ferreira, M. B., & Sherman, S. J. (2013). The metacognitive advantage of deliberative thinkers: A dual-process perspective on overconfidence. *Journal of Personality and Social Psychology, 105*, 353–373. (p. 365)

Mataix-Cols, D., Rosario-Campos, M. C., & Leckman, J. F. (2005). A multidimensional model of obsessive-compulsive disorder. *American Journal of Psychiatry, 162*, 228–238. (p. 626)

Mataix-Cols, D., Wooderson, S., Lawrence, N., Brammer, M. J., Speckens, A., & Phillips, M. L. (2004). Distinct neural correlates of washing, checking, and hoarding symptom dimensions in obsessive-compulsive disorder. *Archives of General Psychiatry, 61*, 564–576. (p. 626)

Mather, M., Cacioppo, J. T., & Kanwisher, N. (2013). How fMRI can inform cognitive theories. *Perspectives on Psychological Science, 8*, 108–113. (p. 68)

Mather, M., Canli, T., English, T., Whitfield, S., Wais, P., Ochsner, K., Gabrieli, J. D. E., & Carstensen, L. L. (2004). Amygdala responses to emotionally valenced stimuli in older and younger adults. *Psychological Science, 15*, 259–263. (p. 224)

Mather, M., Lighthall, N. R., Nga, L., & Gorlick, M. A. (2010). Sex differences in how stress affects brain activity during face viewing. *NeuroReport, 21*, 933–937. (p. 492)

Mather, M., & Sutherland, M. (2012, February). The selective effects of emotional arousal on memory. APA Science Brief (www.apa.org). (p. 331)

Matheson, S. L., Shepherd, A. M., Pinchbeck, R. M., Laurens, K. R., & Carr, V. J. (2013). Childhood adversity in schizophrenia: A systematic meta-analysis. *Psychological Medicine, 43*, 225–238. (p. 641)

Matsumoto, D. (1994). *People: Psychology from a cultural perspective*. Pacific Grove, CA: Brooks/Cole. (p. 380)

Matsumoto, D., & Ekman, P. (1989). American-Japanese cultural differences in intensity ratings of facial expressions of emotion. *Motivation and Emotion, 13*, 143–157. (p. 472)

Matsumoto, D., & Willingham, B. (2006). The thrill of victory and the agony of defeat: Spontaneous expressions of medal winners of the 2004 Athens Olympic Games. *Journal of Personality and Social Psychology, 91*, 568–581. (p. 473)

Matsumoto, D., & Willingham, B. (2009a). Spontaneous facial expressions of emotion of congenitally and noncongenitally blind individuals. *Journal of Personality and Social Psychology, 96*, 1–10. (p. 473)

Matsumoto, D., Willingham, B., & Olide, A. (2009b). Sequential dynamics of culturally moderated facial expressions of emotion. *Psychological Science, 20*, 1269–1275. (pp. 473, 474)

Mattanah, J. F., Lopez, F. G, & Govern, J. M. (2011). The contributions of parental attachment bonds to college student development and adjustment: A meta-analytic review. *Journal of Counseling Psychology, 58*, 565–596. (p. 199)

Matthews, K. A. (2005). Psychological perspectives on the development of coronary heart disease. *American Psychologist, 60*, 783–796. (p. 498)

Matthews, R. N., Domjan, M., Ramsey, M., & Crews, D. (2007). Learning effects on sperm competition and reproductive fitness. *Psychological Science, 18*, 758–762. (p. 284)

Maurer, D., & Maurer, C. (1988). *The world of the newborn*. New York: Basic Books. (p. 183)

Mauss, I. B., Shallcross, A. J., Troy, A. S., John, O. P., Ferrer, E., Wilhelm, F. H., & Gross, J. J. (2011). Don't hide your happiness! Positive emotion dissociation, social connectedness, and psychological functioning. *Journal of Personality and Social Psychology, 100*, 738–748. (p. 479)

Mautz, B., Wong, B., Peters, R., & Jennions, M. (2013). Penis size interacts with body shape and height to influence male attractiveness. *Proceedings of the National Academy of Sciences, 110*, 6925–6693. (p. 148)

May, C., & Hasher, L. (1998). Synchrony effects in inhibitory control over thought and action. *Journal of Experimental Psychology: Human Perception and Performance, 24*, 363–380. (p. 100)

May, P. A., & Gossage, J. P. (2001). Estimating the prevalence of fetal alcohol syndrome: A summary. *Alcohol Research and Health, 25*, 159–167. (p. 182)

Mayberg, H. S. (2006). Defining neurocircuits in depression: Strategies toward treatment selection based on neuroimaging phenotypes. *Psychiatric Annals, 36*, 259–268. (p. 686)

Mayberg, H. S. (2007). Defining the neural circuitry of depression: Toward a new nosology with therapeutic implications. *Biological Psychiatry, 61*, 729–730. (p. 686)

Mayberg, H. S. (2009). Targeted modulation of neural circuits: A new treatment strategy for depression. *Journal of Clinical Investigation, 119*, 717–25. (p. 686)

Mayberg, H. S., Lozano, A. M., Voon, V., McNeely, H. E., Seminowicz, D., Hamani, C., Schwalb, J. M., & Kennedy, S. H. (2005). Deep brain stimulation for treatment-resistant depression. *Neuron, 45*, 651–660. (p. 686)

Mayberry, R. I., Lock, E., & Kazmi, H. (2002). Linguistic ability and early language exposure. *Nature, 417*, 38. (p. 374)

Mayer, J. D., Salovey, P., & Caruso, D. R. (2002). *The Mayer-Salovey-Caruso emotional intelligence test (MSCEIT)*. Toronto: Multi-Health Systems, Inc. (p. 390)

Mayer, J. D., Salovey, P., & Caruso, D. R. (2012). The validity of the MSCEIT: Additional analyses and evidence. *Emotion Review, 4*, 403–408. (p. 390)

Mayer, J. D., Salovey, P., Caruso, D. R., & Cherkasskiy, L. (2011). Emotional intelligence. In R. J. Sternberg & S. B. Kaufman (Eds.), *The Cambridge handbook of intelligence*. New York: Cambridge University Press. (p. 390)

Mays, V. M., Cochran, S. D., & Barnes, N. W. (2007). Race, race-based discrimination, and health outcomes among African Americans. *Annual Review of Psychology, 58*, 201–225. (p. 490)

Mazure, C., Keita, G., & Blehar, M. (2002). *Summit on women and depression: Proceedings and recommendations*. Washington, DC: American Psychological Association (www.apa.org/pi/wpo/women&depression.pdf). (p. 635)

Mazzoni, G., & Memon, A. (2003). Imagination can create false autobiographical memories. *Psychological Science, 14*, 186–188. (p. 344)

Mazzoni, G., Scoboria, A., & Harvey, L. (2010). Nonbelieved memories. *Psychological Science, 21*, 1334–1340. (p. 345)

Mazzoni, G., & Vannucci, M. (2007). Hindsight bias, the misinformation effect, and false autobiographical memories. *Social Cognition, 25*, 203–220. (p. 347)

McAndrew, F. T. (2009). The interacting roles of testosterone and challenges to status in human male aggression. *Aggression and Violent Behavior, 14*, 330–335. (p. 546)

McAneny, L. (1996, September). Large majority think government conceals information about UFO's. *Gallup Poll Monthly*, pp. 23–26. (p. 346)

McBurney, D. H. (1996). *How to think like a psychologist: Critical thinking in psychology.* Upper Saddle River, NJ: Prentice-Hall. (p. 79)

McBurney, D. H., & Collings, V. B. (1984). *Introduction to sensation and perception* (2nd ed.). Englewood Cliffs, NJ: Prentice-Hall. (pp. 252, 253)

McBurney, D. H., & Gent, J. F. (1979). On the nature of taste qualities. *Psychological Bulletin, 86*, 151–167. (p. 266)

McCain, N. L., Gray, D. P., Elswick, R. K., Jr., Robins, J. W., Tuck, I., Walter, J. M., Rausch, S. M., & Ketchum, J. M. (2008). A randomized clinical trial of alternative stress management interventions in persons with HIV infection. *Journal of Consulting and Clinical Psychology, 76*, 431–441. (p. 495)

McCann, I. L., & Holmes, D. S. (1984). Influence of aerobic exercise on depression. *Journal of Personality and Social Psychology, 46*, 1142–1147. (p. 508)

McCann, U. D., Eligulashvili, V., & Ricaurte, G. A. (2001). (+–)3,4–Methylenedioxymethamphetamine ('Ecstasy')-induced serotonin neurotoxicity: Clinical studies. *Neuropsychobiology, 42*, 11–16. (p. 124)

McCarthy, P. (1986, July). Scent: The tie that binds? *Psychology Today*, pp. 6, 10. (pp. 266, 267)

McCauley, C. R. (2002). Psychological issues in understanding terrorism and the response to terrorism. In C. E. Stout (Ed.), *The psychology of terrorism* (Vol. 3). Westport, CT: Praeger/Greenwood. (p. 534)

McCauley, C. R., & Segal, M. E. (1987). Social psychology of terrorist groups. In C. Hendrick (Ed.), *Group processes and intergroup relations.* Beverly Hills, CA: Sage. (p. 534)

McClendon, B. T., & Prentice-Dunn, S. (2001). Reducing skin cancer risk: An intervention based on protection motivation theory. *Journal of Health Psychology, 6*, 321–328. (p. 520)

McClintock, M. K., & Herdt, G. (1996, December). Rethinking puberty: The development of sexual attraction. *Current Directions in Psychological Science, 5(6)*, 178–183. (p. 165)

McClung, M., & Collins, D. (2007). "Because I know it will!": Placebo effects of an ergogenic aid on athletic performance. *Journal of Sport & Exercise Psychology, 29*, 382–394. (p. 36)

McClure, E. B. (2000). A meta-analytic review of sex differences in facial expression processing and their development in infants, children, and adolescents. *Psychological Bulletin, 126*, 424–453. (p. 470)

McClure, M. J., Lydon, J. E., Baccus, J. R., & Baldwin, M. W. (2010). A signal detection analysis of chronic attachment anxiety at speed dating: Being unpopular is only the first part of the problem. *Personality and Social Psychology Bulletin, 36*, 1024–1036. (p. 231)

McCool, G. (1999, October 26). Mirror-gazing Venezuelans top of vanity stakes. *Toronto Star* (via web.lexis-nexis.com). (p. 554)

McCord, J. (1978). A thirty-year follow-up on treatment effects. *American Psychologist, 33*, 284–289. (p. 673)

McCord, J. (1979). Following up on Cambridge-Somerville. *American Psychologist, 34*, 727. (p. 673)

McCormick, C. M., & Witelson, S. F. (1991). A cognitive profile of homosexual men compared to heterosexual men and women. *Psychoneuroendocrinology, 16*, 459–473. (p. 446)

McCrae, R. R. (2009). The five-factor model of personality traits: Consensus and controversy. In P. J. Corr & G. Matthews, Gerald (eds.). *The Cambridge handbook of personality psychology.* New York: Cambridge University Press. (p. 590)

McCrae, R. R. (2011). Personality theories for the 21st century. *Teaching of Psychology, 38*, 209–214. (p. 591)

McCrae, R. R., & Costa, P. T., Jr. (1986). Clinical assessment can benefit from recent advances in personality psychology. *American Psychologist, 41*, 1001–1003. (p. 590)

McCrae, R. R., & Costa, P. T., Jr. (1990). *Personality in adulthood.* New York: Guilford. (p. 220)

McCrae, R. R., & Costa, P. T., Jr. (1994). The stability of personality: Observations and evaluations. *Current Directions in Psychological Science, 3*, 173–175. (p. 592)

McCrae, R. R., & Costa, P. T., Jr. (2008). The Five-Factor Theory of personality. In O. P. John, R. W., Robins, & L. A. Pervin (eds.), *Handbook of personality: Theory and research, 3rd edition.* New York: Guilford. (p. 590)

McCrae, R. R., Scally, M., Terraccioani, A., Abecasis, G. R., & Costa, Jr., P. T. (2010). An alternative to the search for single polymorphisms: Toward molecular personality scales for the Five-Factor Model. *Journal of Personality and Social Psychology, 99*, 1014–1024. (p. 590)

McCrae, R. R., Terracciano, A., et al. (2005). Universal features of personality traits from the observer's perspective: Data from 50 cultures. *Journal of Personality and Social Psychology, 88*, 547–561. (p. 591)

McCrink, K., & Wynn, K. (2004). Large-number addition and subtraction by 9-month-old infants. *Psychological Science, 15*, 776–781. (p. 188)

McCrory, E. J., De Brito, S. A., Sebastian, C. L., Mechelli, A., Bird, G., Kelly, P. A., & Viding, E. (2011). Heightened neural reactivity to threat in child victims of family violence. *Current Biology, 21*, R947–948. (p. 200)

McCullough, M. E., Hoyt, W. T., Larson, D. B., Koenig, H. G., & Thoresen, C. (2000). Religious involvement and mortality: A meta-analytic review. *Health Psychology, 19*, 211–222. (p. 512)

McCullough, M. E., & Laurenceau, J-P. (2005). Religiousness and the trajectory of self-rated health across adulthood. *Personality and Social Psychology Bulletin, 31*, 560–573. (p. 512)

McCullough, M. E., & Willoughby, B. L. B. (2009). Religion, self-regulation, and self-control: Associations, explanations, and implications. *Psychological Bulletin, 135*, 69–93. (p. 512)

McDaniel, M. (2012). Put the SPRINT in knowledge training: Training with Spacing, Retrieval, and INTerleaving. In M. McDaniel (Ed.), *Training cognition: Optimizing efficiency, durability, and generalizability*, pp. 267–286. New York: Psychology Press. (p. 326)

McDaniel, M. A., Howard, D. C., & Einstein, G. O. (2009). The read-recite-review study strategy: Effective and portable. *Psychological Science, 20*, 516–522. (pp. 14, 16, 25, 42,48, 65, 74, 88, 99, 116, 130, 144, 151, 174, 184, 203, 213, 226, 238, 255, 275, 289, 300, 314, 328, 337, 352, 369, 384, 392, 399, 405, 416, 424, 433, 447, 456, 468, 475, 487, 500, 514, 524, 537, 550, 568, 582, 594, 606, 19, 627, 639, 646, 654, 672, 681, 692, A-16)

McDermott, R., Tingley, D., Cowden, J., Frazzetto, G., & Johnson, D. D. P. (2009). Monoamine oxidase A gene (MAOA) predicts behavioral aggression following provocation. *Proceedings of the National Academy of Sciences, 106*, 2118–2123. (p. 545)

McEvoy, S. P., Stevenson, M. R., McCartt, A. T., Woodward, M., Hawroth, C., Palamara, P., & Ceracelli, R. (2005). Role of mobile phones in motor vehicle crashes resulting in hospital attendance: A case-crossover study. *British Medical Journal, 33*, 428. (p. 97)

McEvoy, S. P., Stevenson, M. R., & Woodward, M. (2007). The contribution of passengers versus mobile phone use to motor vehicle crashes resulting in hospital attendance by the driver. *Accident Analysis and Prevention, 39*, 1170–1176. (p. 97)

McFadden, D. (2002). Masculinization effects in the auditory system. *Archives of Sexual Behavior, 31*, 99–111. (p. 445)

McFarland, C., & Ross, M. (1987). The relation between current impressions and memories of self and dating partners. *Psychological Bulletin, 13*, 228–238. (p. 347)

McGaugh, J. L. (1994). Quoted by B. Bower, Stress hormones hike emotional memories. *Science News, 146*, 262. (p. 331)

McGaugh, J. L. (2003). *Memory and emotion: The making of lasting memories.* New York: Columbia University Press. (p. 331)

McGaugh, J. L., & LePort, A. (2014, February). Remembrance of all things past. *Scientific American*, pp. 41–45. (p. 338)

McGhee, P. E. (June, 1976). Children's appreciation of humor: A test of the cognitive congruency principle. *Child Development, 47(2)*, 420–426. (p. 190)

McGowan, P. O., Sasaki, A., D'Alessio, A. C., Dymov, S., Labonté, B., Szyl, M., Turecki, G., & Meaney, M. J. (2009). Epigenetic regulation of the glucocorticoid receptor in human brain associates with childhood abuse. *Nature Neuroscience, 12*, 342–348. (p. 626)

McGrath, J. J., & Welham, J. L. (1999). Season of birth and schizophrenia: A systematic review and meta-analysis of data from the Southern hemisphere. *Schizophrenia Research, 35*, 237–242. (p. 643)

McGrath, J. J., Welham, J., & Pemberton, M. (1995). Month of birth, hemisphere of birth and schizophrenia. *British Journal of Psychiatry, 167*, 783–785. (p. 643)

McGue, M. (2010). The end of behavioral genetics? *Behavioral Genetics, 40*, 284–296. (p. 151)

McGue, M., & Bouchard, T. J., Jr. (1998). Genetic and environmental influences on human behavioral differences. *Annual Review of Neuroscience, 21*, 1–24. (p. 138)

McGue, M., Bouchard, T. J., Jr., Iacono, W. G., & Lykken, D. T. (1993). Behavioral genetics of cognitive ability: A life-span perspective. In R. Plomin & G. E. McClearn (Eds.), *Nature, nurture and psychology.* Washington, DC: American Psychological Association. (p. 407)

McGue, M., & Christensen, K. (2013). Growing old but not growing apart: Twin similarity in the latter half of the lifespan. *Behavior Genetics, 43,* 1–12. (p. 136)

McGuire, W. J. (1986). The myth of massive media impact: Savings and salvagings. In G. Comstock (Ed.), *Public communication and behavior.* Orlando, FL: Academic Press. (p. 312)

McGurk, H., & MacDonald, J. (1976). Hearing lips and seeing voices. *Nature, 264,* 746–748. (p. 270)

McHugh, P. R. (1995a). Witches, multiple personalities, and other psychiatric artifacts. *Nature Medicine, 1*(2), 110–114. (p. 648)

McHugh, P. R. (1995b). Resolved: Multiple personality disorder is an individually and socially created artifact. *Journal of the American Academy of Child and Adolescent Psychiatry, 34,* 957–959. (p. 648)

McKay, J. (2000). Building self-esteem in children. In M. McKay & P. Fanning (eds.), *Self-esteem.* New York: New Harbinger/St. Martins. (p. 599)

McKellar, J., Stewart, E., & Humphreys, K. (2003). Alcoholics Anonymous involvement and positive alcohol-related outcomes: Cause, consequence, or just a correlate? A prospective 2-year study of 2,319 alcohol-dependent men. *Journal of Consulting and Clinical Psychology, 71,* 302–308. (p. 671)

McKenna, K. Y. A., Green, A. S., & Gleason, M. E. J. (2002). What's the big attraction? Relationship formation on the Internet. *Journal of Social Issues, 58,* 9–31. (p. 552)

McKone, E., Kanwisher, N., & Duchaine, B. C. (2007). Can generic expertise explain special processing for faces? *Trends in Cognitive Sciences, 11,* 8–15. (p. 245)

McLaughlin, M. (2010, October 2). JK Rowling: Depression, the 'terrible place that allowed me to come back stronger.' *The Scotsman* (www.scotsman.com). (p. 631)

McLean, C. P., & Anderson, E. R. (2009). Brave men and timid women? A review of the gender differences in fear and anxiety. *Clinical Psychology Review, 29,* 496–505. (p. 620)

McMurray, B. (2007). Defusing the childhood vocabulary explosion. *Science, 317,* 631. (p. 371)

McMurray, C. (2004, January 13). U.S., Canada, Britain: Who's getting in shape? *Gallup Poll Tuesday Briefing* (www.gallup.com). (p. 508)

McNally, R. J. (1999). EMDR and Mesmerism: A comparative historical analysis. *Journal of Anxiety Disorders, 13,* 225–236. (p. 677)

McNally, R. J. (2003). *Remembering trauma.* Cambridge, MA: Harvard University Press. (pp. 349, 624)

McNally, R. J. (2007). Betrayal trauma theory: A critical appraisal. *Memory, 15,* 280–294. (p. 349)

McNally, R. J. (2012). Are we winning the war against posttraumatic stress disorder? *Science, 336,* 872–874. (pp. 102, 623)

McNally, R. J. (2012). Searching for repressed memory. *Nebraska Symposium on Motivation, 58,* 121–147. (p. 349)

McNally, R. J., & Geraerts, E. (2009). A new solution to the recovered memory debate. *Perspectives in Psychological Science, 4,* 126–134. (p. 349)

McNeil, B. J., Pauker, S. G., & Tversky, A. (1988). On the framing of medical decisions. In D. E. Bell, H. Raiffa, & A. Tversky (Eds.), *Decision making: Descriptive, normative, and prescriptive interactions.* New York: Cambridge University Press. (p. 362)

McNulty, J. K., Olson, M. A., Meltzer, A. L., & Shaffer, M. J. (2013). Though they may be unaware newlyweds implicitly know whether their marriage will be satisfying. *Science, 342,* 1119–1120. (p. 364)

McWhorter, J. (2012, April 23). Talking with your fingers. *New York Times* (www.nytimes.com). (p. 452)

Mead, G. E., Morley, W., Campbell, P., Greig, C. A., McMurdo, M., & Lawlor, D. A. (2010). Exercise for depression. *Cochrance Database Systematic Reviews,* Issue 3. Art. No. CD004366. (p. 508)

Meador, B. D., & Rogers, C. R. (1984). Person-centered therapy. In R. J. Corsini (Ed.), *Current psychotherapies* (3rd ed.). Itasca, IL: Peacock. (p. 662)

Medical Institute for Sexual Health. (1994, April). Condoms ineffective against human papilloma virus. *Sexual Health Update,* p. 2. (p. 436)

Medland, S. E., Perelle, I., De Monte, V., & Ehrman, L. (2004). Effects of culture, sex, and age on the distribution of handedness: An evaluation of the sensitivity of three measures of handedness. *Laterality: Asymmetries of Body, Brain, and Cognition, 9,* 287–297. (p. 86)

Mednick, S. A., Huttunen, M. O., & Machon, R. A. (1994). Prenatal influenza infections and adult schizophrenia. *Schizophrenia Bulletin, 20,* 263–267. (p. 643)

Medvec, V. H., Madey, S. F., & Gilovich, T. (1995). When less is more: Counterfactual thinking and satisfaction among Olympic medalists. *Journal of Personality and Social Psychology, 69,* 603–610. (p. 605)

Mehl, M., Gosling, S. D., & Pennebaker, J. W. (2006). Personality in its natural habitat: Manifestations and implicit folk theories of personality in daily life. *Journal of Personality and Social Psychology, 90,* 862–877. (p. 592)

Mehl, M. R., & Pennebaker, J. W. (2003). The sounds of social life: A psychometric analysis of students' daily social environments and natural conversations. *Journal of Personality and Social Psychology, 84,* 857–870. (p. 29)

Mehl, M. R., Vazire, S., Holleran, S. E., & Clark, C. S. (2010). Eavesdropping on happiness: Well-being is related to having less small talk and more substantive conversations. *Psychological Science, 21,* 539–541. (p. 487)

Mehl, M. R., Vazire, S., Ramirez-Esparza, N., Slatcher, R. B., & Pennebaker, J. W. (2007). Are women really more talkative than men? *Science, 317,* 82. (p. 163)

Mehta, D., Klengel, T., Conneely, K. N., Smith, A. K., Altmann, A., Pace, T. W., . . . Binder, E. B. (2013). Childhood maltreatment is associated with distinct genomic and epigenetic profiles in posttraumatic stress disorder. *PNAS Proceedings of the National Academy of Sciences of the United States of America, 110,* 8302–8307. (p. 626)

Mehta, M. R. (2007). Cortico-hippocampal interaction during up-down states and memory consolidation. *Nature Neuroscience, 10,* 13–15. (p. 330)

Meichenbaum, D. (1977). *Cognitive-behavior modification: An integrative approach.* New York: Plenum Press. (p. 668)

Meichenbaum, D. (1985). *Stress inoculation training.* New York: Pergamon. (p. 668)

Meier, M. H., Caspi, A., Ambler, A., Harrington, H., Houts, R., Keefe, R. S., . . . Moffitt, T. E. (2012). Persistent cannabis users show neuropsychological decline from childhood to midlife. *PNAS, 109,* E2657–2664. (p. 125)

Meijer, E. H., & Verschuere, B. (2010). The polygraph and the detection of deception. *Journal of Forensic Psychology Practice, 10,* 525–538. (p. 467)

Melby-Lervåg, M., & Hulme, C. (2013). Is working memory training effective? A meta-analytic review. *Developmental Psychology, 49,* 270–291. (p. 218)

Meltzoff, A. N. (1988). Infant imitation after a 1-week delay: Long-term memory for novel acts and multiple stimuli. *Developmental Psychology, 24,* 470–476. (p. 308)

Meltzoff, A. N., Kuhl, P. K., Movellan, J., & Sejnowski, T. J. (2009). Foundations for a new science of learning. *Science, 325,* 284–288. (pp. 308, 372)

Meltzoff, A. N., & Moore, M. K. (1989). Imitation in newborn infants: Exploring the range of gestures imitated and the underlying mechanisms. *Developmental Psychology, 25,* 954–962. (pp. 308, 312)

Meltzoff, A. N., & Moore, M. K. (1997). Explaining facial imitation: A theoretical model. *Early Development and Parenting, 6,* 179–192. (pp. 308, 312)

Melzack, R. (1992, April). Phantom limbs. *Scientific American,* pp. 120–126. (p. 262)

Melzack, R. (1998, February). Quoted in Phantom limbs. *Discover,* p. 20. (p. 262)

Melzack, R. (2005). Evolution of the neuromatrix theory of pain. *Pain Practice, 5,* 85–94. (p. 262)

Melzack, R., & Katz, J. (2013). Pain. *Wiley Interdisciplinary Reviews: Cognitive Science, 4,* 1–15. (p. 262)

Melzack, R., & Wall, P. D. (1965). Pain mechanisms: A new theory. *Science, 150,* 971–979. (p. 262)

Melzack, R., & Wall, P. D. (1983). *The challenge of pain.* New York: Basic Books. (p. 262)

Mendes, E. (2010, June 2). U.S. exercise levels up, but demographic differences remain. www.gallup.com. (p. 509)

Mendes, E., & McGeeney, K. (2012, July 9). Women's health trails men's most in former Soviet Union. Gallup (www.gallup.com). (p. 631)

Mende-Siedlecki, P., Said, C. P., & Todorov, A. (2013). The social evaluation of faces: A meta-analysis of functional neuroimaging studies. *SCAN, 8,* 285–299. (p. 71)

Mendle, J., Turkheimer, E., & Emery, R. E. (2007). Detrimental psychological outcomes associated with early pubertal timing in adolescent girls. *Developmental Review, 27,* 151–171. (p. 204)

Mendolia, M., & Kleck, R. E. (1993). Effects of talking about a stressful event on arousal: Does what we talk about make a difference? *Journal of Personality and Social Psychology, 64,* 283–292. (p. 506)

Merari, A. (2002). *Explaining suicidal terrorism: Theories versus empirical evidence.* Invited address to the American Psychological Association. (p. 533)

Meriac, J. P., Hoffman, B. J., Woehr, D. J., & Fleisher, M. S. (2008). Further evidence for the validity of assessment center dimensions: A meta-analysis of the incremental criterion-related validity of dimension ratings. *Journal of Applied Psychology, 93,* 1042–1052. (p. 597)

Merikangas, K. R., Jin, R., He, J. P., Kessler, R. C., Lee, S., Sampson, N. A., . . . Zarkov, Z. (2011). Prevalence and correlates of bipolar spectrum disorder in the world mental health survey initiative. *Archives of General Psychiatry, 68,* 241–251. (p. 630)

Merry, S. N., Stasiak, K., Shepherd, M., Frampton, C., Fleming, T., & Lucassen, M. F. G. (2012). The effectiveness of SPARX, a computerised self help intervention for adolescents seeking help for depression: Randomised controlled non-inferiority trial. *British Medical Journal, 344,* 1–16. (p. 670)

Merskey, H. (1992). The manufacture of personalities: The production of multiple personality disorder. *British Journal of Psychiatry, 160,* 327–340. (p. 648)

Mervis, J. (2011a). Giving children a Head Start is possible—but it's not easy. *Science, 333,* 956–957. (p. 409)

Merzenich, M. (2007). Quoted at Posit Science Brain Fitness Program (www.positscience.com). (p. 218)

Mesch, G. (2001). Social relationships and Internet use among adolescents in Israel. *Social Science Quarterly, 82,* 329–340. (p. 452)

Mesoudi, A. (2009). How cultural evolutionary theory can inform social psychology and vice versa. *Psychological Review, 116,* 929–952. (p. 156)

Messias, E., Eaton, W. W., Grooms, A. N. (2011). Economic grand rounds: Income inequality and depression prevalence across the United States: An ecological study. *Psychiatric Services, 62,* 710–712. (p. 548)

Messinis, L., Kyprianidou, A., Malefaki, S., & Papathanasopoulos, P. (2006). Neuropsychological deficits in long-term frequent cannabis users. *Neurology, 66,* 737–739. (p. 125)

Mestel, R. (1997, April 26). Get real, Siggi. *New Scientist* (www.newscientist.com/ns/970426/siggi.html). (p. 112)

Meston, C. M., & Buss, D. M. (2007). Why humans have sex. *Archives of Sexual Behavior, 36,* 477–507. (p. 437)

Metcalfe, J. (1986). Premonitions of *insight* predict impending error. *Journal of Experimental Psychology: Learning, Memory, and Cognition, 12,* 623–634. (p. 357)

Metcalfe, J. (1998). Cognitive optimism: Self-deception or memory-based processing heuristics. *Personality and Social Psychology Review, 2,* 100–110. (p. 360)

Metzler, D. (2011, Spring). Vocabulary growth in adult cross-fostered chimpanzees. *Friends of Washoe, 32*(3), 11–13. (p. 378)

Meyer, I. H. (2003). Prejudice, social stress, and mental health in lesbian, gay, and bisexual populations: Conceptual issues and research evidence. *Psychological Bulletin, 129,* 674–697. (p. 610)

Meyer-Bahlburg, H. F. L. (1995). Psychoneuroendocrinology and sexual pleasure: The aspect of sexual orientation. In P. R. Abramson & S. D. Pinkerton (Eds.), *Sexual nature/sexual culture.* Chicago: University of Chicago Press. (p. 444)

Michael, R. B., Garry, M., & Kirsch, I. (2012). Suggestion, cognition, and behavior. *Current Directions in Psychological Science, 21,* 151–156. (p. 36)

Michaels, J. W., Bloomel, J. M., Brocato, R. M., Linkous, R. A., & Rowe, J. S. (1982). Social facilitation and inhibition in a natural setting. *Replications in Social Psychology, 2,* 21–24. (p. 532)

Michener, J. A. (1978, February 3). *External forces and inner voices.* Speech at the Chapel of the Four Chaplains, Philadelphia, PA. (p. 530)

Middlebrooks, J. C., & Green, D. M. (1991). Sound localization by human listeners. *Annual Review of Psychology, 42,* 135–159. (p. 260)

Miers, R. (2009, Spring). Calum's road. *Scottish Life,* pp. 36–39, 75. (p. 455)

Mihura, J. L., Meyer, G. J., Dumitrascu, N., & Bombel, G. (2013). The validity of individual Rorschach variables: Systematic reviews and meta-analyses of the comprehensive system. *Psychological Bulletin, 139,* 548–605. (p. 579)

Mikhail, J. (2007). Universal moral grammar: Theory, evidence and the future. *Trends in Cognitive Sciences, 11,* 143–152. (p. 146)

Mikkelsen, T. S., et al. (2005). Initial sequence of the chimpanzee genome and comparison with the human genome. *Nature, 437,* 69–87. (p. 135)

Mikulincer, M., Florian, V., & Hirschberger, G. (2003). The existential function of close relationships: Introducing death into the science of love. *Personality and Social Psychology Review, 7,* 20–40. (p. 582)

Mikulincer, M., & Shaver, P. R. (2001). Attachment theory and intergroup bias: Evidence that priming the secure base schema attenuates negative reactions to outgroups. *Journal of Personality and Social Psychology, 81,* 97–115. (p. 543)

Milan, R. J., Jr., & Kilmann, P. R. (1987). Interpersonal factors in premarital contraception. *Journal of Sex Research, 23,* 289–321. (p. 438)

Miles, D. R., & Carey, G. (1997). Genetic and environmental architecture of human aggression. *Journal of Personality and Social Psychology, 72,* 207–217. (p. 545)

Milgram, S. (1963). Behavioral study of obedience. *Journal of Abnormal & Social Psychology, 67*(4), 371–378. (p. 528)

Milgram, S. (1974). *Obedience to authority.* New York: Harper & Row. (pp. 528, 529, 531)

Miller, G. (2004). Axel, Buck share award for deciphering how the nose knows. *Science, 306,* 207. (p. 267)

Miller, G. (2005). The dark side of glia. *Science, 308,* 778–781. (p. 54)

Miller, G. (2008). Tackling alcoholism with drugs. *Science, 320,* 168–170. (p. 127)

Miller, G. (2010). Anything but child's play. *Science, 327,* 1192–1193. (p. 630)

Miller, G. (2010). fMRI lie detection fails a legal test. *Science, 328,* 1336–1337. (p. 467)

Miller, G. (2012). Drone wars: Are remotely piloted aircraft changing the nature of war? *Science, 336,* 842–843. (p. 530)

Miller, G. (2012). How are memories retrieved? *Science, 338,* 30–31. (p. 329)

Miller, G. A. (1956). The magical number seven, plus or minus two: Some limits on our capacity for processing information. *Psychological Review, 63,* 81–97. (p. 323)

Miller, G. E., & Blackwell, E. (2006). Turning up the heat: Inflammation as a mechanism linking chronic stress, depression, and heart disease. *Current Directions in Psychological Science, 15,* 269–272. (pp. 498, 499)

Miller, G. E., & Chen, E. (2010). Harsh family climate in early life presages the emergence of a proinflammatory phenotype in adolescence. *Psychological Science, 21,* 848–856. (p. 499)

Miller, G., Chen, E., & Parker, K. (2011). Psychological stress in childhood and susceptibility to the chronic diseases of aging: Moving toward a model of behavioral and biological mechanisms. *Psychological Bulletin, 137,* 959–997. (p. 492)

Miller, H. C., Pattison, K. F., DeWall, C. N., Rayburn-Reeves, R., & Zentall, T. R. (2010). Self-control without a "self"? Common self-control processes in humans and dogs. *Psychological Science, 21,* 534–538. (p. 504)

Miller, J., Shepherdson, P., & Trevena, J. (2011). Effects of clock monitoring on electroencephalographic activity: Is unconscious movement initiation an artifact of the clock? *Psychological Science, 22,* 103–109. (p. 95)

Miller, J. F., Neufang, M., Solway, A., Brandt, A., Trippel, M., Mader, I., Hefft, S., . . . Schulze-Bonhage, A. (2013). Neural activity in human hippocampal formation reveals the spatial context of retrieved memories. *Science, 342,* 1111–1114. (p. 329)

Miller, J. G., & Bersoff, D. M. (1995). Development in the context of everyday family relationships: Culture, interpersonal morality and adaptation. In M. Killen & D. Hart (Eds.), *Morality in everyday life: A developmental perspective.* New York: Cambridge University Press. (p. 206)

Miller, L. K. (1999). The Savant Syndrome: Intellectual impairment and exceptional skill. *Psychological Bulletin, 125,* 31–46. (p. 387)

Miller, N. E. (1985, February). Rx: Biofeedback. *Psychology Today,* pp. 54–59. (p. 509)

Miller, P. (2012, January). A thing or two about twins. *National Geographic,* pp. 38–65. (p. 137)

Miller, P. J. O., Aoki, K., Rendell, L. E., & Amano, M. (2008). Stereotypical resting behavior of the sperm whale. *Current Biology, 18,* R21–R23. (p. 101)

Miller, S. D., Blackburn, T., Scholes, G., White, G. L., & Mamalis, N. (1991). Optical differences in multiple personality disorder: A second look. *Journal of Nervous and Mental Disease, 179,* 132–135. (p. 648)

Milner, A. D., & Goodale, M. A. (2008). Two visual systems re-viewed. *Neuropsychologia, 46,* 774–785. (p. 94)

Milyavskaya, M., Gingras, I., Mageau, G. A., Koestner, R., Gagnon, H., Fang, J., & Bolché, J. (2009). Balance across contexts: Importance of balanced need satisfaction across various life domains. *Personality and Social Psychology Bulletin, 35,* 1031–1045. (p. 449)

Mineka, S. (1985). The frightful complexity of the origins of fears. In F. R. Brush & J. ÍB. Overmier (Eds.), *Affect, conditioning and cognition: Essays on the determinants of behavior.* Hillsdale, NJ: Erlbaum. (p. 625)

Mineka, S. (2002). Animal models of clinical psychology. In N. Smelser & P. Baltes (Eds.), *International encyclopedia of the social and behavioral sciences*. Oxford, England: Elsevier Science. (p. 625)

Mineka, S., & Oehlberg, K. (2008). The relevance of recent developments in classical conditioning to understanding the etiology and maintenance of anxiety disorders. *Acta Psychologica, 127*, 567–580. (p. 624)

Mineka, S., & Zinbarg, R. (1996). Conditioning and ethological models of anxiety disorders: Stress-in-dynamic-context anxiety models. In D. Hope (Ed.), *Perspectives on anxiety, panic, and fear* (Nebraska Symposium on Motivation). Lincoln: University of Nebraska Press. (pp. 627, 690)

Minsky, M. (1986). *The society of mind*. New York: Simon & Schuster. (p. 93)

Mirescu, C., & Gould, E. (2006). Stress and adult neurogenesis. *Hippocampus, 16*, 233–238. (p. 492)

Mischel, W. (1968). *Personality and assessment*. New York: Wiley. (p. 592)

Mischel, W. (1981). Current issues and challenges in personality. In L. T. Benjamin, Jr. (Ed.), *The G. Stanley Hall Lecture Series* (Vol. 1). Washington, DC: American Psychological Association. (p. 597)

Mischel, W. (2009). From *Personality and Assessment* (1968) to personality science. *Journal of Research in Personality, 43*, 282–290. (p. 592)

Mischel, W., Shoda, Y., & Peake, P. K. (1988). The nature of adolescent competencies predicted by preschool delay of gratification. *Journal of Personality and Social Psychology, 54*, 687–696. (p. 208)

Mischel, W., Shoda, Y., & Rodriguez, M. L. (1989). Delay of gratification in children. *Science, 244*, 933–938. (pp. 208, 293)

Mischkowski, D., Kross, E., & Bushman, B. (2012). Flies on the wall are less aggressive: Self-distancing "in the heat of the moment" reduces aggressive thoughts, angry feelings and aggressive behavior. *Journal of Experimental Social Psychology, 48*, 1187–1191. (p. 478)

Miserandino, M. (1991). Memory and the seven dwarfs. *Teaching of Psychology, 18*, 169–171. (p. 319)

Mishkin, M. (1982). A memory system in the monkey. *Philosophical Transactions of the Royal Society of London: Biological Sciences, 298*, 83–95. (p. 330)

Mishkin, M., Suzuki, W. A., Gadian, D. G., & Vargha-Khadem, F. (1997). Hierarchical organization of cognitive memory. *Philosophical Transactions of the Royal Society of London: Biological Sciences, 352*, 1461–1467. (p. 330)

Mishra, A., & Mishra, H. (2010). Border bias: The belief that state borders can protect against disasters. *Psychological Science, 21*, 1582–1586. (p. 381)

Mita, T. H., Dermer, M., & Knight, J. (1977). Reversed facial images and the mere-exposure hypothesis. *Journal of Personality and Social Psychology, 35*, 597–601. (p. 551)

Mitani, J. C., Watts, D. P., & Amsler, S. J. (2010). Lethal intergroup aggression leads to territorial expansion in wild chimpanzees. *Current Biology, 20*, R507–R509. (p. 369)

Mitchell, J. P. (2009). Social psychology as a natural kind. *Cell, 13*, 246–251. (p. 598)

Mitchell, K. J., & Porteous, D. J. (2011). Rethinking the genetic architecture of schizophrenia. *Psychological Medicine, 41*, 19–32. (p. 644)

Mitte, K. (2008). Memory bias for threatening information in anxiety and anxiety disorders: A meta-analytic review. *Psychological Bulletin, 134*, 886–911. (p. 619)

Miyagawa, T., et al. (2008). Variant between *CPT1B* and *CHKB* associated with susceptibility to narcolepsy. *Nature Genetics, 40*, 1324–1328. (p. 110)

Miyake, A., Kost-Smith, L., Finkelstein, N. D., Pollock, S. J., Cohen, G. L., & Ito, T. A. (2010). Reducing the gender achievement gap in college science: A classroom study of values affirmation. *Science, 330*, 1234–1237. (p. 415)

Mobbs, D., Yu, R., Meyer, M., Passamonti, L., Seymour, B., Calder, A. J., . . . Dalgeish, T. (2009). A key role for similarity in vicarious reward. *Science, 324*, 900. (p. 306)

Moffitt, T. E. (2005). The new look of behavioral genetics in developmental psychopathology: Gene-environment interplay in antisocial behaviors. *Psychological Bulletin, 131*, 533–554. (p. 651)

Moffitt, T. E., Arsenault, L., Belsky, D., Dickson, N., Hancox, R. J., Harrington, H., . . . Caspi, A. (2011). A gradient of childhood self-control predicts health, wealth, and public safety. *Proceedings of the National Academy of Sciences, 108*, 2693–2698. (p. 503)

Moffitt, T. E., Caspi, A., Harrington, H., & Milne, B. J. (2002). Males on the life-course-persistent and adolescence-limited antisocial pathways: Follow-up at age 26 years. *Development and Psychopathology, 14*, 179–207. (p. 180)

Moffitt, T. E., Caspi, A., Harrington, H., Milne, B. J., Melchior, M., Goldberg, D., & Poulton, R. (2007a). Generalized anxiety disorder and depression: Childhood risk factors in a birth cohort followed to age 32. *Psychological Medicine, 37*, 441–452. (p. 620)

Moffitt, T. E., Caspi, A., & Rutter, M. (2006). Measured gene-environment interactions in psychopathology: Concepts, research strategies, and implications for research, intervention, and public understanding of genetics. *Perspectives on Psychological Science, 1*, 5–27. (p. 634)

Moffitt, T. E., Harrington, H., Caspi, A., Kim-Cohen, J., Goldberg, D., Gregory, A. M., & Poulton, R. (2007b). Depression and generalized anxiety disorder: Cumulative and sequential comorbidity in a birth cohort followed prospectively to age 32 years. *Archives of General Psychiatry, 64*, 651–660. (p. 620)

Moffitt, T. E., Poulton, R., & Caspi, A. (2013). Lifelong impact of early self-control. *American Scientist, 101*, 352–359. (p. 179)

Moghaddam, F. M. (2005). The staircase to terrorism: A psychological exploration. *American Psychologist, 60*, 161–169. (p. 534)

Mohr, H., Pritchard, J., & Lush, T. (2010, May 29). BP has been good at downplaying disaster. *Associated Press*. (p. 361)

Moises, H. W., Zoega, T., & Gottesman, I. I. (2002, July 3). The glial growth factors deficiency and synaptic destabilization hypothesis of schizophrenia. *BMC Psychiatry, 2*(8) (www.biomedcentral.com/1471–244X/2/8). (p. 643)

Möller-Levet, C. S., et al. (2013). Effects of insufficient sleep on circadian rhythmicity and expression amplitude of the human blood transcriptome. *PNAS, 110*, E1132–E1141. (p. 108)

Mondloch, C. J., Lewis, T. L., Budreau, D. R., Maurer, D., Dannemiller, J. L., Stephens, B. R., & Kleiner-Gathercoal, K. A. (1999). Face perception during early infancy. *Psychological Science, 10*, 419–422. (p. 183)

Money, J. (1987). Sin, sickness, or status? Homosexual gender identity and psychoneuroendocrinology. *American Psychologist, 42*, 384–399. (pp. 442, 444)

Money, J., Berlin, F. S., Falck, A., & Stein, M. (1983). *Antiandrogenic and counseling treatment of sex offenders*. Baltimore: Department of Psychiatry and Behavioral Sciences, The Johns Hopkins University School of Medicine. (p. 434)

Monroe, S. M., & Reid, M. W. (2009). Life stress and major depression. *Current Directions in Psychological Science, 18*, 68–72. (p. 632)

Montag, C., Weber, B., Trautner, P., Newport, B., Markett, S., Walter, N. T., Felten, A., & Reuter, M. (2012). Does excessive play of violent first-person-shooter-video-games dampen brain activity in response to emotional stimuli? *Biological Psychology, 89*, 107–111. (p. 548)

Montoya, E. R., Terburg, D., Box, P. A., & van Honk, J. (2012). Testosterone, cortisol, and serotonin as key regulators of social aggression: A review and theoretical perspective. *Motivation and Emotion, 36*, 65–73. (p. 546)

Montoya, R. M., & Horton, R. S. (2013). A meta-analytic investigation of the processes underlying the similarity-attraction effect. *Journal of Social and Personal Relationships, 30*, 64–94. (pp. 555, 556)

Montoya, R. M., & Horton, R. S. (2014). A two-dimensional model for the study of interpersonal attraction. *Personality and Social Psychology Review, 18*, 59–86. (p. 556)

Mooallem, J. (2009, February 19). Rescue flight. *New York Times Magazine* (www.nytimes.com). (p. 196)

Mook, D. G. (1983). In defense of external invalidity. *American Psychologist, 38*, 379–387. (p. 39)

Moon, C., Lagercrantz, H., & Kuhl, P. K. (2013). Language experienced in utero affects vowel perception after birth: A two-country study. *Acta Paediatrica, 102*, 156–160. (p. 182)

Moorcroft, W. H. (2003). *Understanding sleep and dreaming*. New York: Kluwer/Plenum. (pp. 101, 114)

Moore, D. W. (2004, December 17). Sweet dreams go with a good night's sleep. *Gallup News Service* (www.gallup.com). (p. 104)

Moore, D. W. (2005, June 16). Three in four Americans believe in paranormal. *Gallup New Service* (www.gallup.com). (p. 272)

Moore, S. C., Patel, A. V., Matthews, C. E., Berrington de Gonzalez, A., Park, Y., et al. (2012). Leisure time physical activity of moderate to vigorous intensity and mortality: A large pooled cohort analysis. *PLoS Medicine, 9*, e1001335. (p. 507)

Moos, R. H., & Moos, B. S. (2005). Sixteen-year changes and stable remission among treated and untreated individuals with alcohol use disorders. *Drug and Alcohol Dependence, 80*, 337–347. (p. 671)

Moos, R. H., & Moos, B. S. (2006). Participation in treatment and Alcoholics Anonymous: A 16-year follow-up of initially untreated individuals. *Journal of Clinical Psychology, 62,* 735–750. (p. 671)

Mor, N., & Winquist, J. (2002). Self-focused attention and negative affect: A meta-analysis. *Psychological Bulletin, 128,* 638–662. (p. 635)

More, H. L., Hutchinson, J. R., Collins, D. F., Weber, D. J., Aung, S. K. H., & Donelan, J. M. (2010). Scaling of sensorimotor control in terrestrial mammals. *Proceedings of the Royal Society B, 277,* 3563–3568. (p. 54)

Moreira, M. T., Smith, L. A., & Foxcroft, D. (2009). Social norms interventions to reduce alcohol misuse in university or college students. *Cochrane Database of Systematic Reviews.* 2009, Issue 3., Art. No. CD006748. (p. 129)

Moreland, R. L., & Beach, S. R. (1992). Exposure effects in the classroom: The development of affinity among students. *Journal of Experimental Social Psychology, 28,* 255–276. (p. 551)

Moreland, R. L., & Zajonc, R. B. (1982). Exposure effects in person perception: Familiarity, similarity, and attraction. *Journal of Experimental Social Psychology, 18,* 395–415. (p. 551)

Morelli, G. A., Rogoff, B., Oppenheim, D., & Goldsmith, D. (1992). Cultural variation in infants' sleeping arrangements: Questions of independence. *Developmental Psychology, 26,* 604–613. (p. 160)

Moreno, C., Laje, G., Blanco, C., Jiang, H., Schmidt, A. B., & Olfson, M. (2007). National trends in the outpatient diagnosis and treatment of bipolar disorder in youth. *Archives of General Psychiatry, 64,* 1032–1039. (p. 629)

Morewedge, C. K., & Norton, M. I. (2009). When dreaming is believing. The (motivated) interpretation of dreams. *Journal of Personality and Social Psychology, 96,* 249–264. (p. 273)

Morey, R. A., Gold, A. L., LaBar, K. S., et al. (2012). Amygdala volume changes in posttraumatic stress disorder in a large case-controlled veterans group. *Archives of General Psychiatry, 69,* 1169–1178. (p. 623)

Morey, R. A., Inan, S., Mitchell, T. V., Perkins, D. O., Lieberman, J. A., & Belger, A. (2005). Imaging frontostriatal function in ultra-high-risk, early, and chronic schizophrenia during executive processing. *Archives of General Psychiatry, 62,* 254–262. (p. 642)

Morgan, A. B., & Lilienfeld, S. O. (2000). A meta-analytic review of the relation between antisocial behavior and neuropsychological measures of executive function. *Clinical Psychology Review, 20,* 113–136. (p. 650)

Mori, K., & Mori, H. (2009). Another test of the passive facial feedback hypothesis: When you face smiles, you feel happy. *Perceptual and Motor Skills, 109,* 1–3. (p. 475)

Morin, R., & Brossard, M. A. (1997, March 4). Communication breakdown on drugs. *Washington Post,* pp. A1, A6. (p. 211)

Morris, G., Baker-Ward, L., & Bauer, P. J. (2010). What remains of that day: The survival of children's autobiographical memories across time. *Applied Cognitive Psychology, 24,* 527–544. (p. 186)

Morrison, A. R. (2003). The brain on night shift. *Cerebrum, 5*(3), 23–36. (p. 104)

Morrison, C. (2007). *What does contagious yawning tell us about the mind?* Unpublished manuscript, University of Leeds. (p. 525)

Morrison, M., Tay, L., & Diener, E. (2014). *Subjective well-being across the life-span worldwide.* Paper presented at the Society for Personality and Social Psychology convention, Austin, Texas. (p. 223)

Mortensen, E. L., Michaelsen, K. F., Sanders, S. A., & Reinisch, J. M. (2002). The association between duration of breastfeeding and adult intelligence. *Journal of the American Medical Association, 287,* 2365–2371. (p. 35)

Mortensen, P. B. (1999). Effects of family history and place and season of birth on the risk of schizophrenia. *New England Journal of Medicine, 340,* 603–608. (p. 643)

Moscovici, S. (1985). Social influence and conformity. In G. Lindzey & E. Aronson (Eds.), *The handbook of social psychology* (3rd ed). Hillsdale, N.J.: Erlbaum. (p. 536)

Moses, E. B., & Barlow, D. H. (2006). A new unified treatment approach for emotional disorders based on emotion science. *Current Directions in Psychological Science, 15,* 146–150. (p. 669)

Mosher, C. E., & Danoff-Burg, S. (2008). Agentic and communal personality traits: Relations to disordered eating behavior, body shape concern, and depressive symptoms. *Eating Behaviors, 9,* 497–500. (p. 169)

Mosher, W. D., Chandra, A., & Jones, J. (2005, September 15). Sexual behavior and selected health measures: Men and women 15–44 years of age, United States, 2002. *Advance Data from Vital and Health Statistics,* No. 362, National Center for Health Statistics, Centers for Disease Control and Prevention, U.S. Department of Health and Human Services. (p. 441)

Mosing, M. A., Zietsch, B. P., Shekar, S. N., Wright, M. J., & Martin, N. G. (2009). Genetic and environmental influences on optimism and its relationship to mental and self-rated health: A study of aging twins. *Behavior Genetics, 39,* 597–604. (p. 505)

Moskowitz, T. J., & Wertheim, L. J. (2011). *Scorecasting: The hidden influences behind how sports are played and games are won.* New York: Crown Archetype. (p. 532)

Moss, A. C., & Albery, I. P. (2009). A dual-process model of the alcohol-behavior link for social drinking. *Psychological Bulletin, 135,* 516–530. (p. 120)

Moss, A. J., Allen, K. F., Giovino, G. A., & Mills, S. L. (1992, December 2). Recent trends in adolescent smoking, smoking-update correlates, and expectations about the future. *Advance Data No. 221* (from Vital and Health Statistics of the Centers for Disease Control and Prevention). (p. 128)

Moss, H. A., & Susman, E. J. (1980). Longitudinal study of personality development. In O. G. Brim, Jr., & J. Kagan (Eds.), *Constancy and change in human development.* Cambridge, MA: Harvard University Press. (p. 180)

Motivala, S. J., & Irwin, M. R. (2007). Sleep and immunity: Cytokine pathways linking sleep and health outcomes. *Current Directions in Psychological Science, 16,* 21–25. (p. 108)

Motley, M. T., & Baars, B. J. (1979). Effects of cognitive set upon laboratory induced verbal (Freudian) slips. *Journal of Speech and Hearing Research, 22,* 421–432. (p. 575)

Moxley, J. H., Ericsson, K. A., Charness, N., & Krampe, R. T. (2012). The role of intuition and deliberative thinking in experts' superior tactical decision-making. *Cognition, 124,* 72–78. (p. 365)

Moyer, K. E. (1983). The physiology of motivation: Aggression as a model. In C. J. Scheier & A. M. Rogers (Eds.), *G. Stanley Hall Lecture Series* (Vol. 3). Washington, DC: American Psychological Association. (p. 545)

Mroczek, D. K., & Kolarz, D. M. (1998). The effect of age on positive and negative affect: A developmental perspective on happiness. *Journal of Personality and Social Psychology, 75,* 1333–1349. (p. 220)

Mroczek, D. K., & Spiro, A., III. (2003). Modeling intra-individual change in personality traits: Findings from the Normative Aging Study. *Journals of Gerontology: Series B. Psychological Sciences and Social Sciences, 58,* P153–P165. (p. 591)

Muchnik, L., Aral, S., Taylor, S. J. (2013). Social influence bias: A randomized experiment. *Science, 341,* 647–651. (p. 525)

Mueller, P. A., & Oppenheimer, D. M. (2014). The pen is mightier than the keyboard: Advantages of longhand over laptop note-taking. *Psychological Science, 25,* 1159–1168. (pp. 15, 350)

Muhlnickel, W. (1998). Reorganization of auditory cortex in tinnitus. *Proceedings of the National Academy of Sciences, 95,* 10340–10343. (p. 78)

Mukamel, R., Ekstrom, A. D., Kaplan, J., Iacoboni, M., & Fried, I. (2010). Single-neuron responses in humans during execution and observation of actions. *Current Biology, 20,* 750–756. (p. 309)

Mulcahy, N. J., & Call, J. (2006). Apes save tools for future use. *Science, 312,* 1038–1040. (p. 368)

Muller, J. E., Mittleman, M. A., Maclure, M., Sherwood, J. B., & Tofler, G. H. (1996). Triggering myocardial infarction by sexual activity. *Journal of the American Medical Association, 275,* 1405–1409. (p. 435)

Muller, J. E., & Verrier, R. L. (1996). Triggering of sudden death—Lessons from an earthquake. *New England Journal of Medicine, 334,* 461. (p. 489)

Mullin, C. R., & Linz, D. (1995). Desensitization and resensitization to violence against women: Effects of exposure to sexually violent films on judgments of domestic violence victims. *Journal of Personality and Social Psychology, 69,* 449–459. (p. 312)

Mulrow, C. D. (1999, March). Treatment of depression—newer pharmacotherapies, summary. *Evidence Report/Technology Assessment, 7.* Agency for Health Care Policy and Research, Rockville, MD. (http://www.ahrq.gov/clinic/deprsumm.htm). (p. 683)

Munafò, M. R., Durrant, C., Lewis, G., & Flint, J. (2009). Gene × environment interactions at the serotonin transporter locus. *Biological Psychiatry, 65,* 211–219. (p. 634)

Munsey, C. (2010, June). Medicine or menace? Psychologists' research can inform the growing debate over legalizing marijuana. *Monitor on Psychology,* pp. 50–55. (p. 125)

Murayama, K., Pekrun, R., Lichtenfeld, S., & vom Hofe, R. (2013). Predicting long-term growth in students' mathematics achievement: The unique contributions of motivation and cognitive strategies. *Child Development, 84,* 1475–1490. (p. 409)

Murdik, L., Breska, A., Lamy, D., & Deouell, L. Y. (2011). Integration without awareness: Expanding the limits of unconscious processing. *Psychological Science, 22,* 764–770. (p. 92)

Murphy, G. E., & Wetzel, R. D. (1990). The lifetime risk of suicide in alcoholism. *Archives of General Psychiatry, 47,* 383–392. (p. 638)

Murphy, K. (2008, October 28). 21-year study of children set to begin. *New York Times* (www.nytimes.com). (p. 193)

Murphy, K. R., & Cleveland, J. N. (1995). *Understanding performance appraisal: Social, organizational, and goal-based perspectives.* Thousand Oaks, CA: Sage. (p. A-7)

Murphy, S. T., Monahan, J. L., & Zajonc, R. B. (1995). Additivity of nonconscious affect: Combined effects of priming and exposure. *Journal of Personality and Social Psychology, 69,* 589–602. (p. 462)

Murray, B. (1998, May). Psychology is key to airline safety at Boeing. *The APA Monitor,* p. 36. (p. A-15)

Murray, H. (1938). *Explorations in personality.* New York: Oxford University Press. (p. 454)

Murray, H. A. (1933). The effect of fear upon estimates of the maliciousness of other personalities. *Journal of Social Psychology, 4,* 310–329. (p. 578)

Murray, H. A., & Wheeler, D. R. (1937). A note on the possible clairvoyance of dreams. *Journal of Psychology, 3,* 309–313. (pp. 28, 273)

Murray, R., Jones, P., O'Callaghan, E., Takei, N., & Sham, P. (1992). Genes, viruses, and neurodevelopmental schizophrenia. *Journal of Psychiatric Research, 26,* 225–235. (p. 643)

Murray, R. M., Morrison, P. D., Henquet, C., & Di Forti, M. (2007). Cannabis, the mind and society: The hash realities. *Nature Reviews: Neuroscience, 8,* 885–895. (p. 125)

Murray, S. L., Bellavia, G. M., Rose, P., & Griffin, D. W. (2003). Once hurt, twice hurtful: How perceived regard regulates daily marital interactions. *Journal of Personality and Social Psychology, 84,* 126–147. (p. 238)

Musallam, S., Corneil, B. D., Greger, B., Scherberger, H., & Andersen, R. A. (2004). Cognitive control signals for neural prosthetics. *Science, 305,* 258–262. (p. 77)

Musick, M. A., Herzog, A. R., & House, J. S. (1999). Volunteering and mortality among older adults: Findings from a national sample. *Journals of Gerontology, 54B,* 173–180. (p. 513)

Mustanski, B. S., & Bailey, J. M. (2003). A therapist's guide to the genetics of human sexual orientation, *Sexual and Relationship Therapy, 18,* 1468–1479. (p. 443)

Mustanski, B. S., Bailey, J. M., & Kaspar, S. (2002). Dermatoglyphics, handedness, sex, and sexual orientation. *Archives of Sexual Behavior, 31,* 113–122. (p. 445)

Mydans, S. (2002, May 17). In Pakistan, rape victims are the 'criminals.' *New York Times* (www.nytimes.com). (p. 544)

Myers, D. G. (1993). *The pursuit of happiness.* New York: Harper. (pp. 485, 486)

Myers, D. G. (2000). *The American paradox: Spiritual hunger in an age of plenty.* New Haven, CT: Yale University Press. (p. 485)

Myers, D. G. (2001, December). Do we fear the right things? *American Psychological Society Observer,* p. 3. (p. 362)

Myers, D. G. (2010). *Social psychology,* 10th edition. New York: McGraw-Hill. (pp. 601, 602)

Myers, D. G., & Bishop, G. D. (1970). Discussion effects on racial attitudes. *Science, 169,* 78–779. (p. 534)

Myers, D. G., & Diener, E. (1995). Who is happy? *Psychological Science, 6,* 10–19. (p. 485)

Myers, D. G., & Diener, E. (1996, May). The pursuit of happiness. *Scientific American.* (p. 485)

Myers, D. G., & Scanzoni, L. D. (2005). *What God has joined together?* San Francisco: Harper. (pp. 221, 441)

Myers, I. B. (1987). *Introduction to type: A description of the theory and applications of the Myers-Briggs Type Indicator.* Palo Alto, CA: Consulting Psychologists Press. (p. 586)

Myers, T. A., & Crowther, J. H. (2009). Social comparison as a predictor of body dissatisfaction: A meta-analytic review. *Journal of Abnormal Psychology, 118,* 683–698. (p. 652)

Nagamatsu, L. S., Chan, A., Davis, J. C., Beattie, B. L., Graf, P., Voss, M. W., Sharma, D., Liu-Ambrose, T. (2013). Physical activity improves verbal and spatial memory in older adults with probable mild cognitive impairment: A 6-month randomized controlled trial. *Journal of Aging Research, 2013,* Article ID 861893, 10 pages. (p. 216)

Nagourney, A. (2002, September 25). For remarks on Iraq, Gore gets praise and scorn. *New York Times* (www.nytimes.com). (p. 520)

Nanni, V., Uher, R., & Danese, A. (2012). Childhood maltreatment predicts unfavorable course of illness and treatment outcome in depression: A meta-analysis. *American Journal of Psychiatry, 169,* 141–151. (p. 200)

Napolitan, D. A., & Goethals, G. R. (1979). The attribution of friendliness. *Journal of Experimental Social Psychology, 15,* 105–113. (p. 518)

Narvaez, D. (2010). Moral complexity: The fatal attraction of truthiness and the importance of mature moral functioning. *Perspectives on Psychological Science, 5,* 163–181. (p. 207)

NAS (National Autistic Society). (2011, accessed May 11). *Statistics: How many people have autistic spectrum disorders.* www.autism.org.uk. (p. 193)

Nathan, D. (2011). *Sybil exposed: The extraordinary story behind the famous multiple personality case.* New York: Simon and Schuster. (p. 648)

National Academy of Sciences. (2001). *Exploring the biological contributions to human health: Does sex matter?* Washington, DC: Institute of Medicine, National Academy Press. (p. 167)

National Center for Health Statistics. (1990). *Health, United States, 1989.* Washington, DC: U.S. Department of Health and Human Services. (p. 215)

National Council on Aging. (1999). *The consequences of untreated hearing loss in older persons.* Washington, DC: Author. (www.ncoa.org). (p. 375)

National Institute of Mental Health (2008). *The numbers count: Mental disorders in America.* (nimh.nih.gov). (p. 617)

National Research Council. (1990). *Human factors research needs for an aging population.* Washington, DC: National Academy Press. (p. 215)

National Safety Council. (2010). Transportation mode comparison in *Injury facts 2010 edition.* www.nsc.org. (p. 96)

National Safety Council. (2014). Transportation mode comparison in *Injury Facts* (www.nsc.org). (p. 362)

National Sleep Foundation (NSF). (2006). The ABC's of back-to-school sleep schedules: The consequences of insufficient sleep. National Sleep Foundation (press release) (www.sleepfoundation.org). (p. 107)

National Sleep Foundation (NSF). (2008). *2008 sleep in America poll.* National Sleep Foundation (sleepfoundation.org). (p. 104)

National Sleep Foundation (NSF). (2010, March 8). *2010 sleep in America poll.* www.sleepfoundation.org. (p. 104)

Naughton, M., Clarke, G., O'Leary, O. F, Cryan, J. F., & Dinan, T. G. (2014). A review of ketamine in affective disorders: Current evidence of clinical efficacy, limitations of use and pre-clinical evidence on proposed mechanisms of action. *Journal of Affective Disorders, 156,* 24–35. (p. 684)

Naumann, L. P., Vazire, S., Rentfrow, P. J., & Gosling, S. D. (2009). Personality judgments based on physical appearance. *Personality and Social Psychology Bulletin, 35,* 1661–1671. (p. 593)

Nave, C. S., Sherman, R. A., Funder, D.C., Hampson, S. E., & Goldberg, L. R. (2010). On the contextual independence of personality: Teachers' assessments predict directly observed behavior after four decades. *Social Psychological and Personality Science, 3,* 1–9. (p. 179)

Naylor, T. H. (1990). Redefining corporate motivation, Swedish style. *Christian Century, 107,* 566–570. (p. A-13)

NCASA. (2007). *Wasting the best and the brightest: Substance abuse at America's colleges and universities.* New York: National Center on Addiction and Drug Abuse, Columbia University. (p. 129)

Neal, D. T., Wood, W., & Drolet, A. (2013). How do people adhere to goals when willpower is low? The profits (and pitfalls) of strong habits. *Journal of Personality and Social Psychology, 104,* 959–975. (p. 280)

Nedeltcheva, A. V., Kilkus, J. M., Imperial, J., Schoeller, D. A., & Penev, P. D. (2010). Insufficient sleep undermines dietary efforts to reduce adiposity. *Annals of Internal Medicine, 153,* 435–441. (p. 431)

NEEF. (2011; undated, accessed 17 June 2011). *Fact sheet: children's health and nature.* National Environmental Education Foundation (www.neefusa.org). (p. 688)

Neese, R. M. (1991, November/December). What good is feeling bad? The evolutionary benefits of psychic pain. *The Sciences,* pp. 30–37. (pp. 261, 302)

Neimeyer, R. A., & Currier, J. M. (2009). Grief therapy: Evidence of efficacy and emerging directions. *Current Directions in Psychological Science, 18,* 352–356. (p. 225)

Neisser, U. (1979). The control of information pickup in selective looking. In A. D. Pick (Ed.), *Perception and its development: A tribute to Eleanor J. Gibson.* Hillsdale, NJ: Erlbaum. (p. 97)

Neisser, U., Boodoo, G., Bouchard, T. J., Jr., Boykin, A. W., Brody, N., Ceci, S. J., . . . Urbina, S. (1996). Intelligence: Knowns and unknowns. *American Psychologist, 51,* 77–101. (pp. 406, 413)

Neisser, U., Winograd, E., & Weldon, M. S. (1991). *Remembering the earthquake: "What I experienced" vs. "How I heard the news."* Paper presented to the Psychonomic Society convention. (p. 331)

Neitz, J., Carroll, J., & Neitz, M. (2001). Color vision: Almost reason enough for having eyes. *Optics & Photonics News 12,* 26–33. (p. 243)

Neitz, J., Geist, T., & Jacobs, G. H. (1989). Color vision in the dog. *Visual Neuroscience, 3,* 119–125. (p. 243)

Nelson, C. A., III, Fox, N. A., & Zeanah, C. H., Jr. (2013, April). Anguish of the abandoned child. *Scientific American,* pp. 62–67. (pp. 222, 408)

Nelson, C. A., III, Fox, N. A., & Zeanah, C. H., Jr. (2014). *Romania's abandoned children.* Cambridge, MA: Harvard University Press. (p. 199)

Nelson, C. A., III, Furtado, E. Z., Fox, N. A., & Zeanah, C. H., Jr. (2009). The deprived human brain. *American Scientist, 97,* 222–229. (pp. 199, 408)

Nelson, M. D., Saykin, A. J., Flashman, L. A., & Riordan, H. J. (1998). Hippocampal volume reduction in schizophrenia as assessed by magnetic resonance imaging. *Archives of General Psychiatry, 55,* 433–440. (p. 642)

Nelson, S. K., Kushlev, K., English, T., Dunn, E. W., & Lyubomirsky, S. (2013). In defense of parenthood: Children are associated with more joy than misery. *Psychological Science, 24,* 3–10. (p. 34)

Nemeth, C. J., & Ormiston, M. (2007). Creative idea generation: Harmony versus stimulation. *European Journal of Social Psychology, 37,* 524–535. (p. 536)

Neria, Y., DiGrande, L., & Adams, B. G. (2011). Posttraumatic stress disorder following the September 11, 2001, terrorist attacks: A review of the literature among highly exposed populations. *American Psychologist, 66,* 429–446. (p. 623)

Nes, R. B. (2010). Happiness in behaviour genetics: Findings and implications. *Journal of Happiness Studies, 11,* 369–381. (p. 486)

Nes, R. B., Czajkowski, N., & Tambs, K. (2010). Family matters: Happiness in nuclear families and twins. *Behavior Genetics, 40,* 577–590. (p. 485)

Nesca, M., & Koulack, D. (1994). Recognition memory, sleep and circadian rhythms. *Canadian Journal of Experimental Psychology, 48,* 359–379. (p. 342)

Nestler, E. J. (2011, December). Hidden switches in the mind. *Scientific American,* pp. 77–83. (p. 634)

Nestoriuc, Y., Rief, W., & Martin, A. (2008). Meta-analysis of biofeedback for tension-type headache: Efficacy, specificity, and treatment moderators. *Journal of Consulting and Clinical Psychology, 76,* 379–396. (p. 509)

Neubauer, D. N. (1999). Sleep problems in the elderly. *American Family Physician, 59,* 2551–2558. (p. 103)

Neumann, R., & Strack, F. (2000). "Mood contagion": The automatic transfer of mood between persons. *Journal of Personality and Social Psychology, 79,* 211–223. (pp. 475, 525)

Nevicka, B., Ten Velden, F. S., De Hoogh, A. H. B., & Van Vianen, A. E. M. (2011). Reality at odds with perceptions: Narcissistic leaders and group performance. *Psychological Science, 22,* 1259–1264. (p. 604)

Newcomb, M. D., & Harlow, L. L. (1986). Life events and substance use among adolescents: Mediating effects of perceived loss of control and meaninglessness in life. *Journal of Personality and Social Psychology, 51,* 564–577. (p. 127)

Newman, A. J., Bavelier, D., Corina, D., Jezzard, P., & Neville, H. J. (2002). A critical period for right hemisphere recruitment in American Sign Language processing. *Nature Neuroscience, 5,* 76–80. (p. 374)

Newman, L. S., & Ruble, D. N. (1988). Stability and change in self-understanding: The early elementary school years. *Early Child Development and Care, 40,* 77–99. (p. 201)

Newman, S. C., Bland, R. C., & Thompson, A. H. (2012). Long-term course and outcome in schizophrenia: A 34-year follow-up study in Alberta, Canada. *Psychological Medicine, 42,* 2137–2143. (p. 641)

Newport, E. L. (1990). Maturational constraints on language learning. *Cognitive Science, 14,* 11–28. (p. 374)

Newport, F. (2001, February). Americans see women as emotional and affectionate, men as more aggressive. *The Gallup Poll Monthly,* pp. 34–38. (p. 470)

Newport, F. (2002, July 29). Bush job approval update. *Gallup News Service* (www.gallup.com/poll/releases/pr020729.asp). (p. 565)

Newport, F. (2007, June 11). Majority of Republicans doubt theory of evolution. *Gallup Poll* (www.galluppoll.com). (p. 172)

Newport, F. (2013, July 25). In U.S. 87% approve of Black-White marriage, vs. 4% in 1958. Gallup Poll (2www.gallup.com). (p. 538)

Newport, F. (2013, July 31). Former smokers say best way to quit is just to stop "cold turkey." Gallup Poll (www.gallup.com). (pp. 118, 122)

Newport, F. (2014, April 4). Americans show low levels of concern on global warming. www.gallup.com. (p. 520)

Newport, F., Argrawal, S., & Witters, D. (2010, December 23). Very religious Americans lead healthier lives. *Gallup* (www.gallup.com). (p. 513)

Newport, F., & Pelham, B. (2009, December 14). Don't worry, be 80: Worry and stress decline with age. *Gallup* (www.gallup.com). (p. 490)

Newton, E. L. (1991). The rocky road from actions to intentions. *Dissertation Abstracts International, 51*(8–B), 4105. (p. A-15)

Ng, J. Y. Y., Ntoumanis, N., Thøgersen-Ntoumani, C., Deci, E. L., Ryan, R. M., Duda, J. L., & Williams, G. C. (2012). Self-determination theory applied to health contexts: A meta-analysis. *Perspectives on Psychological Science, 7,* 325–340. (p. 502)

Ng, M. (2014, May 29). Global, regional, and national prevalence of overweight and obesity in children and adults during 1980–2013: A systematic analysis for the Global Burden of Disease Study 2013. *The Lancet.* Early online publication. Doi: 10.1016/S0141-6736(14)60460-8. (p. 430)

Ng, S. H. (1990). Androcentric coding of *man* and *his* in memory by language users. *Journal of Experimental Social Psychology, 26,* 455–464. (p. 381)

Ng, T. W. H., & Feldman, D. C. (2009). How broadly does education contribute to job performance. *Personnel Psychology, 62,* 89–134. (p. A-6)

Ng, T. W. H., Sorensen, K. L., & Yim, F. H. K. (2009). Does the job satisfaction—job performance relationship vary across cultures? *Journal of Cross-Cultural Psychology, 40,* 761–796. (p. A-9)

Ng, W., Diener, E., Aurora, R., & Harter, J. (2009). Affluence, feelings of stress, and well-being. *Social Indicators Research, 94,* 257–271. (p. 489)

Ng, W. W. H., Sorensen, K. L., & Eby, L. T. (2006). Locus of control at work: A meta-analysis. *Journal of Organizational Behavior, 27,* 1057–1087. (p. 503)

Nguyen, H-H. D., & Ryan, A. M. (2008). Does stereotype threat affect test performance of minorities and women? A meta-analysis of experimental evidence. *Journal of Applied Psychology, 93,* 1314–1334. (p. 414)

NHTSA. (2000). *Traffic safety facts 1999: Older population.* Washington, DC: National Highway Traffic Safety Administration (National Transportation Library: www.ntl.bts.gov). (p. 216)

Nicholson, I. (2011). "Torture at Yale": Experimental subjects, laboratory torment and the "rehabilitation" of Milgram's "Obedience to Authority." *Theory and Psychology, 21,* 737–761. (p. 529)

Nickell, J. (Ed.). (1994). *Psychic sleuths: ESP and sensational cases.* Buffalo, NY: Prometheus Books. (p. 272)

Nickell, J. (2005, July/August). The case of the psychic detectives. *Skeptical Inquirer* (skeptically.org/skepticism/id10.html). (p. 272)

Nickerson, R. S. (1998). Applied experimental psychology. *Applied Psychology: An International Review, 47,* 155–173. (p. A-14)

Nickerson, R. S. (1999). How we know—and sometimes misjudge—what others know: Imputing one's own knowledge to others. *Psychological Bulletin, 125,* 737–759. (p. A-15)

Nickerson, R. S. (2002). The production and perception of randomness. *Psychological Review, 109,* 330–357. (p. 22)

Nickerson, R. S. (2005). Bertrand's chord, Buffon's needles, and the concept of randomness. *Thinking & Reasoning, 11,* 67–96. (p. 22)

Nickerson, R. S., & Adams, M. J. (1979). Long-term memory for a common object. *Cognitive Psychology, 11,* 287–307. (p. 340)

Nicol, S. E., & Gottesman, I. I. (1983). Clues to the genetics and neurobiology of schizophrenia. *American Scientist, 71,* 398–404. (p. 645)

Nicolas, S., & Levine, Z. (2012). Beyond intelligence testing: Remembering Alfred Binet after a century. *European Psychologist, 17,* 320–325. (p. 393)

Nicolaus, L. K., Cassel, J. F., Carlson, R. B., & Gustavson, C. R. (1983). Taste-aversion conditioning of crows to control predation on eggs. *Science, 220,* 212–214. (p. 302)

Nicolelis, M. A. L. (2011). *Beyond boundaries: The new neuroscience of connecting brains with machines—and how it will change our lives.* New York: Times Books. (p. 77)

NIDA. (2002). Methamphetamine abuse and addiction. *Research Report Series.* National Institute on Drug Abuse, NIH Publication Number 02–4210. (p. 123)

NIDA. (2005, May). Methamphetamine. *NIDA Info Facts.* National Institute on Drug Abuse. (p. 123)

NIDCD. (2013, accessed November 1). Cochlear implants. National Institute on Deafness and Other Communication Disorders (www.nidcd.nih.gov). (p. 259)

Nie, N. H. (2001). Sociability, interpersonal relations and the Internet: Reconciling conflicting findings. *American Behavioral Scientist, 45,* 420–435. (p. 452)

Nielsen, K. M., Faergeman, O., Larsen, M. L., & Foldspang, A. (2006). Danish singles have a twofold risk of acute coronary syndrome: Data from a cohort of 138,290 persons. *Journal of Epidemiology and Community Health, 60,* 721–728. (p. 505)

Nielsen, M., & Tomaseli, K. (2010). Overimitation in Kalahari Bushman children and the origins of human cultural cognition. *Psychological Science, 21,* 729–736. (p. 309)

Niemiec, C. P., Ryan, R. M., & Deci, E. L. (2009). The path taken: Consequences of attaining intrinsic and extrinsic aspirations in post-college life. *Journal of Research in Personality, 43,* 291–306. (p. 482)

NIH. (2001, July 20). *Workshop summary: Scientific evidence on condom effectiveness for sexually transmitted disease (STD) prevention.* Bethesda: National Institute of Allergy and Infectious Diseases, National Institutes of Health. (p. 436)

NIH. (2010). *Teacher's guide: Information about sleep.* National Institutes of Health (www.science.education.nih.gov). (p. 105)

NIH. (2013, January 24). *Prenatal inflammation linked to autism risk.* National Institutes of Health (www.nih.gov). (p. 193)

Niparko, J. K., Tobey, E. A., Thal, D. J., Eisenberg, L. S., Wang, N., Quittner, A. L., & Fink, N. E. (2010). Spoken language development in children following cochlear implantation. *JAMA: Journal of the American Medical Association, 303,* 1498–1506. (p. 375)

Nir, Y., & Tononi, G. (2010). Dreaming and the brain: From phenomenology to neurophysiology. *Trends in Cognitive Sciences, 14,* 88–100. (p. 115)

Nisbett, R. E. (1987). Lay personality theory: Its nature, origin, and utility. In N. E. Grunberg, R. E. Nisbett, et al. (Eds.), *A distinctive approach to psychological research: The influence of Stanley Schachter.* Hillsdale, NJ: Erlbaum. (p. A-5)

Nisbett, R. E. (2003). *The geography of thought: How Asians and Westerners think differently…and why.* New York: Free Press. (p. 518)

Nisbett, R. E. (2009). *Intelligence and how to get it: Why schools and culture count.* New York: Norton. (p. 412)

Nisbett, R. E., Aronson, J., Blair, C., Dickens, W., Flynn, J., Halpern, D. F., & Turkheimer, E. (2012). Intelligence: New findings and theoretical developments. *American Psychologist, 67,* 130–159. (pp. 406, 411)

Nisbett, R. E., & Cohen, D. (1996). *Culture of honor: The psychology of violence in the South.* Boulder, CO: Westview Press. (p. 548)

Nixon, G. M., Thompson, J. M. D., Han, D. Y., Becroft, D. M., Clark, P. M., Robinson, E., . . . & Mitchell, E. A. (2008). Short sleep duration in middle childhood: Risk factors and consequences. *Sleep, 31,* 71–78. (p. 108)

Nizzi, M. C., Demertzi, A., Gosseries, O., Bruno, M. A., Jouen, F., & Laureys, S. (2012). From armchair to wheelchair: How patients with a locked-in syndrome integrate bodily changes in experienced identity. *Consciousness and Cognition, 21,* 431–437. (p. 481)

Nocera, J. (2012, December 7.) It's hard to be a hero. *New York Times* (www.nytimes.com). (p. 561)

Nock, M. K. (2010). Self-injury. *Annual Review of Clinical Psychology, 6,* 339–363. (p. 638)

Nock, M. K., Borges, G., Bromet, E. J., Alonso, J., Angermeyer, M., Beautrais, A., . . . Williams, D. (2008). Cross-national prevalence and risk factors for suicidal ideation, plans, and attempts. *British Journal of Psychiatry, 192,* 98–105. (p. 638)

Nock, M. K., & Kessler, R. C. (2006). Prevalence of and risk factors for suicide attempts versus suicide gestures: Analysis of the National Comorbidity Survey. *Journal of Abnormal Psychology, 115,* 616–623. (p. 639)

Noel, J. G., Forsyth, D. R., & Kelley, K. N. (1987). Improving the performance of failing students by overcoming their self-serving attributional biases. *Basic and Applied Social Psychology, 8,* 151–162. (p. 504)

Noice, H., & Noice, T. (2006). What studies of actors and acting can tell us about memory and cognitive functioning. *Current Directions in Psychological Science, 15,* 14–18. (p. 327)

Nolen-Hoeksema, S. (2001). Gender differences in depression. *Current Directions in Psychological Science, 10,* 173–176. (p. 635)

Nolen-Hoeksema, S. (2003). *Women who think too much: How to break free of overthinking and reclaim your life.* New York: Holt. (p. 635)

Nolen-Hoeksema, S., & Larson, J. (1999). *Coping with loss.* Mahwah, NJ: Erlbaum. (p. 225)

Norberg, M. M., Krystal, J. H., & Tolin, D. F. (2008). A meta-analysis of d-cycloserine and the facilitation of fear extinction and exposure therapy. *Biological Psychiatry, 63,* 1118–1126. (p. 626)

NORC. (2010). National Opinion Research Center (University of Chicago) General Social Survey data, 1972 through 2008, accessed via sda.berkeley.edu. (p. 449)

Nordgren, L. F., McDonnell, M-H. M., & Loewenstein, G. (2011). What constitutes torture? Psychological impediments to an objective evaluation of enhanced interrogation tactics. *Psychological Science, 22,* 689–694. (p. 238)

Nordgren, L. F., van der Pligt, J., & van Harreveld, F. (2006). Visceral drives in retrospect: Explanations about the inaccessible past. *Psychological Science, 17,* 635–640. (p. 425)

Nordgren, L. F., van der Pligt, J., & van Harreveld, F. (2007). Evaluating Eve: Visceral states influence the evaluation of impulsive behavior. *Journal of Personality and Social Psychology, 93,* 75–84. (p. 425)

Nordgren, L. F., van Harreveld, F., & van der Pligt, J. (2009). The restraint bias: How the illusion of self-restraint promoted impulsive behavior. *Psychological Science, 20,* 1523–1528. (p. 600)

Norem, J. K. (2001). *The positive power of negative thinking: Using defensive pessimism to harness anxiety and perform at your peak.* New York: Basic Books. (p. 600)

Norenzayan, A., & Hansen, I. G. (2006). Belief in supernatural agents in the face of death. *Personality and Social Psychology Bulletin, 32,* 174–187. (p. 581)

Norman, D. A. (2001). The perils of home theater (www.jnd.org/dn.mss/ProblemsOfHomeTheater.html). (p. A-14)

Norman, E. (2010). "The unconscious" in current psychology. *European Psychologist, 15,* 193–201. (p. 580)

Noroozian, M., Lofti, J., Gassemzadeh, H., Emami, H., & Mehrabi, Y. (2003). Academic achievement and learning abilities in left-handers: Guilt or gift? *Cortex, 38,* 779–785. (p. 86)

Norton, K. L., Olds, T. S., Olive, S., & Dank, S. (1996). Ken and Barbie at life size. *Sex Roles, 34,* 287–294. (p. 653)

Norton, M. I., & Ariely, D. (2011). Building a better America—One wealth quintile at a time. *Perspectives on Psychological Science, 6,* 9–12. (p. 42)

NPR. (2009, July 11). Afraid to fly? Try living on a plane. www.npr.org. (p. 288)

NSF. (2001, October 24). Public bounces back after Sept. 11 attacks, national study shows. *NSF News,* National Science Foundation (www.nsf.gov/od/lpa/news/press/ol/pr0185.htm). (p. 489)

Nurmikko, A. V., Donoghue, J. P., Hochberg, L. R., Patterson, W. R., Song, Y-K., Bull, C. W., . . . & Aceros, J. (2010). Listening to brain microcircuits for interfacing with external world—Progress in wireless implantable microelectronic neuroengineering devices. *Proceedings of the IEEE, 98,* 375–388. (p. 77)

Nussinovitch, U., & Shoenfeld, Y. (2012). The role of gender and organ specific autoimmunity. *Autoimmunity Reviews, 11,* A377–A385. (p. 493)

Nutt, D. J., & Malizia, A. L. (2004). Structural and functional brain changes in posttraumatic stress disorder. *Journal of Clinical Psychology, 65,* 11–17. (p. 626)

Nuttin, J. M., Jr. (1987). Affective consequences of mere ownership: The name letter effect in twelve European languages. *European Journal of Social Psychology, 17,* 381–402. (p. 551)

Nye, C. D., Su, R., Rounds, J., & Drasgow, F. (2012). Vocational interests and performance: A quantitative summary of over 60 years of research. *Perspectives on Psychological Science, 7,* 384–403. (p. A-3)

Oakley, D. A., & Halligan, P. W. (2013). Hypnotic suggestion: Opportunities for cognitive neuroscience. *Nature Reviews Neuroscience, 14,* 565–576. (p. 265)

Oaten, M., & Cheng, K. (2006a). Longitudinal gains in self-regulation from regular physical exercise. *British Journal of Health Psychology, 11,* 717–733. (p. 504)

Oaten, M., & Cheng, K. (2006b). Improved self-control: The benefits of a regular program of academic study. *Basic and Applied Social Psychology, 28,* 1–16. (p. 504)

Oberlander, J., & Gill, A. J. (2006). Language with character: A stratified corpus comparison of individual differences in e-mail communication. *Discourse Processes, 42,* 239–270. (p. 593)

Oberman, L. M., & Ramachandran, V. S. (2007). The simulating social mind: The role of the mirror neuron system and simulation in the social and communicative deficits of autism spectrum disorders. *Psychological Bulletin, 133,* 310–327. (p. 194)

O'Boyle, E. H., Jr., Humphrey, R. H., Pollack, J. M., Hawver, T. H., & Story, P. A. (2011). The relation between emotional intelligence and job performance: A meta-analysis. *Journal of Organizational Behavior, 32,* 788–818. (p. 391)

O'Brien, E., & Ellsworth, P. C. (2012). Saving the last for best: A positivity bias for end experiences. *Psychological Science, 23,* 163–165. (p. 263)

O'Brien, L., Albert, D., Chein, J., & Steinberg, L. (2011). Adolescents prefer more immediate rewards when in the presence of their peers. *Journal of Research on Adolescence, 21,* 747–753. (p. 211)

Ochsner, K. N., Ray, R. R., Hughes, B., McRae, K., Cooper, J. C., Weber, J., Gabrieli, J. D. E., & Gross, J. J. (2009). Bottom-up and top-down processes in emotion generation: Common and distinct neural mechanisms. *Psychological Science, 20,* 1322–1331. (p. 462)

O'Connor, P., & Brown, G. W. (1984). Supportive relationships: Fact or fancy? *Journal of Social and Personal Relationships, 1,* 159–175. (p. 679)

Odgers, C. L., Caspi, A., Nagin, D. S., Piquero, A. R., Slutske, W. S., Milne, B. J., . . . Moffitt, T. E. (2008). Is it important to prevent early exposure to drugs and alcohol among adolescents? *Psychological Science, 19,* 1037–1044. (p. 129)

O'Donnell, L., Stueve, A., O'Donnell, C., Duran, R., San Doval, A., Wilson, R. F., . . . & Pleck, J. H. (2002). Long-term reduction in sexual initiation and sexual activity among urban middle schoolers in the reach for health service learning program. *Journal of Adolescent Health, 31,* 93–100. (p. 439)

O'Donovan, A., Neylan, T. C., Metzler, T., & Cohen, B. E. (2012). Lifetime exposure to traumatic psychological stress is associated with elevated inflammation in the heart and soul study. *Brain, Behavior, and Immunity, 26,* 642–649. (p. 496)

Oettingen, G., & Mayer, D. (2002). The motivating function of thinking about the future: Expectations versus fantasies. *Journal of Personality and Social Psychology, 83,* 1198–1212. (p. 504)

Offer, D., Kaiz, M., Howard, K. I., & Bennett, E. S. (2000). The altering of reported experiences. *Journal of the American Academy of Child and Adolescent Psychiatry, 39,* 735–742. (p. 347)

Offer, D., Ostrov, E., Howard, K. I., & Atkinson, R. (1988). *The teenage world: Adolescents' self-image in ten countries.* New York: Plenum. (p. 210)

Ogden, J. (2012, January 16). HM, the man with no memory. www.psychologytoday.com. (p. 338)

O'Hara, R. E., Gibbons, F. X., Gerrard, M., Li, Z., & Sargent, J. D. (2012). Greater exposure to sexual content in popular movies predicts earlier sexual debut and increased sexual risk taking. *Psychological Science, 23,* 984–993. (p. 439)

Ohgami, H., Terao, T., Shiotsuki, I., Ishii, N., & Iwata, N. (2009). Lithium levels in drinking water and risk of suicide. *British Journal of Psychiatry, 194,* 464–465. (p. 685)

Óhman, A. (2009). Of snakes and fears: An evolutionary perspective on the psychology of fear. *Scandinavian Journal of Psychology, 50,* 543–552. (p. 627)

Oishi, S., & Schimmack, U. (2010). Culture and well-being: A new inquiry into the psychological wealth of nations. *Perspectives in Psychological Science, 5,* 463–471. (p. 485)

Oishi, S., & Schimmack, U. (2010). Residential mobility, well-being, and mortality. *Journal of Personality and Social Psychology, 98,* 980–994. (p. 449)

Oishi, S., Diener, E. F., Lucas, R. E., & Suh, E. M. (1999). Cross-cultural variations in predictors of life satisfaction: Perspectives from needs and values. *Personality and Social Psychology Bulletin, 25,* 980–990. (p. 423)

Oishi, S., Kesebir, S., & Diener, E. (2011). Income inequality and happiness. *Psychological Science, 22,* 1095–1100. (pp. 484, 548)

Oishi, S., Kesebir, S., Miao, F., et al. (2013). Residential mobility increases motivation to expand social network. But why? *Journal of Experimental Social Psychology, 49,* 217–223. (p. 449)

Okada, K., & Samreth, S. (2013). A study on the socio-economic determinants of suicide: Evidence from 13 European OECD countries. *Journal of Behavioral Economics, 45,* 78–85. (p. 637)

Okimoto, T. G., & Brescoll, V. L. (2010). The price of power: Power seeking and backlash against female politicians. *Personality and Social Psychology Bulletin, 36,* 923–936. (p. 163)

Olatunji, B. O., & Wolitzky-Taylor, K. B. (2009). Anxiety sensitivity and the anxiety disorders: A meta-analytic review and synthesis. *Psychological Bulletin, 135,* 974–999. (p. 621)

Olds, J. (1958). Self-stimulation of the brain. *Science, 127,* 315–324. (p. 72)

Olds, J. (1975). Mapping the mind onto the brain. In F. G. Worden, J. P. Swazey, & G. Adelman (Eds.), *The neurosciences: Paths of discovery.* Cambridge, MA: MIT Press. (p. 72)

Olds, J., & Milner, P. (1954). Positive reinforcement produced by electrical stimulation of the septal area and other regions of rat brain. *Journal of Comparative and Physiological Psychology, 47,* 419–427. (p. 72)

Olff, M., Langeland, W., Draijer, N., & Gersons, B. P. R. (2007). Gender differences in posttraumatic stress disorder. *Psychological Bulletin, 135,* 183–204. (p. 624)

Olfson, M., Marcus, S. C., Wan, G. J., & Geissler, E. C. (2004). National trends in the outpatient treatment of anxiety disorders. *Journal of Clinical Psychiatry, 65,* 1166–1173. (p. 683)

Oliner, S. P., & Oliner, P. M. (1988). *The altruistic personality: Rescuers of Jews in Nazi Europe.* New York: Free Press. (p. 310)

Olivola, C. Y., & Todorov, A. (2010). Elected in 100 milliseconds: Appearance-based trait inferences and voting. *Journal of Nonverbal Behavior, 54,* 83–110. (p. 469)

Olson, M. A., & Fazio, R. H. (2001). Implicit attitude formation through classical conditioning. *Psychological Science, 12,* 413–417. (p. 304)

Olsson, A., Nearing, K. I., & Phelps, E. A. (2007). Learning fears by observing others: The neural systems of social fear transmission. *Social Cognitive and Affective Neuroscience, 2,* 3–11. (p. 625)

Olweus, D., Mattsson, A., Schalling, D., & Low, H. (1988). Circulating testosterone levels and aggression in adolescent males: A causal analysis. *Psychosomatic Medicine, 50,* 261–272. (p. 546)

Oman, D., Kurata, J. H., Strawbridge, W. J., & Cohen, R. D. (2002). Religious attendance and cause of death over 31 years. *International Journal of Psychiatry in Medicine, 32,* 69–89. (p. 512)

O'Neill, M. J. (1993). *The relationship between privacy, control, and stress responses in office workers.* Paper presented to the Human Factors and Ergonomics Society convention. (p. 501)

Ong, A. D., Fuller-Rowell, T., & Burrow, A. L. (2009). Racial discrimination and the stress process. *Journal of Personality and Social Psychology, 96,* 1259–1271. (p. 490)

Open Source Collaboration. (2012). An open, large-scale, collaborative effort to estimate the reproducibility of psychological science. *Perspectives on Psychological Science, 7,* 657–660. (p. 27)

Oppenheimer, D. M., & Trail, T. E. (2010). Why leaning to the left makes you lean to the left: Effects of spatial orientation on political attitudes. *Social Cognition, 28,* 651–661. (p. 270)

Oppenheimer, D., Jerez-Fernandez, A., & Angulo, A. N. (2014). Show me the numbers. *Psychological Science, 25,* 633–635. (p. 43)

Opris,, D., Pintea, S., García-Palacios, A., Botella, C., Szamosközi, S,., & David, D. (2012). Virtual reality exposure therapy in anxiety disorders: A quantitative meta-analysis. *Depression and Anxiety, 29,* 85–93. (p. 665)

Oquendo, M. A., Galfalvy, H. C., Currier, D., Grunebaum, M. F., Sher, L., Sullivan, G. M., . . . Mann, J. J. (2011). Treatment of suicide attempters with bipolar disorder: A randomized clinical trial comparing lithium and valproate in the prevention of suicidal behavior. *The American Journal of Psychiatry, 168,* 1050–1056. (p. 685)

Oren, D. A., & Terman, M. (1998). Tweaking the human circadian clock with light. *Science, 279,* 333–334. (pp. 104, 105)

Organisation for Economic Co-operation and Development (2013). *OECD guidelines on measuring subjective well-being.* Paris, France: OECD (www.oecd.org/statistics/guidelines-on-measuring-subjective-well-being.htm). (p. 486)

Orth, U., Robins, R. W., & Meier, L. L. (2009). Disentangling the effects of low self-esteem and stressful events on depression: Findings from three longitudinal studies. *Personality Processes and Individual Differences, 97,* 307–321. (p. 599)

Orth, U., Robins, R. W., & Roberts, B. W. (2008). Low self-esteem prospectively predicts depression in adolescence and young adulthood. *Journal of Personality and Social Psychology, 95,* 695–708. (p. 599)

Orth, U., Robins, R. W., Trzesniewski, K. H., Maes, J., & Schmitt, M. (2009). Low self-esteem is a risk factor for depressive symptoms from young adulthood to old age. *Journal of Abnormal Psychology, 118,* 472–478. (p. 632)

Orth, U., Robins, R. W., & Widaman, K. F. (2012). Life-span development of self-esteem and its effects on important life outcomes. *Journal of Personality and Social Psychology, 102,* 1271–1288. (p. 180)

Osborne, C., Manning, W. D., & Smock, P. J. (2007). Married and cohabiting parents' relationship stability: A focus on race and ethnicity. *Journal of Marriage and Family, 69,* 1345–1366. (p. 221)

Osborne, J. W. (1997). Race and academic disidentification. *Journal of Educational Psychology, 89,* 728–735. (p. 415)

Osborne, L. (1999, October 27). A linguistic big bang. *New York Times Magazine* (www.nytimes.com). (p. 373)

Osgood, C. E. (1962). *An alternative to war or surrender.* Urbana: University of Illinois Press. (p. 567)

Osgood, C. E. (1980). *GRIT: A strategy for survival in mankind's nuclear age?* Paper presented at the Pugwash Conference on New Directions in Disarmament. (p. 567)

Oskarsson, A. T., Van Voven, L., McClelland, G. H., & Hastie, R. (2009). What's next? Judging sequences of binary events. *Psychological Bulletin, 135,* 262–285. (p. 22)

OSS Assessment Staff. (1948). *The assessment of men.* New York: Rinehart. (p. 596)

Ossher, L., Flegal, K. E., & Lustig, C. (2012). Everyday memory errors in older adults. *Aging, Neuropsychology, and Cognition, 20,* 220–242. (p. 218)

Ost, L. G., & Hugdahl, K. (1981). Acquisition of phobias and anxiety response patterns in clinical patients. *Behaviour Research and Therapy, 16,* 439–447. (p. 624)

Ostfeld, A. M., Kasl, S. V., D'Atri, D. A., & Fitzgerald, E. F. (1987). *Stress, crowding, and blood pressure in prison.* Hillsdale, NJ: Erlbaum. (p. 502)

O'Sullivan, M., Frank, M. G., Hurley, C. M., & Tiwana, J. (2009). Police lie detection accuracy: The effect of lie scenario. *Law and Human Behavior, 33,* 530–538. (p. 469)

Osvath, M., & Karvonen, E. (2012). Spontaneous innovation for future deception in a male chimpanzee. *PLoS ONE, 7*(5), e36782. (p. 368)

Oswald, A. J., & Wu, S. (2010). Objective confirmation of subjective measures of human well-being: Evidence from the U.S.A. *Science, 327,* 576–579. (p. 482)

Oswald, F. L., Mitchell, G., Blanton, H., Jaccard, J., & Tetlock, P. E. (2013). Predicting ethnic and racial discrimination: A meta-analysis of IAT criterion studies. *Journal of Personality and Social Psychology, 105,* 171–192. (p. 539)

Oswalt, S. B., & Wyatt, T. J. (2011). Sexual orientation and differences in mental health, stress, and academic performance in a national sample of U.S. college students. *Journal of Homosexuality, 58,* 1255–1280. (p. 441)

Ott, B. (2007, June 14). Investors, take note: Engagement boosts earnings. *Gallup Management Journal* (gmj.gallup.com). (p. A-10)

Ott, C. H., Lueger, R. J., Kelber, S. T., & Prigerson, H. G. (2007). Spousal bereavement in older adults: Common, resilient, and chronic grief with defining characteristics. *Journal of Nervous and Mental Disease, 195,* 332–341. (p. 225)

Ouellette, J. A., & Wood, W. (1998). Habit and intention in everyday life: The multiple processes by which past behavior predicts future behavior. *Psychological Bulletin, 124,* 54–74. (p. A-6)

Overgaard, M. (2012). Blindsight: Recent and historical controversies on the blindness of blindsight. *Wiley Interdisciplinary Reviews: Cognitive Science, 3,* 607–614. (p. 94)

Owen, A. M. (2014). Disorders of consciousness: Diagnostic accuracy of brain imaging in the vegetative state. *Nature Review: Neurology, 10,* 370–371. (p. 93)

Owen, A. M., Coleman, M. R., Boly, M., Davis, M. H., Laureys, S., & Pickard, J. D. (2006). Detecting awareness in the vegetative state. *Science, 313,* 1402. (p. 93)

Owen, A. M., Hampshire, A., Grahn, J. A., Stenton, R., Dajani, S., Burns, A. S., Howard, R. J., & Ballard, C. G. (2010). Putting brain training to the test. *Nature, 465,* 775–778. (p. 218)

Owen, D. J., Slep, A. M. S., & Heyman, R. E. (2012). The effect of praise, positive nonverbal response, reprimand, and negative nonverbal response on child compliance: A systematic review. *Clinical Child and Family Psychology Review, 15,* 364–385. (p. 295)

Owen, R. (1814). First essay in *New view of society or the formation of character.* Quoted in *The story of New Lamark.* New Lamark Mills, Lamark, Scotland: New Lamark Conservation Trust, 1993. (p. A-8)

Owens, J. A., Belon, K., & Moss, P. (2010). Impact of delaying school start time on adolescent sleep, mood, and behavior. *Archives of Pediatric Adolescent Medicine, 164,* 608–614. (p. 107)

Oxfam. (2005, March 26). *Three months on: New figures show tsunami may have killed up to four times as many women as men.* Oxfam Press Release (www.oxfam.org.uk). (p. 168)

Ozer, E. J., Best, S. R., Lipsey, T. L., & Weiss, D. S. (2003). Predictors of posttraumatic stress disorder and symptoms in adults: A meta-analysis. *Psychological Bulletin, 129,* 52–73. (p. 623)

Ozer, E. J., & Weiss, D. S. (2004). Who develops posttraumatic stress disorder? *Current Directions in Psychological Science, 13,* 169–172. (pp. 623, 624)

Özgen, E. (2004). Language, learning, and color perception. *Current Directions in Psychological Science, 13,* 95–98. (p. 381)

Pace-Schott, E. P., & Spencer, R. M. C. (2011). Age-related changes in the cognitive function of sleep. *Progress in Brain Research, 191,* 75–89. (p. 106)

Padgett, V. R. (1989). *Predicting organizational violence: An application of 11 powerful principles of obedience.* Paper presented to the American Psychological Association convention. (p. 530)

Pagani, L. S., Fitzpatrick, C., Barnett, T. A., & Dubow, E. (2010). Prospective associations between early childhood television exposure and academic, psychosocial, and physical well-being by middle childhood. *Archive of Pediatric and Adolescent Medicine, 164,* 425–431. (p. 432)

Page, S. E. (2007). *The difference: How the power of diversity creates better groups, firms, schools, and societies.* Princeton, NJ: Princeton University Press. (p. 536)

Palladino, J. J., & Carducci, B. J. (1983). *"Things that go bump in the night": Students' knowledge of sleep and dreams.* Paper presented at the meeting of the Southeastern Psychological Association. (p. 100)

Pallier, C., Colomé, A., & Sebastián-Gallés, N. (2001). The influence of native-language phonology on lexical access: Exemplar-based versus abstract lexical entries. *Psychological Science, 12,* 445–448. (p. 372)

Palmer, S., Schreiber, C., & Box, C. (1991). *Remembering the earthquake: "Flashbulb" memory for experienced vs. reported events.* Paper presented to the Psychonomic Society convention. (p. 331)

Palmese, L. B., DeGeorge, P. C., Ratliff, J. C., Srihari, V. H., Wexler, B. E., Krystal, A. D., & Tek, C. (2011). Insomnia is frequent in schizophrenia and associated with night eating and obesity. *Schizophrenia Research, 133,* 238–243. (p. 641)

Pandey, J., Sinha, Y., Prakash, A., & Tripathi, R. C. (1982). Right-left political ideologies and attribution of the causes of poverty. *European Journal of Social Psychology, 12,* 327–331. (p. 519)

Pandya, H. (2013, April 23). Shakuntala Devi, 'Human Computer' who bested the machines, dies at 83. *New York Times* (www.nytimes.com). (p. 411)

Panksepp, J. (2007). Neurologizing the psychology of affects: How appraisal-based constructivism and basic emotion theory can coexist. *Perspectives on Psychological Science, 2,* 281–295. (p. 466)

Pantev, C., Oostenveld, R., Engelien, A., Ross, B., Roberts, L. R., & Hoke, M. (1998). Increased auditory cortical representation in musicians. *Nature, 392,* 811–814. (p. 81)

Panzarella, C., Alloy, L. B., & Whitehouse, W. G. (2006). Expanded hopelessness theory of depression: On the mechanisms by which social support protects against depression. *Cognitive Theory and Research, 30,* 307–333. (p. 635)

Pardini, D. A., Erickson, K., Leober, R. & Raine, A. (2013). Lower amygdala volume in men is associated with childhood aggression, early psychopathic traits, and future violence. *Biological Psychiatry, 75*(1), 73–80. (p. 650)

Park, C. L. (2007). Religiousness/spirituality and health: A meaning systems perspective. *Journal of Behavioral Medicine, 30,* 319–328. (p. 512)

Park, C. L., Riley, K. E., & Snyder, L. B. (2012). Meaning making coping, making sense, and post-traumatic growth following the 9/11 terrorist attacks. *The Journal of Positive Psychology, 7,* 198–207. (p. 691)

Park, D. C., & McDonough, I. M. (2013). The dynamic aging mind: Revelations from functional neuroimaging research. *Perspectives on Psychological Science, 8,* 62–67. (p. 216)

Park, G., Lubinski, D., & Benbow, C. P. (2008). Ability differences among people who have commensurate degrees matter for scientific creativity. *Psychological Science, 19,* 957–961. (p. 365)

Park, R. L. (1999, July 12). Liars never break a sweat. *New York Times* (www.nytimes.com). (p. 467)

Parker, C. P., Baltes, B. B., Young, S. A., Huff, J. W., Altmann, R. A., LaCost, H. A., & Roberts, J. E. (2003). Relationships between psychological climate perceptions and work outcomes: A meta-analytic review. *Journal of Organizational Behavior, 24,* 389–416. (p. A-9)

Parker, E. S., Cahill, L., & McGaugh, J. L. (2006). A case of unusual autobiographical remembering. *Neurocase, 12,* 35–49. (p. 338)

Parkes, A., Wight, D., Hunt, K., Henderson, M., & Sargent, J. (2013). Are sexual media exposure, parental restrictions on media use and co-viewing TV and DVDs with parents and friends associated with teenagers' early sexual behaviour? *Journal of Adolescence, 36,* 1121–1133. (p. 439)

Parnia, S., Fenwick, P., Spearpoint K., & Devos, G. (2013). AWAreness during REsuscitation (AWARE). *Circulation 128,* A236. (p. 124)

Parsons, T. D., & Rizzo, A. A. (2008). Affective outcomes of virtual reality exposure therapy for anxiety and specific phobias: A meta-analysis. *Journal of Behavior Therapy and Experimental Psychiatry, 39,* 250–261. (p. 665)

Partanen, E., Kujala, T., Näätänen, R., Liitola, A., Sambeth, A., & Huotilainen, M. (2013). Learning-induced neural plasticity of speech processing before birth. *PNAS Proceedings of the National Academy of Sciences of the United States of America, 110,* 15145–15150. (p. 182)

Pasco, J. A., Williams, L. A., Jacks, F. N., Ng, F., Henry, M. J., Nicholson, G. C., Kotowicz, M. A., & Berk, M. (2008). Tobacco smoking as a risk factor for major depressive disorder: Population-based study. *British Journal of Psychiatry, 193,* 322–326. (p. 634)

Pascoe, E. A., & Richman, L. S. (2009). Perceived discrimination and health: A meta-analytic review. *Psychological Bulletin, 135,* 531–554. (p. 490)

Passell, P. (1993, March 9). Like a new drug, social programs are put to the test. *New York Times,* pp. C1, C10. (p. 38)

Patall, E. A., Cooper, H., & Robinson, J. C. (2008). The effects of choice on intrinsic motivation and related outcomes: A meta-analysis of research findings. *Psychological Bulletin, 134,* 270–300. (p. 305)

Pate, J. E., Pumariega, A. J., Hester, C., & Garner, D. M. (1992). Cross-cultural patterns in eating disorders: A review. *Journal of the American Academy of Child and Adolescent Psychiatry, 31,* 802–809. (p. 652)

Patel, S. R., Malhotra, A., White, D. P., Gottlieb, D. J., & Hu, F. B. (2006). Association between reduced sleep and weight gain in women. *American Journal of Epidemiology, 164,* 947–954. (p. 108)

Patihis, L., Ho, L. Y., Tingen, I. W., Lilienfeld, S. O., & Loftus, E. F. (2014). Are the "memory wars" over? A scientist-practitioner gap in beliefs about repressed memory. *Psychological Science, 25,* 519–530. (pp. 343, 348)

Patten, S. B., Wang, J. L., Williams, J. V. A., Currie, S., Beck, C. A., Maxwell, C. J., & el–Guebaly, N. (2006). Descriptive epidemiology of major depression in Canada. *Canadian Journal of Psychiatry, 51,* 84–90. (p. 631)

Patterson, F. (1978, October). Conversations with a gorilla. *National Geographic,* pp. 438–465. (p. 378)

Patterson, G. R., Chamberlain, P., & Reid, J. B. (1982). A comparative evaluation of parent training procedures. *Behavior Therapy, 13,* 638–650. (p. 296)

Patterson, M., Warr, P., & West, M. (2004). Organizational climate and company productivity: The role of employee affect and employee level. *Journal of Occupational and Organizational Psychology, 77,* 193–216. (p. A-9)

Patterson, R. (1951). *The riddle of Emily Dickinson.* Boston: Houghton Mifflin. (p. 637)

Pauker, K., Weisbuch, M., Ambady, N., Sommers, S. R., Adams, Jr., R. B., & Ivcevic, Z. (2009). Not so Black and White: Memory for ambiguous group members. *Journal of Personality and Social Psychology, 96,* 795–810. (p. 412)

Paulesu, E., Demonet, J-F., Fazio, F., McCrory, E., Chanoine, V., Brunswick, N., . . . & Frith, U. (2001). Dyslexia: Cultural diversity and biological unity. *Science, 291,* 2165–2167. (p. 7)

Pauly, K., Finkelmeyer, A., Schneider, F., & Habel, U. (2013). The neural correlates of positive self-evaluation and self-related memory. *Social Cognitive and Affective Neuroscience, 8,* 878–886. (p. 598)

Paus, T., Zijdenbos, A., Worsley, K., Collins, D. L., Blumenthal, J., Giedd, J. N., Rapoport, J. L., & Evans, A. C. (1999). Structural maturation of neural pathways in children and adolescents: In vivo study. *Science, 283,* 1908–1911. (p. 185)

Pavlov, I. (1927). Conditioned reflexes: An investigation of the physiological activity of the cerebral cortex. Oxford: Oxford University Press. (pp. 282, 286)

Payne, B. K. (2006). Weapon bias: Split-second decisions and unintended stereotyping. *Current Directions in Psychological Science, 15,* 287–291. (p. 539)

Payne, B. K., & Corrigan, E. (2007). Emotional constraints on intentional forgetting. *Journal of Experimental Social Psychology, 43,* 780–786. (p. 343)

Payne, B. K., Krosnick, J. A., Pasek, J., Lelkes, Y., Akhtar, O., & Tompson, T. (2010). Implicit and explicit prejudice in the 2008 American presidential election. *Journal of Experimental Social Psychology, 46,* 367–374. (p. 539)

Payne, J. W., Sagara, N., Shu, S., Appelt, K. C., & Johnson, E. J. (2013). Life expectancy as a constructed belief: Evidence of a live-to or die-by framing effect. *Journal of Risk and Uncertainty, 46,* 27–50. (p. 31)

Payne, J. W., Samper, A., Bettman, J. R., & Luce, M. F. (2008). Boundary conditions on unconscious thought in complex decision making. *Psychological Science, 19,* 1118–1123. (p. 365)

Pea, R., Nass, C., Meheula, L., Rance, M., Kumar, A., Bamford, H., . . . Zhou, M. (2012). Media use, face-to-face communication, media multitasking, and social well-being among 8- to 12-year-old girls. *Developmental Psychology, 48,* 327–336. (p. 452)

Peckham, A. D., McHugh, R. K., & Otto, M. W. (2010). A meta-analysis of the magnitude of biased attention in depression. *Depression and Anxiety, 27,* 1135–1142. (p. 631)

Pedersen, A., Zachariae, R., & Bovbjerg, D. H. (2010). Influence of psychological stress on upper respiratory infection—A meta-analysis of prospective studies. *Psychosomatic Medicine, 72,* 823–832. (p. 494)

Pedersen, N. L., Plomin, R., McClearn, G. E., & Friberg, L. (1988). Neuroticism, extraversion, and related traits in adult twins reared apart and reared together. *Journal of Personality and Social Psychology, 55,* 950–957. (p. 138)

Peigneux, P., Laureys, S., Fuchs, S., Collette, F., Perrin, F., Reggers, J., . . . Maquet, P. (2004). Are spatial memories strengthened in the human hippocampus during slow wave sleep? *Neuron, 44,* 535–545. (p. 330)

Peikoff, K. (2013). I had my DNA picture taken, with varying results. Retrieved January 7, 2014 from http://www.nytimes.com/2013/12/31/science/i-had-my-dna-picture-taken-with-varying-results.html. (p. 143)

Pekkanen, J. (1982, June). Why do we sleep? *Science, 82,* p. 86. (p. 106)

Pelham, B., & Crabtree, S. (2008, October 8). Worldwide, highly religious more likely to help others. Gallup Poll (www.gallup.com). (p. 561)

Pelham, B. W. (1993). On the highly positive thoughts of the highly depressed. In R. F. Baumeister (Ed.), *Self-esteem: The puzzle of low self-regard.* New York: Plenum. (p. 599)

Pelham, B. W. (2009, October 22). About one in six Americans report history of depression. *Gallup* (www.gallup.com). (p. 631)

Pennebaker, J. (1990). *Opening up: The healing power of confiding in others.* New York: William Morrow. (p. 580)

Pennebaker, J. W. (1985). Traumatic experience and psychosomatic disease: Exploring the roles of behavioral inhibition, obsession, and confiding. *Canadian Psychology, 26,* 82–95. (p. 506)

Pennebaker, J. W. (1990). *Opening up: The healing power of confiding in others.* New York: William Morrow. (p. 507)

Pennebaker, J. W. (2002, January 28). Personal communication. (p. 565)

Pennebaker, J. W. (2011). *The secret life of pronouns: What our words say about us.* New York: Bloomsbury Press. (p. 593)

Pennebaker, J. W., Barger, S. D., & Tiebout, J. (1989). Disclosure of traumas and health among Holocaust survivors. *Psychosomatic Medicine, 51,* 577–589. (p. 506)

Pennebaker, J. W., & O'Heeron, R. C. (1984). Confiding in others and illness rate among spouses of suicide and accidental death victims. *Journal of Abnormal Psychology, 93,* 473–476. (p. 506)

Pennebaker, J. W., & Stone, L. D. (2003). Words of wisdom: Language use over the life span. *Journal of Personality and Social Psychology, 85,* 291–301. (p. 223)

Peplau, L. A., & Fingerhut, A. W. (2007). The close relationships of lesbians and gay men. *Annual Review of Psychology, 58,* 405–424. (pp. 148, 221)

Peppard, P. E., Szklo-Coxe, M., Hia, K. M., & Young, T. (2006). Longitudinal association of sleep-related breathing disorder and depression. *Archives of Internal Medicine, 166,* 1709–1715. (p. 111)

Pepperberg, I. M. (2009). *Alex & me: How a scientist and a parrot discovered a hidden world of animal intelligence—and formed a deep bond in the process.* New York: Harper. (p. 368)

Pepperberg, I. M. (2012). Further evidence for addition and numerical competence by a grey parrot (psittacus erithacus). *Animal Cognition, 15,* 711–717. (p. 368)

Pepperberg, I. M. (2013). Abstract concepts: Data from a grey parrot. *Behavioural Processes, 93,* 82–90. (p. 368)

Perani, D., & Abutalebi, J. (2005). The neural basis of first and second language processing. *Current Opinion in Neurobiology, 15,* 202–206. (p. 376)

Pereg, D., Gow, R., Mosseri, M., Lishner, M., Rieder, M., Van Uum, S., & Koren, G. (2011). Hair cortisol and the risk for acute myocardial infarction in adult men. *Stress, 14,* 73–81. (p. 496)

Pereira, A. C., Huddleston, D. E., Brickman, A. M., Sosunov, A. A., Hen, R., McKhann, G. M., . . . & Small, S. A. (2007). An *in vivo* correlate of exercise-induced neurogenesis in the adult dentate gyrus. *Proceedings of the National Academy of Sciences, 104,* 5638–5643. (pp. 82, 216)

Pereira, G. M., & Osburn, H. G. (2007). Effects of participation in decision making on performance and employee attitudes: A quality circles meta-analysis. *Journal of Business Psychology, 22,* 145–153. (p. A-12)

Pergadia, M. L., et al. (2011). A 3p26-3p25 genetic linkage finding for DSM-IV major depression in heavy smoking families. *American Journal of Psychiatry, 168,* 848–852. (p. 633)

Pergamin-Hight, L., Bakermans-Kranenburg, M. J., can IJzendoorn, M. H., & Bar-Haim, Y. (2012). Variations in the promoter region of the serotonin transporter gene and biased attention for emotional information: A meta-analysis. *Biological Psychiatry, 71*, 373–379. (p. 626)

Perilloux, C., Easton, J. A., & Buss, D. M. (2012). The misperception of sexual interest. *Psychological Science, 23*, 146–151. (p. 148)

Perilloux, H. K., Webster, G. D., & Gaulin, S. J. (2010). Signals of genetic quality and maternal investment capacity: The dynamic effects of fluctuating asymmetry and waist-to-hip ratio on men's ratings of women's attractiveness. *Social Psychology and Personality Science, 1*, 34–42. (pp. 149, 554)

Perkins, A., & Fitzgerald, J. A. (1997). Sexual orientation in domestic rams: Some biological and social correlates. In L. Ellis & L. Ebertz (Eds.), *Sexual orientation: Toward biological understanding.* Westport, CT: Praeger Publishers. (p. 443)

Perkins, A. M., Inchley-Mort, S. L., Pickering, A. D., Corr, P. J., & Burgess, A. P. (2012). A facial expression for anxiety. *Journal of Personality and Social Psychology, 102*, 910-924. (p. 468)

Perkinson-Gloor, N., Lemola, S., & Grob, A. (2013). Sleep duration, positive attitude toward life, and academic achievement: The role of daytime tiredness, behavioral persistence, and school start times. *Journal of Adolescence, 36*, 311–318. (p. 107)

Perra, O., Williams, J. H. G., Whiten, A., Fraser, L., Benzie, H., & Perrett, D. I. (2008). Imitation and 'theory of mind' competencies in discrimination of autism from other neurodevelopmental disorders. *Research in Autism Disorders, 2*, 456–468. (p. 194)

Perrachione, T. K., Del Tufo, S. N., & Gabrieli, J. D. E. (2011). Human voice recognition depends on language ability. *Science, 333*, 595. (p. 377)

Perrett, D. (2002, October 1). Perception laboratory, Department of Psychology, University of St. Andrews, Scotland (www.perception.st-and.ac.uk). (p. 555)

Perrett, D. (2010). *In your face: The new science of human attraction.* New York: Palgrave Macmillan. (p. 555)

Perrett, D. I., Harries, M., Misflin, A. J., & Chitty, A. J. (1988). Three stages in the classification of body movements by visual neurons. In H. B. Barlow, C. Blakemore, & M. Weston Smith (Eds.), *Images and understanding.* Cambridge: Cambridge University Press. (p. 245)

Perrett, D. I., Hietanen, J. K., Oram, M. W., & Benson, P. J. (1992). Organization and functions of cells responsive to faces in the temporal cortex. *Philosophical Transactions of the Royal Society of London: Series B, 335*, 23–30. (p. 245)

Perrett, D. I., Lee, K. J., Penton-Voak, I., Rowland, D., Yoshikawa, S., Burt, D. M., . . . Akamatsu, S. (1998, August). Effects of sexual dimorphism on facial attractiveness. *Nature, 394*, 884–887. (p. 540)

Perrett, D. I., May, K. A., & Yoshikawa, S. (1994). Facial shape and judgments of female attractiveness. *Nature, 368*, 239–242. (p. 245)

Perrin, J. S., Merz, S., Bennett, D. M., Currie, J., Steele, D. J., Reid, I. C., & Schwarzbauer, C. (2012). Electroconvulsive therapy reduced frontal cortical connectivity in severe depressive disorder. *PNAS, 109*, 5464–5468. (p. 685)

Perron, H., Mekaoui, L., Bernard, C., Veas, F., Stefas, I., & Leboyer, M. (2008). Endogenous retrovirus type W GAG and envelope protein antigenemia in serum of schizophrenic patients. *Biological Psychiatry, 64*, 1019–1023. (p. 643)

Perry, G. (2013). *Behind the shock machine: The untold story of the notorious Milgram psychology experiments.* New York: New Press. (p. 529)

Person, C., Tracy, M., & Galea, S. (2006). Risk factors for depression after a disaster. *Journal of Nervous and Mental Disease, 194*, 659–666. (p. 690)

Pert, C. B. (1986). Quoted in J. Hooper & D. Teresi, *The three-pound universe.* New York: Macmillan. (p. 73)

Pert, C. B., & Snyder, S. H. (1973). Opiate receptor: Demonstration in nervous tissue. *Science, 179*, 1011–1014. (p. 58)

Perugini, E. M., Kirsch, I., Allen, S. T., Coldwell, E., Meredith, J., Montgomery, G. H., & Sheehan, J. (1998). Surreptitious observation of responses to hypnotically suggested hallucinations: A test of the compliance hypothesis. *International Journal of Clinical and Experimental Hypnosis, 46*, 191–203. (p. 265)

Peschel, E. R., & Peschel, R. E. (1987). Medical insights into the castrati in opera. *American Scientist, 75*, 578–583. (p. 434)

Pescosolido, B. A., Martin, J. K., Long, J. S., Medina, T. R., Phelan, J. C., & Link, B. G. (2010). "A disease like any other"? A decade of change in public reactions to schizophrenia, depression, and alcohol dependence. *American Journal of Psychiatry, 167*(11), 1321–30. doi: 10.1176/appi.ajp.2010.09121743 (p. 645)

Pesko, M. F. (2014). Stress and smoking: Associations with terrorism and causal impact. *Contemporary Economic Policy, 32*, 351–371. (p. 122)

Peters, M., Reimers, S., & Manning, J. T. (2006). Hand preference for writing and associations with selected demographic and behavioral variables in 255,100 subjects: The BBC Internet study. *Brain and Cognition, 62*, 177–189. (p. 86)

Peters, M., Rhodes, G., & Simmons, L. W. (2007). Contributions of the face and body to overall attractiveness. *Animal Behaviour, 73*, 937–942. (p. 554)

Peters, T. J., & Waterman, R. H., Jr. (1982). *In search of excellence: Lessons from America's best-run companies.* New York: Harper & Row. (p. 298)

Petersen, J. L., & Hyde, J. S. (2010). A meta-analytic review of research on gender differences in sexuality, 1993–2007. *Psychological Bulletin, 136*, 21–38. (p. 147)

Petersen, J. L., & Hyde, J. S. (2011). Gender differences in sexual attitudes and behaviors: A review of meta-analytic results and large datasets. *Journal of Sex Research, 48*, 149–165. (p. 434)

Peterson, C., & Barrett, L. C. (1987). Explanatory style and academic performance among university freshmen. *Journal of Personality and Social Psychology, 53*, 603–607. (p. 504)

Peterson, C., Peterson, J., & Skevington, S. (1986). Heated argument and adolescent development. *Journal of Social and Personal Relationships, 3*, 229–240. (p. 206)

Peterson, C. C., & Siegal, M. (1999). Representing inner worlds: Theory of mind in autistic, deaf, and normal hearing children. *Psychological Science, 10*, 126–129. (p. 190)

Peterson, C. K., & Harmon-Jones, E. (2012). Anger and testosterone: Evidence that situationally-induced anger relates to situationally-induced testosterone. *Emotion, 12*, 899–902. (p. 477)

Peterson, L. R., & Peterson, M. J. (1959). Short-term retention of individual verbal items. *Journal of Experimental Psychology, 58*, 193–198. (p. 323)

Petitto, L. A., & Marentette, P. F. (1991). Babbling in the manual mode: Evidence for the ontogeny of language. *Science, 251*, 1493–1496. (p. 372)

Pettegrew, J. W., Keshavan, M. S., & Minshew, N. J. (1993). 31P nuclear magnetic resonance spectroscopy: Neurodevelopment and schizophrenia. *Schizophrenia Bulletin, 19*, 35–53. (p. 642)

Petticrew, M., Bell, R., & Hunter, D. (2002). Influence of psychological coping on survival and recurrence in people with cancer: Systematic review. *British Medical Journal, 325*, 1066. (p. 496)

Petticrew, M., Fraser, J. M., & Regan, M. F. (1999). Adverse life events and risk of breast cancer: A meta-analysis. *British Journal of Health Psychology, 4*, 1–17. (p. 496)

Pettigrew, T. F., & Tropp, L. R. (2011). *When groups meet: The dynamics of intergroup contact.* New York: Psychology Press. (p. 564)

Pettigrew, T. F., Christ, O., Wagner, U., & Stellmacher, J. (2007). Direct and indirect intergroup contact effects on prejudice: A normative interpretation. *International Journal of Intercultural Relations, 31*, 411–425. (p. 564)

Pew Research Center. (2007, July 18). Modern marriage: "I like hugs. I like kisses. But what I really love is help with the dishes." Pew Research Center (www.pewresearch.org). (p. 557)

Pew Research Center. (2009, November 4). Social isolation and new technology: How the Internet and mobile phones impact Americans' social networks. Pew Research Center (www.pewresearch.org). (p. 452)

Pew Research Center. (2010, July 1). Gender equality universally embraced, but inequalities acknowledged. Pew Research Center Publications (pewresearch.org). (p. 168)

Pew Research Center. (2011, December 15). 17% and 61%—Texting, talking on the phone and driving. Pew Research Center (www.pewresearch.org). (p. 96)

Pew Research Center. (2012, March 19). Teens, smartphones & texting. Pew Research Center (pewresearch.org). (p. 211)

Pew Research Center. (2012, June 4). Section 8: Values about immigration and race. Pew Research Center for the People & the Press (www.people-press.org). (p. 538)

Pew Research Center. (2013). Teens, social media, and privacy (by M. Madden, A. Lenhart, S. Cortesi, U. Gasser, M. Duggan, A. Smith, & M. Beaton). Pew Research Center's Internet & American Life Project (www.pewinternet.org). (p. 211)

Pew Research Center. (2013, June 4). The global divide on homosexuality. Pew Research Global Attitudes Project (www.pewglobal.org). (p. 440)

Pew Research Center. (2013, June 11). Gay Marriage: Key Data Points from Pew Research. Pew Research Center (www.PewResearch.org). (p. 564)

Pew Research Center. (2013, June 13). A survey of LGBT Americans. Pew Research Center (www.pewsocialtrends.org). (p. 540)

Pew Research Center. (2014, January 27). Climate change: Key data points from Pew Research. Pew Research Center (www.pewresearch.org). (p. 360)

Pew Research Center. (2014). Global views of morality. Pew Research Global Attitudes Project (www.pewglobal.org). (pp. 438, 540)

Pfaff, L. A., Boatwright, K. J., Potthoff, A. L., Finan, C., Ulrey, L. A., & Huber, D. M. (2013). Perceptions of women and men leaders following 360-degree feedback evaluations. *Performance Improvement Quarterly*, 26, 35–56. (p. A-12)

Phelps, J. A., Davis J. O., & Schartz, K. M. (1997). Nature, nurture, and twin research strategies. *Current Directions in Psychological Science*, 6, 117–120. (pp. 136, 644)

Philip Morris. (2003). Philip Morris USA youth smoking prevention. Teenage attitudes and behavior study, 2002. In *Raising kids who don't smoke*, vol. 1(2). (p. 128)

Philip Morris Companies, Inc. (1999, Oct. 13). Referenced in Myron Levin, Philip Morris' new campaign echoes medical experts, *Los Angeles Times*. (p. 121)

Phillips, A. C., Batty, G. D., Gale, C. R., Deary, I. J., Osborn, D., MacIntyre, K., & Carroll, D. (2009). Generalized anxiety disorder, major depressive disorder, and their comorbidity as predictors of all-cause and cardiovascular mortality: The Vietnam Experience Study. *Psychosomatic Medicine*, 71, 395–403. (p. 505)

Phillips, A. L. (2011). A walk in the woods. *American Scientist*, 69, 301–302. (p. 688)

Phillips, D. P. (1985). Natural experiments on the effects of mass media violence on fatal aggression: Strengths and weaknesses of a new approach. In L. Berkowitz (Ed.), *Advances in experimental social psychology* (Vol. 19). Orlando, FL: Academic Press. (p. 525)

Phillips, D. P., Carstensen, L. L., & Paight, D. J. (1989). Effects of mass media news stories on suicide, with new evidence on the role of story content. In D. R. Pfeffer (Ed.), *Suicide among youth: Perspectives on risk and prevention*. Washington, DC: American Psychiatric Press. (p. 525)

Phillips, J. L. (1969). *Origins of intellect: Piaget's theory*. San Francisco: Freeman. (p. 189)

Piaget, J. (1930). *The child's conception of physical causality*. London: Routledge & Kegan Paul. (p. 186)

Piaget, J. (1932). *The moral judgment of the child*. New York: Harcourt, Brace & World. (p. 206)

Pianta, R. C., Barnett, W. S., Burchinal, M., & Thornburg, K. R. (2009). The effects of preschool education: What we know, how public policy is or is not aligned with the evidence base, and what we need to know. *Psychological Science in the Public Interest*, 10(2), 49–88. (p. 409)

Picchioni, M. M., & Murray, R. M. (2007). Schizophrenia. *British Medical Journal*, 335, 91–95. (p. 641)

Pieters, G. L. M., de Bruijn, E. R. A., Maas, Y., Hultijn, W., Vandereycken, W., Peuskens, J., & Sabbe, B. G. (2007). Action monitoring and perfectionism in anorexia nervosa. *Brain and Cognition*, 63, 42–50. (p. 652)

Pike, K. M., & Rodin, J. (1991). Mothers, daughters, and disordered eating. *Journal of Abnormal Psychology*, 100, 198–204. (p. 652)

Piliavin, J. A. (2003). Doing well by doing good: Benefits for the benefactor. In C. L. M. Keyes & J. Haidt (Eds.), *Flourishing: Positive psychology and the life well-lived*. Washington, DC: American Psychological Association. (p. 208)

Pillemer, D. (1998). *Momentous events, vivid memories*. Cambridge, MA: Harvard University Press. (p. 217)

Pillemer, D. B. (1995). *What is remembered about early childhood events?* Invited paper presentation to the American Psychological Society convention. (p. 185)

Pillemer, D. B., Ivcevic, Z., Gooze, R. A., & Collins, K. A. (2007). Self-esteem memories: Feeling good about achievement success, feeling bad about relationship distress. *Personality and Social Psychology Bulletin*, 33, 1292–1305. (p. 450)

Pilley, J. W., & Reid, A. K. (2011). Border collie comprehends object names as verbal referents. *Behavioural Processes*, 86, 184–195. (p. 378)

Pinker, S. (1990, September-October). Quoted by J. de Cuevas, "No, she holded them loosely." *Harvard Magazine*, pp. 60–67. (p. 370)

Pinker, S. (1995). The language instinct. *The General Psychologist*, 31, 63–65. (p. 378)

Pinker, S. (1998). Words and rules. *Lingua*, 106, 219–242. (p. 370)

Pinker, S. (2002, September 9). A biological understanding of human nature: A talk with Steven Pinker. *The Edge Third Culture Mail List* (www.edge.org). (pp. 138, 145)

Pinker, S. (2005, April 22). The science of gender and science: A conversation with Elizabeth Spelke. Harvard University (www.edge.org). (p. 410)

Pinker, S. (2007). *The stuff of thought*. New York: Viking. (p. 381)

Pinker, S. (2008). *The sexual paradox: Men, women, and the real gender gap*. New York: Scribner. (p. 164)

Pinker, S. (2010, June 10). Mind over mass media. *New York Times*, A31. (p. 454)

Pinker, S. (2011, September 27). A history of violence. *Edge* (www.edge.org). (p. 550)

Pinkham, A. E., Griffin, M., Baron, R., Sasson, N. J., & Gur, R. C. (2010). The face in the crowd effect: Anger superiority when using real faces and multiple identities. *Emotion*, 10, 141–146. (p. 468)

Piore, A. (2011, April). Silent warrior. *Discover*, pp. 49–54, 76. (p. 77)

Pipe, M-E. (1996). Children's eyewitness memory. *New Zealand Journal of Psychology*, 25, 36–43. (p. 349)

Pipe, M-E., Lamb, M. E., Orbach, Y., & Esplin, P. W. (2004). Recent research on children's testimony about experienced and witnessed events. *Developmental Review*, 24, 440–468. (p. 349)

Pipher, M. (2002). *The middle of everywhere: The world's refugees come to our town*. New York: Harcourt Brace. (pp. 450, 490)

Pitcher, D., Walsh, V., Yovel, G., & Duchaine, B. (2007). TMS evidence for the involvement of the right occipital face area in early face processing. *Current Biology*, 17, 1568–1573. (p. 245)

Pitman, R. K., & Delahanty, D. L. (2005). Conceptually driven pharmacologic approaches to acute trauma. *CNS Spectrums*, 10(2), 99–106. (p. 333)

Pitman, R. K., Sanders, K. M., Zusman, R. M., Healy, A. R., Cheema, F., Lasko, N. B., Cahill, L., & Orr, S. P. (2002). Pilot study of secondary prevention of posttraumatic stress disorder with propranolol. *Biological Psychiatry*, 51, 189–192. (p. 333)

Pittenger, D. J. (1993). The utility of the Myers-Briggs Type Indicator. *Review of Educational Research*, 63, 467–488. (p. 586)

Place, S. S., Todd, P. M., Penke, L., & Asendorph, J. B. (2009). The ability to judge the romantic interest of others. *Psychological Science*, 20, 22–26. (pp. 468, 553)

Plassmann, H., O'Doherty, J., Shiv, B., & Rangel, A. (2008). Marketing actions can modulate neural representations of experienced pleasantness. *Proceedings of the National Academy of Sciences*, 105, 1050–1054. (p. 266)

Platek, S. M., & Singh, D. (2010) Optimal waist-to-hip ratios in women activate neural reward centers in men. PLoS ONE, 5(2), e9042. doi:10.1371/journal. pone.0009042. (p. 554)

Pliner, P. (1982). The effects of mere exposure on liking for edible substances. *Appetite: Journal for Intake Research*, 3, 283–290. (p. 428)

Pliner, P., Pelchat, M., & Grabski, M. (1993). Reduction of neophobia in humans by exposure to novel foods. *Appetite*, 20, 111–123. (p. 428)

Plöderl, M., Wagenmakers, E., Tremblay, P., Ramsay, R., Kralovec, K., Fartacek, C., & Fartacek, R. (2013). Suicide risk and sexual orientation: A critical review. *Archives of Sexual Behavior*, 42, 715–727. (p. 441)

Plomin, R. (1999). Genetics and general cognitive ability. *Nature*, 402 (Suppl), C25–C29. (p. 386)

Plomin, R. (2011). Why are children in the same family so different? Nonshared environment three decades later. *International Journal of Epidemiology*, 40, 582–592. (pp. 138, 154)

Plomin, R., & Bergeman, C. S. (1991). The nature of nurture: Genetic influence on "environmental" measures. *Behavioral and Brain Sciences*, 14, 373–427. (p. 152)

Plomin, R., & Daniels, D. (1987). Why are children in the same family so different from one another? *Behavioral and Brain Sciences*, 10, 1–60. (p. 154)

Plomin, R., & DeFries, J. C. (1998, May). The genetics of cognitive abilities and disabilities. *Scientific American*, pp. 62–69. (p. 407)

Plomin, R., DeFries, J. C., McClearn, G. E., & Rutter, M. (1997). *Behavioral genetics*. New York: Freeman. (pp. 145, 431, 644)

Plomin, R., Haworth, C. M. A., Meaburn, E. L., Price, T. S., & Davis, O. S. P. (2013). Common DNA markers can account for more than half of the genetic influence on cognitive abilities. *Psychological Science*, 24, 562–568. (p. 406)

Plomin, R., McClearn, G. E., Pedersen, N. L., Nesselroade, J. R., & Bergeman, C. S. (1988). Genetic influence on childhood family environment perceived retrospectively from the last half of the life span. *Developmental Psychology*, 24, 37–45. (p. 152)

Plomin, R., & McGuffin, P. (2003). Psychopathology in the postgenomic era. *Annual Review of Psychology*, 54, 205–228. (p. 633)

Plomin, R., Reiss, D., Hetherington, E. M., & Howe, G. W. (January, 1994). Nature and nurture: Genetic contributions to measures of the family environment. *Developmental Psychology*, 30(1), 32–43. (p. 152)

Plotkin, H. (1994). *Darwin machines and the nature of knowledge.* Cambridge, MA: Harvard University Press. (p. 632)

Plotnik, J. M., de Waal, F. B. M., & Reiss, D. (2006). Self-recognition in an Asian elephant. *Proceedings of the National Academy of Sciences, 103,* 17053–17057. (p. 201)

Plous, S., & Herzog, H. A. (2000). Poll shows researchers favor lab animal protection. *Science, 290,* 711. (p. 40)

Pluess, M., & Belsky, J. (2013). Vantage sensitivity: Individual differences in response to positive experiences. *Psychological Bulletin, 139,* 901–916. (pp. 626, 651)

Poelmans, G., Pauls, D. L., Buitelaar, J. K., & Franke, B. (2011). Integrated genome-wide association study findings: Identification of a neurodevelopmental network for attention deficit hyperactivity disorder. *American Journal of Psychiatry, 168,* 365–377. (p. 615)

Polanin, J. R., Espelage, D. L., & Pigott, T. D. (2012). A meta-analysis of school-based bully prevention programs' effects on bystander intervention behavior. *School Psychology Review, 41,* 47–65. (p. 12)

Poldrack, R. A., Halchenko, Y. O., & Hanson, S. J. (2009). Decoding the large-scale structure of brain function by classifying mental states across individuals. *Psychological Science, 20,* 1364–1372. (p. 68)

Polivy, J., & Herman, C. P. (2002). Causes of eating disorders. *Annual Review of Psychology, 53,* 187–213. (p. 652)

Polivy, J., Herman, C. P., & Coelho, J. S. (2008). Caloric restriction in the presence of attractive food cues: External cues, eating, and weight. *Physiology and Behavior, 94,* 729–733. (p. 429)

Pollak, S., Cicchetti, D., & Klorman, R. (1998). Stress, memory, and emotion: Developmental considerations from the study of child maltreatment. *Developmental Psychopathology, 10,* 811–828. (p. 286)

Pollak, S. D., & Kistler, D. J. (2002). Early experience is associated with the development of categorical representations for facial expressions of emotion. *Proceedings of the National Academy of Sciences, 99,* 9072–9076. (p. 469)

Pollak, S. D., & Tolley-Schell, S. A. (2003). Selective attention to facial emotion in physically abused children. *Journal of Abnormal Psychology, 112,* 323–328. (p. 469)

Pollard, R. (1992). *100 years in psychology and deafness: A centennial retrospective.* Invited address to the American Psychological Association convention, Washington, DC. (p. 378)

Pollatsek, A., Romoser, M. R. E., & Fisher, D. L. (2012). Identifying and remediating failures of selective attention in older drivers. *Current Directions in Psychological Science, 21,* 3–7. (p. 216)

Pollick, A. S., & de Waal, F. B. M. (2007). Ape gestures and language evolution. *Proceedings of the National Academy of Sciences, 104,* 8184–8189. (p. 378)

Poole, D. A., & Lindsay, D. S. (1995). Interviewing preschoolers: Effects of nonsuggestive techniques, parental coaching and leading questions on reports of nonexperienced events. *Journal of Experimental Child Psychology, 60,* 129–154. (p. 346)

Poole, D. A., & Lindsay, D. S. (2001). Children's eyewitness reports after exposure to misinformation from parents. *Journal of Experimental Psychology: Applied, 7,* 27–50. (p. 346)

Poole, D. A., & Lindsay, D. S. (2002). Reducing child witnesses' false reports of misinformation from parents. *Journal of Experimental Child Psychology, 81,* 117–140. (p. 346)

Poon, L. W. (1987). *Myths and truisms: Beyond extant analyses of speed of behavior and age.* Address to the Eastern Psychological Association convention. (p. 216)

Pope, D., & Simonsohn, U. (2011). Round numbers as goals: Evidence from baseball, SAT takers, and the lab. *Psychological Science, 22,* 71–79. (p. 43)

Popenoe, D. (1993). *The evolution of marriage and the problem of stepfamilies: A biosocial perspective.* Paper presented at the National Symposium on Stepfamilies, Pennsylvania State University. (p. 159)

Porter, D., & Neuringer, A. (1984). Music discriminations by pigeons. *Journal of Experimental Psychology: Animal Behavior Processes, 10,* 138–148. (p. 291)

Porter, S., Birt, A. R., Yuille, J. C., & Lehman, D. R. (2000, November). Negotiating false memories: Interviewer and rememberer characteristics relate to memory distortion. *Psychological Science, 11,* 507–510. (p. 345)

Porter, S., & Peace, K. A. (2007). The scars of memory: A prospective, longitudinal investigation of the consistency of traumatic and positive emotional memories in adulthood. *Psychological Science, 18,* 435–441. (p. 349)

Porter, S., & ten Brinke, L. (2008). Reading between the lies: Identifying concealed and falsified emotions in universal facial expressions. *Psychological Science, 19,* 508–514. (p. 469)

Posner, M. I., & Carr, T. H. (1992). Lexical access and the brain: Anatomical constraints on cognitive models of word recognition. *American Journal of Psychology, 105,* 1–26. (p. 377)

Poulton, R., & Milne, B. J. (2002). Low fear in childhood is associated with sporting prowess in adolescence and young adulthood. *Behaviour Research and Therapy, 40,* 1191–1197. (p. 650)

Powell, J. (1989). *Happiness is an inside job.* Valencia, CA: Tabor. (p. 602)

Powell, K. E., Thompson, P. D., Caspersen, C. J., & Kendrick, J. S. (1987). Physical activity and the incidence of coronary heart disease. *Annual Review of Public Health, 8,* 253–287. (p. 507)

Powell, R., Digdon, N. A., Harris, B., & Smithson, C. (2014). Correcting the record on Watson, Rayner and Little Albert: Albert Barger as 'Psychology's Lost Boy.' *American Psychologist, 69,* 600–611. (p. 288)

Powell, R. A., & Boer, D. P. (1994). Did Freud mislead patients to confabulate memories of abuse? *Psychological Reports, 74,* 1283–1298. (p. 579)

Powledge, T. (2011). Behavioral epigenetics: How nurture shapes nature. *BioScience, 61,* 588-592. (p. 612)

Preckel, F., Lipnevich, A., Boehme, K., Branderner, L., Georgi, K., Könen, T., Mursin, K., & Roberts, R. (2013). Morningness–eveningness and educational outcomes: The lark has an advantage over the owl at high school. *British Journal of Educational Psychology, 83,* 114–134. (p. 101)

Premack, D. G. (2007). Human and animal cognition: Continuity and discontinuity. *PNAS, 104,* 13861–13867. (p. 371)

Premack, D. G., & Woodruff, G. (1978). Does the chimpanzee have a theory of mind? *Behavioral and Brain Sciences, 1,* 515–526. (p. 190)

Prentice, D. A., & Miller, D. T. (1993). Pluralistic ignorance and alcohol use on campus: Some consequences of misperceiving the social norm. *Journal of Personality and Social Psychology, 64,* 243–256. (p. 129)

Presley, C. A., Meilman, P. W., & Lyerla, R. (1997). *Alcohol and drugs on American college campuses: Issues of violence and harassment.* Carbondale: Core Institute, Southern Illinois University. (p. 119)

Prince Charles. (2000). BBC Reith Lecture. (p. 20)

Principe, G. F., Kanaya, T., Ceci, S. J., & Singh, M. (2006). Believing is seeing: How rumors can engender false memories in preschoolers. *Psychological Science, 17,* 243–248. (p. 348)

Prioleau, L., Murdock, M., & Brody, N. (1983). An analysis of psychotherapy versus placebo studies. *The Behavioral and Brain Sciences, 6,* 275–310. (p. 679)

Prior, H., Schwarz, A., & Güntürkün, O. (2008). Mirror-induced behavior in the magpie (*Pica pica*): Evidence of self-recognition. *PloS Biology, 6,* 1642–1650. (p. 201)

Prior, M., Smart, D., Sanson, A., & Oberklaid, F. (2000). Does shy-inhibited temperament in childhood lead to anxiety problems in adolescence? *Journal of American Academy of Child and Adolescent Psychiatry, 39,* 461–468. (p. 140)

Profet, M. (1992). Pregnancy sickness as adaptation: A deterrent to maternal ingestion of teratogens. In J. H. Barkow, L. Cosmides, and J. Tooby (Eds). *The adapted mind: Evolutionary psychology and the generation of culture* (pp. 327–366). New York: Oxford University Press. (p. 146)

Proffitt, D. R. (2006a). Embodied perception and the economy of action. *Perspectives on Psychological Science, 1,* 110–122. (p. 237)

Proffitt, D. R. (2006b). Distance perception. *Current Directions in Psychological Research, 15,* 131–135. (p. 237)

Project Match Research Group. (1997). Matching alcoholism treatments to client heterogeneity: Project MATCH posttreatment drinking outcomes. *Journal of Studies on Alcohol, 58,* 7–29. (p. 671)

Pronin, E. (2007). Perception and misperception of bias in human judgment. *Trends in Cognitive Sciences, 11,* 37–43. (p. 602)

Pronin, E. (2013). When the mind races: Effects of thought speed on feeling and action. *Current Directions in Psychological Science, 22,* 283–288. (p. 630)

Pronin, E., Berger, J., & Molouki, S. (2007). Alone in a crowd of sheep: Asymmetric perceptions of conformity and their roots in an introspection illusion. *Journal of Personality and Social Psychology, 92,* 585–595. (p. 527)

Propper, R. E., Stickgold, R., Keeley, R., & Christman, S. D. (2007). Is television traumatic? Dreams, stress, and media exposure in the aftermath of September 11, 2001. *Psychological Science, 18,* 334–340. (p. 112)

Prot, S., et al. (2014). Long-term relations among prosocial-media use, empathy, and prosocial behavior. *Psychological Science, 25,* 358–368. (pp. 310, 549)

Protzko, J., Aronson, J., & Blair, C. (2013). How to make a young child smarter: Evidence from the database of raising intelligence. *Perspectives on Psychological Science, 8,* 25–40. (p. 409)

Provine, R. R. (2001). *Laughter: A scientific investigation.* New York: Penguin. (p. 29)

Provine, R. (2012). *Curious behavior: Yawning, laughing, hiccupping, and beyond.* Cambridge, MA: Harvard University Press. (pp. 28, 29, 524)

Provine, R. R., Krosnowski, K. A., & Brocato, N. W. (2009). Tearing: Breakthrough in human emotional signaling. *Evolutionary Psychology, 7,* 52–56. (p. 473)

Pryor, J. H., Hurtado, S., DeAngelo, L., Blake, L. P., & Tran, S. (2011). *The American Freshman: National norms fall 2010.* Los Angeles: UCLA Higher Education Research Institute. (pp. 163, 164, 452, 488)

Pryor, J. H., Hurtado, S., Saenz, V. B., Korn, J. S., Santos, J. L., & Korn, W. S. (2006). *The American freshman: National norms for fall 2006.* Los Angeles: UCLA Higher Education Research Institute. (p. 635)

Pryor, J. H., Hurtado, S., Saenz, V. B., Lindholm, J. A., Korn, W. S., & Mahoney, K. M. (2005). *The American freshman: National norms for fall 2005.* Los Angeles: UCLA Higher Education Research Institute. (p. 148)

Pryor, J. H., Hurtado, S., Sharkness, J., & Korn, W. S. (2007). *The American freshman: National norms for fall 2007.* Los Angeles: UCLA Higher Education Research Institute. (p. 163)

Psaltopoulou, T., Sergentanis, T. N., Panagiotakos, D. B., Sergentanis, I. N., Kosti, R., & Scarmeas, N. (2013). Mediterranean diet, stroke, cognitive impairment, and depression: A meta-analysis. *Annals of Neurology.* (p. 634)

Psychologist. (2003, April). Who's the greatest? *The Psychologist, 16,* p. 17. (p. 192)

PTC. (2007, January 10). *Dying to entertain: Violence on prime time broadcast TV, 1998 to 2006.* Parents Television Council (www.parentstv.org). (p. 311)

Puetz, T. W., O'Connor, P. J., & Dishman, R. K. (2006). Effects of chronic exercise on feelings of energy and fatigue: A quantitative synthesis. *Psychological Bulletin, 132,* 866–876. (p. 508)

Putnam, F. W. (1991). Recent research on multiple personality disorder. *Psychiatric Clinics of North America, 14,* 489–502. (p. 648)

Putnam, F. W. (1995). Rebuttal of Paul McHugh. *Journal of the American Academy of Child and Adolescent Psychiatry, 34,* 963. (p. 648)

Putnam, R. (2000). *Bowling alone.* New York: Simon and Schuster. (p. 157)

Pyszczynski, T. A., Hamilton, J. C., Greenberg, J., & Becker, S. E. (1991). Self-awareness and psychological dysfunction. In C. R. Snyder & D. O. Forsyth (Eds.), *Handbook of social and clinical psychology: The health perspective.* New York: Pergamon. (p. 635)

Pyszczynski, T. A., Motyl, M., Vail, K. E., I., II, Hirschberger, G., Arndt, J., & Kesebir, P. (2012). Drawing attention to global climate change decreases support for war. *Peace and Conflict: Journal of Peace Psychology, 18,* 354–368. (p. 566)

Pyszczynski, T. A., Rothschild, Z., & Abdollahi, A. (2008). Terrorism, violence, and hope for peace: A terror management perspective. *Current Directions in Psychological Science 17,* 318–322. (p. 543)

Pyszczynski, T. A., Solomon, S., & Greenberg, J. (2002). *In the wake of 9/11: The psychology of terror.* Washington, DC: American Psychological Association. (p. 543)

Qin, H-F., & Piao, T-J. (2011). Dispositional optimism and life satisfaction of Chinese and Japanese college students: Examining the mediating effects of affects and coping efficacy. *Chinese Journal of Clinical Psychology, 19,* 259–261. (p. 504)

Qirko, H. N. (2004). "Fictive kin" and suicide terrorism. *Science, 304,* 49–50. (p. 534)

Qiu, L., Lin, H., Ramsay, J., & Yang, F. (2012). You are what you tweet: Personality expression and perception on Twitter. *Journal of Research in Personality, 46,* 710–718. (p. 453)

Quasha, S. (1980). *Albert Einstein: An intimate portrait.* New York: Forest. (p. 401)

Quinn, P. C., Bhatt, R. S., Brush, D., Grimes, A., & Sharpnack, H. (2002). Development of form similarity as a Gestalt grouping principle in infancy. *Psychological Science, 13,* 320–328. (p., 248)

Quinn, P. J., Williams, G. M., Najman, J. M., Andersen, M. J., & Bor, W. (2001). The effect of breastfeeding on child development at 5 years: A cohort study. *Journal of Pediatrics & Child Health, 3,* 465–469. (p. 35)

Quiroga, R. Q., Fried, I., & Koch, C. (2013, February). Brain cells for grandmother. *Scientific American,* pp. 30–35. (p. 246)

Quoidbach, J., Dunn, E. W., Petrides, K. V., & Mikolajczak, M. (2010). Money giveth, money taketh away: The dual effect of wealth on happiness. *Psychological Science, 21,* 759–763. (p. 482)

Rabbitt, P. (2006). Tales of the unexpected: 25 years of cognitive gerontology. *The Psychologist, 19,* 674–676. (p. 217)

Rabinowicz, T., Dean, D. E., Petetot, J. M., & de Courten-Myers, G. M. (1999). Gender differences in the human cerebral cortex: More neurons in males; more processes in females. *Journal of Child Neurology, 14,* 98–107. (p. 184)

Rabinowicz, T., deCourten-Myers, G. M., Petetot, J. M., Xi, G., & de los Reyes, E. (1996). Human cortex development: Estimates of neuronal numbers indicate major loss late during gestation. *Journal of Neuropathology and Experimental Neurology, 55,* 320–328. (p. 184)

Rabins, P., et al. (2009). Scientific and ethical issues related to deep brain stimulation for disorders of mood, behavior, and thought. *Archives of General Psychiatry, 66,* 931–937. (p. 687)

Raby, K. L., Cicchetti, Carlson, E. A., Cutuli, J. J., Englund, M. M., & Egeland, B. (2012). Genetic and caregiving-based contributions to infant attachment: Unique associations with distress reactivity and attachment security. *Psychological Science, 23,* 1016–1023. (p. 140)

Racsmány, M., Conway, M. A., & Demeter, G. (2010). Consolidation of episodic memories during sleep: Long-term effects of retrieval practice. *Psychological Science, 21,* 80–85. (p. 106)

Radford, B. (2010, February 18). Tiger Woods and sex addiction: Real disease or easy excuse? LiveScience.com (accessed via news.yahoo.com). (p. 118)

Radford, B. (2010, March 5). Missing persons and abductions reveal psychics' failures. *DiscoveryNews* (news.discovery.com). (p. 272)

Radford, B. (2013, May 8). Psychic claimed Amanda Berry was dead. *DNews.* http://news.discovery.com/human/psychic-claimed-amanda-berry-dead-130508.htm. (p. 272)

Rahman, Q., & Koerting, J. (2008). Sexual orientation-related differences in allocentric spatial memory tasks. *Hippocampus, 18,* 55–63. (pp. 445, 446)

Rahman, Q., & Wilson, G. D. (2003). Born gay? The psychobiology of human sexual orientation. *Personality and Individual Differences, 34,* 1337–1382. (pp. 443, 446)

Rahman, Q., Wilson, G. D., & Abrahams, S. (2004). Biosocial factors, sexual orientation and neurocognitive functioning. *Psychoneuroendocrinology, 29,* 867–881. (pp. 446, 447)

Raichle, M. (2010, March). The brain's dark energy. *Scientific American,* pp. 44–49. (p. 95)

Raichlen, D. A., & Polk, J. D. (2013). Linking brains and brawn: Exercise and the evolution of human neurobiology. *Proceedings of the Royal Society Biology, 280,* 20122250. (p. 507)

Raine, A. (1999). Murderous minds: Can we see the mark of Cain? *Cerebrum: The Dana Forum on Brain Science 1(1),* 15–29. (p. 650)

Raine, A. (2005). The interaction of biological and social measures in the explanation of antisocial and violent behavior. In D. M. Stoff & E. J. Susman (Eds.) *Developmental psychobiology of aggression.* New York: Cambridge University Press. (p. 650)

Raine, A. (2013). *The anatomy of violence: The biological roots of crime.* New York: Pantheon. (p. 546)

Raine, A., Brennan, P., Mednick, B., & Mednick, S. A. (1996). High rates of violence, crime, academic problems, and behavioral problems in males with both early neuromotor deficits and unstable family environments. *Archives of General Psychiatry, 53,* 544–549. (pp. 650, 651)

Raine, A., Lencz, T., Bihrle, S., LaCasse, L., & Colletti, P. (2000). Reduced prefrontal gray matter volume and reduced autonomic activity in antisocial personality disorder. *Archives of General Psychiatry, 57,* 119–127. (p. 650)

Rainie, L., Purcell, K., Goulet, L. S., & Hampton, K. H. (2011, June 16). Social networking sites and our lives. *Pew Research Center* (pewresearch.org). (p. 452)

Rainville, P., Duncan, G. H., Price, D. D., Carrier, B., & Bushnell, M. C. (1997). Pain affect encoded in human anterior cingulate but not somatosensory cortex. *Science, 277,* 968–971. (p. 265)

Raison, C. L., Klein, H. M., & Steckler, M. (1999). The mood and madness reconsidered. *Journal of Affective Disorders, 53,* 99–106. (p. 650)

Rajendran, G., & Mitchell, P. (2007). Cognitive theories of autism. *Developmental Review, 27,* 224–260. (p. 193)

Ramachandran, V. S., & Blakeslee, S. (1998). *Phantoms in the brain: Probing the mysteries of the human mind.* New York: Morrow. (pp. 82, 262)

Ramirez-Esparza, N., Gosling, S. D., Benet-Martínez, V., Potter, J. P., & Pennebaker, J. W. (2006). Do bilinguals have two personalities? A special case of cultural frame switching. *Journal of Research in Personality, 40,* 99–120. (p. 380)

Ramos, M. R., Cassidy, C., Reicher, S., & Haslam, S. A. (2012). A longitudinal investigation of the rejection-identification hypothesis. *British Journal of Social Psychology, 51*, 642–660. (p. 565)

Randall, D. K. (2012, September 22). Rethinking sleep. *New York Times* (www.nytimes.com). (p. 104)

Randi, J. (1999, February 4). 2000 club mailing list e-mail letter. (p. 274)

Randler, C. (2008). Morningness–eveningness and satisfaction with life. *Social Indicators Research, 86*, 297–302. (p. 101)

Randler, C. (2009). Proactive people are morning people. *Journal of Applied Social Psychology, 39*, 2787–2797. (p. 101)

Randler, C., & Bausback, V. (2010). Morningness-eveningness in women around the transition through menopause and its relationship with climacteric complaints. *Biological Rhythm Research, 41*, 415–431. (p. 101)

Rapoport, J. L. (1989, March). The biology of obsessions and compulsions. *Scientific American*, pp. 83–89. (pp. 622, 627)

Räsänen, S., Pakaslahti, A., Syvalahti, E., Jones, P. B., & Isohanni, M. (2000). Sex differences in schizophrenia: A review. *Nordic Journal of Psychiatry, 54*, 37–45. (p. 641)

Rasmussen, H. N., Scheier, M. F., & Greenhouse, J. B. (2009). Optimism and physical health: A meta-analytic review. *Annals of Behavioral Medicine, 37*, 239–256. (p. 504)

Ratcliff, K. S. (2013). The power of poverty: Individual agency and structural constraints. In K. M. Fitzpatrick (Ed.), *Poverty and health: A crisis among America's most vulnerable* (vol. 1, pp. 5-30). Santa Barbara, CA: Praeger. (p. 484)

Rath, T., & Harter, J. K. (2010, August 19). Your friends and your social well-being: Close friendships are vital to health, happiness, and even workplace productivity. *Gallup Management Journal* (ww.gmj.gallup.com). (p. A-13)

Rattan, A., Savani, K., Naidu, N. V. R., & Dweck, C. S. (2012). Can everyone become highly intelligent? Cultural differences in and societal consequences of beliefs about the universal potential for intelligence. *Journal of Personality and Social Psychology, 103*, 787–803. (p. 409)

Rawn, C. D., & Vohs, K. D. (2011). People use self-control to risk personal harm: An intra-interpersonal dilemma. *Personality and Social Psychology Review, 15*, 267–289. (p. 505)

Ray, J. (2005, April 12). U.S. teens walk away from anger: Boys and girls manage anger differently. *The Gallup Organization* (www.gallup.com). (p. 477)

Ray, J., & Kafka, S. (2014, May 6). Life in college matters for life after college. Gallup (www.gallup.com/poll). (p. A-11)

Ray, O., & Ksir, C. (1990). *Drugs, society, and human behavior* (5th ed.). St. Louis: Times Mirror/Mosby. (p. 123)

Ray, R., Sanes, M., & Schmitt, J. (2013). *No-vacation nation revisited.* Center for Economic and Policy Research, 1–22. (p. 156)

Raynor, H. A., & Epstein, L. H. (2001). Dietary variety, energy regulation, and obesity. *Psychological Bulletin, 127*, 325–341. (p. 427)

Reason, J. (1987). The Chernobyl errors. *Bulletin of the British Psychological Society, 40*, 201–206. (p. 535)

Reason, J., & Mycielska, K. (1982). *Absent-minded? The psychology of mental lapses and everyday errors.* Englewood Cliffs, NJ: Prentice-Hall. (p. 236)

Redick, T. S., Shipstead, Z., Harrison, T. L., Hicks, K. L., Fried, D.E., Hambrick, D. Z., Kane, M. J., & Engle, R. W. (2013). No evidence of intelligence improvement after working memory training: A randomized, placebo-controlled study. *Journal of Experimental Psychology: General, 142*, 359–379. (p. 218)

Reece, M., Herbenick, D., Schick, V., Sanders, S.A., Dodge, B., & Fortenberry, J. D. (2010). Sexual behaviors, relationships, and perceived health among adult men in the United States: Results from a national probability sample. *Journal of Sexual Medicine, 7* (suppl 5), 291–304. (p. 214)

Reed, D. (2011). A thing or two about twins. Quoted by Miller, P. *National Geographic*, (January Issue), 39–65. (p. 143)

Reed, P. (2000). Serial position effects in recognition memory for odors. *Journal of Experimental Psychology: Learning, Memory, and Cognition, 26*, 411–422. (p. 337)

Rees, M. (1999). *Just six numbers: The deep forces that shape the universe.* New York: Basic Books. (p. 173)

Regan, P. C., & Atkins, L. (2007). Sex differences and similarities in frequency and intensity of sexual desire. *Social Behavior and Personality, 34*, 95–102. (p. 147)

Rehm, J., Shield, K. D., Joharchi, M., & Shuper, P. A. (2012). Alcohol consumption and the intention to engage in unprotected sex: Systematic review and meta-analysis of experimental studies. *Addiction, 107*, 51–59. (p. 119)

Reichenberg, A., Gross, R., Weiser, M., Bresnahan, M., Silverman, J., Harlap, S., . . . Susser, E. (2007). Advancing paternal age and autism. *Archives of General Psychiatry, 63*, 1026–1032. (p. 194)

Reichenberg, A., & Harvey, P. D. (2007). Neuropsychological impairments in schizophrenia: Integration of performance-based and brain imaging findings. *Psychological Bulletin, 133*, 833–858. (p. 640)

Reichert, R. A., Robb, M. B., Fender, J. G., & Wartella, E. (2010). Word learning from baby videos. *Archives of Pediatrics & Adolescent Medicine, 164*, 432–437. (p. 409)

Reifman, A., & Cleveland, H. H. (2007). *Shared environment: A quantitative review.* Paper presented to the Society for Research in Child Development, Boston, MA. (p. 139)

Reifman, A. S., Larrick, R. P., & Fein, S. (1991). Temper and temperature on the diamond: The heat-aggression relationship in major league baseball. *Personality and Social Psychology Bulletin, 17*, 580–585. (p. 547)

Reimann, F., et al. (2010). Pain perception is altered by a nucleotide polymorphism in SCN9A. *PNAS, 107*, 5148–5153. (p. 262)

Reiner, W. G., & Gearhart, J. P. (2004). Discordant sexual identity in some genetic males with cloacal exstrophy assigned to female sex at birth. *New England Journal of Medicine, 350*, 333–341. (p. 167)

Reinhard, M-A., Greifeneder, R., & Scharmach, M. (2013). Unconscious processes improve lie detection. *Journal of Personality and Social Psychology, 105*, 721–739. (p. 469)

Reis, D., & Marino, L. (2001). Mirror self-recognition in the bottlenose dolphin: A case of cognitive convergence. *PNAS, 98*, 5937–5942. (p. 201)

Reis, H. T., & Aron, A. (2008). Love: What is it, why does it matter, and how does it operate? *Perspectives on Psychological Science, 3*, 80–86. (p. 557)

Reis, H. T., Smith, S. M., Carmichael, C. L., Caprariello, P. A., Tsa, F-F., Rodrigues, A., & Maniaci, M. R. (2010). Are you happy for me? How sharing positive events with others provides personal and interpersonal benefits. *Journal of Personality and Social Psychology, 99*, 311–329. (p. 448)

Reis, S. M. (2001). Toward a theory of creativity in diverse creative women. In M. Bloom & T. Gullotta (Eds.), *Promoting creativity across the life span* (pp. 231–275). Washington, DC: CWLA Press. (p. 366)

Reisenzein, R. (1983). The Schachter theory of emotion: Two decades later. *Psychological Bulletin, 94*, 239–264. (p. 461)

Reiser, M. (1982). *Police psychology.* Los Angeles: LEHI. (p. 272)

Reitzle, M. (2006). The connections between adulthood transitions and the self-perception of being adult in the changing contexts of East and West Germany. *European Psychologist, 11*, 25–38. (p. 212)

Reivich, K., Gillham, J. E., Chaplin, T. M., & Seligman, M. E. P. (2013). *From helplessness to optimism: The role of resilience in treating and preventing depression in youth.* Springer Science + Business Media, New York, NY. (p. 668)

Remick, A. K., Polivy, J., & Pliner, P. (2009). Internal and external moderators of the effect of variety on food intake. *Psychological Bulletin, 135*, 434–451. (p. 429)

Remington, A., Swettenham, J., Campbell, R., & Coleman, M. (2009). Selective attention and perceptual load in autism spectrum disorder. *Psychological Science, 20*, 1388–1393. (p. 193)

Remley, A. (1988, October). From obedience to independence. *Psychology Today*, pp. 56–59. (p. 160)

Renner, M. J., & Renner, C. H. (1993). Expert and novice intuitive judgments about animal behavior. *Bulletin of the Psychonomic Society, 31*, 551–552. (p. 152)

Renner, M. J., & Rosenzweig, M. R. (1987). *Enriched and impoverished environments: Effects on brain and behavior.* New York: Springer-Verlag. (p. 152)

Renninger, K. A., & Granott, N. (2005). The process of scaffolding in learning and development. *New Ideas in Psychology, 23*(3), 111–114. (p. 191)

Rentfrow, P. J., & Gosling, S. D. (2003). The Do Re Mi's of everyday life: The structure and personality correlates of music preferences. *Journal of Personality and Social Psychology, 84*, 1236–1256. (p. 593)

Rentfrow, P. J., & Gosling, S. D. (2006). Message in a ballad: The role of music preferences in interpersonal perception. *Psychological Science, 17*, 236–242. (p. 593)

Rescorla, R. A., & Wagner, A. R. (1972). A theory of Pavlovian conditioning: Variations in the effectiveness of reinforcement and nonreinforcement. In A. H. Black & W. F. Perokasy (Eds.), *Classical conditioning II: Current theory.* New York: Appleton-Century-Crofts. (p. 304)

Resnick, M. D., Bearman, P. S., Blum, R. W., Bauman, K. E., Harris, K. M., Jones, J., . . . Udry, J. R. (1997). Protecting adolescents from harm: Findings from the National Longitudinal Study on Adolescent Health. *Journal of the American Medical Association, 278,* 823–832. (pp. 35, 98, 211)

Resnick, S. M. (1992). Positron emission tomography in psychiatric illness. *Current Directions in Psychological Science, 1,* 92–98. (p. 642)

Rethorst, C. D., Wipfli, B. M., & Landers, D. M. (2009). The antidepressive effects of exercise: A meta-analysis of randomized trials. *Sports Medicine, 39,* 491–511. (p. 508)

Reuters. (2000, July 5). Many teens regret decision to have sex (National Campaign to Prevent Teen Pregnancy survey). www.washingtonpost.com. (p. 438)

Reyna, V. F., Chick, C. F., Corbin, J. C., & Hsia, A. N. (2014). Developmental reversals in risky decision making: Intelligence agents show larger decision biases than college students. *Psychological Science, 25,* 76–84. (p. 364)

Reyna, V. F., & Farley, F. (2006). Risk and rationality in adolescent decision making: Implications for theory, practice, and public policy. *Psychological Science in the Public Interest, 7*(1), 1–44. (p. 205)

Reynolds, G. (2009, November 18). Phys ed: Why exercise makes you less anxious. *New York Times blog* (well.blogs.nytimes.com). (p. 509)

Rhodes, G., Sumich, A., & Byatt, G. (1999). Are average facial configurations attractive only because of their symmetry? *Psychological Science, 10,* 52–58. (p. 555)

Rhodes, M. G., & Anastasi, J. S. (2012). The own-age bias in face recognition: A meta-analytic and theoretical review. *Psychological Bulletin, 138,* 146–174. (p. 545)

Rholes, W. S., & Simpson, J. A. (Eds.). (2004). *Adult attachment: Theory, research, and clinical implications.* New York: Guilford. (p. 199)

Ribeiz, S. R. I., Duran, F., Oliveira, M. C., Bezerra, D., Castro, C. C., Steffens, D. C., Busatto, F. G., & Bottino, C. M. (2013). Structural brain changes as biomarkers and outcomes in patients with late-life depression: A cross-sectional and prospective study. *PLOS One, 8*(11), e80049. (p. 633)

Ricciardelli, L. A., & McCabe, M. P. (2004). A biopsychosocial model of disordered eating and the pursuit of muscularity in adolescent boys. *Psychological Bulletin, 130,* 179–205. (p. 652)

Rice, M. E., & Grusec, J. E. (1975). Saying and doing: Effects on observer performance. *Journal of Personality and Social Psychology, 32,* 584–593. (p. 311)

Rice, W. R., Friberg, U., & Gavrilets, S. (2012). Homosexuality as a consequence of epigenetically canalized sexual development. *Quarterly Review of Biology, 87,* 343–368. (p. 444)

Richardson, J. (1993). The curious case of coins: Remembering the appearance of familiar objects. *The Psychologist: Bulletin of the British Psychological Society, 6,* 360–366. (p. 340)

Richardson, J. T. E., & Zucco, G. M. (1989). Cognition and olfaction: A review. *Psychological Bulletin, 105,* 352–360. (p. 267)

Richardson, M., Abraham, C., & Bond, R. (2012). Psychological correlates of university students' academic performance: A systematic review and meta-analysis. *Psychological Bulletin, 138,* 353–387. (p. 409)

Richeson, J. A., & Shelton, J. N. (2007). Negotiating interracial interactions. *Current Directions in Psychological Science, 16,* 316–320. (p. 565)

Rickard, I. J., Frankenhuis, W. E., & Nettle, D. (2014). Why are childhood family factors associated with timing of maturation? A role for internal prediction. *Perspectives on Psychological Science, 9,* 3–15. (p. 166)

Rieff, P. (1979). *Freud: The mind of a moralist* (3rd ed.). Chicago: University of Chicago Press. (p. 580)

Rieger, G., Rosenthal, A. M., Cash, B. M., Linsenmeier, J. A. W., Bailey, J. M., & Savin-Williams, R. (2013). Male bisexual arousal: A matter of curiosity? *Biological Psychology, 94,* 479–489. (p. 440)

Rieger, G., & Savin-Williams, R. (2012). The eyes have it: Sex and sexual orientation differences in pupil dilation patterns. *PLoS ONE, 7*(8), e40256 (www.plosone.org). (p. 441)

Rietveld, C. A., et al. (2013). GWAS of 126,559 individuals identifies genetic variants associated with educational attainment. *Science, 340,* 1467–1471. (p. 406)

Riffkin, R. (2014, July 9). Obesity linked to lower social well-being. Gallup-Healthways Well-Being Index. www.gallup.com. (p. 429)

Riis, J., Loewenstein, G., Baron, J., Jepson, C., Fagerlin, A., & Ubel, P. A. (2005). Ignorance of hedonic adaptation to hemodialysis: A study using ecological momentary assessment. *Journal of Experimental Psychology: General, 134,* 3–9. (p. 481)

Riley, L. D., & Bowen, C. (2005). The sandwich generation: Challenges and coping strategies of multigenerational families. *The Family Journal, 13,* 52–58. (p. 220)

Rindermann, H., & Ceci, S. J. (2009). Educational policy and country outcomes in international cognitive competence studies. *Perspectives on Psychological Science, 4,* 551–577. (p. 412)

Riordan, M. (2013, March 19). Tobacco warning labels: Evidence of effectiveness. Washington, DC: The Campaign for Tobacco-Free Kids (www.tobaccofreekids.org). (p. 360)

Ripke, S., et al. (2011). Genome-wide association study identifies five new schizophrenia loci. *Nature Genetics, 43,* 969–976. (p. 644)

Ripley, A. (2013, January 28). Your brain under fire. *Time,* pp. 34ff. (p. 362)

Ritchie, S. J., Wiseman, R., & French, C. C. (2012). Failing the future: Three unsuccessful attempts to replicate Bem's 'retroactive facilitation of recall' effect. *PLoS One, 7,* e33r23 (www.plosone.org). (p. 274)

Ritter, S. M., Damian, R. I., Simonton, D. K., van Baaren, R. B., Strick, M., Derks, J., & Dijksterhuis, A. (2012). Diversifying experiences enhance cognitive flexibility. *Journal of Experimental Social Psychology, 48,* 961–964. (p. 367)

Rizzolatti, G., Fadiga, L., Fogassi, L., & Gallese, V. (2002). From mirror neurons to imitation: Facts and speculations. In A. N. Meltzoff & W. Prinz (Eds.), *The imitative mind: Development, evolution, and brain bases.* Cambridge: Cambridge University Press. (p. 307)

Rizzolatti, G., Fogassi, L., & Gallese, V. (2006, November). Mirrors in the mind. *Scientific American,* pp. 54–61. (p. 307)

Roan, S. (2010, August 15). Medical treatment carries possible side effect of limiting homosexuality. *Los Angeles Times* (www.latimes.com). (p. 446)

Roberson, D., Davidoff, J., Davies, I. R. L., & Shapiro, L. R. (2004). The development of color categories in two languages: A longitudinal study. *Journal of Experimental Psychology: General, 133,* 554–571. (p. 380)

Roberson, D., Davies, I. R. L., Corbett, G. G., & Vandervyver, M. (2005). Free-sorting of colors across cultures: Are there universal grounds for grouping? *Journal of Cognition and Culture, 5,* 349–386. (p. 380)

Roberti, J. W., Storch, E. A., & Bravata, E. A. (2004). Sensation seeking, exposure to psychosocial stressors, and body modifications in a college population. *Personality and Individual Differences, 37,* 1167–1177. (p. 422)

Roberts, A. L., Glymour, M. M., & Koenen, K. C. (2013). Does maltreatment in childhood affect sexual orientation in adulthood? *Archives of Sexual Behavior, 42,* 161–171. (p. 442)

Roberts, B. W., & DelVecchio, W. F. (2000). The rank-order consistency of personality traits from childhood to old age: A quantitative review of longitudinal studies. *Psychological Bulletin, 126,* 3–25. (p. 592)

Roberts, B. W., Donnellan, M. B., & Hill, P. L. (2013). Personality trait development in adulthood. In H. Tennen, J. Suls, & I. B. Weiner (Eds.), *Handbook of psychology, Vol. 5: Personality and social psychology* (2nd ed.). Hoboken, NJ: John Wiley. (p. 180)

Roberts, B. W., Kuncel, N. R., Shiner, R., Caspi, A., & Goldberg, L. R. (2007). The power of personality: The comparative validity of personality traits, socioeconomic status, and cognitive ability for predicting important life outcomes. *Perspectives on Psychological Science, 2,* 313–345. (p. 592)

Roberts, B. W., & Mroczek, D. K. (2008). Personality trait change in adulthood. *Current Directions in Psychological Science, 17,* 31–35. (p. 180)

Roberts, L. (1988). Beyond Noah's ark: What do we need to know? *Science, 242,* 1247. (p. 502)

Roberts, T-A. (1991). Determinants of gender differences in responsiveness to others' evaluations. *Dissertation Abstracts International, 51*(8–B). (p. 163)

Robertson, K. F., Smeets, S., Lubinski, D., & Benbow, C. P. (2010). Beyond the threshold hypothesis: Even among the gifted and top math/science graduate students, cognitive abilities, vocational interests, and lifestyle preferences matter for career choice, performance, and persistence. *Current Directions in Psychological Science, 19,* 346–351. (pp. 303, 365)

Robins, L., & Regier, D. (Eds.). (1991). *Psychiatric disorders in America.* New York: Free Press. (p. 619)

Robins, L. N., Davis, D. H., & Goodwin, D. W. (1974). Drug use by U.S. Army enlisted men in Vietnam: A follow-up on their return home. *American Journal of Epidemiology, 99,* 235–249. (p. 129)

Robins, R. W., & Trzesniewski, K. H. (2005). Self-esteem development across the lifespan. *Current Directions in Psychological Science, 14*(3), 158–162. (p. 223)

Robinson, F. P. (1970). *Effective study.* New York: Harper & Row. (p. 14)

Robinson, J. P., & Martin, S. (2008). What Do Happy People Do? *Social Indicators Research, 89*, 565–571. (p. A-1)

Robinson, J. P., & Martin, S. (2009). Changes in American daily life: 1965–2005. *Social Indicators Research, 93*, 47–56. (pp. 104, 311)

Robinson, O. J., Cools, R., Carlisi, C. O., & Drevets, W. C. (2012). Ventral striatum response during reward and punishment reversal learning in unmedicated major depressive disorder. *American Journal of Psychiatry, 169*, 152–159. (p. 633)

Robinson, T. E., & Berridge, K. C. (2003). Addiction. *Annual Review of Psychology, 54*, 25–53. (p. 118)

Robinson, T. N., Borzekowski, D. L. G., Matheson, D. M., & Kraemer, H. C. (2007). Effects of fast food branding on young children's taste preferences. *Archives of Pediatric and Adolescent Medicine, 161*, 792–797. (p. 236)

Robinson, V. M. (1983). Humor and health. In P. E. McGhee & J. H. Goldstein (Eds.), *Handbook of humor research: Vol. II. Applied studies.* New York: Springer-Verlag. (p. 506)

Robles, T. F., Slatcher, R. B., Trombello, J. M., McGinn, M. M. (2014). Marital quality and health: A meta-analytic review. *Psychological Bulletin, 140*, 140–187. (p. 505)

Rochat, F. (1993). *How did they resist authority? Protecting refugees in Le Chambon during World War II.* Paper presented at the American Psychological Association convention. (p. 530)

Rock, I., & Palmer, S. (1990, December). The legacy of Gestalt psychology. *Scientific American*, pp. 84–90. (p. 248)

Rodenburg, R., Benjamin, A., de Roos, C., Meijer, A. M., & Stams, G. J. (2009). Efficacy of EMDR in children: A meta-analysis. *Clinical Psychology Review, 29*, 599–606. (p. 677)

Rodin, J. (1986). Aging and health: Effects of the sense of control. *Science, 233*, 1271–1276. (pp. 501, 502)

Roediger, H. L., III. (2013). Applying cognitive psychology to education: Translational educational science. *Psychological Science in the Public Interest, 14*, 1–3. (p. 326)

Roediger, H. L., III, & Finn, B. (2010, March/April). The pluses of getting it wrong. *Scientific American Mind*, pp. 39–41. (p. 14)

Roediger, H. L., III, & Geraci, L. (2007). Aging and the misinformation effect: A neuropsychological analysis. *Journal of Experimental Psychology, 33*, 321–334. (p. 349)

Roediger, H. L., III, & Karpicke, J. D. (2006). Test-enhanced learning: Taking memory tests improves long-term retention. *Psychological Science, 17*, 249–255. (pp. 13, 326)

Roediger, H. L., III, & McDaniel, M. A. (2007). Illusory recollection in older adults: Testing Mark Twain's conjecture. In M. Garry H. Hayne (Ed.), *Do justice and let the sky fall: Elizabeth F. Loftus and her contributions to science, law, and academic freedom.* Mahwah, NJ: Erlbaum. (p. 349)

Roediger, H. L., III, & McDermott, K. B. (1995). Creating false memories: Remembering words not presented in lists. *Journal of Experimental Psychology: Learning, Memory, and Cognition, 21*, 803–814. (p. 347)

Roediger, H. L., III, Wheeler, M. A., & Rajaram, S. (1993). Remembering, knowing, and reconstructing the past. In D. L. Medin (Ed.), *The psychology of learning and motivation: Advances in research and theory* (Vol. 30). Orlando, FL: Academic Press. (p. 344)

Roehling, P. V., Roehling, M. V., & Moen, P. (2001). The relationship between work-life policies and practices and employee loyalty: A life course perspective. *Journal of Family and Economic Issues, 22*, 141–170. (p. A-13)

Roelfsema, M. T., Hoekstra, R. A., Allison, C., Wheelwright, S., Brayne, C., Matthews, F. E., & Baron-Cohen, S. (2012). Are autism spectrum conditions more prevalent in an information-technology region? A school-based study of three regions in the Netherlands. *Journal of Autism and Developmental Disorders, 42*, 734–739. (p. 193)

Roelofs, T. (2010, September 22). Somali refugee takes oath of U.S. citizenship year after his brother. *Grand Rapids Press* (www.mlive.com). (p. A-9)

Roenneberg, T., Kuehnle, T., Pramstaller, P. P., Ricken, J., Havel, M., Guth, A., Merrow, M. (2004). A marker for the end of adolescence. *Current Biology, 14*, R1038–R1039. (p. 101)

Roese, N. J., & Summerville, A. (2005). What we regret most . . . and why. *Personality and Social Psychology Bulletin, 31*, 1273–1285. (p. 223)

Roese, N. J., & Vohs, K. D. (2012). Hindsight bias. *Perspectives on Psychological Science, 7*, 411–426. (p. 21)

Roesser, R. (1998). What you should know about hearing conservation. *Better Hearing Institute* (www.betterhearing.org). (p. 257)

Roest, A. M., Martens, E. J., Denollet, J., & De Jonge, P. (2010). Prognostic association of anxiety post myocardial infarction with mortality and new cardiac events: A meta-analysis. *Psychosomatic Medicine, 72*, 563–569. (p. 498)

Rofé, Y. (2008). Does repression exist? Memory, pathogenic, unconscious and clinical evidence. *Review of General Psychology, 12*, 63–85. (p. 580)

Rogers, C. R. (1961). *On becoming a person: A therapist's view of psychotherapy.* Boston: Houghton Mifflin. (p. 661)

Rogers, C. R. (1980). *A way of being.* Boston: Houghton Mifflin. (pp. 583, 584, 661)

Rohan, K. J., Roecklein, K. A., Lindsey, K. T., Johnson, L. G., Lippy, R. D., Lacy, T. J., & Barton, F. B. (2007). A randomized controlled trial of cognitive-behavioral therapy, light therapy, and their combination for seasonal affective disorder. *Journal of Consulting and Clinical Psychology, 75*, 489–500. (p. 678)

Rohner, R. P. (1986). *The warmth dimension: Foundations of parental acceptance-rejection theory.* Newbury Park, CA: Sage. (p. 161)

Rohner, R. P., & Veneziano, R. A. (2001). The importance of father love: History and contemporary evidence. *Review of General Psychology, 5*, 382–405. (pp. 198, 202)

Roiser, J. P., Cook, L. J., Cooper, J. D., Rubinsztein, D. C., & Sahakian, B. J. (2005). Association of a functional polymorphism in the serotonin transporter gene with abnormal emotional processing in Ecstasy users. *American Journal of Psychiatry, 162*, 609–612. (p. 124)

Rokach, A., Orzeck, T., Moya, M., & Exposito, F. (2002). Causes of loneliness in North America and Spain. *European Psychologist, 7*, 70–79. (p. 7)

Ronald, A., & Hoekstra, R. A. (2011). Autism spectrum disorders and autistic traits: A decade of new twin studies. *American Journal of Medical Genetics Part B, 156*, 255–274. (p. 136)

Ronay, R., & von Hippel, W. (2010). The presence of an attractive woman elevates testosterone and physical risk taking in young men. *Social Psychology and Personality Science, 1*, 57–64. (p. 434)

Root, T. L., Thornton, L. M., Lindroos, A. K., Stunkard, A. J., Lichtenstein, P., Pedersen, N. L., Rasmussen, F., & Bulik, C. M. (2010). Shared and unique genetic and environmental influences on binge eating and night eating: A Swedish twin study. *Eating Behaviors, 11*, 92–98. (p. 652)

Roque, L., Verissimo, M., Oliveira, T. F., & Oliveira, R. F. (2012). Attachment security and HPA axis reactivity to positive and challenging emotional situations in child-mother dyads in naturalistic settings. *Developmental Psychobiology, 54*, 401–411. (p. 140)

Rosch, E. (1978). Principles of categorization. In E. Rosch & B. L. Lloyd (Eds.), *Cognition and categorization.* Hillsdale, NJ: Erlbaum. (p. 356)

Rose, A. J., & Rudolph, K. D. (2006). A review of sex differences in peer relationship processes: Potential trade-offs for the emotional and behavioral development of girls and boys. *Psychological Bulletin, 132*, 98–131. (p. 163)

Rose, J. S., Chassin, L., Presson, C. C., & Sherman, S. J. (1999). Peer influences on adolescent cigarette smoking: A prospective sibling analysis. *Merrill-Palmer Quarterly, 45*, 62–84. (pp. 128, 154)

Rose, R. J., Kaprio, J., Winter, T., Dick, D. M., Viken, R. J., Pulkkinen, L., & Koskenvuo, M. (2002). Femininity and fertility in sisters with twin brothers: Prenatal androgenization? Cross-sex socialization? *Psychological Science, 13*, 263–266. (p. 445)

Rose, R. J., Viken, R. J., Dick, D. M., Bates, J. E., Pulkkinen, L., & Kaprio, J. (2003). It *does* take a village: Nonfamiliar environments and children's behavior. *Psychological Science, 14*, 273–277. (p. 154)

Rose, S. A., Feldman, J. F., & Jankowski, J. J. (2012). Implications of infant cognition for executive functions at age 11. *Psychological Science, 23*, 1345–1355. (p. 401)

Roselli, C. E., Larkin, K., Schrunk, J. M., & Stormshak, F. (2004). Sexual partner preference, hypothalamic morphology and aromatase in rams. *Physiology and Behavior, 83*, 233–245. (p. 443)

Roselli, C. E., Resko, J. A., & Stormshak, F. (2002). Hormonal influences on sexual partner preference in rams. *Archives of Sexual Behavior, 31*, 43–49. (p. 443)

Rosenbaum, M. (1986). The repulsion hypothesis: On the nondevelopment of relationships. *Journal of Personality and Social Psychology, 51*, 1156–1166. (p. 555)

Rosenberg, N. A., Pritchard, J. K., Weber, J. L., Cann, H. M., Kidd, K. K., Zhivotosky, L. A., & Feldman, M. W. (2002). Genetic structure of human populations. *Science, 298*, 2381–2385. (pp. 146, 412)

Rosenberg, T. (2010, November 1). The opt-out solution. *New York Times* (www.nytimes.com). (p. 364)

Rosenblum, L. D. (2013, January). A confederacy of senses. *Scientific American*, pp. 73–78. (p. 269)

Rosenfeld, M. J. (2013, August 26). Personal communication. (p. 221)

Rosenfeld, M. J. (2014). Couple longevity in the era of same-sex marriage in the United States. *Journal of Marriage and family, 76*(5), 905–911. (pp. 220, 447)

Rosenfeld, M. J., & Thomas, R. J. (2012). Searching for a mate: The rise of the Internet as a social intermediary. *American Sociological Review, 77*, 523–547. (pp. 221, 552, 553)

Rosenhan, D. L. (1973). On being sane in insane places. *Science, 179*, 250–258. (p. 614)

Rosenthal, A. M., Sylva, D., Safron, A., & Bailey, J. M. (2012). The male bisexuality debate revisited: Some bisexual men have bisexual arousal patterns. *Archives of Sexual Behavior, 41*, 135–147. (p. 440)

Rosenthal, E. (2009, November 2). When texting kills, Britain offers path of prison. *New York Times* (www.nytimes.com). (p. 97)

Rosenthal, R., Hall, J. A., Archer, D., DiMatteo, M. R., & Rogers, P. L. (1979). The PONS test: Measuring sensitivity to nonverbal cues. In S. Weitz (Ed.), *Nonverbal communication* (2nd ed.). New York: Oxford University Press. (p. 469)

Rosenzweig, M. R. (1984). Experience, memory, and the brain. *American Psychologist, 39*, 365–376. (pp. 152, 408)

Rosenzweig, M. R., Krech, D., Bennett, E. L., & Diamond, M. C. (1962). Effects of environmental complexity and training on brain chemistry and anatomy: A replication and extension. *Journal of Comparative and Physiological Psychology, 55*, 429–437. (p. 152)

Roseth, C. J., Johnson, D. W., & Johnson, R. T. (2008). Promoting early adolescents' achievement and peer relationships: The effects of cooperative, competitive, and individualistic goal structures. *Psychological Bulletin, 134*, 223–246. (p. 566)

Rosin, H. (2010, July, August). The end of men. *The Atlantic* (www.theatlantic.com). (p. 168)

Ross, J. (2006, December). Sleep on a problem . . . it works like a dream. *The Psychologist, 19*, 738–740. (p. 106)

Ross, L. (1977). The intuitive psychologist and his shortcomings: Distortions in the attribution process. In L. Berkowitz (Ed.) *Advances in experimental social psychology* (Vol. 10). New York: Academic Press. (p. 518)

Ross, M., McFarland, C., & Fletcher, G. J. O. (1981). The effect of attitude on the recall of personal histories. *Journal of Personality and Social Psychology, 40*, 627–634. (p. 342)

Ross, M., Xun, W. Q. E., & Wilson, A. E. (2002). Language and the bicultural self. *Personality and Social Psychology Bulletin, 28*, 1040–1050. (p. 380)

Rossi, A. S., & Rossi, P. H. (1993). *Of human bonding: Parent-child relations across the life course.* Hawthorne, NY: Aldine de Gruyter. (p. 164)

Rossi, P. J. (1968). Adaptation and negative aftereffect to lateral optical displacement in newly hatched chicks. *Science, 160*, 430–432. (p. 254)

Rossion, B., & Boremanse, A. (2011). Robust sensitivity to facial identity in the right human occipito-temporal cortex as revealed by steady-state visual-evoked potentials. *Journal of Vision, 11*(2), 16, 1–21. (p. 229)

Rotge, J-Y., Langbour, N., Guehl, D., Bioulac, B., Jaafari, N., Allard, M., Aouizerate, B., & Burbaud, P. (2010). Gray matter alterations in obsessive-compulsive disorder: An anatomic likelihood estimation meta-analysis. *Neuropsychopharmacology, 35*, 686–691. (p. 626)

Roth, T., Roehrs, T., Zwyghuizen-Doorenbos, A., Stpeanski, E., & Witting, R. (1988). Sleep and memory. In I. Hindmark & H. Ott (Eds.), *Benzodiazepine receptor ligans, memory and information processing.* New York: Springer-Verlag. (p. 113)

Rothbart, M., Fulero, S., Jensen, C., Howard, J., & Birrell, P. (1978). From individual to group impressions: Availability heuristics in stereotype formation. *Journal of Experimental Social Psychology, 14*, 237–255. (p. 544)

Rothbart, M. K. (2007). Temperament, development, and personality. *Current Directions in Psychological Science, 16*, 207–212. (p. 140)

Rothbaum, F., & Tsang, B. Y-P. (1998). Lovesongs in the United States and China: On the nature of romantic love. *Journal of Cross-Cultural Psychology, 29*, 306–319. (p. 159)

Rothblum, E. D. (2007). *Same-sex couples in legalized relationships: I do, or do I?* Unpublished manuscript, Women's Studies Department, San Diego State University. (p. 148)

Rothman, A. J., & Salovey, P. (1997). Shaping perceptions to motivate healthy behavior: The role of message framing. *Psychological Bulletin, 121*, 3–19. (p. 362)

Rotton, J., & Kelly, I. W. (1985). Much ado about the full moon: A metaanalysis of lunar-lunacy research. *Psychological Bulletin, 97*, 286–306. (p. 650)

Rounds, J., & Su, R. (2014). The nature and power of interests. *Current Directions in Psychological Science, 23*, 98–103. (p. A-3)

Rovee-Collier, C. (1989). The joy of kicking: Memories, motives, and mobiles. In P. R. Solomon, G. R. Goethals, C. M. Kelley, & B. R. Stephens (Eds.), *Memory: Interdisciplinary approaches.* New York: Springer-Verlag. (p. 186)

Rovee-Collier, C. (1993). The capacity for long-term memory in infancy. *Current Directions in Psychological Science, 2*, 130–135. (p. 336)

Rovee-Collier, C. (1997). Dissociations in infant memory: Rethinking the development of implicit and explicit memory. *Psychological Review, 104*, 467–498. (p. 186)

Rovee-Collier, C. (1999). The development of infant memory. *Current Directions in Psychological Science, 8*, 80–85. (p. 186)

Rowe, D. C. (1990). As the twig is bent? The myth of child-rearing influences on personality development. *Journal of Counseling and Development, 68*, 606–611. (p. 138)

Rowe, D. C., Almeida, D. M., & Jacobson, K. C. (1999). School context and genetic influences on aggression in adolescence. *Psychological Science, 10*, 277–280. (p. 545)

Rowe, D. C., Jacobson, K. C., & Van den Oord, E. J. C. G. (1999). Genetic and environmental influences on vocabulary IQ: Parental education level as moderator. *Child Development, 70*(5), 1151–1162. (p. 406)

Rowe, D. C., Vazsonyi, A. T., & Flannery, D. J. (1994). No more than skin deep: Ethnic and racial similarity in developmental process. *Psychological Review, 101*(3), 396. (p. 161)

Rowe, D. C., Vazsonyi, A. T., & Flannery, D. J. (1995). Ethnic and racial similarity in developmental process: A study of academic achievement. *Psychological Science, 6*, 33–38. (p. 161)

Rozin, P., Dow, S., Mosovitch, M., & Rajaram, S. (1998). What causes humans to begin and end a meal? A role for memory for what has been eaten, as evidenced by a study of multiple meal eating in amnesic patients. *Psychological Science, 9*, 392–396. (p. 427)

Rozin, P., Millman, L., & Nemeroff, C. (1986). Operation of the laws of sympathetic magic in disgust and other domains. *Journal of Personality and Social Psychology, 50*, 703–712. (p. 286)

Ruau, D., Liu, L. Y., Clark, J. D., Angst, M. S., & Butte, A. J. (2012). Sex differences in reported pain across 11,000 patients captured in electronic medical records. *Journal of Pain, 13*, 228–234. (p. 261)

Ruback, R. B., Carr, T. S., & Hopper, C. H. (1986). Perceived control in prison: Its relation to reported crowding, stress, and symptoms. *Journal of Applied Social Psychology, 16*, 375–386. (p. 502)

Rubenstein, J. S., Meyer, D. E., & Evans, J. E. (2001). Executive control of cognitive processes in task switching. *Journal of Experimental Psychology: Human Perception and Performance, 27*, 763–797. (p. 96)

Rubin, D. C., Rahhal, T. A., & Poon, L. W. (1998). Things learned in early adulthood are remembered best. *Memory and Cognition, 26*, 3–19. (p. 217)

Rubin, J. Z., Pruitt, D. G., & Kim, S. H. (1994). *Social conflict: Escalation, stalemate, and settlement.* New York: McGraw-Hill. (p. 566)

Rubin, L. B. (1985). *Just friends: The role of friendship in our lives.* New York: Harper & Row. (p. 164)

Rubin, Z. (1970). Measurement of romantic love. *Journal of Personality and Social Psychology, 16*, 265–273. (p. 468)

Rubio, G., & López-Ibor, J. J. (2007). Generalized anxiety disorder: A 40-year follow-up study. *Acta Psychiatrica Scandinavica, 115*, 372–379. (p. 620)

Rubio-Fernández, P., & Geurts, B. (2013). How to pass the false-belief task before your fourth birthday. *Psychological Science, 24*, 27–33. (p. 190)

Ruchlis, H. (1990). *Clear thinking: A practical introduction.* Buffalo, NY: Prometheus Books. (p. 357)

Rudman, L. A., & Goodwin, S. A. (2004). Gender differences in automatic in-group bias: Why do women like women more than men like men? *Journal of Personality and Social Psychology, 87*, 494–509. (p. 540)

Rudman, L. A., McLean, M. C., & Bunzl, M. (2013). When truth is personally inconvenient, attitudes change: The impact of extreme weather on implicit support for green politicians and explicit climate-change beliefs. *Psychological Science, 14*, 2290–2296. (p. 360)

Rueckert, L., Doan, T., & Branch, B. (2010). *Emotion and relationship effects on gender differences in empathy.* Presented at the annual meeting of the Association for Psychological Science, Boston, MA. (p. 471)

Ruffin, C. L. (1993). Stress and health—little hassles vs. major life events. *Australian Psychologist, 28*, 201–208. (p. 490)

Rule, B. G., & Ferguson, T. J. (1986). The effects of media violence on attitudes, emotions, and cognitions. *Journal of Social Issues, 42*(3), 29–50. (p. 312)

Rule, N. O., Ambady, N., & Hallett, K. C. (2009). Female sexual orientation is perceived accurately, rapidly, and automatically from the face and its features. *Journal of Experimental Social Psychology, 45*, 1245–1251. (p. 593)

Rumbaugh, D. M. (1977). *Language learning by a chimpanzee: The Lana project.* New York: Academic Press. (p. 378)

Rusanen, M., Kivipelto, M., Quesenberry, C. P., Jr., Zhou, J., & Whitmer, R. A. (2011). Heavy smoking in midlife and long-term risk of Alzheimer disease and vascular dementia. *Archives of Internal Medicine, 171*, 333–339. (p. 218)

Rushton, J. P. (1975). Generosity in children: Immediate and long-term effects of modeling, preaching, and moral judgment. *Journal of Personality and Social Psychology, 31*, 459–466. (p. 311)

Rushton, P., & Irwing, P. (2011). The general factor of personality: Normal and abnormal. In T. Chamorro-Premuzic, S. von Stumm, & A. Furnham (Eds.), *The Wiley-Blackwell Handbook of Individual Differences* (pp. 132–161). New York: Wiley-Blackwell. (p. 590)

Russell, B. (1930/1985). *The conquest of happiness.* London: Unwin Paperbacks. (p. 484)

Russell, J. A. (2009). Emotion, Core Affect, and Psychological Construction. *Cognition and Emotion, 23*, 1259–1283. (p. 476)

Russell, J. A., & Carroll, J. M. (1999a, January). On the bipolarity of positive and negative affect. *Psychological Bulletin, 125*, 3–30. (p. 476)

Russell, J. A., & Carroll, J. M. (1999b). The phoenix of bipolarity: Reply to Watson and Tellegan (1999). *Psychological Bulletin, 125*, 611–614. (p. 476)

Russell, J. A., Lewicka, M., & Niit, T. (1989). A cross-cultural study of a circumplex model of affect. *Journal of Personality and Social Psychology, 57*, 848–856. (p. 476)

Rutchick, A. M. (2010). Deus ex machine: The influence of polling place on voting behavior. *Political Psychology, 31*, 209–225. (p. 280)

Rutchick, A. M., Slepian, M. L., & Ferris, B. D. (2010). The pen is mightier than the word: Object priming of evaluative standards. *European Journal of Social Psychology, 40*, 704–708. (p. 280)

Ruthsatz, J., & Urbach, J. B. (2012). Child prodigy: A novel cognitive profile places elevated general intelligence, exceptional working memory and attention to detail at the root of prodigiousness. *Intelligence, 40*, 419–426. (p. 455)

Ryan, C., Huebner, D., Diaz, R. M., & Sanchez, J. (2009). Family rejection as a predictor of negative health outcomes in White and Latino lesbian, gay, and bisexual young adults. *Pediatrics, 123*, 346–352. (p. 441)

Ryan, R. (1999, February 2). Quoted by Alfie Kohn, In pursuit of affluence, at a high price. *New York Times* (www.nytimes.com). (pp. 482, 483)

Ryan, R. M., & Deci, E. L. (2004). Avoiding death or engaging life as accounts of meaning and culture: Comment on Pyszczynski et al. (2004). *Psychological Bulletin, 130*, 473–477. (p. 605)

Rydell, R. J., Rydell, M. T., & Boucher, K. L. (2010). The effect of negative performance stereotypes on learning. *Journal of Personality and Social Psychology, 99*, 883–896. (p. 414)

Saad, L. (2002, November 21). Most smokers wish they could quit. *Gallup News Service* (www.gallup.com). (p. 122)

Saad, L. (2006, August 10). Anti-Muslim sentiments fairly commonplace. *Gallup News Service* (poll.gallup.com). (p. 538)

Sabbagh, M. A., Xu, F., Carlson, S. M., Moses, L. J., & Lee, K. (2006). The development of executive functioning and theory of mind: A comparison of Chinese and U.S. preschoolers. *Psychological Science, 17*, 74–81. (p. 190)

Sabini, J. (1986). Stanley Milgram (1933–1984). *American Psychologist, 41*, 1378–1379. (p. 528)

Sachdev, P., & Sachdev, J. (1997). Sixty years of psychosurgery: Its present status and its future. *Australian and New Zealand Journal of Psychiatry, 31*, 457–464. (p. 688)

Sackett, P. R., Borneman, M. J., & Connelly, B. S. (2008). High-stakes testing in higher education and employment: Appraising the evidence for validity and fairness. *American Psychologist, 63*, 215–227. (p. 414)

Sackett, P. R., Hardison, C. M., & Cullen, M. J. (2004). On interpreting stereotype threat as accounting for African American-White differences on cognitive tests. *American Psychologist, 59*, 7–13. (p. 414)

Sackett, P. R., Kuncel, N. R., Beatty, A. S., Rigdon, J. L., Shen, W., & Kiger, T. B. (2012). The role of socioeconomic status in SAT-grade relationships and in college admissions decisions. *Psychological Science, 23*, 1000–1007. (p. 398)

Sackett, P. R., & Lievens, F. (2008). Personnel selection. *Annual Review of Psychology, 59*, 419–450. (p. A-4)

Sacks, O. (1985). *The man who mistook his wife for a hat.* New York: Summit Books. (pp. 269, 338)

Sadato, N., Pascual-Leone, A., Grafman, J., Ibanez, V., Deiber, M-P., Dold, G., & Hallett, M. (1996). Activation of the primary visual cortex by Braille reading in blind subjects. *Nature, 380*, 526–528. (p. 81)

Sadler, M. S., Correll, J., Park, B., & Judd, C. M. (2012). The world is not Black and White: Racial bias in the decision to shoot in a multiethnic context. *Journal of Social Issues, 68*, 286–313. (p. 539)

Sadler, M. S., Meagor, E. L., & Kaye, M. E. (2012). Stereotypes of mental disorders differ in competence and warmth. *Social Science and Medicine, 74*, 915–922. (p. 614)

Saffran, J. A. (2009). What can statistical learning tell us about infant learning? In A. Woodward & A. Needham (eds.), *Learning and the infant mind.* New York: Oxford University Press. (p. 373)

Saffran, J. R., Aslin, R. N., & Newport, E. L. (1996). Statistical learning by 8-month-old infants. *Science, 274*, 1926–1928. (p. 373)

Sagan, C. (1979). *Broca's brain.* New York: Random House. (pp. 24, 66)

Sagan, C. (1987, February 1). The fine art of baloney detection. *Parade.* (p. 273)

Salas-Wright, C. P., Vaughn, M. G., Hodge, D. R., & Perron, B. E. (2012). Religiosity profiles of American youth in relation to substance use, violence, and delinquency. *Journal of Youth and Adolescence, 41*, 1560–1575. (p. 129)

Salmela-Aro, K., Tolvanen, A., & Nurmi, J. (2009). Achievement strategies during university studies predict early career burnout and engagement. *Journal of Vocational Behavior, 75*, 162–172. (p. A-6)

Salmon, P. (2001). Effects of physical exercise on anxiety, depression, and sensitivity to stress: A unifying theory. *Clinical Psychology Review, 21*, 33–61. (pp. 508, 509)

Salovey, P. (1990, January/February). Interview. *American Scientist*, pp. 25–29. (p. 479)

Salthouse, T. A. (2004). What and when of cognitive aging. *Current Directions in Psychological Science, 13*, 140–144. (p. 400)

Salthouse, T. A. (2009). When does age-related cognitive decline begin? *Neurobiology of Aging, 30*, 507–514. (p. 401)

Salthouse, T. A. (2010). Selective review of cognitive aging. *Journal of the International Neuropsychological Society, 16*, 754–760. (pp. 218, 401)

Salthouse, T. A. (2013). Within-cohort age-related differences in cognitive functioning. *Psychological Science, 24*, 123–130. (p. 401)

Salthouse, T. A., & Mandell, A. R. (2013). Do age-related increases in tip-of-the-tongue experiences signify episodic memory impairments? *Psychological Science, 24*, 2489–2497. (p. 341)

Sampson, E. E. (2000). Reinterpreting individualism and collectivism: Their religious roots and monologic versus dialogic person–other relationship. *American Psychologist, 55*, 1425–1432. (p. 157)

Samuels, J., & Nestadt, G. (1997). Epidemiology and genetics of obsessive-compulsive disorder. *International Review of Psychiatry, 9*, 61–71. (p. 623)

Sánchez-Villegas, A., Delgado-Rodríguez, M., Alonson, A., Schlatter, J., Lahortiga, F., Majem, L. S., & Martínez-González, M. A. (2009). Association of the Mediterranean dietary pattern with the incidence of depression. *Archives of General Psychiatry, 66*, 1090–1098. (p. 634)

Sanders, A. R., Dawood, K. Rieger, G., J. A. Badner, J. A., Gershon, E. S., Krishnappa, R. S., . . . Bailey, J. M. (2012). Genome-wide linkage scan of male sexual orientation. *Psychological Medicine.* (p. 444)

Sanders, G., Sjodin, M., & de Chastelaine, M. (2002). On the elusive nature of sex differences in cognition: hormonal influences contributing to within-sex variation. *Archives of Sexual Behavior, 31*, 145–152. (p. 445)

Sanders, G., & Wright, M. (1997). Sexual orientation differences in cerebral asymmetry and in the performance of sexually dimorphic cognitive and motor tasks. *Archives of Sexual Behavior, 26*, 463–479. (p. 446)

Sanders, M. A., Shirk, S. D., Burgin, C. J., & Martin, L. L. (2012). The gargle effect: Rinsing the mouth with glucose enhances self-control. *Psychological Science, 23*, 1470–1472. (p. 504)

Sandfort, T. G. M., de Graaf, R., Bijl, R., & Schnabel, P. (2001). Same-sex sexual behavior and psychiatric disorders. *Archives of General Psychiatry, 58*, 85–91. (p. 440)

Sandkühler, S., & Bhattacharya, J. (2008). Deconstructing insight: EEG correlates of insightful problem solving. *PloS ONE, 3*, e1459 (www.plosone.org). (p. 357)

Sandler, W., Meir, I., Padden, C., & Aronoff, M. (2005). The emergence of grammar: Systematic structure in a new language. *Proceedings of the National Academy of Sciences, 102*, 2261–2265. (p. 373)

Santomauro, J., & French, C. C. (2009). Terror in the night. *The Psychologist, 22,* 672–675. (p. 103)

Santos, A., Meyer-Lindenberg, A., & Deruelle, C. (2010). Absence of racial, but not gender, stereotyping in Williams syndrome children. *Current Biology, 20,* R307–R308. (p. 543)

Sanz, C., Blicher, A., Dalke, K., Gratton-Fabri, L., McClure-Richards, T., & Fouts, R. (1998, Winter-Spring). Enrichment object use: Five chimpanzees' use of temporary and semi-permanent enrichment objects. *Friends of Washoe, 19*(1,2), 9–14. (p. 378)

Sanz, C., Morgan, D., & Gulick, S. (2004). New insights into chimpanzees, tools, and termites from the Congo Basin. *American Naturalist, 164,* 567–581. (p. 368)

Sapadin, L. A. (1988). Friendship and gender: Perspectives of professional men and women. *Journal of Social and Personal Relationships, 5,* 387–403. (p. 164)

Saphire-Bernstein, S., Way, B. M., Kim, H. S, Sherman, D. K., & Taylor, S. E. (2011). Oxytocin receptor gene (OXTR) is related to psychological resources. *Proceedings of the National Academy of Sciences, 108,* 15118–15122. (p. 505)

Sapolsky, B. S., & Tabarlet, J. O. (1991). Sex in primetime television: 1979 versus 1989. *Journal of Broadcasting and Electronic Media, 35,* 505–516. (p. 439)

Sapolsky, R. (2003, September). Taming stress. *Scientific American,* pp. 87–95. (pp. 491, 629)

Sapolsky, R. (2005). The influence of social hierarchy on primate health. *Science, 308,* 648–652. (pp. 501, 502)

Sapolsky, R. (2010, November 14). This is your brain on metaphors. *New York Times* (www.nytimes.com). (p. 466)

Sarsam, M., Parkes, L. M., Roberts, N., Reid, G. S., & Kinderman, P. (2013). The queen and I: Neural correlates of altered self-related cognitions in major depressive episode. *PLOS One, 8,* e78844. (p. 635)

Satel, S., & Lilienfeld, S. G. (2013). *Brainwashed: The seductive appeal of mindless neuroscience.* New York: Basic Books. (p. 68)

Sato, K. (1987). Distribution of the cost of maintaining common resources. *Journal of Experimental Social Psychology, 23,* 19–31. (p. 563)

Saulny, S. (2006, June 21). A legacy of the storm: Depression and suicide. *New York Times* (www.nytimes.com). (p. 489)

Saurat, M., Agbakou, M., Attigui, P., Golmard, J., & Arnulf, I. (2011). Walking dreams in congenital and acquired paraplegia. *Consciousness and Cognition, 20,* 1425–1432. (p. 112)

Savage-Rumbaugh, E. S., Murphy, J., Sevcik, R. A., Brakke, K. E., Williams, S. L., & Rumbaugh, D. M., with commentary by Bates, E. (1993). Language comprehension in ape and child. *Monographs of the Society for Research in Child Development, 58* (233), 1–254. (p. 378)

Savage-Rumbaugh, E. S., Rumbaugh, D., & Fields, W. M. (2009). Empirical Kanzi: The ape language controversy revisited. *Skeptic, 15,* 25–33. (p. 378)

Savani, K., & Rattan, A. (2012). A choice mind-set increases the acceptance and maintenance of wealth inequality. *Psychological Science, 23,* 796–804. (p. 519)

Savic, I., Berglund, H., & Lindstrom, P. (2005). Brain response to putative pheromones in homosexual men. *Proceedings of the National Academy of Sciences, 102,* 7356–7361. (p. 443)

Savic, I., & Lindström, P. (2008). PET and MRI show differences in cerebral asymmetry and functional connectivity between homo- and heterosexual subjects. *Proceedings of the National Academy of Sciences, 105,* 9403–9408. (p. 443)

Savin-Williams, R., Joyner, K., & Rieger, G. (2012). Prevalence and stability of self-reported sexual orientation identity during young adulthood. *Archives of Sexual Behavior, 41,* 103–110. (p. 440)

Savitsky, K., Epley, N., & Gilovich, T. D. (2001). Do others judge us as harshly as we think? Overestimating the impact of our failures, shortcomings, and mishaps. *Journal of Personality and Social Psychology, 81,* 44–56. (p. 599)

Savitsky, K., & Gilovich, T. D. (2003). The illusion of transparency and the alleviation of speech anxiety. Journal *of Experimental Social Psychology, 39,* 618–625. (p. 599)

Savoy, C., & Beitel, P. (1996). Mental imagery for basketball. *International Journal of Sport Psychology, 27,* 454–462. (p. 382)

Sawyer, M. G., Arney, F. M., Baghurst, P. A., Clark, J. J., Graetz, B. W., Kosky, R. J., Nurcombe, B., . . . Zubrick, S. R. (2000). *The mental health of young people in Australia.* Canberra: Mental Health and Special Programs Branch, Commonwealth Department of Health and Aged Care. (p. 632)

Sayal, K., Heron, J., Golding, J., Alati, R., Smith, G. D., Gray, R., & Emond, A. (2009). Binge pattern of alcohol consumption during pregnancy and childhood mental health outcomes: Longitudinal population-based study. *Pediatrics, 123,* e289. (p. 182)

Sayette, M. A., Creswell, K. G., Kimoff, J. D., Fairbairn, C. E., Cohn, J. F., Heckman, B. W., . . . & Moreland, R. L. (2012). Alcohol and group formation: A multimodal investigation of the effects of alcohol on emotion and social bonding. *Psychological Science, 23,* 869–878. (p. 119)

Sayette, M. A., Loewenstein, G., Griffin, K. M., & Black, J. J. (2008). Exploring the cold-to-hot empathy gap in smokers. *Psychological Science, 19,* 926–932. (p. 121)

Sayette, M. A., Reichle, E. D., & Schooler, J. W. (2009). Lost in the sauce: The effects of alcohol on mind wandering. *Psychological Science, 20,* 747–752. (p. 120)

Sayette, M. A., Schooler, J. W., & Reichle, E. D. (2010). Out for a smoke: The impact of cigarette craving on zoning out during reading. *Psychological Science, 21,* 26–30. (p. 121)

Sayre, R. F. (1979). The parents' last lessons. In D. D. Van Tassel (Ed.), *Aging, death, and the completion of being.* Philadelphia: University of Pennsylvania Press. (p. 218)

Sbarra, D. A., Law, R. W., & Portley, R. M. (2011). Divorce and death: A meta-analysis and research agenda for clinical, social, and health psychology. *Perspectives on Psychological Science, 6,* 454-474. (pp. 449, 505)

Scarborough, E., & Furumoto, L. (1987). *Untold lives: The first generation of American women psychologists.* New York: Columbia University Press. (p. 3)

Scarr, S. (1984, May). What's a parent to do? A conversation with E. Hall. *Psychology Today,* pp. 58–63. (p. 409)

Scarr, S. (1989). Protecting general intelligence: Constructs and consequences for interventions. In R. J. Linn (Ed.), *Intelligence: Measurement, theory, and public policy.* Champaign: University of Illinois Press. (p. 389)

Scarr, S. (1990). Back cover comments on J. Dunn & R. Plomin (1990), *Separate lives: Why siblings are so different.* New York: Basic Books. (p. 152)

Scarr, S. (1993, May/June). Quoted by *Psychology Today,* Nature's thumbprint: So long, superparents, p. 16. (p. 154)

Schab, F. R. (1991). Odor memory: Taking stock. *Psychological Bulletin, 109,* 242–251. (p. 268)

Schachter, S., & Singer, J. E. (1962). Cognitive, social and physiological determinants of emotional state. *Psychological Review, 69,* 379–399. (p. 461)

Schacter, D. L. (1992). Understanding implicit memory: A cognitive neuroscience approach. *American Psychologist, 47,* 559–569. (p. 339)

Schacter, D. L. (1996). *Searching for memory: The brain, the mind, and the past.* New York: Basic Books. (pp. 216, 329, 339, 580)

Schafer, G. (2005). Infants can learn decontextualized words before their first birthday. *Child Development, 76,* 87–96. (p. 372)

Schaie, K. W. (1994). The life course of adult intellectual abilities. *American Psychologist, 49,* 304–313. (p. 400)

Schaie, K. W., & Geiwitz, J. (1982). *Adult development and aging.* Boston: Little, Brown. (p. 400)

Schalock, R. L., Borthwick-Duffy, S., Bradley, V. J., Buntinx, W. H. E., Coulter, D. L., Craig, E. M. (2010). *Intellectual disability: Definition, classification, and systems of supports* (11th edition). Washington, DC: American Association on Intellectual and Developmental Disabilities. (p. 403)

Schauer, F. (2010). Neuroscience, lie-detection, and the law. *Trends in Cognitive Sciences, 14,* 101–103. (p. 467)

Scheibe, S., & Carstensen, L. L. (2010). Emotional aging: Recent findings and future trends. *Journal of Gerontology: Psychological Sciences, 65B,* 135–144. (p. 223)

Schein, E. H. (1956). The Chinese indoctrination program for prisoners of war: A study of attempted brainwashing. *Psychiatry, 19,* 149–172. (p. 521)

Schetter, C. D., Schafer, P., Lanzi, R. G., Clark-Kauffman, E., Raju., T. N. K., & Hillemeier, M. M. (2013). Shedding light on the mechanisms underlying health disparities through community participatory methods: The stress pathway. *Perspectives on Psychological Science, 8,* 613–633. (p. 490)

Schiavi, R. C., & Schreiner-Engel, P. (1988). Nocturnal penile tumescence in healthy aging men. *Journal of Gerontology: Medical Sciences, 43,* M146–M150. (p. 103)

Schick, V., Herbenick, D., Reece, M., Sanders, S. A., Dodge, B., Middlestadt, S. E., & Fortenberry, J. D. (2010). Sexual behaviors, condom use, and sexual health of Americans over 50: Implications for sexual health promotion for older adults. *Journal of Sexual Medicine, 7*(suppl 5), 315–329. (p. 214)

Schiffenbauer, A., & Schiavo, R. S. (1976). Physical distance and attraction: An intensification effect. *Journal of Experimental Social Psychology, 12,* 274–282. (p. 532)

Schiffman, J., Abrahamsom, A., Cannon, T., LaBrie, J., Parnas, J., Schulsinger, F., & Mednick, S. (2001). Early rearing factors in schizophrenia. *International Journal of Mental Health, 30,* 3–16. (p. 645)

Schilt, T., de Win, M. M. L, Koeter, M., Jager, G., Korf, D. J., van den Brink, W., & Schmand, B. (2007). Cognition in novice Ecstasy users with minimal exposure to other drugs. *Archives of General Psychiatry, 64,* 728–736. (p. 124)

Schimel, J., Arndt, J., Pyszczynski, T., & Greenberg, J. (2001). Being accepted for who we are: Evidence that social validation of the intrinsic self reduces general defensiveness. *Journal of Personality and Social Psychology, 80,* 35–52. (p. 585)

Schimmack, U., & Lucas, R. (2007). Marriage matters: Spousal similarity in life satisfaction. *Schmollers Jahrbuch, 127,* 1–7. (p. 485)

Schlaug, G., Jancke, L., Huang, Y., & Steinmetz, H. (1995). In vivo evidence of structural brain asymmetry in musicians. *Science, 267,* 699–701. (p. 67)

Schlomer, G. L., Del Giudice, M., & Ellis, B. J. (2011). Parent-offspring conflict theory: An evolutionary framework for understanding conflict within human families. *Psychological Review, 118,* 496–521. (p. 210)

Schloss, J. (2009). Does evolution explain human nature? Totally, for a Martian. In *Celebrating the bicentenary of the birth of Charles Darwin.* Philadelphia: John Templeton Foundation (www.templeton.org). (p. 146)

Schmader, T. (2010). Stereotype threat deconstructed. *Current Directions in Psychological Science, 19,* 14–18. (p. 414)

Schmidt, F. L. (2002). The role of general cognitive ability and job performance: Why there cannot be a debate. *Human Performance, 15,* 187–210. (p. A-5)

Schmidt, F. L., & Hunter, J. E. (1998). The validity and utility of selection methods in personnel psychology: Practical and theoretical implications of 85 years of research findings. *Psychological Bulletin, 124,* 262–274. (pp. 597, A-5, A-6)

Schmidt, F. L., & Zimmerman, R. D. (2004). A counterintuitive hypothesis about employment interview validity and some supporting evidence. *Journal of Applied Psychology, 89,* 553–561. (p. A-6)

Schmidt, M. F. H., & Tomasello, M. (2012). Young children enforce social norms. *Current Directions in Psychological Science, 21,* 232–236. (p. 206)

Schmitt, D. P. (2007). Sexual strategies across sexual orientations: How personality traits and culture relate to sociosexuality among gays, lesbians, bisexuals, and heterosexuals. *Journal of Psychology and Human Sexuality, 18,* 183–214. (p. 147)

Schmitt, D. P., & Allik, J. (2005). Simultaneous administration of the Rosenberg Self-esteem Scale in 53 nations: Exploring the universal and culture-specific features of global self-esteem. *Journal of Personality and Social Psychology, 89,* 623–642. (p. 602)

Schmitt, D. P., Allik, J., McCrae, R. R., Benet-Martínez, V., et al. (2007). The geographic distribution of Big Five personality traits: Patterns and profiles of human self-description across 56 nations. *Journal of Cross-Cultural Psychology, 38,* 173–212. (pp. 590, 591)

Schmitt, D. P., Jonason, P. K., Byerley, G. J., Flores, S. D., Illbeck, B. E., O'Leary, K. N., & Qudrat, A. (2012). A reexamination of sex differences in sexuality: New studies reveal old truths. *Current Directions in Psychological Science, 21,* 135–139. (p. 438)

Schmitt, D. P., & Pilcher, J. J. (2004). Evaluating evidence of psychological adaptation: How do we know one when we see one? *Psychological Science, 15,* 643–649. (p. 146)

Schnall, E., Wassertheil-Smoller, S., Swencionis, C., Zemon, V., Tinker, L., O'Sullivan. M. J., Van Horn, K., & Goodwin, M. (2010). The relationship between religion and cardiovascular outcomes and all-cause mortality in the women's health initiative observational study. *Psychology and Health, 25,* 249–263. (p. 512)

Schnall, S., Haidt, J., Clore, G. L., & Jordan, A. (2008). Disgust as embodied moral judgment. *Personality and Social Psychology Bulletin, 34,* 1096–1109. (pp. 237, 268)

Schnall, S., Roper, J., & Fessler, D. M. T. (2010). Elevation leads to altruistic behavior. *Psychological Science, 21,* 315–320. (p. 560)

Schneider, S. L. (2001). In search of realistic optimism: Meaning, knowledge, and warm fuzziness. *American Psychologist, 56,* 250–263. (p. 600)

Schneiderman, N. (1999). Behavioral medicine and the management of HIV/AIDS. *International Journal of Behavioral Medicine, 6,* 3–12. (p. 495)

Schneier, B. (2007, May 17). Virginia Tech lesson: Rare risks breed irrational responses. *Wired* (www.wired.com). (p. 363)

Schoeneman, T. J. (1994). Individualism. In V. S. Ramachandran (Ed.), *Encyclopedia of human behavior.* San Diego: Academic Press. (p. 158)

Schofield, J. W. (1986). Black-White contact in desegregated schools. In M. Hewstone & R. Brown (Eds.), *Contact and conflict in intergroup encounters.* Oxford: Basil Blackwell. (p. 565)

Schonfield, D., & Robertson, B. A. (1966). Memory storage and aging. *Canadian Journal of Psychology, 20,* 228–236. (p. 217)

Schooler, J. W., Gerhard, D., & Loftus, E. F. (1986). Qualities of the unreal. *Journal of Experimental Psychology: Learning, Memory, and Cognition, 12,* 171–181. (p. 344)

Schorr, E. A., Fox, N.A., van Wassenhove, V., & Knudsen, E.I. (2005). Auditory-visual fusion in speech perception in children with cochlear implants. *Proceedings of the National Academy of Sciences, 102,* 18748–18750. (p. 259)

Schrauzer, G. N., & Shrestha, K. P. (1990). Lithium in drinking water and the incidences of crimes, suicides, and arrests related to drug addictions. *Biological Trace Element Research, 25*(2), 105–113. (p. 685)

Schrauzer, G. N., & Shrestha, K. P. (2010). Lithium in drinking water. *British Journal of Psychiatry, 196,* 159. (p. 685)

Schreiber, F. R. (1973). *Sybil.* Chicago: Regnery. (p. 648)

Schueller, S. M. (2010). Preferences for positive psychology exercises. *Journal of Positive Psychology, 5,* 192–203. (p. 479)

Schultheiss, O., Wiemers, U. & Wolf, O. (2014). Implicit need for achievement predicts attenuated cortisol responses to difficult tasks. *Journal of Research in Personality, 48,* 84–92. (p. 578)

Schuman, H., & Scott, J. (June, 1989). Generations and collective memories. *American Sociological Review, 54*(3), 359–381. (p. 217)

Schumann, K., & Ross, M. (2010). Why women apologize more than men: Gender differences in thresholds for perceiving offensive behavior. *Psychological Science, 21,* 1649–1655. (p. 163)

Schurger, A., Pereira, F., Treisman, A., & Cohen, J. D. (2010, Jan.) Reproducibility distinguishes conscious from nonconscious neural representations. *Science, 327,* 97–99. (p. 93)

Schurger, A., Sitt, J. D., & Dehaene, S. (2012). An accumulator model for spontaneous neural activity prior to self-initiated movement. *PNAS, 109,* E2904–13. (p. 95)

Schwartz, B. (1984). *Psychology of learning and behavior* (2nd ed.). New York: Norton. (pp. 287, 624)

Schwartz, B. (2000). Self-determination: The tyranny of freedom. *American Psychologist, 55,* 79–88. (p. 502)

Schwartz, B. (2004). *The paradox of choice: Why more is less.* New York: Ecco/HarperCollins. (p. 502)

Schwartz, H. A., Eichstaedt, J. C., Kern, M. L., Dziurzynski, L., Ramones, S. M., Agrawal, M., . . . Ungar, L. H. (2013). Personality, gender, and age in the language of social media: The open-vocabulary approach. *PLOS One, 8,* e73791. (p. 163)

Schwartz, J. M., Stoessel, P. W., Baxter, L. R., Jr., Martin, K. M., & Phelps, M. E. (1996). Systematic changes in cerebral glucose metabolic rate after successful behavior modification treatment of obsessive-compulsive disorder. *Archives of General Psychiatry, 53,* 109–113. (pp. 669, 688)

Schwartz, P. J. (2011). Season of birth in schizophrenia: A maternal-fetal chronobiological hypothesis. *Medical Hypotheses, 76,* 785–793. (p. 643)

Schwartz, S. H., & Rubel-Lifschitz, T. (2009). Cross-national variation in the size of sex differences in values: Effects of gender equality. *Journal of Personality and Social Psychology, 97,* 171–185. (p. 162)

Schwartz, S. J., Unger, J. B., Zamboanga, B. L., & Szapocznik, J. (2010). Rethinking the concept of acculturation: Implications for theory and research. *American Psychologist, 65,* 237–251. (p. 618)

Schwartzman-Morris, J., & Putterman, C. (2012). Gender differences in the pathogenesis and outcome of lupus and of lupus nephritis. *Clinical and Developmental Immunology, 2012,* 604892. doi: 10.1155/2012/604892. (p. 493)

Schwarz, A. (2007, April 6). Throwing batters curves before throwing a pitch. *New York Times* (www.nytimes.com). (p. 86)

Schwarz, A. (2012, June 9). Risky rise of the good-grade pill. *New York Times* (www.nytimes.com). (p. 615)

Schwarz, A., & Cohen, S. (2013, March 31). A.D.H.D. seen in 11% of U.S. children as diagnoses rise. *New York Times* (www.nytimes.com). (p. 615)

Schwarz, N., Strack, F., Kommer, D., & Wagner, D. (1987). Soccer, rooms, and the quality of your life: Mood effects on judgments of satisfaction with life in general and with specific domains. *European Journal of Social Psychology, 17,* 69–79. (p. 336)

Schwarz, S., & Singer, M. (2013). Romantic red revisited: Red enhances men's attraction to young, but not menopausal women. *Journal of Experimental Social Psychology, 49,* 161–164. (p. 303)

Sclafani, A. (1995). How food preferences are learned: Laboratory animal models. *Proceedings of the Nutrition Society, 54,* 419–427. (p. 428)

Scott, D. J., et al. (2004, November 9). U-M team reports evidence that smoking affects human brain's natural "feel good" chemical system (press release by Kara Gavin). University of Michigan Medical School (www.med.umich.edu). (p. 122)

Scott, D. J., Stohler, C. S., Egnatuk, C. M., Wang, H., Koeppe, R. A., & Zubieta, J-K. (2007). Individual differences in reward responding explain placebo-induced expectations and effects. *Neuron, 55*, 325–336. (p. 264)

Scott, K. M., et al. (2010). Gender and the relationship between marital status and first onset of mood, anxiety and substance use disorders. *Psychological Medicine, 40*, 1495–1505. (p. 221)

Scott, W. A., Scott, R., & McCabe, M. (1991). Family relationships and children's personality: A cross-cultural, cross-source comparison. *British Journal of Social Psychology, 30*, 1–20. (p. 161)

Scott-Sheldon, L., Carey, K. B., Elliott, J. C., Garey, L., & Carey, M. P. (2014). Efficacy of alcohol interventions for first-year college students: A meta-analytic review of randomized controlled trials. *Journal of Consulting and Clinical Psychology, 82*, 177–188. (p. 120)

Scullin, M. K., & McDaniel, M. A. (2010). Remembering to execute a goal: Sleep on it! *Psychological Science, 21*, 1028–1035. (p. 342)

Sdorow, L. M. (2005). The people behind psychology. In B. Perlman, L. McCann, & W. Buskist (Eds.), *Voices of experience: Memorable talks from the National Institute on the Teaching of Psychology*. Washington, DC: American Psychological Society. (p. 578)

Seal, K. H., Bertenthal, D., Miner, C. R., Sen, S., & Marmar, C. (2007). Bringing the war back home: Mental health disorders among 103,788 U.S. veterans returning from Iraq and Afghanistan seen at Department of Veterans Affairs facilities. *Archives of Internal Medicine, 167*, 467–482. (p. 623)

Seamon, J., Punjabi, P., & Busch, E. (2010). Memorizing Milton's *Paradise Lost*: A study of a septuagenarian exceptional memoriser. *Memory, 18*, 498–503. (p. 217)

Sebat, J., et al. (2007). Strong association of de novo copy number mutations with autism. *Science, 316*, 445–449. (p. 193)

Sechrest, L., Stickle, T. R., & Stewart, M. (1998). The role of assessment in clinical psychology. In A. Bellack, M. Hersen (series eds.), & C. R. Reynolds (vol. ed.), *Comprehensive clinical psychology: Vol. 4. Assessment*. New York: Pergamon. (p. 578)

Sedlmeier, P. Eberth, J., Schwarz, M., Zimmermann, D., Haarig, F., Jaeger, S., & Kunze, S. (2012). The psychological effects of meditation: A meta-analysis. *Psychological Bulletin, 138*, 1139–1171. (p. 510)

Seeman, P. (2007). Dopamine and schizophrenia. *Scholarpedia, 2*(10), 3634 (www.scholarpedia.org). (p. 642)

Seeman, P., Guan, H-C., & Van Tol, H. H. M. (1993). Dopamine D4 receptors elevated in schizophrenia. *Nature, 365*, 441–445. (p. 642)

Seery, M. D. (2011). Resilience: A silver lining to experiencing adverse life events. *Current Directions in Psychological Science, 20*, 390–394. (pp. 200, 489)

Segal, N. L., McGuire, S. A., & Stohs, J. H. (2012). What virtual twins reveal about general intelligence and other behaviors. *Personality and Individual Differences, 53*, 405–410. (p. 406)

Segall, M. H., Dasen, P. R., Berry, J. W., & Poortinga, Y. H. (1990). *Human behavior in global perspective: An introduction to cross-cultural psychology*. New York: Pergamon. (pp. 147, 168, 192)

Segerstrom, S. C. (2007). Stress, energy, and immunity. *Current Directions in Psychological Science, 16*, 326–330. (p. 489)

Segerstrom, S. C., Hardy, J. K., Evans, D. R., & Greenberg, R. N. (2012). Vulnerability, distress, and immune response to vaccination in older adults. *Brain, Behavior, and Immunity, 26*, 747–753. (p. 494)

Segerstrom, S. C., Taylor, S. E., Kemeny, M. E., & Fahey, J. L. (1998). Optimism is associated with mood, coping, and immune change in response to stress. *Journal of Personality and Social Psychology, 74*, 1646–1655. (p. 504)

Seibert, S. E., Wang, G., & Courtright, S. H. (2011). Antecedents and consequences of psychological and team empowerment in organizations: A meta-analytic review. *Journal of Applied Psychology, 96*, 981–1003. (p. A-13)

Seidel, A., & Prinz, J. (2013). Sound morality: Irritating and icky noises amplify judgments in divergent moral domains. *Cognition, 127*, 1–5. (p. 237)

Seidler, G. H., & Wagner, F. E. (2006). Comparing the efficacy of EMDR and trauma-focused cognitive-behavioral therapy in the treatment of PTSD: A meta-analytic study. *Psychological Medicine, 36*, 1515–1522. (p. 677)

Self, C. E. (1994). *Moral culture and victimization in residence halls*. Unpublished master's thesis. Bowling Green University. (p. 129)

Seligman, M. E. P. (1975). *Helplessness: On depression, development and death*. San Francisco: Freeman. (p. 501)

Seligman, M. E. P. (1991). *Learned optimism*. New York: Knopf. (pp. 92, 636)

Seligman, M. E. P. (1994). *What you can change and what you can't*. New York: Knopf. (pp. 507, 599)

Seligman, M. E. P. (1995). The effectiveness of psychotherapy: The Consumer Reports study. *American Psychologist, 50*, 965–974. (pp. 636, 673, 675)

Seligman, M. E. P. (2002). *Authentic happiness: Using the new positive psychology to realize your potential for lasting fulfillment*. New York: Free Press. (pp. 9, 480, 599)

Seligman, M. E. P. (2004). Eudaemonia, the good life. A talk with Martin Seligman. www.edge.org. (p. 480)

Seligman, M. E. P. (2008). Positive health. *Applied Psychology, 17*, 3–18. (p. 479)

Seligman, M. E. P. (2011). *Flourish: A visionary new understanding of happiness and well-being*. New York: Free Press. (p. 480)

Seligman, M. E. P., Ernst, R. M., Gillham, J., Reivich, K., & Linkins, M. (2009). Positive education: Positive psychology and classroom interventions. *Oxford Review of Education, 35*, 293–311. (pp. 479, 668, 669)

Seligman, M. E. P., & Maier, S. F. (1967). Failure to escape traumatic shock. *Journal of Experimental Psychology, 74*, 1–9. (p. 501)

Seligman, M. E. P., Peterson, C., Barsky, A. J., Boehm, J. K., Kubzansky, L. D., & Park, N. (2011). *Positive health and health assets: Reanalysis of longitudinal data-sets*. Unpublished manuscript, University of Pennsylvania. (pp. 9, 479)

Seligman, M. E. P., Steen, T. A., Park, N., & Peterson, C. (2005). Positive psychology progress: Empirical validation of interventions. *American Psychologist, 60*, 410–421. (pp. 9, 480, 487)

Seligman, M. E. P., & Yellen, A. (1987). What is a dream? *Behavior Research and Therapy, 25*, 1–24. (p. 101)

Selimbeyoglu, A., & Parvizi, J. (2010). Electrical stimulation of the human brain: Perceptual and behavioral phenomena reported in the old and new literature. *Frontiers in Human Neuroscience, 4*, 1–11. (p. 66)

Sellers, H. (2010). *You don't look like anyone I know*. New York: Riverhead Books. (p. 229)

Selye, H. (1936). A syndrome produced by diverse nocuous agents. *Nature, 138*, 32. (p. 491)

Selye, H. (1976). *The stress of life*. New York: McGraw-Hill. (p. 491)

Senate Intelligence Committee. (2004, July 9). *Report of the select committee on intelligence on the U.S. intelligence community's prewar intelligence assessments on Iraq*. Washington, DC: Author. (pp. 358, 535)

Senghas, A., & Coppola, M. (2001). Children creating language: How Nicaraguan Sign Language acquired a spatial grammar. *Psychological Science, 12*, 323–328. (p. 373)

Sengupta, S. (2001, October 10). Sept. 11 attack narrows the racial divide. *New York Times* (www.nytimes.com). (p. 566)

Senju, A., Maeda, M., Kikuchi, Y., Hasegawa, T., Tojo, Y., & Osanai, H. (2007). Absence of contagious yawning in children with autism spectrum disorder. *Biology Letters, 3*, 706–708. (p. 194)

Senju, A., Southgate, V., White, S., & Frith, U. (2009). Mindblind eyes: An absence of spontaneous theory of mind in Asperger syndrome. *Science, 325*, 883–885. (p. 193)

Sergeant, S., & Mongrain, M. (2014). An online optimism intervention reduces depression in pessimistic individuals. *Journal of Consulting and Clinical Psychology, 82*, 263–274. (p. 505)

Serruya, M. D., Hatsopoulos, N. G., Paninski, L., Fellow, M. R., & Donoghue, J. P. (2002). Instant neural control of a movement signal. *Nature, 416*, 141–142. (p. 77)

Service, R. F. (1994). Will a new type of drug make memory-making easier? *Science, 266*, 218–219. (p. 332)

Shadish, W. R., & Baldwin, S. A. (2005). Effects of behavioral marital therapy: A meta-analysis of randomized controlled trials. *Journal of Consulting and Clinical Psychology, 73*, 6–14. (p. 676)

Shadish, W. R., Montgomery, L. M., Wilson, P., Wilson, M. R., Bright, I., & Okwumabua, T. (1993). Effects of family and marital psychotherapies: A meta-analysis. *Journal of Consulting and Clinical Psychology, 61*, 992–1002. (p. 671)

Shaffer, R. (2013, September–October). The psychic: Years later, Sylvia Browne's accuracy remains dismal. *Skeptical Inquirer*, pp. 30–35. (p. 272)

Shafir, E. (Ed.) (2013). *The behavioral foundations of public policy*. Princeton, NJ: Princeton University Press. (p. 25)

Shafir, E., & LeBoeuf, R. A. (2002). Rationality. *Annual Review of Psychology, 53*, 491–517. (p. 364)

Shakeshaft, N. G., Trzaskowski, M., McMillan, A., Rimfeld, K., Krapohl, E., Haworth, C. M. A., Dale, P. S., & Plomin, R. (2013) Strong genetic influence on a UK nationwide test of educational achievement at the end of compulsory education at age 16. *PLoS ONE* 8(12), e80341. (p. 406)

Shaki, S. (2013). What's in a kiss? Spatial experience shapes directional bias during kissing. *Journal of Nonverbal Behavior*, 37, 43–50. (p. 8)

Shalev, I., Moffitt, T. E., Sugden, K., Williams, B., Houts, R. M., Danese, A., . . . Caspi, A. (2013). Exposure to violence during childhood is associated with telomere erosion from 5 to 10 years of age: A longitudinal study. *Molecular Psychiatry*, 18, 576–581. (p. 215)

Shallcross, A. J., Ford, B. Q., Floerke, V. A., & Mauss, I. B. (2013). Getting better with age: The relationship between age, acceptance, and negative affect. *Journal of Personality and Social Psychology*, 104, 734–749. (p. 223)

Shamir, B., House, R. J., & Arthur, M. B. (1993). The motivational effects of charismatic leadership: A self-concept based theory. *Organizational Science*, 4(4), 577–594. (p. A-12)

Shan, W., Shengua, J., Davis, H., Hunter, M., Peng, K., Shao, X., . . . Wang, Y. (2012). Mating strategies in Chinese culture: Female risk-avoiding vs. male risk-taking. *Evolution and Human Behavior*, 33, 182–192. (p. 149)

Shanahan, L., McHale, S. M., Osgood, D. W., & Crouter, A. C. (2007). Conflict frequency with mothers and fathers from middle childhood to late adolescence: Within- and between-families comparisons. *Developmental Psychology*, 43, 539–550. (p. 210)

Shanks, D. R. (2010). Learning: From association to cognition. *Annual Review of Psychology*, 61, 273–301. (p. 304)

Shannon, B. J., et al. (2011). Premotor functional connectivity predicts impulsivity in juvenile offenders. *PNAS*, 108, 11241–11245. (p. 205)

Shapin, S. (2013, October 15). The man who forgot everything. *New Yorker* (www.newyorker.com). (p. 339)

Shapiro, D. (1999). *Psychotherapy of neurotic character*. New York: Basic Books. (p. 660)

Shapiro, F. (1989). Efficacy of the eye movement desensitization procedure in the treatment of traumatic memories. *Journal of Traumatic Stress*, 2, 199–223. (p. 677)

Shapiro, F. (1999). Eye movement desensitization and reprocessing (EMDR) and the anxiety disorders: Clinical and research implications of an integrated psychotherapy treatment. *Journal of Anxiety Disorders*, 13, 35–67. (p. 677)

Shapiro, F. (Ed.). (2002). *EMDR as an integrative psychotherapy approach: Experts of diverse orientations explore the paradigm prism*. Washington, DC: APA Books. (p. 677)

Shapiro, F. (2007). EMDR and case conceptualization from an adaptive information processing perspective. In F. Shapiro, F. W. Kaslow, & L. Maxfield (Eds.), *Handbook of EMDR and family therapy processes*. Hoboken, NJ: Wiley. (p. 677)

Shapiro, F. (2012, March 2). The evidence on E.M.D.R. *New York Times* (www.nytimes.com). (p. 677)

Shapiro, K. A., Moo, L. R., & Caramazza, A. (2006). Cortical signatures of noun and verb production. *Proceedings of the National Academic of Sciences*, 103, 1644–1649. (p. 376)

Shargorodsky, J., Curhan, S. G., Curhan, G. C., & Eavey, R. (2010). Changes of prevalence of hearing loss in US adolescents. *JAMA*, 304, 772–778. (p. 257)

Sharma, A. R., McGue, M. K., & Benson, P. L. (1998). The psychological adjustment of United States adopted adolescents and their nonadopted siblings. *Child Development*, 69, 791–802. (p. 139)

Shattuck, P. T. (2006). The contribution of diagnostic substitution to the growing administrative prevalence of autism in US special education. *Pediatrics*, 117, 1028–1037. (p. 193)

Shaver, P. R., & Mikulincer, M. (2007). Adult attachment strategies and the regulation of emotion. In J. J. Gross (Ed.), *Handbook of emotion regulation*. New York: Guilford Press. (p. 199)

Shaver, P. R., Morgan, H. J., & Wu, S. (1996). Is love a basic emotion? *Personal Relationships*, 3, 81–96. (p. 476)

Shaw, B. A., Liang, J., & Krause, N. (2010). Age and race differences in the trajectories of self-esteem. *Psychology and Aging*, 25, 84–94. (p. 180)

Shedler, J. (2010a, November/December). Getting to know me. *Scientific American Mind*, pp. 53–57. (p. 659)

Shedler, J. (2010b). The efficacy of psychodynamic psychotherapy. *American Psychologist*, 65, 98–109. (pp. 575, 676)

Sheehan, S. (1982). *Is there no place on earth for me?* Boston: Houghton Mifflin. (p. 640)

Sheikh, S., & Janoff-Bulman, R. (2013). Paradoxical consequences of prohibitions. *Journal of Personality and Social Psychology*, 105, 301–315. (p. 297)

Sheldon, K. M. (2011). Integrating behavioral-motive and experiential-requirement perspectives on psychological needs: A two process model. *Psychological Review*, 118, 552–569. (p. 448)

Sheldon, K. M., Abad, N., & Hinsch, C. (2011). A two-process view of Facebook use and relatedness need-satisfaction: Disconnection drives use, and connection rewards it. *Journal of Personality and Social Psychology*, 100, 766–775. (p. 452)

Sheldon, K. M., Elliot, A. J., Kim, Y., & Kasser, T. (2001). What is satisfying about satisfying events? Testing 10 candidate psychological needs. *Journal of Personality and Social Psychology*, 80, 325–339. (p. 449)

Sheldon, K. M., & Lyubomirsky, S. (2012). The challenge of staying happier: Testing the hedonic adaptation prevention model. *Personality and Social Psychology Bulletin*, 38, 670–680. (p. 487)

Shelton, L. T., Elliott, E. M., Matthews, R. A., Hill, B. H., & Gouvier, W. D. (2010). The relationships of working memory, secondary memory, and general fluid intelligence: working memory is special. *Journal of Experimental Psychology*, 36, 813–820. (p. 324)

Shenton, M. E. (1992). Abnormalities of the left temporal lobe and thought disorder in schizophrenia: A quantitative magnetic resonance imaging study. *New England Journal of Medicine*, 327, 604–612. (p. 642)

Shepard, R. N. (1990). *Mind sights*. New York: Freeman. (p. 41)

Shepherd, C. (1997, April). News of the weird. *Funny Times*, p. 15. (p. 137)

Shepherd, C. (1999, June). News of the weird. *Funny Times*, p. 21. (p. 432)

Shepherd, C., Kohut, J. J., & Sweet, R. (1990). *More news of the weird*. New York: Penguin/Plume Books. (p. 650)

Sher, L. (2006). Alcohol consumption and suicide. *QJM: An International Journal of Medicine*, 99, 57–61. (p. 638)

Shergill, S. S., Bays, P. M., Frith, C. D., & Wolpert, D. M. (2003). Two eyes for an eye: The neuroscience of force escalation. *Science*, 301, 187. (p. 563)

Sherif, M. (1966). *In common predicament: Social psychology of intergroup conflict and cooperation*. Boston: Houghton Mifflin. (p. 565)

Sherman, D. K., Hartson, K. A., Binning, K. R., Purdie-Vaughns, V., Garcia, J., Taborsky-Barba, S., . . . Cohen, G. L. (2013). Deflecting the trajectory and changing the narrative: How self-affirmation affects academic performance and motivation under identity threat. *Journal of Personality and Social Psychology*, 104, 591–618. (p. 415)

Sherman, G. D., Lee, J. J., Cuddy, A. J. C., Renshon, J., Oveis, C., Gross, J. J., & Lerner, J. S. (2012). Leadership is associated with lower levels of stress. *Proceedings of the National Academy of Science*, 109, 17903–17907. (p. 489)

Sherman, P. W., & Flaxman, S. M. (2001). Protecting ourselves from food. *American Scientist*, 89, 142–151. (p. 428)

Shermer, M. (1999). If that's true, what else would be true? *Skeptic*, 7(4), 192–193. (p. 164)

Sherry, D., & Vaccarino, A. L. (1989). Hippocampus and memory for food caches in black-capped chickadees. *Behavioral Neuroscience*, 103, 308–318. (p. 329)

Sherry, S. B., & Hall, P. A. (2009). The perfectionism model of binge eating: Tests of an integrative model. *Journal of Personality and Social Psychology*, 96, 690–709. (p. 652)

Shettleworth, S. J. (1973). Food reinforcement and the organization of behavior in golden hamsters. In R. A. Hinde & J. Stevenson-Hinde (Eds.), *Constraints on learning*. London: Academic Press. (p. 303)

Shettleworth, S. J. (1993). Where is the comparison in comparative cognition? Alternative research programs. *Psychological Science*, 4, 179–184. (p. 330)

Shiell, M. M., Champoux, F., & Zatorre, R. (2014). Enhancement of visual motion detection thresholds in early deaf people. *PLoS One*, 9(2), e90498. (p. 81)

Shifren, J. L., Monz, B. U., Russo, P. A., Segreti, A., Johannes, C. B. (2008). Sexual problems and distress in United States women: Prevalence and correlates. *Obstetrics & Gynecology*, 112, 970–978. (p. 435)

Shilsky, J. D., Hartman, T. J., Kris-Etherton, P. M., Rogers, C. J., Sharkey, N. A., & Nickols-Richardson, S. M. (2012). Partial sleep deprivation and energy balance in adults: An emerging issue for consideration by dietetics practitioners. *Journal of the Academy of Nutrition and Dietetics*, 112, 1785–1797. (p. 108)

Shimamura, A. P. (2010). Bridging psychological and biological science: The good, bad, and ugly. *Perspectives on Psychological Science*, 5, 772–775. (p. 81)

Shimizu, M., & Pelham, B. W. (2008). Postponing a date with the grim reaper. *Basic and Applied Social Psychology*, 30, 36–45. (p. 215)

Shinkareva, S. V., Mason, R. A., Malave, V. L., Wang, W., Mitchell, T. M., & Just, M. A. (2008, January 2). Using fMRI brain activation to identify cognitive states associated with perceptions of tools and dwellings. *PloS One* 3(1), 31394. (p. 93)

Shipstead, Z., Hicks, K. L., & Engle, R. W. (2012b). Cogmed working memory training: Does the evidence support the claims? *Journal of Applied Research in Memory and Cognition, 1*, 185–193. (p. 218)

Shipstead, Z., Redick, T. S., & Engle, R. W. (2012a). Is working memory training effective? *Psychological Bulletin, 138*, 628–654. (p. 218)

Shiromani, P. J., Horvath, T., Redline, S., & Van Cauter E. (Eds.) (2012). *Sleep loss and obesity: Intersecting epidemics.* New York: Springer Science. (p. 108)

Shockley, K. M., Ispas, D., Rossi, M. E., & Levine, E. L. (2012). A meta-analytic investigation of the relationship between state affect, discrete emotions, and job performance. *Human Performance, 25*, 377–411. (p. A-8)

Short, S. J., Lubach, G. R., Karasin, A. I., Olsen, C. W., Styner, M., Knickmeyer, R. C., Gilmore, J. H., & Coe, C. L. (2010). Maternal influenza infection during pregnancy impacts postnatal brain development in the rhesus monkey. *Biological Psychiatry, 67*, 965–973. (p. 643)

Shotland, R. L. (1984, March 12). Quoted in Maureen Dowd, 20 years after the murder of Kitty Genovese, the question remains: Why? *The New York Times*, p. B1. (p. 559)

Showers, C. (1992). The motivational and emotional consequences of considering positive or negative possibilities for an upcoming event. *Journal of Personality and Social Psychology, 63*, 474–484. (p. 600)

Shrestha, A., Nohr, E. A., Bech, B. H., Ramlau-Hansen, C. H., & Olsen, J. (2011). Smoking and alcohol during pregnancy and age of menarche in daughters. *Human Reproduction, 26*, 259–265. (p. 166)

Shuffler, M. L., Burke, C. S., Kramer, W. S., & Salas, E. (2013). Leading teams: Past, present, and future perspectives. In M. G. Rumsey (Ed.), *The Oxford Handbook of Leadership.* New York: Oxford University Press. (p. A-12)

Shuffler, M. L., DiazGranados, D., & Salas, E. (2011). There's a science for that: Team development interventions in organizations. *Current Directions in Psychological Science, 20*, 365–372. (p. A-12)

Shute, N. (2010, October). Desperate for an autism cure. *Scientific American*, pp. 80–85. (p. 193)

Siahpush, M., Spittal, M., & Singh, G. K. (2008). Happiness and life satisfaction prospectively predict self-rated health, physical health and the presence of limiting long-term health conditions. *American Journal of Health Promotion, 23*, 18–26. (p. 498)

Siegel, J. M. (1990). Stressful life events and use of physician services among the elderly: The moderating role of pet ownership. *Journal of Personality and Social Psychology, 58*, 1081–1086. (p. 506)

Siegel, J. M. (2000, Winter). Recent developments in narcolepsy research: An explanation for patients and the general public. *Narcolepsy Network Newsletter*, pp. 1–2. (p. 111)

Siegel, J. M. (2009). Sleep viewed as a state of adaptive inactivity. *Nature Reviews Neuroscience, 10*, 747–753. (p. 105)

Siegel, J. M. (2012). Suppression of sleep for mating. *Science, 337*, 1610–1611. (p. 105)

Siegel, R. K. (1977, October). Hallucinations. *Scientific American*, pp. 132–140. (p. 124)

Siegel, R. K. (1980). The psychology of life after death. *American Psychologist, 35*, 911–931. (p. 124)

Siegel, R. K. (1982, October). Quoted by J. Hooper, Mind tripping. *Omni*, pp. 72–82, 159–160. (p. 124)

Siegel, R. K. (1984, March 15). Personal communication. (p. 125)

Siegel, R. K. (1990). *Intoxication.* New York: Pocket Books. (p. 125)

Siegel, S. (2005). Drug tolerance, drug addiction, and drug anticipation. *Current Directions in Psychological Science, 14*, 296–300. (p. 288)

Silber, M. H. et al. (2008). The visual scoring of sleep in adults. *Journal of Clinical Sleep Medicine, 3*, 121–131. (p. 102)

Silbersweig, D. A., Stern, E., Frith, C., Cahill, C., Holmes, A., Grootoonk, S., Seaward, J., . . . Frackowiak, R. S. J. (1995). A functional neuroanatomy of hallucinations in schizophrenia. *Nature, 378*, 176–179. (p. 642)

Silk, J. B., Beehner, J. C., Bergman, T. J., Crockford, C., Engh, A. L., Moscovice, L. R., . . . Cheney, D. L. (2010). Strong and consistent social bonds enhance the longevity of female baboons. *Current Biology, 20*, 1359–1361. (p. 505)

Silva, A. J., Stevens, C. F., Tonegawa, S., & Wang, Y. (1992). Deficient hippocampal long-term potentiation in alpha-calcium-calmodulin kinase II mutant mice. *Science, 257*, 201–206. (p. 332)

Silva, C. E., & Kirsch, I. (1992). Interpretive sets, expectancy, fantasy proneness, and dissociation as predictors of hypnotic response. *Journal of Personality and Social Psychology, 63*, 847–856. (p. 265)

Silva, K., Bessa, J., & de Sousa, L. (2012). Auditory contagious yawning in domestic dogs (canis familiaris): First evidence for social modulation. *Animal Cognition, 15*, 721–724. (p. 524)

Silver, M., & Geller, D. (1978). On the irrelevance of evil: The organization and individual action. *Journal of Social Issues, 34*, 125–136. (p. 531)

Silver, N. (2012). *The signal and the noise. Why so many predictions fail—but some don't.* New York: Penguin. (p. 214)

Silver, R. C., Holman, E. A., Anderson, J. P., Poulin, M., McIntosh, D. N., & Gil-Rivas, V. (2013). Mental- and physical-health effects of acute exposure to media images of the September 11, 2001 attacks and Iraq War. *Psychological Science, 24*, 1623–1634. (p. 489)

Silver, R. C., Holman, E. A., McIntosh, D. N., Poulin, M., & Gil-Rivas, V. (2002). Nationwide longitudinal study of psychological responses to September 11. *Journal of the American Medical Association, 288*, 1235–1244. (p. 489)

Silveri, M. M., Rohan, M. L., Pimental, P. J., Gruber, S. A., Rosso, I. M., & Yurgelun-Todd, D. A. (2006). Sex differences in the relationship between white matter microstructure and impulsivity in adolescents. *Magnetic Resonance Imaging, 24*, 833–841. (p. 205)

Silverman, K., Evans, S. M., Strain, E. C., & Griffiths, R. R. (1992). Withdrawal syndrome after the double-blind cessation of caffeine consumption. *New England Journal of Medicine, 327*, 1109–1114. (p. 121)

Simek, T. C., & O'Brien, R. M. (1981). Total golf: A behavioral approach to lowering your score and getting more out of your game. Huntington, NY: B-MOD Associates. (p. 298)

Simek, T. C., & O'Brien, R. M. (1988). A chaining-mastery, discrimination training program to teach Little Leaguers to hit a baseball. *Human Performance, 1*, 73–84. (p. 298)

Simon, H. (2001, February). Quoted by A. M. Hayashi, When to trust your gut. *Harvard Business Review*, pp. 59–65. (p. 364)

Simon, H. A., & Chase, W. G. (1973) Skill in chess. *American Scientist, 61*, 394–403. (p. 390)

Simon, V., Czobor, P., Bálint, S., Mésáros, A., & Bitter, I. (2009). Prevalence and correlates of adult attention-deficit hyperactivity disorder: Meta-analysis. *British Journal of Psychiatry, 194*, 204–211. (p. 615)

Simons, D. J., & Chabris, C. F. (1999). Gorillas in our midst: Sustained inattentional blindness for dynamic events. *Perception, 28*, 1059–1074. (p. 97)

Simons, D. J., & Levin, D. T. (1998). Failure to detect changes to people during a real-world interaction. *Psychonomic Bulletin & Review, 5*, 644–649. (p. 98)

Simonsohn, U., & Gino, F. (2013). Daily horizons: Evidence of narrow bracketing in judgment from 10 years of M.B.A. admissions interviews. *Psychological Science, 24*, 219–224. (p A-6)

Simonton, D. K. (1988). Age and outstanding achievement: What do we know after a century of research? *Psychological Bulletin, 104*, 251–267. (p. 401)

Simonton, D. K. (1990). Creativity in the later years: Optimistic prospects for achievement. *The Gerontologist, 30*, 626–631. (p. 401)

Simonton, D. K. (1992). The social context of career success and course for 2,026 scientists and inventors. *Personality and Social Psychology Bulletin, 18*, 452–463. (p. 366)

Simonton, D. K. (2000). Methodological and theoretical orientation and the long-term disciplinary impact of 54 eminent psychologists. *Review of General Psychology, 4*, 13–24. (p. 312)

Simonton, D. K. (2012a). Teaching creativity: Current findings, trends, and controversies in the psychology of creativity. *Teaching of Psychology, 39*, 217–222. (p. 366)

Simonton, D. K. (2012b, November–December). The science of genius. *Scientific American Mind*, pp. 35–41. (p. 366)

Sin, N. L., & Lyubomirsky, S. (2009). Enhancing well-being and alleviating depressive symptoms with positive psychology interventions: A practice-friendly meta-analysis. *Journal of Clinical Psychology: In Session, 65*, 467–487. (p. 479)

Sinclair, R. C., Hoffman, C., Mark, M. M., Martin, L. L., & Pickering, T. L. (1994). Construct accessibility and the misattribution of arousal: Schachter and Singer revisited. *Psychological Science, 5*, 15–18. (p. 461)

Singer, J. L. (1981). Clinical intervention: New developments in methods and evaluation. In L. T. Benjamin, Jr. (Ed.), *The G. Stanley Hall Lecture Series* (Vol. 1). Washington, DC: American Psychological Association. (p. 676)

Singer, T., Seymour, B., O'Doherty, J., Kaube, H., Dolan, R. J., & Frith, C. (2004). Empathy for pain involves the affective but not sensory components of pain. *Science, 303*, 1157–1162. (pp. 263, 310)

Singh, D. (1993). Adaptive significance of female physical attractiveness: Role of waist-to-hip ratio. *Journal of Personality and Social Psychology, 65*, 293–307. (p. 149)

Singh, D. (1995). Female health, attractiveness, and desirability for relationships: Role of breast asymmetry and waist-to-hip ratio. *Ethology and Sociobiology, 16*, 465–481. (pp. 149, 555)

Singh, D., & Randall, P. K. (2007). Beauty is in the eye of the plastic surgeon: Waist-hip ration (WHR) and women's attractiveness. *Personality and Individual Differences, 43*, 329–340. (p. 149)

Singh, S. (1997). *Fermat's enigma: The epic quest to solve the world's greatest mathematical problem.* New York: Bantam Books. (p. 365)

Singh, S., & Riber, K. A. (1997, November). Fermat's last stand. *Scientific American,* pp. 68–73. (p. 366)

Sinha, P. (2013, July). Once blind and now they see. *Scientific American,* pp. 49–55. (p. 254)

Sio, U. N., Monahan, P., & Ormerod, T. (2013). Sleep on it, but only if it is difficult: Effects of sleep on problem solving. *Memory and Cognition, 41*, 159–166. (p. 106)

Sio, U. N., & Ormerod, T. C. (2009). Does incubation enhance problem solving? A meta-analtic review. *Psychological Bulletin, 135*, 94–120. (p. 365)

Sipski, M. L., & Alexander, C. J. (1999). Sexual response in women with spinal cord injuries: Implications for our understanding of the able bodied. *Journal of Sex and Marital Therapy, 25*, 11–22. (p. 63)

Sireteanu, R. (1999). Switching on the infant brain. *Science, 286*, 59, 61. (p. 259)

Skeem, J. L., & Cooke, D. J. (2010). Is criminal behavior a central component of psychopathy? Conceptual directions for resolving the debate. *Psychological Assessment, 22*, 433–445. (p. 649)

Skinner, B. F. (1953). *Science and human behavior.* New York: Macmillan. (p. 293)

Skinner, B. F. (1956). A case history in scientific method. *American Psychologist, 11*, 221–233. (p. 294)

Skinner, B. F. (1961, November). Teaching machines. *Scientific American,* pp. 91–102. (p. 294)

Skinner, B. F. (1983, September). Origins of a behaviorist. *Psychology Today,* pp. 22–33. (p. 297)

Skinner, B. F. (1986). What is wrong with daily life in the Western world? *American Psychologist, 41*, 568–574. (p. 298)

Skinner, B. F. (1988). *The school of the future.* Address to the American Psychological Association convention. (p. 298)

Skinner, B. F. (1989). Teaching machines. *Science, 243*, 1535. (p. 298)

Skitka, L. J., Bauman, C. W., & Mullen, E. (2004). Political tolerance and coming to psychological closure following the September 11, 2001, terrorist attacks: An integrative approach. *Personality and Social Psychology Bulletin, 30*, 743–756. (p. 478)

Sklar, L. S., & Anisman, H. (1981). Stress and cancer. *Psychological Bulletin, 89*, 369–406. (p. 496)

Skoog, G., & Skoog, I. (1999). A 40-year follow-up of patients with obsessive-compulsive disorder. *Archives of General Psychiatry, 56*, 121–127. (p. 623)

Skov, R. B., & Sherman, S. J. (1986). Information-gathering processes: Diagnosticity, hypothesis-confirmatory strategies, and perceived hypothesis confirmation. *Journal of Experimental Social Psychology, 22*, 93–121. (p. 357)

Slatcher, R. B., & Pennebaker, J. W. (2006) How do I love thee? Let me count the words: The social effects of expressive writing, *Psychological Science, 17*, 660–664. (p. 558)

Slater, E., & Meyer, A. (1959). *Confinia psychiatra.* Basel: S. Karger AG. (p. 630)

Slavin, R. E., & Braddock, J. H., III. (1993, Summer). Ability grouping: On the wrong track. *The College Board Review,* pp. 11–18. (p. 405)

Slepian, M. L., Rule, N. O., & Ambady, N. (2012). Proprioception and person perception: Politicians and professors. *Personality and Social Psychology Bulletin, 38*, 1621–1628. (p. 270)

Sloan, R. P. (2005). Field analysis of the literature on religion, spirituality, and health. Columbia University (available at www.metanexus.net/tarp). (p. 512)

Sloan, R. P., & Bagiella, E. (2002). Claims about religious involvement and health outcomes. *Annals of Behavioral Medicine, 24*, 14–21. (p. 512)

Sloan, R. P., Bagiella, E., & Powell, T. (1999). Religion, spirituality, and medicine. *Lancet, 353*, 664–667. (p. 512)

Sloan, R. P., Bagiella, E., VandeCreek, L., & Poulos, P. (2000). Should physicians prescribe religious activities? *New England Journal of Medicine, 342*, 1913–1917. (p. 512)

Slopen, N., Glynn, R. J., Buring, J., & Albert, M. A. (2010, November 23). Job strain, job insecurity, and incident cardiovascular disease in the Women's Health Study (Abstract 18520). *Circulation,* A18520 (circ.ahajournals.org). (p. 498)

Slovic, P. (2007). "If I look at the mass I will never act": Psychic numbing and genocide. *Judgment and Decision Making, 2*, 79–95. (p. 360)

Slovic, P. (2010, Winter). The more who die, the less we care: Confronting psychic numbing. *Trauma Psychology* (APA Division 56 Newsletter), pp. 4–8. (p. 360)

Slutske, W. S., Moffitt, T. E., Poulton, R., & Caspi A. (2012). Under-controlled temperament at age 3 predicts disordered gambling at age 32: A longitudinal study of a complete birth cohort. *Psychological Science, 23*, 510–516. (p. 179)

Small, D. A., Loewenstein, G., & Slovic, P. (2007). Sympathy and callousness: The impact of deliberative thought on donations to identifiable and statistical victims. *Organizational Behavior and Human Decision Processes, 102*, 143–153. (p. 360)

Small, M. F. (1997). Making connections. *American Scientist, 85*, 502–504. (p. 160)

Smart Richman, L., & Leary, M. (2009). Reactions to discrimination, stigmatization, ostracism, and other forms of interpersonal rejection: A dynamic, multi-motive model. *Psychological Review, 116*, 365–383. (p. 450)

Smedley, A., & Smedley, B. D. (2005). Race as biology is fiction, racism as a social problem is real: Anthropological and historical perspectives on the social construction of race. *American Psychologist, 60*, 16–26. (p. 412)

Smelser, N. J., & Mitchell, F. (Eds.). (2002). *Terrorism: Perspectives from the behavioral and social sciences.* Washington, DC: National Research Council, National Academies Press. (p. 544)

Smith, A. (1983). Personal correspondence. (p. 642)

Smith, B. C. (2011, January 16). The senses and the multi-sensory. *World Question Center* (www.edge.org). (p. 270)

Smith, C. (2006, January 7). Nearly 100, LSD's father ponders his "problem child." *New York Times* (www.nytimes.com). (p. 125)

Smith, D. M., Loewenstein, G., Jankovic, A., & Ubel, P. A. (2009). Happily hopeless: Adaptation to a permanent, but not to a temporary, disability. *Health Psychology, 28*, 787–791. (p. 481)

Smith, E., & Delargy, M. (2005). Locked-in syndrome. *British Medical Journal, 330*, 406–409. (p. 481)

Smith, M. B. (1978). Psychology and values. *Journal of Social Issues, 34*, 181–199. (p. 585)

Smith, M. L., & Glass, G. V. (1977). Meta-analysis of psychotherapy outcome studies. *American Psychologist, 32*, 752–760. (p. 675)

Smith, M. L., Glass, G. V., & Miller, R. L. (1980). *The benefits of psychotherapy.* Baltimore: Johns Hopkins Press. (p. 675)

Smith, P. B., & Tayeb, M. (1989). Organizational structure and processes. In M. Bond (Ed.), *The cross-cultural challenge to social psychology.* Newbury Park, CA: Sage. (p. A-13)

Smith, S. F., Lilienfeld, S. O., Coffey, K., & Dabbs, J. M. (2013). Are psychopaths and heroes twigs off the same branch? Evidence from college, community, and presidential samples. *Journal of Research in Personality, 47*, 634–646. (p. 650)

Smith, S. J., Axelton, A. M., & Saucier, D. A. (2009). The effects of contact on sexual prejudice: A meta-analysis. *Sex Roles, 61*, 178–191. (p. 564)

Smith, S. J., Zanotti, D. C., Axelton, A. M., & Saucier, D. A. (2011). Individuals' beliefs about the etiology of same-sex sexual orientation. *Journal of Homosexuality, 58*, 1110–1131. (p. 447)

Smith, T. B., Bartz, J., & Richards, P. S. (2007). Outcomes of religious and spiritual adaptations to psychotherapy: A meta-analytic review. *Psychotherapy Research, 17*, 643–655. (p. 680)

Smith, T. W. (1998, December). *American sexual behavior: Trends, sociodemographic differences, and risk behavior* (National Opinion Research Center GSS Topical Report No. 25). (p. 441)

Smits, I. A. M., Dolan, C. V., Vorst, H. C. M., Wicherts, J. M., & Timmerman, M. E. (2011). Cohort differences in big five personality traits over a period of 25 years. *Journal of Personality and Social Psychology, 100*, 1124–1138. (pp. 508, 591)

Smock, P. J., & Manning, W. D. (2004). Living together unmarried in the United States: Demographic perspectives and implications for family policy. *Law and Policy, 26*, 87–117. (p. 221)

Smolak, L., & Murnen, S. K. (2002). A meta-analytic examination of the relationship between child sexual abuse and eating disorders. *International Journal of Eating Disorders, 31*, 136–150. (p. 652)

Smoreda, Z., & Licoppe, C. (2000). Gender-specific use of the domestic telephone. *Social Psychology Quarterly, 63*, 238–252. (p. 163)

Snedeker, J., Geren, J., & Shafto, C. L. (2007). Starting over: International adoption as a natural experiment in language development. *Psychological Science, 18*, 79–86. (p. 373)

Snodgrass, S. E., Higgins, J. G., & Todisco, L. (1986). *The effects of walking behavior on mood.* Paper presented at the American Psychological Association convention. (pp. 474, 477)

Snowden, R. J., & Gray, N. S. (2013). Implicit sexual associations in heterosexual and homosexual women and men. *Archives of Sexual Behavior, 42*, 475–485. (p. 441)

Snowdon, D. A., Kemper, S. J., Mortimer, J. A., Greiner, L. H., Wekstein, D. R., & Markesbery, W. R. (1996). Linguistic ability in early life and cognitive function and Alzheimer's disease in late life: Finds from the Nun Study. *Journal of the American Medical Association, 275*, 528–532. (p. 402)

Snyder, F., & Scott, J. (1972). The psychophysiology of sleep. In N. S. Greenfield & R. A. Sterbach (Eds.), *Handbook of psychophysiology.* New York: Holt, Rinehart & Winston. (p. 115)

Snyder, S. H. (1984). Neurosciences: An integrative discipline. *Science, 225*, 1255–1257. (p. 614)

Snyder, S. H. (1986). *Drugs and the brain.* New York: Scientific American Library. (p. 684)

Social Watch. (2006, March 8). No country in the world treats its women as well as its men (www.socialwatch.org). (p. 168)

Society for Personality Assessment. (2005). The status of the Rorschach in clinical and forensic practice: An official statement by the Board of Trustees of the Society for Personality Assessment. *Journal of Personality Assessment, 85*, 219–237. (p. 578)

Sokol, D. K., Moore, C. A., Rose, R. J., Williams, C. J., Reed, T., & Christian, J. C. (1995). Intrapair differences in personality and cognitive ability among young monozygotic twins distinguished by chorion type. *Behavior Genetics, 25*, 457–466. (p. 136)

Solnick, S. J., & Hemenway, D. (1998). Is more always better?: A survey on positional concerns. *Journal of Economic Behavior & Organization, 37*, 373–383. (p. 484)

Solnick, S. J., & Hemenway, D. (2009). Do spending comparisons affect spending and satisfaction? *Journal of Socio-Economics, 38*, 568–573. (p. 484)

Solomon, D. A., Keitner, G. I., Miller, I. W., Shea, M. T., & Keller, M. B. (1995). Course of illness and maintenance treatments for patients with bipolar disorder. *Journal of Clinical Psychiatry, 56*, 5–13. (p. 684)

Solomon, J. (1996, May 20). Breaking the silence. *Newsweek*, pp. 20–22. (p. 616)

Solomon, M. (1987, December). Standard issue. *Psychology Today*, pp. 30–31. (p. 554)

Somerville, L. H., Jones, R. M., Ruberry, E. J., Dyke, J. P., Glover, G., & Casey, B. J. (2013). The medial prefrontal cortex and the emergence of self-conscious emotion in adolescence. *Psychological Science, 24*, 1554–1562. (p. 205)

Song, S. (2006, March 27). Mind over medicine. *Time*, p. 47. (p. 265)

Sontag, S. (1978). *Illness as metaphor.* New York: Farrar, Straus, & Giroux. (p. 496)

Soon, C. S., Brass, M., Heinze, H., & Haynes, J. (2008). Unconscious determinants of free decisions in the human brain. *Nature Neuroscience, 11*, 543–545. (p. 95)

Sorkhabi, N. (2005). Applicability of Baumrind's parent typology to collective cultures: Analysis of cultural explanations of parent socialization effects. *International Journal of Behavioral Development, 29*, 552–563. (p. 202)

Soto, C. J., John, O. P., & Gosling, S. D., & Potter, J. (2011). Age differences in personality traits from 10 to 65: Big five domains and facets in a large cross-sectional sample. *Journal of Personality and Social Psychology, 100*, 330–348. (p. 590)

Soussignan, R. (2001). Duchenne smile, emotional experience, and autonomic reactivity: A test of the facial feedback hypothesis. *Emotion, 2*, 52–74. (p. 474)

South, S. C., Krueger, R. F., Johnson, W., & Iacono, W. G. (2008). Adolescent personality moderates genetic and environmental influences on relationships with parents. *Journal of Personality and Social Psychology, 94*, 899–912. (p. 202)

Sowell, T. (1991, May/June). Cultural diversity: A world view. *American Enterprise*, pp. 44–55. (p. 567)

Sowislo, J. F., & Orth, U. (2012). Does low self-esteem predict depression and anxiety? A meta-analysis of longitudinal studies. *Psychological Bulletin, 139*, 213–240. (pp. 628, 634)

Spalding, K. L., et al. (2013). Dynamics of hippocampal neurogenesis in adult humans. *Cell, 153*, 1219–1227. (p. 82)

Spanos, N. P. (1986). Hypnosis, nonvolitional responding, and multiple personality: A social psychological perspective. *Progress in Experimental Personality Research, 14*, 1–62. (p. 647)

Spanos, N. P. (1994). Multiple identity enactments and multiple personality disorder: A sociocognitive perspective. *Psychological Bulletin, 116*, 143–165. (p. 647)

Spanos, N. P. (1996). *Multiple identities and false memories: A sociocognitive perspective.* Washington, DC: American Psychological Association Books. (p. 647)

Spanos, N. P., & Coe, W. C. (1992). A social-psychological approach to hypnosis. In E. Fromm & M. R. Nash (Eds.), *Contemporary hypnosis research.* New York: Guilford. (p. 265)

Sparrow, B., Liu, J., & Wegner, D. M. (2011). Google effects on memory: Cognitive consequences of having information at our fingertips. *Science, 333*, 776–778. (p. 321)

Spaulding, S. (2013). Mirror neurons and social cognition. *Mind and Language, 28*, 233–257. (p. 309)

Specht, J., Egloff, B., & Schmukle, S. C. (2011). Stability and change of personality across the life course: The impact of age and major life events on mean-level and rank-order stability of the Big Five. *Journal of Personality and Social Psychology, 101*, 862–882. (p. 180)

Spector, T. (2012). *Identically different: Why you can change your genes.* London, UK: Weidenfeld & Nicolson. (p. 143)

Speer, N. K., Reynolds, J. R., Swallow, K. M., & Zacks, J. M. (2009). Reading stories activates neural representations of visual and motor experiences. *Psychological Science, 20*, 989–999. (pp. 310, 376)

Spelke, E. S., Bernier, E. P., & Skerry, A. E. (2013). Core social cognition. In M. R. Banaji & S. A. Gelman (Eds.), *Navigating the social world: What infants, children, and other species can teach us.* Oxford University Press. (p. 188)

Spence, I., & Feng, J. (2010). Video games and spatial cognition. *Review of General Psychology, 14*, 92–104. (p. 254)

Spencer, K. M., Nestor, P. G., Perlmutter, R., Niznikiewicz, M. A., Klump, M. C., Frumin, M., Shenton, M. E., & McCarley, R. W. (2004). Neural synchrony indexes disordered perception and cognition in schizophrenia. *Proceedings of the National Academy of Sciences, 101*, 17288–17293. (p. 642)

Spencer, S. J., Steele, C. M., & Quinn, D. M. (1997). *Stereotype threat and women's math performance.* Unpublished manuscript, Hope College. (p. 414)

Sperling, G. (1960). The information available in brief visual presentations. *Psychological Monographs, 74* (Whole No. 498). (p. 322)

Sperry, R. W. (1964). *Problems outstanding in the evolution of brain function.* James Arthur Lecture, American Museum of Natural History, New York. Cited by R. Ornstein (1977), *The psychology of consciousness* (2nd ed.). New York: Harcourt Brace Jovanovich. (p. 84)

Sperry, R. W. (1985). Changed concepts of brain and consciousness: Some value implications. *Zygon, 20*, 41–57. (p. 246)

Sperry, R. W. (1992, Summer). Turnabout on consciousness: A mentalist view. *Journal of Mind & Behavior, 13*(3), 259–280. (p. 87)

Spiegel, A. (2010, July 12). 'Voice blind' man befuddled by mysterious callers. National Public Radio (npr.org). (p. 229)

Spiegel, D. (2007). The mind prepared: Hypnosis in surgery. *Journal of the National Cancer Institute, 99*, 1280–1281. (p. 265)

Spiegel, D. (2008, January 31). *Coming apart: Trauma and the fragmentation of the self.* Dana Foundation (www.dana.org). (p. 648)

Spiegel, K., Leproult, R., L'Hermite-Balériaux, M., Copinschi, G., Penev, P. D., & Van Cauter, E. (2004). Leptin levels are dependent on sleep duration: Relationships with sympathovagal balance, carbohydrate regulation, cortisol, and thyrotropin. *Journal of Clinical Endocrinology and Metabolism, 89*, 5762–5771. (p. 108)

Spielberger, C., & London, P. (1982). Rage boomerangs. *American Health, 1*, 52–56. (p. 497)

Sprecher, S., Treger, S., & Sakaluk, J. K. (2013). Premarital sexual standards and sociosexuality: Gender, ethnicity, and cohort differences. *Archives of Sexual Behavior, 42*, 1395–1405. (p. 147)

Spring, B., Pingitore, R., Bourgeois, M., Kessler, K. H., & Bruckner, E. (1992). *The effects and non-effects of skipping breakfast: Results of three studies.* Paper presented at the American Psychological Association convention. (p. 432)

Sproesser, G., Schupp, H. T., & Renner, B. (2014). The bright side of stress-induced eating: Eating more when stressed but less when pleased. *Psychological Science, 25*, 58–65. (pp. 428, 451)

Squire, L. R., & Wixted, J. T. (2011). The cognitive neuroscience of human memory since H. M. *Annual Review of Neuroscience, 34*, 259–288. (p. 329)

Squire, L. R., & Zola-Morgan, S. (1991, September 20). The medial temporal lobe memory system. *Science, 253,* 1380–1386. (p. 330)

Srivastava, A., Locke, E. A., & Bartol, K. M. (2001). Money and subject well-being: It's not the money, it's the motives. *Journal of Personality and Social Psychology, 80,* 959–971. (p. 482)

Srivastava, S., McGonigal, K. M., Richards, J. M., Butler, E. A., & Gross, J. J. (2006). Optimism in close relationships: How seeing things in a positive light makes them so. *Journal of Personality and Social Psychology, 91,* 143–153. (p. 504)

St. Clair, D., Xu, M., Wang, P., Yu, Y., Fang, Y., Zhang, F., Zheng, X., . . . & He, L. (2005). Rates of adult schizophrenia following prenatal exposure to the Chinese famine of 1959–1961. *Journal of the American Medical Association, 294,* 557–562. (p. 643)

Stacey, D., et al. (2012). RASGRF2 regulates alcohol-induced reinforcement by influencing mesolimbic dopamine neuron activity and dopamine release. *PNAS, 109,* 21128–21133. (p. 127)

Stack, S. (1992). Marriage, family, religion, and suicide. In R. Maris, A. Berman, J. Maltsberger, & R. Yufit (Eds.), *Assessment and prediction of suicide.* New York: Guilford Press. (p. 637)

Stafford, T., & Dewar, M. (2014). Tracing the trajectory of skill learning with a very large sample of online game players. *Psychological Science, 25,* 511–518. (p. 326)

Stager, C. L., & Werker, J. F. (1997). Infants listen for more phonetic detail in speech perception than in word-learning tasks. *Nature, 388,* 381–382. (p. 371)

Stanford University Center for Narcolepsy. (2002). Narcolepsy is a serious medical disorder and a key to understanding other sleep disorders. (www.med.stanford.edu/school/Psychiatry/narcolepsy). (p. 110)

Stanley, D., Phelps, E., & Banaji, M. (2008). The neural basis of implicit attitudes. *Current Directions in Psychological Science, 17,* 164–170. (p. 540)

Stanley, S. M., Rhoades, G. K., Amato, P. R., Markman, H. J., & Johnson, C. A. (2010). The timing of cohabitation and engagement: Impact on first and second marriages. *Journal of Marriage and Family, 72,* 906–918. (p. 221)

Stanovich, K. (1996). *How to think straight about psychology.* New York: HarperCollins. (p. 572)

Stanovich, K. E., & West, R. F. (2014). What intelligence tests miss. *Psychologist, 27,* 80–83. (p. 415)

Stanovich, K. E., West, R. F., & Toplak, M. E. (2013). My side bias, rational thinking, and intelligence. *Current Directions in Psychological Science, 22,* 259–264. (p. 364)

Stark, R. (2002). Physiology and faith: Addressing the "universal" gender difference in religious commitment. *Journal for the Scientific Study of Religion, 41,* 495–507. (p. 164)

Stark, R. (2003a). *For the glory of God: How monotheism led to reformations, science, witch-hunts, and the end of slavery.* Princeton, NJ: Princeton University Press. (p. 24)

Stark, R. (2003b, October-November). False conflict: Christianity is not only compatible with science—it created it. *American Enterprise,* pp. 27–33. (p. 24)

Starr, J. M., Deary, I. J., Lemmon, H., & Whalley, L. J. (2000). Mental ability age 11 years and health status age 77 years. *Age and Ageing, 29,* 523–528. (p. 402)

State, M. W., & S˘estan, N. (2012). The emerging biology of autism spectrum disorders. *Science, 337,* 1301–1304. (p. 193)

Statistics Canada. (1999, September). *Statistical report on the health of Canadians.* Prepared by the Federal, Provincial and Territorial Advisory Committee on Population Health for the Meeting of Ministers of Health, Charlottetown, PEI. (pp. 211, 490)

Statistics Canada. (2013). Table A.5.1.Second language immersion program enrolments in public elementary and secondary schools, Canada, provinces and territories, 2005/2006 to 2009/2010 (http://www.statcan.gc.ca/pub/81-595-m/2011095/tbl/tbla.5.1-eng.htm). (p. 381)

Staub, E. (1989). *The roots of evil: The psychological and cultural sources of genocide.* New York: Cambridge University Press. (p. 522)

Steel, P., Schmidt, J., & Schultz, J. (2008). Refining the relationship between personality and subject well-being. *Psychological Bulletin, 134,* 138–161. (p. 485)

Steele, C. M. (1990, May). A conversation with Claude Steele. *APS Observer,* pp. 11–17. (p. 411)

Steele, C. M. (1995, August 31). Black students live down to expectations. *New York Times.* (p. 414)

Steele, C. M. (2010). *Whistling Vivaldi: And other clues to how stereotypes affect us.* New York: Norton. (p. 414)

Steele, C. M., & Josephs, R. A. (1990). Alcohol myopia: Its prized and dangerous effects. *American Psychologist, 45,* 921–933. (p. 120)

Steele, C. M., Spencer, S. J., & Aronson, J. (2002). Contending with group image: The psychology of stereotype and social identity threat. *Advances in Experimental Social Psychology, 34,* 379–440. (p. 414)

Steenhuysen, J. (2002, May 8). Bionic retina gives six patients partial sight. *Reuters News Service.* (See also www.optobionics.com/artificialretina.htm.). (p. 259)

Steger, M. F., Hicks, B. M., Krueger, R. F., & Bouchard, T. J. (2011). Genetic and environmental influences and covariance among meaning in life, religiousness, and spirituality. *The Journal of Positive Psychology, 6,* 181–191. (p. 139)

Stein, J. I., et al. (2012). Identification of common variants associated with human hippocampal and intracranial volumes. *Nature Genetics, 44,* 552–561. (p. 406)

Steinberg, L. (1987, September). Bound to bicker. *Psychology Today,* pp. 36–39 (p., 210)

Steinberg, L. (2007). Risk taking in adolescence: New perspectives from brain and behavioral science. *Current Directions in Psychological Science, 16,* 55–59. (p. 205)

Steinberg, L. (2010, March). Analyzing adolescence. Interview with Sara Martin. *Monitor on Psychology,* pp. 26–29. (p. 205)

Steinberg, L. (2012, Spring). Should the science of adolescent brain development inform public policy? *Issues in Science and Technology,* pp. 67–78 (p., 205)

Steinberg, L. (2013). The influence of neuroscience on U.S. Supreme Court decisions involving adolescents' criminal culpability. *Nature Reviews Neuroscience, 14,* 513–518. (p. 205)

Steinberg, L., Cauffman, E., Woolard, J., Graham, S., & Banich, M. (2009). Are adolescents less mature than adults? Minors' access to abortion, the juvenile death penalty, and the alleged APA "flip-flop." *American Psychologist, 64,* 583–594. (p. 205)

Steinberg, L., & Morris, A. S. (2001). Adolescent development. *Annual Review of Psychology, 52,* 83–110. (pp. 202, 210, 211)

Steinberg, L., & Scott, E. S. (2003). Less guilty by reason of adolescence: Developmental immaturity, diminished responsibility, and the juvenile death penalty. *American Psychologist, 58,* 1009–1018. (p. 205)

Steinberg, N. (1993, February). Astonishing love stories (from an earlier United Press International report). *Games,* p. 47. (p. 551)

Steiner, J. L., Murphy, E. A., McClellan, J. L., Carmichael, M. D., & Davis, J. M. (2011). Exercise training increases mitochondrial biogenesis in the brain. *Journal of Applied Physiology, 111,* 1066–1071. (p. 216)

Steingard, R. J., Renshaw, P. F., Hennen, J., Lenox, M., Cintron, C. B., Young, A. D., . . . Yurgelun-Todd, D. A. (2002). Smaller frontal lobe white matter volumes in depressed adolescents. *Biological Psychiatry, 52*(5), 413–417. (p. 633)

Steinhauer, J. (1999, November 29). Number of twins rises: So does parental stress. *New York Times* (www.nytimes.com). (p. 136)

Steinmetz, J. E. (1999). The localization of a simple type of learning and memory: The cerebellum and classical eyeblink conditioning. *Contemporary Psychology, 7,* 72–77. (p. 330)

Stender, J., et al. (2014). Diagnostic precision of PET imaging and functional MRI in disorders of consciousness: A clinical validation study. *The Lancet.* Published online at http://dx.doi.org/10.1016/S0140-6736(14)60042-8. (p. 93)

Stengel, E. (1981). Suicide. In *The new Encyclopaedia Britannica, macropaedia* (Vol. 17, pp. 777–782). Chicago: Encyclopaedia Britannica. (p. 637)

Stepanikova, I., Nie, N. H., & He, X. (2010). Time on the Internet at home, loneliness, and life satisfaction: Evidence from panel time-diary data. *Computers in Human Behavior, 26,* 329–338. (p. 452)

Stephens-Davidowitz, S. (2013, December 7). How many American men are gay? *New York Times* (www.nytimes.com). (p. 440)

Stephens-Davidowitz, S. (2014). The effects of racial animus on a black candidate: Evidence using Google search data. *Journal of Public Economics, 118,* 26–40. (pp. 539, 540)

Steptoe, A., Chida, Y., Hamer, M., & Wardle, J. (2010). Author reply: Meta-analysis of stress-related factors in cancer. *Nature Reviews: Clinical Oncology, 7,* doi:10.1038/ncponc1134-c2. (p. 496)

Steptoe, A., Shankar, A., Demakakos, P., & Wardle, J. (2013). Social isolation, loneliness, and all-cause mortality in older men and women. *Proceedings of the National Academy of Sciences, 110,* 5797–5801. (p. 505)

Stern, M., & Karraker, K. H. (1989). Sex stereotyping of infants: A review of gender labeling studies. *Sex Roles, 20,* 501–522. (p. 236)

Sternberg, R. J. (1985). *Beyond IQ: A triarchic theory of human intelligence.* New York: Cambridge University Press. (p. 388)

Sternberg, R. J. (1988). Applying cognitive theory to the testing and teaching of intelligence. *Applied Cognitive Psychology, 2,* 231–255. (p. 366)

Sternberg, R. J. (2003). Our research program validating the triarchic theory of successful intelligence: Reply to Gottfredson. *Intelligence, 31*, 399–413. (p. 366)

Sternberg, R. J. (2006). The Rainbow Project: Enhance the SAT through assessments of analytical, practical, and creative skills. *Intelligence, 34*, 321–350. (pp. 366, 389)

Sternberg, R. J. (2007, July 6). Finding students who are wise, practical, and creative. *The Chronicle Review* (www.chronicle.com). (p. 389)

Sternberg, R. J. (2010). Assessment of gifted students for identification purposes: New techniques for a new millennium. *Learning and Individual Differences, 20*, 327–336. (p. 389)

Sternberg, R. J. (2011). The theory of successful intelligence. In R. J. Sternberg & S. B. Kaufman (Eds.), *The Cambridge handbook of intelligence*. New York: Cambridge University Press. (p. 388)

Sternberg, R. J., & Grajek, S. (1984). The nature of love. *Journal of Personality and Social Psychology, 47*, 312–329. (p. 557)

Sternberg, R. J., & Kaufman, J. C. (1998). Human abilities. *Annual Review of Psychology, 49*, 479–502. (p. 386)

Sternberg, R. J., & Lubart, T. I. (1991). An investment theory of creativity and its development. *Human Development*, 1–31. (p. 366)

Sternberg, R. J., & Lubart, T. I. (1992). Buy low and sell high: An investment approach to creativity. *Psychological Science, 1*, 1–5. (p. 366)

Sternberg, R. J., & Wagner, R. K. (1993). The g-ocentric view of intelligence and job performance is wrong. *Current Directions in Psychological Science, 2*, 1–5. (p. 388)

Sternberg, R. J., Wagner, R. K., Williams, W. M., & Horvath, J. A. (1995). Testing common sense. *American Psychologist, 50*, 912–927. (p. 388)

Sterzing, P. R., Shattuck, P. T., Narendorf, S. C., Wagner, M., & Cooper, B. P. (2012). Bullying involvement and autism spectrum disorders: prevalence and correlates of bullying involvement among adolescents with an autism spectrum disorder. *Archives of Pediatric and Adolescent Medicine, 166*, 1058–1064. (p. 193)

Stetter, F., & Kupper, S. (2002). Autogenic training: A meta-analysis of clinical outcome studies. *Applied Psychophysiology and Biofeedback, 27*, 45–98. (p. 509)

Stevenson, H. W. (1992, December). Learning from Asian schools. *Scientific American*, pp. 70–76. (p. 412)

Stevenson, H. W., & Lee, S-Y. (1990). Contexts of achievement: A study of American, Chinese, and Japanese children. *Monographs of the Society for Research in Child Development, 55* (Serial No. 221, Nos. 1–2). (p. 405)

Stevenson, R. J. (2014). Flavor binding: Its nature and cause. *Psychological Bulletin, 140*, 487–510. (p. 270)

Stevenson, R. J., & Tomiczek, C. (2007). Olfactory-induced synesthesias: A review and model. *Psychological Bulletin, 133*, 294–309. (p. 271)

Stewart, R. E., & Chambless, D. L. (2009). Cognitive-behavioral therapy for adult anxiety disorders in clinical practice: A meta-analysis of effectiveness studies. *Journal of Consulting and Clinical Psychology, 77*, 595–606. (p. 676)

Stice, E. (2002). Risk and maintenance factors for eating pathology: A meta-analytic review. *Psychological Bulletin, 128*, 825–848. (p. 652)

Stice, E., Ng, J., & Shaw, H. (2010). Risk factors and prodromal eating pathology. *Journal of Child Psychology and Psychiatry, 51*, 518–525. (p. 652)

Stice, E., Shaw, H., & Marti, C. N. (2007). A meta-analytic review of eating disorder prevention programs: Encouraging findings. *Annual Review of Clinical Psychology, 3*, 233–257. (p. 653)

Stice, E., Spangler, D., & Agras, W. S. (2001). Exposure to media-portrayed thin-ideal images adversely affects vulnerable girls: A longitudinal experiment. *Journal of Social and Clinical Psychology, 20*, 270–288. (p. 652)

Stickgold, R. (2000, March 7). Quoted by S. Blakeslee, For better learning, researchers endorse "sleep on it" adage. *New York Times*, p. F2. (p. 114)

Stickgold, R. (2012). Sleep, memory and dreams: Putting it all together. In *Aquém e além do Cérebro (Behind and beyond the brain)*. Bial: Fundação Bial Institution of Public Utility. (p. 113)

Stickgold, R., & Ellenbogen, J. M. (2008, August/September). Quiet! Sleeping brain at work. *Scientific American Mind*, pp. 23–29. (p. 106)

Stillman, T. F., Baumeister, R. F., Vohs, K. D., Lambert, N. M., Fincham, F. D., & Brewer, L. E. (2010). Personal philosophy and personnel achievement: Belief in free will predicts better job performance. *Social Psychological and Personality Science, 1*, 43–50. (p. 503)

Stillman, T. F., Lambet, N. M., Fincham, F. D., & Baumeister, R. F. (2011). Meaning as magnetic force: Evidence that meaning in life promotes interpersonal appeal. *Social Psychological and Personality Science, 2*, 13–20. (p. 690)

Stinson, D. A., Logel, C., Zanna, M. P., Holmes, J. G., Camerson, J. J., Wood, J. V., & Spencer, S. J. (2008). The cost of lower self-esteem: Testing a self- and social-bonds model of health. *Journal of Personality and Social Psychology, 94*, 412–428. (p. 507)

Stipek, D. (1992). The child at school. In M. H. Bornstein & M. E. Lamb (Eds.), *Developmental psychology: An advanced textbook*. Hillsdale, NJ: Erlbaum. (p. 201)

Stirrat, M., & Perrett, D. I. (2010). Valid facial cues to cooperation and trust: Male facial width and trustworthiness. *Psychological Science 21*, 349–354. (p. 546)

Stith, S. M., Rosen, K. H., Middleton, K. A., Busch, A. L., Lunderberg, K., & Carlton, R. P. (2000). The intergenerational transmission of spouse abuse: A meta-analysis. *Journal of Marriage and the Family, 62*, 640–654. (p. 311)

Stockton, M. C., & Murnen, S. K. (1992). *Gender and sexual arousal in response to sexual stimuli: A meta-analytic review*. Paper presented at the American Psychological Society convention. (p. 437)

Stoet, G., & Geary, D. C. (2012). Can stereotype threat explain the gender gap in mathematics performance and achievement? *Review of General Psychology, 16*, 93–102. (p. 414)

Stokoe, W. C. (1960). Sign language structure: An outline of the visual communication systems of the American Deaf. *Studies in Linguistics: Occasional papers (No. 8)*. Buffalo: Dept. of Anthropology and Linguistics, University of Buffalo. (p. 375)

Stone, A. A., & Neale, J. M. (1984). Effects of severe daily events on mood. *Journal of Personality and Social Psychology, 46*, 137–144. (p. 481)

Stone, A. A., Schneider, S., & Harter, J. K. (2012). Day-of-week mood patterns in the United States: On the existence of 'Blue Monday,' 'Thank God it's Friday' and weekend effects. *Journal of Positive Psychology, 7*, 306–314. (p. 30)

Stone, A. A., Schwartz, J. E., Broderick, J. E., & Deaton, A. (2010). A snapshot of the age distribution of psychological well-being in the United States. *PNAS, 107*, 9985–9990. (p. 223)

Stone, A. A., Schwartz, J. E., Broderick, J. E., & Shiffman, S. S. (2005). Variability of momentary pain predicts recall of weekly pain: A consequences of the peak (or salience) memory heuristic. *Personality and Social Psychology Bulletin, 31*, 1340–1346. (p. 263)

Stone, G. (2006, February 17). Homeless man discovered to be lawyer with amnesia. *ABC News* (abcnews.go.com). (p. 647)

St-Onge, M-P., McReynolds, A., Trivedi, Z. B., Roberts, A. L., Sy, M., & Hirsch, J. (2012). Sleep restriction leads to increased activation of brain regions sensitive to food stimuli. *American Journal of Clinical Nutrition, 95*, 818–824. (p. 108)

Storbeck, J., Robinson, M. D., & McCourt, M. E. (2006). Semantic processing precedes affect retrieval: The neurological case for cognitive primary in visual processing. *Review of General Psychology, 10*, 41–55. (p. 463)

Storm, B. C., & Jobe, T. A. (2012). Retrieval-induced forgetting predicts failure to recall negative autobiographical memories. *Psychological Science, 23*, 1356–1363. (p. 332)

Storm, L., Tressoldi, P. E., & Di Risio, L. (2010a). A meta-analysis with nothing to hide: Reply to Hyman (2010). *Psychological Bulletin, 136*, 491–494. (pp. 272, 273)

Storm, L., Tressoldi, P. E., & Di Risio, L. (2010b). Meta-analysis of free-response studies, 1992–2008: Assessing the noise reduction model in parapsychology. *Psychological Bulletin, 136*, 471–485. (pp. 272, 273)

Storm, L., Tressoldi, P. E., & Utts, J. (2013). Testing the Storm et al. (2010) meta-analysis using Bayesian and frequentist approaches: Reply to Rouder et al. (2013). *Psychological Bulletin, 139*, 248–254. (p. 273)

Storms, M. D. (1973). Videotape and the attribution process: Reversing actors' and observers' points of view. *Journal of Personality and Social Psychology, 27*, 165–175. (p. 519)

Storms, M. D. (1981). A theory of erotic orientation development. *Psychological Review, 88*, 340–353. (p. 442)

Storms, M. D. (1983). *Development of sexual orientation*. Washington, DC: Office of Social and Ethical Responsibility, American Psychological Association. (p. 442)

Storms, M. D., & Thomas, G. C. (1977). Reactions to physical closeness. *Journal of Personality and Social Psychology, 35*, 412–418. (p. 532)

Stout, J. A., & Dasgupta, N. (2011). When *he* doesn't mean *you*: Gender-exclusive language as ostracism. *Personality and Social Psychology Bulletin, 37*, 75–769. (p. 450)

Stowell, J. R., Oldham, T., & Bennett, D. (2010). Using student response systems ("clickers") to combat conformity and shyness. *Teaching of Psychology, 37*, 135–140. (p. 527)

Strahan, E. J., Spencer, S. J., & Zanna, M. P. (2002). Subliminal priming and persuasion: Striking while the iron is hot. *Journal of Experimental Social Psychology, 38*, 556–568. (p. 233)

Stranahan, A. M., Khalil, D., & Gould, E. (2006). Social isolation delays the positive effects of running on adult neurogenesis. *Nature Neuroscience, 9*, 526–533. (p. 82)

Strang, S., Utikal, V., Fischbacher, U., Weber, B., & Falk, A. (2014). Neural correlates of receiving an apology and active forgiveness: An fMRI study. *PLoS One, 9*, e87654. (p. 478)

Strange, D., Hayne, H., & Garry, M. (2008). A photo, a suggestion, a false memory. *Applied Cognitive Psychology, 22*, 587–603. (p. 345)

Strasburger, V. C., Jordan, A. B., & Donnerstein, E. (2010). Health effects of media on children and adolescents. *Pediatrics, 125*, 756–767. (p. 311)

Stratton, G. M. (1896). Some preliminary experiments on vision without inversion of the retinal image. *Psychological Review, 3*, 611–617. (p. 255)

Straub, R. O., Seidenberg, M. S., Bever, T. G., & Terrace, H. S. (1979). Serial learning in the pigeon. *Journal of the Experimental Analysis of Behavior, 32*, 137–148. (p. 378)

Straus, M. A., & Gelles, R. J. (1980). *Behind closed doors: Violence in the American family.* New York: Anchor/Doubleday. (p. 296)

Straus, M. A., Sugarman, D. B., & Giles-Sims, J. (1997). Spanking by parents and subsequent antisocial behavior of children. *Archives of Pediatric Adolescent Medicine, 151*, 761–767. (p. 296)

Strawbridge, W. J. (1999). *Mortality and religious involvement: A review and critique of the results, the methods, and the measures.* Paper presented at a Harvard University conference on religion and health, sponsored by the National Institute for Health Research and the John Templeton Foundation. (p. 512)

Strawbridge, W. J., Cohen, R. D., & Shema, S. J. (1997). Frequent attendance at religious services and mortality over 28 years. *American Journal of Public Health, 87*, 957–961. (p. 512)

Strayer, D. L., & Drews, F A. (2007). Cell-phone-induced driver distraction. *Current Directions in Psychological Science, 16*, 128–131. (p. 97)

Strayer, D. L., & Watson, J. M. (2012, March/April). Supertaskers and the multitasking brain. *Scientific American Mind*, pp. 22–29. (p. 97)

Strick, M., Dijksterhuis, A., Bos, M. W., Sjoerdsma, A., & van Baaren, R. B. (2011). A meta-analysis on unconscious thought effects. *Social Cognition, 29*, 738–762. (p. 364)

Strick, M., Dijksterhuis, A., & van Baaren, R. B. (2010). Unconscious-thought effects take place off-line, not on-line. *Psychological Science, 21*, 484–488. (p. 364)

Strickland, B. (1992, February 20). *Gender differences in health and illness.* Sigma Xi national lecture delivered at Hope College. (p. 215)

Stroebe, M., Finenauer, C., Wijngaards-de Meij, L., Schut, H., van den Bout, J., & Stroebe, W. (2013). Partner-oriented self-regulation among bereaved parents: The costs of holding in grief for the partner's sake. *Psychological Science, 24*, 395–402. (p. 225)

Stroebe, W. (2012). The truth about Triplett (1898), but nobody seems to care. *Perspectives on Psychological Science, 7*, 54–57. (p. 532)

Stroebe, W. (2013). Firearm possession and violent death: A critical review. *Aggression and Violent Behavior, 18*, 709–721. (p. 545)

Stroebe, W., Schut, H., & Stroebe, M. S. (2005). Grief work, disclosure and counseling: Do they help the bereaved? *Clinical Psychology Review, 25*, 395–414. (p. 225)

Stross, R. (2011, July 9). The therapist will see you now, via the web. *New York Times* (www.nytimes.com). (p. 670)

Strully, K. W. (2009). Job loss and health in the U.S. labor market. *Demography, 46*, 221–246. (p. 490)

Strupp, H. H. (1986). Psychotherapy: Research, practice, and public policy (How to avoid dead ends). *American Psychologist, 41*, 120–130. (p. 678)

Stutzer, A., & Frey, B. S. (2006). Does marriage make people happy, or do happy people get married? *Journal of Socio-Economics, 35*, 326–347. (p. 479)

Su, R., Rounds, J., & Armstrong, P. I. (2009). Men and things, women and people: A meta-analysis of sex differences in interests. *Psychological Bulletin, 135*, 859–884. (p. 164)

Subiaul, F., Cantlon, J. F., Holloway, R. L., & Terrace, H. S. (2004). Cognitive imitation in rhesus macaques. *Science, 305*, 407–410. (p. 308)

Subotnik, R. F., Olszewski-Kubilius, P., & Worrell, F. C. (2011). Rethinking giftedness and gifted education: A proposed direction forward based on psychological science. *Psychological Science in the Public Interest, 12(1)*, 3–54. (pp. 405, 409)

Subrahmanyam, K., & Greenfield, P. (2008). Online communication and adolescent relationships. *The Future of Children, 18*, 119–146. (p. 211)

Suddath, R. L., Christison, G. W., Torrey, E. F., Casanova, M. F., & Weinberger, D. R. (1990). Anatomical abnormalities in the brains of monozygotic twins discordant for schizophrenia. *New England Journal of Medicine, 322*, 789–794. (p. 644)

Sue, S. (2006). Research to address racial and ethnic disparities in mental health: Some lessons learned. In S. I. Donaldson, D. E. Berger, & K. Pezdek (Eds.), *Applied psychology: New frontiers and rewarding careers.* Mahwah, NJ: Erlbaum. (p. 680)

Suedfeld, P., & Mocellin, J. S. P. (1987). The The "sensed presence" in unusual environments. *Environment and Behavior, 19*, 33–52. (p. 124)

Sugaya, L., Hasin, D. S., Olfson, M., Lin, K-H., Grant, B. F., & Blanco, C. (2012). Child physical abuse and adult mental health: A national study. *Journal of Traumatic Stress, 25*, 384–392. (p. 200)

Suinn, R. M. (1997). Mental practice in sports psychology: Where have we been, Where do we go? *Clinical Psychology: Science and Practice, 4*, 189–207. (p. 382)

Sullivan, K. T., Pasch, L. A., Johnson, M. D., & Bradbury, T. N. (2010). Social support, problem solving, and the longitudinal course of newlywed marriage. *Journal of Personality and Social Psychology, 98*, 631–644. (p. 558)

Sullivan, P. F., Neale, M. C., & Kendler, K. S. (2000). Genetic epidemiology of major depression: Review and meta-analysis. *American Journal of Psychiatry, 157*, 1552–1562. (p. 632)

Suls, J. M., & Tesch, F. (1978). Students' preferences for information about their test performance: A social comparison study. *Journal of Experimental Social Psychology, 8*, 189–197. (p. 484)

Summers, M. (1996, December 9). Mister clean. *People Weekly*, pp. 139–142. (p. 609)

Sun, Q. I., Townsend, M. K., Okereke, O., Franco, O. H., Hu, F. B., & Grodstein, F. (2009). Adiposity and weight change in mid-life in relation to healthy survival after age 70 in women: Prospective cohort study. *British Medical Journal, 339*, b3796. (p. 430)

Sundet, J. M., Borren, I., & Tambs, K. (2008). The Flynn effect is partly caused by changing fertility patterns. *Intelligence, 36*, 183–191. (p. 397)

Sundie, J. M., Kenrick, D. T., Griskevicius, V., Tybur, J. M., Vohs, K. D., & Beal, D. J. (2011). Peacocks, Porsches, and Thorsten Veblen: Conspicuous consumption as a sexual signaling system. *Journal of Personality and Social Psychology, 100*, 664–680. (p. 149)

Sundstrom, E., De Meuse, K. P., & Futrell, D. (1990). Work teams: Applications and effectiveness. *American Psychologist, 45*, 120–133. (p. A-13)

Sunstein, C. R. (2007). On the divergent American reactions to terrorism and climate change. *Columbia Law Review, 107*, 503–557. (p. 360)

Suomi, S. J. (1986). Anxiety-like disorders in young nonhuman primates. In R. Gettleman (Ed.), *Anxiety disorders of childhood.* New York: Guilford Press. (p. 626)

Suppes, P. (1982). Quoted by R. H. Ennis, Children's ability to handle Piaget's propositional logic: A conceptual critique. In S. Modgil & C. Modgil (Eds.), *Jean Piaget: Consensus and controversy.* New York: Praeger. (p. 191)

Surgeon General. (1986). *The surgeon general's workshop on pornography and public health,* June 22–24. Report prepared by E. P. Mulvey & J. L. Haugaard and released by Office of the Surgeon General on August 4, 1986. (p. 547)

Surgeon General. (1999). *Mental health: A report of the surgeon general.* Rockville, MD: U.S. Department of Health and Human Services. (p. 616)

Surgeon General. (2012). *Preventing tobacco use among youth and young adults: A report of the Surgeon General.* Rockville, MD: Department of Health and Human Services, Office of the Surgeon General. (p. 128)

Susser, E. S. (1999). Life course cohort studies of schizophrenia. *Psychiatric Annals, 29*, 161–165. (p. 645)

Susser, E. S., Neugenbauer, R., Hoek, H. W., Brown, A. S., Lin, S., Labovitz, D., & Gorman, J. M. (1996). Schizophrenia after prenatal famine. *Archives of General Psychiatry, 53(1)*, 25–31. (p. 643)

Sutcliffe, J. S. (2008). Insights into the pathogenesis of autism. *Science, 321*, 208–209. (p. 193)

Sutherland, A. (2006a). *Bitten and scratched: Life and lessons at the premier school for exotic animal trainers.* New York: Viking. (p. 279)

Sutherland, A. (2006b, June 25). What Shamu taught me about a happy marriage. *New York Times* (www.nytimes.com). (p. 279)

Sutin, A. R., Ferrucci, L., Zonderman, A. B., & Terracciano, A. (2011). Personality and obesity across the adult life span. *Journal of Personality and Social Psychology, 101*, 579–592. (p. 592)

Swami, V., et al. (2010). The attractive female body weight and female body dissatisfaction in 26 countries across 10 world regions: Results of the international body project I. *Personality and Social Psychology Bulletin, 36*, 309–325. (p. 652)

Swami, V., Henderson, G., Custance, D., & Tovée, M. J. (2011). A cross-cultural investigation of men's judgments of female body weight in Britain and Indonesia. *Journal of Cross-Cultural Psychology, 42*, 140–145. (p. 430)

Swann, W. B., Jr., Chang-Schneider, C., & McClarty, K. L. (2007). Do people's self-views matter? Self-concept and self-esteem in everyday life. *American Psychologist, 62*, 84–94. (p. 599)

Swart, H., Hewstone, M., Christ, O., & Voci, A. (2011). Affective mediators of intergroup contact: A three-wave longitudinal study in South Africa. *Journal of Personality and Social Psychology, 101*, 1221–1238. (p. 564)

Sweat, J. A., & Durm, M. W. (1993). Psychics: Do police departments really use them? *Skeptical Inquirer, 17*, 148–158. (p. 272)

Sweeny, K., & Krizan, Z. (2013). Sobering up: A quantitative review of temporal declines in expectations. *Psychological Bulletin, 139*, 702–724. (p. 600)

Swerdlow, N. R., & Koob, G. F. (1987). Dopamine, schizophrenia, mania, and depression: Toward a unified hypothesis of cortico-stiato-pallido-thalamic function (with commentary). *Behavioral and Brain Sciences, 10*, 197–246. (p. 642)

Swim, J. K. (1994). Perceived versus meta-analytic effect sizes: An assessment of the accuracy of gender stereotypes. *Journal of Personality and Social Psychology, 66*, 21–36. (p. 540)

Symbaluk, D. G., Heth, C. D., Cameron, J., & Pierce, W. D. (1997). Social modeling, monetary incentives, and pain endurance: The role of self-efficacy and pain perception. *Personality and Social Psychology Bulletin, 23*, 258–269. (p. 263)

Symond, M. B., Harris, A. W. F., Gordon, E., & Williams, L. M. (2005). "Gamma synchrony" in first-episode schizophrenia: A disorder of temporal connectivity? *American Journal of Psychiatry, 162*, 459–465. (p. 642)

Symons, C. S., & Johnson, B. T. (1997). The self-reference effect in memory: A meta-analysis. *Psychological Bulletin, 121*(3), 371–394. (p. 327)

Tadmor, C. T., Galinsky, A. D., & Maddux, W. W. (2012). Getting the most out of living abroad: Biculturalism and integrative complexity as key drivers of creative and professional success. *Journal of Personality and Social Psychology, 103*, 520–542. (p. 367)

Taha, F. A. (1972). A comparative study of how sighted and blind perceive the manifest content of dreams. *National Review of Social Sciences, 9*(3), 28 (p. 112)

Taheri, S. (2004a, 20 December). Does the lack of sleep make you fat? *University of Bristol Research News* (www.bristol.ac.uk). (p. 431)

Taheri, S., Lin, L., Austin, D., Young, T., & Mignot, E. (2004b). Short sleep duration is associated with reduced leptin, elevated ghrelin, and increased body mass index. *PloS Medicine, 1*(3), e62. (p. 431)

Taheri, S., Zeitzer, J. M., & Mignot, E. (2002). The role of hypocretins (orexins) in sleep regulation and narcolepsy. *Annual Review of Neuroscience, 25*, 283–313. (p. 110)

Tajfel, H. (Ed.). (1982). *Social identity and intergroup relations.* New York: Cambridge University Press. (p. 542)

Talarico, J. M., & Moore, K. M. (2012). Memories of 'the rivalry': Differences in how fans of the winning and losing teams remember the same game. *Applied Cognitive Psychology, 26*, 746–756. (p. 332)

Talbot, M. (1999, October). The Rorschach Chronicles. *New York Times.* www.nytimes.com. (p. 578)

Talhelm, T., Zhang, X., Oishi, S., Shimin, C., Duan, D., Lan, X., & Kitayama, S. (2014). Large-scale psychological differences within China explained by rice versus wheat agriculture. *Science, 344*, 603–608. (p. 158)

Talwar, S. K., Xu, S., Hawley, E. S., Weiss, S. A., Moxon, K. A., & Chapin, J. K. (2002). Rat navigation guided by remote control. *Nature, 417*, 37–38. (p. 72)

Tamres, L. K., Janicki, D., & Helgeson, V. S. (2002). Sex differences in coping behavior: A meta-analytic review and an examination of relative coping. *Personality and Social Psychology Review, 6*, 2–30. (p. 164)

Tang, S-H., & Hall, V. C. (1995). The overjustification effect: A meta-analysis. *Applied Cognitive Psychology, 9*, 365–404. (p. 305)

Tangney, C. C., Kwasny, M. J., Li, H., Wilson, R. S., Evans, D. A., & Morris, M. C. (2011). Adherence to a Mediterranean-type dietary pattern and cognitive decline in a community population. *American Journal of Clinical Nutrition, 93*, 601–607. (p. 634)

Tannen, D. (1990). *You just don't understand: Women and men in conversation.* New York: Morrow. (p. 163)

Tannen, D. (2001). *You just don't understand: Women and men in conversation.* New York: Harper. (p. 8)

Tannenbaum, P. (2002, February). Quoted in R. Kubey & M. Csikszentmihalyi, Television addiction is no mere metaphor. *Scientific American*, pp. 74–80. (p. 234)

Tanner, J. M. (1978). *Fetus into man: Physical growth from conception to maturity.* Cambridge, MA: Harvard University Press. (p. 166)

Tardif, T., Fletcher, P., Liang, W., Zhang, Z., Kaciroti, N., & Marchman, V. A. (2008). Baby's first 10 words. *Developmental Psychology, 44*, 929–938. (p. 372)

Tarrant, M., Branscombe, N. R., Warner, R. H., & Weston, D. (2012). Social identity and perceptions of torture: It's moral when we do it. *Journal of Experimental Social Psychology, 48*, 513–518. (p. 563)

Tasbihsazan, R., Nettelbeck, T., & Kirby, N. (2003). Predictive validity of the Fagan test of infant intelligence. *British Journal of Developmental Psychology, 21*, 585–597. (p. 401)

Taub, E. (2004). Harnessing brain plasticity through behavioral techniques to produce new treatments in neurorehabilitation. *American Psychologist, 59*, 692–698. (p. 81)

Taubes, G. (2001). The soft science of dietary fat. *Science, 291*, 2536–2545. (p. 432)

Taubes, G. (2002, July 7). What if it's all been a big fat lie? *New York Times* (www.nytimes.com). (p. 432)

Tausch, N., Hewstone, M., Kenworthy, J. B., Psaltis, C., Schmid, K., Popan, J. R., Cairns, E., & Hughes, J. (2010). Secondary transfer effects of intergroup contact: Alternative accounts and underlying processes. *Journal of Personality and Social Psychology, 99*, 282–302. (p. 563)

Tavernier, R., & Willoughby, T. (2014). Bidirectional associations between sleep (quality and duration) and psychosocial functioning across the university years. *Developmental Psychology, 50*, 674–682. (p. 107)

Tavris, C. (1982, November). Anger defused. *Psychology Today*, pp. 25–35. (p. 478)

Tavris, C., & Aronson, E. (2007). *Mistakes were made (but not by me).* Orlando, FL: Harcourt. (p. 342)

Tay, L., & Diener, E. (2011). Needs and subjective well-being around the world. *Journal of Personality and Social Psychology, 101*, 354–365. (pp. 423, 482)

Taylor, C. A., Manganello, J. A., Lee, S. J., & Rice, J. C. (2010). Mothers' spanking of 3-year-old children and subsequent risk of children's aggressive behavior. *Pediatrics, 125*, 1057–1065. (p. 296)

Taylor, K., & Rohrer, D. (2010). The effects of interleaved practice. *Applied Cognitive Psychology, 24*, 837–848. (p. 15)

Taylor, P. J., Gooding, P., Wood, A. M., & Tarrier, N. (2011). The role of defeat and entrapment in depression, anxiety, and suicide. *Psychological Bulletin, 137*, 391–420. (p. 638)

Taylor, P. J., Russ-Eft, D. F., & Chan, D. W. L. (2005). A meta-analytic review of behavior modeling training. *Journal of Applied Psychology, 90*, 692–709. (p. 310)

Taylor, S. (2011). Etiology of obsessions and compulsions: A meta-analysis and narrative review of twin studies. *Clinical Psychology Review, 31*, 1361–1372. (p. 623)

Taylor, S. (2013). Molecular genetics of obsessive-compulsive disorder: A comprehensive meta-analysis of genetic association studies. *Molecular Psychiatry, 18*, 799–805. (p. 626)

Taylor, S., Kuch, K., Koch, W. J., Crockett, D. J., & Passey, G. (1998). The structure of posttraumatic stress symptoms. *Journal of Abnormal Psychology, 107*, 154–160. (p. 623)

Taylor, S. E. (1989). *Positive illusions.* New York: Basic Books. (p. 603)

Taylor, S. E. (2002). *The tending instinct: How nurturing is essential to who we are and how we live.* New York: Times Books. (p. 164)

Taylor, S. E. (2006). Tend and befriend: Biobehavioral bases of affiliation under stress. *Current Directions in Psychological Science, 15*, 273–277. (p. 492)

Taylor, S. E., Cousino, L. K., Lewis, B. P., Gruenewald, T. L., Gurung, R. A. R., & Updegraff, J. A. (2000). Biobehavioral responses to stress in females: Tend-and-befriend, not fight-or-flight. *Psychological Review, 107*, 411–430. (p. 492)

Taylor, S. E., Pham, L. B., Rivkin, I. D., & Armor, D. A. (1998). Harnessing the imagination: Mental simulation, self-regulation, and coping. *American Psychologist, 53*, 429–439. (p. 382)

Taylor, S. P., & Chermack, S. T. (1993). Alcohol, drugs and human physical aggression. *Journal of Studies on Alcohol*, Supplement No. 11, 78–88. (p. 546)

Taylor, V. J., & Walton, G. M. (2011). Stereotype threat undermines academic learning. *Personality and Social Psychology Bulletin, 37*, 1055–1067. (p. 414)

Teachman, B. A. (2014). No appointment necessary: Treating mental illness outside the therapist's office. *Perspectives on Psychological Science, 9*, 85–87. (p. 670)

Teasdale, T. W., & Owen, D. R. (2005). A long-term rise and recent decline in intelligence test performance: The Flynn effect in reverse. *Personality and Individual Differences, 39*, 837–843. (p. 396)

Teasdale, T. W., & Owen, D. R. (2008). Secular declines in cognitive test scores: A reversal of the Flynn effect. *Intelligence, 36*, 121–126. (p. 396)

Tedeschi, R. G., & Calhoun, L. G. (2004). Posttraumatic growth: Conceptual foundations and empirical evidence. *Psychological Inquiry, 15*, 1–18. (p. 691)

Teghtsoonian, R. (1971). On the exponents in Stevens' law and the constant in Ekinan's law. *Psychological Review, 78*, 71–80. (p. 233)

Teicher, M. H. (2002, March). The neurobiology of child abuse. *Scientific American*, pp. 68–75. (p. 200)

Teller. (2009, April 20). Quoted by J. Lehrer, Magic and the brain: Teller reveals the neuroscience of illusion. *Wired Magazine* (www.wired.com) (p. 98)

Telzer, E. H., Flannery, J., Shapiro, M., Humphreys, K. L., Goff, B., Gabard-Durman, L., Gee, D. D., & Tottenham, N. (2013). Early experience shapes amygdala sensitivity to race: An international adoption design. *The Journal of Neuroscience, 33*, 13484–13488. (p. 544)

Tenenbaum, H. R., & Leaper, C. (2002). Are parents' gender schemas related to their children's gender-related cognitions? A meta-analysis. *Developmental Psychology, 38*, 615–630. (p. 169)

Tenopyr, M. L. (1997). Improving the workplace: Industrial/organizational psychology as a career. In R. J. Sternberg (Ed.), *Career paths in psychology: Where your degree can take you.* Washington, DC: American Psychological Association. (p. A-3)

Tepper, S. J. (2000). Fiction reading in America: Explaining the gender gap. *Poetics, 27*, 255–275. (p. 471)

Terao, T., Ohgami, H., Shlotsuki, I., Ishil, N., & Iwata, N. (2010). Author's reply. *British Journal of Psychiatry, 196*, 160. (p. 685)

Terman, J. S., Terman, M., Lo, E-S., & Cooper, T. B. (2001). Circadian time of morning light administration and therapeutic response in winter depression. *Archives of General Psychiatry, 58*, 69–73. (p. 678)

Terman, L. M. (1916). *The measurement of intelligence.* Boston: Houghton Mifflin. (p. 394)

Terman, M., Terman, J. S., & Ross, D. C. (1998). A controlled trial of timed bright light and negative air ionization for treatment of winter depression. *Archives of General Psychiatry, 55*, 875–882. (p. 678)

Terracciano, A., Costa, P. T., Jr., & McCrae, R. R. (2006). Personality plasticity after age 30. *Personality and Social Psychology Bulletin, 32*, 999–1009. (p. 160)

Terrace, H. S. (1979, November). How Nim Chimpsky changed my mind. *Psychology Today*, pp. 65–76. (p. 378)

Terre, L., & Stoddart, R. (2000). Cutting edge specialties for graduate study in psychology. *Eye on Psi Chi, 23*–26. (p. B-1)

Tesser, A., Forehand, R., Brody, G., & Long, N. (1989). Conflict: The role of calm and angry parent-child discussion in adolescent development. *Journal of Social and Clinical Psychology, 8*, 317–330. (p. 210)

Tetlock, P. E. (1988). Monitoring the integrative complexity of American and Soviet policy rhetoric: What can be learned? *Journal of Social Issues, 44*, 101–131. (p. 567)

Tetlock, P. E. (1998). Close-call counterfactuals and belief-system defenses: I was not almost wrong but I was almost right. *Journal of Personality and Social Psychology, 75*, 639–652. (p. 21)

Tetlock, P. E. (2005). *Expert political judgement: How good is it? How can we know?* Princeton, NJ: Princeton University Press. (p. 21)

Thaler, R. H., & Sunstein, C. R. (2008). *Nudge: Improving decisions about health, wealth, and happiness.* New Haven, CT: Yale University Press. (p. 363)

Thannickal, T. C., Moore, R. Y., Nienhuis, R., Ramanathan, L., Gulyani, S., Aldrich, M., Cornford, M., & Siegel, J. M. (2000). Reduced number of hypocretin neurons in human narcolepsy. *Neuron, 27*, 469–474. (p. 110)

Thatcher, R. W., Walker, R. A., & Giudice, S. (1987). Human cerebral hemispheres develop at different rates and ages. *Science, 236*, 1110–1113. (pp. 178, 185)

Thayer, R. E. (1987). Energy, tiredness, and tension effects of a sugar snack versus moderate exercise. *Journal of Personality and Social Psychology, 52*, 119–125. (p. 509)

Thayer, R. E. (1993). Mood and behavior (smoking and sugar snacking) following moderate exercise: A partial test of self-regulation theory. *Personality and Individual Differences, 14*, 97–104. (p. 509)

Théoret, H., Halligan, H., Kobayashi, M., Fregni, F., Tager-Flusberg, H., & Pascual-Leone, A. (2005). Impaired motor facilitation during action observation in individuals with autism spectrum disorder. *Current Biology, 15*, R84–R85. (p. 194)

Thernstrom, M. (2006, May 14). My pain, my brain. *New York Times* (www.nytimes.com). (p. 264)

Thiel, A., Hadedank, B., Herholz, K., Kessler, J., Winhuisen, L., Haupt, W. F., & Heiss, W-D. (2006). From the left to the right: How the brain compensates progressive loss of language function. *Brain and Language, 98*, 57–65. (p. 82)

Thiele, T. E., Marsh, D. J., Ste. Marie, L., Bernstein, I. L., & Palmiter, R. D. (1998). Ethanol consumption and resistance are inversely related to neuropeptide Y levels. *Nature, 396*, 366–369. (p. 127)

Thomas, A., & Chess, S. (1977). *Temperament and development.* New York: Brunner/Mazel. (p. 140)

Thomas, A., & Chess, S. (1986). The New York Longitudinal Study: From infancy to early adult life. In R. Plomin & J. Dunn (Eds.), *The study of temperament: Changes, continuities, and challenges.* Hillsdale, NJ: Erlbaum. (p. 180)

Thomas, L. (1974). *The lives of a cell.* New York: Viking Press. (p. 268)

Thomas, L. (1983). *The youngest science: Notes of a medicine watcher.* New York: Viking Press. (p. 58)

Thomas, L. (1992). *The fragile species.* New York: Scribner's. (pp. 173, 374, 674)

Thompson, G. (2010). The $1 million dollar challenge. *Skeptic Magazine, 15*, 8–9. (p. 274)

Thompson, J. K., Jarvie, G. J., Lahey, B. B., & Cureton, K. J. (1982). Exercise and obesity: Etiology, physiology, and intervention. *Psychological Bulletin, 91*, 55–79. (p. 432)

Thompson, P. M., Cannon, T. D., Narr, K. L., van Erp, T., Poutanen, V-P., Huttunen, M., . . . Toga, A. W. (2001). Genetic influences on brain structure. *Nature Neuroscience, 4*, 1253–1258. (p. 406)

Thompson, P. M., Giedd, J. N., Woods, R. P., MacDonald, D., Evans, A. C., & Toga, A. W. (2000). Growth patterns in the developing brain detected by using continuum mechanical tensor maps. *Nature, 404*, 190–193. (p. 185)

Thompson, R., Emmorey, K., & Gollan, T. H. (2005). "Tip of the fingers" experiences by Deaf signers. *Psychological Science, 16*, 856–860. (p. 341)

Thomson, R., & Murachver, T. (2001). Predicting gender from electronic discourse. *British Journal of Social Psychology, 40*, 193–208 (and personal correspondence from T. Murachver, May 23, 2002). (p. 163)

Thorndike, E. L. (1898). Animal intelligence: An experimental study of the associative processes in animals. *Psychological Review Monograph Supplement 2*, 4–160. (p. 290)

Thorne, J., with Rothstein, L. (1993). *You are not alone: Words of experience and hope for the journey through depression.* New York: HarperPerennial. (p. 609)

Thornhill, R., & Gangestad, S. W. (1994). Human fluctuating asymmetry and sexual behavior. *Psychological Science, 5*, 297–302. (p. 555)

Thornton, B., & Moore, S. (1993). Physical attractiveness contrast effect: Implications for self-esteem and evaluations of the social self. *Personality and Social Psychology Bulletin, 19*, 474–480. (p. 554)

Thorpe, W. H. (1974). *Animal nature and human nature.* London: Metheun. (p. 379)

Tickle, J. J., Hull, J. G., Sargent, J. D., Dalton, M. A., & Heatherton, T. F. (2006). A structural equation model of social influences and exposure to media smoking on adolescent smoking. *Basic and Applied Social Psychology, 28*, 117–129. (p. 128)

Tiedens, L. Z. (2001). Anger and advancement versus sadness and subjugation: The effect of negative emotion expressions on social status conferral. *Journal of Personality and Social Psychology, 80*, 86–94. (p. 478)

Tiggemann, M., & Miller, J. (2010). The Internet and adolescent girls' weight satisfaction and drive for thinness. *Sex Roles, 63*, 79–90. (p. 652)

Tiihonen, J., Lönnqvist, J., Wahlbeck, K., Klaukka, T., Niskanen, L., Tanskanen, A., Haukka, J. (2009). 11-year follow-up of mortality in patients with schizophrenia: A population-based cohort study (FIN11 study). *Lancet, 374*, 260–267. (p. 682)

Time. (2009, Oct. 14). The state of the American woman. pp. 32–33. (p. 164)

Time/CNN Survey. (1994, December 19). Vox pop: Happy holidays, *Time.* (p. 630)

Timmerman, T. A. (2007). "It was a thought pitch": Personal, situational, and target influences on hit-by-pitch events across time. *Journal of Applied Psychology, 92*, 876–884. (p. 547)

Tinbergen, N. (1951). *The study of instinct.* Oxford: Clarendon. (p. 420)

Tirrell, M. E. (1990). Personal communication. (p. 285)

Tobin, D. D., Menon, M., Menon, M., Spatta, B. C., Hodges, E. V. E., & Perry, D. G. (2010). The intrapsychics of gender: A model of self-socialization. *Psychological Review, 117*, 601–622. (p. 168)

Toews, P. (2004, December 30). *Dirk Willems: A heart undivided.* Mennonite Brethren Historical Commission (www.mbhistory.org/profiles/dirk.en.html). (p. 517)

Tolin, D. F. (2010). Is cognitive-behavioral therapy more effective than other therapies? A meta-analytic review. *Clinical psychology Review, 30*, 710–720. (p. 676)

Tolin, D. F., Stevens, M. C., Villavicencio, A. L., et al. (2012). Neural mechanisms of decision making in hoarding disorder. *Archives of General Psychiatry, 69*, 832–841. (p. 626)

Tolman, E. C., & Honzik, C. H. (1930). Introduction and removal of reward, and maze performance in rats. *University of California Publications in Psychology, 4*, 257–275. (p. 305)

Tolstoy, L. (1904). *My confessions.* Boston: Dana Estes. (p. 13)

Toma, C., & Hancock, J. (2013). Self-affirmation underlies Facebook use. *Personality and Social Psychology Bulletin, 369*, 321–331. (p. 599)

Tomaka, J., Blascovich, J., & Kelsey, R. M. (1992). Effects of self-deception, social desirability, and repressive coping on psychophysiological reactivity to stress. *Personality and Social Psychology Bulletin, 18*, 616–624. (p. 602)

Toni, N., Buchs, P.-A., Nikonenko, I., Bron, C. R., & Muller, D. (1999). LTP promotes formation of multiple spine synapses between a single axon terminal and a dendrite. *Nature, 402*, 421–442. (p. 332)

Tononi, G., & Cirelli, C. (2013, August). Perchance to prune. *Scientific American*, pp. 34–39. (p. 105)

Topolinski, S., & Reber, R. (2010). Gaining insight into the "aha" experience. *Current Directions in Psychological Science, 19*, 401–405. (p. 357)

Torrey, E. F. (1986). *Witchdoctors and psychiatrists.* New York: Harper & Row. (p. 679)

Torrey, E. F., & Miller, J. (2002). *The invisible plague: The rise of mental illness from 1750 to the present.* New Brunswick, NJ: Rutgers University Press. (p. 643)

Torrey, E. F., Miller, J., Rawlings, R., & Yolken, R. H. (1997). Seasonality of births in schizophrenia and bipolar disorder: A review of the literature. *Schizophrenia Research, 28*, 1–38. (p. 643)

Totterdell, P., Kellett, S., Briner, R. B., & Teuchmann, K. (1998). Evidence of mood linkage in work groups. *Journal of Personality and Social Psychology, 74*, 1504–1515. (p. 525)

Tracy, J. L., Cheng, J. T., Robins, R. W., & Trzesniewski, K. H. (2009). Authentic and hubristic pride: The affective core of self-esteem and narcissism. *Self and Identity, 8*, 196–213. (p. 603)

Tracy, J. L., & Robins, R. W. (2004). Show your pride: Evidence for a discrete emotion expression. *Psychological Science, 15*, 194–197. (p. 476)

Tracy, J. L., Shariff, A. F., Zhao, W., & Henrich, J. (2013). Cross-cultural evidence that the nonverbal expression of pride is an automatic status signal. *Journal of Experimental Psychology: General, 142*, 163–180. (p. 469)

Trautwein, U., Lüdtke, O., Köller, O., & Baumert, J. (2006). Self-esteem, academic self-concept, and achievement: How the learning environment moderates the dynamics of self-concept. *Journal of Personality and Social Psychology, 90*, 334–349. (p. 599)

Treffert, D. A., & Christensen, D. D. (2005, December). Inside the mind of a savant. *Scientific American*, pp. 108–113. (p. 388)

Treffert, D. A., & Wallace, G. L. (2002). Island of genius—The artistic brilliance and dazzling memory that sometimes accompany autism and other disorders hint at how all brains work. *Scientific American, 286*, 76–86. (p. 387)

Treisman, A. (1987). Properties, parts, and objects. In K. R. Boff, L. Kaufman, & J. P. Thomas (Eds.), *Handbook of perception and human performance.* New York: Wiley. (p. 248)

Tremblay, R. E., Pihl, R. O., Vitaro, F., & Dobkin, P. L. (1994). Predicting early onset of male antisocial behavior from preschool behavior. *Archives of General Psychiatry, 51*, 732–739. (p. 650)

Triandis, H. C. (1981). *Some dimensions of intercultural variation and their implications for interpersonal behavior.* Paper presented at the American Psychological Association convention. (p. 156)

Triandis, H. C. (1994). *Culture and social behavior.* New York: McGraw-Hill. (pp. 158, 547)

Triandis, H. C., Bontempo, R., Villareal, M. J., Asai, M., & Lucca, N. (1988). Individualism and collectivism: Cross-cultural perspectives on self-ingroup relationships. *Journal of Personality and Social Psychology, 54*, 323–338. (p. 159)

Trickett, E. (2009). Community psychology: Individuals and interventions in community context. *Annual Review of Psychology, 60*, 395–419. (p. 12)

Trickett, P. K., Noll, J. G., & Putnam, F. W. (2011). The impact of sexual abuse on female development: Lessons from a multigenerational, longitudinal research study. *Development and Psychopathology, 23*, 453–476. (p. 200)

Trillin, C. (2006, March 27). Alice off the page. *The New Yorker*, p. 44. (p. 584)

Triplett, N. (1898). The dynamogenic factors in pacemaking and competition. *American Journal of Psychology, 9*, 507–533. (p. 532)

Trotter, J. (2014). The power of positive coaching. *Sports Illustrated* (www.mmqb.si.com). (p. A-11)

Trut, L. N. (1999). Early canid domestication: The farm-fox experiment. *American Scientist, 87*, 160–169. (p. 145)

Tsai, J. L., & Chentsova-Dutton, Y. (2003). Variation among European Americans in emotional facial expression. *Journal of Cross-Cultural Psychology, 34*, 650–657. (p. 474)

Tsai, J. L., Miao, F. F., Seppala, E., Fung, H. H., & Yeung, D. Y. (2007). Influence and adjustment goals: Sources of cultural differences in ideal affect. *Journal of Personality and Social Psychology, 92*, 1102–1117. (p. 474)

Tsang, Y. C. (1938). Hunger motivation in gastrectomized rats. *Journal of Comparative Psychology, 26*, 1–17. (p. 425)

Tsankova, N., Renthal, W., Kumar, A., & Nestler, E. J. (2007). Epigenetic regulation in psychiatric disorders. *Nature Reviews Neuroscience, 8*, 355–367. (p. 142)

Tse, D., Langston, R. F., Kakeyama, M., Bethus, I., Spooner P. A., Wood, E. R., Witter, M. P., & Morris, R. G. M. (2007). Schemas and memory consolidation. *Science, 316*, 76–82. (p. 330)

Tsuang, M. T., & Faraone, S. V. (1990). *The genetics of mood disorders.* Baltimore, MD: Johns Hopkins University Press. (p. 633)

Tsvetkova, M., & Macy, M. W. (2014). The social contagion of generosity. *PLoS ONE, 9*(2), e87275. (p. 561)

Tuber, D. S., Miller, D. D., Caris, K. A., Halter, R., Linden, F., & Hennessy, M. B. (1999). Dogs in animal shelters: Problems, suggestions, and needed expertise. *Psychological Science, 10*, 379–386. (p. 40)

Tucker-Drob, E. (2012). Preschools reduce early academic-achievement gaps: A longitudinal twin approach. *Psychological Science, 23*, 310–319. (p. 409)

Tucker-Drob, E. M., Rhemtulla, M., Harden, K. P., Turkheimer, E., & Fask, D. (2011). Emergence of a gene × socioeconomic status interaction on infant mental ability between 10 months and 2 years. *Psychological Science, 22*, 125–133. (p. 406)

Tucker, K. A. (2002). I believe you can fly. *Gallup Management Journal* (www.gallupjournal.com/CA/st/20020520.asp). (p. A-10)

Tuerk, P. W. (2005). Research in the high-stakes era: Achievement, resources, and No Child Left Behind. *Psychological Science, 16*, 419–425. (p. 408)

Tully, T. (2003). Reply: The myth of a myth. *Current Biology, 13*, R426. (p. 283)

Turkheimer, E., Haley, A., Waldron, M., D'Onofrio, B., & Gottesman, I. I. (2003). Socioeconomic status modifies heritability of IQ in young children. *Psychological Science, 14*, 623–628. (p. 406)

Turner, J. C. (1987). *Rediscovering the social group: A self-categorization theory.* New York: Basil Blackwell. (p. 542)

Turner, J. C. (2007). Self-categorization theory. In R. Baumeister & K. Vohs (Eds.), *Encyclopedia of social psychology.* Thousand Oaks, CA: Sage. (p. 542)

Turner, N., Barling, J., & Zacharatos, A. (2002). Positive psychology at work. In C. R. Snyder & S. J. Lopez (Eds.), *The handbook of positive psychology.* New York: Oxford University Press. (p. A-12)

Turpin, A. (2005, April 3). The science of psi. *FT Weekend*, pp. W1, W2. (p. 272)

Tuvblad, C., Narusyte, J., Grann, M., Sarnecki, J., & Lichtenstein, P. (2011). The genetic and environmental etiology of antisocial behavior from childhood to emerging adulthood. *Behavior Genetics, 41*, 629–640. (p. 649)

Tversky, A. (1985, June). Quoted in K. McKean, Decisions, decisions. *Discover*, pp. 22–31. (p. 359)

Tversky, A., & Kahneman, D. (1974). Judgment under uncertainty: Heuristics and biases. *Science, 185*, 1124–1131. (pp. 34, 359)

Tversky, B. (2008, June/July). Glimpses of Chinese psychology: Reflections on the APS trip to China. *Observer*, pp. 13–14 (also at psychologicalscience.org/observer). (p. 6)

Twenge, J. M. (2001). Birth cohort changes in extraversion: A cross-temporal meta-analysis, 1966–1993. *Personality and Individual Differences, 30*, 735–748. (p. 591)

Twenge, J. M. (2006). *Generation me.* New York: Free Press. (p. 604

Twenge, J. M., Abebe, E. M., & Campbell, W. K. (2010). Fitting in or standing out: Trends in American parents' choices for children's names, 1880–2007. *Social Psychology and Personality Science, 1*, 19–25. (pp. 158, 159)

Twenge, J. M., Baumeister, R. F., DeWall, C. N., Ciarocco, N. J., & Bartels, J. M. (2007). Social exclusion decreases prosocial behavior. *Journal of Personality and Social Psychology, 92*, 56–66. (p. 451)

Twenge, J. M., Baumeister, R. F., Tice, D. M., & Stucke, T. S. (2001). If you can't join them, beat them: Effects of social exclusion on aggressive behavior. *Journal of Personality and Social Psychology, 81*, 1058–1069. (p. 451)

Twenge, J. M., & Campbell, W. K. (2008). Increases in positive self-views among high school students: Birth-cohort changes in anticipated performance, self-satisfaction, self-liking, and self-competence. *Psychological Science, 19*, 1082–1086. (p. 585)

Twenge, J. M., Campbell, W. K., & Freeman, E. C. (2012). Generational differences in young adults' life goals, concern for others, and civic orientation, 1966-2009. *Journal of Personality and Social Psychology, 102*, 1045–1062. (pp. 159, 604)

Twenge, J. M., Campbell, W. K., & Gentile, B. (2013). Changes in pronoun use in American books and the rise of individualism, 1960–2008. *Journal of Cross-Cultural Psychology, 44*, 406–415. (p. 604)

Twenge, J. M., Catanese, K. R., & Baumeister, R. F. (2002). Social exclusion causes self-defeating behavior. *Journal of Personality and Social Psychology, 83*, 606–615. (p. 451)

Twenge, J. M., & Foster, J. D. (2010). Birth cohort increases in narcissistic personality traits among American college students, 1982–2009. *Social Psychological and Personality Science, 1*, 99–106. (p. 604)

Twenge, J. M., Gentile, B., DeWall, C. D., Ma, D., & Lacefield, K. (2008). *A growing disturbance: Increasing psychopathology in young people 1938–2007 in a meta-analysis of the MMPI.* Unpublished manuscript, San Diego State University. (p. 632)

Twenge, J. M., Gentile, B., DeWall, C. N., Ma, D., Lacefield, K., & Schurtz, D. R. (2010). Birth cohort increases in psychopathology among young Americans, 1938–2007: A cross-temporal meta-analysis of the MMPI. *Clinical Psychology Review, 30*, 145–154. (p. 503)

Twenge, J. M., Zhang, L., & Im, C. (2004). It's beyond my control: A cross-temporal meta-analysis of increasing externality in locus of control, 1960-2002. *Personality and Social Psychology Review, 8*, 308–319. (p. 503)

Twiss, C., Tabb, S., & Crosby, F. (1989). Affirmative action and aggregate data: The importance of patterns in the perception of discrimination. In F. Blanchard & F. Crosby (Eds.), *Affirmative action: Social psychological perspectives.* New York: Springer-Verlag. (p. 32)

Uchida, Y., & Kitayama, S. (2009). Happiness and unhappiness in East and West: Themes and variations. *Emotion, 9*, 441–456. (p. 485)

Uchino, B. N. (2009). Understanding the links between social support and physical health. *Perspectives on Psychological Science, 4*, 236–255. (p. 505)

Uchino, B. N., Cacioppo, J. T., & Kiecolt-Glaser, J. K. (1996). The relationship between social support and physiological processes: A review with emphasis on underlying mechanisms and implications for health. *Psychological Bulletin, 119*, 488–531. (p. 506)

Uchino, B. N., Uno, D., & Holt-Lunstad, J. (1999). Social support, physiological processes, and health. *Current Directions in Psychological Science, 8*, 145–148. (p. 506)

Udry, J. R. (2000). Biological limits of gender construction. *American Sociological Review, 65*, 443–457. (p. 165)

Uga, V., Lemut, M. C., Zampi, C., Zilli, I., & Salzarulo, P. (2006). Music in dreams. *Consciousness and Cognition, 15*, 351–357. (p. 112)

Ugander, J., Backstrom, L., Marlow, C., & Kleinberg, J. (2012). Structural diversity in social contagion. *Proceedings of the National Academy of Sciences, 109*, 5962–5966. (p. 452)

Uher, R., & McGuffin, P. (2010). The moderation by the serotonin transporter gene of environmental adversity in the etiology of depression: 2009 update. *Molecular Psychiatry, 15*, 18–22. (p. 634)

Ulrich, R. E. (1991). Animal rights, animal wrongs and the question of balance. *Psychological Science, 2*, 197–201. (p. 40)

UNAIDS. (2005). *AIDS epidemic update, December 2005.* United Nations (www.unaids.org). (p. 495)

UNAIDS. (2010). *UNAIDS report on the global AIDS epidemic 2010.* www.unaids.org. (p. 495)

UNAIDS. (2013). *UNAIDS report on the global AIDS epidemic 2013.* www.UNAIDS.org. (pp. 436, 495)

Underwood, E. (2013). Short-circuiting depression. *Science, 342*, 548–551. (p. 687)

UNESCO. (2013, September). *Adult and youth literacy.* UIS Fact Sheet No. 26, UNESCO Institute for Statistics. United Nations Education, Scientific and Cultural Organization. (p. 540)

Ungerleider, S. (2005). *Mental training for peak performance, revised & updated edition.* New York: Rodale. (p. 382)

United Nations. (2001). *World population ageing: 1950–2050.* United Nations (www.un.org). (p. 215)

United Nations. (2010). Chapter 8, Poverty, in *The world's women: Trends and Statistics.* New York: United Nations. (p. 540)

United Nations. (2010). *The ageing of the world's population.* United Nations (www.un.org). (p. 215)

United Nations. (2011, November 17). *Discriminatory laws and practices and acts of violence against individuals based on their sexual orientation and gender identity.* Report of the United Nations High Commissioner for Human Rights. (p. 540)

Unsworth, N., & Engle, R. W. (2007). The nature of individual differences in working memory capacity: Active maintenance in primary memory and controlled search from secondary memory. *Psychological Review, 114*, 104–132. (p. 324)

Urbina, I. (2010, May 29). Documents show early worries about safety of rig. *New York Times* (www.nytimes.com). (p. 361)

Urry, H. L., & Gross, J. J. (2010). Emotion regulation in older age. *Current Directions in Psychological Science, 19*, 352–357. (p. 223)

Urry, H. L., Nitschke, J. B., Dolski, I., Jackson, D. C., Dalton, K. M., Mueller, C. J., . . . Davidson, R. J. (2004). Making a life worth living: Neural correlates of well-being. *Psychological Science, 15*, 367–372. (p. 467)

U.S. Senate Select Committee on Intelligence (2004, July 9). *Report of the U.S. intelligence community's prewar intelligence assessments on Iraq.* www.gpoaccess.gov/serial-set/creports/iraq.html. (p. 26)

Uttal, W. R. (2001). *The new phrenology: The limits of localizing cognitive processes in the brain.* Cambridge, MA: MIT Press. (p. 81)

Vacic, V., et al. (2011). Duplications of the neuropeptide receptor gene VIPR2 confer significant risk for schizophrenia. *Nature, 471*, 499–503. (p. 644)

Vaillant, G. E. (1977). *Adaptation to life.* New York: Little, Brown. (p. 347)

Vaillant, G. E. (2002). *Aging well: Surprising guideposts to a happier life from the landmark Harvard study of adult development.* Boston: Little, Brown. (p. 505)

Vaillant, G. (2013, May). What makes us happy, revisited? *The Atlantic*, Washington, D.C. (p. 451)

Valenstein, E. S. (1986). *Great and desperate cures: The rise and decline of psychosurgery.* New York: Basic Books. (p. 687)

Valentine, K. A., Li, N. P., Penke, L., & Perrett, D. I. (2014). Judging a man by the width of his face: The role of facial ratios and dominance in mate choice at speed-dating events. *Psychological Science, 25*, 806–811. (p. 546)

Valkenburg, P. M., & Peter, J. (2009). Social consequences of the Internet for adolescents: A decade of research. *Current Directions in Psychological Science, 18*, 1–5 (pp. 211, 452, 453)

van Anders, S. M. (2012). Testosterone and sexual desire in healthy women and men. *Archives of Sexual Behavior, 41*, 1471–1484. (p. 434)

Van Baaren, R. B., Holland, R. W., Kawakami, K., & van Knippenberg, A. (2004). Mimicry and pro-social behavior. *Psychological Science, 15*, 71–74. (p. 525)

Van Baaren, R. B., Holland, R. W., Steenaert, B., & van Knippenberg, A. (2003). Mimicry for money: Behavioral consequences of imitation. *Journal of Experimental Social Psychology, 39*, 393–398. (p. 525)

van Boxtel, H. W., Orobio de Castro, B., & Goossens, F. A. (2004). High self-perceived social competence in rejected children is related to frequent fighting. *European Journal of Developmental Psychology, 1*, 205–214. (p. 603)

Van Cauter, E., Holmback, U., Knutson, K., Leproult, R., Miller, A., Nedeltcheva, A., . . . Spiegel, K. (2007). Impact of sleep and sleep loss on neuroendocrine and metabolic function. *Hormone Research, 67*(1), Supp. 1: 2–9. (p. 108)

Vance, E. B., & Wagner, N. N. (1976). Written descriptions of orgasm: A study of sex differences. *Archives of Sexual Behavior, 5*, 87–98. (p. 435)

vanDellen, M. R., Campbell, W. K., Hoyle, R. H., & Bradfield, E. K. (2011). Compensating, resisting, and breaking: A meta-analytic examination of reactions to self-esteem threat. *Personality and Social Psychological Review, 15*, 51–74. (p. 599)

Vandenberg, S. G., & Kuse, A. R. (1978). Mental rotations: A group test of three-dimensional spatial visualization. *Perceptual and Motor Skills, 47*, 599–604. (p. 410)

van den Bos, K., & Spruijt, N. (2002). Appropriateness of decisions as a moderator of the psychology of voice. *European Journal of Social Psychology, 32*, 57–72. (p. A-13)

Van den Bussche, E., Van Den Noortgate, W., & Reynvoet, B. (2009). Mechanisms of masked priming: A meta-analysis. *Psychological Bulletin, 135*, 452–477. (p. 231)

VanderLaan, D. P., & Vasey, P. L. (2011). Male sexual orientation in Independent Samoa: Evidence for fraternal birth order and maternal fecundity effects. *Archives of Sexual Behavior, 40*, 495–503. (p. 444)

VanderLaan, D. P., Forrester, D. L., Petterson, L. J., & Vasey, P. L. (2012). Offspring production among the extended relatives of Samoan men and fa'afafine. *PLoS One 7*, e36088. (p. 444) van de Waal, E., Borgeaud, C., & Whiten, A. (2013). Potent social learning and conformity shape a wild primate's foraging decisions. *Science, 340*, 483–485. (p. 308)

Van Dijk, W. W., Van Koningsbruggen, G. M., Ouwerkerk, J. W., & Wesseling, Y. M. (2011). Self-esteem, self-affirmation, and schadenfreude. *Emotion, 11*, 1445–1449. (p. 599)

Van Dyke, C., & Byck, R. (1982, March). Cocaine. *Scientific American*, pp. 128–141. (p. 123)

van Emmerik, A. A. P., Reijntjes, A., & Kamphuis, J. H. (2013). Writing therapy for posttraumatic stress: A meta-analysis. *Psychotherapy and Psychosomatics, 82*, 82–88. (p. 507)

van Engen, M. L., & Willemsen, T. M. (2004). Sex and leadership styles: A meta-analysis of research published in the 1990s. *Psychological Reports, 94*, 3–18. (p. 163)

van Gelder, J., Hershfield, H. E., & Nordgren, L. F. (2013). Vividness of the future self predicts delinquency. *Psychological Science, 24*, 974–980. (p. 208)

van Goozen, S. H. M., Fairchild, G., Snoek, H., & Harold, G. T. (2007). The evidence for a neurobiological model of childhood antisocial behavior. *Psychological Bulletin, 133*, 149–182. (p. 649)

Van Haren, N. M., Rijsdijk, F., Schnack, H. G., Picchioni, M. M., Toulopoulou, T., Weisbrod, M., & ... Kahn, R. S. (2012). The genetic and environmental determinants of the association between brain abnormalities and schizophrenia: The schizophrenia twins and relatives consortium. *Biological Psychiatry, 71*, 915–921. (p. 642)

van Hemert, D. A., Poortinga, Y. H., & van de Vijver, F. J. R. (2007). Emotion and culture: A meta-analysis. *Cognition and Emotion, 21*, 913–943. (p. 473)

van Honk, J., Schutter, D. J., Bos, P. A., Kruijt, A-W., Lentje, E. G. & Baron-Cohen, S. (2011). Testosterone administration impairs cognitive empathy in women depending on second-to-fourth digit ratio. *Proceedings of the National Academy of Sciences, 108*, 3448–3452. (p. 193)

Van Horn, J., Irimia, A., Torgerson, C., Chambers, M., Kikinis, R., & Toga, A. (2012). Mapping connectivity damage in the case of Phineas Gage. *PLoS ONE, 7*, e37454. (p. 80)

Van Houtem, C. M. H. H., Lain, M. L., Boomsma, D. I., Ligthart, L., van Wijk, A. J., & De Jongh, A. (2013). A review and meta-analysis of the heritability of specific phobia subtypes and corresponding fears. *Journal of Anxiety Disorders*, 379–388. (p. 626)

Van IJzendoorn, M. H., & Juffer, F. (2005). Adoption is a successful natural intervention enhancing adopted children's IQ and school performance. *Current Directions in Psychological Science, 14*, 326–330. (p. 406)

Van IJzendoorn, M. H., & Juffer, F. (2006). The Emanual Miller Memorial Lecture 2006: Adoption as intervention. Meta-analytic evidence for massive catch-up and plasticity in physical, socio-emotional, and cognitive development. *Journal of Child Psychology and Psychiatry, 47*, 1228–1245. (pp. 139, 406)

van IJzendoorn, M. H., & Kroonenberg, P. M. (1988). Cross-cultural patterns of attachment: A meta-analysis of the strange situation. *Child Development, 59*, 147–156. (p. 197)

Van IJzendoorn, M. H., Luijk, M. P. C. M., & Juffer, F. (2008). IQ of children growing up in children's homes: A meta-analysis on IQ delays in ophanages. *Merrill-Palmer Quarterly, 54*, 341–366. (pp. 199, 408)

Van Ittersum, K., & Wansink, B. (2012). Plate size and color suggestibility: The Delboeuf illusion's bias on serving and eating behavior. *Journal of Consumer Research, 39*, 215–228. (p. 429)

Van Kestern, P. J. M., Asscheman, H., Megens, J. A. J., & Gooren, J. G. (1997). Mortality and morbidity in transsexual subjects treated with cross-sex hormones. *Clinical Endocrinology, 47*, 337–342. (p. 170)

Van Leeuwen, M. S. (1978). A cross-cultural examination of psychological differentiation in males and females. *International Journal of Psychology, 13*, 87–122. (p. 168)

van Praag, H. (2009). Exercise and the brain: Something to chew on. *Trends in Neuroscience, 32*, 283–290. (p. 509)

Van Yperen, N. W., & Buunk, B. P. (1990). A longitudinal study of equity and satisfaction in intimate relationships. *European Journal of Social Psychology, 20*, 287–309. (p. 557)

Van Zeijl, J., Mesman, J., Van IJzendoorn, M. H., Bakermans-Kranenburg, M. J., Juffer, F., Stolk, M. N., Koot, H. M., & Alink, L. R. A. (2006). Attachment-based intervention for enhancing sensitive discipline in mothers of 1- to 3-year-old children at risk for externalizing behavior problems: A randomized controlled trial. *Journal of Consulting and Clinical Psychology, 74*, 994–1005. (p. 198)

Van Zuiden, M., (2012). Gluocorticoid receptor pathway components predict post-traumatic stress disorder symptom development: A prospective study. *Biological Psychiatry, 71*, 309–316. (p. 200)

Varese, F., Smeets, F., Drukker, M., Lieverse, R., Lataster, T., Viechtbauer, W., . . . Bentall, R. P. (2012). Childhood adversities increase the risk of psychosis: A meta-analysis of patient-control, prospective- and cross-sectional cohort studies. *Schizophrenia Bulletin, 38*, 661–671. (p. 641)

Varnum, M. E. W., Grossmann, I., Kitayama, S., & Nisbett, R. E. (2010). The origin of cultural differences in cognition: The social orientation hypothesis. *Current Directions in Psychological Science, 19*, 9–13. (p. 159)

Varnum, M. E. W., & Kitayama, S. (2011). What's in a name? Popular names are less common on frontiers. *Psychological Science, 22*, 176–183. (p. 159)

Vasey, P. L., & VanderLaan, D. P. (2010). An adaptive cognitive dissociation between willingness to help kin and nonkin in Samoan Fa'afafine. *Psychological Science, 21*, 292–297. (p. 444)

Vaughn, E. L., de Dios, M. A., Steinfeldt, J. A., & Kratz, L. M. (2011). Religiosity, alcohol use attitudes, and alcohol use in a national sample of adolescents. *Psychology of Addictive Behaviors, 25*, 547–553. (p. 129)

Vaughn, K. B., & Lanzetta, J. T. (1981). The effect of modification of expressive displays on vicarious emotional arousal. *Journal of Experimental Social Psychology, 17*, 16–30. (p. 475)

Vecera, S. P., Vogel, E. K., & Woodman, G. F. (2002). Lower region: A new cue for figure-ground assignment. *Journal of Experimental Psychology: General, 13*, 194–205. (p. 250)

Veenhoven, R. (2014, accessed March 17). World database of happiness. www.world-databaseofhappiness.eur.nl. (p. 485)

Veerman, J. L. Healy, G. N., Cobiac, L. J., Vos, T., Winkler, E. A. H., Owen, N., & Dunstan, D. W. (2012) Television viewing time and reduced life expectancy: A life table analysis. *British Journal of Sports Medicine, 46*, 927–930. (p. 507)

Vekassy, L. (1977). Dreams of the blind. *Magyar Pszichologiai Szemle, 34*, 478–491. (p. 112)

Velliste, M., Perel, S., Spalding, M. C., Whitford, A. S., & Schwartz, A. B. (2008). Cortical control of a prosthetic arm for self-feeding. *Nature, 453*, 1098–1101. (p. 77)

Veltkamp, M., Custers, R., & Aarts, H. (2011). Motivating consumer behavior by subliminal conditioning in the absence of basic needs: Striking even while the iron is cold. *Journal of Consumer Psychology, 21*, 49–56. (p. 233)

Verbeek, M. E. M., Drent, P. J., & Wiepkema, P. R. (1994). Consistent individual differences in early exploratory behaviour of male great tits. *Animal Behaviour, 48*, 1113–1121. (p. 589)

Verhaeghen, P., & Salthouse, T. A. (1997). Meta-analyses of age-cognition relations in adulthood: Estimates of linear and nonlinear age effects and structural models. *Psychological Bulletin, 122*, 231–249. (p. 216)

Vermetten, E., Schmahl, C., Lindner, S., Loewenstein, R. J., & Bremner, J. D. (2006). Hippocampal and amygdalar volumes in dissociative identity disorder. *American Journal of Psychiatry, 163*, 630–636. (p. 648)

Verona, E., & Sullivan, E. A. (2008). Emotional catharsis and aggression revisited: Heart rate reduction following aggressive responding. *Emotion, 8*, 331–340. (p. 477)

Verwijmeren, T., Karremans, J. C., Stroebe, W., & Wigboldus, D. H. J. (2011a). The workings and limits of subliminal advertising: The role of habits. *Journal of Consumer Psychology, 21*, 206–213. (p. 233)

Verwijmeren, T., Karremans, J. C., Stroebe, W., Wigboldus, D. H. J., & Ooigen, I. (2011b). *Vicary's victory: Subliminal ads in movies work!* Poster presented at the Society for Personality and Social Psychology meeting, San Antonio, TX. (p. 233)

Vigil, J. M. (2009). A socio-relational framework of sex differences in the expression of emotion. *Behavioral and Brain Sciences, 32*, 375–428. (p. 470)

Vigliocco, G., & Hartsuiker, R. J. (2002). The interplay of meaning, sound, and syntax in sentence production. *Psychological Bulletin, 128*, 442–472. (p. 371)

Vining, E. P. G., Freeman, J. M., Pillas, D. J., Uematsu, S., Carson, B. S., Brandt, J., . . . Zukerberg, A. (1997). Why would you remove half a brain? The outcome of 58 children after hemispherectomy—The Johns Hopkins Experience: 1968 to 1996. *Pediatrics, 100*, 163–171. (p. 81)

Vinkhuyzen, A. A. E., van der Sluis, S., Posthuma, D., & Boomsma, D. I. (2009). The heritability of aptitude and exceptional talent across different domains in adolescents and young adults. *Behavior Genetics, 39*, 380–392. (p. 406)

Visalberghi, E. Addessi, E., Truppa, V., Spagnoletti, N., Ottoni, E., Izar, P., & Fragaszy, D. (2009). Selection of effective stone tools by wild bearded capuchin monkeys. *Current Biology, 19*, 213–217. (p. 368)

Visich, P. S., & Fletcher, E. (2009). Myocardial infarction. In J. K. Ehrman, P. M., Gordon, P. S. Visich, & S. J. Keleyian (Eds.). *Clinical exercise physiology, 2nd Edition.* Champaign, IL: Human Kinetics. (p. 507)

Visser, B. A., Ashton, M. C., & Vernon, P. A. (2006). Beyond g: Putting multiple intelligences theory to the test. *Intelligence, 34*(5), 487–502. (p. 391)

Vita, A. J., Terry, R. B., Hubert, H. B., & Fries, J. F. (1998). Aging, health risks, and cumulative disability. *New England Journal of Medicine, 338,* 1035–1041. (p. 122)

Vitello, P. (2012, August 1). George A. Miller. A pioneer in cognitive psychology, is dead at 92. *New York Times* (www.nytimes.com). (p. 323)

Vitevitch, M. S. (2003). Change deafness: The inability to detect changes between two voices. *Journal of Experimental Psychology: Human Perception and Performance, 29,* 333–342. (p. 99)

Vitiello, M. V. (2009). Recent advances in understanding sleep and sleep disturbances in older adults: Growing older does not mean sleeping poorly. *Current Directions in Psychological Science, 18,* 316–320. (p. 110)

Vitória, P. D., Salgueiro, M. F., Silva, S. A., & De Vries, H. (2009). The impact of social influence on adolescent intention to smoke: Combining types and referents of influence. *British Journal of Health Psychology, 14,* 681–699. (p. 129)

Vittengl, J. R., Clark, L. A., Dunn, T. W., & Jarrett, R. B. (2007). Reducing relapse and recurrence in unipolar depression: A comparative meta-analysis of cognitive-behavioral therapy's effects. *Journal of Consulting and Clinical Psychology, 75,* 475–488. (p. 684)

Vocks, S., Tuschen-Caffier, B., Pietrowsky, R., Rustenbach, S. J., Kersting, A., & Herpertz, S. (2010). Meta-analysis of the effectiveness of psychological and pharmacological treatments for binge eating disorder. *International Journal of Eating Disorders, 43,* 205–217. (p. 653)

Vogel, G. (2010). Long-fought compromise reached on European animal rules. *Science, 329,* 1588–1589. (p. 40)

Vogel, N., Schilling, Wahl, H-W., Beekman, A. T. F., & Penninx, B. W. J. H. (2013). Time-to-death-related change in positive and negative affect among older adults approaching the end of life. *Psychology and Aging, 28,* 128–141. (p. 218)

Vogel, S. (1999). *The skinny on fat: Our obsession with weight control.* New York: W. H. Freeman. (p. 142)

Vohs, K. D., & Baumeister, R. F. (eds.) (2011). *Handbook of self-regulation, 2nd edition.* New York: Guilford. (p. 503)

Vohs, K. D., Baumeister, R. F., & Schmeichel, B. J. (2012). Motivation, personal beliefs, and limited resources all contribute to self-control. *Journal of Experimental Social Psychology, 48,* 943–947. (p. 503)

Vohs, K. D., Mead, N. L., & Goode, M. R. (2006). The psychological consequences of money. *Science, 314,* 1154–1156. (p. 335)

Volkow, N. D., et al. (2009). Evaluating dopamine reward pathway in ADHD: Clinical implications. *JAMA, 302,* 1084–1091. (p. 615)

von Békésy, G. (1957, August). The ear. *Scientific American,* pp. 66–78. (p. 260)

von Hippel, W. (2007). Aging, executive functioning, and social control. *Current Directions in Psychological Science, 16,* 240–244. (p. 216)

von Hippel, W. & Trivers, R. (2011). The evolution and psychology of self-deception. *Behavioral and Brain Sciences, 34,* 1–56. (p. 602)

Vonk, J., Jett, S. E., & Mosteller, K. W. (2012). Concept formation in American black bears, ursus americanus. *Animal Behaviour, 84,* 953–964. (p. 367)

von Senden, M. (1932). *The perception of space and shape in the congenitally blind before and after operation.* Glencoe, IL: Free Press. (p. 254)

Von Stumm, S., Hell, B., & Chamorro-Premuzic, T. (2011). The hungry mind: Intellectual curiosity is the third pillar of academic performance. *Perspectives on Psychological Science, 6,* 574–588. (p. 409)

Vorona, R. D., Szklo-Coxe, M., Wu, A., Dubik, M., Zhao, Y., & Ware, J. C. (2011). Dissimilar teen crash rates in two neighboring Southeastern Virginia cities with different high school start times. *Journal of Clinical Sleep Medicine, 7,* 145–151. (p. 108)

Voss, U., Tuin, I., Schermelleh-Engel, K., & Hobson, A. (2011). Waking and dreaming: Related but structurally independent. Dream reports of congenitally paraplegic and deaf-mute persons. *Consciousness and Cognition, 20,* 673–687. (p. 112)

VPC. (2013, February 7). States with higher gun ownership and weak gun laws lead nation in gun death. Violence Policy Center (www.vpc.org/press/1302gundeath.htm). (p. 545)

Vroom, V. H., & Jago, A. G. (2007). The role of the situation in leadership. *American Psychologist, 62,* 17–24. (p. A-12)

VTTI. (2009, September). *Driver distraction in commercial vehicle operations.* Virginia Tech Transportation Institute and U.S. Department of Transportation. (p. 96)

Vul, E., Harris, C., Winkielman, P., & Pashler, H. (2009a). Puzzlingly high correlations in fMRI studies of emotion, personality, and social cognition. *Perspectives on Psychological Science, 4,* 274–290. (p. 68)

Vul, E., Harris, C., Winkielman, P., & Pashler, H. (2009b). Reply to comments on "Puzzlingly high correlations in fMRI studies of emotion, personality, and social cognition." *Perspectives on Psychological Science, 4,* 319–324. (p. 68)

Vuoksimaa, E., Kaprio, J., Kremen, W. S., Hokkanen, L., Viken, R. J., Tuulio-Henriksson, A., & Rose, R. J. (2010). Having a male co-twin masculinizes mental rotation performance in females. *Psychological Science, 21,* 1069–1071. (p. 446)

Vuoksimaa, E., Koskenvuo, M., Rose, R. J., & Kaprio, J. (2009). Origins of handedness: A nationwide study of 30,161 adults. *Neuropsychologia, 47,* 1294–1301. (p. 86)

Waber, R. L., Shiv, B., Carmon, & Ariely, D. (2008). Commercial features of placebo and therapeutic efficacy. *Journal of the American Medical Association, 299,* 1016–1017. (p. 36)

Wacker, J., Chavanon, M.-L., & Stemmler, G. (2006). Investigating the dopaminergic basis of extraversion in humans: A multilevel approach. *Journal of Personality and Social Psychology, 91,* 177–187. (p. 587)

Wade, K. A., Garry, M., Read, J. D., & Lindsay, D. S. (2002). A picture is worth a thousand lies: Using false photographs to create false childhood memories. *Psychonomic Bulletin & Review, 9,* 597–603. (p. 345)

Wade, N. G., Worthington, E. L., Jr., & Vogel, D. L. (2006). Effectiveness of religiously tailored interventions in Christian therapy. *Psychotherapy Research, 17,* 91–105. (p. 680)

Wagar, B. M., & Cohen, D. (2003). Culture, memory, and the self: An analysis of the personal and collective self in long-term memory. *Journal of Experimental Social Psychology, 39,* 458–475. (p. 327)

Wagemans, J., Elder, J. H., Kubovy, M., Palmer, S. E., Peterson, M. A., Singh, M., & von der Heydt, R. (2012a). A century of Gestalt psychology in visual perception: I. Perceptual grouping and figure-ground organization. *Psychological Bulletin, 138,* 1172–1217. (p. 247)

Wagemans, J., Feldman, J., Gepshtein, S., Kimchi, R., Pomerantz, J. R, van der Helm, P., & van Leeuwen C. (2012b). A century of Gestalt psychology in visual perception: II. Conceptual and theoretical foundations. *Psychological Bulletin, 138,* 1218–1252. (p. 247)

Wagenmakers, E-J., Wetzels, R., Borsboom, D., & van der Maas, H. (2011). Why psychologists must change the way they analyze their data: The case of psi. *Journal of Personality and Social Psychology, 100,* 1–12. (p. 274)

Wager, R. D., & Atlas, L. Y. (2013). How is pain influenced by cognition? Neuroimaging weighs in. *Perspectives on Psychological Science, 8,* 91–97. (p. 264)

Wager, T., Atlas, L. Y., Lindquist, M. A., Roy, M., Woo, C. W. & Kross, E. (2013). An fMRI-based neurologic signature of physical pain. *The New England Journal of Medicine, 368,* 1388–1397. (p. 450)

Wagner, A. (2010). Can neuroscience identify lies? In F. E. Bloom et al., *A judge's guide to neuroscience: A concise introduction.* Santa Barbara, CA: University of California, Santa Barbara. (p. 467)

Wagner, B., Klinitzke, G., Brähler, E., & Kersting, A. (2013). Extreme obesity is associated with suicidal behavior and suicide attempts in adults: Results of a population-based representative sample. *Depression and Anxiety, 30,* 975–981. (p. 430)

Wagner, D., Becker, B., Koester, P., Gouzoulis-Mayfrank, E., & Daumann, J. (2012). A prospective study of learning, memory, and executive function in new MDMA users. *Addiction, 108,* 136–145. (p. 124)

Wagner, D. D., Altman, M., Boswell, R. G., Kelley, W. M., & Heatherton, T. F. (2013). Self-regulatory depletion enhances neural responses to rewards and impairs top-down control. *Psychological Science, 24,* 2262–2271. (p. 503)

Wagner, D. D., Cin, S. D., Sargent, J. C., Kelley, W. M., & Heatherton, T. F. (2011). Spontaneous action representation in smokers when watching movie characters smoke. *Journal of Neuroscience, 31,* 894–898. (p. 309)

Wagner, D. T., Barnes, C. M., Lim, V. K. G., & Ferris, D. L. (2012). Lost sleep and cyberloafing: Evidence from the laboratory and a daylight saving time quasi-experiment. *Journal of Applied Psychology, 97,* 1068–1076. (p. 108)

Wagner, J., Gerstorf, D., Hoppmann, C., & Luszcz, M. A. (2013). The nature and correlates of self-esteem trajectories in late life. *Journal of Personality and Social Psychology, 105,* 139–153. (pp. 210, 223)

Wagner, K., & Dobkins, K. R. (2011). Synaesthetic associations decrease during infancy. *Psychological Science, 22,* 1067–1072. (p. 271)

Wagner, R. K. (2011). Practical intelligence. In R. J. Sternberg & S. B. Kaufman (Eds.), *The Cambridge handbook of intelligence.* New York: Cambridge University Press. (p. 388)

Wagstaff, G. (1982). Attitudes to rape: The "just world" strikes again? *Bulletin of the British Psychological Society, 13,* 275–283. (p. 519)

Wai, J., Lubinski, D., & Benbow, C. P. (2005). Creativity and occupational accomplishments among intellectually precocious youths: An age 13 to age 33 longitudinal study. *Journal of Educational Psychology, 97,* 484–492. (p. 404)

Wakefield, J. C., Schmitz, M.F., First, M. B., & Horwitz, A. V. (2007). Extending the bereavement exclusion for major depression to other losses: Evidence from the National Comorbidity Survey. *Archives of General Psychiatry, 64,* 433–440. (p. 632)

Wakefield, J. C., & Spitzer, R. L. (2002). Lowered estimates—but of what? *Archives of General Psychiatry, 59,* 129–130. (p. 624)

Walker, E., Shapiro, D., Esterberg, M., & Trotman, H. (2010). Neurodevelopment and schizophrenia: Broadening the focus. *Current Directions in Psychological Science, 19,* 204–208. (pp. 642, 645)

Walker, M. P., & van der Helm, E. (2009). Overnight therapy? The role of sleep in emotional brain processing. *Psychological Bulletin, 135,* 731–748. (p. 107)

Walker, W. R., Skowronski, J. J., & Thompson, C. P. (2003). Life is pleasant—and memory helps to keep it that way! *Review of General Psychology, 7,* 203–210. (p. 224)

Walkup, J. T., et al. (2008). Cognitive behavioral therapy, sertraline, or a combination in childhood anxiety. *New England Journal of Medicine, 359,* 2753–2766. (p. 684)

Walkup, J. T., & Rubin, D. H. (2013). Social withdrawal and violence. Newtown, Connecticut. *The New England Journal of Medicine, 368,* 399–401. (p. 616)

Wall, P. D. (2000). *Pain: The science of suffering.* New York: Columbia University Press. (p. 262)

Wallace, D. S., Paulson, R. M., Lord, C. G., & Bond, C. F., Jr. (2005). Which behaviors do attitudes predict? Meta-analyzing the effects of social pressure and perceived difficulty. *Review of General Psychology, 9(3),* 214–227. (p. 520)

Wallach, M. A., & Wallach, L. (1983). *Psychology's sanction for selfishness: The error of egoism in theory and therapy.* New York: Freeman. (p. 585)

Wallach, M. A., & Wallach, L. (1985, February). How psychology sanctions the cult of the self. *Washington Monthly,* pp. 46–56. (p. 585)

Walsh, J. L., Fielder, R. L., Carey, K. B., & Carey, M. P. (2013). Female college students' media use and academic outcomes: Results from a longitudinal cohort study. *Emerging Adulthood, 1,* 219–232. (p. 453)

Walsh, R. (2011). Lifestyle and mental health. *American Psychologist, 66,* 579–592. (p. 688)

Walster, E., Aronson, V., Abrahams, D., & Rottman, L. (1966). Importance of physical attractiveness in dating behavior. *Journal of Personality and Social Psychology, 4,* 508–516. (p. 553)

Walton, G. M., & Spencer S. J. (2009). Latent ability: Grades and test scores systematically underestimate the intellectual ability of negatively stereotyped students. *Psychological Science, 20,* 1132–1139. (p. 414)

Wampold, B. E. (2001). *The great psychotherapy debate: Models, methods, and findings.* Mahwah, NJ: Erlbaum. (pp. 678, 679)

Wampold, B. E. (2007). Psychotherapy: The humanistic (and effective) treatment. *American Psychologist, 62,* 857–873. (pp. 675, 678)

Wampold, B. E., Mondin, G. W., Moody, M., & Ahn, H. (1997). The flat earth as a metaphor for the evidence for uniform efficacy of bona fide psychotherapies: Reply to Crits-Christoph (1997) and Howard et al. (1997). *Psychological Bulletin, 122,* 226–230. (p. 675)

Wang, F., DesMeules, M., Luo, W., Dai, S., Lagace, C. & Morrison, H. (2011). Leisure-time physical activity and marital status in relation to depression between men and women: A prospective study. *Health Psychology, 30,* 204–211. (pp. 507, 508)

Wang, J., Häusermann, M., Wydler, H., Mohler-Kuo, M., & Weiss, M. G. (2012). Suicidality and sexual orientation among men in Switzerland: Findings from 3 probability surveys. *Journal of Psychiatric Research, 46,* 980–986. (p. 441)

Wang, J., Leu, J., & Shoda, Y. (2011). When the seemingly innocuous "stings": Racial microaggressions and their emotional consequences. *Personality and Social Psychology Bulletin, 37,* 1666–1678. (p. 538)

Wang, S. (2014, March 29). How to think about the risk of autism. *New York Times* (www.nytimes.com). (p. 193)

Wang, S-H., Baillargeon, R., & Brueckner, L. (2004). Young infants' reasoning about hidden objects: Evidence from violation-of-expectation tasks with test trials only. *Cognition, 93,* 167–198. (p. 188)

Wang, X. T., & Dvorak, R. D. (2010). Sweet Future: Fluctuating blood glucose levels affect future discounting. *Psychological Science, 21,* 183–188. (p. 504)

Wann, J. P. Poulter, D. R., & Purcell, C. (2011). Reduced sensitivity to visual looming inflates the risk posed by speeding vehicles when children try to cross the road. *Psychological Science, 22,* 429–434. (p. 251)

Wansink, B. (2007). *Mindless eating: Why we eat more than we think.* New York: Bantam Dell. (p. 429)

Wansink, B., van Ittersum, K., & Painter, J. E. (2006). Ice cream illusions: Bowls, spoons, and self-served portion sizes. *American Journal of Preventive Medicine, 31,* 240–243. (p. 429)

Warburton, W. A., Williams, K. D., & Cairns, D. R. (2006). When ostracism leads to aggression: The moderating effects of control deprivation. *Journal of Experimental Social Psychology, 42,* 213–220. (p. 502)

Ward, A., & Mann, T. (2000). Don't mind if I do: Disinhibited eating under cognitive load. *Journal of Personality and Social Psychology, 78,* 753–763. (p. 432)

Ward, B. W., Dahlhamer, J. M., Galinsky, A. M., & Joestl, S. S. (2014, July 15). Sexual orientation and health among U.S. adults: National Health Interview Survey, 2013. Centers for Disease Control and Prevention: National Health Statistics Reports, Number 77. (p. 440)

Ward, C. (1994). Culture and altered states of consciousness. In W. J. Lonner & R. Malpass (Eds.), *Psychology and culture.* Boston: Allyn & Bacon. (p. 117)

Ward, C. A. (2000). Models and measurements of psychological androgyny: A cross-cultural extension of theory and research. *Sex Roles, 43,* 529–552. (p. 169)

Ward, J. (2003). State of the art synaesthesia. *The Psychologist, 16,* 196–199. (p. 271)

Ward, K. D., Klesges, R. C., & Halpern, M. T. (1997). Predictors of smoking cessation and state-of-the-art smoking interventions. *Journal of Socies Issues, 53,* 129–145. (p. 122)

Ward, L. M., Reed, L., Trinh, S. L., & Foust, M. (2014). Sexuality and entertainment media. In L. M. Ward, L. Reed, S. L. Trinh, & M. Foust (Eds.) *APA handbook of sexuality and psychology, Vol. 2: Contextual approaches.* Washington, DC: American Psychological Association. (p. 439)

Wardle, J., Cooke, L. J., Gibson, L., Sapochnik, M., Sheiham, A., & Lawson, M. (2003). Increasing children's acceptance of vegetables: A randomized trial of parent-led exposure. *Appetite, 40,* 155–162. (p. 266)

Wargo, E. (2007, December). Understanding the have-knots. *APS Observer,* pp. 18–21. (p. 510)

Wason, P. C. (1960). On the failure to eliminate hypotheses in a conceptual task. *Quarterly Journal of Experimental Psychology, 12,* 129–140. (p. 357)

Wason, P. C. (1981). The importance of cognitive illusions. *The Behavioral and Brain Sciences, 4,* 356, 358)

Wasserman, E. A. (1993). Comparative cognition: Toward a general understanding of cognition in behavior. *Psychological Science, 4,* 156–161. (p. 291)

Wasserman, E. A. (1995). The conceptual abilities of pigeons. *American Scientist, 83,* 246–255. (p. 367)

Wastell, C. A. (2002). Exposure to trauma: The long-term effects of suppressing emotional reactions. *Journal of Nervous and Mental Disorders, 190,* 839–845. (p. 507)

Waterhouse, R. (1993, July 19). Income for 62 percent is below average pay. *The Independent,* p. 4. (p. 44)

Waterman, A. S. (1988). Identity status theory and Erikson's theory: Commonalities and differences. *Developmental Review, 8,* 185–208. (p. 210)

Watkins, E. R. (2008). Constructive and unconstructive repetitive thought. *Psychological Bulletin, 134,* 163–206. (p. 628)

Watkins, J. G. (1984). The Bianchi (L. A. Hillside Strangler) case: Sociopath or multiple personality? *International Journal of Clinical and Experimental Hypnosis, 32,* 67–101. (p. 647)

Watson, D. (2000). *Mood and temperament.* New York: Guilford Press. (pp. 480, 481, 509, 638)

Watson, D., Wiese, D., Vaidya, J., & Tellegen, A. (1999). The two general activation systems of affect: Structured findings, evolutionary considerations, and psychobiological evidence. *Journal of Personality and Social Psychology, 76,* 820–838. (p. 476)

Watson, J. B. (1913). Psychology as the behaviorist views it. *Psychological Review, 20,* 158–177. (pp. 92, 282, 288)

Watson, J. B. (1924). The unverbalized in human behavior. *Psychological Review, 31,* 339–347. (p. 288)

Watson, J. B., & Rayner, R. (1920). Conditioned emotional reactions. *Journal of Experimental Psychology, 3,* 1–14. (p. 288)

Watson, R. I., Jr. (1973). Investigation into deindividuation using a cross-cultural survey technique. *Journal of Personality and Social Psychology, 25,* 342–345. (p. 533)

Watson, S. J., Benson, J. A., Jr., & Joy, J. E. (2000). NEWS AND VIEWS—Marijuana and medicine: Assessing the science base: A summary of the 1999 Institute of Medicine report. *Archives of General Psychiatry, 57*, 547–553. (p. 125)

Watters, E. (2010). *Crazy like us: The globalization of the American psyche*. New York: Free Press. (p. 612)

Way, B. M., Creswell, J. D., Eisenberger, N. I., & Lieberman, M. D. (2010). Dispositional mindfulness and depressive symptomatology: Correlations with limbic and self-referential neural activity during rest. *Emotion, 10*, 12–24. (p. 511)

Wayment, H. A., & Peplau, L. A. (1995). Social support and well-being among lesbian and heterosexual women: A structural modeling approach. *Personality and Social Psychology Bulletin, 21*, 1189–1199. (p. 221)

Weaver, J. B., Masland, J. L., & Zillmann, D. (1984). Effect of erotica on young men's aesthetic perception of their female sexual partners. *Perceptual and Motor Skills, 58*, 929–930. (p. 438)

Webb, W. B. (1992). *Sleep: The gentle tyrant*. Bolton, MA: Anker. (p. 110)

Webb, W. B., & Campbell, S. S. (1983). Relationships in sleep characteristics of identical and fraternal twins. *Archives of General Psychiatry, 40*, 1093–1095. (p. 104)

Webley, K. (2009, June 15). Behind the drop in Chinese adoptions. *Time*, p. 55. (p. 540)

Webster, G. D., Jonason, P. K., & Schember, T. O. (2009). Hot topics and popular papers in evolutionary psychology: Analyses of title words and citation counts in *Evolution and Human Behavior*, 1979–2008. *Evolutionary Psychology, 7*, 348–362. (p. 147)

Wechsler, D. (1972). "Hold" and "Don't Hold" tests. In S. M. Chown (Ed.), *Human aging*. New York: Penguin. (p. 400)

Wegner, D. M. (2002). *The illusion of conscious will*. Cambridge, MA: MIT Press (p. 91)

Wegner, D. M., & Ward, A. F. (2013, December). How Google is changing your brain. *Scientific American*, pp. 58–61. (p. 321)

Wei, Q., Fentress, H. M., Hoversten, M. T., Zhang, L., Hebda-Bauer, E. K., Watson, S. J., Seasholtz, A. F., & Akil, H. (2012). Early-life forebrain glucocorticoid receptor overexpression increases anxiety behavior and cocaine sensitization. *Biological Psychiatry, 71*, 224–231. (p. 200)

Wei, W., Lu, H., Zhao, H., Chen, C., Dong, Q., & Zhou, X. (2012). Gender differences in children's arithmetic performance are accounted for by gender differences in language abilities. *Psychological Science, 23*, 320–330. (p. 410)

Weingarden, H., & Renshaw, K. D. (2012). Early and late perceived pubertal timing as risk factors for anxiety disorders in adult women. *Journal of Psychiatric Research, 46*, 1524–1529. (p. 204)

Weingarten, G. (2002, March 10). Below the beltway. *Washington Post*, p. WO3. (p. A-1)

Weinstein, N. D. (1980). Unrealistic optimism about future life events. *Journal of Personality and Social Psychology, 39*, 806–820. (p. 600)

Weinstein, N. D. (1982). Unrealistic optimism about susceptibility to health problems. *Journal of Behavioral Medicine, 5*, 441–460. (p. 600)

Weinstein, N. D. (1996, October 4). 1996 optimistic bias bibliography. (weinstein_c@aesop.rutgers.edu). (p. 600)

Weinstein, N. D., Ryan, W. S., DeHaan, C. R., Przybylski, A. K., Legate, N., & Ryan, R. M. (2012). Parental autonomy support and discrepancies between implicit and explicit sexual identities: Dynamics of self-acceptance and defense. *Journal of Personality and Social Psychology, 102*, 815–832. (p. 581)

Weir, K. (2013, May). Captive audience. *Monitor on Psychology*, pp. 44–49. (p. 40)

Weir, W. (2010, May 17). Middletown man, age 76, has memorized epic poem "Paradise Lost." *Hartford Courant* (www.courant.com). (p. 217)

Weisbuch, M., Ivcevic, Z., & Ambady, N. (2009). On being liked on the web and in the "real world": Consistency in first impressions across personal webpages and spontaneous behavior. *Journal of Experimental Social Psychology, 45*, 573–576. (p. 453)

Weiskrantz, L. (2009). *Blindsight*. Oxford: Oxford University Press. (p. 94)

Weiskrantz, L. (2010). Blindsight in hindsight. *The Psychologist, 23*, 356–358. (p. 94)

Weiss, A., King, J. E., & Perkins, L. (2006). Personality and subjective well-being in orangutans (*Pongo pygmaeus* and *Pongo abelii*). *Journal of Personality and Social Psychology, 90*, 501–511. (p. 588)

Weiss, J. M. (1977). Psychological and behavioral influences on gastrointestinal lesions in animal models. In J. D. Maser & M. E. P. Seligman (Eds.), *Psychopathology: Experimental models*. San Francisco: Freeman. (p. 501)

Welch, J. M., Lu, J., Rodriquiz, R. M., Trotta, N. C., Peca, J., Ding, J.-D., Feliciano, C., . . . Feng, G. (2007). Cortico-striatal synaptic defects and OCD-like behaviours in *Sapap3*-mutant mice. *Nature, 448*, 894–900. (p. 626)

Welch, W. W. (2005, February 28). Trauma of Iraq war haunting thousands returning home. *USA Today* (www.usatoday.com). (p. 623)

Welham, J., Isohanni, M., Jones, P., & McGrath, J. (2009). The antecedents of schizophrenia: A review of birth cohort studies. *Schizophrenia Bulletin, 35*, 603–623. (p. 645)

Weller, S., & Davis-Beaty, K. (2002). The effectiveness of male condoms in prevention of sexually transmitted diseases (protocol). *Cochrane Database of Systematic Reviews*, Issue 4, Art. No. CD004090. (p. 436)

Wellman, H. M., & Gelman, S. A. (1992). Cognitive development: Foundational theories of core domains. *Annual Review of Psychology, 43*, 337–375. (p. 188)

Wells, G. L. (1981). Lay analyses of causal forces on behavior. In J. Harvey (Ed.), *Cognition, social behavior and the environment*. Hillsdale, NJ: Erlbaum. (p. 280)

Wenze, S. J., Gunthert, K. C., & German, R. E. (2012). Biases in affective forecasting and recall in individuals with depression and anxiety symptoms. *Personality and Social Psychology Bulletin, 38*, 895–906. (p. 634)

Werker, J. F., Yeung, H. H., & Yoshida, K. A. (2012). How do infants become experts at native-speech perception. *Current Directions in Psychological Science, 21*, 221–226. (p. 373)

Westen, D. (1996). *Is Freud really dead? Teaching psychodynamic theory to introductory psychology*. Presentation to the Annual Institute on the Teaching of Psychology, St. Petersburg Beach, FL. (p. 577)

Westen, D. (1998). The scientific legacy of Sigmund Freud: Toward a psychodynamically informed psychological science. *Psychological Bulletin, 124*, 333–371. (p. 579)

Westen, D. (2007). *The political brain: The role of emotion in deciding the fate of the nation*. New York: PublicAffairs. (p. 463)

Westen, D., & Morrison, K. (2001). A multidimensional meta-analysis of treatments for depression, panic, and generalized anxiety disorder: An empirical examination of the status of empirically supported therapies. *Journal of Consulting and Clinical Psychology, 69*, 875–899. (p. 676)

Wetherell, J. L., Petkus, A. J., White, K. S., Nguyen, H., Kornblith, S., Andreescu, C., Zisook, S., & Lenze, E. J. (2013). Antidepressant medication augmented with cognitive-behavioral therapy for generalized anxiety disorder in older adults. *The American Journal of Psychiatry, 170*, 782–789. (p. 683)

Whalen, P. J., Shin, L. M., McInerney, S. C., Fisher, H., Wright, C. I., & Rauch, S. L. (2001). A functional MRI study of human amygdala responses to facial expressions of fear versus anger. *Emotion, 1*, 70–83. (p. 466)

Whalley, L. J., & Deary, I. J. (2001). Longitudinal cohort study of childhood IQ and survival up to age 76. *British Medical Journal, 322*, 1–5. (p. 403)

Whalley, L. J., Starr, J. M., Athawes, R., Hunter, D., Pattie, A., & Deary, I. J. (2000). Childhood mental ability and dementia. *Neurology, 55*, 1455–1459. (p. 402)

Whang, W., Kubzansky, L, D., Kawachi, I., Rexrode, K. M., Kroenke, C. H., Glynn, R. J., Garan, H., & Albert, C. M. (2009). Depression and risk of sudden cardiac death and coronary heart disease in women. *Journal of the American College of Cardiology, 53*, 950–958. (p. 498)

Wheaton, A. G., Perry, G. S., Chapman, D. P., & Croft, J. B. (2012). Sleep disordered breathing and depression among U.S. adults: National Health and Nutrition Examination Survey, 2005–2008. *Sleep, 35*, 461–467. (p. 111)

Whelan, R., et al. (2012). Adolescent impulsivity phenotypes characterized by distinct brain networks. *Nature Neuroscience, 15*, 920–925. (p. 205)

White, G. L., & Kight, T. D. (1984). Misattribution of arousal and attraction: Effects of salience of explanations for arousal. *Journal of Experimental Social Psychology, 20*, 55–64. (p. 556)

White, H. R., Brick, J., & Hansell, S. (1993). A longitudinal investigation of alcohol use and aggression in adolescence. *Journal of Studies on Alcohol*, Supplement No. 11, 62–77. (p. 546)

White, L., & Edwards, J. (1990). Emptying the nest and parental well-being: An analysis of national panel data. *American Sociological Review, 55*, 235–242. (p. 222)

White, R. A. (1998). Intuition, heart knowledge, and parapsychology. *Journal of the American Society for Psychical Research, 92*, 158–171. (p. 273)

Whitelock, C. F., Lamb, M. E., & Rentfrow, P. J. (2013). Overcoming trauma: Psychological and demographic characteristics of child sexual abuse survivors in adulthood. *Clinical Psychological Science, 1*, 351–362. (p. 200)

Whiten, A., & Boesch, C. (2001, January). Cultures of chimpanzees. *Scientific American*, pp. 60–67. (p. 368)

Whiten, A., & Byrne, R. W. (1988). Tactical deception in primates. *Behavioral and Brain Sciences, 11*, 233–244, 267–273. (p. 29)

Whiten, A., Goodall, J., McGrew, W. C., Nishidas, T., Reynolds, V., Sugiyama, Y., . . . Boesch, C. (1999). Cultures in chimpanzees. *Nature, 399*, 682–685. (p. 155)

Whiten, A., Spiteri, A., Horner, V., Bonnie, K. E., Lambeth, S. P., Schapiro, S. J., & de Waal, F. B. M. (2007). Transmission of multiple traditions within and between chimpanzee groups. *Current Biology, 17,* 1038–1043. (p. 307)

Whiting, B. B., & Edwards, C. P. (1988). *Children of different worlds: The formation of social behavior.* Cambridge, MA: Harvard University Press. (p. 160)

Whitley, B. E., Jr. (1999). Right-wing authoritarianism, social dominance orientation, and prejudice. *Journal of Personality and Social Psychology, 77,* 126–134. (p. 542)

Whitlock, J. R., Heynen, A. L., Shuler, M. G., & Bear, M. F. (2006). Learning induces long-term potentiation in the hippocampus. *Science, 313,* 1093–1097. (p. 332)

Whitmer, R. A., Gustafson, D. R., Barrett-Connor, E. B., Haan, M. N., Gunderson, E. P., & Yaffe, K. (2008). Central obesity and increased risk of dementia more than three decades later. *Neurology, 71,* 1057–1064. (p. 430)

WHO. (1979). *Schizophrenia: An international followup study.* Chicester, England: Wiley. (p. 641)

WHO. (2000). *Effectiveness of male latex condoms in protecting against pregnancy and sexually transmitted infections.* World Health Organization (www.who.int). (p. 436)

WHO. (2003). *The male latex condom: Specification and guidelines for condom procurement.* Department of Reproductive Health and Research, Family and Community Health, World Health Organization. (p. 436)

WHO. (2004). *Women, girls, HIV, and AIDS.* World Health Organization, Western Pacific Regional Office. (p. 436)

WHO. (2004a). Prevalence, severity, and unmet need for treatment of mental disorders in the World Health Organization World Health Surveys. *Journal of the American Mental Medical Association, 291,* 2581–2590. (pp. 618, 636)

WHO. (2004b). *Prevention of mental disorders: Effective interventions and policy options. Summary report.* Geneva: World Health Organization, Department of Mental Health and Substance Abuse. (p. 618)

WHO. (2004c). *Promoting mental health: Concepts, emerging evidence, practice. Summary report.* Geneva: World Health Organization, Department of Mental Health and Substance Abuse. (p. 618)

WHO. (2008). *Mental health (nearly 1 million annual suicide deaths).* Geneva: World Health Organization (www.who.int/mental_health/en). (p. 637)

WHO. (2010, September). Mental health: Strengthening our response. Fact sheet No. 220. Retrieved online at www.who.int/mediacentre/factsheets/fs220/en/. (p. 609)

WHO. (2011). Country reports and charts available. Geneva: World Health Organization (int/mental_health/prevention/suicide/country_reports/en/index.html). (p. 637)

WHO. (2011). Schizophrenia. Geneva: World Health Organization (www.who.int). (p. 641)

WHO. (2012). WHO global estimates on prevalence of hearing loss: Mortality and burden of diseases and prevention of blindness and deafness. Geneva: World Health Organization (www.who.int). (p. 257)

WHO. (2012, May). Tobacco: Fact sheet N339. Geneva: World Health Organization (www.who.int) (p., 121)

WHO. (2012, August). Depression. Geneva: World Health Organization (www.who.int/mediacentre/factsheets/fs369/en/). (pp. 631, 637)

WHO. (2012, October). Depression. World Health Organization. http://www.who.int/mediacentre/factsheets/fs369/en. (p. 638)

WHO. (2013, February). Deafness and hearing loss. Geneva: World Health Organization Media Centre Fact Sheets (www.who.int/mediacentre/factsheets/fs300/en). (p. 375)

WHO. (2013, November). Sexually transmitted infections (STIs). Fact sheet No. 110. (www.who.int). (p. 436)

WHO. (2014). World Health Statistics 2014, Part II. *Highlighted topics.* pp. 42–44. (p. 214)

WHO. (2014a, accessed June 3). Global health improvement and WHO: Shaping the future. World Health Organization (www.who.int/whr/2003/media_centre/lee_article/en/index2.html). (p. 214)

WHO. (2014b, accessed March 3). Life expectancy. World Health Organization (www.who.int/gho/mortality_burden_disease/life_tables/en/). (pp. 214, 215)

WHO. (2014, accessed September 20). Chain-free initiative. Geneva: World Health Organization (www.emro.who.int/mental-health/chain-free-initiative). (p. 611)

Whooley, M. A., et al. (2008). Depressive symptoms, health behaviors, and risk of cardiovascular events in patients with coronary heart disease. *JAMA, 300,* 2379–2388. (p. 498)

Whorf, B. L. (1956). Science and linguistics. In J. B. Carroll (Ed.), *Language, thought, and reality: Selected writings of Benjamin Lee Whorf.* Cambridge, MA: MIT Press. (p. 379)

Wicherts, J. M., Dolan, C. V., Carlson, J. S., & van der Maas, H. L. J. (2010). Raven's test performance of sub-Saharan Africans: Mean level, psychometric properties, and the Flynn Effect. *Learning and Individual Differences, 20,* 135–151. (p. 412)

Wickelgren, I. (2009, September/October). I do not feel your pain. *Scientific American Mind,* pp. 51–57. (pp. 261, 267)

Wickelgren, W. A. (1977). *Learning and memory.* Englewood Cliffs, NJ: Prentice-Hall. (p. 327)

Widiger, T. A., & Costa, P. T., Jr. (2012). Integrating normal and abnormal personality structure: The five-factor model. *Journal of Personality, 80,* 1471–1505. (p. 592)

Wielkiewicz, R. M., & Stelzner, S. P. (2005). An ecological perspective on leadership theory, research, and practice. *Review of General Psychology, 9,* 326–341. (p. A-12)

Wiens, A. N., & Menustik, C. E. (1983). Treatment outcome and patient characteristics in an aversion therapy program for alcoholism. *American Psychologist, 38,* 1089–1096. (p. 665)

Wierson, M., & Forehand, R. (1994). Parent behavioral training for child noncompliance: Rationale, concepts, and effectiveness. *Current Directions in Psychological Science, 3,* 146–149. (p. 298)

Wierzbicki, M. (1993). Psychological adjustment of adoptees: A meta-analysis. *Journal of Clinical Child Psychology, 22,* 447–454. (p. 139)

Wiesel, T. N. (1982). Postnatal development of the visual cortex and the influence of environment. *Nature, 299,* 583–591. (pp. 153, 254)

Wiesner, W. H., & Cronshow, S. P. (1988). A meta-analytic investigation of the impact of interview format and degree of structure on the validity of the employment interview. *Journal of Occupational Psychology, 61,* 275–290. (p. A-6)

Wigdor, A. K., & Garner, W. R. (1982). *Ability testing: Uses, consequences, and controversies.* Washington, DC: National Academy Press. (p. 413)

Wike, R., & Grim, B. J. (2007, October 30). *Widespread negativity: Muslims distrust Westerners more than vice versa.* Pew Research Center (www.pewresearch.org). (p. 538)

Wilcox, A. J., Baird, D. D., Dunson, D. B., McConnaughey, D. R., Kesner, J. S., & Weinberg, C. R. (2004). On the frequency of intercourse around ovulation: Evidence for biological influences. *Human Reproduction, 19,* 1539–1543. (p. 434)

Wilcox, W. B., & Marquardt, E. (2011, December). *When baby makes three: How parenthood makes life meaningful and how marriage makes parenthood bearable.* Charlottesville, VA: National Marriage Project, University of Virginia. (p. 198)

Wilder, D. A. (1981). Perceiving persons as a group: Categorization and intergroup relations. In D. L. Hamilton (Ed.), *Cognitive processes in stereotyping and intergroup behavior.* Hillsdale, NJ: Erlbaum. (p. 542)

Wildman, D. E., Uddin, M., Liu, G., Grossman, L. I., & Goodman, M. (2003). Implications of natural selection in shaping 99.4% nonsynonymous DNA identity between humans and chimpanzees: Enlarging genus Homo. *Proceedings of the National Academy of Sciences, 100,* 7181–7188. (p. 135)

Wiley, J., & Jarosz, A. F. (2012). Working memory capacity, attentional focus, and problem solving. *Current Directions in Psychological Science, 21,* 258–262. (p. 324)

Wilford, J. N. (1999, February 9). New findings help balance the cosmological books. *New York Times* (www.nytimes.com). (p. 173)

Wilkinson, P., & Goodyer, I. (2011). Non-suicidal self-injury. *European Child & Adolescent Psychiatry, 20,* 103–108. (p. 639)

Wilkinson, R., & Pickett, K. (2009). *The spirit level: Why greater equality makes societies stronger.* London: Bloomsbury Press. (pp. 484, 547)

Wilkowski, B. M., Robinson, M. D., & Troop-Gordon, W. (2011). How does cognitive control reduce anger and aggression? The role of conflict monitoring and forgiveness processes. *Journal of Personality and Social Psychology, 98,* 830–840. (p. 545)

Williams, C. L., & Berry, J. W. (1991). Primary prevention of acculturative stress among refugees. *American Psychologist, 46,* 632–641. (p. 490)

Williams, E. F., Dunning, D., & Kruger, J. (2013). The hobgoblin of consistency: Algorithmic judgment strategies underlie inflated self-assessments of performance. *Journal of Personality and Social Psychology, 104,* 976–994. (p. 601)

Williams, J. E., & Best, D. L. (1990). *Measuring sex stereotypes: A multination study.* Newbury Park, CA: Sage. (p. 162)

Williams, J. E., Paton, C. C., Siegler, I. C., Eigenbrodt, M. L., Nieto, F. J., & Tyroler, H. A. (2000). Anger proneness predicts coronary heart disease risk: Prospective analysis from the artherosclerosis risk in communities (ARIC) study. *Circulation, 101*(17), 2034–2040. (p. 497)

Williams, K. D. (2007). Ostracism. *Annual Review of Psychology, 58,* 425–452. (pp. 450, 451)

Williams, K. D. (2009). Ostracism: A temporal need-threat model. *Advances in Experimental Social Psychology, 41,* 275–313. (p. 450)

Williams, L. A., & DeSteno, D. (2009). Adaptive social emotion or seventh sin? *Psychological Science, 20*, 284–288. (p. 603)

Williams, L. E., & Bargh, J. A. (2008). Experiencing physical warmth promotes interpersonal warmth. *Science, 322*, 606–607. (p. 270)

Williams, N. M., et al. (2010). Rare chromosomal deletions and duplications in attention-deficit hyperactivity disorder: A genome-wide analysis. *Lancet, 376*, 1401–1408. (p. 615)

Williams, S. L. (1987). *Self-efficacy and mastery-oriented treatment for severe phobias.* Paper presented to the American Psychological Association convention. (p. 664)

Willingham, D. T. (2010, Summer). Have technology and multitasking rewired how students learn? *American Educator*, pp. 23–28, 42. (pp. 324, 454)

Willingham, W. W., Lewis, C., Morgan, R., & Ramist, L. (1990). *Predicting college grades: An analysis of institutional trends over two decades.* Princeton, NJ: Educational Testing Service. (p. 398)

Willis, J., & Todorov, A. (2006). First impressions: Making up your mind after a 100-ms. exposure to a face. *Psychological Science, 17*, 592–598. (p. 469)

Willis, S. L., Tennstedt, S. L., Marsiske, M., Ball, K., Elias, J., Koepke, K. M., . . . Wright, E. (2006). Long-term effects of cognitive training on everyday functional outcomes in older adults. *JAMA, 296*, 2805–2814. (p. 218)

Willmuth, M. E. (1987). Sexuality after spinal cord injury: A critical review. *Clinical Psychology Review, 7*, 389–412. (p. 438)

Wilmot, E. G., Edwardson, C. L., Achana, F. A., Davies, M. J., Gorely, T., Gray, L. J., . . . Biddle, S. J. H. (2012). Sedentary time in adults and the association with diabetes, cardiovascular disease and death: Systematic review and meta-analysis. *Diabetologia, 55*, 2895–2905. (p. 507)

Wilson, A. E., & Ross, M. (2001). From chump to champ: People's appraisals of their earlier and present selves. *Journal of Personality and Social Psychology, 80*, 572–584. (p. 604)

Wilson, G. D., & Rahman, Q. (2005). *Born Gay: The biology of sex orientation.* London: Peter Owen Publishers. (p. 444)

Wilson, R. E., Gosling, S. D., & Graham, L. T. (2012). A review of Facebook research in the social sciences. *Perspectives on Psychological Science, 7*, 203–220. (p. 211)

Wilson, R. S. (1979). Analysis of longitudinal twin data: Basic model and applications to physical growth measures. *Acta Geneticae Medicae et Gemellologiae, 28*, 93–105. (p. 185)

Wilson, R. S., Arnold, S. E., Schneider, J. A., Tang, Y., & Bennett, D. A. (2007). The relationship between cerebral Alzheimer's disease pathology and odour identification in old age. *Journal of Neurology, Neurosurgery, and Psychiatry, 78*, 30–35. (p. 219)

Wilson, R. S., Beck, T. L., Bienias, J. L., & Bennett, D. A. (2007). Terminal cognitive decline: Accelerated loss of cognition in the last years of life. *Psychosomatic Medicine, 69*, 131–137. (p. 218)

Wilson, R. S., & Matheny, A. P., Jr. (1986). Behavior-genetics research in infant temperament: The Louisville twin study. In R. Plomin & J. Dunn (Eds.), *The study of temperament: Changes, continuities, and challenges.* Hillsdale, NJ: Erlbaum. (p. 140)

Wilson, S., Miller, G., & Horwitz, S. (2013, April 23). Boston bombing suspect cites U.S. wars as motivation, officials say. *Washington Post* (www.washingtonpost.com). (p. 535)

Wilson, T. D. (2002). *Strangers to ourselves: Discovering the adaptive unconscious.* Cambridge, MA: Harvard University Press. (p. 96)

Wilson, T. D. (2006). The power of social psychological interventions. *Science, 313*, 1251–1252. (p. 415)

Wilson, W. A., & Kuhn, C. M. (2005). How addiction hijacks our reward system. *Cerebrum, 7*(2), 53–66. (p. 127)

Windholz, G. (1989, April-June). The discovery of the principles of reinforcement, extinction, generalization, and differentiation of conditional reflexes in Pavlov's laboratories. *Pavlovian Journal of Biological Science, 26*, 64–74. (p. 286)

Windholz, G. (1997). Ivan P. Pavlov: An overview of his life and psychological work. *American Psychologist, 52*, 941–946. (p. 284)

Windle, G., Hughes, D., Linck, P., Russell, I., & Woods, B. (2010). Is exercise effective in promoting mental well-being in older age? A systematic review. *Aging and Mental Health, 14*, 652–669. (p. 508)

Wingfield, A., McCoy, S. L., Peelle, J. E., Tun, P. A., & Cox, L. C. (2005). Effects of adult aging and hearing loss on comprehension of rapid speech varying in syntactic complexity. *Journal of the American Academy of Audiology, 17*, 487–497. (p. 375)

Winkler, A., Dörsing, B., Rief, W., Shen, Y., & Glombiewski, J. A. (2013). Treatment of Internet addiction: A meta-analysis. *Clinical Psychology Review, 33*, 317–329. (p. 118)

Winner, E. (2000). The origins and ends of giftedness. *American Psychologist, 55*, 159–169. (p. 404)

Winter, W. C., Hammond, W. R., Green, N. H., Zhang, Z., & Bilwise, D. L. (2009). Measuring circadian advantage in major league baseball: A 10-year retrospective study. *International Journal of Sports Physiology and Performance, 4*, 394–401. (p. 104)

Wirth, J. H., Sacco, D. F., Hugenberg, K., & Williams, K. D. (2010). Eye gaze as relational evaluation: Averted eye gaze leads to feelings of ostracism and relational devaluation. *Personality and Social Psychology Bulletin, 36*, 869–882. (p. 450)

Wirz-Justice, A. (2009). From the basic neuroscience of circadian clock function to light therapy for depression: On the emergence of chronotherapeutics. *Journal of Affective Disorders, 116*, 159–160. (pp. 104, 678)

Wiseman, R., & Greening, E. (2002). The Mind Machine: A mass participation experiment into the possible existence of extra-sensory perception. *British Journal of Psychology, 93*, 487–499. (p. 274)

Witek-Janusek, L., Albuquerque, K., Chroniak, K. R., Chroniak, C., Durazo, R., & Mathews, H. L. (2008). Effect of mindfulness based stress reduction on immune function, quality of life and coping in women newly diagnosed with early stage breast cancer. *Brain Behavior and Immunity, 22*(6), 969–981. (p. 510)

Witelson, S. F., Kigar, D. L., & Harvey, T. (1999). The exceptional brain of Albert Einstein. *Lancet, 353*, 2149–2153. (p. 80)

Witt, J. K., & Brockmole, J. R. (2012). Action alters object identification: Wielding a gun increases the bias to see guns. *Journal of Experimental Psychology: Human Perception and Performance, 38*, 1159–1167. (p. 237)

Witt, J. K., Linkenauger, S. A., & Proffitt, D. R. (2012). Get me out of this slump! Visual illusions improve sports performance. *Psychological Science, 23*, 397–399. (p. 238)

Witt, J. K., & Proffitt, D. R. (2005). See the ball, hit the ball: Apparent ball size is correlated with batting average. *Psychological Science, 16*, 937–938. (p. 238)

Wittgenstein, L. (1922). *Tractatus logico-philosophicus.* New York: Harcourt, Brace. (p. 173)

Witvliet, C. V. O., & Vrana, S. R. (1995). Psychophysiological responses as indices of affective dimensions. *Psychophysiology, 32*, 436–443. (p. 466)

Wixted, J. T., & Ebbesen, E. B. (1991). On the form of forgetting. *Psychological Science, 2*, 409–415. (p. 340)

Wolff, J. J., et al. (2012). Differences in white matter fiber tract development present from 6 to 24 months in infants with autism. *American Journal of Psychiatry, 169*, 589–600. (p. 194)

Wolfson, A. R., & Carskadon, M. A. (1998). Sleep schedules and daytime functioning in adolescents. *Child Development, 69*, 875–887. (p. 114)

Wolke, D., Copeland, W. E., Angold, A., & Costello, E. J. (2013). Impact of bullying in childhood on adult health, wealth, crime, and social outcomes. *Psychological Science, 24*, 1958–1970. (p. 200)

Wollmer, M. A., et al. (2012). Facing depression with botulinum toxin: A randomized controlled trial. *Journal of Psychiatric Research, 46*, 574–581. (p. 474)

Wolpe, J. (1958). *Psychotherapy by reciprocal inhibition.* Stanford, CA: Stanford University Press. (p. 664)

Wolpe, J., & Plaud, J. J. (1997). Pavlov's contributions to behavior therapy: The obvious and the not so obvious. *American Psychologist, 52*, 966–972. (p. 664)

Wonderlich, S. A., Joiner, T. E., Jr., Keel, P. K., Williamson, D. A., & Crosby, R. D. (2007). Eating disorder diagnoses: Empirical approaches to classification. *American Psychologist, 62*, 167–180. (p. 652)

Wong, D. F., Wagner, H. N., Tune, L. E., Dannals, R. F., et al. (1986). Positron emission tomography reveals elevated D_2 dopamine receptors in drug-naive schizophrenics. *Science, 234*, 1588–1593. (p. 642)

Wong, M. M., & Csikszentmihalyi, M. (1991). Affiliation motivation and daily experience: Some issues on gender differences. *Journal of Personality and Social Psychology, 60*, 154–164. (p. 163)

Wood, C. J, & Aggleton, J. P. (1989). Handedness in 'fast ball' sports: Do left-handers have an innate advantage? *British Journal of Psychology, 80*, 227–240. (p. 86)

Wood, W. (1987). Meta-analytic review of sex differences in group performance. *Psychological Bulletin, 102*, 53–71. (p. 163)

Wood, W., & Eagly, A. H. (2002). A cross-cultural analysis of the behavior of women and men: Implications for the origins of sex differences. *Psychological Bulletin, 128*, 699–727. (p. 162)

Wood, W., & Eagly, A. H. (2007). Social structural origins of sex differences in human mating. In S. W. Gagestad & J. A. Simpson (Eds.), *The evolution of mind: Fundamental questions and controversies.* New York: Guilford Press. (p. 162)

Wood, W., Labrecque, J. S., Lin, P-T., & Rúnger, D. (2014). Habits in dual process models. In J. Sherman, B. Gawronski, & Y. Trope (Eds.), *Dual process theories of the social mind*. New York: Guilford Press. (p. 280)

Wood, W., Lundgren, S., Ouellette, J. A., Busceme, S., & Blackstone, T. (1994). Minority influence: A meta-analytic review of social influence processes. *Psychological Bulletin, 115,* 323–345. (p. 536)

Wood, J. M. (2003, May 19). Quoted by R. Mestel, Rorschach tested: Blot out the famous method? Some experts say it has no place in psychiatry. *Los Angeles Times* (www.latimes.com). (p. 579)

Wood, J. M. (2006, Spring). The controversy over Exner's Comprehensive System for the Rorschach: The critics speak. *Independent Practitioner* (works.bepress.com/james_wood/7). (p. 579)

Wood, J. M., Bootzin, R. R., Kihlstrom, J. F., & Schacter, D. L. (1992). Implicit and explicit memory for verbal information presented during sleep. *Psychological Science, 3,* 236–239. (p. 342)

Wood, J. M., Lilienfeld, S. O., Nezworski, M. T., Garb, H. N., Allen, K. H., & Wildermuth, J. L. (2010). Validity of Rorschach inkblot scores for discriminating psychopaths from nonpsychopaths in forensic populations: A meta-analysis. *Psychological Assessment, 22,* 336–349. (p. 579)

Wood, J. M., Nezworski, M. T., Garb, H. N., & Lilienfeld, S. O. (2006). The controversy over the Exner Comprehensive System and the Society for Personality Assessment's white paper on the Rorschach. *Independent Practitioner, 26.* (p. 579)

Wood, J. V., Heimpel, S. A., Manwell, L. A., & Whittington, E. J. (2009). This mood is familiar and I don't deserve to feel better anyway: Mechanisms underlying self-esteem differences in motivation to repair sad moods. *Journal of Personality and Social Psychology, 96,* 363–380. (p. 599)

Wood, J. V., Saltzberg, J. A., & Goldsamt, L. A. (1990a). Does affect induce self-focused attention? *Journal of Personality and Social Psychology, 58,* 899–908. (p. 635)

Wood, J. V., Saltzberg, J. A., Neale, J. M., Stone, A. A., & Rachmiel, T. B. (1990b). Self-focused attention, coping responses, and distressed mood in everyday life. *Journal of Personality and Social Psychology, 58,* 1027–1036. (p. 635)

Woods, N. F., Dery, G. K., & Most, A. (1983). Recollections of menarche, current menstrual attitudes, and premenstrual symptoms. In S. Golub (Ed.), *Menarche: The transition from girl to woman.* Lexington, MA: Lexington Books. (p. 167)

Woolcock, N. (2004, September 3). Driver thought everyone else was on wrong side. *The Times,* p. 22. (p. 527)

Woolett, K., & Maguire, E. A. (2011). Acquiring "the knowledge" of London's layout drives structural brain changes. *Current Biology, 21,* 2109–2114. (p. 329)

Woolley, A. W., Chabris, C. F., Pentland, A., Hasmi, N., & Malone, T. W. (2010). Evidence for a collective intelligence factor in the performance of human groups. *Science, 330,* 686–688. (p. A-12)

World Federation for Mental Health. (2005). ADHD: The hope behind the hype (www.wfmh.org). (p. 615)

World Health Organization. (2004a). Prevalence, severity, and unmet need for treatment of mental disorders in the World Health Organization World Mental Health Surveys. *Journal of the American Medical Association, 291,* 2581–2590. (p. 617)

World Health Organization. (2008). The numbers count: Mental disorders in America (www.nimh.nih.gov). (p. 118)

World Health Organization. (2013). The top 10 causes of death. Retrieved April 11, 2014 from http://www.who.int/mediacentre/factsheets/fs310/en/. (p. 495)

Worobey, J., & Blajda, V. M. (1989). Temperament ratings at 2 weeks, 2 months, and 1 year: Differential stability of activity and emotionality. *Developmental Psychology, 25,* 257–263. (p. 140)

Wortham, J. (2010, May 13). Cellphones now used more for data than for calls. *New York Times* (www.nytimes.com). (p. 452)

Worthington, E. L., Jr., Kurusu, T. A., McCullogh, M. E., & Sandage, S. J. (1996). Empirical research on religion and psychotherapeutic processes and outcomes: A 10-year review and research prospectus. *Psychological Bulletin, 119,* 448–487. (p. 680)

Wortman, C. B., & Silver, R. C. (1989). The myths of coping with loss. *Journal of Consulting and Clinical Psychology, 57,* 349–357. (p. 225)

Wren, C. S. (1999, April 8). Drug survey of children finds middle school a pivotal time. *New York Times* (www.nytimes.com). (p. 129)

Wrenn, J. M. (2012). NBA rookie Royce White battles anxiety disorder and fear of flying. CNN (www.cnn.com). (p. 623)

Wright, I. C., Rabe-Hesketh, S., Woodruff, P. W. R., David, A. S., Murray, R. M., & Bullmore, E. T. (2000). Meta-analysis of regional brain volumes in schizophrenia. *American Journal of Psychiatry, 157,* 16–25. (p. 642)

Wright, J. (2006, March 16). Boomers in the bedroom: Sexual attitudes and behaviours in the boomer generation. Ipsos Reid survey (www.ipsos-na.com). (p. 214)

Wright, P., Takei, N., Rifkin, L., & Murray, R. M. (1995). Maternal influenza, obstetric complications, and schizophrenia. *American Journal of Psychiatry, 152,* 1714–1720. (p. 643)

Wright, P. H. (1989). Gender differences in adults' same- and cross-gender friendships. In R. G. Adams & R. Blieszner (Eds.), *Older adult friendships: Structure and process.* Newbury Park, CA: Sage. (p. 163)

Wrosch, C., & Miller, G. E. (2009). Depressive symptoms can be useful: Self-regulatory and emotional benefits of dysphoric mood in adolescence. *Journal of Personality and Social Psychology, 96,* 1181–1190. (p. 628)

Wrzesniewski, A., McCauley, C. R., Rozin, P., & Schwartz, B. (1997). Jobs, careers, and callings: People's relations to their work. *Journal of Research in Personality, 31,* 21–33. (p. A-1)

Wrzesniewski, A., Schwartz, B., Cong, X., Kane, M., Omar, A., & Kolditz, T. (2014). Multiple types of motives don't multiply the motivation of West Point cadets. *PNAS, 111,* 10990–10995. (p. 305)

Wrzus, C., Hänel, M., Wagner, J., & Neyer, F. J. (2012). Social network changes and life events across the life span: A meta-analysis. *Psychological Bulletin, 139,* 53–80. (p. 223)

Wu, W., & Small, S. A. (2006). Imaging the earliest stages of Alzheimer's disease. *Current Alzheimer Research, 3,* 529–539. (p. 219)

Wuethrich, B. (2001, March). Features—GETTING STUPID—Surprising new neurological behavioral research reveals that teenagers who drink too much may permanently damage their brains and seriously compromise their ability to learn. *Discover, 56,* 56–64. (p. 120)

Wulsin, L. R., Vaillant, G. E., & Wells, V. E. (1999). A systematic review of the mortality of depression. *Psychosomatic Medicine, 61,* 6–17. (p. 498)

Wyatt, J. K., & Bootzin, R. R. (1994). Cognitive processing and sleep: Implications for enhancing job performance. *Human Performance, 7,* 119–139. (pp. 113, 342)

Wyatt, R. J., Henter, I., & Sherman-Elvy, E. (2001). Tantalizing clues to preventing schizophrenia. *Cerebrum: The Dana Forum on Brain Science, 3,* pp. 15–30. (p. 643)

Wynn, K. (1992). Addition and subtraction by human infants. *Nature, 358,* 749–759. (pp. 188, 189)

Wynn, K. (2000). Findings of addition and subtraction in infants are robust and consistent: Reply to Wakeley, Rivera, and Langer. *Child Development, 71,* 1535–1536. (p. 188)

Wynn, K. (2008). Some innate foundations of social and moral cognition. In K. Wynn (Ed.) *The innate mind. Volume 3: Foundations and the future,* pgs. 330–347. New York: Oxford University Press. (p. 188)

Wynne, C. D. L. (2004). *Do animals think?* Princeton, NJ: Princeton University Press. (p. 378)

Wynne, C. D. L. (2008). Aping language: A skeptical analysis of the evidence for nonhuman primate language. *Skeptic, 13*(4), 10–13. (p. 378)

Wysocki, C. J., & Gilbert, A. N. (1989). *National Geographic* Survey: Effects of age are heterogeneous. *Annals of the New York Academy of Sciences, 561,* 12–28. (pp. 267, 268)

Xie, L., et al. (2013). Sleep drives metabolite clearance from the adult brain. *Science, 342,* 373–377. (p. 105)

Xu, B., Ionita-Laza, I., Roos, J. L., Boone, B., Woodrick, S., Sun, S., Levy, S., . . . Karayiorgou, M. De novo gene mutations highlight patterns of genetic and neural complexity in schizophrenia. *Nature Genetics, 44,* 1365–1369. (p. 644)

Xu, Y., & Corkin, S. (2001). H.M. revisits the Tower of Hanoi puzzle. *Neuropsychology, 15,* 69–79. (p. 339)

Yalom, I. D. (1985). *The theory and practice of group psychotherapy* (3rd ed.). New York: Basic Books. (p. 671)

Yamagata, S., et al. (2006). Is the genetic structure of human personality universal? A cross-cultural twin study from North America, Europe, and Asia. *Journal of Personality and Social Psychology, 90,* 987–998. (p. 590)

Yang, Q., Wu, X., Zhou, X., Mead, N. L., Vohs, K. D., & Baumeister, R. F. (2013). Diverging effects of clean versus dirty money on attitudes, values, and interpersonal behavior. *Journal of Personality and Social Psychology, 104,* 473–489. (p. 280)

Yang, S., Markoczy, L., & Qi, M. (2006). Unrealistic optimism in consumer credit card adoption. *Journal of Economic Psychology, 28,* 170–185. (p. 600)

Yang, Y., Raine, A., Colletti, P., Toga, A. W., & Narr, K. L. (2010). Morphological alterations in the prefrontal cortex and the amygdala in unsuccessful psychopaths. *Journal of Abnormal Psychology, 119,* 546–554. (p. 650)

Yankelovich Partners. (1995, May/June). Growing old. *American Enterprise,* p. 108. (p. 213)

Yarkoni, T. (2010). Personality in 100,000 words: A large-scale analysis of personality and word use among bloggers. *Journal of Research in Personality, 44,* 363–373. (p. 593)

Yarnell, P. R., & Lynch, S. (1970, April 25). Retrograde memory immediately after concussion. *Lancet,* pp. 863–865. (p. 332)

Yates, A. (1989). Current perspectives on the eating disorders: I. History, psychological and biological aspects. *Journal of the American Academy of Child and Adolescent Psychiatry, 28,* 813–828. (p. 652)

Yates, A. (1990). Current perspectives on the eating disorders: II. Treatment, outcome, and research directions. *Journal of the American Academy of Child and Adolescent Psychiatry, 29,* 1–9. (p. 652)

Yates, W. R. (2000). Testosterone in psychiatry. *Archives of General Psychiatry, 57,* 155–156. (p. 434)

Ybarra, O. (1999). Misanthropic person memory when the need to self-enhance is absent. *Personality and Social Psychology Bulletin, 25,* 261–269. (p. 599)

Yeager, D. S., Johnson, R., Spitzer, B. J., Trzesniewski, K. H., Powers, J., & Dweck, C. S. (2014). The far-reaching effects of believing people can change: Implicit theories of personality shape stress, health, and achievement during adolescence. *Journal of Personality and Social Psychology, 106,* 867–884. (p. 409)

Yeager, D. S., Miu, A. S., Powers, J., & Dweck, C. S. (2013). Implicit theories of personality and attributions of hostile intent: A meta-analysis, an experiment, and a longitudinal intervention. *Child Development, 84,* 1651–1667. (p. 409)

Yerkes, R. M., & Dodson, J. D. (1908). The relation of strength of stimulus to rapidity of habit-formation. *Journal of Comparative Neurology and Psychology, 18,* 459–482. (pp. 422, 464)

Yeung, J. W. K., Chan, Y., & Lee, B. L. K. (2009). Youth religiosity and substance use: A meta-analysis from 1995 to 2007. *Psychological Reports, 105,* 255–266. (p. 129)

Yoshikawa, H., Aber, J. L., & Beardslee, W. R. (2012). The effects of poverty on the mental, emotional, and behavioral health of children and youth: Implications for prevention. *American Psychologist, 67,* 272–284. (p. 690)

YOU Magazine. (2009, September 10). Wow, look at Caster now! http://you.co.za/. (p. 167)

Young, C. B., Wu, S. S., & Menon, V. (2012). The neurodevelopmental basis of math anxiety. *Psychological Science, 23,* 492–501. (p. 71)

Young, S. G., Hugenberg, K., Bernstein, M. J., & Sacco, D. F. (2012). Perception and motivation in face recognition: A critical review of theories of the cross-race effect. *Personality and Social Psychology Review, 16,* 116–142. (p. 544)

Young, S. M., & Pinsky, D. (2006). Narcissism and celebrity. *Journal of Personality, 40,* 463–471. (p. 604)

Youngentob, S. L., & Glendinning, J. I. (2009). Fetal ethanol exposure increases ethanol intake by making it smell and taste better. *PNAS, 106,* 5359. (p. 182)

Youngentob, S. L., Kent, P. F., Sheehe, P. R., Molina, J. C., Spear, N. E., & Youngentob, L. M. (2007). Experience-induced fetal plasticity: The effect of gestational ethanol exposure on the behavioral and neurophysiologic olfactory response to ethanol odor in early postnatal and adult rats. *Behavioral Neuroscience, 121,* 1293–1305. (p. 182)

Younger, J., Aron, A., Parke, S., Chatterjee, N., & Mackey, S. (2010) Viewing Pictures of a Romantic Partner Reduces Experimental Pain: Involvement of Neural Reward Systems. *PLoS ONE 5*(10): e13309. doi:10.1371/journal.pone.0013309. (p. 449)

Yücel, M., Solowij, N., Respondek, C., Whittle, S., Fornito, A., Pantelis, C., & Lubman, D. I. (2008). Regional brain abnormalities associated with long-term cannabis use. *Archives of General Psychiatry, 65,* 694–701. (p. 125)

Yuki, M., Maddux, W. W., & Masuda. T. (2007). Are the windows to the soul the same in the East and West? Cultural differences in using the eyes and mouth as cues to recognize emotions in Japan and the United States. *Journal of Experimental Social Psychology, 43,* 303–311. (p. 474)

Zaccaro, S. J. (2007). Trait-based perspectives of leadership. *American Psychologist, 62,* 6–16. (p. A-12)

Zagorsky, J. L. (2007). Do you have to be smart to be rich? The impact of IQ on wealth, income and financial distress. *Intelligence, 35,* 489–501. (p. 389)

Zajonc, R. B. (1965). Social facilitation. *Science, 149,* 269–274. (p. 532)

Zajonc, R. B. (1980). Feeling and thinking: Preferences need no inferences. *American Psychologist, 35,* 151–175. (p. 462)

Zajonc, R. B. (1984a). On the primacy of affect. *American Psychologist, 39,* 117–123. (p. 462)

Zajonc, R. B. (1984b, July 22). Quoted by D. Goleman, Rethinking IQ tests and their value. *The New York Times,* p. D22. (p. 394)

Zajonc, R. B. (1998). Emotions. In D. Gilbert, S. T. Fiske, & G. Lindzey (Eds.), *Handbook of social psychology* (4th ed.). New York: McGraw-Hill. (p. 552)

Zajonc, R. B. (2001). Mere exposure: A gateway to the subliminal. *Current Directions in Psychological Science, 10,* 224–228. (p. 551)

Zajonc, R. B., & Markus, G. B. (1975). Birth order and intellectual development. *Psychological Review, 82,* 74–88. (p. 47)

Zak, P. J. (2012). *The moral molecule: The source of love and prosperity.* New York: Dutton. (p. 64)

Zalta, A. K. (2011). A meta-analysis of anxiety symptom prevention with cognitive-behavioral interventions. *Journal of Anxiety Disorders, 25*(5), 749–760. (p. 670)

Zatorre, R. J., & Salimpoor, V. N. (2013, June 7). Why music makes our brain sing. *New York Times* (www.nytimes.com). (p. 73)

Zauberman, G., & Lynch, J. G., Jr. (2005). Resource slack and propensity to discount delayed investments of time versus money. *Journal of Experimental Psychology: General, 134,* 23–37. (p. 361)

Zaval, L., Keenan, E. A., Johnson, E. J., & Weber, E. U. (2014). How warm days increase belief in global warming. *Nature Climate Change, 4,* 143–147. (p. 360)

Zeelenberg, R., Wagenmakers, E-J., & Rotteveel, M. (2006). The impact of emotion on perception. *Psychological Science, 17,* 287–291. (p. 462)

Zeidner, M. (1990). Perceptions of ethnic group modal intelligence: Reflections of cultural stereotypes or intelligence test scores? *Journal of Cross-Cultural Psychology, 21,* 214–231. (p. 411)

Zeineh, M. M., Engel, S. A., Thompson, P. M., & Bookheimer, S. Y. (2003). Dynamics of the hippocampus during encoding and retrieval of face-name pairs. *Science, 299,* 577–580. (p. 329)

Zelenski, J. M., & Nisbet, E. K. (2014). Happiness and feeling connected: The distinct role of nature relatedness. *Environmental Behavior, 46,* 3–23. (p. 454)

Zell, E., & Alicke, M. D. (2010). The local dominance effect in self-evaluation: Evidence and explanations. *Personality and Social Psychology Review, 14,* 368–384. (p. 484)

Zhang, J., Fang, L., Yow-Wu, B. W., & Wieczorek, W. F. (2013). Depression, anxiety, and suicidal ideation among Chinese Americans: A study of immigration-related factors. *The Journal of Nervous and Mental Disease, 201,* 17–22. (p. 632)

Zhong, C-B., Dijksterhuis, A., & Galinsky, A. D. (2008). The merits of unconscious thought in creativity. *Psychological Science, 19,* 912–918. (p. 366)

Zhong, C-B., & Leonardelli, G. J. (2008). Cold and lonely: Does social exclusion literally feel cold? *Psychological Science, 19,* 838–842. (p. 270)

Zhu, W. X., Lu, L., & Hesketh, T. (2009). China's excess males, sex selective abortion, and one child policy: Analysis of data from 2005 national intercensus survey. *British Medical Journal (BMJ), 338,* b1211. (p. 540)

Zilbergeld, B. (1983). *The shrinking of America: Myths of psychological change.* Boston: Little, Brown. (p. 673)

Zillmann, D. (1986). Effects of prolonged consumption of pornography. Background paper for *The surgeon general's workshop on pornography and public health,* June 22–24. Report prepared by E. P. Mulvey & J. L. Haugaard and released by Office of the Surgeon General on August 4, 1986. (p. 461)

Zillmann, D. (1989). Effects of prolonged consumption of pornography. In D. Zillmann & J. Bryant (Eds.), *Pornography: Research advances and policy considerations.* Hillsdale, NJ: Erlbaum. (p. 438)

Zillmann, D., & Bryant, J. (1984). Effects of massive exposure to pornography. In N. Malamuth & E. Donnerstein (Eds.), *Pornography and sexual aggression.* Orlando, FL: Academic Press. (p. 547)

Zimbardo, P. G. (1970). The human choice: Individuation, reason, and order versus deindividuation, impulse, and chaos. In W. J. Arnold & D. Levine (Eds.), *Nebraska Symposium on Motivation, 1969.* Lincoln, NE: University of Nebraska Press. (p. 533)

Zimbardo, P. G. (1972, April). Pathology of imprisonment. *Transaction/Society,* pp. 4–8. (p. 522)

Zimbardo, P. G. (2001, September 16). Fighting terrorism by understanding man's capacity for evil. Op-ed essay distributed by spsp-discuss@stolaf.edu. (p. 542)

Zimbardo, P. G. (2004, May 25). *Journalist interview re: Abu Ghraib prison abuses: Eleven answers to eleven questions.* Unpublished manuscript, Stanford University. (p. 522)

Zimbardo, P. G. (2007, September). Person × situation × system dynamics. *The Observer* (Association for Psychological Science), p. 43. (pp. 522, 523)

Zimmermann, T. D., & Meier, B. (2006). The rise and decline of prospective memory performance across the lifespan. *Quarterly Journal of Experimental Psychology, 59,* 2040–2046. (p. 217)

Zogby, J. (2006, March). Survey of teens and adults about the use of personal electronic devices and head phones. *Zogby International.* (p. 257)

Zou, Z., Li, F., & Buck, L. B. (2005). From the cover: Odor maps in the olfactory cortex. *Proceedings of the National Academy of Sciences, 102,* 7724–7729. (p. 267)

Zubieta, J-K., Bueller, J. A., Jackson, L. R., Scott, D. J., Xu, Y., Koeppe, R. A., Nichols, T E., & Stohler, C. S. (2005). Placebo effects mediated by endogenous opioid activity on μ-opioid receptors. *Journal of Neuroscience, 25,* 7754–7762. (p. 264)

Zubieta, J-K., Heitzeg, M. M., Smith, Y. R., Bueller, J. A., Xu, K., Xu, Y., . . . Goldman, D. (2003). COMT val158met genotype affects μ-opioid neurotransmitter responses to a pain stressor. *Science, 299,* 1240–1243. (p. 264)

Zucco, G. M. (2003). Anomalies in cognition: Olfactory memory. *European Psychologist, 8,* 77–86. (p. 267)

Zucker, G. S., & Weiner, B. (1993). Conservatism and perceptions of poverty: An attributional analysis. *Journal of Applied Social Psychology, 23,* 925–943. (p. 519)

Zuckerman, M. (1979). *Sensation seeking: Beyond the optimal level of arousal.* Hillsdale, NJ: Erlbaum. (p. 422)

Zuckerman, M. (2009). Sensation seeking. In M. Zuckerman (Ed.), *Handbook of individual differences in social behavior.* New York: Guilford Press. (p. 422)

Zuger, A. (2013, July 29). Guides to a journey into the brain. *New York Times* (www.nytimes.com). (p. 124)

Zvolensky, M. J., & Bernstein, A. (2005). Cigarette smoking and panic psychopathology. *Current Directions in Psychological Science, 14,* 301–305. (p. 621)

Index des noms

Aarts, H., 364, 468
Aarts, K. M., 478
Abbey, A., 148
Abel, E. L., 498
Abel, K. M., 641, 645
Abrams, D. B., 120
Abrams, L., 341
Abrams, M., 254
Abramson, L. Y., 501, 635
Abutalebi, J., 376
Acevedo, B. P., 557
Ackerman, D., 56
Adams, H. E., 581
Adams, J. Q., 650
Adams, S., 297, 623
Adelmann, P. K., 222
Adelstein, J. S., 591
Ader, R., 288
Aderka, I. M., 675
Adler, A., 448, 576, 577, 597, 606
Adler, J., 333
Adolph, K. E., 185, 249
Adolphs, R., 604
Affleck, G., 481
Aggleton, J. P., 86
Agrawal, Y., 375
Agrigoroaei, S., 219
Agrillo, C., 124
Ahmadinejad, M., 345
Ai, A. L., 513
Aiello, J. R., 532
Aimone, J. B., 82
Ainsworth, M. D. S., 197
Airan, R. D., 634
Aird, E. G., 222
Akers, K. G., 330
Aknin, L. B., 479, 560
Alanko, K., 443
Albarracin, D., 231, 520
Albee, G. W., 690
Albert ("Little", W. A. Barger), 4, 288, 314, 315, 624
Albert, B., 155
Albery, I. P., 120
Albon, A. J., 349
Alcock, J. E., 274
Aldao, A., 470, 669
Aldrich, M. S., 110
Aldridge-Morris, R., 648
Aleman, A., 641
Alexander the Great, 484
Alexander, C. J., 63
Alexander, L., 565
Alexis, A., 616
Alicke, M. D., 484, 602
Allard, F., 324

Allen, J., 307, 309
Allen, J. R., 436
Allen, M., 164
Allen, M. S., 532
Allen, M. W., 266
Allen, T., 599
Allen, W., 110, 659
Allesøe, K., 498
Allik, J., 602
Alloy, L. B., 636
Allport, G. W., 28, 541, 586, 587, 597, 598
Ally, B. A., 338
Almås, I., 206
Al Ramiah, A., 564
Alsharif, A., 168
Altamirano, L. J., 635
Alter, A., 295
Altman, L. K., 495
Alvarez, L., 404
Alving, C. R., 106
Alwin, D. F., 160
Amabile, T. M., 365, 366, 599, A-11, A-13
Ambady, N., 469, 472, 593
Ambrose, C. T., 153
Amedi, A., 81, 375
Amen, D. G., 546
Ames, A., 253, 467
Ames, D. R., A-12
Ames, M. A., 444
Ammori, B., 426
Amsterdam, J. D., 683
Anastasi, J. S., 544
Andersen, R. A., 77, 78
Andersen, S. M., 208, 334
Anderson, B. L., 496
Anderson, C. A., 39, 118, 312, 361, 369, 547, 549
Anderson, E. R., 620
Anderson, I. M., 683
Anderson, J. R., 524
Anderson, R. C., 341
Anderson, S., 638
Anderson, S. E., 166
Anderson, S. R., 378
Andersson, P. L., 143, 670
Andreasen, N. C., 642
Andrew, M., 677
Andrews, P. W., 628, 635
Angelsen, N. K., 35
Angier, N., 433
Anglemyer, A., 545
Angoff, W. H., 402
Anguera, J. A., 218
Anisman, H., 496

Annan, K. A., 565
Annese, J., 339
Antonaccio, O., 162
Antoni, M. H., 496
Antony, M. M., 625
Antrobus, J., 114
Anzures, G., 544
Apostolova, L. G., 219
Appleton, J., 357
Archer, J., 162
Archer, R., 580
Arendt, H., 208
Ariely, D., 42, 335, 580
Aries, E., 163
Aristotle, 2, 6, 52, 210, 280, 370, 448, 554
Arkowitz, H., 676, 677
Armony, J., 463
Armony, J. L., 626
Arndt, J., 581, 582
Arneson, J. J., 365
Arnett, J. J., 204, 212
Arnone, D., 633, 642
Aron, A. P., 556, 557
Aronson, E., 211, 342
Aronson, J., 414
Artiga, A. I., 428
Arzi, A., 113
Asch, S. E., 526, 527, 528
Aselage, J., 305
Asendorff, J. B., 27
Asendorpf, J. B., 149
Ashbery, J., 640
Ashley (Lady), 172
Ashbey, S. W., 265
Aslin, R. N., 373
Aspinwall, L. G., 504, 519
Aspy, C. B., 438
Assanand, S., 427
Astin, A. W., 210
Astin, H. A., 210
Astington J. W., 190
Atkins, L., 147
Atkinson, R. C., 320, 321
Atlas, L. Y., 264
Auden, W. H., 448
Austin, E. J., 404
Autrey, W., 561
Auyeung, B., 193
Averill, J. R., 461, 477, 478
Aviezer, H., 473
Axel, R., 267
Ayan, S., 506
Aydin, N., 451
Ayduk, O., 478
Ayres, M. M., 163
Azar, B., 269
Azevedo, F. A., 62

Baars, B. J., 575
Baas, M., 479
Babad, E., 469
Babyak, M., 508
Bach, J. S., 173, 291

Bachman, J., 129
Back, M. D., 453, 593
Backman, L., 218, 375
Bacon, F., 358
Baddeley, A. D., 319, 320, 321, 323, 335
Baddeley, J. L., 225
Baer, J., 630
Bagemihl, B., 443
Baglioni, C., 110
Baguma, P., 430
Bahrick, H. P., 319, 326, 340, 341
Bailenson, J. N., 552
Bailey, J. M., 147, 148, 443, 579
Bailey, K., 615
Bailey, R. E., 279
Bailine, S., 685
Baillargeon, R., 188
Bain, J., 434
Bak, T. H., 381
Baker, D. H., 94
Baker, M., 149
Baker, T. B., 292, 676
Bakermans-Kranenburg, M. J., 198
Balcetis, E., 238
Baldwin, S. A., 676
Balsam, K. F., 220
Balter, M., 377, 446
Baltes, P. B., 400
Bambico, F. R., 125
Banaji, M. R., 539
Bancroft, J., 435
Bandura, A., 220, 306, 310, 312, 315, 594, 595, 596, 597, C-41
Banville, J., 205
Bao, A-M., 443
Bar-Haim, Y., 624
Barash, D. P., 92, 150
Barbaresi, W. J., 615
Bard, P., 460
Barger, W. A. ("Little Albert"), 4, 288, 624
Bargh, J. A., 94, 270, 525, 552, 580, 581
Barinaga, M. B., 81, 268, 507
Barkley, R. A., 615
Barkley-Levenson, E., 205
Barlow, D. H., 669, 676
Barlow, F. K., 564
Barlow, M., 422
Barnes, J. C., 136
Barnier, A. J., 265
Baron, R. S., 356
Baron-Cohen, S., 190, 193, 194
Barrera, T. L., 664
Barrett, D., 106
Barrett, L. C., 504
Barrett, L. F., 459, 461, 466, 470, 471
Barrick, M R., 588, A-5
Barrouillet, P., 320
Barry, D., 40, 122, 215, 261, 267, 652
Bartels, M., 485
Barth, J., 675
Bashore, T. R., 216

Wagemans, J., 247
Wagenmakers, E-J., 274
Wager, R. D., 264
Wager, T. D., 450, 626
Wagner, A., 467
Wagner, A. R., 304
Wagner, B., 430
Wagner, D., 124
Wagner, D. D., 309, 503
Wagner, D. T., 108
Wagner, F. E., 677
Wagner, J., 210, 223
Wagner, K., 271
Wagner, N. N., 435
Wagner, R. K., 388
Wagstaff, G., 519
Wai, J., 404
Wakefield, J. C., 624, 632
Walk, R. D., 249
Walker, E., 642, 645
Walker, M. P., 107
Walker, W. R., 224
Walkup, J. T., 616, 684
Wall, P. D., 262
Wallace, D. S., 520
Wallace, G. L., 387
Wallach, L., 585
Wallach, M. A., 585
Walsh, J. L., 453
Walsh, M., 614
Walsh, R., 688
Walster (Hatfield), E., 553
Walton, G. M., 414
Wambach, A., 245
Wampold, B. E., 675, 678, 679
Wang, F., 507, 508
Wang, J., 441, 538
Wang, S., 193
Wang, S-H., 188
Wang, X. T., 504
Wann, J. P., 251
Wansink, B., 429
Warburton, W. A., 502, 549
Ward, A., 432
Ward, A. F., 321
Ward, B. W., 440
Ward, C., 117
Ward, C. A., 169
Ward, J., 271
Ward, K. D., 122
Ward, L. M., 439
Ward, R., 380
Wardle, J., 266
Wargo, E., 510
Washburn, A. L., 425
Washburn, M. F., 4, 367
Wason, P. C., 357, 358
Wasserman, E. A., 291, 367
Wastell, C. A., 507
Waterhouse, R., 44
Waterman, A. S., 210
Waterman, I., 269
Waterman, R. H., Jr., 298
Waters, E., 196
Watkins, E. R., 628
Watkins, J. G., 647

Watson, D., 476, 480, 481, 509, 638
Watson, J. B., 4, 16, 92, 282, 288, 289, 300, 304, 312, 314, 315
Watson, J. M., 97
Watson, R. I., Jr., 533
Watson, S. J., 125
Watson, T., 298
Watters, E., 612
Way, B. M., 511
Wayment, H. A., 221
Weaver, J. B., 438
Webb, W. B., 104, 110
Weber, E., 233
Webley, K., 540
Webster, G. D., 147
Wechsler, D., 395, 396, 400, C-29
Wegner, D. M., 91, 321
Wei, Q., 200
Wei, W., 410
Weiner, B., 519
Weingarden, H., 204
Weingarten, G., A-1
Weinstein, N. D., 581, 600
Weir, K., 40
Weir, M., 86
Weir, W., 217
Weisbuch, M., 453
Weiskrantz, L., 94
Weiss, A., 588
Weiss, D. S., 623, 624
Weiss, J. M., 501
Weissman, M. M., 660
Weitzman, M. S., 561
Welch, J. M., 626
Welch, W. W., 623
Welham, J., 645
Weller, S., 436
Wellman, H. M., 188
Wells, G. L., 280
Wenze, S. J., 634
Werker, J. F., 371, 373
Wernicke, C., 376
Wertheim, L. J., 532
West, R. F., 415
West, R. L., 217
Westen, D., 463, 577, 579, 676
Westwood, S. J., 535
Wetherell, J. L., 683
Wetzel, R. D., 638
Whalen, P. J., 466
Whalley, L. J., 402, 403
Whalley, P., 402
Whang, W., 498
Wheaton, A. G., 111
Wheeler, D. R., 28, 273
Whelan, R., 205
Whipple, B., 438
Whishaw, I. Q., 152, 366
White, G. L., 556
White, H. R., 546
White, L., 222
White, R., 623
White, R. A., 273
Whitelock, C. F., 200
Whiten, A., 29, 155, 307, 368, 526
Whiting, B. B., 160

Whitley, B. E., Jr., 542
Whitlock, J. R., 332
Whitman, W., 54
Whitmer, R. A., 430
Whooley, M. A., 498
Whorf, B. L., 379, 382, C-27
Wicherts, J. M., 412
Wickelgren, I., 261, 267
Wickelgren, W. A., 327
Widiger, T. A., 592
Wielkiewicz, R. M., A-12
Wiens, A. N., 665
Wierson, M., 298
Wierzbicki, M., 139
Wiesel, T. N., 153, 244, 245, 254
Wiesner, W. H., A-6
Wigdor, A. K., 413
Wike, R., 538
Wilcox, A. J., 434
Wilcox, W. B., 198
Wilde, O., 636
Wilder, D. A., 542
Wildman, D. E., 135
Wiles, A., 365, 366
Wiley, J., 324
Wilford, J. N., 173
Wilkens, C., 558, 559
Wilkinson, P., 639
Wilkinson, R., 484, 548
Wilkowski, B. M., 545
Willems, D., 517, 518, 558
Willemsen, T. M., 163
William (Prince, Duke of Cambridge, U.K.), 8
Williams, C. L., 490
Williams, E. F., 601
Williams, J. E., 162, 497
Williams, K. D., 450, 451, 533
Williams, L. A., 603
Williams, L. E., 270
Williams, N. M., 615
Williams, S., 238
Williams, S. L., 664
Williams, W. M., 409, 410
Williamson, D. A., 652
Willingham, D. T., 324, 454
Willingham, W. W., 398, 473
Willis, J., 218, 469
Willmuth, M. E., 438
Willoughby, B. L. B., 512
Willoughby, T., 107
Wilmot, E. G., 507
Wilson, A. E., 604
Wilson, D. B., 405
Wilson, G. D., 443, 444, 446
Wilson, G. T., 120
Wilson, J., 317
Wilson, M. A., 113
Wilson, R. E., 211
Wilson, R. S., 140, 185, 218, 219
Wilson, S., 535
Wilson, T. D., 96, 302, 415
Wilson, W. A., 127
Wiltshire, S., 388
Windholz, G., 284, 286
Windle, G., 508

Wingfield, A., 375
Winkielman, P., 462
Winkler, A., 118
Winner, E., 404
Winquist, J., 635
Winter, W. C., 104
Wirth, J. H., 450
Wirz-Justice, A., 104, 678
Wiseman, R., 274
Witek-Janusek, L., 510
Witelson, S. F., 80, 446
Withey, M. J., 593
Witt, J. K., 237, 238
Wittgenstein, L., 173
Witvliet, C. V. O., 466
Wixted, J. T., 329, 340
Woehr, D. J., 596
Wojtyla, K. J. (Pope John Paul II), 173
Wolff, J. J., 194
Wolfson, A. R., 114
Wolitzky-Taylor, K. B., 621
Wolke, D., 200
Wollmer, M. A., 474
Wolpe, J., 664
Wolpert, E. A., 113
Wonderlich, S. A., 652
Wong, D. F., 642
Wong, M. M., 163
Wood, A. M., 481
Wood, C. J., 86
Wood, J. M., 342, 579
Wood, J. V., 599, 635
Wood, W., 161, 162, 163, 280, 536, A-6
Woodruff, G., 190
Woodruff-Pak, D. S., 330
Woods, N. F., 167
Woodward, L. G., 632
Woolcock, N., 526
Woolett, K., 329
Woolf, V., 630
Woolley, A. W., A-12
Worobey, J., 140
Wortham, J., 452
Worthington, E. L., Jr., 680
Wortman, C. B., 225
Wren, C. S., 129
Wrenn, J. M., 623
Wright, F. L., 400
Wright, I. C., 642
Wright, J., 214
Wright, M., 446
Wright, P., 643
Wright, P. H., 163
Wright, S., 121, 214
Wrosch, C., 628
Wrzesniewski, A., 305, A-1
Wrzus, C., 223
Wu, J., 540
Wu, S., 482
Wu, W., 219
Wuethrich, B., 120
Wulsin, L. R., 498
Wundt, W., 2, 3, 4, 6, 16
Wyatt, J. K., 113, 342

Index des sujets

Imprimé en Italie par L.E.G.O., Lavis
Dépôt légal : juillet 2016
N° 20665 - UP 70°

L'histoire de la psychologie : chronologie (suite)

1949 — Donald O. Hebb, un psychologue canadien, publie *L'organisation du comportement : une théorie neuropsychologique* dans laquelle il expose une nouvelle conceptualisation importante du fonctionnement du système nerveux.

1950 — Solomon Asch publie ses travaux concernant les effets du conformisme sur notre jugement de la longueur d'une ligne.

— Erik Erikson publie *Childhood and Society* qui décrit les stades du développement psychosocial.

1951 — Carl Rogers publie *Client-Centered Therapy*.

1952 — L'*American Psychiatric Association* publie le *Diagnostic and Statistical Manual of Mental Disorders*, un livre ayant beaucoup d'influence et qui sera remis à jour périodiquement.

1953 — Eugene Aserinski et Nathaniel Kleitman décrivent les mouvements oculaires rapides (REM) qui surviennent pendant le sommeil.

— Janet Taylor publie la *Manifest Anxiety Scale* dans le *Journal of Abnormal Psychology*.

1954 — Abraham Maslow publie *Motivation and Personality*, dans lequel il propose une hiérarchie des besoins allant des besoins physiologiques aux besoins d'accomplissement de soi. (Maslow ajoutera par la suite à cette hiérarchie le besoin de la transcendance de soi.)

— James Olds et Peter Milner, des neuropsychologues de l'université McGill, décrivent les effets du système de récompense par la stimulation électrique de l'hypothalamus chez les rats.

— Gordon Allport publie *The Nature of Prejudice*.

1956 — George Miller publie un article dans la *Psychological Review* intitulé « Le nombre magique sept, plus ou moins deux : certaines limites de notre capacité à traiter l'information », dans lequel il introduit le concept de *chunk* (empan mnésique).

1957 — Robert Sears, Eleanor Maccoby et Harry Levin publient *Patterns of Child Rearing*.

— Charles Ferster et B. F. Skinner publient *Schedules of Reinforcement*.

1959 — Noam Chomsky publie une critique de *Verbal Behavior* de Skinner dans le journal *Language*.

— Eleanor Gibson et Richard Walk publient *The Visual Cliff*, dans lequel ils relatent leurs recherches sur la perception de la profondeur chez l'enfant.

— Harry Harlow publie un article intitulé *The Nature of Love*, qui décrit son travail sur l'attachement chez le singe.

— Lloyd Peterson et Margaret Peterson publient un article dans le *Journal of Experimental Psychology*, « Short-Term Retention of Individual Verbal Items », qui traite de l'importance de la répétition dans la mémoire.

— John Thibaut et Harold Kelley publient *The Social Psychology of Groups*.

1960 — George Sperling publie *The Information Available in Brief Visual Presentations*.

1971 — Kenneth B. Clark est le premier président afro-américain de l'*American Psychological Association*.

— Albert Bandura publie *Social Learning Theory*.

— Allan Paivio publie *Imagery and Verbal Processes*.

— B. F. Skinner publie *Beyond Freedom and Dignity*.

— Elliot Aronson publie *The Social Animal*.

1972 — Fergus Craik et Robert Lockhart publient *Levels of Processing : A Framework for Memory Research* dans le *Journal of Verbal Learning and Verbal Behavior*.

— Robert Rescorla et Allan Wagner publient leur modèle associatif du conditionnement pavlovien.

— Fondation de l'*Asian-American Psychological Association*, sous la direction de Derald Sue et Stanley Sue.

1973 — Les éthologues Karl von Frisch, Konrad Lorenz et Nikolaas Tinbergen reçoivent le prix Nobel pour leurs recherches sur le comportement animal.

1974 — La division 2 de l'*American Psychological Association* publie son premier journal (*Teaching of Psychology*) avec Robert S. Daniel comme rédacteur en chef.

— Eleanor Maccoby (en photo) et Carol Jacklin publient *The Psychology of Sex Differences*.

1975 — Le biologiste Edward O. Wilson publie *Sociobiology*. Cet ouvrage est un précurseur controversé de la psychologie évolutionniste.

1976 — Sandra Wood Scarr et Richard A. Weinberg publient *IQ Test Performance of Black Children Adopted by White Families* dans l'*American Psychologist*.

1978 — Le psychologue Herbert A. Simon, de l'université Carnegie-Mellon, reçoit le prix Nobel pour ses recherches pionnières sur la simulation informatique de la pensée humaine et la résolution de problèmes.

1979 — James J. Gibson publie *The Ecological Approach to Visual Perception*.

— Elizabeth Loftus publie *Eyewitness Testimony*.

1981 — Ellen Langer est la première femme à obtenir une bourse du département de psychologie de l'université de Harvard.

— David Hubel et Torsten Wiesel reçoivent le prix Nobel pour leurs travaux de recherche concernant l'enregistrement unicellulaire au niveau du cortex visuel permettant d'identifier les cellules détectrices de caractéristiques.

— Roger Sperry reçoit le prix Nobel pour ses recherches sur les patients au cerveau partagé.

1981 — Le paléontologue Stephen Jay Gould publie *The Mismeasure of Man*, mettant en avant le débat sur la détermination biologique de l'intelligence.

1983 — Dans son livre *Frames of Mind*, Howard Gardner présente sa théorie des intelligences multiples.